Charles Spurgeon

Os Tesouros de Davi

CHARLES SPURGEON

Os Tesouros de Davi

Traduzido por
Degmar Ribas Júnior e Luís Aron de Macedo

VOLUME
3

1ª Edição

CPAD

Rio de Janeiro
2017

Título do original em inglês: *The Treasury of David*
Thomas Nelson, Nashville, Tennessee, EUA
Tradução: Degmar Ribas Júnior e Luís Aron de Macedo

Preparação dos originais: Cristiane Alves
Daniele Pereira
Elaine Ellen Arsênio
Karen Doreto de Andrade
Miquéias Nascimento
Patrícia Almeida
Verônica Araújo

Capa: Fábio Longo
Projeto gráfico e Editoração: Anderson Lopes

CDD: 230 – Cristianismo e Teologia Cristã
ISBN: 978-85-263-1505-1

As citações bíblicas foram extraídas da versão Almeida Revista e Corrigida, edição de 1995, da Sociedade Bíblica do Brasil, salvo indicação em contrário.

Para maiores informações sobre livros, revistas, periódicos e os últimos lançamentos da CPAD, visite nosso site: http://www.cpad.com.br.

SAC — Serviço de Atendimento ao Cliente: 0800-021-7373

Casa Publicadora das Assembleias de Deus
Av. Brasil, 34.401, Bangu, Rio de Janeiro – RJ
CEP 21.852-002

2ª Impressão: Março/2018
Tiragem: 5.000

C. H. Spurgeon no púlpito
Ilustração desenhada por E. H. Fitchew especialmente
para Os Tesouros de Davi.

SUMÁRIO

Exposição do Salmo 111 ao 150

Salmo 111 ---------- 9

Salmo 112 ---------- 26

Salmo 113 ---------- 41

Salmo 114 ---------- 57

Salmo 115 ---------- 69

Salmo 116 ---------- 88

Salmo 117 ---------- 126

Salmo 118 ---------- 130

Salmo 119 ---------- 166

Salmo 120 ---------- 578

Salmo 121 ---------- 589

Salmo 122 ---------- 604

Salmo 123 ---------- 620

Salmo 124 ---------- 631

Salmo 125 ---------- 644

Salmo 126 ---------- 656

Salmo 127 ---------- 674
Salmo 128 ---------- 691
Salmo 129 ---------- 704
Salmo 130 ---------- 716
Salmo 131 ---------- 739
Salmo 132 ---------- 750
Salmo 133 ---------- 779
Salmo 134 ---------- 790
Salmo 135 ---------- 797
Salmo 136 ---------- 824
Salmo 137 ---------- 852
Salmo 138 ---------- 872
Salmo 139 ---------- 891
Salmo 140 ---------- 933
Salmo 141 ---------- 950
Salmo 142 ---------- 969
Salmo 143 ---------- 983
Salmo 144 ---------- 1007
Salmo 145 ---------- 1032
Salmo 146 ---------- 1062
Salmo 147 ---------- 1079
Salmo 148 ---------- 1106
Salmo 149 ---------- 1123
Salmo 150 ---------- 1136

SALMO 111

TÍTULO

Este salmo não traz título, mas trata-se de um hino alfabético de louvor, tendo como seu tema as obras do Senhor na criação, na providência e na graça. O doce cantor insiste exclusivamente na ideia de que Deus deveria ser conhecido pelo seu povo, e que este conhecimento, quando convertido em piedade prática, é a verdadeira sabedoria do homem, e a causa garantida de adoração eterna. Muitos desconhecem o que o seu Criador fez, e por isto são tolos de coração, e silenciosos quanto aos louvores de Deus: este mal somente pode ser removido pela lembrança das obras de Deus, e seu diligente estudo; a isto, portanto, o salmo pretende nos incentivar. Ele pode ser chamado Salmo das Obras de Deus, pretendendo nos incitar ao trabalho do louvor.

DIVISÃO

O salmista começa com um convite ao louvor (v. 1); e prossegue, fornecendo-nos motivos para adoração nas obras de Deus e na sua maneira de lidar com o seu povo (vv. 2-9). Ele conclui o seu cântico com uma recomendação à adoração do Senhor e aos homens que a praticam.

EXPOSIÇÃO

1 *Louvai ao Senhor! Louvarei ao Senhor de todo o coração, na assembleia dos justos e na congregação.*

1. *"Louvai ao Senhor"*, ou *"Aleluia!"* Todos vocês, seus santos, unam-se, na adoração ao Senhor, que opera tão gloriosamente. Façam isto agora, façam isto sempre: façam-no sinceramente, com unanimidade, eternamente. Mesmo que os outros se recusem, cuidem, para que vocês sempre tenham um cântico para o seu Deus. Deixem de lado toda dúvida, indagação, queixa e rebelião, e entreguem-se ao louvor do Senhor, com seus lábios e suas vidas.

"Louvarei ao Senhor de todo o coração." O doce cantor inicia o cântico, pois seu coração está inflamado: quer outros o acompanhem,

ou não, ele irá imediatamente começar, e continuará por muito tempo. Aquilo que nós pregamos, devemos pôr em prática. A melhor maneira de fazer cumprir uma exortação é dar o exemplo; mas nós devemos fazer com que este exemplo seja do melhor tipo, ou poderemos levar os outros a fazer isto de uma maneira hesitante. Davi trouxe nada menos do que o seu coração para esta tarefa; todo o seu amor se dirigia a Deus, e todo o seu zelo, e o seu talento, e o seu ardor, o acompanharam. Jeová, o Deus uno e indiviso, não pode ser louvado, de maneira aceitável, com um coração dividido, nem deveríamos tentar desonrá-lo desta maneira; pois todo o nosso coração é pequeno demais para a sua glória, e não pode haver razão por que Ele não deva ser completamente exaltado no seu louvor. Todas as suas obras são merecedoras de louvor; portanto, toda a nossa natureza deve adorá-lo.

"Na assembleia dos justos e na congregação." Seja com poucos ou com muitos, o salmista deseja derramar todo o seu coração e toda a sua alma em louvor, e independentemente de o grupo ser formado de espíritos escolhidos, ou do povo em geral, ele continuaria no mesmo exercício. Para a melhor sociedade não pode haver melhor atividade que o louvor, e para a assembleia geral, nada pode ser mais apropriado. Para a igreja, e para a congregação, para a família ou a comunidade, para o gabinete privado da amizade piedosa, ou o grande salão da reunião popular, o louvor do Senhor é apropriado; e, no final, o coração fiel deve cantar aleluia, em todo e qualquer lugar. Por que nós deveríamos temer a presença dos homens? Os melhores homens nos acompanharão no nosso cântico, e se os comuns não o fizerem, o nosso exemplo será necessariamente uma repreensão para eles. De qualquer forma, devemos louvar a Deus, não importando se os ouvintes são um pequeno grupo de santos ou uma multidão heterogênea. Venha, querido leitor, aquele que escreve este comentário está, em seu coração, exaltando o Senhor: você não quer dedicar um momento e se unir a mim neste maravilhoso exercício?

2 *Grandes são as obras do Senhor, procuradas por todos os que nelas tomam prazer.*
3 *Glória e majestade há em sua obra, e a sua justiça permanece para sempre.*
4 *Fez lembradas as suas maravilhas; piedoso e misericordioso é o Senhor.*
5 *Deu mantimento aos que o temem; lembrar-se-á sempre do seu concerto.*
6 *Mostrou ao seu povo o poder das suas obras, dando-lhe a herança das nações.*
7 *As obras das suas mãos são verdade e juízo; fiéis, todos os seus mandamentos.*
8 *Permanecem firmes para todo o sempre; são feitos em verdade e retidão.*
9 *Redenção enviou ao seu povo; ordenou o seu concerto para sempre; santo e tremendo é o seu nome.*

2. *"Grandes são as obras do Senhor."* Em projeto, em tamanho, em quantidade, em excelência, todas as obras do Senhor são grandes. Mesmo as pequenas coisas de Deus são grandiosas. De um ponto de vista, ou de outro, cada uma das produções do seu poder, ou das obras da sua sabedoria, será grandiosa para aquele que é sábio de coração.

"Procuradas por todos os que nelas tomam prazer." Aqueles que amam o seu Criador se alegram nas suas obras, eles percebem que há mais nelas do que se pode ver na superfície, e por isto curvam suas mentes, para estudá-las e compreendê-las. O naturalista devoto investiga a natureza, o estudante fervoroso de história examina fatos ocultos e histórias obscuras, e o homem de Deus escava nas minas das Escrituras, e acumula cada grão da sua verdade dourada. As obras de Deus merecem as nossas investigações, elas nos dão instrução e prazer, maravilhosamente combinados, e crescem, mostrando serem muito maiores, depois da investigação do que eram antes. As obras dos homens são nobres, a alguma distância; as obras de Deus são grandiosas, quando examinadas. Delitzsch dá a seguinte interpretação a esta passagem: "Dignas de serem examinadas em todos os seus propósitos", e isto também é uma grande verdade, pois a finalidade e o desígnio que Deus tem, em tudo o que Ele cria ou faz, são tão admiráveis quanto a obra propriamente

dita. A sabedoria oculta de Deus é a parte mais maravilhosa das suas obras, e frequentemente aqueles que não olham abaixo da superfície perdem a melhor parte do que Ele deseja nos ensinar. Como as obras são grandiosas, elas não podem ser vistas todas de uma vez, mas devem ser examinadas com cuidado, e esta busca é essencial para que eduquemos nossas faculdades, e fortaleçamos os nossos olhos espirituais, gradualmente, para suportar a luz da glória divina. É bom para nós que todas as coisas não possam ser vistas em um único olhar, pois a investigação dos seus mistérios é tão útil para nós como o conhecimento que obtemos com isto. A história da maneira como o Senhor lida com o seu povo é um assunto especialmente apropriado para a meditação de mentes reverentes, que aí encontram um doce consolo, e uma fonte infalível de deleite.

3. *"Glória e majestade há em sua obra."* A sua obra especial, a salvação do seu povo, é aqui mencionada como distinta das suas outras e muitas obras. Isto reflete sobre Ele honra e glória, e é, merecidamente, um tema do mais alto louvor, e incentiva àqueles que a compreendem e vivenciam para que atribuam toda a honra e toda a glória ao Senhor. A sua concepção, as suas bases seguras, o seu gracioso propósito, os seus sábios arranjos, o seu presente, ao enviar Jesus, como Redentor, a sua aplicação de redenção pelo Espírito Santo, em regeneração e santificação, e tudo o mais que constitui o conjunto glorioso, tudo resulta na infinita honra daquele que planejou e realizou um método tão assombroso de salvação. Nenhuma outra obra pode ser comparada a esta: ela honra, tanto o Salvador como quem é salvo, e enquanto traz glória a Deus, também nos leva à glória. Não há ninguém como o Deus de Jesurum, e não há salvação como a que Ele opera pelo seu povo.

"E a sua justiça permanece para sempre." Na obra de graça, a justiça não é esquecida, nem privada da sua glória: na verdade, ela é honrada aos olhos do universo inteligente. O fato de que o nosso grande Substituto carregasse a culpa provou que nem mesmo para realizar os propósitos da sua graça o Senhor se esqueceria da sua justiça; nenhuma solicitação futura sobre a sua justiça poderá jamais ser igual àquela que já foi suportada, quando o seu Amado Filho foi ferido; ela, então, certamente durará para sempre. Além disto, a justiça de Deus, no plano global, jamais poderá ser sujeita a falhas, pois tudo o que ela exige já foi realizado, as suas exigências já foram satisfeitas na obra dupla do nosso Senhor, suportando a vingança devida, e mostrando perfeita obediência à lei. No governo do Senhor não entra a extravagância, a sua retidão está, e sempre estará, acima de toda a questão. Não se pode encontrar injustiça em nem uma única obra de Deus, nem jamais poderá: esta é a verdadeira glória da sua obra, e nem mesmo os seus adversários poderão impugná-la. Que os crentes, portanto, o louvem para sempre, e jamais se envergonhem de falar desta obra que é tão honrável e gloriosa.

4. *"Fez lembradas as suas maravilhas."* Ele desejava que elas permanecessem na lembrança do seu povo, e é isto o que acontece: parcialmente, porque elas são memoráveis, por si só, e porque Ele teve o cuidado de registrá-las com a pena da inspiração, e as escreveu no coração do seu povo, pelo seu Espírito Santo. Pelas ordenanças da lei mosaica, a saída do Egito, a peregrinação no deserto, e outras coisas que devem ser lembradas da história de Israel eram constantemente trazidas à lembrança do povo, e seus filhos eram, desta maneira, instruídos sobre os milagres que Deus tinha operado antigamente. Obras como as que Deus realizou não devem ser admiradas por uma hora e depois esquecidas, elas devem ser sinais perpétuos e símbolos instrutivos a todas as gerações futuras; e, especialmente, são destinadas a confirmar a fé do seu povo no amor divino, e fazer com que o povo saiba que *"piedoso e misericordioso é o Senhor"*. Eles não precisam ter medo de confiar na sua graça no futuro, pois se lembram dela no passado. A graça é tão evidente quanto a justiça na grande obra de Deus, uma plenitude de terno amor é vista em tudo o que Ele fez. Ele trata o seu povo com grande consideração pela sua fraqueza e debilidade, tendo a mesma piedade por eles que um pai tem por seus filhos. E não deveríamos louvá-lo por isto? Um fio prateado de benignidade passa por todo o

tecido da obra de salvação e providência de Deus, e nem uma vez sequer é deixado de fora da peça. Que as lembranças dos seus santos deem testemunho deste fato com agradecida alegria.

5. *"Deu mantimento aos que o temem."* Ou *despojos*, como alguns interpretam, pois o povo do Senhor, tanto na saída do Egito quanto em outras ocasiões foi enriquecido por seus inimigos. Não apenas no deserto, com o maná, mas em todos os outros lugares, pela sua providência, Ele supriu as necessidades do seu povo amado. Em um lugar ou outro, eles tiveram alimentos convenientes, e em tempos de grande escassez. Quanto ao alimento espiritual, lhes foi plenamente fornecido em Cristo Jesus; eles foram alimentados com os melhores grãos, e festejaram com manjares reais. A sua palavra é tão nutritiva para a alma quanto o pão, para o corpo, e há tal abundância dela que nenhum herdeiro do céu jamais sentirá fome. Verdadeiramente, o temor ao Senhor é sabedoria, uma vez que assegura, ao homem, o fornecimento de tudo o que ele necessita, para sua alma e seu corpo.

"Lembrar-se-á sempre do seu concerto." Ele não podia permitir que faltasse alimento ao seu povo, porque tinha feito um concerto com eles, e eles jamais poderão sentir necessidade no futuro, pois Ele irá continuar a atuar segundo os termos daquele concerto. Nenhuma promessa do Senhor cairá por terra, e nenhuma parte do grande pacto de amor eterno será revogado, nem poderá afundar no esquecimento. O concerto de graça é o plano da grande obra que o Senhor realiza pelo seu povo, e jamais se separará dele: o Senhor coloca a sua assinatura e o seu selo no concerto, a sua glória e a sua honra estão envolvidas nele, o seu próprio nome está preso a ele, e nem mesmo no menor jota ou til Ele deixa de se importar com ele. O alimento do seu povo é a garantia disto: Ele não supriria as suas necessidades continuamente, se pretendesse, afinal, destruí-los. Neste penhor tão abençoado devemos acalmar nossas mentes, descansar na fidelidade do Senhor, e louvá-lo com todo o nosso coração cada vez que comermos pão ou que nos alimentarmos da sua palavra.

6. *"Mostrou ao seu povo o poder das suas obras."* Eles viram o que Ele é capaz de fazer, e a força que Ele está preparado para usar por eles. Israel viu este poder em obras físicas, e nós, em maravilhas espirituais, pois contemplamos o poder incomparável do Espírito Santo e o sentimos em nossas próprias almas. Em ocasiões de terríveis aflições, o Senhor exibiu tal energia de graça que nos assombramos com o seu poder; e isto fazia parte da sua intenção, ao nos levar a tais condições para que Ele pudesse nos revelar o braço da sua força. Nós poderíamos ter conhecido isto tão bem, se não tivéssemos em urgente necessidade da sua ajuda? Nós bem podemos converter este versículo em uma oração, e pedir para ver cada vez mais o poder do Senhor em ação entre nós, nestes últimos dias. Ó, Senhor, deixa-nos ver agora quão poderosamente tu podes operar na salvação dos pecadores, e na preservação e libertação do teu próprio povo.

"Dando-lhe a herança das nações." Ele exibe todo o seu poder para expulsar os cananeus e trazer o seu povo. Mesmo assim, pode agradar à sua infinita sabedoria dar à sua igreja os pagãos, como sua herança em nome de Jesus. Nada, se não um grande poder, pode realizar isto, mas certamente será cumprido no devido tempo.

7. *"As obras das suas mãos são verdade e juízo."* A verdade e a justiça são visíveis, em tudo o que o Senhor faz. Nada como uma política ardilosa ou distorcida poderá ser vista na sua conduta: Ele age fielmente e com justiça, com relação ao seu povo, e com justiça e imparcialidade para com toda a humanidade. Isto também deve nos motivar a louvá-lo, uma vez que é muito vantajoso para nós viver sob um soberano cujas leis, decretos, atos, e obras são a essência da verdade e da justiça.

"Fiéis, todos os seus mandamentos." Tudo o que Ele recomendou ou decretou certamente permanecerá, e os seus preceitos, que Ele proclamou, serão considerados merecedores da nossa obediência, pois certamente são baseados na justiça e visam o nosso bem eterno. Ele não é um déspota volúvel, que ordena uma coisa determinado dia, e no dia seguinte, outra coisa, mas os seus mandamentos

permanecem absolutamente inalterados, e a necessidade que temos deles é igualmente inquestionável, a excelência deles é provada permanentemente, e a recompensa por observá-los é eternamente garantida. Interprete a palavra *mandamentos* como relativa aos seus decretos ou aos seus preceitos, e teremos, em cada caso, um sentido importante; mas parece mais coerente com a conexão se assumirmos o primeiro sentido e considerarmos que as palavras se referem às ordenanças, indicações ou decretos do grande Rei.

"O que quer que o poderoso Senhor decrete,
Permanecerá para sempre assegurado,
O propósito definido do seu coração
Durará por gerações".

8. *"Permanecem firmes para todo o sempre."* Isto equivale a dizer, os seus propósitos, mandamentos e cursos de ação. O Senhor não se desvia por motivos temporários, nem se comove pelas circunstâncias do momento; princípios imutáveis governam os tribunais do Senhor, e Ele busca os seus propósitos eternos, sem a sombra de um desvio. As nossas palavras frequentemente são como a madeira, o feno e o restolho, mas as suas obras são como ouro, prata e pedras preciosas. Nós adotamos um propósito durante algum tempo, e então o substituímos por outro, mas Deus tem uma única vontade, e ninguém pode desviá-la: Ele age na eternidade, e pela eternidade, e consequentemente o que Ele realiza, permanece para sempre. Muito deste caráter duradouro surge do fato que é mencionado a seguir, ou seja, que eles [seus mandamentos] *"são feitos em verdade e retidão"*. Nada permanece, exceto o que é reto. A falsidade logo desaparece, pois é uma mera exibição, mas a verdade tem sal em si, que a preserva e impede a sua decadência. Deus sempre age de acordo com os gloriosos princípios da verdade e integridade, e frequentemente não há necessidade de alteração ou revogação; as suas obras durarão até o final dos tempos.

9. *"Redenção enviou ao seu povo"*. Quando eles estavam no Egito, Ele enviou, não apenas um libertador, mas uma verdadeira libertação; não apenas um redentor, mas a redenção completa. Ele fez o mesmo espiritualmente pelo seu povo, quando o comprou da mão do inimigo, em primeiro lugar, com o sangue, e então com poder os resgatou da escravidão dos seus pecados. Nós podemos cantar sobre a redenção como um ato concluído: ela foi realizada por nós, enviada a nós, e desfrutada por nós, e nós somos, verdadeiramente, os redimidos do Senhor.

"Ordenou o seu concerto para sempre." O seu decreto divino fez do concerto da sua graça uma instituição estabelecida e eterna: a redenção pelo sangue prova que o concerto não pode ser alterado, pois ela o retifica e estabelece, além de qualquer cancelamento. Isto, também, é motivo para o mais alto louvor. A redenção é um tema adequado para a música mais sincera, e quando é vista conectada com compromissos graciosos de que a verdade do Senhor não pode se desviar, ela se torna um tema adequado para elevar a alma a um êxtase de gratidão. A redenção e o concerto são suficientes para fazer a língua dos mudos cantar.

"Santo e tremendo é o seu nome." Ele pode dizer isto. O nome ou caráter de Deus é merecedor do mais profundo respeito, pois é perfeito e completo, íntegro e santo. Ele não deve ser mencionado sem solene consideração, e jamais deve ser ouvido sem profunda admiração. O seu nome deve despertar tremor, é algo terrível; mesmo aqueles que o conhecem se alegram em tremer diante dele. Como os homens de bem podem suportar ser chamados "tremendos", não sabemos. Sendo incapazes de descobrir qualquer razão pela qual nossos companheiros deveriam *nos reverenciar,* nós suspeitamos, em parte, que, em outros homens, não há muito que possa justificar que sejam chamados "tremendos". Parece ser uma questão insignificante, mas por este mesmo motivo, devemos insistir que este costume tolo possa cair em desuso.

10 *O temor do Senhor é o princípio da sabedoria; bom entendimento têm todos os que lhe obedecem; o seu louvor permanece para sempre.*

10. *"O temor do Senhor é o princípio da sabedoria."* É o seu primeiro princípio, mas também é a sua principal realização. A palavra "princípio", nas Escrituras, significa, algumas vezes, o principal, e a religião verdadeira é, ao mesmo tempo, o primeiro elemento de sabedoria, e o seu principal resultado. Conhecer a Deus, de modo a andar diante dele, é a maior de todas as ciências aplicadas. A santa reverência a Deus nos leva a louvá-lo, e isto é o que o salmo sugere, pois é um ato sábio, por parte da criatura com relação ao seu Criador.

"Bom entendimento têm todos os que lhe obedecem." A obediência a Deus prova que o nosso julgamento é sadio e sólido. Por que não deveríamos obedecer a Ele? A própria razão não reivindica obediência ao Senhor de tudo? Somente um homem vazio de entendimento justificará a rebelião contra o santo Deus. A santidade prática é o teste da sabedoria. Os homens podem conhecer e ser muito ortodoxos; podem falar e ser muito eloquentes; podem especular e ser muito profundos; mas a melhor prova da sua inteligência deve ser encontrada no fato de que eles realmente fazem a vontade do Senhor. A primeira parte do salmo nos ensinou a doutrina da natureza de Deus e do seu caráter, descrevendo as suas obras; a segunda parte fornece a lição prática, deduzindo que adorar e obedecer a Ele são os mandamentos da verdadeira sabedoria. Nós reconhecemos, alegremente, que é assim.

"O seu louvor permanece para sempre." O louvor de Deus jamais irá cessar, porque as suas obras sempre irão despertar adoração, e, exaltar o seu Senhor glorioso sempre será a sabedoria dos homens. Alguns consideram esta sentença como uma referência àqueles que temem ao Senhor – o seu louvor irá resistir para sempre: e, realmente, é verdade que aqueles que levam vidas obedientes obterão honra do Senhor, e elogios que permanecerão para sempre. Uma palavra de aprovação da boca de Deus será uma medida da honra, que será mais brilhante do que todas as condecorações que os reis e imperadores podem conceder.

Senhor, ajuda-nos a estudar as tuas obras, e, consequentemente, dizermos continuamente aleluia enquanto vivermos.

NOTAS EXPLICATIVAS E DECLARAÇÕES SINGULARES

O Salmo: Este é o primeiro salmo alfabético que é integralmente regular. Os quatro salmos alfabéticos anteriores, especificamente, 9, 10, 34 e 37, são irregulares e defectivos em muitos detalhes, para cuja retificação nem os manuscritos (MS) em hebraico nem as versões antigas possibilitam sanção e autoridade. É singular que não apenas os salmos 111 e 112 são perfeitamente regulares, mas, além disto, que não ocorra nenhuma interpretação variada de importância em nenhum destes salmos. – *John Noble Coleman*

All my heart shall praise Jehovah, 1
Before the congregation of the righteous;
Deeds of goodness are the deeds of Jehovah, 2
Earnestly desired of all them that have pleasure therein;
For his righteousness endureth for ever, 3
Glorious and honourable is his work;
He hath made his wonderful works to be remembered, 4
In Jehovah is compassion and goodness;
Jehovah hath given meat to them that fear him, 5
Keeping his covenant for ever,
Learning his people the power of his works, 6
Making them to possess the heritage of the heathen;

Nought save truth and equity are the works of his hands, 7
Ordered and sure are his commands,
Planted fast for ever and ever, 8
Righteous and true are his testimonies;
Salvation hath he sent unto his people, 9
Their covenant hath he made fast for ever;
Upright and holy is His name, 10
Verily, the fear of the Lord is the beginning of wisdom,
Yea, a good understanding have all they that do thereafter;
Zealously shall he be praised for ever.

O Salmo: É fornecida a seguinte tradução, em inglês, para permitir que o leitor perceba o caráter alfabético do Salmo. Ela foi extraída de "The Psalms Chronologically Arranged. By Four Friends".

O Salmo: A opinião geral dos intérpretes é que este e alguns dos salmos seguintes eram normalmente entoados quando se comia o Cordeiro Pascal, costume que também é mencionado em Mt 26, quando Cristo e os discípulos entoaram um hino antes de sair para o jardim. – *Solomon Gesner*

O Salmo: Os dois salmos, 111 e 112, são parecidos em construção, arranjo alfabético e tom geral. Eles são conectados da seguinte maneira: O Salmo 111 apresenta a grandeza, a misericórdia e a justiça de Deus; o Salmo 112, o reflexo destes atributos na grandeza, v. 2, na misericórdia, v. 5, e na justiça, vv. 4,9 dos seus escolhidos. A correspondência de propósito nos dois salmos é importante para a correta apreciação de algumas dificuldades conectadas com o Salmo 112. – *Speaker's Commentary*

O Salmo: O escopo deste salmo é o de incitar todos ao louvor a Deus, e por tantas razões quantas são os versículos do salmo. A exortação está nas primeiras palavras: *"Louvai ao Senhor"*. As razões são expostas em ordem. Assim, o salmo é composto na ordem do alfabeto em hebraico, e cada sentença ou meio versículo se inicia com uma letra do abecedário, em ordem, e todo o salmo é exclusivamente de louvor. Dele, nós aprendemos, de modo geral, que:

1. Às vezes, é adequado deixar de lado todas as outras coisas, e nos dedicarmos expressamente a proclamar os louvores do Senhor; pois isto é feito neste salmo.

2. Os louvores do Senhor podem se encaixar nas letras e palavras compostas de letras, em todas as suas composições possíveis; pois isto é o que nos mostram todas as letras do abecedário, Ele é o Alfa e o Ômega, e todas as letras intermediárias do abecedário de louvor.

3. Os louvores do Senhor merecem ser conservados na memória: por esta razão este salmo pode ser mais facilmente lembrado, ele é composto segundo o abecedário, e assim nos transmite muito. – *David Dickson*

v. 1: "Louvai ao Senhor", etc. A exortação é imediatamente seguida pela expressão de uma firme resolução; o salmista, tendo iniciado insistindo com o dever da gratidão nos outros (*"Louvai ao Senhor"*) imediatamente anuncia a sua determinação de seguir o seu próprio conselho: *"Louvarei ao Senhor de todo o coração"*. Esta conjunção de ideias está carregada com várias lições muito importantes.

1. Ela nos ensina, de modo muito enfático, que a nossa pregação, se desejarmos que ela tenha peso e convicção, deve ser respaldada e exemplificada pela nossa

* N. do E.: Este texto não foi traduzido para que o leitor possa observar a sequência alfabética do Salmo 111, o que não seria possível identificar na língua portuguesa.

conduta; que jamais devemos esperar persuadir os outros com argumentos que são fracos demais para influenciar a nós mesmos.

2. Outra dedução é sugerida, similarmente – que a nossa própria decisão deve ser declarada, sem referência ao resultado do nosso apelo. O salmista não esperou para verificar se aqueles aos quais se dirigia iriam obedecer à sua exortação, mas, antes que pudesse receber uma resposta, declarou, sem hesitar, o curso que ele mesmo iria seguir. – *W. T. Maudson, em um sermão sobre Ação de Graças, 1855*

v. 1: "De todo o coração". Isto é, fervorosamente, e com sincero sentimento; o que significa, também, que ele o faria em particular, e, de certa forma, interiormente, assim como, pelas palavras seguintes, ele observa que o fará abertamente. – *Thomas Wilcocks*

v. 1: "De todo o coração". Nós vemos a ênfase aqui colocada sobre todo o coração, e se ele faltar, isto comprometerá toda a santidade vital. Os homens estão sempre tentando unir o que a palavra de Deus declarou ser impossível de unir – o amor ao mundo e o amor a Deus – para devotar metade de seu coração ao mundo, e a outra metade a Deus. Veja a energia, a integridade de cada pensamento e sentimento e esforço que um homem dedica a um trabalho no qual ele está profundamente interessado; a expressão que usamos para descrever esta pessoa é: "ele se dedica inteiramente a isto". Tente persuadi-lo a desviar suas energias e dividir o seu tempo com outro interesse, e ele irá se admirar com a tolice e a ignorância que este método poderia sugerir. "Siga a indicação de Satanás", diz alguém; "veja como ele emprega as suas forças no indivíduo, como se existisse apenas ele, e como se não tivesse nada mais a fazer, exceto destruir esta única alma". Foi uma santa resolução do salmista, a de que ele iria louvar a Deus; e uma sábia decisão de acrescentar: *"de todo o coração"*. E nós temos o resultado desta determinação nos versículos seguintes do salmo. – *Barton Bouchier*

v. 1: Duas palavras são usadas, *"assembleia"* e *"congregação"*. A primeira sugere uma reunião mais privativa de adoradores, a segunda, uma reunião mais pública. A primeira pode aplicar-se ao círculo familiar daqueles que estavam celebrando a Páscoa, e segunda à adoração pública relacionada com a festa. – *W. Wilson*

v. 2: "Grandes são as obras do Senhor". A sua grandeza é conhecida por meio de comparação com as obras e as forças dos homens, que, é verdade, morrem e perecem rapidamente. Nós devemos, portanto, admirar, temer, confiar, obedecer. – *Martin Geier*

v. 2: "Grandes são as obras do Senhor", etc. A sua grandeza é igualmente manifesta quando nós nos voltamos da *imensidão* para a *variedade* das suas obras... Como são grandes as obras daquele que dá a cada planta a sua folha, a sua flor, o seu fruto; a cada animal, suas faculdades e funções; a cada homem o seu entendimento, seus sentimentos e sua vontade. Que ideia acumulativa da magnitude das suas obras nós obtemos a partir das incontáveis multidões e intermináveis diversidades de seres, chamados à existência pelo seu poder. – *Samuel Summers, 1837*

v. 2: "Grandes são as obras do Senhor". O artista que jamais fabrica um pequeno artigo, um artigo inferior, mas fabrica todos os seus artigos grandes e valiosos, merece muito louvor; e qualquer pessoa que estude as obras de Deus, que nós julgamos tão pequenas, porque estão constantemente diante de nós, não poderá deixar de contemplar o poder e a sabedoria infinitos de Deus em cada uma destas obras, ainda que não consiga compreendê-las. – *Robert Bellarmine*

v. 2: "Grandes". A palavra גָּדוֹל (*gādôl*), *"grande"*, tem no idioma hebraico uma gama de significados tão ampla, que no idioma português não há uma palavra substituta que seja suficientemente expressiva para ser usada em seu lugar. Ela indica grandeza e aumento, de vários tipos. Nesta passagem, as "obras do Senhor" são descritas como enormemente *"ampliadas ou aumentadas"* em suas influências e resultados nas mentes dos homens que as contemplam. A *grandeza* atribuída a estas obras é uma grandeza em número, caráter, dignidade, beleza, variedade, riquezas. – *Benjamin Weiss vv. 2 e 4:* "Grandes... procuradas". "Lembradas". As obras do Senhor ultrapassam o alcance do descobrimento humano, mas são, apesar disto, procuradas e exploradas com deleite por todos os membros da sua igreja; pois se são grandes demais para serem compreendidas, também são grandes demais para serem esquecidas. – *Edward Garrard Marsh*

v. 2: "Procuradas". Ver Deus nas suas criaturas, amá-lo e conviver com Ele, era a atividade do homem em sua condição correta. Isto está tão longe de deixar de ser o nosso dever, que a obra de Cristo é, pela fé, trazer-nos de volta a ela; portanto, os homens mais santos são os mais excelentes estudantes das obras de Deus; e ninguém, senão os santos, pode estudá-las ou conhecê-las de modo apropriado. Os seus estudos de física e outras ciências não terão valor, se não for Deus, por intermédio delas, que você está buscando. Ver e admirar, reverenciar e adorar, amar e nos alegrar no Deus que se revela a nós em suas obras, e propositadamente estudá-las em busca do conhecimento de Deus, é a verdadeira e única filosofia; o contrário é mera tolice, e é assim chamado, repetidas vezes, pelo próprio Deus. – *Richard Baxter, 1615-1691*

v. 2: Mas não se deve concluir que, porque o estudo da natureza é agora, por si só, um guia insuficiente para o conhecimento do Criador, e o gozo da felicidade eterna, estes estudos devam ser deixados de lado, ou considerados como não tendo importância, de um ponto de vista religioso. Ignorar o assombroso cenário do universo, ou considerá-lo com indiferença, é praticamente "negligenciar as obras do Senhor, e recusar-se a considerar as operações das suas mãos". É uma transgressão do dever cristão, e resulta em um reflexo no caráter da Divindade, que qualquer pessoa imagine que não tenha nada a ver com Deus, considerando-o como manifesto na imensidão das suas obras; pois a sua palavra é incisiva e explícita, orientando a mente a tais contemplações. "Inclina os teus ouvidos; atende e considera as maravilhas de Deus". "Levantai ao alto os olhos e vede quem criou estas coisas". "Lembra-te de engrandecer a sua obra que os homens contemplam". "Grandes e maravilhosas são as tuas obras, Senhor, Deus Todo-Poderoso". "Os teus santos te bendirão. Falarão da glória do teu reino e relatarão o teu poder, para que façam saber aos filhos dos homens as tuas proezas e a glória da magnificência do teu reino". – *Thomas Dick (1772-), "The Sidereal Heavens"*

v. 2: "Procuradas por todos os que nelas tomam prazer". Esta é uma característica verdadeira dos justos e piedosos. As obras de Deus são descritas como *"procuradas" por eles*, quando eles as consideram, têm em mente, e, cuidadosamente, tomando-as uma a uma, as investigam; e ao mesmo tempo as explicam a outras pessoas, e as relatam: tudo isto está incluído no verbo דָּרַשׁ; pois este verbo é, apropriadamente, *"trivit"* [esfregar, bater ou triturar], desta maneira, peneirando e moendo ele *investigou* perfeitamente, e *expôs* o *cerne* das obras, para uso e benefício de outros: consequentemente, o uso é de *concionari,* etc. – *Hermannn Venema*

v. 2: "Procuradas"... "nelas tomam prazer". A filosofia procura a verdade, a teologia a encontra, mas a religião a possui. As coisas humanas devem ser conhecidas para ser amadas, mas as coisas divinas devem ser amadas para ser conhecidas. – *Blaise Pascal, 1623-1662*

vv. 2 a 4: "Procuradas"... "Piedoso e misericordioso é o Senhor". Esta é a grande descoberta de toda a procura, e aqui está a glória que é a conclusão de tudo. Assim como quando se investiga experimentos na natureza, há um prazer infinito que acompanha este estudo, para aqueles que são adeptos, também, para aquele que tem prazer nas obras de Deus, e é adepto de explorar a sua bondade nelas, não há nada tão agradável como a descoberta de novas circunstâncias de misericórdia que trazem à sua obra *"glória e majestade"*. Consiga, então, habilidade nas suas obras para ti, e estude o procedimento do teu amigo contigo. É o fim pelo qual Ele te exaltou, e te admitiu na comunhão Consigo, para mostrar a sua arte de amor e amizade para contigo; para mostrar, em uma palavra, quão bem Ele pôde te amar. – *Thomas Goodwin*

v. 3: "Glória e majestade há em sua obra". A primeira coisa que percebemos é, que, enquanto o versículo anterior fala das *"obras" do Senhor* no *plural*, este fala da sua *"obra"*, no singular; como se o salmista, da contemplação das obras do Senhor, em geral, fosse, de certa forma, irresistivelmente atraído ao estudo de uma obra, em particular; a sua mente e toda a sua atenção, por assim dizer, estavam absortas nesta única obra: uma obra tão proeminente gloriosa e divina que ela eclipsa, pelo menos aos seus olhos, todas as outras obras, embora ele tivesse acabado de dizer que elas eram grandes, e procuradas por todos os que nelas tomam prazer. "Grandes são as obras do Senhor. Glória e majestade há em sua obra". A minha próxima observação é que as palavras usadas no original são diferentes, e assim como a palavra usada no versículo anterior significa, de modo mais apropriado, *manufaturas*, ou *coisas fabricadas*, a palavra neste versículo traz um significado de *feito* ou *uma coisa feita*, e isto, talvez, não deixe de ter o seu significado. Isto me leva à conclusão, de que a partir da contemplação das grandes obras da criação (as manufaturas de Deus, maravilhosas e interessantes, e úteis, como são), a mente espiritual do servo de Deus passa rapidamente para uma obra maior que o Senhor tenha feito, algum ato mais maravilhoso que Ele realizou, e que Ele designa como uma obra honrosa e gloriosa. Uma vez que eu considero que Ele falava, antes, de Cristo, como o agente visível e imediato na criação, sem quem nada do que foi feito se fez, podemos hesitar muito tempo, com relação à sentença sugestiva imediatamente acrescentada: "E a sua justiça permanece para sempre"? Não é este feito a criação de um fim para o pecado, e a introdução de uma justiça eterna? Não é o grande mistério, no qual, como na criação, embora o Pai Eterno seja a Fonte, o que Planeja, Ele, o Filho que compartilha da Eternidade, é o Trabalhador, o que Faz, o que Executa? Não é, em resumo, a *salvação*, o tema fascinante do assombro, do amor e do louvor do povo de Deus? – *James H. Vidal, "Jesus, God and Man", 1863*

v. 4: "Fez lembradas as suas maravilhas". As *lembranças* dos benefícios divinos são sempre enormemente valorizadas por um coração agradecido, tornando presentes para nós as coisas que aconteceram séculos antes: assim, no Antigo Testamento, havia o sacramento do Cordeiro Pascal; mas agora a santa Ceia no Novo Testamento. Portanto, seja o que for que traga as obras divinas à *lembrança*, como, por exemplo, o *ministério da igreja*, as *Sagradas Escrituras* também são merecedoras da mais elevada reverência. – *Martin Geier*

v. 4: Os doces condimentos das obras divinas devem ser reduzidos a pó pela meditação, e então depositados e acumulados no quarto das nossas lembranças. Portanto, diz aqui o salmista: *"[Deus] fez lembradas as suas maravilhas";* Ele nos dá as joias da libertação, não (por causa da sua simplicidade) para usá-las nos sapatos, como os romanos usavam suas pérolas, e muito menos pisá-las sob nossos pés; mas, em lugar disto, usá-las atadas como uma corrente ao redor de nossos pescoços. A impressão que os atos assombrosos de Deus provocam sobre nós não deve ser como a que a pedra produz na água, gerando círculos, fazendo com que uma onda golpeie a outra, e durante algum tempo produzindo um ruído, mas pouco depois se acalmando e a água retornando à sua lisura anterior; e também nós, enquanto o discernimento é recente, somos capazes de divulgá-lo de uma pessoa a outra, mas logo depois permitimos que ele caia nas profundezas do esquecimento, e retornamos aos nossos antigos pecados. – *Abraham Wright*

v. 4: "Fez lembradas as suas maravilhas". A mais assombrosa perversão no homem é provada pelo fato de que ele não se lembra do que Deus arranjou de modo que parecesse impossível que fosse esquecido. – *William S. Plumer*

v. 4:

Pois maravilhosas realmente são todas as suas obras,
Agradáveis de conhecer, e merecedoras de estar
todas sempre na lembrança, com deleite.
– *John Milton*

v. 5: O primeiro hemistíquo é a consequência do que o segundo declara, *ou seja, porque* Deus sempre se lembrará do seu concerto, *por isto* dá alimento aos que o temem. – *George Phillips*

v. 5: "Deu alimento", etc. O *"alimento"* aqui mencionado provavelmente diz respeito ao cordeiro pascal, na ocasião em que eles deveriam recordar as obras de Deus. – *Thomas Manton*

v. 5: "Alimento". Literalmente, *saque* ou *despojo;* o *despojo* (Êx 12.36) que Israel trouxe do Egito, uma vez que Deus tinha prometido, por "concerto" a Abraão (Gn 15.14), "sairão com grande *fazenda"* (Kimchi). E não o *maná* e as *codornizes,* que para o povo faminto seriam como um prêmio atirado em seu caminho. A palavra é usada com o significado de *"alimento"* de modo geral (Pv 31.15; Ml 3.10). – *A. R. Fausset*

v. 5: "Deu alimento". Eu prefiro traduzir como *porção,* o sentido em que aparece em Pv 30.8 e 31.15; como se ele dissesse que Deus deu ao seu povo tudo o que era necessário e que, considerado como porção, era grande e liberal; pois nós sabemos que o povo de Israel havia enriquecido, não em consequência do seu próprio esforço, mas pela bênção de Deus, que, como o pai de uma família, concede à sua casa tudo o que é necessário para a sua subsistência. Na sentença seguinte, o salmista atribui, como razão pelo cuidado e bondade de Deus, o seu desejo de demonstrar efetivamente que o seu concerto não era nulo e vazio. – *João Calvino*

v. 5: "Lembrar-se-á sempre do seu concerto". Esta sentença parece ser introduzida entre parênteses – um pensamento de passagem, uma ideia feliz, apresentando-se espontaneamente à mente do salmista, e imediatamente expressa por seus lábios. Deve-se observar que esta sentença está no futuro, ao passo que todas as outras sentenças estão no passado – "Ele *fez* lembradas as suas maravilhas"; "*Deu* mantimento aos que o temem"; "*lembrar-se-á* sempre do seu concerto"; não *sempre se lembrou.* Com base nestas benevolências passadas do Deus de Israel, para o salmista é uma alegria pensar que eram apenas cumprimentos parciais de uma promessa de concerto, que ainda permanecia, e, no seu mais elevado sentido, deveria permanecer para sempre; e este concerto é a lembrança ou o tipo do concerto espiritual e melhor, o Evangelho. Assim, do fundo do coração, sua boca falou, e ele celebra a verdade prometida de Deus a Israel como lembrança e garantia da sua eterna fidelidade ao Israel do Novo Testamento, a sua igreja que Ele resgatou com seu próprio sangue. – *James H. Vidal*

v. 6: "Mostrou ao seu povo", etc. O profeta indica a descrença dos judeus, que murmuravam contra Deus no deserto, como se Ele não pudesse permitir a sua entrada na Terra Prometida, para que tomassem posse dela, porque as cidades eram muradas e os habitantes que habitavam nela eram fortes e gigantes. *"Mostrou",* diz ele, *isto é,* exibiu diante dos olhos deles *"o poder das suas obras"*, quando deu as terras dos pagãos para que fossem habitadas pelo seu próprio povo. – *Wolfgang Musculus*

v. 6: "Mostrou ao seu povo o poder das suas obras". Assim também Ele mostrou as suas obras de poder ao seu povo nos tempos do Evangelho, como os milagres de Cristo, a sua ressurreição dos mortos, a redenção promovida por Ele, e a obra da graça nos corações dos homens, em todos os tempos. – *John Gill*

v. 6: "Mostrou ao seu povo", etc. Ele permite que eles vejam, mas não os outros que estão entregues a uma cegueira judicial. "Clama a mim, e responder-te-ei e anunciar-te-ei coisas grandes e firmes, que não sabes" (Jr 33.3). – *John Trapp*

v. 6: "Dando-lhe a herança das nações". Os próprios pagãos são deixados como herança para o povo de Deus, que deve tomar posse desta herança e atraí-la para junto de si. – *Richter, "Lange's Commentary"*

v. 7: As obras de Deus explicam a sua palavra, nas suas obras a sua palavra frequentemente se faz visível. Esta é uma excelente expressão: *"As obras das suas mãos são verdade e juízo". As obras de Deus são a veracidade,* isto é, Deus age de acordo com as suas próprias verdades. Assim como as obras das nossas mãos devem ser a veracidade e os juízos de Deus (cada ato de um cristão deve ser uma das verdades de Cristo), como acontece com o próprio Deus; as obras das suas mãos são a sua própria veracidade e os seus próprios juízos. Quando não pudermos descobrir o que Deus quer dizer na sua palavra, poderemos descobrir nas suas obras: as suas obras são um comentário, um comentário infalível sobre a sua palavra. – *Joseph Caryl*

vv. 7 e 8: Deus é conhecido como fiel, tanto nas suas obras como na sua palavra, na medida em que a mais bela harmonia é aparente entre as coisas que Ele disse e as que Ele fez. Isto confirma maravilhosamente a esperança e a fé daqueles que são tementes e obedientes ao Senhor. – *Mollerus*

v. 8: "Permanecem firmes para todo o sempre". סְמוּכִים (*s*^{e}*mûkîm*), elas são *sustentadas, reforçadas para sempre*. Não podem falhar jamais; pois o poder de Deus sustenta as suas obras, e a sua providência preserva o registro do que Ele fez. – *Adam Clarke*

v. 8: "Permanecem firmes", estão estabelecidas, *"para todo o sempre"*, etc. Este versículo parece fazer referência às obras de Deus mencionadas no versículo anterior. As suas obras não foram a exigência de uma ocasião, elas estavam em uníssono com um grande e abrangente propósito, com respeito ao povo de Israel e ao Messias. "Nem um jota, ou til se omitirá da lei sem que tudo seja cumprido". – *W. Wilson*

v. 8: "São feitos em verdade e retidão". É impossível que haja alguma maneira melhor do que aquela que o Senhor usou na disposição de todas as coisas, aqui, pois todas as obras do Senhor são feitas em verdade. Assim como a palavra de Deus é uma palavra de verdade, também todas as suas obras são obras de verdade; pois as suas obras não são nada mais que o cumprimento da sua palavra, e correspondem a três palavras suas. Em primeiro lugar, à sua palavra de *profecia*. Quaisquer mudanças que Deus efetue no mundo, elas coincidem com alguma palavra de profecia. Em segundo lugar, as obras de Deus correspondem à sua palavra de *ameaça*. Deus ameaça antes de ferir, e jamais feriu nenhum homem com uma vara ou espada, exceto de acordo com a sua ameaça. Em terceiro lugar, as ameaças de Deus correspondem à sua palavra de *promessa*. Todas as misericórdias são prometidas, e cada palavra de misericórdia é o cumprimento de alguma promessa. Todas as obras de Deus são redutíveis, a profecias, ameaças ou promessas; elas *"são feitas em verdade"*; e o que pode ser feito melhor do que aquilo que é feito em verdade? Os doutores judeus observam que a palavra *emeth*, aqui usada com o sentido de verdade, consiste de *aleph*, a primeira legra do alfabeto, *mem*, a letra do meio, e *tau*, a última letra; para mostrar que assim como Deus é *o alfa* e *o ômega*, também a verdade de Deus é tudo, todo o nosso consolo. Graça e verdade, por Cristo, é o teor de todas as boas novas no mundo. – *Abraham Wright*

v. 8: "Feitos". Os versículos 7 e 8 contêm um precioso significado para a alma cujo descanso é a obra acabada de Cristo. O Senhor ordenou, confiando-a a Jesus, para que Ele cumprisse, em perfeita obediência, a obra de verdade e santidade. A ordem, então, tinha sido *"feita", ou cumprida*. Tinha sido feita *"em verdade e retidão"* por aquele cuja essência era fazer isto, e que voluntariamente recebeu esta tarefa com o conhecimento da sua finalidade, e em cujo cumprimento o pecador que nele crê encontra a sua certeza e paz eterna (Jo 12.50). Jesus tinha a lei no fundo do seu coração, para mantê-la ali para sempre. Como aquele que cumpriu, em verdade, o mandamento, Ele se tornou a finalidade da justiça para cada crente no seu nome. – *Arthur Pridham*

v. 9: "Redenção enviou ao seu povo". Uma vez fora do Egito, para sempre fora do cativeiro de Satanás. – *John Trapp*

v. 9: "Redenção enviou... ordenou o seu concerto". A libertação era ainda mais digna de agradecimentos, por constar do concerto; pois assim cada misericórdia é um sinal da benevolência do Senhor para com o seu favorito: é isto o que faz com que as graças comuns se tornem graças especiais. Os homens materiais, para que desfrutem das graças, não se importam de onde elas vêm, desde que possam apenas tê-las; mas um filho de Deus sabe que tudo o que vem das mãos do Redentor, e por intermédio do seu concerto, é o melhor, e é mais doce, indiscutivelmente. – *William Cooper, Morning Exercises*

v. 9: "Redenção". Louve o nosso Senhor Trino pela sua redenção. Escreva o louvor onde você puder lê-lo. Afixe-o onde você puder vê-lo. Grave-o no seu coração, para que você possa entendê-lo. É uma palavra que tem importância. Ela envolve os *nossos* destinos e os da igreja, para todas as gerações futuras. Nela, há altitudes que você jamais pôde escalar, e profundezas a que jamais pôde ou poderá mergulhar. Você jamais tomou as asas da alva e chegou nas extremidades da terra, para medir a extensão e a distância. Use-a como um selo no seu braço, como um sinete na sua mão direita, pois Jesus é o autor dela. Ó, estime-a como uma pedra preciosa, mais preciosa do que os rubis... Que ela expresse as suas melhores esperanças durante a sua vida e resida em seus lábios trêmulos no momento da dissolução; pois ela formará o coro do cântico dos redimidos por toda a eternidade. – *Isaac Saunders, 1818*

v. 9: "Ordenou o seu concerto para sempre". Assim como Ele fez o concerto, também cuidou para que seus concertos fossem respeitados, sendo eles tão obrigatórios para nós, como o seu concerto é para Ele; e, pela graça, o seu concerto é tão obrigatório para Ele, como aqueles são para nós. – *John Trapp*

v. 9: "Santo e tremendo", ou terrível, "é o seu nome". "Santo é o seu nome", e, portanto, *"tremendo"* àqueles que, sob todos os meios da graça, continuam profanos. – *George Horne*

v. 9: "Santo e tremendo é o seu nome", o qual não devemos, portanto, nos permitir pronunciar repentinamente, nem intempestivamente. Os judeus não ousam pronunciá-lo. Os gregos (como observa Suidas), quando desejavam jurar pelo seu Júpiter, proibiam que ele fosse mencionado. Isto deve funcionar como uma censura à profanação, comum entre nós. Que aqueles que desejam ter seus *nomes reverenciados,* se empenhem para ser *santos* assim como Deus é santo. – *John Trapp*

v. 10 (primeira parte): Nesta passagem, a palavra *"temor"* não deve ser interpretada como se referindo ao primeiro princípio, ou a princípios elementares de piedade, como em 1 Jo 4.18, mas abrange toda a verdadeira santidade, ou a adoração a Deus. – *João Calvino*

v. 10: "O temor do Senhor é o princípio da sabedoria", etc. O texto nos mostra o primeiro passo para a verdadeira sabedoria, e o teste do bom senso. Ele é repetido com tanta frequência, que pode passar por uma máxima das Escrituras, e nós podemos ter certeza da sua importância singular. Jó propõe a pergunta: "Mas onde se achará a sabedoria? E onde está o lugar da inteligência?" Ele examina a natureza na sua busca, mas não consegue encontrá-la: ele não consegue comprá-la com o ouro de Ofir, e o seu preço está acima do dos rubis. Aos poucos, ele se lembra da antiga instrução de Deus ao homem, e ali ele a encontra: "Mas disse ao homem: Eis que o temor do Senhor é a sabedoria, e apartar-se do mal é a inteligência" (Jó 28.28). Salomão, o mais sábio dos homens, começa os seus Provérbios com esta máxima: "O temor do Senhor é o princípio do saber" (Pv 1.7, na versão ARA). E repete isto outra vez: "O temor do Senhor é o princípio da sabedoria; e a ciência do Santo" (a ciência ou conhecimento daqueles que podem ser chamados de *santos* com desprezo) "a prudência" (Pv 9.10). *"O temor do Senhor"* nas Escrituras significa não apenas aquela paixão piedosa ou reverência filial ao nosso Pai adorável, que está no céu, mas frequentemente significa todo o conjunto da religião prática; consequentemente, é explicado na última parte do versículo através da expressão *"os que lhe obedecem".* O temor do Senhor, nesta acepção, sugere todas as graças e todas as virtudes do cristianismo; em resumo, toda aquela santidade de coração e vida, que é necessária para o gozo da felicidade duradoura. De modo que o sentido do texto é o seguinte: Praticar religião e virtude, tomar aquele caminho que leva à felicidade eterna, é *sabedoria,* verdadeira sabedoria, o *princípio* da sabedoria, o primeiro passo em direção a ela: a menos que você comece aqui, jamais conseguirá obtê-la; toda a sua sabedoria, sem isto, não merece ter este nome; é loucura e absurdo. *"Obedecer"* aos seus mandamentos é o melhor teste de um *"bom entendimento"*: um *"bom"* e sadio *"entendimento"* têm *"todos"* os que fazem isto, *"todos"* eles, sem exceção: por mais fracos que alguns deles possam ser em outras coisas, são sábios, no aspecto mais importante; mas sem isto, por mais astutos que sejam em outras coisas, terão perdido seu entendimento; eles contradizem o bom senso; estão transtornados. Em resumo, procurar a felicidade eterna, no final, no caminho da santidade como o meio, é *"sabedoria"*; isto é bom senso, e não se consegue nada sem isto. – *Samuel Davies, A. M. (1724-1761), Presidente do Princeton College, New Jersey*

v. 10: "O temor do Senhor é o princípio da sabedoria". Agora, então, eu pergunto aos materialistas, qual é o mais elevado e mais profundo ponto de sabedoria? É conseguir uma fortuna opulenta, ser sábio a ponto de conseguir cinquenta mil libras? Vejam: "é grande ganho a piedade", diz Paulo, e o famoso discipulador [Clemente] de Alexandria declara que cada cristão é rico. É viver alegremente, (ou, para usar a expressão do valente), jovialmente? A alegria [semeia-se] para os retos de coração (Sl 97.11). Um homem ímpio, no seu humor alegre, durante algum tempo pode ser *Pomponius Laetus*; mas um homem bom só é *Hilarius:* somente aquele que tem um coração fiel é alegre no coração. Isto é obter honra? *O louvor do temor a Deus* (diz o texto) *permanece para sempre.* Muitas pessoas respeitáveis do mundo são muito infelizes, porque são elogiadas quando não devem sê-lo, e atormentadas onde estiverem; mas "Bem-aventurado o homem que teme ao Senhor" (Sl 102.1), pois o seu louvor é duradouro aqui, e eterno no futuro. Neste mundo, ele é famoso entre os homens, no próximo ele será recompensado entre santos e anjos, no reino da glória. – *John Boys*

v. 10: "O temor do Senhor é o princípio da sabedoria". Não apenas o princípio da sabedoria, mas também o meio e o fim. É realmente o Alfa e o Ômega, a essência, o corpo e a alma, o teor e a substância. Aquele que tem temor a Deus é verdadeiramente sábio... É verdadeiramente sábio amar o que mais merece o amor, e ocupar os nossos corações com aquilo que é mais merecedor do nosso engajamento, e mais capaz de nos satisfazer. – *Daniel de Superville, a partir do francês, 1700*

v. 10 (primeira parte): O temor não é tudo, então; não, pois é apenas o princípio. Deus deseja que nós comecemos, mas não terminemos, aqui. Nós começamos com *qui timet Eum,* "os que o temem"; e devemos terminar com *et operator justitiam,* "e praticam a justiça", e então vem *acceptus est Illi,* e não antes. Pois nem o temor, se houver apenas temor, e nem a fé, se houver apenas fé, será aceito por Ele. Se houver temor verdadeiro, do tipo que Deus irá aceitar, não é *timor piger,* "um temor tolo e preguiçoso"; o temor daquele que temeu o seu senhor, e "foi, e cavou na terra, e escondeu o dinheiro do seu senhor" e não fez nada com ele. Fora com o seu temor e com ele, "às trevas exteriores". – *Lancelot Andrewes*

v. 10: Pode, então, ser dito que o mundo não religioso é desprovido de sabedoria? Aristóteles, Sócrates, Tácito, Goethe, Gibbon, não a tinham? Devemos entender que sabedoria é esta. Não é uma mera quantidade de conhecimento que constitui a sabedoria. O conhecimento apropriado é essencial à sabedoria. Um homem que não tem o conhecimento apropriado à sua posição, que não conhece a si mesmo no seu relacionamento com Deus e com seus companheiros, que está mal informado quanto aos seus deveres, perigos, necessidades, embora possa ter escrito incontáveis obras de um caráter bastante elevado, ainda assim deve ser apresentado como um homem sem sabedoria. O que adianta a você, que o seu servo conheça matemática, se ele ignora a sua vontade, e a maneira como cumpri-la? O talento de um Voltaire, um Spinoza, um Byron, somente torna a sua tolice ainda mais assombrosa. Como se um homem que está flutuando rapidamente em direção às cataratas do Niágara devesse se preocupar em produzir um retrato admirável do cenário. Os homens que são extremamente grandes, na opinião do mundo, cometem mais erros estúpidos com relação às coisas mais importantes; e é somente porque estas coisas não são consideradas importantes pelo mundo, que a reputação destes homens ainda permanece.

Se você aprendeu a estimar as coisas, de certo modo, como Deus as estima, desejar o que Ele oferece, renunciar ao que Ele proíbe, e reconhecer os deveres que Ele lhe indicou, você está no caminho da sabedoria, e os grandes homens de que estivemos falando estão muito atrás de você – longe da porta estreita pela qual você passou. Só é sábio aquele que pode chamar Cristo de sabedoria de Deus. – *George Bowen*

v. 10: "O princípio da sabedoria". Isto é, o princípio de que ela se origina, a fonte de que ela jorra. – *William Walford*

v. 10: Assim como há graus de sabedoria, também há graus de temor ao Senhor; mas não há grau deste temor tão inferior, mas é um início, pelo menos, de sabedoria; e não há grau de sabedoria tão elevado ou perfeito, mas ele tem a sua raiz, ou seu início, neste temor. – *Joseph Caryl*

v. 10: "Princípio de sabedoria". A palavra traduzida como *princípio* é de significado incerto. Ela pode significar a *primeira* em *tempo* apenas, e assim os rudimentos, a primeira base, ou a fundação, e assim considerada a mais necessária (ainda que mais imperfeita) parte da obra. E se assim for interpretada, aqui e em outras passagens, o sentido não seria diferente deste, de que não há verdadeira *sabedoria* que não tenha a sua base na piedade e no temor de Deus. Mas a palavra significa a *primeira* em *dignidade* assim como em ordem cronológica, e é frequentemente usada com referência àquilo que é principal, em algo... E assim deve ser interpretado aqui, de modo que *"o temor ao Senhor"* (que significa piedade) *é a sabedoria principal,* como *sapientia prima* em Horácio é a *principal* ou mais excelente sabedoria; e de acordo com a frase de Jó 28.28: "Mas disse ao homem: Eis que o temor do Senhor é a sabedoria, e apartar-se do mal é a inteligência" *isto*, a título de excelência, a mais excelente *sabedoria* e entendimento. – *Henry Hammond*

v. 10: "Bom entendimento têm todos os que lhe obedecem". Aqueles que *obedecem* aos mandamentos têm bom entendimento; não aqueles que falam dos mandamentos, nem aqueles que escrevem sobre os mandamentos, nem os que pregam os mandamentos, mas aqueles que obedecem aos mandamentos, têm um bom entendimento. Os demais têm um falso entendimento, um vão entendimento, um entendimento como o dos escribas e fariseus, que foi suficiente para condená-los, mas não para salvá-los. – *Henry Smith*

v. 10: "Bom entendimento têm todos os que lhe obedecem", etc. Tanto o homem sabe considerar, verdadeiramente, como o faz; consequentemente, o entendimento é aqui atribuído à vontade; segundo Jó 28.28. Alguns traduzem como *sucesso*. – *John Trapp*

v. 10 (última parte): "O seu louvor permanece para sempre"; referindo-se a Deus, ou ao homem que teme a Deus. Alguns teólogos atribuem este louvor apenas a Deus, porque *tehilla* significa somente aquele tipo de louvor que é devido a Deus; e assim eles entendem que esta sentença contém um preceito e também uma promessa. *Preceito*, exortando-nos a louvar a Deus com todo nosso coração, tanto nas assembleias secretas dos fiéis quanto na congregação pública. E para que neste ofício os homens não se sentissem desencorajados, o profeta adiciona uma promessa: "O louvor de Deus permanece para sempre"; como se tivesse dito: "O Senhor reina, tremam as nações; o Senhor é Deus, embora se amotinem as nações, e os povos (os judeus) imaginem coisas vãs; os reis da terra se levantam, e os príncipes juntos se mancomunam contra Ele" (Sl 99.1; 18.31; 2.1). Aquele que reside nos céus zomba de todos os seus inimigos, e faz de todos eles o seu escabelo; o seu poder é eterno, e consequentemente o seu louvor permanece para sempre; na igreja militante, até o fim do mundo; no triunfante mundo sem fim.

Muitos intérpretes associaram isto ao bom homem que teme ao Senhor, embora de maneira diferente. Santo Agostinho assim o explicou: *"seu louvor"*, isto é, o seu louvor ao Senhor, *"permanece para sempe"* porque ele será um daqueles sobre os quais está escrito (Sl 84.4): "Bem-aventurados os que habitam em tua casa; louvar-te-ão continuamente". Outros entendem como *"seu louvor"* o louvor do homem bom, tanto na vida atual como na que há de vir, pois a sua justiça estará em memória eterna (Sl 112.6). – *John Boys v. 10 (segunda parte):* Se o temor a Deus governa o coração, haverá um cuidado constante e consciencioso em obedecer aos seus mandamentos: não de falar sobre eles, mas de obedecer a eles; e os que o fizerem *"têm bom entendimento", isto é,* em primeiro lugar, eles são bem interpretados, a sua obediência é graciosamente aceita como uma clara indicação do seu espírito, de que realmente temem a Deus. Em segundo lugar, eles compreendem bem.

1. É um sinal de que eles realmente compreendem bem: os mais obedientes são aceitos como os mais inteligentes. São sábios aqueles que fazem da lei de Deus a sua lei, e em tudo são governados por ela.

2. É a maneira de compreender melhor. "Bom entendimento têm todos os que lhe obedecem"; *isto é,* o temor do Senhor, e as leis de Deus dão aos homens um bom entendimento e são capazes de torná-los sábios para a salvação. – *condensado de Matthew Henry*

SUGESTÕES AOS PREGADORES

v. 1. "Louvai ao Senhor"; é uma exortação. "Louvarei ao Senhor"; é um juramento ou uma promessa. Será "de todo o coração"; aqui há santidade experimental. Será "na assembleia dos justos"; aqui há a posição relativa ocupada na família de Deus. – *Joseph Irons*

v. 1. "De todo o coração." Isto inclui a espiritualidade, a simplicidade e o fervor. – *Joseph Irons*

v. 1. I. Quem são os justos?

II. O que estão fazendo? Louvando a Deus.

III. O que farei, se for beneficiado, para estar no meio deles? "Louvarei ao Senhor".

v. 1. Onde amo estar, e o que amo fazer.

v. 2. O filósofo cristão.

I. Sua esfera: "As obras do Senhor".

II. Sua obra: "Procurada".

III. Sua qualificação: "Tomar prazer nelas".

IV. Sua conclusão: "Louvai", como no versículo 1.

vv. 2 a 9. O salmista nos fornece motivos para louvar as obras de Deus.

1. A grandeza das suas obras e a glória delas.
2. A justiça das obras.
3. A bondade das obras.
4. O poder das obras.
5. A conformidade das obras à sua palavra de promessa.
6. A perpetuidade das obras. – *Matthew Henry*

v. 3 (última parte). Como atributo essencial, conforme revelado na providência, conforme justificado na redenção, conforme demonstrado na punição, conforme assumido pelos crentes.

v. 4. A compaixão do Senhor, vista no auxílio às lembranças do seu povo.

vv. 4 e 5. As maravilhas de Deus não devem ser passageiras.

I. *É desígnio de Deus que as suas maravilhas sejam sempre lembradas,* portanto,

1. Ele as fez grandiosas.
2. Ele as realizou para um povo que não as merecia.
3. Ele as realizou em ocasiões memoráveis.
4. Ele as registrou.
5. Ele instituiu memoriais.
6. Ele ordenou que eles dissessem aos seus filhos.
7. Ele lidou com eles de modo a revigorar suas lembranças.

II. *É sábio que nos lembremos das maravilhas do Senhor.*

1. Para nos assegurarmos da sua compaixão: "Piedoso... é o Senhor".
2. Para que consideremos a sua generosidade: "Deu mantimento".
3. Para que nos certifiquemos da sua fidelidade: "Lembrar-se-á sempre do seu concerto".
4. Para incitar nosso louvor: "Louvai ao Senhor".

v. 5. Há,

I. Encorajamento do passado: "Deu mantimento", etc.

II. Confiança no futuro: "Lembrar-se-á sempre", etc. – *G. R.*

v. 6. O poder de Deus, um encorajamento para a evangelização dos pagãos.

v. 9. *Redenção.* Concebida, organizada, executada e aplicada por Deus. Por preço e por poder. Do pecado e da morte. Para que possamos ser livres. Para que possamos pertencer ao Senhor, e para a glória do Senhor.

v. 9. Redenção.

I. O seu autor: "[Ele] enviou".

II. A quem se destina: "Ao seu povo".

III. A garantia que nos dá: "ordenou o seu concerto", etc.

IV. O louvor que a redenção cria em nós.

v. 9. "Santo e tremendo."

I. A santidade de Deus, objeto da nossa reverência.

II. Tal reverência tem uma influência muito útil sobre nós.

III. Ela deve sempre acompanhar a nossa fé, em redenção e concerto. Veja sentenças precedentes do versículo.

v. 10: I. O iniciante na escola de Cristo. II. O homem que já se graduou: "bom entendimento", etc.

III. O Mestre que recebe o louvor.

v. 10. I. O princípio da sabedoria: "O temor do Senhor" – Deus é temido.

II. A sua continuidade: "Bom entendimento têm todos os que lhe obedecem". – quando o temor ao Senhor no coração é desenvolvido na vida.

III. O seu fim, o louvor a Deus para sempre; o "seu louvor", etc. – *G. R.*

SALMO 112

TÍTULO E TEMA

Este salmo não traz título, mas acompanha, evidentemente, o Salmo 111, e, como ele, é um salmo alfabético. Também no número de versículos e sentenças de cada versículo, ele coincide com o seu antecessor, assim como em muitas de suas palavras e sentenças. O leitor deve comparar cuidadosamente os dois salmos, linha a linha. O assunto do poema diante de nós é a bem-aventurança do homem justo, e sendo assim, traz a mesma relação com o antecedente que a luz tem com o sol; pois, enquanto o primeiro declara a glória de Deus, o segundo fala do reflexo do esplendor divino nos homens nascidos do alto. Deus é louvado aqui pela manifestação da sua glória, que é vista no seu povo, assim como no salmo anterior Ele foi exaltado pelos seus próprios atos pessoais. O Salmo 111 fala do grande Pai, e este descreve os seus filhos, renovados segundo a sua imagem. O salmo não pode ser considerado como a exaltação do homem, pois se inicia com "Louvai ao Senhor", e pretende dar a Deus toda a honra que é manifestada nos filhos de Deus.

DIVISÃO

O assunto é declarado no primeiro versículo, e ampliado sob vários cabeçalhos, do versículo 2 ao 9. A bem-aventurança dos justos é apresentada por contraste com o destino dos ímpios, no versículo 10.

EXPOSIÇÃO

1 *Louvai ao* S*ENHOR! Bem-aventurado o homem que teme ao* S*ENHOR, que em seus mandamentos tem grande prazer.*

1. *"Louvai ao Senhor."* Esta exortação nunca é feita com excessiva frequência; o Senhor sempre merece louvor, nós deveríamos sempre oferecê-lo, nós frequentemente nos esquecemos de fazê-lo e é sempre bom ser incitado a fazê-lo. A exortação é dirigida a todas as pessoas zelosas, que observam o caminho e o modo de vida dos homens

que temem ao Senhor. Se houver alguma virtude, se houver algum louvor, o Senhor deverá ter toda a glória por isto, pois nós somos suas criações.

"Bem-aventurado o homem que teme ao Senhor." De acordo com o último versículo do Salmo 111: "O temor do Senhor é o princípio da sabedoria"; este homem, portanto, começou a ser sábio, e a sabedoria lhe trouxe felicidade, no presente, e lhe assegurou felicidade eterna. O Senhor é tão grande que deve ser temido e reverenciado por todos os que estão ao seu redor, e, ao mesmo tempo, Ele é tão infinitamente bom, que o temor é adoçado e se converte em amor filial, e se torna uma emoção deliciosa, que de maneira alguma implica em escravidão. Existe um temor submisso que é amaldiçoado; mas este temor devoto, que leva ao deleite no serviço de Deus, é infinitamente abençoado. O Senhor deve ser louvado, tanto por homens inspirados com temor devoto, quanto pela bem-aventurança de que desfrutam, como consequência. Nós devemos bendizer a Deus, por abençoar qualquer homem, e especialmente por colocar o selo da sua aprovação sobre os devotos. A sua benevolência para com os tementes a Deus exibe o seu caráter e encoraja em outros sentimentos de graça, e por isto, que Ele seja louvado.

"Que em seus mandamentos tem grande prazer." O homem não apenas estuda os preceitos divinos e se esforça para obedecê-los, mas se alegra em fazer isto: a santidade é a sua felicidade, a devoção é seu deleite, a verdade é seu tesouro. Ele se alegra nos preceitos da santidade, sim, e se deleita *enormemente* neles. Nós sabemos que os hipócritas se alegram nas doutrinas, mas jamais nos mandamentos. Os homens profanos, até certo ponto, obedecem os mandamentos por temor, mas somente um homem que possui a graça os obedecerá com deleite. A obediência com alegria é a única obediência aceitável; aquele que obedece com relutância é descontente no coração, mas aquele que sente prazer nos mandamentos é verdadeiramente leal. Se pela divina graça nós nos encontrarmos descritos nestas duas sentenças, devemos, todos nós, louvar a Deus, pois Ele realizou todas as nossas obras em nós, e as disposições de que elas surgem. Que os homens hipócritas louvem a si mesmos; mas aquele que se tornou justo pela graça deve dar todo o louvor ao Senhor.

2 *A sua descendência será poderosa na terra; a geração dos justos será abençoada.*
3 *Fazenda e riquezas haverá na sua casa, e a sua justiça permanece para sempre.*
4 *Aos justos nasce luz nas trevas; ele é piedoso, misericordioso e justo.*
5 *Bem irá ao homem que se compadece e empresta; disporá as suas coisas com*
juízo.
6 *Na verdade, nunca será abalado; o justo ficará em memória eterna.*
7 *Não temerá maus rumores; o seu coração está firme, confiando no Senhor.*
8 *O seu coração, bem firmado, não temerá, até que ele veja cumprido o seu desejo*
sobre os seus inimigos.
9 *É liberal, dá aos necessitados; a sua justiça permanece para sempre, e a sua*
força se exaltará em glória.

2. *"A sua descendência será poderosa na terra"*, o que equivale a dizer, sucessivas gerações de homens tementes a Deus serão fortes e influentes na sociedade, e nos últimos dias terão o domínio. A semente fiel dos justos compreende aqueles que os seguem nas suas virtudes, assim como os crentes são a semente de Abraão, porque imitam a sua fé; e estes são os verdadeiros heróis da sua era, os homens verdadeiramente grandes entre os filhos de Adão; as suas vidas são sublimes, e o seu poder sobre a sua geração é muito maior do que pode parecer, à primeira vista. Se a promessa for considerada como uma referência à semente natural, deverá ser interpretada como uma declaração geral, e não uma promessa feita a cada indivíduo, pois os filhos dos servos do Senhor não são todos prósperos nem todos famosos. Apesar disto, aquele que teme a Deus e leva uma vida santa, está, via de regra, fazendo o melhor que pode pelo futuro progresso da sua casa; nenhuma herança é igual à de um nome sem máculas, nenhum legado pode superar a bênção de um

santo; e, interpretando as coisas de modo geral, os filhos dos justos começam a vida com vantagens maiores do que as dos outros, e têm mais probabilidade de serem bem sucedidos nela, no melhor e mais elevado sentido.

"A geração dos justos será abençoada". A raça de homens sinceros, devotos, justos, é conservada, de geração em geração, e permanece para sempre sob a bênção de Deus. Os devotos podem ser perseguidos, mas não serão abandonados; as maldições dos homens não podem privá-los da bênção de Deus, pois as palavras de Balaão são verdadeiras: "Ele tem abençoado, e eu não o posso revogar". Os seus filhos também estão sob os cuidados especiais do céu, e, via de regra, será conhecido que eles herdarão a bênção divina. A honestidade e a integridade são pedras fundamentais, melhores para uma casa honrosa do que a mera astúcia e avareza, ou até mesmo o talento e o impulso. Temer a Deus e andar na retidão é uma nobreza mais elevada do que o sangue ou o nascimento podem conceder.

3. *"Fazenda e riquezas haverá na sua casa."* Interpretada literalmente, esta é mais uma promessa do antigo concerto do que do novo, pois muitas das melhores pessoas que servem a Deus são muito pobres; e foi considerado verdadeiro que a retidão é o caminho para o sucesso, e, em igualdade de condições, o homem honesto será o homem próspero. Muitos continuam pobres pela desonestidade e depravação; mas a santidade tem a promessa da vida que agora existe. Se nós entendermos a passagem espiritualmente, ela é abundantemente verdadeira. Que riqueza pode igualar a do amor de Deus? Que riquezas podem rivalizar com um coração satisfeito? Não importa se o telhado é de palha, e se o chão é de pedra fria: o coração que é alegrado com a benevolência do céu é "rico em tudo o que se refere à bem-aventurança".

"E a sua justiça permanece para sempre." Frequentemente, quando o ouro entra, o Evangelho sai; mas não acontece isto com o homem abençoado. A prosperidade não destrói a santidade da sua vida, nem a humildade do seu coração. O seu caráter suporta o teste do exame, supera as tentações da riqueza, sobrevive aos ataques da calúnia, resiste às aflições do tempo e é aprovado no juízo do grande e último dia. A justiça de um verdadeiro santo dura para sempre, porque nasce da mesma raiz que a justiça de Deus, e é, na realidade, o reflexo de tal justiça. Enquanto o Senhor permanecer justo, Ele conservará, pela sua graça, a justiça do seu povo. Eles andarão no seu caminho, e crescerão cada vez mais fortes. Há também outra justiça, que pertence ao escolhido do Senhor, que certamente durará para sempre, ou seja, a justiça atribuída ao Senhor Jesus, que é chamada "justiça eterna", que pertence ao próprio Filho de Deus, que é "O Senhor, Justiça Nossa".

4. *"Aos justos nasce luz nas trevas."* Ele não se apoia na injustiça para descansar, mas, como uma coluna, permanece ereto, e será encontrado assim quando os ímpios, que são "como uma parede encurvada e uma sebe pouco segura", estiverem destruídos. Ele terá os seus dias de trevas, ele poderá estar doente e triste, pobre e desfalecendo, bem como os outros; as suas antigas riquezas podem fazer para si asas e voar para longe, ao passo que até mesmo a sua justiça pode ser alvo de cruel suspeita; assim as nuvens podem estar mais baixas, ao seu redor, mas a sua tristeza não durará para sempre, o Senhor o aliviará no devido tempo, pois tão certamente como o sol de um bom homem se põe, ele nascerá novamente. Se as trevas forem causadas por depressão de espírito, o Espírito Santo irá consolá-lo; se, por perda monetária ou luto pessoal, a presença de Cristo será seu consolo; e se pela crueldade e perversidade dos homens, a simpatia do seu Senhor será o seu sustento. É tão normal que o justo seja consolado como é normal que o dia amanheça. Espere pela luz, e ela certamente virá; pois mesmo que o nosso Pai celestial, nas nossas últimas horas nos faça dormir na escuridão, nós veremos que é manhã quando despertarmos.

"Ele é piedoso, misericordioso e justo." Isto é dito a respeito de Deus no versículo 4 do Salmo 111, e agora as mesmas palavras são usadas, a respeito do seu servo: assim nós somos ensinados que, quando Deus torna um homem justo, este homem

se torna semelhante a Ele. Nós somos, na melhor das hipóteses, cópias do grande original; ainda somos cópias, e porque somos cópias, nós louvamos ao Senhor, que fez de nós novas criaturas em Cristo Jesus. O homem justo é "piedoso", isto é, cheio de bondade para com todos ao seu redor; ele não é amargo e grosseiro, mas é cortês com os amigos, bondoso com os necessitados, misericordioso com os que erram e fervoroso pelo bem de todos. Ele também é "misericordioso"; isto significa que ele sente ternura pelos outros, e se apieda deles, e, tanto quanto puder, ele os ajuda em seus momentos de dificuldades. Ele não precisa ser motivado à benevolência, ele está totalmente cheio de humanidade; é sua alegria ser solidário com os que estão angustiados. Ele também é descrito como "justo": em todas as suas transações com seus companheiros ele obedece aos ditames do direito, e ninguém poderá dizer que ele engana seu próximo. A sua justiça é, no entanto, temperada com compaixão, e condimentada com generosidade. Estes homens são encontrados em nossas igrejas, e de nenhuma maneira são tão raros como imaginam os críticos; mas, ao mesmo tempo, são muito mais escassos do que a amplitude da profissão de fé pode nos levar a esperar. Senhor, faça com que todos nós possuamos estas qualidades admiráveis.

5. *"Bem irá ao homem que se compadece, e empresta."* Tendo passado da severa integridade à benevolência generosa, ele olha gentilmente todos os que estão ao seu redor, e se encontrando em circunstâncias que lhe possibilitam abrir mão de um pouco da sua riqueza, ele empresa sensatamente onde um empréstimo será de utilidade permanente. A Providência o capacitou a emprestar, e a graça o torna desejoso de emprestar. Ele não toma emprestado, pois Deus o ergueu acima desta necessidade; nem é uma pessoa que ajunte ou acumule coisas, pois a sua nova natureza o protege desta tentação; mas prudentemente ele usa os talentos que lhe foram confiados.

"Disporá as suas coisas com juízo." Aqueles que negligenciam suas atividades terrenas não devem usar a religião como uma desculpa, pois quando um homem é verdadeiramente reto, ele exerce grande cuidado na administração de suas responsabilidades, para que possa continuar sendo reto. Algumas vezes, é difícil distinguir entre leviandade e desonestidade; o descuido nos negócios pode ser tornar um mal tão grande para os outros como a verdadeira desonestidade; um homem bom não apenas deve *ser* justo, mas deve ser tão discreto que ninguém possa ter a mais ligeira razão para suspeitar que ele não seja bom. Quando o justo empresta, exerce prudência, não arrisca o que é seu, temendo não ser capaz de emprestar outra vez, e não empresta tão pouco que o seu empréstimo não tenha utilidade. Ele dirige os seus negócios, e não permite que seus negócios o dirijam. As suas responsabilidades são claras, os seus planos são sabiamente dispostos, e os seus modos de operação são cuidadosamente selecionados. Ele é prudente, previdente, sensível, criterioso, discreto. Os homens o chamam de tolo por causa da sua religião, mas não o julgam assim, quando lidam com ele. "O princípio da sabedoria" o tornou sábio, a orientação do céu o ensinou a conduzir seus negócios, e podemos perceber rapidamente que ele é um homem de bom senso. Estas pessoas glorificam a santidade. Alguns homens que professam ser bons agem como se tivessem perdido a razão; isto não é religião, mas estupidez. A verdadeira religião é bom senso, santificado. A atenção com as coisas do céu não exige, necessariamente, que os assuntos da terra sejam negligenciados; ao contrário, aquele que aprendeu como agir com Deus deverá ser ainda mais capaz de negociar com os homens. Os filhos deste mundo frequentemente são, na sua geração, mais sábios do que os filhos da luz, mas não há motivo pelo qual este provérbio deva continuar verdadeiro.

6. *"Na verdade, nunca será abalado."* Deus o enraizou e estabeleceu de tal maneira que nem os homens nem os demônios o removerão do seu lugar. A sua prosperidade será permanente, e não como a do jogador e trapaceiro, cujos ganhos são passageiros; a sua reputação será brilhante e lustrosa de ano a ano, pois não é um mero pretexto; o seu lar será permanente, e ele não precisará peregrinar de um lugar a outro, como um pássaro que se distancia do seu ninho; e até mesmo a sua

memória será permanente, pois um homem bom não é esquecido logo, e *"o justo ficará em memória eterna"*. Eles são de uma família muito antiga, e não recentes, e a sua grande e antiga linhagem será encontrada prosperando quando todas as casas soberbas dos ímpios tiverem sido reduzidas a nada. Os justos são dignos de serem lembrados, os seus atos são do tipo que se registram sozinhos, e o próprio Deus se ocupa dos memoriais. Nenhum de nós gosta da ideia de ser esquecido, mas a única maneira de evitar isto é ser justo diante de Deus.

7. *"Não temerá maus rumores."* Ele não terá medo das más notícias que virão, e não ficará alarmado quando vierem. Ele despreza os rumores e os relatos; ridiculariza as profecias do mal, proferidas por bocas fanáticas; ele recebe com tranquilidade a informação verdadeira e verificada de perda e aflição, entregando tudo nas mãos de Deus.

"O seu coração está firme, confiando no Senhor." Ele não se precipita nem se acovarda; quando está indeciso quanto ao caminho a seguir, ele ainda tem seu coração firme: ele pode mudar o seu plano, mas não o propósito da sua alma. Com seu coração fixo em sólida confiança em Deus, uma mudança nas suas circunstâncias apenas o afeta ligeiramente; a fé o fez firme e inabalável, e por isto, se acontecer o pior, ele permanecerá tranquilo e paciente, esperando pela salvação de Deus.

8. *"O seu coração, bem firmado."* O seu amor por Deus é profundo e verdadeiro, a sua confiança em Deus é firme e inabalável; a sua coragem tem uma fundação firme, e é sustentada pela onipotência. Ele se acomoda pela experiência, e é confirmado pelos anos. Ele não é uma pedra móvel, mas uma coluna na casa do Senhor.

"Não temerá". Ele está pronto a enfrentar qualquer adversário – um coração santo lhe dá um rosto corajoso.

"Até que ele veja cumprido o seu desejo sobre os seus inimigos." Durante todo o conflito, até que obtenha a vitória, ele não sente medo. Quando a batalha oscila, e o resultado parece duvidoso, ainda assim ele crê em Deus, e o desânimo lhe é estranho. A graça o faz desejar o bem dos seus inimigos: embora a natureza o leve a desejar ver a justiça feita à sua causa, ele não deseja, para aqueles que o ofendem, nada sob a forma de uma vingança pessoal.

9. *"É liberal, dá aos necessitados."* Aquilo que ele recebe, ele distribui; e distribui àqueles que mais necessitam. Ele era o reservatório de Deus, e da sua abundância fluíam correntezas de generosidade para suprir os necessitados. Se esta é uma das características de um homem que teme ao Senhor, há alguns que são estranhamente desprovidos dela. Eles são bons para ajuntar, mas lentos para distribuir; eles desfrutam da bem-aventurança de receber, mas raramente provam a alegria maior, que é dar. "Mais bem-aventurada coisa é dar do que receber" – talvez eles pensem que a bênção de receber é suficiente para eles.

"A sua justiça permanece para sempre." A sua generosidade temperou a sua justiça, provou a sua realidade e assegurou a sua perpetuidade. Esta é a segunda vez que vemos esta sentença notável aplicada ao homem devoto, e isto deve ser interpretado como resultado da misericórdia eterna do Senhor. O caráter de um homem justo não é espasmódico, ele não se mostra oscilante, nem é reto em apenas alguns pontos; a sua vida é o resultado do princípio, os seus atos fluem de convicções definidas, seguras e fixas, e por isto a sua integridade é mantida quando os outros fracassam. Ele não é influenciado pelas companhias, nem afetado pelos costumes da sociedade; ele é resoluto, determinado e inabalável.

"E a sua força se exaltará em glória." Deus irá honrá-lo, o universo de criaturas santas o irá honrar, e até mesmo os ímpios sentirão uma reverência inconsciente por ele. Deve-se observar, ao resumir as qualidades do homem temente a Deus, que ele é descrito, não apenas como justo, mas como alguém que traz o caráter ao qual Paulo se refere no memorável versículo: "Porque apenas alguém morrerá por um justo; pois poderá ser que pelo bom alguém ouse morrer". Bondade, benevolência, e generosidade são essenciais para o caráter reto; ser estritamente justo não é suficiente, pois Deus é amor, e nós devemos amar ao nosso próximo como a nós

mesmos: dar a cada um o que lhe é devido não é suficiente, nós devemos agir sobre aqueles mesmos princípios de graça que reinam no coração de Deus. As promessas de estabelecimento e prosperidade não são para os grosseiros Nabais, nem para os avarentos Labãos, mas a almas generosas que provaram sua adequação para serem administradores do Senhor da maneira correta em que usam a sua substância.

10 *O ímpio verá isto e se enraivecerá; rangerá os dentes e se consumirá; o desejo dos ímpios perecerá.*

O décimo e último versículo apresenta, de modo muito convincente, o contraste entre os justos e os ímpios, desta maneira fazendo com que a bem-aventurança dos devotos pareça ainda mais notável. Normalmente nós vemos Ebal e Gerizim, a bênção e a maldição, colocadas uma contra a outra, de modo que ambas sejam investidas de maior solenidade.

"O ímpio verá isto e se enraivecerá." O ímpio verá primeiramente o exemplo dos santos, como sendo a sua própria condenação, e por fim contemplará a felicidade dos crentes para aumento da sua eterna desgraça. O filho da ira será forçado a testemunhar a bem-aventurança do justo, embora esta visão o faça atormentar o seu próprio coração. Ele se irritará e se enfurecerá, lamentará e ficará irado, mas não será capaz de evitá-lo, pois a bênção de Deus é segura e eficaz.

"Rangerá os dentes." Por estar muito irritadiço e extremamente invejoso, ele se alegraria em moer os justos, entre os seus dentes; mas, uma vez que não pode fazer isto, ele range seus dentes, uns contra os outros.

"E se consumirá." O calor da sua paixão o derreterá como a cera, e o sol da providência de Deus o dissolverá como a neve, e por fim o fogo da vingança divina o consumirá, como a gordura de carneiros. Como deve ser horrível esta vida que, como a lesma, se desmancha à medida que passa, deixando atrás de si uma trilha pegajosa. Aqueles que se angustiam com a bondade merecem ser consumidos por uma tristeza abominável.

"O desejo dos ímpios perecerá." Ele não alcançará seu propósito, e morrerá desapontado. Através da iniquidade, ele esperava alcançar o seu objetivo – esta mesma iniquidade será a sua derrota. Enquanto os justos permanecerão para sempre, e a sua memória será sempre fresca, o ímpio e seu nome apodrecerão na face da terra. Ele desejava ser o fundador de uma família, e ser lembrado como alguém grandioso, mas morrerá e o seu nome morrerá com ele. Como é grande o abismo que separa os justos dos ímpios, e como são diferentes as porções que o Senhor distribui a eles. Ó, que maravilha é ser abençoado pela graça do Senhor! Isto nos fará louvá-lo de todo o nosso coração.

NOTAS EXPLICATIVAS E DECLARAÇÕES SINGULARES

O Salmo: Os salmos 111 e 112, dois poemas muito curtos, aparentemente com data do último período dos salmos, apresentam tantas características de semelhança que não deixam dúvida sobre o fato de terem sido produzidos pela mesma pena. – Em estrutura, são idênticos; e esta semelhança superficial pretende chamar a atenção a algo mais profundo e mais importante. O assunto de um é exatamente o complemento do assunto do outro. O primeiro celebra o caráter e as obras de *Deus*; o segundo, o caráter e a felicidade do *homem devoto*. – *William Binnie*

O Salmo: Aqui são repetidas as bênçãos que Deus está acostumado a conceder aos devotos. E como no salmo anterior, os louvores de Deus foram diretamente comemorados, também neste eles são indiretamente declarados por aquelas dádivas que são evidentes naqueles que o temem. – *Salomão Gesner*

O Salmo: Este salmo é um banquete de sabedoria celestial; e assim como Basil fala de outra paste das Escrituras, comparando-a a uma farmácia, também este livro de Salmos pode adequadamente ser comparado, pois nele há tantos tipos diferentes de remédios, que cada homem poderá ter aquele que for conveniente para a sua doença. – *T. S., 1621*

O Salmo: A justiça do Mediador, não tenho dúvida, é celebrada neste salmo; pois certamente ela é digna de ser exaltada em cânticos de louvor: especialmente uma vez que nós somos ensinados pelo Espírito Santo a dizer: "Farei menção da tua justiça, e só dela". Concluo, portanto, que neste salmo alfabético, pois esta é a sua construção, Cristo é "o Alfa e o Ômega". – *John Fry*

v. 1: O salmo é um louvor a Deus, por abençoar o crente, e todo o salmo prova que o crente é abençoado, conforme declarado no versículo 1, e confirmado com tantas razões quantas são os versículos seguintes, de onde aprendemos que,

1. Embora, ao entoar determinados salmos, ou partes deles, não haja nada diretamente dito do Senhor, ou ao Senhor, ainda assim Ele é louvado, quando a sua verdade é nosso cântico, ou quando suas obras e doutrina são nosso cântico, como está escrito aqui: *"Louvai ao Senhor"*, e então, nos versículos seguintes, a bem-aventurança do crente domina todo o salmo.

2. É o louvor do Senhor que os seus servos sejam o único povo abençoado do mundo. *"Louvai ao Senhor"*. Por que? Porque *"Bem-aventurado o homem que teme ao Senhor"*.

3. Não é bem-aventurado aquele que é mais observador de oportunidades para ter prazer, benefício e promoções no mundo, e não se importa como elas vêm até ele, mas é bem-aventurado aquele que é mais observador da vontade de Deus, e se preocupa em segui-la. – David Dickson.

v. 1: "Bem-aventurado o homem que teme ao Senhor". Não está escrito, simplesmente, *Bem-aventurado o homem que teme*, pois existe um temor que, por si só, produz infelicidade e desgraça, em lugar de felicidade. A questão é, principalmente, o que é temido. Temer quando não é apropriado, e não temer quando o temor é adequado, estas não são bem-aventuranças, mas infelicidade e desgraça. O profeta, portanto, diz, apropriadamente: "Bem-aventurado o homem que teme *ao Senhor"*, e nos versículos 7 e 8, ele fala deste bem-aventurado, que não temerá maus rumores, ou más notícias. Portanto, aquele que teme a Deus, e de acordo com a exortação de Cristo, não teme aqueles que podem matar o corpo, este verdadeiramente poderá ser contado entre os bem-aventurados. – *Wolfgang Musculus*

v. 1: "Teme ao Senhor". O significado aqui é o de amor filial. Com ele, somos, ao mesmo tempo, afastados do mal (Pv 3.7); e incitados a fazer o bem (Ec 12.13); e dele, Deus é o único autor (Jr 32.39, 40); um dever exigido de todos (Sl 33.8); antigamente (1 Rs 18.12); apenas (Lc 12.5); continuamente (Pv 23.17); com confiança (Sl 115.11); com alegria (Sl 119.74); com gratidão (Ap 19.5). – *Thomas Wilson, "A Complete Christian Dictionary", 1661*

v. 1: "Que em seus mandamentos tem grande prazer". A palavra hebraica חָפֵץ (*hāpēts*) é bastante enfática, e significa *ter o seu prazer*, e eu traduzi como *se deleita*. Pois o profeta faz uma distinção entre um esforço voluntário e disposto em obedecer à lei, e aquele que consiste em mera obediência servil e coagida. – *João Calvino*

v. 1: "Que em seus mandamentos tem grande prazer" – definindo o que constitui o verdadeiro "temor do Senhor", que foi chamado de "princípio da sabedoria" (Sl 111.10). Aquele que tem este verdadeiro "temor" *tem prazer* (Sl 111.2) não apenas na teoria, mas na prática de todos "os mandamentos" do Senhor. Tal temor, longe de ser um serviço "difícil", é o único "bem-aventurado" (Jr 32.39). Compare com os mandamentos do Evangelho (1 Jo 3.23,24; 5.3). A verdadeira obediência não é tarefa, como os formalistas consideravam a religião, mas "prazer" (Sl 1.2). Os prazeres mundanos, que formam a piedade tediosa, são suplantados pelo deleite e pelo gosto recém nascido pela vontade e pelos caminhos de Deus (Sl 19.7-10). – *A. R. Fausset*

v. 1: "Em seus mandamentos". Quando nós praticamos, alegremente, tudo o que o Senhor exige de nós, o amor adoça todas as coisas e cumprir a sua vontade se torna nossa comida e bebida. O que é ordenado, é excelente, mas é mais doce, porque é ordenado *por Ele*. – *"seus* mandamentos". Um homem jamais estará completamente convertido até que se alegre em Deus e no serviço a Ele, e até que o seu coração esteja dominado pela doçura do amor divino. Um tipo servil de religiosidade, quando nós preferiríamos não fazer o nosso trabalho a fazê-lo, não é fruto da graça, e não pode ser evidência de um amor sincero. – *Thomas Manton*

v. 2: "sua descendência". Se alguém desejar deixar uma descendência próspera, que não pense que irá conseguir isto acumulando monte de ouro e prata, e deixando-os atrás de si; mas o conseguirá reconhecendo Deus adequadamente, e servindo-o, e entregando seus filhos à guarda e proteção de Deus. – *Mollerus*

v. 2: "A geração dos justos" – a família, os filhos – "será abençoada". Estas promessas deverão se cumprir *de modo geral*; não é necessário, por nenhuma regra de interpretação, que isto seja universalmente e sempre verdadeiro. – *Albert Barnes*

v. 2: "A geração dos justos será abençoada". Embora poucos creiam nisto, ainda é verdade: as atitudes justas produzem frutos melhores do que os ardis, mesmo que estes tenham sido planejados com astúcia. – *David Dickson*

vv. 2 e 3: É provável que Ló pensasse enriquecer a sua família, quando escolheu as campinas férteis da iníqua Sodoma, mas o que aconteceu foi muito diferente: mas Abraão "temia o Senhor e em seus mandamentos tinha grande prazer", e sua descendência foi *"poderosa sobre a terra"*. E assim será, de modo geral, em cada geração, com a posteridade daqueles que imitam o pai dos fiéis; e a sua conduta desinteressada e liberal irá provar, neste caso, uma herança muito mais preferível para os filhos do que ouro e prata, casas e terras, teriam sido. – *Thomas Scott*

v. 3: "Fazenda e riquezas haverá na sua casa". Aquele que se mostra firme e feliz não é considerado pior por causa da sua riqueza, nem é desviado pela falsidade das riquezas. – *John Trapp*

v. 3: No sentido mais simples, podermos interpretar estas palavras literalmente como a abundante riqueza conferida aos justos por Deus, e usada, não com objetivo de orgulho e luxúria, mas para contínuas obras de misericórdia, e por isto está escrito, sobre a pessoa assim enriquecida, que *a sua justiça permanece para sempre*. Mas o sentido mais elevado nos convida a ver aquelas verdadeiras riquezas espirituais que estão guardadas para os pobres de espírito, frequentemente mais necessitados em relação à prosperidade deste mundo; e podemos alcançar o sentido mais verdadeiro, comparando as palavras com que o grande apóstolo descreve a sua própria condição: "como pobres, mas enriquecendo a muitos; como nada tendo e possuindo tudo" (2 Co 6.10). Pois quem pode ser mais rico do que aquele que é herdeiro de Deus e co-herdeiro de Cristo? – *Agellius, Crisóstomo e Didymus, em Neale e Littledale*

v. 3: "A sua justiça permanece para sempre". Parece ousado dizer isto sobre um ser humano, no entanto, é verdade; pois toda a justiça humana tem sua raiz na justiça de Deus. Não se trata meramente de homens lutando para copiar Deus. É a dádiva de Deus e a obra de Deus. Há uma conexão viva entre a justiça de Deus e a justiça do homem; por esta razão, aquilo que é imperecível no Deus precioso também pertence ao homem. Por isto, a mesma coisa é afirmada aqui, sobre a justiça humana, que em 111.3 é afirmada sobre a justiça Divina. – *J. J. S. Perowne.*

v. 3: "A sua justiça permanece para sempre". Nós somos justificados diante de Deus somente pela fé (Rm 3.4), mas são justos diante dos homens aqueles que vivem honestamente, piedosamente, humildemente, como exige a lei de Deus. A respeito desta justiça, o salmista diz que ela *permanece para sempre*, ao passo que a justiça simulada e fingida dos hipócritas é abominável diante de Deus, e rapidamente se extingue nos homens. – *Solomon Gesner*

v. 4: "Aos justos nasce luz nas trevas". O surgimento de luz das trevas, embora seja a mais comum, é uma das mais belas, como também é um dos fenômenos naturais mais benéficos. O nascer do sol é uma vitória diária da luz sobre as trevas.

Cada manhã, as trevas fogem. Os que têm sono pesado, na cidade, possivelmente não estarão familiarizados com o sol nascente. Eles conhecem as maravilhas do amanhecer e as glórias do nascer do sol por descrição poética ou pelas palavras de outras pessoas. A luz já é plena, e o dia já começou o seu trabalho há muito tempo, especialmente se é verão, antes que os cidadãos normais estejam despertos; e, com a exceção de algumas raras ocasiões, os milhões de homens que, todos os dias, veem a luz desaparecer nas trevas, jamais veem a luz nascendo das trevas outra vez; e, talvez, raramente ou nunca, pensem com que gratidão e alegria ela é saudada por aqueles que precisam dela – pelo marinheiro, agitado pela tempestade durante a noite inteira, e levado perigosamente próximo do banco de areia ou da costa; pelo viajante inexperiente, perdido no bosque, ou no deserto, que não distingue o norte do sul, até que nasça o sol; pelo que faz vigília à noite, no quarto de um doente, que ouve, e chora ao ouvir, durante a noite cansativa, o gemido do antigo refrão de tristeza: "Se Deus permitisse que já fosse de manhã!" Que intensidade de tristeza, temor, esperança, pode haver nesta expressão: "mais do que os guardas pelo romper da manhã; sim, mais do que aqueles que esperam pela manhã"! Eu não tenho dúvida de que existe pelo menos um pouco deste sentimento mais intenso transportado à mais elevada região da experiência espiritual, e expressado pelo texto: "aos justos nasce luz nas trevas"... Sinceridade; um desejo honesto de conhecer a verdade; disposição para fazer qualquer sacrifício para obter o conhecimento; obediência à verdade, até onde ela já seja conhecida – estas características trarão a luz *onde nada mais poderá trazê-la. – Alexander Raleigh, "The Little Sanctuary and other Meditations", 1872*

v. 4: "Aos justos nasce luz nas trevas". A grande lição ensinada por esta comparação é a conexão que se obtém entre integridade de propósito e clareza de percepção, de modo que uma conformidade obediente ao que é correto, geralmente é seguida por um pronto e luminoso discernimento do que é verdade. Isto nos diz que, se tivermos apenas graça para *fazer* o que devemos, poderemos *ver* como devemos. É uma lição afirmada repetidas vezes nas Escrituras, e em várias passagens, tanto do Antigo Testamento como do Novo: "A vereda dos justos é como a luz da aurora, que vai brilhando mais e mais até ser dia perfeito"; "A justiça dos virtuosos os livrará"; "A luz semeia-se para o justo, e a alegria, para os retos de coração"; ou ainda mais especificamente: "Àquele que bem ordena o seu caminho eu mostrarei a salvação de Deus". – *Thomas Chalmers, 1780-1847*

v. 4: "Aos justos nasce luz nas trevas": isto é, consolo na aflição. Ele consolou outros na aflição, e foi a luz para eles quando estavam nas trevas, como foi mostrado na última parte do versículo 4, e do 5, e por isto, como graciosa retaliação, o Senhor o consolará na sua aflição e ordenará que a luz nasça sobre ele, nas suas trevas. – *Joseph Caryl*

v. 4: "Luz"... "Trevas". Enquanto nós estamos sobre a terra, nós somos sujeitos a três tipos de *"trevas"*; as trevas do erro, as trevas da tristeza e as trevas da morte. Para dissipá-las, Deus nos visita, pela sua Palavra, com uma "luz" tripla; a luz da verdade, a luz do consolo e a luz da vida. – *George Horne*

v. 4: "Piedoso, misericordioso e justo" – atributos usualmente aplicados a *Deus*, mas aqui se fala dos *"justos"*. Os filhos de Deus, sabendo na sua própria experiência que Deus, nosso Pai, é "piedoso, misericordioso e justo", procuram ser a mesma coisa com relação aos seus companheiros, através de uma instintiva imitação dele (Mt 5.45, 48; Ef 5.8; Lc 6.36). – *A. R. Fausset*

v. 5: "O homem que se compadece", etc. Considere que o poder de fazer o bem é uma capacidade perigosa, a menos que o usemos. Lembre-se de que é Deus que dá a riqueza, e Ele espera uma retribuição correspondente. Não viva de uma maneira desumana, como se Nabal e Judas estivessem novamente neste mundo. Pense frequentemente e calorosamente no amor de Deus e de Jesus por você. Você não irá negar as suas migalhas aos miseráveis, quando agradecidamente tiver em mente que Cristo deu por você a sua própria carne e o seu sangue. Assim como um dos grandes propósitos da pobreza é a paciência, também um dos grandes propósitos da riqueza é a caridade. Pense como é nobre fazer um presente ao grande Rei do mundo; e que condescendência é que Ele, na sua auto-suficiência, faça este bem por nosso intermédio, que Ele poderia fazer tão abundantemente sem nós. – *Thomas Tenison, 1636-1715*

v. 5: "Empresta". A palavra original aqui, לָוָה (*lāwâ*), significa unir-se a alguém, agarrar-se a alguém, e formar a união que é constituída entre credor e devedor, o que empresta e o que toma emprestado. Aqui ela é usada no último sentido, e quer dizer que um homem bom irá ajudar outro – um próximo – com dinheiro, ou com artigos a serem usados temporariamente e devolvidos. Um homem que sempre *toma emprestado* não é desejável; mas o homem que nunca empresta – que nunca está disposto a ajudar – é alguém de quem ninguém desejará viver perto – um homem mau, perverso. A verdadeira religião sempre fará com que o homem esteja disposto a realizar atos de bondade de qualquer maneira possível. – *Albert Barnes*

v. 5: A caridade, embora nasça do coração, deve ser orientada pela cabeça, para que possa se estender da maneira mais benéfica. *"Disporá as suas coisas com juízo"* e nada pertence tão apropriadamente ao homem bom como a dispensação e a administração daquelas bênçãos que Deus lhe confiou, pois *"é* necessário, para administrar, que a pessoa seja considerada fiel" – *Michael Cox, 1748*

v. 5: "Disporá as suas coisas com juízo". Assim como um mordomo, servo ou agente em algum interesse secular tem que sentir que a sua *mente* é a do seu senhor, assim como as suas mãos, e que a sua atenção, pensamento, tato e talento devem ser vigorosamente e fielmente devotados aos interesses do seu empregador, também a administração cristã do dinheiro exige, por parte do servo de Deus, a respeito de cada forma do seu uso e disposição, o exercício da reflexão; uma referência à consciência; a lembrança da responsabilidade para com Deus; atenção aos apelos da humanidade dirige-se ao ouvido da justiça e do amor. Tudo deve ser ponderado como na balança do santuário; uma decisão, formada, e então, energia, esquemas e planos sabiamente construídos, limitações prudentes ou liberalidade beneficente, como parecer melhor. Gastar, economizar, doar ou emprestar, tudo sendo feito da maneira que melhor satisfaça o que puder ser percebido como a vontade do Mestre, e que melhor evidencia imediatamente a sabedoria e a fidelidade do seu servo. – *Thomas Binney, "Money: A Popular Exposition"*

v. 5: "Juízo". Existe uma estória, a respeito de diversos Patriarcas antigos, segundo a qual eles vieram falar com Santo Antônio, perguntando-lhe qual virtude conduziria diretamente à perfeição, de modo que um homem pudesse escapar às armadilhas de Satanás. Ele pediu que cada um deles expressasse a sua opinião; disse um, vigilância e sobriedade; outro disse jejum e disciplina; disse um terceiro, humilde oração; um quarto disse, pobreza e obediência; e outro, piedade e obras de misericórdia; mas depois que todos tinham expressado sua opinião, a resposta de Santo Antônio foi que todas estas eram realmente graças excelentes, mas o juízo era o principal. E sem dúvida, o é; sendo a própria *Auriga virtutum*, guia de todos os atos virtuosos e religiosos, o moderador e ordenador de todos os sentimentos; pois o que é feito com o juízo é virtude, e o que é feito sem ele, é perversidade. Diz-se que uma pitada de juízo vale um quilo de experiência. Assim como o zelo sem conhecimento é cego, também o conhecimento sem juízo é coxo, como uma espada na mão de um louco, capaz de fazer muito, mas apto a nada fazer. *Tolle hanc et virtus vitium erit* – Aquele que jejua deve jejuar com juízo, ele deve se flagelar de modo a não matar a sua carne. Aquele que dá esmolas aos pobres, deve fazê-lo com juízo, *Omni petenti non omnia petenti* – a toda pessoa que pedir, mas não tudo o que ela pedir; de igual maneira, deve orar com juízo, observando o lugar e o momento; o lugar, para que não seja considerado hipócrita, e o momento, para que não seja considerado herege. Assim este juízo deve ser o guia de todas as atividades religiosas. – *citado por John Spencer, 1658 v. 6:* O que diz o texto? *"O justo* (o que é generoso) *ficará em memória eterna"*. Deus se lembra de todas as nossas boas obras, quando as recompensa (como faz com as nossas orações, quando as ouve). Se lembrar, então, é recompensar, uma recompensa eterna é a nossa lembrança eterna... Naqueles que serão participantes da misericórdia, a sabedoria divina exige esta coerência, que sejam pessoas dispostas a demonstrar misericórdia para com os outros. – *Joseph Mede, 1586-1638*

v. 6: "O justo ficará em memória eterna". As nobres e duradouras pirâmides do Egito não transmitiram à posteridade os nomes daqueles que nelas foram sepultados. E o que foi embalsamado, mas foi manejado de modo descuidado, e exposto ao mundo como espetáculos de sordidez ou de horror para os curiosos? Mas a piedade de Abraão, de Jacó, de Davi e Samuel, de Ezequias, e Josias e outros, é lembrada até hoje. Assim, quando as pirâmides caírem, e os mares deixarem de se agitar, quando o sol e as estrelas não mais existirem, *"o justo ficará em memória eterna"*. – *John Dun, 1790*

v. 7: "Não temerá maus rumores". Como você pode assustar o justo? Informando-o de que perdeu suas propriedades; "mas a minha herança está segura", diz ele. Sua esposa, ou seu filho, ou seu amigo querido morreu; "mas meu Pai vive". Você mesmo morrerá; "bem, então, eu vou para casa, para junto de meu Pai, e para minha herança".

Para os problemas públicos da igreja, sem dúvida será sinal de um temperamento mais piedoso e generoso, estar mais profundamente afetado por estes do que por todos os nossos problemas particulares; e ser solidário com as calamidades comuns de qualquer povo, mas especialmente do povo de Deus, tem sido o caráter dos homens próximos a Ele. Observe a tendência patética da lamentação do profeta, quando ele prediz a destruição, até mesmo de reinos estrangeiros, e muito mais do povo escolhido do Senhor, ainda interessado em Sião e lamentando as suas angústias (Jr 9.1, e todo o livro de Lamentações). Mesmo nisto, com muita compaixão, há uma calma na mente do crente; ele encontra, em meio a todas as más notícias, um coração firme, confiante e satisfeito de que a libertação virá no devido tempo (Sl 102.13), e que nestes juízos que são infligidos, os homens serão humilhados e Deus exaltado (Is 2.11; e 5.15,16); e em todos os tumultos e mudanças, e subversão de estados, o trono de Deus continua firme, e também o coração do crente (Sl 93.2). Também Salmos 29.10. – *Robert Leighton*

v. 7: "Não temerá", etc. Se um homem desejar levar uma vida feliz, que apenas busque um objeto seguro para sua confiança, e estará a salvo: *"Não temerá maus rumores; o seu coração está firme, confiando no Senhor"*. Um homem que coloca a sua confiança em Deus, se suportar más notícias de perda ou prejuízo que vêm em sua direção, como, por exemplo, uma dívida que não foi paga, uma perda no mar, acidentes pelo fogo, tempestades ou terremotos, como Jó teve seus mensageiros de más notícias, que vieram múltiplas sobre ele, ainda assim não temerá, pois seu coração está firme em Deus: ele depositou a sua confiança em Deus, e por isto seu coração é mantido em igual equilíbrio; ele pode dizer, como Jó: "O Senhor o deu e o Senhor o tomou; bendito seja o nome do Senhor" (Jó 1.21). Os seus consolos não vão e vêm com a criatura, mas o seu coração está firme, confiando no Senhor. – *Thomas Manton*

v. 7 (primeira parte): O homem bom não ficará alarmado por nenhum relato de perigo, ao passo que o homem desonesto, consciente da sua iniquidade, está sempre em estado de temor. – *George Phillips*

v. 7: "O seu coração está firme", preparado, pronto e armado para todos os serviços; decidido a não retribuir, capaz de se deparar com todos os riscos e manter seu terreno. Deus é imutável; e por isto a fé é invencível, pois firma o coração nele, e o prende à rocha da eternidade – que soprem os ventos e venham as tempestades, o coração não se preocupa. – *Robert Leighton*

v. 7: "O seu coração está firme" – estabelecido sem temor. Como Moisés, com o Mar Vermelho à sua frente, e os adversários egípcios atrás (Êx 14.13); Josafá diante do exército de invasores amonitas (2 Cr 20.12,15,17); Asa, diante de Zerá, "um milhão de homens e trezentos carros" (2 Cr 14.9-12). Compare a confiança destemida do perseguido Davi com o sentimento de pânico de Saul na invasão dos filisteus, quando foi procurar a ajuda de uma feiticeira. Como foram corajosos os três jovens diante da fornalha de Nabucodonosor! Como foi destemido Estêvão diante do conselho! Basílio pôde dizer, em resposta às ameaças de César Valens: "Estes monstros deveriam ser postos diante de crianças". Atanásio disse sobre Juliano, seu perseguidor: "É uma névoa que logo desaparecerá". – *A. R. Fausset*

v. 7: "Confiando no Senhor". Não preciso provar que um homem não pode ter outra fonte segura de consolo e sustento. Pois em que ele pode confiar? No seu *tesouro?* Ele pode se esgotar em pouco tempo, ou pode despertar a avareza ou ambição de um inimigo poderoso, como o de Ezequias incitou o rei da Babilônia, e em vez de ser uma proteção, torna-se o motivo da sua destruição. Ele pode confiar na sua *força?* O homem sabe que quando esta ficar grande demais não podendo cair por outras mãos, geralmente cairá pelas suas próprias. Ele poderá, finalmente, confiar na *sabedoria terrena?* Milhares de acidentes inesperados, e circunstâncias desapercebidas e latentes frustram esta sabedoria, e fazem dos Aitofels não apenas infelizes, mas frequentemente desprezíveis também. – *Richard Lucas, 1648-1715*

v. 8: "O seu coração, bem firmado". Feliz, certamente, é o homem cujo coração está assim bem firmado. Outros podem ser políticos, somente ele é sábio; outros podem ser afortunados, somente ele é grande; outros podem beber goles profundos de prazer sensual, somente ele pode comer da árvore da vida, que está no meio do paraíso de Deus. Ele é uma imagem daquele grande Ser em quem ele confia!... e em meio a tempestades, e trovões, e terremotos, ele permanece sereno e imperturbável, dizendo ao mundo prostrado que adore ao Senhor do universo. – *George Gleig, 1803*

v. 8: "Até que ele veja cumprido o seu desejo sobre os seus inimigos". A sua fé não falhará, não diminuirá, não mudará, enquanto um por um os seus inimigos forem trazidos ao conhecimento da verdade e ao amor de Cristo, e ele verá o desejo do seu coração cumprido neles, quando puderem ser salvos. – *Plain Commentary*

v. 8: "Até que ele veja cumprido o seu desejo sobre os seus inimigos". Ou, conforme o original, *Até que ele olhe sobre seus opressores*; isto é, até que ele os contemple com segurança, e, como dizemos, com confiança, por não mais estar sob o poder deles, mas liberto da sua tirania e opressão. – *Thomas Fenlon*

v. 9: Quando todos os momentos de prazer sensual estiverem quase extintos, quando todas as flores de glória secular tiverem secado; quando todos os tesouros terrenos estiverem enterrados na escuridão; quando este mundo, e os seus modismos, estiverem completamente destruídos, o homem beneficente ainda estará firme e próspero, e *"a sua justiça permanece para sempre". "A sua força se exaltará em glória".* Um chifre é um símbolo de *poder, ou força;* pois é a força do animal, para ataque e para defesa; e de *fartura*, pois tem em si a capacidade de conter o que for posto nele; e de *santidade*, pois nele era posto o óleo santo, com que eram consagrados os reis; e de *dignidade*, tanto pelas razões mencionadas (sugerindo poder, e influência, e santidade, acompanhando dignidade soberana) e também porque é um ornamento especial para a criatura que o tem; de modo que podemos supor que esta expressão – *"a sua força se exaltará em glória"* – pode indicar que uma abundância de honra elevada, e santa, e firme, e sólida acompanhará a pessoa beneficente... Deus assim irá exaltar a força do homem beneficente, ainda aqui neste mundo, e ele avançará a um nível infinitamente superior em um estado superior. – *Isaac Barrow, 1630-1677*

v. 9: "Para sempre". A expressão em hebraico deste texto não é לְעוֹלָם, *in seculum*, que às vezes é usada com o sentido de uma eternidade limitada, mas לָעַד, *in eternum*, que parece expressar uma duração eterna, e é a mesma expressão com que a duração da justiça de Deus é expressa no versículo 3 do salmo anterior. – *William Berriman, 1688-1749.*

vv. 9 e 10: Estas palavras detalham o caráter, iniciado no versículo 1, do homem bem-aventurado que teme ao Senhor e que em seus mandamentos tem grande prazer. O autor conclui estas características com uma amável descrição da sua caridade, deixando em nossas mentes uma forte impressão, de que a benevolência de coração, quando exibida na caridade, é a característica mais certa e a melhor realização de uma mente religiosa e moral; e, quer recompense o digno, ou alivie o indigno, é a mais nobre imitação das atitudes de Deus com a humanidade. Pois Ele recompensa o bom (se alguém puder ser assim chamado, além dele mesmo; embora, em inglês –*"good", bom* –, seja apenas a palavra *"God", Deus*, estendida). Ele tolera os ímpios e estende a sua mão para salvar até mesmo a eles. – *Michael Cox*

v. 10: "O ímpio". A palavra רָשָׁע, *o ímpio*, é usada enfaticamente, pelos judeus, para indicar aquele que não dá aos pobres nem suporta ver o que outras pessoas dão; ao passo que aquele que merece apenas uma parte desta característica é apenas descrito como tendo *olhos malignos com relação ao que as outras pessoas têm, ou ao que ele mesmo tem.* – *Mixná*

v. 10: "O ímpio verá isto e se enraivecerá", etc. A visão de Cristo na glória com os seus santos irá, de uma maneira inexprimível, atormentar os que crucificaram ao primeiro, e aos que perseguiram os outros; e lhes mostrará as esperanças e desejos dos seus adversários, totalmente concedidas, e todos os seus próprios "desejos" e desígnios terminados para sempre, e irá despertar a inveja, que espreita sobre si mesmos, produz uma angústia que não pode admitir nenhum consolo, faz nascer um bicho que não morre, e acende aquele fogo que nunca se apaga. – *George Horne*

v. 10: "O ímpio verá isto e se enraivecerá", etc. É característico do Diabo não confundir a natureza da virtude e considerá-la criminosa, mas odiá-la por um motivo específico, porque é boa, e por isto é oposta aos seus desígnios. O ímpio, como seus emissários, são semelhantes a eles neste aspecto, e lamentam ter a maldade de sua depravação evidenciada, quando colocada próxima à luz de um exemplo virtuoso... Eles podem, como os gigantes de fábulas antigas, tentar uma guerra romântica com o céu; mas todos os seus preparativos para este propósito recaem com força dupla contra eles mesmos, cobrindo-os de vergonha e confusão... Se este for o resultado da sua maldade na vida atual, de modo que, em lugar de ofender àqueles aos quais atacam, normalmente se converte em sua própria irritação, muito mais, quando a cena passar para a vida futura... Eles continuarão, então, a ranger os dentes (a terrível diversão daquela condição amaldiçoada) em angústia por seus tormentos, assim como em fúria e inveja pela abundante honra que é feita aos santos. – *William Berriman*

v. 10: "O ímpio verá isto e se enraivecerá"; isto é, sentirá secreta indignação interior ao ver as coisas desta maneira; *"rangerá os dentes e se consumirá"*. O ranger dos dentes é provocado pela irritação do coração; e por isto, o resultado, *"se consumirá"*, o que indica (é o coração que é consumido) uma saúde extrema. O sentido é muito adequado ao de Elifaz (Jó 5.2): "a ira destrói o louco", ou a ira faz com que ele se consuma; ela derrete a sua cera com o calor, como acontece no caso de um homem furiosamente irritado. Assim a deplorável condição dos condenados, que são expulsos da presença de Deus para sempre, é descrita como "pranto e ranger de dentes"; o que indica não apenas dor, mas extrema irritação em si mesmos. Estes impenitentes finalmente serão mortos junto com a sua própria ira, e com a ira de Deus. – *Joseph Caryl*

v. 10: "O ímpio verá". O salmo que fala da bem-aventurança dos santos também dá solene testemunho da perdição dos ímpios. Cowper canta como se este versículo estivesse diante de seus olhos.

... A mesma palavra, que como a lâmina polida
Ara as raízes do cuidado de um crente,
Mata, também, as ervas daninhas onde crescem,

Que incomodam a bacanal do pecador.
Ó, a voz não desejada do amor celestial,
Triste mensageira da misericórdia do alto,
Como ela irrita seu ouvido ingrato,
Estragando os seus prazeres com a dor do medo;
A sua vontade e o juízo em contínua luta,
A guerra civil que amarga toda a sua vida;
Em vão, ele dirige suas forças contra os céus,
Em vão ele fecha ou desvia seus olhos;
A verdade se manifestará.

v. 10: "Rangerá os dentes". Um homem enfurecido range seus dentes, como se estivesse prestes a morder o que motiva a sua ira. Assim, no livro *Ramyanum*, o gigante Ravanan é escrito como, na sua fúria, rangendo seus "trinta e dois dentes"! Sobre os homens irados, normalmente se diz: "Olhe o animal, como ele range os dentes!" *"Vá para perto daquele sujeito!* Eu, não, ora! Ele não para de ranger os dentes! – *Joseph Roberts*

v. 10: "Rangerá os dentes e se consumirá". O resultado da inveja, que destrói os invejosos. Assim, diz o poeta: "A inveja é extremamente odiosa, mas tem, em si, algum bem, pois faz com que os olhos e o coração dos invejosos sejam consumidos". – *John Le Clerc, 1657-1736.*

SUGESTÕES AOS PREGADORES

v. 1. "Louvai ao Senhor."

I. Quem deve ser louvado? Não o homem, não o ego, não a saúde, etc., mas somente Deus.

II. Quem deve louvá-lo? Todos os homens, mas especialmente o seu povo, os bem-aventurados descritos neste salmo.

III. Por que devem fazê-lo? Por todas as razões mencionadas nos versículos que se seguem.

IV. Como devem fazê-lo? Principalmente, vivendo uma vida como aquela descrita aqui.

v. 1 (segunda parte). I. Temor ao Senhor; o que é.

II. A sua conexão com o prazer mencionado.

III. As qualidades contidas nos mandamentos que despertam prazer em mentes que temem a Deus.

v. 2. O poder verdadeiro da santa semente e a sua verdadeira bem-aventurança.

v. 3. As riquezas de um cristão: contentamento, paz, segurança, poder na oração, promessas, providência, e o próprio Deus.

v. 3. O caráter permanente da justiça verdadeira,

1. Baseada em princípios eternos.
2. Originada de uma semente incorruptível.
3. Sustentada por um Deus fiel.
4. Unida ao Cristo que vive para sempre.

v. 3. Conexão das duas sentenças – Como ser rico e justo. Observe os versículos seguintes, e mostre a liberalidade que é necessária, se os homens ricos desejarem ser homens justos.

v. 4 (todo o versículo). I. Os justos terão seus períodos de trevas.

II. Receberão consolo.

III. Seu próprio caráter irá assegurar isto.

v. 4 (primeira parte). I. O caráter dos justos: "justo", "piedoso", etc.

II. Seu privilégio.

1. Luz, além de trevas.
2. Mais luz do que trevas.

3. Luz nas trevas: luz interior em meio às trevas ao redor. Luz vista no alto, quando tudo o que está abaixo são trevas. Até mesmo a própria escuridão se torna o arauto do dia. - *G. R.*

v. 4 (última parte). Uma trindade de excelências encontrada nos verdadeiros cristãos, em Cristo e em Deus: a sua união é perfeita quando estão todas equilibradas. Mostre como elas são exemplificadas na vida diária.

v. 5. I. Um homem bom é benevolente, mas um homem benevolente nem sempre é um homem bom.

II. Um homem bom é prudente, mas um homem prudente nem sempre é um homem bom. Deve existir primeiro a bondade, e então, os seus frutos. "A árvore é boa", etc. – *G. R.*

v. 5: "Empresta."

I. Isto deve ser feito.

II. Deve ser feito como um favor; tomar emprestado é como procurar obter esmolas.

III. Deve ser feito com muito juízo. Acrescente a isto uma homilia, sobre tomar emprestado e devolver.

v. 6. I. Nesta vida, o cristão é,

1, Firme;

2, Calmo;

3, Inconquistável; e

II. Quando esta vida estiver terminada, a sua memória será,

1, Amada;

2, Influente;

3, Perpétua.

v. 6. I. O caráter do justo é eterno: "Na verdade", etc.

II. A sua influência sobre os outros é eterna: "ficará", etc. – *G. R.*

v. 7. 1. "Não temerá", etc.: pacífico.

2. "O seu coração está firme": tranquilo.

3. "Confiando no Senhor": confiante; a causa do anterior.

v. 7. I. As ondas: "Maus rumores".

II. O barco firme: "Não temerá".

III. A âncora: "O seu coração está firme, confiando".

IV. A ancoragem: "No Senhor".

v. 8. Firmeza de coração, a confiança que dela flui, a visão que terá aquele que a possui.

v. 8. I. A segurança dos justos: "O seu coração está firme".

II. A sua tranquilidade: "Não temerá"; e,

III. A sua expectativa: "Até que", etc. – *G. R.*

v. 9. Benevolência: o seu exercício nas esmolas, a sua influência preservadora no caráter, e a honra que ela conquista.

v. 10. I. O que o ímpio deve ver, e o resultado disto sobre ele.

II. O que ele jamais verá (seu desejo), e o resultado do seu desapontamento.

SALMO 113

TÍTULO E TEMA

Este Salmo é um salmo de puro louvor, e contém apenas poucas partes que precisem de explicação; um coração caloroso, cheio de adoração admiradora do Altíssimo, compreenderá melhor este hino sagrado. O seu assunto é a grandeza e a bondade condescendente do Deus de Israel, exibida na exaltação do necessitado a partir de sua condição inferior. Pode ser entoado apropriadamente pela igreja durante um período de renovação, depois que ela tiver recebido ministério por algum tempo e tiver sido humilhada. Com este salmo começa o Hallel, ou o Aleluia dos judeus, que era entoado em suas festas solenes: por isto, nós o chamaremos de o começo do Hallel. O Dr. Edersheim nos diz que o Talmude explica a peculiar adequabilidade do Hallel à Páscoa, "uma vez que não apenas registrava a bondade de Deus para com Israel, mas especialmente a sua libertação do Egito, e por isto, apropriadamente se iniciava com Louvai ao Senhor! Louvai, servos do Senhor" – e não mais servos de Faraó. As suas alusões ao pobre no pó e ao necessitado sobre o monturo são todas em conformidade com Israel no Egito, e assim também é a referência ao nascimento de inúmeros filhos quando eram menos esperados.

DIVISÃO

Não é necessário fazer nenhuma divisão na explicação deste salmo, exceto a que é sugerida pelos cabeçalhos sempre instrutivos, fornecidos pelos excelentes autores da nossa versão: uma exortação ao louvor a Deus, pela sua excelência (vv. 1-5); pela sua misericórdia (vv. 6-9).

EXPOSIÇÃO

1 *Louvai ao Senhor! Louvai, servos do Senhor, louvai o nome do Senhor.*
2 *Seja bendito o nome do Senhor, desde agora e para sempre.*
3 *Desde o nascimento do sol até ao ocaso, seja louvado o nome do Senhor.*

4 *Exaltado está o Senhor, acima de todas as nações, e a sua glória, sobre os céus.*
5 *Quem é como o Senhor, nosso Deus, que habita nas alturas;*
6 *que se curva para ver o que está nos céus e na terra;*
7 *que do pó levanta o pequeno e, do monturo, ergue o necessitado,*
8 *para o fazer assentar com os príncipes, sim, com os príncipes do seu povo;*
9 *que faz com que a mulher estéril habite em família e seja alegre mãe de filhos?*
Louvai ao Senhor!

1. *"Louvai ao Senhor"*, ou Aleluia, louvai a Jeová. O louvor é uma oferta essencial em todas as festas solenes do povo de Deus. O louvor é a mirra, e o louvor é o incenso, e ambos devem ser presenteados ao Senhor. Como podemos orar, pedindo misericórdia para o futuro, se não bendizemos a Deus pelo seu amor no passado? O Senhor realizou todas as boas coisas por nós, devemos, portanto, adorá-lo. Qualquer outro louvor deve ser excluído, toda a devoção da alma deve ser derramada somente sobre o Senhor.

"Louvai, servos do Senhor." Vocês, acima de todos os homens, pois devem fazê-lo, pela sua vocação e profissão de fé. Se os próprios servos de Deus não o louvarem, quem o fará? Vocês são um povo próximo a Ele, e devem ser os mais sinceros na sua amorosa gratidão. Enquanto eram escravos de Faraó, os israelitas gemiam e suspiravam, por razão de sua dura escravidão; mas agora que tinham se tornado servos do Senhor, deviam se expressar em cânticos de alegria. O seu serviço é a perfeita liberdade, e aqueles que nele estão descobrem neste serviço mil razões para adoração. Certamente louvam melhor a Deus aqueles que o servem melhor; verdadeiramente, o serviço é louvor.

"Louvai o nome do Senhor"; ou seja, exaltem o seu caráter revelado, engrandeçam cada atributo sagrado, exultem em todas as suas obras, e reverenciem o próprio nome pelo qual Ele é chamado. O nome do Senhor é usado três vezes neste versículo, e, por nós, que compreendemos a doutrina da Trindade na Unidade, pode ser considerado como uma alusão ligeiramente velada àquele santo mistério. Que Pai, Filho e Espírito Santo, todos sejam louvados como o único Deus, vivo e verdadeiro. As palavras que vêm logo a seguir – "Alelu-ia, Alelu, Alelu" – devem ter tido um efeito agradável nos cultos públicos. O Dr. Edersheim descreve o culto no templo como responsivo, e diz: "Cada linha inicial de um salmo era repetida pelo povo, ao passo que a cada uma das outras linhas o povo respondia com uma 'Aleluia', ou 'Louvai ao Senhor', desta forma,

Os levitas começavam: *'Aleluia'* (Louvai ao Senhor).
O povo repetia: *'Alelu-ia'*.
Os levitas: 'Louvai *(Alelu)*, servos do Senhor'.
O povo respondia: *'Alelu-ia'*.
Os levitas : 'Louvai *(Alelu)* o nome do Senhor'.
O povo respondia: *'Alelu-ia'*.
Estas repetições não eram vãs, pois o tema é um tema em que devemos nos estender; ele deve ser profundamente gravado na alma, e mantido proeminente, com perseverança, na vida.

2. *"Seja bendito o nome do Senhor."* Enquanto o louvava em voz alta, o povo também devia *bendizê-lo* no silêncio de seus corações, desejando glória ao seu nome, sucesso à sua causa, e triunfo à sua verdade. Mencionando *o nome*, o salmista deseja nos ensinar a bendizer cada um dos atributos do Altíssimo, que são, de certa forma, as letras do seu nome; não disputando com a sua justiça ou a sua severidade, nem temendo servilmente o seu poder, mas aceitando-o como o vemos, revelado na Palavra inspirada, e nos seus próprios atos, e amando-o e louvando-o como tal. Nós não devemos dar ao Senhor um novo nome, nem inventar-lhe uma nova natureza, pois isto seria a instalação de um falso deus. Toda vez em que pensamos

no Deus das Escrituras, devemos bendizê-lo, e o seu augusto nome jamais deve ser pronunciado sem alegre reverência.

"Desde agora." Se jamais o louvamos antes, devemos começar a fazê-lo agora. Como a Páscoa tinha lugar no início do ano, era bom começar o ano novo bendizendo aquele que realizou a libertação do seu povo. Cada festa solene tinha as suas próprias associações felizes, e podia ser considerada como um novo ponto de início para a adoração. Não há razões pelas quais o leitor deveria fazer do dia atual o início de um ano de louvor? Quando o Senhor diz: "desde este dia vos abençoarei", devemos responder: "Seja bendito o nome do Senhor, desde agora e para sempre".

"E para sempre": eternamente. O salmista não poderia ter pretendido que o louvor divino cessasse, em uma data futura, ainda que remota. "Para sempre", com referência ao louvor de Deus, deve significar uma duração sem fim: Nós estamos errados em crer que esta expressão tem o mesmo significado, quando se refere a temas mais sombrios? Nossos corações podem, alguma vez, deixar de louvar o nome do Senhor? Nós podemos imaginar um período em que os louvores de Israel não mais estiverem ao redor do trono da Majestade Divina? Impossível. Para sempre, e mais do que "para sempre", se puder ser, que Ele seja exaltado.

3. *"Desde o nascimento do sol até ao ocaso, seja louvado o nome do Senhor."* Desde o início da manhã, até a noite, o hino incessante será entoado diante do trono do Senhor, e do oriente ao ocidente, sobre toda a terra, pura adoração deverá se converter em sua glória. Assim deve ser; e bendito seja Deus, nós cremos que assim será. Nós confiamos que, antes que venha a noite terrível do mundo, o nome glorioso do Senhor será proclamado entre todas as nações, e todo o povo o chamará de bendito. À primeira proclamação do Evangelho, o nome do Senhor foi glorioso por toda a terra; não será muito mais, antes que chegue o fim? De qualquer forma, este é o desejo das nossas almas. Enquanto isto, devemos nos empenhar para nos santificar, todos os dias, com louvores a Deus. No início da manhã, devemos imitar as flores que se abrem, e os pássaros que cantam,

"Cantando todos os dias seus louvores,
enquanto o bosque aplaude suas canções;
Desperta, que vergonha, meu coração preguiçoso,
Desperta e alegremente canta a tua parte".

É uma maravilha de misericórdia que o sol se erga nos filhos rebeldes dos homens, e prepare as imerecidas estações frutíferas, e dias de prazer; por este prodígio de bondade, devemos louvar o Senhor de tudo. Todas as horas, devemos renovar o cântico, pois cada momento traz a sua misericórdia; e quando o sol se puser para o seu repouso, não devemos cessar nossa música, mas iniciar o hino da igreja,

"Pai do céu e da terra!
Eu te bendigo pela noite,
a suave e tranquila noite!
A santa pausa do cuidado e da felicidade,
do som e da luz,
agora nas clareiras e nos vales,
os cálices, e botões, e as campânulas das flores
se fecharam ao redor do ninho da cotovia adormecida,
as abelhas cessaram seus trabalhos murmurantes,
e eu, tão cansado,
Te bendigo, ó Deus, Pai dos oprimidos!
Com meu último pensamento, enquanto desperto".

4. *"Exaltado está o Senhor, acima de todas as nações."* Embora os gentios não o conhecessem, ainda assim o Senhor era seu governante: os seus falsos deuses não

eram deuses, e os seus reis eram fantoches em suas mãos. O Senhor está muito acima de todo o aprendizado, juízo e imaginação dos sábios pagãos, e muito além da pompa e do poder dos monarcas das nações. Como o grande arco do firmamento, a presença do Senhor cobre todas as terras onde habitam as variadas tribos dos homens, pois a sua providência é universal: isto pode estimular a nossa confiança e o nosso louvor.

"E a sua glória, sobre os céus", mais alto do que a mais elevada parte da criação; as nuvens são o pó dos seus pés, e o sol, a lua e as estrelas brilham muito abaixo do seu trono. Até mesmo o céu dos céus não pode contê-lo. A sua glória não pode ser exibida por todo o universo visível, nem mesmo pela pompa solene de exércitos angelicais; está acima de toda concepção e imaginação, pois Ele é Deus, – infinito. Nós devemos, acima de todos, adorar àquele que está acima de tudo.

5. *"Quem é como o Senhor, nosso Deus?"* O desafio jamais será respondido. Ninguém pode ser comparado com Ele, nem por um instante; o Deus de Israel não tem paralelo; o nosso próprio Deus no concerto é único, e ninguém pode se assemelhar a Ele. Mesmo aqueles aos quais Ele criou, à sua semelhança em alguns aspectos, não são iguais a Ele na divindade, pois os seus atributos divinos são, muitos deles, intransferíveis e inimitáveis. Nenhuma das metáforas e imagens com que o Senhor é exibido nas Escrituras pode nos dar uma ideia completa sobre Ele: nada, no céu ou na terra, tem total semelhança com Ele. Somente em Jesus a Divindade é vista, mas Ele declarou, sem hesitação: "Quem me vê a mim vê o Pai".

"Que habita nas alturas." Nas alturas da sua morada, ninguém pode ser como Ele. O seu trono, todo o seu caráter, a sua pessoa, a sua existência, tudo a respeito dele, é elevado, e infinitamente majestoso, de modo que ninguém pode ser comparado a Ele. A sua mente serena está na mais elevada condição, Ele jamais é desonrado, nem se curva da pura santidade e absoluta perfeição do seu caráter. Os seus santos são descritos como habitando no alto; e, nisto, são o reflexo da sua glória; mas, quanto a Ele mesmo, a altura da sua morada ultrapassa o pensamento, e Ele se levanta acima do mais exaltado do seu povo glorificado.

"Poder eterno! cuja elevada morada
Se torna a grandeza de Deus:
Infinitas extensões, além dos limites
onde as estrelas percorrem suas pequenas órbitas.

O mais baixo degrau ao redor do teu trono
já é alto demais, para os pés de Gabriel,
em vão o alto arcanjo tenta
alcançar tua altura, com olhos maravilhados.

Senhor, o que farão a terra e as cinzas?
Nós também adoramos o nosso Criador:
do pecado e do pó, a ti clamamos,
Grande, Santo, e Altíssimo!"

6. *"Que se curva para ver o que está nos céus e na terra!"* Ele habita tão alto, que até mesmo para observar as coisas celestiais, Ele precisa se curvar. Ele precisa se inclinar para ver os céus, e se curvar para ver o que fazem os anjos. Qual, então, deve ser a sua condescendência, vendo que observa o mais humilde dos seus servos sobre a terra, e faz com que ele cante de alegria, como Maria, quando disse: "Atentou na humildade de sua serva". Quão maravilhosas são as palavras de Isaías: "Porque assim diz o Alto e o Sublime, que habita na eternidade e cujo nome é Santo: Em um alto e santo lugar habito e também com o contrito e abatido de espírito, para vivificar o espírito dos abatidos e para vivificar o coração dos contritos". Os filósofos pagãos não podiam acreditar que o grande Deus observasse os pequenos

eventos da história humana; eles o retratavam como em serena indiferença a todas as necessidades e lamentos das suas criaturas. "A sua rocha não é como a nossa Rocha"; nós temos um Deus que está muito acima de todos os deuses, e que é o nosso Pai, sabendo o que necessitamos, antes que precisemos pedir a Ele; o nosso Pastor, que supre as nossas necessidades; o nosso Guardião, que conta os fios de cabelo das nossas cabeças; o nosso Amigo terno e atencioso, que se solidariza em todas as nossas aflições. Verdadeiramente, o nome do nosso Deus condescendente deve ser louvado, onde quer que seja conhecido.

7. *"Que do pó levanta o pequeno."* Este é um exemplo de como Ele se curva, graciosamente, por amor: frequentemente Ele ergue os mais humildes da humanidade, da sua pobreza e degradação, e os coloca em posições de poder e honra. O seu bom Espírito está continuamente visitando os pisados, dando beleza àqueles que estão oprimidos, e elevando os corações dos que choram, até que gritem de alegria. Estas elevações de graça são aqui atribuídas diretamente à mão divina, e verdadeiramente, aqueles que as vivenciaram não duvidarão do fato de que somente o Senhor levanta o seu povo do pó da tristeza e da morte. Quando nenhuma mão, exceto a sua, pode ajudar, Ele intercede, e o trabalho é feito. Vale a pena estar oprimido, para ser tão divinamente levantado do pó.

"E, do monturo, ergue o necessitado", sim, do local em que ele está como lixo sem valor, lançado fora e rejeitado, deixado como para apodrecer até a destruição e ser eternamente esquecido. Quanto Ele se curvou, das alturas do seu trono, até um monturo! Quão maravilhoso é este poder, que se ocupa de levantar mendigos, todos sujos pela imundície em que se encontram! Pois Ele os ergue *do* monturo, não deixa de procurá-los entre as coisas vis da terra, para que possa, por meio deles, reduzir a nada os grandes, e derramar desprezo sobre toda a glória humana. Que monturo é este, em que nos encontramos, por natureza! Que massa de corrupção é o nosso estado natural! Que monte de repugnância acumulamos através de nossa vida pecaminosa! Que abominações pestilentas nos rodeiam na sociedade de nossos companheiros, os homens! Nós jamais conseguiríamos ter nos levantado de tudo isto, por nossos próprios esforços, era um sepulcro em que nós vimos corrupção, e onde éramos como homens mortos. Poderosos são os braços que nos ergueram, que ainda nos erguem, e que nos erguerão à perfeição do próprio céu. Louvai ao Senhor.

8. *"Para o fazer assentar com os príncipes."* O Senhor não faz nada pela metade: quando Ele ergue os homens do pó, Ele não fica satisfeito até que os coloca entre os nobres do seu reino. Nós somos feitos reis e sacerdotes de Deus, e reinaremos para todo o sempre. Em lugar de pobreza, Ele nos dá a riqueza de príncipes; e em vez de desonra, Ele nos dá uma posição mais elevada do que a dos grandes da terra.

"Com os príncipes do seu povo." Todo o seu povo são príncipes, e assim o texto nos ensina que Deus coloca almas necessitadas a quem Ele beneficia, entre os príncipes dos príncipes. Frequentemente, Ele capacita os que estavam mais desesperados, para que subam até as mais elevadas alturas da espiritualidade, e realizações da graça, pois os que já foram os últimos serão os primeiros. Paulo, ainda que menor do que o menor de todos os santos, ainda assim não ficou nada atrás do líder dos apóstolos; e, no nosso próprio tempo, Bunyan, o funileiro blasfemo, foi levantado para ser outro João, cujo sonho quase esteve no nível das visões do Apocalipse.

"Maravilhas de graça a Deus pertencem,
Repetem as suas misericórdias no nosso cântico".

Versículos como estes devem dar grande encorajamento àqueles que são os mais inferiores na sua própria opinião. O Senhor derrama desprezo sobre os príncipes; mas, quanto àqueles que estão no pó e no monturo, Ele os olha com compaixão, age com graça para com eles, e, no caso deles, exibe as riquezas da sua glória, por intermédio de Cristo Jesus. Aqueles que vivenciaram tal assombrosa benevolência, devem entoar contínuas "aleluias" ao Deus da sua salvação.

9. *"Que faz com que a mulher estéril habite em família e seja alegre mãe de filhos."* O forte desejo dos orientais de ter filhos fez com que o nascimento da prole fosse saudado como a mais sublime das benevolências, ao passo que a esterilidade era considerada uma maldição; assim, este versículo é colocado por último, como que para coroar todo o conjunto, e assim servir de clímax para a história de misericórdia de Deus. O Senhor glorioso exibe a sua graça condescendente no que diz respeito àqueles que são desprezados, por causa da sua esterilidade, seja de corpo ou de alma. Sara, Raquel, a esposa de Manoá, Ana, Isabel, e outras, foram exemplos do poder milagroso de Deus, cumprindo, literalmente, a declaração do salmista. As mulheres não podiam ter uma casa até que tivessem filhos; mas, em certos casos, em que mulheres sem filhos se consumiam secretamente, o Senhor as visitava em misericórdia, e fazia não apenas com que elas tivessem uma família, mas que a conservassem. A igreja dos gentios é um exemplo espiritual de uma grande escala da dádiva da fertilidade, depois de longos anos de esterilidade sem esperanças; e a igreja dos judeus, nos últimos dias, será outra exibição assombrosa do mesmo poder vivificador; há muito tempo abandonado, pelo seu adultério espiritual, Israel será perdoado, e restaurado, e alegremente conservará aquela casa que agora é deixada na sua desolação. Mas isto não é tudo, cada crente no Senhor Jesus deve, em algumas ocasiões, ter chorado a sua lamentável esterilidade; ele parecia uma árvore seca, que não produz fruto para o Senhor, mas, quando visitado pelo Espírito Santo, se encontrou, repentinamente, como a vara de Arão, que germinou, e floresceu, e produziu amêndoas. Como sempre estivemos cientes, o nosso coração estéril foi hospitaleiro e recebeu o Salvador, as nossas graças foram multiplicadas, como se muitos filhos tivessem vindo a nós em um único nascimento, e nos alegramos imensamente diante do Senhor. Então nós nos maravilhamos, imensamente, com o Senhor que habita no alto, por Ele ter desejado visitar estas águas pobres e indignas. Como Maria, nós erguemos nosso Magnificat, e como Ana, dizemos: "Não há santo como é o Senhor; porque não há outro fora de ti; e rocha nenhuma há como o nosso Deus".

"Louvai ao Senhor." A música conclui no seu tom principal. O salmo é um círculo, terminando onde começou, louvando o Senhor desde a sua primeira sílaba até a última. Que o salmo da nossa vida tenha a mesma característica, e jamais conheça uma pausa ou uma conclusão. Em um círculo interminável, louvemos ao Senhor cujas graças nunca cessam. Louvemos ao Senhor na juventude, e durante todos os nossos anos de força; e quando nos curvarmos, na maturidade da idade avançada, ainda louvemos ao Senhor, que não rejeitou os seus antigos servos. Não apenas louvemos ao Senhor, nós mesmos, mas exortemos os outros, a fazê-lo; e se nos encontrarmos com algum dos necessitados que foi enriquecido, e com a estéril que foi feita frutífera, que nos unamos a eles, exaltando o nome daquele cuja misericórdia permanece para sempre. Tendo sido, nós mesmos, erguidos, da mendicância e esterilidade espiritual, que jamais nos esqueçamos da nossa condição anterior nem da graça que nos visitou, mas até o fim do mundo, louvemos ao Senhor. Aleluia.

NOTAS EXPLICATIVAS E DECLARAÇÕES SINGULARES

O Salmo: Com este salmo, tem início o *Hallel*, que é recitado nas três grandes festas, na festa da Dedicação (*Chanucca*) e nas luas novas, e não no Dia de Ano Novo nem no Dia do Perdão, porque um cântico alegre de louvor não harmoniza com a triste solenidade destes dias. E ele é recitado somente em fragmentos durante os últimos dias da Páscoa, pois *"minhas criaturas, diz o Santo (e bendito seja para sempre o Senhor), haviam afundado no mar; assim, será que alguém deveria irromper em cânticos de júbilo?"* Na celebração familiar, a noite de Páscoa se divide em duas partes, na primeira metade os salmos 113 e 114 são entoados antes da refeição, antes de esvaziar o segundo cálice festivo, e na segunda metade, os salmos 115-118, depois da refeição, depois de encher o quarto cálice, a que pode se referir o termo ὑμνήσαντες (Mt 26.30; Mc 14.26) ou o entoar de um hino, depois da instituição da Ceia do Senhor, que estava relacionado com o quarto cálice festivo. Paulo Burgensis cita Sl 113–118. *Alleluja Judseorum magnum.* (O grande Aleluia dos judeus). Esta designação é frequentemente encontrada em outras fontes. Mas, segundo o costume, os salmos 113–118, e mais particularmente os salmos 115–118, são chamados somente *Hallel*, e o salmo 136, com a expressão "porque a sua benignidade é para sempre" repetida vinte e seis vezes, traz o nome de *"O Grande Hallēl"* (הַלֵּל הַגָּדוֹל). – *Frank Delitzsch*

O Salmo: Os judeus transmitiram a tradição para as gerações futuras, de modo que este salmo, e os seguintes, até o 118, eram todos entoados na Páscoa, e são denominados *"Grande Hallel"*. Esta tradição mostra, de qualquer forma, que os judeus antigos percebiam, nestes seis salmos, algum elo de íntima relação. Todos cantam a Deus, o Redentor, em algum aspecto do seu caráter redentor; e sendo assim, ainda que sejam adequados à festividade pascal, podemos ver quão apropriados seriam nos lábios do Redentor, no seu Cenáculo. Assim,

No Salmo 113, Ele cantou àquele que redime, das mais distantes profundezas.

No Salmo 114, Ele cantou louvor àquele que redimiu Israel uma vez, e a redimirá outra vez.

No Salmo 115, Ele proferiu um cântico – sobre os ídolos caídos da terra – àquele que abençoa Israel e o mundo.

No Salmo 116, Ele cantou o seu cântico de ressurreição, dando graças por antecipação.

No Salmo 117, Ele liderou o cântico de louvor pela grande congregação.

No Salmo 118, (pouco antes de deixar o Cenáculo para ir ao Getsêmani), Ele apresentou a história do seu sofrimento, conflito, triunfo e glorificação. – *A. A. Bonar.*

O Salmo: Um leitor atento do livro dos Salmos irá observar que praticamente cada um deles tem uma expectativa do cristianismo. Muitos, se não a maior parte dos salmos, sem dúvida foram ocasionados originalmente por acidentes da vida que ocorreram ao seu autor real; eles eram, portanto, ao mesmo tempo descritivos da situação e da vida, dos atos e sofrimentos do rei Davi, e também preditivos do nosso Salvador, que todo o tempo é representado pelo rei Davi, de cujos lombos seria descendente segundo a carne. Mas *este* salmo parece ser *totalmente* escrito com uma expectativa do cristianismo. Ele começa com uma exortação a todos os servos fiéis e adoradores zelosos de Deus, *"louvai o seu nome"*, em todas as ocasiões, em todos os lugares; *"desde agora e para sempre"* e *"desde o nascimento do sol até ao ocaso"*. E a base para este louvor e adoração é apresentada nos versículos seguintes, sendo, em primeiro lugar, a gloriosa majestade da sua natureza divina; e, em segundo lugar, a singular bondade desta natureza, que nos é demonstrada nas suas obras de providência, particularmente exaltando aqueles que são humilhados, e fazendo com que as estéreis sejam férteis. Levantar o pobre do pó, e fazer com que a mulher estéril se torne fértil, pode, à primeira vista, parecer uma estranha mistura de ideias. Mas uma noção correta da linguagem profética irá solucionar a dificuldade e nos ensinar que as duas expressões são, na verdade, relacionadas muito intimamente, e significam praticamente a mesma coisa. Pois *"pobre"* aqui significa aqueles que são destituídos de todo conhecimento celestial (a única riqueza verdadeira) e que estão afundados no pó e na sujeira do pecado. Assim, novamente, fazer com que *"a mulher estéril habite em família e seja alegre mãe de filhos"* é uma metáfora profética, ou alusão à fertilidade da igreja, ao gerar filhos ou professantes da verdadeira religião. A minha interpretação das duas expressões é justificável por muitas passagens paralelas nas Escrituras. Eu somente vou observar que aqui é predita a profissão da fé cristã, por toda a terra; e também a particular direção ou ponto da bússola, rumo ao qual o cristianismo deveria se dirigir, pelo curso da providência de Deus, *isto é,* do oriente ao ocidente, ou *"desde o nascimento do sol até ao ocaso"*. – *James Bate, 1703-1775 v. 1:* "Louvai ao Senhor". "Louvai". A palavra הַלְלוּ é repetida. Esta repetição não é sem significado. Ela tem o propósito de nos despertar e nos tirar do nosso torpor. Todos nós somos tolos e lentos demais em considerar e louvar as bênçãos de Deus. Há, portanto, necessidade destes estímulos. Esta repetição, portanto, significa assiduidade e perseverança em expressar os louvores a Deus. Não é suficiente louvar a Deus de vez em quando, mas os seus louvores devem ser sempre entoados na igreja. – *Mollerus*

v. 1: "Louvai ao Senhor". Este louvor a Deus não se baseia na mera especulação ou contemplação ociosa da excelência divina, flutuando pelo cérebro ou deslizando na língua, mas em tais vívidas percepções que penetram no coração, e ali geram sentimentos apropriados; pois nos fará amá-lo pela sua bondade, respeitá-lo pela sua grandeza, temê-lo pela sua justiça, ou pelo seu poder, adorá-lo pela sua sabedoria, e por todos os seus atributos que nos fazem viver em constante veneração e obediência a Ele. Isto é louvar a Deus, e sem isto todas as outras formas de saudá-lo e elogiá-lo são apenas mera bajulação e hipocrisia... Deus Todo-Poderoso nos deu faculdades mais elevadas e nobres do que a qualquer outra criatura, com este objetivo, que nós expressássemos o seu louvor; pois embora outras criaturas tenham sido feitas para administrar o assunto e a ocasião, somente o homem foi designado e qualificado para exercer o ato de glorificar a Deus... Em resumo, Deus Todo-Poderoso entrelaçou tão fortemente a sua própria glória e a nossa felicidade, que ao mesmo tempo em que promovemos uma, estimulamos a outra. – *Matthew Hole, 1730*

v. 1: "Louvai, servos do Senhor". Da exortação para louvar a Deus, e da declaração de que Ele merece ser louvado, aprenda, que assim como é o dever de todos os homens louvar ao Senhor, também é, em especial, o dever dos seus ministros, e os que oficiam na sua casa. Em primeiro lugar, porque o seu ofício pede que seja desempenhado publicamente. Além disto, porque assim como devem estar mais familiarizados com as razões do seu louvor, também devem ser os mais apropriados instrumentos para declará-lo. E, por fim, porque os ímpios são surdos à exortação, e mudos na obediência a ela; por isto, quando o salmista diz: "*Louvai ao Senhor*", ele acrescenta: "*Louvai, servos do Senhor*". – *David Dickson*

v. 1: "Servos do Senhor". – Todos os homens devem esta obrigação a Deus, por serem a obra das suas mãos; os cristãos, acima dos outros homens, sendo as ovelhas do seu pasto; os que pregam a palavra, acima dos outros cristãos, por serem pastores das suas ovelhas, e assim consequentemente, padrões em palavra, modo de vida, em amor, em espírito, em fé, em pureza (1 Tm 4.12). – *John Boys*

vv. 1 a 3:

Aleluia, louvai ao Senhor
Louvai, servos, louvai o seu nome!
Seja este o louvor do Senhor adorado
Que é e para sempre será o mesmo!
Onde brilham os raios do sol no oriente,
onde eles afundam na corrente do oceano,
pelo circuito dos seus raios
seja o nosso tema o louvor ao Senhor.
– *Richard Mant*

v. 2: "Seja bendito o nome do Senhor". Então, ó homem, que a tua alma lute para conceber (pois é impossível expressar) a imensa dívida de gratidão que você tem com Ele, que, pela sua bondade criadora, chamou você do nada, para fazer com que você participe da sua razão, e até mesmo compartilhe da sua imortalidade; que, pela sua bondade preservadora, pretende conduzir você a salvo através dos vários estágios da sua eterna existência; e que, pela sua bondade redentora, preparou para você uma bondade grande demais para que a compreensão de um ser humano entenda. Você consegue receber estes atos de amor, para você e para toda a humanidade, com insensibilidade e frieza?... Em toda a abrangência de linguagem, que palavra é suficientemente expressiva para pintar a negra ingratidão do homem que não é sensibilizado pela bondade de Deus, seu Criador, e é completamente insensível a ela, e às misericórdias de Cristo? – *Jeremiah Seed, 1747*

v. 2: "Seja bendito o nome do Senhor", etc. Sem dúvida, os discípulos que se assentaram àquela mesa pascal, repetiriam, com sentimentos mesclados de gratidão e tristeza esta declaração de louvor: *"Seja bendito o nome do Senhor, desde agora e para sempre"*. Mas que israelita, em todas as mesas pascais de Jerusalém daquela noite, enquanto cantava o Hallel ou o hino, ou qual dos discípulos, na triste ceia de Jesus, poderia ter compreendido o pleno significado da expressão *"desde agora"*? Desde quando? Eu creio que o apóstolo João nos dá uma indicação da hora e momento exatos de que o salmista, talvez inconscientemente, falava. Ele nos diz que o traidor Judas saiu imediatamente depois de receber bocado molhado; e que, depois que ele tinha saído, para ajustar e ratificar o seu propósito traidor, Jesus disse: *"Agora*, é glorificado o Filho do Homem, e Deus é glorificado nele". Desde aquele momento, quando, pelo conselho e pela presciência de Deus, o Filho do homem estava prestes a ser entregue nas mãos de homens ímpios, e crucificado e morto, quando Jesus olhou aos que estavam ao seu redor, quando a tristeza tinha realmente se apossado de seus corações, e quando, com os olhos que tudo veem, Ele olhou à frente e contemplou todos aqueles que, no futuro, creriam nele por meio da palavra dos discípulos, com que significado e ênfase de significado podemos imaginar que o bendito Jesus, naquela noite de angústia teria proferido estas palavras do hino: *"Seja bendito o nome do Senhor, desde agora e para sempre"!* "Mais algumas poucas horas, e o concerto será selado, no meu próprio sangue; o pacto ratificado, quando Eu estiver pendurado na cruz". E com que calma e confiante certeza de triunfo Ele olha para aquela cruz de vergonha; com que abundante amor Ele aponta para a cruz e diz: "E eu, quando for levantado da terra, todos atrairei a mim!" É a mesma situação aqui, com este salmo pascal; e como o coração do Salvador deve ter se alegrado na contemplação dos sofrimentos que o esperavam, quando Ele proferia esta predição: *"Desde o nascimento do sol até ao ocaso, seja louvado o nome do Senhor!"* "O que tu semeias não é vivificado, se primeiro não morrer", e assim, desde aquela hora até agora, o Senhor tem adicionado, diariamente, à igreja aqueles que, em cada geração e em cada região Ele escolheu para a salvação, até que, na sua própria plenitude dos tempos, do oriente e do ocidente, do norte e do sul, todas as nações o servirão, e "a terra se encherá do conhecimento do Senhor, como as águas cobrem o mar". – *Barton Bouchier*

v. 2: "Desde agora e para sempre". Os servos do Senhor devem entoar os seus louvores nesta vida, até o fim do mundo; e na próxima vida, no mundo sem fim. – *John Boys*

v. 3: "Desde o nascimento do sol até ao ocaso". Isto é, em todos os lugares, do oriente ao ocidente. Sobre as partes ocidentais do mundo, existe a profecia particular de desfrutar da adoração de Deus, depois dos judeus, que estavam no oriente; e as ilhas do mar, em que se diz que o sol se põe, o que é uma expressão dos antigos poetas gregos; e o profeta aqui usa uma palavra em hebraico, com que o sol é chamado, segundo o conceito comum, de crepúsculo, ou de pôr do sol. – *Samuel Torshell, 1641*

vv. 4 e 5: "Exaltado está o Senhor... O Senhor, nosso Deus, que habita nas alturas". Mas quão *exaltado* Ele está? Resposta:

I. Tão exaltado, que todas as criaturas se curvam diante dele, e lhe prestam homenagem, segundo suas várias aptidões e habilidades. João os apresenta, atribuindo a Ele a coroa da glória, tirando-a de nós, mas colocando-a na sua cabeça, como um objeto real, devido apenas a Ele (Ap 5.13).

1. Alguns, a título de *sujeição*, se curvam a Ele: os anjos e santos o adoram, reconhecendo a sua nobreza, negando a sua própria, mas estabelecendo a sua vontade como sua suprema lei e excelência.

2. Outros reconhecem a sua eminência pela *consternação* que sentem pelo menor brilho da sua glória; quando Ele revela apenas os emblemas da sua grandeza, os demônios tremem, os homens estremecem (Tg 2.19; Is 33.14). Em terceiro lugar, até mesmo as criaturas inanimadas, em *conformidade* com as impressões do seu poder, e pronta sujeição a ele (Hc 3.9-11; Is 48.13; Dn 4.35).

II. Ele está tão elevado que está acima de toda a capacidade de compreendêlo (Jó 11.7-9). De modo que, realmente, na expressão de Davi, a sua grandeza é *inescrutável* (Sl 145.3). Em uma palavra, Ele está tão exaltado,

1. Que nenhum olho físico já o viu, ou poderá vê-lo.

2. Que nem mesmo o olho do entendimento o alcança perfeitamente. Ele habita em uma luz inacessível que nenhum olho humano pode alcançar. – *condensado de um sermão de Thomas Hodges, intitulado "A Glimpse of God's Glory", 1642*

v. 5: "Quem é como o Senhor, nosso Deus?" É a natureza do amor, que aquele a quem amamos, preferimos a todos os outros, e perguntamos, *Quem é como o meu amado?* O mundo não tem ninguém semelhante a Ele. O amor pensa sempre em alguém, que, em muitas coisas, é inferior a muitos outros; pois nas questões humanas, o juízo do amor é cego. Mas aqueles que amam ao Senhor seu Deus, embora devam resplandecer com o mais ardente amor por Ele, e devam perguntar, Quem é como o Senhor, nosso Deus? Neste aspecto não se deixarão enganar, mas pensarão da maneira mais correta, em geral. Pois não há ser, no céu nem na terra, que possa, de alguma maneira, ser assemelhado ao Senhor Deus. Nem mesmo o amor pode conceber, pensar, falar a respeito de Deus, ao qual amamos como Ele realmente é. – *Wolfgang Musculus*

v. 5: "Quem é como o Senhor, nosso Deus?, etc. Entre os deuses das nações, como Kimchi, ou entre os anjos do céu, ou entre os poderosos monarcas sobre a terra, não há ninguém como Ele, pelas perfeições da sua natureza, pela sua sabedoria, pelo seu poder, pela sua verdade e fidelidade; pela sua santidade, justiça, bondade, graça e misericórdia. Quem é eterno, imutável, onipotente, onisciente e onipresente? Observe as obras das suas mãos, as suas obras de criação, providência e graça; ninguém jamais fez algo semelhante. O que torna esta reflexão ainda mais prazerosa para os homens verdadeiramente bons é o fato de que este Deus é o seu Deus; e tudo isto é verdade sobre o nosso Emanuel, Deus conosco, que é Deus sobre tudo, e o único Salvador e Redentor; e não há ninguém no céu ou na terra como Ele, ou que possa ser desejado como Ele. – *John Gill*

v. 5: "O Senhor, nosso Deus, que habita nas alturas". Deus está nas alturas, com respeito ao lugar ou morada. É verdade que Ele está no céu estrelado com respeito à sua essência e poder; mas o céu dos benditos é o seu trono: não como se Ele estivesse tão confinado neste lugar a ponto de ser excluído dos outros, pois "o céu dos céus não o poderiam conter"; mas, com respeito à manifestação, Ele é considerado ali, porque neste lugar principalmente Ele manifesta a sua glória e bondade. Com respeito à sua essência, Ele está *exaltado* realmente, indescritivelmente exaltado em excelência acima de todas as coisas, não somente na frase de Abraão – *"O Deus Altíssimo" –,* mas na frase de Davi – *"O Senhor Altíssimo".* Ai, o que são todos os seres criados, com respeito a Ele, com todas as suas qualidades, senão nada ou vaidade?... Pois estas qualidades são coisas diversas nas criaturas, mas uma em Deus; nas criaturas, são acidentes, mas são essência em Deus; elas estão, nas criaturas, em uma combinação ou outra, são como a luz quando brilham, mas há pontos de imperfeição que podem ser encontrados nelas. Com respeito à dimensão, Ele está infinitamente acima de todos. Eles possuem algumas pequenas gotas, em comparação com a fonte, alguns pobres raios brilhantes em comparação com este glorioso sol; em uma palavra, Ele é um oceano infinito de perfeição, sem extremidade ou fundo. – *Thomas Hodges, em um sermão pregado à House of Commons, 1642*

v. 5: Deus é considerado, não somente estando nas alturas, mas *"habitando"* nas alturas; isto indica uma *operação calma e controlada,* e é apropriado que nós assumamos esta visão do caráter da administração de Deus. Você se recorda de que, em todas as gerações, a descrença foi, de certa forma, considerada plausível, por razão da demora de Deus no cumprimento dos seus desígnios. Assim, na época do apóstolo Pedro, parecia que, como os apóstolos e pregadores do cristianismo tinham insistido tanto na vinda de Cristo para o juízo, eles clamavam: "Onde está a promessa da sua vinda? Porque desde que os pais dormiram todas as coisas permanecem como desde o princípio da criação". Qual é a resposta que o apóstolo dá a isto? A sua primeira resposta, eu garanto é que todas as coisas não permaneciam como eram desde a criação, pois houve um dilúvio, e aqueles que disseram, Onde está a promessa da sua vinda? Nos dias de Noé, receberam, por fim, a sua resposta, pela terra que se abria e pelos céus que se partiam... Esta foi a sua primeira resposta; mas a sua segunda resposta contém o princípio de que "um dia para o Senhor é como mil anos, e mil anos, como um dia". O Ser que existe de eternidade a eternidade não tem a necessidade de precipitar os seus planos; por isto, Ele fixou os tempos e as estações – elas estão com Ele, e *Ele habita nas alturas. – Richard Watson, 1831*

vv. 5 e 6: A filosofia do mundo, até hoje, tem o seu entendimento elevado e magnífico do Ser Divino; mas pareceria uniforme, quer entre os sábios do mundo pagão ou entre os filósofos da época atual, que quanto mais elevadas as suas perspectivas da natureza divina, mais eles são propensos à descrença e à desconfiança; e que, na exata proporção em que pensavam nobremente de Deus, também a impressão se aprofundava, de modo que, com respeito aos indivíduos, pelo menos, eles não eram a sua preocupação imediata. A doutrina de uma providência particular, e a doutrina da influência divina direta sobre o coração do homem, foram sempre consideradas por eles absurdas e fanáticas. Quando, porém, eu me volto aos sábios de inspiração, aos santos de antigamente, que pensavam e falavam à medida que eram movidos pelo Espírito Santo, encontro um resultado muito diferente – pois na mesma proporção das perspectivas que tinham da glória de Deus, também tinham a sua confiança e esperança.

Que dois resultados tão opostos nascessem da mesma ordem de pensamentos com respeito ao Ser Divino! Este é um fato singular, que exige e merece alguma investigação. Como é que, entre os homens do mundo, sábios como são, na proporção em que tiveram elevadas e exaltadas perspectivas a respeito de Deus, estas nobres ideias tendem à desconfiança, ao passo que, na medida em que somos esclarecidos nos mesmos assuntos pelas Escrituras da verdade, corretamente e espiritualmente compreendidas, nós, assim como os autores destes livros sagrados, na medida em que vemos a glória e a grandeza de Deus, somos incitados a uma confiança filial e consoladora? Há duas proposições no texto que a razão humana jamais poderia reunir. *"Que habita nas alturas"* – mas Ele *"se curva para ver o que está nos céus e na terra"*. E a razão pela qual as meras faculdades humanas, sem ajuda, jamais poderiam reunir estas duas ideias é que elas não poderiam, na natureza das coisas, ser reunidas, exceto por uma terceira revelação, que deve vir do próprio Deus, e mostrar as duas em perfeita harmonia – a revelação de que "Deus amou o mundo de tal maneira que deu o seu Filho unigênito, para que todo aquele que nele crê não pereça, mas tenha a vida eterna". – *Richard Watson, 1831*

vv. 5 e 6: A estrutura desta passagem no original é singular, e desta forma é apresentada e comentada pelo bispo Lowth, na sua Preleção de número 19:

Quem é como o Senhor nosso Deus?
Que habita nas alturas,
Que olha para baixo,
Tanto no céu como na terra.

A última parte deve ser dividida e designada, em suas duas divisões, às duas partes anteriores; de modo que o sentido possa ser: "Que habita nas alturas, no céu, e olha para baixo, para ver o que está na terra". – *Richard Mant*

v. 6: "Que se curva". O que quer que se possa afirmar de Deus, pode ser afirmado sobre Ele infinitamente, e o que quer que Ele seja, Ele o é, infinitamente. Assim o salmista, neste ponto, não fala de Deus como humilde, mas como infinitamente e superlativamente humilde, humilde além de toda concepção e comparação; Ele desafia todo o universo da natureza criada, desde o mais elevado espírito imortal no céu ao mais inferior mortal na terra, para mostrar um Ser dotado de tanta humildade, como a adorável majestade do grande Deus do Céu e da terra... Se alguns exemplos da humildade divina surpreendem, o seguinte pode nos assombrar: Ver o grande Rei do céu curvando-se da sua altura, e condescendendo em oferecer termos de reconciliação às suas rebeldes criaturas! Ver a majestade ofendida convidando os transgressores a aceitar o perdão! Ver Deus persuadindo, implorando e suplicando que os homens se convertam a Ele, com tal fervor e insistência, como se a sua vida estivesse associada à deles, e a sua própria felicidade dependesse da deles! Ver o adorável Espírito de Deus, com infinita longanimidade e benignidade, sujeitando-se ao desprezo e aos insultos de tão miseráveis, desprezíveis infelizes, como os mortais pecadores! Não é assombroso? – *Valentine Nalson, 1641-1724*

v. 6: "Que se curva para ver". Se há tal condescendência para que Deus contemple as coisas no céu e na terra, que assombrosa condescendência houve, para que o Filho de Deus descesse do céu à terra e assumisse a nossa natureza, para que pudesse buscar e salvar os que se haviam perdido! Aqui, realmente, Ele se humilhou. – *Matthew Henry*

v. 7: "Levanta o pequeno", etc. Sem dúvida, há uma referência a isto no respeito que Deus dedica até mesmo às classes inferiores da raça, visto que "do pó levanta o pequeno e, do monturo, ergue o necessitado". Eu não tenho dúvida de que há referência, em todo este salmo, aos tempos do Evangelho; neste aspecto, é um salmo profético, incluindo uma referência especialmente ao cristianismo, pois ele pode ser considerado, por eminência e distinção, a religião dos pobres – a sua maior glória. Pois quando João Batista enviou dois discípulos a Jesus, para saber se Ele era ou não o Messias, a resposta do nosso Senhor foi: "Os cegos veem, e os coxos andam; os leprosos são limpos, e os surdos ouvem; os mortos são ressuscitados" – todos eventos extraordinários – milagres, em suma, que provavam a sua comissão divina. E Ele resumiu tudo, dizendo: "e aos pobres é anunciado o evangelho"; um milagre tão grande como qualquer outro – uma distinção tão grande como qualquer outra. Nunca houve uma religião, exceto a religião verdadeira, com todas as suas várias dispensações, que tivesse igual respeito por todas as classes da sociedade. Em todas as outras havia uma classe privilegiada, mas aqui não há nenhuma. Talvez uma das mais interessantes perspectivas sobre o cristianismo que podemos ter é a sua maravilhosa adaptação ao caráter e às circunstâncias dos pobres. Que oportunidade isto fornece para a manifestação das graças magníficas e brandas do Espírito Santo! Que fontes de consolação isto abre, para aliviar as dificuldades da vida! e quão frequentemente, ao escolher os pobres, ricos na fé, para fazer deles os herdeiros do seu reino, Deus levanta os pobres do pó, e os necessitados do monturo. – *Richard Watson*

v. 7: "Levanta o pequeno", etc. Gideão foi chamado quando estava no lagar, Saul quando estava procurando as jumentas, e Davi quando estava apascentando ovelhas; os apóstolos, quando estavam pescando, foram enviados para ser "pescadores de homens". O tesouro do Evangelho é colocado em vasos terrenos, e os fracos e os loucos do mundo são escolhidos para pregá-lo, para confundir os "sábios e fortes" (1 Co 1.27, 28), para que a excelência do poder possa ser de Deus, e todos possam ver que a promoção vem dele. – *Matthew Henry*

v. 7: "Levanta o pequeno". A maior honra, que já foi feita a qualquer criatura, foi feita pela consideração à mais extrema humildade; o Filho de Deus teve tanta consideração pela humildade da bendita virgem Maria, que fez a ela a honra de escolhê-la para ser a mãe da sua santa humanidade. E Crisóstomo observa que a mesma mão que o humilde João Batista não considerou digna de desatar as sandálias dos pés do nosso bendito Salvador, foram consideradas dignas de batizá-lo. – *Valentine Nalson*

v. 7: "E, do monturo, ergue o necessitado", o que sugere uma condição inferior; assim alguém nascido em um lugar humilde, e criado de maneira humilde, às vezes é descrito como tirado de um monturo; e também expressa alguém repugnante; os homens, pelo pecado, não apenas são trazidos a uma condição inferior, mas a uma condição repugnante, e com razão são abomináveis aos olhos de Deus, e, no entanto, Ele os ergue desta condição: as expressões *levantar* e *erguer* pressupõem que eles estão caídos, como aconteceu com os homens em Adão, caídos de uma posição de honra e glória, da qual não conseguem se libertar; é trabalho de Cristo, e apenas dele, levantar as tribos de Jacó e ajudar ou erguer o seu servo, Israel (Is 49.6; Lc 1.54; veja 1 Sm 2.8). – *John Gill*

v. 7: "O pobre... o necessitado". Alegre-se, então, porque Deus observa você de modo favorável. O mais alto e mais nobre dos seres se digna a observar *você*. Embora você seja pobre e necessitado, e os homens ignorem você, embora seus irmãos odeiem você, e seus amigos se afastem para longe de você, ainda assim, ouça! Deus olha para baixo, do seu trono majestoso, e olha para você. Em meio à infinita variedade das suas obras, você não é ignorado. Em meio aos nobres serviços, de dez mil vezes dez mil santos e anjos, nem *uma* das suas fervorosas orações ou dos seus humildes gemidos escapa aos seus ouvidos. – *Job Orion, 1717-1783*

v. 7: O Deus Todo-Poderoso não pode olhar acima de Si mesmo, pois não há ninguém superior a Ele; nem ao redor de Si mesmo, pois não há ninguém igual a Ele; Ele contempla os que estão abaixo dele; e, por isto, quanto mais inferior é o homem, mais próximo está de Deus; Ele resiste aos soberbos, mas dá graça aos humildes (1 Pe 5.5). Ele remove os poderosos de seus assentos, e exalta os de condição inferior. O Altíssimo observa especialmente aqueles que são os mais humildes; pois, como diz o nosso texto: *"Ele levanta o simples do pó, e o pobre do monturo"* – *John Boys*

v. 7: "Monturo". Um símbolo da mais profunda pobreza e abandono; pois na Síria e na Palestina, o homem que é expulso da sociedade fica no *mezbele* (o monturo, ou monte de cinzas), durante o dia, pedindo esmolas aos que passam, e durante a noite, escondendo-se nas cinzas que foram aquecidas pelo sol. – *Franz Delitzsch*

v. 7: "Monturo". As passagens da Bíblia, em que esta palavra aparece, todas parecem se referir, como observa Parkhurst, aos montes de estrume bovino e outras coisas semelhantes, que os orientais, por falta de madeira, eram forçados a acumular como combustível. – *Richard Mant*

vv. 7 e 8: Estes versículos são extraídos, praticamente palavra por palavra, da oração de Ana (1 Sm 2.8). A transição para o *"povo"* é muito natural, pois Ana, considerando-se na conclusão como um tipo da igreja, com a qual cada indivíduo entre os israelitas se sentia muito mais intimamente entrelaçado do que nós, tira da salvação estendida a ela alegres expectativas para o futuro. – *E. W. Hengstenberg*

v. 8: "Com os príncipes do seu povo". A honra que vem de Deus é a única coisa que realmente exalta. Seja qual for a observação que o mundo possa fazer de um homem pobre, ele poderá ser mais precioso aos olhos de Deus do que o mais nobre entre os homens. Os pobres humildes aqui são colocados ao lado, não dos príncipes da terra, mas dos *"príncipes do seu povo"*. As distinções neste mundo, até mesmo entre aqueles que servem ao mesmo Deus, são como nada aos seus olhos, quando contrastados com aquela honra que está baseada na graça gratuita de Deus para com os seus. Mas aqui, também, a abrangência desta declaração somente pode ser vista no mundo que há de vir, quando todos os fiéis serão reconhecidos como reis e sacerdotes de Deus. – *W. Wilson*

v. 9: "Faz com que a mulher estéril habite em família", etc. Se uma mulher casada, que tinha sido considerada estéril por muito tempo, viesse a ser mãe, a sua alegria, e a de seu esposo e de seus amigos, seria extrema. "Eles a chamavam *Malady* (*doente, enferma*)", isto é, "estéril", "mas ela nos deu bons frutos". "Meus amigos me apontavam, e diziam *Malady*: mas o que dirão agora?" Um homem que, em alguma ocasião, manifeste grande deleite, é descrito como sendo como a mulher estéril que, por fim, teve um filho. Qualquer coisa que é excessivamente valiosa é assim descrita: "Isto é tão precioso como o filho da mulher estéril"; isto é, daquela que foi considerada estéril por muito tempo. – *Joseph Roberts*

v. 9: "Faz com que a mulher estéril habite em família", etc. Como a baixeza nos homens, também a esterilidade nas mulheres é considerada uma grande desgraça. Mas assim como Deus ergue o necessitado do monturo, para colocá-lo com os príncipes, também Ele *"faz com que a mulher estéril... seja alegre mãe de filhos"*. Ele governa todas as coisas na privacidade da família, assim como no bem estar do público. Os filhos e o fruto do ventre são uma dádiva e uma herança que vem do Senhor (Sl 127.3); e por isto os papistas, ao orar a Santa Ana, pedindo filhos, e os gentios, ao invocar Diana, Juno, Latona, estão, todos, errados. É Deus, somente, que torna a mulher estéril *"uma mãe"*, e *"uma mãe alegre"*. Cada mãe é alegre a princípio, segundo o que diz Cristo: "A mulher, quando está para dar à luz, sente tristeza, porque é chegada a sua hora; mas, depois de ter dado à luz a criança, já se não lembra da aflição, pelo prazer de haver nascido um homem no mundo".

Os teólogos aplicam isto também misticamente a Cristo, afirmando que Ele fez a igreja dos gentios, até aqui, *"estéril"*, *"uma alegre mãe de filhos"*, segundo o que disse o profeta: "Canta alegremente, *ó estéril* que não deste à luz! Exulta de prazer com alegre canto e exclama, tu que não tiveste dores de parto! Porque mais são os filhos da solitária do que os filhos da casada, diz o Senhor" (Is 54.1). Ou isto pode ser dito dos cristãos verdadeiros: todos nós somos, por natureza, estéreis de bondade, concebidos e nascidos em pecado, incapazes, por nós mesmos, de pensar alguma coisa (2 Co 3.5); mas o Pai das luzes e misericórdias nos faz frutíferos e "sempre abundantes na obra do Senhor" (1 Co 15.58); Ele nos dá a graça para sermos pais e mães de tantas boas obras, que são nossos filhos e herdeiros, eternizando nosso nome para sempre. – *John Boys*

v. 9: "A mulher estéril" é a pobre, abandonada, angustiada igreja cristã, à qual a falsa igreja oprime, desafia e persegue, e considera inútil, miserável e estéril, porque ela mesma é maior e mais populosa, na maior parte do mundo. – *Joshua Arndt, 1626-1685*

v. 9: "Louvai ao Senhor". Nós podemos olhar ao redor, e ver motivos abundantes para louvar a Deus – na sua condescendência com as questões humanas – no seu levantar o pobre da condição mais humilde – no seu exaltar os inferiores a posições de honra, confiança, riqueza e poder; mas, afinal, se desejarmos encontrar motivos para louvor que irão afetar o coração de modo mais terno, e nos conectarmos com os mais calorosos sentimentos da alma, estas coisas provavelmente serão encontradas no círculo doméstico – no amor mútuo – na alegria comum – nos sentimentos ternos – que unem os membros de uma família. – *Albert Barnes*

v. 9: "Louvai ao Senhor". Ouvir, simplesmente, as mudanças consoladoras que o Senhor pode fazer com que os aflitos encontrem (e fará), é um motivo de renovação para todos, e de louvor a Deus por parte de todos. – *David Dickson*

SUGESTÕES AOS PREGADORES

O Salmo. O salmo contém três partes:
I. Uma exortação para que os servos de Deus o louvem.
II. Uma forma estabelecida sobre como e onde louvá-lo, vv. 2,3.
III. As razões que nos persuadem a fazer isto.
1. O seu infinito poder, vv. 4,5.
2. A sua providência, exibida no céu e na terra, v. 6 – *Adam Clarke*
v. 1. As repetições mostram,

1. A importância do louvor.
2. Nossas muitas obrigações para expressá-lo.
3. Nossa relutância no dever.
4. A sinceridade e a frequência com que ele deve ser expressado.
5. A necessidade de convocar outros a se unirem a nós.

v. 1. I. A quem é devido o louvor: "O Senhor".
II. De quem ele é devido: dos "servos do Senhor".
III. Por que ele é devido: Por causa do seu "nome".
1. Por todos os nomes descritivos do que Ele é, em Si mesmo.
2. Por todos os nomes descritivos do que Ele é para os seus servos. – *G. R.*

vv. 1 e 9. "Louvai ao Senhor".
I. Comece e termine a vida louvando ao Senhor, e faça a mesma coisa com o serviço santo, o sofrimento paciente, e tudo o mais.
II. Preencha o intervalo com louvor. Passe rapidamente pelos versículos intermediários.

v. 2. I. A obra do céu começou na terra: louvar o nome do Senhor.
II. A obra da terra continuou no céu: "E para sempre". Se o louvor iniciado na terra tiver continuidade no céu, nós deveremos estar no céu para continuar o louvor. – *G. R.*

v. 2. 1. É o momento de começar a louvar: "desde agora". Não há uma razão especial, por longas obrigações, pelo dever atual, etc.?
2. Não há momento para deixar de louvar: "E para sempre". Não se pressupõe que ninguém o faça, nem se desculpa quem não o faça.

v. 3. Deus deve ser louvado.
1. O dia inteiro.
2. Por todo o mundo.
3. Publicamente, à luz.
4. Entre as obrigações diárias.
5. Sempre – porque é sempre dia, em algum lugar.

v. 3. I. Horas canônicas, abolidas.
2. Lugares santos, abolidos – uma vez que não podemos estar sempre neles.
3. Todos os momentos e lugares consagrados.

vv. 5 e 6. A grandeza de Deus, vista de baixo, v. 5.
II. A condescendência de Deus, vista do alto, v. 6.
1. Na criação.
2. Na encarnação.
3. Na redenção. – *G. R.*

vv. 5 e 6. A condescendência incomparável de Deus.
1. Ninguém é tão grande, e, portanto, capaz de se curvar tão baixo.
2. Ninguém é tão bom, e, portanto, tão disposto a se curvar.
3. Ninguém é tão sábio, e, portanto tão capaz de "ver" ou conhecer as necessidades de pequenas coisas.
4. Ninguém é infinito, e, portanto capaz de entrar em minúcias e solidarizar-se com a menor angústia: O infinito é visto no detalhe, assim como na imensidão.

v. 6. I. O mesmo Deus governa no céu e na terra.
II. As duas esferas dependem de que Ele as contemple, para sua felicidade.
III. Ambas desfrutam da sua consideração.
IV. Todas as coisas feitas nestas duas esferas estão, igualmente, sob a sua inspeção.

v. 7. O Evangelho e seu olhar especial aos pobres.

vv. 7 e 8. I. Onde estão os homens.? No pó da angústia e no monturo do pecado.
II. Quem interfere para ajudá-los? Aquele que habita nas alturas.
III. O que Ele faz por eles? "Levanta, ergue, assenta com os príncipes, entre os príncipes do seu povo".

v. 8. A elevação à nobreza do céu; ou, a Família Real aumentada.

v. 9. Para reuniões de mães. "Alegre mãe de filhos".

I. É uma alegria ser mãe.

II. É especialmente alegre ter filhos vivazes, saudáveis, obedientes.

III. Mas o melhor de tudo é ter filhos cristãos. O louvor é devido ao Senhor que dá tais bênçãos.

v. 9. I. Um Deus da família, ou, Deus na família: "Faz", etc. Você tem filhos? Isto é de Deus. Você perdeu filhos? Isto é de Deus. Você esteve sem filhos? Isto é de Deus.

II. A adoração em casa, ou o Deus da Família: "Louvai ao Senhor".

1. Na família.
2. Pelas graças da família. – *G. R.*

SALMO 114

TEMA E DIVISÃO

Este sublime cântico do Êxodo é único e indivisível. Aqui, a verdadeira poesia atingiu o seu clímax: nenhuma mente humana jamais pôde igualar, e muito menos superar, a grandiosidade deste salmo. Deus é descrito como conduzindo o seu povo, do Egito a Canaã, e fazendo com que toda a terra se emocione com a sua vinda. As coisas inanimadas são representadas como imitando os atos das criaturas vivas, quando o Senhor passa. Alguém fala com elas, e as questiona, com maravilhoso vigor de linguagem, até que considere a cena. O Deus de Jacó é exaltado como tendo domínio sobre rios, mar e montes, e fazendo com que toda a natureza preste respeitos à sua gloriosa majestade.

EXPOSIÇÃO

1 *Quando Israel saiu do Egito, e a casa de Jacó, de um povo bárbaro,*
2 *Judá ficou sendo o seu santuário; e Israel, o seu domínio.*
3 *O mar viu isto e fugiu; o Jordão tornou atrás.*
4 *Os montes saltaram como carneiros; e os outeiros, como cordeiros.*
5 *Que tiveste, ó mar, que fugiste, e tu, ó Jordão, que tornaste atrás?*
6 *E vós, montes, que saltastes como carneiros, e vós, outeiros, como cordeiros?*
7 *Treme, terra, na presença do Senhor, na presença do Deus de Jacó,*
8 *o qual converteu o rochedo em lago de águas; e um seixo, em manancial.*

1. *"Quando Israel saiu do Egito."* O cântico começa com uma explosão, como se a fúria poética não pudesse ser reprimida, mas ultrapassasse todos os limites. A alma elevada e cheia com uma percepção da glória divina não pode esperar para criar um prefácio, mas surge de uma vez no meio do seu tema. Israel saiu enfaticamente do Egito, das pessoas entre as quais tinha se dispersado, saiu de baixo do jugo da escravidão, e do poder pessoal do rei que tinha

convertido o povo em escravos nacionais. Israel saiu triunfantemente e com o braço estendido, desafiando todo o poder do império, e fazendo com que todo o Egito sofresse angústias e dores terríveis, como se a nação escolhida, de certa maneira, nascesse do seu meio.

"A casa de Jacó, do meio de um povo de língua estranha" (ARA). Eles tinham descido ao Egito como uma única família – "a casa de Jacó", e, embora tivessem se multiplicado enormemente, ainda eram tão unidos e tão considerados por Deus como uma única unidade, que são mencionados apropriadamente como a casa de Jacó. Eles eram como um único homem na sua disposição em deixar Gósen; por mais numerosos que fossem, nem um único indivíduo ficou para trás. A unanimidade é um símbolo agradável da presença divina, e um dos seus mais doces frutos. Uma das suas inconveniências no Egito era a diferença de idiomas, que era muito grande. Os israelitas parecem ter considerado os egípcios gagos ou tagarelas, uma vez que não podiam compreender o que diziam, e naturalmente consideravam os egípcios bárbaros, uma vez que, sem dúvida, eles os espancavam frequentemente, porque não compreendiam suas ordens. A língua de capatazes estrangeiros jamais é como música para os ouvidos de um exilado. Como é doce, para um cristão que foi forçado a ouvir a repugnante conversa dos ímpios, quando, por fim, ele é tirado do meio deles, para habitar entre o seu próprio povo!

2. *"Judá ficou sendo o seu santuário; e Israel, o seu domínio."* O pronome "seu" aparece aqui, onde deveríamos procurar o nome de Deus; mas o poeta está tão cheio de pensamentos a respeito do Senhor que se esquece de mencionar o seu nome, como a esposa no Cântico, que começa com: "Beije-me *ele*", ou Madalena, quando clamou: "Dize-me onde *o* puseste". A partir da menção a Judá e Israel, certos críticos deduziram que este salmo deve ter sido escrito depois da divisão dos dois reinos; mas este é apenas outro exemplo da base extremamente frágil em que esta hipótese é frequentemente construída. Antes da formação dos dois reinos, Davi tinha dito: "Vai, numera a Israel e a Judá" e esta era a maneira usual de falar, pois Urias, o heteu, disse: "A arca, e Israel, e Judá ficam em tendas", de modo que nada se pode deduzir com base no uso dos dois nomes. Nenhuma divisão em dois reinos pode ter sido a intenção aqui, pois o poeta está falando da saída do Egito, quando o povo estava tão unido que há pouco ele os tinha chamado de "casa de Judá". Seria quase tão normal provar, com base no primeiro versículo, que o salmo foi escrito quando o povo estava unido, quanto provar, com base no segundo, que a sua autoria data da sua separação. Judá foi a tribo que liderou na marcha pelo deserto, e foi predita, na profecia, como sendo a tribo real, daí a sua menção poética neste ponto. O significado da passagem é que todo o povo, na saída do Egito, foi consagrado ao Senhor para ser um povo peculiar, uma nação de sacerdotes cujo lema seria: "Santidade ao Senhor". Judá era a "coisa santa" do Senhor, consagrada para seu uso especial. A nação era, peculiarmente, o domínio do Senhor, pois era governada por uma teocracia, em que apenas Deus era o Rei. Era o seu domínio, no sentido de que o resto do mundo estava fora do seu reino. Estes foram os dias da juventude de Israel, o tempo do seu matrimônio, quando esta nação seguiu o Senhor até o deserto, o seu Deus liderando, com sinais e milagres. Todo o povo era o santuário da Divindade, e o seu acampamento era um grande templo. Que transformação deve ter sido, para os devotos entre eles, das idolatrias e blasfêmias dos egípcios à santa adoração e ao governo justo do grande Rei em Jesurum. Eles viviam em um mundo de milagres, onde Deus era visto no maravilhoso pão que eles comiam, e na água que bebiam, assim como na solene adoração do seu santuário. Quando o Senhor é notoriamente presente em uma igreja, e o seu gracioso governo é obedientemente reconhecido, que era dourada é esta, e que honrosos privilégios tem o seu povo! Que possa ser assim conosco.

3. *"O mar viu isto e fugiu"*; ou: "o mar viu, e fugiu" – ele viu Deus e todo o seu povo seguindo a sua liderança, e ficou assombrado e fugiu. Uma figura ousada! O Mar Vermelho espelhou os exércitos que tinham vindo à sua margem, e refletiu a

nuvem que se erguia acima de todos, como símbolo da presença do Senhor; jamais uma cena como esta teria sido imaginada antes, na superfície do Mar Vermelho, ou qualquer outro mar. Ele não conseguiu suportar a visão assombrosa e incomum, e fugindo para a direita e para a esquerda, abriu uma passagem para o povo escolhido. Um milagre semelhante ocorreu no fim da grande marcha de Israel, pois *"o Jordão tornou atrás"*. Este era um rio de correntezas rápidas, que se derramava em um declive íngreme, e não foi simplesmente dividido, mas a sua correnteza foi levada de volta, de modo que a água, em um movimento contrário à natureza, subia a colina; isto foi obra de Deus: o poeta não canta sobre a suspensão das leis naturais, mas sobre um fenômeno singular, que não poderia ser explicado; mas, para ele, a presença de Deus junto ao seu povo é tudo, e no seu nobre cântico ele conta como o rio "voltou atrás", porque o Senhor estava ali. Neste caso, a poesia não é nada além do fato literal, e a ficção está do lado dos críticos ateus que irão sugerir alguma explicação para o milagre, em vez de admitir que o Senhor acenou com seu santo braço, diante de todo o seu povo. A divisão do mar e a seca do rio são colocadas juntas, embora separadas por quarenta anos, porque foram as cenas de início e de término de um grande evento. Nós podemos, então, unir pela fé o nosso novo nascimento e a nossa saída do mundo para entrar na herança prometida, pois o Deus que nos tirou do Egito da nossa escravidão ao pecado também irá nos conduzir, pelo Jordão da morte, tirando-nos das nossas peregrinações no deserto desta vida angustiosa e instável. É a mesma libertação, e o começo assegura o fim.

4. *"Os montes saltaram como carneiros; e os outeiros, como cordeiros."* Quando o Senhor veio ao Monte Sinai, os montes se moveram, pulando de alegria, na presença do seu Criador, como jovens cordeiros, ou saltando de seus lugares, aterrorizados com a terrível majestade do Senhor, e fugindo como um rebanho de ovelhas, quando assustadas. O homem teme os montes, mas os montes tremem diante do Senhor. As ovelhas e os cordeiros se movem, rapidamente, pelos campos; mas os montes, que estamos acostumados a se chamar eternos, são tão propensos a se mover como as mais ativas criaturas. Os carneiros, na sua força, e os cordeiros nas suas brincadeiras, não se agitam mais do que os sólidos montes, quando o Senhor marcha. Nada é estático, exceto o próprio Deus. Os montes se moverão, e os outeiros também, mas o concerto da sua graça permanece firme, para todo o sempre. Da mesma maneira os montes do pecado e os outeiros das dificuldades se movem, quando o Senhor se move para liderar o seu povo rumo à sua eterna Canaã. Que jamais temamos, mas que a nossa fé diga a este monte: "Ergue-te e lança-te no mar", e isto será feito.

5. *"Que tiveste, ó mar?"* De que tiveste tanto medo? A tua força te falhou? O teu coração secou? "Que tiveste, ó mar, *que fugiste?*" Em outras palavras, você estava próximo ao poder de Faraó, mas jamais temeu os seus exércitos; o vento e a tempestade jamais puderam prevalecer contra você, de modo a dividi-lo em dois; mas quando o caminho do Senhor passou pelas suas águas, você foi dominado pelo temor, e se tornou um fugitivo diante dele.

"E tu, ó Jordão, que tornaste atrás?" O que aconteceu, ó rio veloz e descendente? As suas fontes não secaram, nem um abismo se abriu para engolir você! A aproximação de Israel e do seu Deus foi o suficiente para fazer com que você retrocedesse. O que têm todos os nossos inimigos, que fogem quando o Senhor está do nosso lado? O que tem o próprio inferno, que é totalmente afugentado, quando Jesus arvora uma bandeira contra ele? "Tremor ali os tomou", pois o temor a Ele fez estremecer o mais valente, e eles ficaram como mortos.

6. *"E vós, montes, que saltastes como carneiros, e os outeiros, como cordeiros."* O que aconteceu com vocês, para que se movessem assim? Há apenas uma resposta possível: a majestade de Deus fez com que vocês saltassem. Uma mente graciosa irá repreender a natureza humana pela sua estranha insensibilidade, quando o mar e o rio, os montes e os outeiros, todos forem sensíveis à presença de Deus. O homem é dotado de razão e inteligência, e, no entanto, parece insensível ao que a criação material contempla com temor. Deus se aproximou mais de nós do que do Sinai,

ou do Jordão, pois assumiu a nossa natureza, e, no entanto, a humanidade não é levada a converter-se dos seus pecados, nem mover-se nos caminhos da obediência.

7. *"Treme, terra, na presença do Senhor, na presença do Deus de Jacó."* Ou: "diante do Senhor, o Adonai, o Mestre e Rei". É de uma maneira muito apropriada que o salmo convoca toda a natureza para que outra vez sinta um santo temor, porque o seu Governante ainda está no seu meio.

"Estremece, quando o Senhor anda,
Estremece, ó terra, diante do Deus de Israel".

Que o crente sinta que Deus está próximo, e servirá ao Senhor com temor e se alegrará com tremor. O temor não é expulso pela fé, mas, ao contrário, se torna cada vez mais profundo. O Senhor é mais reverenciado, onde é mais amado.

8. *"O qual converteu o rochedo em lago de águas"*, fazendo com que um lago fosse criado aos seus pés, convertendo o deserto em um tanque: tão abundante era o suprimento de água da rocha, que permaneceu como água em um reservatório. *"Um seixo, em manancial"*, que jorrava livremente em correntezas, seguindo as tribos em suas marchas. Veja o que Deus pode fazer! Parecia impossível que o seixo se tornasse uma fonte, mas Ele fala, e isto é feito. Não apenas os montes se movem, mas as rochas produzem rios, quando o Deus de Israel deseja que assim seja.

"Da rocha sólida Ele cria
o lago que se espalha, as fontes que jorram".

"Engrandecei ao Senhor comigo, e juntos exaltemos o seu nome", pois é Ele – e somente Ele – que faz maravilhas como estas. Ele supre as nossas necessidades temporais, de fontes do tipo mais improvável, e jamais permite que falhe a corrente da sua liberalidade. Quanto a nossas necessidades espirituais, são todas satisfeitas pela água e pelo sangue que jorrou da rocha partida, Cristo Jesus: por isto, exaltemos ao Senhor, nosso Deus.

A nossa libertação do jugo do pecado é assombrosamente tipificada no subir de Israel, saindo do Egito, e assim também a vitória do nosso Senhor sobre as forças da morte e do inferno. O Êxodo, portanto, deve ser fervorosamente recordado pelos corações cristãos. No monte da transfiguração, Moisés não falou ao nosso Senhor do "êxodo" que em breve Ele realizaria em Jerusalém? e não está escrito, sobre os exércitos do alto, que cantam o cântico de Moisés, o servo de Deus e do Cordeiro? Nós mesmos não esperamos outra vinda do Senhor, quando, diante do seu rosto, o céu e a terra fugirão e não mais haverá mar? Nós acompanhamos, então, os cantores ao redor da mesa da Páscoa, e o seu Hallel se torna nosso, pois nós também fomos tirados da escravidão e levados, como um rebanho, por uma terra deserta, onde o Senhor supre as nossas necessidades com maná celestial e água tirada da Rocha Eterna. Louvai ao Senhor.

NOTAS EXPLICATIVAS E DECLARAÇÕES SINGULARES

O Salmo: O Salmo 114 me parece uma ode admirável, e eu começo a traduzi-lo para o nosso idioma. Quando eu estava descrevendo a jornada de Israel, na sua saída do Egito, e acrescentei a Presença Divina entre eles, percebi uma beleza neste salmo, que era completamente nova para mim, e que eu iria perder; o poeta oculta completamente a presença de Deus no início, e permite que um pronome possessivo apareça sem um substantivo, em vez de mencionar aqui algo referente à divindade. "Judá ficou sendo o seu santuário; e Israel, o seu domínio", ou reino. A razão agora parece evidente, e este procedimento, necessário, pois, se Deus tivesse aparecido antes, não seria de admirar que os montes saltassem e o mar fugisse; portanto, para que esta convulsão da natureza possa ser apresentada com a devida surpresa, o seu nome só é mencionado mais adiante; e, com uma agradável mudança de pensamento, Deus é apresentado em toda a sua majestade. Isto é o que eu tentei imitar, em uma tradução sem paráfrase, e preservar o que consegui, do espírito do autor sagrado.

Quando Israel, liberto da mão de Faraó,
deixou o orgulhoso tirano e a sua mão,
as tribos com alegre respeito reconheceram
o seu Rei, e Judá era o seu trono.

Pelas profundezas têm que passar, na sua jornada,
as profundezas se dividem, abrindo caminho para a sua passagem;
as correntes do Jordão viram, e fugiram
retrocedendo até a sua nascente.

Os montes estremeceram como ovelhas assustadas,
como cordeiros os pequenos outeiros saltaram;
Nem o Sinai, na sua base, pôde permanecer,
conscientes do poder soberano próximo.

Que poder pôde dividir as profundezas do mar?
Fazer a maré do Jordão recuar?
Por que vocês saltaram, pequenos outeiros?
E de que tem medo o Sinai?

Que cada monte, cada correnteza,
recue, e conheça o Deus que se aproxima,
o Rei de Israel! Vejam-no aqui:
trema, ó terra, adore e tema.

Ele faz soar o trovão – e toda a natureza chora;
a rocha Ele converte em lagos;
os seixos jorram como fontes, à sua palavra,
e os fogos e os mares confessam o seu Senhor.
– Isaac Watts, "The Spectator", 1712

v. 1: "Quando Israel saiu do Egito". Do meio daquela nação, isto é, das entranhas dos egípcios, que, de certa forma, os tinham devorado; assim os doutores judeus analisam este texto. – *John Trapp*

v. 1: "Israel saiu do Egito". Este era um símbolo do povo do Senhor em vocação eficaz, saindo da escravidão à liberdade, das trevas para a luz, da superstição e idolatria e profanação ao serviço ao Deus verdadeiro, em justiça e verdadeira santidade; e *do meio de um povo de língua estranha* para junto daqueles que falam a linguagem de Canaã, uma linguagem pura, em que podem se entender, uns aos outros, quando conversarem, seja sobre experiência ou doutrina; e a forma da sua saída é praticamente a mesma, pela força da mão, pelo poder da graça divina, mas voluntariamente e alegremente, com grandes riquezas, as riquezas da graça, e um título para as riquezas da glória, e com muita força espiritual; pois embora fracos, em si mesmos, são fortes em Cristo. – *John Gill*

v. 1: "A casa de Jacó". Os israelitas, embora muito numerosos quando saíram do Egito, apesar disto formavam uma casa ou família; assim, a igreja, na atualidade dispersa por todo o mundo, é chamada de uma só casa (1 Tm 3.15; Hb 3.6; 1 Pe 2.5), e isto, por causa de uma só fé, um só batismo, um só Deus e Pai (Ef 4.5). – *Marloratus.*

v. 1: "Povo de língua estranha" (na versão ARA). Quando nós vemos, no versículo 1, como em Sl 81.5, o Egito descrito como uma terra onde o povo falava uma *"língua estranha"*, parece provável que a referência seja ao fato de que eles eram um povo que não podia *falar de Deus* como Israel podia; mesmo Sf 3.9 fala dos *"lábios puros"*, ou seja, os lábios que invocam o nome do Senhor. – *Andrew A. Bonar*

v. 1: "Povo de língua estranha" (na versão ARA). Mant traduz isto como *"terra tirana"* e traz a seguinte observação: "A palavra hebraica aqui traduzida como "estranha" supostamente significa "bárbara"; isto é, "usando uma língua ou pronunciação bárbara ou estrangeira". Mas, diz Parkhurst, a palavra parece se referir à "violência" dos egípcios para com os israelitas, ou "a barbárie do seu comportamento", que era o propósito do salmista, mais do que "a barbárie da sua língua"; supondo a realidade da última, nos tempos de Moisés, o epíteto "bárbaro" deixaria a mesma ambiguidade que Parkhurst supõe que pertença ao texto. O bispo Horsley traduz "um povo tirânico".

v. 1: "Povo de língua estranha" (na versão ARA). A língua estranha é evidentemente um aborrecimento. Israel não podia se sentir em casa no Egito. – *Justus Olshausen*

v. 2: "Judá ficou sendo o seu santuário; e Israel, o seu domínio". Este povo era a *santificação e o domínio* de Deus, isto é, testemunhas da sua santa majestade ao adotá-los, e do seu poder, ao libertá-los; ou, a sua *santificação*, fazendo com que seus sumos sacerdotes os governassem nas questões relacionadas à fé; e o seu *domínio*, tendo magistrados devotos ordenados do alto, para governá-los nas questões de política; ou, o seu *santuário*, na prática, porque o santificava, e passivamente, porque Ele santificava... Este único versículo explica e exemplifica dois dos principais pedidos da Oração do Senhor. "Santificado seja o teu nome; venha o teu Reino": pois *Judá* era o santuário de Deus, porque *santificado é o seu nome;* e *Israel* o seu domínio, desejando que *venha o seu reino.* Que cada homem se examine, segundo este padrão, se ele é, verdadeiramente, servo de Jesus, o seu Salvador, ou vassalo de Satanás, o destruidor. Se um indivíduo se submeter, voluntariamente, ao domínio do diabo, e permitir que o pecado reine em seus membros mortais, obedecendo às suas luxúrias, e operando todo tipo de imundícies até mesmo com voracidade, certamente este homem ainda é uma capela de Satanás, e um escravo do pecado. Por outro lado, aquele que deseja sinceramente que venha o reino de Deus, estando pronto a ser governado de acordo com a sua santa palavra, reconhecendo-a como uma lâmpada para os seus pés, e um guia para os seus caminhos, admitindo obedientemente as suas leis e submetendo-se a elas, o que é, senão um cidadão do céu, um súdito de Deus, um santo, um *santuário*? – *John Boys*

v. 2: "Judá ficou sendo o seu santuário", etc. Leitor, não deixe de observar que, quando Israel foi tirada do Egito, o Senhor estabeleceu o seu tabernáculo entre eles, e manifestou a sua presença a eles. E o que acontece agora, quando o Senhor Jesus tira o seu povo do Egito do mundo? Ele não cumpre aquela doce promessa: "Eis que eu estou convosco todos os dias, até à consumação dos séculos"? Não é privilégio do seu povo, viver *para* Ele, viver *com* Ele, e viver *nele*? Ele não declara, em cada ato: "Direi: É meu povo; e ela dirá: o Senhor é meu Deus"? (Mt 28.20; Zc 13.9). – *Robert Hawker*

v. 2: "Judá ficou sendo o seu santuário". O significado não é apenas a tribo de Judá, embora, em muitos aspectos, eles tivessem proeminência, o reino pertencia a esta tribo, o principal líder era originado dela, especialmente o Messias; a sua bandeira era fincada e movida antes das outras; ela oferecia sacrifícios ao Senhor antes das outras; e os judeus têm uma tradição, mencionada por Jarchi e Kimchi, de que esta tribo, com seu príncipe na liderança, passou pelo Mar Vermelho antes das demais; as outras temeram, mas depois seguiram, encorajadas pelo seu exemplo. Neste ponto, a referência é a todas as tribos, todo o corpo do povo. – *John Gill*

v. 2: Uma peculiaridade do versículo 2 exige nossa atenção. Ele usa duas vezes a palavra *"seu"* sem mencionar ninguém. Há duas teorias para explicar esta circunstância. Uma é de que o salmo 114 sempre era entoado em conexão imediata com o 113, em que o nome de Deus aparece nada menos do que seis vezes, de modo que a continuidade da corrente de pensamento tornava desnecessária a repetição do nome aqui. Mas esta interpretação, para ser completamente coerente, deve supor que os dois salmos são, na realidade, um só, com uma divisão meramente arbitrária, o que, na verdade, não parece provável, uma vez que os escopos das ideias dos dois salmos são perfeitamente diferentes. A outra teoria, que é mais satisfatória, considera a omissão do santo nome nesta parte do salmo como um artifício prático para aumentar o efeito da resposta à repentina apóstrofe dos versículos 5 e 6. Não haveria nada maravilhoso na agitação do mar, e do rio, e dos montes na presença de Deus, mas pode parecer maravilhoso até que esta causa poderosa seja revelada, como acontece com as palavras tão sérias do versículo 7. – *Ewald e Perowne, em Neale e Littledale*

v. 3: "O mar viu isto": ou seja, esta obra gloriosa de Deus, tirando o seu povo do Egito. – *Matthew Pool*

v. 3: "O mar viu isto". Viu que "Judá" era "o santuário de Deus" e "Israel o seu domínio", e por isto, *"fugiu"*; pois nada poderia ser mais terrível. Foi isto o que *fez o Jordão voltar atrás* e foi uma barreira intransponível para a sua correnteza; Deus liderava este povo, e por isto, eles devem abrir caminho para eles, devem abrir espaço para eles, devem se afastar, contrariamente à sua natureza, quando Deus proferir a palavra. – *Matthew Henry*

v. 3: "O mar viu isto e fugiu".

As ondas, dos dois lados
afrouxam seus íntimos abraços, e se dividem,
e recuam, como fazem as pessoas comprimidas
em algum espetáculo solene,
(Embora pouco antes não houvesse nenhum espaço),
para permitir que o admirável triunfo passasse entre elas.
O exército fascinante viu, dos dois lados,
as ondas, não menos fascinantes, erguidas, como rochas de cristal.
Eles marcharam entre as ondas, e corajosamente pisaram
nos caminhos secretos de Deus.
– Abraham Cowley, 1618-1667

v. 3: "O Jordão tornou atrás". E agora, era chegado o dia glorioso em que, por milagre estupendo, o Senhor tinha decidido mostrar o quanto Ele era capaz de remover cada obstáculo do caminho do seu povo, e subjugar cada inimigo diante deles. Por sua ordem o exército, somando provavelmente dois milhões e meio de pessoas (aproximadamente o mesmo número que tinha cruzado a pé o Mar Vermelho), tinham ido às margens do rio três dias antes, e agora esperavam em fila o sinal para atravessar a correnteza. Em qualquer ocasião, a travessia do rio por uma multidão como esta, com suas mulheres e crianças, seus rebanhos e seu gado, e toda a sua bagagem, teria apresentado dificuldades formidáveis; mas agora o canal estava cheio, com correnteza profunda e impetuosa, que transbordava nas margens e se espalhava dos dois lados, provavelmente se estendendo por aproximadamente 1,5 km; ao passo que na cena também estavam os exércitos cananeus, que provavelmente sairiam de seus portões e exterminariam a multidão invasora antes que pudessem alcançar a costa. Mas estas dificuldades não representavam nada para o poder Todo-Poderoso, e somente serviram para enfatizar o efeito do estupendo milagre que estava prestes a ser realizado.

Com a ordem do Senhor, os sacerdotes, carregando a arca do concerto, o símbolo sagrado da presença divina, marchavam mais de 800 metros à frente do povo, que estava proibido de chegar mais perto dela. Assim, ficou evidente que o Senhor não precisava da proteção de Israel, mas que era a proteção e o guia deles, uma vez que os sacerdotes desarmados não temeram se separar do exército, e se arriscar, com a arca, no rio, diante dos seus inimigos. E assim o exército, a alguma distância, teve uma oportunidade melhor de ver os maravilhosos resultados e de admirar o poder de Deus, exercido por eles; pois tão logo os pés dos sacerdotes tocaram a borda do rio transbordante, as águas inchadas recuaram; e não somente o largo vale, mas até mesmo o leito profundo da corrente foi imediatamente esvaziado de água, e seu fundo pedregoso se secou. As águas que tinham estado no canal rapidamente fugiram, e se perderam no Mar Vermelho; ao passo que aquelas que as teriam substituído, naturalmente, vindas do alto, foram milagrosamente suspensas, e acumuladas em um monte transparente, acima de cidade de Adã, que está da banda de Sartã. Supõe-se que estes lugares estivessem situados a pelo menos 65 quilômetros além do Mar Morto, e possivelmente ainda mais; de modo que possivelmente todo o canal do Baixo Jordão, desde pouco abaixo do mar de Tiberíades, até o Mar Morto, se secou... Que conclusão gloriosa da longa peregrinação de Israel! E quão digna do poder, da sabedoria, e da bondade do seu Divino Protetor! "A travessia deste rio rápido e profundo", enfatiza o Dr. Hales, "na estação mais desfavorável, foi mais evidentemente milagrosa, se possível, do que a do Mar Vermelho; porque aqui, não foi empregado nenhum instrumento natural de qualquer tipo; nenhum vento forte para varrer uma passagem, como no caso anterior; nenhum refluxo da maré, em que os filósofos detalhistas se prendem para depreciar o milagre. Parece, portanto, ter sido providencialmente designado para silenciar as críticas a respeito do evento anterior; e aconteceu no meio-dia, diante do sol, e na presença, podemos ter certeza, dos habitantes da vizinhança, e infundiu terror nos reis dos cananeus e amorreus, ao oeste do rio". – *Philip Henry, Gosse, "Sacred Streams", 1877*

v. 3: "O Jordão tornou atrás". As águas conhecem o seu Criador: este mesmo Jordão, que fluía abundantemente quando Cristo entrou nele para ser batizado, agora abre passagem, quando o mesmo Deus precisa passar por ele, com toda pompa: naquela ocasião, foi usada a sua água, nesta, a sua areia. Eu não ouço falar de nenhuma vara que atinja as águas: a presença da arca do Senhor Deus, o Senhor de todo o mundo, é sinal suficiente para estas ondas, que agora, como se um tendão se rompesse, retornam à sua origem, e não ousam nada mais que molhar os pés dos sacerdotes que a carregam. Como são subservientes todas as criaturas ao Deus que as criou! Como é glorioso o Deus ao qual servimos; a quem todas as forças dos céus e os elementos se sujeitam, voluntariamente, e alegremente assumem a natureza que Ele se agrada em dar a elas. – *Abraham Wright*

v. 3: "O Jordão tornou atrás". Foi, provavelmente, no ponto próximo à atual travessia do sul, feita, na época da era cristã, por uma ponte. O rio estava na sua condição usual, de enchente na primavera, de modo a encher todo o leito, até a borda da vegetação com que as margens do rio estavam cobertas. À beira da correnteza inchada, o grupo de sacerdotes parou, com a arca sobre os ombros. À distância de aproximadamente 1,5 km atrás dos sacerdotes estava o exército. Repentinamente, o leito do Jordão se secou, diante deles. Subindo o rio, "mui longe", na "cidade de Adã, que está da banda de Sartã" tão longe quanto Quiriate-Jearim (Js 3.16), isto é, a uma distância de 48 quilômetros do acampamento israelita, "pararam-se as águas que vinham de cima" – pararam e subiram, como se contidas em um odre de água, como se em uma barreira ou um monte, como se congeladas; e as que "desciam ao mar das Campinas, que é o mar Salgado, faltavam de todo e separaram-se. Assim, a cena apresentada é da "água que descia" (as palavras empregadas parecem fazer uma referência especial ao nome peculiar e mais significativo do "Jordão"), não separada em duas partes, como em geral imaginamos, mas, como o salmo explica, "voltando atrás"; todo o leito do rio, seco, de norte a sul, por todo o seu longo curso; as imensas pedras, expostas aqui e ali, incrustadas no leito macio; ou os pedregulhos que acompanhavam o curso do canal. – *Arthur Penrhyn Stanley, "The History of the Jewish Church, 1870 v. 4:* "Os montes saltaram como carneiros", etc. A imagem baseada nos *carneiros* e *cordeiros* pareceria ser inferior à magnitude do assunto. Mas a intenção do profeta era expressar da maneira mais simples a incrível maneira como Deus, nestas ocasiões, exibiu o seu poder. A estabilidade da terra, de certa forma, baseada nos montes, que conexão pode ter com cordeiros e carneiros, para que fossem agitados, saltando de um lado a outro? Falando desta maneira simples, o profeta não pretende desprezar a grandiosidade do milagre, mas gravar mais firmemente estes símbolos extraordinários do poder de Deus nos indivíduos menos instruídos. – *João Calvino*

v. 4: "Saltaram". Uma descrição poética da comoção causada pelo trovão e pelo relâmpago que acompanhavam a presença divina. – *James G. Murphy*

v. 4: Quando a lei foi entregue, no Sinai, Horebe e os montes ao redor, tanto grandes como pequenos, se abalaram, com um repentino e poderoso terremoto, como carneiros saltando em uma campina coberta de grama, com as jovens ovelhas cabriolando ao seu redor. – *Plain Commentary*

vv. 4 a 6: Quando Cristo desce sobre a alma, na obra de conversão, que força Ele exerce! As fortalezas do pecado são destruídas, toda altivez que se levanta contra o conhecimento de Deus, é levada cativa à obediência de Cristo e do seu cetro (2 Co 10.4,5). Os demônios são expulsos da possessão que tiveram por muitos anos, sem a menor perturbação. Fortes desejos são mortificados e a própria constituição da alma é alterada. *"Que tiveste, ó mar, que fugiste, e tu, ó Jordão, que tornaste atrás? E vós, montes, que saltastes como carneiros?"*, etc. O profeta profere estas palavras com relação à poderosa entrada dos filhos de Israel em Canaã. A mesma coisa é feita por Cristo, na conversão de um pecador. O Jordão recua, todo o curso da alma é alterado, os montes saltam como carneiros. Há muitos montes na alma de um pecador, como orgulho, descrença, arrogância, ateísmo, profanação, etc. Estes montes são arrancados pelas raízes instantaneamente, quando Cristo dá início à obra da conversão. – *Ralph Robinson*

v. 5:

Fuja para onde quiser, ó mar!
E cesse a correnteza do Jordão!
Jordão, não há necessidade de você,
pois ao comando de Deus, sempre que Ele o desejar,
As rochas chorarão novas águas, no lugar destas.
– *Abraham Cowley*

vv. 5 e 6: Uma animação singular e uma força quase dramática são dadas ao poema pela bela apóstrofe dos versículos 5 e 6, e o resultado é enfatizado de maneira notável pelo uso dos verbos no tempo presente. O assombro e o tremor da natureza são um espetáculo que é observado pelo poeta. O mar dividido, pelo qual Israel caminha, como se fosse terra seca, o Jordão aprisionado no seu curso, os penhascos de granito do Sinai tremendo na sua base – ele vê tudo isto, e pergunta, assombrado, o que significa isto? – *J. J. Stewart Perowne*

vv. 5 e 6: Estas perguntas nos ensinam que devemos, nós mesmos, considerar e investigar a razão destas coisas, que vemos sendo feitas de uma maneira maravilhosa, fora do curso da natureza. Há sinais no sol, na lua, nas estrelas, no céu, etc., a respeito dos quais Cristo falou. Devemos investigar o motivo destes sinais, para que não sejamos espectadores tolos e inexatos. As coisas que são feitas milagrosamente, falam: e podem responder por que são feitas. Na verdade, os presságios, os sinais, os terremotos, as aparições extraordinárias, falam em voz alta, e declaram o que são: especificamente, que são proféticos da ira e da vingança futura de Deus. Esta investigação não é curiosidade, mas é piedosa e útil, e tem o objetivo de que nos tornemos observadores dos juízos de Deus, com que Ele visita este mundo, e nos rendamos à sua graça, e assim escapemos à vingança futura. – *Wolfgang Musculus vv. 5 e 6:*

O que tens, ó mar, para se partir,
e tu, Jordão, para retroceder?
Vós, montes, saltando como os carneiros,
e vós, outeiros, como ovelhas?
– John Keble

v. 7: "Treme, terra". Em hebraico, *sinta dor,* como uma mulher no parto; pois se a entrega da lei tinha tido tais terríveis efeitos, o que viria com o rompimento da lei? – *John Trapp*

v. 7:

"Na presença do Senhor, sinta dor, ó terra".

"Senhor", *Adon* o Governante soberano. "Dores", *Chuli* (Mq 4.10). As convulsões da natureza, que acompanharam o Êxodo, foram como as convulsões do parto do povo israelita. "Nasceria uma nação de uma só vez". Mas a saída da Babilônia viu o prelúdio para uma verdade ainda mais maravilhosa; – a dele, em quem a natureza seria regenerada. – *William Kay*

vv. 7 e 8: "Treme", etc. Esta é a resposta para a pergunta anterior: como se o salmista tivesse dito: Não é de admirar que o Sinai, e Horebe, e alguns montes ao redor, tremessem à presença majestosa de Deus; pois toda a terra deverá tremer, sempre que Ele assim desejar. – *Thomas Fenton*

v. 8: "O qual converteu o rochedo em lago de águas". Em um lago. O poeta divino descreve a própria substância da rocha como sendo convertida em água, não literalmente, *mas* poeticamente; ornamentando, assim, a sua descrição do maravilhoso poder exibido nesta ocasião. – *William Watford*

v. 8: A rocha notável no Sinai, que a tradição diz que foi ferida por Moisés, é, pelo menos, bem escolhida com respeito à sua situação, qualquer que seja a opinião que possamos ter sobre a verdade desta tradição, e parece ser a disposição de viajantes mais modernos considerá-la com mais respeito do que o que lhe era dedicado anteriormente. É uma massa isolada de granito, de mais de seis metros de lado e de altura (como um cubo), com sua base inserida na terra – nós só podemos conjeturar a qual profundidade. Na face da rocha há fissuras horizontais, a distâncias não uniformes, uma da outra; algumas próximas ao topo, e outras a uma pequena distância no nível do solo. Diz um viajante americano:* "A cor e toda a aparência da rocha são tais que, se vistas em outro lugar, e desconectadas de todas as tradições, ninguém hesitaria em crer que teriam sido produzidas pela água jorrando destas fissuras. Eu creio que teria sido extremamente difícil formar estas fissuras ou produzir esta aparência pela habilidade humana. Não é menos difícil crer que uma fonte natural jorrasse à altura de aproximadamente 4 metros, da face de uma rocha isolada. Crendo, como eu creio, que a água jorrou de uma rocha pertencente a este monte, eu não vejo nada inacreditável na opinião de que esta é a rocha idêntica, e de que estas fissuras, e outras características, devem ser consideradas como evidências do fato". – *John Kitto*

v. 8: A rocha se converterá em um lago e o seixo em um manancial? e os nossos corações endurecidos, em consideração às nossas próprias desgraças, e às indescritíveis misericórdias de Deus, ao nos libertar do mal (se não jorrarem em fontes

*Dr. Olin

de lágrimas) não irão expressar sequer um *lago* nos nossos olhos? É, realmente, o nosso coração insensível, *quod nee compunctione scinditur, nee pietate mollilur, nee movetur precibus, minis non cedit, flagellis duratur,*** etc. Ó, Senhor, tocas os montes e eles fumegam, tocas nossos lábios com uma tenaz do teu altar, e nossa boca expressa o teu louvor, Fere, Senhor, nossos corações endurecidos, tão duros como a pedra de um moinho, fere-os com o martelo da tua palavra, e suaviza-os também com as gotas das tuas misericórdias e o orvalho do teu Espírito; torna-os humildes, flexíveis, circuncidados, mansos, obedientes, novos, puros, quebrantados, e, então, "a um coração quebrantado e contrito não desprezarás" (Sl. 51.17). "Ó, Senhor, meu Deus, dá-me graça, do fundo do meu coração, para te desejar; ao te desejar, te buscar; ao te buscar, te encontrar; ao te encontrar, te amar; ao te amar, abominar completamente a minha iniquidade anterior", de modo que, vivendo no teu temor, e morrendo na tua benevolência, depois de ter passado por este Egito e pelo deserto deste mundo, eu possa possuir a Canaã celestial, a feliz terra da promessa, preparada para todos os que amam a tua vinda, para cada cristão, o que é o teu *"domínio"* e *"santuário".**** – *John Boys*

v. 8: O mesmo poder que converteu as águas em uma rocha para que fossem um muro para Israel (Êx 14.22) converteu a rocha em água, para que fosse um poço para Israel. Assim como eles eram protegidos, também eram supridos, por milagres, milagres assombrosos, pois isto era o lago, o manancial, em que a rocha, o seixo, foi transformado, "e a pedra era Cristo" (1 Co 10.4). Pois Ele é a fonte das águas vivas para o seu Israel, de que eles recebiam graça sobre graça. – *Matthew Henry*

v. 8: "E um seixo, em manancial". A água que jorra do seixo é uma prova prática da ilimitada onipotência e da graça que converte a morte em vida. Que a terra, então, trema diante do Senhor, o Deus de Jacó. Ela sempre tremeu diante dele, e diante dele que ela trema. Pois o que Ele era, Ele ainda é, e sempre será, e assim como Ele veio uma vez, Ele virá outra vez. – *Franz Delitzsch*

SUGESTÕES AOS PREGADORES

vv. 1 e 2. O momento da primeira libertação do pecado, uma ocasião notável pela presença peculiar de Deus.

vv. 1 e 2. O Senhor foi, para o seu povo,

I. Um libertador.

II. Um sacerdote – "seu santuário".

III. Um rei – "seu domínio".

vv. 1 e 7. "A casa de Jacó" e "o Deus de Jacó", a relação entre as duas coisas.

v. 2. A igreja, o templo de santidade, e o domínio da obediência.

v. 3. A impenitência dos pecadores, repreendida pela criação inanimada.

v. 3. "O Jordão tornou atrás", ou a morte foi derrotada.

v. 4. A mobilidade das coisas que parecem estar fixas e estabelecidas. O poder de Deus de criar uma agitação nas mentes letárgicas, entre os sistemas antigos, e entre as pessoas mais preconceituosas.

vv. 7 e 8. Santo respeito e temor.

I. Deve ser provocado pela presença divina.

II. Deve ser intensificado pelo seu caráter de concerto – "o Deus de Jacó".

III. Deve culminar, quando nós vemos exibições da sua graça para com o seu povo – "converteu", etc.

IV. Deve se tornar universal.

**Bernardo

***Agostinho

v. 8. Milagres semelhantes ao milagre da rocha.
I. A morte de Cristo, a fonte da vida.
II. A adversidade como um meio de prosperidade.
III. Corações endurecidos e insensíveis se tornam penitentes.
IV. A esterilidade da alma convertida em abundância.
v. 8. Provisões divinas.
1. Asseguradas – pois Ele as trará, até mesmo de uma rocha.
2. Abundantes – "um lago de águas".
3. Contínuas – "manancial".
4. Instrutivas. Devem criar em nós santo temor pelo poder, etc., do Senhor.

SALMO 115

ASSUNTO

No salmo anterior, os milagres anteriores que Deus tinha operado foram relatados, para sua honra, e neste salmo Ele é convidado a se glorificar outra vez, porque os pagãos estavam ficando atrevidos, pela ausência de milagres, estavam negando completamente os milagres de épocas anteriores, e insultando o povo de Deus com a pergunta: "Onde está o seu Deus?" Entristecia o coração dos devotos que o Senhor fosse assim desonrado, e considerando a sua própria condição de vergonha como não digna de nota, eles imploram que o Senhor, pelo menos, vindique o seu próprio nome. O salmista evidentemente está indignado com o fato de que os adoradores de ídolos tolos fossem capazes de propor uma pergunta tão provocante às pessoas que adoravam o único Deus vivo e verdadeiro; e tendo esgotado a sua indignação em sarcasmo dirigido às imagens e aos seus criadores, ele passa a exortar a casa de Israel, para que confie em Deus e bendiga o seu nome. Como aqueles que estavam mortos não podiam mais entoar salmos ao Senhor entre os cânticos dos homens, ele exorta os crentes e viventes para que tomem cuidado, para que Deus não seja roubado no seu louvor, e então ele conclui, com um exultante Aleluia. Os homens viventes não devem exaltar o Deus vivo?

DIVISÃO

Para melhor explicá-lo, o salmo pode ser dividido em uma súplica a Deus, para justificar a sua própria honra (vv. 1,2); uma descrição desdenhosa dos falsos deuses e seus adoradores (vv. 3-6); uma exortação aos fiéis, para que confiem em Deus e esperem dele grandes bênçãos (vv. 9-15); uma explicação do relacionamento de Deus com a sua condição atual (v. 16); e um lembrete de que, não os mortos, mas os viventes, devem continuamente louvar a Deus aqui (vv. 17,18).

EXPOSIÇÃO

1 *Não a nós, SENHOR, não a nós, mas ao teu nome dá glória, por amor da tua benignidade e da tua verdade.*

2 *Por que dirão as nações: Onde está o seu Deus?*

1. Será bom que nos lembremos de que este salmo era entoado na Páscoa, e por isto, está relacionado com a libertação do Egito. A importância deste salmo parece ser a de uma oração para que o Deus vivo, que tinha sido tão glorioso no Mar Vermelho e no Jordão, novamente exibisse as maravilhas do seu poder, para o bem do seu nome.

"Não a nós, Senhor, não a nós, mas ao teu nome dá glória." Sem dúvida, o povo desejava alívio dos desdenhosos insultos dos idólatras, mas o seu principal desejo era que o próprio Senhor não mais fosse o objeto dos insultos dos pagãos. O mais triste aspecto, de todas as suas dificuldades, era o fato de que o seu Deus não mais era temido pelos seus adversários. Quando Israel entrou em Canaã, havia um terror sobre todo o povo ao redor, por causa do Senhor, o Deus poderoso; mas as nações tinham se livrado deste temor, uma vez que recentemente não tinha havido nenhuma exibição notável de poder milagroso. Portanto, Israel clamou ao seu Deus, para que Ele novamente mostrasse o seu braço, como no dia em que cortou em pedaços a Raabe e feriu o dragão. A oração evidentemente é condimentada com uma consciência de indignidade; por causa de suas infidelidades passadas, eles mal ousavam apelar ao concerto, e pedir bênçãos para si mesmos, mas voltavam a recorrer à honra do Senhor, seu Deus – um antigo estilo de argumentação, que o seu grande legislador, Moisés, tinha usado com tantos bons resultados, quando implorava: "Por que hão de falar os egípcios, dizendo: Para mal os tirou, para matá-los nos montes e para destruí-los da face da terra? Torna-te da ira do teu furor e arrepende-te deste mal contra o teu povo". Josué também usou argumento semelhante, quando disse: "E, então, que farás ao teu grande nome?" Da mesma maneira, devemos todos orar, quando nenhum outro apelo estiver disponível, por causa da nossa percepção do pecado; pois o Senhor é sempre zeloso da sua honra, e irá trabalhar pelo bem do seu nome, quando nenhum outro motivo o motivar. A repetição das palavras "Não a nós" parece indicar um desejo muito sério de renunciar a qualquer glória, de que eles pudessem, em qualquer ocasião, ter se apropriado, orgulhosamente, e também apresenta a veemência do seu desejo de que Deus, a qualquer custo para eles, exalte o seu próprio nome. Eles abominavam a ideia de buscar a sua própria glória, e rejeitavam esta ideia com máxima aversão; repetidas vezes, renunciando a qualquer motivação de glorificação própria, na sua súplica.

"Por amor da tua benignidade e da tua verdade." Estes atributos pareciam estar em grande perigo. Como podiam os pagãos pensar que o Senhor era um Deus misericordioso, se Ele entregasse o seu povo nas mãos dos seus inimigos? Como eles podiam crer que Ele era fiel e verdadeiro se, depois de todos os seus solenes compromissos de concerto, Ele rejeitasse completamente a sua nação escolhida? Deus é muito zeloso dos dois atributos gloriosos, a misericórdia e a verdade, e o apelo para que eles não sejam desonrados tem grande importância para Ele. Nestes tempos, em que as primeiras vitórias do Evangelho são lembradas apenas como histórias de um passado distante e turvo, os céticos são propensos a se vangloriar de que o Evangelho perdeu o vigor da sua juventude e então se atrevem a desonrar o nome do próprio Deus. Nós podemos, portanto, pedir a interposição divina para que a mancha aparente possa ser removida do seu brasão, e que a sua própria palavra possa brilhar gloriosamente, como antigamente. Nós podemos não desejar o triunfo das nossas opiniões, por nossa própria causa, ou pela honra de uma determinada denominação, mas podemos orar confiantemente pelo triunfo da verdade, para que o próprio Deus possa ser honrado.

2. *"Por que dirão as nações: Onde está o seu Deus?"* Ou, mais literalmente: "Onde, digam, está o seu Deus?" Por que as nações deveriam poder, com desprezo, questionar a existência e a misericórdia e a fidelidade do Senhor? Eles estão sempre prontos a blasfemar; nós podemos orar para que não possam ter um motivo para fazer isto, no curso da providência, ou no declínio da igreja. Quando eles veem os

crentes sendo pisados, quando eles mesmos vivem tranquilamente, e desempenham o papel de perseguidores, eles são muito propensos a falar como se tivessem triunfado sobre o próprio Deus, ou como se Ele tivesse deixado o campo de ação e abandonado os seus santos. Quando as orações e as lágrimas dos crentes parecerem ser desconsideradas, e as suas desgraças aumentadas, em lugar de suavizadas, então os ímpios multiplicam seus insultos e zombarias, e dizem que a sua própria religião ímpia é melhor do que a fé dos cristãos, porque a sua condição atual é muito preferível à dos santos afligidos. E, na verdade, este é o verdadeiro aguilhão das provações dos escolhidos de Deus, quando eles veem a veracidade do Senhor questionada, e o nome de Deus profanado, por causa dos seus sofrimentos. Se eles pudessem esperar que algum bom resultado viria disto tudo, eles o suportariam com paciência; mas como eles são incapazes de perceber algum resultado desejável, perguntam, com santa ansiedade: "Por que as nações têm permissão de falar assim?" É uma pergunta à qual é difícil responder, e sem dúvida, existe uma resposta. Às vezes, as nações têm permissão de blasfemar assim, para que possam encher a medida da sua iniquidade, e para que a interposição subsequente de Deus possa ser mais reconhecida em comparação com as vanglórias profanas destes iníquos. Eles dizem: "Onde está o seu Deus?" Eles saberão em breve, pois está escrito: "Ah! Consolar-me-ei acerca dos meus adversários"; eles também saberão, pois os justos "resplandecerão como o sol, no Reino de seu Pai". Eles dizem: "Onde está a promessa da sua vinda?" Esta vinda será rápida e terrível para eles. No nosso próprio caso, pela nossa própria indiferença e pela negligência da pregação fiel do Evangelho, nós permitimos que surgisse e se espalhasse a dúvida moderna, e somos obrigados a confessar isto, com profunda tristeza na alma; mas não podemos, por isto, perder a coragem, mas ainda devemos implorar para que Deus salve a sua própria verdade e misericórdia do desprezo dos homens do mundo. A nossa honra e a honra da igreja são questões pequenas, mas a glória de Deus é a joia do universo, de que todo o resto é apenas a armação; e podemos vir ao Senhor e implorar o seu zelo pelo seu nome, com a certeza de que Ele não irá permitir que o seu nome seja desonrado. Por que os supostos sábios do período teriam permissão para dizer que duvidam da personalidade de Deus? Por que eles diriam que as respostas às orações são piedosos enganos, e que a ressurreição e a divindade do nosso Senhor Jesus são assuntos discutíveis? Por que eles teriam permissão de falar com desprezo da expiação que foi obtida pelo sangue, sim, por um alto preço, e rejeitar completamente a doutrina da ira de Deus contra o pecado, a mesma ira que arde para todo o sempre? Eles falam de maneira excessivamente arrogante, e somente Deus pode interromper as suas arrogantes palavras: que nós, por intercessão extraordinária, consigamos convencer o Senhor a se manifestar, dando ao seu Evangelho uma justificativa triunfante que silenciará completamente a perversa oposição dos homens ímpios e profanos.

3 *Mas o nosso Deus está nos céus e faz tudo o que lhe apraz.*
4 *Os ídolos deles são prata e ouro, obra das mãos dos homens.*
5 *Têm boca, mas não falam; têm olhos, mas não veem;*
6 *têm ouvidos, mas não ouvem; nariz têm, mas não cheiram.*
7 *Têm mãos, mas não apalpam; têm pés, mas não andam; nem som algum sai da sua garganta.*
8 *Tornem-se semelhantes a eles os que os fazem e todos os que neles confiam.*

3. *"Mas o nosso Deus está nos céus"* – onde Ele deve estar; acima do alcance dos zombeteiros mortais, ouvindo todos os vãos ruídos dos homens, mas olhando para baixo com silencioso desprezo para os criadores de confusão. Supremo, acima de todas as forças de oposição, o Senhor reina sobre um alto e sublime trono. Incompreensível em essência, Ele se ergue acima do mais elevado pensamento dos sábios; absoluto em vontade, e infinito em poder, Ele é superior às limitações que pertencem à terra e ao tempo. Este Deus é *nosso* Deus, e não nos envergonhamos

de reconhecê-lo, embora Ele possa não realizar milagres à disposição de cada vangloriador que possa decidir desafiá-lo. Uma vez, eles disseram ao seu Filho, que descesse da cruz, e eles creriam nele, agora eles desejam ver Deus ultrapassar os limites normais da sua providência e descer do céu, para convencê-los: mas outros assuntos ocupam a sua nobre mente, além do convencimento daqueles que voluntariamente fecham seus olhos para as abundantes evidências do seu poder divino e da sua divindade, que estão todos à sua volta. Se o nosso Deus não for visto nem ouvido, e não for adorado sob nenhum símbolo externo, ainda assim Ele não é menos real e verdadeiro, pois Ele está onde os seus adversários jamais poderão estar – nos céus, de onde Ele estende o seu cetro e governa com ilimitado poder.

"E faz tudo o que lhe apraz." Até este momento, os seus decretos foram cumpridos, e seus eternos propósitos, cumpridos; Ele não adormeceu, nem se esqueceu das questões dos homens; Ele trabalhou, e trabalhou eficazmente, ninguém foi capaz de ser um obstáculo ou um empecilho para Ele. "Tudo o que lhe apraz": por mais desagradável que seja aos seus inimigos, o Senhor realizou tudo o que lhe apraz, sem dificuldade; mesmo quando os seus adversários se enfureciam contra Ele e o atacavam, eles foram compelidos a cumprir os seus desígnios contra a sua própria vontade. Até mesmo o orgulhoso Faraó, quando desafiava o Senhor, foi apenas como o barro na roda do oleiro, e o objetivo e o desígnio do Senhor nele foram plenamente alcançados. Nós podemos tolerar a pergunta zombeteira: "Onde está o seu Deus?" estando perfeitamente seguros de que a sua providência é imperturbada, o seu trono inabalável e o seu propósito inalterado. O que Ele fez, Ele ainda fará; o seu conselho permanecerá, e fará tudo o que lhe apraz; e no final do grande drama da história humana, a onipotência de Deus e a sua imutabilidade e fidelidade serão mais do que justificadas, para a eterna confusão de seus adversários.

4. *"Os ídolos deles são prata e ouro"*, mera matéria inerte e morta; na melhor das hipóteses, apenas feitos de metais preciosos, mas este metal é tão impotente como a mais comum madeira ou barro. O valor do ídolo mostra a tolice do criador, em gastar seus recursos, mas certamente não aumenta o poder da imagem, uma vez que não há mais vida, na prata ou no ouro, do que no cobre ou no ferro.

"Obra das mãos dos homens." Tendo em vista que o criador é sempre maior do que a coisa que ele cria, estes ídolos não devem ser mais honrados do que os artífices, que os criaram. Como é irracional que os homens adorem aquilo que é menos do que eles mesmos! Como é estranho que um homem pense que pode criar um deus! Pode haver maior loucura? O nosso Deus é espírito, e as suas mãos criaram os céus e a terra: nós podemos adorá-lo e não precisamos nos perturbar com a pergunta zombeteira daqueles que são insanos a ponto de se recusar a adorar o Deus vivo, e ainda dobram seus joelhos diante de imagens fabricadas por eles mesmos. Nós podemos aplicar tudo isto à época em que vivemos agora. O deus dos modernos, embora seja a criação do próprio pensador, foi desenvolvido a partir da sua própria consciência, ou moldado de acordo com a sua própria noção de como um deus deve ser. É evidente que este não é Deus. É impossível que haja um Deus, exceto o Deus da revelação. Um deus que pode ser moldado pelos nossos próprios pensamentos não é mais deus do que a imagem fabricada ou produzida pelas nossas próprias mãos. O Deus verdadeiro deve necessariamente ser o seu próprio revelador. É claramente impossível que uma criatura que pode ser inventada e compreendida pela razão do homem seja o Deus infinito e incompreensível. Os seus ídolos são razão cega e pensamento doente, o produto dos cérebros confusos dos homens, e resultarão em nada.

5. *"Têm boca, mas não falam."* Os ídolos não produzem nem mesmo o som mais fraco, eles não podem se comunicar com seus adoradores, não podem prometer ou ameaçar, ordenar nem consolar, explicar o passado ou profetizar o futuro. Se não tivessem boca, não seria de se esperar que falassem, mas tendo bocas e não falando, são meros ídolos mudos, e são indignos de serem comparados com o Senhor Deus,

que trovejou no Sinai, que, antigamente, falou por intermédio dos seus servos, os profetas, e cuja voz ainda hoje quebra os cedros do Líbano.

"Têm olhos, mas não veem." Eles não podem saber quem são seus adoradores, nem o que estes lhes oferecem. Certos ídolos tinham joias nos olhos, mais preciosas do que o resgate de um rei, mas eram tão cegos como o resto da fraternidade. Um deus que tem olhos, e não pode ver, é uma divindade cega; e a cegueira é uma calamidade, e não um atributo da divindade. Deve ser muito cego aquele que adora um deus cego: nós *temos pena* de um homem cego, é estranho *adorar* uma imagem cega.

6. *"Têm ouvidos, mas não ouvem."* O salmista pode ter apontado para os monstruosos ouvidos que desfiguram algumas divindades pagãs – verdadeiramente, elas *têm* ouvidos, mas nenhuma oração de seus devotos, ainda que gritada por um milhão de vozes, poderá ser ouvida por eles. Como podem o ouro e a prata ouvir, e como pode um ser racional fazer pedidos a alguém que não pode nem mesmo ouvir as suas palavras?

"Nariz têm, mas não cheiram." O salmista parece reunir estas sentenças com um pouco do espírito rude e sardônico de Elias, quando ele disse: "Clamai em altas vozes, porque ele é um deus; pode ser que esteja falando, ou que tenha alguma coisa que fazer, ou que intente alguma viagem; porventura, dorme e despertará". Em sagrada zombaria, ele ridiculariza aqueles que queimam especiarias, e enchem seus templos com nuvens de fumaça, oferecendo tudo isto a uma imagem cujo nariz não pode sentir o perfume. Ele parece apontar seu dedo para cada parte da fisionomia da imagem, e assim derrama desprezo sobre a parte mais nobre do ídolo, se é que alguma parte dele pode chegar a ser nobre, ainda que pouco.

7. *"Têm mãos, mas não apalpam."* Olhando com desprezo para as imagens, o salmista diz: "Têm mãos, mas não apalpam", elas não podem receber o que é oferecido a elas, não podem agarrar o cetro do poder nem a espada de vingança, elas não podem distribuir benefícios nem dispensar juízos, e são completamente incapazes de realizar o ato mais insignificante. A mão de um bebê tem mais poder que as delas.

"Têm pés, mas não andam." Eles precisam ser levantados e postos em seus lugares, ou jamais chegam a seus santuários; eles precisam ser presos aos seus santuários, ou poderão cair; eles precisam ser levados, ou jamais poderão se mover; eles não podem vir para o resgate de seus amigos, nem escapar à iconoclastia de seus adversários. O mais inferior inseto tem mais poder de locomoção do que o maior deus pagão.

"Nem som algum sai da sua garganta." Eles não podem proferir nem mesmo o som gutural da mais inferior ordem dos animais; nem um resmungo, nem um murmúrio, nem um gemido, nem um balbucio pode sair deles. Os seus sacerdotes afirmavam que as imagens dos deuses, em determinadas ocasiões especiais, proferiam sons vazios, mas era uma mera simulação, ou artifício ardiloso: imagens de ouro ou prata são incapazes de sons vivos. Assim o salmista examinou o ídolo, da cabeça aos pés, olhou no seu rosto, e ouviu a sua garganta, e descreveu como sendo completamente desprezível.

8. *"Tornem-se semelhantes a eles os que os fazem."* Aqueles que fazem estas coisas para adoração são tão estúpidos e irracionais quanto as figuras que eles criam. No que diz respeito à vida espiritual, ao entendimento e ao juízo, são, na verdade, as imagens dos homens, e não seres racionais. A censura não é, de maneira alguma, excessivamente severa. Quem não sentiu as palavras saltando em seus lábios, quando viu os ídolos dos romanos? *"E todos os que neles confiam."* Aqueles que chegaram tão baixo, a ponto de confiar em ídolos, chegaram ao extremo da tolice, e são merecedores de desprezo igual ao que é destinado às suas odiosas divindades. Os duros sermões de Lutero foram bem merecidos pelos papistas; eles eram meros tolos que adoravam as relíquias podres que eram o objeto da sua veneração.

O deus do pensamento moderno se parece excessivamente com as divindades descritas neste salmo. O panteísmo é incrivelmente semelhante ao politeísmo, e, no entanto, difere muito pouco do ateísmo. O deus fabricado pelos nossos grandes pensadores é uma mera abstração: ele não tem propósitos eternos, não intercede pelo bem do seu povo, ele se preocupa muito pouco com quanto o homem peca, pois ele deu ao iniciado uma "esperança maior" pela qual os mais incorrigíveis serão restaurados. Ele é o que o último conjunto de críticos decidiu fazer dele, e diz o que eles decidiram que ele dissesse, e ele fará o que eles desejarem que ele faça. Este credo e seus devotos farão a sua própria refutação, pois assim como agora o seu deus é como eles, eles serão, gradualmente, como o seu deus; e quando os princípios de justiça, lei e ordem tiverem sido sugados, poderemos possivelmente testemunhar, em alguma forma de socialismo, similar à que tão tristemente está se espalhando pela Alemanha, uma repetição dos males que, em eras anteriores, sobrevieram às nações que rejeitaram o Deus vivo e estabeleceram os seus próprios deuses.

9 *Confia, ó Israel, no Senhor; ele é teu auxílio e teu escudo.*
10 *Casa de Arão, confia no Senhor; ele é teu auxílio e teu escudo.*
11 *Vós, os que temeis ao Senhor, confiai no Senhor; ele é vosso auxílio e vosso escudo.*
12 *O Senhor, que se lembrou de nós, abençoará; abençoará a casa de Israel; abençoará a casa de Arão.*
13 *Abençoará os que temem ao Senhor, tanto pequenos como grandes.*
14 *O Senhor vos aumentará cada vez mais, a vós e a vossos filhos.*
15 *Sede benditos do Senhor, que fez os céus e a terra.*

9. *"Confia, ó Israel, no Senhor."* A despeito do que os outros façam, os eleitos do céu devem se apegar ao Deus que os escolheu. O Senhor é o Deus de Jacó, que os seus filhos provem a sua lealdade para com o seu Deus, pela sua confiança nele. Seja qual for o nosso problema, e por mais cruel que seja a linguagem blasfema dos nossos inimigos, não devemos temer nem vacilar, mas confiantemente permanecer naquele que é capaz de vindicar a sua própria honra, e proteger os seus próprios servos.

"Ele é teu auxílio e teu escudo." Ele é o amigo dos seus servos, ativamente e passivamente, dando-lhes auxílio no trabalho e proteção no perigo. No uso do pronome, "teu", o salmista poderia falar consigo mesmo, em uma espécie de solilóquio; ele tinha feito a exortação: "confia no Senhor", e, a seguir, fala consigo mesmo: "Eles bem podem fazer isto, pois Ele é, em todas as ocasiões, a força e a segurança dos seus servos".

10. *"Casa de Arão, confia no Senhor."* Vocês que estão mais próximos dele, devem confiar mais nele; o seu próprio chamado está conectado com a sua verdade, e se destina a declarar a sua glória, por isto jamais alimentem uma dúvida a respeito dele, mas abram o caminho em santa confiança. Os sacerdotes eram os líderes, mestres e exemplos para o povo, e por isto, acima de todos os outros, eles devem depositar uma confiança sem reservas no Deus de Israel. O salmista se alegra em acrescentar que eles o fizeram, pois diz: *"Ele é teu auxílio e teu escudo"*. É bom exortar à fé aqueles que têm fé: "Estas coisas vos escrevi... a vós outros que credes em o nome do Filho de Deus (na versão ARA)... para que creiais no nome do Filho de Deus" (na versão ARC). Nós podemos incitar as mentes puras, pela recordação, e exortar os homens a confiar no Senhor, porque sabemos que já confiam.

11. O versículo a seguir é do mesmo teor: *"Vós, os que temeis ao Senhor, confiai no Senhor"*, seja os que pertencem a Israel, ou à casa de Arão, ou não, todos os que reverenciam o Senhor são aceitos e instruídos a confiar nele.

"Ele é teu auxílio e teu escudo." Ele realmente auxilia e protege todos aqueles que o adoram em temor filial, a despeito da nação à qual possam pertencer. Sem dúvida, estas exortações repetidas eram consideradas necessárias pela tentadora condição em que os filhos de Israel se encontravam: as zombarias do adversário atacariam o povo, elas seriam amargamente sentidas pelos sacerdotes e ministros, e aqueles que eram prosélitos em segredo gemeriam em segredo, sob o desprezo

dirigido à sua religião e ao seu Deus. Tudo isto seria muito desconcertante para a fé, e por isto, os repetidos pedidos para que confiem no Senhor.

Este deve ter sido um cântico muito agradável para as casas na Babilônia, ou as mais distantes, na Pérsia, quando se reuniam à noite para a refeição pascal em uma terra que não conheciam, onde choravam, quando se lembravam de Sião. Parece que nós os estamos ouvindo, repetindo três vezes a frase: "Confiai no Senhor", homens e mulheres, e crianças cantando o seu desprezo pela idolatria dominante, e declarando a sua adesão ao único Deus de Israel. Da mesma maneira, nestes dias de blasfêmia e censura, convém que todos nós sejamos abundantes em testemunhos da verdade de Deus. O cético fala alto da sua descrença; portanto, devemos ser igualmente abertos na confissão da nossa fé.

12. *"O Senhor que se lembrou de nós"*, ou "Jeová se lembrou de nós". As suas misericórdias passadas provam que nós estamos no seu coração, e embora, na situação atual, Ele possa nos afligir, ainda assim não se esquece de nós. Nós não devemos fazer com que Ele se lembre, como se Ele achasse difícil lembrar-se de seus filhos, mas Ele se lembra de nós e por isto, no futuro, lidará de modo benéfico conosco.

"Abençoará." A palavra *"nós"* é inserida pelos tradutores, e é supérflua, a passagem diz: *"Abençoará; abençoará a casa de Israel; abençoará a casa de Arão"*. A repetição da palavra "abençoará" acrescenta grande efeito à passagem. O Senhor tem muitas bênçãos, cada uma delas digna de ser lembrada; Ele abençoa, e torna a abençoar, e abençoa outra vez. Onde Ele já concedeu a sua benevolência, Ele continua a fazê-lo; a sua bênção se alegra em visitar a mesma casa frequentemente, e a permanecer onde já se hospedou. A bênção não empobrece o Senhor: Ele multiplicou as suas bênçãos no passado, e irá derramá-las, em grande quantidade, no futuro. Ele tem uma bênção geral para todos os que o temem, uma bênção peculiar para toda a casa de Israel, e uma bênção dupla para os filhos de Arão. É de sua natureza abençoar, é sua prerrogativa abençoar, é sua glória abençoar, é sua alegria abençoar; Ele prometeu abençoar, e, portanto, tenha certeza disto: Ele irá abençoar, e abençoar, e abençoar, sem cessar.

13. *"Abençoará os que temem ao Senhor, tanto pequenos como grandes."* Enquanto um homem temer ao Senhor, não importa se é príncipe ou camponês, patriarca ou mendigo, Deus certamente o abençoará. Ele supre as necessidades de qualquer coisa viva, desde o leviatã do mar, até o inseto sobre uma folha, e não permitirá que nenhum dos crentes seja esquecido, por menor que seja a sua capacidade, ou por mais inferior que seja a sua posição. Este é um doce consolo para aqueles que têm pouca fé, e reconhecem que são meras crianças na família da graça. A mesma bênção existe para o menor santo e para o maior; o "pequeno" virá em primeiro lugar, pois quando a necessidade é mais urgente, o suprimento será mais rápido.

14. *"O Senhor vos aumentará cada vez mais, e vós e a vossos filhos."* Assim como no Egito Ele multiplicou as pessoas, também aumentará o número de seus santos sobre a terra; não apenas os fiéis serão abençoados com convertidos, e, assim sendo, com uma semente espiritual, mas aqueles que são seus filhos espirituais se tornarão também frutíferos, e assim a multidão dos eleitos se formará. Deus irá multiplicar o povo, e aumentar a alegria. Até o fim dos tempos, a raça dos verdadeiros crentes terá continuidade, e crescerá e se multiplicará, em número e forças. A primeira bênção concedida à humanidade foi: "Frutificai, e multiplicai-vos, e enchei a terra", e é esta bênção que Deus agora profere sobre aqueles que o temem. Apesar dos ídolos da filosofia e do sacramentalismo, a verdade juntará os seus discípulos, e encherá a terra com os seus defensores.

15. *"Sede benditos do Senhor, que fez os céus e a terra."* Esta é outra forma da bênção de Melquisedeque: "Bendito seja Abrão do Deus Altíssimo, o Possuidor dos céus e da terra"; e esta mesma bênção nos é destinada, por intermédio do nosso grande Melquisedeque. É uma bênção onipotente, transmitindo a todos nós tudo o que um Deus Todo-Poderoso pode fazer, seja no céu ou na terra. Esta plenitude é

infinita, e a consolação que nos traz é infalível. Aquele que criou o céu e a terra pode nos dar todas as coisas, enquanto habitamos aqui, abaixo, e nos levar em segurança ao seu palácio, no alto. Felizes são aqueles sobre os quais repousa esta bênção; a sua porção está infinitamente acima da que têm aqueles cuja única esperança está em um pedaço de madeira coberta de ouro, ou em uma imagem de pedra esculpida.

16 *Os céus são os céus do Senhor; mas a terra, deu-a ele aos filhos dos homens.*

16. *"Os céus são os céus do Senhor."* Ali Ele reina, de modo especial, e manifesta a sua grandeza e a sua glória; *"mas a terra, deu-a ele aos filhos dos homens"*. Ele deixou o mundo, durante a presente dispensação, sob o poder e a vontade dos homens, de modo que as coisas aqui abaixo não estão na mesma ordem perfeita que as coisas do alto. É verdade que o Senhor governa todas as coisas pela sua providência, mas ainda assim Ele permite que os homens infrinjam a sua lei e persigam o seu povo, por enquanto, e erijam seus ídolos tolos em oposição a Ele. O livre arbítrio que Ele deu às suas criaturas necessitava que, até certo ponto, Ele restringisse o seu poder e permitisse que os filhos dos homens seguissem seus próprios planos; no entanto, uma vez que Ele não deixou vago o céu, Ele ainda é o senhor da terra, e a qualquer momento poderá reunir todas as rédeas em suas próprias mãos. Talvez, porém, a passagem pretenda transmitir outro significado, ou seja, que Deus irá multiplicar o seu povo, porque Ele deu a terra a eles, e tem a intenção de que eles a ocupem. O homem foi feito, originalmente, vice-regente de Deus sobre o mundo, e embora nós não vejamos todas as coisas sujeitas a ele, vemos Jesus exaltado nas alturas, e nele os filhos dos homens receberão um domínio muito mais nobre sobre a terra do que já conheceram. "Os mansos herdarão a terra e se deleitarão na abundância de paz": e o nosso Senhor Jesus reinará entre os seus patriarcas, de maneira gloriosa. Tudo isto irá refletir a suprema glória daquele que se revela pessoalmente no céu, e no corpo místico de Cristo, abaixo. A terra pertence aos filhos de Deus, e nós devemos subjugá-la para o Senhor Jesus, pois Ele deve reinar. O Senhor Deus deu a Jesus as nações por herança e os confins da terra por sua possessão.

17 *Os mortos não louvam ao Senhor, nem os que descem ao silêncio.*
18 *Mas nós bendiremos ao Senhor, desde agora e para sempre. Louvai ao Senhor!*

17. *"Os mortos não louvam ao Senhor"* – no que diz respeito a este mundo. Eles não podem se unir nos salmos e hinos e cânticos espirituais com que a igreja se delicia em adorar o seu Senhor. O pregador não pode exaltar o Senhor do seu caixão, nem o trabalhador cristão pode manifestar o poder da graça divina pela atividade diária, enquanto está na sepultura.

"Nem os que descem ao silêncio." A sepultura não emite voz; dos ossos que estão se decompondo e dos vermes que consomem a carne não se levanta nenhum som de ministério do Evangelho, nem cântico gracioso. Um por um, os cantores do coro consagrado de santos deixam a nossa companhia, e nós perdemos a sua música. Graças a Deus, eles foram para o alto, para aumentar as harmonias dos céus, mas, no que nos diz respeito, nós temos necessidade de cantar ainda mais fervorosamente porque tantos cantores deixaram nossos coros.

18. *"Mas nós bendiremos ao Senhor, desde agora e para sempre."* Nós, que ainda estamos vivos, devemos tomar todo o cuidado para que os louvores de Deus não deixem de ser valorizados entre os filhos dos homens. Nossas aflições e depressões de espírito não nos farão suspender nossos louvores; nem a idade, e as fraquezas crescentes podem ofuscar os fogos celestiais, ou melhor, nem a própria morte poderá nos fazer cessar esta prazerosa ocupação. Os que estão espiritualmente mortos não podem louvar a Deus, mas a vida dentro de nós nos força a fazer isto. Os ímpios podem permanecer em silêncio, mas nós ergueremos nossas vozes em louvor ao Senhor. Embora, durante algum tempo, Ele possa não realizar nenhum milagre, e

não possamos ver nenhuma interposição peculiar do seu poder, ainda assim, com base do que Ele fez no passado, nós continuaremos a louvar o seu nome, "antes que refresque o dia e caiam as sombras", quando Ele mais uma vez resplandecerá como o sol, para alegrar os rostos dos seus filhos. A época atual é auspiciosa para iniciar uma vida de louvor, uma vez que hoje Ele nos pede que ouçamos a sua voz de misericórdia. "Desde agora" é a sugestão da sabedoria, pois este dever não deve ser postergado; e é o que dita a gratidão, pois há razões insistentes que motivam o agradecimento. Uma vez que comecemos a louvar a Deus, teremos iniciado um serviço infindável. Nem mesmo a eternidade pode esgotar as razões por que Deus deve ser glorificado.

"Louvai ao Senhor", ou Aleluia. Embora os mortos não possam louvar a Deus, e os ímpios não desejem louvar a Deus, e os descuidados não louvem a Deus, ainda assim nós gritaremos "Aleluia" para todo o sempre. Amém!

NOTAS EXPLICATIVAS E DECLARAÇÕES SINGULARES

O Salmo: Diversos manuscritos e várias edições, além da Septuaginta, da Siríaca e muitas das antigas traduções conectam este salmo ao anterior, fazendo de ambos um só. Mas o argumento e o arranjo dos dois salmos não permitem a menor dúvida quanto ao fato de que são originalmente independentes, um dos outro. – *Justus Olshausen*

v. 1: "Não a nós, Senhor, não a nós, mas ao teu nome dá glória". O salmista, com esta repetição, sugere a nossa tendência natural à auto-idolatria, e à exaltação própria, e à dificuldade de purificar nossos corações destas reflexões. Se é angelical recusar uma glória indevida, roubada do trono de Deus (Ap 22.8, 9); é diabólico aceitá-la e valorizá-la. "A investigação da própria glória não é glória" (Pv 25.27). É infâmia, e a desonra de uma criatura, que, pela lei da sua criação, se destina a outro fim. Tudo o que sacrificamos para nosso próprio crédito, para a habilidade das nossas mãos, ou para a sagacidade do nosso intelecto, nós tiramos de Deus. – *Stephen Charnock*

v. 1: "Não a nós, mas ao teu nome dá glória", etc. Não é uma doxologia, nem uma forma de agradecimento, mas uma oração. Não pela nossa segurança nem pelo nosso bem estar, mas pela tua glória, alegra-te em nos libertar. Não para satisfazer a nossa vingança sobre os nossos adversários; não para o estabelecimento dos nossos próprios interesses; mas para a glória da tua graça e verdade nós buscamos a tua ajuda, para que possas ser conhecido como um Deus que observa o concerto; pois a misericórdia e a verdade são os dois pilares do teu concerto. É uma grande desonra a Deus quando algo é buscado nele, mais do que Ele mesmo, ou não por Ele mesmo. Diz Austin, é apenas um interesse carnal na oração quando os homens buscam o ego mais do que a Deus. O ego e Deus são duas coisas que competem. Há vários tipos de egos; há o ego carnal, o ego natural, e o ego glorificado; sobre todos eles, Deus deve ter a proeminência. – *Thomas Manton*

v. 1: Há muitos textos doces e preciosos das Escrituras que são tão apreciados, e se tornaram tão costumeiros a nós, e nós tão acostumados a eles, que não se pode deixar de pensar que nós devemos levá-los conosco para o céu, e que eles formarão, não somente o tema do nosso cântico, mas uma parte da nossa bem-aventurança e alegria, naquele lar feliz... Mas se há um texto que pertence, de maneira especial, a todos, e que deve, creio eu, irromper de *cada* remido, uma vez que ele entre no céu, e formar o tema inabalável da eternidade, é este primeiro versículo deste salmo. Eu tenho certeza de que nem um dos escolhidos do Senhor na terra, quando examina a maneira pela qual foi conduzido, quando vê inimigo após inimigo se prostrando diante da sua total debilidade, e quando tem tão completa evidência e convicção de que a sua fraqueza é aperfeiçoada na força do Senhor, apenas deve, do fundo do seu coração, dizer: *"Não a nós, Senhor, não a nós, mas ao teu nome"* seja o poder e a glória. E se pudéssemos ver o céu aberto – se pudéssemos ouvir os seus alegres e gloriosos aleluias – se pudéssemos ver o seu incontável grupo de anjos, e o grupo de santos glorificados, quando depositam suas coroas diante do trono, ouviríamos o coro universal, de todos os lábios: *"Não a nós, Senhor, não a nós, mas ao teu nome dá a glória, por amor da tua benignidade e da tua verdade"*. Eu não sei por que este não deveria ser, tão alegremente e tão agradecidamente, o cântico dos anjos, assim como o cântico dos redimidos: eles não têm seu próprio poder ou força – não guardam sua primeira situação, por nenhuma força própria inerente, mas, como seus irmãos mais fracos da raça humana, são igualmente "guardados na virtude de Deus"; e de seus grupos, não duvido, ecoa a mesma melodia gloriosa: *"Não a nós, Senhor, não a nós, mas ao teu nome dá glória"*. Até mesmo o nosso bendito Senhor, quando, naquela noite de angústia, cantou este hino de louvor, pôde verdadeiramente dizer sobre a natureza humana que tinha pecado e que iria sofrer: "Não a nós" – não ao homem seja atribuída a glória desta grande salvação, que agora, com Meu próprio sangue, vou comprar, mas ao teu nome e ao teu amor seja dado o louvor. – *Barton Bouchier*

v. 1: "Non nobis, Domine, sed iibi sit gloria". Uma parte da versão em latim deste salmo é frequentemente cantada depois da ação de graças, em jantares públicos; mas o motivo, mal podemos imaginar, exceto pelo temor de que os doadores se orgulhassem dos xelins que prometeram, ou que os glutões se vangloriassem, sob a influência de sua alimentação. – *C. H. S.*

vv. 1 e 2: Muito rapidamente, ele menciona três razões pelas quais Deus deve buscar a glória do seu nome, preservando o seu povo. Em primeiro lugar, Ele é benigno, misericordioso; em segundo lugar, porque Ele é verdadeiro e fiel, ao observar a sua promessa; em terceiro lugar, para que os gentios não vejam o povo de Deus em uma condição de abandono, encontrando motivo para blasfemar, contra Ele ou eles. Por isto, ele diz: *"Por amor da tua benignidade e da tua verdade"* (na versão ARC) ou *"Por amor da tua misericórdia e da tua fidelidade"* (na versão ARA), mostra a tua glória, ou dá glória ao teu nome, pois então a tua glória será exibida quando tu mostrares misericórdia ao teu povo; e então tu terás realizado a verdade da promessa que fizeste aos nossos pais. *"Por que dirão as nações: Onde está o seu Deus?"* para que os gentios incrédulos não tivessem a oportunidade de difamar o teu poder, e, talvez, ignorar a tua própria existência. – *Robert Bellarmine*

vv. 2 e 3: Se Deus está em todas as partes, por que Cristo nos ensina a orar: "Pai nosso, que estás nos céus"? E quando as nações fizeram aquela exigência zombeteira: *"Onde está o seu Deus?"*, por que Davi respondeu: *"O nosso Deus está nos céus"*? A este e todos os outros textos de igual significado, podemos responder, a palavra *céus* aqui não pretende limitar a presença de Deus, mas guiar a fé e a esperança do homem. "Pela manhã" (diz Davi, Sl 5.3) "me apresentarei a ti, e vigiarei". Quando o olho não vir nenhum sinal de ajuda na terra, então a fé poderá ter a visão mais clara da ajuda que vem do céu. E quando Deus aparece tão pouco em alguma dispensação de misericórdia para o seu povo na terra, de modo que o inimigo começa a zombar, dizendo: *"Onde está o seu Deus?"* então o seu povo recorre, pela fé, ao céu, onde o Senhor não apenas está, mas é glorioso em suas manifestações. De lá, Ele vê melhor o que acontece conosco, e assim tem uma posição vantajosa para nos aliviar. – *Joseph Caryl*

vv. 2 a 8: Compare o Senhor com qualquer outro Deus. Por que as nações diriam: *"Onde está* [נָא] *o seu Deus?"* Considere a breve descrição de Moisés, em Dt 4.28, e amplie-a, como é feito aqui. Os ídolos de ouro e prata têm uma *boca*, mas não dão nenhum conselho aos seus adoradores; têm *olhos*, mas não veem as devoções nem as necessidades daqueles que os servem; têm *ouvidos*, mas não ouvem os gritos de aflição nem os cânticos de louvor; têm *nariz*, mas não sentem o aroma do incenso que é apresentado às suas imagens; têm *mãos*, mas o relâmpago que parecem segurar (como Júpiter Tonans, em tempos posteriores) é um *brutum fulmen*, eles não podem lançá-lo; têm *pés*, mas não podem se mexer para ajudar os caídos. Ah! eles não podem sequer sussurrar uma sílaba como resposta, e som nenhum sai da sua garganta! E, à medida que o homem se torna como o seu Deus (veja os idólatras hindus cuja crueldade é apenas o reflexo da crueldade de seus deuses), também estes deuses dos pagãos, sendo "sem alma, os adoradores também se tornam sem alma" (Tholuck). – *Andrew A. Bonar*

v. 3: "Mas o nosso Deus está nos céus e faz tudo o que lhe apraz". A palavra *"mas"*, embora possa parecer estranha ao nosso idioma, adiciona muito vigor à expressão. Assim, eles pedem como se o nosso Deus estivesse ausente, ou não tivesse existência; no entanto, durante todo o tempo o nosso Deus está no céu, na sua morada exaltada e gloriosa. – *Joseph Addison Alexander*

v. 3 (primeira parte): Seria loucura afirmar a mesma coisa a respeito dos ídolos; por isto, se os pagãos dizem, *Onde está o seu Deus?* nós respondemos, *Está nos céus,* etc.; mas onde estão os seus ídolos? Na terra, não criando a terra, mas criados da terra, etc. – *Martin Geier*

v. 3: "Mas o nosso Deus está nos céus". Quando eles reconhecem que Deus está no céu, não o restringem a determinado local, nem definem limites à sua infinita essência; mas, ao contrário, negam a limitação do seu poder, como dedicado somente à intermediação humana, ou sujeito à destruição ou ao sucesso. Em resumo, eles colocam o universo sob o seu controle, e nos ensinam que, sendo Ele superior a qualquer obstáculo, Ele fez e faz, livremente, tudo o que lhe parece bom. Esta verdade é declarada de maneira ainda mais clara na sentença seguinte: *"e faz tudo o que lhe apraz"*. Pode-se, então, dizer que Deus habita nos céus, e que o mundo está sujeito à sua vontade, e nada pode impedir que Ele cumpra os seus propósitos. – *João Calvino*

v. 4: "Os ídolos deles são prata e ouro". Pode haver alguma coisa mais absurda do que esperar ajuda por parte deles, uma vez que nem os materiais de que são formados, nem as formas que lhes foram dadas pelas mãos dos homens possuem a menor porção de divindade a ponto de exigir respeito. Ao mesmo tempo, o profeta tacitamente indica que o valor do material não concede aos ídolos mais excelência, de modo que mereçam ser mais altamente estimados. Portanto, a passagem pode ser traduzida de modo adversativo: Embora sejam de prata e ouro, apesar disto não são deuses, porque são a obra das mãos dos homens. – *João Calvino*

v. 4: "Os ídolos deles são prata", etc. Eles são metal, pedra e madeira. De modo geral, são feitos na forma humana, mas não podem ver, nem ouvir, nem sentir cheiros, nem sentir, nem andar ou falar. Como é ignorante confiar neles!, e próximos a estes, em estupidez e inanição, estão aqueles que os formaram, com a expectativa de obter deles algum bem. O sistema de idolatria era tão obviamente vão que os pagãos mais sérios o ridicularizavam, e era o alvo das brincadeiras dos livre-pensadores e comediantes. Como são perspicazes estas palavras de Juvenal!

Audis,
Jupiter, haec ? nee labra moves, cum mittere vocem
Debueras, vel marmoreus vel aheneus ? aut cur
In carbone tuo charta pia thura soluta
Ponimus, et sectum vituli jecur, albaque porci
Omenta ? ut video, nullum discrimen habendum est
Effigies inter vestras, statuamque Bathylli. Sat, xiii., v. 113.

"Ouves, ó Júpiter, estas coisas? Não moves os teus lábios quando deverias falar, pois és feito de mármore ou de bronze? Ou, por que colocamos o incenso sagrado no teu altar, e o fígado de um bezerro, e a gordura de um porco? Até onde eu consigo discernir, não há diferença entre a tua estátua e a de Bathyllus".

Esta ironia parecerá ainda mais penetrante quando se considera que Bathyllus era um violinista, cuja imagem, por ordem de Polícrates, foi erigida no templo de Juno, em Samos. – *Adam Clarke*

v. 4: "Ídolos". Os idólatras alegavam, em defesa de seus ídolos, que somente pretendiam representar seus deuses, e manter uma sensação mais permanente da sua presença. O Espírito, contudo, não permite esta alegação, e considera as suas imagens como os próprios deuses aos quais eles adoram. Os deuses que eles professam representar não existem, na realidade, e por isto a sua adoração é completamente inútil e tola. O mesmo não deve ser dito da suposta adoração de muitos, atualmente, que sobrecarregam a sua adoração com ritos representativos e cerimônias, ou símbolos, ou imaginam um deus que não é o Deus da revelação? – *W. Wilson*

v. 4: "Prata e ouro" – coisas apropriadas para fabricar dinheiro, mas não deuses. – *Matthew Henry*

v. 4: "Obra das mãos dos homens". O anúncio a seguir foi copiado de um jornal chinês: "Archen Tea Ghinchin, escultor, respeitosamente avisa aos capitães de navios, que comercializam de Cantão à Índia, que podem ser adornados com cabeças de qualquer tamanho, conforme encomenda, por uma quarta parte do preço cobrado na Europa. Ele também recomenda, para a iniciativa privada, os seguintes ídolos, em bronze, ouro e prata: o falcão de Vishnu, que tem gravada em relevo a sua encarnação em um peixe, javali, leão e tartaruga; um *apis*, ou touro sagrado, egípcio, um bezerro e touro de ouro, adorado pelos piedosos seguidores de Zoroastro; duas *mammosits* de prata, com brincos de ouro; um *aprimanes*, para adoração na Pérsia; um carneiro, um jacaré, um caranguejo, uma hiena risonha, com uma variedade de deuses familiares em pequena escala, calculados para a adoração familiar. Será dado um crédito de dezoito meses, ou um desconto de quinze por cento, para o pagamento à vista do valor de cada artigo. Dirija-se à Rua China, Cantão, debaixo do rinoceronte de mármore e da hidra dourada". – *Arvine's Anecdotes*

v. 4: "Obra das mãos dos homens". Obras, e não criadores das obras. – *Adam Clarke*

v. 4: "Obra das mãos dos homens". E por isto devem, necessariamente, ser deuses bondosos, quando feitos especialmente por alguém que não trabalha bem, como era a vara de *Cockram*, e que, se não fossem suficientemente bons para fazer um deus, fariam um excelente demônio, como o Prefeito de Doncaster jocosamente disse aos queixosos. – *John Trapp*

vv. 4 a 7: Um belo contraste é formado, entre o Deus de Israel e os ídolos pagãos. Ele criou tudo, eles foram feitos pelo homem; Ele está no céu, eles estão na terra; Ele faz tudo o que lhe apraz, eles não podem fazer nada; Ele vê a angústia, ouve e responde as orações, aceita as ofertas, vem em auxílio, e realiza a salvação dos seus servos; eles são cegos, surdos e mudos, estúpidos, imóveis e impotentes. Igualmente lentos em ouvir, igualmente impotentes para salvar, em ocasiões de maior necessidade, será cada ídolo terreno, em que os homens depositarem seus interesses, e aos quais, na verdade, disseram: "Tu és meu Deus". – *Goerge Horne*

vv. 4 a 7: Em Alexandria, havia um famoso edifício, chamado *Serapion*, um templo de *Serapis*, que, segundo acreditavam, controlava as inundações do Nilo e a fertilidade do Egito. Era uma grande estrutura de alvenaria, no topo de uma colina no centro da cidade, e o acesso era feito por cem degraus. Era bem fortificada e muito elegante. A estátua do deus era uma imagem colossal, que tocava, com os braços estendidos, os dois lados da construção, ao passo que a cabeça alcançava o imponente teto. Era adornada com metais e joias.

Quando o imperador Teodósio ordenou a demolição do templo pagão, Teófilo, o bispo, acompanhado pelos soldados, subiu rapidamente os degraus e entrou no templo. A visão da imagem, por um momento, fez com que até os cristãos destruidores parassem. O bispo ordenou que um soldado atacasse, sem demora. Com uma machadinha, ele feriu o joelho da estátua. Todos esperaram, com alguma emoção, mas não houve nenhum som ou sinal de ira divina. Os soldados, a seguir, subiram até a cabeça e a arrancaram. Ela rolou pelo chão. Uma grande família de camundongos, perturbada em sua tranquila morada dentro da imagem sagrada, jorrou da estátua e correu pelo chão do templo. O povo agora começou a rir, e a destruir com maior zelo. Eles arrastaram os fragmentos da estátua pelas ruas. Até mesmo os pagãos não gostavam de deuses que não se defendiam. O imenso edifício foi lentamente destruído, e uma igreja cristã foi edificada em seu lugar. Ainda havia algum temor, entre a população, de que o Nilo mostrasse desprazer, recusando a sua inundação (ou abundância) usual. Mas quando o rio subiu, com abundância e generosidade superior à habitual, toda ansiedade foi dissipada. – *Andrew Reed, "The Story of Christianity", 1877*

vv. 4 a 8: Teodoreto nos fala de Santa Públia, a idosa abadessa de um grupo de freiras em Antioquia, que, quando o imperador Juliano passava em procissão idólatra, costumava cantar o salmo: "Os ídolos deles são prata e ouro, obra das mãos dos homens... Tornem-se semelhantes a eles os que os fazem; e todos os que neles confiam"; e ele narra como o imperador, irado, fez com que seus soldados a esbofeteassem, até sangrar, por ser incapaz de suportar o aguilhão do antigo cântico hebreu. – *Neale e Littledale*

v. 5: "Têm boca, mas não falam". A mais nobre função da boca é a de falar. Os olhos, ouvidos e nariz, são os órgãos de determinados sentidos. A boca contém o órgão do paladar, e as mãos e os pés pertencem ao órgão do tato, mas a fala é a glória da boca. – *James G. Murphy*

v. 6: "Têm ouvidos, mas não ouvem". Mas são surdos como portas, para as orações dos que lhes suplicam. Os cretenses retrataram seu Júpiter sem ouvidos, tão pouca audição ou ajuda esperavam dele. Sócrates, com desprezo pelos deuses pagãos, jurou por um carvalho, uma cabra, um cão; como se os considerasse deuses melhores do que aqueles. – *John Trapp*

v. 7: "Têm mãos, mas não apalpam". Até mesmo o seu artista, portanto, o superou, uma vez que tinha a faculdade de moldá-los, pelo movimento e pelas funções de seus membros, embora você devesse se envergonhar de adorar este artista. Até mesmo você os supera, embora não tenha criado estas coisas, uma vez que você faz o que elas não podem fazer. – *Agostinho*

v. 7: "Nem som algum sai da sua garganta". *Yehgu;* nem mesmo o fraco gemido de uma pomba, Isaías 38.14. – *William Kay*

v. 7: "Falam", ou, conforme o significado da palavra em hebraico, respiram. Não apenas são irracionais, mas também inanimados. – *Thomas Fenton*

v. 8: "Tornem-se semelhantes a eles os que os fazem". Aqueles que fazem *imagens* para si mostram a sua ingenuidade, e sem dúvida são homens sensíveis; mas aqueles que os fazem *deuses* mostram a sua estupidez, e são irracionais, tolos como os próprios ídolos. – *Matthew Henry*

v. 8: "Tornem-se semelhantes a eles os que os fazem". Aqueles que os fazem são como ídolos, porque, embora possam ver e ouvir, o fazem mais em aparência do que na realidade; pois nem ouvem nem veem as coisas que pertencem à salvação, as coisas que somente são dignas de serem vistas, de modo que se pode dizer que mais sonham do que veem ou ouvem; como diz o apóstolo Marcos: "Tendo olhos, não vedes? E, tendo ouvidos, não ouvis?" – *Robert Bellarmine*

v. 8: "Semelhantes a eles", etc. Cada pessoa é exatamente o que o seu Deus é; quem quer que sirva ao Onipotente, será onipotente com Ele; quem exaltar a fraqueza, em estúpido engano, como sendo seu deus, será fraco, juntamente com este deus. Esta é uma importante proteção contra o medo, para aqueles que estão certos de que adoram o Deus verdadeiro. – *E. W. Hengstenberg v. 8:* "Semelhantes a eles". Ou seja, "falsidade", vaidade, improdutividade: (*tohu*). Isaías 44.9,10. – *William Kay*

v. 8: Aqueles que servem a um deus vil não podem evitar ser de um espírito vil, e assim, não podem fazer nada digno e generoso. O temperamento de cada homem é como o seu deus é. – *Thomas Manton*

v. 9: "Ele é teu auxílio". Nós teríamos esperado, "Nosso auxílio e nosso escudo", etc., mas a ideia apresentada três vezes parece ser uma fórmula conhecida de louvor. *"teu"*, isto é, "de todos os que confiam nele". Os versículos contêm um clímax: (1) eles se destinam a Israel, de modo geral; (2) aos sacerdotes e ministros que servem a Deus; (3) aos israelitas fiéis; não somente escolhidos, entre todo o povo, ou do povo escolhido para o serviço, mas servindo a Deus com sinceridade de coração. – *"Speaker's Commentary"*

v. 10: "Ele é o auxílio" do seu povo; eles são desamparados, e vão é o socorro da parte do homem, pois não há nenhum auxílio nele; não há auxílio, exceto no Senhor, e Ele é um auxílio presente, oportuno e suficiente. O Senhor, o Pai, lhes prometeu ajuda, e Ele é capaz e fiel para cumprir a promessa; Ele colocou o auxílio para eles no seu Filho; e estabeleceu um trono de graça, onde eles podem vir em busca de ajuda, em épocas de necessidade. Cristo os ajudou a sair da sua condição miserável, em que haviam caído pelo pecado; Ele os ajuda no seu caminho para o céu, pelo seu poder e misericórdia, e, por fim, os leva para lá. O Espírito de Deus os ajuda a chegar às coisas de Cristo, a tantas promessas, tão extremamente grandes e preciosas; e a sair de tantas dificuldades, armadilhas e tentações; e Ele os ajuda na oração, em todas as suas fraquezas, e faz intercessão por eles, em conformidade com a vontade de Deus; e por isto eles devem confiar no Senhor, Pai, Filho e Espírito Santo. – *John Gill*

v. 12: "O Senhor, que se lembrou de nós, abençoará". Deus o fez, e por isto Deus o fará, é um argumento comum nas Escrituras. – *John Trapp*

v. 13: "Abençoará... tanto pequenos como grandes". A misericórdia, segundo o concerto da graça, dá as mesmas bases de fé e esperança a todos os da igreja; de modo que qualquer benevolência que seja mostrada a um elemento do povo de Deus, é de grande uso e benefício para outros. Esta passagem mostra que, assim como o dever de confiar no Senhor é comum a todos os tipos de pessoas, também a bênção da confiança é comum, e pertence a todos os tipos de crentes, pequenos e grandes. O Israel de Deus consiste de diversas classes de homens. Há magistrados que têm seu serviço peculiar; há ministros que intercedem entre Deus e o homem, em coisas que dizem respeito a Deus, e há as pessoas comuns, que temem a Deus, e são aceitas à honra de ser o seu povo. Todos eles têm os mesmos privilégios. Se Deus é o auxílio e o escudo de um deles, será o auxílio e o escudo do outro; se Ele abençoar a um, irá abençoar ao outro. Cada pessoa que teme a Deus, e está contado entre os fiéis israelitas, pode esperar a sua bênção, tanto quanto as pessoas públicas; o mais humilde camponês, assim como o maior príncipe, assim como têm permissão para confiar em Deus, também podem esperar a sua bênção. A razão é o fato de que eles têm o mesmo interesse no mesmo Deus, que é um Deus de bondade e poder, e disposto a aliviar todos os que confiam nele. Ele está igualmente interessado em todos os seus filhos, e lhes dedica o mesmo amor. – *Thomas Manton*

v. 13: Ele diz: "*tanto pequenos como grandes*", e com isto ele exalta ainda mais a consideração paterna de Deus, mostrando que Ele não ignora nem mesmo ao mais humilde e mais desprezado, desde que eles busquem cordialmente o seu auxílio. Uma vez que não existe acepção de pessoas diante de Deus, a nossa condição inferior e abjeta não deve representar uma obstrução para que nos aproximemos dele, uma vez que Ele tão gentilmente convida para que se aproximem dele aqueles que não parecem ter reputação nenhuma. A repetição da palavra *"abençoará"* tenciona enfatizar a corrente ininterrupta da sua benignidade. – *João Calvino*

v. 14: "O Senhor vos aumentará", etc. Isto expressa a bênção crescente do Senhor sobre o seu Israel, os seus ministros, e sobre toda a igreja. Eles crescerão em esclarecimento e conhecimento, em graças e dádivas, em fé e expressão, em números e multidões. – *Samuel Eyles Pierce*

v. 14:

O Senhor acumulará as suas bênçãos sobre vós,
sobre vós e vossos filhos. – *William Green, "A New Translation of the Psalms", 1762*

v. 15: "Sede benditos", etc. Vocês são o povo antigamente abençoado, na pessoa do seu pai, Abraão, por Melquisedeque, sacerdote do Deus Altíssimo, que fez os céus e a terra (Gn 14.19). *"Do Senhor"*, literalmente, *ao Senhor*, como um objeto de bênção a Ele. Ou a preposição do hebraico, como um dentre muitos outros casos, pode ser simplesmente equivalente à nossa preposição *por.* O caráter criativo de Deus é mencionado, assegurando a sua capacidade, não menos do que a sua disposição, de abençoar o seu povo. – *Joseph Addison Alexander*

v. 16: "Os céus são os céus do Senhor". Ele demonstra que, assim como Deus tem a sua morada nos céus, Ele deve ser independente de todas as riquezas terrenas, pois, certamente, nem o vinho, nem o trigo, nem nada necessário para o sustento da vida atual, é produzido ali. Consequentemente, Deus tem todos os recursos em Si mesmo. A esta circunstância se refere a repetição do termo *"céus". Os céus, os céus são suficientes para Deus*; e como Ele é superior a todo o auxílio, Ele excede, de uma forma infinita, todos os recursos que pudermos imaginar. – *João Calvino*

v. 16: "A terra, deu-a", etc. Este versículo está cheio de beleza, quando lido em conexão com o que vem a seguir, como uma declaração descritiva do resultado da "regeneração" nesta cena inferior. Pois, até então, o homem tinha sido dado à terra, e não a terra aos filhos dos homens. É apenas um lugar de sepulcros, e o dia da morte parece melhor do que o dia do nascimento, enquanto os homens andam sob uma luz menos brilhante do que a do sol. – *Arthur Pridham*

v. 17: "Os mortos não louvam ao Senhor", etc. Davi não considera aqui o que os homens fazem, ou não fazem, no próximo mundo, mas considera somente que, neste mundo, ele devia propagar a verdade de Deus, e que não poderia fazer isto, se Deus o removesse pela morte. Há duas razões dadas pela desaprovação da morte por parte de Davi e de outros homens santos no Antigo Testamento: uma, em relação a eles mesmos, *qui promissiones obscures,* porque Moisés tinha transmitido a estes homens todas as bênçãos futuras de Deus, todo o gozo e a glória do céu, somente nos tipos de coisas terrenas, e pouco tinha dito sobre a condição da alma depois desta vida. Portanto, as promessas que pertenciam aos crentes depois desta vida não estavam tão claras, a ponto de que, ao contemplá-las, pudessem se entregar confiantemente às garras da morte: aquele que não está plenamente satisfeito com o próximo mundo, fará todo o possível para se contentar com este. A outra razão era *quia operarii pauci,* como Deus tinha uma grande seara à mão, e poucos trabalhadores, eles se negavam a ser afastados do trabalho; e esta razão não tinha relação com eles mesmos, mas com a igreja de Deus, uma vez que eles não seriam capazes de fazer à causa de Deus nenhum outro bem, aqui. Esta era a outra razão que fazia estes bons homens tão pouco dispostos a morrer. *Quid fades nomini tuo?* diz Josué, na sua oração a Deus. Os cananeus nos cercarão e desarraigarão o nosso nome da terra; e, então, que farás ao teu grande nome? O que farás com a tua gloriosa igreja, dizem os santos de Deus no Antigo Testamento, se tiras estes homens do mundo, aos quais escolheste, capacitaste, e qualificaste, para a edificação, sustentação e propagação desta igreja? Por isto, Davi desejava viver, não por si mesmo, mas para a glória de Deus e para o bem da sua igreja; ele não poderia contribuir com nenhuma destas coisas, depois de morto. – *Abraham Wright*

v. 17: "Os mortos não louvam ao Senhor", etc. Quem são os *"mortos"* aqui mencionados? Eu não consigo concordar com a interpretação daqueles que consideram este versículo simplesmente como um pedido feito por aqueles que o usam, para que possam ser salvos da morte. São palavras destinadas à igreja, de modo geral, como prova o versículo seguinte. Eu entendo que *"os mortos"*, então, são aqueles que descem ao silêncio da morte eterna, que não louvaram a Deus, e jamais poderão fazê-lo. A eles, a terra jamais poderia ter sido dada. – *W. Wilson*

v. 17: "Ao silêncio". À sepultura, o lugar do silêncio (Sl 94.17). Nada é mais impressionante, com relação à sepultura, do que o seu total *silêncio*. Nem uma voz, nem um som, é ouvido ali – de pássaros, ou homens – de cânticos ou conversas – o rugido do mar, o suspiro da brisa, a fúria da tempestade, o tumulto da batalha. Perfeito silêncio reina ali; e o primeiro som que será ouvido ali, será o da trompa do arcanjo. – *Albert Barnes*

vv. 17 e 18: O *povo* de Deus não pode morrer, porque o *louvor* de Deus morreria com eles, o que seria impossível. – *E. W. Hengstenberg*

vv. 17 e 18: Não se deve ignorar que aparecem, em determinados salmos, palavras que parecem excluir a esperança da vida eterna*... Mas é um fato muito significativo, que, em todos os salmos em questão, há uma preocupação sincera expressa pela glória de Deus. Se a morte é desaprovada, é para que o Senhor não perca a glória, nem a sua igreja perca os serviços que uma vida prolongada pode propiciar. Isto é bem exemplificado no Salmo 115, que eu prefiro citar, porque, sendo a única exceção à regra de que as visões sombrias da morte são encontradas nos salmos de contrição e profunda tristeza; é o único salmo ao qual não se podem aplicar as observações anteriores. É um hino tranquilo de louvor.

17 *Os mortos não louvam ao Senhor, nem os que descem ao silêncio.*
18 *Mas nós bendiremos ao Senhor, desde agora e para sempre. Louvai ao Senhor!*

Este salmo, concluído desta maneira, era um dos Cânticos do Segundo Templo.

O que nós ouvimos nele é a voz da igreja, e não a de uma alma individual. E isto pode nos ajudar a perceber a sua total harmonia com a fé na glória celestial. Interessa à honra de Deus que tenha continuidade, na terra, uma igreja visível, em que o seu nome possa estar registrado, de geração em geração. Esta é uma obra que não pode ser realizada pelos mortos. Portanto, uma vez que o desejo supremo da igreja deve sempre ser que o nome de Deus seja santificado, que progrida o seu reino, e que a sua vontade seja feita na terra, é dever da igreja orar por contínua subsistência aqui, na terra, testemunhando a respeito de Deus. E deve-se observar, cuidadosamente, que não apenas nesta passagem, mas em todos os textos paralelos em que os salmistas parecem falar com desconfiança ou desprezo sobre a condição dos que partiram, isto está conectado ao interesse da causa de Deus sobre a terra. O pensamento mais predominante em seus ouvidos é que "na morte não há lembrança" de Deus – não há lembrança do seu nome nesta ocasião para a salvação dos homens. Esta única circunstância poderia, creio, ser suficiente para fazer com que o leitor fosse vigilante contra uma precipitada aceitação das passagens, com um significado que excluiria a esperança da vida eterna. E chega ao ponto de mostrar que aquilo que o salmista despreza, não é a morte, simplesmente considerada, mas a morte prematura. A sua oração é: "Deus meu, não me leves no meio dos meus dias" (Sl 102.24). E eu não hesito em dizer que há homens em posição de eminente utilidade, de modo que orar é o seu dever. – *William Binnie*

*Sl 6.5; 30.9; 88.10,12; 89.47; 115.17.

SUGESTÕES AOS PREGADORES

v. 1. A passagem pode ser usada como,

I. Um poderoso apelo em oração.

II. Uma expressão do verdadeiro espírito de piedade.

III. Uma orientação segura em teologia.

IV. Uma orientação prática na escolha do nosso modo de vida.

V. Um espírito aceitável, quando investigando o sucesso, passado ou presente.

v. 1. I. Nenhum louvor é devido ao homem. Nós temos uma existência? Não a nós, etc. Nós temos saúde? Não a nós, etc. Nós temos confortos externos? Não a nós, etc. Amigos? Não a nós, etc. Os meios da graça? Não a nós, etc. Fé salvadora em Cristo? Não a nós, etc. Dons e graças? Não a nós, etc. A esperança da glória? Não a nós, etc. Utilidade a outros? Não a nós, etc.

II. Todo o louvor é devido a Deus.

1. Porque tudo o que temos, é pela misericórdia.

2. Porque tudo o que esperamos, é pela fidelidade. – *G. R.*

v. 2. Uma pergunta de escárnio, à qual podemos dar várias respostas satisfatórias.

v. 2. Por que dizem isto? Por que Deus permite que eles digam isto? – *Matthew Henry*

vv. 2 e 3. I. A pergunta dos pagãos: v. 2.

1. De ignorância. Eles têm um templo, mas nenhum deus.

2. De reprovação ao povo de Deus, quando o seu Deus os abandonou por algum tempo: "Todo o dia me dizem, onde...", etc.

II. A resposta à pergunta deles: v. 3. Vocês perguntam onde está o nosso Deus? Perguntam, em vez disto, onde Ele não está! Vocês perguntam o que Ele fez? Ele "faz tudo o que lhe apraz". – *G. R.*

v. 3. I. A sua posição indica domínio absoluto.

II. Os seus atos provam isto.

III. Mas Ele condescende em ser o "nosso Deus".

v. 3 (segunda parte). A soberania de Deus. Estabeleça e aprimore a grande doutrina escritural, de que o Deus glorioso tem o direito de exercer domínio sobre todas as suas criaturas; e de fazer, em todos os aspectos, o que lhe apraz. Este direito, naturalmente, resulta do fato de que Ele é o *Criador* e o *Possuidor* dos céus e da terra. Considere,

(1) Ele é infinitamente sábio; Ele conhece perfeitamente todas as suas criaturas, todos os seus atos e todas as suas tendências.

(2) Ele é infinitamente justo.

(3) Ele é infinitamente bom. – George Burder.

vv. 4 a 8. I. O caráter dos deuses ídolos. Sejam os nossos deuses objetos naturais, ou riquezas, ou prazeres terrenos, eles não têm olhos para se apiedar, não têm ouvidos para ouvir súplicas, não têm língua para aconselhar, não têm mãos para ajudar.

II. O caráter do Deus verdadeiro. Ele é todo olhos, todo ouvidos, todo língua, todo mãos, todo pés, todo mente, todo coração.

III. O caráter dos adoradores de ídolos. Todos são naturalmente assimilados aos objetos de sua adoração.

v. 8. A semelhança entre os idólatras e os seus ídolos. Explore os detalhes mencionados.

v. 9. O Deus vivo reivindica adoração espiritual: a vida desta adoração é a fé; a fé prova que Deus é uma realidade viva – "Ele é teu auxílio", etc. Somente o Israel escolhido fará esta adoração viva.

vv. 9 a 11. I. A reprovação. "Ó Israel!", "Casa de Arão!", "Vós, os que temeis ao Senhor". Vocês têm sido descrentes com relação ao seu Deus?

II. A correção ou admoestação. "Confia no Senhor". Vocês confiaram no Deus verdadeiro, como os outros confiaram em seus falsos deuses?

III. A orientação. "Ele é teu auxílio", etc. Que as igrejas, os ministros, e todos os que temem a Deus saibam que, em todas as épocas, e sob todas as circunstâncias, Ele é o seu auxílio e o seu escudo. – *G. R.*

v. 10. I. Aqueles que servem publicamente devem confiar especialmente. "Casa de Arão, confia". II. Aqueles que são chamados especialmente devem ser auxiliados especialmente. "Ele é vosso auxílio".

III. Aqueles que são particularmente auxiliados no serviço podem ter certeza de proteção especial quando em perigo – "e vosso escudo".

v. 11. O temor filial é a fundação da fé plena.

v. 12. O que nós vivenciamos. O que podemos esperar. – *Matthew Henry*

vv. 12 e 13. I. O que Deus *fez* pelo seu povo: "Ele se lembrou de nós".

1. A nossa preservação prova isto.
2. As nossas graças.
3. As nossas tentações.
4. A nossa orientação.
5. Os nossos consolos. Tudo, até mesmo a nossa mais diminuta bênção, representa um pensamento na mente de Deus, a nosso respeito. "Quão preciosos são para mim, ó Deus, os teus pensamentos! Quão grande...", etc., e estes pensamentos datam de uma eternidade antes que nós viéssemos a existir. "O Senhor, que se lembrou de nós"; então, não deveríamos nos lembrar ainda mais dele?

II. O que Ele *fará* pelo seu povo – "Abençoará".

1. Grandemente. As suas bênçãos são como Ele, grandes. São abençoados aqueles aos quais Ele abençoa.
2. Adequadamente. A casa de Israel, a casa de Arão, todos os que o temem, de acordo com a sua necessidade, tanto pequenos como grandes.
3. Certamente. "Abençoará", "abençoará", "abençoará", "abençoará". Com uma palavra, Ele amaldiçoa, com quatro, Ele abençoa. – *G. R.*

v. 13. I. O caráter geral – "temem ao Senhor".

II. Os graus de desenvolvimento – "pequenos e grandes".

III. A bênção comum.

v. 14. I. Aumento de graça – em conhecimento, amor, força, santidade, utilidade, etc.

II. Aumento crescente – nós crescemos rapidamente, e progredimos, não somente mais, mas cada vez mais.

III. Aumento relativo – nossos filhos crescem na graça, através dos nossos exemplos, etc.

v. 14. As bênçãos de Deus são,

I. *Eternas* – "cada vez mais".

II. *Abundantes* – "a vós e a vossos filhos". Que os pais busquem mais graça para si mesmos, por amor a seus filhos.

1. Para que os filhos possam ser mais influenciados pelo seu exemplo.
2. Para que as suas orações possam prevalecer mais, para o bem deles.
3. Para que os seus filhos possam ser mais abençoados, por causa deles. – *G. R.*

v. 15. Uma bênção.

I. Que pertence a um povo particular – "Sede [vós]".

II. Que vem de alguém peculiar – "do Senhor", etc.

III. Que traz uma data imediata e peculiar – "sede".

IV. Que traz uma certeza peculiar – "Sede benditos".

V. Que envolve um dever peculiar – "Bendiremos ao Senhor, desde agora e para sempre".

v. 15. A bênção do Criador – a sua grandeza, plenitude, variedade, etc.

v. 16. A soberania do homem sobre o mundo, o seu limite, o seu excesso, o seu limite legítimo, o seu grande desígnio.

vv. 17 e 18. I. Vozes ausentes – "os mortos não louvam".

II. O estímulo para si mesmos – "Mas nós".

III. O seu clamor a outros – "Louvai ao Senhor". Devemos compensar as vozes que estão em silêncio.

vv. 17 e 18. I. Aqueles que não louvam a Deus aqui, não o louvarão no futuro. Não há alívio, portanto, da punição.

II. Aqueles que louvam a Deus nesta vida o louvarão para sempre. Aleluia por isto. "Louvai ao Senhor". – *G. R.*

vv. 17 e 18. Um sermão de ano novo.

I. Uma lembrança pesarosa – "os mortos".

II. Uma feliz resolução – "mas nós bendiremos ao Senhor".

III. Um começo apropriado – "desde agora".

IV. Uma continuação eterna – "e para sempre".

SALMO 116

ASSUNTO

Este salmo é uma continuação do Hallel Pascal, e por isto deve, até certo ponto, ser interpretado em conexão com a saída do Egito. Ele tem toda a aparência de ser um cântico pessoal, em que a alma crente, que se lembra, pela Páscoa, da sua própria escravidão e libertação, fala disto com gratidão, e consequentemente louva ao Senhor. Nós podemos imaginar o israelita, com um bordão na sua mão, cantando: "Volta, minha alma, a teu repouso", lembrando-se do retorno da casa de Jacó à terra de seus pais; e então bebendo do cálice na festa, usando as palavras do versículo 13: "Tomarei o cálice da salvação". O homem piedoso, evidentemente, se lembra da sua própria libertação e da do seu povo, quando canta as palavras do versículo 16: "soltaste as minhas ataduras"; mas ele cresce em solidariedade com a sua nação, quando pensa nos átrios da casa do Senhor e da gloriosa cidade, e se compromete a cantar "no meio de ti, ó Jerusalém". O amor pessoal, incentivado por uma experiência pessoal de redenção, é o tema deste salmo, e nele podemos ver os redimidos atendidos, quando oram, preservados em tempos de dificuldades, descansando e deleitando-se no seu Deus, andando, de modo geral, sensíveis às suas obrigações, conscientes de que não se pertencem, mas foram comprados por um preço, e unindo-se a toda a companhia resgatada, para cantar aleluias a Deus.

Uma vez que o nosso divino Mestre cantou este hino, dificilmente nos enganaremos em ver aqui palavras que Ele confirmaria – palavras, de certa forma, descritivas da sua própria experiência; mas não iremos examinar detalhadamente este aspecto, uma vez que, nas notas, já indicamos como o salmo deve ser interpretado por aqueles que adoram encontrar o seu Senhor em cada linha.

DIVISÃO

David Dickson tem uma divisão bastante singular deste salmo, que nos assombra, por ser excessivamente sugestivo. Ele diz: "Este salmo é um compromisso triplo do salmista, de dar graças a Deus, pela sua misericórdia para com ele, e em particular, por alguma notável libertação da morte, física ou espiritual. O primeiro compromisso é que, por amor, ele recorre a Deus por intermédio da oração (vv. 1,2); as razões e os motivos para isto são registrados, por causa das suas libertações anteriores (vv. 3-8); o segundo compromisso é com um modo de vida santo (v. 9); e os motivos e as razões são indicados nos versículos 10 a 13; o terceiro compromisso é com contínuo louvor e serviço, e especialmente fazer diante da igreja os votos que tinha feito em dias de angústia, e as razões são indicadas nos versículos 14 a 19".

EXPOSIÇÃO

1 *Amo ao Senhor, porque ele ouviu a minha voz e a minha súplica.*
2 *Porque inclinou para mim os seus ouvidos; portanto, invocá-lo-ei enquanto viver.*
3 *Cordéis da morte me cercaram, e angústias do inferno se apoderaram de mim;*
encontrei aperto e tristeza.
4 *Então, invoquei o nome do Senhor, dizendo: Ó Senhor, livra a minha alma!*
5 *Piedoso é o Senhor e justo; o nosso Deus tem misericórdia.*
6 *O Senhor guarda aos símplices; estava abatido, mas ele me livrou.*
7 *Volta, minha alma, a teu repouso, pois o Senhor te fez bem.*
8 *Porque tu, Senhor, livraste a minha alma da morte, os meus olhos das lágrimas*
e os meus pés da queda.

1. *"Amo ao Senhor."* Uma abençoada declaração: cada crente deveria ser capaz de declarar, sem a menor hesitação: "Amo ao Senhor". Isto era necessário, segundo a lei, mas jamais era produzido no coração do homem, exceto pela graça de Deus, e segundo princípios do Evangelho. É uma grande coisa, dizer: "Amo ao Senhor"; pois a mais doce de todas as graças e a mais óbvia de todas as evidências de salvação é o amor. É uma bondade irreal, por parte de Deus, que Ele condescenda em ser amado por pobres criaturas, como somos nós, e é uma prova evidente de que Ele operou em nosso coração, quando podemos dizer: "Tu sabes tudo; tu sabes que eu te amo".

"Porque ele ouviu a minha voz e a minha súplica." O salmista não apenas sabe que ama a Deus, mas sabe por que o ama. Quando o amor pode se justificar, com uma razão, ele é profundo, forte e permanente. Dizem que o amor é cego; mas quando amamos a Deus, o nosso afeto tem seus olhos abertos, e pode se sustentar, com a mais rígida lógica. Temos razões, razões superabundantes, para amar ao Senhor; e porque, neste caso, princípio e paixão, razão e emoção andam juntos, compõem um admirável estado de espírito. A razão que tinha Davi para o seu amor era o amor de Deus, ao ouvir as suas orações. O salmista tinha usado a sua *"voz"* em oração, e o hábito de fazer isto é extremamente útil para a devoção. Se pudermos orar em voz alta, sem que nos ouçam acidentalmente, é bom fazer isto. Algumas vezes, no entanto, quando o salmista levantava a sua voz, as suas palavras eram tão quebrantadas e dolorosas que ele mal ousava chamá-las de oração; as palavras lhe falhavam, ele somente conseguia produzir um gemido, mas o Senhor ouvia a sua voz chorosa. Em outras ocasiões, as suas orações eram mais regulares, e mais bem formadas: a estas, ele chama *"súplica"*. Davi tinha louvado da melhor maneira que podia, e quando uma forma de devoção lhe falhava, ele tentava outra. Ele tinha se dirigido ao Senhor repetidas vezes, por isto usa a forma plural e diz: "minhas súplicas" (na versão ARA), mas com a mesma frequência com que o fazia, tinha sido bem recebido. O Senhor tinha ouvido, isto é, tinha aceitado, e atendido, tanto ao seu choro quanto às suas súplicas mais compostas e ordenadas; por isto, ele amava a Deus com todo o seu coração. As orações atendidas são laços de seda, que prendem nossos corações a Deus. Quando as orações de um homem são atendidas, o amor é o resultado natural. De acordo com Alexandre, os dois verbos podem ser traduzidos no tempo presente, e o texto, então, pode ser entendido assim: "Amo, porque o Senhor ouve a minha voz, e as minhas súplicas". Isto também é verdade, no caso de cada crente que suplica. O amor contínuo flui das respostas diárias à oração.

2. *"Porque inclinou para mim os seus ouvidos."* Inclinando-se da sua grandeza, para atender a minha oração; a imagem parece ser a de um médico terno, ou amigo afetuoso, inclinando-se sobre um doente, cuja voz é fraca e quase inaudível, de modo a captar cada sussurro. Quando a nossa oração é fraca, de modo que nós mesmos mal conseguimos ouvi-la, e nos perguntamos se oramos ou não, Deus inclina um ouvido atento, e considera nossas súplicas.

"Portanto, invocá-lo-ei enquanto viver", ou *"nos meus dias"*. Por todos os dias da minha vida, dirigirei a minha oração a Deus, somente a Ele, e a Ele louvarei, incessantemente. É sempre sábio ir onde somos bem recebidos e bem tratados. A palavra "invocar" pode sugerir louvor, além de oração: invocar o nome do Senhor é uma expressão para a adoração de todos os tipos. Quando a oração é ouvida, na nossa debilidade, e é atendida na força e grandeza de Deus, nós nos fortalecemos no hábito da oração, e tomamos a resolução de fazer intercessão incessante. Nós não agradeceríamos a um mendigo que nos informasse que, como atendemos o seu pedido, ele jamais deixaria de nos implorar, mas, sem dúvida, é aceitável, para Deus, que os que suplicam a Ele formem a resolução de continuar em oração: isto mostra a grandeza da sua bondade, e a abundância da sua paciência. Todos os dias, devemos orar e louvar o Ancião de dias. Ele promete que a nossa força será como os nossos dias; devemos decidir que a nossa devoção será como os nossos dias.

3. Agora, o salmista prossegue descrevendo a sua condição, no momento em que orou a Deus. *"Cordéis da morte me cercaram."* Assim como os caçadores cercam um veado, com cães e homens, de modo que ele não tenha como escapar, também Davi estava preso, em um círculo de angústias mortais. Os laços da angústia, da fraqueza e do terror com que a morte está acostumada a prender os homens, antes de levá-los ao seu longo cativeiro, estavam todos ao seu redor. E estas coisas não estavam ao seu redor em um círculo distante, elas tinham se aproximado, pois ele acrescenta: *"e angústias do inferno se apoderaram de mim"*. Horrores como aqueles que atormentam os perdidos me aprisionaram, me agarraram, me encontraram, me buscaram exaustivamente, e me mantiveram prisioneiro. Como "angústias do inferno", ele se refere àquelas dores que pertencem à morte, os terrores que estão relacionados à sepultura; elas estavam tão próximas dele, que fixaram seus dentes nele, como cães de caça prendem sua presa.

"Encontrei aperto e tristeza", o aperto ao meu redor, e a tristeza dentro de mim. As suas angústias eram dobradas, e à medida que ele as investigava, elas aumentavam. Um homem se alegra, quando encontra um tesouro escondido; mas qual deve ser a angústia de um homem que encontra, onde menos esperava, uma veia de aperto e tristeza? O aperto buscou o salmista, e o encontrou, e quando ele mesmo buscou, não encontrou alívio, mas dupla angústia.

4. *"Então, invoquei o nome do Senhor, dizendo."* A oração nunca está fora de moda; ele orou *então*, quando as coisas estavam na sua pior situação. Quando o homem bom não podia correr para Deus, ele o *invocava*. Nas situações extremas, a sua fé sobressaía: era inútil invocar o homem, e poderia ter parecido igualmente inútil apelar ao Senhor, no entanto, com toda a sua alma, ele invocou todos os atributos que compõem o santo nome do Senhor, e assim provou a verdade da sua confiança. Alguns de nós podemos recordar períodos muito particulares de tentação, sobre os quais agora podemos dizer: "*então* invoquei o nome do Senhor". O salmista apelou para a misericórdia, a verdade, o poder e a fidelidade do Senhor, e esta foi a sua oração – *"Ó Senhor, livra a minha alma"*. Esta forma de súplica é curta, abrangente, direta, humilde e fervorosa. Seria bom, se todas as nossas orações fossem moldadas segundo este modelo; talvez elas o fossem, se estivéssemos em circunstâncias similares às do salmista, pois a dificuldade real produz uma oração real. Aqui não há múltiplas palavras, nem um arranjo elegante de sentenças, tudo é simples e natural; não há uma sílaba redundante, e não há nenhuma que esteja faltando.

5. *"Piedoso é o Senhor e justo."* Ao ouvir a oração, a piedade e a justiça do Senhor são evidentes. É uma grande benevolência, ouvir a oração de um pecador, e, uma

vez que o Senhor prometeu fazer isto, Ele não é injusto de modo a se esquecer da sua promessa e ignorar os clamores do seu povo. A combinação de piedade e justiça, na maneira como Deus lida com os seus servos, só pode ser explicada quando nos lembramos do sacrifício expiatório do nosso Senhor Jesus Cristo. Na cruz, vemos como o Senhor é piedoso e justo.

"O nosso Deus tem misericórdia", ou é misericordioso, terno, piedoso, cheio de misericórdia. Nós, que o aceitamos como nosso, não temos nenhuma dúvida da sua misericórdia, pois Ele jamais teria sido nosso Deus se não tivesse sido misericordioso. Veja como o atributo da justiça parece estar colocado entre dois guardas de amor: – piedoso, *justo*, misericordioso. A espada da justiça é embainhada em uma bainha adornada de piedade.

6. *"O Senhor guarda aos símplices."* Aqueles que têm uma grande dose de inteligência podem tomar conta de si mesmos. Os que não têm habilidade terrena, ou sutileza e estratagemas, mas simplesmente confiam em Deus, e agem corretamente, podem confiar que os cuidados de Deus estarão sobre eles. Os sábios do mundo, com toda a sua prudência, serão enganados, nas suas próprias artimanhas, mas aqueles que andam na sua integridade, com honestidade sincera diante de Deus, serão protegidos contra as maldades dos seus inimigos, e poderão sobreviver aos seus adversários. Embora os santos sejam como ovelhas, no meio de lobos, e, comparativamente, indefesos, ainda assim há mais ovelhas neste mundo do que lobos, e é altamente provável que as ovelhas serão apascentadas em segurança quando nem um único lobo restar sobre a face da terra; e ainda, os mansos herdarão a terra, quando não houver mais ímpios.

"Eu estava abatido, mas ele me livrou" – por mais simples que eu seja, o Senhor não me ignorou. Embora diminuído em circunstâncias, difamado no caráter, deprimido em espírito, e doente fisicamente, o Senhor me ajudou. Há muitas maneiras como um filho de Deus pode ser abatido, mas a ajuda de Deus é tão variada quanto a necessidade do seu povo: Ele supre as nossas necessidades, quando estamos empobrecidos; restaura nosso caráter quando somos difamados; levanta amigos para nós, quando estamos abandonados; Ele nos consola quando estamos desanimados, e cura nossas doenças quando estamos enfermos. Há milhares de pessoas na igreja de Deus, nesta época, e cada uma delas pode dizer, a seu respeito: "Estava abatido, mas ele *me* livrou". Sempre que isto puder ser dito, deverá ser dito para o louvor da glória da sua graça, e para o consolo daqueles que podem passar pela mesma dificuldade. Observe como Davi, depois de declarar a doutrina geral de que o Senhor preserva os simples, prova e exemplifica a sua declaração, com base na sua própria experiência pessoal. O hábito de tomar uma verdade geral e testar o seu poder no nosso próprio caso é um hábito extremamente abençoado; é a maneira como o testemunho de Cristo é confirmado em nós, e assim nos tornamos testemunhas do Senhor, nosso Deus.

7. *"Volta, minha alma, a teu repouso."* Ele ainda chama o repouso de seu, e sente total liberdade de retornar a ele. Que misericórdia é o fato de que, se a nossa alma deixar o seu repouso por algum tempo, nós possamos dizer a ela – "ainda é o teu repouso". O espírito do salmista, evidentemente, tinha estado perturbado, os seus problemas tinham agitado o seu espírito; mas agora, com uma sensação de oração atendida, ele tranquiliza a sua alma. Ele tinha repousado antes, pois conhecia o abençoado repouso da fé, e por isto retorna ao Deus que tinha sido o refúgio da sua alma, em dias passados. Assim como um pássaro voa para o seu ninho, também a sua alma voa para o seu Deus. Sempre que um filho de Deus, mesmo que por um momento, perde a sua paz de espírito, deve se preocupar em encontrá-la novamente, não a buscando no mundo ou na sua própria experiência, mas somente no Senhor. Quando o crente ora, e o Senhor inclina os seus ouvidos, o caminho para o antigo repouso está diante dele, e ele não deve ser lento em segui-lo.

"Pois o Senhor te fez bem." Você serviu a um Deus bom, e edificou sobre uma fundação firme; não procure encontrar nenhum outro repouso, mas retorne àquele

que, em dias passados, condescendeu em enriquecer você com o seu amor. Que texto! E que explicação é fornecida pela biografia de cada homem e mulher crente! O Senhor lidou generosamente conosco, pois nos deu o seu Filho, e nele nos deu todas as coisas: Ele nos enviou o seu Espírito, e por Ele nos concede bênçãos espirituais. Deus lida conosco como um Deus; Ele nos abre a sua plenitude, e desta plenitude todos nós recebemos, com graça sobre graça. Nós não nos sentamos à mesa de nenhum avarento, não fomos vestidos por nenhuma mão mesquinha, não fomos equipados por nenhum provedor relutante; retornemos àquele que nos tratou com tão extrema bondade. Mais argumentos são apresentados a seguir.

8. *"Porque tu, Senhor, livraste a minha alma da morte, os meus olhos das lágrimas e os meus pés da queda."* O Deus trino nos deu uma trindade de libertações: a nossa vida foi poupada da sepultura, o nosso coração foi aliviado de suas angústias, e o nosso curso na vida foi preservado da desonra. Nós não devemos ficar satisfeitos, a menos que estejamos conscientes destas três libertações. Se a nossa alma foi salva da morte, por que choramos? Que causa para tristeza ainda há? Por que estas lágrimas? E se as nossas lágrimas foram enxugadas, podemos suportar cair novamente em pecado? Não devemos descansar, até que, com pés firmes, sigamos o caminho dos justos, escapando a cada armadilha, e afastando cada obstáculo. A salvação, a alegria e a santidade devem andar juntas, e nos são fornecidas no concerto da graça. A morte é derrotada, as lágrimas são enxugadas, e os temores são banidos, quando o Senhor está próximo.

Assim o salmista explicou as razões da sua resolução de invocar a Deus enquanto vivesse, e ninguém pode questionar o fato de que ele tomou uma decisão muito justificável. Depois de ter sido resgatado de uma profundidade tão grande, por uma intercessão tão especial de Deus, sem dúvida ele estava obrigado a ser, para sempre, um sincero adorador do Senhor, a quem devia tanto. Não sentimos todos a força deste raciocínio, e não chegamos todos à mesma conclusão? Que Deus, o Espírito Santo, possa nos ajudar a orar sem cessar, e dar graças por tudo, pois esta é a vontade de Deus, em Cristo Jesus, a nosso respeito.

9 *Andarei perante a face do Senhor, na terra dos viventes.*
10 *Cri; por isso, falei: estive muito aflito.*
11 *Eu dizia na minha precipitação: todo homem é mentira.*
12 *Que darei eu ao Senhor por todos os benefícios que me tem feito?*
13 *Tomarei o cálice da salvação e invocarei o nome do Senhor.*

9. *"Andarei perante a face do Senhor, na terra dos viventes."* Esta é a segunda resolução do salmista, andar diante dos olhos de Deus, no meio dos filhos dos homens. Pelo andar de um homem, é possível conhecer o seu modo de vida: alguns homens vivem somente para os olhos de outros homens, considerando o juízo e a opinião dos homens; mas o homem verdadeiramente piedoso considera a presença de Deus, e age sobre a influência do seu olho, que tudo vê. "Tu és Deus que vê" (Gn 16.13, na versão ARA) é uma influência muito melhor do que "O meu senhor me vê". A vida de fé, esperança, santo temor, e verdadeira santidade, é o resultado de uma sensação de viver e andar diante do Senhor, e aquele que foi favorecido com libertações divinas, em resposta a orações descobre, na sua própria experiência, a melhor razão para uma vida santa, e o melhor auxílio nos seus esforços. Nós sabemos que Deus, de uma maneira especial, está próximo do seu povo: Que pessoas vos convém ser em santo trato e piedade?

10. *"Cri; por isso, falei."* Não poderia ter falado assim, se não fosse pela minha fé: eu nunca teria falado a Deus em oração, nem teria sido capaz de falar agora aos meus companheiros, em testemunho, se não fosse pela fé que me manteve vivo, e me trouxe uma libertação, da qual tenho boas razões para me vangloriar. Ninguém deve falar a respeito das coisas de Deus, a menos que creia; as palavras do hesitante são enganosas, mas a língua do crente é proveitosa; as palavras mais poderosas que

já foram proferidas pelos lábios do homem procederam de um coração plenamente persuadido da verdade de Deus. Não apenas o salmista, mas homens como Lutero e Calvino, e outras grandes testemunhas da fé, cada um deles pôde dizer, muito sinceramente: "Cri, por isto falei".

"Estive muito aflito." Não há equívoco sobre isto; a aflição era tão amarga e tão terrível como poderia ser, e uma vez que eu fui libertado dela, tenho certeza de que a libertação não é uma ilusão fanática, mas um fato óbvio; por isto, estou ainda mais decidido a falar em benefício da honra de Deus. Embora grandemente aflito, o salmista não tinha deixado de crer: a sua fé foi provada, mas não destruída.

11. *"Eu dizia na minha precipitação: todo homem é mentira* (ou, *'mentiroso'* – na versão ARA)*."* Em um sentido modificado, a expressão permitirá justificação, embora proferida precipitadamente, pois veremos que todos os homens são mentirosos, se confiarmos neles indevidamente; alguns, por falta de veracidade, e outros, por falta de forças. Mas com base na expressão "Eu dizia na minha precipitação", fica claro que o salmista não justificava a sua própria maneira de falar, mas a considerava como a ebulição de um temperamento precipitado. No sentido em que ele falava, o seu linguajar era injustificável. Ele não tinha o direito de desconfiar de todos os homens, pois muitos deles são honestos, sinceros e conscienciosos; há amigos fiéis e seguidores leais ainda vivos; e se às vezes eles nos desapontam, não devemos chamá-los de mentirosos, por fraquejar quando surgir a ocasião, inteiramente por falta de forças, e não por falta de vontade. Sob grande aflição, a nossa tentação será a de fazer juízos precipitados sobre nossos companheiros, e sabendo que este pode ser o caso, devemos cuidadosamente vigiar nosso espírito, e guardar a porta de nossos lábios. O salmista tinha crido, e por isto, falou; tinha duvidado, e por isto falou precipitadamente. Ele creu, e por isto orou, adequadamente, a Deus; descreu, e por isto acusou erroneamente a humanidade. Falar é tão ruim, em certos casos, quanto é bom em outros. Falar precipitadamente em geral é seguido de amargo arrependimento. É muito melhor ficar quieto quando nosso espírito estiver perturbado e precipitado, pois é muito mais fácil dizer do que retirar o que foi dito; nós podemos nos arrepender de nossas palavras, mas não podemos retirá-las para desfazer o mal que elas causaram. Se Davi teve que engolir suas próprias palavras, quando falou precipitadamente, nenhum de nós pode confiar na nossa língua, sem um freio.

12. *"Que darei eu ao Senhor por todos os benefícios que me tem feito?"* Sabiamente, ele deixa de se afligir por causa da falsidade do homem e o seu próprio mau humor, e fala diretamente ao seu Deus. É inútil insistir no tema da imperfeição e do engano dos homens, é infinitamente melhor louvar a perfeição e a fidelidade de Deus. A pergunta do versículo é muito apropriada: o Senhor foi tão misericordioso conosco que devemos olhar ao nosso redor, e olhar dentro de nós, e ver o que podemos fazer para manifestar a nossa gratidão. Devemos não somente fazer o que está claro, diante de nós, mas também, com santa habilidade, buscar maneiras variadas pelas quais possamos louvar o nosso Senhor. Os seus benefícios são tantos, que não podemos contá-los, e as nossas formas de reconhecer o que Ele nos deu devem ser proporcionalmente variadas e numerosas. Cada indivíduo deve ter o seu modo peculiar de expressar gratidão. O Senhor envia a cada um de nós um benefício especial, e devemos perguntar: "Que darei?" Que forma de serviço me será mais apropriada?"

13. *"Tomarei o cálice da salvação."* "Tomarei" é uma estranha resposta à pergunta: "Que darei?" No entanto, é a resposta mais sábia que poderia ser dada.

"A melhor retribuição, para alguém como eu,
tão infeliz e pobre,
é, a partir das suas dádivas, fazer um apelo
e pedir-lhe ainda mais".

Tomar o cálice da salvação era, por si só, um ato de adoração, e era acompanhado por outras formas de adoração, e por isto o salmista diz: *"e invocarei o nome do*

Senhor". Ele quer dizer que irá proferir bênçãos e agradecimentos e orações, e então beberá do cálice que o Senhor tinha enchido com a sua graça salvadora. Que cálice é este! Sobre a mesa do amor infinito está o cálice cheio de bênçãos; ele é nosso, pela fé, para tomá-lo nas mãos, torná-lo nosso, e participar dele, e então, com corações jubilosos, louvar e exaltar o Piedoso que o encheu para o nosso bem, para que possamos beber e ser revigorados. Nós podemos fazer isto, de modo figurado, na mesa sacramental; podemos fazer isto espiritualmente, cada vez que tomarmos o cálice dourado do concerto, percebendo a plenitude de bênção que ele contém, e, pela fé, receber o seu divino conteúdo no íntimo da nossa alma. Amado leitor, façamos aqui uma pausa e tomemos um longo gole do cálice que Jesus encheu, e então, com corações devotos, adoremos a Deus.

14 *Pagarei os meus votos ao Senhor, agora, na presença de todo o seu povo.*
15 *Preciosa é à vista do Senhor a morte dos seus santos.*
16 *Ó Senhor, deveras sou teu servo; sou teu servo, filho da tua serva; soltaste as minhas ataduras.*
17 *Oferecer-te-ei sacrifícios de louvor e invocarei o nome do Senhor.*
18 *Pagarei os meus votos ao Senhor; que eu possa fazê-lo na presença de todo o meu povo,*
19 *nos átrios da Casa do Senhor, no meio de ti, ó Jerusalém! Louvai ao Senhor!*

14. *"Pagarei os meus votos ao Senhor, agora, na presença de todo o seu povo."* O salmista já declarou a sua terceira resolução, de se devotar à adoração de Deus para todo o sempre, e aqui ele começa a por em prática a sua resolução. Os votos que ele tinha feito em angústia, agora ele se decide a cumprir: "Pagarei os meus votos ao Senhor". Ele o faz imediatamente, *"agora"*, e publicamente, "na presença de todo o seu povo". As boas resoluções nunca serão postas em prática com excessiva rapidez: os votos se tornam dívidas, e as dívidas devem ser pagas. É bom ter testemunhas do pagamento das dívidas justas, e não precisamos nos envergonhar de ter testemunhas do cumprimento dos votos sagrados, pois isto irá mostrar que não nos envergonhamos do nosso Senhor, e será um grande benefício para aqueles que nos veem e ouvem publicamente declarando os louvores do nosso Deus, que ouve as orações. Como podem fazer isto, aqueles que jamais confessaram o seu Salvador, com suas bocas? Ó, discípulos secretos, o que este versículo diz a vocês! Sintam-se encorajados de sair à luz, e reconhecer o seu Redentor. Se, realmente, vocês foram salvos, deem um passo à frente e declarem isto, da maneira como Ele indicou.

15. *"Preciosa é à vista do Senhor a morte dos seus santos"*, e por isto Ele não permitiu que o salmista morresse, mas libertou a sua alma da morte. Isto parece indicar que o cântico pretendia lembrar às famílias de judeus das misericórdias recebidas por qualquer pessoa da casa, supondo que esta pessoa tivesse estado muito doente e tivesse sido restaurada à saúde, pois o Senhor valoriza a vida dos seus santos, e frequentemente os poupa, quando outros perecem. Eles não morrerão prematuramente; eles serão imortais, até que a sua obra esteja concluída; e quando chegar o momento em que devem morrer, então a sua morte será preciosa. O Senhor vigia seus leitos de morte, afofa seus travesseiros, consola seus corações, e recebe suas almas. Os que são redimidos com o sangue precioso são tão importantes para Deus, que até mesmo as suas mortes são preciosas para Ele. Os leitos de morte dos santos são muito preciosos para a igreja, ela frequentemente aprende muito com eles; eles são muito preciosos para todos os crentes, que se alegram em guardar as últimas palavras dos que morrem; mas são, acima de tudo, preciosos para o próprio Senhor, que considera as mortes triunfantes dos seus filhos piedosos com sagrado deleite. Se nós andamos perante a face do Senhor na terra dos viventes, não precisamos temer morrer diante dele, quando chegar a hora de nossa partida.

16. O homem de Deus, ao pagar os seus votos, volta a se consagrar a Deus; a oferta que ele traz é a sua própria vida, quando clama: *"Ó Senhor, deveras sou teu*

servo", legitimamente, realmente, sinceramente, constantemente, reconheço que sou teu, pois me libertaste e me redimiste.

"Sou teu servo, filho da tua serva", um servo nascido na tua casa, nascido de uma serva, e assim nascido servo, por isto, duplamente teu. Minha mãe foi tua serva, e eu, seu filho, confesso que sou completamente teu, por motivos que derivam do meu nascimento. Ó, se os filhos de pais devotos assim pensassem, mas, ai, há muitos que são filhos das servas do Senhor, mas não são seus servos. Eles dão tristes provas de que a graça não está no sangue. A mãe de Davi era, evidentemente, uma mulher piedosa, e ele se alegra ao se lembrar disto, e ao ver nisto uma nova obrigação para dedicar-se a Deus.

"Soltaste as minhas ataduras" – a libertação da escravidão me obriga ao teu serviço. Aquele que é libertado dos grilhões do pecado, da morte e do inferno deve se alegrar por usar o jugo suave do grande Libertador. Observe como o doce cantor se alegra por se alongar sobre o fato de pertencer ao Senhor; evidentemente, isto é a sua glória, algo de que ele se orgulha, algo que lhe traz intensa satisfação. Verdadeiramente, deve haver arrebatamento em nossas almas se formos capazes de chamar Jesus de Mestre, e formos reconhecidos por Ele como seus servos.

17. *"Oferecer-te-ei sacrifícios de louvor."* Sendo teu servo, sou obrigado a oferecer-te sacrifícios, e tendo recebido bênçãos espirituais, às tuas mãos não trarei novilhos nem cabras, mas trarei o que é mais apropriado, ou seja, a gratidão do meu coração. O íntimo da minha alma te adorará, com gratidão.

"E invocarei o nome do Senhor", isto é, eu me curvarei diante de ti, reverentemente, exaltarei meu coração com amor por ti, pensarei no teu caráter, e te adorarei quando te revelares. Ele gosta desta atividade, e várias vezes neste salmo declara que "invocará o nome do Senhor", enquanto, ao mesmo tempo, se alegra porque já o fez tantas vezes, anteriormente. Bons sentimentos e boas ações devem ser repetidos: quanto mais invocarmos sinceramente o Senhor, melhor.

18. *"Pagarei os meus votos ao Senhor, que eu possa fazê-lo na presença de todo o meu povo."* Ele repete a declaração. O que é bom merece ser dito duas vezes. Assim, ele se incita a maior sinceridade, maior fervor e maior diligência para cumprir o seu voto – realmente pagando-o no mesmo momento em que declara a sua resolução de fazê-lo. A misericórdia veio em segredo, mas o louvor é transmitido em público; a companhia, no entanto, era seleta; ele não lança suas pérolas aos porcos, mas transmite o seu testemunho diante daqueles que poderiam compreendê-lo e apreciá-lo.

19. *"Nos átrios da Casa do Senhor":* no lugar adequado, onde Deus tinha ordenado que deveria ser adorado. Veja como ele é motivado, à recordação da casa do Senhor, e precisa necessariamente falar da cidade santa com uma nota de alegre exclamação – *"no meio de ti, ó Jerusalém"*. A simples lembrança da amada Sião comoveu seu coração, e ele escreve como se estivesse realmente falando com Jerusalém, cujo nome era precioso para ele. Ali ele iria pagar os seus votos, na morada da comunhão, no coração da Judeia, no lugar ao qual as tribos subiam, as tribos do Senhor. Não há nada como testificar a respeito de Jesus, onde este relato for levado a milhares de lares. O louvor a Deus não deve ficar confinado a um gabinete, nem o seu nome deve ser sussurrado em cantos, como se nós estivéssemos temerosos de que os homens nos ouvissem; mas no âmago da multidão, e no centro das assembleias, nós devemos levantar coração e voz para o Senhor, e convidar os outros para que se unam a nós em adoração a Ele, dizendo: *"Louvai ao Senhor"*, ou Aleluia. Esta foi uma conclusão muito adequada para um cântico que deveria ser entoado quando todo o povo estivesse congregado em Jerusalém para celebrar a festa. O Espírito de Deus levou os autores destes salmos a dar-lhes uma adequabilidade que era mais evidente na sua própria época do que agora, mas é suficientemente perceptível para nos convencer de que cada linha e cada palavra tinham uma adaptação peculiar às ocasiões para as quais os sonetos sagrados foram compostos. Quando nós adoramos ao Senhor, nós devemos escolher com grande cuidado as palavras de louvor e oração, e não confiar simplesmente na abertura de um hinário, ou na improvisação irrefletida

do momento. Todas as coisas devem ser feitas decentemente e com ordem, e todas as coisas devem começar e terminar com um Aleluia, Louvai ao Senhor.

NOTAS EXPLICATIVAS E DECLARAÇÕES SINGULARES

O Salmo: Um salmo de ação de graças, na pessoa de Cristo. O profeta o imagina como tendo passado pelas angústias e aflições da vida. A expiação foi feita. Ele ressuscitou dos mortos, e está à direita da Majestade nas alturas; e Ele proclama, a todo o mundo, as misericórdias que recebeu de Deus no dia da sua encarnação, e as glórias que recebeu no reino do seu Pai celestial. Mas, embora o salmo tenha este poder, e, pela sua própria providência interior, prove a solidez da interpretação, ainda assim é altamente místico no seu modo de revelação, e exige cuidadosa meditação para produzir seus resultados. A sua linguagem, também, não é tão exclusivamente apropriada ao Messias, de modo a não ser repetida e aplicada pelo crente às suas próprias dificuldades no mundo; e embora haja muito que encontra um paralelo na exaltação de Cristo no céu, há muito que pareceria estar restrito à sua condição sobre a terra. Portanto, depende muito da *mente* do indivíduo, se irá recebê-lo no significado mais elevado da glória do Redentor, ou restringi-lo *unicamente* a uma ação de graças pelas bênçãos, em meio aos sofrimentos da vida, aos quais todos os homens estiveram sujeitos, da mesma maneira, embora não da mesma maneira como Jesus. A interpretação mais perfeita e mais lucrativa combinaria as duas possibilidades, considerando Cristo como o *exemplo vivo* da graça de Deus para conosco.

1. Entronizado na eternidade, e triunfante sobre o pecado e a morte – Eu – Cristo – estou muito feliz porque o meu Pai celestial ouviu as orações ansiosas que Eu fiz a Ele no dia das minhas angústias, quando não tive forças na minha própria mente, nem ajuda dos homens; portanto, *"nos meus dias"* – por todas as incontáveis gerações da minha existência eterna –, Eu o invocarei na minha gratidão, e o louvarei de todo o meu coração.

3. Nas épocas conturbadas da minha encarnação, Eu estava cercado de armadilhas, e prosseguia em direção à minha morte. O sacerdote e o governante, o fariseu e o escriba, o rico e o pobre, clamaram ferozmente, pedindo a minha destruição. Toda a nação conspirou contra mim. *"As ânsias da morte"* se apoderaram de mim, e fui levado à cruz.

4. Então, *verdadeiramente*, Cristo encontrou aflição e dificuldades. A sua "alma estava cheia de tristeza até à morte". Ele orou ansiosamente ao seu Pai celestial, pedindo que "afastasse dele o cálice". O destino do mundo inteiro estava na balança, e Ele suplicou com agonia, que a sua *alma* fosse libertada.

5. A abrupta interrupção, neste versículo, da narrativa direta dos seus próprios sofrimentos, é maravilhosamente grandiosa e bela. Não menos o é a expressão "*nosso* Deus" aplicada por Cristo aos seus próprios discípulos e crentes. *"Invoquei"*, diz Ele, *"o nome do Senhor"*, mas Ele ainda não declara a resposta. Ele deixa que isto seja deduzido da certeza de que Deus é *sempre* piedoso com os fiéis; sim, o *"nosso* Deus" – o protetor da igreja cristã, assim como de mim mesmo – *"nosso Deus tem misericórdia"*.

6. Instantaneamente, no entanto, Ele conclui. Perceba a força das palavras: "estava abatido, mas ele me livrou". E como Ele o livrou? A alma de Cristo retornou livremente à sua tranquilidade; pois embora o corpo perecesse no madeiro, ainda assim a alma rompeu os grilhões da morte. Novamente, em toda a estatura de um homem perfeito, Cristo ressuscitou resplandecente em glória às mansões da eternidade. As lágrimas cessaram; as angústias foram tranquilizadas; e a partir de agora, durante o dia ilimitado da imortalidade, Ele "anda perante a face do Senhor, na terra dos *viventes"*. Esta última é uma daquelas expressões no salmo que poderiam, sem reflexão, parecer adaptadas à condição do crente resgatado na terra, e não à de Cristo no céu. Mas, aplicando a linguagem das coisas terrenas

às celestiais – o que é usual, até mesmo nos textos mais místicos das Escrituras – nada pode ser mais apropriado do que o nome de *terra dos viventes* quando se designa a futura residência da alma. É a mais nobre aplicação da metáfora, e é singularmente apropriada àquelas mansões eternas onde a morte e a angústia são igualmente desconhecidas.

10. Esta estrofe comporta uma emenda.

Sinto confiança, embora tivesse dito – "estive muito aflito".
Eu disse, em meu repentino terror – "Toda a humanidade é falsa". – *French*

É uma referência à véspera da sua crucificação, quando cansado pela longa vigília e pelo jejum, o seu espírito quase desfaleceu na agonia do Getsêmani. Mas, por mais oprimida e ferida que estivesse a sua alma, Ele ainda confiava no Senhor, pois se sentia seguro de que o Senhor não o abandonaria. Mas, auxiliado por Deus, Ele foi abandonado pelos homens: os discípulos com quem Ele tinha vivido, as multidões às quais tinha ensinado, os aflitos aos quais tinha curado, "deixando-o, *todos* fugiram". Nem um deles – nem mesmo os "discípulos a quem Jesus amava" – permaneceram; e na angústia deste abandono, Ele não pôde impedir o amargurado pensamento de que toda a humanidade era igualmente falsa e traiçoeira.

12. Mas esta terrível hora passou. Ele ressuscitou dos mortos; e se cingiu de verdade, e santidade, e glória. Qual é, então, o seu primeiro pensamento? Ouve, ó homem, e enrubesce pela tua frequente ingratidão! Tomarei o *"cálice da salvação"* – a oferta líquida feita a Deus com sacrifício, depois de algum sinal de graças recebidas – e bendirei ao Senhor que me concedeu estas graças. Diante do mundo inteiro, pagarei meus votos ao Senhor, e trarei nações de todas as partes da terra, reconciliadas e santificadas, pelo sangue da Minha expiação.

As palavras destes versículos, como na conclusão deste salmo, são totalmente extraídas de objetos terrenos e modos de serviço religioso, reconhecidos pelos judeus. É nestas coisas que o significado *espiritual* deve estar separado do emblema externo. Por exemplo, o cálice sacramental, sem dúvida, foi extraído e instituído a partir do cálice usado pelos judeus em comemoração às libertações. Ele é usado figurativamente por Cristo nos céus; mas, ao refletir, a mente não pode deixar de ver a beleza de imaginar o cálice na sua mão, em gratidão pelo seu triunfo, *porque* "soltaste as minhas ataduras" [de Jesus], as amarras que o prendiam à morte e o confinavam ao sepulcro: a declaração de que "Preciosa é à vista do Senhor a morte dos seus santos" *inclui, em particular,* o sacrifício de Cristo na sua referência mais genérica ao sangue derramado, em tanta abundância, por profetas e mártires da verdade. De igual maneira, a adoração ao Senhor nos átrios do seu templo em Jerusalém é usada de modo figurativo, pela promulgação aberta do cristianismo ao mundo inteiro. Os serviços do templo eram os mais solenes e os mais públicos que eram oferecidos pelos judeus; e quando se diz que Cristo "oferece seus sacrifícios de louvor" a Deus *na presença de todo o seu povo,* a imagem é facilmente separada do elemento mais vulgar, e a *conversão* de todo o povo indicada sob a forma de Cristo, é *vista* por todos. – *William Hill Tucker*

v. 1: "Amo". A expressão do afeto do profeta é feita nesta frase curta e abrupta: *"Amo"*, que, no original, contém uma única palavra, e é expressa como uma sentença completa em si mesma, desta maneira – *"Amo, porque o Senhor ouviu"*, etc. A maioria das traduções a modificam, como se pela passagem de uma palavra de uma sentença a outra, a palavra "Senhor" devesse estar unida à primeira sentença, desta maneira – אָהַבְתִּי כִּי־יִשְׁמַע יְהוָה, *"Amo ao Senhor,* porque ele ouviu", etc. Eu não nego que este sentido parece um pouco mais claro, e as palavras parecem mais diretas, mas elas não são tão enfáticas. Pois, quando o coração de um homem está inflamado, e a sua alma arrebatada por uma percepção violenta de alguma benevolência extraordinária, os seus sentimentos interromperão a sua expressão e farão com que haja pausas nas suas palavras; e por isto esta sentença concisa e abrupta –*"amo"*– declara um afeto mais completo e ardente do que uma frase mais clara e abrangente poderia declarar. Grande é a força do amor verdadeiro de modo que não pode ser expressado de modo suficiente. – *William Gouge, 1575-1653*

v. 1: "Amo ao Senhor". Ó, se houvesse estes corações em nós, de modo que pudéssemos, todos, dizer, como Davi, com o espírito de Davi, com a sua evidência: *"Amo ao Senhor"*; de modo que fôssemos mais dignos do que todos estes, isto é, ; Em primeiro lugar, para conhecer todos os mistérios. Em segundo lugar, de profetizar. Em terceiro lugar, de transportar montes, etc. (1 Co 13.1,2, etc). *"Amo ao Senhor"*; mais do que conheço ao Senhor; pois até mesmo os náufragos são iluminados (Hb 6.4); mais do que temo ao Senhor, pois os demônios o creem e estremecem (Tg 2.19); mais do que oro a Deus (Is 1.15). O que eu deveria dizer? Mais do que todos os serviços, do que todas as virtudes, separadas da caridade, verdadeiramente dizem as escolas, a caridade é a forma de todas as virtudes, porque ela as forma para a aceitabilidade, pois nada é aceito, senão o que resulta da caridade, ou, em outras palavras, do amor a *Deus*. – *William Slater, 1638*

v. 1: "Amo o Senhor, porque", etc. Como são inúteis e loucas as *palavras* "Amar a Deus pelos seus benefícios para conosco é mercenário, e não pode ser puro amor!" Seja puro ou impuro, não há outro amor que possa fluir do coração da criatura pelo seu Criador. "Nós o amamos", diz o mais santo dos discípulos de Cristo, "porque ele nos amou primeiro"; e o aumento do nosso amor e evidência filial é proporcional à crescente percepção que temos da nossa obrigação para com Ele. Nós o amamos pelos benefícios que nos foram concedidos. *O amor gera amor.* – *Adam Clarke*

v. 1: "Ele ouviu a minha voz". Mas este é o nosso benefício, que Deus nos ouve? O fato de que Ele ouve a nossa voz é uma justificativa do seu amor? Ai, Ele pode nos ouvir, e nós não estaremos em melhor condição: Ele pode ouvir a nossa voz, e, no entanto, o seu amor por nós pode ser insuficiente, pois Ele não dará ao homem a audição, embora este não o ame? Com os homens, talvez possa ser assim, mas não com Deus; pois a sua audição não apenas é voluntária, mas reservada; *non omnibus dor mil:* os seus ouvidos não estão abertos aos clamores de todos; na verdade, para nos ouvir, há tal benevolência em Deus, a ponto de poder ser considerado seu favorito aquele ao qual Ele condescende em ouvir: e particularmente, porque a sua audição está sempre em funcionamento, e com o propósito de ajudar; de modo que, se Ele ouvir a minha voz, eu posso ter certeza de que Ele desejará atender a minha súplica: ou talvez, na maneira de expressar-se de Davi, e na maneira de proceder de Deus, ouvir a minha voz não terá resultado diferente de conceder a minha súplica. – *Sir Richard Baker*

v. 1: "Ouviu". Ao ouvir as orações, Deus dá evidências da percepção que Ele tem de nossas condições, do respeito que tem pelas nossas pessoas, da piedade que sente pelas nossas infelicidades, do seu propósito em suprir as nossas necessidades, e da sua disposição em nos fazer o bem, de acordo com as nossas necessidades. – *William Gouge*

vv. 1 e 2: O primeiro termo, יִשְׁמַע, é mais que um aoristo. O Senhor sempre ouve; e então, fazendo uma distinção, הִטָּה אָזְנוֹ, Ele o fez até agora; אֶקְרָא, Portanto, invocá-lo-ei enquanto viver, agarrando-me a Ele, em amor e fé! Deve-se observar, além disto, que קָרָא aqui não é simplesmente a oração, pedindo ajuda, mas inclui também o louvor e o agradecimento, de acordo com o significado duplo de קָרָא בְשֵׁם יְהוָֹה nos versículos 4, 13 e 17: por isto, Jarchi diz, muito apropriadamente, *No momento da minha aflição, eu o invocarei, e no momento da minha libertação, eu o louvarei.* – *Rudolph Stier*

vv. 1 e 2: "Amo". "Portanto, invocá-lo-ei". É o amor que abre nossas bocas, para que possamos louvar a Deus com lábios alegres: "Amo ao Senhor, porque ele ouviu a minha voz e a minha súplica"; e então, versículo 2: "invocá-lo-ei enquanto viver". O propósito das benignidades é nos atrair a Deus. Quando o coração está cheio da percepção da bondade do Senhor, a língua não pode se conter. O amor próprio pode nos levar a fazer orações, mas o amor por Deus nos incita a louvar: portanto, buscar, e não louvar, é amar a nós mesmos e não a Deus. – *Thomas Manton*

vv. 1 e 12: "Amo". "Que darei eu?" O amor e a gratidão são como as qualidades simbólicas dos elementos – facilmente se mesclam. Davi começa com *"Amo ao Senhor, porque ele ouviu a minha voz"*; e para inflamar ainda mais esta graça, ele registra as benignidades de Deus, em alguns versículos seguintes; depois de feito isto, ele está no estado de espírito correto para louvar; e clama: *"Que darei eu ao Senhor por todos os benefícios que me tem feito?"* E a esposa, quando completamente desperta, reflete sobre o amigo que tinha estado à sua porta, e como a sua doce companhia foi perdida, devido à sua crueldade, então ela se livra da sua preguiça, se levanta e vai... atrás dele; agora, correndo atrás do seu amado, ela aquece seu coração com amor, e começa a louvá-lo completamente (Ct 5.10). Este é o louvor aceitável, que vem de um coração caloroso; e o santo deve usar de algum santo processo para despertar este hábito de amor, que, como o calor natural no corpo, é preservado, e aumentado, com o movimento. – *William Gurnall*

v. 2: "Inclinou para mim os seus ouvidos". Uma bênção tão grande é o inclinar do ouvido divino, considerando-o a partir do comportamento de grandes homens, que não recebem em audiência um pobre suplicante: mas, se é que fazem alguma coisa, recebem a queixa por meio de um servo ou oficial nomeado para esta atividade. Mas o Deus ouve pessoalmente e imediatamente, e *inclina seus ouvidos*, ouvindo prontamente, piedosamente, constantemente, etc. Quem não oraria? – *Wolfgang Musculus*

v. 2: E agora, *porque inclinou para mim os seus ouvidos*, eu, portanto, *invocá-lo-ei enquanto viver*: de modo que, se for esperado que eu invoque a qualquer outra pessoa, deverá ser quando eu já estiver morto; pois, enquanto eu viver, jurei invocar a Deus. Mas isto será feito apropriadamente? Pode acontecer que, fazendo isto, eu esteja fazendo mais do que me corresponde agradecer? A retribuição que Deus terá pela sua benignidade em me ouvir é o fato de que agora Ele terá um cliente em mim, e jamais estará tranquilo porque eu estarei sempre correndo até Ele, e invocando-o? Deus ganha alguma coisa quando eu o invoco, para que agora eu faça este voto, como se invocando-o eu lhe desse prazer? Ó, minha alma, eu desejo que Deus possa, realmente, ter um cliente em mim, em orações, embora eu confesse que não seria tão ousado a ponto de invocá-lo tão continuamente, se a sua própria ordem não o tivesse tornado um dever para mim: pois Deus não me disse que o invocasse, quando estiver em dificuldades? e há alguma ocasião em que eu não esteja em dificuldades, enquanto vivo neste vale de angústias? e então, haverá alguma ocasião, enquanto eu viver, em que não deva invocá-lo? Pois Deus me ordenará, e eu não o farei? Deus inclinará os seus ouvidos, e ficará ouvindo, e eu ficarei calado, para que Ele nada tenha a ouvir? – *Sir Richard Baker*

v. 2: "Portanto, invocá-lo-ei". Se o hipócrita for bem sucedido na oração, e conseguir o que pedir, então ele cessará a sua oração, e não pedirá mais. Se ao orar a partir do leito de enfermidade o enfermo tiver a saúde restaurada, ele deixará a oração para trás, na cama; ele enfraquece na oração após receber de Deus a força física. E o mesmo ocorre em outras circunstâncias. Depois que se consegue aquilo que se tinha em mente ao orar, não há mais interesse pela oração. Por outro lado, um homem piedoso ora mesmo depois de ter sido bem sucedido, como tinha feito antes, e embora não lhe aconteçam as mesmas dificuldades, e não sejam necessárias as mesmas orações que ele tinha feito quando em dificuldades, ainda assim ele não consegue viver sem oração, porque não consegue viver sem a comunhão com Deus. A criatura é como a clara de um ovo, insípida, a menos que desfrute de Deus. Davi disse: *"Amo o Senhor, porque ele ouviu a minha voz e a minha súplica"*, isto é, porque Ele me concedeu aquilo que implorei a Ele. Mas o fato de ter recebido o que tinha pedido o fez deixar de pedir? As palavras a seguir nos mostram que a sua determinação estava acima desta concessão. *"Porque inclinou para mim os seus ouvidos; portanto, invocá-lo-ei enquanto viver"*; como se ele tivesse dito, eu jamais desistirei de orar, porque eu fui ouvido em oração. – *Joseph Caryl*

v. 2: "Enquanto viver". Não alguns poucos dias, mas todos os dias da minha vida; pois orar em determinados dias, e não em todos, é uma característica de alguém que detesta, e não de alguém que ama. – *Ambrósio*

v. 3: Aqui começam os exemplos da bondade de Deus para com o seu servo; o primeiro exemplo é uma descrição do perigo em que ele se encontrava, e do qual ele foi libertado. Para ressaltar a bondade de Deus ao libertá-lo deste perigo, ele começa com várias palavras e expressões.

A primeira palavra, חֶבְלֵי, *"angústias"*, é traduzida de várias maneiras: alguns a traduzem como armadilhas, outros como cordéis, outros como angústias. A razão desta diferença é porque a palavra é, por si só, metafórica. Ela tem o significado de cruéis credores que se certificarão de prender seus devedores, como se fosse com cordéis, de modo que eles não se soltem facilmente. Aquilo que o devedor deixa com o seu credor, como uma garantia, tem este nome em hebraico; e também, um cordel com que as coisas são atadas firmemente; e o mastro de um barco, bem amarrado de todos os lados com cordas; e exércitos ou grupos de homens; e a dor de parto de uma mulher, que é muito intensa, e a destruição com dor e angústia. Assim, vemos que a palavra é usada aqui para iniciar um exemplo muito lamentável e complexo.

A palavra seguinte, *"de morte"*, מָוֶת, mostra que o seu caso era mortal; a morte estava diante dos seus olhos; a morte era, de certa forma, a ameaça. Ele é descrito como *"cercado"* por ela, em dois aspectos: (1) Para mostrar que estas angústias não estavam distantes, mas muito próximas dele, como as águas que envolvem um homem quando ele está no meio delas, ou como os inimigos que cercam um lugar. (2) Para mostrar que não eram poucas angústias, mas muitas, como abelhas, que voam em enxames.

A palavra traduzida como *"angústias"*, ou dores, מְצָרֵי, no original significa sacos amarrados juntos, e rochas, e inimigos violentos, e dificuldades, de modo que esta palavra também agrava a sua infelicidade.

A palavra traduzida como *"inferno"*, שְׁאוֹל, normalmente é usada no Antigo Testamento, com o significado de sepulcro; ela deriva de שָׁאַל, verbo que significa desejar, almejar, porque o sepulcro está sempre desejando e jamais se satisfaz.

As palavras traduzidas como *"se apoderaram de mim"*, מְצָאוּנִי, e *"encontrei"*, אֶמְצָא, são o mesmo verbo; diferem apenas em circunstâncias de tempo, número e pessoa. A primeira mostra que estas desgraças o encontraram, e como um sargento, se apoderaram dele, ele não as procurou, ele teria escapado delas de bom grado, se pudesse. A segunda mostra que ele realmente os encontrou; ele sentiu o amargor, a ferida e a dor.

A palavra traduzida como *"aperto"*, צָרָה, de צוּר, tem uma afinidade próxima com a palavra anterior, traduzida como angústias, מֵצַר, de צוּר, e é usada para preparar uma grande infelicidade como esta; e para agravar a situação ainda mais, outra palavra é acrescentada: *"tristeza"*.

A última palavra, *"tristeza"*, יָגוֹן, de יָגָה, transmite um tipo de calamidade que entristece muito os que se encontram acometidos dela, e também comove aqueles que contemplam a situação a se apiedar deles. Ela é frequentemente usada nas Lamentações de Jeremias. Qualquer destas duas últimas palavras, aperto e tristeza, declaram uma condição muito tumultuada e aflitiva; muito mais, então, quando estão juntas! Pois o Espírito Santo não multiplica palavras em vão. – *William Gouge*

v. 3: "Se apoderaram de mim". A palavra original é, *me encontraram*, conforme a anotação de margem. Eles o encontraram assim como um oficial ou um sargento encontra a pessoa que deve prender; e que, tão logo a encontra, imediatamente a prende, ou leva em custódia. Quando são emitidas ordens para prender um homem que não causa problemas, o resultado é que *Non est inventus, este homem não é encontrado*, ele não pode ser encontrado, nem preso. Os sofrimentos de Davi rapidamente o encontraram, e, tendo-o encontrado, se apoderaram dele. Este encontro é seguido, de maneira tão garantida e repentina, com o aprisionamento, que uma palavra no idioma hebraico serve para expressar os dois atos. Quando Deus permite problemas e aflições, como oficiais para atacar algum homem, eles o encontram, e, encontrando-o, se apoderam dele. Os dias de aflição se apoderarão da pessoa: não há como lutar contra eles, combatê-los, nem escapar de suas mãos. Eles jamais serão persuadidos nem subornados para libertar você, até que Deus diga a palavra, Livrai-o, soltai-o.

"Encontrei aperto e tristeza." Encontrei problemas que não esperava. Eu não estava procurando a tristeza, mas a encontrei. Há uma elegância no original. O texto em hebraico diz: *"As dores do inferno me encontraram"*. Elas me encontraram, eu não as encontrei; mas tão logo as dores do inferno me encontraram, encontrei aperto e tristeza, suficientes e rapidamente. – *Joseph Caryl*

v. 3: Veja como os santos, em lugar de diminuir os perigos e as tribulações, com que são exercidos por Deus, os engrandecem em fraseologia figurada: eles nem mesmo ocultam a sua angústia de alma, mas a exibem, claramente e voluntariamente. Muito diferente é a mentalidade dos que consideram a sua própria glória, e não a glória de Deus. Os santos, para que possam exemplificar melhor a glória da ajuda de Deus, declaram coisas a seu próprio respeito, que acrescentam pouco à sua própria glória. – *Wolfgang Musculus*

vv. 3 a 7: Normalmente, têm uma grande participação nas bênçãos do céu – mesmo estando na terra – aqueles que, anteriormente, tiveram na terra uma grande participação no inferno. *"Cordéis da morte me cercaram, e angústias do inferno se apoderaram de mim; encontrei aperto e tristeza":* (como Jonas gritando, do ventre do inferno). Mas examine-o, dois ou três versículos mais adiante, e poderá vê-lo em um êxtase, como se estivesse no céu; versículo 7: *"Volta, minha alma, a teu repouso; pois o Senhor te fez bem"*. – *Matthew Lawrence*

v. 4: "O nome do Senhor". O nome de Deus, como demonstra a palavra, é um nome glorioso, cheio de majestade, e também um nome piedoso, cheio de misericórdia. A sua majestade produz temor e reverência, a sua misericórdia, fé e confiança. Com estas graças, o coração do homem é mantido de tal maneira que ele jamais se permitirá acima do que é conveniente, nem desanimará mais do que é justificado. Mas onde o nome de Deus não é apropriadamente conhecido, não é possível evitar que aqueles que comparecem diante dele precisem necessariamente subir na rocha da arrogância, ou afundar no golfo do desespero. Portanto, é necessário que Deus seja conhecido por aqueles que oram a Ele, para que, verdadeiramente, possam dizer: "*invocamos o nome do Senhor*". Convença-se, portanto, a oferecer o seu sacrifício espiritual de súplica a Deus, para que Ele possa atentar para você e para as suas orações, assim como atentou para Abel e para a sua oferta. Aprenda a conhecer o nome de Deus, como é dado a conhecer na sua palavra; e então, especialmente quando estiver próximo dele, medite sobre o seu nome. Certamente, Deus atentará para aqueles que atentarem para Ele, e abrirá os seus ouvidos àqueles que invocarem o seu nome da maneira apropriada. – *William Gouge*

v. 4: "Dizendo, ó Senhor, livra a minha alma". Uma oração curta para um pedido tão grande, e, sendo curta, ainda assim prevaleceu. Se nós nos maravilharmos diante do poder de Deus, podemos nos maravilhar agora diante do poder da oração, que pode prevalecer com Deus, para obter aquilo que é impossível na natureza, e inacreditável para a razão. – *Sir Richard Baker*

v. 4: Aqui percebemos que não há nada melhor e mais eficaz, em agonias aflitivas, do que a oração frequente – *"Invoquei o nome do Senhor"*; mas nestas orações, a preocupação principal deve ser com a salvação da alma – *"dizendo, salva a minha alma"*; pois, isto feito, Deus também irá remover ou aliviar as enfermidades do corpo. – *Solomon Gesner v. 5:* "Piedoso é o Senhor", etc. Ele é *piedoso* quando ouve, é *"justo"* quando julga, é *"misericordioso"* quando perdoa, e como, então, posso duvidar da sua vontade em me ajudar? Ele é justo, em recompensar segundo os méritos; Ele é piedoso, em recompensar acima dos méritos; sim, Ele é misericordioso para recompensar sem méritos; e como, então, posso duvidar da sua vontade em me ajudar? Ele é piedoso, e isto mostra a sua benignidade; Ele é justo, e isto mostra a sua justiça; sim, Ele é misericordioso, e isto mostra o seu amor; e como, então, posso duvidar da sua vontade em me ajudar? Se Ele não fosse piedoso, eu não poderia ter esperanças de que Ele me ouvisse; se Ele não fosse justo, eu não poderia confiar na sua promessa; se Ele não fosse misericordioso, eu não poderia esperar o seu perdão; mas como Ele é piedoso, e justo e também misericordioso, como posso duvidar da sua vontade em me ajudar? – *Sir Richard Baker*

v. 5: A primeira qualidade, *"piedoso"* (חַנּוּן), diz respeito especial àquela bondade que está no próprio Deus. A raiz (חָנַן) de que ela deriva significa fazer alguma coisa de modo gratuito, livremente, de livre e espontânea vontade. Esta é a palavra usada para apresentar a piedade e a boa vontade de Deus, deste modo (וְחַנֹּתִי אֶת־אֲשֶׁר אָחֹן), "e me compadecerei de quem me compadecer" (Êx 33.19). Há também um advérbio (חִנָּם) derivado desta raiz, que significa gratuitamente, livremente, como quando Labão fala com Jacó: "hás de servir-me de graça?" Assim a palavra é oposta ao merecimento. E desta maneira o profeta reconhecia que a libertação que Deus proporcionava era por causa do próprio Senhor, e não por merecimento daquele que era libertado.

A segunda qualidade, *"justo"* (צַדִּיק), é particularmente relacionada com a promessa de Deus. A justiça de Deus, interpretada de modo geral, é a integridade ou retidão de todos os seus conselhos, palavras e atos... Particularmente, é a justiça de Deus manifestada em dar recompensas e realizar vinganças. Assim diz-se que é "justo diante de Deus que dê em paga tribulação aos que vos atribulam, e a vós, que sois atribulados, descanso" (2 Ts 1.6, 7)... Mas o motivo para a menção à justiça de Deus aqui, neste ponto, para mostrar a base da sua invocação a Deus, e da libertação dele por Deus, deve necessariamente dizer respeito à palavra e promessa de Deus, e à verdade de Deus, em cumprir o que prometeu. – *William Gouge*

v. 5: "O Senhor"; "o nosso Deus". O primeiro título, "Senhor", estabelece a excelência de Deus. Aqui se faz uma menção apropriada, para mostrar a abençoada presença de grandeza e bondade em Deus. Embora Ele seja Jeová, o Senhor, ainda assim Ele é piedoso e justo, e tem misericórdia. O segundo título, *"o nosso Deus"*, manifesta um relacionamento peculiar entre Ele e os fiéis que nele creem, e confiam nele, como era o caso deste profeta. E com eles, de maneira especial, o Senhor é piedoso, o que o motivava a modificar as pessoas; pois onde ele tinha dito na terceira pessoa: "o Senhor é piedoso", aqui, em primeira pessoa, ele diz: *"o nosso Deus"*; ele não diz que este privilégio seja devido a ele mesmo, mas reconhece que é comum a todos os de caráter semelhante, usando o plural *"nosso"*. – *William Gouge*

v. 5: O "Berlenburger Bibelwerk" diz: "A justiça é colocada, de maneira muito significativa, entre a piedade e a misericórdia; pois ela é necessária, para que o mal seja mortificado e expulso. A piedade é, de certa forma, o alicerce da salvação, e a misericórdia completa o trabalho, mas não até que a justiça tenha concluído o seu trabalho intermediário". – *Rudolph Stier*

v. 5: "O nosso Deus tem misericórdia". A misericórdia é a qualidade favorita de Deus; e, pela sua infinita sabedoria, Ele permitiu que a misericórdia triunfe sobre a justiça, sem, de nenhuma maneira, infringir a sua honra ou a sua verdade. O caráter da misericórdia é aquele pelo qual o nosso Deus parece se alegrar em ser conhecido. Quando Ele se proclamou, com impressionante grandeza, aos filhos de Israel, foi como "Jeová, o Senhor, Deus misericordioso e piedoso... que perdoa a iniquidade, e a transgressão, e o pecado" (Êx 34.7). E tal foi a impressão deste seu caráter na mente de Jonas, que este profeta diz a Ele: "Sabia que és Deus piedoso e misericordioso" (Jn 4.2). Estas, no entanto, não são meras afirmações – declarações feitas sobre o caráter, por Deus, de um lado, e exortadas, sem evidências, pelos homens, do outro; pois, seja qual for a maneira como consideramos Deus e examinamos a sua conduta com relação às suas criaturas, nós percebemos que ela transmite a impressão de misericórdia. Também não podemos exaltar mais ao Senhor, nosso Deus, senão falando da sua misericórdia e confiando nela; pois o nosso "Senhor agrada-se dos que o temem e dos que esperam na sua misericórdia" (Sl 147.11). – *John Gwyther, 1833*

v. 6: "O Senhor guarda aos símplices". Deus protege mais aqueles que, por serem os menos cuidados por outras fontes, dependem totalmente dele. Eles são símplices, no bom sentido; simples na visão do mundo, e simples aos seus próprios olhos. Como aquele que disse: "Mas eu sou verme, e não homem, opróbrio dos homens e desprezado do povo" (Sl 22.6). E, novamente: "Eu sou pobre e necessitado; mas o Senhor cuida de mim" (Sl 40.17). Estes são os pobres e abatidos de espírito para os quais o Senhor olha (Is 66.2). Destes órfãos, Deus é pai, e de tais viúvas, juiz. Leia Sl 68.5, e 146.7, 8, 9. Leia atentamente as histórias do Evangelho, e pondere quem eram aqueles aos quais Cristo, nos dias da sua carne, socorreu, e você perceberá que eram os símplices aqui mencionados.

Neles a piedade e a mente misericordiosa do Senhor se manifestam melhor. O seu caso, sendo muito miserável, com referência às ajudas humanas, faz com que a misericórdia de Deus pareça ainda maior; e, uma vez que nada há neles que consiga benevolência ou socorro de Deus, aos seus próprios olhos e também aos olhos dos outros eles são como nada; o que Deus faz por eles evidentemente parece ser feito por sua bondade e boa vontade.

Veja aqui como todos, dentre todos os outros, aqueles que parecem ter menos causas para confiar em Deus têm mais causas para confiar nele. As pessoas simples, os infelizes tolos, loucos, e desprezíveis na opinião do mundo, que não têm cérebros sutis, nem inteligência ardilosa para buscar meios indiretos, apesar disto, têm o suficiente para sustentá-los, no importante fato de que são aqueles que o Senhor preserva. Quem não sabe que "é melhor confiar no Senhor do que confiar no homem, é melhor confiar no Senhor do que confiar nos príncipes"? (Sl 118.8,9). – *William Gouge*

v. 6: "O Senhor guarda aos símplices". Como é maravilhoso ser capaz de refletir sobre o caráter de Deus, *guardando* a alma. A palavra significa, apropriadamente, defender-nos em qualquer situação de perigo. A palavra hebraica que é traduzida como *"símplices"* significa alguém que não tem controle sobre si mesmo, alguém que não consegue resistir ao poder e à influência dos que estão ao redor, e, portanto, alguém sujeito ao maior perigo, do qual não tem, naturalmente, nenhuma libertação. "O Senhor guarda"; os seus olhos estão sobre eles, a sua mão está sobre eles, e eles não poderão cair. A palavra *"símplices"* significa, além disto, aqueles que ignoram a sua condição e não são vigilantes contra os seus adversários. Pensamento delicioso este, que ainda que possamos ser assim ignorantes, somos abençoados com os meios de escapar! Podemos ser extremamente simples, e a nossa simplicidade pode ser tal que envolva a nossa mente na maior dúvida, porém o Senhor nos preserva, e nos deixa repousar nele. É maravilhoso refletir que é nos simples que o Senhor se alegra, e que Ele tem um grande prazer em abençoá-los. Às vezes, nós nos encontramos particularmente na condição em que podemos nos sentir propensos a perguntar, como podemos ser salvos. Nós supomos que há muitas verdades a apreender, muitos princípios a compreender, antes que possamos ser salvos. Não; "O Senhor guarda aos símplices". Nós podemos ter dificuldade em reconciliar as doutrinas do cristianismo; podemos nos encontrar na maior perplexidade, quando examinamos as evidências em que estas doutrinas se apoiam; podemos estar expostos a grandes dificuldades, quando procuramos aplicá-las à utilidade prática; mas ainda podemos adotar a linguagem à nossa frente: *"O Senhor guarda aos símplices: estava abatido, mas ele me livrou. Volta, minha alma, a teu repouso".* – *R. S. M'All, 1834*

v. 6: "O Senhor guarda aos símplices". A palavra *símplices* equivale à "simplicidade" do Novo Testamento, especificamente, à mente pura voltada a Deus, que, sem procurar auxílio em nenhum outro lugar, e livre de toda dissimulação, espera a salvação somente nele. – *Augustus F. Tholuck*

v. 6: "Os símplices". Eles são os que guardam honestamente o caminho dos mandamentos de Deus, sem aqueles desvios ou brechas de aspecto carnal, pelos quais os homens são considerados sábios no mundo; veja Gênesis 25.27, onde Jacó é chamado de varão simples. Simples ou loucos ele os chama, porque são, de modo geral, incluídos entre os sábios do mundo, não que sejam tão tolos quanto são considerados, pois se o Senhor pode julgar a sabedoria ou a loucura, o único louco é o ateu e profano (Sl 14.1); o único sábio do mundo é o cristão, simples e puro (Dt 4.6) que se mantém, em todos os aspectos, precisamente naquele curso simples e honesto que o Senhor lhe prescreveu. A estes simples, "tolos" de Deus, aos quais a sua infelicidade e aflição os mantêm apenas para os meios de libertação e consolo que o Senhor lhes prescreveu, pertence esta bênção de preservação do mal, ou da destruição. Observe as palavras de Salomão (Pv 16.17): "O alto caminho dos retos é desviar-se do mal; o que guarda o seu caminho preserva a sua alma". Veja também Provérbios 19.16, 23; como exemplo veja Asa, 2 Crônicas 16.9-21; e 16.7,8,9, leia as excelentes palavras de Hanani, o vidente. – *William Slater, 1638*

v. 6: "Estava abatido". Pela aflição e pelas provações. A palavra em hebraico significa, literalmente, estar pendurado, balançar, vacilar – como um balde em um poço, ou como os ramos fracos da palmeira, do salgueiro, etc. Significa, então, estar fraco, frágil, como doente, etc. Provavelmente se refere à prostração das forças, pela doença.

"Mas ele me livrou." Ele me deu forças; Ele me restaurou. – *Albert Barnes*

v. 6: "Estava abatido, mas ele me livrou". A palavra traduzida como *"abatido"*, דַּלּוֹתִי *ab* דָּלָה, significa estar seco. A metáfora é extraída de lagos, ou riachos que são totalmente secos quando a água se esgota completamente. Assim Isaías usa esta palavra: "E se esgotarão e secarão os canais" (Is 19.6), דָּלֲלוּ וְחָרְבוּ יְאֹרֵי. Aplicada ao homem, a palavra indica alguém que está completamente esgotado, que já não pode se arranjar, que não pode ajudar a si mesmo, que não tem meios de ajuda, que não tem a esperança de receber a ajuda de outros.

A outra palavra que expressa o socorro que Deus propicia é traduzida como *"livrou"*, יְהוֹשִׁיעַ *ab* יָשַׁע, e significa a ajuda que liberta do perigo. Normalmente ela é traduzida como "salvar". – *William Gouge*

v. 6: "Estava abatido, mas ele me livrou". Este é o momento da ajuda, quando os homens estão abatidos: portanto, Deus, que faz todas as coisas no devido tempo, me livrou quando eu estava abatido. Por isto, ó alma minha, jamais se deixe perturbar, por mais que esteja abatida, pois quando o seu estado for o mais inferior, então a ajuda de Deus estará mais próxima. Nós podemos, verdadeiramente, dizer que os caminhos de Deus não são como os caminhos do mundo, pois no mundo, quando alguém é abatido, normalmente é pisado, e nada se ouve, exceto: "para baixo com ele"; mas com Deus, as coisas são diferentes; pois o seu deleite é levantar os que caem, e, quando estão abatidos, ajudá-los. Assim, não é uma situação tão terrível que alguém seja abatido – eu não posso dizer que é uma situação feliz? Não é melhor ser abatido, e ter Deus para ajudar, do que estar exaltado e abandonado à própria sorte? Pelo menos, ó meu corpo, que isto possa ser um consolo para você, pois certamente você será abatido, a um nível tão baixo quanto o da sepultura, que é realmente baixa; mas ali você poderá repousar com esperança, pois, mesmo ali, o Senhor não deixará de lhe ajudar. – *Sir Richard Baker*

v. 6: "Ele me livrou". Ele me ajudou a suportar o pior e a esperar o melhor; e me ajudou a orar, caso o ânimo tivesse falhado; e me ajudou a esperar, caso a fé tivesse falhado. – *Matthew Henry*

v. 7: "Volta, minha alma, a teu repouso". O salmista tinha passado por uma grande inquietude, e tinha sido livrado; agora, tendo orado (pois a oração tem *vim pacativam*, uma propriedade pacificadora), ele convida sua alma ao repouso; e a embala em uma segurança espiritual. Oh, aprendam esta santa arte: "Une-te, pois, a Deus, e tem paz, e, assim, te sobrevirá o bem" (Jó 22.21). *Sis Sabbathum Christi*. Lutero. – *John Trapp*

v. 7: As almas piedosas repousam em Deus; elas, e ninguém mais. Seja o que for que os outros possam dizer sobre um repouso em Deus, somente as almas santas sabem o que ele significa. *"Volta, minha alma, a teu repouso"*, ao teu repouso na calma e alegre submissão à vontade de Deus, no prazer em servir a Ele, na satisfação na sua presença, e na alegria na comunhão iniciada com Ele aqui embaixo, que deverá ser aperfeiçoada no alto, no seu usufruto pleno. As almas santas repousam em Deus, e na sua vontade; na sua vontade e preceito como seu Senhor soberano, cujos mandamentos a respeito de todas as coisas são justos, e obedecer a eles traz grande recompensa; na sua vontade de providência como seu possuidor absoluto, que faz bem todas as coisas; nele mesmo, como seu Deus, sua porção e seu principal bem, em quem terão tudo o que podem necessitar ou de que são capazes de usufruir para completar a sua bem-aventurança para sempre. – *Daniel Wilcox*

v. 7: "Volta ao teu repouso". Volta ao repouso que Cristo dá aos cansados e oprimidos (Mt 11.28). Retorna ao teu Noé, seu nome significa *repouso*, como a pomba, quando não encontrou repouso, retornou para a arca. Eu não conheço mensagem mais apropriada para fechar os olhos quando vamos dormir à noite, nem para fechá-los à morte, aquele longo sono, do que esta: *"Volta, minha alma, a teu repouso"*. – *Matthew Henry*

v. 7: "Volta ao teu repouso". Considere a variedade de aspectos deste repouso que um homem bom busca, e como ele irá se empenhar para alcançá-lo. Ele consiste de:

1. Repouso das perplexidades da ignorância, e das andanças do erro.
2. Repouso dos inúteis esforços da falsa moral, e da inquietação de um espírito arrogante e legalista.
3. Repouso dos alarmes da consciência, e as apreensões da punição futura.
4. Repouso das lutas infrutíferas da nossa natureza degenerada, e conflitos desamparados com o pecado interior.
5. Repouso do temor do sofrimento temporal e da preocupação que surge com a perspectiva do perigo e da provação.
6. Repouso da distração da incerteza e indecisão mental, e das flutuações da escolha indeterminada. – *R. S. M'all*

v. 7: "Volta", שׁוּבִי. Esta é a mesma palavra que o anjo usou com Hagar, quando ela fugiu da sua senhora: "Torna-te" (Gn 16.9). Da mesma maneira como Hagar, devido aos maus tratos da sua senhora, fugiu dela, também o profeta, por causa da aflição, deixou a sua confiança tranquila em Deus. Assim como o anjo pediu a Hagar "torna-te para tua senhora", também o entendimento deste profeta diz à sua alma que volte para o seu repouso. – *William Gouge*

v. 7: "Repouso". A palavra *"repouso"* está no plural, indicando o repouso total e completo, em todos os tempos, e sob todas as circunstâncias. – *A. Edersheim*

vv. 7 e 8: "Pois o Senhor te fez bem". Ele realmente foi muito generoso contigo, pois quando pediste apenas uma coisa, Ele concedeu três. Apenas pedi que Ele livrasse a minha alma, e Ele livrou, além disto, os meus olhos e os meus pés; e com a maior libertação que poderia haver para todos; pois que libertação pode ser maior para a minha alma do que ser livrada da morte? Que maior libertação pode haver para os meus olhos, do que ser livrado das lágrimas? E para os meus pés, do que ser livrado da queda? Se agora, ó minha alma, não voltas ao teu repouso, mostrarás que és insaciável, embora tenhas não apenas muito mais do que realmente pediste, mas muito mais do que era possível pedir.

Mas a minha alma pode morrer? E se não puder, que generosidade há em livrar a minha alma daquilo a que ela não está sujeita? A alma, realmente, ainda que imortal, tem suas formas de morrer. Ser separada do corpo é uma espécie de morte para a alma, mas o verdadeiro tipo de morte é ser separado de Deus; e destes dois tipos de mortes, Ele livrou a minha alma. Do primeiro, livrando-me de uma doença perigosa, que ameaçava a dissolução da minha alma e do meu corpo; do segundo, livrando-me da culpa do pecado, que ameaçava uma separação da bondade e do favor de Deus; e esta generosidade não é suficientemente grande a ponto de dar à minha alma motivos justos para voltar ao seu repouso? – *Sir Richard Baker*

vv. 7 e 9: "Volta, minha alma, a teu repouso"... "Andarei". Como podem as duas coisas estar combinadas? *Motus et quies private opponuntur,* diz o filósofo, o movimento e o repouso são opostos; *andar* é um *movimento,* sendo um ato de capacidade locomotora. Como, então, Davi poderia *voltar ao seu repouso* e ainda *andar?* Você deve saber que *andar* e *repousar* aqui mencionados, sendo de natureza *divina,* não são opostos, entre si; *o repouso espiritual* não deixa a pessoa *ociosa,* e por isto não é inimigo do andar; *o andar espiritual* não torna a pessoa *cansada,* e por isto não é inimigo do repouso. Na realidade, eles estão tão longe de serem opostos que são subservientes entre si, e é difícil dizer se este *repouso* é a *causa* deste *andar,* ou se este *andar* é uma *causa* deste *repouso.* Na verdade, as duas afirmações são verdadeiras, uma vez que aquele que *repousa em Deus* não pode deixar de *andar perante a sua face,* e *andando perante a sua face, nós* chegamos ao *repouso em Deus. Voltar ao repouso* é um ato de *confiança,* uma vez que não há repouso senão em Deus, nem haverá repouso em Deus se não houver um compromisso de fé e uma confiança completa nele. *Andar perante a face de Deus* é um ato de *obediência;* quando nós desobedecemos, nos desviamos; é somente pela obediência que nós andamos. Estas duas coisas estão tão longe de serem inimigas, que são companheiras e até mesmo andam juntas, sendo a confiança um meio para a rápida obediência, e a obediência um meio de fortalecer a confiança. – *Nathanael Hardy*

v. 8: "Porque tu, Senhor, livraste a minha alma da morte, os meus olhos das lágrimas e os meus pés da queda". Eis aqui uma libertação, não de um, mas de muitos perigos, ou seja, *"morte", "lágrimas", "queda".* As libertações são, sozinhas, como fios, mas quando multiplicadas se tornam como um cordão de muitos fios entrelaçados, mais potente para nos levar a Deus. Uma graça é como um elo, mas muitas benevolências são como uma corrente que consiste de muitos elos, e que nos aproxima do nosso dever; *vis unita fortior.* Frequentes pingos de chuva deixam inevitavelmente marcas na pedra, e as graças renovadas podem prevalecer em relação ao coração empedernido. Parisiensis narra a história de um homem que (apesar do seu modo de vida notório e maldoso), Deus se alegrou em cumular de favores, de modo que, por fim, ele clamou: *"Vicisti, benignissime Deus, indefatigabili sua bonitate,* Deus gracioso, a tua bondade infalível superou a minha perversidade obstinada"; e a partir de então, se dedicou ao serviço de Deus. Não é de admirar, então, que Davi, depois da libertação de tão numerosas e angustiosas aflições, se decida a *"andar perante a face do Senhor na terra dos viventes".* – *Nathanael Hardy*

v. 8: Assim como uma alma humilde e sensível irá agrupar muitos problemas em um só, também uma alma agradecida irá dividir uma graça em vários ramos, como o salmista faz aqui. Ele distingue a libertação da sua alma da morte, dos seus olhos das lágrimas, e dos seus pés da queda. – *David Dickson*

v. 8: Alguns distinguem da seguinte maneira os três particulares: *"Ele livrou a minha alma da morte",* dando-me uma boa consciência; *"os meus olhos das lágrimas",* dando-me uma consciência tranquila; *"os meus pés da queda",* dando-me uma consciência esclarecida e segura. – *William Gouge*

v. 8: "Os meus pés da queda". O que ele quer dizer, a queda na infelicidade e no mal, ou no pecado? Há um *lapsus moralis,* como em 1 Coríntios 10.12. Estarei enganado? ou aqui podemos entender que Davi pecou? Assim, em Salmos 73.2: "Os meus pés quase que se desviaram; pouco faltou para que escorregassem os meus passos". E se eu não estiver enganado, o texto se inclina para este significado, do menor para o maior. Em primeiro lugar, é mais generoso ser guardado da angústia do que da morte, pois há um alívio maior da infelicidade. Não é mais generoso ser guardado do sentimento de aflição do que ser guardado da morte, que é o maior dos males temporais; mas é mais generoso, para um olhar piedoso, ser guardado do pecado do que da morte. Em segundo lugar, *como livrar os seus olhos das lágrimas* se não livrá-los do pecado? Isto certamente teria custado muitas lágrimas a muitos, como Pedro (Mt 26.75). Mas entenda *de lapsu morali*, de modo que a graduação ainda cresce para abranger a benevolência de Deus; sim, o que eu considero a maior bênção, nestas aflições é que Ele me manteve firme no meu caminho de piedade, e não permitiu que as aflições afastassem dele o meu coração. Com olhar piedoso, ser livrado do pecado parece ser um benefício maior do que ser livrado da maior aflição exterior. Esta é a razão pela qual Paulo (Rm 8.37) triunfa sobre todas as aflições (2 Co 11 e 12). Ele as considera a sua glória, a sua coroa; mas falando em particular da predominância da corrupção, ele se lamenta, como o mais infeliz dos homens (Rm 7.24). – *William Slater*

v. 9: "Andarei", etc. É uma santa resolução que este versículo registra. O versículo anterior tinha mencionado, entre as graças concedidas: "Livraste os meus pés da queda"; e o primeiro uso para o membro restaurado é: *"Andarei perante a face do Senhor"*. Isto lembra o mendigo, à porta Formosa do templo, a quem Pedro tinha dito: "Em nome de Jesus Cristo, o Nazareno, levanta-te e anda"; e "logo os seus pés e tornozelos se firmaram. E, saltando ele, pôs-se em pé, e andou, e entrou com eles no templo, andando, e saltando, e louvando a Deus". É uma característica garantida de um coração agradecido empregar a dádiva ao louvor de quem a concedeu, de tal maneira como Ele mais desejaria que fosse empregada. – *Barton Bourchier*

v. 9: Quando tu, minha alma, retornares ao teu repouso, andarás de modo que possas ter algum exercício em teu repouso, para que o teu repouso não te deixe inquieta. *"Andarei perante a face do Senhor, na terra dos viventes"*. Pois agora que os meus pés foram livrados da queda, como posso empregá-los melhor, senão andando? Eles foram livrados da queda para que ficassem parados e ficassem ociosos? Não, minha alma, mas para me encorajar a andar: e onde é tão bom andar como na terra dos viventes? Ai! Que andar há no inverno, quando todas as coisas estão mortas, quando a grama está enterrada sob a terra, e quase nada do que tem vida pode ser visto? Mas o andar é agradável quando a natureza estende o seu tapete verde para que andemos sobre ele, e é, então, a terra dos viventes, onde as árvores mostram que estão vivas, exibindo, senão frutos, pelo menos folhas; quando os vales mostram que estão vivos, produzindo doces flores de aroma delicioso, pelo menos, a grama fresca para agradar os olhos. Mas é este o andar na terra dos viventes a que Davi se refere? Ó, minha alma, andar na terra dos viventes é andar pelos caminhos da justiça, pois não há morte para a alma como o pecado, nem causa das lágrimas para os olhos como a culpa na consciência, nem queda para os pés como a queda na presença de Deus; portanto, para dizer a verdade, a alma jamais poderá retornar ao seu repouso se nós não andarmos completamente nos caminhos da justiça. E não poderemos dizer se este repouso é a causa do andar, ou se o andar é a causa do repouso; mas há algo que podemos dizer: certamente estas duas qualidades são companheiras: a justificação não pode existir sem a santificação. A paz de consciência e a santidade de vida, uma não pode jamais existir sem a outra. Ou talvez Davi queira dizer que a terra dos viventes é a terra onde Enoque e Elias estão, com o Deus vivo? Mas, se ele quiser dizer isto, como pode falar de maneira tão confiante, e dizer: *"Andarei na terra dos viventes"*? Como se ele pudesse vir a andar ali pelas suas próprias forças, ou ao seu bel prazer? Por isto, ele apresenta a sua razão: *"Cri; por isso, falei"*, pois a voz da fé é forte e fala com confiança; e como pela fé, ele crê que virá a andar na terra dos viventes, por isto, com confiança, ele o diz: *"Andarei na terra dos viventes"*. – *Sir Richard Baker v. 9:* "Andarei diante do Senhor, na terra dos viventes", isto é, passarei toda a minha vida sob o seu paternal cuidado e proteção. O profeta respeita o costume dos homens, e principalmente dos pais, pois aqueles que amam ardentemente a seus filhos sempre os têm nos seus pensamentos, e os levam consigo, jamais deixando de sentir preocupação e ansiedade por eles, mas estão sempre atentos à sua segurança. *Omnis enim in natis chari stat cura parentis.* Diz-se, portanto, que os filhos andam perante a face de seus pais, e à vista deles, porque os têm como constantes guardiões da sua saúde e segurança. Assim também os piedosos desta vida andam perante a face de Deus – o que significa que são defendidos pelo seu cuidado e proteção. – *Mollerus*

v. 9: "Andarei perante a face do Senhor". Há duas interpretações diferentes para estas palavras. Elas podem ser entendidas como significando *confiante expectativa* ou *obediente resolução.* De acordo com a primeira, o salmista promete a si mesmo, algo de Deus; de acordo com a segunda, ele promete algo de si mesmo a Deus. As duas construções são prováveis e benéficas. *"Perante a face de Deus"*; isto é, no seu serviço; ou *"perante a face de Deus"*, isto é, sob os seus cuidados. Vamos considerar os dois sentidos.

1. *"Andarei perante a face do Senhor, na terra dos viventes"*; isto é, continuando neste mundo, terei a oportunidade de realizar o serviço a Deus. Não era porque aqueles homens santos tivessem menos certeza do amor de Deus do que nós, mas porque estavam mais interessados em servir a Deus do que nós, é que esta vida era tão agradável aos seus olhos. Com este propósito, os argumentos de Davi e Ezequias, a respeito da morte e da sepultura, são muito dignos de nota. "Porventura, te louvará o pó? Anunciará ele a tua verdade?", diz Davi (Sl 30.9). "Porque não pode louvar-te a sepultura, nem a morte glorificar-te", diz Ezequias (Is 38.18). Eles viram que a morte os tornaria inúteis para a honra de Deus, e por isto oraram pela vida.

Isto nos permite ver por que um homem temente e obediente a Deus pode desejar a vida, para que possa *"andar perante a face do Senhor"* e servi-lo no lugar onde Ele o colocou. Na verdade, esta alegria, esperança e desejo de vida que se fundamentam sobre esta consideração, não são apenas lícitas, mas elogiáveis, e verdadeiramente, então, há uma grande diferença entre o ímpio e o piedoso. Andar na terra dos viventes é o desejo do ímpio, se fosse possível ele desejaria andar aqui para sempre; mas, para que? Somente para desfrutar os seus desejos, ter a sua cota de prazer, e aumentar a sua riqueza, ao passo que o desejo de viver do homem piedoso é para que ele possa *"andar perante a face de Deus"*, promover a sua glória e realizar o seu serviço. Por causa disto, podemos, apropriadamente, perceber porque Davi não diz, Agora me saciarei com deleites na minha cidade real, mas *"Andarei perante a face do Senhor, na terra dos viventes"*.

2. E, mais apropriadamente para esta interpretação, esta expressão *"perante a face do Senhor"* significa *sob o olhar cuidadoso do Senhor.* As palavras, de acordo com o hebraico, devem ser interpretadas, *perante a face do Senhor,* e devem ser identificadas como a sua presença, e não de modo geral, perante a qual todos os homens andam, mas de modo especial, perante a qual somente os bons homens andam. Na verdade, neste sentido, a face de Deus é a sua benevolência; e ser expulso da sua vista será estar sob a sua ira, assim como andar perante a sua face é estar sob a sua benevolência, de modo que o significado é como o salmista tinha dito: Viverei em segurança neste mundo, sob a vigilante proteção do Todo-Poderoso, e esta é a confiança que ele parece proferir aqui com tanta alegria: que a piedosa providência de Deus o guardará durante o resto dos seus dias. – *Nathanael Hardy, em um sermão intitulado "Thankfulness in Grain", 1654*

v. 9: "Na terra dos viventes". Estas palavras admitem três interpretações, sendo compreendidas por alguns como tratando da *terra da Judeia;* por outros, erroneamente, como *a Jerusalém que é de cima.* Pela maioria, e mais provavelmente, como esta *terra habitável,* o *mundo atual.*

1. Esta explicação que Cajetan, Lorinus, e outros, dão às palavras, não seria rejeitada, supondo que, como *"terra dos viventes"* Davi aqui se refere à Judeia, em que, ou melhor, sobre a qual, tendo sido constituído rei, ele decide andar perante a face de Deus, e servi-lo. Não é improvável que ela seja a *"terra dos viventes"*, na qual o salmista, quando no exílio, "creu ver a bondade do Senhor"; esta é, certamente, aquela *"terra dos viventes"* em que Deus prometeu "estabelecer a sua glória"; e este título não era sem razão apropriado àquela região.

(1.) *Parcialmente,* porque era uma *"terra"* que possibilitava os mais abundantes sustentos e consolos da vida natural, considerando a salubridade do clima, a generosidade do solo, a abundância de leite e mel, com outras conveniências, em termos de alimentação e prazer.

(2.) *Principalmente,* porque era a *"terra"* em que o Deus vivo era adorado, e onde Ele jurou colocar o seu nome; ao passo que outras partes do mundo adoravam coisas sem vida, das quais o salmista diz: "Têm boca, mas não falam; têm olhos, mas não veem; têm ouvidos, mas não ouvem".

2. *"A terra dos viventes"* é interpretada, pelos antigos, como sendo aquela *região celestial,* o lugar dos bem-aventurados. Na verdade, esta descrição está de acordo com o céu: este mundo é *desertum mortuorum,* um deserto de mortos, ou, pelo menos, moribundos; somente aquele é *regio vivorum,* uma região de santos vivos. "Aquele que é nossa vida está no céu", sim, "a nossa vida está com Ele em Deus", e por isto não podemos dizer que vivemos, até que cheguemos ali... Foi neste sentido, sem dúvida, que o devoto bispo e mártir, Bábilas, usou as palavras; sendo condenado por Numeriano, o imperador, a uma morte injusta, pouco antes da sua execução ele repetiu este e os dois versículos anteriores, em voz alta. Não é inadequado, além disto, que qualquer santo moribundo se console com aplicação semelhante destas palavras, e diga, com confiante esperança desta visão bem-aventurada: *"Andarei perante a face do Senhor na terra dos viventes".*

3. Mas sem dúvida, o significado apropriado e literal destas palavras é o da *morada de Davi no mundo*; durante este tempo; onde quer que estivesse, ele *andaria perante Deus;* pois esta parece ser a ênfase do plural, *terras,* de acordo com o original. O mundo é formado por muitas nações, por várias terras, e é possível que os homens, pela força ou involuntariamente, migrem de uma nação a outra; mas um homem bom, quando muda de lugar, não altera a sua religião; onde quer que esteja, ele se mantém decidido a servir ao seu Deus. – *Nathanael Hardy*

v. 9: "Terra dos viventes". Como é inadequado, como é vergonhoso, como é odioso que os mortos estejam aqui, sobre a face da terra, que é *"a terra dos viventes".* Também é verdade que "A que vive em deleites, vivendo, está morta" (1 Tm 5.6); Sardes tinha nome de que vivia, mas estava morta (Ap 3.1); "deixa aos mortos sepultar os seus mortos" (Mt 8.22); todos os homens estão "mortos em ofensas e pecados" (Ef 2.1; 2 Co 5.14). – *William Gouge.*

vv. 9 e 12, etc.: A palavra em hebraico que é traduzida como *andarei* significa um ato continuado, ou a reiteração de um ato. Davi decide que não somente dará uma ou duas voltas com Deus, ou andará por um caminho agradável com Deus, como Orfa fez com Rute, e então se afastará de Deus, como Orfa fez com sua sogra (Rt 1.10-15); mas decide, aconteça o que acontecer, que andará constantemente, resolutamente, e perpetuamente perante a face de Deus; ou perante a face do Senhor. Agora, andar perante a face do Senhor sugere um andar muito exato, circunspeto, preciso, perante Deus; e, na realidade, nenhum outro andar é adequado ou agradável aos olhos de Deus. Mas isto é tudo o que o salmista irá fazer depois de receber estas graças? Oh, não! Pois ele decide tomar o cálice de salvação e invocar o nome do Senhor e oferecer sacrifícios de louvor, vv. 13,17. Mas isto é tudo o que ele irá fazer? Oh, Não! Pois ele decide que irá pagar imediatamente os seus votos ao Senhor, na presença de todo o seu povo, vv. 14,18. Mas isto é tudo o que ele irá fazer? Oh, não! Pois ele decide que irá amar ao Senhor mais e melhor do que nunca, vv. 1,2.

Ele amava a Deus, antes, com um amor verdadeiro, mas tendo agora recebido estas raras graças de Deus, ele está decidido a amar a Deus com um amor aumentado, e mais inflamado, e mais ativo e mais desperto, e um amor mais crescente do que nunca. – *Thomas Brooks*

v. 10: "Cri, por isso, falei". Não é suficiente crer, a menos que você também confesse abertamente, diante de incrédulos, tiranos e todos os outros. Depois de crer, vem a confissão; e, por isto, aqueles que não confessam, devem temer; e, ao contrário, aqueles que expressam em que creem, devem ter esperança. – *Paulus Palanterius*

v. 10: "Cri, por isso, falei". Isto significa: Acredito firmemente no que digo, portanto não sinto qualquer constrangimento ao dizer isto. Isto deveria estar conectado com o versículo anterior, e o ponto final deveria estar inserido depois de "falei". – *Samuel Horsley*

v. 10: "Cri", etc. Alguns traduzem assim: *"Cri quando falei, estive muito aflito:* Cri, quando dizia na minha precipitação: *"Todo homem é mentira"; q.d.,* Embora eu tenha tido meus *altos* e *baixos*, embora eu tenha tido diversas disposições e estados da alma em minhas tentações, ainda assim eu cri, não perdi o meu apego a Deus, na minha perturbação. – *John Trapp*

v. 10: O coração e a língua devem andar juntos. A língua deve ser sempre o intérprete do coração, e o coração deve sempre sugerir o que a língua deve dizer; o que é dito com a língua deve, antes, estar gravado no coração, e deve ser extraído de lá. Assim deve ser, em todas as nossas comunicações e exortações, especialmente quando falamos ou exortamos sobre as coisas de Deus, e falamos sobre os mistérios do céu. Davi falava do fundo do seu coração, quando falou da sua fé. *"Cri, por isto, falei".* Crer é um ato do coração, "com o coração se crê", isto equivale a dizer: "*Cri, por isso, falei*", como se ele tivesse dito, eu jamais teria dito estas coisas, se o meu coração não tivesse sido claro e honesto sobre elas. O apóstolo adota o mesmo protesto de Davi (2 Co 4.13): "Como está escrito: Cri; por isso, falei. Nós cremos também; por isso, também falamos"; isto é, nós fazemos com que os outros não creiam em nada além daquilo em que cremos, e estejam plenamente certos disto. – *Joseph Caryl*

v. 10: "Estive muito aflito". Depois que o nosso menestrel fez menção à fé e a falar a palavra de Deus, como devem ser interpretadas todas as boas obras que se originam da fé, agora ele canta a respeito da cruz, e mostra que estava enormemente perturbado, imensamente ameaçado, blasfemado de maneira impiedosa, mal considerado, perversamente perseguido, cruelmente perturbado e forçado a sofrer todos os tipos de tormentos por proferir e declarar a palavra de Deus. *"Cri"*, diz ele, *"por isso, falei, estive muito aflito".* A palavra de Cristo e a cruz são companheiras inseparáveis. Assim como a sombra acompanha o corpo, também a cruz acompanha a palavra de Cristo: e assim como o fogo e o calor não podem ser separados, também o Evangelho de Cristo e a cruz não podem ser separadas. – *Thomas Becon (1511-1567 ou 1570)*

vv. 10 e 11: O significado parece ser – eu falei como disse (v. 4) porque confiei em Deus. Eu estive grandemente aflito, em extrema angústia, em grande assombro e tremor (pois a palavra traduzida como *"precipitação"* significa tremor, além de pressa, como é traduzida em Dt 20.3), e nestas circunstâncias, não confiei na humanidade; eu disse: "*todo homem é mentira"* – isto é, não é digno de confiança; são aqueles que falham e enganam as esperanças daqueles que confiam neles, de acordo com Salmos 62.8, 9. – *Jonathan Edwards*

v. 11: "Eu dizia na minha precipitação: todo homem é mentira". Na verdade, em um clímax de desespero, eu disse, toda a raça dos homens é um engano. – *Samuel Horsley*

v. 11: "Todo homem é mentira". Isto quer dizer que todo homem que fala da maneira normal dos homens, a respeito da felicidade, e valoriza as coisas frágeis e perecíveis deste mundo, é um mentiroso; pois a verdadeira e sólida felicidade não será encontrada na terra dos viventes. Esta explicação soluciona o sofisma proposto por Basílio, se todo homem é mentira, então Davi foi um mentiroso, portanto ele mente quando diz que todo homem é mentira – desta maneira, contradiz a si mesmo, e destrói a sua própria opinião. Isto é facilmente contestado; pois quando Davi falou, ele não o fez meramente como homem, mas sob a inspiração do Espírito Santo. – *Robert Bellarmine*

v. 11: "Todo homem é mentira". Disse Juvenal: "Ouse fazer alguma coisa digna de transporte e aprisionamento, se quiser aparecer. A honestidade é louvada, mas morre de fome". Um panfleto foi publicado, há algum tempo, com o título: *"A quem enforcaremos?"* Um panfleto muito apropriado agora poderia ser escrito com uma ligeira modificação no título: *"Em quem confiaremos?" – De "A New Dictionary of Quotations", 1872*

vv. 11 a 15: Parece que desmentir isto não era uma ofensa tão odiosa nos tempos de Davi como é nestes dias; pois como ele poderia ter dito estas palavras *"todo homem é mentira"*, que não é nada menos do que desmentir o mundo inteiro? E, creio, nenhum homem o desafiará por dizer isto; não mais do que desafia o apóstolo João por dizer que todos os homens são pecadores, e, na verdade, como pode qualquer homem evitar ser um mentiroso, vendo que a própria existência do homem é uma mentira, por si só? Não somente é uma futilidade, e tem menos valor do que a futilidade; mas a própria mentira, prometendo grandes coisas, é incapaz de fazer qualquer coisa. Observe o que o Senhor Jesus Cristo diz: "Sem mim nada podereis fazer"; e assim Cristo parece se manifestar, para ser o colaborador de Davi, e para confirmar a sua palavra de que *todo homem é mentira.* E deixe que o mundo faça o pior, e aceite a mentira como quiser, pois Davi, tendo Cristo ao seu lado, sempre poderá confirmar o seu lado contra todo o mundo, pois Cristo venceu o mundo.

Mas, embora todos os homens sejam descritos como mentirosos, nem todos os homens o são, em todas as coisas; pois o próprio Davi seria um mentiroso; mas todos os homens, talvez, em uma coisa ou outra, em uma ocasião ou outra, de uma maneira ou outra. A verdade absoluta não é encontrada em nenhum homem, mas somente naquele homem que não foi somente homem; pois se o tivesse sido, talvez a verdade absoluta não fosse encontrada nem mesmo nele, considerando que a verdade absoluta e a divindade jamais são separadas.

Mas em que todos os homens devem ser mentirosos? Na verdade, nisto: ao pensar que Deus não considera e não ama àqueles aos quais permite que sejam afligidos; pois podemos, na verdade, pensar que Ele ama mais àqueles aos quais permite que sejam mais afligidos; e podemos dizer, verdadeiramente, que Ele jamais teria permitido que o seu servo Jó fosse afligido de maneira tão extremamente cruel, se não o tivesse amado de maneira tão extremamente terna, pois não se perde nada quando se passa por aflições. Não, minha alma, as aflições servem apenas para compensar o grande peso da glória que há de ser revelada.

Mas quaisquer que sejam as aflições permitidas por Deus, ainda assim eu sempre reconhecerei que não poderão ser, de maneira alguma, tão grandes quanto os seus benefícios: e, oh, se *eu pudesse pensar em alguma coisa que lhe pudesse dar por todos os benefícios que me tem feito;* pois eu receberei dele tão grandes e infinitos benefícios, e não lhe darei nada, como gratidão? Mas, ai, o que tenho para dar? Tudo o que eu der a Ele será apenas tirar ainda mais dele: pois tudo o que eu posso fazer é apenas *"tomar o cálice da salvação e invocar o nome do Senhor"*, e o que darei, quando o tomar? Se eu tomar o cálice da tribulação e beber, por Ele, isto poderá ter algum valor, mas isto, Deus sabe, não é trabalho para mim, é trabalho para aquele que disse: "Podeis vós beber o cálice que eu hei de beber?" Na verdade, Ele bebeu do cálice da tribulação, com o propósito de que nós pudéssemos tomar o cálice da salvação; mas então, ao tomá-lo, nós devemos invocar o seu nome; o seu nome, e nenhum outro; pois caso contrário, nós o tornaremos um cálice de condenação, considerando que nenhum outro nome há, dado entre os homens, pelo qual devamos ser salvos, mas apenas o nome de Jesus.

Mas eu poderei dar alguma coisa ao Senhor se pagar os meus votos e, de certa forma, fazê-lo abertamente: *"Pagarei os meus votos ao Senhor, agora, na presença de todo o seu povo"*. Mas ele não poderia pagar os seus votos igualmente na sua câmara, somente entre ele e Deus, assim como fazê-lo publicamente? Não, isto não teria utilidade; ele deve pagá-los na presença de todo o seu povo, mas ninguém será aplaudido por oferecer este justo louvor até o final; pois embora alguém os pague, nunca poderá pagá-los completamente; mas, isto será reservado até o final, para que os homens, vendo as suas boas obras, possam glorificar a Deus pelo seu exemplo! E ainda mais, talvez, pois Davi era um rei, e o exemplo do rei é muito predominante entre o povo, para fazê-los pagar seus votos a Deus: mas, acima de tudo, para que, desta maneira, a piedade de Davi não fosse estéril, mas pudesse gerar piedade no povo, também; o que pode ser uma razão mística, pois o fato de Israel ser estéril era considerado como uma maldição; pois aquele que não paga seus votos a Deus, na presença do seu povo, pode ser considerado estéril em Israel, já que não gera filhos a Deus pelo seu exemplo. E, talvez, também, os votos a que Davi aqui se refere fossem o resultado de algo impróprio para a dignidade de um rei; como quando foi considerado impróprio que ele dançasse diante da arca; ele, então, jurou que seria ainda mais vil, e, neste caso, pagar os seus votos na presença do seu povo se torna absolutamente necessário; pois assim como não há honra para um homem quando ele está sozinho, também não há vergonha para um homem diante do povo: e, portanto, para mostrar que ele não se envergonha de fazer qualquer coisa (por mais humilde que possa ser) que possa glorificar a Deus; ele *"pagará os seus votos na presença de todo o seu povo"*. E o fará, ainda que lhe custe a sua vida, pois mesmo que ele morra por isto, ele sabe que *"preciosa é à vista do Senhor a morte dos seus santos"*. Mas aquilo que é precioso, normalmente é desejado, e Deus, então, deseja a morte dos seus santos? Ele deseja, sem dúvida, aquela morte dos seus santos que é a morte para o pecado: mas, quanto a qualquer outra morte dos seus santos, ela é considerada preciosa à vista do Senhor, porque Ele a contempla com maior cuidado. E na casa de Deus há muitas moradas para que àqueles cuja morte é preciosa à sua vista Ele possa designar as mais gloriosas mansões. E realmente a recompensa do martírio e o encorajamento dos mártires, embora seus sofrimentos sejam insuportáveis, e suas dificuldades intoleráveis é o fato de que *"Preciosa é à vista do Senhor a morte dos seus santos"*. Pois se é uma felicidade tão grande, o fato de ser aceitável aos seus olhos, quão maior deverá ser a felicidade de ser precioso à sua vista? Quando Deus, na criação, contemplou todas as suas obras, está escrito que Ele as considerou muito boas, mas não está escrito que alguma delas fosse preciosa à sua vista. Como, então, a morte pode ser preciosa à sua vista, não sendo ela uma de suas obras, mas algo que destrói as suas obras? É possível que algo que destrói as suas criaturas deva ter um título de maior valor à sua vista do que as suas criaturas? Ó, minha alma, este é um dos milagres dos seus santos, e talvez um daqueles aos que Cristo se referiu, quando disse aos seus apóstolos, que eles mesmos fariam milagres maiores do que Ele tinha feito. E que milagre poderia ser maior do que este: esta morte, por si só, é algo muito infame aos olhos de Deus, mas, uma vez abraçada pelos seus santos, como se fosse apenas pelo seu toque se torna preciosa à sua vista! Alterar uma coisa, fazer com que deixe de ser infame e passe a ser preciosa, não é um milagre maior do que converter água em vinho? Realmente, é; a morte não danifica os seus santos, mas os seus santos dignificam a morte. A morte não diminui a felicidade dos seus santos, mas os seus santos acrescentam resplendor à infâmia da morte. É bom que a morte se encontre com algum dos santos de Deus, pois não há outro caminho para ela no mundo, para que seja tida em consideração: mas por que, pergunto eu, no mundo? Pois não há explicação no mundo para tudo isto, é somente à vista de Deus; mas, na verdade, somente isto é global, pois ser precioso à vista de Deus deve ser mais valorizado do que o próprio mundo. Pois quando o mundo se acabar, e toda a sua glória for reduzida a pó, então troféus serão erigidos pela morte dos seus santos, e quando todos os monumentos do mundo estiverem completamente deteriorados, e todos os registros praticamente apagados, ainda assim a morte dos seus santos ficará registrada, em letras vermelhas no calendário do céu. Se há glória acumulada para aqueles que morrem no Senhor, muito mais serão glorificados aqueles que morrem pelo Senhor.

Eu me pergunto frequentemente por que Deus permite que os seus santos morram; eu não me refiro à morte natural, pois eu sei que *statutum est omnibus semel mori*; mas a morte que acontece por violência, e com tortura: pois quem poderia suportar ver aqueles a quem ama serem tão cruelmente tratados? Mas agora eu vejo a razão das palavras: *"Preciosa é à vista do Senhor a morte dos seus santos"*, que maravilha, é então, quando Ele permite que os seus santos morram; quando, morrendo, eles são transformados, e se tornam joias adequadas para serem colocadas na sua câmara: pois assim como Deus tem um vaso que enche com as lágrimas dos seus santos, também eu posso dizer que Ele tem uma câmara que adorna com a morte dos seus santos: e, ó minha alma, se pudesses compreender que glória é servir como uma joia no adorno da câmara de Deus, jamais perguntarias por que Ele permite que os seus santos sejam levados à morte, ainda que com tão grandes tormentos, pois isto é o que o apóstolo Paulo disse: "As aflições deste tempo presente não são para comparar com a glória que em nós há de ser revelada". – *Sir Richard Baker*

v. 12: "Que darei eu ao Senhor?" Dar ao Deus verdadeiro, de uma maneira verdadeira e correta, é o resumo da verdadeira religião. Esta noção está de acordo com as Escrituras, assim: "Dai, pois, a Deus, o que é de Deus" (Mt 22.21). Assim como a verdadeira lealdade é dar a César o que é de César, também a verdadeira piedade é dar a Deus o que é de Deus. E assim, na parábola da vinha entregue aos lavradores, tudo o que devemos a Deus é expresso pela *produção da vinha* (Mt 21.41). Atos particulares de religião são expressos também nas Escrituras (Sl 56.12; Os 14.2; 2 Cr 34.31). Que isto, então, seja a importância da מָה־אָשִׁיב לַיהוָה de Davi: *"Que darei eu ao Senhor?"* "Em que coisas, e de qual maneira, promoverei a religião no seu exercício? Como eu me mostrarei devidamente religioso com relação àquele que sempre foi constantemente e abundantemente generoso nos benefícios que me tem feito?" – *Henry Hurst*

v. 12: "Todos os benefícios que me tem feito". Que recompensa daremos ao Senhor, por todos os benefícios que Ele nos concedeu? Da melancolia sem alegria da não existência, Ele nos levou à existência; Ele nos enobreceu, com entendimento; Ele nos ensinou artes para promover os meios da vida; Ele ordenou que a terra produtiva fornecesse seu alimento; Ele ordenou que os animais nos reconhecessem como seus senhores. Para nós, descem as chuvas; para nós, o sol estende seus raios criativos; se levantam os montes, florescem os vales, possibilitando-nos uma grata habitação e uma proteção. Por nós, correm os rios, por nós murmuram as fontes, o mar abre o seu seio para permitir nosso comércio; a terra esgota seus estoques; cada novo objeto apresenta um novo proveito; toda a natureza derrama seus tesouros aos nossos pés, através da generosa graça daquele que deseja que tudo seja nosso. – *Basil, 326-379*

v. 12: "Todos os benefícios que me tem feito". Assim como a obediência parcial não tem nenhuma utilidade, também o agradecimento parcial não tem nenhum valor – não que algum santo seja capaz de guardar todos os mandamentos, ou de reconhecer todas as graças de Deus, e muito menos oferecer uma gratidão particular por cada graça, mas assim como ele "atenta para todos os mandamentos" (Sl 119.6), também deseja valorizar cada graça, e com o máximo das suas forças dar a Deus o louvor por todas elas. Uma alma honesta não esconde o que deve a Deus, mas se obriga a dar satisfações sobre todos os seus benefícios. Uma nota que não se toca pode arruinar a graça da música; a ingratidão por uma graça pode prejudicar o nosso agradecimento pelas demais. – *William Gurnall v. 13:* "Tomarei o cálice da salvação". Provavelmente, esta é uma alusão à oferta de libação (Nm 28.7); os três últimos versículos parecem indicar que o salmista agora estava no templo, fazendo a oferta de alimento, de bebida, e sacrifícios ao Senhor. O termo *"cálice"* é frequentemente usado pelos hebreus, para indicar plenitude ou abundância. Assim, "o cálice da vacilação", uma abundância de *infelicidade;* "o cálice da salvação", uma abundância de *felicidade.* – *Adam Clarke*

v. 13: "Cálice da salvação". Nas sagradas Escrituras há a menção a ofertas de libação (Gn 35.14; Lv 23.13; Nm 15.5); que era uma determinada quantidade de vinho, que costumava ser derramada diante do Senhor; como dá a entender a notação da palavra, vinda de uma raiz, נָסַךְ, *effudit,* que significa derramar. Como as ofertas de alimento, também as ofertas de libação eram trazidas ao Senhor como gratidão e felicidade. Alguns, portanto, em alusão a isto, explicam o texto como uma promessa e um voto do salmista, para testemunhar em público a sua gratidão por meio de um rito externo e solene como o que a lei prescrevia. Isto ele chama de *cálice,* porque esta oferta de libação estava contida em um cálice e dali era derramada; e ele acrescenta este epíteto: "salvação", porque este rito era um reconhecimento de salvação, preservação e libertação pelo Senhor.

Depois de seus sacrifícios solenes de agradecimento, costumeiramente havia um banquete. Quando Davi trouxe a arca de Deus ao tabernáculo, eles ofereceram ofertas de holocausto e ofertas pacíficas, e, depois de concluídas estas ofertas, ele "repartiu a todos em Israel, tanto a homens como a mulheres, a cada um, um pão, e um bom pedaço de carne, e um frasco de vinho" (1 Cr 16.3). E a indicação é que ele propiciou um banquete tão generoso porque tinha que dar dele a todo o povo ali reunido. Neste banquete, o senhor costumeiramente tomava um grande cálice, e ao levantá-lo declarava o motivo do banquete, e então, como testemunho de gratidão, o passava aos convidados para que bebessem, para que, em ordem, pudessem brindar a ele. Era chamado de cálice de salvação, ou libertação, porque reconheciam, pelo seu uso, que Deus os tinha salvado e libertado. Quase no mesmo sentido, o apóstolo chama o cálice sacramental de cálice da bênção. Aqui, no original hebraico, o profeta usa o plural, portanto, "cálices *de salvações",* consequentemente, pelo qual, segundo o estilo hebraico, ele se refere a muitas libertações, uma depois da outra; ou alguma libertação grande e extraordinária que houve, em vez de muitas, ou que compreendia muitas. A palavra traduzida como *tomarei* (אֶשָּׂא *ab* נָשָׂא) significa levantar, e assim pode ser aplicada de modo mais apropriado ao anteriormente mencionado tomar do cálice da festa e ao levantá-lo diante dos convidados. Muitos dos nossos recentes expositores deste salmo aplicam esta expressão – "Tomarei o cálice da salvação" – à anteriormente mencionada oferta de libação, ou ao tomar e levantar do cálice da bênção no banquete, depois do sacrifício solene. Ambos transmitem a mesma coisa, ou seja, os santos de antigamente estavam acostumados a testemunhar a sua gratidão por grandes libertações com algum rito externo solene. – *William Gouge*

v. 13: "Cálice da salvação". *Yeshû'ôt:* Salmos 18.50; 28.8; 53.6. O *cálice* da salvação, simbolizado pelo cálice eucarístico da Ceia de Páscoa. Sião, que tinha bebido do "cálice da vacilação" (Is 51.18, 22) agora podia se levantar e beber do cálice da salvação.

Para a igreja, estas palavras tiveram um significado ainda mais profundo, acrescentado por Mateus 26.27. Jesus, na noite da Páscoa, bebeu do amargo vinho da ira de Deus, para que pudesse encher o cálice com alegria e saúde pelo seu povo. – *William Kay*

vv. 13, 14, 17 e 19: Um modo adequado de expressar nosso agradecimento a Deus é por meio de atos solenes de adoração, secreta, social e pública. "O quarto será o primeiro lugar onde o coração se alegrará em derramar as suas vívidas alegrias; dali o sentimento se estenderá ao altar familiar, e dali, novamente, ao santuário do Altíssimo!" (*J. Morison*). A cada homem, Deus enviou um grande suprimento de benefícios, e nada, senão a perversidade, pode negar-lhe o louvor dos nossos lábios. – *William S. Plumer v. 14:* Um homem que deseja ter o crédito quanto à veracidade da palavra que proferiu, desejaria que fossem testemunhas do seu cumprimento aqueles que fossem testemunhas da sua promessa. Eu penso que Davi tomou este cuidado, ao fazer e pagar os seus votos: *"Pagarei"*, diz ele, *"agora, na presença de todo o seu povo"*. As pessoas foram testemunhas das suas dificuldades, orações e dos seus votos; e ele irá honrar a religião, realizando, diante deles, o que selou e assinou como seu voto ao Senhor. Não busque mais testemunhas do que a providência torna conscientes dos seus votos, para que isto não seja interpretado como ostentação e vã glorificação própria: tome o número adequado, para que o bom exemplo não seja perdido, e para que você não seja suspeito de falsificar o seu voto. Em poucas palavras, e claramente: Você, em um leito de doença, fez o seu voto diante da sua família, e diante dos vizinhos? Certifique-se de cumpri-los diante deles; que eles vejam que você é o que mostrou ser. Este cuidado, no seu voto, será um meio de aproveitar ao máximo os benefícios da religião, ao passo que todos os que ouviram ou souberam do seu voto darão testemunho de que você é grato, e assim você dará aos outros uma oportunidade para glorificar o seu Pai que está nos céus. – *Henry Hurst (1690), "The Morning Exercises"*

v. 14: "Pagarei os meus votos", etc. Foxe, em sua obra *Acts and Monuments*, relata o seguinte, a respeito do mártir John Philpot: "Ele foi com os policiais ao local de execução, e quando estava entrando em Smithfield, o caminho estava imundo, e dois guardas o levantaram para levá-lo ao poste. Então, ele disse, alegremente: Ora, vocês estão me tornando um papa? Eu estou satisfeito em ir a pé até o fim da minha jornada. Mas, entrando pela primeira vez em Smithfield, ele se ajoelhou ali, dizendo estas palavras: 'Pagarei meus votos em ti, ó Smithfield'".

v. 15: "Preciosa é à vista do Senhor a morte dos seus santos". Ela é de importância, em aspectos como o seguinte: (1) Como a remoção de outro dos redimidos à glória – a adição de mais um aos felizes exércitos do alto; (2) como um novo triunfo da obra de redenção – mostrando o poder e a importância desta obra; (3) como frequentemente fornecimento de uma prova mais direta da realidade da religião do que qualquer argumento abstrato poderia fazê-lo. Quanto foi promovida a causa da religião pelas pacientes mortes de Inácio, Policarpo e Latimer, e Ridley, e Huss, e Jerônimo de Praga, e os exércitos de mártires! O que o mundo não reconhece, e a causa da religião reconhece, em cenas que ocorreram nos leitos de morte de Baxter e Thomas Scott, e Halyburton, e Payson! Que argumento para a verdade da religião – e que exemplo de seu poder sustentador – que fonte de consolação para os que estão prestes a morrer – refletir que o Deus precioso não abandona o crente quando ele mais precisa do seu sustento e consolo; que ela pode nos sustentar na mais severa prova da nossa condição aqui; que ela pode iluminar o que nos parece ser o *mais* escuro de todos os lugares, sem alegria, repulsivo – "o vale da sombra da morte". – *Albert Barnes*

v. 15: "Preciosa é à vista do Senhor a morte dos seus santos". A morte dos santos é preciosa aos olhos do Senhor. Em primeiro lugar, porque Ele *"não vê como vê o homem"*. Ele não julga de acordo com a aparência, Ele vê todas as coisas como realmente são, e não parcialmente; Ele mede a duração do seu povo, não pelo mapa do tempo, mas pela escala infinita da eternidade; Ele pesa a sua felicidade, não na pequena balança da alegria terrena, mas na balança exata e equilibrada do santuário. Em seguida, eu penso que a morte dos santos é preciosa aos olhos do Senhor, porque *eles são removidos do mal que virá;* eles são libertados do peso da carne; resgatados pelo sangue do Redentor, eles são a sua possessão, comprados, e agora Ele os recebe. O pecado e a tristeza, cessados para sempre, não há mais morte, a morte de Cristo é a sua redenção; pela morte, Ele derrotou aquele que tem o poder da morte; portanto, nele eles são capazes de dizer: "Onde está, ó morte, o teu aguilhão? Onde está, ó inferno, a tua vitória?" Novamente, a morte dos santos é preciosa à vista do Senhor, pois nela *Ele vê frequentemente as melhores evidências da obra do seu próprio Espírito sobre a alma;* Ele vê a fé, em oposição à razão, apoiando-se nas promessas de Deus. Repousando naquele que é poderoso para salvar, Ele vê esperança contra a esperança, ancorando a alma, segura e firmemente, naquele que está no interior do véu; Ele vê paciência aquiescendo com a vontade do Pai – a humildade curvando-se abaixo da sua mão soberana – o amor fluindo de um coração agradecido. Novamente, a morte dos santos é preciosa à vista do Senhor, *pois exibe a ternura de amigos cristãos que sobrevivem,* e é abundante nos agradecimentos de muitos corações ansiosos; ela incita a solidariedade da caridade cristã, e promove aquela comunhão dos santos de que fala o apóstolo, quando diz: "se um membro padece, todos os membros padecem com ele; e, se um membro é honrado, todos os membros se regozijam com ele"... A morte dos santos é preciosa, porque a solidariedade da oração é derramada de muitos corações gentis... Mas isto não é tudo – a morte dos santos é preciosa, pois *é o seu dia de ver a Jesus, face a face. – sermão de Patrick Pounden, The Irish Pulpit, 1831*

v. 15: "Preciosa". A sua morte é preciosa (*jakar*); a palavra do texto é *in pretio fuit, magni estimatum est.* Veja como a palavra é traduzida em outras passagens.

1. Glorificado, Isaías 43.4 *(Jakarta);* "foste precioso aos meus olhos, também foste glorificado".
2. Muito estimado, 1 Samuel 18.30; "o seu nome era mui estimado".
3. Querido, Jeremias 31.20. *An fllius (jakkir) pretiosus mihi Ephraim:* "Não é Efraim para mim um filho precioso?"
4. Esplêndido, ou glorioso, Jó 31.26. *Si vidi lunam (jaker) pretiosam et abeuntem:* "a lua, caminhando gloriosa".

Junte todas estas expressões, e então teremos a força da palavra de Davi: "*A morte dos santos é preciosa";* isto é,

1. glorificada;
2. muito estimada;
3. querida;
4. esplêndida e gloriosa, à vista do Senhor. – *Samuel Torshell, "The House of Mourning", 1660*

v. 15: "Preciosa". É importante prestar atenção, em primeiro lugar, ao significado principal da frase, ou seja, *o Deus Todo-Poderoso observa e valoriza muito as vidas santas e úteis do seu povo,* e não permitirá que estas vidas sejam abreviadas ou destruídas sem motivo. Em segundo lugar, as palavras nos levam a observar o *controle que Ele exerce sobre as circunstâncias da morte de cada um deles.* Elas estão sob o seu controle especial. Elas são importantes demais para Ele, para serem deixadas ao acaso. Na verdade, o acaso não existe. Na intervenção de segundas causas, Ele cuida sempre de dominá-las e controlá-las o tempo todo. Que o crente mais fraco entre nós esteja certo, "confiante", de que Ele jamais permitirá que o seu maior inimigo se beneficie de alguma coisa devido à maneira da sua morte, que lhe cause algum dano espiritual. Não, ao contrário, Ele toma todas as circunstâncias sob seu dispor, imediato e especial. O sentimento admitirá, talvez, um terceiro exemplo; *quando os santos morrem, o Senhor olha para eles, e é misericordioso para com eles.* Quem pode dizer com que frequência Ele atende as orações, mesmo nos casos de crentes moribundos? Ele jamais deixa de auxiliar e sustentar, mesmo quando não veem nenhum bem. Pelos sussurros do seu amor, pelo testemunho do seu Espírito, pela certeza da sua presença, pela revelação preparatória da glória celestial, Ele fortalece os seus aflitos, Ele os consola na sua doença. Ah!, e quando, talvez, eles mal possuam uma cama sobre a qual agonizar, quando a pobreza ou outras situações calamitosas os envolvem, na angústia da doença, sem lugar, senão o chão, para repousar seus corpos inquietos, e sem lugar, senão o seu seio, para repousar os seus espíritos, eles sentem que Deus lhes falhou? Não; muitos santos dormiram o sono da morte como o missionário Martyn, em uma terra estranha e inóspita, ou como o missionário Smith, no chão de uma masmorra, e, ainda assim,

"Jesus fez os seus leitos de morte
tão macios como travesseiros felpudos".

Ainda que nenhum outro olho tenha visto, ainda que nenhum outro coração tenha sentido por estes dois mártires (que jamais devem ser esquecidos), homens de Deus assassinados, e apóstolos de Jesus, então eles foram preciosos à vista de Deus, e Ele esteve presente com eles. E assim é com todos os seus santos, que são fiéis até a morte. Em quarto lugar, eles têm a certeza, pelo texto e pelo teor das Escrituras, da afirmação de que *o Senhor atribui grande importância ao leito de morte*. Na avaliação do nosso Senhor – a despeito de qual possa ser a nossa – o leito de morte é precioso demais e importante demais para ser negligenciado; por isto é frequentemente enfatizado, embora sempre com um sentido prático, registrado nas Escrituras. Certamente é possível beneficiar-se disto, substituindo, como critério de caráter, aquilo que pode ser professado sob a excitação dos sofrimentos da morte, pelo testemunho de uma carreira de vida santa, uniforme, e conspícua. Mas é igualmente indefensável, e até mesmo ingrato para com Deus, menosprezá-lo, dar-lhe pouca importância, especialmente quando estiver relacionado com um bom início e uma paciente continuidade de um bom modo de agir.

"O aposento onde o homem bom encontra o seu destino,
é mais privilegiado do que o andar comum de uma vida justa".

As suas transações são, às vezes, muito carregadas de utilidade permanente, assim como de um bem presente. O final da carreira de um cristão na terra, o seu desafio na força do seu Salvador, o combate ao seu mais terrível inimigo, a boa confissão que ele reconhece quando pode testemunhar diante daqueles que estão ao redor do seu leito de morte, tudo isto é precioso e importante à vista do Senhor, e assim deve ser também à nossa vista, e resultará, não somente em seu próprio benefício, mas em benefício daqueles que ainda permanecerem vivos, "para louvor e glória da sua graça". – *W. M. Bunting, em um sermão na City Road Chapel, 1836*

v. 15: Por que precisam temer a morte de antemão, aqueles que têm o Senhor para cuidar deles, como cuida? Podemos, com segurança e sem arrogância, e devemos, sem hesitar, confiar no fato de que o nosso sangue, sendo precioso aos olhos de Deus, não será derramado, ou, no seu tempo, será benéfico para nós que ele seja derramado. Com base nisto, "qualquer justo está confiado como o filho do leão" (Pv 28.1). "Não temerei o que me possa fazer o homem" (Hb 13.6). Os mártires estavam, sem dúvida, muito bem instruídos, e isto os sustentava e consolava. Quando o temor da morte é um obstáculo a algum dever, ou atrai algum mal, então tenha em mente estas palavras: "*Preciosa é à vista do Senhor a morte dos seus santos*". Pois quem não receberia valentemente, sem esmorecer, esta morte como preciosa à vista de Deus. – *William Gouge*

v. 15: "seus santos" indica *apropriação*. Em outra passagem, o Senhor diz: "Todas as almas são minhas". Mas Ele tem uma propriedade especial de – e por isto uma reivindicação sobre – todos os santos. Foi Ele que os fez assim. Separados de Deus, não poderia haver santidade. E assim como o seu direito, o seu direito original sobre todos os homens está relacionado com o fato de que foram criados e dotados pela sua mão, consequentemente, todos estão sujeitos ao seu governo moral. Além disto, todos os seres santos, todos os homens santos, que devem à sua graça a sua própria existência como tal, deixariam de ser santos se tivessem que deixar de ser os *seus* santos, a quem Ele renovou em Cristo Jesus, pela comunicação do seu próprio amor, da sua própria pureza, da sua própria natureza, a quem Ele continuamente sustenta neste estado exaltado. Além disto, todos eles pertencem a Deus. Eles são os "*seus* santos", por Ele e nele, santos criados por Ele, e moldados, e estabelecidos por Ele, e portanto exclusivamente *seus*. Que esta referência à poderosa obra de Deus, pelo seu Espírito, em você, a sua conexão, a sua conexão espiritual com Ele, e a sua experiência do seu poder salvador – que esta referência converta o *mistério* na *graça* da santificação em seu coração.

"seus santos" indica, em segundo lugar, *devoção.* Eles são santos, não somente *por meio* dele, mas *para* Ele; santos para o Senhor, santificados ou consagrados ao seu serviço, entregues ao adorável Redentor.

"seus santos" pode indicar *semelhança* – semelhança próxima. Estas pessoas são enfaticamente *semelhantes a Deus,* santas e puras, filhos do seu Pai que está nos céus; assegurando a todos ao redor sobre o seu relacionamento filial com Ele, pela sua manifesta participação da sua natureza, pelo reflexo da sua imagem e semelhança.

"seus santos" sugere associações de *ternura,* de complacência. "O Senhor agrada-se dos que o temem e dos que esperam na sua misericórdia"; *"um povo que lhe é chegado"*; "a porção do Senhor é o seu povo"; e "Bem-aventurado o povo a quem assim sucede! Bem-aventurado é o povo cujo Deus é o Senhor". – *condensado de um sermão de W. M. Bunting, 1836*

v. 15: "Santos". As pessoas entre as quais Ele se inclui implicitamente, os *santos* formados, são descritos, no original, por uma palavra (חֲסִידִים) que traduz um respeito especial de Deus por eles. A raiz que origina esta palavra significa *misericórdia* (חֶסֶד, *consecravit, benefecit*). A partir disto, os hebreus deram este nome a uma cegonha, cujo tipo é o mais misericordioso entre as aves; e não somente as mais velhas com relação às mais jovens, como acontece com a maioria, mas também as jovens com relação às mais velhas, às quais costumavam alimentar e cuidar quando, pela idade, não conseguiam mais fazê-lo.

Este título é atribuído aos homens, em dois aspectos;

1. Passivamente, considerando a vontade de Deus para eles e o seu afeto por eles;

2. Ativamente, considerando a vontade e o afeto deles, em relação aos outros. A bondade misericordiosa de Deus é grande por eles; e a sua misericórdia e bondade são grandes pelos seus irmãos. Eles são, portanto, por um tipo de excelência e por serem apropriadamente formados, "homens compassivos" (Is 57.1). No que diz respeito à sua dupla aceitação da palavra, alguns a traduzem: "misericordiosos, ternos, ou benignos" (Sl 18.25). Outros, com uma paráfrase de muitas palavras, porque não encontram nenhuma adequada para expressar plenamente o sentido, assim: "aqueles a quem Deus acompanhou com benignidade, ou a quem Deus estendeu a sua benignidade". Esta última eu considero a mais apropriada neste ponto, pois a palavra, sendo passivamente interpretada como aqueles que participam da bondade de Deus, mostra a razão da alta consideração que Deus tem por eles, a sua graça e a sua benevolência. Na língua inglesa há uma palavra que, no seu significado passivo, corresponde apropriadamente ao hebraico, e é a seguinte: *favorito.* – *William Gouge*

v. 15: A *Morte* agora, como fez também na minha casa, fez muitas visitas a várias casas; e realmente trouxe o caos aos nossos consolos. Nós ainda seremos vingados sobre este inimigo – este rei dos terrores. Eu não consigo evitar, às vezes, mostrar-lhe o meu punho fechado, e urrar em minha agonia e angústia: "Tragada foi a morte na vitória". Enquanto isto, temos este consolo: "Onde está, ó morte, o teu aguilhão?" "Preciosa é à vista do Senhor a morte *pelos* seus santos", em primeiro lugar; em segundo lugar, e confiando na morte propiciatória, "Preciosa é à vista do Senhor a morte *dos* seus santos". O Espírito Santo (Sl 116.15) declara a primeira; os nossos tradutores, homens honestos, deduziram a segunda, fielmente. Nós agradecemos a eles. A morte dos nossos filhos amados, os mais amados na beleza da santidade, com tudo o que há de mais aflitivo e amargo, está, apesar disto, na tua pequena família, entre as coisas que são mais preciosas à vista do Senhor; e isto é o que mais lhe agrada; preciosa, por causa do valor infinito, permanente e imutável da morte do próprio Filho de Deus, o Santo Jesus. A calma tão maravilhosa, a consolação tão profunda, a alegria tão grande na tribulação, colocaram diante dos seus olhos um novo testemunho, realmente comovente, de que, depois de mil e oitocentos anos terem se passado, *"a morte dos seus santos"* ainda é preciosa, como sempre, à vista do Senhor. Tome o seu livro da vida, espargido com o sangue da aliança, e no registro da sua família *adicione* a morte de Rosanna entre as coisas preciosas à sua vista – ou, melhor dizendo, entre aqueles que são *igualmente* preciosos para você.

Apresente minhas recomendações à Senhorita S. – Diga a ela que enxugue estas lágrimas – Rosanna não precisa delas. Eu espero que todos estejam bem em L – e que os seus jovens tomem o caminho do Senhor, na sua maioria. Meu amado irmão, a expressão "Vai, o teu filho vive" ainda é tão estimulante como sempre foi, pelo fato de vir dos lábios daquele que vive para todo o sempre, e tem um som ainda mais sublime e doce do que quando foi ouvida pela primeira vez, nos ouvidos e no coração do pai que tinha trazido e colocado seu doente e moribundo aos pés daquele que tem as chaves da morte e do inferno. – *John Jameson, "Letters; True Fame, etc.", 1838*

v. 16: "Ó Senhor, deveras sou teu servo". Tu me libertaste, e eu estou impaciente, por ser preso outra vez. Tu rompeste as ataduras do pecado; agora, Senhor, prende-me com os cordéis do amor. Tu me libertaste da tirania de Satanás, e me tornaste um dos teus servos, sim, um dos teus jornaleiros. Eu devo a minha liberdade, a minha vida, e tudo o que tenho ou espero, ao teu resgate generoso: e agora, meu Piedoso, meu Amigo Divino e Redentor, eu me coloco, com tudo o que é meu, aos teus pés. – *Samuel Lavington, 1728-1807*

v. 16: "Sou teu servo". Os santos sempre tiveram um santo orgulho por serem servos de Deus; não pode haver honra maior do que a de servir a um Mestre que comanda o céu, a terra e o inferno. Não pense que você honra a Deus, ao servi-lo; mas é assim que Deus honra você, permitindo que você seja seu servo. Davi não podia considerar dar a si mesmo um estilo mais grandioso do que – "Ó Senhor, deveras sou teu servo; sou teu servo, filho da tua serva", e isto ele disse, não na expressão de um cumprimento humano, mas na humilde confissão de um crente. Assim, o apóstolo elogia esta excelência, de colocar o título "servo" antes do título "apóstolo"; primeiro servo, depois apóstolo. Grande foi o seu ofício ao ser um apóstolo, porém maior foi a sua bênção ao ser um servo de Jesus Cristo; o primeiro é um chamado exterior, o segundo, uma graça interior. Houve um apóstolo condenado, porém jamais houve um servo de Deus condenado. – *Thomas Adams*

v. 16: "Sou teu servo". Esta expressão do rei de Israel sugere, (1) *Uma humilde percepção da sua distância de Deus e da sua dependência dele.* Esta é a primeira visão que um penitente tem de si mesmo, quando se converte a Deus. É a primeira visão que um homem bom tem de si mesmo quando se aproxima de Deus, ou tem comunhão com Ele. E, na verdade, é o que deve ser inseparável do exercício de cada sentimento de piedade.

Ter, de certa forma, pensamentos elevados e honrosos sobre a majestade e grandeza do Deus vivo, e um profundo e impressionante sentimento da presença imediata e contínua do Deus que sonda os corações, naturalmente leva à maior humilhação própria, e à mais sincera sujeição de espírito diante do nosso Criador. Leva à confissão de que Ele é Senhor sobre tudo, e de que Ele tem o mais absoluto direito, não apenas à obediência, mas à disposição de todas as suas criaturas. Eu não posso deixar de pensar que isto nos é transmitido nas palavras do salmista, quando ele diz: *"Ó Senhor, deveras sou teu servo"*. Ele era um príncipe entre os seus súditos, e tinha muitas outras distinções honoráveis, tanto naturais quanto adquiridas, entre os homens, mas ele podia perceber que era um servo e súdito do Rei dos reis; e a força desta expressão – *"Deveras sou teu servo"* – não somente significa a certeza disto, mas o quão profundamente e fortemente ele sentia a convicção desta verdade.

Esta declaração do salmista sugere, (2) *uma confissão de que ele estava comprometido por um concerto particular e pela permissão de Deus*, e por uma repetição da mesma coisa através de uma nova adesão. Da mesma maneira como isto era certamente verdadeiro, com relação a ele, tendo frequentemente se consagrado a Deus, também eu entendo que seja confirmado pela reiteração da expressão aqui: *"Ó Senhor, deveras sou teu servo; sou teu servo"*. Como se ele tivesse dito: "Ó Senhor, é inegável; é impossível voltar atrás. Eu sou teu, por muitos laços. Por natureza, eu sou teu súdito e tua criatura; e muitas vezes confessei o teu direito e prometi que cumpriria o meu próprio dever". Eu não preciso mencionar a você, nem o exemplo dos textos do salmista, nem as ocasiões na sua história em que ele se entregou solenemente a Deus. É suficiente dizer que era muito apropriado que ele se lembrasse disto frequentemente, e confessasse diante de Deus, pois embora isto não pudesse fazer mais forte o direito do seu Criador, certamente tornaria ainda maior a culpa da sua própria violação.

Esta declaração do salmista é (3) *uma expressão do seu relacionamento peculiar e especial com Deus. "Sou teu servo, filho da tua serva"*. Há outra passagem dos seus textos em que aparece a mesma expressão: "Volta-te para mim e tem misericórdia de mim; dá a tua fortaleza ao teu servo e salva ao filho da tua serva" (Sl 86.16.) Há alguma variação, entre os intérpretes, na maneira de explicar esta expressão. Alguns a consideram uma maneira figurada de afirmar que ele estava ligado, da mais forte maneira, a Deus, como aqueles filhos que nasceram de uma serva, e nasceram na casa do seu senhor, eram, da maneira mais absoluta, propriedade do seu senhor. Outros consideram que a passagem significa o fato de que não apenas ele tinha sido criado na igreja visível de Deus, mas também em uma família piedosa, e educado no temor a Ele; e outros julgam que ela significa, de maneira ainda mais especial, que a mãe do salmista era uma mulher eminentemente piedosa. E eu realmente não acredito que houvesse uma circunstância, se verdadeira, indigna de que ele recordasse, ou de que o Espírito de Deus registrasse. – *John Witherspoon, 1722-1797*

v. 16: Ó Senhor, *deveras sou teu servo*, por duplo direito; (e, oh, se eu pudesse te servir duplamente), assim como tu és o Senhor da minha vida, e eu sou o filho da tua serva; não de Agar, mas de Sara; não da mulher escrava, mas da liberta; e por isto eu te sirvo, não em temor, mas em amor; ou em temor, porque é em amor: e então o serviço é melhor, quando é feito em amor. Em amor, realmente, devo te servir, pois *"soltaste as minhas ataduras"*; as ataduras da morte que me cercam, libertando-me de uma grave doença, e restaurando-me a saúde: ou de uma maneira superior, tu soltaste minhas ataduras, libertando-me, de modo que eu deixasse de ser um escravo cativo para ser um servo; e, além disto, para que deixasse de ser um servo para ser um filho: e ainda mais, para que deixasse de ser um filho da tua serva, para ser teu filho. – *Sir Richard Baker*

v. 16: Bendigam a Deus pelo privilégio de serem filhos de pais devotos. É melhor ser filho de um pai devoto do que de um pai rico. Eu espero que nenhum de vocês tenha um espírito tão infame a ponto de desprezar seus pais, por causa da piedade deles. Certamente, é um grande privilégio quando você pode ir até Deus, e implorar o concerto do seu Pai: *"Senhor, deveras sou teu servo;* sou teu servo, filho da tua serva". Isto disse Salomão: "Ó Deus de Israel, cumpra-se a tua palavra que disseste a teu servo Davi, meu pai" (1 Rs 8.25,26). O fato de que vocês não sejam nascidos de infiéis, nem de papistas, nem dos que têm superstição e formalidade, mas de uma família rígida, séria e devota, é uma grande vantagem para vocês. É melhor ser filho de ministros fiéis do que de nobres. – T*homas Manton, em um sermão pregado diante dos "Sons of the Clergy"*

v. 16: "Soltastes minhas ataduras". As graças são dadas para nos encorajar no serviço de Deus, e devem ser lembradas com esta finalidade. A chuva desce sobre a terra, não para que ela possa ser mais estéril, mas mais fértil. Nós somos apenas mordomos; as graças que aproveitamos não são nossas, mas devem ser aprimoradas, para o serviço do nosso Mestre. As grandes graças devem levar à grande obediência. Deus inicia o Decálogo com a lembrança da sua misericórdia, ao tirar os israelitas do Egito – "Eu sou o Senhor, teu Deus, que te tirei da terra do Egito". Com que carinho o salmista reconhece o seu relacionamento com Deus, como seu servo, quando considera como Deus tinha soltado as suas ataduras: *"Ó Senhor, deveras sou teu servo; soltaste as minhas ataduras"*. A lembrança da tua misericórdia fará com que eu não conheça nenhum relacionamento, senão o de ser teu servo. Quando nos lembramos do pagamento que recebemos de Deus, devemos, além disto, nos lembrar de que devemos a Ele mais serviço, e mais disposição no serviço. O dever é apenas a consequência sincera da misericórdia. É irracional que nos encorajemos no nosso caminho para o inferno por uma lembrança do céu, que alimentemos uma liberdade no pecado considerando a benignidade de Deus. Quando nos lembramos de que tudo o que temos ou somos é dádiva da liberalidade de Deus, devemos nos considerar obrigados a honrá-lo com tudo o que temos, pois Ele deve ter a honra por todas as suas dádivas. É um sinal de que desejamos a glória de Deus, quando imploramos por misericórdia, quando também desejamos a glória de Deus desfrutando da misericórdia. É um sinal de que o amor soprou a lembrança da misericórdia em nossos corações, quando, ao mesmo tempo, sopra em nós a determinação de aprimorá-la. Não são as nossas línguas, mas as nossas vidas, que devem louvá-lo. As graças não são dadas a um membro, mas ao homem como um todo. – *Stephen Charnock*

v. 17: "Sacrifícios de louvor".

"Quando todo o coração é puro, cada desejo caloroso
sublimado pelo fogo etéreo do santo amor,
sobre palavras aladas, nossos pensamentos podem se levantar
E voar para o céu, como um sacrifício de louvor".
– *James Scott*

v. 18: "Votos". Os votos bem compostos são os promovedores da religião? E devem ser feitos de maneira tão cuidadosa? E são tão rigidamente obrigatórios? Então, esteja certo de esperar até que Deus lhe dê oportunidades justas e adequadas para fazer votos. Não seja precipitado para fazer votos: é uma pressa imprudente e tola dos cristãos em aproveitar mais ocasiões para fazer votos, do que Deus lhes proporciona. Façam seus votos, e que não sejam poucos, como frequentemente Deus lhes diz, mas não os façam de maneira muito frequente. Vocês devem se perguntar por que eu desejo dissuadi-los de fazer votos frequentemente, quando têm graças tão constantes. E bem poderiam perguntar a si mesmos se Deus esperaria que cumprissem a sua obrigação extraordinária por cada misericórdia comum, mas Ele não exige isto; Ele se satisfaz com a garantia normal para misericórdias normais; quando Ele pedir a garantia e o reconhecimento extraordinários, concedendo graças extraordinárias, então faça os votos e cumpra-os. – *Henry Hurst*

v. 18: "Agora". Deus deu ordem para que nenhuma parte da oferta de ação de graças fosse mantida até o terceiro dia, para nos ensinar a apresentar nossos louvores tão logo os benefícios sejam recebidos, pois, caso contrário, logo envelheceriam, estragariam e apodreceriam, como acontece com os peixes. *"Pagarei os meus votos"*, diz Davi. – *Samuel Clarke (1599-1682), "A Mirrour or Looking-glasse, both for Saints and Sinners"*

v. 18: "Na presença de todo o seu povo". Pelo bom exemplo. Isto também era característico de príncipes (Ez 46.10). O lugar do rei no santuário era aberto, para que todos o pudessem ver ali (2 Rs 11.14, e 23.3). – *John Trapp*

v. 18: "Na presença de todo o seu povo". Sejam ousados, sejam ousados, vocês, servos do Senhor, em expressar os louvores do nosso Deus. Vão convencer o povo, e, no meio deles, louvem ao Senhor. Os ímpios são extremamente ousados ao derramar suas blasfêmias, para desonra de Deus; não lhes importa quem os ouve. Eles não se limitam em fazer isto no meio das cidades. Eles serão mais audaciosos em desonrar a Deus, do que nós somos zelosos em honrá-lo? Certamente, Deus se mostrará tão disposto a confessar você, como você está, ou pode estar, disposto a confessá-lo (Mt 10.32).

v. 19 (segunda parte): Ele não diz, simplesmente, no meio de Jerusalém: mas *"no meio de ti, ó Jerusalém"*. Ele fala com a cidade, como alguém que a amava e se deleitava nela. Nós vemos aqui como os santos se afeiçoavam à cidade em que estava a casa de Deus. Assim devemos nós nos comover, em espírito, por esta igreja em que Deus habita, o templo em que Ele reside, que é edificado, não com pedras, mas com as almas dos fiéis. – *Wolfgang Musculus*

SUGESTÕES AOS PREGADORES

vv. 1 e 2. I. Presente – "Amo".
II. Passado – "Ele ouviu".
III. Futuro – "Invocá-lo-ei".
vv. 1 e 2. Experiência pessoal, com referência à oração.
I. Nós oramos, frequentemente, constantemente, de diversas maneiras, etc.
II. Nós fomos ouvidos. Um agradável retrospecto de respostas usuais e especiais.
III. O amor a Deus foi promovido.
IV. O sentimento do valor da oração se tornou tão intenso que não conseguimos deixar de orar.
vv. 1, 2 e 9. Se você examinar o primeiro versículo do salmo, encontrará uma *profissão de amor – "amo ao Senhor"*; se examinar o segundo versículo, uma *promessa de oração – "invocarei ao Senhor";* se examinar o nono versículo, uma *decisão de andar: "Andarei perante a face do Senhor".* Há três coisas que devem ser o objeto do interesse de um santo: a devoção da alma, a profissão da boca, e o modo de vida. Esta é a mais doce melodia aos ouvidos de Deus: quando não somente a voz canta, mas as cordas do coração acompanham e a mão marca o ritmo. – *Nathanael Hardy*
v. 2. "Ele me ouviu", e por isto, "invocá-lo-ei". A graça levando à ação.
vv. 2, 4, 13 e 17. Invocar a Deus é mencionado quatro vezes, de maneira muito sugestiva – eu o farei (v. 2), eu o fiz (4), eu o farei quando tomar o cálice (13) e quando oferecer sacrifícios (17).
vv. 2, 9, 13, 14 e 17. *As "decisões" do salmo.* Invocarei (v. 2), andarei (9), tomarei (13), pagarei (14), oferecerei (17).
vv. 3, 4 e 8. Veja Spurgeon, Sermão, "To Souls in Agony", *Metropolitan Tabernacle Pulpit*, n. 1216.
vv. 3 a 5. A história de uma alma examinada.
I. Onde eu estava, v. 3.
II. O que eu fiz, v. 4.
III. O que aprendi, v. 5.
vv. 3 a 6. I. *A ocasião.*
1. Aflição corpórea.
2. Terrores de consciência.
3. Angústia de coração.
4. Autoacusação: "encontrei", etc.
II. *A súplica.*
1. Direta: "invoquei", etc.
2. Imediata: "quando vieram as angústias, a oração foi o primeiro remédio buscado, e não o último" como acontece com muitos.
3. Breve – limitada à única coisa necessária: "livra a minha alma".
4. Importuna: "Ó Senhor".
III. *A restauração.*
1. Implícita: "piedoso", etc., v. 5.
2. Expressa, v. 6, de modo geral: "O Senhor guarda", etc.; de modo particular: "estava abatido", etc.; ajudou-me a orar, ajudou-me a escapar do problema, em resposta à oração, e ajudou-me a louvá-lo pela misericórdia, pela fidelidade, pela graça exibidas na minha libertação. Deus é glorificado pelas aflições do seu povo: os submissos são guardados nelas, e os abatidos são exaltados por elas. – *G. R.*

v. 5. I. Graça eterna, ou o propósito do amor.

II. Justiça infinita, ou a dificuldade da santidade.

III. Misericórdia ilimitada, ou o resultado da expiação.

v. 6. I. Uma classe singular – "símplices".

II. Um fato singular – "O Senhor guarda aos símplices".

III. Uma prova singular do fato – "estava", etc.

v. 7. *"Volta, minha alma, a teu repouso"*. O repouso em Deus pode ser descrito como pertencendo ao povo de Deus, sob quatro aspectos.

I. Por designação. O repouso que o povo de Deus tem nele é o resultado do seu próprio propósito, e desígnio, e se origina do seu simples prazer e amor.

II. Por compra. O repouso que desejavam, como *criaturas*, eles tinham perdido, como *pecadores*. Portanto Cristo deu a sua vida para obtê-lo.

III. Por promessa. Este é o bondoso compromisso de Deus. Ele disse: "Irá a minha presença contigo para te fazer descansar" (Êx 33.14).

IV. Pela sua própria escolha, as almas piedosas terão um repouso em Deus. – *D. Wilcox*

v. 7: *"Volta, minha alma, a teu repouso"*. Em que ocasião, ou quando, um filho de Deus deveria usar a linguagem do salmista?

I. Depois de conviver com o mundo, expressando o seu chamado, todos os dias.

II. Ao ir ao santuário no dia do Senhor.

III. Em qualquer dificuldade com que vier a se deparar.

IV. Ao deixar este mundo, na morte. – *D. Wilcox*

v. 7. I. O repouso da alma: O "meu repouso", está em Deus,

1. A alma foi criada para encontrar o seu repouso em Deus.

2. Por causa disto, não pode ser encontrado em nenhuma outra parte.

II. A sua partida deste repouso. Isto é sugerido, na palavra "Volta".

III. O seu retorno.

1. Pelo arrependimento.

2. Pela fé, pelo caminho que possibilitou a sua volta.

3. Pela oração.

IV. O seu incentivo para voltar.

1. Não em si mesma, mas em Deus.

2. Não em justiça, mas na bondade de Deus: "porque o Senhor", etc. "A bondade de Deus te leva ao arrependimento". – *G. R.*

v. 8. A tríade da santidade experimental.

I. É uma unidade – "Livraste"; todas as graças vêm de uma única fonte.

II. É uma tríade de libertação, *de* alma, olhos, pés; *da* punição, da tristeza e do pecado; *para* a vida, a alegria e a estabilidade.

III. É uma trindade em unidade: tudo isto foi feito para mim, e em mim – "minha alma, meus olhos, meus pés".

v. 9. O efeito da libertação sobre nós. "Andarei", etc.

I. Andar pela fé nele.

II. Andar em amor por Ele.

III. Andar por obediência a Ele. – *G. R.*

vv. 10 e 11. I. A regra: "Cri", etc. Em geral, o salmista dizia o que tinha considerado e testado pela sua própria experiência, como quando disse: "estava abatido, mas ele me livrou". "O Senhor me fez bem".

II. A exceção: "falei: estive muito aflito", etc.

1. Ele falou de maneira injusta: ele disse: "Todo homem é mentira", o que tinha, em si, alguma verdade, mas não era toda a verdade.

2. Precipitadamente: "Eu dizia na minha precipitação", sem a devida reflexão.

3. Com ira, sob a influência de aflição, provavelmente pela infidelidade dos outros. A natureza age antes da graça – a primeira por instinto, a segunda por consideração. – *G. R.*

v. 11. Palavras precipitadas.
I. Havia muita verdade nelas.
II. Elas erravam no lado correto, pois mostravam fé em Deus, e não na criatura.
III. Elas erravam, sendo envolventes demais, severas demais, suspeitas demais.
IV. E isto foi logo curado. O remédio para todas as palavras precipitadas, como estas, é – Começar a trabalhar no espírito do versículo 12.
v. 12. Obrigações esmagadoras.
I. Uma soma aritmética – "todos os benefícios".
II. Um cálculo de dívidas – "que darei?"
III. Um problema para solução pessoal – "Que darei?". – *Veja Spurgeon, Sermão, n. 910.*
vv. 12 e 14. Se os votos religiosos bem compostos não promovem excessivamente a religião. – *Sermão feito por Henry Hurst, A.M., em "The Morning Exercises"*
v. 13. Sermão sobre a ceia do Senhor. Nós tomamos o cálice do Senhor.
I. Em memória daquele que é a nossa salvação.
II. Como símbolo da nossa confiança nele.
III. Como evidência da nossa obediência a Ele.
IV. Como tipo da comunhão com Ele.
V. Como esperança de bebê-lo outra vez com Ele, em breve.
v. 13. Os vários cálices mencionados nas Escrituras tornariam o assunto muito interessante.
v. 14. *"Agora"*. Ou a excelência do tempo presente.
v. 15. I. *A declaração.* Não a morte dos ímpios, nem mesmo a morte dos justos é, por si só, preciosa; mas,
1. Porque as suas pessoas são preciosas para Ele.
2. Porque o fato de experimentarem a morte é precioso para Ele.
3. Por causa da sua conformidade, na morte, com o Cabeça do concerto; e
4. Porque isto põe um fim às suas angústias, e os translada para o seu repouso.
II. *A sua manifestação.*
1. Preservando-os da morte.
2. Sustentando-os na morte.
3. Dando-lhes a vitória sobre a morte.
4. Glorificando-os, depois da morte.
v. 15. Veja Spurgeon, Sermão, "Precious Deaths", n. 1036.
v. 16. *Santo serviço.*
I. Declarado enfaticamente.
II. Honestamente realizado – "deveras".
III. Logicamente defendido – "filho da tua serva".
IV. Coerente com a liberdade consciente.
v. 17. Isto é devido ao nosso Deus, bom para nós mesmos, e encorajador a outros.
v. 17. *O Sacrifício de Gratidão.*
I. Como podem ser traduzidas. Em amor secreto, em conduta, em cânticos sagrados, em testemunhos públicos, em dádivas e obras especiais.

II. Por que devemos realizá-las. Pelas orações atendidas (vv. 1,2), memoráveis libertações (3) preservação (6), notável restauração (7, 8) e pelo fato de que somos seus servos (16).

III. Quando devemos realizá-las. *Agora*, enquanto a graça está ainda na lembrança, e tão frequentemente como as novas graças nos vêm.

v. 18. I. Como os votos podem ser pagos em público. Indo à adoração pública como a primeira coisa que fazemos, depois que a saúde é restaurada. Unindo-nos sinceramente ao cântico. Vindo à comunhão. Por ofertas de sacrifício especiais. Usando oportunidades adequadas para o testemunho aberto da bondade do Senhor.

II. A dificuldade especial no assunto. Pagarei *ao Senhor*, e não em ostentação, nem como uma forma vazia.

III. A utilidade peculiar do ato público. Ele interessa aos outros, comove os corações, reprova, encoraja, etc.

v. 19. O Cristão em casa.
I. Na casa de Deus.
II. Entre os santos.
III. Na sua obra favorita: “Louvai”.

SALMO 117

TÍTULO E TEMA

ASSUNTO

Este salmo, que é muito curto em palavras, é extremamente grande em seu espírito, pois, indo além de todos os limites de raça ou nacionalidade, convoca toda a humanidade para louvar o nome do Senhor. Com toda probabilidade, era frequentemente usado como um breve hino, adequado para praticamente todas as ocasiões, e especialmente, quando o tempo para a adoração era curto. Talvez ele também fosse entoado no início ou no final de outros salmos, como nós usamos agora a doxologia. Ele pode ter servido para abrir um culto ou concluí-lo. Ele é, ao mesmo tempo, curto e doce. O mesmo Espírito divino que se estende no salmo 119, aqui condensa suas manifestações em dois curtos versículos, mas ainda assim a mesma plenitude infinita está presente e é perceptível. Pode ser digno de nota o fato de que este é o mais curto capítulo das Escrituras e, ao mesmo tempo, o ponto central de toda a Bíblia.

EXPOSIÇÃO

1 *Louvai ao* S*ENHOR*, *todas as nações; louvai-o, todos os povos.*
2 *Porque a sua benignidade é grande para conosco, e a verdade do* S*ENHOR* *é para sempre. Louvai ao* S*ENHOR*!

1. *"Louvai ao Senhor, todas as nações."* Esta é uma exortação para que os gentios glorifiquem ao Senhor, e uma prova clara de que o espírito do Antigo Testamento era enormemente diferente daquele limitado fanatismo nacional com que os judeus da época do nosso Senhor se tornaram tão inveteradamente infectados. Não era possível esperar que as nações acompanhassem o louvor ao Senhor, a menos que também participassem dos benefícios de que Israel desfrutava; e consequentemente o salmo é uma intimação para Israel, de que a graça e a misericórdia do seu Deus não deviam ficar limitadas a uma única nação, mas, em tempos mais felizes, se estenderiam a toda a raça humana, como Moisés tinha

profetizado, quando disse: "Jubilai, ó nações, com o seu povo" (Dt 32.43), pois é isto que a versão em hebraico diz. As nações viriam a ser o seu povo. Ele chamaria de povo os que não eram um povo, e seus amados os que não eram amados. Nós sabemos, e cremos, que nenhuma tribo de homens ficará sem representação no cântico universal que ascenderá ao Senhor de tudo e de todos. Já foram reunidos indivíduos de todas as famílias e povos e línguas, pela pregação do Evangelho, e estes acompanharam sinceramente a exaltação da graça que os buscou, e os trouxe para que conhecessem o Salvador. Eles são apenas os pioneiros de um número que ninguém poderá contar, que virão, antes que passe muito tempo, para adorar aquele que é glorioso.

"Louvai-o, todos os povos." Tendo feito isto uma vez, façam-no outra vez, e façam de modo ainda mais fervoroso, crescendo diariamente em reverência e no zelo com que exaltam o Altíssimo. E não o louvem apenas nacionalmente, pelos seus governantes, mas popularmente, em meio às suas massas. A multidão dos indivíduos comuns bendirá ao Senhor. Uma vez que isto é dito duas vezes, certamente é confirmado, e os gentios devem e irão exaltar ao Senhor – todos eles, sem exceção. Sob a dispensação do Evangelho, nós não adoramos um novo deus, mas o Deus de Abraão é nosso Deus para todo o sempre; Deus de toda a terra, assim Ele será chamado.

2. *"Porque a sua benignidade é grande para conosco."* Isto não se refere somente ao seu grande amor pelo povo judeu, mas por toda a família do homem. O Senhor é bom com todas as suas criaturas, e misericordioso conosco, como pecadores, daí a sua bondade misericordiosa conosco, como criaturas pecadoras. Esta misericórdia é muito grande, ou poderosa. A poderosa graça de Deus prevaleceu, mesmo quando as águas do dilúvio invadiram a terra; rompendo todos os limites, ela fluiu em direção a todas as porções da multiplicada raça do homem. Em Cristo Jesus, Deus mostrou misericórdia mesclada com bondade, e a um nível máximo. Todos nós podemos acompanhar este agradecido reconhecimento, e o louvor que é, portanto, devido.

"E a verdade do Senhor é para sempre." Ele cumpriu a sua promessa de concerto de que na semente de Abraão todas as nações da terra seriam abençoadas, e Ele cumpriria eternamente cada promessa daquele concerto para com todos os que depositassem sua confiança nele. Isto deve ser motivo de constante e agradecido louvor, e por isto o salmo é concluído da maneira como começou, com outro Aleluia: *"Louvai ao Senhor"*.

NOTAS EXPLICATIVAS E DECLARAÇÕES SINGULARES

O salmo: Um salmo muito curto, se considerarmos as palavras, mas de grande abrangência e excelência, se considerarmos cuidadosamente o significado. Há aqui cinco pontos principais de doutrina.

Em primeiro lugar, *o chamado dos gentios*, sendo o apóstolo o intérprete (Rm 15.11); mas em vão o profeta convidaria os gentios a louvar ao Senhor, a menos que eles fossem reunidos na unidade da fé, juntamente com os filhos de Abraão.

Em segundo lugar, *o resumo do Evangelho*, especificamente, a manifestação de graça e verdade, sendo o Espírito Santo o intérprete (Jo 17).

Em terceiro lugar, *o objetivo de uma bênção tão grande*, especificamente a adoração de Deus, em espírito e em verdade, pois sabemos que o reino do Messias é espiritual.

Em quarto lugar, *o emprego dos súditos do grande Rei*, para louvar e glorificar ao Senhor.

E, finalmente, *o privilégio destes servos*: assim como aos judeus, também aos gentios, que conhecem e servem a Deus, o Salvador, são trazidas a vida eterna e a bem-aventurança, asseguradas nesta vida e preparadas no céu. – *Mollerus*

O salmo: Este salmo, uma das passagens mais curtas do Livro de Deus, é citado, e muito valorizado, em Rm 15. E sobre ele foi observado, com muita propriedade:

"É uma pequena passagem das Escrituras, e como tal nós podemos facilmente negligenciá-la. Mas não o Espírito Santo. Ele observa este precioso e pequeno testemunho que fala da graça aos gentios, e exige a nossa atenção". – de *Short Meditations on the Psalms, chiefly in their Prophetic character*, 1871, de Bellett.

O salmo: A ocasião e o autor deste salmo são igualmente desconhecidos. De Wette o considera como um *Salmo do Templo*, e concorda com Rosenmiller na suposição de que era entoado no início ou no final do culto no templo. Knapp supõe que ele era usado em um culto intermediário, entoado durante o progresso do culto geral, para variar a devoção, e para despertar um novo interesse no culto, sendo entoado pelo coro ou por todo o povo. – *Albert Barnes*

O salmo: A adoração a Deus não deve necessariamente ser sempre longa; algumas poucas palavras, às vezes, dizem o que é suficiente, como este curto salmo nos dá a entender. – *David Dickson*

O salmo: Este é o mais curto, e o 119 é o mais longo, de todos os salmos. Há momentos para hinos curtos e hinos longos, para orações curtas e orações longas, para sermões curtos e sermões longos, para discursos curtos e discursos longos. É melhor ser breve demais do que longo demais, pois isto será mais facilmente remediado. Os discursos curtos não precisam de divisões formais: os longos as exigem, como no salmo 119. – *G. Rogers*

v. 1: "Louvai ao Senhor", etc. O louvor a Deus é inserido aqui no início e no final do salmo, para mostrar que, ao louvar a Deus, os santos jamais ficam satisfeitos com seus próprios esforços, e desejam enaltecer ao Senhor infinitamente, assim como as suas perfeições são infinitas. Aqui eles fazem um círculo, cujo início, meio e fim é *aleluia*. No último salmo, quando Davi disse: "Tudo quanto tem fôlego louve ao Senhor", e muito provavelmente o havia concluído, ainda assim ele repete mais uma vez o *aleluia* e clama: "Louvai ao Senhor". O salmista tinha concluído, porém mesmo assim não o deu por finalizado, para indicar que quando tivermos dito tudo o que pudermos em louvor a Deus, não devemos ficar satisfeitos, mas começar de novo. Não há outro dever mais inculcado em nós no Antigo Testamento, embora menos praticado, do que este de louvar a Deus. Para nos despertar e entusiasmar, portanto, em um dever tão necessário, mas tão negligenciado, este e muitos outros salmos foram escritos por Davi, com o propósito de nos estimular, a nós, que somos as *nações* aqui mencionadas, para que consagremos nossas vidas inteiras, cantando e apresentando os dignos louvores de Deus. – *Abraham Wright*

v. 1: "Todas as nações". Observe que cada nação do mundo tem alguma dádiva especial que lhe foi concedida por Deus, que não é dada a outros, seja com relação à natureza ou à graça, pela qual devemos louvar a Deus. – *Le Blanc*

v. 1: "Louvai-o". Aqui é usada uma palavra para *"louvai"* diferente da usada na sentença anterior: uma palavra que é mais frequentemente usada nos idiomas caldeu, sírio, árabe e etíope; e ela significa a celebração dos louvores de Deus em voz alta. – *John Gill*

v. 2: "Porque a sua benignidade é grande para conosco". Não podemos concluir nosso estudo deste salmo sem observar que até mesmo no Antigo Testamento nós temos mais de um exemplo de reconhecimento, por parte daqueles que não pertenciam à igreja, de que a benevolência de Deus para com Israel era uma fonte de bênção para eles mesmos. Estes eram, até certo ponto, os sentimentos de Hirão e da rainha de Sabá, contemporâneos de Salomão; tal foi a experiência de Naamã; tais foram os reconhecimentos de Nabucodonosor e Dario, o medo. Eles contemplaram a sua misericordiosa *benignidade* para com seus servos na casa de Israel, e o louvaram apropriadamente. – *John Francis Thrupp*

v. 2: "Porque a sua benignidade é grande para conosco". Embora haja no próprio Deus motivos de sobra para que o louvemos, mesmo não sendo merecedores de participar de nenhum benefício por parte dele, ainda assim o Senhor dá ao seu povo motivos para louvá-lo por benefícios que lhes concede em seus próprios casos particulares. – *David Dickson*

v. 2: "Porque a sua benignidade é grande". גָּבַר (*gābar*) é *forte*; não é apenas *grande* em *volume* ou *quantidade*; mas é *poderosa*; ela prevalece sobre o pecado, Satanás, a morte e o inferno. – *Adam Clarke*

v. 2: "Benignidade... e a verdade do Senhor". Aqui, e também em diversos outros salmos, a benignidade ou a misericórdia de Deus e a sua verdade andam juntas; para mostrar que todas as passagens e procedimentos, tanto em ordenanças como em providências, com que Ele vem e se comunica com o seu povo, não são apenas misericórdia, embora isto seja muito doce, mas também verdade. As suas bênçãos vêm a eles sob a forma de promessas de Deus, presas a elas pela verdade do seu concerto. Isto é realmente satisfatório para a alma; isto anula tudo o que um homem tem quando cada graça é um presente enviado do céu, em virtude de uma promessa. Por isto, a benignidade de Deus está nos salmos, normalmente ao lado da sua verdade; de modo que ninguém possa supor que Ele é mais misericordioso do que se declarou, na sua palavra, e nem perca a esperança de encontrar a benignidade *gratuita*, de acordo com a verdade da sua promessa. Portanto, embora os seus pecados sejam grandes, creia no texto e saiba que a benignidade e a misericórdia de Deus são maiores do que os seus pecados. O elevado céu cobre montes altos e também pequenas colinas, e a misericórdia pode cobrir tudo. Quanto mais desesperadora a sua doença, maior será a glória do seu médico, que curará você perfeitamente. – *Abraham Wright*

SUGESTÕES AOS PREGADORES

O salmo. O reino universal.
I. O mesmo Deus.
II. A mesma adoração.
III. A mesma razão para isto.
v. 2. *"Benignidade"*. Na bondade de Deus, há benignidade, porque,
I. O nosso pecado merece o oposto da bondade.
II. A nossa fraqueza exige maior ternura.
III. Somente assim os nossos temores podem ser removidos.
v. 2 (última sentença). I. No seu atributo, Ele é sempre fiel.
II. Na sua revelação – sempre infalível.
III. Nos seus atos – sempre de acordo com a promessa.

SALMO 118

AUTOR E TEMA

Em Esdras 3.10,11, nós lemos que "Quando, pois, os edificadores lançaram os alicerces do templo do Senhor, então, apresentaram-se os sacerdotes, já paramentados e com trombetas, e os levitas, filhos de Asafe, com saltérios, para louvarem ao Senhor, conforme a instituição de Davi, rei de Israel. E cantavam a revezes, louvando e celebrando ao Senhor, porque é bom; porque a sua benignidade dura para sempre sobre Israel. E todo o povo jubilou com grande júbilo, quando louvou o Senhor, pela fundação da Casa do Senhor". As palavras mencionadas no livro de Esdras são a primeira e a última frase deste salmo, e por isto podemos concluir que o povo entoava todo este sublime cântico; e, além disto, que o uso desta composição, em tais ocasiões, era ordenado por Davi, que imaginamos ser o seu autor. O próximo passo nos leva a crer que ele é o seu assunto, pelo menos até certo ponto, pois está claro que o autor está falando de si mesmo, em primeiro lugar, embora ele possa não ter se limitado a todos os detalhes da sua própria experiência pessoal. O fato de que o salmista tinha tido uma visão profética do nosso Senhor Jesus é muito claro; as frequentes citações deste cântico no Novo Testamento provam isto, sem sombra de dúvida; mas, ao mesmo tempo, o objetivo não poderia ter sido que cada linha e frase deste salmo fossem interpretadas em referência ao Messias, pois isto requer muito grande ingenuidade, e as interpretações ingênuas raramente são verdadeiras. Alguns intérpretes piedosos conseguiram distorcer a expressão do versículo 17: "Não morrerei, mas viverei" de modo a aplicá-la ao nosso Senhor, que realmente morreu e cuja glória está no fato de que Ele morreu; mas não podemos nos convencer a fazer tal violência às palavras do texto sagrado.

O salmo nos parece descrever Davi ou outro homem de Deus, que foi indicado, por escolha divina, a um alto e honroso ofício em Israel. Este campeão escolhido se viu rejeitado por seus amigos e compatriotas, e, ao mesmo tempo, violentamente antagonizado por seus inimigos. Com fé em Deus, ele batalha pela sua função indicada, e no devido tempo a obtém, de tal maneira a exibir enormemente o poder e a bondade do Senhor. A seguir, ele sobe à casa do Senhor para oferecer sacrifícios, e para expressar a sua gratidão pela intercessão divina, com todo o povo abençoando-o e desejando-lhe abundante prosperidade. Este personagem heroico, que não podemos deixar de pensar que se trata do próprio Davi, tipificou amplamente o nosso Senhor, mas não de tal modo que, em todos os detalhes das suas lutas e orações nós devamos buscar paralelos. A sugestão de Alexander de que o narrador é um indivíduo típico que representa a nação, é extremamente merecedora de atenção; mas não é incoerente com a ideia de que um líder pessoal possa ser a referência pretendida, uma vez que aquilo que descreve o líder será, em grande medida, verdadeiro, a respeito dos seus seguidores. A experiência da Cabeça é a dos membros, e pode-se falar de ambos praticamente com os mesmos termos. Alexander pensa que a libertação celebrada não pode ser identificada com nenhuma outra com tanta exatidão como com a do exílio na Babilônia; mas nós julgamos que é melhor não conectá-la a nenhum incidente em particular, mas considerá-la como um cântico nacional, adaptado igualmente para a ascensão de um herói escolhido e para a edificação de um templo. Se uma nação é fundada outra vez por um príncipe conquistador, ou se um templo é fundado pelo lançamento da sua pedra fundamental com alegria, este salmo é aplicável de igual maneira.

DIVISÃO

Nossa proposta é dividir o salmo da seguinte maneira: do versículo 1 ao 4, os fiéis são chamados para exaltar a eterna misericórdia do Senhor; do versículo 5 ao 18 o salmista apresenta uma narrativa da sua experiência, e uma expressão da sua fé; nos versículos 19 a 21, ele pede para ser admitido na casa do Senhor, e começa o reconhecimento da salvação divina. Nos versículos 22 a 27, os sacerdotes e o povo reconhecem o seu governante, exaltam o Senhor por ele, e o declaram bendito e pedem que ele leve ao altar o seu sacrifício. Nos dois versículos finais, o próprio herói agradecido exalta a Deus, o misericordioso.

EXPOSIÇÃO

1 *Louvai ao Senhor, porque ele é bom, porque a sua benignidade é para sempre.*
2 *Diga, agora, Israel que a sua benignidade é para sempre.*
3 *Diga, agora, a casa de Arão que a sua benignidade é para sempre.*
4 *Digam, agora, os que temem ao Senhor que a sua benignidade é para sempre.*

1. *"Louvai ao Senhor."* O agradecido herói sente que não consegue, sozinho, expressar suficientemente a sua gratidão, e por isto pede a ajuda de outros. Os corações agradecidos são ávidos pelas línguas dos homens, e desejam monopolizar todas elas para a glória de Deus. Toda a nação estava interessada na triunfante ascensão de Davi, e por isto era apropriado que se unissem a ele no seu cântico adorador de louvor. Os agradecimentos eram devidos somente ao Senhor, e não à paciência ou à coragem do próprio herói. É sempre bom relacionar as nossas graças com aquele que as concede, e se não pudermos dar a Ele nada mais, de qualquer maneira devemos render-lhe nossos agradecimentos. Não devemos parar no segundo agente, mas subir imediatamente à primeira causa, e transmitir todos os nossos louvores *ao próprio Senhor.* Nós já tivemos um espírito esquecido ou queixoso? Ouçamos a linguagem vívida do texto, e deixemos que ele fale a nossos corações: "Cessem as suas queixas, deixem de toda glorificação própria, e deem graças ao Senhor".

"Porque ele é bom." Isto é uma razão suficiente para dar-lhe graças; a bondade é a sua essência e natureza, e por isto Ele deve sempre ser louvado, quer estejamos recebendo algo dele, quer não. Aqueles que somente louvam a Deus porque Ele lhes *faz* bem, devem alcançar um patamar mais elevado e dar graças a Ele porque Ele

é bom. No mais verdadeiro sentido, somente Ele é bom, "Ninguém há bom, senão um, que é Deus"; portanto, em toda gratidão, o Senhor deve ter a porção real. Se os outros parecem ser bons, Ele *é* bom. Se os outros são bons, até certo ponto, Ele é imensamente bom. Quando os outros se comportam de modo perverso conosco, isto deve nos incitar apenas a dar graças ainda mais sinceramente ao Senhor, porque Ele é bom; e quando nós mesmos estivermos conscientes de que estamos longe de ser bons, devemos ainda mais reverentemente bendizer àquele que "é bom". Não devemos jamais tolerar sequer por um instante uma descrença sobre a bondade do Senhor; todo o resto pode ser questionável, mas isto é absolutamente certo, o fato de que o Senhor é bom; as suas dispensações podem variar, mas a sua natureza é sempre a mesma, e sempre boa. Não somente Ele era bom, e será bom, mas Ele *é* bom, qualquer que seja a sua providência. Por isto, demos graças ao seu nome, neste momento, ainda que os céus tenham nuvens escuras.

"Porque a sua benignidade é para sempre." A benignidade é uma grande parte da sua bondade, e a que mais nos interessa, além de qualquer outra, pois nós somos pecadores e precisamos da sua benignidade e misericórdia. Os anjos podem dizer que Ele é bom, mas não precisam da sua misericórdia e não podem, portanto, ter igual deleite com ela; a criação inanimada declara que *Ele é bom*, mas não pode sentir a sua *misericórdia*, pois jamais transgrediu; mas o homem, profundamente culpado e piedosamente perdoado, contempla a misericórdia como o próprio foco e centro da bondade do Senhor. A paciência da misericórdia divina é assunto especial para um cântico: apesar dos nossos pecados, das nossas tentações, dos nossos temores, a sua benignidade *é para sempre*. As melhores alegrias terrenas se acabam, e até mesmo o mundo envelhece e se apressa rumo à decadência, mas a misericórdia de Deus não apresenta mudanças; Ele foi fiel aos nossos antepassados, Ele é misericordioso conosco, e será piedoso com nossos filhos, e os filhos dos nossos filhos. Esperemos que os intérpretes filosóficos, que se empenham em associar as palavras "para sempre" a um mero período de tempo tenham a bondade de deixar em paz esta passagem. No entanto, quer eles façam isto ou não, nós creremos na misericórdia eterna – a misericórdia que dura por toda a eternidade. O Senhor Jesus Cristo, que é a grande encarnação da misericórdia de Deus, nos convoca, com a lembrança dele, a dar graças ao Senhor, porque "Ele é bom".

2. *"Diga, agora, Israel que a sua benignidade é para sempre."* Deus tinha feito um concerto com os antepassados deles, um concerto de misericórdia e amor, e a este concerto Ele foi fiel sempre. Israel pecou no Egito, provocou o Senhor no deserto, seguiu o mau caminho repetidas vezes no período dos juízes, e transgrediu em todos os tempos; e ainda assim o Senhor continuou a considerá-los como seu povo, e favorecê-los com seus oráculos, e a perdoar os seus pecados. Rapidamente Ele cessava as punições que eles tanto mereciam, porque tinha uma grande benevolência para com eles. Ele deixa de lado a sua vara no momento em que eles se arrependem, porque o seu coração estava cheio de compaixão. "A sua benignidade é para sempre" era o hino nacional de Israel, o qual, como um povo, tinham sido chamados a entoar em muitas ocasiões anteriores; e agora o seu líder, que tinha, por fim, chegado ao lugar para o qual o Senhor o tinha designado, convoca toda a nação para que se una a ele na exaltação, neste exemplo particular de bondade divina, da benignidade eterna do Senhor. O sucesso de Davi foi misericórdia para Israel, assim como misericórdia para si mesmo. Se Israel não canta, quem cantará? Se Israel não canta sobre a misericórdia e benignidade, quem poderá fazê-lo? Se Israel não canta quando o Filho de Davi sobe ao trono, as próprias pedras clamarão.

3. *"Diga, agora, a casa de Arão que a sua benignidade é para sempre."* Os filhos de Arão foram especialmente consagrados, para estar mais próximos de Deus, e foi somente por causa da sua benignidade e misericórdia que eles puderam viver na presença do Senhor, três vezes santo, que é um fogo consumidor. Cada vez que o cordeiro da manhã e da tarde era sacrificado, os sacerdotes viam a misericórdia contínua do Senhor, e em todos os utensílios sagrados do santuário, e em todos os

cultos a Ele, de hora em hora, eles tinham testemunho renovado da benignidade do Altíssimo. Quando o sumo sacerdote entrava no santuário e saía aceito, ele podia, acima de todos os homens, cantar sobre a misericórdia eterna. Se este salmo se refere a Davi, os sacerdotes tinham uma razão especial para serem agradecidos pela sua ascensão ao trono, pois Saul tinha feito uma grande matança entre eles, e tinha, em variadas ocasiões, interferido no seu ofício sagrado. Agora tinha ascendido ao trono um homem que, por causa do seu Mestre, os estimaria, lhes daria o que era merecido, e os preservaria a salvo de todo o mal. O nosso Senhor Jesus, tendo feito de todo o seu povo sacerdotes de Deus, bem pode invocá-los nesta capacidade, para exaltar a eterna benignidade do Altíssimo. Pode alguém do sacerdócio real ficar em silêncio?

4. *"Digam, agora, os que temem ao Senhor que a sua benignidade é para sempre."* Se houvesse alguém por todo o mundo, que não pertencesse a Israel segundo a carne, mas, apesar disto, tivesse um santo temor e uma reverência por Deus, o salmista os convoca, para que se unam a ele no seu agradecimento, e o façam especialmente na ocasião da sua exaltação ao trono; e isto não é mais do que eles concordariam em fazer alegremente, uma vez que cada homem bom do mundo é beneficiado quando um servo fiel de Deus é colocado em uma posição de honra e influência. A prosperidade de Israel, durante o reinado de Davi, foi uma bênção a todos os que temiam ao Senhor. Um homem verdadeiramente temente a Deus terá seus olhos voltados para a misericórdia e a benignidade de Deus, porque ele é profundamente consciente da sua necessidade desta misericórdia e benignidade, e porque estes atributos despertam nele um profundo sentimento de respeito reverente. "Contigo está o perdão, para que sejas temido".

Nas três exortações, a Israel, à casa de Arão e àqueles que temiam ao Senhor, há uma repetição da exortação, para *dizer* "que a sua benignidade é para sempre". Nós devemos, não apenas crer, mas declarar a benignidade de Deus; a verdade não deve ser silenciada, mas proclamada. Deus deseja que o seu povo aja como testemunhas, e não fique em silêncio no dia em que a sua honra sofrer ataques por parte daqueles que procuram impugná-la. É nossa alegria especial proclamar a honra e a glória de Deus quando pensamos na exaltação do seu Filho amado. Nós devemos gritar "Hosana", e cantar em voz alta "Aleluias" quando contemplamos a pedra, que os edificadores rejeitaram, levantada ao seu lugar apropriado.

Em cada uma das três exortações, observe cuidadosamente a palavra *"agora"*. Não há tempo como o tempo presente para expressar os louvores de Deus. A exaltação atual do Filho de Davi agora exige de todos os que são os súditos do seu reino contínuos cânticos de agradecimento àquele que o colocou no alto, no meio de Sião. *Agora*, para nós, deve significar 'sempre'. Quando seria correto deixar de louvar a Deus, cuja misericórdia jamais cessa?

Os quatro testemunhos da benignidade eterna de Deus, que agora estão diante de nós, falam como quatro evangelistas, cada um deles declarando a própria essência do Evangelho; e se colocam, como quatro anjos, nos quatro cantos da terra, segurando os ventos com suas mãos, restringindo as pragas dos últimos dias, para que a misericórdia,a benignidade e a longanimidade de Deus possam continuar dirigidas aos filhos dos homens. Aqui há quatro cordas para prender o sacrifício às quatro pontas do altar, e quatro trombetas com que proclamam o ano do jubileu, a cada canto do mundo. Que o leitor não continue na consideração do restante do salmo, até que tenha, com todas as suas forças, elevado o seu coração e a sua voz para louvar ao Senhor, "porque a sua benignidade é para sempre".

"Que, com mente alegre,
Louvemos ao Senhor, porque Ele é bom;
Porque as suas benignidades permanecem
sempre fiéis, sempre certas".

5 *Invoquei o Senhor na angústia; o Senhor me ouviu e me pôs em um lugar largo.*
6 *O Senhor está comigo; não temerei o que me pode fazer o homem.*
7 *O Senhor está comigo entre aqueles que me ajudam; pelo que verei cumprido o*
meu desejo sobre os que me aborrecem.
8 *É melhor confiar no Senhor do que confiar no homem.*
9 *É melhor confiar no Senhor do que confiar nos príncipes.*
10 *Todas as nações me cercaram, mas no nome do Senhor as despedacei.*
11 *Cercaram-me e tornaram a cercar-me; mas no nome do Senhor eu as despedacei.*
12 *Cercaram-me como abelhas, mas apagaram-se como fogo de espinhos; pois*
no nome do Senhor as despedacei.
13 *Com força me impeliste para me fazeres cair, mas o Senhor me ajudou.*
14 *O Senhor é a minha força e o meu cântico, porque ele me salvou.*
15 *Nas tendas dos justos há voz de júbilo e de salvação; a destra do Senhor faz*
proezas.
16 *A destra do Senhor se exalta, a destra do Senhor faz proezas.*
17 *Não morrerei, mas viverei; e contarei as obras do Senhor.*
18 *O Senhor castigou-me muito, mas não me entregou à morte.*

5. *"Invoquei o Senhor na angústia"*, ou "pela angústia, invoquei Jah". Nada lhe restou, exceto a oração; a sua agonia era grande demais, mas tendo a coragem e o privilégio para orar, ele possuía todas as coisas. As orações que se originam da aflição, em geral, saem do coração, e por isto vão para o coração de Deus. É doce recordar nossas orações, e é sempre benéfico falar aos outros sobre elas, quando elas são ouvidas. A oração pode ser amarga ao ser oferecida, mas será doce na resposta. O homem de Deus tinha invocado o Senhor, quando não estava angustiado, e por isto achava natural e fácil invocá-lo quando em meio à aflição. Ele adorou, louvou, orou: pois tudo isto está incluído na invocação a Deus, mesmo quando ele estava em situação de aflição. Alguns interpretam no original "uma garganta apertada", e por isto havia mais alegria para ele, quando pôde dizer: "o Senhor me ouviu e me pôs em um lugar largo". Ele deixou o desfiladeiro da aflição e passou para a planície bem regada do deleite. Ele diz: "Jah me ouviu em um lugar largo", pois Deus jamais está encerrado nem apertado. No caso de Deus, ouvir significa atender ou responder, por isto os tradutores, corretamente, escrevem: "O Senhor me ouviu". A resposta era apropriada à oração, pois Ele o tirou da sua condição apertada e confinada e o colocou em um lugar de liberdade, onde ele podia andar à vontade, livre de obstrução e opressão. Muitos de nós podemos acompanhar o salmista nas declarações deste versículo: profunda era a nossa angústia, por causa do pecado, e nós estávamos encerrados, como em uma prisão, segundo a lei, mas, em resposta à oração de fé, obtivemos a liberdade da plena justificação com que Cristo liberta os homens, e assim somos verdadeiramente livres. Foi o Senhor que fez isto, e ao seu nome devemos atribuir toda a glória; nós não tínhamos méritos, nem forças, nem sabedoria, tudo o que pudemos fazer foi invocá-lo, e até mesmo isto foi uma dádiva sua: mas a benignidade que é por toda a eternidade veio nos resgatar, nós fomos tirados da escravidão, e pudemos nos alegrar na amplitude de uma herança sem limites. Que lugar largo é este em que o grande Deus nos colocou! Todas as coisas são nossas, todos os tempos são nossos, todos os lugares são nossos, pois o próprio Deus é nosso; nós temos terra onde nos alojar, e céu onde habitar – que lugar mais largo pode ser imaginado? Nós precisamos que todo Israel, toda a casa de Arão, e todos os que temem ao Senhor, nos ajudem na expressão da nossa gratidão; e quando tiverem nos auxiliado ao máximo, e nós mesmos tivermos feito o melhor de nós, tudo ainda ficará aquém dos louvores que são devidos ao nosso Senhor misericordioso.

6. *"O Senhor está comigo"*, ou, Ele é "por mim". Antes, a sua justiça esteve contra mim, mas agora Ele é o meu Deus reconciliado, e engajado no meu bem. O salmista, naturalmente, se alegrava na ajuda divina; todos os homens se voltaram

contra ele, mas Deus era seu defensor e advogado, cumprindo os propósitos divinos da sua graça. A expressão também pode ser traduzida como "para mim", isto é, o Senhor pertence a mim, e é meu. Que riqueza infinita há aqui! Se não exaltarmos ao Senhor, seremos os mais brutos de todos os homens.

"Não temerei." Ele não diz que não iria sofrer, mas que não iria temer: a benevolência de Deus era infinitamente maior que o ódio dos homens, por isto, comparando as duas coisas, ele sentia que não tinha razão para ter medo. Ele estava calmo e confiante, embora cercado por inimigos, e assim devem estar todos os crentes, pois assim honram a Deus.

"O que me pode fazer o homem." O homem não pode fazer mais do que Deus lhe permite; no máximo, pode apenas matar o corpo, mas não há mais nada que ele possa fazer. Tendo Deus se proposto a colocar seu servo no trono, toda a raça da humanidade não podia fazer nada para frustrar o decreto divino: o propósito do coração do Senhor não podia ser desviado, nem o seu cumprimento retrasado, e muito menos impedido, pela mais rancorosa hostilidade dos mais poderosos homens. Saul procurou matar Davi, mas Davi viveu mais do que Saul, e se sentou no seu trono. Os escribas e fariseus, os sacerdotes e os herodianos, se uniram em oposição ao Cristo de Deus, mas Ele é exaltado nos mais altos céus, apesar da inimizade deles. O homem mais poderoso é insignificante quando comparado com Deus; sim, ele se encolhe até o nada, até um nada absoluto. Era uma pena ter medo de um objeto tão lamentável, infeliz e desprezível como é o homem em oposição ao Deus Todo-Poderoso. Aqui, o salmista fala como um campeão, aceitando desafios de todos os lados, desafiando o universo que está fortemente armado: um verdadeiro cavalo baio, sem temor e sem censura, ele desfruta a benevolência de Deus, e desafia cada inimigo.

7. *"O Senhor está comigo entre aqueles que me ajudam."* O Senhor condescendeu em estar aliado com os homens bons e seus companheiros; o seu Deus não se satisfazia em olhar, mas Ele participava da batalha. Que consolador é o fato de que o Senhor está conosco, e que quando Ele levanta amigos para nós, Ele não os deixa lutando sozinhos por nós, mas Ele mesmo, como nosso principal defensor, se digna a entrar na batalha, e guerrear pelo nosso bem. Davi mencionou aqueles que o ajudavam, ele não descuidava dos seus seguidores; há um longo registro dos homens valentes de Davi no livro das Crônicas, e isto nos ensina que não devemos desdenhar nem menosprezar os amigos generosos que estão à nossa volta: ainda assim, a nossa grande dependência e a nossa grande confiança devem estar fixadas somente no Senhor. Sem Ele, os auxiliares fortes caem; na verdade, separados dele, nos filhos dos homens não há auxílio; mas quando o nosso Senhor piedoso Se agrada em sustentar e fortalecer aqueles que nos auxilia, eles se tornam ajudantes substanciais para nós.

"Pelo que verei cumprido o meu desejo sobre os que me aborrecem." As palavras "meu desejo" são acrescentadas pelos tradutores; o salmista disse: "Contemplarei os que me odeiam; eu os olharei no rosto, farei com que cesse o seu desprezo, eu os encararei com desprezo, não serão eles que me desprezarão. Verei a sua derrota, verei o seu fim". O nosso Senhor Jesus, neste momento, despreza os seus adversários, os seus inimigos são seu escabelo; Ele os desprezará na sua segunda vinda, e com o olhar dos seus olhos fugirão dele, não sendo capazes de suportar este olhar com que Ele os sondava.

8. *"É melhor confiar no Senhor do que confiar no homem."* É melhor sob todos os aspectos; Deus é infinitamente mais capaz de ajudar, e mais propenso a ajudar do que o homem, e por isto a prudência sugere que depositemos a nossa confiança nele, acima de todos os outros. É também moralmente melhor fazer isto, pois é o dever da criatura confiar no Criador. Deus requer a fé das suas criaturas, Ele merece que elas confiem nele – e depositar a nossa confiança em outro, que não Ele mesmo, é um insulto direto à sua fidelidade. É melhor, no sentido de mais seguro, uma vez que jamais poderemos ter segurança se confiarmos nos homens mortais,

mas sempre estaremos seguros nas mãos do nosso Deus. É melhor no seu efeito sobre nós mesmos: confiar no homem tende a nos tornar inferiores, humilhados, dependentes, ao passo que a confiança em Deus eleva, produz uma sagrada quietude de espírito, e santifica a alma. Além disto, é muito melhor confiar em Deus, no que diz respeito ao resultado; pois em muitos casos o objeto humano da nossa confiança falha por falta de habilidade, por falta de generosidade, por falta de afeto ou por falta de lembrança; mas o Senhor, longe de falhar, faz por nós "muito mais abundantemente além daquilo que pedimos ou pensamos". Este versículo é escrito a partir da experiência de muitos que, antes de mais nada, viram as canas quebradas das criaturas debaixo de si, e posteriormente viram alegremente que o Senhor é uma sólida coluna que sustenta todo o seu peso.

9. *"É melhor confiar no Senhor do que confiar nos príncipes."* Estes deveriam ser os mais nobres de todos os homens, de caráter cavalheiresco, e profundamente fiéis. A palavra real deve ser inquestionável. Eles são os mais nobres, em classe social, além de serem os mais poderosos; e, ainda assim, de modo geral, os príncipes não são nem um pouco mais confiáveis do que o resto da humanidade. Um cata-vento dourado se move, conforme o vento, tão prontamente como um cata-vento mais simples. Os príncipes são apenas homens, e os homens de alta posição são pobres criaturas. Em muitas dificuldades, eles não podem nos dar a mínima ajuda; por exemplo, na doença, ou na morte; tampouco podem nos ajudar em nada, com referência à nossa condição eterna. Na eternidade, o sorriso de um príncipe nada vale; nem o céu, nem o inferno prestam respeitos à autoridade real. A benevolência dos príncipes é notoriamente instável; o testemunho dos mundanos é abundante, a este respeito. Todos nós nos lembramos das palavras colocadas pelo grande poeta nos lábios do moribundo Wolsey; a sua força está na sua veracidade:

"Oh, quão infeliz
É aquele pobre homem, que depende da benevolência dos príncipes!
Em meio àquele sorriso que desejaríamos,
Aquele doce aspecto dos príncipes, e a sua destruição,
Há mais dores e temores do que as guerras ou mulheres têm. E quando ele cai, cai como Lúcifer,
Para jamais ter esperança outra vez".

Mas o sorriso de um príncipe tem um estranho encanto para muitos corações, poucos são prova contra aquele esnobismo que é o indício de uma mente fraca. O princípio foi esquecido e o caráter foi sacrificado, para manter posições na corte, sim, a humanidade que o mais inferior escravo conserva foi infamemente substituída pelas estrelas de um monarca corrupto. Aquele que deposita a sua confiança em Deus, o grande Rei, é, portanto, fortalecido, mentalmente e espiritualmente, e ascende à mais alta dignidade da humanidade; na verdade, quanto mais ele confia, mais é liberto, mas o adulador e bajulador da grandeza é mais infame do que a sujeira sobre a qual pisa. Por esta razão, e mil outras, é infinitamente melhor confiar no Senhor do que depositar a confiança em príncipes.

10. *"Todas as nações me cercaram."* O herói do salmo, ao mesmo tempo em que não tinha nenhum amigo em quem pudesse confiar plenamente, estava cercado por incontáveis inimigos, que o odiavam sinceramente. Ele estava cercado por seus adversários, e não conseguia encontrar uma saída para escapar do cerco que lhe faziam. Como se por comum acordo, todos os tipos de pessoas se colocaram contra ele; no entanto, ele estava no mesmo nível que todos eles, ou superior, porque confiava no nome do Senhor. Por isto, ele alegremente aceita a batalha, e agarra a vitória, clamando: "*mas no nome do Senhor as despedacei*". Eles pensavam que *ele* seria destruído por eles, mas ele estava certo de destruir, *todos eles*; eles desejavam apagar o seu nome, mas ele esperava tornar, não apenas o seu próprio nome, mas

o nome do Senhor, seu Deus, mais ilustre nos corações dos homens. É preciso ter grande fé para estar calmo no dia da batalha, e especialmente quando esta batalha se intensifica; mas o nosso herói estava tão calmo como se não houvesse nenhuma luta. Napoleão disse que Deus estava sempre do lado dos maiores batalhões, mas o salmista guerreiro descobriu que o Senhor dos exércitos estava com o lutador solitário, e que no seu nome os batalhões eram despedaçados. Há um grande toque de *ego* na última sentença, mas está tão ofuscado com o nome do Senhor que não se pode percebê-lo. Ele reconhecia a sua própria individualidade, e a declarou: ele não fica sentado com indiferença, deixando o trabalho para que Deus o realize, por algum meio misterioso; mas ele se decide, com sua própria espada confiável, a iniciar a empreitada, e assim se torna, na mão de Deus, o instrumento da sua própria libertação. E ele fez tudo no nome do Senhor, mas não ignorou a sua própria responsabilidade, nem recuou do conflito pessoal, pois clamou: "[eu] as despedacei". Observe que ele não fala de escapar, meramente, deles, como um pássaro da armadilha do caçador, mas jura que ele fará a guerra contra os seus inimigos, e os derrotará tão completamente que não haveria temor de que eles se levantassem uma segunda vez.

11. *"Cercaram-me e tornaram a cercar-me."* Ele tinha tal vívida lembrança do seu perigo que os seus inimigos pareciam viver outra vez, nos seus versículos. Nós vemos a sua bárbara disposição e a sua cruel combinação de forças. Eles fizeram um círculo duplo, e o cercaram em um círculo com muitos exércitos, não somente falaram em fazer isto, mas realmente o encerraram e o aprisionaram, como dentro de um muro. O seu coração tinha percebido vividamente a sua posição de perigo, na ocasião, e agora ele se alegra em trazê-la outra vez à mente, para que possa adorar mais ardentemente a misericórdia que o fortaleceu na hora do conflito, de modo que levou um exército à destruição.

"Mas no nome do Senhor as despedacei." Eu as subjuguei, as coloquei debaixo dos meus pés, e rompi em pedaços o seu poder. Ele está tão certo da destruição dos seus inimigos, como estava certo de ter sido cercado por eles. Eles fizeram o cerco três ou quatro vezes mais ferrenho; mas, por tudo isto, ele se sentia confiante da vitória. É ótimo ouvir um homem falar desta maneira, quando não está se vangloriando, mas expressando a calma declaração da sua sincera confiança em Deus.

12. *"Cercaram-me como abelhas."* Eles pareciam estar em toda parte, como um enxame de abelhas, atacando-o em todos os lugares, voando agilmente de um lugar a outro, picando-o, enquanto isto, e causando-lhe enorme dor. A princípio, eles ameaçaram confundi-lo: que arma ele poderia usar contra eles? Eles eram tão numerosos, tão inveterados, tão desprezíveis, e tão audaciosos, tão insignificantes e tão capazes de causar agonia, que, aos olhos da razão, não parecia haver possibilidade de fazer qualquer coisa com eles. Como o enxame de moscas no Egito, não havia como resistir a eles; eles ameaçavam levar um homem à morte com sua incessante maldade, suas vis insinuações, suas covardes falsidades. O salmista estava em má situação, mas ainda assim a fé o auxiliava. A fé poderosa se adapta a todas as circunstâncias, ela pode expulsar demônios, e pode expulsar abelhas. Certamente, se ela sobreviver ao aguilhão da morte, ela não morrerá da picada de uma abelha.

"Mas apagaram-se como fogo de espinhos." O seu violento ataque logo chegou ao fim, as abelhas perderam suas asas e o zumbido do enxame diminuiu; como espinhos que ardem com violento crepitar e abundante chama, mas morrem muito rapidamente em um monte de cinzas, também as nações que cercavam nosso herói logo cessaram seu clamor e chegaram a um fim sem glória. Logo se aqueceram, e logo esfriaram, o seu ataque foi tão curto quanto agudo. Ele não teve necessidade de esmagar as abelhas, como espinhos crepitantes, elas morreram por si mesmas. Pela terceira vez, ele acrescenta: *"pois no nome do Senhor as despedacei"*, ou "ceifarei", como os homens ceifam espinhos com uma foice.

Que maravilhas foram realizadas no nome do Senhor! É o clamor da batalha da fé, diante do qual os seus adversários fogem rapidamente. A "espada do Senhor e de Gideão" traz terror instantâneo entre os seus adversários. O nome do Senhor é a única arma que nunca falha, no dia da batalha: aquele que sabe como usá-lo pode matar milhares, com seu braço. Ai! Com muita frequência, nós saímos para trabalhar e lutar em nosso próprio nome, e o inimigo não o conhece, e zombeteiramente indaga: "Quem és?" Tomemos o cuidado de jamais nos arriscarmos na presença do adversário, sem, em primeiro lugar, nos armar com esta armadura impenetrável. Se conhecêssemos melhor este nome, e confiássemos mais nele, a nossa vida seria mais frutífera e sublime.

"Jesus, cujo nome é sobre todo nome,
No inferno, ou na terra, ou no céu.
Os anjos e os homens caem diante dele,
e os demônios temem e fogem."

13. *"Com força me impeliste."* "Tu me empurraste". É uma vigorosa apóstrofe, em que o inimigo é descrito como concentrando toda a sua força nos empurrões que fez ao homem de Deus. Ele empurrou repetidas vezes, no ponto mais doloroso, como as abelhas empurram seus ferrões contra suas vítimas. O adversário tinha exibido intensa exasperação e destemida determinação, e não tinha deixado de obter algum sucesso, as feridas foram feitas, e eram extremamente dolorosas. Isto é verdade, para muitos filhos de Deus que foram feridos por Satanás, pelo mundo, pelas tentações, pelas aflições; a espada penetrou em seus ossos, e deixou a sua marca.

"Para me fazeres cair." Este era o objetivo dos empurrões: empurrá-lo, feri-lo de tal maneira que ele não mais seria capaz de manter seu lugar, fazê-lo perder a sua integridade, e perder a sua confiança em Deus. Se os nossos adversários pudessem fazer isto, teriam alcançado o desejo do seu coração; se nós cairmos em mortificante pecado, eles ficarão ainda mais satisfeitos do que se tivessem enviado a bala dos assassinos ao nosso coração, pois a morte moral é pior do que a morte física. Se eles puderem nos desonrar, e a Deus, em nós, a sua vitória será completa. "Melhor é a morte que a falsa fé", é o lema de uma de nossas casas nobres, e bem pode ser o nosso. É para cercar a nossa queda, que eles *nos* cercam; eles nos enchem com o seu veneno, para que possam nos encher com o seu pecado.

"Mas o Senhor me ajudou"; um abençoado "mas". Esta é a sentença que salva. Outros socorros não conseguiram expulsar as iradas nações, e muito menos destruir todos os enxames venenosos; mas quando o Senhor veio para o resgate, o braço do herói foi suficientemente forte para aniquilar todos os seus adversários. Com que doçura podem muitos de nós repetir, no retrospecto de nossas tribulações passadas, esta agradável sentença: "Mas o Senhor me *ajudou"*. Eu estava atacado por inúmeras dúvidas e temores, mas o Senhor me ajudou; a minha descrença natural estava terrivelmente inflamada pelas insinuações de Satanás, mas o Senhor me ajudou; múltiplas provações ficaram ainda mais intensas pelos cruéis ataques dos homens, e eu não sabia o que fazer, mas o Senhor me ajudou. Sem dúvida, quando nós chegarmos à outra margem do Jordão, este será um de nossos cânticos: "A minha carne e o meu coração desfalecem, e os adversários da minha alma me cercaram nas enchentes do Jordão, mas o Senhor me ajudou. Glória ao seu nome".

14. *"O Senhor é a minha força e o meu cântico"*, minha força enquanto eu estava no conflito, meu cântico agora, que o conflito está terminado; minha força contra os fortes, e meu cântico pela sua derrota. Ele está longe de se vangloriar da sua própria coragem, mas atribui a sua vitória à sua verdadeira fonte; ele não tem um cântico a respeito da sua própria exaltação, mas todos os seus cânticos são para *Jeová o Vencedor*, o Senhor cuja destra e cujo santo braço lhe tinham dado a vitória.

"Porque ele me salvou." O poeta guerreiro sabia que estava salvo, e não somente atribuiu a sua salvação a Deus, mas declarou que o próprio Deus era a sua salvação. É uma expressão abrangente, que significa que, desde o início até o fim, no conjunto e nos detalhes, ele devia a sua libertação inteiramente ao Senhor. Assim podem

todos os redimidos do Senhor dizer: "A salvação vem do Senhor". Nós não podemos tolerar nenhuma doutrina que coloque a coroa sobre a cabeça errada, e prive o glorioso Rei da sua fonte de louvor. O Senhor fez tudo isto; sim, em Cristo Jesus Ele *é* tudo, e por isto, em nossos louvores, somente Ele deve ser exaltado. É uma feliz circunstância para nós, quando podemos louvar a Deus como nossa força, nosso cântico e nossa salvação; pois Deus, às vezes, dá uma força secreta ao seu povo, e ainda assim eles questionam a sua própria salvação, e não pode, portanto, cantar a respeito dela. Muitos, sem dúvida, são verdadeiramente salvos, mas às vezes têm tão pouca força que estão prestes a fraquejar, e por isto não podem cantar; quando a força é concedida e a salvação é percebida, então o cântico é claro e pleno.

15. *"Nas tendas dos justos há voz de júbilo e de salvação."* Eles acompanham o deleite de seu líder, e permanecem em suas tendas em paz, alegrando-se de que tenha sido levantado alguém que, em nome do Senhor, iria protegê-los dos seus adversários. As famílias dos crentes são felizes, e devem se esforçar para dar à sua felicidade uma voz, por meio da sua devoção familiar. A morada dos homens salvos deve ser um templo de louvor; é apenas justo que os justos louvem o justo Deus, que é a sua justiça. O herói lutador sabia que a dor da lamentação era ouvida nas tendas de seus adversários, pois eles tinham sofrido grave derrota pelas suas mãos; mas ele estava satisfeito pela lembrança de que a nação pela qual ele tinha lutado se alegrava, de um extremo da terra a outro, pela libertação que Deus tinha realizado por seu intermédio. Este Herói dos heróis, o Salvador conquistador, dá a todas as famílias do seu povo abundantes razões para cânticos incessantes, agora que Ele subiu ao alto e levou cativo o cativeiro. Que nenhum de nós fique em silêncio em nossas casas; se temos a salvação, devemos ter alegria, e se temos alegria, devemos dar a ela uma língua com a qual ela posa exaltar ao Senhor. Se prestarmos atenção e ouvirmos cuidadosamente a música que vem das tendas de Israel, perceberemos uma estrofe com este objetivo: *"A destra do Senhor faz proezas"*. O Senhor manifestou a sua força, deu a vitória ao seu herói escolhido, e derrotou todos os exércitos do inimigo. "O Senhor é varão de guerra; Senhor é o seu nome". Quando Ele vem para golpear, ai do seu oponente mais poderoso.

16. *"A destra do Senhor se exalta"*; ela se levanta para ferir o adversário, ou é engrandecida e exaltada aos olhos do seu povo. É a *destra* do Senhor, a mão da sua habilidade, a mão do seu maior poder, a mão que está acostumada a defender os seus santos. Quando ela é levantada, ela levanta todos os que confiam nele, e derrota todos os que resistem a Ele.

"A destra do Senhor faz proezas." O salmista fala em tercetos, pois está louvando o Deus trino, o seu coração se aquece e ele se apraz em se demorar na nota; ele não está satisfeito com o louvor que já prestou, mas se esforça para proferi-lo de modo cada vez mais fervoroso e jubiloso do que antes. Ele tinha se estendido sobre a frase: "eles me cercaram", pois o perigo que corria devido aos exércitos que estavam ao seu redor foi plenamente percebido; e agora ele se estende sobre o valor da mão direita do Senhor, pois tem a vívida sensação da sua presença e majestade. Como é raro que este seja o caso; a misericórdia do Senhor é frequentemente esquecida, e somente a tentação é lembrada.

17. *"Não morrerei, mas viverei."* Os seus inimigos esperavam que ele morresse, e talvez ele mesmo temesse que pudesse perecer nas mãos deles: as notícias da sua morte poderiam ter sido espalhadas entre o seu povo, pois o rumor é sempre rápido com as más notícias, a falsa informação naturalmente causaria grande tristeza e desânimo, mas ele se proclama ainda vivo e confiante de que não cairá pela mão do destruidor. Ele tem a alegre certeza de que nenhuma flecha poderá fazer com que a morte passe pelas malhas da sua armadura, e nenhuma arma, de nenhum tipo, poderá encerrar a sua carreira. A sua hora ainda não era chegada; ele sentia a imortalidade batendo no seu peito. Talvez ele tivesse estado doente, e tivesse sido levado às portas da morte, mas sentiu que a doença não era para a morte, mas para a glória de Deus. De qualquer forma, ele sabia que não morreria para dar a

vitória aos inimigos de Deus, pois a honra de Deus e o bem do seu povo estavam envolvidos no seu continuado sucesso. Sentindo que iria viver, ele se dedicou ao mais nobre dos propósitos: ele decidiu dar testemunho da fidelidade divina, *"e contar as obras do Senhor"*. Ele decidiu contar as obras de Jah; e ele faz isto neste salmo, em que se estende, com amor e admiração, sobre o esplendor das promessas do Senhor em meio à luta. Enquanto houver um testemunho de Deus a ser dado por nós a alguém, é certo que não deixaremos a terra dos viventes. Os profetas do Senhor sobreviverão em meio à fome, à guerra, à praga e à perseguição, até que tenham pronunciado todas as palavras proféticas que lhes foram confiadas; os seus sacerdotes permanecerão no altar, incólumes, até que o seu último sacrifício tenha sido apresentado diante dele. Nenhuma bala encontrará o seu alojamento em nossos corações, até que tenhamos concluído o nosso período de atividade.

"Pragas e mortes voam ao meu redor,
Até que Ele assim deseje, não posso morrer:
Nem uma única flecha me pode atingir,
Até que o Deus de amor julgue adequado."

18. *"O Senhor castigou-me muito."* Esta é a versão da fé da passagem anterior – "Com força me impeliste" – pois os ataques do inimigo são punições que vêm da mão de Deus. O diabo atormentou Jó para alcançar os seus próprios objetivos, mas, na realidade, as angústias do patriarca eram castigos do Senhor. "Jah castigou-me", diz o nosso poeta, o que equivale a dizer que o Senhor o tinha ferido gravemente, fazendo-o conhecer de maneira angustiosa todo o peso da sua vara. O Senhor frequentemente parece guardar os seus mais pesados golpes para os seus mais amados; se há alguma aflição mais dolorosa do que outra, ela caberá àqueles aos quais Ele mais distingue no seu serviço. O jardineiro poda suas melhores rosas com o máximo de cuidado. O castigo é enviado para conservar humildes os santos bem sucedidos, para fazer com que sejam ternos com os outros, e para capacitá-los a suportar as elevadas honras que o seu Pai celestial coloca sobre eles.

"Mas não me entregou à morte." Este versículo, como o versículo 13, é concluído com um abençoado "mas", que constitui uma sentença salvadora. O salmista se sentia como se tivesse estado muito próximo de perder a vida, mas a morte não aconteceu. Sempre há um limite misericordioso para o castigo dos filhos de Deus. Quarenta chibatadas, menos uma, era tudo o que um israelita podia receber, e o Senhor jamais permitirá que este golpe mortal caia sobre os seus filhos. Eles são "castigados, porém não mortos"; as suas dores são para a sua instrução, não para a sua destruição. Por estas coisas, morrem os ímpios, mas o piedoso Ezequias pôde dizer: "com estas coisas se vive, e em todas elas está a vida do meu espírito". Bendito seja o nome de Deus, Ele pode nos castigar, mas não irá nos condenar; nós devemos sentir a vara que fere, mas não sentiremos a espada que mata. Ele não nos entrega à morte, em nenhum momento, e podemos estar completamente certos de que Ele não faz isto, enquanto condescende em nos castigar, pois se pretendesse a nossa rejeição final, não teria se esforçado para nos colocar sob a sua disciplina paterna. Pode parecer difícil estar sob a vara que fere, mas seria algo muito mais terrível se o Senhor dissesse: "está entregue aos ídolos; deixa-o". Até mesmo das nossas angústias podemos obter consolação, e reunir lindas flores do jardim em que o Senhor plantou o arrependimento salutar e a amargura. É animador o fato de que, se suportarmos a disciplina, Deus lidará conosco como com seus filhos, e ficaremos satisfeitos com o que corresponde à sua amada família.

O herói, restaurado à saúde, e resgatado dos perigos da batalha, agora eleva o seu próprio cântico ao Senhor, e pede que todo Israel, liderado pela piedosa comunhão dos sacerdotes, o ajude a entoar um alegre *Te Deum.*

19 *Abri-me as portas da justiça; entrarei por elas e louvarei ao Senhor.*

20 *Esta é a porta do Senhor, pela qual os justos entrarão.*
21 *Louvar-te-ei porque me escutaste e me salvaste.*

19. *"Abri-me as portas da justiça."* O agradecido herói, tendo chegado à entrada do templo, pede para entrar, como se sentisse que somente poderia se aproximar do santuário com permissão divina, e somente desejasse entrar da maneira apropriada. O propósito do templo de Deus era que os justos entrassem e oferecessem os sacrifícios de justiça, por isto as portas são chamadas de portas da justiça. Obras justas eram realizadas dentro de seus muros, e ensinamentos justos proferidos em seus átrios. A expressão "porta" às vezes é usada para indicar poder ou império; como, por exemplo, "a Porta Sublime" significa a sede do império da Turquia; a entrada ao templo era a verdadeira Porta Sublime, e, ainda melhor, era a *porta justitiae*, a porta da justiça, o palácio do grande Rei, que em todas as coisas é justo. *"Entrarei por elas e louvarei ao Senhor."* Assim que a porta for aberta, o adorador entrará; e ele entrará no correto estado de espírito, e com o melhor dos propósitos, para que possa prestar a sua homenagem ao Altíssimo. Ai, há multidões que não se preocupam se as portas da casa de Deus estão abertas ou não; e embora saibam que elas estão completamente abertas, nunca se interessam em entrar, nem o pensamento de louvar a Deus sequer passa por suas mentes. Chegará o tempo, para eles, quando encontrarão as portas do céu fechadas para eles, pois estas portas são, peculiarmente, as portas da justiça pelas quais não entrará, de maneira alguma, coisa alguma que contamine. Nosso herói podia ter louvado ao Senhor em segredo, e sem dúvida, ele fez isto; mas não estava satisfeito, sem subir à assembleia, para ali registrar seus agradecimentos. Aqueles que negligenciam a adoração pública, de modo geral, negligenciam toda a adoração; aqueles que louvam a Deus dentro de suas próprias portas estão entre os mais dispostos a louvá-lo dentro das portas do seu templo. Nosso herói tinha também, muito provavelmente, estado muito doente, e por isto, como Ezequias, ele diz: "O Senhor veio salvar-me; pelo que, tangendo eu meus instrumentos, nós o louvaremos todos os dias de nossa vida na Casa do Senhor". O louvor público pelas graças públicas é, de todas as formas, muito apropriado, muito aceitável a Deus, e muito benéfico aos outros.

20. *"Esta é a porta do Senhor, pela qual os justos entrarão."* O salmista ama tanto a casa de Deus que admira a sua própria porta, e faz uma pausa debaixo do seu arco, para expressar o seu afeto por ela. Ele a amava, porque era a porta do Senhor, ele a amava porque era a porta da justiça, porque tantas pessoas piedosas já tinham entrado por ela, e porque, em todas as gerações futuras, estas pessoas iriam continuar a passar por esta porta. Se a porta da casa do Senhor na terra é tão agradável para nós, imagine o quanto nos alegraremos quando passarmos por esta porta de pérolas da qual ninguém, exceto os justos, se aproximarão, mas pela qual todos os justos, no devido tempo, entrarão para a felicidade eterna. O Senhor Jesus passou por ali, e não somente deixou a porta completamente aberta, mas assegurou a entrada a todos aqueles que são feitos justos na sua justiça; todos os justos devem entrar por ali, e entrarão por ali, não importando quem possa se opor a eles. Sob outro aspecto, o nosso Senhor é, Ele mesmo, esta porta, e através dele, como o novo e vivo Caminho, todos os justos se alegram em se aproximar do Senhor. Sempre que nos aproximarmos para louvar ao Senhor, devemos fazê-lo por esta porta; louvor aceitável jamais passa por cima do muro, nem entra por qualquer outro caminho, mas somente vem a Deus em Cristo Jesus; como está escrito: "Ninguém vem ao Pai senão por mim". Bendita, para sempre seja bendita esta maravilhosa porta! Sim, esta porta que é o nosso próprio Senhor!

21. Tendo entrado, o herói exclama: *"Louvar-te-ei"*, não "Louvarei ao Senhor", pois agora ele percebe vividamente a presença divina, e se dirige diretamente ao Senhor, ao qual a sua fé discerne sensivelmente. Como é bom, em todos os nossos cânticos de louvor, deixar que o coração tenha uma comunhão direta e distinta com o próprio Deus! O cântico do salmista era louvor pessoal também: "Louvar-te-ei";

louvor decidido, pois ele se decidiu firmemente a oferecê-lo; louvor espontâneo, pois ele o ofereceu voluntariamente e alegremente, e louvor continuado, pois ele não pretendia concluí-lo rapidamente. Era um voto vitalício que jamais teria um final: "Louvar-te-ei".

"Porque me escutaste e me salvaste." Ele louva a Deus, mencionando as suas benevolências, tecendo seu cântico da bondade divina que ele tinha vivenciado. Nestas palavras, ele fornece a razão para o seu louvor – a sua oração atendida, e a libertação que tinha recebido, como consequência. Com que carinho ele se estende sobre a intercessão pessoal de Deus! "Me escutaste". Com que sinceridade ele atribui a Deus toda a sua vitória sobre os seus inimigos; na verdade, ele considera que o próprio Deus é a sua vitória: "E me salvaste". É bom ir diretamente até Deus, e não nos determos, nem na sua misericórdia, nem nos atos da sua graça. As orações atendidas trazem Deus muito próximo de nós; a salvação recebida nos permite perceber a presença imediata de Deus. Considerando a extrema angústia pela qual o adorador tinha passado, não é de admirar que ele sentisse o seu coração cheio de gratidão pela grande salvação que Deus tinha realizado a seu favor; e logo que entrasse no templo, levantaria a sua voz em agradecido louvor pelos benefícios pessoais tão grandes, tão necessários, e tão perfeitos que recebera.

22 *A pedra que os edificadores rejeitaram tornou-se cabeça de esquina.*
23 *Foi o Senhor que fez isto, e é coisa maravilhosa aos nossos olhos.*
24 *Este é o dia que fez o Senhor; regozijemo-nos e alegremo-nos nele.*
25 *Oh! Salva, Senhor, nós te pedimos; ó Senhor, nós te pedimos, prospera!*
26 *Bendito aquele que vem em nome do Senhor; nós vos bendizemos desde a Casa do Senhor.*
27 *Deus é o Senhor que nos concedeu a luz; atai a vítima da festa com cordas e levai-a até aos ângulos do altar.*

Esta passagem parecerá ser uma mistura das expressões do povo e do próprio herói.

22. *"A pedra que os edificadores rejeitaram tornou-se cabeça de esquina."* Aqui, o povo exalta a Deus, por trazer o seu servo escolhido ao honroso ofício, que tinha sido indicado a ele por decreto divino. Um rei sábio e líder valente é uma pedra pela qual a nação é edificada. Davi tinha sido rejeitado pelos que tinham autoridade, mas Deus o tinha colocado em uma posição da mais alta honra e da maior serventia, tornando-o a principal pedra de esquina. No caso de muitos outros, que passaram a vida em meio aos conflitos, o Senhor também se alegrou em cumprir o seu propósito divino; mas a ninguém este texto é tão aplicável, como ao próprio Senhor Jesus: Ele é a pedra viva, a pedra já provada, eleita, preciosa, que o próprio Deus estabeleceu desde a eternidade. Os judeus, edificadores, escribas, sacerdotes, fariseus e herodianos o rejeitaram com desdém. Eles não puderam enxergar nele a devida excelência para que edificassem sobre Ele; Ele não se encaixou no seu ideal de uma igreja nacional; Ele era uma pedra de outra pedreira, e não de acordo com sua vontade ou o seu gosto; por isto, eles o lançaram fora, e derramaram desprezo sobre Ele, como disse Pedro: "Ele é a pedra que foi rejeitada por vós, os edificadores"; eles o consideraram como nada, embora Ele seja Senhor de tudo. Ao ressuscitá-lo da morte, o Senhor Deus o exaltou, para ser a cabeça da sua igreja, o pináculo da sua glória e beleza. Desde então, Ele se tornou a esperança dos gentios, sim, daqueles que estão longe sobre o mar; e assim Ele derrubou a parede de separação entre judeus e gentios, reconciliando ambos e tornando-os um templo único e imponente, e é considerado a pedra de esquina que os torna um só. Este é um maravilhoso tema para contemplação.

Jesus tem a proeminência em todas as coisas, Ele é a pedra principal de toda a casa de Deus. Nós estamos acostumados a lançar a fundação de um edifício público com uma cerimônia solene, e a depositar dentro dela coisas preciosas que tenham sido escolhidas como lembrança da ocasião: por isto esta pedra de esquina é considerada peculiarmente honorável, e felizes lembranças são associadas a ela. Tudo isto é, em um sentido enfático, verdadeiro sobre o nosso bendito Senhor, "o Pastor e a Pedra de Israel". O próprio Deus o colocou onde Ele está, e escondeu nele todas as coisas preciosas do concerto eterno; e ali Ele permanecerá para sempre, a fundação de todas as nossas esperanças, a glória de todas as nossas alegrias, o elo de união de toda a nossa comunhão. Ele é "sobre todas as coisas... cabeça da igreja", e por Ele a igreja é adequadamente formada, e cresce para templo santo no Senhor. Ainda os edificadores o recusam: até hoje, os professores profissionais do Evangelho são muito propensos a fugir para cada nova filosofia, em vez de manter o simples Evangelho, que é a essência de Cristo: apesar disto, Ele conserva a sua verdadeira posição entre o seu povo, e os loucos edificadores verão, para sua total confusão, que a sua verdade será exaltada sobre todos. Aqueles que rejeitam a pedra eleita se chocarão contra Ele, para seu próprio prejuízo, e antes que passe muito tempo, virá o seu segundo advento, quando Ele virá sobre eles das alturas dos céus e os reduzirá a pó.

23. *"Foi o Senhor que fez isto."* A posição exaltada de Cristo na sua igreja não é obra do homem e não depende, para sua continuidade, de nenhum edificador ou ministro; o próprio Deus realizou a exaltação do nosso Senhor Jesus. Considerando a oposição que vem da sabedoria, do poder e da autoridade deste mundo, fica claro que, se o reino de Cristo realmente é edificado e mantido no mundo, isto deve acontecer através de um poder sobrenatural. Na verdade, assim é, até o menor detalhe. Cada grão de fé verdadeira neste mundo é uma criação divina, e cada hora em que a igreja fiel subsiste é um milagre prolongado. Não é a bondade da natureza humana, nem o poder da razão, que exalta Cristo e edifica a igreja, mas um poder do alto. Isto abala o adversário, pois ele não consegue compreender o que é que o frustra: ele nada conhece sobre o Espírito Santo.

"E é coisa maravilhosa aos nossos olhos." Nós realmente podemos ver isto; não está somente em nossos pensamentos, e esperanças, e orações, mas a obra assombrosa está, na verdade, diante de nossos olhos. Jesus reina, o seu poder é sentido, e nós percebemos isto. A fé vê o nosso grande Mestre, muito acima de todo principado, e poder, e potestade, e domínio, e de todo nome que se nomeia, não só neste século, mas também no vindouro; ela vê e se maravilha. E nós jamais deixamos de nos assombrar, quando vemos, aqui, Deus, por meio da fraqueza, derrotando a força; pela simplicidade da sua palavra, frustrando a astúcia dos homens, e pela influência invisível do seu Espírito, exaltando seu Filho em corações humanos, diante dos dentes da oposição aberta e determinada. É, verdadeiramente, "maravilhoso aos nossos olhos", como devem ser todas as obras de Deus, se os homens se preocuparem em estudá-las. No texto em hebraico, a passagem diz: *"É maravilhosamente feito";* não apenas a exaltação de Jesus de Nazaré é maravilhosa, por si só, mas a maneira como ela é realizada é maravilhosa; é maravilhosamente feita. Quanto mais nós estudamos a história de Cristo e sua igreja, mais plenamente concordamos com esta declaração.

24. *"Este é o dia que fez o Senhor."* Uma nova era começou. O dia da entronização de Davi foi o início de tempos melhores para Israel; e, em um sentido muito mais elevado, o dia da ressurreição do nosso Senhor é um novo dia criado por Deus, pois é o amanhecer de uma abençoada dispensação. Sem dúvida, a nação israelita celebrou a vitória do seu herói com um dia de banquetes, músicas e cânticos; e certamente é apenas apropriado que nós observemos reverentemente o banquete de triunfo do Filho de Davi. Nós observamos o dia do Senhor como nosso verdadeiro sábado, um dia criado e ordenado por Deus, para recordação perpétua das realizações do nosso Redentor. Sempre que a suave luz de sábado do primeiro dia da semana surgir sobre a terra, cantemos.

"Este é o dia que fez o Senhor,
Ele chama as horas de suas;
Que o céu se alegre, que a terra fique satisfeita,
e que o louvor rodeie o trono."

De maneira nenhuma desejamos limitar a referência da passagem ao sábado, pois o dia do Evangelho é o dia criado por Deus, e as suas bênçãos nos vêm pelo estabelecimento do Senhor como a principal pedra, a pedra de esquina.

"Regozijemo-nos e alegremo-nos nele." O que mais podemos fazer? Tendo obtido tão grande libertação, pelo nosso ilustre líder, e tendo visto a eterna misericórdia de Deus tão brilhantemente exibida, não é adequado que lamentemos e nos queixemos. Em vez disto, devemos exibir uma dupla alegria; devemos nos alegrar no coração e ter um semblante feliz; nos alegrar privadamente e nos contentar em público, pois temos mais do que uma razão dupla para nos alegrarmos no Senhor. Nós devemos ser particularmente alegres no dia de repouso e adoração ao Senhor: este é o rei dos dias, e as suas horas devem estar revestidas com um deleite real. Sobre isto, diz George Herbert:

"És um dia de alegria.
E enquanto os dias da semana se arrastam pelo chão,
o teu voo é mais alto, como a tua origem".

Ao entrar na igreja de Deus, e contemplar o Senhor Jesus nas assembleias do seu povo, nós devemos transbordar de alegria. Não está escrito: "os discípulos se alegraram, vendo o Senhor"? Uma vez que o Rei faz da casa de oração uma casa de banquete, e temos a graça de desfrutar da comunhão com Ele, tanto nos seus sofrimentos quanto nos seus triunfos, sentimos um intenso deleite, e nos alegramos em expressá-lo com o resto do seu povo.

25. *"Oh! Salva, Deus, nós te pedimos."* Hosana! Deus salve o nosso rei! Que reine Davi! Ou, como nós, que vivemos nestes últimos dias, interpretamos: Que viva o Filho de Davi, para sempre; que a sua ajuda, sim, a sua preciosa salvação esteja em todas as nações. Este era o grito peculiar na festa dos tabernáculos, e enquanto nós vivermos aqui nestes tabernáculos de barro, não poderemos fazer nada melhor do que usar o mesmo grito. Oremos, perpetuamente, para que o nosso Rei glorioso possa operar a salvação no meio da terra. Nós também pedimos, por nós mesmos, que o Senhor nos salve, nos liberte, e continue a nos santificar. Isto pedimos com grande fervor, imploramos ao Senhor. A oração deve ser sempre composta por pedidos e súplicas.

"Ó Senhor, nós te pedimos, prospera." Faça com que a tua amada igreja seja edificada: pela salvação dos pecadores, possa o número dos santos crescer; pela preservação dos santos, possa a igreja ser fortalecida, continuada, embelezada, aperfeiçoada. O nosso Senhor Jesus intercede, pessoalmente, na presença de Deus Pai, pela salvação e prosperidade dos seus escolhidos; como nosso Intercessor diante do trono, Ele pede que o Pai celestial salve e guarde aqueles que, há muito tempo, se haviam comprometido com a sua ordem, e que faça com que eles sejam um, pelo Espírito que neles está. A salvação já foi disponibilizada, e por isto é pedida. Embora possa parecer estranho, aquele que implora pela salvação, já está, até certo ponto, salvo. Ninguém pode clamar tão verdadeiramente: "Salva, nós te pedimos", como aqueles que já participaram da salvação; e a igreja mais próspera é a que mais suplica, buscando a prosperidade. Pode parecer estranho que, retornando da vitória, ruborizado com o triunfo, o herói ainda peça salvação; mas assim é, e não poderia ser de outra maneira. Quando toda a obra e guerra do nosso Salvador estiverem terminadas, a sua intercessão se torna ainda mais proeminentemente uma característica da sua vida; depois de ter conquistado todos os seus inimigos,

Ele intercedeu pelos transgressores. O que é verdadeiro sobre Ele, é verdadeiro sobre a sua igreja também, pois onde quer que ela obtenha grandes quantidades de bênçãos espirituais, ela será mais inclinada a implorar por mais. Ela jamais almeja tão fervorosamente a prosperidade, como quando vê as obras do Senhor no seu meio, e se maravilha com elas. Então, encorajada pela piedosa visitação, a igreja de Deus dedica seus dias solenes de oração, e clama, com apaixonado desejo: "Salva", e "prospera". Ela tomaria de bom grado a maré na enchente, e aproveitaria ao máximo o dia pelo qual o Senhor já tinha feito tantas coisas.

26. *"Bendito aquele que vem em nome do Senhor."* O herói tinha feito tudo "em nome do Senhor"; neste nome, ele tinha derrotado todos os seus adversários, e tinha ascendido ao trono, e neste nome agora tinha entrado no templo para pagar os seus votos. Nós sabemos quem é que vem em nome do Senhor, além de todos os outros. Nos tempos do salmista, ele era aquele que viria; mas, para nós, Ele ainda é aquele que vem, embora já tenha vindo. Nós estamos prontos, com nossos hosanas, tanto para o seu primeiro advento como para o segundo; o íntimo das nossas almas agradecidamente o adora e bendiz, e invoca sobre a sua cabeça indescritíveis alegrias. "Continuamente se fará por ele oração, e todos os dias o bendirão". Por causa dele, é bendito para nós todo aquele que vem em nome do Senhor; nós recebemos todas as pessoas deste tipo em nossos corações e em nossos lares; mas, principalmente, e além de todos os outros, nós recebemos *a Ele mesmo* quando Ele se digna a entrar e cear conosco, e nós com Ele. Ó, gozo sagrado, "antepasto" do céu! Talvez esta sentença tenha como função ser a bênção dos sacerdotes sobre o valente servo do Senhor; se for assim, é apropriado que esteja acrescentado: *"nós vos bendizemos desde a Casa do Senhor"*. Os sacerdotes cujo trabalho era abençoar o povo, bendizem de sete maneiras o libertador do povo, o único Eleito do povo a quem o Senhor exaltou. Todos aqueles cujo elevado privilégio é habitar na casa do Senhor para sempre, porque foram feitos sacerdotes de Deus em Cristo Jesus, podem verdadeiramente dizer que bendizem ao Cristo que os fez o que são, e os colocou onde estão. Sempre que nós nos sentirmos em casa com Deus, e sentirmos o espírito de adoção, segundo o qual clamamos: "Aba, Pai", o primeiro pensamento dos nossos corações deveria ser bendizer o Irmão mais velho, por cujo intermédio o privilégio da filiação desceu a indivíduos tão indignos. Examinando nossa vida pregressa, podemos nos lembrar de muitas ocasiões de deleite, em que, com alegria inexprimível, na plenitude do nosso coração nós bendissemos ao nosso Salvador e nosso Rei: e todas estas memoráveis ocasiões são tantos "antepastos" e garantias do momento em que, na casa do nosso grande Pai, no alto, cantaremos para sempre: "Digno é o Cordeiro, que foi morto", e em um grande êxtase bendiremos o precioso nome do Redentor.

27. *"Deus é o Senhor que nos concedeu a luz"*, ou "Deus é Jeová", o único Deus vivo e verdadeiro. Não há outro Deus, senão Ele. As palavras também podem ser traduzidas como "Poderoso é o Senhor". Somente o poder de Deus poderia ter nos trazido tanta luz e alegria resultantes da obra do nosso Herói e Rei. Nós recebemos a luz, pela qual soubemos que a pedra rejeitada é a pedra de esquina, e esta luz nos levou a nos alistar sob a bandeira daquele Nazareno, antes desprezado, que agora é o Príncipe dos reis da terra. Com a luz do conhecimento, veio a luz da alegria; pois nós fomos libertados da potestade das trevas e transportados para o Reino do Filho do amor de Deus. O nosso conhecimento da glória de Deus, na face de Jesus Cristo, não veio pela luz da natureza, nem pela razão, nem surgiu das faíscas que nós mesmos tínhamos acendido, nem o recebemos dos homens; mas somente o Deus Todo-Poderoso a mostrou para nós. Ele criou um dia propositadamente, para que pudesse brilhar sobre nós como o sol, e fez com que os nossos rostos brilhassem sob a luz deste dia, de acordo com a declaração do versículo 24. Por isto, a Ele seja toda a honra do nosso esclarecimento. Devemos fazer o melhor que pudermos, para exaltar o grande Pai das luzes de quem desce a nossa atual bem-aventurança.

"Atai a vítima da festa com cordas e levai-a até aos ângulos do altar." Alguns pensam que isto nos ensina que o rei oferecia tantos sacrifícios que toda a área do átrio ficava cheia, e os sacrifícios eram atados até ao altar; mas nós preferimos conservar a nossa própria versão, e crer que, às vezes, novilhos inquietos eram atados ao altar, antes de serem mortos, e neste caso é correta a versão de Mant:

"Ele, Jeová, é nosso Senhor;
Ele, nosso Deus, brilhou sobre nós;
Atai o sacrifício com cordas,
aos ângulos do altar, atai".

A palavra traduzida como "cordas" traz consigo a ideia de ramos e grinaldas, de modo que não era uma corda dura e áspera, mas uma faixa decorada; e no nosso caso, embora estejamos presos ao altar de Deus, estamos envolvidos pelas cordas do amor e pelas faixas humanas, e não por uma compulsão que destrói a liberdade da vontade. O sacrifício que devemos apresentar em honra às vitórias do nosso Senhor Jesus Cristo é o sacrifício vivo do nosso espírito, da nossa alma, e do nosso corpo. Nós nos conduzimos ao seu altar, e desejamos oferecer a Ele tudo o que temos e somos. Mas em nossa natureza permanece uma tendência de evitar isto; ela não demonstra nenhum carinho pelo cutelo do sacrifício. No calor do nosso amor, nós vamos voluntariamente até o altar, mas precisamos de um poder coercivo, que nos mantenha ali, na integridade da nossa existência, por toda a vida. Felizmente, há uma corda que, torcida em volta da expiação, ou, ainda melhor, em volta da pessoa do nosso Senhor Jesus Cristo, que é o nosso único altar, pode nos prender, e realmente nos prende: "Porque o amor de Cristo nos constrange, julgando nós assim: que, se um morreu por todos, logo, todos morreram. E ele morreu por todos, para que os que vivem não vivam mais para si, mas para aquele que por eles morreu e ressuscitou". Nós estamos presos à doutrina da expiação. Nós estamos presos ao próprio Cristo, que é, ao mesmo tempo, altar e sacrifício; nós desejamos estar mais presos a Ele do que nunca; a nossa alma encontra a sua liberdade estando firmemente presa ao altar do Senhor. A *American Board of Missions* tem, como selo, um boi, com um altar de um lado e um arado do outro, e o lema: "Pronto para qualquer coisa" – pronto para a vida e o trabalho, ou pronto para sofrer e morrer. Nós nos deixaríamos gastar, de bom grado e ativamente pelo Senhor, ou nos disporíamos a ser gastos por Ele, passivamente, conforme a sua vontade; mas como conhecemos a rebelião da nossa natureza corrupta, oramos fervorosamente para que possamos nos conservar nesta disposição consagrada, e para que jamais, sob desencorajamentos ou pelas tentações do mundo, nos permitamos deixar o altar, ao qual desejamos estar ligados para sempre. Tal consagração, e tais desejos para a sua perpetuidade, são adequados ao dia de alegria que o Senhor criou, tão brilhante, pelo triunfo glorioso do seu Filho, o Cabeça do bendito concerto, o nosso amado.

28 *Tu és o meu Deus, e eu te louvarei; tu és o meu Deus, e eu te exaltarei.*
29 *Louvai ao Senhor, porque ele é bom, porque a sua benignidade é para sempre.*

Agora vem o cântico final do herói, e de cada um dos seus admiradores.

28. *"Tu és o meu Deus, e eu te louvarei"*, meu Deus poderoso, que criou estas coisas poderosas e maravilhosas. Tu serás meu, e todo o louvor de que a minha alma é capaz será derramado aos teus pés.

"Tu és o meu Deus, e eu te exaltarei." Tu me exaltaste, e, até onde os meus louvores puderem, eu exaltarei o teu nome. Jesus é exaltado, e Ele exalta o Pai, de acordo com a sua oração: "Pai, é chegada a hora; glorifica a teu Filho, para que também o teu Filho te glorifique a ti". Deus nos deu graça e nos prometeu glória, e nós somos compelidos a atribuir a Ele toda a graça, e toda a glória também. A

repetição indica uma dupla determinação, e estabelece a firmeza desta resolução, a sinceridade do afeto, e a intensidade da gratidão. O nosso Senhor Jesus disse: "Eu te louvarei", e cada um de nós pode, humildemente e com confiança na graça divina, acrescentar, por iniciativa própria, a mesma declaração: "*Eu* te louvarei". Ainda que outros possam te blasfemar, eu te exaltarei: ainda que, às vezes, possa me sentir embotado e frio, ainda assim despertarei minha natureza, e decidirei que, enquanto eu tiver alguma existência, esta existência será devotada ao teu louvor. Porque és meu Deus, para sempre, e para sempre eu te agradecerei.

29. "*Louvai ao Senhor; Porque ele é bom: porque a sua benignidade é para sempre.*" O salmo é concluído da maneira como começou, fazendo um ciclo completo de alegre adoração. Nós bem podemos supor que as notas do encerramento, de alegre aleluia, fossem mais doces e mais altas do que as do início. Ao som da trombeta e da harpa, Israel, a casa de Arão e todos os que temiam ao Senhor, se esquecendo de suas distinções, se uniram em um único hino comum, testificando, novamente, a sua profunda gratidão pela bondade do Senhor, e pela misericórdia que é por toda a eternidade. Que melhor encerramento poderia haver para este cântico real? O salmista teria subido um pouco mais alto, de modo a concluir com um clímax, mas não restava nada mais sublime. Ele tinha alcançado a altura do seu maior argumento, e aqui fez uma pausa. A música cessou, o cântico foi interrompido, o grande *hallel* tinha sido entoado, e as pessoas foram, cada uma à sua própria casa, tranquilamente e alegremente meditando sobre a bondade do Senhor, cuja misericórdia enche a eternidade.

NOTAS EXPLICATIVAS E DECLARAÇÕES SINGULARES

O Salmo: Este é o último dos salmos que formam o grande *Hallel*, que os judeus entoavam no fim da Páscoa. – *Adam Clarke*

O Salmo: Todo o salmo tem uma organização peculiar. Ele se assemelha aos salmos *Masquil*, pois cada versículo tem, por si só, o seu significado completo, o seu próprio tom; um pensamento é unido a outro, como um ramo a outro, e uma flor a outra. – *Franz Delitzch*

O Salmo: Nada pode superar a força e a majestade, como também a beleza ricamente variada, deste salmo. O seu tema geral é bem claro. É a expressão profética, pelo Espírito de Cristo, daquela melodia exultante de triunfo antecipatório, em que a virgem filha de Sião irá ridicularizar, com a perspectiva imediata do advento do seu Libertador, os exércitos congregados do Homem do pecado (vv. 10-13). – *Arthur Pridham*

O Salmo: Os dois salmos, 117 e 118, estão colocados juntos porque, embora cada um seja um fragmento distinto, por si mesmo, o Salmo 117 é um preâmbulo do que vem a seguir, um discurso e um convite ao mundo gentio e pagão, para que reconhecesse e louvasse ao Senhor.

Agora chegamos à parte de conclusão do hino, que Cristo e os seus discípulos entoaram antes de sua saída para o monte das Oliveiras. Nada poderia ser mais apropriado, ou mais adequado ao consolo e ao encorajamento, em um período tão terrível, do que uma profecia que, passando por cima do sofrimento que deveria ser suportado, exibia a glória que se seguiria, e um cântico de triunfo, então apenas recitado, mas, no devido tempo, literalmente encenado, quando a cruz seria sucedida por uma coroa. Este salmo não apenas é citado com frequência no Novo Testamento, mas era também parcialmente aplicado a um período da peregrinação do nosso Salvador sobre a terra, e assim nós temos um testemunho decisivo quanto ao propósito para o qual ele se destina, originalmente e profeticamente. Ele era parcialmente usado na época em que o Messias, nos dias da sua humilhação, foi recebido com triunfo e aclamação em Jerusalém; e podemos concluir que ele será completamente executado, quando nosso Senhor glorificado e triunfante, vindo com milhares de seus santos, novamente estará sobre a terra e receberá a saudação prometida: "Bendito o Rei que vem em nome do Senhor". Esta descrição dramática do Messias vindo em glória, para assumir o seu grande poder e reinar entre nós, é demonstrada no caráter principal, "Rei dos reis e Senhor dos senhores", aos seus santos que o seguem em procissão, e a sacerdotes e levitas, representando a nação judaica.

O Conquistador e seus seguidores cantam o salmo 117, um hino introdutório, convidando todos, judeus e gentios, a compartilhar da misericordiosa bondade de Deus, e a entoar seus louvores. É uma congregação de todo o povo do Senhor, para que sejam testemunhas e participantes da sua glória. O primeiro, o segundo e o terceiro versículos do salmo 118 são entoados por vozes isoladas. À medida que a procissão avança, o tema de alegria é anunciado. A primeira voz repete: "*Louvai o Senhor; porque ele é bom, porque a sua benignidade é para sempre*". Outra voz isolada convoca Israel para reconhecer esta grande verdade; e uma terceira voz convida a casa de Arão, os sacerdotes, para reconhecer a sua participação no amor do Senhor. O quarto versículo é um coro: toda a procissão, os vivos e os mortos, que ressuscitam para encontrar a Cristo (1 Ts 4.16), clamam em voz alta o tema do cântico (v. 1). Chegando à porta do templo, ou melhor, à porta de Jerusalém, somente o Conquistador canta (vv. 5-7). Ele começa narrando as circunstâncias da sua angústia. A seguir, ele fala sobre o seu refúgio: eu me dirigi a Deus, e lhe contei minhas angústias, e Ele me ouviu. A procissão, em coro, entoa os versículos 8 e 9, tomando a essência do canto do Messias, e fazendo eco ao sentimento: "*É melhor confiar no Senhor do que confiar nos príncipes*". O Conquistador entoa sozinho os versículos 10, 11, 12, 13 e 14. Ele detalha a magnitude dos seus perigos, e a desesperança da sua situação. Não era uma dificuldade comum, ou um único inimigo, mas nações inteiras o cercavam. A procissão em coro (vv. 15,16), atribui a grande libertação do seu Senhor à sua pessoa justa e à sua justa causa. A justiça, e a retidão, e a verdade, tudo exigia que o Messias não fosse pisado. "Não foi o teu braço, ó Senhor, que te obteve a vitória?" Agora o Messias adota a linguagem de um conquistador (vv. 17-19). Os meus sofrimentos foram amargos, mas foram apenas temporários. Eu dei a minha vida, e agora a tomo outra vez: e então, com voz alta, assim como quando ressuscitou Lázaro da sepultura, Ele clamou para os que estavam dentro dos muros: "*Abri-me as portas da justiça; entrarei por elas e louvarei ao Senhor*". Os sacerdotes e levitas que estavam dentro, instantaneamente obedeceram a sua ordem, e enquanto abriam as portas, cantavam: "*esta é a porta do Senhor, pela qual os justos entrarão*". Enquanto entra, o Conquistador repete, sozinho, o versículo 21. As suas angústias se acabaram, a sua vitória é completa. Os objetivos pelos quais Ele viveu e morreu, e pelos quais as suas orações foram oferecidas, agora estão cumpridos, e assim, em algumas poucas palavras, Ele expressa a sua alegria e gratidão a Deus. Os sacerdotes e os levitas cantam em coro os versículos 22, 23, 24. Depositários e intérpretes das profecias, como tinham sido por muito tempo, agora, pela primeira vez, eles citam e aplicam uma delas (Is 28.16), que tinha um lugar visível, mas nunca tinha sido inteligível a ouvidos judeus. O "homem de dores", a pedra que os edificadores rejeitaram, tornou-se a pedra de esquina. O Conquistador agora está dentro das portas, e continua a cumprir o seu bom propósito (Lc 1.68).

"*Oh! Salva, Senhor, nós te pedimos; ó Senhor, nós te pedimos, prospera*" (v. 25). Os sacerdotes e os levitas são levados, pelo Espírito, a usar as palavras preditas pelo nosso Senhor (Mt 23.39). Agora, por fim, o véu é removido, e o seu povo diz: "*Bendito aquele que vem em nome do Senhor*" (v. 26). O Conquistador e a sua melodia (v. 27) agora louvam a Deus Pai, que deu luz, e libertação, e salvação, e eles lhe oferecem o sacrifício de ação de graças por tudo aquilo de que desfrutam. O Conquistador, sozinho (v. 28) faz, a seguir, um solene reconhecimento de gratidão e louvor ao Senhor, e então, estando todos dentro das portas, o corpo unido, a procissão triunfante, os sacerdotes e levitas, concluem, como começaram: "*Louvai ao Senhor; Porque ele é bom: porque a sua benignidade é para sempre*". – *R. H. Ryland, The Psalms restored to Messiah, 1853*

O Salmo: Era o salmo favorito de Lutero, o seu belo *Confitemini*, que "o tinha ajudado em algo que nenhum imperador, ou rei, nem qualquer outro homem sobre a terra, poderia tê-lo ajudado". Expondo isto, a sua mais nobre joia, a sua defesa e o seu tesouro, ele se ocupava na solidão da sua Patmos (Coburg). – *Frans Delitzsch*

O Salmo: Este é o meu salmo, o meu salmo preferido. Eu amo, todos eles, eu amo todas as passagens das Sagradas Escrituras, que são o meu consolo e a minha vida. Mas este salmo é mais íntimo do meu coração, e eu tenho um direito peculiar para chamá-lo de "meu". Ele me salvou de muitos perigos angustiantes, dos quais nem um imperador, nem reis, nem sábios, nem santos, poderiam ter me salvado. Ele é meu amigo; mais precioso para mim do que todas as honras e todos os poderes da terra... Mas alguém poderia objetar que este salmo é comum a todas as pessoas e ninguém teria o direito de chamá-lo de seu. Sim; mas Cristo é também comum a todos, e apesar disto, Cristo é meu. Eu não tenho ciúmes da minha propriedade, eu posso dividi-la com o mundo inteiro... E Deus gostaria que todos os homens declarassem o salmo como especialmente seu! Seria a mais tocante disputa, a mais agradável para Deus – uma disputa de união e perfeita caridade. – *Lutero. Da Dedicação da sua Tradução do Salmo 118 aos Abbot Frederick, de Nuremberg*

v. 1: "Porque ele é bom". O louvor a Deus não poderia ser expresso com um número menor de palavras do que estas: "*Porque ele é bom*". Eu não vejo o que pode ser mais solene do que esta brevidade, uma vez que a bondade é, tão peculiarmente, a qualidade de Deus, que o Filho do Deus, quando interpelado por alguém com as palavras "Bom Mestre", alguém que, contemplando a sua carne, e não compreendendo a plenitude da sua natureza divina, o considerava somente como homem, respondeu: "Por que me chamas bom? Não há bom, senão um só que é Deus". E isto não equivale a dizer: Se desejais chamar-me Bom, me reconheceis como Deus? – *Agostinho*

v. 1: "A sua benignidade é para sempre". O que o final do Salmo 117 diz, sobre a verdade de Deus, ou seja, que ela é para sempre, o começo do Salmo 118 diz, sobre a sua irmã, a sua benignidade ou misericórdia. – *Franz Delitzsch*

vv. 1 a 4: Assim como a salvação dos eleitos é única, e o amor de Deus por eles também único, também o cântico deles deverá ser único, como aqui, quatro vezes, é dito: "*A sua benignidade é para sempre*". – *David Dickson*

vv. 1 a 4: Por ouvirmos a sentença aqui tão frequentemente repetida – "*a benignidade do Senhor é para sempre*" –, não devemos pensar que o Espírito Santo empregou tautologia desnecessária, mas a nossa grande necessidade exige isto: pois nas tentações e nos perigos a carne começa a duvidar da misericórdia de Deus: por isto, nada deve ser tão frequentemente inculcado na mente, como o fato de que a misericórdia de Deus não falha, que o Pai Eterno não se cansa de perdoar nossos pecados. – *Solomon Gesner*

v. 2: "Diga, agora, Israel". Embora todos os eleitos estejam interessados no louvor a Deus pelas misericórdias compradas por Cristo para eles, ainda assim os eleitos de Israel têm a primeira parte do cântico; pois Cristo é prometido, em primeiro lugar, a eles, e veio a eles segundo a carne, e será maravilhoso para eles. – *David Dickson*

v. 2: "Diga, agora, Israel que a sua benignidade é para sempre". Que aqueles que tiveram esta experiência, a reconheçam e declarem aos outros, não somente creiam nela com seus corações, e particularmente deem graças por ela, mas, com a boca, confessem-na para a glória da graça divina. – *John Gill*

vv. 2, 3 e 4: "*Agora*". Cuidado com a demora. A demora é perigosa, nossos corações esfriam e nossos afetos fracassam. É bom, então, fazer isto enquanto é *hoje*, enquanto é *agora. Agora, agora, agora,* diz Davi; há três "agoras", e todos para nos ensinar que, pelo que sabemos, é *agora* ou nunca, hoje ou jamais; nós devemos louvar a Deus enquanto o coração está aquecido, caso contrário o nosso ferro irá esfriar. Satanás tem pouca esperança de prevalecer, a menos que possa nos persuadir a omitir o cumprimento dos nossos deveres, quando chega o momento, e por isto o seu esforço está voltado a nos incentivar a adiar o cumprimento dos nossos deveres, até outra ocasião mais adequada ou aparentemente melhor. Faça em breve, na hora seguinte, no dia seguinte, na semana seguinte (diz ele), e por que não no ano seguinte? No futuro (diz ele) será tão adequado como agora. Isto ele diz, mas o que ele quer dizer (com "no futuro") é nunca: e aquele que não está apto hoje, não tem nenhuma garantia, exceto a de que estará mais inapto amanhã. Nós não temos a obediência, nem de Deus, nem dos nossos próprios corações, e quando tivermos perdido a oportunidade, Deus, para nos corrigir, talvez, não nos dará afetos. O galo interior não cantará para nos despertar, o sol não brilhará, e então nós corremos o perigo de ceder: e se omitirmos completamente um dever, por que não outro, e outro ainda, e, finalmente, todos? E então, estaremos perdidos. – *Richard Capel (1586-1656), "Tentations, their Nature, Danger, Cure"*

v. 4: "Os que temem ao Senhor". Esta expressão diz respeito àqueles que não pertenciam à "casa de Arão", isto é, não eram sacerdotes ou levitas, e nem a "casa de Israel", isto é, não eram judeus nativos; mas poderiam ter a religião judaica, e *"temer ao Senhor"*. Estes eram chamados *prosélitos*, e são aqui convidados a louvar ao Senhor. – *Joseph Caryl*

v. 4: "A sua benignidade é para sempre". Isto é, a sua misericórdia de concerto, aquele precioso privilégio da igreja: a sua benignidade é perpétua, para com o seu povo, e deve permanecer perpetuamente como um lembrete em nossos corações. E por isto esta é a base destes quatro primeiros versículos. Não há uma repetição inútil, mas uma notável expressão da insaciabilidade dos santos, em louvar a Deus pela sua misericórdia inesgotável. Estes pássaros celestiais, tendo uma nota, repetem-na incansavelmente. No último salmo, há apenas seis versículos, mas doze aleluias. – *Abraham Wright*

v. 5: Talvez o versículo 5, que diz: *"Invoquei o Senhor na angústia"* (literalmente, no aperto), *e "o Senhor me ouviu e me pôs em um lugar largo"* – o que descreve a libertação de Israel do seu cativeiro – possa ter sido entoado quando eles passavam, de uma ravina estreita para o campo aberto; e quando chegaram à porta do templo, então irromperam em coro, com as palavras: "Abri-me as portas da justiça" (v. 19). – *Christopher Wordsworth*

v. 5: Está escrito: *"Invoquei o Senhor"*. Você deve aprender a invocar, e não a ficar sentado sozinho, ou no banco, balançando a sua cabeça, ou remoendo-se com seus pensamentos. Aqueles que são indolentes e ímpios devem se colocar de joelhos, levantando as suas mãos e os seus olhos para o céu, recitando um salmo ou fazendo uma oração, apresentando a sua angústia, com lágrimas, diante de Deus. – *Martinho Lutero*

v. 5: "O Senhor me ouviu e me pôs em um lugar largo". A tradução pode ser, *O Senhor me ouviu abundantemente*; como ouviu Salomão, quando lhe deu mais do que pedia; Ele ouve o seu povo, quando lhes dá suficiência e abundância da sua graça; não somente acima do que merecem, mas acima de seus pensamentos e de suas expectativas. Veja Efésios 3.20. – *John Gill*

v. 6: "O Senhor está comigo". A razão que o salmista apresenta aqui para sua confiança, ou para seu destemor, é o grande fato de que o Senhor está ao seu lado; e a ideia predominante que isto nos traz é *aliança; o tornar uma causa comum,* o que o grande Deus, sem dúvida, faz, com homens imperfeitos, porém sinceros e confiantes.

Nós conhecemos muito bem a grande ansiedade mostrada pelos homens, em todos os seus conflitos terrenos, para assegurar a ajuda de um aliado poderoso; nos seus processos, para conseguir os serviços de um advogado poderoso; ou, nos seus esforços para progredir no mundo, para conquistar a amizade e o interesse daqueles que podem favorecer os objetivos que eles têm em mente. Quando Herodes ficou altamente descontente com os exércitos de Tiro e Sidom, estes não se arriscaram a se aproximar dele, até que tivessem feito amizade com Blasto, o camarista do rei. Se esta ou aquela pessoa estiver do seu lado, os homens pensam que tudo estará bem. Quem, tão próspero como ele, será capaz de dizer: "*O Senhor está comigo*"? – *Philip Bennet Power, "The I Will's of the Psalms", 1861*

v. 6: Deus está com aqueles que Ele chama e emprega no serviço público. Josué foi exortado a ser forte e corajoso, "porque o Senhor, teu Deus, é contigo" (Js 1.9). E também Jeremias: "Não temas diante deles, porque eu sou contigo para te livrar" (Jr 1.8). A presença de Deus deve nos dotar de vida. Quando as criaturas inferiores são respaldadas por uma superior, elas se enchem de coragem: quando o adestrador ou o seu dono está por perto, o cão irá se arriscar com criaturas maiores do que ele, sem temor; porém, se estiverem ausentes, em outra ocasião, ele não fará isto. Quando Deus, que é o Supremo, está conosco, isto deve nos tornar destemidos. Aconteceu com Davi; *"O Senhor está comigo; não temerei o que me pode fazer o homem"*. Ainda que o homem faça o pior que pode fazer, censurar, ameaçar, tramar, atacar, o Senhor está do meu lado, Ele tem uma preocupação especial comigo, Ele é um escudo para mim, e não temerei, mas terei esperança; como acontece no versículo seguinte: "verei cumprido o meu desejo sobre os que me aborrecem", eu os verei modificados ou destruídos. A nossa ajuda está no nome do Senhor; mas os nossos temores estão ligados ao nome do homem. – *William Greenhill*

v. 6: "Não temerei". Davi (ou o povo de Deus, se você preferir), ensinado por experiência, exulta com grande confiança, mas não diz: "O Senhor é o meu ajudador, e não sofrerei", sabendo que enquanto é um peregrino aqui, terá muito que sofrer dos seus inimigos diários; mas diz: "*O Senhor é o meu ajudador; não temerei o que me possa fazer o homem*". – *Robert Bellarmine*

v. 6: "Homem" aqui não significa *um homem*, mas *a humanidade*, ou o homem, em oposição a Deus. – *Joseph Addison Alexander*

v. 8: Talvez possa ser considerado abaixo da dignidade e solenidade do nosso assunto observar que este oitavo versículo deste salmo é o versículo central da Bíblia. Eu acredito que há 31.174 versículos no total, e este é o de número 15.587. Eu não desejo, nem aconselho que você ocupe o seu tempo contando versículos, nem realmente deveria ter feito esta observação, mas eu desejo sugerir uma observação sobre isto. Embora nós consideremos, de modo geral, estes cálculos como apenas uma cansativa perda de tempo – e certamente foram feitos com o exame minucioso de cada parte das Escrituras, com respeito a quantas vezes a palavra "Senhor", a palavra "Deus", e até mesmo a palavra "e" aparece – ainda assim eu penso que a integridade do sagrado volume deve muito ao estudo escrupuloso destes calculistas. Eu não digo, nem penso, que tivessem tais motivos em suas mentes; mas quaisquer que fossem as suas razões, eu não posso deixar de pensar que havia uma Providência predominante nisto, convertendo estas aparentemente inúteis investigações em cercas e proteções adicionais ao redor do texto sagrado. – *Barton Bouchier*

v. 8: "É melhor confiar no Senhor", etc. Lutero chama *artem artium, et mirificam, ac suam artem, non fidere hominibus*, isto é, a arte das artes, e o que ele tinha estudado bem, não depositar a confiança nos homens: quanto a confiar em Deus, ele chama isto de *sacrificiam omnium gratissimum et suavissimum, et cultum omnium pulcherrimum,* o mais doce de todos os sacrifícios, o melhor de todos os serviços que realizamos para Deus. – *John Trapp*

v. 8: "É melhor confiar no Senhor". Todos reconhecem isto; no entanto, dificilmente há um em cada cem que esteja plenamente persuadido de que somente Deus pode lhe propiciar a ajuda necessária e suficiente. Este homem obteve uma posição elevada, em meio aos fiéis, estando satisfeito em Deus, e jamais deixando de alimentar uma esperança vívida, mesmo quando não encontrava ajuda sobre a terra. – *João Calvino v. 8:* A grande causa por que Deus não abençoa os meios, frequentemente se deve ao fato de sermos muito propensos a confiar neles, e a roubar de Deus a sua glória, sem esperar uma bênção das suas mãos. Isto faz com que o Senhor se posicione contra nós, e amaldiçoe os seus próprios benefícios, porque não buscamos a Ele, mas fazemos sacrifícios visando os nossos próprios frutos, depositando a nossa confiança em meios externos. Por isto, quando esperamos ajuda deles, "Deus os sopra, e faz com que ajam para nossa mágoa e destruição. – *Abraham Wright*

v. 8: Quando meus inimigos tiverem sido desprezados, que meu amigo não se apresente diante de mim como um homem bom, e me convide a depositar a minha esperança nele; pois ainda deverei confiar somente no Senhor. – *Agostinho*

vv. 8 e 9: Nada é mais benéfico do que permanecer sobre verdades familiares. Houve algum homem bom que não acreditou que era melhor confiar no Senhor do que confiar em qualquer braço criado? Ainda assim, Davi aqui repete esta verdade, para que, se possível, ela penetre ainda mais fundo em cada mente. – *William S. Plumer*

v. 9: "É melhor confiar no Senhor do que confiar nos príncipes". Davi sabia isto, por experiência, pois tinha confiado em Saul, seu rei, e em outra ocasião em Aquis, o filisteu, e ainda em outra ocasião em Aitofel, seu mais prudente ministro, além de algumas outras pessoas, e todos tinham falhado com ele; mas jamais confiou em Deus, sem sentir o benefício disto. – *Robert Bellarmine*

v. 9: "É melhor", etc. Literalmente: "Bom é confiar em Jeová, mais do que confiar no homem". Esta é a forma hebraica de comparação, e é equivalente ao que está escrito na nossa versão. "É *melhor*", etc. É melhor, (1) porque o homem é fraco, – mas Deus é Todo-Poderoso; (2) porque o homem é egoísta – mas Deus é benevolente; (3) porque o homem é frequentemente descrente e enganador – mas Deus, nunca; (4) porque há emergências, como a morte, nas quais o homem não pode nos ajudar, por mais fiel, bondoso e amistoso que possa ser – mas não há circunstâncias nesta vida, e nenhuma na morte, em que Deus não possa nos ajudar; e (5) porque a habilidade do homem em nos ajudar pertence, na melhor das hipóteses, somente à vida atual – o poder de Deus tem a mesma dimensão que a eternidade. – *Albert Barnes*

v. 9: "Do que confiar nos príncipes". As palavras dos grandes homens, disse alguém, são como os sapatos dos mortos; aquele que esperar por elas poderá andar descalço. – *John Trapp*

v. 9: Aqueles que servem a Deus constantemente, e confiam nele, têm uma vida muito mais doce do que aqueles que confiam nos príncipes de forma atenta, e com grandes expectativas. Um servo do Senhor tem as suas necessidades mais atendidas do que os maiores favoritos dos príncipes. – *Thomas Manton*

v. 10: "Todas as nações me cercaram". Uma multidão de inimigos, por todos os lados, não podem impedir a presença de Deus entre nós (At 17.28). Eles estão fora, Ele está dentro, em nossos corações; eles são carne, Ele é Espírito; eles são frágeis, Ele é imortal e invencível. – *Martin Geier*

v. 11: Se Tértulo persegue a igreja com a sua língua, ou Elimas com a sua mão, jamais devemos nos esquecer de que Deus tem o controle sobre ambos. Realmente, os ímpios são as causas intermediárias dos nossos problemas; os justos são como o centro, os outros são a circunferência; para qualquer lado que se voltem, eles se encontram cercados; mas o centro é fixo e imutável, porque está fundamentado em Cristo. É bom que alguns homens tenham adversários; pois frequentemente eles mais temem o pecado, para não serem desprezados, do que desgostam dele, como questão de consciência, para que Deus não os condene. Eles falam mal de nós; se for verdade, devemos nos corrigir; se for mentira, desprezar o que dizem; seja falso ou verdadeiro, devemos observar o que dizem. Assim aprenderemos o bem, pelo seu mal; e os faremos nossos tutores, e seremos seus pupilos. Em todas as coisas, devemos observá-los, e em nada temê-los: "O que para eles, na verdade, é indício de perdição... para vós, de salvação" (Fp 1.28). A igreja é como aquela torre de Davi; se houver mil armas para nos ferir, há mil escudos para nos proteger (Ct 4.4). – *Thomas Adams*

v. 12: "Cercaram-me como abelhas". Os inimigos de Cristo são tão malévolos, que, ao lutar contra o seu reino, não consideram o que irá acontecer com eles mesmos, contanto que possam ferir o seu povo, mas, da mesma maneira como a abelha se arruína, quando pica, e perde a sua vida ou a sua força com o seu ferrão, a mesma coisa acontecerá com eles. Tudo o que os inimigos da igreja de Cristo podem fazer, contra o seu povo, é apenas perturbá-los, externamente; as suas feridas são como o ferrão de uma abelha, isto é, trazem dor e inchaço, e uma pequena perturbação, mas não são mortais. – *David Dickson*

v. 12: "Cercaram-me como abelhas". Como o vento nordeste era adverso a qualquer progresso rumo nordeste, era necessário que o barco fosse puxado pela tripulação. Enquanto a corda era puxada pela relva nas margens, isto perturbou um enxame de abelhas. Em um momento, como uma grande nuvem, elas se lançaram sobre os homens que estavam puxando a corda; todos eles se lançaram à água e se apressaram para recuperar o barco. O enxame os seguiu, e em poucos segundos encheu cada canto e fenda do convés. A cena de confusão que se seguiu pode facilmente ser imaginada.

Sem nenhum mau presságio, eu estava arranjando minhas plantas na minha cabine, quando ouvi ao meu redor uma correria, que a princípio interpretei como sendo meramente brincadeiras do meu pessoal, como era costumeiro. Eu perguntei qual era o significado do ruído, mas somente consegui gestos excitados e olhares de reprovação como resposta. O grito de "abelhas! abelhas!" logo chegou aos meus ouvidos, e eu comecei a acender um cachimbo. O meu esforço foi completamente em vão; em um instante, milhares de abelhas estavam à minha volta, e eu fui impiedosamente picado por todo o rosto e mãos. Inutilmente, tentei proteger meu rosto com um lenço, e quanto mais violentamente eu agitava minhas mãos, muito mais violenta se tornava a impetuosidade dos irritados insetos. A dor enlouquecedora agora estava na minha face, agora no meu olho, agora nos meus cabelos. Os cães, que estavam debaixo da minha cama, saíram freneticamente, derrubando tudo o que estava em seu caminho. Praticamente perdendo todo o controle que tinha sobre mim mesmo, eu me lancei ao rio; mergulhei, mas foi tudo em vão, pois os ferrões ainda choviam sobre a minha cabeça. Sem dar ouvidos aos avisos do povo, eu rastejei, pela relva, até a margem pantanosa. A grama rasgou a pele de minhas mãos, e eu tentei chegar à terra firme, esperando encontrar abrigo em meio às árvores. Quatro braços poderosos me agarraram e me puxaram de volta, com tal força, que eu penso que devo ter engasgado com a lama. Fui forçado a voltar a bordo, e a fuga não deveria ser considerada... À noite, eu me sentia pronto para um encontro com uma dezena de búfalos ou um casal de leões, a ter qualquer outra coisa a ver com abelhas; e este era um sentimento com que toda a tripulação do barco sinceramente concordava. – *George Schweinfurth, "The Heart of Africa", 1873*

v. 12: Davi disse, a respeito dos seus inimigos, que eles o cercaram como *"abelhas"*; ele não disse, como *vespas.* Pois embora usassem os seus ferrões, neles ele encontrou também mel. – *Peter Smith, 1644*

v. 12: "Cercaram-me como abelhas".

Como vespas, provocadas por crianças, em suas brincadeiras,
derramadas de suas mansões pelo amplo caminho,
em enxames o viajante inocente atacam,
afiam seus ferrões, e exibem toda a sua fúria,
todas surgem, em exércitos, e com um clamor geral
defendem suas cúpulas de cera, e sua prole que zumbe;

Assim, das tendas, a fervente legião abunda;
seus clamores são altíssimos, e as suas armas são muito ávidas.
– *Homero*

v. 12: "Mas apagaram-se como fogo de espinhos". O exemplo do *"fogo de espinhos"* é derivado do fato de que rapidamente os espinhos se acendem em uma chama, e logo esta chama morre. Nos países orientais, era comum queimar os campos no período seco do ano, limpando-o, assim, de espinhos e cardos e ervas daninhas. Naturalmente, nesta ocasião os campos pegavam fogo rapidamente, e queimavam rapidamente, e logo eram consumidos. Assim o salmista diz que aconteceu com os seus inimigos. Ele veio sobre eles, ainda que fossem numerosos, assim como o fogo que devasta um campo no período da seca, queimando tudo o que está diante de si. – *Albert Barnes*

v. 12: "No nome do Senhor". Isto foi interpretado como a *tessera*, a sentença de ataque, ou sinal para o ataque, como o de Ciro – Júpiter é nosso líder e aliado – Júpiter, nosso capitão e protetor. Cyropaed, 1, 3 e 7; e Gideão, Juízes 7.18. Esta interpretação, sendo baseada somente na repetição, não pode, mais provavelmente, ser designada à execução musical? – *Samuel Burder*

v. 13: "Com força me impeliste para me fazeres cair". A apóstrofe é longa, e provavelmente dirigida a alguma pessoa na batalha, em particular, que tivesse colocado Davi em grande perigo. – *Samuel Burder*

v. 13: "Com força me impeliste para me fazeres cair". Realmente, você fez a sua parte, Satanás, e foi bem feita. Você descobriu todas as minhas partes mais fracas, você viu onde a minha armadura não estava firmemente presa, e me atacou no momento certo e da maneira correta. O grande poeta espanhol, Calderón, nos fala de uma pessoa que usou uma pesada armadura durante um ano inteiro, e a tirou durante uma hora, e nesta hora, veio o inimigo, e o homem pagou com a sua vida pela sua negligência. "Bem-aventurado o varão que sofre a tentação; porque, quando for provado, receberá a coroa da vida, a qual o Senhor tem prometido aos que o amam". – *John Mason Neale*

v. 14: "O Senhor é a minha força e o meu cântico, porque ele me salvou". *"Minha força"* com que eu sou capaz de resistir aos meus inimigos; *minha salvação* com que eu sou salvo dos meus inimigos; *meu cântico* com que eu posso, alegremente, louvá-lo e cantar sobre Ele, depois da minha libertação. – *William Nicholson, 1662*

v. 14: Bons cânticos, boas promessas, bons provérbios, boas doutrinas, não valem menos pela idade. O que foi cantado, pouco depois da passagem pelo Mar Vermelho, é aqui cantado pelo profeta, e será cantado até o fim do mundo pelos santos do Altíssimo. – *William S. Plumer*

v. 14: "Porque ele me salvou". Não que Ele tenha se tornado algo que não fosse antes, mas porque o seu povo, quando creu nele, se tornou o que não era antes; e então Ele começou a salvá-los quando se voltaram para Ele, o que não podia ser feito quando estavam afastados dele. – *Agostinho*

v. 15: "Nas tendas dos justos há voz de júbilo e de salvação". Cada pessoa deve ser cuidadosa, para que a sua morada seja uma das *tendas dos justos*, e para que ela mesma, juntamente com a sua casa, ande na justiça (Lc 1.75). E ela deverá ser diligente em hinos e cânticos sagrados, para que seus aposentos ecoem estes cânticos. – *Martin Geier*

v. 16: "A destra do Senhor faz proezas". Por três vezes o salmista celebra a mão direita de Deus, para exibir o seu fervoroso desejo de dizer o máximo, ou ele o faz em uma referência à Sagrada Trindade, como alguns interpretam. – *John Trapp*

v. 17: "Não morrerei, mas viverei". Assim como Cristo ressuscitou, "não morreremos, mas viveremos"; não morreremos eternamente, mas viveremos neste mundo, a vida de graça, e no mundo futuro, a vida de glória; de modo que possamos, em ambas, declarar as "obras" e cantar os louvores de Deus, nosso Salvador. Nós somos "corrigidos" pelos nossos pecados, mas "não entregues à morte" e à eterna destruição; na verdade, o fato de sermos "castigados" é uma prova de que não fomos entregues; "que filho há a quem o pai não corrija?" (Hb 12.7). – *George Horne*

v. 17: "Não morrerei, mas viverei". Viver, significa, não meramente viver, mas viver confortavelmente, estar satisfeito com a própria vida; viver é prosperar. Assim a palavra é frequentemente usada nas Escrituras. *"Não morrerei, mas viverei"*. Davi não se considerava imortal, nem pensava que jamais iria morrer: ele sabia que estava sujeito ao estatuto da morte: mas o significado é, não morrerei agora, não morrerei pelas mãos destes homens, não morrerei a morte que eles me designaram; ou quando disse: *"não morrerei, mas viverei"*, o que ele quis dizer foi, viverei de maneira confortável e próspera, viverei como um rei. Aquilo que traduzimos como (1 Sm 10.24): "Viva o rei", ou "Deus salve o rei", é que ele seja próspero e tenha dias bons, que tenha paz com todos, ou vitória sobre os seus inimigos. – *Joseph Caryl*

v. 17: "Não morrerei", etc. O incidente a seguir é digno de nota: "Wicliffe agora estava envelhecendo, mas o Reformista estava cansado, mais pelos ataques dos seus inimigos, e pelos seus incessantes e crescentes esforços, do que pelo peso dos anos, pois ainda não tinha sessenta anos. Ele caiu doente. Com uma alegria sem limites, os religiosos ouviram a notícia de que seu grande inimigo estava morrendo. Naturalmente, ele estava dominado pelo horror e remorso pelo mal que lhes tinha feito, e eles se apressaram para receber a expressão da sua penitência e tristeza. Em um instante, a pequena multidão de cabeças raspadas se reuniu ao redor do leito do enfermo – representantes das quatro ordens de religiosos. 'Eles começaram bem', desejando-lhe 'saúde e recuperação da sua doença', mas rapidamente, mudando o tom, eles o exortaram, como alguém à beira da sepultura, a fazer uma confissão completa e a expressar um pesar genuíno pelas ofensas que tinha feito à sua ordem. Wicliffe ficou em silêncio, até que tivessem terminado, e então, fazendo com que seu servo o levantasse um pouco em seu travesseiro, e fixando nos religiosos seus olhos penetrantes, disse em voz alta: 'Não morrerei, mas viverei, e declararei as más obras dos religiosos'. Os monges saíram correndo do quarto, atônitos e confusos". – *J. A. Wylie, "The History of Protestantism"*

v. 17: "Não morrerei", absolutamente, pois veja Salmos 89.48; Hebreus 9.27; morrerei, mas não no meio dos meus dias (Sl 102.24); não de acordo com a vontade dos meus inimigos, que *"com força me impelem para me fazer cair"* (v. 13). Mas, ao contrário *viverei*, não simplesmente como tinha vivido até então, na maior angústia, o que seria uma vida infeliz, uma morte em vida: mas vivaz, alegre, feliz. Disto, ele diz que está salvo; isto afirma a palavra. Em que ele se baseia? Versículos 14 e 15: *"porque ele me salvou"* e *"a destra do Senhor faz proezas"*. – *Jacob Alting*

v. 17: "E contarei as obras do Senhor". Motivos de louvor abundam em todas as obras divinas, tanto na criação em geral e na preservação como na redenção de nossas almas: principalmente, porque Deus, além da vida da natureza, nos deu a vida de graça, sem a qual não poderíamos louvar apropriadamente a Deus, e declarar as suas obras. – *Rivetus*

v. 17: "E contarei as obras do Senhor". Na segunda parte do versículo, ele destaca o uso apropriado da vida. Deus não prolonga a vida do seu povo, para que possam mimar a si mesmos, com comida e bebida, dormir o quanto quiserem, e desfrutar de cada bênção temporal; mas Ele o faz que para que possam exaltá-lo pelos benefícios que diariamente Ele cumula sobre eles. – *João Calvino*

v. 17: De acordo com Mattesius, Lutero tinha este versículo escrito na parede diante da qual estudava.

v. 18: "O Senhor castigou-me muito". Problemas graves de saúde requerem remédios fortes para a sua cura. Quando a corrupção está profundamente enraizada no coração, uma medida pequena ou ligeira não resolverá o problema, não; mas é necessária uma grande dose de agitação e comoção. – *Thomas Horton*

v. 18: "Mas não me entregou à morte". O santo afligido pode dizer que "poderia ter sido pior", porém tudo será melhor; é com misericórdia e com medida que Deus corrige os seus filhos. Ele cuida para que "o espírito perante a sua face não se enfraqueça, nem as almas que Ele fez (Is 57.16). Se o seu filho desmaia durante a correção, Deus deixa cair a vara, e o beija para trazer a vida outra vez. – *John Trapp*

v. 19: "Abri-me as portas da justiça". As portas conquistadas pela sua justiça, a justiça daquele de quem dizemos: "Só tu és santo"; as portas que precisavam da "Via Dolorosa" e da cruz, antes que pudessem girar em suas dobradiças. Em certa tarde de tempestade, depois que o sol se havia escurecido por três horas, o mundo, novamente, ouviu sobre o Éden, do qual, quatro mil anos antes, Adão tinha sido expulso. "Em verdade te digo que hoje estarás comigo no Paraíso". Ó, bendito malfeitor, que assim entrou nos jardins celestiais! Ó, feliz ladrão, que assim roubou o reino do céu! E veja de que maneira valente ele agora entra no céu. *"Abri-me as portas da justiça"*. Não "Ó Deus, tem misericórdia de mim, pecador"; nem "Se queres, bem podes limpar-me". Mas isto é "o que é chamado de onipotência suplicante da oração". Bem-aventurados são aqueles que guardam os seus mandamentos, de modo que possam ter direito à árvore da vida, e possam entrar na cidade pelas portas. – *John Mason Neale*

v. 21: "Louvar-te-ei porque me escutaste". Há um ponto que devemos observar, em especial, e este ponto é, o louvor por *ouvir a oração.* Neste ponto, praticamente acima de todos os outros, Deus é frequentemente roubado em relação ao seu louvor. Os homens oram; recebem uma resposta às suas orações; e então, se esquecem de louvar. Isto acontece especialmente com as pequenas coisas; nós devemos nos lembrar, sempre, de que também vale a pena louvar ao precioso e bendito Senhor por tudo aquilo pelo que vale a pena orar. O fato é que nós não reconhecemos a Deus nestas pequenas coisas, não tanto quanto deveríamos: se nós louvamos, é pelo recebimento da bênção, com que nos satisfazemos, deixando de lado aquele de quem veio a bênção. Isto não é aceitável para Deus; nós devemos vê-lo na bênção, se realmente desejamos louvar. Diz o salmista: *"Louvar-te-ei, porque me escutaste"*; ele louvava, não apenas porque tinha *recebido,* mas também porque Ele tinha *ouvido* – porque o Deus vivo, como um Deus que ouve, estava manifesto em suas graças. E quando nós sabemos que Deus nos ouviu, não devemos retardar nosso louvor; se adiarmos nossos agradecimentos, ainda que seja somente até, talvez, à noite, podemos nos esquecer de louvar em definitivo; e, se louvarmos, com toda probabilidade será somente com metade do calor que animaria nosso cântico, se o tivéssemos entoado imediatamente. Deus ama o rápido reconhecimento pelas suas graças; uma sentença de agradecimento sincero vale todo o formalismo de um culto mais elaborado. Há um frescor no louvor imediato que é como a flor, depois do fruto; o fato de ser espontâneo aumenta indescritivelmente o seu valor.

Reconheça, então, caro leitor, uma conexão entre o seu Deus e a sua bênção. Reconheça o seu ouvido atento, assim como a sua mão generosa, e sejam suas as palavras do salmista: *"Louvar-te-ei porque me escutaste"*. – *Philip Bennet Power*

v. 22: "A pedra". *"Cabeça de esquina"*, Cristo Jesus é uma pedra: não há firmeza, senão nele. Uma pedra fundamental: não há edificação, senão sobre Ele. Uma pedra de esquina: não há união nem reconciliação, senão nele. – *James Ford, 1856*

v. 22: "A pedra que os edificadores rejeitaram", etc. Aplicar *"a pedra"* a Cristo é a base de tudo. Duas coisas acontecem com a pedra; duas coisas, tão contrárias quanto poderiam ser: 1. *Rejeitada*, deixada de lado; e, depois, aclamada novamente, *tornou-se cabeça de esquina.* Assim, há duas partes visíveis. 1. A *rejeição;* 2. A *promoção;* que são os seus dois estados, a sua *humilhação,* e a sua *exaltação.* Nas duas, você pode observar dois estágios, um *quibus,* e um *quosque,* por quem, e até que ponto. *Rejeitada, por quem?* Nós avaliamos a palavra *aedificantes:* não por homens inábeis ou inexperientes, mas por trabalhadores, *edificadores;* o que torna a situação muito pior. *Até que ponto?* Nós avaliamos a palavra, *reprobaverunt; usque ad reprobari,* a ponto de reprovação. Não é *improbaverunt, mal visto,* como inadequado para alguma posição eminente; mas *reprobaverunt, completamente reprovado,* para todo e qualquer lugar.

Novamente, *exaltado,* por quem? As palavras seguintes são *a Domino,* por *Deus,* um excelente *edificador,* na verdade, melhor que o melhor deles; o que compensa o que foi dito anteriormente. E *até que ponto?* Colocado por Ele, mas não em qualquer parte do *edifício,* mas, na parte mais visível *(a esquina)* e na parte mais elevada, *a cabeça.*

Assim *rejeitado,* e pelos *edificadores* e na *condição inferior,* e da *condição menos exaltada, in caput anguli* ao lugar mais importante de todos, e pelo próprio Deus. – *Lancelot Andrewes*

v. 22: "A pedra que os edificadores rejeitaram", etc. Não devemos nos admirar de que não somente as forças do mundo sejam, normalmente, inimigas de Cristo, e que aqueles que estejam encarregados de planejar os métodos e políticas, estes edificadores, deixem Cristo de fora do seu edifício, mas que os dissimulados edificadores da igreja de Deus, ainda que usem o nome de Cristo, e que se aproveitem dele, ainda assim o rejeitem, e se oponham ao poder do seu reino espiritual. Pode haver inteligência e estudo, e muito conhecimento das Escrituras entre aqueles que odeiam o Senhor Jesus Cristo, e o poder da divindade, e corrompem a adoração a Deus. É o espírito de humildade, obediência e fé que salva, que ensina os homens a estimar e a amar a Cristo, e a edificar nele. A vaidade e a loucura da opinião destes edificadores ficam evidentes no fato de que eles são derrotados pelo grande Arquiteto da igreja: o seu propósito predomina. Apesar do fato de rejeitarem a Cristo, Ele ainda se torna a pedra de esquina. Eles o afastam, com suas reprovações, e entregam-no para ser crucificado e então colocado na sepultura, fazendo com que uma pedra role sobre esta *pedra* que tinham rejeitado, para que ela não mais apareça, e assim eles se julgam seguros. Mas mesmo de lá, Ele ressuscitou, e *"tornou-se cabeça de esquina".* – *Robert Leighton*

v. 22: "A pedra que os edificadores rejeitaram", etc. Isso equivale a dizer, Deus enviou uma pedra viva, preciosa, eleita, à terra; mas os judeus, que então tinham a edificação da igreja, rejeitaram esta pedra, e disseram, a respeito dela: "Este homem não é de Deus, pois não guarda o sábado"; e "Não temos rei, senão o César", e "Depois de três dias, ressuscitarei"; e muitas outras coisas similares. Mas esta pedra, assim rejeitada pelos edificadores, que a consideraram inadequada para levantar o edifício espiritual, *"tornou-se cabeça de esquina";* Deus, o principal arquiteto, fez dela o elo para conectar os dois muros, e mantê-los unidos; isto quer dizer que ela foi feita a cabeça de esquina de toda a igreja, composta de judeus e gentios. Isto significa que quem quer que não esteja sujeito a Ele não poderá ser salvo; e quem quer que seja edificado sob Ele, a pedra viva, certamente será salvo. Tudo isto *"foi o Senhor que fez",* fez por sua escolha e desígnio, sem nenhuma intervenção por parte do homem, e por isto *"é coisa maravilhosa aos nossos olhos".* Pois quem não consideraria isto uma coisa maravilhosa, encontrar um homem crucificado, morto e sepultado, ressuscitando dos mortos depois de três dias, e imortal, com poder ilimitado, e declarado Príncipe dos homens e dos anjos, e um caminho aberto por intermédio dele, para o homem mortal, para o reino do céu, para a sociedade dos anjos, para uma feliz imortalidade? – *Robert Bellarmine*

v. 22: "A pedra que os edificadores rejeitaram tornou-se cabeça de esquina". Aqui, nós contemplamos quão forte e impenetrável é o escudo que o Espírito Santo nos fornece contra as vanglórias vazias do clero papal. Que seja, eles possuem o nome "edificadores", mas se desonram a Cristo, necessariamente devemos desonrá-lo também? Devemos, na verdade, desprezar e pisar com nossos pés todos os seus decretos, e devemos reverenciar esta pedra preciosa, sobre a qual se apoia a nossa salvação. Com a expressão *"tornou-se cabeça de esquina"* devemos entender a verdadeira fundação da igreja, que sustenta todo o peso do edifício; e é necessário que as esquinas formem a força principal dos edifícios. – *João Calvino*

v. 22: "A pedra", etc. Isto é, eu, a quem os grandes homens e governantes do povo rejeitaram (1 Sm 26.19), assim como os edificadores de uma casa rejeitam uma pedra considerando-a inadequada para ser empregada nela, agora me torno rei sobre Israel e Judá; e um tipo daquele Rei glorioso que, no futuro, será, de igual modo, rejeitado (Lc 19.14, e 20.17); então, será exaltado por Deus, para ser o Senhor de todo o mundo, e a base de toda a felicidade dos homens. – *Thomas Fenton*

v. 22: "A pedra". O autor de *Historia Scholastica* menciona, como uma tradição, que na edificação do segundo templo houve uma *pedra* particular, sobre a qual isto foi literalmente verdadeiro, e que aqui é repetido, sob a forma de parábola, isto é, que aconteceu que ela era frequentemente tomada pelos edificadores, e frequentemente rejeitada, e finalmente foi julgada perfeitamente adequada para o lugar mais honroso, o de *pedra fundamental*, que une os lados das paredes, e cuja característica extraordinária ocasionou as palavras a seguir: *"Foi o Senhor que fez isto; e é coisa maravilhosa aos nossos olhos"*. – *Henry Hammond*

v. 22: "Cabeça de esquina". Como, da *"esquina"?* A *esquina* é o lugar onde se encontram dois muros: e há muitos pares de muros, neste *edifício:* dois muros de nações, *judeus* e *gentios;* dois, de condições, *escravo* e *livre;* dois, de sexo, *masculino* e *feminino;* os dois grandes (que neste dia [de Páscoa] celebramos), *os vivos* e *os mortos;* e acima de tudo, os dois maiores, *o céu* e *a terra*. – *Lancelot Andrewes*

v. 22: "Tornou-se cabeça de esquina".

Alto, e ainda cada vez mais alto, Ele passa por cima das classes,
onde os serafins são inflamados com a chama do amor eterno,
Passa por eles, pois nem mesmo os serafins amaram tão bem como Ele,
que nasceu para seus amados, para as chibatadas, e espinhos, e para a cruz vergonhosa;
e ainda mais, sempre mais alto, onde os pés dos anjos não podem pisar,
Onde os vinte e quatro anciãos caem prostrados, em místico temor:
onde as quatro estranhas criaturas viventes cantam o seu hino, diante do trono,
Aquele que foi Desprezado e rejeitado permanece, exclusivamente através do seu poder;
Passa pelo ofuscante arco-íris, até que à direita do Pai
Se assenta, seu igual, Deus de Deus, e Luz de luz.
– *R. F. Littledale*

v. 22: "Cabeça de esquina". Agora está claro, para todos, pela divina graça, a quem as Sagradas Escrituras chamam de cabeça de esquina. Na verdade, aquele que, tomando para si, de um lado os judeus, e do outro, os povos gentios, os une como se fossem dois muros de uma única igreja, aqueles sobre os quais está escrito: "de ambos os povos fez um". Ele se manifestou como a Pedra de esquina, não somente nas coisas de baixo, mas nas coisas do alto, porque uniu na terra as nações dos gentios ao povo de Israel, e, a ambos, aos anjos. Pois no seu nascimento, os anjos exclamaram: "Paz na terra, boa vontade para com os homens". – *Gregory, citado por Henry Newland, 1860*

v. 22: "Esquina". Bede traduz como uma razão pela qual os edificadores judeus rejeitaram o nosso Salvador Cristo para a posição de *cabeça*, *Quia in uno pariete, stare amabant.* Eles não podiam suportar uma *esquina*; eles deviam ficar sozinhos, sobre o seu próprio e isolado muro; sozinhos, não unidos a gentios ou samaritanos. E não suportavam a Cristo, porque pensavam que, se Ele fosse *cabeça*, teria desejado a união dos muros. *Alias oves opbrtet me adducere* (Jo 10.16). *De outro modo* não poderiam sobreviver, mas, certamente, deve haver um propósito, *alias oves adducendi, de trazer os outros*, de unir uma *esquina*, caso contrário não *facere secundum exemplar, edificamos segundo o padrão* de Cristo; o nosso estilo de tecido não é como o dele. – *Lancelot Andrewes.*

vv. 22 a 27: Todos os expositores estão de acordo – este salmo tipifica a vinda de Cristo, e o seu reino do Evangelho. Isto é manifestado por uma *exaltação,* por uma *exultação,* por uma *súplica,* por uma *bênção.*

A *exaltação:* versículo 22: *"A pedra que os edificadores rejeitaram tornou-se cabeça de esquina"* Os judeus rejeitaram esta pedra, mas Deus edificou sobre ela a sua igreja.

A *exaltação:* versículo 24: *"Este é o dia que fez o Senhor; regozijemo-nos e alegremo--nos nele"*. Um dia mais bem-aventurado do que este foi quando Ele criou o homem, depois de ter criado o mundo; *"regozijemo-nos e alegremo-nos nele"*.

A *súplica*: versículo 25: *"Oh! Salva, Senhor, nós te pedimos: ó Senhor, nós te pedimos, prospera"*. A tua justiça não permitiria que tu salvasses sem o Messias; Ele veio, *"Salva, Senhor, nós te pedimos"*. O nosso Salvador veio – que a misericórdia e a salvação venham com Ele.

A *bênção* deixa tudo claro: versículo 26: *"Bendito aquele que vem em nome do Senhor"*. Pois o que Davi aqui profetizava, o povo cumpriu, posteriormente (Mt 21.9): "Bendito aquele que vem em nome do Senhor". O corolário ou resumo está no texto: versículo 27: *"Deus é o Senhor, que nos concedeu a luz: atai a vítima da festa com cordas e levai-a até aos ângulos do altar"* – *Thomas Adams*

v. 24: "Este é o dia que fez o Senhor".

1. Aqui está a doutrina do sábado cristão: *"é o dia que fez o Senhor"*, que o Senhor fez notável, fez santo, distinguiu dos outros dias; Ele o fez para o homem, e, por isto, é chamado de Dia do Senhor, pois traz a sua imagem e inscrição.

2. O dever do sábado: *"regozijemo-nos e alegremo-nos nele";* não apenas na instituição do dia, no fato de que houvesse tal dia, mas pela ocasião, em que Cristo se tornou *"cabeça de esquina"*. Por isto devemos nos alegrar, o que contribui tanto para a sua honra como também para o nosso benefício. Os dias de repouso e adoração ao Senhor devem ser dias de regozijo, e então serão para nós como os dias do céu. Veja que bom Mestre nós servimos: o fato dele ter instituído um dia para o seu serviço indica que ele deve ser passado em santa alegria. – *Matthew Henry*

v. 24: "Este é o dia", etc. A "rainha dos dias", como os judeus chamam o sábado. Arnóbio interpreta este texto como falando do sábado cristão; outros, como referindo-se ao dia da salvação pelo Cristo exaltado para ser a cabeça de esquina; em oposição ao dia deplorável da queda do homem. – *John Trapp*

v. 24: Como os crentes sempre terão motivos para consolação, lhes é dito que sempre se alegrem (Fp 3). Ainda que seus pecados ou sofrimentos entrem em seus corações, eles não devem se lamentar como se não tivessem esperança. Nas suas mais tristes condições, têm o Espírito de consolação. Há a semente de alegria, semeada dentro deles, debaixo dos torrões, e não aparecendo sobre o terreno. Mas há ocasiões especiais quando Deus ordena que este grão nasça. Eles têm alguns dias santos no calendário de suas vidas, em que esta alegria, como o vinho em uma boda, é mais apropriada; mas entre todos estes dias, ela jamais pareceu tão bem, jamais teve sabor tão agradável, como no dia do Senhor. A alegria não convém a ninguém, como convém a um santo, e não convém a nenhuma ocasião tão bem como convém a um sábado.

A alegria em Deus nos outros dias é como os pássaros gorjeando no inverno, que é agradável, mas a alegria no dia do Senhor é como as suas notas agradáveis na primavera, quando todas as outras coisas têm um aspecto agradável. *"Este é o dia que fez o Senhor"* (aquele que fez todos os dias, e especialmente este dia, mas o que vem a seguir?) *"regozijemo-nos e alegremo-nos nele"*. Nestas palavras nós temos a consolação, ou a alegria, e a ocasião, ou o dia, dela. A sua consolação foi grande: *"regozijemo-nos e alegremo-nos"*. Estas expressões não são repetições desnecessárias, mas mostram a exuberância ou o alto grau da sua alegria. A ocasião: *"Este é o dia que fez o Senhor"*. Compare esta expressão com Mateus 21.22,23, e com Atos 4.11, e você verá que os versículos anteriores são uma predição profética da ressurreição de Cristo, e assim este versículo prediz a alegria de igreja neste dia memorável e glorioso. E, na verdade, se "para rir se fazem convites" (Ec 10.19), então, este dia em que Cristo festeja com os seus santos, com as melhores graças, pode comandar a sua maior alegria espiritual. Um dia de ação de graças é duplamente preferível a um dia de jejum. Em um dia de jejum, nós vemos a ira de Deus; em um dia de ação de graças, nós visamos a benevolência de Deus. No primeiro, nós temos em mente as nossas corrupções; no segundo, as compaixões de Deus; – por isto, um dia de jejum exige contrição; mas um dia de ação de graças exige alegria. Mas o dia do Senhor é o maior dia de ação de graças, e merece, muito mais do que o Purim judaico, ser um dia de festividades e alegria, e um dia bom. – *George Swinnock*

v. 24: "O dia que fez o Senhor". Assim como o sol, no céu, faz o dia natural através da sua luz, também Cristo, o Sol da Justiça, faz o nosso dia espiritual. – *Starke*

v. 24: "O dia que fez o Senhor". Adão introduziu um dia de tristeza, mas outro dia foi feito por Cristo: Abraão viu este dia, à distância, e se alegrou; nós andaremos, agora mesmo, na sua luz. – *Johann David Friesch, 1731*

v. 25: "Salva". Com os hebreus, *salvação* é uma palavra ampla, que compreende todas as benevolências de Deus que podem levar à preservação; e por isto o salmista, em outras passagens, estende este ato ao homem e ao animal, e, como se desejasse comentar sobre si mesmo, explica σῶσον, *salva*, como εὐόδωσον, *prospera*. É um título tão querido de Deus, que o profeta não se cansa dele. – *Joseph Hall*

v. 25: "Salva, Senhor, nós te pedimos". Que Ele tenha as aclamações do povo, como é usual na coroação de um príncipe; que cada um dos seus súditos leais grite de alegria: *"Salva, Senhor, nós te pedimos"*. Isto é como *vivat rex*, e transmite uma alegria sincera pela sua coroação, uma satisfação completa no seu governo, e também um zeloso afeto para com os seus interesses e a sua honra. Hosana significa *"Salva, Senhor, nós te pedimos"*. Senhor, salva-me, eu te peço; que este Salvador seja o meu Salvador; e para isto, meu Governador; que eu seja tomado sob a sua proteção, e reconhecido como um dos seus súditos dispostos. Os seus inimigos são os meus inimigos; Senhor, eu te peço, salva-me deles. Desperta em mim um interesse nesta propriedade que o seu reino traz consigo a todos os que o recebem. Que a minha alma prospere e tenha saúde naquela paz e justiça que o seu governo traz (Sl 72.3). Que eu tenha a vitória sobre aqueles desejos que guerreiam contra a minha alma, e que a graça divina prossiga no meu coração, conquistando e para conquistar. – *Matthew Henry*

v. 25: "Salva", ou *hosana*. Os nossos agradecimentos na terra devem sempre ser acompanhados por orações por mais graças e pela continuidade da nossa prosperidade; os nossos aleluias, por hosanas. – *Ingram Cobbin.*

v. 25: "Salva, Senhor, nós te pedimos", etc. Hosana. O clamor das multidões, aglomeradas na procissão triunfal do nosso Senhor, entrando em Jerusalém (Mt 21.9, 18; Mc 11.9, 15; Jo 12.13), foi extraído deste salmo, do qual estavam acostumados a recitar os versículos 25 e 26 na festa dos tabernáculos. Nesta ocasião, o grande *Hallel*, que consistia dos salmos 113 a 118, era entoado por um dos sacerdotes, e em determinados intervalos as multidões acompanhavam as respostas, agitando seus ramos de salgueiro e palmeira, e clamando Aleluia, ou *Hosana, ou "ó Senhor, nós te pedimos, prospera"*. Isto era feito na recitação do primeiro e do último versículo do salmo 118; mas, de acordo com a escolha de Hillel, os ramos eram agitados na recitação das palavras *"Salva, Senhor, nós te pedimos"*. A escola de Shammai, ao contrário, diz que era nas palavras: *"Nós te pedimos, prospera"*. Rabban Gamaliel e R. Joshua, observa R. Akiba, agitavam seus ramos apenas nas palavras: *"Salva,*

Senhor, nós te pedimos" (Mishna, *Succah*, iii. 9). Em cada um dos sete dias de duração da festa, o povo se aglomerava no átrio do templo, e seguia em procissão ao redor do altar, inclinando seus ramos na direção dele, e as trombetas tocavam, enquanto eles clamavam *Hosana*. Mas, no sétimo dia, eles marchavam sete vezes ao redor do altar, clamando o grande Hosana, ao som das trombetas dos levitas (Lightfoot, *Temple Service*, xvi. 2). Esperava-se que os mesmos filhos que agitavam os ramos de palmeira tomassem parte na solenidade (Mishna, *Succah*, iii. 15; Mt 3.15). Do costume de agitar os ramos de murta e salgueiro, durante o culto, o nome Hosana foi transferido para os próprios ramos, segundo Elias Levita *(Thisbi.* s. v.), "os ramos dos salgueiros do riacho, que eles carregam, na festa dos tabernáculos, são chamados Hosanas". – *William Aldis Wright, "Smith's Dictionary of the Bible", 1863*

v. 25: "Nós te pedimos, prospera". Deus enviará a bênção, mas o seu povo precisa orar por ela. "Eu vim por causa das tuas palavras" (Dn 10.12). – *John Trapp*

v. 26: "Bendito aquele que vem em nome do Senhor". A diferença ente Cristo e o Anticristo deve ser percebida, porque Cristo não veio em seu próprio nome, mas em nome do Pai, do qual Ele mesmo testificou: *"Eu vim em nome de meu Pai, e não me aceitais; se outro vier em seu próprio nome, a esse aceitareis"* (Jo 5). Assim, nenhum ministro fiel da igreja deve vir em seu próprio nome, nem no nome de Baal, nem de Mamom, nem de seu próprio ventre, mas no nome de Deus, com uma vocação legítima; a respeito disto, veja Hebreus 5, Romanos 10 e 15. – *Solomon Gesner*

v. 27: "Deus é o Senhor, que nos concedeu a luz". O salmista estava claramente possuído de luz, pois diz: *"Deus é o Senhor, que nos concedeu a luz"*. Ele estava evidentemente possuído de luz; e esta luz estava nele como "a luz da vida". Esta luz tinha brilhado em seu coração; os raios da verdade divina tinham penetrado na sua consciência. Ele trazia consigo uma luz que vinha de Deus; nesta luz, ele via a luz, e nesta luz ele discernia tudo o que a luz manifestava. Por esta luz interna, ele sabia o que era bom e o que era mau, o que era doce e o que era amargo, o que era verdadeiro e o que era falso, o que era espiritual e o que era natural. Ele não disse, Esta luz veio do esforço da criatura, esta luz é o produto da minha própria sabedoria, esta luz é a natureza, transmutada por algum ato da minha própria vontade, e assim gradualmente veio a existir por longo e assíduo cultivo. Mas ele atribui o conjunto desta luz que possuía a Deus, o Senhor, como o único autor dela, e o único que a dá. Se Deus, o Senhor, mostrou a você e a mim a mesma luz que mostrou ao seu antigo servo, nós trazemos conosco mais ou menos quantidade de uma solene convicção de que recebemos esta luz dele. Haverá, na verdade, muitas nuvens de escuridão que a cobrem; frequentemente haverá dúvidas e temores, pairando como névoas sobre as nossas almas, quer a luz que nós recebemos seja de Deus ou não. Mas em momentos solenes, quando o Senhor se agrada de reviver a sua obra, em ocasiões em que Ele condescende em atrair para Si os afetos de nossos corações, em nos trazer à sua presença, em nos esconder, de certa maneira, na palma da sua mão e nos dar acesso a Si mesmo, nestes momentos nós trazemos conosco, apesar de toda a nossa descrença, apesar de todas as sugestões do inimigo, apesar de todas as dúvidas e temores e suspeitas que surgem das profundezas da mente carnal, apesar de todas estas oposições e obstáculos, nós trazemos conosco, nestas ocasiões, uma convicção solene de que temos luz, e de que esta luz nós recebemos de Deus. E por quê? Porque podemos olhar para o passado, a uma época em que não andávamos nesta luz, quando não sentíamos esta luz, quando tudo o que é espiritual e celestial era obscuro para nós, e nós obscuros para estas coisas.

Estas coisas que o Espírito de Deus capacita um homem a fazer, são, nas Escrituras, chamadas às vezes de *sacrifícios*. "Para que possamos oferecer", é nossa interpretação, "*sacrifícios* espirituais, aceitáveis a Deus por Jesus Cristo". O apóstolo fala de "receber de Epafrodito o que da vossa parte [dos irmãos de Filipos] me foi enviado, como cheiro de suavidade e *sacrifício* agradável e aprazível a Deus" (Fp

4.18). Assim, ele diz à igreja dos hebreus: "E não vos esqueçais da beneficência e comunicação (isto é, às necessidades do povo de Deus), porque, com tais *sacrifícios*, Deus se agrada" (Hb 13.16). Estes sacrifícios espirituais que um homem oferece a Deus são presos *também às pontas do altar*. Eles não são agradáveis aos olhos de Deus, a menos que estejam presos às pontas do altar, de modo a obter do altar toda a sua aceitação. As nossas orações somente são aceitáveis a Deus quando são oferecidas por intermédio da cruz de Jesus. Os nossos louvores e nossos agradecimentos somente são aceitáveis a Deus, quando conectados com a cruz de Cristo, e chegam ao Pai por intermédio da propiciação do seu Filho amado. As ordenanças da casa de Deus somente são aceitáveis a Deus, como sacrifícios espirituais, quando presas às pontas do altar. Ambas as ordenanças do Novo Testamento – o batismo e a Ceia do Senhor – foram presas, pelas mãos do próprio Deus, às pontas do altar, e ninguém passou apropriadamente pelo primeiro, ou recebeu apropriadamente a segunda, se não tiver sido, antes de mais nada, preso espiritualmente, pela mesma mão, às pontas do altar. Cada ato de benignidade, cada copo de água fria, dada em nome de um discípulo, cada sentimento de simpatia e afeto, cada palavra bondosa, cada ato misericordioso, exibido a um irmão, todos, e cada um deles, somente são aceitáveis a Deus quando chegam até Ele por intermédio da mediação do seu Filho amado. E, portanto, cada sacrifício do nosso próprio conforto ou das nossas vantagens, do nosso próprio tempo ou do nosso dinheiro, para benefício dos filhos de Deus, somente será um sacrifício espiritual e aceitável, se estiver preso às pontas do altar, conectado à cruz de Jesus, e derivando toda a sua fragrância e odor da sua conexão com o incenso ali oferecido pelo Senhor da vida e da glória. – *J. C. Philpot*

v. 27: Como é consoladora a luz! É tão consoladora, que a luz e o consolo praticamente significam a mesma coisa: "*Deus é o Senhor, que nos concedeu a luz*", isto é, a luz do conselho sobre o que fazer, e a luz da consolação no que fazemos, ou depois de todos os nossos sofrimentos. A luz não é apenas uma vela acesa, para que façamos o nosso trabalho à sua luz, mas ela nos consola e anima no nosso trabalho (Ec 11.7). – *Joseph Caryl*

v. 27: "Nos concedeu a luz... atai o sacrifício". Aqui há algo recebido, de alguma maneira, algo retribuído, de alguma maneira. Deus nos abençoou, e nós devemos bendizer a Deus. A sua graça e a nossa gratidão são as duas linhas sobre as quais o meu discurso deve tratar. Elas se encontram no meu texto; que se encontrem, da mesma maneira alegre, em seu coração, e não deixarão você, até que o tenham conduzido ao céu. – *Thomas Adams*

v. 27: "Atai a vítima da festa com cordas", etc. O sacrifício que estamos prestes a oferecer a Deus, em gratidão pelo amor redentor, somos nós mesmos, não para sermos mortos, sobre o altar, mas "sacrifícios vivos" (Rm 12.1) para sermos presos ao altar; sacrifícios espirituais, de louvor e oração, em que nossos corações devem estar fixos e engajados, assim como o sacrifício era atado "com cordas aos ângulos do altar". – *Matthew Henry*

v. 27: "Atai a vítima", etc. Há um ditado entre os hebreus, de que os animais que eram oferecidos em sacrifício eram os animais que mais lutavam, entre todos os demais; tal é a nossa natureza, somos como animais ingratos; quando devemos amar mais a Deus, estamos mais propensos a fugir dele; nós precisamos ser atados ao altar com cordas, que extraiam de nós amor ou temor. – *Abraham Wright*

v. 27: "Com cordas". Esta palavra às vezes é usada a respeito de *cordas torcidas*, espessas (Jz 15.13); às vezes, de *ramos espessos* de árvores, usados em algumas festas (Ez 19.11; Lv 23.40). Esta sentença pode ser interpretada, então, de duas maneiras; *atai a vítima com ramos espessos* ou *atai a vítima com cordas*; as duas formas significam uma mesma coisa – que os homens devem observar a festividade com alegria e com agradecimentos a Deus, como Israel fazia, em suas solenidades. – *Henry Ainsworth*

v. 27: "Aos ângulos do altar". Antes destas palavras, deve-se entender, *levai*, pois as vítimas eram presas a anéis, fixos no chão. *"Os ângulos"* eram ornamentos arquitetônicos, um tipo de capitel, feitos de ferro ou bronze, mais ou menos na forma de chifres curvados de um animal, projetando-se das quatro pontas do altar. O sacerdote que oficiava, quando orava, colocava sobre eles as suas mãos, e às vezes os espargia com o sangue do sacrifício: compare Êxodo 30.3; Levítico 4.7,18. No final deste versículo, deve ser inserida a palavra *dizendo*. – *Daniel Cresswell*

v. 27: "Aos ângulos". Isto é, por todo o átrio, até chegar aos ângulos do altar, com isto significando muitos sacrifícios ou ramos. – *Henry Ainsworth*

v. 28: "Deus". O termo original que aqui significa *"Deus"* dá força a esta passagem: Tu és o meu *"El"* – o Poderoso; por isto, eu te louvarei: meu *"Eloah"* – uma variação substancial, porém com o mesmo significado, "e te exaltarei" – em glória e honra. – *Henry Cowles*

v. 28: Este "exaltar ao Senhor" cumprirá um dos grandes objetivos do louvor, isto é, a sua exaltação. É verdade que Deus pode e irá exaltar a Si mesmo, mas exaltá-lo é, ao mesmo tempo, um dever e um privilégio do seu povo. O seu nome deve ser elevado e exaltado por eles; a glória deste nome passa a estar agora, de certa forma, comprometida com eles: que uso fazemos desta oportunidade e deste privilégio? – *Philip Bennet Power*

SUGESTÕES AOS PREGADORES

vv. 1 a 4. I. O assunto do cântico – "Louvai ao Senhor, porque ele é bom".

II. O refrão – "A sua benignidade é para sempre".

III. O coro – "Diga, agora, Israel", etc.; "Diga, agora, a casa de Arão", etc.; "Digam, agora, os que temem ao Senhor", etc.

IV. A repetição – "Digam, *agora*", para que possam estar mais bem preparados para o louvor universal no futuro.

v. 5. I. O momento para o louvor – "na angústia".

II. A resposta na ocasião – "O Senhor me ouviu".

III. A resposta, além do pedido – "e me pôs", etc.

v. 6. I. Quando o homem pode saber que Deus está ao seu lado?

II. Que confiança pode ter o homem que se sente seguro da ajuda divina?

v. 7. I. A importância dos amigos fiéis.

II. A importância maior, da ajuda do alto.

vv. 8 e 9. *"Melhor"*. É mais sábio, mais certo, moralmente mais correto, mais nobre, e de resultados mais felizes.

v. 10. Examine um grande panorama e considere o que foi feito, deveria ser feito, e pode ser feito "em nome do Senhor".

v. 12. I. Os incontáveis obstáculos para a fé.

II. O seu rápido fim.

III. A vitória completa da fé.

v. 13. I. O nosso grande antagonista.

II. Os seus violentos ataques.

III. O seu objetivo evidente: "para me fazer cair".

IV. O seu fracasso: "mas o Senhor me ajudou".

v. 14. I. A força, em situações de aflição.

II. Cântico, com esperança de libertação.

III. Salvação, ou escapar à tentação.

v. 15. A alegria das casas cristãs. É alegria na salvação: ela é expressa – "voz"; ela permanece: "*há* voz"; é alegria na proteção e honra, dadas pela destra do Senhor.

vv. 15 e 16. I. A alegria verdadeira é peculiar *ao* justo.

II. *Nos* seus tabernáculos; na sua condição de peregrinos.

III. *Pela* salvação: a alegria e a salvação andam juntas.

IV. *De* Deus: "a destra", etc.: três destras; a salvação e também a alegria vêm da mão do Pai, e do Filho, e do Espírito Santo; a destra de cada um deles age valentemente. – *G. R.*

v. 17. I. Os homens de bem estão, frequentemente, em perigo especial: José, na cova; Moisés, no cesto de juncos; Jó, no monturo; as ocasiões em que Davi escapou, por pouco, das mãos de Saul; Paulo, descendo do muro em um cesto; que cesto de frutas era este! Quanto esteve suspenso por aquela corda! A salvação de quantas pessoas!

II. Os homens de bem frequentemente têm um senso da sua recuperação do perigo que é especialmente ameaçador: "Não morrerei, mas viverei".

III. Os homens de bem têm um desejo especial pela preservação das suas vidas: "viverei; e contarei as obras do Senhor". – *G. R.*

vv. 17, 19 e 22. A vitória do Salvador ressuscitado e suas consequências de longo alcance:

(1) A morte é derrotada;

(2) as portas da justiça são abertas;

(3) a pedra fundamental da igreja é lançada. – *Deichert, "Lange's Commentary"*

v. 18. I. As angústias do povo de Deus são punições. "O Senhor castigou-me".
II. Estas punições frequentemente são severas: *"castigou-me* muito".

III. A severidade é limitada: "não à morte". – *G. R.*

v. 19. I. Acesso a Deus é desejado.

II. Humildemente solicitado: "Abri-me".

III. Ousadamente aceito: "entrarei por elas".

IV. Agradecidamente aproveitado: "E louvarei ao Senhor".

v. 22. Nestas palavras, podemos notar os seguintes pontos:

I. A interpretação metafórica com que a igreja é representada aqui, ou seja, a de uma *casa* ou *edifício.*

II. O caráter que o nosso Emanuel exibe, com respeito a este edifício; Ele é *a pedra* como eminência, sem a qual não pode haver edifício, nem casa em que Deus habite, entre os filhos dos homens.

III. O caráter dos trabalhadores empregados nesta estrutura espiritual; eles são chamados *edificadores.*

IV. O erro fatal de que são acusados, ao edificar a casa de Deus; eles *rejeitam* a Rocha eleita de Deus; eles não lhe permitem um lugar na sua própria casa.

V. Observe o lugar que Deus deve ter, e terá, neste edifício, a despeito do que os edificadores fizerem. Ele *tornou-se cabeça de esquina.* As palavras imediatamente a seguir declaram como isto é realizado e como os santos são influenciados com as visões da sua exaltação, apesar da perversidade do inferno e da terra: "Foi o Senhor que fez isto, e é coisa maravilhosa aos nossos olhos". – *Ebenezer Erskine*

vv. 22 e 23. I. O mistério declarado:

1. Que aquilo que é menos valorizado pelo homem, como meio de salvação, é mais valorizado por Deus.

2. Que aquilo que é mais valorizado por Deus, quando dado a conhecer, é menos valorizado pelo homem.

II. O mistério explicado. O caminho da salvação é uma obra do Senhor, e por isto é maravilhoso aos nossos olhos. – *G. R.*

vv. 22 a 25. I. Cristo rejeitado.

II. Cristo exaltado.

III. A sua exaltação é devida somente a Deus.

IV. A sua exaltação dá início a uma nova era.

V. A sua exaltação sugere uma nova oração. Veja Spurgeon's Sermon, n. 1.420.

v. 24. I. De que se fala.

1. O dia do Evangelho.

2. O dia de Sábado.

II. O que é dito sobre isto.

1. É dado por Deus.

2. Para ser alegremente recebido pelos homens. – *G. R.*

v. 25. O que é a prosperidade da igreja? De onde deve vir? Como podemos obtê-la?

v. 25. I. O objetivo da oração.
1. A salvação do pecado.
2. A prosperidade na justiça.
II. O fervor da oração: "Nós te pedimos, nós te pedimos".
III. A urgência da oração: "agora", agora que as portas da justiça estão abertas, agora que a fundação está lançada, agora que o dia do Evangelho é chegado – agora, Senhor! Agora! – *G. R.*

v. 27. *"Atai a vítima"*, etc. A devoção é a mãe, e ela tem quatro filhas.
1. A constância: "Atai a vítima".
2. A intensidade, ou fervor: Atai-a "com cordas".
3. A sabedoria: Atai-a "ao altar".
4. A confiança: "Aos 'ângulos' do altar". – *Thomas Adams*

v. 27. *"Atai a vítima com cordas"*, etc.
I. Qual é o sacrifício? Todo o nosso ser, todo o nosso talento, todo o nosso tempo, propriedade, posição, vontade, coração, temperamento, vida, até o fim.
II. Por que é necessário atar? É naturalmente inquieto. Longa demora, tentações, riqueza, posição social, desânimo, ceticismo, tudo tende a desviá-lo do altar.
III. A que ele é atado? À doutrina da expiação. A Jesus e à sua obra. A Jesus e à nossa obra.
IV. O que são as cordas? Os nossos próprios votos. A necessidade das almas. A nossa alegria no trabalho. A grande recompensa. O amor de Cristo, operando em nós, pelo Espírito Santo.

v. 28. I. O fato mais feliz de todo o mundo: "Tu és o meu Deus".
II. O espírito mais apropriado para desfrutar do fato: "Eu te louvarei".

v. 28. I. O resultado de Cristo ser sacrificado por nós: "Tu és o meu Deus".
II. O resultado de nós sermos oferecidos como um sacrifício aceitável a Ele. "Eu te louvarei e te exaltarei". ou,
I. A bênção do concerto: "Tu és o meu Deus".
II. A obrigação do concerto: "Eu te louvarei". – *G. R.*

v. 29. I. O princípio e o fim da salvação é a misericórdia.
II. O princípio e o fim dos requisitos da salvação é a ação de graças. – *G. R.*

SALMO 119

TÍTULO

Este salmo não traz título, nem é mencionado o nome do autor. É O SALMO MAIS LONGO, e este já é um nome distintivo para ele. Em extensão, ele é equivalente a vinte e dois salmos da extensão média dos Cânticos dos Degraus. Ele não é apenas longo; pois ele é igualmente excelente em amplitude de pensamento, profundidade de significado, e altitude de fervor. É como a cidade celestial, que é quadrada, e tem altura e largura iguais. Muitos leitores superficiais imaginaram que ele toca em uma única corda, e é abundante em repetições piedosas e redundâncias; mas isto se origina da superficialidade da mente do leitor; aqueles que estudaram este hino divino, e analisaram cuidadosamente cada linha dele, se surpreenderam com a variedade e profundidade do pensamento. Usando apenas algumas poucas palavras, o autor produziu trocas e combinações de significado que exibem a sua santa familiaridade com o seu assunto, e a engenhosidade santificada da sua mente. Ele jamais se repete; pois se o mesmo sentimento reaparece, ele é colocado com uma nova conexão, e assim exibe outra interessante forma de significado. Quanto mais se estuda este salmo, mais estimulante ele se torna. Assim como aqueles que bebem da água do Nilo a apreciam ainda mais, cada vez que bebem um gole, também este salmo se torna mais pleno e fascinante quanto maior a frequência com que o estudamos. Ele não contém nenhuma palavra ociosa; as uvas deste cacho estão quase arrebentando com o vinho novo do reino. Quanto mais você olhar neste espelho de um coração piedoso, mais você verá nele. Na superfície, plácido como o mar de vidro, diante do trono eterno, ele contém, em suas profundezas, um oceano de fogo, e aqueles que o contemplam com olhos devotos não somente verão, mas sentirão o brilho da chama sagrada. Ele está cheio de significado sagrado, e é tão importante quanto volumoso. Repetidas vezes, nós clamamos, enquanto o estudávamos: "Oh, as profundezas!" Mas estas profundezas estão ocultas por baixo de uma aparente simplicidade, como Agostinho disse, sabiamente, e isto torna a exposição ainda mais difícil. A sua obscuridade está oculta por baixo de um véu de luz, e por isto, somente a descobrem aqueles que têm total fervor, não somente de ler a palavra, mas, como os anjos, de examiná-la.

O salmo é alfabético. Oito estrofes começam com uma letra, e a seguir oito com a letra seguinte, e assim todo o salmo prossegue passando pelas vinte e duas letras do alfabeto hebraico. Além disto, há inúmeras justaposições de sentido e outras daquelas formalidades estruturais com que se agrada a mente oriental – formalidades muito similares àquelas com as quais se deleitavam nossos poetas mais antigos. O Espírito Santo assim pretendia falar com os homens em formas que atraíssem a atenção e fossem úteis para a memória. Ele é frequentemente simples ou elegante na sua maneira, mas não desdenha ser original ou formal se com isto o seu desígnio de instrução puder ser alcançado com mais segurança. Ele não despreza nem mesmo modos de linguagem artificial e restrita, se, com o uso delas, Ele puder fixar o seu ensinamento na mente. Isaac Taylor apresentou de modo adequado o ensinamento deste fato: – "No sentido mais limitado, esta composição é condicionada; apesar disto, no sentido mais elevado, é uma expressão de vida espiritual; e ao encontrar estes elementos aparentemente opostos, intimamente mesclados como estão, ao longo de todo este salmo, uma lição cheia de significado é silenciosamente transmitida àqueles que desejarem recebê-la – de modo que a transmissão das coisas de Deus ao espírito humano não é, de maneira alguma danificada nem impedida, e muito menos desviada ou pervertida pela subjugação àqueles modos de expressão que, acima de tudo, indicam a sua adaptação à capacidade infantil do receptor".

AUTOR

A tendência, entre os autores modernos, é, tanto quanto possível, tirar de Davi a autoria de cada salmo. Como os críticos desta escola não são, normalmente, firmes em doutrina, e pouco espirituais em seu tom, nós gravitamos na direção oposta, por uma suspeita natural de tudo o que vem de um grupo tão insatisfatório. Nós cremos que Davi escreveu este salmo. Ele é típico de Davi, em tom e expressão, e conta com a experiência de Davi, em muitos pontos interessantes. Na nossa juventude, o nosso professor o chamou de "livro de bolso de Davi", e nós nos inclinamos a concordar com a opinião expressa naquela ocasião, de que aqui temos o diário real, escrito em várias ocasiões, ao longo de uma vida longa. Não, nós não entregamos este salmo ao inimigo. "Este é o espólio de Davi". Depois de ler muito um autor, é possível conhecer o seu estilo, e adquirir um grau de discernimento pelo qual a sua composição é detectada, mesmo que o seu nome esteja oculto; nós sentimos uma espécie de certeza crucial de haver a mão de Davi nesse salmo, sim, de ser completamente seu.

ASSUNTO

O tema é exclusivamente a palavra do Senhor. O salmista apresenta o seu assunto sob diversas luzes, e o trata de diversas maneiras, mas raramente deixa de mencionar a palavra do Senhor em cada versículo, sob um ou outro dos muitos nomes pelos quais ele a conhece; e ainda que o nome não esteja ali, há a fervorosa insistência sobre o assunto, em cada estrofe. Quem escreveu este maravilhoso cântico estava saturado com os livros das Escrituras que possuía. Andrew Bonar nos fala de um cristão simples, em uma fazenda, que tinha meditado três vezes, sobre a Bíblia toda. Isto foi precisamente o que este salmista tinha feito – ele tinha passado da leitura à meditação. Como Lutero, Davi tinha agitado cada árvore frutífera do jardim de Deus, e tinha colhido delas frutos dourados. "A maioria", diz Martin Boos, "lê suas Bíblias como vacas que ficam sobre a grama espessa e pisam as mais belas flores e ervas". É algo temível que, com excessiva frequência, nós façamos a mesma coisa. Esta é uma maneira infeliz de tratar as páginas inspiradas. Que o Senhor nos impeça de repetir este pecado quando lermos este precioso Salmo.

Há um crescimento evidente na importância do assunto. Os primeiros versículos têm tal característica, que se prestam à hipótese de que o autor era um homem jovem, ao passo que muitas das passagens seguintes poderiam somente ter se sugerido à idade e à sabedoria. Em cada trecho, no entanto, é o fruto da profunda experiência, cuidadosa observação e sincera meditação. Se Davi não o escreveu, deve ter havido outro crente com exatamente a mesma ordem mental que Davi, e este deve ter se dedicado aos salmos com igual ardor, e deve ter sido um adorador igualmente sincero dos textos sagrados.

O nosso melhor aproveitamento desta sagrada composição se dará se dispusermos nossas mentes à intensa simpatia com os seus assuntos. Para isto, podemos igualmente memorizá-lo. A filha de Philip Henry escreveu em seu diário: "Recentemente, eu fiz grandes esforços para memorizar o salmo 119, e nisto obtive grandes progressos". Ela era uma mulher sensível e devota. Tendo feito isto, devemos considerar a plenitude, a certeza, a clareza e a doçura da palavra de Deus, uma vez que, com tais reflexões, provavelmente seremos estimulados a um caloroso afeto por ele. Que seres abençoados são aqueles aos quais o Deus Eterno escreveu uma carta, com a sua própria mão e o seu estilo. Que ardor de devoção, que diligência de composição podem produzir uma eulogia digna para os testemunhos divinos! Se há algum texto com estas características que tenha sido produzido pela pena do homem, é este salmo 119. Ele bem poderia ser chamado de santo solilóquio da alma, diante de uma Bíblia aberta.

Esta ode sagrada é uma pequena Bíblia, a condensação das Escrituras, um conjunto dos Textos Sagrados re-escritos em sagradas emoções e ações. Bem-aventurados são aqueles que podem ler e compreender estes santos aforismos: eles encontrarão pomos dourados nesta verdadeira Hespéride, e virão a reconhecer que este salmo, como as Sagradas Escrituras que ele louva, é uma ilha de pérolas, ou, ainda melhor, um jardim de doces flores.

NOTAS REFERENTES A TODO O SALMO

Eulogia a respeito de todo o salmo: Este salmo brilha e se destaca dos demais.
Velut inter ignes
*Luna minor es.**

Uma estrela no firmamento dos salmos, de primeira magnitude. Isto ficará rapidamente evidente, se você considerar a maneira como ele é composto, ou o assunto de que ele se compõe. A maneira como ele é composto é muito elegante. O assunto de que ele se compõe é excelente.

1. A maneira como ele é composto é muito elegante; cheio de arte, regra, método; assunto teológico, de uma maneira lógica, um alfabeto espiritual, segundo o alfabeto hebraico.

2. O assunto de que ele se compõe é excelente; cheio de raras sublimidades, profundos mistérios, atividades piedosas, sim, êxtases gloriosos. Três coisas compõem este salmo: 1. orações, 2. louvores, 3. declarações. Orações a Deus, louvores a Deus, declarações sobre Deus. – *Rev. W. Simmons, em um sermão de Morning Exercises, 1661*

Eulogia: Este salmo é chamado de Alfabeto do Amor Divino, o Paraíso de todas as doutrinas, o Depósito do Espírito Santo, a Escola da verdade, e também o profundo mistério das Escrituras, onde toda a disciplina moral de todas as virtudes brilha reluzente. E como toda instrução moral é prazerosa, também este salmo, porque ser

* "E como a luz, entre os mais débeis fogos, brilha, visível". – Horácio

excelente neste tipo de instrução, deve ser chamado prazeroso, visto que supera os demais. Os outros salmos, na verdade, brilham como estrelas menores; mas este arde com o calor meridiano de seu pleno esplendor, e é totalmente resplandecente com formosura moral. – *Johannes Paulus Palanterius, 1600*

Eulogia: Na nossa versão em alemão, há a apropriada inscrição: "O ABC cristão dourado do louvor, amor, poder e uso da Palavra de Deus". – *Franz Delitzsch, 1871*

Eulogia: O famoso Agostinho, que, entre suas volumosas obras, deixou um Comentário sobre o Livro dos Salmos, registrou que postergou o comentário sobre este, até terminar todo o Saltério; e então cedeu somente à longa e veemente insistência de seus amigos, "porque", diz ele, "por mais frequentemente que eu pensasse nisto, sempre excedia as forças do meu pensamento e o máximo controle das minhas faculdades". Enquanto um patriarca** intitula este salmo como "a perfeição de ensinamento e instrução", outro*** diz que "ele aplica um remédio abrangente às variadas doenças espirituais dos homens – bastando para aperfeiçoar aqueles que anseiam pela virtude perfeita, para despertar os indolentes, para revigorar os desanimados, e para consertar os indolentes"; e a isto poderíamos acrescentar muitos testemunhos semelhantes de antigos e modernos comentaristas do salmo. – *William De Burgh, 1860*

Eulogia: À medida que este salmo parece mais aberto, mais profundo me parece; de modo que eu não consigo mostrar o quanto ele é profundo. Pois, em outros, que são interpretados com dificuldade, embora o sentido esteja oculto na obscuridade, ainda assim a obscuridade aparece, mas neste, não é este o caso; uma vez que, superficialmente, não parece precisar de um expositor, mas apenas um leitor e um ouvinte. – *Agostinho, 354-430*

Eulogia: Na obra de Matthew Henry, "Account of the Life and Death of his father, Philip Henry", ele diz: "Certa vez, insistindo no estudo das Escrituras, ele nos aconselhou a tomar um versículo deste Salmo todas as manhãs, e meditar sobre ele, e assim percorrer o salmo, duas vezes por ano; e isto, disse ele, fará com que vocês se apaixonem por todo o resto das Escrituras. Ele dizia, frequentemente: "Toda a graça cresce, à medida que cresce o amor pela palavra de Deus".

Eulogia: É estranho que, de todas as partes da Bíblia que a minha mãe me ensinou, aquela que mais me custou aprender, e que, para a minha mente de criança, era a mais repulsiva – o Salmo 119 – agora se tornou, de todas as passagens, a mais preciosa para mim, na sua abundante e gloriosa paixão e amor pela lei de Deus – *John Ruskin, "Fors Clavigera"*

Eulogia: Este salmo é uma prolongada meditação sobre a excelência da palavra de Deus, sobre os seus efeitos, e a força e felicidade que ela traz aos homens, em qualquer posição.

Estas reflexões são mescladas com súplicas, em que o salmista, sentindo profundamente a sua fraqueza natural, implora a ajuda de Deus, a sua ajuda para andar pelo caminho mapeado para ele, nos oráculos divinos. Para sermos capazes de compreender e aproveitar este notável salmo, e para que não sejamos afastados pela sua extensão e pelas suas repetições, nós devemos ter tido, pelo menos até certo ponto, as mesmas experiências que o seu autor, e, como ele, devemos ter aprendido a amar e praticar a palavra sagrada. Além disto, este salmo é, de alguma maneira, uma referência para a vida espiritual daqueles que o leem. Os sentimentos expressos nele harmonizam perfeitamente com o que os livros históricos e outros salmos ensinam, a respeito da obediência de Davi, e do seu zelo pela glória de Deus. Nele há, no entanto, palavras que traduzem uma piedade tão elevada, que

** St. Hilarião.

*** Teodoreto

elas podem ter o seu sentido completo e sua perfeita veracidade somente na boca daquele de quem o rei profeta era o tipo. – Armand de Mestral, do francês, 1856.

Eulogia: O Salmo 119 foi descrito por um crítico racionalista, muito ilustre (Professor Reuss) como "não sendo uma poesia, de maneira nenhuma, mas simplesmente uma litania – uma espécie de rosário". Esta não parece ser a opinião dos anjos de Deus, e dos espíritos redimidos, quando este mesmo poema fornece a linguagem do louvor – o canto de vitória: "Justos e verdadeiros são os teus caminhos" (Ap 15.3); o clamor do anjo das águas: "Justo és tu, ó Senhor" (Ap 16.5); a voz de muitas pessoas no céu: "verdadeiros e justos são os seus juízos" (Ap 19.2); o que é isto, senão a exclamação daquele, quem quer que tenha sido, que escreveu o salmo – "Justo és, ó Senhor, e retos são os teus juízos" (Sl 119.137). – *William Alexander, "The Quiver", 1880*

Incidente: Em 1819, em meio a uma temporada em Londres, em meio à agitação e ao tumulto de uma crise política, William Wilberforce escreve em seu diário – "Andei desde a esquina do Hyde Park, repetindo o Salmo 119, com grande consolação". – *William Alexander, "The Witness of the Psalms", 1877*

Incidente: George Wishart, o capelão e biógrafo do "grande marquês de Montrose", como era chamado, teria compartilhado a sorte de seu ilustre patrono, não fosse o seguinte expediente singular: Quando no cadafalso, ele se beneficiou do costume da época, que permitia que o condenado escolhesse um salmo a ser entoado. Ele escolheu o Salmo 119, e antes que dois terços do salmo tivessem sido cantados, chegou o perdão, e a sua vida foi preservada. Pode não ser inapropriado acrescentar que George Wishart, bispo de Edimburgo, acima mencionado, era frequentemente confundido com o devoto mártir do mesmo nome, que viveu e morreu um século antes. Nós apenas mencionamos o incidente porque ele tem sido frequentemente citado como um exemplo singular da libertação de um personagem devoto; considerando que foi o estratagema engenhoso de uma pessoa que, de acordo com Woodrow, era mais conhecido por sua sagacidade do que pela sua santidade. A extensão deste salmo foi astutamente empregada como um meio de ganhar tempo, e, felizmente, o expediente foi bem sucedido. – *C. H. S.*

Ordem alfabética: Observa-se que o Salmo 119 está disposto segundo as letras do alfabeto hebraico, talvez para sugerir que as crianças, quando começam a aprender o alfabeto, devem aprender este salmo. – *Nathanael Hardy, 1618-1670*

Ordem alfabética: É verdade que os versículos, na realidade, não começam com as letras em inglês nem em latim, mas em hebraico, em que Davi compôs e escreveu este salmo. A vontade e o objetivo do Espírito Santo é nos fazer sentir e compreender que a doutrina aqui contida não apenas é apresentada para grandes clérigos, que estudaram durante dez ou vinte anos, mas também para os mais simples, com a finalidade de que ninguém possa oferecer nenhuma desculpa de ignorância. – de *Two-an-Twenty Sermons upon the cxixth Psalm, 1580, de Calvino*

Ordem alfabética: Pode haver algo além de extravagante na observação de que o nome de Cristo – *"o Alfa e o Ômega"* – o que equivale a declarar que Ele é tudo o que cada letra do alfabeto poderia expressar – possa ter tido uma referência com a peculiaridade deste salmo – um salmo em que (com a exceção dos versículos 84 a 122), exceções que enfatizam ainda mais a regra, cada versículo fala da revelação que Deus faz de Si mesmo ao homem. – *Andrew A. Bonar, 1859*

Ordem alfabética: Orígenes diz que é alfabética, porque contém os elementos ou princípios de todo o conhecimento e sabedoria; e que ele repete cada letra oito vezes, porque oito é considerado o número da perfeição.

Ordem alfabética: Para que o leitor não instruído possa compreender o que queremos dizer com o salmo ter uma ordem alfabética, anexamos a seguinte amostra da seção *Aleph* (em inglês, com tradução):

A blessing is on them that are undefiled in the way
and walk in the law of Jehovah;
A blessing is on them that keep his testimonies,
and seek him with their whole heart;
Also on them that do no wickedness,
but walk in his ways.
A law hast thou given unto us,
that we should diligently keep thy commandments.
Ah! Lord, that my ways were made so direct
that I might keep thy statutes!
And then shall I not be confounded,
while I have respect unto all thy commandments.
As for me, I will thank thee with an unfeigned heart,
when I shall have learned thy righteous judgments.
An eye will I have unto thy ceremonies,
O forsake me not utterly.
– de The Psalms Chronologically Arranged. By Four Friends, 1867

Uma bênção está sobre aqueles que são puros no caminho
e andam na lei de Jeová.
Uma bênção está sobre aqueles que guardam seus testemunhos
e o buscam com todo o seu coração;
Também sobre aqueles que não praticam perversidade,
mas andam em seus caminhos.
Uma lei tens dado a nós,
para que guardemos diligentemente teus mandamentos.
Ah! Senhor, que meus caminhos sejam feitos tão retos,
de modo que eu possa guardar teus estatutos!
E então não serei confundido,
enquanto tiver consideração por todos os teus mandamentos.
Quanto a mim, te darei graças com um coração sincero,
quando tiver aprendido teus justos juízos.
Observarei tuas ordenanças,
ó, não me abandones completamente.

Autor e tema: Este é um salmo que, por si só, supera a todos os demais, e é o que mais resplandece nesta constelação. É muito mais longo do que qualquer outro, tem extensão superior ao dobro do que qualquer outro. Não é fazer longas orações que Cristo censura, mas fazê-las com um pretexto, o que indica que elas são, por si só, boas e elogiáveis. O salmo me parece uma coletânea de expressões piedosas e devotas de Davi, os curtos e repentinos suspiros da sua alma a Deus, que ele escreveu à medida que lhe ocorriam, e que, no fim da sua vida, os reuniu do seu diário, onde estavam espalhados, acrescentou-lhes muitas palavras semelhantes, e os condensou neste salmo, em que há pouca coerência entre os versículos, mas, como os provérbios de Salomão, é uma arca cheia de anéis de ouro, e não uma corrente de elos de ouro. E não somente podemos aprender, com o exemplo do salmista, a nos acostumar a tais piedosas expressões, que são um meio excelente de conservar constante comunhão com Deus e conservar o coração em forma para os mais solenes exercícios da religião, mas devemos fazer uso das palavras do salmista, tanto para despertar como para expressar nossos devotos afetos. Alguns disseram, a respeito deste salmo: Àquele que o ler com atenção, o salmo irá advertir ou envergonhar; e isto é verdade. – *Matthew Henry, 1662-1714*

Autor e tema: Este poema muito singular nos chegou sem indicação de autor ou título; além de alguma dificuldade em atribuir-lhe uma data. Muitos críticos supõem que ele tenha sido escrito pelo rei Davi; e há nele tantas características da linguagem peculiar e da corrente de sentimento que distingue suas composições, alterando tão perpetuamente uma complicação de cada condição da vida, através da balança de adversidade e prosperidade, que parece distinguir a sua própria história da de qualquer outro indivíduo, para nos fornecer muitas razões para que adotemos a sua opinião, e para nos induzir a considerá-lo como uma série de poemas compostos originalmente por Davi, em ocasiões diferentes, sob diferentes circunstâncias, ou coletados por ele e arranjados na sua forma atual, de passagens isoladas de cantores anteriores, que corriam o risco de serem perdidas ou esquecidas. Se esta visão do assunto se aproxima à exatidão, o salmo pode constituir um dos poemas que Davi deu ao público, segundo nos diz Josefo, no restabelecimento da tranquilidade, depois da frustração do traidor Seba, e o retorno das dez tribos rebeldes a uma condição de lealdade.

Este poema, ou melhor, esta coletânea de poemas é designada para a devoção privativa, isoladamente; e aqui não temos nenhuma referência distinta a algum evento histórico ou nacional, a alguma festa pública, ou a qualquer lugar de adoração congregacional, embora algumas poucas indicações, sobre um ou dois destes pontos, estejam ocasionalmente espalhadas. Não temos nenhuma informação sobre Davi, ou Salomão, sobre Moisés ou Arão, sobre o Egito ou sobre a peregrinação pelo deserto, nada sobre Jerusalém, ou o monte Sião, ou Efrata, sobre o templo, ou o altar, sobre os sacerdotes ou o povo. Ele consiste das santas efusões de uma alma devota, em estado de isolamento, desabafando em abençoada comunhão com o seu Deus, e cantando sobre o santo ciclo de seus atributos, e as consolações da sua vontade revelada sob cada tentação ou provação à qual o homem pode ser exposto.

A forma deste salmo é singular; e, embora alfabético, ele não tem um paralelo em nenhum dos outros. Ele é, na realidade, um conjunto ou coletânea de cânticos, ou pequenos poemas, cada um deles formando um grupo de oito coplas; a primeira delas usa a primeira letra do alfabeto hebraico como primeira letra de cada linha; a segunda usa a segunda letra, e assim, da mesma maneira, prosseguindo por todo o conjunto das vinte e duas letras que constituem o alfabeto na língua hebraica; e, consequentemente, estendendo todo o poema a vinte e dois grupos de oito coplas, ou discursos de oito linhas, cada um. Coletâneas poéticas deste tipo são ainda comuns no Oriente, e especialmente entre os poetas persas, que distinguem seus poemas isolados, ou cânticos, com o nome de gazels, e todo o conjunto de fascículos pelo nome de diwan. O poeta árabe Temoa os denomina de colares de pérolas; uma ideia de que os poetas persas se apoderaram, e ilustraram alegremente de várias maneiras.

Devido a esta peculiaridade de construção, as coplas do salmo 119 podem, na língua hebraica, ser memorizadas com muito mais facilidade do que em qualquer língua moderna: pois, como cada versículo, de cada conjunto de oito, começa com a mesma letra, e os conjuntos progressivos acompanham a ordem do alfabeto, a letra se torna um auxílio poderoso para a memória do aprendiz, e o capacita a percorrer o conjunto sem hesitação. – *John Mason God, 1764-1827*

Autor e tema: Pelo menos, é possível que a obra de tão longo salmo que, em conexão com tudo o que é artificial a seu respeito, do princípio ao fim, nos dá um vislumbre da expressão subjugada e afligida de um confessor, seja a obra de alguém que está na prisão, que passa o tempo com esta composição de suas queixas e seus pensamentos de consolação. – *Franz Delitzsch, 1871*

Tema: O Salmo 119 é o sermão apropriado, depois do Hallel, sobre o texto que é seu epítome (Sl 1.1,2) "Bem-aventurado o varão que não anda segundo o conselho dos ímpios... antes, tem o seu prazer na lei do Senhor". Com a exceção de dois versículos (122, 132), a lei é expressamente enaltecida em cada versículo. – *Andrew Robert Fausset, "Studies in the CL. Psalms", 1876*

Tema: Cada versículo contém um louvor à palavra de Deus, por alguma qualidade superior dela, ou uma declaração de Davi de seu afeto inabalável por ela, ou uma oração pedindo misericórdia, e graça, para se colocar em conformidade com ela; pois a uma destas três coisas – *louvores, declarações* ou *orações*, todos os versículos deste salmo podem ser reduzidos. – *William Cowper*

Terma: Eu não conheço outra parte das Sagradas Escrituras em que a natureza e a evidência da verdadeira e sincera santidade sejam tão amplamente delineadas e reforçadas como no salmo 119. O salmista declara o seu desígnio nos primeiros versículos deste salmo, e o tem diante de seus olhos todo o tempo, e o busca, até o fim. A excelência da santidade é representada como o objeto imediato de um gosto e prazer espiritual. A lei de Deus – esta grande expressão e emanação da santidade da natureza de Deus, e prescrição de santidade à criatura – é, todo o tempo, representada como o grande objeto do amor, da complacência, e do júbilo da natureza piedosa, que ama os mandamentos de Deus "mais do que o ouro, e ainda mais do que o ouro fino"; e à qual eles são "mais doces do que o mel". – *Jonathan Edwards, 1703-1758*

Tema e conexão entre as partes: Este salmo, não menos excelente em virtude do que é grande em tamanho, contém múltiplas reflexões sobre a natureza, as propriedades, os complementos e efeitos da lei de Deus; muitas expressões vivazes sobre ela, concebidas em diferentes formas de linguagem; algumas sob a forma de petição, outras de agradecimento, algumas de resolução, outras de asserção ou aforismo; muitas instruções úteis, muitas zelosas exortações para a observância da lei; tudo isto não está arranjado em nenhuma ordem rígida, mas, como uma variedade de ervas em um campo, com grata confusão se dispersam, à medida que surgiram livremente no coração, ou foram sugeridas pelo espírito devoto daquele que escreveu este salmo, onde não se pretendeu ter coerência entre as sentenças, e podemos considerar qualquer uma delas como absoluta, por si mesma. – *Isaac Barrow, 1630-1677*

Tema e conexão: Considerando o assunto deste salmo, percebe-se que as estrofes que começam com a mesma letra têm muito pouca, e às vezes nenhuma, conexão, umas com as outras; e os louvores ao Senhor, à excelência da sua lei, e as súplicas, estão misturados, sem ordem nem coerência. Consequentemente, eu fui levado a pensar que jamais se pretendeu que o salmo fosse uma ode para ser interpretada em uma ocasião, *tout de suite*, mas era uma coletânea de estrofes de oração e louvor, arranjadas em ordem alfabética, das quais o adorador piedoso poderia selecionar o que fosse apropriado à sua situação e circunstâncias, usando, como julgasse adequado, uma ou duas linhas de cada estrofe, e unindo-as de modo a formar uma composição coerente e apropriada para a ocasião e as circunstâncias em que ele se encontrava. – *Stephen Street, 1790*

Tema e conexão: Em vista do arranjo alfabético ou acróstico deste salmo, o Dr. Adam Clarke expressa a seguinte observação: "Toda *conexão*, como se poderia esperar, é sacrificada a este arranjo artificial e metódico". Isto não é provável, como o próprio Dr. Clarke sentiu, quando se esforçou, na sua análise, "para mostrar a conexão que os oito versículos de cada parte têm entre si". Cada grupo de oito versículos parece ter um tema ou assunto comum em si mesmo, e embora a estrutura peculiar do salmo obscureça este arranjo, de modo que ele é, às vezes, difícil de distinguir, não se deve dizer que a conexão esteja destruída. – *F. J. G. Marchant, de Hitchin, 1879*

Tema e conexão: Na estrofe *'Aleph*, é declarada a bem-aventurança de andar no caminho da palavra de Deus; na *Beth*, a palavra de Deus é descrita como a única proteção do jovem contra o pecado; na *Gimel*, há uma piedosa resolução de se agarrar à palavra, apesar do desprezo do mundo. *Daleth* expressa um anseio pela consolação da palavra de Deus, para fortalecer as boas resoluções; *He* declara um fervoroso desejo de graça para obedecer à palavra; *Waw* expressa firme confiança e intenso deleite na palavra de Deus, e um fervoroso desejo de ver o seu total cumprimento; *Zayin* descreve o abençoado consolo que se obtém da palavra de Deus, nos dias maus; *Ḥeth* expressa a alegria que é inspirada pela consciência de que Deus é a sua porção, e pela comunhão com aqueles que amam a sua palavra, e pela persuasão de que todas as coisas cooperam para o bem de todos os que o amam; *Ṭeth* descreve os abençoados efeitos da aflição, conforme descritos na palavra de Deus, ao afastar a alma do mundo e atraí-la para perto dele; *Yodh* representa o exemplo da resignação e piedade dos fiéis, especialmente na aflição, gentilmente atraindo outros para junto de Deus; *Kaph* é uma expressão de intenso desejo pela vinda do reino de Deus, e a submissão de todas as coisas a Ele, de acordo com as promessas da sua palavra. *Lamedh* declara que a palavra de Deus é eterna, imutável e infinita em perfeição; e, portanto, em *Mem*, está declarado que a palavra de Deus é o único depósito da verdadeira sabedoria; em *Nun*, fica claro que ela é o único farol nas trevas e tempestades deste mundo; e em *Samekh*, que todos os esforços céticos para minar a fé dos homens nesta palavra são odiosos e mortais, e se converterão em confusão para aqueles que os realizam; em *'Ayin*, há uma oração, pedindo determinação e firmeza, de coração e mente, entre toda a impiedade e descrença de um mundo herege; o que é seguido por uma certeza, em *Pe*, de que a palavra de Deus traz a sua própria luz e consolação àqueles que oram fervorosamente por ela, e enche o coração de compaixão por aqueles que a desprezam. Em *Tsadeh*, há a declaração de que até mesmo a alma jovial pode permanecer forte e firme, se tiver fé na pureza, e verdade, e justiça da lei de Deus; e, portanto, em *Qoph*, há uma fervorosa oração pela graça da fé, especialmente, como expressa *Resh*, em tempos de aflição, desolação e perseguição, como acrescenta *Shin*, por parte dos poderosos deste mundo; mas mesmo então, há paz, alegria e exultação para aqueles que amam a palavra de Deus. E, portanto, o salmo é concluído em *Taw*, com uma fervorosa oração pela concessão das dádivas de entendimento, assistência e graça, por Deus, para a alma que reconhece a sua própria fraqueza, e confia somente nele para seu sustento. – *Christopher Wordsworth, 1872*

Tema e conexão: Este salmo foi chamado *Psalmus literatus*, ou *alpha-betites;* e Masora o chama alpa betha rabba. O nome Jeová aparece vinte e duas vezes no salmo. O tema do salmo é a palavra de Deus, que menciona, usando uma das dez palavras: תּוֹרָה, *lei;* דֶּרֶךְ, *caminho;* עֵדָה, *testemunho;* פִּקּוּד, *preceito;* חֹק, *estatuto;* מִצְוָה, *mandamentos;* מִשְׁפָּט, *juízo;* דָּבָר, *palavra;* אִמְרָה, *dizeres ou ditos;* אֱמוּנָה, *verdade;* em cada versículo, exceto o versículo 122. O último desses termos dificilmente é admissível como um termo que signifique a *palavra*, mas aparece apenas no versículo 90. Segundo esta série alfabética de oito estrofes, a palavra é a fonte de felicidade para aqueles que andam de acordo com ela (*'aleph*), de santidade àqueles que dão ouvidos a ela (*beth*), de verdade àqueles cujos olhos o Senhor abre, pelo seu Espírito (*gimel*), de lei àqueles cujos corações Ele renova (*daleth*), gera perseverança pelas suas promessas (*he*), revela a misericórdia e a salvação do Senhor (*waw*), desperta o consolo de esperança em Deus (*zayin*), apresenta o Senhor como a porção da alma que confia (*ḥeth*), torna a aflição instrutiva e punitiva (*ṭeth*), gera uma comunhão no temor a Deus (*yodh*), e um anseio pela plena paz de salvação (*kaph*), é fiel e imutável (*lamedh*), ordena a aprovação do coração (*mem*), é uma luz para o caminho (*nun*), da qual desviar-se é odioso (*samekh*), justifica a alegação de inocência (*'ayin*), é um testemunho do caráter e da vontade de Deus (*pe*), é uma lei de retidão (*tsadeh*), justifica o clamor por salvação (*qoph*), e a oração por libertação da aflição (*resh*), e da perseguição sem causa (*shin*), e assegura uma resposta no devido tempo (*taw*). Aqui há tanta ordem quanto se poderia esperar em um longo acróstico alfabético. – *James G. Murphy, "Commentary on the Book of Psalms", 1875*

O Salmo: Lutero e Hilarião, e outros homens excelentes, pensam que aqui é apresentado um compendio do conjunto da teologia, pois as coisas que são ditas, de modo geral, sobre as Escrituras, e a palavra de Deus, e a teologia, são úteis no exame de questões de doutrina. Em primeiro lugar, o salmo trata do autor desta doutrina. Em segundo lugar, da sua autoridade e confiabilidade. Em terceiro lugar, ele declara que a doutrina contida nos livros apostólicos e proféticos é perfeita, e contém todas as coisas que podem nos dar instruções para a salvação eterna. Em quarto lugar, afirma a clareza das Escrituras. Em quinto lugar, a sua utilidade. Em sexto lugar, o seu conhecimento e interpretação verdadeiros e de salvação. Por fim, trata da prática: como, por exemplo, as coisas que nos são ensinadas na palavra de Deus devem ser manifestadas e reduzidas à prática, em piedade, moderação, obediência, fé e esperança, em meio a tentações e adversidades. – *Solomon Gesner, 1559-1605*

Nomes dados à lei de Deus: As coisas contidas nas Escrituras, e delas extraídas, aqui são chamadas, 1. *Lei* de Deus, porque são promulgadas por Ele, como nosso Soberano. 2. O seu *caminho*, porque elas são a norma, tanto da sua providência quanto da nossa obediência. 3. Os seus *testemunhos*, porque são solenemente declaradas ao mundo, e atestadas sem possibilidade de contradição. 4. Os seus *mandamentos*, porque são dados com autoridade e (o que é o significado da palavra) nos são confiados. 5. Os seus *preceitos*, porque nos são prescritos, e não deixados indiferentemente. 6. A sua *palavra*, ou os seus dizeres ou ditos, porque é a declaração da sua mente, e Cristo, a Palavra essencial e eterna, está totalmente nela. 7. Os seus *juízos*, porque estão contidos em infinita sabedoria, e porque, por eles, nós devemos julgar e também ser julgados. 8. A sua *justiça*, porque é totalmente santa, justa e boa, e a regra e o padrão da justiça. 9. Os seus *estatutos*, porque são fixos e determinados, e de obrigação perpétua. 10. A sua *verdade*, ou *fidelidade*, porque os princípios sobre os quais a lei divina é edificada são verdades eternas. – *Matthew Henry*

Nomes dados à lei de Deus: A seguinte peculiaridade a ser observada neste salmo é a recorrência regular de nove palavras características, pelo menos uma ou outra das quais é encontrada em cada dístico, com uma única exceção, o segundo dístico da 12a divisão. Estas palavras – *lei, testemunhos, preceitos, estatutos, mandamentos, juízos, palavras, dizeres ou ditos,* e uma palavra característica, que aparece apenas duas vezes – *caminho.*

Todas estas palavras são, sem dúvida, designações da Lei Divina; mas seria causar uma profunda ofensa à causa da verdade revelada afirmar que são meros sinônimos; em outras palavras, que os sentimentos deste compêndio de celestial sabedoria são pouco melhores do que uma corrente de tautologias. O fato é, como alguns críticos, tanto judeus como cristãos, observaram, que cada um destes termos designa a mesma lei de Deus, mas cada um deles sob um aspecto diferente, significando os diferentes modos da sua promulgação, e da sua recepção.

Cada uma destas palavras será examinada, em ordem, e será feito um esforço para discriminá-las.

1. *"Lei."* Esta palavra é formada a partir de um verbo, que significa orientar, guiar, visar. O seu significado etimológico, então, seria uma regra de conduta, um κανών σαφὴς. Ela significa a lei de Deus, de modo geral, seja aquela regra universal chamada de lei da natureza, ou aquela que foi revelada à sua igreja por Moisés, e

aperfeiçoada por Cristo. A rigor, a lei significa uma regra clara de conduta, colocada claramente diante dos olhos do homem, e não impingida por alguma ordem; isto quer dizer, esta palavra não inclui, necessariamente, as suas sanções.

2. *"Testemunhos"* são derivados de uma palavra que significa dar testemunho, testificar. A arca do tabernáculo é assim chamada, como também as duas tábuas de pedra, e o tabernáculo; o penhor e os testemunhos de que Deus habita entre o seu povo. Os testemunhos são, de modo mais particular, a lei revelada de Deus; os testemunhos e a confirmação das suas promessas feitas ao seu povo, e penhores da sua futura salvação.

3. *"Preceitos"* se origina de uma palavra que significa *"colocar em confiança"*, significam algo confiado ao homem, "que te é entregue"; compromissos de Deus, que consequentemente têm a ver com a consciência, pela qual o homem é responsável, como um ser inteligente.

4. *"Estatutos"*. O verbo de que esta palavra é formada quer dizer gravar ou fazer uma inscrição. A palavra significa uma lei definida, prescrita, escrita. A palavra é aplicada à lei de José sobre a porção dos sacerdotes no Egito, à lei sobre a Páscoa, etc. Mas neste salmo ela tem um significado mais interior – aquela lei moral de Deus, que está gravada nas tábuas do coração; a compreensão interior e espiritual da sua vontade; não tão óbvia como a lei e os testemunhos, e um assunto de comunicação espiritual mais direta do que os seus preceitos; sendo estes últimos mais detalhados pelos esforços da própria mente, divinamente guiada, mas talvez empregados de modo mais instrumental e menos passivo.

5. *"Mandamentos"* deriva de um verbo que significa ordenar ou mandar. Assim foi a ordem de Deus a Adão, a respeito da árvore; e a Noé, para que construísse a arca.

6. *"Juízos"* deriva de uma palavra que significa governar, julgar ou determinar, significa ordenanças e decisões judiciais; sanções legais.

7. *"Palavra."* Há dois termos, bastante distintos em hebraico, mas ambos traduzidos como *"palavra"* nas nossas versões autorizadas. O segundo é traduzido como *"dizeres ou ditos"* no volume anterior deste trabalho. Eles estão intimamente conectados, uma vez que, de vinte e duas passagens em que *"palavra"* aparece, em catorze ele é paralelo, ou tem conexão, com *"dizeres"*. Desta circunstância fica evidente que eles não são sinônimos.

O termo aqui traduzido como *"palavra"* parece ser Λόγος, ou Palavra de Deus, no seu sentido mais divino; o anúncio da vontade revelada de Deus; a sua ordem; o seu oráculo; e, em certas ocasiões, a comunicação especial aos profetas. Os dez mandamentos são chamados, no livro de Êxodo, com este termo; e דְּבִיר é o oráculo no templo. Este salmo pode ser considerado como: (1) Os mandamentos revelados de Deus, de modo geral. (2) Como uma promessa revelada de determinadas bênçãos para os justos. (3) Como uma preciosidade que foi entregue ao salmista, como ministro de Deus. (4) Como uma regra de conduta; um canal de esclarecimento.

8. Quanto à palavra remanescente, *"caminho"*, que aparece apenas duas vezes, como uma palavra característica, e o local em que ela ocorre, devem ser considerados como exceções à regra geral; de modo que eu não estou disposto a considerá-la como pretendendo ser uma expressão cognata das anteriores. De qualquer forma, o seu significado é tão direto e simples que não requer nenhuma explicação; uma regra clara de conduta; no seu sentido mais elevado, a graça auxiliadora de Deus, por meio de Cristo, nosso Senhor, que é o Caminho, a Verdade e a Vida. – *John Jebb, 1846*

EXPOSIÇÃO DOS VERSÍCULOS 1 A 8

1 *Bem-aventurados os que trilham caminhos retos e andam na lei do Senhor.*
2 *Bem-aventurados os que guardam os seus testemunhos e o buscam de todo o coração.*
3 *E não praticam iniquidade, mas andam em seus caminhos.*

4 *Tu ordenaste os teus mandamentos, para que diligentemente os observássemos.*
5 *Tomara que os meus caminhos sejam dirigidos de maneira a poder eu observar os teus estatutos.*
6 *Então, não ficaria confundido, atentando eu para todos os teus mandamentos.*
7 *Louvar-te-ei com retidão de coração, quando tiver aprendido os teus justos juízos.*
8 *Observarei os teus estatutos; não me desampares totalmente.*

Estes oito primeiros versículos se dedicam à contemplação da bem-aventurança que resulta de observar os estatutos do Senhor. O assunto é tratado de uma maneira devota, e não com um estilo didático. A comunhão sincera com Deus é desfrutada por meio de um amor por aquela palavra, que é a maneira como Deus se comunica com a alma, por intermédio do Espírito Santo. A oração e o louvor e todos os tipos de atos devocionais e sentimentos brilham através dos versículos, como raios de sol através de um bosque de oliveiras. O indivíduo não apenas é instruído, mas influenciado à santa emoção, e auxiliado a expressá-la.

Os que adoram as santas palavras de Deus são bem-aventurados, porque são protegidos da profanação (v. 1), porque são tornados praticamente santos (vv. 2,3), e são levados a seguir a Deus sinceramente e intensamente (v. 2). Observa-se que este andar santo deve ser desejável, porque Deus assim ordena (v. 4); portanto a alma piedosa ora por isto (v. 5), e sente que a sua consolação e a sua coragem devem depender da sua obtenção (v. 6). Na perspectiva da oração atendida, enquanto a oração é atendida, o coração fica cheio de gratidão (v. 7), e se fixa em solene resolução de não perder a bem-aventurança se o Senhor proporcionar a graça capacitadora (v. 8).

As variações estão nas palavras *"caminhos"* – "trilham caminhos retos", "andam em seus caminhos", "Tomara que os meus caminhos sejam dirigidos"; *"guardar"* – "guardam os seus testemunhos", "para que diligentemente os observássemos", "dirigidos de maneira a poder eu observar", "Observarei"; e *"andar"* – "andam na lei", "andam em seus caminhos". Mas não há tautologia, nem a mesma ideia é repetida, embora para o leitor desatento possa parecer que há.

A mudança das declarações sobre os outros e sobre o Senhor, para tratar mais pessoalmente de Deus, começa no terceiro versículo, e se torna mais clara à medida que progredimos na leitura, até que, nos últimos versículos, a comunhão se torna mais intensa e comovente. Ah, se cada leitor pudesse sentir o brilho.

1. *"Bem-aventurados."* O salmista está tão arrebatado com a palavra de Deus que considera o fato de estar em conformidade com ela como o seu mais elevado ideal de bem-aventurança. Ele contempla as formosuras da lei perfeita, e, como se este versículo fosse a soma e o resultado de todas as suas emoções, ele exclama: "Bem-aventurado é o homem cuja vida é a transcrição prática da vontade de Deus". A verdadeira religião não é fria nem seca, ela tem suas exclamações e arrebatamentos. Nós não somente julgamos a obediência à lei de Deus como sendo algo sábio e apropriado, como estamos calorosamente enamorados da sua santidade, e clamamos, com assombro e adoração: "Bem-aventurados os que trilham caminhos retos", significando que nós desejamos ansiosamente nos tornar bem-aventurados, e não desejamos maior felicidade senão a de sermos perfeitamente santos. Pode ser que o autor trabalhasse sob uma sensação da sua própria imperfeição, e por isto invejava a bem-aventurança daqueles cujo andar tinha sido mais puro e limpo; na realidade, a própria contemplação da lei perfeita do Senhor, que ele agora iniciava, era suficiente para fazê-lo lamentar as suas próprias imperfeições, e suspirar pela bem-aventurança de um andar reto.

A religião verdadeira é sempre prática, pois não permite que nos deleitemos em uma lei perfeita, sem despertar, em nós, um anseio por nos colocarmos em conformidade a ela, em nossa vida diária. Uma bênção pertence àqueles que ouvem e leem e compreendem a palavra do Senhor; mas é uma bênção muito maior ser verdadeiramente obediente a ela, e praticar, em nosso andar e nosso modo de viver, o que aprendemos, nos nossos estudos das Escrituras. A pureza no nosso caminho e no nosso andar é a mais verdadeira bem-aventurança.

Este primeiro versículo não apenas é um prefácio para todo o salmo, mas também pode ser considerado como o texto do qual trata todo o resto. Ele é similar à bênção do primeiro salmo, que é apresentada no início do livro inteiro: há uma semelhança entre este Salmo 119 e o Saltério, e este é um ponto de semelhança – o fato de que se iniciam com uma bênção. Nisto também vemos algum prenúncio do Filho de Davi, que começou o seu grande sermão como Davi começou o seu grande salmo. É bom abrir nossas bocas com bênçãos. Quando não pudermos concedê-las, podemos mostrar a maneira de obtê-las, e mesmo que não as tenhamos, nós mesmos, pode ser benéfico contemplá-las, para que nossos desejos possam ser incitados, e nossas almas levadas a buscá-las. Senhor, se eu não for bem-aventurado, para estar entre os que trilham o teu caminho reto, pensarei muito sobre a felicidade que eles desfrutam, e apresentam diante de mim, como a ambição da minha vida.

Assim como Davi começa o seu salmo, também os jovens devem começar suas vidas, também os novos convertidos devem começar a sua profissão de fé, e também devem todos os cristãos começar todos os seus dias. Grave-o em seu coração como um primeiro postulado e regra de conhecimento prático, de que a santidade é felicidade, e de que é sábio primeiro buscar o reino de Deus e a sua justiça. É bom começar bem. Começar com uma verdadeira ideia de bem-aventurança é extremamente importante. O homem começou sendo abençoado na sua inocência, e se a nossa raça pecadora algum dia for abençoada novamente, deverá encontrar a bênção onde a perdeu no início, especificamente, em conformidade com a ordem do Senhor.

"Trilham caminhos retos." Eles estão no caminho, no caminho correto, no caminho do Senhor, e se conservam neste caminho, andando com santo cuidado e lavando seus pés diariamente, para que não sejam maculados pela carne. Eles desfrutam de grande bem-aventurança em suas almas; na verdade, eles têm um preâmbulo do céu onde a bem-aventurança está em ser absolutamente reto; e se pudessem continuar de maneira completamente reta, sem dúvida teriam os dias do céu sobre a terra. O mal exterior pouco nos feriria, se estivéssemos completamente livres do mal do pecado, uma realização que, para os melhores de nós, ainda está na região do desejo, e ainda não foi completamente alcançada, embora tenhamos uma visão tão clara dela que vemos que é a própria bem-aventurança; e por isto nós procuramos isto, ansiosamente.

Aquele cuja vida é reta, no sentido do Evangelho, é bem-aventurado, porque jamais poderia ter alcançado este ponto se não lhe tivessem sido concedidas milhares de bênçãos. Por natureza, nós somos corruptos e estamos fora do caminho, e por isto devemos ser lavados no sangue expiatório, para remover a corrupção, e devemos ser convertidos pelo poder do Espírito Santo, ou jamais teremos nos voltado para o caminho da paz, nem estaremos andando retamente nele. E isto não é tudo, pois o poder contínuo da graça é necessário para conservar um crente no caminho correto, e preservá-lo da contaminação. Todas as bênçãos do concerto foram, até certo ponto, derramadas sobre aqueles que, diariamente, foram capacitados à perfeita santidade no temor do Senhor. O seu caminho é a evidência de que são os bem-aventurados do Senhor.

Davi fala de um alto grau de bem-aventurança; pois alguns estão no caminho, e são servos fiéis de Deus, mas são ainda falhos de muitas maneiras, e trazem a corrupção sobre si mesmos. Outros, que andam mais plenamente na luz, e conservam comunhão mais íntima com Deus, são capacitados a se conservar imaculados pelo mundo, e desfrutam de mais paz e alegria do que seus irmãos menos vigilantes. Sem dúvida, quanto mais completa a nossa santificação, mais intensa a nossa bem-aventurança. Cristo é o nosso caminho, e não somente estamos vivos em Cristo, mas devemos viver em Cristo; a tristeza é o fato de que nós maculamos o seu santo caminho com o nosso egoísmo, exaltação de nós mesmos, rebeldia e entrega aos prazeres dos sentidos, e assim perdemos grande parte da bem-aventurança que há nele, como nosso caminho. Um crente que erra ainda está salvo, mas a alegria da sua salvação não é experimentada por ele; ele é resgatado, mas não enriquecido, grandemente tolerado, mas não grandemente abençoado.

Com que facilidade a contaminação nos vem, até mesmo em nossas coisas santas, até mesmo *no caminho*. Nós podemos voltar da adoração pública ou privada com corrupção na consciência, obtida quando estávamos de joelhos. Não havia piso, no tabernáculo, exceto a areia do deserto, e por isto os sacerdotes do altar tinham frequente necessidade de lavar seus pés, e pela bondosa previsão do seu Deus, a bacia ficava preparada para isto, assim como, para nós, o nosso Senhor Jesus ainda está pronto para nos lavar os pés, para que possamos estar completamente limpos. Assim, o nosso texto apresenta a bem-aventurança dos apóstolos no cenáculo, quando Jesus disse, sobre eles: “Ora, vós estais limpos”.

Que bem-aventuranças esperam àqueles que seguem o Cordeiro, onde quer que Ele vá, e são preservados da corrupção, que, pela concupiscência, há no mundo. Eles serão a inveja de toda a humanidade “neste dia”. Embora agora eles os desprezem, como fanáticos e puritanos, os mais prósperos pecadores então desejarão que pudessem trocar de lugar com eles. Ó, minha alma, busca a tua bem-aventurança, seguindo o teu Senhor, que é santo, separado dos pecadores, e incontaminado; pois nele encontraste paz até aqui, e nele a encontrarás para sempre.

“E andam na lei do Senhor.” Neles se encontra a santidade habitual. O seu andar, a sua vida diária é de obediência ao Senhor. Eles vivem seguindo os mandamentos do Senhor Deus. Quer comam ou bebam, ou façam qualquer outra coisa, tudo fazem em nome do seu grande Mestre e Exemplo. Para eles, a religião não é um obstáculo, é o seu andar diário: ela molda seus atos comuns, assim como suas devoções especiais. Isto assegura a bem-aventurança. Aquele que anda na lei de Deus, anda na companhia de Deus, e é abençoado; ele tem o sorriso de Deus, a força de Deus, o segredo de Deus consigo, e como poderia deixar de ser bem-aventurado?

A vida santa é um caminhar, um progresso firme, um avanço tranquilo, uma continuidade permanente. Enoque andava com Deus. Os homens de bem sempre desejam ser melhores, e por isto, avançam. Os homens de bem jamais estão ociosos, e por isto não descansam nem se demoram, mas andam, em direção ao seu fim desejado. Eles não se apressam, nem se preocupam, nem se perturbam, mas mantêm a mesma tendência no seu caminho, caminhando determinadamente rumo ao céu; e eles não se confundem, quanto à maneira como se conduzir, pois têm uma lei perfeita, à qual se alegram em obedecer. A lei do Senhor não é maçante para eles; os seus mandamentos não são dolorosos, e as suas restrições não escravizam, aos seus olhos. Ela não lhes parece ser uma lei impraticável, admirável em teoria, mas absurda na prática; eles andam nela e por ela. Eles não a consultam ocasionalmente, como um tipo de retificação de suas peregrinações, mas a usam como um mapa para o seu navegar diário, um mapa da estrada da sua jornada de vida. Eles não se lamentam por ter entrado no caminho da obediência, caso contrário o deixariam, e sem dificuldades, pois milhares de tentações lhes oferecem esta oportunidade; o seu andar contínuo na lei do Senhor é o seu melhor testemunho da bem-aventurança de tal condição de vida. Sim, eles são bem-aventurados, mesmo agora. O próprio salmista dá testemunho do fato: ele o tinha testado e provado, e o escreveu, como um fato que desafia qualquer negativa. Aqui, ele está no início da *magnum opus* de Davi, escrito na primeira linha do seu maior salmo – “Bem-aventurados os que... andam na lei do Senhor”. Por mais áspero e difícil que possa ser o caminho, rígida a lei, e dura a disciplina – tudo isto nós sabemos, e ainda mais – mil bênçãos acumuladas ainda podem ser encontradas no modo de vida piedoso, e por isto bendizemos ao Senhor.

Neste versículo, temos pessoas abençoadas que possuem bênçãos importantes: um caminho abençoado, uma pureza abençoada, uma lei abençoada dada pelo Senhor que é bendito para sempre, e um andar abençoado na lei; a estas cosias, nós podemos acrescentar o abençoado testemunho do Espírito Santo, dado nesta mesma passagem àqueles que são, verdadeiramente, os bem-aventurados do Senhor.

A bem-aventurança que é assim apresentada diante de nós é o que devemos almejar, mas não devemos pensar em obtê-la sem um sincero esforço. Davi tinha muito a dizer sobre ela, o seu discurso neste salmo é longo e solene, e é uma indicação, para nós, de que o caminho da obediência perfeita não se aprende em um dia; deve haver preceito sobre preceito, linha sobre linha, e depois de esforços longos o suficiente para serem comparados com os 176 versículos deste salmo, ainda poderemos ter que clamar: "Desgarrei-me como a ovelha perdida; busca o teu servo, pois não me esqueci dos teus mandamentos".

No entanto, deve ser nosso plano, guardar a palavra do Senhor em nossas mentes; pois este discurso sobre a bem-aventurança tem como guia o testemunho do Senhor, e somente pela comunhão diária com o Senhor, pela sua palavra, nós podemos esperar aprender o seu caminho, ser purificados da corrupção, e ser levados a andar nos seus estatutos. Nós iniciamos esta explicação com a bem-aventurança diante de nós; nós vemos o caminho para ela, e sabemos onde a sua lei é encontrada: devemos orar para que, à medida que prosseguimos na nossa meditação, possamos crescer no hábito e no andar da obediência, e assim sentir a bem-aventurança sobre a qual lemos.

2. *"Bem-aventurados os que guardam os seus testemunhos."* O quê? Uma segunda bênção? Sim, são duplamente bem-aventurados aqueles cuja vida exterior é sustentada por um zelo interior pela glória de Deus. No primeiro versículo, nós tivemos um caminho reto, e assumimos que a pureza do caminho não era mera obra superficial, mas era acompanhada pela verdade interior e a vida que vem da graça divina. Aqui está expresso o que estava implícito. A bem-aventurança é atribuída àqueles que valorizam os testemunhos do Senhor: e nisto está implícito que eles buscam as Escrituras, que eles as compreendem, que eles as amam e que eles continuam a praticá-las. É necessário obter uma coisa antes de poder conservá-la. Para poder conservá-la bem, nós precisamos nos apoderar dela: não podemos conservar no coração aquilo que não tivermos aceito, sinceramente, com os sentimentos. A palavra de Deus é o seu testemunho de grandes e importantes verdades que dizem respeito a Ele e ao nosso relacionamento com Ele: isto nós devemos desejar conhecer; conhecendo, devemos crer; crendo, devemos amar; e amando, devemos conservar firmemente, contra todos. Há uma obediência doutrinária à palavra, quando estamos dispostos a morrer em sua defesa, e uma obediência prática a ela, quando realmente vivemos sob o seu poder. A verdade revelada é tão preciosa como diamantes, e deve ser guardada ou entesourada na memória e no coração, como joias em um porta-joias, ou como a lei era guardada na arca; isto, contudo, não é suficiente, pois ela se destina ao uso prático, e por isto deve ser obedecida ou seguida, assim como os homens seguem um caminho ou uma linha de negócios. Se nós guardarmos os testemunhos de Deus, eles nos guardarão; eles nos conservarão retos, em opinião, consolados no espírito, santos no modo de vida, e esperançosos na expectativa. Se vale a pena tê-los – e nenhuma pessoa ponderada irá questionar isto – então vale a pena guardá-los; o efeito desejado não vem quando nos apoderamos deles temporariamente, mas quando perseveramos em guardá-los: "em os guardar há grande recompensa".

Nós devemos guardar a palavra de Deus com todo o cuidado, porque ela é os *seus* testemunhos. Ele os deu para nós, mas ainda são seus. Nós devemos guardá-los, como um vigia guarda a casa do seu senhor, como um gerente administra os bens do seu senhor, como um pastor guarda o rebanho do seu empregador. Nós teremos que prestar contas, pois o Evangelho nos é confiado, e ai de nós, se formos julgados infiéis. Nós não podemos ter uma boa batalha, nem terminar o nosso curso, a menos que guardemos a fé. Para este fim, precisamos que o precioso e bendito Senhor nos guarde: somente aqueles que são guardados pelo poder de Deus para a salvação poderão ser capazes de guardar os seus testemunhos. Que bem-aventurança é, portanto, evidenciada e testemunhada por uma cuidadosa crença na palavra de Deus, e uma obediência contínua a ela. Deus os abençoou, os abençoa e os abençoará para sempre. Esta bem-aventurança que Davi via nos outros, ele percebeu por si mesmo, pois diz, no versículo 168: "Tenho observado os teus preceitos e os teus testemunhos", e nos versículos 54 a 56 ele atribui seus cânticos alegres e suas felizes lembranças à mesma obediência à lei, e confessa: "Isto fiz eu, porque guardei os teus mandamentos". Devemos viver as doutrinas que ensinamos aos outros.

"E o buscam de todo o coração." Aqueles que guardam os testemunhos do Senhor certamente o buscarão. Se a sua palavra é preciosa, podemos ter certeza de que Ele mesmo o é ainda mais. Tratar pessoalmente com um Deus pessoal é o desejo de todos aqueles que permitiram que a palavra do Senhor tivesse pleno resultado sobre si mesmos. Se realmente conhecermos o poder do Evangelho, devemos buscar o Deus do Evangelho. "Ah! Se eu soubesse que o poderia achar", será o nosso clamor sincero. Veja o crescimento que estas sentenças indicam: em primeiro lugar, no caminho, depois, andando nele, depois encontrando e guardando o tesouro da verdade, e, para coroar, buscando o Senhor do caminho. Observe, também, que quanto mais uma alma progride na graça, mais espirituais e divinos são os seus desejos; um andar externo não contenta a alma piedosa, nem mesmo os testemunhos guardados; no devido tempo, ela busca o próprio Deus, e quando, de certa maneira, o encontra, ainda anseia por mais dele, e ainda o busca.

Buscar a Deus significa um desejo de ter comunhão mais íntima com Ele, de segui-lo mais completamente, de entrar em mais perfeita união com a sua mente e vontade, de promover a sua glória, e de perceber completamente tudo o que Ele é para os corações santos. O homem bem-aventurado já tem Deus, e por esta razão, o busca. Isto pode parecer uma contradição: é apenas um paradoxo.

Deus não é verdadeiramente buscado pelas frias buscas do cérebro: nós devemos buscá-lo com o coração. O amor se revela ao amor: Deus manifesta o seu coração para o coração do seu povo. É inútil nos esforçarmos para compreendê-lo com a razão; nós devemos compreendê-lo com os sentimentos. Mas o coração não deve estar dividido com muitos objetos, se desejarmos buscar ao Senhor. Deus é um, e não o conheceremos até que o nosso coração seja um só. Um coração quebrantado não precisa se afligir por isto, pois nenhum coração é tão são e íntegro, na sua busca por Deus, como um coração quebrantado, do qual cada fragmento suspira e clama pela face do grande Pai. É o coração dividido que a doutrina do texto censura, e o interessante é que, na fraseologia das Escrituras, um coração pode estar dividido e não quebrantado, e pode estar quebrantado, mas não dividido; e novamente, pode estar quebrantado e íntegro, e jamais poderá estar íntegro, até que esteja quebrantado. Quando todo o nosso coração busca o santo Deus em Cristo Jesus, terá vindo àquele sobre o qual está escrito: "e todos os que a tocavam ficavam sãos".

Aquilo que admira neste versículo, o salmista clama no versículo dez, onde diz: "De todo o meu coração te busquei". É bom quando a admiração de uma virtude leva à sua obtenção. Aqueles que não creem na bem-aventurança de buscar ao Senhor provavelmente não estimularão seus corações na busca, mas aquele que chama de bem-aventurada outra pessoa, por causa da graça que vê nela, está no caminho de conquistar a mesma graça para si mesmo.

Se aqueles que *buscam* ao Senhor são bem-aventurados, o que poderá ser dito daqueles que, realmente, habitam nele e sabem que Ele é seu?

"Como és bondoso àqueles que caem!
Como és bom àqueles que buscam,
mas e àqueles que encontram? Ah! isto,
nenhuma língua nem pena pode mostrar!
O amor de Jesus – ninguém sabe o que é,
se não os seus amados".

3. *"E não praticam iniquidade."* Bem-aventurados, verdadeiramente, seriam os homens sobre os quais isto poderia ser afirmado, sem reservas e sem explicação: nós alcançamos a região da bem-aventurança pura, quando deixamos totalmente de pecar. Aqueles que seguem a palavra de Deus não praticam iniquidade, a lei é perfeita, e se for seguida constantemente, nenhuma falta haverá. A vida, para o observador externo, de qualquer forma, significa atos, e aquele que, nos seus atos, jamais se desvia da retidão, tanto com relação a Deus como ao homem, alcançou o caminho da perfeição, e podemos ter certeza de que o seu coração é reto. Veja como um coração íntegro nos leva a evitar o mal, pois o salmista diz: "os que o buscam de todo o coração, e não praticam iniquidade". Nós receamos que nenhum homem possa declarar que está absolutamente sem pecado, mas, no entanto, confiamos que há muitos que não praticam o que é ímpio, profano ou injusto voluntariamente, intencionalmente, conscientemente e continuamente. A graça conserva a vida justa mesmo quando o cristão precisa se lamentar das transgressões do coração. Julgados como os homens são julgados por seus companheiros, de acordo com as justas regras que os homens fazem para os homens, o povo fiel de Cristo não comete iniquidade: eles são honestos, retos e castos, e no que diz respeito à justiça e à moralidade, são irrepreensíveis. Por isto, são felizes.

"Andam em seus caminhos." Eles seguem, não apenas a grande estrada da lei, mas os pequenos caminhos dos preceitos particulares. Assim como não cometerão nenhum pecado por comissão, também se empenham para estar livres dos pecados por omissão. Para eles, não é suficiente ser irrepreensíveis, desejam também ser ativamente justos. Um eremita pode escapar ao isolamento para não cometer iniquidade, mas um santo vive em sociedade para que possa servir ao seu Deus, andando em seus caminhos. Nós devemos ser retos, positivamente e também negativamente: não conseguiremos conservar a segunda opção por muito tempo a menos que conservemos a primeira, pois os homens andarão, de uma maneira ou de outra, e se não seguirem o caminho da lei de Deus, logo cometerão iniquidade. A maneira mais segura de se abster do mal é estar completamente ocupado em fazer o bem. Este versículo descreve os crentes que existem entre nós: embora tenham suas falhas e fraquezas, ainda assim odeiam o mal, e não se permitirão cometê-lo; eles amam os caminhos da verdade, da santidade correta e verdadeira, e normalmente andam por eles. Eles não afirmam ser completamente perfeitos, exceto em seus desejos, e neles, eles são verdadeiramente puros, pois se esforçam para serem preservados de todo pecado, e ser conduzidos a toda santidade.

4. *"Tu ordenaste os teus mandamentos, para que diligentemente os observássemos."* De modo que, quando tivermos feito tudo, seremos apenas servos inúteis, teremos feito apenas o que era nosso dever, considerando que temos a ordem do nosso Senhor. Os preceitos de Deus exigem *cuidadosa* obediência: não há como segui-los por acidente. Alguns prestam um serviço descuidado a Deus, um tipo de obediência aleatória, mas o Senhor não ordenou tal serviço, nem o aceitará. A sua lei exige o amor de todo o nosso coração, alma, mente e forças; e uma religião descuidada não tem nada disto. Também nos é exigida *zelosa* obediência. Nós devemos guardar os preceitos, abundantemente: os vasos da obediência devem estar cheios até a boca, e a ordem obedecida até a totalidade do seu significado. Assim como um homem diligente nos negócios se entusiasma para fazer tantos negócios quantos puder, também nós

devemos ser ansiosos para servir ao Senhor, tanto quanto possível. Não devemos poupar esforços para fazer isto, pois uma obediência diligente também será *difícil, penosa, e abnegada.* Aqueles que são diligentes nos negócios se levantam cedo e ficam acordados até tarde, e se negam, em grande parte, consolação e repouso. Eles não se cansam com facilidade, ou, se estiverem cansados, perseveram, até mesmo com olhos cansados. Assim nós devemos servir ao Senhor. Tal Mestre merece servos diligentes; tal serviço Ele exige, e não se satisfará com nada menos do que isto. É muito infrequente que os homens lhe prestem este serviço, e por isto, muitos, pela sua negligência, perdem a dupla bênção mencionada neste salmo.

Alguns são diligentes em relação às coisas espirituais, e irão adorar; devemos ser diligentes em observar os preceitos de Deus. Não adianta viajar velozmente, se não estivermos no caminho correto. Os homens têm sido diligentes em questões perdidas, e quanto mais negociam mais perdem; isto já é suficientemente ruim no comércio; assim não podemos permitir que aconteça na nossa religião.

Deus não nos ordenou que fôssemos diligentes em *criar* preceitos, mas em *guardá-los.* Alguns prendem jugos a seus próprios pescoços, e criam obrigações e regras para os outros: mas o curso correto é satisfazer-se com as regras das Sagradas Escrituras, e lutar para guardá-las, todas, em todos os lugares, com relação a todos os homens, e em todos os aspectos. Se não fizermos isto, poderemos nos tornar eminentes na nossa própria religião, mas não teremos guardado o mandamento de Deus, nem seremos aceitos por Ele.

O salmista começou na terceira pessoa: agora, ele se aproxima de si mesmo, e já chegou à primeira pessoa do plural, de acordo com a nossa versão; em breve, o ouviremos clamando pessoalmente e por si mesmo. Como o coração brilha de amor pela santidade, nós ansiamos por ter um interesse pessoal nela. A palavra de Deus é um livro que toca o coração, e quando começamos a cantar os seus louvores, ele logo nos influencia, e nos leva a orar para que nós mesmos estejamos em conformidade com os seus ensinamentos.

5. *"Tomara que os meus caminhos sejam dirigidos de maneira a poder eu observar os teus estatutos."* Os mandamentos divinos devem nos dirigir nos assuntos das nossas orações. Não podemos, por nossa conta, seguir os estatutos de Deus, como Ele desejaria que os seguíssemos, e apesar disto, ansiamos por fazê-lo: que recurso temos, senão orar? Nós devemos pedir que o Senhor opere as suas obras em nós, ou jamais obedeceremos aos seus mandamentos. Este versículo é um suspiro de pesar, porque o salmista sente que não guardou os preceitos diligentemente, é um clamor de fraqueza, pedido auxílio daquele que é o único que pode auxiliar, é um pedido confuso de alguém que se perdeu no caminho e deseja ser dirigido, e é uma petição de fé de alguém que ama a Deus e confia nele, para obter a graça.

Os nossos caminhos são, por natureza, opostos ao caminho de Deus, e devem ser desviados, por ordem do Senhor, para outra direção, diferente da que tomariam originalmente, ou nos conduzirão à destruição. Deus pode guiar a mente, e a vontade, sem violar o nosso livre arbítrio, e o fará, em resposta às orações; na verdade, Ele já iniciou o trabalho naqueles que estão sinceramente orando, à maneira deste versículo. É pela santidade atual que o desejo surge no coração. Oh, se isto acontecesse agora, comigo: mas o significado também é a santidade perseverante futura, pois ele anseia pela graça para guardar, a partir de então, e para sempre, os estatutos do Senhor.

O suspiro do texto é, na verdade, uma oração, embora não assuma esta forma com exatidão. Os desejos e anseios são a essência da súplica, e pouco importa qual forma assumam. "Oh, se" é uma oração tão aceitável como "Pai Nosso".

Dificilmente se esperaria uma oração pedindo orientação; em lugar disto, deveríamos procurar um pedido de capacitação. Não podemos nos orientar? Se não pudermos remar, podemos operar o timão. O salmista confessa que até mesmo na menor parte do seu dever se sentia incapaz, sem a graça de Deus. Ele desejava ansiosamente que o Senhor influenciasse a sua vontade, e também fortalecesse suas mãos. Nós desejamos uma vara que nos indique o caminho, além de um cajado que nos sustente nele.

O anseio deste texto é motivado pela admiração da bem-aventurança da santidade, por uma contemplação da formosura do caráter do homem justo, e por um respeito reverente ao mandamento de Deus. É uma aplicação pessoal, ao próprio caso do autor, das verdades que ele vinha considerando. "Oh, se *meus* caminhos", etc. Seria bom, se todos os que ouvem e leem a palavra copiassem este exemplo e convertessem tudo o que ouvissem em orações. Nós teríamos mais pessoas que guardariam os estatutos, se existissem mais pessoas que suspirassem e clamassem pela graça, para viverem da maneira correta.

6. *"Então, não ficaria confundido."* Ele tinha conhecido a vergonha, e aqui se alegra com a perspectiva de estar livre dela. O pecado traz a vergonha, e depois que o pecado se vai, a razão para a vergonha é eliminada. Que libertação é esta, pois para alguns homens a morte é preferível à vergonha!

"Atentando eu para todos os teus mandamentos." Quando o homem respeitar a Deus, ele respeitará a si mesmo, e será respeitado. Sempre que nós erramos, nós nos preparamos para a confusão no rosto e o desanimar no coração; mesmo se ninguém mais se envergonhar de mim, eu me envergonharei de mim mesmo, se praticar iniquidade. Os nossos primeiros pais jamais conheceram a vergonha, até que conheceram a velha serpente, e a vergonha jamais os deixou, até que seu Deus gracioso os cobriu com túnicas de peles. A desobediência os deixou nus e envergonhados. Nós sempre teremos motivos para vergonha, até que cada pecado seja extinguido, e cada dever seja observado. Quando nós prestarmos um contínuo e universal respeito à vontade do Senhor, então seremos capazes de olhar nosso rosto no espelho da lei, e não enrubesceremos à visão dos homens ou demônios, por mais ávida que possa estar a sua perversidade para nos lançar alguma acusação.

Muitos sofrem por excessiva falta de confiança, e este versículo sugere uma cura. Um senso de dever permanente nos tornará corajosos, nós devemos ter medo de ter medo. Nenhuma vergonha na presença do homem nos impedirá, quando o temor a Deus tiver se apoderado completamente de nossas mentes. Quando estamos na estrada do rei, durante o dia, e envolvidos com assuntos reais, não precisamos pedir a permissão do homem. Seria uma desonra para um rei envergonhar-se do seu uniforme e do seu serviço; tal vergonha jamais poderia enrubescer o rosto de um cristão, nem o fará, se ele reverenciar devidamente o Senhor, seu Deus. Não há nada de que se envergonhar, em uma vida santa; um homem pode se envergonhar do seu orgulho, da sua riqueza, dos seus próprios filhos, mas jamais se envergonhará, de ter, em todas as coisas, levado em conta a vontade do Senhor, seu Deus.

É digno de nota o fato de que Davi não se promete nenhuma imunidade da vergonha, até que tenha cuidadosamente prestado respeitos a todos os preceitos. Preste atenção nesta palavra, *"todos"*, e não deixe nem um mandamento sem os seus respeitos. A obediência parcial ainda nos torna passíveis de sermos chamados a nos explicar por aqueles mandamentos que negligenciamos. Um homem pode ter mil virtudes, mas uma única falha pode cobri-lo de vergonha.

Para um pobre pecador, que está enterrado em desespero, parece muito improvável que ele venha a se libertar da vergonha. Ele enrubesce, e fica confuso, e sente que jamais poderá erguer outra vez o seu rosto. Que ele leia estas palavras: "Então, não ficaria confundido". Davi não está sonhando, nem retratando um caso impossível. Esteja certo, caro amigo, de que o Espírito Santo pode renovar em você a imagem de Deus, de modo que você possa olhar para cima, sem temor. Oh, que a santificação nos conduza no caminho de Deus, pois então teremos coragem, com relação a Deus e ao seu povo, e não mais nos enrubesceremos com confusão.

7. *"Louvar-te-ei."* A jornada da oração ao louvor jamais será longa ou difícil. Esteja certo de que aquele que ora, pedindo santidade, um dia irá louvar pela felicidade. Tendo extinguido a vergonha, o silêncio é rompido, e o homem, antes silencioso, declara, "Louvar-te-ei". Ele não pode deixar de prometer louvor, enquanto procura a santificação. Observe quão bem ele sabe em que cabeça colocar a coroa, "Louvar-te-ei". Ele mesmo seria merecedor de louvor, mas considera que apenas Deus o é. Com a tristeza e a vergonha pelo pecado, ele avalia suas obrigações para com o Senhor que o ensinou a arte de viver, de modo que ele pudesse escapar da sua infelicidade anterior.

"Com retidão de coração." O seu coração seria reto, se o Senhor o ensinasse, e louvaria o seu professor. Existe o louvor falso e dissimulado, e este o Senhor abomina; mas não há música como aquela que produz uma alma pura, que se levanta na sua integridade. É necessário louvor de coração, e a retidão neste coração, e o ensinamento, para tornar reto o coração. Um coração reto certamente bendirá ao Senhor, pois a adoração agradecida é uma parte da retidão; nenhum homem pode ser correto, a menos que seja reto para com Deus, e isto envolve dar a Ele o louvor que lhe é devido.

"Quando tiver aprendido os teus justos juízos." Nós devemos aprender a louvar, aprender para que possamos louvar, e louvar quando tivermos aprendido. Se desejarmos aprender, o Senhor deve nos ensinar, e especialmente sobre um assunto como os seus juízos, pois eles são profundos. Enquanto eles passam diante de nossos olhos, e estamos aprendendo com eles, devemos louvar a Deus, pois o texto original não diz, "quando tiver aprendido", mas "enquanto aprendo". Embora ainda seja um estudante, eu serei membro do coro: o meu coração reto louvará a tua retidão, o meu juízo purificado admirará os teus juízos. A providência de Deus é um livro cheio de ensinamentos, e para aqueles cujos corações são retos, é um hinário, do qual podem entoar o louvor do Senhor. A palavra de Deus está cheia do registro das suas justas providências, e à medida que a lemos, nos sentimos compelidos a irromper em expressões de santo deleite e ardente louvor. Quando lermos sobre os juízos de Deus e também nos tornarmos alegres participantes deles, seremos duplamente motivados a cantar – um canto em que não há formalidade, nem hipocrisia, nem indiferença, pois o coração é reto na apresentação do seu louvor.

8. *"Observarei os teus estatutos."* Uma calma resolução. Quando o louvor se acalma e se torna uma sólida resolução, é bom para a alma. O zelo que se desperdiça no canto, e não deixa praticamente nenhum resíduo de vida santa, tem pouco valor: "Louvar-te-ei" deve ser acompanhado de "observarei". Esta firme resolução não é, de maneira alguma, uma vanglória, como o que disse Pedro, "Ainda que me seja necessário morrer contigo, não te negarei", pois é seguida de uma humilde oração, pedindo a ajuda divina, *"não me desampares totalmente"*. Sentindo a sua própria incapacidade, ele treme, não desejando ser abandonado, e este temor é incrementado pelo horror que sente de cair em pecado. A palavra "Observarei" soa suficientemente correta agora que o clamor humilde é ouvido com ela. Este é um feliz amálgama: resolução e dependência. Nós nos encontramos com aqueles que parecem orar humildemente, mas que não têm força de caráter, não demonstram uma firme decisão, e consequentemente os apelos que fazem ao Senhor em seus aposentos não se incorporam à vida: por outro lado, nós nos encontramos com pessoas que têm abundante resolução, acompanhada de uma total ausência de dependência em Deus, e isto forma um caráter tão sofrível quanto o anterior. O Senhor nos concede tal mescla de excelências para que possamos ser "perfeitos e completos, sem faltar em coisa alguma".

Esta oração certamente será ouvida, pois deve ser altamente agradável para Deus ver um homem dedicado a obedecer a sua vontade, e por isto, deve ser muito agradável para Ele estar presente com uma pessoa assim, e ajudá-la nos seus esforços. Como Ele pode abandonar alguém que não abandona a sua lei?

O temor peculiar que dá a esta oração um matiz sombrio é o temor do abandono completo. A alma bem poderia clamar contra tal calamidade. Ser abandonados, para podemos descobrir a nossa fraqueza, já é provação suficiente: ser totalmente abandonados seria a ruína e a morte. Esconder o rosto, sob uma pequena ira, durante um momento, já nos abate; um abandono absoluto nos levaria ao mais profundo inferno. Mas o Senhor jamais abandona completamente os seus servos, e jamais o fará; bendito seja o seu nome. Se nós desejarmos guardar os seus estatutos, Ele nos guardará; a sua graça nos ajudará a guardar a sua lei.

Há um declínio, desde a altura da bênção com que começou o primeiro versículo, ao quase lamento deste oitavo versículo, mas espiritualmente, é um crescimento, pois a partir da admiração da bondade, nós chegamos a um anseio ardente por Deus, e pela comunhão com Ele, e um intenso horror de que não a desfrutemos. O suspiro do versículo agora é suplantado por uma oração das profundezas de um coração consciente da sua falta de merecimento, e da sua total dependência do amor divino. Os dois verbos no futuro precisam ser acompanhados de alguma súplica humilde, ou se poderia pensar que a dependência do homem bom se fixava, até certo ponto, na sua própria determinação. Ele apresenta as suas decisões como um sacrifício, mas clama ao céu, pedindo o fogo.

NOTAS SOBRE OS VERSÍCULOS 1 A 8

Os oito primeiros versículos começam com a letra Aleph, e podem ser traduzidos alfabeticamente da seguinte maneira:

1. Aqueles que trilham caminhos retos, e andam na lei do Senhor, são bem-aventurados.
2. Aqueles que guardam os seus testemunhos e o buscam de todo o coração, são bem-aventurados.
3. A iniquidade não praticam, mas andam em seus caminhos.
4. A observação diligente de todos os teus mandamentos nos ordenaste.
5. Ah, Senhor! Tomara que os meus caminhos sejam dirigidos de maneira a poder eu observar os teus estatutos!
6. Atentando eu para todos os teus mandamentos, não ficaria confundido.
7. Após ter aprendido os teus justos juízos, louvar-te-ei com retidão de coração.
8. Agora, observarei os teus estatutos; não me desampares totalmente.

– *Pastor Theodore Kübler, de Islington, 1880*

Os oito versículos, 1-8: Cada linha se inicia com a letra Aleph, à qual os judeus atribuem o significado de um *boi*, isto é, o animal útil, e, portanto, de muitas bênçãos. Chave para a seção: "Oh, as bênçãos". – *F. G. Marchant*

Os oito versículos, 1-8: Estes oito versículos ensinam que a piedade verdadeira é sincera, consistente, prática, leal, inteligente, fervorosa, ativa, estimulante, diligente, humilde, desconfiada de si mesma, sistemática, ingênua, imaculada pelo mundo, abnegada, confiante em Deus, prazerosa no agradecimento, plenamente comprometida em guardar a lei, e pronta para confessar que, sem a graça divina, ela não pode fazer nada.

Eles também nos ensinam quão grande é o pecado de não crer na palavra de Deus. Como é uma lei, os que não têm fé se recusam a andar de acordo com ela; como é um testemunho, eles se recusam a crer no seu Criador; como ela exige justiça, eles se recusam a buscá-la; como ela dá preceitos, eles não obedecem a eles; como ela ordena estatutos, eles se rebelam contra eles; como ela tem excelentes mandamentos, eles se levantam em oposição a eles; como ela abunda de juízos justos, eles se recusam a apoiá-los. Eles não orarão, pedindo graça; não louvarão a Deus pelas misericórdias recebidas; eles não sentem a sua dependência ou impotência, e jamais confiam no Pai das luzes, de quem desce toda dádiva boa e perfeita. – *William S. Plumer, 1880*

v. 1: "Bem-aventurados". O salmista começa com uma descrição do caminho para a verdadeira bem-aventurança, como Cristo começou o seu sermão do Monte, e como todo o livro dos salmos é iniciado, em outra passagem. A bem-aventurança é aquilo que todos almejamos, mas somos ignorantes ou negligentes sobre o caminho que conduz a ela, por isto o santo salmista deseja, antes de mais nada, nos corrigir quanto à verdadeira noção de um homem bem-aventurado: *"Bem-aventurados os que trilham caminhos retos e andam na lei do Senhor"*. – *Thomas Manton, 1620-1677*

v. 1: "Bem-aventurados". Aqui o Senhor, que no último dia irá pronunciar alguns abençoados, e outros amaldiçoados, agora nos conta quem são eles. O que pode consolar aqueles aos quais o Senhor diz, Apartai-vos de mim, malditos? Para onde irão, quando o Senhor lhes ordena que se apartem dele? E que maior alegria pode haver para um homem, senão ouvir o Juiz de todos dizendo a ele: Vinde, benditos? Oh, se nós fôssemos sábios a tempo, para pensar nisto, de modo que pudéssemos nos empenhar para nos tornarmos homens como os que Deus, na sua palavra, abençoou! – *William Cowper, 1566-1619*

v. 1: As Escrituras falam da bem-aventurança de duas maneiras: *casualmente*, em referência àquilo que é a causa pela qual nós obtemos o direito a este estado bem-aventurado; e, neste sentido, ela é atribuída à fé em Cristo, ao perdão dos pecados, e à justificação de vida que obtemos em Cristo. Algumas vezes, as Escrituras falam *formalmente* da bem-aventurança, com o propósito da sua execução; e assim diz que são bem-aventurados aqueles que são perfeitos no seu caminho; pois é uma bem-aventurança realmente executada, e nos convém ter a execução e consumação da bem-aventurança iniciada em nós; assim, são bem-aventurados aqueles que suportam pacientemente os sofrimentos, os que são pobres de espírito, os que são misericordiosos, os que são pacificadores, etc. Se eu falo sobre um homem doente, e digo que ele é feliz, pois conheceu um bom médico, aqui eu o declaro bem-aventurado, porque encontrou alguém que lhe irá restaurar a saúde. Se eu falo sobre o mesmo homem, ele é um homem feliz, que agora pode digerir muito bem o que come, e que pode dormir, e andar; eu o declaro como realmente abençoado com saúde em seu corpo.

Sendo o fim de todas as coisas o bem pessoal, e sendo a prosperidade de todas as coisas o seu objetivo – alcançar, até certo ponto, esta perfeição de ação deve necessariamente tornar um homem verdadeiramente bem-aventurado. Assim, a bem-aventurança é atribuída a *andar* no caminho de Deus. Se não temos o hábito de fazer alguma coisa, nós a fazemos com dificuldade, e estamos prontos a deixar de fazê-la; como um cavalo não irá seguir o ritmo ao qual não estiver perfeitamente acostumado. É por isto que os santos consideram infeliz a sua situação, até que formem o hábito que os faz *andar* com Deus com facilidade e constância; não havendo infelicidade maior do que nos vermos realizando bons deveres sem alegria, tão logo as iniciamos, já desistimos delas. Ao contrário, entre todas as coisas, eles consideram a mais bem-aventurada o fato de ter alcançado algum grau de hábito permanente na santidade. A bem-aventurança que é aqui descrita é a execução daquela bem-aventurança que nos vem pela fé em Cristo. – *Paul Bayne, 1617*

v. 1: "Retos". Você perguntará: Por que Deus deseja que nós sejamos retos? Eu respondo, porque Ele nos separou para Si mesmo, como servos, como cônjuges, como templos. Estes três privilégios ou nomes significam que toda a corrupção deve ser rejeitada por nós. – *Thomas Le Blanc*

v. 1: "Caminhos retos". No salmo 1, o texto era, "Bem-aventurado o varão que não anda segundo o conselho dos ímpios", mas quem poderia pensar em andar naquele caminho, sem sujar seus pés? "Andará alguém sobre as brasas, sem que se queimem os seus pés?" Aqui, no entanto, a advertência é, tomar cuidado para não adquirir nenhuma sujeira ou corrupção *"no caminho"* – no caminho do Senhor. Oh, que discernimento isto nos dá, das armadilhas e ciladas que nos importunam pelo caminho, e das pragas e dos males dos nossos próprios corações, que fazem com que até mesmo em meio a coisas santas, algo sujo, ou manchado, ou enrugado, venha aderir a nós! – *Barton Bouchier, 1856*

v. 1: "Caminhos retos". Como nossos pés podem ser retos? Como nossas vestes podem permanecer limpas? Nós não conseguimos nos orientar. Sem auxílio, nós tropeçamos em lamaçais de profanação. Mas toda a ajuda está próxima. Jesus está próximo, para nos auxiliar com o seu poder. Devemos nos apoiar no seu braço que nos sustenta, em cada passo, e quando cairmos, devemos nos levantar e lavar nossas vestes no seu sangue que tudo limpa. De modo que possamos estar sempre entre aqueles que andam nos *"caminhos retos"*; e que a lei do Senhor, adorável em pureza, gloriosa em santidade, perfeita na caridade, seja o caminho em que progridam os nossos pés. Jesus é o nosso modelo, tudo para nós. A lei de Deus estava no seu coração. – *Henry Law, "Family Devotion", 1878*

v. 1: "Caminhos". São bem-aventurados os que estão *no* caminho, não *um* caminho, qualquer caminho incerto ou ao acaso, mas "a estrada do rei"; aquele caminho que o próprio Senhor declarou a nós, dizendo, "Eu sou o Caminho". – *Hilarião e Teodoreto. Citado por Neale e Littledale*

v. 1: "Caminhos". Agora, há muita comoção sobre o "caminho": muitos dizem, "Qual é o caminho?" Alguns respondem: "Este"; outros: "Aquele". Não se equivoque, pergunte pelo "caminho antigo, o caminho santo', e siga-o, e não perecerá. Alguns desejam um novo caminho; alguns, um caminho mais curto, outros, um caminho mais fácil. Você irá pelo caminho santo? – *John Sheffield (aproximadamente 1660), "The Morning Exercises"*

v. 1: "E andam". Neste caminho, não devemos ficar parados, sentados nem reclinados, mas *andar*, de modo que todos os nossos movimentos possam ser regulares, e prosseguindo rumo à perfeição (Mt 5.48; 1 Co 14.20; Tg 1.4; Hb 6.1). – *Martin Geier, 1614-1681*

v. 1: "E andam na lei do Senhor". Prosseguir com liberdade em bodas obras é um ponto de abençoada perfeição. Não é verdadeiramente capaz de *andar* aquele que somente pode andar duas ou três vezes pelo seu aposento, ou se estimular em algum terreno plano por um quarto de hora. Mas aquele que pode subir vigorosamente e livremente uma colina por caminhos duros e irregulares. Os cristãos que podem seguir enquanto Deus torna seu caminho inofensivo, removendo tudo o que possa representar um empecilho, mas imediatamente desistem se perturbados, não vêm a este livre caminhar em que está a perfeição de um viajante. Olhe para aqueles que são gordos, obesos, ou têm alguma deficiência interior, e dor nas juntas, ou têm um espinho, externamente, de modo que são forçados a ficar por ali e não andar; ou aqueles cujos membros são tão frágeis, que não podem tropeçar sobre nada, sem cair ao solo – todos estes deficientes julgam que são felizes os outros viajantes que podem se exercitar, andando o quanto quiserem. Assim, quando os cristãos se encontram diante de um obstáculo, e cansados, e tropeçando, consideram bem-aventurados os outros que podem continuar constantemente no seu santo curso, na infâmia e na boa fama, na necessidade, na abundância, em cada estado e condição. Portanto, procuremos este abençoado andar. – *Paul Bayne.*

v. 1: "E andam na lei do Senhor". Que andam rumo ao céu, no caminho do céu, escapando da corrupção, que, pela concupiscência, há no mundo. – *John Trapp, 1611-1662 v. 2:* A duplicação da sentença *"Bem-aventurados", "Bem-aventurados"* no primeiro versículo e no segundo, tem o objetivo de nos permitir ver a garantia da bênção que pertence aos piedosos. A palavra de Deus é tão verdadeira por si só, quando é dita uma vez, como quando é repetida muitas vezes: a repetição da palavra é para a confirmação da nossa fraca fé. Aquilo que Isaque disse sobre Jacó, – "abençoei-o; também será bendito", é o decreto mais seguro de Deus sobre todos os seus filhos. Satanás amaldiçoaria Israel de bom grado, pela boca de pessoas como Balaão, mas não será capaz de amaldiçoar, porque Deus abençoou. – *William Cowper*

v. 2: "Bem-aventurados os que guardam os seus testemunhos e o buscam de todo o coração". No primeiro versículo, um homem bem-aventurado é descrito, pelo curso de seus atos, "Bem-aventurados os que trilham caminhos retos"; neste versículo ele é descrito como a condição do seu coração. – *Thomas Manton*

v. 2: "Guardam os seus testemunhos". Ter em mente cuidadosamente os testemunhos de Deus é bem-aventurança; pois embora seja possível guardá-los no modo de vida, mencionado no versículo anterior, aqui há outra coisa, sugerida a partir da primeira: aquele que guarda a sua planta ou santa semente, de modo que o demônio não possa tirá-la do seu coração, é feliz. A palavra usada aqui significa cuidados tão atentos como os com que costumamos conservar plantas frágeis. – *Paul Bayne*

v. 2: "Testemunhos". A noção pela qual a palavra de Deus é expressa, é *"testemunhos"*; com ela, se pretende expressar toda a declaração da vontade de Deus, em doutrinas, mandamentos, exemplos, ameaças, promessas. A palavra, por si só, é o testemunho que Deus preparou para a satisfação do mundo sobre o caminho da sua salvação. Agora, como a palavra de Deus se divide em duas partes, a lei e o Evangelho, esta noção pode ser aplicada a ambas. Em primeiro lugar, *à lei*, e por causa dela a arca era chamada "arca do testemunho" (Êx 25.16), porque as duas tábuas estavam guardadas nela. *O Evangelho* também é chamado de testemunho, "o testemunho que Deus de seu Filho deu". "À lei e ao testemunho" (Is 8.20); onde o testemunho parece ser distinto da lei. O Evangelho é assim chamado, porque nele Deus testemunhou como um homem será perdoado, reconciliado com Deus e obterá o direito à vida eterna. Nós precisamos de um testemunho neste caso, porque é mais desconhecido para nós. A lei foi escrita para o coração, mas o Evangelho é um estranho. A luz natural irá discernir algo da lei, e espreitar em questões que são de força e preocupação moral; mas as verdades do Evangelho são um mistério, e dependem do testemunho de Deus, a respeito do Filho. – *Thomas Manton*

v. 2: "Testemunhos". A palavra de Deus é chamada de seu testemunho, não apenas porque ela testifica a sua vontade, a respeito do seu serviço, mas também a sua benevolência e boa vontade, a respeito dos seus, em Cristo Jesus. Se a palavra de Deus não fosse nada mais do que uma lei, ainda assim nós seríamos obrigados a obedecer a ela, porque somos suas criaturas; mas, uma vez que ela é também um testemunho do seu amor, com que, como um pai, Ele testemunha a sua benevolência para com seus filhos, nós somos duplamente indesculpáveis, se não a aceitarmos da maneira mais entusiasmada. – *William Cowper*

v. 2: "Bem-aventurados os que... o buscam de todo o coração". Ele declara *"bem-aventurados"* não aqueles que são sábios em suas própria opinião, ou supõem um tipo de santidade fantástica, mas aqueles que se dedicam ao concerto de Deus, e prestam obediência aos ditames da sua lei. Além disto, com estas palavras, ele nos diz que Deus, de maneira alguma, fica satisfeito com o mero serviço externo, pois Ele exige a afeição sincera e honesta de coração. E, certamente, se Deus é o único Juiz, que dispõe da nossa vida, a verdade deverá ocupar o principal lugar no nosso coração, porque não é suficiente ter nossas mãos e pés engajados no seu serviço. – *João Calvino, 1509-1564 v. 2:* "Todo o coração". Quem quer que deseje ter uma felicidade completa, deverá ter um coração honesto. A bem-aventurança será equivalente à sinceridade; e segundo o grau da nossa hipocrisia, será a medida da nossa infelicidade. – *Richard Greenham, 1531-1591*

vv. 2 e 3: Observe os verbos *buscar, praticar, andar,* todos constituindo a pessoa à qual pertence a bem-aventurança. – *Henry Hammond, 1605-1660*

v. 3: "E não praticam iniquidade". Se aqui perguntássemos, Como é que aqueles que andam nos caminhos de Deus não praticam iniquidade? Há algum homem que vive e não peca? E se eles não são sem pecado, como, então, serão bem-aventurados? A resposta é, como diz o apóstolo, sobre o nosso conhecimento, "em parte, conhecemos"; e isto é verdade, a respeito da nossa felicidade na terra, nós somos bem-aventurados apenas em parte. É a felicidade dos anjos o fato de que eles jamais pecaram; é a felicidade dos santos triunfantes, o fato de que embora tenham sido pecadores, agora não pecam mais voluntariamente; mas a felicidade dos santos militantes é que os nossos pecados nos são perdoados; e embora o pecado permaneça em nós, já não mais reina sobre nós; ele perdeu o grande poder que tinha sobre nós. Porém, mesmo assim devemos continuar vigiando e resistindo ao pecado: "Agora, já não sou eu que faço isto, mas o pecado que habita em mim" (Rm 7.17).

Para a *prática da iniquidade*, estas três coisas devem coincidir: em primeiro lugar, o propósito de cometê-la; a seguir, um prazer ao cometê-la; em terceiro lugar, uma continuidade nela; mas estas três nunca coincidem nos filhos de Deus. Para os pecados cometidos neles pelo homem velho, o homem novo faz suas exceções e seus protestos contra eles. Não sou eu, diz ele, e tão longe ele está de deleitar-se neles, que, na verdade, a sua alma se entristece com eles; como Ló, residindo entre os sodomitas, se irritou quando viu e ouviu as suas obras injustas. Em uma palavra, os filhos de Deus são os que mais sofrem o pecado contra a sua vontade; eles não praticam o pecado por vontade própria como os homens espiritualmente oprimidos pelo poder do inimigo; pelo qual eles suspiram e clamam a Deus. "Miserável homem que eu sou! Quem me livrará do corpo desta morte?" E, neste sentido, o apóstolo disse, "Qualquer que é nascido de Deus não comete pecado" (1 Jo 3.9). – *William Cowper*

v. 3: "Não praticam iniquidade". A bem-aventurança dos que andam na lei: eles não praticam – nem praticaram – iniquidade; mas andam – ou sempre andaram – nos seus caminhos. Por todo o salmo, pode-se perceber que, às vezes, o tempo presente do verbo é empregado, indicando ação presente: às vezes, o tempo perfeito, para indicar o passado e o presente, versículos 10, 11, 13, 14, 21, 51–61, 101, 102, 131, 145, 147. *The Speaker's Commentary, 1873*

v. 3: "Não praticam iniquidade". Isto é, não negociam com ela, nem a praticam regularmente. Escorregam, pela fraqueza da carne, e pela sutileza de Satanás, e pelas atrações do mundo, mas não prosseguem, normalmente e costumeiramente, no caminho ilícito e pecaminoso. O salmista apresenta isto como uma parte (e não a menor parte) da bem-aventurança: *o fato de que não praticam iniquidade, os que andam em seus caminhos* – a doutrina a aprender aqui é que é uma maravilhosa prerrogativa ser liberto da escravidão do pecado. – *Richard Greenham*

v. 3: "Não praticam iniquidade". Todos eles são renovados pela graça, e reconciliados com Deus, por Cristo Jesus; a estes, Deus não imputa pecado para acusação, e por causa dele, *eles não praticam iniquidade.* É notável o que é dito sobre Davi: "Guardou os meus mandamentos e... andou após mim com todo o seu coração para fazer somente o que era reto aos meus olhos" (1 Rs 14.8). Como isto é possível? Nós podemos estudar Davi pelas suas falhas, elas estão registradas por toda a parte, na Palavra, mas aqui há um véu sobre elas; Deus não o acusou delas. Há um duplo motivo pelo qual os crentes não são acusados das suas falhas.

Parcialmente, por causa da sua condição geral, eles estão em Cristo, recebidos na benevolência, por intermédio dele, e "nenhuma condenação há para os que estão em Cristo Jesus" (Rm 8.1), por isto erros e desvios particulares não altera a sua condição; o que não deve ser interpretado como se um homem não devesse ser humilhado, e pedir a Deus perdão pelas suas fraquezas; não, pois então as fraquezas se convertem em iniquidades, e são registradas contra ele. Era uma flagrante ilusão dos Valentinianos, que afirmavam que não eram contaminados pelo pecado, não importando qual pecado cometessem; eles alegavam que embora fossem pessoas vis e obscenas, ainda assim eram como o ouro no meio da terra. Não, nós devemos nos recuperar pelo arrependimento, suplicar a benevolência de Deus. Depois que Davi se humilhou, tendo se arrependido, então, diz Natã: "Também o Senhor traspassou o teu pecado" (2 Sm 12.13).

Parcialmente, além disto, porque a sua inclinação habitual e propensão é agir de outra maneira. Eles se dispõem a obedecer à vontade de Deus, a buscar e servir ao Senhor, embora estejam saturados com muitas fraquezas. Um ímpio peca com deliberação e prazer, sendo a sua propensão fazer o mal; ele faz uma "provisão para as luxúrias" (Rm 13.14), e as "serve" com uma submissão voluntária (Tt 3.3). Mas aqueles que são renovados pela graça não são "devedores" da carne; eles assumiram outra dívida e obrigação, que é a de servir ao Senhor (Rm 8.12).

Parcialmente, também, porque o seu curso e caminho geral é o de agir de outra maneira. Tudo trabalha, de acordo com a sua forma; os constantes atos da natureza também. Assim também a nova criatura, as suas operações constantes são de acordo com a graça. Um homem é conhecido pelos seus costumes, e o curso dos seus esforços mostra qual é a sua profissão. Se o homem for constantemente, facilmente, e frequentemente levado para o pecado, isto revela o hábito da sua alma e a disposição do seu coração. Os campos podem estar inundados, mas o terreno pantanoso se alaga com cada retorno da maré. Um filho de Deus pode, ocasionalmente, ser carregado e agir contrariamente à inclinação da nova natureza; mas quando os homens se afogam e são derrotados pelo retorno de cada tentação, isto significa o hábito do pecado.

E, parcialmente, porque o pecado jamais toma o controle por completo, mas é antagonizado pelos desgostos e resistências da nova natureza. Os filhos de Deus se ocupam de evitar todo o pecado, vigiando, orando, e mortificando-se; "Guardarei os meus caminhos para não delinquir com a minha língua" (Sl 39.1), e assim há uma resistência ao pecado. Deus plantou graças em seus corações, o temor à sua Majestade, que opera uma resistência; e por isto, não há uma permissão completa ao que fazem. Esta resistência é, às vezes, mais forte, e a tentação é derrotada: "como, pois, faria eu este tamanho mal e pecaria contra Deus?" (Gn 39.9). Às vezes, ela é mais fraca, e o pecado vence, embora contra a vontade do homem santo: "o mal que não quero, esse faço" (Rm 7.15, 19). É o mal que eles detestam, eles protestam contra ele; eles são como os homens que estão oprimidos pelo poder do inimigo. E, então, há o remorso, depois do pecado: o coração de Davi o feriu. Os que fazem o mal lamentam e se envergonham. A ternura acompanha a nova natureza: Pedro pecou, de maneira abominável, mas saiu e chorou amargamente. – *Thomas Manton*

v. 3: Aqueles que mortificaram seus pecados vivem nas graças contrárias. Por esta razão, o salmista disse que *"não praticam iniquidade, mas andam nos teus caminhos"*. Em primeiro lugar, eles crucificam todos os seus pecados, *"não praticam iniquidade"*; em segundo lugar, como não praticam iniquidade, seguem todos os caminhos de Deus, contrários àquela iniquidade; assim como *desistem de todos* os caminhos do pecado, também *adotam todos* os caminhos da graça. É uma regra da divindade, que *a graça não remove a natureza;* isto é, a graça não vem para remover as afeições dos homens, mas para elevá-las. – *William Fenner, 1600-1640*

v. 3: "Andam em seus caminhos". Aqui são reprovados os que se apoiam em negativas. Como foi dito a respeito de certo imperador, ele era mais *não cruel* do que cruel. Para muitos homens, toda a sua religião se baseia em *nãos;* "Eu *não* sou como este publicano" (Lc 18.11). Este terreno não é nada, ainda que não produza cardos e espinhos, se não render bons frutos. Não apenas o servo rebelde é lançado no inferno, e aquele que espanca seu companheiro, aquele que come e bebe com os bêbados; mas o servo ocioso, que envolveu o seu talento em um guardanapo. Meroz é amaldiçoado, não por se opor e combater mas por não ajudar (Jz 5.23). O rico não tirou o alimento de Lázaro, mas não lhe deu suas migalhas. Muitos dirão, eu não erigi outros deuses, ah, mas você ama, reverencia, e obedece ao Deus verdadeiro? Se não, você falhará no primeiro mandamento. Quanto ao segundo, você diz, eu abomino ídolos; mas você se alegra com as ordenanças? Eu não juro nem profano o nome de Deus com juramentos amaldiçoados; ah, mas você glorifica a Deus, e o honra? Eu não profano o dia do Senhor; mas você o santifica? Você não ara nem dança, mas fica ocioso e desperdiça o dia do Senhor. Você não ofende os seus pais, mas os reverencia? Você não mata, mas você faz o bem ao seu próximo? Você não é adúltero; mas pratica a temperança e uma santa sobriedade em todas as coisas? Você não é um caluniador, mas cuida da honra e da credibilidade do seu próximo, como das suas? Normalmente, os homens cortam a metade da sua conta, como o mordomo injusto ordenou que o devedor do seu senhor pagasse cinquenta, quando devia cem. Nós não pensamos em pecados de omissão. Se não somos bêbados, adúlteros, nem pessoas profanas, não pensamos que possamos estar omitindo o respeito a Deus, e a reverência à sua santa majestade. – *Thomas Manton*

v. 3: "Andam em seus caminhos". Não nos caminhos dos seus inimigos, nem mesmo nos seus próprios caminhos. – *Joseph Addison Alexander, -1860*

v. 3: "Andam em seus caminhos". Habitualmente, constantemente, caracteristicamente. Eles não são *meramente* honestos, justos e retos nas suas atitudes com os homens; mas andam nos caminhos de Deus; eles são *tementes a Deus.* – *Albert Barnes*

v. 4: "Tu ordenaste os teus mandamentos, para que diligentemente os observássemos". Não é uma questão ἀδιάφορος, e deixada ao critério dos homens, seja para ouvir ou negligenciar os textos sagrados, leituras teológicas, e explicações do Livro Sagrado; mas Deus ordenou, e não ordenou apressadamente, quando falava de outro assunto, mas מְאֹד, Ele nos ordenou, seriamente e grandiosamente, que observássemos os seus preceitos. Deveriam estar fixas em nossa mente as palavras encontradas em Dt 6.6, *"E estas palavras que hoje te ordeno estarão no teu coração";* em Mt 17, *"Escutai-o";* em Jo 5, *"Examinais as Escrituras".* Acima de todas as coisas, os estudantes de teologia devem se lembrar da regra paulina, em 1 Timóteo 4.13: *"Persiste em ler"* – *Solomon Gesner*

v. 4: "Tu ordenaste", etc. Deus nos ordenou que observássemos os seus preceitos, com tão extremo cuidado e diligência? Então, que nada nos afaste disto, nem a menor circunstância; que não valorizemos nada desnecessário, frívolo ou supérfluo, de que tenhamos uma promessa, fora da sua palavra; nem consideremos demasiadamente sábios ou precisos aqueles que se apoiam decididamente sobre estas coisas: se o Senhor exige alguma coisa, ainda que o mundo se negue a isto, e nós sejamos ridicularizados e mal tratados por fazê-la, ainda assim devemos prosseguir no curso da nossa obediência. – *Richard Greenham*

v. 4: "Diligentemente". Por três motivos nós devemos observar os mandamentos do Senhor diligentemente: o primeiro, porque o nosso adversário, que procura nos capturar em uma cilada, pela transgressão desses mandamentos, é diligente na tentação, pois procura, dia e noite, nos devorar; o segundo, porque nós mesmos somos fracos e instáveis, e pela maior diligência precisamos prestar atenção em nós mesmos; e, em terceiro lugar, por causa da grande perda que sofremos a cada vantagem que Satanás obtém sobre nós; pois nós aprendemos, pela experiência, que assim como se faz um ferimento mais rapidamente do que ele é curado, também a culpa de consciência é facilmente adquirida, mas não tão facilmente eliminada. – *William Cowper*

v. 4: "Diligentemente". Neste versículo, ele lembra o leitor de quão bem ele sabia que este estudo da lei divina deve necessariamente ser severo (sincero e fervoroso), uma vez que Deus ordenou que a lei fosse observada diligentemente; isto é, com o mais profundo empenho; pois ela, por si só, é boa, e porque tudo o que ordena é bom. – *Antonio Brucioli, 1534*

v. 4: A palavra traduzida como *"diligentemente"* significa, no idioma original, *muito admirável*, de modo que as palavras seriam: *"Tu ordenaste que observássemos os teus mandamentos de maneira muito admirável"*. – *Richard Greenham*

vv. 4 e 5: "Tu ordenaste os teus mandamentos, para que diligentemente os observássemos", versículo 4; este é o imperativo de Deus. "Tomara que os meus caminhos sejam dirigidos de maneira a poder eu observar os teus estatutos!" (v. 5); isto deve ser opção nossa. – *Thomas Adams, 1614*

vv. 4 e 5: Deve-se observar, a respeito de Davi, que, quando ele ora, tão fervorosamente, *"Tomara que os meus caminhos sejam dirigidos de maneira a poder eu observar os teus estatutos"*, ele fornece, como razão: *"Tu ordenaste os teus mandamentos, para que diligentemente os observássemos"* indicando, com isto, que a base da sua obediência aos mandamentos de Deus era o selo da autoridade divina que o obrigava. Com este objetivo, ele diz, neste mesmo Salmo (v. 94), *"tenho buscado os teus preceitos"*, dando a entender que o que ele buscava, na sua obediência, era o cumprimento da vontade de Deus. Na verdade, a única e apropriada obediência é aquela feita com *intuitu voluntatis divinse*, com respeito à vontade divina, e tendo-a como objetivo. Assim como só é uma fé divina, aquela que crê em uma verdade, não por causa da razão humana, mas pela revelação divina, do mesmo modo só é uma obediência verdadeira a que fica em conformidade com o mandamento, não porque pode ser coerente com algum objetivo egoísta, mas porque traz consigo uma impressão da autoridade de Cristo. – *Nathanael Hardy*

v. 5: Ao examinar a conexão deste versículo com o anterior, não podemos deixar de observar com que exatidão o caminho intermediário é preservado, mantendo-nos a igual distância da ideia da autossuficiência, para *"observar os estatutos do Senhor"* e da justificativa própria, em negligenciá-los. A primeira tentativa de prestar obediência espiritual irá rapidamente nos convencer de nosso total desamparo. Nós podemos criar um mundo com a mesma rapidez como podemos criar em nossos corações um pulsar de vida espiritual. Mas a nossa incapacidade não anula a nossa obrigação. É a fraqueza de um coração que "não é sujeito à lei de Deus", pela única razão de que é "carnal", e por isto, "inimigo de Deus". A nossa incapacidade é o nosso pecado, a nossa culpa, a nossa condenação, e em vez de justificar a nossa condição, fecha a nossa boca e nos deixa destituídos de qualquer alegação de defesa perante Deus. Assim, a nossa obrigação permanece em plena força. Nós devemos obedecer aos mandamentos de Deus, quer possamos ou não. O que, então, nos resta, senão devolver o mandamento ao céu, acompanhado de uma sincera oração, para que o Senhor escreva em nossos corações estes estatutos aos quais Ele exige obediência na sua palavra? *"Tu ordenaste os teus mandamentos, para que diligentemente os observássemos"*. Nós reconhecemos, Senhor, a nossa obrigação, mas sentimos a nossa impotência. Senhor, ajuda-nos; nós confiamos em ti. *"Tomara que os meus caminhos sejam dirigidos de maneira a poder eu observar os teus estatutos"*. – *Charles Bridges, 1849*

v. 5: "Tomara", etc. No versículo anterior, o profeta Davi observa a incumbência dada por Deus, que é, que os seus mandamentos sejam observados diligentemente; aqui, então, ele observa a sua própria fraqueza e insuficiência para desincumbir-se desta grande tarefa, e, portanto, como alguém, pelo espírito, desejoso de realizá-la, mas, pela carne, incapaz de realizá-la, ele irrompe nestas palavras: *"Tomara que os meus caminhos sejam dirigidos"*, etc. Muito semelhante a uma criança que, recebendo a ordem de apanhar algum grande peso do chão, tem desejo de fazê-lo, embora não seja capaz disto; ou um doente, aconselhado a dar algumas voltas pelo quarto, que encontra o desejo no seu coração, apesar da incapacidade do seu corpo de fazer o que lhe é mandado. – *Richard Greenham*

v. 5: "Tomara que os meus caminhos", etc. É o costume e a obrigação do povo de Deus, converter preceitos em orações. Está claro que este é o costume dos filhos de Deus: "Converte-me, e converter-me-ei, porque tu és o Senhor, meu Deus" (Jr 31.18). Deus tinha dito: "Inclinai os ouvidos e... a vossa alma viverá", e eles pedem a Deus, "converte-nos", como Ele exige deles. Era a oração de Austin, *Da quod jubes, et jube quod vis: "Dê aquilo que estás pedindo, e peças o que quiseres"*. É o dever dos santos; pois, em primeiro lugar, *está de acordo com o concerto do Evangelho*, onde os preceitos e as promessas andam juntos; onde Deus dá o que ordena, e opera todas as nossas obras, em nós e por nós. Estas não são condições apenas do concerto, mas uma parte dele. Que possamos desejar das mãos de Deus, aquilo que Ele exige das nossas. Deus não é Faraó, para exigir tijolos onde não dá palha. *Lex jubet, gracia juvat.* Os artigos do novo concerto não são registrados somente na forma de preceitos, mas de promessas. A lei não dá força para realizar nada, mas o Evangelho oferece graça. Em segundo lugar, porque, *por estes meios, os objetivos de Deus se cumprem.* Por que Deus exige o que não podemos realizar pelas nossas próprias forças? Ele fez isto, (1.) para manter o seu direito. (2.) Para nos convencer da nossa impotência, e de que, em uma provação, sem a sua graça não podermos realizar a sua obra. (3.) Para que a criatura possa expressar a sua prontidão em obedecer. (4.) Para nos colocar aos seus pés, pela graça. – *Thomas Manton*

v. 5: "Tomara", etc. A vida inteira de um bom cristão é *um santo desejo*, diz Agostinho; e isto é sempre acompanhado pelo empenho, sem o qual, a afeição é como Raquel, bela, mas estéril. – *John Trapp*

v. 5: "Tomara que os meus caminhos sejam dirigidos", etc. A palavra original, כּוּן (*kûn*), às vezes é traduzida como *estabelecer*, e, consequentemente, pode parecer como se o profeta estivesse solicitando para si mesmo a virtude da perseverança. Eu sou mais inclinado a interpretá-la com o significado de *dirigir*; pois, embora Deus esteja claramente nos instruindo na sua lei, a estupidez do nosso entendimento e a perversidade do nosso coração precisam, constantemente, da direção do seu Espírito. – *João Calvino*

v. 6: "Então, não ficaria confundido [ou "envergonhado"]". Ninguém gosta de *ficar envergonhado* ou *ruborizado;* por isto, todas as coisas que trarão a vergonha atrás de si devem ser evitadas (Ed 9.6; Jr 3.25; Dn 9.7, 9). Assim como o trabalhador mantém seus olhos fixos no seu padrão, e o estudante nos escritos do seu mestre, também o crente fiel sempre volta os seus olhos para a palavra do Senhor seu Deus. – *Martin Geier*

v. 6: Há uma dupla vergonha; a vergonha de uma consciência culpada; e a vergonha de uma consciência terna. A primeira é o mérito e o fruto do pecado; a outra, é um ato de graça. Aquela que é aqui mencionada deve ser interpretada não como uma santa abominação a si mesmo, mas como uma vergonha que confunde. – *Thomas Manton*

v. 6: "Então, não ficaria confundido [ou "envergonhado"]". Então terei confiança, com relação a Deus e ao homem, e à minha própria alma, quando puder dizer, a meu respeito, que a minha obediência é imparcial, e uniforme, e universal, e não há nenhum pecado secreto reservado para mim, nem o menor mandamento, conscientemente ou voluntariamente negligenciado por mim. – *Henry Hammond*

v. 6: "Então, não ficaria confundido [ou "envergonhado"]", etc. Você pergunta, Por que não se envergonha ou fica confundido aquele que *"atenta a todos os mandamentos de Deus?"* Eu respondo, o sentido é como se ele tivesse dito que os mandamentos de Deus são tão puros e excelentes, que, ainda que você considerasse todos eles, e cada um deles com a máxima atenção, não encontraria nada que lhe fizesse enrubescer. As leis de Licurgo são elogiadas, mas permitiam o roubo. Os estatutos de Platão são elogiados, mas elogiavam a comunidade das esposas. *"A lei do Senhor é perfeita e refrigera a alma"* (Sl 19.7). É um espelho e reflete a bela luz das estrelas naquele que a estuda. – *Thomas Le Blanc*

v. 6: A bênção aqui mencionada é a liberdade da vergonha, ao se estudar *todos* os mandamentos. Se Deus ouve a oração, e estabelece a alma neste hábito de observar os mandamentos, haverá ainda esta nova bênção de ser capaz de estudar cada preceito sem vergonha. Muitos homens podem olhar *alguns* mandamentos, sem sentir vergonha. Voltando para os dez mandamentos, o homem honesto não sente vergonha quando olha para o oitavo; o homem puro é livre de reprovação quando lê o sétimo; aquele que é reverente e odeia a blasfêmia não é repreendido pelo pensamento de que tenha violado o terceiro; ao passo que o espírito filial se deleita no quinto, em lugar de evitá-lo. Assim como com os remanescentes. Muitos homens, talvez, possam olhar alguns dos preceitos com certa liberdade de reprovação. Mas quem pode examiná-los todos? Mas isto, também, é o que o coração piedoso almeja. Neste versículo, nós encontramos o salmista conscientemente antecipando a verdade de uma palavra do Novo Testamento: "Qualquer que tropeçar em um só ponto tornou-se culpado de todos". – *Frederick G. Marchant*

v. 6: "Confundido" ou *"Envergonhado"* (na versão ARA).

Eu posso suportar picadas de escorpião, pisar campos de fogo,
Ficar em abismos gelados de frio eterno;
Ser lançado para o alto, por camadas de vazio sem fim.
Mas não posso viver na vergonha.
– *Joanna Baillie, 1762-1851*

v. 6: "Atentando eu para todos os teus mandamentos". Literalmente, "Quando eu examino todos os teus mandamentos". Isto é, quando ele os considera; no seu sentimento de que tinha o dever de obedecer a todos os mandamentos; e no fato de que ele tinha consciência de que não tinha intencionalmente negligenciado, infringido nem desconsiderado nenhum deles. Não pode haver piedade verdadeira, exceto quando o homem *tenciona* guardar TODOS os mandamentos de Deus. Se ele fizer uma seleção entre eles, guardando este ou aquele, como for mais conveniente para ele, ou como for mais do seu interesse, como mais popular, é prova suficiente de que ele não conhece nada sobre a natureza da verdadeira religião. Um filho não tem apropriado respeito por um pai, se obedecer a ele somente quando isto convier aos seus caprichos, e ninguém *pode* ser piedoso, se não se propuser, com toda a honestidade, a guardar TODOS os mandamentos de Deus; submeter-se à sua vontade *em tudo*. – *Albert Barnes*

v. 6: "Todos os teus mandamentos". A mesma razão para obedecer a um mandamento existe para obedecer a outro – a autoridade de Deus, que é o Legislador (Tg 2.11); portanto, quando o homem escolhe um dever e ignora os outros, não está obedecendo à vontade de Deus, mas gratificando seus próprios sentimentos e caprichos, agradando a Deus somente até o ponto em que pode agradar a si mesmo; e isto não é razoável; nós jamais prestaremos "um serviço razoável" a Deus, a menos que seja universal. – *Edward Veal (1632-1708), "The Morning Exercises"*

v. 6: "Todos os teus mandamentos". Uma obediência parcial jamais irá satisfazer um filho de Deus. A exclusão de qualquer mandamento da sua suprema consideração no coração é uma característica da hipocrisia. Até mesmo Herodes pôde "fazer muitas coisas", mas um mau caminho apreciado, e por isto não abandonado, foi suficiente para mostrar o poder soberano do pecado interior, imperturbado. Saul matou todos os amalequitas, menos um; e esta única exceção, no caminho da obediência universal, assinalou a fraqueza da sua profissão de fé, custou-lhe a perda do seu trono, e o conduziu sob o terrível desagrado do seu Deus. E assim, o pé, ou a mão, ou o olho, os membros corruptos sem mortificação, levam ao inferno todo o corpo. As reservas são o câncer da sinceridade cristã. – *Charles Bridges*

v. 6: "A todos os teus mandamentos". Permita que qualquer dos mandamentos de Deus *possa* ser transgredido, e logo teremos todo o decálogo deixado de lado. – *Adam Clarke, 1760-1832*

v. 6: Muitos fazem algum bem, mas são deficientes em outras coisas, e normalmente nas que são mais necessárias. Eles deixam de lado as partes mais fáceis e simples da religião, para não contradizer os seus desejos e interesses. Nós nunca poderemos ter paz duradoura, até que os consideremos, a todos. *"Então, não terei de que me envergonhar, quando considerar em todos os teus mandamentos"* (na versão ARA). A vergonha é o temor de uma justa reprovação. Esta reprovação é do juiz supremo ou delegado. Este supremo juiz de todos os nossos atos é Deus. Este deve ser o nosso principal interesse, para que não nos envergonhemos diante dele, na sua vinda, nem sejamos reprovados no juízo. Mas há um juiz delegado, que cada homem tem no seu próprio seio. As nossas consciências nos absolvem ou condenam, conforme sejamos parciais ou sinceros em nosso dever para com Deus, e dependem muito disto: "Sabendo que, se o nosso coração nos condena, maior é Deus do que o nosso coração e conhece todas as coisas. Amados, se o nosso coração nos não condena, temos confiança para com Deus" (1 Jo 3.20,21). Para que nossos corações não possam nos reprovar nem repreender, devemos ser completos em toda a vontade de Deus. Ai, caso contrário você jamais terá a evidência da sua sinceridade. – *Thomas Manton*

v. 6: Tal é a misericórdia de Deus, em Cristo, para com os seus filhos, que Ele aceita nossos fracos esforços, acompanhados da sinceridade e perseverança no seu serviço, como se realizados em plena obediência... Oh, quem não serviria a este Senhor? Você ouve os servos, às vezes, queixando-se dos seus senhores, por serem tão rígidos, de modo que nunca conseguem agradá-los; não, nem quando eles fazem o máximo que podem; mas isto não pode ser dito a respeito de Deus. Seja apenas tão fiel, a ponto de fazer o melhor que puder, e Deus é tão gracioso que perdoará o pior que você fizer. Davi estava consciente desta indulgência do Evangelho, quando disse: *"Então não ficaria confundido* [ou *"envergonhado"*, ARA], *atentando eu para todos os teus mandamentos"*, quando meus olhos estiverem em todos os teus mandamentos. O viajante tem seus olhos no lugar ao qual se dirige, ainda que esteja longe dele; ali, ele deseja estar, e dedica tudo o que pode para alcançá-lo; assim é o coração dos santos, com todos os mandamentos de Deus; ele insiste, para se aproximar, cada vez mais, da plena obediência; uma alma como esta jamais ficaria *confundida* ou *envergonhada*. – *William Gurnall, 1617-1679*

v. 7: "Louvar-te-ei... quando tiver aprendido", etc. Não há maneira de agradar a Deus, inteiramente e sinceramente, até que tenhamos aprendido a conhecer e também a realizar a sua vontade. O louvor prático é o louvor que Deus procura. – *Thomas Manton*

v. 7: "Louvar-te-ei". Qual é o motivo pelo qual o salmista louva a Deus? É o fato de que ele aprendeu alguma coisa, de Deus, e por Ele, entre os homens. Ter aprendido algum idioma ou ciência, em alguma escola de filosofia, nos prende à nossa "alma mater". Nós elogiamos aqueles que conseguem ensinar um cachorro, ou um cavalo, isto ou aquilo; mas que nós, jumentinhos, aprendamos a vontade de Deus, aprendamos a andar de um modo que o agrade; e isto deve ser reconhecido, por nós, como uma grande misericórdia de Deus. – *Paulo Bayne v. 7:* "Louvar-te-ei... quando tiver aprendido", etc. Mas quando Davi diz que será agradecido? Quando Deus o ensinar. O motivo e a graça da gratidão vêm de Deus. Como fez com Abraão, ordenando que ele o adorasse com sacrifício, e ao mesmo tempo lhe deu o sacrifício, também Ele faz com todos os seus filhos; pois Ele não dá somente coisas boas, pelas quais eles deveriam agradecer a Ele, mas, de igual maneira, a graça, pela qual eles são capazes de agradecer a Ele. – *William Cowper*

v. 7: "Quando tiver aprendido". Ele se refere ao fato de obter, não somente o conhecimento da Palavra, mas a prática do que ela indica. Não é uma noção especulativa, superficial ou crua das coisas: "Portanto, todo aquele que do Pai ouviu e aprendeu vem a mim" (Jo 6.45). É tal aprendizado que o resultado necessariamente virá, tal luz e esclarecimento que converte a alma, e dispõe dos nossos corações e caminhos, de acordo com a vontade de Deus. Pois, de outra maneira, se obtivermos o entendimento da palavra, ou melhor, se a gravarmos em nossas lembranças, ela não nos servirá de nada, sem a prática. Os melhores servos de Deus são apenas aprendizes e estudantes no conhecimento e na obediência à sua Palavra. Pois, diz Davi, *"quando tiver aprendido"*. Os professores da religião cristã eram originalmente chamados discípulos ou aprendizes: τὸ πλῆθος τῶν μαθητῶν, "a multidão dos discípulos" (At 6.2). – *Thomas Manton*

v. 7: "Aprendido os teus justos juízos". Vemos aqui o que Davi desejava aprender em especial, ou seja, a palavra e a vontade de Deus – ele sempre seria um aprendiz nesta escola, e procurava diariamente alcançar a mais elevada forma, de modo que aprendendo a conhecer, ele pudesse se lembrar; lembrando-se, pudesse crer; crendo, pudesse se deleitar; deleitando-se, pudesse admirar; admirando, pudesse adorar; adorando, pudesse praticar; e, praticando, pudesse perseverar no caminho dos estatutos de Deus. Este aprendizado é realmente o antigo e verdadeiro aprendizado, e é o que melhor aprendeu desta arte aquele que converte a palavra de Deus em boas obras. – *Richard Greenham*

v. 7: "Os teus justos juízos" são as decisões a respeito do certo e do errado, que dão expressão à justiça de Deus, e a põem em execução. – *Franz Delitzsch*

v. 8: Este versículo, sendo o último deste segmento, é o resultado da sua meditação a respeito da utilidade e da necessidade de observar a lei de Deus. Aqui, perceba:

I. A sua determinação, *"Observarei os teus estatutos"*.

II. A sua oração, *"Não me desampares totalmente"*. É seu propósito guardar a lei; mas, como ele é consciente de suas muitas fraquezas, ele ora, contra o abandono. Na oração, não está expresso tudo o que se pretendia. *"Não me desampares"*; ele quer dizer, fortalece-me nesta obra; e se me abandonares, que seja apenas por pouco tempo, Senhor, não para sempre; em parte, e não completamente. Quatro aspectos podemos observar, então:

1. É uma grande vantagem chegar a uma resolução como a um caminho de piedade.
2. Aqueles que se decidem por um curso de obediência precisam correr em busca do auxílio de Deus.
3. Embora corramos para o auxílio de Deus, às vezes Deus pode se afastar, e parecerá nos abandonar.
4. Embora Deus pareça nos abandonar, e realmente o faça, em parte, nós devemos orar para que não seja um abandono total e completo. – *Thomas Manton.*

v. 8 com 7: "Observarei os teus estatutos", etc. A resolução de *"observar os estatutos do Senhor"* é o resultado natural de ter *"aprendido os seus justos juízos"*. E neste ponto, Davi ilustra a união inseparável e feliz da "simplicidade" da dependência com a "sinceridade devota" da obediência. Imediatamente depois de formar a sua resolução, ele se lembra de que a sua execução está além do poder da força humana, e por isto, no momento seguinte ele faz a oração: "Observarei os teus estatutos; *não me desampares totalmente". – Charles Bridges*

v. 8: "Observarei". Davi apresenta um exemplo pessoal de santidade. Se o rei de Israel guardar os estatutos de Deus, o povo de Israel se envergonhará de negligenciá-los. César estava acostumado a dizer, Os príncipes não devem dizer, *Ite*, ide, sem mim; mas *Venite,* vinde, comigo. Assim disse Gideão (Jz 7.17): "Como eu fizer, assim fareis vós". – *R. Greenham*

v. 8: "Não me desampares totalmente". Existe um abando total e um parcial. Aqueles que são propensos a obedecer a Deus podem, durante algum tempo, e até certo ponto, ser abandonados. Não podemos prometer a nós mesmos uma total imunidade do abandono; mas ele não é total. Nós descobriremos fatos preciosos, através do amor ao seu grande nome: "O Senhor não abandonará o seu povo" (1 Sm 12.22), e "Não te deixarei, nem te desampararei" (Hb 13.5). Não totalmente, ainda que, em parte, possam ser abandonados. Elias foi abandonado, mas não como Acabe; Pedro foi abandonado, em parte, mas não como Judas, que foi completamente abandonado, e se fez presa do diabo. Davi foi abandonado, para que se humilhasse e melhorasse; mas Saul foi totalmente abandonado, até a destruição. Diz Teofilacto, Deus pode abandonar o seu povo de modo a não ouvir suas orações (Sl 80.4), de modo a interromper a paz e a alegria dos seus corações, e abater a sua força, de modo que a sua vida espiritual pode estar parada, e o pecado pode invadi-la, e eles possam cair de modo abominável, mas eles não são *completamente* abandonados. De uma maneira ou de outra, Deus ainda estará presente; presente em luz, às vezes, quando não está presente em força, quando manifesta o mal da condição atual do seu povo, de modo a fazê-los lamentá-la; e presente, despertando seus desejos, embora não lhes concedendo o aproveitamento deles. Enquanto houver alguma estima em Deus, Ele não se afasta totalmente; ainda sobram luz e amor, manifestados pelos nossos desejos de comunhão com Ele. – *Thomas Manton*

v. 8: "Não me desampares totalmente". O abandono dos eleitos de Deus é, antes de mais nada, *parcial,* isto é, Deus não os abandona totalmente, mas apenas até certo ponto. Em segundo lugar, são *temporários*, isto é, por algum período de tempo, e jamais ultrapassam a duração desta vida. "Em grande ira, escondi a face de ti por um momento" (diz o Senhor, no livro de Isaías) mas com benignidade eterna me compadecerei de ti, diz o Senhor, o teu Redentor". E com este propósito Davi, bastante familiarizado com este assunto, ora: *"Não me desampares totalmente".* Este tipo de abandono pode existir apenas durante algum tempo, mas nenhuma parte da vida do cristão está livre dele; e muito frequentemente, aprofundando-se no coração do homem, são de longa duração. Davi continuou na sua perigosa queda durante o período de um ano inteiro, antes que se recuperasse. Lutero confessou que, depois da sua conversão, esteve durante três anos em desespero. A observação de casos semelhantes registrou períodos ainda mais longos de abandono espiritual. – *Richard Greenham*

v. 8: "Não me desampares totalmente". Esta oração parece o clamor assustado de alguém que estava meio receoso de ter sido presunçoso ao expressar a resolução anterior. Ele desejava guardar os estatutos divinos, e como Pedro, jurou que o faria; mas, lembrando-se das suas próprias fraquezas, ele retrocede do seu próprio atrevimento, e sente que precisa orar. Eu fiz um voto solene, mas e se eu o proferi com a minha própria força? E se Deus me abandonar? Ele se enche de terror, com este pensamento. E irrompe com um "Oh". E implora e suplica que o Senhor não o prove, deixando-o, ainda que apenas por um momento, inteiramente sozinho. Ser abandonado por Deus é o pior mal com que o santo mais melancólico jamais sonhou. Graças a Deus, isto jamais acontecerá conosco; pois nenhuma promessa pode ser mais expressa do que aquela que diz: "Não te deixarei, nem te desampararei". Esta promessa não impede a nossa oração, mas nos incentiva a ela. Como Deus não irá abandonar os seus, nós clamamos a Ele, na agonia da nossa fragilidade: "Não me desampares totalmente". – *C. H. S.*

EXPOSIÇÃO DOS VERSÍCULOS 9 A 16

9 *Como purificará o jovem o seu caminho? Observando-o conforme a tua palavra.*
10 *De todo o meu coração te busquei; não me deixes desviar dos teus mandamentos.*
11 *Escondi a tua palavra no meu coração, para eu não pecar contra ti.*
12 *Bendito és tu, ó Senhor! Ensina-me os teus estatutos.*
13 *Com os meus lábios declarei todos os juízos da tua boca.*
14 *Folgo mais com o caminho dos teus testemunhos do que com todas as riquezas.*
15 *Em teus preceitos meditarei e olharei para os teus caminhos.*
16 *Alegrar-me-ei nos teus estatutos; não me esquecerei da tua palavra.*

9. *"Como purificará o jovem o seu caminho?"* Como ele se tornará, e permanecerá, praticamente santo? Ele é apenas um jovem, cheio de paixões acaloradas, e pobre em conhecimento e experiência; como ele poderá ser reto, e continuar reto? Nunca houve uma pergunta mais importante, para qualquer homem; nunca houve um momento mais adequado, para fazê-la, do que no começo da vida. Não é, de maneira alguma, uma tarefa fácil, a que o homem prudente tem diante de si. Ele deseja escolher um caminho puro, estar, ele mesmo, puro neste caminho, purificá-lo de qualquer sujeira, que possa surgir no futuro, e terminar mostrando um caminho claro, desde o primeiro passo até o último; mas, ai, o seu caminho já era impuro pelo pecado que ele já tinha cometido, e ele mesmo tem, na sua natureza, uma tendência para aquilo que corrompe. Aqui, então, está a dificuldade, primeiramente, de começar corretamente, a seguir, de ser sempre capaz de conhecer e escolher o correto, e de continuar no correto, até que a perfeição seja, finalmente, alcançada; é difícil para qualquer homem, como um jovem poderia realizar isto? O caminho, ou a vida, do homem deve ser purificado dos pecados da sua juventude, atrás de si, e conservado limpo dos pecados que a tentação colocará diante dele; esta é a obra, esta é a dificuldade.

Nenhuma ambição mais nobre pode ser apresentada a um jovem, nenhuma para a qual ele receba um chamado tão claro; mas nenhuma pode ser encontrada com maiores dificuldades. Que ele não recue da gloriosa empreitada de viver uma vida pura e piedosa; em lugar disto, que ele investigue o caminho pelo qual todos os obstáculos podem ser superados. Que ele não pense que conhece o caminho para a vitória fácil, nem sonhe que pode se manter, na sua própria sabedoria; será bom que ele siga o salmista, e se torne um investigador fervoroso, perguntando como pode purificar o seu caminho. Que ele se torne um discípulo prático do santo Deus, que é o único que pode ensiná-lo a derrotar o mundo, a carne, e o diabo, esta trindade de profanadores pelos quais muitas vidas esperançosas foram perdidas. Ele é jovem, e não está acostumado ao caminho, que não se envergonhe de perguntar frequentemente sobre o caminho àquele que está tão disposto e que é tão capaz de instruí-lo nele.

O nosso *"caminho"* é um assunto que nos interessa profundamente, e é muito melhor investigar sobre ele do que especular sobre temas misteriosos que mais confundem do que esclarecem a mente. Entre todas as perguntas que um homem jovem faz, e são muitas, que esta seja a primeira e principal: "Como purificarei o meu caminho?" Esta é uma pergunta sugerida pelo bom senso, e repetida, por ocorrências diárias; mas não deve ser respondida pela razão sozinha e sem ajuda, nem, quando respondida, podem as instruções ser seguidas pelas forças humanas, sem ajuda. Cabe a nós fazer a pergunta, cabe a Deus dar a resposta e nos capacitar para colocá-la em prática.

"Observando-o conforme a tua palavra." Meu jovem, a Bíblia deve ser o seu mapa, e você deve exercer grande vigilância para que o seu caminho seja de acordo com as suas instruções. Você deve vigiar a sua vida diária, assim como estudar a Bíblia, e deve estudar a sua Bíblia para que possa vigiar a sua vida diária. Com o maior cuidado, um homem irá se desviar, se o seu mapa o iludir; mas com o mapa mais exato, ele ainda perderá o seu caminho, se não prestar atenção a ele. O caminho estreito jamais é alcançado por acaso, nem qualquer homem insensato poderá levar uma vida santa. Nós podemos pecar sem pensar, nós somente precisamos negligenciar a grande salvação e arruinar nossas almas; mas obedecer ao Senhor, e andar honestamente, precisará de todo o nosso coração, e alma, e mente. Que o descuidado se lembre disto.

Mas a *"palavra"* é absolutamente necessária; pois, se não for assim, o cuidado irá se obscurecer, em mórbida ansiedade, e a consciência poderá se tornar superstição. Um capitão pode vigiar do seu convés, durante a noite toda; mas se ele não conhecer a costa, e não tiver um piloto a bordo, poderá estar cuidadosamente se precipitando para o naufrágio. Não é suficiente desejar ser correto; pois a ignorância pode nos levar a pensar que estamos realizando o serviço de Deus, quando na verdade estamos provocando-o, e o fato da nossa ignorância não irá reverter o caráter do nosso ato, por mais que possa mitigar a sua criminalidade. Se um homem medir cuidadosamente o que acredita ser uma dose de remédio útil, morrerá, se acontecer que ele tomou o frasco errado, e ingeriu um veneno mortal; o fato de tê-lo feito ignorando que o fazia não irá alterar o resultado. Do mesmo modo, um jovem pode se ver rodeado por dez mil males, cuidadosamente usando um juízo não esclarecido, e recusando-se a receber instruções da palavra de Deus. A ignorância voluntária é, em si mesma, pecado voluntário, e o mal que disto resulta é indesculpável. Que cada homem, seja velho ou jovem, que deseje ser santo, tenha uma santa vigilância no seu coração, e conserve a sua santa Bíblia diante dos seus olhos abertos. Ali ele encontrará assinalada cada curva do caminho, cada lamaçal indicado, com o caminho para a passagem incólume; e ali, também, ele encontrará luz para a sua escuridão, consolo para o seu cansaço, e companhia para a sua solidão, de modo que, com a sua ajuda, ele alcançará a bênção do primeiro versículo do salmo, que sugeriu a investigação do salmista e despertou seus desejos.

Observe como a primeira seção de oito versículos tem, como seu primeiro versículo, "Bem-aventurados os que trilham caminhos retos", e a segunda seção a acompanha, com a pergunta, "Como purificará o jovem o seu caminho?" A bem-aventurança que nos é apresentada em uma promessa condicional deve ser buscada, na prática, no caminho indicado. Diz o Senhor, "Ainda nisto permitirei que seja eu solicitado pela casa de Israel" (Ez 36.37, na versão ARA).

10. *"De todo o meu coração te busquei."* O seu coração tinha procurado o próprio Deus: ele não somente tinha desejado obedecer às suas leis, mas ter comunhão com a sua pessoa. Esta é uma busca real e bem pode ser seguida com todo o coração. O modo mais seguro de purificar o caminho da nossa vida é buscar o próprio Deus, e se empenhar para permanecer em comunhão com Ele. Até a boa hora, em que falou com o seu Senhor, o salmista tinha buscado fervorosamente o Senhor, e, mesmo fraco, ainda buscava. Se não tivesse buscado o Senhor, jamais teria estado tão ansioso para purificar o seu caminho.

É agradável ver como o coração do autor se volta, distintamente e diretamente, para Deus. Ele tinha estado considerando uma importante verdade no versículo anterior, mas aqui ele sente, tão poderosamente, a presença do seu Deus, que fala com Ele, e ora para Ele, como a alguém que está próximo. Um coração fiel não pode viver muito tempo sem a comunhão com Deus.

A sua súplica está fundada no propósito da sua vida: ele está buscando o Senhor, e ora para que o Senhor impeça que ele se desvie da sua busca. É pela obediência que nós seguimos a Deus; daí a oração, *"Não me deixes desviar dos teus mandamentos"*; pois se deixarmos os caminhos indicados por Deus, certamente não encontraremos o Deus que os indicou. Quanto mais todo o coração de um homem está dedicado à santidade, mais ele teme cair no pecado; ele não teme tanto a transgressão deliberada, quanto o peregrinar involuntário; ele não pode suportar um olhar errante, ou um pensamento itinerante, que possa desviar-se além das normas do preceito. Nós devemos buscar com um coração tão sincero que não teremos tempo nem vontade de sermos peregrinos, e com toda a nossa sinceridade devemos cultivar um temor zeloso para que não nos desviemos do caminho da santidade.

Duas coisas podem ser muito semelhantes, e completamente diferentes, ao mesmo tempo: os santos são "estrangeiros", ou "peregrinos" – "Sou peregrino na terra" (v. 19), mas não são errantes; eles estão passando por uma nação inimiga, mas a sua rota é direta; eles estão buscando o seu Senhor enquanto atravessam esta terra estrangeira. O seu caminho está oculto dos homens, mas eles ainda não perderam de vista o seu caminho, nem se perderam nele.

O homem de Deus se esforça, mas não confia em si mesmo, o seu coração está no seu andar com Deus; mas ele sabe que nem mesmo toda a sua força será suficiente para conservá-lo reto, a menos que o seu Rei seja seu protetor, e aquele que fez os mandamentos o torne constante na obediência a Ele; daí, a oração, *"não me deixes desviar"*. Ainda assim, este sentimento de necessidade jamais se converteu em um argumento favorável à ociosidade; pois enquanto ele orava para ser mantido no caminho reto, ele tomou cuidado para percorrê-lo, sempre buscando o Senhor com todo o seu coração.

É curioso, novamente, perceber como a segunda parte do salmo acompanha a primeira; pois onde o versículo 2 declara bem-aventurado aquele homem que busca o Senhor com todo o seu coração, este versículo reivindica a bênção, alegando o caráter: *"De todo o meu coração te busquei"*.

11. Quando um homem devoto suplica uma benevolência de Deus, deve usar cuidadosamente todos os meios para obtê-la, e, como consequência, como o salmista tinha pedido para ser preservado dos desvios, aqui ele nos mostra a santa precaução que tinha tomado, para evitar que caísse em pecado. *"Escondi a tua palavra no meu coração"*. O seu coração seria guardado pela palavra, porque ele guardava a palavra no seu coração. Tudo aquilo que ele tinha da palavra escrita, e tudo o que lhe tinha sido revelado pela voz de Deus – tudo, sem exceção, ele tinha guardado, escondido, em seus afetos, como um tesouro a ser preservado em um cofre, ou uma semente excelente a ser enterrada em um solo frutífero; que solo pode ser mais frutífero do que um coração renovado, que busca sinceramente o Senhor? A palavra era de Deus, e por isto, preciosa para o servo de Deus. Ele não usou um texto *sobre* o seu coração, como um adorno, mas o escondeu *no* seu coração, como uma regra. Ele o guardou no lugar do amor e da vida, e encheu a câmara com doçura e luz. Nisto, devemos imitar Davi, copiando a obra do seu coração, assim como o seu caráter exterior. Em primeiro lugar, nós devemos ter em mente que aquilo em que cremos é, verdadeiramente, a palavra de Deus; com isto, devemos escondê-la ou guardá-la, cada um, por si; e devemos nos certificar de que isto seja feito, não como um mero feito da memória, mas como um alegre ato dos sentimentos.

"Para eu não pecar contra ti". Aqui estava o objetivo almejado. Como alguém tinha dito: Aqui está o melhor – "a tua palavra", escondida no melhor lugar – "no meu coração"; com o melhor dos propósitos – "para eu não pecar contra ti". Isto foi feito, pelo salmista, com cuidado pessoal, como um homem esconde cuidadosamente o seu dinheiro quando teme ladrões – neste caso, o temido ladrão era o pecado. Pecar "contra Deus" é a perspectiva que o crente tem do mal moral; outros homens se preocupam apenas quando ofendem os homens. A palavra de Deus é a melhor prevenção contra as ofensas a Deus, pois é ela que nos revela a sua vontade, e

tende a levar o nosso espírito à conformidade com o Espírito divino. Nenhuma cura para o pecado na vida é igual à palavra na sede da vida, que é o coração. Não há como se esconder do pecado, a menos que escondamos a verdade em nossas almas.

Uma variação muito agradável no significado é obtida, enfatizando as palavras "tu" e "teu". Ele fala a *Deus* que ama a palavra, porque é *de Deus*, e odeia o pecado porque é o pecado contra *o próprio Deus*. Se ele ofendesse a outros, não se importava, com a condição de que não ofendesse ao seu Deus. Se nós não desejamos causar desprazer a Deus, devemos guardar a sua palavra.

A maneira pessoal com que o homem de Deus faz isto é também digna de nota: "De todo o meu coração te busquei". Seja o que for que os outros decidissem fazer, ele já tinha feito a sua escolha, e colocado a Palavra no mais íntimo da sua alma como seu mais estimado prazer, e ainda que os outros pudessem transgredir, o seu objetivo era a santidade: "Para eu não pecar contra ti". Isto não era o que ele se propunha a fazer, mas o que ele já tinha feito; muitos são grandes em promessas, mas o salmista tinha sido verdadeiro na realização; consequentemente, ele esperava ver um resultado garantido. Quando a palavra está escondida no coração, a vida estará escondida do pecado.

O paralelismo entre o segundo grupo de oito versículos, e o primeiro, continua. O versículo 3 fala de não cometer iniquidade, ao passo que este versículo trata do método para não pecar. Quando nós formamos uma ideia de um homem santo e bem-aventurado (v. 3) é conveniente que façamos um fervoroso esforço para obter a mesma sagrada inocência e felicidade divina, e isto somente poderá acontecer por meio da piedade sincera, baseada nas Escrituras.

12. *"Bendito és tu, ó Senhor."* Estas são palavras de adoração que nascem da intensa admiração do caráter divino, que o autor humildemente deseja imitar. Ele bendiz a Deus por tudo o que lhe revelou, e operou nele; ele o louva com um amor caloroso e reverente, e na profundidade de uma santa admiração. Estas são também palavras de percepção, proferidas de uma lembrança da infinita alegria do Senhor em si mesmo. O Senhor é e deve ser bendito, pois Ele é a perfeição da santidade; e esta é, provavelmente, a razão por que isto é usado como apelo, neste ponto. É como se Davi tivesse dito – eu vejo que, em conformidade contigo, deve estar o meu caminho para a felicidade, pois tu és supremamente bendito; e se eu fui feito, até certo ponto, semelhante a ti em santidade, também participarei da tua bem-aventurança.

Tão logo a palavra está no coração, surge um desejo de marcá-la e aprendê-la. Depois de comido o alimento, o próximo passo é digeri-lo; e quando a palavra é recebida na alma, a primeira oração é: Senhor, ensina-me o seu significado. *"Ensina-me os teus estatutos"*; pois assim, somente, eu posso aprender o caminho para ser abençoado. Tu és tão bendito que eu tenho certeza de que te alegrarás em abençoar a outros, e este consolo eu te peço, que eu possa ser instruído nos teus mandamentos. Os homens felizes normalmente se alegram em fazer felizes os outros, e certamente o Deus feliz irá repartir de bom grado a santidade que é a fonte da felicidade. A fé motivou esta oração e a baseou, não sobre alguma coisa existente no homem que ora, mas unicamente na perfeição do Deus ao qual ele fez a sua súplica. Senhor, tu és bendito, por isto abençoa-me, ensinando-me.

Nós precisamos ser discípulos ou aprendizes – *"ensina-me"*; mas que honra ter o próprio Deus como professor; como Davi é audacioso, implorando que o bendito Deus o ensine! Mas o Senhor colocou o desejo em seu coração, quando a palavra sagrada estava escondida ali, e assim podemos ter certeza de que ele não estava sendo audacioso demais, ao expressá-lo. Quem não desejaria entrar na escola de tal Mestre, para aprender com Ele a arte da vida santa? A este Instrutor, nós devemos nos submeter, se desejarmos observar, na prática, os estatutos da justiça. O Rei que ordenou os estatutos conhece melhor o seu significado; e como eles são um resultado da sua própria natureza, Ele pode nos inspirar melhor com o seu espírito. A súplica é recomendável a todos os que desejam purificar o seu caminho, uma vez que é mais prática, e necessita ensinamento, não sobre a doutrina recôndita, mas sobre a lei dos estatutos. Se conhecermos os estatutos do Senhor, teremos a mais essencial educação.

Que cada um de nós diga, *"Ensina-me os teus estatutos"*. Esta é uma doce oração, para o uso diário. É um passo acima daquele do versículo 10, "não me deixes desviar", e além daquele do versículo 8, "não me desampares totalmente". Ele encontra a sua resposta nos versículos 98-100: "Tu, pelos teus mandamentos, me fazes mais sábio que meus inimigos", etc.; mas não até que fosse repetida, pela terceira vez, no *"Ensina-me"* dos versículos 33 e 66, os quais eu peço que o leitor leia atentamente. Mesmo depois deste terceiro apelo, a oração aparece novamente, com as mesmas palavras nos versículos 124 e 139, e o mesmo anseio aparece, já próximo ao final do salmo, no versículo 171: "Os meus lábios proferiram o louvor, quando me ensinaste os teus estatutos".

13. *"Com os meus lábios declarei todos os juízos da tua boca."* Aquele que era ensinado, no versículo 12, é aqui um professor. O que nós aprendemos em segredo, devemos proclamar sobre os telhados. Assim tinha feito o salmista. Tudo o que ele conhecia, ele tinha dito. Deus revelou muitos dos seus juízos pela sua boca, isto é, por uma revelação clara e aberta; é nosso dever repeti-los, com muitos ecos exatos da sua voz infalível. Há juízos de Deus que são muito profundos, os quais Ele não revela, e com estes será sábio não nos mesclarmos. O que o Senhor ocultou, seria presunção nossa revelar, mas por outro lado, o que o Senhor revelou, seria vergonhoso que nós ocultássemos. É um grande consolo, para um cristão, em tempos de aflição, quando, olhando para a sua vida passada, pode declarar ter feito o seu dever, pela palavra de Deus. Ter sido, como Noé, um pregoeiro da justiça, é uma grande alegria, quando o nível das águas está subindo, e o mundo ímpio está prestes a ser destruído. Os lábios que foram usados na proclamação dos estatutos de Deus certamente serão aceitáveis, quando implorando as promessas de Deus. Se nós tivermos tal consideração pelo que sai da boca de Deus, de modo a tê-lo divulgado em todas as partes, poderemos estar seguros de que Deus terá consideração pelas orações que saírem das nossas bocas.

Será um método eficaz de purificar o caminho de um jovem, ele se acostumar continuamente a pregar o Evangelho. Não irá se sair mal no juízo aquele cuja alma está ocupada em apresentar os juízos do Senhor. Ensinando, aprendemos; treinando a língua com as palavras santas, nós controlamos todo o corpo; com a familiaridade com os procedimentos divinos, nós nos deleitamos na justiça; e assim, de três maneiras o nosso caminho é purificado, pela nossa proclamação do caminho do Senhor.

14. *"Folgo mais com o caminho dos teus testemunhos."* O prazer na palavra de Deus é uma prova garantida de que ela surtiu efeito sobre o coração, e assim, está purificando a vida. O salmista não somente diz que se alegra, mas que se alegrou. Durante anos, tinha sido sua alegria e bênção dedicar a sua alma ao ensinamento da palavra. A sua alegria não somente surgiu da palavra de Deus, mas das características práticas dela. O Caminho era tão precioso para ele como o eram a Verdade e a Vida. Davi não era indeciso, ou se realmente fizesse uma escolha, era a mais prática.

"Do que com todas as riquezas". Ele comparou a sua intensa satisfação com a vontade de Deus com a de um homem que possui grandes e variadas propriedades e um coração adequado para desfrutar delas. Davi conhecia as riquezas que vêm da soberania, e que crescem da conquista; ele valorizava a riqueza que vem do esforço, ou que é conseguida por herança: ele conhecia "todas as riquezas". O rei gracioso teria ficado feliz, por ver o ouro e a prata derramados nos seus tesouros, para que pudesse dedicar grandes quantidades deles à edificação do Templo do Senhor,

sobre o monte Sião. Ele se alegrava com todos os tipos de riquezas consagradas e acumuladas para os mais nobres usos, e ainda assim o caminho da palavra de Deus lhe tinha dado mais prazer do que estes. Observe que a sua alegria era pessoal, distinta, relembrada e abundante. Não se admire pelo fato de que, no versículo anterior, ele se gloria de ter falado tanto daquilo que tanto tinha desfrutado – um homem pode falar daquilo que é o seu prazer.

15. *"Em teus preceitos meditarei."* Aquele que tem um prazer interior em alguma coisa não afastará por muito tempo a sua mente de tal coisa. Assim como o avarento retorna, para examinar o seu tesouro, também o crente fiel, pela frequente meditação, retorna à riqueza inestimável que descobriu no livro do Senhor. Para alguns homens, a meditação é uma tarefa; para o homem de caminho purificado, é uma alegria. Aquele que meditou, irá meditar; aquele que diz, "folgo" é o mesmo que acrescenta "meditarei". Nenhum exercício espiritual é mais benéfico para a alma do que o da meditação devota; por que muitos de nós somos tão excessivamente relaxados nela? É digno de nota o fato de que a parte educadora da palavra de Deus era o assunto especial da meditação de Davi, e era mais natural, porque ainda estava em sua mente a pergunta sobre como um jovem poderia purificar o seu caminho. A piedade prática é a piedade vital.

"E olharei para os teus caminhos", o que quer dizer, pensarei muito sobre eles, a ponto de saber como são os teus caminhos; e, em seguida, pensarei muito neles, de modo a ter os teus caminhos em grande reverência e alta estima. Verei o que os teus caminhos são, para mim, para que possa estar cheio de reverência, gratidão e amor; e então observarei quais são os caminhos que tu prescreveste para mim, os teus caminhos, em que desejas que eu te siga; a estes olharei cuidadosamente, para que possa me tornar obediente e provar que sou um servo fiel de tal Mestre.

Observe como os versículos ficam cada vez mais *interiores* à medida que prosseguimos; das palavras do versículo 13, nós avançamos à alegria manifesta do versículo 14, e agora à meditação secreta do espírito feliz. As graças mais ricas são aquelas que estão mais profundas em nosso interior.

16. *"Alegrar-me-ei nos teus estatutos."* Neste versículo, a alegria segue a meditação, da qual é a verdadeira flor e resultado. Quando não temos outro consolo, mas estamos praticamente sozinhos, será uma alegria para o coração, voltar-se para si mesmo e sussurrar, docemente, "Alegrar-me-ei. Se nenhum outro menestrel cantar, eu me alegrarei. Se a época do canto dos pássaros ainda não chegou, e a voz da rola não é ouvida em nossa terra, ainda assim me alegrarei". Esta é a mais nobre e a melhor das alegrias; na verdade, é a parte boa, que jamais pode ser removida de nós; mas não há alegria com nada abaixo daquilo que Deus pretendeu que fosse a satisfação eterna da alma. O livro de estatutos se destina a ser a alegria de cada súdito leal. Quando o crente examina as páginas sagradas, a sua alma arde dentro dele, à medida que ele examina, uma e outra das palavras reais do grande Rei, palavras plenas e firmes, imutáveis e divinas.

"Não me esquecerei da tua palavra." Os homens não se esquecem facilmente do que acumularam, daquilo em que meditaram (v. 15), e de que frequentemente falaram (v. 13). Mas como nós temos memórias traiçoeiras, é bom prendê-las bem, com o nó de "não me esquecerei".

Observe como dois "futuros" se seguem a dois "passados". Nós não podemos prometer para o futuro, se já falhamos completamente no passado; mas onde a graça nos capacitou a realizar alguma coisa, nós podemos, esperançosamente, esperar que nos capacite a realizar ainda mais.

É curioso observar como este versículo se baseia no versículo 8; as mudanças ocorrem nas mesmas palavras, mas o significado é bastante diferente, e não há suspeita de uma vã repetição. Nenhum pensamento é repetido com exatidão neste salmo; são tolos os que pensam assim. Alguma coisa na posição de cada versículo afeta o seu significado, de modo que, até mesmo onde as palavras são praticamente idênticas às de outro versículo, o significado é maravilhosamente variado. Se não percebermos uma infinita variedade de cores de pensamento neste salmo, podemos concluir que somos daltônicos; se não ouvirmos muitas doces harmonias, podemos considerar nossos ouvidos lentos, mas não podemos suspeitar que o Espírito de Deus seja monótono.

NOTAS SOBRE OS VERSÍCULOS 9 A 16

Os oito versículos arranjados alfabeticamente (no texto em inglês):

9. **B**y what means shall a young man cleanse his way? By taking heed thereto according to thy word.
10. **B**y day and by night have I sought thee with my whole heart: O let me not wander from thy commandments.
11. **B**y thy grace I have hid thy word in my heart, that I might not sin against thee.
12. **B**lessed art thou, O Lord: teach me thy statutes.
13. **B**y the words of my lips will I declare all the judgments of thy mouth.
14. **B**y far more than in all riches I have rejoiced in the way of thy testimonies.
15. **B**y thy help I will meditate in thy precepts, and have respect unto thy ways.
16. **B**y thy grace I will delight myself in thy statutes: I will not forget thy word.

– *Theodore Kübler*

Os oito versículos arranjados alfabeticamente (no texto em inglês):

9 Como purificará o jovem o seu caminho? Observando-o conforme a tua palavra.
10 De todo o meu coração te busquei; não me deixes desviar dos teus mandamentos.
11 Escondi a tua palavra no meu coração, para eu não pecar contra ti.
12 Bendito és tu, ó Senhor! Ensina-me os teus estatutos.
13 Com os meus lábios declarei todos os juízos da tua boca.
14 Folgo mais com o caminho dos teus testemunhos do que com todas as riquezas.
15 Em teus preceitos meditarei e olharei para os teus caminhos.
16 Alegrar-me-ei nos teus estatutos; não me esquecerei da tua palavra.

Os oito versículos, 9-16. Cada versículo nesta seção começa com ב, *uma casa.* O tema da seção é, A Lei do Senhor purificando a Vida. Palavra-chave, זָכָה (*zākâ*), *ser puro*, tornar puro, purificar. – *F. G. Marchant*

v. 9: Todo o versículo. Nesta passagem, há,

(1) Uma pergunta.

(2) Uma resposta. Na pergunta, há a pessoa mencionada, *"o jovem"*, e a sua obra, *"Como purificará o jovem o seu caminho?"* Nesta pergunta, se supõem diversas coisas.

1. Que nós somos, desde o nascimento, contaminados pelo pecado; pois devemos ser purificados. Não é *orientar* "o seu caminho", mas "purificar o seu caminho".

2. Que nós perceberíamos, desde cedo, este mal; pois a pergunta é proposta a respeito do jovem.

3. Que nós deveríamos buscar um remédio fervorosamente, para podermos drenar completamente o pecado que flui em nós. Tudo isto pode ser suposto.

Aquilo que é buscado, que remédio há contra ele? Que cursos devem ser tomados? A essência da pergunta é esta: Como o homem que é impuro, e naturalmente contaminado pelo pecado, será capaz, tão logo venha a usar a razão, de purificar aquela corrupção natural, e viver uma vida santa e pura para Deus? A resposta é dada: *"Observando-o conforme a tua palavra"*. Aqui duas coisas devem ser observadas:

1. O remédio.
2. A maneira como é aplicado e utilizado.

1. O remédio é a palavra de Deus, que é chamada de *"tua palavra"*. Se Deus não tivesse dado instruções sobre ela, nós estaríamos completamente confusos.

2. A maneira como é aplicada e usada, *"Observando-o conforme a tua palavra"*, etc.; estudando e nos esforçando, em santa conformidade com a vontade de Deus. – *Thomas Manton*

v. 9: "Como purificará o jovem o seu caminho?", etc. Aristóteles, o grande ditador em filosofia, perdeu a esperança de conseguir algo tão grande como tornar um jovem capaz de suas ηθικα ακροαματα, "suas graves e severas palestras sobre moralidade", pois esta idade é superficial e tola, além de teimosa e intratável. Agora, tome um jovem, com o sangue acalorado, na maior fermentação de seus desejos de juventude; e, com todas estas desvantagens, permita que ele entre na grande escola do Espírito Santo, das divinas Escrituras, e se comprometa com a conduta destes benditos oráculos; e ele ficará eficazmente convencido, pela sua própria experiência, da incrível virtude, do vasto e incrível poder, da palavra de Deus, no sucesso que ela tem sobre ele, e nos seus progressos diários na sabedoria celestial. – *John Gibbon (aprox. 1660), "The Morning Exercises"*

v. 9: "O jovem". Um lugar proeminente – uma das vinte e duas partes – é atribuído ao jovem, no salmo 119. É adequado que seja assim. A juventude é a época da impressão e do aprimoramento, os jovens são os futuros suportes da sociedade, e o temor do Senhor, que é o princípio da sabedoria, deve se iniciar na juventude. A força, as aspirações, as expectativas equivocadas da juventude, requisitam o mundo; oh, que possam ser consagrados a Deus. – *John Stephen, "The Utterances of the cxix Psalm", 1861*

v. 9: Para *"jovem"*, no texto em hebraico, a palavra é נַעַר (*na'ar*), *isto é, "retirado"*, ou seja, do cuidado mais terno de seus pais. Segundo Mercero e Savalério. Em segundo lugar, *naar* pode ser traduzido *"retirando"*, isto é, o jugo, pois um jovem começa a retirar de si o jugo material, e frequentemente, paterno. – *Thomas Le Blanc*

v. 9: "Purificará o seu caminho". A expressão não traduz, absolutamente, a impressão de que o jovem está em um caminho corrupto e vergonhoso, que exige purificação, ainda que isto seja verdade, sobre todos os homens, originalmente (Is 53.6). O que se segue, dá a entender que este não poderia ser o caso com este jovem. A própria pergunta mostra que o seu coração não está em um estado corrupto. O desejo está presente, e é preciso orientação. A pergunta é: Como um jovem poderá trilhar um caminho puro – uma linha pura de conduta – em meio a este mundo corrupto? É uma pergunta, eu não duvido, de grande ansiedade, para cada convertido, cuja mente esteja desperta para uma sensação de pecado – como ele se conservará limpo do pecado, como evitará a companhia descuidada e se livrará das práticas e prazeres ímpios deste mundo escravizante? E enquanto ele avança, na linha da integridade – muitas tentações vindo em seu caminho, e muitas corrupções interiores se somando para controlá-lo – com que frequência a mesma pergunta ansiosa surge (Rm 7.24)? É somente em uma falsa estimativa da própria força que um indivíduo pode pensar de outra maneira, e o espírito desta falsa estimativa será reduzido. Como se sentiram vocês, meus jovens amigos, que foram trazidos a Cristo, no dia em que decidiram ser seus? Mas para toda esta ansiedade, parece haver uma resposta no texto.

"Observando-o conforme a tua palavra." Não é que os jovens, nos nossos dias, exijam informação; eles exigem a inclinação. Nos jovens graciosos há ambas as coisas, e a palavra que começava alimentava os motivos apropriados. As terríveis ameaças e os doces encorajamentos o levam na direção correta. A resposta fornecida a esta ansiosa pergunta é suficiente clara e prática. Ele é dirigido para a palavra de Deus, para encontrar orientação, e, podemos dizer, toda a ajuda prometida. Mas o assunto, apresentado sob esta luz, não me parece destacar toda a importância da passagem. A pergunta, para mim, parece se estender pelo versículo todo[****]. Aqui se exige a purificação, para que o seu caminho esteja de acordo com a Palavra divina. A pergunta é da mais ampla compreensão, e será formulada somente por alguém que possa dizer que esteve honestamente no caminho, como o jovem dos versículos 10 a 11; e pode ser respondida somente pelo coração que entende toda a força propiciada pelo Deus bendito, como está expresso aqui, no versículo 12. O salmista faz a pergunta, mostra com que fervor tinha procurado estar no caminho correto, e imediatamente encontra toda a sua força em Deus. Assim ele declara como tinha sido capacitado a agir corretamente, e como agirá corretamente no futuro. – *John Stephen*

v. 9: Em lugar de uma pergunta e uma resposta, ambas neste único versículo, o texto em hebraico exige a construção somente com a pergunta, deixando a resposta para ser deduzida da tendência do salmo todo. – Assim: *"Como purificará o jovem o seu caminho?"* Esta tradução contém exatamente a força da última sentença. A pontuação, em hebraico, não contém o ponto de interrogação, de modo que não temos outra pista, exceto a forma da sentença, e o sentido, pelo qual decidimos onde termina a pergunta. – *Henry Cowles, 1872*

v. 9: "O seu caminho". אֹרַח (*'ōraḥ*), que nós traduzimos como *caminho* aqui, significa *trilha*, um *sulco*, como o que é feito pela roda de uma carruagem. Um *jovem pecador* não tem um caminho amplo; ele tem seus *caminhos particulares* de transgressões, suas *corrupções secretas*; e como ele será purificado delas? como poderá ser salvo daquilo que irá destruir mente, corpo e alma? Que ele ouça o que vem a seguir; a descrição é de Deus.

1. Ele deve *considerar* que o seu caminho é *impuro*; e quão abominável isto deve tê-lo feito parecer aos olhos de Deus.

2. Ele deve examiná-lo *conforme a palavra de Deus* e cuidadosamente ouvir o que Deus disse, a respeito *dele* e *ela*.

3. Ele deve *observar* o caminho, לִשְׁמֹר (*lishmōr*), *guardar*, e *preservar o seu caminho* – o seu curso de vida, de toda a corrupção. – *Adam Clarke*

v. 9: "Observando-o", etc. Eu penso que as palavras podem ser mais bem traduzidas da seguinte maneira: *Observando* o que está *conforme a tua palavra*; o que mostra como um pecador deve ser purificado dos seus pecados pelo sangue de Cristo, e justificado pela sua justiça e ser purificado por intermédio da sua palavra; e também como, e por quem, a obra da santificação é realizada no coração, pelo Espírito de Deus, por meio da palavra, e qual é a norma para o andar e o modo de vida de um homem; ele descobrirá que a palavra de Deus é benéfica, para informar sobre as doutrinas da justificação e do perdão, para familiarizá-lo com a natureza da regeneração e da santificação; e para a correção da sua vida e dos seus modos, e para a sua instrução, em todo o tipo de comportamento (2 Tm 3.16). – *John Gill, 1697-1771*

v. 9: "Observando". Há uma necessidade especial deste *"observando"*, por causa da tendência de um jovem à negligência, descuido, presunção, e auto-confiança. Há uma necessidade especial para *observar*, por causa da dificuldade do caminho. "Olhe bem por onde anda", é um caminho estreito. "Olhe bem por onde anda", é um caminho novo. "Olhe bem por onde anda", é um caminho escorregadio. "Olhe bem por onde anda", é um caminho movimentado. – *James Harrington Evans, 1785-1849*

v. 9: "Conforme a tua palavra". A palavra de Deus é o espelho que revela toda a deformação espiritual, e também a água e o sabão que a lavam. – *Paulo Bayne*

v. 9: "Conforme a tua palavra". Eu não digo que não há outros guias, outros limites. Eu não digo que a consciência não valha nada, e a consciência na juventude seja especialmente terna e sensível; eu não digo que a oração não seja uma cerca limitante valiosa, mas a oração, sem observação, é apenas outro nome

* Esta opinião é confirmada a seguir, pela citação de Cowles:

para presunção; a oração e a negligência jamais podem andar juntas; portanto, eu digo que não há limite nem proteção que possa afastar tão eficazmente cada inimigo, como a leitura da palavra de Deus, junto com a oração, trazendo cada solicitação do mundo ou dos companheiros, cada sugestão dos nossos próprios corações e paixões, para o teste da palavra de Deus: O que a Bíblia diz? A resposta da Bíblia, com o ensinamento e o esclarecimento do Espírito Santo, será, em todas as complicações da nossa estrada, uma lâmpada para os nossos pés, e uma luz para o nosso caminho. – *Barton Bouchier*

v. 9: "A tua palavra". A palavra é a única arma (como a espada de Golias, não há outra semelhante), para cortar e extirpar este teimoso inimigo, os ossos desejos. A palavra de Deus pode controlar os nossos desejos, quando eles estão mais exacerbados; quando a luxúria fica algumas vezes mais acalorada do que outras, o nosso sangue juvenil ferve em nossas veias. A juventude é irrefletida, e a sua luxúria é ardente e impetuosa; o seu sol se eleva ainda mais, e ele pensa que falta muito tempo até a noite; de modo que deve ser um braço forte o que tira das suas luxúrias o jovem que está com o paladar em melhor condição para provar dos prazeres dos sentidos. O vigor da sua força lhe permite desfrutar mais das delícias da carne do que a velhice deficiente pode esperar, e está mais distante do temor do disparo da morte, como pensa, do que os senhores mais velhos, que já estão à beira da sepultura, e trazem consigo o cheiro da terra em que repentinamente poderão estar. Que a palavra de Deus encontre este jovem em toda a sua coragem, com o seu banquete de delícias dos sentidos diante de si, e apenas sussurre algumas poucas palavras ao seu ouvido, dê à sua consciência apenas um toque com a ponta da sua espada, e isto o fará fugir apressadamente de todas as delícias, como os moços de Absalão fugiram do banquete, quando viram Amnom, seu irmão, morto à mesa. Quando Davi deseja dar ao jovem uma receita que o cure de suas luxúrias, mostrando como ele pode purificar o seu caminho, ele só lhe pede que se lave nas águas da palavra de Deus. – *William Gurnall*

v. 9: As Escrituras nos ensinam a melhor maneira de viver, a maneira mais nobre de sofrer, e a maneira mais consoladora de morrer. – *John Flavel, 1627-1691*

v. 10: "De todo o meu coração te busquei". Há muito poucos de nós capazes de dizer, com o profeta Davi, que buscamos a Deus com todo o nosso coração; isto é, com tal integridade e pureza que não nos afastamos daquela marca que é o ponto principal da nossa salvação. – *João Calvino*

v. 10: "De todo o meu coração te busquei". A sinceridade está em cada expressão; o coração *está* aberto diante de Deus. O jovem pode falar àquele que sonda os corações... Devemos considerar a sinceridade deste tipo de relacionamento direto com Deus. É necessário procurarmos usar as expressões mais adequadas ao nos aproximarmos de Deus. Nós dizemos: De todo o meu coração te busquei. Nós temos medo de ser diretos... veja quão decidido é este jovem à sua frente, em suas atitudes conscientes, quão aberto e confiante, e esta, você verá, é a característica da sua mente piedosa, através das variadas expressões que há neste salmo. Consequentemente, ele declara, ao Onisciente, que o tinha buscado com todo o seu coração. Ele desejava perceber a preciosa presença de Deus em tudo. – *John Stephen*

v. 10 (primeira parte): Somente Deus vê o coração; somente o coração vê Deus. – *John Donne, 1573-1631*

v. 10: "Não me deixes desviar dos teus mandamentos". Depois de ter declarado que buscava a Deus com todo o seu coração, Davi suplicou a Deus que não permitisse que ele rejeitasse os seus mandamentos. Assim, devemos ver a grande necessidade que temos de invocar a Deus, de modo que Ele possa nos sustentar com uma mão forte e poderosa. Sim, e embora Ele já tivesse poderosamente exibido a sua mão auxiliadora, e nós também saibamos que Ele nos concedeu graças grandes e manifestas, ainda assim, isto não é tudo, pois há tantos erros e imperfeições na nossa natureza, e nós somos *tão* frágeis e fracos, que temos grande necessidade de orar a Ele diariamente, e cada vez mais, de modo que Ele não permita que nós rejeitemos os seus mandamentos. – *João Calvino*

v. 10: Quanto mais experiência o homem tem, nos caminhos de Deus, mais sensível ele é, da sua própria disposição em se desviar insensivelmente, por ignorância e imprudência, dos caminhos de Deus; mas o jovem soldado ousa correr riscos, invadir o campo do seu adversário e falar com a tentação, confiante de que não irá errar; ele não demonstra tanto temor quanto Davi, que clama, *"não me deixes desviar"*. – *David Dickson, 1583-1662*

v. 11: "Escondi a tua palavra no meu coração, para eu não pecar contra ti". Ali, guardada no coração, a palavra surte efeito. Quando os jovens apenas leem o que está escrito no Livro, a palavra de promessa e instrução é muito destituída da sua força. E o acúmulo dela na mera memória também não terá utilidade. A palavra deve ser conhecida e valorizada, e guardada no coração; ela deve ocupar os sentimentos, assim como o entendimento; toda a mente precisa estar impregnada com a palavra de Deus. As coisas reveladas precisam ser vistas. Então a palavra de Deus no coração – as ameaças, as promessas, as excelências da palavra de Deus – e o próprio Deus, sendo percebidos, trariam ao jovem o fortalecimento interior; tendo o entendimento esclarecido e a consciência despertada, ele não pecaria contra o seu Deus. – *John Stephen*

v. 11: "Escondi a tua palavra no meu coração, para eu não pecar contra ti". Assim como a palavra do Rei está presente no coração, *há* "poder" contra o pecado (Ec 8.4). Devemos usar mais este meio de poder absoluto, e assim teremos mais vida e mais santidade. – *Frances Ridley Havergal, 1836-1879*

v. 11: "Escondi a tua palavra no meu coração". É adequado que a palavra, sendo "mais desejável do que o ouro, sim, do que muito ouro fino", uma pérola inigualável, não deva ser acumulada somente na entrada – o ouvido exterior; mas no interior da mente. – *Dean Boys, citado por James Ford*

v. 11: "Escondi a tua palavra no meu coração". Há uma grande diferença entre os cristãos e os ímpios. O ímpio tem o seu tesouro em joias, fora de si; o cristão as tem dentro de si. Na verdade, não existe nenhum receptáculo onde receber e armazenar a palavra da consolação, exceto no coração. Se você a tiver apenas na sua boca, ela será tirada de você; se você a tiver no seu livro apenas, você sentirá falta dela quando mais precisar dela; mas se você a tiver no coração, como Maria fez com as palavras do anjo, nenhum inimigo jamais será capaz de tirá-la de você, e você descobrirá que ela é um tesouro consolador, no momento da sua necessidade. – *William Cowper*

v. 11: "Escondi a tua palavra no meu coração". Esta palavra, *esconder*, indica que Davi não procurava ser ambicioso para se destacar e se exibir gloriosamente diante dos homens, mas que ele tinha Deus por testemunha daquele desejo secreto que havia dentro de si. Ele jamais confiou nas criaturas terrenas; mas, satisfeito por ter tão grande tesouro, ele sabia, muito bem, que Deus, que lhe tinha dado este tesouro, certamente o guardaria, de modo que não ficasse exposto a Satanás, para ser tirado. O apóstolo Paulo também nos declara (1 Tm 1.19) que o peito em que este tesouro deve ser escondido é uma boa consciência. Pois está escrito que muitos, que não têm esta boa consciência, perderam também a sua fé, e foram roubados deste tesouro. Como se um homem abandonasse os seus bens, e os arriscasse, sem fechar a porta, seria fácil que os ladrões entrassem e roubassem e o privassem de tudo; ainda assim, se nós deixarmos a esmo, para Satanás, os tesouros que Deus nos deu na sua palavra, sem escondê-los nesta boa consciência, e no fundo do nosso coração, como aqui diz Davi, nós seremos privados deles. – *João Calvino*

v. 11: "Escondi a tua palavra no meu coração". – Lembrada nele, aprovada nele, aproveitada nele. – *William Nicholson (-1671), "David's Harp Strung and Tuned"*

v. 11: "A tua palavra". *"As tuas palavras"* (ARA), o teu oráculo; qualquer comunicação de Deus para a alma, seja promessa, ou mandamento, ou resposta. Significa uma mensagem direta e distinta, ao passo que "palavra" é mais geral, e se aplica a toda a revelação. Esta é a nona das dez palavras, que se referem à revelação de Deus, neste salmo. – *James G. Murphy, 1875*

v. 11: "No meu coração". Bernard observa, o pão no armário pode ser comido por ratos, ou mofar e estragar; mas quando ele é ingerido pelo corpo, ele está livre de tais perigos. Se Deus capacitar você, a guardar no seu coração o seu alimento para a alma, ele estará livre de todos os perigos. – *George Swinnock, 1627-1673*

v. 11: "Para eu não pecar contra ti". Esta é uma das muitas virtudes excelentes da palavra de Deus; se nós a conservarmos em nosso coração, ela nos protegerá do pecado, que é contra Deus e contra nós mesmos. Nós podemos perceber, por experiência, que quando a palavra é roubada da mente do homem, a sua lembrança também se vai, e ela passa a não fazer mais parte dos seus sentimentos; de modo que a reverência a ela desaparece, antes que o homem possa ser levado a cometer o pecado. Enquanto Eva conservou, pela fé, a palavra do Senhor, ela resistiu a Satanás; mas a partir do instante em que duvidou da palavra do Senhor, do que Deus lhe havia assegurado através da sua palavra, Eva imediatamente caiu na armadilha. – *William Cowper*

v. 12: "Bendito és tu, ó Senhor! Ensina-me os teus estatutos". Este versículo contém uma oração, e a razão para a oração. A oração é, *"Ensina-me os teus estatutos";* a razão, que o leva a pedir isto, surge de uma consideração do bem infinito que há em Deus. Ele é um Deus bendito, a fonte de toda felicidade, e sem Ele não pode haver felicidade nem bem-estar para a criatura. E por este motivo, Davi deseja fervorosamente estar em comunhão com Deus, e sabe que ninguém pode obter isto, a menos que seja ensinado por Deus, a conhecer o caminho de Deus e a andar nele; por isto, em minha opinião, ele ora ainda mais fervorosamente do que o Senhor lhe ensinaria em seus estatutos. Oh, se nós também pudéssemos, tão sabiamente, considerar isto, que a nossa felicidade está na comunhão com Deus. – *William Cowper*

v. 12: Neste versículo temos duas coisas:

1. Um reconhecimento da bem-aventurança de Deus, *"Bendito és tu, ó Senhor"*; isto é, Ele possui toda a plenitude. Tens uma infinita complacência no desfrute de ti mesmo; és aquele em cujo desfrute eu posso ser bem-aventurado e feliz; e estás disposto e pronto a permitir que eu desfrute a tua plenitude, de modo que és a fonte de toda a bem-aventurança para as tuas criaturas.

2. Uma súplica, "Ensina-me os teus estatutos"; *q.d.*, vendo que és a plenitude em ti mesmo, e que és suficiente para nós como uma grande bênção; certamente, tens o suficiente para mim. Em ti há o suficiente para todo o contentamento, e, portanto, para satisfazer a mim. Isto me encoraja a me dirigir a ti.

Novamente: Ensina-me, para que eu possa saber onde buscar a minha bênção e felicidade, no teu ser bendito; e para que eu possa saber como vir a desfrutar de ti, de modo que possa ser bem-aventurado e abençoado em ti. E ainda mais: Tu és originalmente bendito, a fonte de toda bem-aventurança e bênção; a tua bem-aventurança é uma fonte eterna, uma fonte completa, sempre derramando as mais ricas bênçãos: Ó, permite que eu tenha de ti esta bem-aventurança, esta gota da fonte. – *William Wisheart, "Theologia, or, Discourses of God", 1716*

v. 12: Uma vez que Deus é bendito, não podemos deixar de desejar aprender os seus caminhos. Se virmos qualquer ser terrestre feliz, sentimos um grande desejo de aprender o seu caminho, pensando que, por ele, podemos também ser felizes. Todos navegariam com o vento do homem que prospera; embora, nas coisas terrenas, isto não aconteça sempre, o Deus bendito não pode, de qualquer maneira, trazer outra coisa que não seja a bênção. Assim, aquele que é a própria bênção, estará disposto a comunicar os seus caminhos aos outros: as coisas mais excelentes são aquelas que mais podem ser comunicadas. – *Paul Bayne*

v. 12: "Ensina-me". Davi teve Natã, teve sacerdotes que o instruíssem, ele mesmo era um profeta, mas todo o ensinamento que eles lhe deram não era nada, sem a bênção de Deus, e por isto, ele ora, *"Ensina-me"*. – *William Nicholson*

v. 12: "Ensina-me". Estas palavras transmitem mais do que a simples distribuição de conhecimento, pois ele as disse antes que o tivesse, sim, quando disse que escondeu as palavras de Deus no seu coração; e, no versículo 7, ele disse, *"quando tiver aprendido os teus justos juízos"*. Isto inclui a graça de observar a sua lei. – *Robert Bellarmine, 1542-1621*

v. 12: "Ensina-me". Se isto fosse praticado, para unir o louvor com a audição, de modo que, quando nos oferecêssemos, para sermos ensinados pelos homens, com isto enviássemos orações a Deus, antes de pregar, no momento da pregação, e depois de pregar, logo provaríamos ser mais instruídos e religiosos do que somos. – *William Cowper*

v. 12: "Ensina-me os teus estatutos". Quem ler este salmo com atenção, certamente observará nele uma grande característica, que é o quanto são decisivas as suas declarações, de modo que, no guardar os mandamentos de Deus, nada pode ser feito pela força humana; mas é Ele que deve criar a vontade para a realização de tal tarefa. O salmista suplica que o Senhor abra os seus olhos, para que ele possa contemplar as coisas maravilhosas da lei, que o ensine os seus estatutos, que o remova do caminho da mentira, que incline o seu coração para os seus testemunhos, e não à cobiça, que desvie os seus olhos da contemplação da vaidade, e que não tire a palavra de verdade completamente da sua boca. Cada uma destas súplicas mostra o quão profundamente impressionado ele estava com todo o seu desamparo, quando se considerava, e quão completamente dependente de Deus ele se sentia, para qualquer progresso que pudesse esperar ter, no conhecimento da verdade. Todos os seus estudos da lei divina, todas as suas aspirações de santidade na vida, ele estava seguro de que jamais poderia alcançar, com qualquer dimensão de sucesso, exceto pela graça de Deus, tomando medidas de precaução e cooperando, implantando nele um desejo correto, e agindo como um guia infalível, pois somente assim ele poderia chegar ao sentido apropriado das Santas Escrituras, como também dos princípios corretos de ação, no seu andar diário, diante de Deus e dos homens. – *George Phillips, 1846*

v. 12: "Ensina-me os teus estatutos". Se perguntássemos por que o salmista pede para ser ensinado quando ainda há pouco estava declarando o seu conhecimento, a resposta seria que ele procura a instrução como a operação prática daqueles princípios que aprendeu na teoria. – *Michael Ayguan (1416), em Neale e Littledale*

v. 13: "Com os meus lábios declarei", etc. Acima de tudo, tenha o cuidado de falar aos outros aquilo que você aprende diariamente; e da abundância do seu coração, fale das boas coisas aos homens. – *Richard Greenham*

v. 13: Tendo escondido a palavra purificadora no seu coração, o salmista agora *a declarará com os seus lábios;* e como ela é completamente pura, ele a declarará, integralmente, sem exceção. Quando a fonte do coração estiver purificada, as correntezas dos lábios também estarão purificadas. Os lábios do salmista, que declaram, são aqui inseridos em antítese à boca do Senhor, pela qual os juízos foram originalmente proferidos. – *F. G. Marchant*

v. 13: Assim como a consciência de ter comunicado o nosso conhecimento e os nossos dons espirituais é um meio de encorajamento para buscar uma medida maior, também é uma evidência da sinceridade e da fertilidade do conhecimento que temos: "*Ensina-me os teus estatutos. Com os meus lábios declarei todos os juízos da tua boca*". – *David Dickson*

v. 13: "Com os meus lábios", etc. A língua é um membro excelente do corpo, sendo bem usada para a glória de Deus e a edificação dos outros; mas ela não produz nada, sem a ajuda dos lábios. O Senhor criou o corpo do homem com tão maravilhosa sabedoria, que nenhum membro deste corpo pode dizer a outro, Não tenho necessidade de ti; mas tal é a estupidez do homem, que ele não observa o quanto lhe é útil o menor membro do corpo, até que lhe seja tirado. Se os nossos lábios ficassem fechados por algum tempo, e a nossa língua, consequentemente, encerrada, nós consideraríamos uma grande misericórdia tê-los soltos novamente; como o aleijado, que quando descobriu que poderia usar os seus pés, saltou de alegria e glorificou a Deus. – *William Cowper*

v. 13: "Declarei todos os juízos da tua boca". Ele diz, em outra passagem: "Os teus juízos são um grande abismo" (Sl 36.6). Como diz o apóstolo: "Ó profundidade das riquezas, tanto da sabedoria, como da ciência de Deus! Quão insondáveis são os seus juízos, e quão inescrutáveis, os seus caminhos! Porque quem compreendeu o intento do Senhor?" (Rm 11.33,34). Se os juízos são insondáveis, como, então, diz o profeta: "Declarei todos os juízos da sua boca"? Nós respondemos: Por casualidade, há juízos de Deus que não são os juízos da sua boca, mas do seu coração e da sua mão.

Nós fazemos uma distinção, pois não tememos que as sagradas Escrituras se enfraqueçam, com contradições. Não está escrito, Os juízos da tua boca são um grande abismo; mas *"os teus juízos"*. Nem disse o apóstolo, Quão insondáveis são os juízos da sua boca, mas *"Quão insondáveis são os seus juízos"*. Nós podemos considerar, então, os juízos de Deus, como aqueles juízos ocultos, que Ele não nos revelou; mas os juízos da sua boca, aqueles que Ele deu a conhecer, e pronunciou, pela boca dos profetas. – *Ambrósio, 340-397*

v. 14: "Folgo mais com o caminho dos teus testemunhos", etc. O salmista não diz apenas, "Folgo nos teus testemunhos", mas "no *caminho* dos teus testemunhos". "Caminho" é uma das palavras pelas quais se expressa a lei. As leis de Deus são caminhos que nos conduzem a Deus; e assim também pode ser a interpretação aqui, "o caminho que os teus testemunhos indicam, e ao qual me chamam"; ou a sua própria prática, pois o curso de um homem é chamado de seu caminho; o seu prazer não estava na especulação ou na conversa, mas na obediência e na prática: *"o caminho dos teus testemunhos"*. Ele nos conta o grau da sua alegria, *"[mais] do que com todas as riquezas"*; "mais", não para mostrar a igualdade destas coisas, como se devêssemos ter o mesmo afeto pelo mundo, quanto pela palavra de Deus; mas "mais", porque não temos nenhuma comparação mais elevada. Isto é aquilo em que os mundanos se alegram; como eles se alegram nas possessões terrenas, também eu me alegro no caminho dos teus testemunhos. Pois eu suponho que Davi não compara a sua própria alegria na riqueza, mas a sua própria escolha e o seu deleite, com o deleite e a escolha dos outros. Se ele tivesse falado de si mesmo, tanto em um aspecto como no outro, a expressão seria muito elevada. Davi, que foi chamado para uma coroa, tendo capacidade de desfrutar muito do mundo, ouro, prata, terra, bens, grandeza de território, e uma composição de tudo o que todos os homens possuem, em conjunto e em separado, estava, apesar disto, mais satisfeito na santidade dos caminhos de Deus, do que em todo o mundo: "Pois que aproveitaria ao homem ganhar todo o mundo e perder a sua alma?" (Mc 8.36). – *Thomas Manton*

v. 14: "O caminho dos teus testemunhos". O testemunho de Deus é a sua palavra, pois testifica a sua vontade; o *"caminho"* do seu testemunho é a prática da sua palavra, e o fazer daquilo que Ele declarou ser a sua vontade, e em que prometeu nos mostrar o seu amor. Davi não encontrou esta doçura somente ao ouvir, ler e professar a palavra, mas ao praticá-la; e em cada obra, a única causa por que não encontramos a consolação que está na palavra de Deus é o fato de que a praticamos, mas não andamos no seu caminho. É verdade, a princípio amargo para a natureza que ama liberdade carnal, considerar-se cativo deste mundo; *laboriosa virtutis via,* e muitos esforços devem ser feitos antes que o coração seja subjugado; mas, uma vez iniciado, isto resulta em tanta alegria que recompensa abundantemente todo o esforço e a tristeza anteriores. – *William Cowper*

v. 14: As riquezas são adquiridas com dificuldade, desfrutadas com temor, e perdidas com amargura. – *Bernard 1091-1157*

v. 14: Uma mulher, boa e pobre, disse, em tempos de perseguição, quando as Bíblias dos cristãos lhes foram tiradas: "Eu não posso me separar da minha Bíblia; eu não sei viver sem ela". Quando uma alma piedosa acaba de ouvir um sermão proveitoso, diz, "Eu creio que ele me fez bem, para o coração; é o maior sustento que eu tenho"; *"Folgo mais com o caminho dos teus testemunhos, do que com todas as riquezas".* – *Oliver Heywood, 1629-1702*

v. 15: "Em teus preceitos meditarei", etc. Todo o tempo, Davi vinha mostrando o que *tinha* feito; agora, o que ele *irá* fazer. Versículo 10, "busquei"; versículo 11, "escondi"; versículo 12, "declarei"; versículo 14, "folgo". Agora, nos dois versículos seguintes, ele se dedica a mostrar o que deseja fazer em relação ao Senhor seu Deus, no futuro. *"Em teus preceitos meditarei"*, etc. Nós não nos baseamos em nada que já foi feito ou aconteceu, mas continuamos com a mesma diligência, até o *fim.* Aqui está a sincera resolução e o propósito de Davi, de prosseguir no futuro. Muitos dirão, Assim eu fiz, quando era jovem, ou tinha mais tempo livre e descanso, sobre isto, eu meditei. Você deve permanecer, ainda, em um curso santo. Começar a edificar, e deixar a obra inacabada, é um argumento tolo. – *Thomas Manton*

v. 15: "Em teus preceitos meditarei". Não apenas *sobre* os teus preceitos, ou a respeito deles, mas *em* teus preceitos, enquanto estiver engajado em cumpri-los. – *Joseph Addison Alexander*

v. 15: "Meditarei". Veja este verbo no futuro, repetido outras vezes (vv. 48,78). Na meditação, é difícil (pelo menos, algumas vezes) desligar nossos pensamentos de seu envolvimento anterior com outros assuntos, e aplicá-los ao dever. Mas é ainda mais difícil ficar devidamente sério, nesta atitude; e mais difícil ainda é mergulhar e ponderar. O mais difícil é permanecer em uma morada de pensamentos, e habitar aí durante um período suficiente de tempo, e investigar para fazer revisões, reagir aos mesmos pensamentos, provar repetidamente as coisas, quando o frescor e a novidade se acabaram, quando, depois de pensar muito tempo, as coisas diante de nós parecem velhas. Estaremos fadados ao fracasso em alguma atividade, a menos que nos dediquemos e nos encorajemos frequentemente nela. É difícil prosseguir e sustentar os nossos empreendimentos, a menos que mantenhamos um olhar vigilante, um interesse acalorado, uma forte e rápida resolução repetida. É necessário elevarmos as nossas almas a Cristo com frequência, para que possamos receber novas forças que nos ajudem a vencer. Davi, este homem tão excelente, diz que *irá meditar,* e frequentemente diz, *"farei isto".* Sem dúvida, ele não apenas disse, "farei isto" antes de dar início a este trabalho árduo, mas, de igual modo, para a continuidade deste serviço, e para impedir que o seu coração enfraquecesse, até que terminasse o seu trabalho. Não é o cavar na mina de ouro, mas o cavar por muito tempo, que faz com que alguém encontre o tesouro e se aproprie dele. Não é o mergulhar no mar, mas o permanecer por muito tempo nele, que faz com que alguém consiga a maior quantidade de pérolas. Estender o fio dourado da meditação até a sua devida extensão, até que os fins espirituais sejam alcançados; esta é uma realização rara e feliz. – *Nathanael Ranew, 1670*

v. 15: "Meditarei". Como o nosso *folgar nos testemunhos* de Deus seria aumentado por uma meditação mais habitual sobre eles! Esta, contudo, é uma decisão que a mente carnal jamais pode ser convencida a tomar, e à qual a mente renovada frequentemente se mostra tristemente relutante devido a alguma depravação remanescente. Mas é uma atitude abençoada, e compensará mil vezes a dificuldade de engajar o coração tão relutante no dever. – *Charles Bridges*

v. 15: A meditação tem uma feliz influência: ela torna sábia a mente, calorosos os sentimentos, gorda e próspera a alma, e muito frutífero o modo de vida. – *Nathanael Ranew*

v. 15: "Em teus preceitos meditarei". Estudarei as Escrituras. Se um homem famoso escrever um livro excelente, oh, como nós desejamos lê-lo! Ou suponhamos que eu lhe dissesse que há, na França ou na Alemanha, um livro que o próprio Deus escreveu, eu tenho certeza de que os homens usariam todo o dinheiro que têm para conseguir este livro. Você o tem ao seu lado; oh, se você o estudasse! Quando o eunuco estava viajando em seu carro, estava estudando os textos do profeta Isaías. Ele não se zangou quando Filipe veio e, como teríamos imaginado, lhe fez uma pergunta ousada: "Entendes tu o que lês?" (At 8.27-30); ele ficou feliz. Um grande lançamento aconteceu para que a lei pudesse ser lida (Dt 31.9-13). É a sabedoria de Deus que nos fala nas Escrituras (Lc 11.49); portanto, independentemente de outras coisas que lhe sejam importantes, estude, verdadeiramente e cuidadosamente, a Bíblia. – *Samuel Jacomb (1629-1659), "The Morning Exercises"*

v. 15: "E olharei". Uma coisa é resultado da outra: *"Meditarei"*; e, então, *"olharei"*. A meditação é para a prática; e, se for apropriada, gerará respeito pelos caminhos de Deus. Nós não meditamos para que possamos estar em contemplação, mas para a obediência: "medita nele [o livro da Lei] dia e noite, para que tenhas cuidado de fazer conforme tudo quanto nele está escrito" (Js 1.8). – *Thomas Manton*

v. 15: "E olharei para os teus caminhos". Como um arqueiro, o seu alvo. – *John Trapp*

v. 15: "Olharei para os teus caminhos". Não é sem um prazer peculiar, quando viajamos, que *contemplamos* os edifícios esplêndidos, os jardins, as fortificações ou as galerias de arte. Mas o que são todas estas visões, em comparação com a *contemplação dos caminhos de Deus*, que Ele mesmo distinguiu para o homem? E que necessidade prática há para que consideremos os caminhos, pois, caso contrário, seremos como um motorista sonolento, que não observa cuidadosamente o caminho e que logo poderá causar danos, a si mesmo e aos seus passageiros. – *Martin Geier*

v. 15: "Os teus caminhos". O segundo ato interior de Davi, a respeito da palavra, é a consideração; onde, observe, com um discurso muito apropriado, ele chama a palavra de Deus de *caminhos* de Deus; parcialmente, porque com ela, Deus se aproxima dos homens, se revela a eles, que, de outra maneira, não poderiam conhecê-lo; pois Ele habita na luz inacessível; e, parcialmente, porque a palavra é o *caminho*, que conduz os homens a Deus. Assim, como, por meio dela Deus desce até os homens, e por meio dela os homens sobem até Deus, e sabem como conseguir acesso a Ele, por isto a sua palavra é chamada de seus *caminhos*. – *William Cowper*

vv. 15 e 16: Os dois últimos versículos desta seção nos apresentam um ato interior triplo da alma de Davi, com relação à palavra de Deus; em primeiro lugar, a meditação; em segundo, a consideração; e, em terceiro, a alegria; cada uma delas procede de outra, e elas se fortalecem, umas às outras, mutuamente. A meditação traz a palavra à mente; a consideração a contempla, e olha detalhadamente para ela, e disto nasce a alegria. O que vem à mente, por melhor que seja, se não for considerado, se vai da mesma maneira como veio, não deixando instrução nem alegria; mas, uma vez apresentado pela meditação, se ponderado com consideração, então gera a alegria, que é a perfeição da piedade, com respeito ao ato interior. – *William Cowper*

v. 16: "Alegrar-me-ei", etc. Ele declarou, anteriormente, que tinha grande alegria nos testemunhos de Deus; agora, ele diz que ainda se alegrará neles. Um homem verdadeiramente piedoso, quanto mais faz o bem, mais deseja, se alegra, e se decide a fazer. Os contemporizadores, ao contrário, que apenas aparentam piedade, e em cujos corações o amor pela piedade não está enraizado, com que rapidez se cansam de fazer o bem! Se tiverem feito algum pequeno dever da religião, descansam, como se estivessem plenamente satisfeitos, e não fosse necessário nenhum outro bem a ser feito por eles. A verdadeira religião é conhecida pela sede e fome de justiça, pela perseverança em fazer o bem, e por um desejo fervoroso de fazer mais.

Mas a isto, ele acrescenta que *não se esquecerá da palavra*. As graças do Espírito se fortalecem, e fortificam umas às outras; observe que a meditação ajuda a consideração. Quem pode considerar aquilo em que não pensa? A consideração, novamente, gera a alegria; e, como você vê aqui, a alegria fortalece a lembrança; como ele se alegra na palavra, ele não a esquecerá; e a lembrança, novamente, renova a meditação. Assim, cada graça do Espírito ajuda as outras, e, ao contrário, uma delas, se negligenciada, opera uma impressionante decadência nas demais. – *William Cowper*

v. 16: "Alegrar-me-ei". Quando a justiça, de uma questão de restrição, passa a ser uma questão de escolha, imediatamente modifica toda a sua natureza, e alcança um estágio moral mais alto do que antes. O mesmo Deus, ao qual é impossível mover, pela autoridade da lei, se move, com a sua inclinação própria e original no caminho da justiça da lei. E assim, nós, na medida em que somos semelhantes a Deus, estamos vivos para as virtudes da mesma lei, já estando completamente mortos para o terror das suas dificuldades. Já não mais estamos sob um mestre, mas a obediência deixa de ser uma questão de imposição para ser uma questão de liberdade. Ela é elevada a uma condição e característica mais elevadas do que antes. Nós não somos obrigados a ela pelo Deus de autoridade, mas atraídos a ela, pela consideração de um coração agora disposto a toda excelência moral e espiritual. – *Thomas Chalmers, 1780-1847*

v. 16: A meditação não deve ser algo monótono, triste e desanimado, não deve ser um carro como os carros dos egípcios, quando suas rodas foram removidas, mas como os carros do povo excelente (Ct 6.12) que corriam velozmente. Assim, oremos – Senhor, na meditação, faz-me como os carros do povo excelente, para que meu correr veloz possa evidenciar a minha alegria na meditação. Davi, com santidade, faz da alegria tal ingrediente ou auxílio, e que às vezes ele chama de exercício de meditação com o nome de *"prazer"* (ARA), falando no versículo anterior sobre esta meditação, *"Em teus preceitos meditarei"*, e no versículo 16, *"Alegrar-me-ei* [*ou, "terei prazer"*] *nos teus estatutos"*; o que é a mesma coisa que meditação, somente com o acréscimo da excelente qualificação que a devida meditação deve ter; o nome de prazer é dado à meditação por causa do seu nobre concomitante – santa alegria e satisfação. – *Nathanael Ranew*

v. 16: "Alegrar-me-ei". A palavra é muito enfática: אֶשְׁתַּעֲשָׁע (*'eshta'ăshā'*), *Eu saltarei de alegria*. – *Adam Clarke*

v. 16: "Não me esquecerei". A alegria evita o esquecimento; a mente se dedica àquilo com que o coração se alegra; e o coração é onde está o tesouro (Mt 6.21). Os homens mundanos que só se dedicam aos seus interesses carnais se esquecem da palavra, porque ela não é a sua alegria. Se alguma coisa nos desagrada, nós ficamos satisfeitos se conseguimos esquecê-la; é algum alívio de um inconveniente, afastar nossos pensamentos dele; mas a satisfação com algo com que nos alegramos é dobrada, quando nós nos lembramos dela e a temos em nossa mente. Na escola, se um aluno, pela sua própria aversão ao aprendizado, ou pela severidade e imprudência do seu mestre, não tem prazer no seu livro tudo o que aprende é logo perdido e esquecido, entra por um ouvido e sai pelo outro; mas a verdadeira arte da lembrança é fazer com que os alunos sintam prazer naquilo que aprendem. Essas instruções que recebemos com doçura, ficam conosco e permanecem em nossas mentes, noite e dia. Assim diz Davi, *"Alegrar-me-ei* [*ou "terei prazer"*] *nos teus estatutos; não me esquecerei da tua palavra"*. – *Thomas Manton*

v. 16: "Esquecerei". Jamais ouvi falar de algum velho cobiçoso que tivesse se esquecido de onde tinha enterrado o seu tesouro. – *Cicero de Senectute*

EXPOSIÇÃO DOS VERSÍCULOS 17 A 24

17 *Faze bem ao teu servo, para que viva e observe a tua palavra.*
18 *Desvenda os meus olhos, para que veja as maravilhas da tua lei.*
19 *Sou peregrino na terra; não escondas de mim os teus mandamentos.*
20 *A minha alma está quebrantada de desejar os teus juízos em todo o tempo.*
21 *Tu repreendeste asperamente os soberbos, amaldiçoados, que se desviam dos teus mandamentos.*
22 *Tira de sobre mim o opróbrio e o desprezo, pois guardei os teus testemunhos.*
23 *Enquanto os príncipes se conluiavam e falavam contra mim, o teu servo meditava nos teus estatutos.*
24 *Também os teus testemunhos são o meu prazer e os meus conselheiros.*

Nesta seção, os juízos do caminho parecem estar manifestos na mente do salmista, e ele ora, consequentemente, pela ajuda que será apropriada para o seu caso. Como nos oito últimos versículos, ele orou, como um jovem recém chegado ao mundo; mas aqui ele suplica, como um servo e peregrino, que cada vez mais percebe ser um estrangeiro em uma nação de inimigos. A sua súplica é somente para Deus, e a sua oração é particularmente direta e pessoal. Ele fala com o Senhor como um homem fala com seu amigo.

17. *"Faze bem ao teu servo."* Ele se alegra em reconhecer o seu dever para com Deus, e considera que estar a serviço do seu Deus é a alegria do seu coração. Pela sua condição, ele faz um apelo, pois um servo tem algum controle sobre o seu senhor; mas neste caso, as palavras do apelo excluem a ideia de reivindicação legal, uma vez que ele procura benignidade, e não recompensa. Que o meu pagamento seja segundo a tua bondade, e não segundo o meu merecimento. Recompensa-me segundo a grandeza da tua liberalidade, e não segundo a pequenez do meu serviço. Os servos do nosso Pai têm pão suficiente, e de sobra, e Ele não deixará que ninguém da sua casa pereça de fome. Se o Senhor nos tratar como trata ao menor dos seus servos, podemos ficar bastante satisfeitos, pois todos os seus servos fiéis são filhos, príncipes de sangue, herdeiros da vida eterna. Davi sentia que as suas grandes necessidades exigiam uma provisão generosa, e que jamais conseguiria obtê-la através dos poucos méritos que possuía; consequentemente, ele deve se atirar na graça de Deus, e procurar as grandes coisas de que precisa na grande bondade do Senhor. Ele implora uma liberalidade de graça, à maneira de alguém que orava. "Ó Senhor, dê-me grande misericórdia, ou nenhuma, pois pouca misericórdia não me servirá".

"Para que viva." Sem abundante misericórdia, ele não poderia viver. É preciso uma grande graça para manter vivo um santo. Até mesmo a vida é uma dádiva de benignidade divina a seres que não eram merecedores, como nós. Somente o Senhor pode nos manter em existência, e é a graça poderosa que nos preserva a vida que perdemos pelo nosso pecado. É correto desejar viver, é adequado orar para viver, é justo atribuir a vida prolongada à benevolência de Deus. A vida espiritual, sem a qual esta vida natural é mera existência, também deve ser buscada na benignidade do Senhor, pois é a mais nobre obra da graça divina, e nela a benignidade de Deus é gloriosamente exibida. Os servos do Senhor não podem servi-lo com suas próprias forças, pois não podem sequer viver, a menos que a sua graça seja abundante para eles.

"E observe a tua palavra." Isto deveria ser a regra, o objetivo e a alegria da nossa vida. Nós não podemos desejar viver e pecar, mas podemos orar para viver e observar a palavra de Deus. Se a nossa existência não for feliz, estaremos em uma condição

terrível. Só vale a pena conservar a vida enquanto pudermos observar a palavra de Deus; na verdade, não há vida, no mais elevado sentido, sem a santidade; a vida, enquanto infringimos a lei, é apenas um nome.

A oração deste versículo nos mostra que é somente por intermédio da benignidade divina ou graça que podemos viver como servos fiéis de Deus, e manifestar obediência aos seus mandamentos. Se tivermos um intenso desejo de servir a Deus, a razão deste desejo será a graça do Senhor em nossa vida. Nós trabalhamos *para* Ele porque Ele trabalha *em* nós. Assim, podemos formar uma corrente dos versículos iniciais dos três primeiros conjuntos de oito versículos deste salmo: o versículo 1 bendiz o homem santo, o versículo 9 pergunta como podemos obter tal santidade, e o versículo 17 identifica esta santidade com a sua fonte secreta, e nos mostra como buscar a bênção. Quanto mais um homem prezar a santidade, e mais ansiosamente a buscar, mais será atraído a Deus, para dele obter ajuda, pois perceberá claramente que a sua própria força é insuficiente, e que não pode sequer viver sem a bondosa ajuda do Senhor seu Deus.

18. *"Desvenda os meus olhos."* Isto é uma parte do bondoso tratamento que ele tinha pedido; nenhuma benignidade é maior do que aquela que beneficia a nossa pessoa, a nossa alma, a nossa mente, e beneficia um órgão tão importante como os olhos. É muito melhor ter os olhos abertos do que ser colocado em meio às mais nobres possibilidades, e permanecer cego à sua beleza.

"Para que veja as maravilhas da tua lei." Alguns homens não percebem nenhuma maravilha no Evangelho, mas Davi se sentia seguro de que havia coisas gloriosas na lei: ele não tinha metade da Bíblia, mas a valorizava mais do que alguns homens valorizam toda a Bíblia. Ele sentia que Deus tinha acumulado grandes benignidades na sua palavra e implora forças para perceber, apreciar, e desfrutar delas. Nós não precisamos que Deus nos dê mais benefícios, mas que nos dê a capacidade de enxergar aquilo que Ele já nos deu.

A oração sugere uma escuridão consciente, um ofuscamento da visão espiritual, uma impotência para remover este defeito, e a plena segurança de que Deus pode removê-lo. Além disto, ela mostra que o autor sabia que havia grandes tesouros na palavra, que ele ainda não tinha visto em sua plenitude, maravilhas que ele ainda não tinha contemplado, mistérios em que ele mal acreditava. As Escrituras são abundantes de maravilhas; a Bíblia é a terra das maravilhas; não apenas ela relata os milagres, mas ela é, por si só, um mundo de milagres. Mas o que são eles, para os olhos fechados? E qual homem pode abrir os seus próprios olhos, uma vez que nasceu cego? O próprio Deus deve trazer a revelação a cada coração. As Escrituras precisam ser abertas, mas não é nem mesmo a metade da abertura de que nossos olhos precisam; o véu não está no livro, mas em nossos corações. Que preceitos perfeitos, que promessas preciosas, que privilégios inestimáveis são negligenciados por nós, porque vagamos entre eles como cegos entre as maravilhas da natureza, e eles são, para nós, como uma paisagem envolta em trevas!

O salmista tinha uma dimensão de percepção espiritual, ou jamais poderia ter sabido que havia coisas maravilhosas a serem vistas, nem teria orado, "desvenda os meus olhos"; mas o que ele tinha visto fazia com que ele ansiasse por uma visão mais ampla e clara. Este anseio provava a autenticidade do que ele possuía, pois é uma característica do verdadeiro conhecimento de Deus que faz com que aquele que o possui tenha sede de conhecimento mais profundo.

A oração de Davi, neste versículo, é uma boa sequência ao versículo 10, que tem uma posição corresponde no seu conjunto de oito versículos; ali está escrito, "não me deixes desviar", e quem é mais propenso a se desviar, do que um cego? e ali, também, o salmista declarou, "de todo o meu coração te busquei", e consequentemente, o desejo de ver o objeto da sua busca. Muito singulares são as intercessões dos ramos da grande árvore deste salmo, que contém muitas maravilhas, em si mesmo, se nossos olhos estiverem abertos para que possamos identificá-las.

19. *"Sou peregrino na terra."* Isto é dito sob forma de súplica. Pelo mandamento divino, os homens devem ser bondosos com os estrangeiros, e o que Deus ordena aos outros, Ele exemplifica em Si mesmo. O salmista era um peregrino, por causa de Deus, caso contrário teria se sentido tão em casa quanto os mundanos; ele não era um estrangeiro para Deus, mas um estrangeiro para o mundo, um homem banido, enquanto estivesse fora do céu. Por isto, ele suplica: *"não escondas de mim os teus mandamentos"*. Se eu não os tiver, o que terei? Uma vez que nada ao meu redor é meu, o que posso fazer, se perder a tua palavra? Uma vez que ninguém à minha volta conhece, ou se interessa em conhecer o caminho para ti, o que farei, se deixar de ver os teus mandamentos, que são a única maneira de poder orientar os meus passos para a terra onde tu habitas? Davi sugere que os mandamentos de Deus eram a sua consolação no seu exílio; eles o faziam lembrar-se de casa, e lhe mostravam o caminho de volta, e por isto ele implorou que eles jamais fossem escondidos dele, pelo fato de que ele era incapaz de compreendê-los ou de obedecer a eles. Se a luz espiritual for retirada, o mandamento está escondido, e disto se queixa um coração piedoso. Para que serviriam os olhos abertos, se o melhor objetivo da visão estivesse escondido dos seus olhos? Enquanto peregrinamos aqui, podemos suportar todos os males desta terra estrangeira, com paciência, se a palavra de Deus estiver aplicada aos nossos corações pelo Espírito de Deus; mas se as coisas celestiais, que constituem a nossa paz, estiverem escondidas dos nossos olhos, estaremos em uma terrível situação – na verdade, estaríamos no mar sem bússola, ou no deserto sem guia, ou em terra de inimigos sem um amigo.

Esta oração complementa "desvenda os meus olhos" e, como aquela pede para ver, esta menospreza a negação da visão, ou seja, o mandamento escondido, e assim, fora do alcance da visão. É bom que nós olhemos para os dois lados da bênção que buscamos, e supliquemos, de todos os pontos de vista. As orações são apropriadas para as pessoas indicadas; como ele é um servo, ele pede olhos abertos para que os seus olhos possam sempre estar voltados para o seu Senhor, como devem estar os olhos de um servo; como um peregrino, ele suplica que não seja estrangeiro no caminho em que deverá caminhar em direção à sua casa. Nos dois casos, a sua dependência é exclusivamente de Deus.

Observe como o terceiro versículo do segundo conjunto (11) tem a mesma palavra-chave que o terceiro versículo deste terceiro conjunto: "Escondi a tua palavra", "Não escondas de mim os teus mandamentos". Isto convida à meditação sobre os significados diferentes, de esconder *em* e de esconder *de*.

20. *"A minha alma está quebrantada de desejar os teus juízos em todo o tempo."* Grande parte da verdadeira santidade está nos desejos. Assim como nós não somos o que seremos, também não somos o que deveríamos ser. Os desejos de santidade do homem piedoso são intensos – eles causam um cansaço no coração, uma tensão na mente, até que ele pareça estar preparado para os deleites celestiais. A grande apreciação dos mandamentos do Senhor leva a um desejo urgente de conhecê-los e cumpri-los, e eles causam tal impressão à alma que ela está pronta a romper em pedacinhos, sob o peso de seus próprios desejos. Que bênção, quando todos os nossos desejos são pelas coisas de Deus. Nós podemos querer ter estes desejos.

Os juízos de Deus são as suas decisões sobre pontos que tinham estado em discussão. Cada preceito é um juízo da corte superior sobre uma ação, uma decisão infalível e imutável sobre uma questão moral ou espiritual. A palavra de Deus é um código de justiça do qual não há apelação.

"Este é o Juiz que põe fim à luta,
Onde falham a inteligência e a razão;

Ele é o nosso guia pelos caminhos tortuosos da vida,
O nosso escudo, quando as dúvidas nos atacam".

Davi tinha tal reverência pela palavra, e tal desejo de conhecê-la e de estar em conformidade com ela, que os seus anseios lhe causaram um tipo de angústia, e por isto ele suplica aqui, diante de Deus. O anseio é a alma da oração, e quando a alma anseia até se angustiar, não tardará muito para que a bênção seja concedida. A mais íntima comunhão entre a alma e o seu Deus é realizada pelo processo descrito no texto. Deus revela a sua vontade, e o nosso coração anseia por estar em conformidade com ela. Deus julga, e o nosso coração se alegra com o veredicto. Esta é a comunhão de coração, mais verdadeira e integral.

Observe que o nosso desejo de fazer a vontade de Deus deve ser constante; nós devemos sentir anseios santos *"em todo o tempo"*. Desejos que podem ser despidos e vestidos, como nossas roupas, são, na melhor das hipóteses, apenas meros desejos, e possivelmente dificilmente serão verdadeiros o suficiente para serem chamados por este nome – são emoções temporárias, nascidas da excitação e condenadas a morrer quando o calor que as criou tiver esfriado. Aquele que sempre anseia por conhecer e fazer o que é certo é o homem verdadeiramente correto. O seu juízo é sólido, pois ele ama todos os juízos de Deus e os segue com constância. O seu resultado será bom, uma vez que ele deseja ser bom e fazer o bem em todo o tempo.

Observe como este quarto versículo do terceiro conjunto é compatível com o quarto do quarto conjunto. "A minha alma está quebrantada"; "a minha alma está pegada ao pó". Certamente há alguma arte poética recôndita em tudo isto, e é bom que sejamos cuidadosos no estudo do que o salmista teve tanto cuidado em compor.

21. *"Tu repreendeste asperamente os soberbos, amaldiçoados."* Este é um dos juízos de Deus; certamente Ele distribuirá um terrível destino aos homens arrogantes. Deus repreendeu Faraó com amargas pragas, e no Mar Vermelho "foram descobertos os fundamentos do mundo; pela tua repreensão, Senhor". Na pessoa do egípcio arrogante, Deus ensinou a todos os soberbos que certamente os abateria. Os soberbos são homens amaldiçoados; ninguém os abençoa, e eles logo se tornam um peso para si mesmos. Por si só, o orgulho é uma praga e um tormento. Mesmo que nenhuma maldição venha da lei de Deus, parece ser uma lei da natureza que os homens orgulhosos sejam infelizes. Isto levou Davi a abominar o orgulho; ele temia a repreensão de Deus e a maldição da lei. Os orgulhosos pecadores da sua época eram seus inimigos, e ele se sentia feliz pelo fato de que Deus estava na batalha, assim como ele.

"Que se desviam dos teus mandamentos." Somente os corações humildes são obedientes, pois somente eles se sujeitam às regras e ao governo. O olhar dos soberbos é altivo, elevado demais para observar seus próprios pés e guardar o caminho do Senhor. O orgulho está na raiz de todos os pecados; se os homens não fossem arrogantes, não seriam desobedientes.

Deus repreende o orgulho quando as multidões lhe prestam homenagens, pois Ele vê no orgulho a rebelião contra a sua própria majestade, e as sementes de novas rebeliões. É a soma dos pecados. Os homens falam de um orgulho honesto; mas se eles fossem sinceros, veriam que, de todos os pecados, este é o menos honesto, e o menos adequado a uma criatura, e especialmente a uma criatura caída; tão pouco conhecem os homens orgulhosos sobre a sua verdadeira condição, sob a maldição de Deus, que se preparam a censurar os piedosos, e expressam desprezo por eles, como poderá ser visto no versículo a seguir. Eles mesmos são desprezíveis, e, no entanto, demonstram desprezo pelos que são melhores do que eles. Nós podemos adorar os juízos de Deus, quando os vemos tão decisivamente dirigidos contra os rebeldes arrogantes que, de bom grado, governariam os justos; e nós podemos ter boa consolação sob as censuras dos ímpios, uma vez que o seu poder de nos ferir é destruído pelo próprio Senhor. "O Senhor te repreenda" é resposta suficiente para todas as acusações dos homens ou dos demônios.

No quinto versículo do conjunto anterior, o salmista escreveu: "Com os meus lábios declarei todos os juízos da tua boca", e aqui ele continua o mesmo tema, dando um exemplo particular dos juízos do Senhor contra os rebeldes arrogantes. O quinto versículo de cada um dos dois conjuntos seguintes trata da mentira e da vaidade, e a soberba é uma das mais comuns formas destes males.

22. *"Tira de sobre mim o opróbrio e o desprezo."* Estas coisas são dolorosas para as mentes ternas. Davi podia tolerá-las, por causa da justiça, mas eram um jugo pesado, e ele ansiava por se ver livre delas. Ser caluniado, e então desprezado, em consequência à vil acusação, é uma aflição angustiante. Ninguém gosta de ser caluniado, ou mesmo desprezado. Aquele que diz, "Eu não me preocupo com a minha reputação" não é um homem sábio, pois na avaliação de Salomão, "Melhor é a boa fama do que o melhor unguento". A melhor maneira de lidar com a calúnia é orar por causa dela; Deus irá removê-la, ou remover o ferrão dela. Os nossos próprios esforços de nos limpar da calúnia normalmente fracassam; nós somos como o menino que desejava remover o borrão do seu trabalho, e com isto o tornava dez vezes pior. Quando nós sofremos por alguma difamação, é melhor orar por causa dela do que procurar a lei sobre ela, ou mesmo exigir desculpas do seu inventor. Vocês que são censurados, levem suas causas diante da mais alta corte, e deixem-nas com o Juiz de toda a terra. Deus irá repreender o seu arrogante acusador; fiquem tranquilos e permitam que o seu advogado defenda a sua causa.

"Pois guardei os teus testemunhos." A inocência pode, com razão, pedir para ser purificada da censura. Se houver verdade nas acusações feitas contra nós, o que podemos pedir a Deus? Se, no entanto, nós formos injustamente acusados, a nossa defesa tem um *locus standi* na corte e não pode ser rejeitada. Se, pelo medo da reprovação, nós abandonarmos o testemunho divino, mereceremos o destino dos covardes; a nossa segurança está na adesão íntima ao que é verdadeiro e correto. Deus guardará aqueles que guardam os seus testemunhos. Uma boa consciência é a melhor segurança para um bom nome; a reprovação não permanecerá com aqueles que habitam com Cristo, nem o desprezo permanecerá sobre aqueles que permanecem fiéis aos caminhos do Senhor.

Este versículo representa um paralelo, em significado e posição, com o versículo 6, e tem a palavra chave "testemunhos", com a qual combina com o versículo 14.

23. *"Enquanto os príncipes se conluiavam e falavam contra mim."* Davi era uma grande presa e os príncipes da terra queriam abatê-lo. Os príncipes viam nele uma grandeza que invejavam, e por isto o maltratavam. Nos seus tronos, eles poderiam ter encontrado algo melhor para considerar e discutir, mas converteram o trono do juízo no trono do escárnio. A maioria dos homens cobiça ter a boa opinião de um príncipe, e ser criticado por um grande homem é um grande desencorajamento para eles, mas o salmista suportou esta provação com santa tranquilidade. Muitos dos príncipes eram seus inimigos, e se ocupavam de falar mal dele; eles faziam audiências sobre escândalos, sessões sobre calúnias, parlamentos de falsidade, e apesar disto ele sobreviveu a todos os ataques deles contra ele.

"O teu servo meditava nos teus estatutos." Isto era algo verdadeiramente corajoso. Ele era servo de Deus, e por isto cuidava dos assuntos do seu Mestre; ele era servo de Deus e por isto se sentia seguro de que o seu Senhor o defenderia. Ele não dava ouvidos a estes príncipes caluniadores, nem mesmo permitindo que seus pensamentos fossem perturbados por um conhecimento do que tramavam em conclave. Quem eram estes maledicentes, para que roubassem de Deus a atenção do seu servo, ou privassem o escolhido do Senhor de um momento de devota comunhão. A ralé dos príncipes não mereceria nem cinco minutos do seu pensamento, se estes cinco minutos tivessem que ser desviados da santa meditação. É muito bonito ver as duas

reuniões; a reunião dos príncipes, para reprovar Davi, e Davi reunido com o seu Deus, e a sua Bíblia, respondendo aos seus caluniadores, sem jamais lhes dirigir alguma palavra. Aqueles que se alimentam da palavra crescem fortes e tranquilos, e são, pela graça de Deus, escondidos da contenda das línguas.

Observe que no final do conjunto anterior de oito versículos, ele tinha dito, "Meditarei" e aqui ele mostra como tinha cumprido a sua promessa, mesmo sob grandes provocações para se esquecer dela. É louvável quando a resolução das nossas horas felizes é devidamente executada nas nossas ocasiões de aflição.

24. *"Também os teus testemunhos são o meu prazer e os meus conselheiros."* Não apenas eram temas para meditação, mas "também" fontes de prazer e meios de orientação. Enquanto seus inimigos se aconselhavam, uns com os outros, o homem santo se aconselhava com os testemunhos de Deus. Os caçadores não podiam expulsar a ave do seu ninho, com todo o seu ruído. O prazer *deles* era caluniar, o do *salmista* era meditar. As palavras do Senhor têm muitos propósitos em nossa vida; nas nossas tristezas, são o nosso prazer; e nas nossas dificuldades, são o nosso guia; delas, nós obtemos alegria, e nelas descobrimos sabedoria. Se nós desejarmos encontrar consolação nas Escrituras, devemos nos submeter ao seu conselho, e quando nós seguirmos o seu conselho, não deverá ser com relutância, mas com prazer. Este é o meio mais seguro de lidar com aqueles que tramam a nossa ruína; devemos dar mais ouvido aos fiéis testemunhos do Senhor do que aos falsos testemunhos de nossos adversários. A melhor resposta para os príncipes acusadores é a palavra do Rei justificador.

No versículo 16, Davi disse, "Alegrar-me-ei nos teus estatutos", e aqui ele diz, "são o meu prazer". As decisões que são tomadas na força de Deus, dão resultados; e dos desejos espirituais se colhem realizações reais. Oh, que possa ser assim com todos os leitores destas linhas.

NOTAS SOBRE OS VERSÍCULOS 17 A 24

v. 17: "Faze bem ao teu servo", etc. Estas palavras podem ser – Retribua ao teu servo. Um profundo significado parece estar envolvido aqui. O homem santo aceitará a responsabilidade de modo que lhe façam bem, não como um mero homem pecador, mas como um homem que se coloca no caminho indicado para a reconciliação. Este, percebemos, é o caso atual, como lemos no versículo 16, na parte imediatamente anterior: "Alegrar-me-ei nos teus estatutos; não me esquecerei da tua palavra". Os estatutos do Senhor se referiam, predominantemente, ao sacrifício pelo pecado, e às cerimônias para purificações, que estavam prescritas na Lei. É preciso imaginar o homem de Deus em meio ao ritual levítico, para o qual o vemos fazendo todos os preparativos (1 Cr 22; 23; 24). Colocando-se, portanto, nesta situação, ele oraria ao Senhor, pedindo que Ele o tratasse segundo estes preparativos, ou, como nós, na linguagem do Novo Testamento, diríamos – colocando-se na grande expiação, o crente oraria ao Senhor, pedindo que Ele o tratasse de acordo com a sua postura em Cristo, que seria de graça ou benignidade. Pois se o Senhor é justo para condenar sem a expiação, Ele é igualmente justo para perdoar pela expiação. Sim, Ele é justo, e justifica aquele que crê em Jesus. – *John Stephen*

v. 17: "Faze bem", etc. Ó Senhor, eu estou constantemente decidido a obedecer e aderir à tua vontade revelada todos os dias da minha vida: Ó, dá-me aquelas piedosas retribuições que prometeste a todas as pessoas que tomaram esta decisão. – *Henry Hammond*

v. 17: "Faze bem... para que... observe a tua palavra", etc. Um servo fiel deve considerar o serviço que prestou no passado como tendo sido ricamente recompensado. Ele deve ser grato por ter sido empregado ainda mais no serviço, como ensina esta oração; pois Davi pede que possa viver e observar a palavra de Deus. – *David Dickson*

v. 17: "Faze bem" (ou, "Sê generoso", ARA). E, na verdade, lembrando o que é uma pobre criatura, fraca, vazia e desamparada, e o que o crente mais experiente é, por si só, não se deve imaginar que qualquer coisa inferior a um *generoso* suprimento de graça possa atender a emergência. – *Charles Bridges*

v. 17: "teu servo". O fato de que ele se refira a si mesmo, tão frequentemente, como servo de Deus, indica a reverente estima que tinha pelo seu Deus, pois considera mais honroso ser chamado de servo de Deus, que estava acima dele, do que de rei de um povo poderoso, antigo e famoso, que estava abaixo dele. E, na verdade, uma vez que os anjos são chamados de ministros de Deus, podem os homens considerar vergonhoso servi-lo, especialmente, uma vez que Ele, pela sua bondade, fez dos anjos nossos servos, "espíritos ministradores" a nós? Nós não deveríamos servir àquele que criou todas as suas criaturas para nos servir, e nos isentou de servir a todas as outras criaturas, e que nos obrigou apenas a servir a Ele mesmo? – *William Cowper*

v. 17: "Para que viva". Como um homem precisa *"viver"* para trabalhar, o primeiro pedido é que Deus *"faça bem ao seu servo"*, segundo as riquezas da sua graça e misericórdia, capacitando-o a *"viver"* a vida de fé, e fortalecendo-o com poder pelo seu Espírito no homem interior. – *George Horne, 1730-1792*

v. 17: "Para que viva e observe a tua palavra". Davi une estas duas coisas, pois quem as separar não poderá ser abençoado. Ele deseja viver; mas viver de modo que possa observar a palavra de Deus. Para um homem perverso que vive como um rebelde para o seu Criador, teria sido bom (como diz o nosso Salvador a respeito de Judas) que nunca tivesse nascido. Quanto mais curta a sua vida, menor será a quantidade de seus pecados, e menores serão os seus juízos. Mas para um escolhido, a vida é um grande benefício; pois com ela, ele passa da escolha à glorificação, pelo caminho da santificação. Quanto mais longa é a sua vida, mais bem ele faz, para a glória de Deus, a edificação de outros, e a confirmação da sua própria salvação, assegurando-a pela luta e pela vitória nas tentações, e pela perseverança em fazer o bem. – *William Cowper*

v. 18: "Desvenda os meus olhos". Quem pode conhecer as coisas secretas e ocultas das Escrituras, a menos que Cristo abra os seus olhos? Certamente, ninguém, pois "ninguém conhece o Filho, senão o Pai; e ninguém conhece o Pai, senão o Filho e aquele a quem o Filho o quiser revelar". Portanto, como suplicantes, nós nos aproximamos dele, dizendo, *"Desvenda os meus olhos"*, etc. As palavras de Deus não podem ser guardadas, a menos que sejam conhecidas, e não podem ser conhecidas, a menos que os olhos sejam abertos – consequentemente, está escrito: *"Para que viva e observe a tua palavra"*, e então, *"Desvenda os meus olhos"*. – *Paulus Palanterius*

v. 18: "Desvenda os meus olhos". "Que queres que te faça?" foi a pergunta piedosa do amoroso Jesus a um pobre ansioso na terra. "Mestre, que eu tenha vista" foi a resposta imediata. Assim, aqui, no mesmo espírito e para o mesmo Senhor misericordioso e amoroso, o salmista ora, *"Desvenda os meus olhos"* e, tanto nesta súplica como na anterior, "Faze bem ao teu servo", nós vemos, imediatamente, quem e o que motivou a oração. – *Barton Bouchier*

v. 18: "Desvenda os meus olhos". Se alguém perguntasse, vendo que Davi era um homem regenerado, e já tão iluminado e esclarecido, como é que ele ora, pedindo que os seus olhos sejam abertos? A resposta é fácil: a nossa regeneração é realizada gradualmente. O começo do esclarecimento na sua mente o fez desejar mais; pois nenhum homem pode considerar com a razão, exceto aquele que a tem. A luz que ele tinha fez com que ele visse a sua própria escuridão; e, por isto, sentindo as suas necessidades, ele procurou tê-las supridas pelo Senhor. – *William Cowper*

v. 18: "Desvenda os meus olhos". Os santos não se queixam da obscuridade da lei, mas da sua própria cegueira. O salmista não diz, "Senhor, faça uma lei mais clara", mas, "Senhor, *desvenda os meus olhos"*; os cegos poderiam, também, se queixar de Deus, porque Ele não cria um sol que eles possam ver. A palavra é "uma luz que alumia em lugar escuro" (2 Pe 1.19). Não há falta de luz nas Escrituras, mas há um véu de escuridão sobre os nossos corações; de modo que, se nesta luz clara, não conseguimos ver, o problema não está no mundo, mas em nós mesmos.

A luz que eles imploram não é nada além da palavra. Quando Deus é descrito como nos iluminando, não significa que nós devêssemos esperar novas revelações, mas para que possamos ver as maravilhas na sua palavra, ou obter uma visão mais clara do que já foi revelado. Aqueles que dão vazão aos seus próprios sonhos sob o nome do Espírito, e da luz divina, não lhe dão *mysteria*, mas *monstra*, opiniões portentosas; eles não lhe mostram as coisas maravilhosas da lei de Deus, mas os prodígios do seu próprio cérebro; infelizes prematuros, que morrem tão logo vêm à luz. "À lei e ao testemunho! Se eles não falarem segundo esta palavra, nunca verão a alva" (Is 8.20). A luz que nós temos, não é sem a palavra, mas por meio da palavra. A expressão em hebraico significa *"tira o véu dos meus olhos"*. Há uma dupla obra, negativa e positiva. Há uma remoção do véu, e uma infusão de luz. A cura de Paulo, da sua cegueira natural, é um símbolo adequado da nossa cura da cegueira espiritual: "E logo lhe caíram dos olhos como que umas escamas, e recuperou a vista" (At 9.18). Primeiramente, as escamas caem dos nossos olhos, e então nós recebemos a luz. – *Thomas Manton*

v. 18: O salmista não pede nenhuma nova revelação. Deus podia conceder isto, porém Ele não o fez, no seu próprio tempo, àqueles crentes da antiguidade; mas a todos os crentes, em todos os tempos, foi dado o suficiente para os propósitos da vida. O pedido do salmista não é de mais revelações, mas para que ele possa empregar bem o que possui. Esta forma de súplica é ainda mais adequada a nós, a quem a vida e a imortalidade foram trazidas à luz em Cristo. Se não julgarmos que é suficiente exercitar os nossos pensamentos com constante frescor, e a nossa alma com os assuntos mais nobres e atraentes, é porque nos falta a visão. É de grande importância que sejamos persuadidos desta verdade, de que há muitas verdades na Bíblia ainda a serem descobertas, e que, se tivermos o espírito correto, poderemos ser os descobridores de algumas delas. Estas coisas se revelam por si mesmas, não tanto como aprendizado, embora ele não deva ser desprezado, mas como visão espiritual, para um coração amoroso e humilde.

E pelo menos, isto é certo – sempre encontraremos coisas que são novas para *nós*. Por mais infrequente que seja a nossa busca, encontraremos algum veio dourado que se volta para nós; e perguntaremos a nós mesmos como é que os nossos olhos estavam anteriormente, pois não o víamos. Estava tudo ali, esperando por nós; e sentimos que há mais, esperando, se tivermos a visão. Há um grandioso Espírito que convive, cada vez mais profundamente, com as nossas almas.

Isto pode ser observado, pois o salmista não pede nenhuma nova faculdade, os seus olhos já estão ali, e só precisam ser abertos. Não é a concessão de um poder novo e sobrenatural que capacita o homem a ler a Bíblia para seu benefício, mas o despertar de um poder que ele já possui. Por um lado, é sobrenatural, pois Deus é o Autor do esclarecimento, por um ato direto do seu Espírito; por outro, é natural, pois isto acontece por meio das faculdades que existem na alma do homem. Deus dá "em seu conhecimento o espírito de sabedoria e de revelação, tendo iluminados os olhos do vosso entendimento" (Ef 1.17). É importante recordar também isto, pois aqui está a nossa responsabilidade, pois nós temos a faculdade, e aqui também é o ponto em que devemos começar a ação com a ajuda de Deus. Um homem jamais crescerá no conhecimento da palavra de Deus esperando ociosamente algum novo dom de discernimento, mas usando diligentemente o que Deus já lhe concedeu, e usando, ao mesmo tempo, todos os outros auxílios que estão ao seu alcance. Há homens e livros que parecem, mais do que os outros, ter a capacidade de auxiliar no discernimento. Todos nós sentimos isto, no contato com alguma afinidade da natureza, que faz deles os nossos melhores auxiliares; o lodo sobre os olhos, com o qual o grande Iluminador remove a nossa cegueira (Jo 9.6), é o que devemos procurar, e quando o encontrarmos, devemos empregá-lo, sem nos apoiarmos nisto. Acima de tudo, devemos dedicar toda a nossa mente no estudo amoroso e paciente do próprio livro, e quando falharmos, em alguma parte essencial, Deus irá enviar o seu evangelista Filipe em nosso auxílio (At 8) ou irá nos instruir, Ele mesmo. Mas é somente ao estudo amoroso e paciente que o auxílio é dado. Deus poderia ter derramado sobre nós todo o conhecimento, por fácil inspiração, mas é apenas pela fervorosa busca que ele pode se tornar o tesouro da alma.

Mas se fosse assim, ainda poderíamos perguntar qual é o significado desta oração, e por que a própria Bíblia insiste tão frequentemente na indispensável necessidade do Espírito de Deus para ensinar? Há um lago aqui, que é tão verdadeiro quanto o outro, e de maneira alguma incoerente com ele. Se a oração sem esforço seria presunção, o esforço sem oração seria inútil. A grande razão por que os homens não sentem o poder e a beleza da Bíblia é espiritual. Eles não percebem o grande mal que a Bíblia veio para curar, e não têm o coração voltado para as bênçãos que ela oferece. O filme de uma natureza caída e autossustentada está diante dos seus olhos enquanto eles leem: "Entenebrecidos no entendimento, separados da vida de Deus" (Ef 4.18). Todas as forças naturais jamais encontrarão a verdadeira chave para a Bíblia, até que os pensamentos de pecado e redenção entrem no coração, e estejam colocados no centro do Livro. É o papel do Pai das luzes, pelo ensinamento do seu Espírito, dar isto à alma, e Ele o fará, se ela se aproximar humildemente dele com este pedido. Assim, devemos estudar um livro como se o seu autor estivesse perto de nós, para apresentar a profundidade do seu argumento; ou, ainda, como se estuda uma nobre composição, quando o artista sopra sobre nós uma parte da sua alma, para nos permitir sentir o centro das suas harmonias de forma e cor. Aqueles que dedicarem à Bíblia pensamento e oração reconhecerão que estas não são promessas vazias. – *John Kerr, em um sermão intitulado "God's Word Suited to Man's Sense of Wonder", 1877*

v. 18: Oh, jamais devemos nos esquecer de que as coisas maravilhosas contidas na lei divina não poderão ser descobertas nem saboreadas pelo "homem natural", cujos poderes de percepção e aproveitamento estão limitados em seu alcance aos objetos do tempo e dos sentidos. É somente o Espírito divino que pode iluminar a escuridão em nossa condição pecaminosa, e que pode nos capacitar a perceber a glória, a harmonia e a benignidade moral que resplandece em todas as partes das páginas da verdade revelada. – *John Morison, 1829*

v. 18: "Desvenda os meus olhos, para que veja as maravilhas da tua lei". A última parte é um tipo de exclamação, depois que seus olhos tinham sido livrados do véu. Esta imagem é frequentemente usada para indicar inspiração ou uma comunicação divina especial. *"Da tua lei",* isto é, trazidas à vista, como tiradas de um esconderijo. – *Joseph Addison Alexander*

v. 18: "As maravilhas". Muitos foram os sinais e prodígios que Deus operou em meio ao povo de Israel e que eles não compreenderam. Qual a razão? Moisés nos explica esta razão: "Não vos tem dado o Senhor um coração para entender, nem olhos para ver, nem ouvidos para ouvir, até ao dia de hoje" (Dt 29.4). Eles tinham ouvidos e olhos sensíveis, é verdade, tinham um coração ou mente racional, mas lhes faltava um ouvido espiritual para ouvir, um coração ou mente espiritual para compreender e aprimorar estas maravilhosas obras de Deus; e eles não tinham estas coisas, porque Deus não lhes tinha dado estes olhos, ouvidos e corações. As maravilhas sem a graça não podem abrir plenamente os olhos; mas a graça sem as maravilhas, sim, pode. E assim como o homem não tem olhos para ver as obras maravilhosas de Deus espiritualmente, até que eles lhe sejam dados, também, muito menos, tem olhos para ver as maravilhas da palavra de Deus, até que lhe sejam dados do alto; e por isto Davi ora: *"Desvenda os meus olhos, para que veja as maravilhas da tua lei"*. E se as maravilhas da lei não são vistas, até que Deus nos dê olhos, muito menos o são as maravilhas do Evangelho. A luz da natureza nos mostra algo da Lei, mas nada do Evangelho jamais foi visto à luz da natureza. Muitos que viram e admiraram algumas das excelências da Lei jamais puderam ver, e por isto ridicularizaram aquilo que é a excelência do Evangelho, até que Deus abrisse seus corações para o entendimento. – *Joseph Caryl, 1602-1673*

v. 18: "A palavra está muito próxima" de nós, e, segurando em nossa mão um documento que está cheio do que é maravilhoso, a única pergunta é: "Nós temos olhos para as suas maravilhas, um coração para as suas graças?" Aqui está o uso exato do Espírito Santo. O Espírito não coloca nada novo na Bíblia; Ele apenas ilumina e fortalece as nossas faculdades, para que possamos discernir e admirar o que já está ali. Não é o telescópio que extrai o rico brilho das estrelas no espaço azul, que para o olho nu parece pontos de luz, desabitados; não é o microscópio que condensa as atividades de uma população agitada na circunferência de uma gota de água, e reveste com mil cores a asa quase imperceptível do inseto efêmero. As estrelas estão brilhando na sua glória, quer tenhamos ou não os instrumentos para penetrar no azul-celeste; e os minúsculos seres estão ocupados com suas atividades usuais, e uma rica decoração ainda forma o revestimento do inseto, quer as lentes poderosas tenham ou não convertido o átomo em um mundo, e transformado a penugem quase imperceptível na brilhante plumagem da ave do paraíso. Assim as maravilhas já estão na Bíblia. O Espírito que as escreveu as apresenta, não como novas revelações para o indivíduo, mas, removendo a névoa do preconceito carnal, removendo as escamas do orgulho e da autossuficiência, e retificando a vontade, que faz com que o juízo examine a verdade através de um meio distorcido – influenciando o coração, de modo que os sentimentos não mais ceguem o entendimento – destas e outras maneiras, que poderiam ser facilmente enumeradas, o Espírito Santo capacita os homens a reconhecer o que está oculto, a perceber a beleza e a descobrir o esplendor onde tudo antes parecia sem forma e sem graça; e assim vivifica o resultado da Bíblia, colocando nos lábios a maravilhosa oração que Ele mesmo tinha inspirado: *"Desvenda os meus olhos, para que veja as maravilhas da tua lei"*. – *Henry Melvill, 1798-1871*

v. 18: As *"maravilhas"* parecem ser as grandes coisas de um mundo eterno. O salmista tinha dirigido seus olhos inquisidores para as maravilhas da natureza, o sol, a lua e as estrelas, os montes, as árvores e os rios. Ele tinha visto muitas das maravilhas da arte; mas agora, ele queria ver as maravilhas espirituais contidas na Bíblia. Ele queria conhecer o próprio Deus, em toda a sua majestade, pureza e graça. Ele queria aprender o caminho da salvação por um Redentor crucificado, e a glória que se seguirá.

"Desvenda os meus olhos." Davi não estava cego – os seus olhos não estavam turvos. Ele podia ler a Bíblia de ponta a ponta, e ainda assim sentia que precisava de mais luz e esclarecimento. Ele sentia que precisava conhecer o desespero, para abrir os olhos do seu entendimento. Ele sentia que, se não tivesse nada, exceto os seus olhos e entendimento naturais, não descobriria as maravilhas que anseia por ver. Ele desejava o ensinamento divino – o colírio do Espírito; e por isto, não podia abrir a Bíblia sem este prazer, *"Desvenda os meus olhos"*. – *Robert Murray M'Cheyne, 1813-1843*

v. 18: "As maravilhas". Por que ele usa a palavra *"maravilhas"?* Como se ele tivesse dito, Embora o mundo considere a lei de Deus como uma coisa insignificante, que parece ser dada apenas como se fosse para as almas simples e as criancinhas, apesar disto parece haver nela tal sabedoria, como se ultrapassasse toda a sabedoria do mundo, e nela estão escondidos maravilhosos segredos. – *João Calvino*

v. 18: "tua lei". Aquilo que é o *objeto* do entendimento que é pedido, para que no seu conhecimento o salmista seja iluminado, é תּוֹרָה. Esta palavra significa instrução; e sendo uma referência a Deus, é o seu ensinamento ou instrução a nós, pela revelação de Si mesmo, o mesmo que pretendemos, pelas Escrituras. Quando os livros do Antigo Testamento foram concluídos, eles foram, visando a distinção, distribuídos em תּוֹרָה, כְּתוּבִים e נְבִיאִים, ou "a Lei", "os Salmos" e "os Profetas" (Lc 24.44). Segundo esta distribuição, *Torá* significa os cinco livros de Moisés. Mas, embora estes livros de Moisés fossem, de certa forma, o fundamento de todas as revelações futuras sob o Antigo Testamento, que foram feitas na explicação dele, todos os seus textos eram comumente chamados de "a Lei" (Is 8.20). Como *lei*, portanto, nesta passagem, o salmista entende todos os livros que foram, então, dados à igreja, pela revelação da regra da fé e da obediência. E a *lei* nos salmos, significa a lei escrita, e isto é evidente desde o primeiro deles, em que é declarado bem-aventurado aquele que nela "medita de dia e de noite" (Sl 1.2); que tem respeito pela instrução de ler e meditar nos *seus livros* desta maneira (Js 1.8). Que, portanto, o significado pretendido por esta palavra é toda a revelação da vontade de Deus, dada à igreja como regra da sua fé e obediência – isto é, as sagradas Escrituras.

Nesta lei, há נִפְלָאוֹת, *"maravilhas"*; פָּלָא significa ser "maravilhoso", estar "oculto", ser "grande" e "elevado"; aquilo que os homens, pelo uso da razão, não podem obter nem compreender (por isto נִפְלָאוֹת são as coisas que têm uma impressão de sabedoria e poder divinos, de modo que são, com razão, objeto da nossa admiração); aquilo que é difícil demais para nós; como em Deuteronômio 17.8, כִּי יִפָּלֵא מִמְּךָ דָבָר: "Quando alguma coisa te for dificultosa em juízo", escondida de ti. E é o nome pelo qual as obras maravilhosas de Deus são expressas (Sl 77.11; 78.11). Portanto, estas "maravilhas da lei" são aquelas expressões e efeitos de sabedoria divina nas Escrituras, que estão acima da razão e do entendimento naturais dos homens para descobrir e compreender. Tais são os mistérios da verdade divina nas Escrituras, especialmente porque Cristo está nelas, Cristo, cujo nome é "Maravilhoso" (Is 9.6); pois todos os grandes e maravilhosos efeitos de sabedoria infinita se encontram nele. – *John Owen, 1616-1683*

v. 18: "As maravilhas". Há promessas na palavra de Deus que nenhum homem jamais tentou descobrir. Nela há tesouros de ouro e prata, que nenhum homem se esforçou para encontrar. Nela há remédios para a falta de conhecimento, de que morreram centenas de pessoas. A impressão que tenho é de alguma antiga propriedade baronial que chegou às mãos de um homem que vive em uma casa moderna, e que não julga que valha a pena ir e ver a venerável mansão. Ano após ano, ele não presta atenção a ela, uma vez que não suspeita dos tesouros valiosos que ela contém, até que, por fim, alguém lhe diz, "Você já foi ver aquela propriedade?" e ele decide que irá vê-la. Quando passa pelo vestíbulo, ele se surpreende por ver a habilidade e o talento exibidos na sua construção, e fica cada vez mais surpreso, à medida que passa pelos corredores. Ele entra em um grande salão e se assombra, quando contempla a riqueza dos quadros nas paredes, entre os quais há retratos de muitos de seus reverenciados antepassados. Ele os contempla com assombro. Há quadros de Ticiano, Rafael, Correggio e Giorgione. Ele diz, "Eu não fazia ideia da existência destas coisas". "Ah", diz o mordomo, "há muitas outras coisas das quais o senhor não sabe nada no castelo", e o leva, de uma sala a outra, e mostra entalhes, e maravilhosas estátuas, e o homem exclama, "Por vinte anos eu fui o dono desta propriedade, e jamais soube das coisas que havia nela". "Mas nenhum arquiteto jamais concebeu uma propriedade como a palavra de Deus, e nenhum artista, ou entalhador, ou escultor, jamais concebeu tais quadros, ou entalhou pratos, ou estátuas, para adornar seus cômodos. Ela contém tesouros com os quais não devem ser comparados a prata, o ouro ou as pedras preciosas". – *Henry Ward Beecher, 1872.*

v. 18: "Para que veja as maravilhas". O grande objetivo da palavra de Deus, na época do salmista, como agora, era prático; mas há uma finalidade secundária, aqui mencionada, que é digna de consideração – o seu poder de atender à faculdade de imaginação do homem. Deus conhece a nossa estrutura, pois Ele a criou, e Ele adaptou a Bíblia a todas as suas partes. Se podemos mostrar isto, pode ser outro sinal de que o livro veio daquele que criou o homem... o fato de que Deus concedeu ao homem a faculdade da imaginação, todos nós conhecemos. É uma das primeiras e mais constantes emoções na nossa natureza. Nós podemos ver isto nas crianças, e em todos aqueles cujos sentimentos ainda são jovens e naturais. Ela dá origem ao desejo de conhecer, e durante toda a vida, ela insiste que os homens investiguem. – *John Ker*

v. 18: "As maravilhas da tua lei". No Salmo 118, nós tivemos o "maravilhoso" caráter da redenção; no Salmo 119, temos as "maravilhas" (vv. 18,27,129) da revelação de Deus. – *William Kay, 1871*

vv. 18 e 19: Quando eu não puder ter Moisés me dizendo o significado, diz Santo Agostinho, dá-me aquele Espírito que deste a Moisés. E isto é o que todo homem que deseja entender deve pedir em oração; isto pediu Davi em oração: *"Desvenda os meus olhos para que veja as maravilhas da tua lei"*, e *"não escondas de mim os teus mandamentos"* (v. 19). E Cristo diz, "Pois, se vós, sendo maus, sabeis dar boas dádivas aos vossos filhos, quanto mais dará o Pai celestial o Espírito Santo àqueles que lho pedirem?" De modo que, então, todos nós veremos os segredos de Deus. – *Richard Stock (-1626)*

v. 19: "Sou peregrino na terra". Davi tinha experiência de paz e guerra, de riqueza e pobreza, de prazer e lamentação. Ele tinha sido uma pessoa pública e privada; um pastor, uma vocação dolorosa; um soldado, uma profissão sangrenta; um cortesão, uma escravidão honorável, que combinava o senhor e o parasita, o cavalheiro e o trabalhador; e era rei – um nome glorioso, cheio de temores e preocupações. Tudo isto ele tinha experimentado, e encontrou menos descanso quando estava na posição mais elevada, sentia-se menos satisfeito no trono do que nos currais. Tudo isto ele tinha observado e guardado na sua memória, e a sua confissão é um epítome e resumo de tudo isto; e, na verdade, ele nos diz, que em tudo o que tinha visto nesta sua passagem, tudo o que tinha desfrutado, não encontrou nada tão certo quanto isto – não encontrou nada certo, nada em que pudesse permanecer, ou que pudesse permanecer com ele, mas que ele ainda era como um *"peregrino na terra"*. – *Anthony Farindon, 1596-1658*

v. 19: "Sou peregrino na terra", etc. Como um residente temporário, ele tinha renunciado ao mundo, que por isto se tornou seu inimigo; como um *"peregrino"*, ele teme perder o seu caminho; por isto, ele pede que Deus compense a perda dos confortos terrenos, concedendo-lhe a luz do céu; que Ele não *"esconda os seus mandamentos"*, mas que lhe mostre e ensine estes passos pelos quais ele pode ascender para o céu, alegrando-se na esperança da glória futura. – George Horne, 1730-1792.

v. 19: "Sou peregrino na terra". Esta confissão, de um peregrino solitário, teria pouco significado comparativo, mas na boca de alguém que, provavelmente, estaria rodeado de toda fonte de alegria terrena, mostra, ao mesmo tempo, a inutilidade das "melhores alegrias da terra" e a tendência celestial da religião da Bíblia. – *Charles Bridges*

v. 19: "Sou peregrino na terra", etc. 1. Todo homem aqui na terra (especialmente um homem piedoso) é apenas um peregrino e um residente temporário. 2. Interessa àquele que é um peregrino procurar uma condição melhor e mais durável. Todo homem deve fazer isto. A maior preocupação do homem deve ser com aquele lugar onde ele viverá mais; por isto, a eternidade deve ser o seu escopo. Um homem piedoso deve fazer isto. Aqueles cujos corações não estão arraigados nas coisas terrenas terão o céu. Quanto mais os seus interesses se afastarem destas, mais próximos estarão daquelas (Cl 3.2); o céu e a terra são como dois pratos de uma balança, de modo que, o que é tirado de um deles, é colocado no outro. 3. Não há instruções suficientes sobre como obter este estado permanente, exceto na palavra de Deus. Sem ela, nós somos apenas pobres peregrinos, e guerreiros, em uma terra alheia, incapazes de discernir o caminho para casa. Uma condição abençoada é revelada na palavra, de maneira quase suficiente: "Aboliu a morte e trouxe à luz a vida e a incorrupção, pelo Evangelho" (2 Tm 1.10). Os pagãos apenas conjeturavam e tinham algumas sensações obscuras de uma condição depois desta vida; mas assim como ela é trazida à luz com maior clareza na palavra, também o caminho para lá é indicado pela palavra. É a palavra de Deus que nos torna sábios para a salvação, e que é a nossa diretriz e a nossa regra para a Canaã celestial; portanto, aqueles que procuram esta condição permanente, devem consultar a palavra constantemente. 4. Não há entendimento da palavra de Deus, exceto pela luz do Espírito. "Há um espírito no homem, e a inspiração do Todo-Poderoso os faz sábios" (Jó 32.8). Embora a palavra tenha luz em si mesma, o espírito do homem não pode se mover, até que Deus nos ilumine com esta luz vivaz que abre caminho para o domínio da verdade nos nossos corações, e os influencia. Esta é a luz que Davi implora quando diz: *"Não escondas de mim os teus mandamentos"*. Davi não ignorava os Dez Mandamentos; ele conhecia o seu som; mas ele implora pelo conhecimento do seu sentido espiritual, e do seu uso. 5. Se nós desejarmos ter o Espírito, devemos pedi-lo a Deus, em oração; pois Deus "dará o Espírito Santo àqueles que lho pedirem" (Lc 11.13); e por isto, devemos dizer, como Davi, "Envia a tua luz e a tua verdade, para que me guiem e me levem ao teu santo monte e aos teus tabernáculos" (Sl 43.3). – Thomas Manton.

v. 19: *"Sou peregrino na terra"*, etc. Quando nasce um filho, às vezes ele é descrito como um "pequeno peregrino". Os amigos, quando vêm visitar, perguntam se, como privilégio, podem "ver o pequeno peregrino". Um peregrino, verdadeiramente, vindo de longe. Das imensidões. Da presença, e do toque, e da existência de Deus! E que se dirige – novamente para as imensidões – para os séculos incontáveis.

Mas o pequeno peregrino cresce, e em um instante começa a criar virogosas raízes. Ele trabalha, e conquista, e edifica, e planta, e compra, e, na sua própria opinião, se torna tão "estabelecido" que quase se diverte com quem o descreva agora como um peregrino.

E a vida ainda continua, aprofundando-se e ampliando-se no seu fluxo, e trazendo, em si mesma, múltiplos e variados elementos de interesse. Cada vez mais, o homem é aprisionado por estes elementos – como um barco, do qual muitas âncoras são lançadas ao mar. Ele luta, em meio aos que lutam, se alegra com os alegres, sente o estímulo da honra, entra na corrida da aquisição, faz algumas coisas duras, e muitas gentis, em turnos; multiplica os seus compromissos, seus relacionamentos, seus amigos, e então – logo quando, depois de tais preparativos, a vida deveria estar em pleno começo, se abrindo em um campo grandioso, pacífico, ensolarado – as sombras começam a cair, o que indica, certamente, que ela se aproxima rapidamente do seu final. A voz, que, mais cedo ou mais tarde todos ouvirão, está invocando "o pequeno peregrino" que nasceu, não faz muito tempo, cuja primeira lição está encerrada, e que deve agora entrar em outra escola pela porta que é chamada de morte. E o peregrino não está pronto. Ele lançou tantas âncoras, e estas se apegaram tanto à terra, que não será fácil elevá-las. Ele está *estabelecido.* Ele não tem o bordão de peregrino à mão; e o seu olho, suficientemente familiarizado com as coisas ao seu redor, não está acostumado ao caminho ascendente, e não pode avaliar a altitude do monte, nem calcular a longa distância. O progresso do tempo foi muito mais rápido do que o progresso do seu pensamento. Ai! Ele cometeu um grande erro. Ele "atentou nas coisas que se veem", e se esqueceu das que se não veem; porque "as que se veem são temporais", e, com o tempo, se extinguem, ao passo que "as que se não veem são eternas". E assim há a pressa, e a confusão, e a aflição nas últimas horas, e na partida. Tudo isto pode ser evitado, completamente, se o homem apenas disser – *"Sou peregrino na terra: não escondas de mim os teus mandamentos". – Alexander Raleigh, "The Little Sanctuary, and other Meditations", 1872*

v. 19: "Sou peregrino na terra", etc. Na lei, Deus recomenda aos peregrinos (ou estrangeiros) o cuidado e a compaixão para com o seu povo; agora, Davi utiliza os mesmos argumentos, para persuadi-lo a lidar com bondade para com ele. – *Robert Leighton, 1611-1684*

v. 19: "Na terra". Ele não faz exceção aqui; toda a terra será considerada o lugar da sua peregrinação. Ele não foi um peregrino apenas quando banido entre os moabitas e os filisteus, mas mesmo quando vivia pacificamente, na sua terra em Canaã ainda se considera um peregrino. Esta consideração levou o piedoso Basil a desprezar a ameaça de Modestus, o representante de Yalens, o imperador, quando o ameaçou com o exílio. *Ab exilii metu liber sum, unam hominum cognoscens esse patriam, paradisum omnem autem terram commune naturae exilium.* E nos levará a conservar a sobriedade espiritual, em meio aos prazeres, se nos lembrarmos de que, em nossas casas, ao lado da nossa lareira, e em nossas próprias camas, somos apenas peregrinos, e logo seremos removidos, para dar lugar a outros. – *William Cowper*

v. 19: "Não escondas de mim os teus mandamentos". O raciocínio de Davi é o seguinte: Aqui, sou um peregrino, e não conheço o caminho, portanto, Senhor, guia-me. A comparação é feita com passageiros, que vindo a uma região inóspita, onde ignoram o caminho, procuram o benefício de um guia. Mas aqui está a diferença: em qualquer região, o povo pode guiar um peregrino ao lugar onde ele deseja estar; mas os habitantes da terra não podem indicar o caminho para o céu; e por isto Davi não procura entre eles o seu guia, mas ora para que o Senhor o guie. – *William Cowper*

v. 19: "Não escondas de mim os teus mandamentos". A palavra de Deus é escondida, quando faltam os meios para ouvi-la explicada pelos pregadores; e também é escondida a consoladora e vivaz luz do Espírito, que deve vivificar a palavra em nós. De ambos estes males nós podemos, e devemos, orar, pedindo salvação. – *David Dickson*

v. 20: "A minha alma está quebrantada", etc. Aqui há uma declaração do fervoroso desejo que ele tinha, de obedecer à palavra de Deus; ele a detalha de duas maneiras: em primeiro lugar, não era um movimento superficial, mas profundamente enraizado, fazendo seu coração *quebrantar* quando viu que não podia fazer, na obediência, o que desejava. A seguir, não era um movimento efêmero, como o orvalho da manhã; mas era permanente, *omni tempore*, ele o tinha, *em todo o tempo*. – *William Cowper*

v. 20: "A minha alma está quebrantada de desejar", como alguém que, com esforço, rompe uma veia. – *William Gurnall*

v. 20: "A minha alma está quebrantada", etc. Este quebrantamento é por fricção, atrito ou esmagamento. O espírito estava tão *perturbado* por este desejo das coisas de que o Senhor tinha falado, que estava quebrantado, como por pesado atrito. O *"desejo"* de encontrar e seguir as maravilhas escondidas era quase insuportável. Este *desejo* continuou com o salmista *"em todo o tempo"* ou "em todos os momentos". A prosperidade não podia fazê-lo se esquecer dele; a adversidade não podia extingui-lo. Na doença ou na saúde, na felicidade ou na tristeza, acompanhado ou sozinho, nada superava este *desejo*. *"As maravilhas"* eram tão maravilhosas, e, apesar disto, tão escondidas. Ver um pouco da "beleza do Senhor" é saber o quanto ainda há que nós deixamos de ver, e assim, *desejar* ver, mais do que nunca. Aqueles que procuram fervorosamente as maravilhas da palavra do Senhor, jamais deixarão este *desejo* em repouso, enquanto permanecerem "na terra". Somente quando nós formos "como Ele", e "o virmos como Ele é", é que iremos clamar, "Já basta, ó Senhor", "eu me satisfarei da tua semelhança quando acordar". – *F. G. Marchant*

v. 20: "A minha alma está quebrantada de desejar". Do fervoroso desejo. *"Os teus juízos em todo o tempo"*. A tua lei; os teus mandamentos. Este era um sentimento constante, não era intermitente, nem espasmódico, mas era o estado constante e habitual da alma com relação a isto. Ele não tinha visto o suficiente da beleza e da glória de Deus, para sentir que todas as necessidades da sua natureza estavam satisfeitas, ou que ele não precisasse ver e conhecer mais nada; ele tinha sentido e visto o suficiente, para despertar nele um ardente desejo de ficar plenamente familiarizado com *tudo* o que há na lei de Deus. – *Albert Barnes*

v. 20: "A minha alma está quebrantada de desejar", etc. O desejo dos juízos de Deus se torna dolorosamente intenso. Um desejo – um desejo ardente – pelos juízos do Senhor, em todo o tempo. Estes são os detalhes da sua alma quebrantada. Toda a sua mente está dedicada às coisas de Deus. Ele ora para que possa contemplar as maravilhas da lei do Senhor, e para que Ele não esconda dele os seus mandamentos; e aqui, a sua alma está quebrantada, pelo desejo dos seus juízos, em todo o tempo. A condição da mente do salmista não nos levaria, aqui, a supor que ele estava esperando a manifestação dos juízos de Deus, na defesa da sua causa contra os homens ímpios, ou que ele estivesse desejando a oportunidade de cumprir todas as obras de justiça com relação aos seus companheiros, os homens; pois isto ele fazia, ao máximo. Evidentemente, ele é atento às ordenanças da religião, que eram chamadas de *"juízos"*, em referência às sanções solenes com que eram impostas. O homem de Deus anseia tanto por se unir ao povo do Senhor nestas ordenanças, que o seu coração estava quebrantado de desejo, enquanto ele era forçado a ir de um lugar a outro, no deserto. O coração renovado está aqui. Outro indivíduo poderia ansiar por ser libertado da perseguição, por estar descansado, por ser restituído à casa, aos parentes e ao conforto. O homem de Deus não poderia deixar de desejar estes prazeres naturais. Mas, acima de tudo, a sua santa mente desejava com ardor a celebração da adoração do Senhor. – *John Stephen*

v. 20: "Os teus juízos". Os juízos de Deus são de dois tipos: em primeiro lugar, os seus mandamentos; assim chamados, porque, segundo eles, o que é certo é julgado e diferenciado do que é errado. Em seguida, as suas pragas, executavam transgressores, de acordo com a sua palavra. Aqui Davi se refere ao primeiro tipo. Que os homens que não têm o mesmo desejo que Davi se lembrem de que aqueles cujo coração não se quebranta por transgredir a palavra de Deus, porque a amam, encontrarão as pragas de Deus, ferindo seu corpo, e também quebrantando seu coração. Devemos nos alegrar no primeiro tipo destes juízos, e o segundo jamais virá sobre nós. – *William Cowper*

v. 20: Observe esta expressão, *"em todo o tempo"*. Os homens maus têm seus bons momentos, assim como os homens bons têm seus maus momentos. Um homem mau pode, em momentos de consciência, ou sob uma vara que o fere, ou perto da morte ou dos temores do inferno, ou quando sente falta de um sermão, clamar ao Senhor, pedindo graça, justiça e santidade; mas o salmista é um homem bem-aventurado que tem fome e sede de justiça o tempo todo. – *Thomas Brooks, 1608-1680*

v. 20: "Em todo o tempo". Alguns valorizam a palavra em meio à adversidade, quando não têm nenhum outro consolo para viver; então podem se satisfazer em estudar a palavra para consolá-los em suas aflições; mas quando estão bem e tranquilos, eles a desprezam. Mas Davi fazia uso dela *"em todo o tempo"*; na prosperidade, para humilhá-lo; na adversidade, para consolá-lo; na prosperidade, para mantê-lo afastado da soberba; nos infortúnios, para mantê-lo afastado do desespero; na aflição, a palavra era o seu alento; no progresso terreno, era seu antídoto; e assim, em todo o tempo, o seu coração era levado à palavra, fosse por uma necessidade ou por outra. – *Thomas Manton*

v. 20: "Em todo o tempo". Oh, quão poucos há, entre os servos de Deus, que conhecem algo do intenso sentimento de devoção, aqui expressado! Oh, se os nossos corações frios e obstinados fossem aquecidos e subjugados pela graça divina, para que pudéssemos estar prontos a desmaiar, por causa do anseio que o salmista tinha *"em todo o tempo"* pelos juízos do nosso Deus. Quão intermitentes são os nossos melhores sentimentos! Se hoje nós subirmos o monte de comunhão com Deus, amanhã estaremos em perigo de estarmos, novamente, envolvidos com as coisas da terra. Como são felizes aqueles cujos corações estão, *"em todo o tempo"*, cheios de anseios pela comunhão com o grande e glorioso objeto do seu amor! – *John Morison, 1829*

v. 20: Se você ler sobre as vidas dos homens bons, que foram, também, intelectualmente grandes, você ficará assombrado, eu penso, e até mesmo surpreso, embora não seja uma surpresa desagradável, por descobri-los, no fim de suas vidas, na sua própria avaliação, tão ignorantes, tão completamente imperfeitos, tão pouco melhores depois da longa lição da vida. O Dr. Chalmers, depois de despertar igrejas e nações para os seus deveres, resumiu as suas próprias realizações na palavra "ânsia", e tomou, como o texto que melhor descrevia a sua condição interior, este clamor apaixonado e quase doloroso de Davi: *"A minha alma está quebrantada de desejar os teus juízos"*. Mas quão grande foi a realização! Ser, na velhice, tão simples como uma criancinha diante de Deus! Estar ainda aprendendo, à idade de setenta anos! Que belos parecem os grandes homens, na sua simplicidade! – *Alexander Raleigh, "The Little Sanctuary", 1872*

v. 21: "Tu repreendeste asperamente os soberbos, amaldiçoados". Se os soberbos escaparem aqui, como acontece às vezes, no futuro não escaparão; pois *"Abominação é para o Senhor todo altivo de coração"* (Pv 16.5). *Deus não pode suportá-lo* (Sl 101.5). E o que acontece? *Tu perdes superbos,* tu destruirás os soberbos. Os próprios pagãos viram os orgulhosos gigantes atingidos pelo céu, com estrondo. E *se Deus não perdoou aos anjos,* aos quais Ele colocou no mais elevado céu, *mas,* pelo seu orgulho, *os precipitou no mais baixo inferno,* muito menos perdoará o pó e as cinzas orgulhosos dos filhos dos homens, mas os lançará do alto da sua atitude terrena para o fundo daquela masmorra infernal! Como disse certo pai: "A humildade faz dos homens anjos; o orgulho faz dos anjos demônios". E eu poderia acrescentar: o orgulho faz dos homens demônios. Αλαζονείας οὔτις εκφευγει δικὴν, diz o poeta pagão, Menandro: "Nunca a alma escapou da vingança do orgulho", e nunca escapará. Tão certo como Deus é justo, a soberba não ficará impune. Eu sei, agora, que todos nós estamos prontos a pedir uma bacia, como Pilatos, e lavar nossas mãos deste pecado detestável. Honorável e adorável, este vício é próximo; ele se apega a você; sim, tão próximo que mal podermos discerni-lo em nós mesmos; isto é o que aumenta o seu perigo. Pois, como bem observa Aquino, alguns pecados são mais perigosos, *propter vehementiam impugnationis, pela fúria e violência do seu ataque*; assim é o pecado da ira; outros, pela sua correspondência com a natureza; assim são os pecados da luxúria; outros, *propter latentiam sui,* "por seu esconderijo" em nosso seio, como é o caso do pecado da soberba. Oh, que examinemos seriamente os cantos dos nossos corações falsos, com a luz da lei de Deus, e possamos descobrir este demônio sutil; e que as nossas almas não tenham paz, até que o tenhamos desalojado. Abaixem as suas orgulhosas plumas, gloriosos pavões do mundo; olhem para as suas pernas negras, e a sua cabeça, como de uma serpente; envergonhem-se de suas infelizes fraquezas; caso contrário, Deus acabará com tudo isto, e com vocês, em terrível vingança. Nem o mais santo de nós deixa de ser falho desta maneira; oh, que nós nos humilhemos por meio do arrependimento, para que não sejamos abatidos, para eterna confusão: que nós sejamos lançados sobre nossos joelhos, para que não sejamos lançados sobre nossos rostos. Pois Deus cumprirá a sua palavra, de uma maneira: "A soberba do homem o abaterá". – *Joseph Hall, 1574-1656*

v. 21: "Tu repreendeste asperamente os soberbos". Que as histórias de Caim, Faraó, Hamã, Nabucodonosor e Herodes, exibam a soberba que sofreu a repreensão e a maldição da parte de Deus. Ele abomina as suas pessoas e as suas ofertas: Ele "os conhece à distância", e "resiste a eles"; "Ele os espalha nas imaginações dos seus corações". Mas mais particularmente odiosos eles são aos seus olhos, quando se revestem de uma veste espiritual – que dizem, "Retira-te, e não te chegues a mim, porque sou mais santo do que tu. Estes são uma fumaça no meu nariz, um fogo que arde todo o dia". Davi e Ezequias são faróis instrutivos na igreja, para que o povo de Deus, sempre que der lugar às obras de um coração soberbo, não espere escapar à sua repreensão. "Tu foste um Deus que lhes perdoaste, posto que vingador dos seus feitos" (Sl 99.8). – *Charles Bridges*

v. 21: "Tu repreendeste asperamente os soberbos". Davi acrescenta outra razão pela qual ele se sente mais inflamado a orar a Deus e a se dirigir a Ele, para ser ensinado na sua palavra; isto é, quando vêm que ele também tinha *"repreendido os soberbos"*. Pois os castigos e as punições que Deus lança sobre os incrédulos e rebeldes devem ser uma boa instrução para nós; pois está escrito que Deus executou juízo e que os habitantes da terra devem aprender a sua justiça. Não é sem razão que o profeta Isaías também disse isso; pois ele nos quer dizer que Deus, por meios variados, nos atrai a Ele, principalmente, quando Ele nos ensina a temer a sua majestade. Pois sem isto, ai, logo nos tornamos como animais selvagens; se Deus colocar o freio em nossos pescoços, a própria experiência nos ensinará muito bem que permissão daremos a nós mesmos. Deus, vendo que somos tão facilmente levados a ficar a esmo, nos envia exemplos, porque Ele deseja nos fazer andar no temor e com cuidado. – *João Calvino*

v. 21: "Os soberbos". Este é um nome normalmente dado aos ímpios; porque, assim como é o nosso mais antigo mal, também é o mais forte e o primeiro que luta em nossa natureza corrupta, pois leva os homens a transgredir os limites indicados pelo Senhor. A partir do momento em que a soberba entrou no coração de Adão, para que ele se tornasse maior do que Deus o tinha criado para ser, ele não evitou comer da árvore proibida. E qual pode ser a causa de toda transgressão, exceto a soberba ignorante do homem, que faz com que a sua própria vontade seja preferida à vontade de Deus. – William Cowper.

v. 21: "Os soberbos". Pedro fala dos soberbos, como se desafiassem a Deus, como campeões, e o provocassem, como rebeldes, de modo que, a menos que Ele resistisse a eles, eles o privariam do seu governo, como Corá, Datã e Abirão minaram Moisés (Nm 16).

Por isso, diz o soberbo, serei semelhante ao Altíssimo (Is 14); e, se pudesse, se colocaria acima dele. Esta é a criatura que foi tirada do pó (Gn 2.7), e tão logo foi criada, se opôs à majestade que os anjos adoram, que os tronos adoram, que os demônios temem e à qual os céus obedecem. Quantos pecados há neste mundo pecaminoso! Deste modo, como Salomão diz sobre a boa esposa: "Muitas mulheres procedem virtuosamente, mas tu a todas sobrepujas" (Pv 31.29, ARA), assim posso falar sobre a soberba: Muitos pecados são cometidos impiamente, mas este sobrepuja a todos; pois o homem iracundo, o homem esbanjador, o homem lascivo, o homem glutão, o homem preguiçoso, é mais um inimigo de si mesmo do que de Deus, mas o soberbo se coloca contra Deus, porque age contra as suas leis; ele se considera igual a Deus, porque faz tudo sem Ele, e não busca a sua ajuda; ele se exalta acima de Deus, porque realiza a sua própria vontade, ainda que seja contrária à vontade de Deus. Da mesma maneira como o humilde diz, Não a nós, Senhor, não a nós, mas ao teu nome dá glória (Sl 115.1), o soberbo diz, "Não a Ele, não a Ele, mas a nós dá glória". Como Herodes, que tomou o nome de Deus e foi honrado por todos, menos pelos vermes, e estes lhe mostraram que ele não era um deus, mas um homem (At 12.21). Os soberbos podem ser chamados de inimigos de Deus, porque da mesma maneira como o cobiçoso tira a riqueza dos homens, também o soberbo rouba a honra de Deus. Além disto, o homem soberbo não tem motivo para orgulho, como outros pecadores têm, o cobiçoso, pelas riquezas, o ambicioso, pelas honras, o voluptuoso pelo prazer, o invejoso pela injustiça, o preguiçoso pela tranquilidade; mas o soberbo não tem motivo para orgulho, exceto o orgulho em si mesmo, dizendo, como Faraó, "Não ouvirei" (Êx 5.2). – *Henry Smith, 1560-1591 v. 21:* "Soberbos, amaldiçoados". Os soberbos suportam a maldição de jamais ter amigos; seja na prosperidade, porque não conhecem ninguém; seja na adversidade, porque, então, ninguém os conhece. – *John Whitecross, "Anecdotes illustrative of the Old Testament"*

v. 21: Este uso dos juízos de Deus sobre os outros nós devemos fazer sobre nós mesmos; em primeiro lugar, para que possamos ser levados a reconhecer o que merecemos, e consequentemente, temer; e, além disto, para que possamos contemplar a sua justiça sobre os soberbos de modo que possamos ter certeza da sua misericórdia para com os humildes. Isto é difícil, para a carne e o sangue; pois alguns podem ser levados a se alegrar pela destruição de outros, e não conseguir temer; e outros, quando são levados a temer, não conseguem receber consolo. Mas não devemos separar aquilo que Deus uniu; portanto, façamos este uso dos juízos de Deus. – *Richard Greenham*

v. 22: "Tira de sobre mim o opróbrio e o desprezo". Aqui, Davi ora contra a vergonha (o opróbrio) e o desprezo dos homens, para que possam ser *removidos*, ou, como é o significado da palavra, *tirados de cima dele*. Isto indica que eles estavam sobre ele, e nem a sua grandeza, nem a sua bondade, podiam evitar que ele fosse difamado e ridicularizado; alguns o desprezavam e se empenhavam em caracterizá-lo como desprezível; outros o reprovavam e se empenhavam em caracterizá-lo como odioso. Este sempre foi o destino dos que fazem o bem, serem mal vistos pelos outros. Isto sugere que isto lhe era pesado. As palavras duras, e as palavras ásperas, não quebram ossos, mas apesar disto são muito angustiantes para um espírito terno e inocente; por isto, Davi ora, Senhor *"tira"* isto de sobre mim, para que eu não seja, por estas coisas, afastado de algum dever, ou desencorajado nele. – *Matthew Henry*

v. 22: "Tira de sobre mim o opróbrio e o desprezo", etc. Nestas palavras (como em muitos dos outros versículos), temos:

1. Um pedido: *"Tira de sobre mim o opróbrio e o desprezo"*.
2. Uma argumentação e um motivo que reforçam o pedido: *"pois guardei os teus testemunhos"*.

Em primeiro lugar, no pedido, *"Tira de sobre mim o opróbrio e o desprezo"*, o significado é, Tira-os de cima de mim, não deixe que venham a mim, não deixe que fiquem comigo. E, então, a argumentação: *"pois guardei os teus testemunhos"*. A razão pode ser a seguinte: (1) Ele alega que era inocente quanto àquilo de que era acusado, e não tinha merecido estas calúnias.

(2) Ele sugere que era pela sua obediência, por este mesmo motivo, que tinha guardado a palavra, e por isto o opróbrio lhe era dirigido.

(3) Podemos entender que o seu respeito pela palavra de Deus não tinha sido abatido por este opróbrio; ele ainda guardava os testemunhos de Deus, por mais ímpio que pudesse parecer aos olhos do mundo. É uma declaração da sua inocência; ou ele mostra o motivo pelo qual este opróbrio lhe era dirigido; ou ainda alega que o seu respeito por Deus e pelo seu serviço não diminuía, qualquer que fosse o opróbrio que encontrasse na realização do serviço. Há muito a observar:

1. Não é nada estranho que aqueles que guardam os testemunhos de Deus sejam caluniados e difamados.
2. Assim como é a sorte usual do povo de Deus, ser difamado, também isto lhes é muito angustiante, e difícil de suportar.
3. Sendo angustiante, nós podemos procurar, licitamente, a sua remoção. Isto faz Davi, e também podemos nós, com submissão à vontade de Deus.
4. Na remoção, é melhor lidar com Deus a este respeito; pois Deus é a grande testemunha na nossa sinceridade, conhecendo todas as coisas, e por isto a Ele devemos apelar neste caso. Novamente, Deus é quem mais poderosamente pode declarar a nossa inocência; Ele tem os corações e as línguas dos homens em suas mãos, e pode

evitar que o caluniador expresse a sua difamação, ou pode impedir que o ouvinte dê ouvidos à difamação. Aquele que tem este poder sobre as consciências dos homens podem esclarecer a nossa inocência; por isto, é melhor lidar com Deus a este respeito, e a oração, muitas vezes, prova ser uma melhor defesa do que uma desculpa.

5. Ao buscar alívio deste mal junto a Deus, é um grande consolo, e um motivo de confiança, quando somos inocentes quanto àquilo de que somos acusados. Em alguns casos, devemos nos humilhar, e então Deus cuidará da nossa credibilidade; nós devemos nos declarar culpados quando, por nossa própria culpa, tivermos dado motivos para as calúnias dos ímpios; por isto, "Desvia de mim o opróbrio que temo, pois os teus juízos são bons" (Sl 119.39). "O opróbrio" que era, em parte, merecido por ele, e por isto temia as suas tristes consequências, e se humilhava diante de Deus. Mas, em outras ocasiões, nós podemos nos levantar em nossa integridade, como diz aqui Davi: *"Desvia de mim o opróbrio que temo: pois os teus juízos são bons"*. – *Thomas Manton*

v. 23: "Enquanto os príncipes se conluiavam" à sombra da justiça *"e falavam contra mim"*. Era uma grande provação para Davi ser, não apenas alvo de zombarias nas tavernas e estalagens, sendo ali difamado por escarnecedores e alvo de comentários nas ruas e no mercado, mas até mesmo na sede da justiça (que deveria ser sagrada); assim, ele não poderia, portanto, ser escolhido, mas eles também o difamariam e caluniariam completamente, e o condenariam a ser um homem muito infeliz e amaldiçoado. Quando Davi, então, viu que era tratado desta maneira injusta, ele faz sua queixa a Deus e diz, "Ó, Senhor, os próprios príncipes e governantes se assentam e falam contra mim; *e apesar de tudo isto eu guardei teus testemunhos"*. Aqui, em resumo, nós devemos sair deste lugar, para que, se ele desmoronar, depois de termos andando na justiça e com boa consciência, não sejamos falsamente difamados, e acusados de muitas coisas jamais antes imaginadas. Mas ainda assim, nós devemos suportar todas as coisas com paciência; devemos ter a certeza disto: não somos em nada melhores do que Davi, apesar da grande declaração de integridade e pureza que possamos ousar fazer. – *João Calvino*

v. 23: "O teu servo meditava nos teus estatutos". Assim como os agricultores, quando suas terras estão inundadas, fazem canais e sulcos, para conduzir a água; também, quando nossas mentes e pensamentos são dominados pela angústia, é bom desviá-los para algum outro assunto. Mas nem todos os desvios de pensamento são convenientes aos santos; este desvio deve ser piedoso: "Multiplicando-se dentro de mim os meus cuidados, as tuas consolações reanimaram a minha alma" (Sl 94.19). O caso era o mesmo que o do texto, quando o trono da iniquidade formava a maldade através de uma lei; como você verá aqui, nesta ocasião o salmista teve muitos pensamentos perplexos sobre o abuso de poder contra si mesmo. Mas onde está esta facilidade de digressão? Seriam todas as digressões adequadas ao seu propósito? Não; *"Tuas* consolações" – consolações que Deus permite, e que Deus provê, consolações apropriadas aos santos. Os ímpios em dificuldades correm para seus cachimbos, e jogos, e esportes, e alegres companhias, e assim destroem a providência, em lugar de aprimorá-la; mas Davi, que era servo de Deus, deveria ter as consolações de Deus. Assim, em outra passagem, quando seus pensamentos estavam perturbados, tendo em vista o poder dos ímpios: "entrei no santuário de Deus; então, entendi eu o fim deles" (Sl 73.17). Ele vai distrair a sua mente com o uso das ordenanças de Deus, e assim se tranquilizar quanto ao opróbrio. – *Thomas Manton*

v. 23: "O teu servo meditava nos teus estatutos". Perceba aqui a armadura com que Davi combate o seu inimigo. *Arma justi quibus omnes adversariorum repellit impetus,* as suas armas são a palavra e a oração. Ele não retribui ofensa com ofensa, opróbrio com opróbrio. É perigoso combater Satanás ou os seus instrumentos com as suas próprias armas, pois assim eles nos derrotarão com facilidade. Devemos combater com a armadura de Deus – os exercícios de palavra e oração; pois um homem pode descansar tranquilamente em sua câmara secreta, e com a palavra e a oração ver o miserável fim de todos os que são inimigos dos filhos de Deus, por causa do ódio que têm de Deus. – *William Cowper*

v. 23: "Teus estatutos". É impossível viver *de maneira cristã* ou *confortável* sem o uso diário das Escrituras. Elas são absolutamente necessárias, para a nossa orientação em todos os nossos caminhos, antes que os iniciemos, e depois que os tivermos concluído, para a nossa aprovação deles, para solucionar as nossas dúvidas, e para nos consolar em nossas angústias. Sem as Escrituras, a nossa consciência é um guia cego, e nos conduz em uma névoa de ignorância, erro e confusão. Com elas, nós ouvimos Deus, falando conosco, declarando a sua boa vontade para conosco, a respeito da nossa salvação, e o caminho da nossa obediência para encontrá-lo na sua boa vontade. Que livro podemos ler, com tanto benefício e consolação? Como assunto, é sabedoria; como autoridade, é divino e absoluto; como majestade, o próprio Deus, em palavras e letras comuns, expressa um indescritível poder para gravar a sua preciosa Palavra em nosso coração. Onde teremos nossas mentes tão esclarecidas, nossos corações tão profundamente afetados, nossa consciência tão comovida, tanto para nos derrubar como para nos levantar? Eu não posso encontrar, nem mesmo em todos os livros do mundo, algum que fale comigo, como as Escrituras, com uma conquista tão absoluta de todas as forças da minha alma.

Aqueles que combatem as Escrituras não têm alimento para suas almas, luz para sua vida, e armas para a sua batalha espiritual; mas os que amam as Escrituras, têm tudo isto. Nelas, nós ouvimos a voz do nosso Amado, sentimos o aroma das suas unções, e temos acesso diário à preciosa propiciação. Se, no nosso conhecimento, desejarmos divindade, excelência, antiguidade, e eficiência, nós não poderemos encontrá-las, exceto, e apenas, na palavra de Deus. É a síntese da sabedoria celestial que Cristo, o Verbo Eterno, apresentou a partir do seio de Deus Pai. – *William Struther, 1633*

vv. 23 e 24: Os dois últimos versículos desta seção contêm duas declarações do sincero afeto de Davi pela Palavra. A primeira é que, embora ele fosse perseguido e caluniado, e por grandes e honoráveis homens do mundo, como Saul, e Abner, e Aitofel, apesar disto, ele ainda medita nos estatutos de Deus. É uma difícil provação, quando os piedosos são perturbados por homens ímpios; mas muito mais difícil quando são perturbados por homens de honra e autoridade. E isto, em primeiro lugar, por motivo da sua *posição;* quanto mais *poder* eles têm, maior *perigo* correm de se deparar com o seu desprazer; por isto disse Salomão: "O furor do rei é como um mensageiro da morte". Em segundo lugar, porque as autoridades e os poderes são ordenados por Deus, não para o terror dos bons, mas dos maus (Rm 13.3). E por isto, não é menos angustiante para os piedosos, quando se veem maltratados, para uma finalidade contrária; quando um governante deveria ser, para os homens bons, como chuva para os campos recém cortados, ele favorece os homens maus, e se torna um perseguidor dos homens bons. A justiça se converte em amargura quando aquilo que deveria trazer consolação aos que temem a Deus, é mal utilizado, para oprimi-los. E por isto deve-se considerar um grande benefício de Deus, quando Ele dá a um povo governantes bons e religiosos. – *William Cowper*

vv. 23 e 51: Se o salmo 119 veio da pena de Davi, como creem multidões, então eu não me admiro com o fato de que muitos relacionem a sua composição com a sua residência na escola dos profetas de Naiote. A calma em que então ele se encontrava, e os estudos que ele realizou, devem ter orientado as suas reflexões em direção ao código alfabético, pois nele há expressões – e não são poucas – que, para dizer o mínimo, podem ter referência particular com os perigos dos quais ele tinha escapado tão recentemente, e pelos quais ainda se encontrava ameaçado. Exemplos são os seguintes: *"Enquanto os príncipes se conluiavam e falavam contra mim, o teu servo meditava nos teus estatutos". "Os soberbos zombaram grandemente de mim; apesar disso, não me desviei da tua lei". – William M. Taylor, "David King of Israel; his Life and its Lessons", 1880*

v. 24: "Também os teus testemunhos são o meu prazer e os meus conselheiros". O seu prazer e os seus conselheiros, isto é, o seu prazer, *por causa* dos seus conselheiros; os seus conselheiros, e portanto, o seu prazer. Nós sabemos como é prazeroso para qualquer pessoa ter o benefício de um bom conselho, de acordo com as perplexidades e distrações em que ela possa estar. "O óleo e o perfume alegram o coração; assim a doença do amigo, com o conselho cordial", diz Salomão (Pv 27.9). Esta é a doçura da Divina comunhão, e da meditação em Deus e na sua palavra; ela emprega um homem com *conselho oportuno*, o que é um grande alívio para nós. – *T. Horton, 1673*

v. 24: "Também os teus testemunhos são o meu prazer", etc. Aqueles cujo prazer são os testemunhos de Deus devem tomá-los como seus conselheiros e ser aconselhados por eles; e aqueles que os aceitam como seus conselheiros, em seu andar cotidiano, devem aceitá-los como seu prazer, andando em seu conforto. – *Matthew Henry*

v. 24: "Também os teus testemunhos são o meu prazer e os meus conselheiros". O que podemos desejar mais, em uma época de dificuldade, do que consolo e orientação? Davi tinha ambas estas bênçãos. Como o fruto da sua "meditação sobre os estatutos do Senhor", na sua aflição, eles foram o seu *"prazer"*; nos seus momentos de perplexidade, eles foram seus *"conselheiros"*, orientando o seu comportamento no caminho perfeito. – *Charles Bridges*

v. 24: "Meus conselheiros". O texto em hebraico diz "os homens do meu conselho", o que é mencionado apropriadamente, pois ele tinha falado dos príncipes assentados em conselho contra ele. Os príncipes não fazem nada, sem a orientação do seu Conselho privado; um filho de Deus também tem o seu Conselho privado, os testemunhos de Deus. De um lado, estavam Saul e seus nobres e conselheiros; de outro, estava Davi e os testemunhos de Deus. Quem estava mais bem acompanhado, na sua opinião? Eles, para persegui-lo e perturbá-lo, ou Davi, para se conduzir em meio a esta dificuldade? Alfonsus, rei de Arragon, perguntado sobre quem eram os melhores conselheiros, respondeu: "Os mortos (querendo dizer os livros), que não adulam, mas sem parcialidade declaram a verdade". Entre todos estes conselheiros mortos, os testemunhos de Deus têm a proeminência. Um homem pobre e piedoso, mesmo quando foi abandonado por todos e não tem ninguém que ore por ele, tem o seu senado e seu conselho de estado ao seu redor, os profetas e os apóstolos, e outros homens santos de Deus, que "falaram inspirados pelo Espírito Santo". Um homem tão bem acompanhado, jamais está menos sozinho do que quando está sozinho; pois tem conselheiros ao seu redor que lhe dizem em que deve crer ou o que deve fazer; e são conselheiros que não podem errar, que não irão adulá-lo, nem aplaudi-lo em nenhum pecado, nem desencorajá-lo ou dissuadi-lo naquilo que é bom, qualquer que seja o perigo a que está exposto. E, na verdade, se nós formos sábios, escolheremos conselheiros como estes: *"Os teus testemunhos são os meus conselheiros". – Thomas Manton*

v. 24: "Meus conselheiros". Veja aqui uma sentença digna da nossa reflexão, quando Davi chama os mandamentos de Deus de seus *"conselheiros"*. Pois, em primeiro lugar, ele quer dizer que poderia zombar de toda a sabedoria dos homens mais capazes e mais talentosos do mundo, uma vez que era conduzido pela palavra de Deus, e por ela governado. Em segundo lugar, ele quer dizer que, quando fosse governado pela palavra de Deus, não apenas seria verdadeiramente sábio, mas seria como se tivesse toda a sabedoria de todos os homens do mundo, e muito mais. – *João Calvino*

EXPOSIÇÃO DOS VERSÍCULOS 25 A 32

25 *A minha alma está pegada ao pó; vivifica-me segundo a tua palavra.*
26 *Meus caminhos te descrevi, e tu me ouviste; ensina-me os teus estatutos.*
27 *Faze-me entender o caminho dos teus preceitos; assim, falarei das tuas maravilhas.*
28 *A minha alma consome-se de tristeza; fortalece-me segundo a tua palavra.*
29 *Desvia de mim o caminho da falsidade e concede-me piedosamente a tua lei.*
30 *Escolhi o caminho da verdade; propus-me seguir os teus juízos.*
31 *Apego-me aos teus testemunhos; ó Senhor, não me confundas.*
32 *Correrei pelo caminho dos teus mandamentos, quando dilatares o meu coração.*

Aqui, me parece que temos o salmista perturbado, lamentando a escravidão às coisas terrenas, e encontrando a sua mente aprisionada. A sua alma se apega ao pó, se dissolve pelo peso, e clama, pedindo libertação da sua prisão espiritual. Nestes versículos, veremos a influência da palavra divina em um coração que lamenta as suas tendências descendentes, e está cheio de pesar, por causa do ambiente entorpecedor ao seu redor. A palavra do Senhor, evidentemente, incita a oração (25-29), confirma a escolha (30), e inspira a resolução renovada (32); ela é, em toda tribulação, seja do corpo ou da mente, a fonte de ajuda mais segura.

Este trecho tem a letra D como sua inicial: ele canta sobre a Depressão, no espírito da Devoção, Determinação e Dependência.

25. *"A minha alma está pegada ao pó."* Ele quer dizer, em parte, que estava cheio de tristeza; pois os que pranteiam no oriente lançam pó sobre suas cabeças, e se sentam em cinzas, e o salmista sentia como se estes emblemas de lamentação estivessem colados a ele, e a sua própria alma acabava se apegando a eles, por causa da sua impotência em se levantar acima da sua angústia. Será que ele não quer dizer, também, que se sentia pronto para morrer? Ele não sentia a sua vida absorvida e segura pela sepultura, meio mastigada pelo pó da morte? Poderia não ser uma linguagem tensa, se supuséssemos que ele também sentia e lamentava o seu materialismo e a sua morte espiritual. Havia uma tendência, na sua alma, de se apegar ao pó, uma tendência de que ele se lamentava enormemente. Qualquer que fosse a causa da sua queixa, não era um mal superficial, mas algo do seu espírito mais interior; a sua *alma* se apegava ao pó; e não foi uma queda casual e acidental, ao pó, mas uma tendência contínua e poderosa, ou *um apego* à terra. Mas que misericórdia o homem bom poderia sentir e deplorar, qualquer que fosse o mal a que se apegasse! A semente da serpente pode encontrar seu alimento no pó, mas a semente da mulher jamais será degradada desta maneira. Muitos são do pó terreno, e nunca lamentam isto; somente o espírito nascido do céu e que se eleva ao céu é que anela pelo céu, diante da ideia de estar preso a este mundo, e aprisionado pelas suas angústias ou pelos seus prazeres.

"Vivifica-me segundo a tua palavra." Mais vida é a cura de todos os nossos sofrimentos. Somente o Senhor pode dar esta vida. Ele pode concedê-la, concedê-la imediatamente, e fazê-lo de acordo com a sua palavra, sem se desviar do curso usual da sua graça, conforme o vemos mapeado nas Escrituras. É bom saber o que devemos pedir na oração – Davi pede vivificação; poderíamos imaginar que ele tivesse pedido consolação ou estímulo, mas ele sabia que isto viria da vida elevada, e por isto pedia esta bênção, que é a raiz das demais. Quando uma pessoa tem o espírito deprimido, fraco, e curvado para o chão, o melhor a fazer é aumentar a sua

perseverança e o seu vigor, e incutir mais vida nela; então o seu espírito revive, e o seu corpo fica ereto. Quando a vida revive, o homem é integralmente renovado. Sacudir o pó é uma coisa pequena, em si mesma, mas quando se segue à vivificação, é uma bênção do maior valor; assim como o bom estado de espírito que flui da saúde estabelecida, está entre as melhores das nossas graças. A expressão, "segundo a tua palavra" quer dizer – de acordo com a tua maneira revelada de vivificar os teus santos. A palavra de Deus nos mostra que aquele que nos criou nos manterá vivos, e nos fala do Espírito de Deus que, através das ordenanças, derrama vida nova em nossas almas; nós pedimos que o Senhor aja conosco de acordo com este seu método de graça regular. Talvez Davi se lembrasse da palavra de Deus em Dt 32.39, onde o Senhor declara que mata e que faz viver, e pede que o Senhor exerça este poder vivificador sobre o seu servo, que está à beira de expirar. Certamente, o homem de Deus não tinha tão ricas promessas em que confiar, como nós temos, mas uma única palavra era suficiente para ele, e ele fervorosamente suplica, "segundo a tua palavra". É uma grande coisa, ver um crente no pó, e ainda suplicando a promessa, um homem à beira da sepultura clamando, "vivifica-me", e esperando que isto seja feito.

Veja como o seu primeiro versículo, no quarto grupo, está em conformidade com o terceiro (17): "Para que viva"... "Vivifica-me". Enquanto está em uma condição de felicidade, ele implora por um tratamento generoso, e quando está em situação miserável, ele ora, pedindo vivificação. A vida é, nas duas situações, o objeto de busca: para que ele possa ter vida, e possa tê-la mais abundantemente.

26. *"Meus caminhos te descrevi."* A confissão aberta é boa para a alma. Nada traz mais tranquilidade e mais vida para um homem, do que um franco reconhecimento do mal que causou a angústia e a letargia. Esta declaração prova que o homem conhece a sua própria condição, e não mais está cego pelo orgulho. As nossas confissões não têm o objetivo de fazer com que Deus conheça os nossos pecados, mas fazer que nós os conheçamos, *"E tu me ouviste"*. A sua confissão tinha sido aceita; não foi trabalho perdido; Deus tinha se aproximado dele, nesta confissão. Nós jamais devemos deixar um dever, até termos sido aceitos nele. O perdão se segue à confissão penitente, e Davi sentia que a tinha obtido. É a maneira de Deus, perdoar o nosso caminho pecaminoso, quando nós, do fundo do nosso coração, confessamos o erro.

"Ensina-me os teus estatutos." Lamentando sinceramente o seu erro, e tendo obtido pleno perdão, ele está ansioso por evitar transgredir novamente, e consequentemente, implora que a obediência lhe seja ensinada. Ele não estava desejoso de pecar por ignorância, ele desejava conhecer toda a vontade de Deus, sendo ensinado pelo melhor dos professores. Ele desejava a santidade. Os homens justificados sempre anseiam por ser santificados. Quando Deus perdoa os nossos pecados, nós temos ainda mais temor de pecar outra vez. A misericórdia, que perdoa a transgressão, nos faz ansiar pela graça, que impede a transgressão. Nós podemos, ousadamente, pedir mais, quando Deus já nos deu tanto; aquele que lavou a mancha passada, não recusará aquilo que irá nos preservar da corrupção presente e futura. Este clamor por ensinamento é frequente no salmo; no versículo 12, ele segue uma visão de Deus, aqui segue uma visão de si mesmo. Cada experiência deve nos levar a implorar a Deus esta bênção.

27. *"Faze-me entender o caminho dos teus preceitos."* Dá-me um discernimento profundo do significado prático da tua palavra; dá-me uma ideia clara do tom e do teor da tua lei. A obediência cega tem apenas uma pequena beleza; Deus deseja que nós o sigamos, com nossos olhos abertos. Obedecer integralmente à palavra é tudo o que o ignorante pode esperar; se desejarmos implantar os preceitos de Deus no espírito deles, devemos entendê-los, e isto não pode ser obtido em nenhum lugar, exceto nas mãos do Senhor. O nosso entendimento precisa de esclarecimento e

orientação; aquele que criou o nosso entendimento, também nos fará entender. A última sentença foi, "ensina-me os teus estatutos", e as palavras "faze-me entender" são um detalhamento instrutivo e uma explicação daquela sentença; nós precisamos ser ensinados de modo que possamos compreender o que aprendemos. Deve-se observar que o salmista não está ansioso por compreender as profecias, mas os preceitos, e não está preocupado com as sutilezas da lei, mas com as regras diárias e rotineiras dela, que são descritas como "o caminho dos teus preceitos".

"Assim, falarei das tuas maravilhas." Não é bom falar daquilo que não compreendemos. Nós devemos ser ensinados sobre Deus, até compreendermos, e então podemos esperar transmitir o nosso conhecimento a outros, com a esperança de beneficiá-los. Falar com negligência é mero falar, e inútil; mas as palavras dos instruídos são como pérolas, que adornam os ouvidos dos que ouvem. Quando o nosso coração estiver aberto para compreender, os nossos lábios deverão estar abertos para transmitir conhecimento; e podemos esperar ser ensinados, quando sentirmos em nossos corações uma disposição e vontade de ensinar o caminho do Senhor àqueles em cujo meio habitamos.

"As tuas maravilhas." Observe que o entendimento mais claro não nos faz deixar de nos admirar com os caminhos e as obras de Deus. O fato é que, quanto mais conhecemos das obras de Deus, mais as admiramos, e mais prontos e dispostos estamos a falar sobre elas. Metade da admiração do mundo nasce da ignorância, mas a santa admiração é filha do entendimento. Quando um homem compreende o caminho dos preceitos divinos, ele jamais fala das suas próprias obras, e como a língua precisa de algum tema do qual falar, ele começa a explicar as obras do Senhor perfeito.

Alguns, nesta passagem, interpretam "meditar" ou "refletir" em lugar de "falar"; é singular que as palavras sejam tão aparentadas, mas é correto que assim sejam, pois ninguém senão as pessoas tolas, falará sem pensar. Se nós interpretarmos a passagem neste sentido, interpretaremos que ela significa que, à medida que Davi compreendia a palavra de Deus, ele meditava sobre ela cada vez mais. Normalmente, é assim; os imprudentes não se preocupam em conhecer o significado interior das Escrituras, ao passo que aqueles que melhor as conhecem são os mesmos homens que se esforçam por obter uma maior familiaridade com elas, e por isto se dedicam a refletir sobre elas.

Observe o terceiro versículo dos últimos oito (19), e veja como o sentido é semelhante a este. Ali, ele era um peregrino na terra, e aqui ele ora para conhecer o seu caminho; ali, também, ele orou para que a palavra não fosse escondida de si, e aqui ele promete que não a esconderá dos outros.

28. *"A minha alma consome-se de tristeza."* Ele estava se dissolvendo em lágrimas. A sólida força da sua constituição se convertia em líquido, como se derretida pelo calor das suas aflições. O peso do coração é algo que mata, e quando é abundante, ameaça converter a vida em uma longa morte, em que um homem parece desaparecer em um gotejar perpétuo de angústia. As lágrimas são o destilar do coração; quando um homem chora, ele consome a sua alma. Alguns de nós sabemos o que significa um grande peso, pois fomos trazidos sob o seu poder repetidas vezes, e frequentemente nos sentimos como derramados, como água, e próximos de estar como água derramada no chão, para jamais ser ajuntados Há um bom ponto nesta situação humilhada, pois é melhor ser consumido de tristeza do que endurecido pela impenitência.

"Fortalece-me segundo a tua palavra." Ele tinha descoberto uma antiga promessa de que os santos seriam fortalecidos, e aqui ele a implora. A sua esperança, neste estado de depressão, não está em si mesmo, mas no seu Deus; se ele puder ser fortalecido pelo alto, ele sacudirá o seu peso, e se levantará para a alegria outra vez. Observe como ele pede a promessa da palavra, e não pede nada mais, do que ser tratado segundo a maneira registrada do Senhor de misericórdia. Ana não tinha cantado, "dará força ao seu rei, e exaltará o poder do seu ungido"? Deus nos

fortalece, infundindo-nos graça, através da sua palavra; a palavra que cria certamente pode sustentar. A graça pode nos capacitar para suportar a irritação constante de uma dor permanente, pode reparar a decadência causada pelo gotejar perpétuo de lágrimas, e pode dar ao crente veste de louvor por espírito angustiado. Devemos sempre recorrer à oração, quando estivermos desanimados, pois é o caminho mais seguro e mais curto para sair das profundezas. Nesta oração, não devemos pedir nada além da palavra de Deus; pois não podemos pedir nada tão precioso quanto a promessa, e não há um argumento tão elevado quanto uma palavra do nosso Deus, que tem um concerto conosco.

Observe como Davi registra a vida interior da sua alma. No versículo 20, ele diz, "A minha alma está quebrantada"; no versículo 25, "A minha alma está pegada ao pó"; e aqui, "A minha alma consome-se". Além disto, no versículo 81, ele clama, "Desfaleceu a minha alma"; no versículo 109, "A minha alma está de contínuo nas minhas mãos"; no versículo 167, "A minha alma tem observado"; e, por fim, no versículo 175, "Viva a minha alma". Algumas pessoas nem mesmo sabem que têm uma alma; e aqui vemos Davi, com a sua alma totalmente exposta. Que grande diferença há entre aqueles que estão espiritualmente vivos, e aqueles que estão espiritualmente mortos.

29. *"Desvia de mim o caminho da falsidade."* Este é o caminho do pecado, do erro, da idolatria, da tolice, do falso moralismo, do formalismo, e da hipocrisia. Davi não desejava somente ser impedido de tomar este caminho, mas desejava que tal caminho fosse mantido longe dele; ele não pode suportar ter o caminho da falsidade perto de si, e deseja que ele seja tirado de diante dos seus olhos. Ele desejava ser justo e honesto, ser fiel e andar na verdade, mas temia que uma medida de falsidade se prendesse a ele, a menos que o Senhor a removesse, e por isto ele clamava, fervorosamente, pela sua remoção. Os falsos motivos podem, às vezes, nos dominar, e nós podemos cair em noções equivocadas em relação à nossa própria condição espiritual diante de Deus. Conceitos errôneos podem ser mantidos por um preconceito natural que age supostamente em nosso próprio benefício, e assim podemos ser confirmados em um engano e permanecer no erro, a menos que a graça venha nos resgatar. Nenhum coração verdadeiro pode descansar em uma falsa visão de si mesmo; ele não encontra ancoragem, mas é lançado de um lado a outro, até que chegue à verdade, e até que a verdade chegue até ele. O filho fiel nascido dos céus suspira e clama contra uma mentira, desejando vê-la removida tanto quanto um homem deseja estar distante de uma serpente venenosa ou de um leão furioso.

"E concede-me piedosamente a tua lei." Está em uma condição de piedade aquele que considera a lei como uma dádiva da graça. Davi deseja ter a lei aberta para o seu entendimento, gravada em seu coração e colocada em prática na sua vida; pois é isto que ele busca no Senhor, e suplica, como uma concessão da graça. Sem dúvida, ele considerava isto como o único modo de libertação do poder da falsidade; se a lei não estiver em nossos corações, a mentira entrará neles. Davi parecia ter se lembrado das ocasiões em que, de acordo com o costume oriental, tinha cometido enganos, para sua própria preservação, e viu que tinha sido fraco e errado, em fazer isto; por isto, ele se curvava em espírito e implorava, para ser vivificado e libertado de modo a não mais transgredir desta maneira. Os santos não conseguem rever os seus pecados sem lágrimas, sem chorar por eles, sem implorar para que sejam salvos e impedidos de cometer novas ofensas.

Há uma evidente oposição, entre a falsidade e o piedoso poder da lei de Deus. A única maneira de expelir a mentira é aceitar a verdade. A graça também tem uma clara afinidade com a verdade; tão logo nós nos encontremos com o som da palavra "piedosamente", nós ouvimos os passos da verdade: "Escolhi o caminho da verdade". A graça e a verdade estão conectadas para sempre, e uma crença nas doutrinas da graça é um grande obstáculo para um erro mortal.

No quinto versículo do grupo anterior (21), Davi clama contra a soberba, e aqui, contra a mentira – praticamente, a mesma coisa. Não é a soberba a maior de todas as mentiras?

30. *"Escolhi o caminho da verdade."* Da mesma maneira como abominava o caminho da mentira, Davi também escolheu o caminho da verdade; é preciso escolher, um ou outro, pois não pode existir nenhuma neutralidade no caso. Os homens não andam no caminho correto por acaso; eles devem escolhê-lo, e continuar a escolhê-lo, ou logo se desviarão dele. Aqueles a quem Deus escolheu, no devido tempo escolhem o seu caminho. Há um caminho doutrinário da verdade, que nós devemos escolher, rejeitando todos os dogmas inventados pelos homens; há um caminho cerimonial da verdade, que nós devemos seguir, abominando todas as formas que as igrejas apóstatas inventaram; e há um caminho prático da verdade, o caminho de santidade, ao qual devemos nos prender, qualquer que possa ser a nossa tentação para abandoná-lo. Que a nossa escolha seja feita, e seja feita de maneira irrevogável. Que nós respondamos a todos os instigadores, "Escolhi, e o que escolhi, escolhi". Senhor, pela tua graça, guia-nos de maneira voluntária e sincera, para que escolhamos fazer a tua vontade; que a tua escolha eterna, por nós, produza o objetivo que ela pretende.

"Propus-me a seguir os teus juízos." Ele se lembrava do que tinha escolhido, colocando-o diante dos olhos da sua mente. Os homens não se tornam santos por um desejo descuidado; é preciso haver esforço, consideração, deliberação, e uma busca sincera, ou o caminho da verdade será perdido. Os mandamentos de Deus devem estar diante de nós, como o alvo a ter em vista, o modelo segundo o qual trabalhar, o caminho no qual andar. Se colocarmos os juízos de Deus em segundo plano, logo perceberemos que estaremos nos afastando deles.

Aqui, novamente, o sexto versículo, do terceiro e do quarto grupo, têm um tema semelhante. "Guardei os teus testemunhos" (22) e "Propus-me a seguir os teus juízos". Esta é uma feliz confissão, e não é de admirar que seja repetida.

31. *"Apego-me aos teus testemunhos"* – a mesma palavra usada no versículo 25. Embora apegado ao pó da tristeza e da morte, ainda assim ele se apegava à palavra divina. Esta era a sua consolação; a sua fé estava presa a ela, o seu amor e a sua obediência estavam agarrados a ela, e a sua mente permanecia em uma meditação a respeito dela. A sua escolha era tão sincera e deliberada que ele se prendeu a ela, por toda a vida, e não poderia ser removido dela pelo opróbrio daqueles que desprezavam o caminho do Senhor. O que ele poderia ter obtido, abandonando o testemunho sagrado? Em vez disto, diga-me, o que ele poderia ter perdido, se tivesse deixado de se apegar à palavra divina? É agradável olhar para trás, para a perseverança passada, e esperar que a graça continue igualmente firme no futuro. Aquele que nos capacitou a nos apegarmos a Ele certamente se apegará a nós.

"Ó Senhor, não me confundas." Isto poderia acontecer, se as promessas de Deus não fossem cumpridas, e se o coração do servo de Deus fraquejasse. Nós não temos razão para temer isto, uma vez que o Senhor é fiel à sua palavra. Mas poderia também acontecer, se o crente agisse de uma maneira incoerente, como Davi tinha feito, quando caiu no caminho da mentira e fingiu ser louvo. Se não formos fiéis à nossa profissão de fé, poderemos ter que colher o fruto da nossa loucura, e isto será a coisa mais amarga, que também poderá ser chamada de "vergonha" ou "confusão". É evidente, a partir disto, que um crente jamais deve se envergonhar, mas agir como um homem corajoso, que nada fez de que deva se envergonhar, por crer no seu Deus, e que não pretende adotar um tom covarde na presença dos inimigos do Senhor. Se nós implorarmos que o Senhor não nos confunda, certamente nós mesmos não nos confundiremos sem motivo.

A oração deste versículo é encontrada no versículo paralelo da seção seguinte (39): "Desvia de mim o opróbrio que temo". É evidentemente um pedido que estava frequentemente no coração do salmista. Um coração corajoso é mais ferido pela vergonha do que por qualquer arma que a mão de um soldado possa brandir.

32. *"Correrei pelo caminho dos teus mandamentos."* Com energia, prontidão, e zelo, ele irá realizar a vontade de Deus, mas precisava de mais vida e liberdade da mão de Deus.

"Quando dilatares o meu coração." Sim, o coração é o mestre; os pés logo correm, quando o coração é livre e energético. Que os afetos sejam despertados e sinceramente dedicados a coisas divinas, e que os nossos atos sejam cheios de força, rapidez e prazer. Deus deve operar em nós, antes de mais nada, e então nós agiremos de acordo com a sua vontade. Ele deve modificar o coração, unir o coração, encorajar o coração, fortalecer o coração, e dilatar o coração, e então o curso da vida será piedoso, sincero, feliz e fervoroso; de modo que, desde a nossa condição mais inferior, até a nossa condição mais elevada na graça, nós possamos atribuir tudo à benevolência do nosso Deus. Nós devemos correr; pois a graça não é uma força esmagadora que compele as mentes relutantes a movimentos contrários à sua vontade, a nossa corrida é o salto espontâneo de uma mente que foi libertada pela mão de Deus, e se alegra em mostrar a sua liberdade, pela sua velocidade.

Que mudança, do versículo 25 para este, do apego ao pó para a corrida pelo caminho. É a excelência da santa tristeza que opera em nós a vivificação que buscamos, e então mostramos a sinceridade da nossa tristeza e a realidade do nosso avivamento, por sermos zelosos nos caminhos do Senhor.

Pela terceira vez, um conjunto de oito versículos é concluído com um verbo no futuro, indicando uma determinação. Cada um destes verbos de determinação dos salmos merece ser assunto de estudo e discurso.

Observe como o coração é mencionado, até aqui: "todo o coração" (2), "retidão de coração" (7), "escondi no meu coração" (11), "dilatares o meu coração". Há muitas outras alusões mais adiante, e todas mostrarão como a religião de Davi era uma obra que acontecia no coração. É uma das grandes faltas da nossa época, o fato de que as cabeças sejam mais importantes do que os corações, e os homens estejam muito mais dispostos a aprender do que a amar, embora não estejam, de maneira alguma, ansiosos, em nenhuma das duas direções.

NOTAS SOBRE OS VERSÍCULOS 25 A 32

Vejamos os oito versículos começando com a letra D no texto em inglês:

25. **D**epressed to the dust is my soul: quicken thou me according to thy word.
26. **D**eclared have I to thee my ways, and thou heardest me: teach me thy statutes.
27. **D**eclare thou to me the way of thy precepts: so shall I talk of thy wondrous works.
28. **D**ropping (*marg.*) is my soul for heaviness: strengthen thou me according unto thy word.
29. **D**eceitful ways remove from me; and grant me thy law graciously.
30. **D**etermined have I upon the way of truth; thy judgments have I laid before me.
31. **D**eliberately I have stuck unto thy testimonies: O Lord, put me not to shame.
32. **D**ay by day I will run the way of thy commandments, when thou shalt enlarge my heart.

– Theodore Kübler

Em português, poderia ser assim:

25 **D**eprimida até o pó está a minha alma; vivifica-me segundo a tua palavra.
26 **D**escrevi-te os meus caminhos, e tu me ouviste; ensina-me os teus estatutos.

27 **D**eclara-me o caminho dos teus preceitos, e faze-me entendê-los; assim,
falarei das tuas maravilhas.
28 **D**e tristeza a minha alma se consome; fortalece-me segundo a tua palavra.
29 **D**esvia de mim o caminho da falsidade e concede-me piedosamente a tua lei.
30 **D**eterminei-me a seguir o caminho da verdade; propus-me seguir os teus juízos.
31 **D**ecidi apegar-me aos teus testemunhos; ó Senhor, não me confundas.
32 **D**ia após dia, correrei pelo caminho dos teus mandamentos, quando dilatares
o meu coração.

– *Theodore Kübler*

E aqui temos o texto bíblico em português:

25 A minha alma está pegada ao pó; vivifica-me segundo a tua palavra.
26 Meus caminhos te descrevi, e tu me ouviste; ensina-me os teus estatutos.
27 Faze-me entender o caminho dos teus preceitos; assim, falarei das tuas
maravilhas.
28 A minha alma consome-se de tristeza; fortalece-me segundo a tua palavra.
29 Desvia de mim o caminho da falsidade e concede-me piedosamente a tua lei.
30 Escolhi o caminho da verdade; propus-me seguir os teus juízos.
31 Apego-me aos teus testemunhos; ó Senhor, não me confundas.
32 Correrei pelo caminho dos teus mandamentos, quando dilatares o meu coração.

v. 25: "A minha alma está pegada ao pó". A palavra em hebraico para *"pegada"* significa *"estar unida"*, *"aderiu"*, *"se uniu"*, *"pegou"*. A nossa alma é um pólipo; da mesma maneira como o pólipo adere firmemente às tochas, também a alma se prende à terra; e dificilmente poderá ser arrancada do lugar ao qual tão fortemente se prendeu. Embora a tua alma agora seja mais perfeita, e escapando das águas do pecado tenha se tornado uma ave do céu, não te descuides; as coisas terrenas são como uma armadilha com cola; se esfregares as tuas asas contra ela ficarás preso, e unido à terra. – *Thomas Le Blanc*

v. 25: "A minha alma está pegada ao pó", etc. A palavra traduzida como *"pegada"* significa firmemente colada. O sentido é de adesão firme a alguma coisa, de modo que não pode ser separada com facilidade. A palavra *"pó"* aqui pode ser uma referência à terra e às coisas terrenas, consideradas inferiores, vis, indignas, mundanas, ou pode significar a sepultura, como se ele estivesse próximo dela, em perigo de morte. De Wette interpreta com o segundo sentido. Mas a palavra *"pegada"* dificilmente sugeriria esta noção, e a força desta palavra seria melhor representada pela ideia de que a sua alma está, de certa forma, *aderida* às coisas da terra; parecia estar tão presas a elas – tão *colada* a elas, que não poderia ser separada delas; e os seus interesses eram baixos, terrenos, de modo a causar-lhe profunda aflição, e levá-lo a clamar a Deus, pedindo vida e forças, para que pudesse se separar delas. – *Albert Barnes*

v. 25: "A minha alma está pegada ao pó", etc. A primeira parte pretende sugerir duas ideias coerentes, mas distintas, a da profunda degradação, como em Salmos 94.25, e a da morte, como em Salmos 22.29. A primeira seria mais óbvia, em si mesma, e em conexão com a ideia paralela mencionada; mas a outra, parece indicada como a ideia proeminente pela súplica correlata de vivificação, na última parte. *"Vivifica-me"*, isto é, conserva-me vivo, ou devolve-me a vida, sendo a palavra hebraica a origem do verbo *viver*. – *Joseph Addison Alexander*

v. 25: "A minha alma está pegada ao pó", etc. Neste versículo, Davi faz uma queixa: "*A minha alma está pegada ao pó*; e uma oração, "*vivifica-me segundo a tua palavra"*. A oração, se bem considerada, nos ensinará o significado da queixa; pois não era, como pensam alguns, algum estado corpóreo que o angustiava, mas uma opressão espiritual muito amarga (como eu a chamo), que prendia a sua alma; de modo que quando deveria crescer, em direção ao céu, ele era pressionado à terra, e estava tão obstruído por considerações terrenas, ou interesses, ou perturbações, que não podia crescer. Ele não expressa a sua tentação particular, pois os filhos de Deus, muitas vezes, estão neste estado em que não podem falar das suas próprias angústias; e algumas vezes, estão tão angustiados, que não é adequado expressá-las aos outros, ainda que pudessem fazê-lo.

E assim, aprendemos como aquilo que o homem terreno considera sabedoria é tolice para o cristão; o que é alegria para o mundo, é angústia para o cristão. A alegria de um homem terreno ou mundano consiste em agarrar-se à terra; quanto mais ele se agarra a ela, mais feliz se considera, pois é o seu destino; prestar atenção às suas questões terrenas e preocupar-se com elas (na sua opinião) é a própria sabedoria. Pois a maldição da serpente está sobre ele, ele rasteja sobre a terra e lambe o pó todos os dias da sua vida. Esta é a condição infeliz do ímpio: o fato de que até mesmo a sua alma celestial se tornou terrena. *Qui secundum corporis appetentiam vivit caro est, etiam anima eorum caro est; assim o Senhor falou daqueles que pereceram no Dilúvio, que eram apenas carne, não havia espírito neles; isto é, não havia impulso espiritual ou celestial.*

Mas o cristão, considerando que a sua alma vem do alto, dirige os seus interesses também àquelas coisas que estão no alto; ele se alegra pelo convívio com o céu, e é uma tristeza para ele quando encontra seus impulsos e interesses atraídos e presos à terra. A sua vida consiste em agarrar-se ao Senhor; mas é morte, para ele, quando a sua alma se curva sob o jugo do mundo. – *William Cowper*

v. 25: "A minha alma está pegada ao pó". "Olha, agora, para os céus". Isto disse o Senhor a Abraão, seu amigo, e isto Ele também nos diz. Ai! Por que sempre acontece que, quando conseguimos nos conhecer, ainda que seja apenas um pouco, estamos constantemente respondendo com o doloroso suspiro, *"A minha alma está pegada ao pó"?* Ah! Esta é, verdadeiramente, a *mais profunda dor* de uma alma que já provou que o Senhor é misericordioso, quando, embora desejando voar alto, sente tristemente como é impossível subir. Há muita dor oculta em cada coração, até mesmo na vida espiritual; mas o que pode nos angustiar mais profundamente do que a percepção de que estamos acorrentados com pesos de chumbo, a coisas a respeito das quais sabemos que podem estar desgastadas e não podem nos satisfazer? Na verdade, nunca deveríamos supor, quando ouvimos o salmo do Bom Pastor pela primeira vez, que ele tivesse sido produzido por um coração que anseia por Deus, tão frequentemente e tão amargamente; nós jamais poderíamos ter imaginado que ficasse tão frio, tão seco, tão escuro, um coração que, em um período anterior, tinha provado tanto do poder que ainda está por vir. Não fomos capazes, anteriormente, com este mesmo salmo, de nos gabar, "Folgo mais com o caminho dos teus testemunhos do que com todas as riquezas"? Mas depois, ou talvez agora... Oh, tristes horas, quando os raios do sol interior parecem apagados, e nada resta, senão um disco vermelho de sangue! O fervor do primeiro amor esfriou; as preocupações terrenas e os pecados, de certa forma, prenderam uma pluma de chumbo às asas de uma alma que, Deus sabe, desejaria voar para o alto. Nós deveríamos dar graças, e mal podemos orar; deveríamos orar, e mal podemos suspirar. O nosso tesouro está no céu, mas a nossa alma está pegada à terra; pelo menos, a terra está pegada, por todos os lados, a ela, e a prende, de modo que o olho mal consegue ver as nuvens, a língua pode apenas suspirar queixas. Ah, a terra pode nos algemar tão completamente, que os céus parecem ser apenas um problema, e o nosso homem velho é como o gigante da mitologia, que, lançado ao solo no exaustivo combate, recebe, pelo contato com a sua mãe terra, novo vigor. Oh, se fosse de outra maneira! Não será, por fim, tudo diferente?

Você realmente deseja isto, você que, das profundezas da sua alma, assim se queixa, e mal pode encontrar novas lágrimas para lamentar a angústia do seu coração? Será bom para você, se a dor que você sofre lhe ensinar a clamar a Deus: "Vivifica-me segundo a tua palavra". Sim, esta é a *melhor consolação* para aquele que bem sabe o que é estar curvado de dor; esta é a única esperança para um coração que está quase afundado em desespero. Há uma *atmosfera* de vida, muito acima deste pó, que nos rodeia de todos os lados, e penetra até mesmo a mais escura masmorra. Há uma *fonte* de vida pela qual a alma cansada pode ser revigorada; e a entrada para esta fonte está aberta, apesar de todas as nuvens de pó que obscurecem este vale de sombras. Há um *poder* de vida que pode, tão completamente, trazer ao fim o nosso estado de morte, para que possamos andar outra vez diante da face do Senhor na terra dos viventes, e, em lugar de proferir lamentos, entoemos um cântico de louvor com nossos lábios. O Príncipe da vida não vive, para também nos repetir "despertai e exultai, vós que habitais no pó"; e o Espírito, que sopra onde quer, não sacudirá das suas asas, no seu tempo, com o seu sopro vivo, o pó que se apega a elas? Mas, na verdade, até mesmo a dor angustiada da alma pela falta de espiritualidade e pelo embotamento é um sinal encorajador de que a boa obra foi iniciada em nossos corações; o que está verdadeiramente morto já não mais estremece pelo seu próprio frio. *"A minha alma está pegada ao pó"*, você diz, com lágrimas? Você não falaria assim, a menos que uma mão mais forte já tivesse aberto uma fenda entre a alma e este pó, que não havia antes. Ninguém tem menos causas para desespero do que aquele que perdeu a esperança em si mesmo, e que realmente aprende a buscar em Deus aquilo que (ele sente profundamente), ele é o que, entre todos, menos pode dar a si mesmo.

Sim, este é o *caminho* em que a dor mais profunda busca a melhor consolação; a oração humilde, sincera, perseverante, para que aquele que vive também dê vida às nossas almas, e continue a fazê-la crescer, até que, libertados de toda a aridez e morte de espírito, e arrancados da terra, subamos ao monte eterno de luz, onde, por fim, contemplaremos todas as nuvens terrenas abaixo de nós. Isto somente o Deus da vida pode fazer; mas Ele está disposto – ou melhor, nós temos a sua própria palavra como garantia, de que Ele promete e nos concede a verdadeira vida. Mas não nos esqueçamos de que aquele que nos vivifica *"segundo"* a sua palavra também realiza isto, *por intermédio* da sua palavra. Devemos, então, beber desta fonte que flui eternamente, e a partir de então deixar por conta dele, incondicionalmente, a maneira como ouvirá o nosso clamor, ainda que nos conduza por caminhos que, ao nosso ver, sejam obscuros! Mesmo por meio da morte Deus pode nos vivificar e nos conservar vivos... Eis que estamos aqui; Senhor, faça conosco como te parecer melhor! Basta deixares que a nossa alma viva, para que ela possa te louvar, aqui e eternamente! – *J. J. Van Oosterzee, "The Year of Salvation", 1874*

v. 25: "Pegada ao pó". Ela está presa pela carne, que é pó. – *James G. Murphy*

v. 25: O *"pó"* é o lugar dos aflitos, dos feridos e dos mortos. *"Vivifica-me"*, ou seja, para a vida, para a paz e para a alegria. – *A. R. Fausset*

v. 25: "Vivifica-me", etc. Vendo que ainda estava vivo, como ele ora para que Deus o vivifique? Eu respondo – a avaliação piedosa da vida, não de acordo com o que eles têm no seu corpo, mas na sua alma. Se faltar à alma a percepção da misericórdia, e uma disposição celestial para as coisas espirituais, eles se lamentarão por isto, considerando-a como uma alma morta; pois ela certamente estará nesta condição infeliz. O abandono temporal é mais pesado para os piedosos do que a morte temporal. *"Segundo a tua palavra"*. Esta é uma grande fé, em que, apesar do seu sentimento atual, ele se encontrava morto, mas ele espera pela vida de Deus, segundo a sua promessa. Tal era a fé de Abraão, que, em esperança, creu contra a esperança. E, verdadeiramente, muitas vezes os filhos de Deus são levados a esta condição, em que não têm nada que os sustente, exceto a palavra de Deus; nesta situação não possuem nenhum sentimento de misericórdia, nenhuma disposição espiritual; mas, ao contrário, grandes trevas, horríveis medos e terrores. Estes só são sustentados à medida que esperam a promessa de Deus, e guardam alguma esperança de que Ele os restaure à vida outra vez; porque o louvor do precioso e bendito Senhor consiste em concluir as obras que Ele inicia. – *William Cowper*

v. 25: "Vivifica-me". Esta expressão aparece nove vezes, e somente neste salmo. É de grande importância, pois expressa a mudança espiritual pela qual um filho de Adão se torna um filho de Deus. A sua fonte é Deus; o instrumento pelo qual é realizado é a palavra, versículo 50. – *James G. Murphy*

v. 25: "Vivifica-me segundo a tua palavra". Onde há vida, haverá o esforço para ascender – o crente não ficará deitado em suas aspirações por Deus. Desde as profundezas mais inferiores, a linguagem da fé é ouvida, ascendendo a Deus Altíssimo, que realiza todas as coisas pelo crente. O filho fiel não pode deixar de olhar para o Pai amoroso, que é o Todo-Poderoso, aquele que é autossuficiente. Você não pensa assim? Mas você gostaria de ressaltar a inteligência quc resplandece na oração do crente? Ele ora para que o Senhor possa vivificá-lo *segundo a sua palavra*. A *palavra* pode ser considerada à luz do padrão pelo qual ele deve ser moldado; ou o salmista pode ter em mente as exigências contidas na palavra, a respeito do progresso do crente; ou pode estar pensando nas promessas ali encontradas, para os pobres e necessitados, quando a buscam. Na verdade, todos estes significados podem estar contidos em uma única expressão – *"segundo a tua palavra"* – o padrão da perfeição, as exigências da palavra, e as promessas a respeito dela. O grande exemplo do crente é Cristo – desde antigamente, pois Ele é o Cristo da profecia. Então as exigências da vontade do Senhor foram espalhadas pelo mundo. O salmista, no entanto, pode estar falando das grandes promessas que o Senhor tinha feito a respeito da perfeição do seu povo. Você vê o que a natureza espiritual aspira. É suficiente para o homem natural ou para o formalista, que ele seja como os professantes, que em geral têm um bom comportamento e são estimados; mas o homem espiritual aspira algo além disto: ele aspira ser vivificado segundo a palavra de Deus. Julguem vocês mesmos. – *John Stephen*

v. 25: "Vivifica-me segundo a tua palavra". Pela tua providência, infunde vida aos meus assuntos, pela tua graça infunde vida em meus interesses; cura-me da minha morte espiritual, e faz-me vivaz em minha devoção. – *Matthew Henry*

v. 25: "Vivifica-me segundo a tua palavra". Embora o Senhor permita que os seus permaneçam por muito tempo em sua condição de sofrimento em espírito, de modo que parecem mortos, ainda assim, pela fé na sua palavra, Ele conserva neles muita vida e os faz orar a Deus, pedindo consolação: *"Vivifica-me segundo a tua palavra"*. – *David Dickson*

v. 25: "Vivifica-me". A quem os piedosos correm, quando a vida lhes falha, senão àquela Fonte de toda a vida? Para remover o frio, o caminho é aproximar-se do fogo, e assim também para eliminar a morte, o caminho é confiar naquele que é a nossa raiz, por quem nós vivemos esta vida natural. Todos os conservantes e tônicos nada são, todos os cursos da medicina são inúteis, quando comparados a Ele. Outras coisas que não têm vida, dão vida como instrumentos daquele que é a vida, assim como o fogo arde, sendo o instrumento do calor. "Quando o coração e a carne falham, Deus é a força do meu coração". Assim como um homem pode deixar praticamente se extinguir um fogo que tinha sido aceso, e então o sopra, e aplicando novo combustível faz com que ele arda como sempre; também Deus pode lidar com esta chama de vida que Ele acendeu. – *Paul Bayne*

v. 25: "Segundo a tua palavra". A palavra remove a morte da consciência e a insensibilidade. Não é esta palavra um martelo que suaviza o coração, e não é esta a semente imortal pela qual nós somos gerados outra vez? Por isto Davi, encontrando a sua consciência em uma condição de morte, ora: "Minha alma está pegada ao pó; vivifica-me segundo a tua palavra". A *palavra* é a primeira coisa pela qual a consciência é purificada e colocada em ordem. – *John Sheffield, "A Good Conscience the Strongest Hold", 1650*

v. 25: "Segundo a tua palavra". A que palavra Davi se refere? Às promessas genéricas, nos livros de Moisés ou Jó, que sugerem a libertação para os que observam fielmente a lei de Deus, ou ajudam os infelizes e aflitos; ou a alguma promessa particular, feita a ele por Natã ou outros. Crisóstomo diz: "Vivifica-me segundo a tua palavra, mas não é uma palavra de ordem, é uma palavra de promessa". Observe que ele não diz *secundum meriium meum,* mas, *secundum verbum tuum*; a esperança, ou a ajuda que esperamos de Deus, se baseia nesta palavra, aí está a nossa segurança, nas suas promessas, e não no nosso merecimento: *Promittendo se fecit debitor em,* etc.

Quando havia tão poucas Escrituras escritas, ainda assim Davi conseguiu encontrar uma palavra para seu sustento. Ai! nas nossas dificuldades e aflições, nenhuma promessa vem à mente. Como nas coisas exteriores, muitos que têm menos vivem melhor do que aqueles que têm abundância; assim, aqui, agora que as Escrituras são tão extensas, nós somos menos diligentes, e por isto, embora tenhamos tantas promessas, somos propensos a fraquejar, não temos uma palavra que nos sustente. Esta palavra não ajudou Davi, até que ele tivesse permanecido por muito tempo sob esta condição aflitiva, a ponto de parecer morto. Muitos, quando têm uma promessa, pensam imediatamente em aproveitar a consolação desta palavra. Não, esperar e lutar são necessários, antes disto. Nós jamais saboreamos o consolo das promessas, até que as criaturas tenham gastado sua quota, e nós tenhamos sido treinados. Deus irá cumprir a sua palavra, e apesar disto nós devemos esperar ser provados.

Nesta sua condição de morte, a fé na palavra de Deus o manterá vivo. Quando nós tivermos menos sentimento, e nada nos sobrar, a palavra irá nos sustentar: "E não enfraqueceu na fé, nem atentou para o seu próprio corpo já amortecido (pois era já de quase cem anos), nem tampouco para o amortecimento do ventre de Sara. E não duvidou da promessa de Deus por incredulidade, mas foi fortificado na fé, dando glória a Deus" (Rm 4.19, 20). Uma maneira de conseguir consolo é implorar a promessa de Deus em oração, *Chirographa tua injiciebat tibi Domine, mostrar-lhe a sua escrita*; Deus cuida da sua palavra e a cumpre. Estes argumentos, na oração, não realizam nenhuma obra em Deus, mas, sim, em nós mesmos. – *Thomas Manton*

vv. 25 a 32: Não é de admirar a flutuação que acontece nos sentimentos e na experiência de um filho de Deus – em um momento, elevado sobre o monte, próximo a Deus e tendo comunicação com Deus, e em outro momento, no vale profundo e escuro. Todos, uns mais outros menos, conhecem estas mudanças, e têm seus momentos de tristeza, assim como de alegria. Quando nós nos separamos de Davi, o que ele nos dizia sobre a sua experiência? Que os testemunhos de Deus eram *seu prazer e seus conselheiros;* mas agora, que tendência diferente! Toda a alegria se obscureceu, e *a sua alma está pegada ao pó.* E deve ter havido ocasiões de profunda depressão e desânimo no coração de Davi – tirado de sua casa como um fugitivo e peregrino, caçado como uma perdiz sobre os montes, e tendo, como ele mesmo diz, a sua vida continuamente em suas mãos. Mas eu creio que nesta parte do salmo há evidência de uma humilhação e angústia mais profunda no coração, do que o mero sofrimento terreno poderia produzir. Ele tinha, realmente, dito, "ainda algum dia perecerei pela mão de Saul", mas, mesmo neste momento de fé fraca e queixosa, ele sabia que era o ungido de Deus, o escolhido para se assentar no trono de Israel. Mas, aqui há uma indicação de pecado, de um pecado terrível que tinha lançado a sua alma profundamente no pó; e eu creio que o pedido no versículo 29 nos dá alguma indicação de qual tinha sito este pecado: *"Desvia de mim o caminho da falsidade".* Você pode perguntar, com espanto: Davi teria mentido alguma vez? Ele teria se desviado do caminho reto e honorável da verdade? Eu temo que nós devamos reconhecer que ele tinha, em certa ocasião, estado tão próximo dos limites da falsidade, que seria apenas um pobre casuísta e o pior moralista quem tentasse defender o salmista de tal imputação. Não podemos ler o capítulo 27 de 1 Samuel sem reconhecer a triste trama de equívoco e engano a que Davi foi miseravelmente seduzido. A sua alma bem podia estar pegada ao pó, quando ele revivia este período da sua carreira; e embora a graça fizesse por ele o que fez posteriormente por Pedro, e embora ele fosse salvo como um tição tirado do fogo, ainda assim podemos bem imaginar que, como o apóstolo, posteriormente, quando pensou nisto, Davi chorou, e chorou amargamente. – *Barton Bouchier*

v. 26: "Meus caminhos te descrevi", etc. Este versículo contém uma oração, com uma argumentação desta forma: Ó, Senhor, eu já te declarei frequentemente a condição e o curso da minha vida, as minhas peregrinações, as minhas necessidades, as minhas dúvidas, as minhas angústias; nada escondi de ti, e, de acordo com a minha necessidade, sempre me ouviste; por isto, agora, Senhor, eu te peço, ensina-me; pela tua luz ilumina-me, para que eu possa conhecer os teus estatutos e receber a graça para andar neles. Este é um bom argumento ao lidar com o Senhor – eu obtive muitas graças, e respostas favoráveis de ti; por isto, Senhor, eu te peço, dá-me mais; pois os que Ele ama, Ele ama até o fim; e quando Ele começa a exibir misericórdia, Ele não cessa, até coroar os seus filhos com misericórdia. E tão piedoso é o Senhor, que se considera honrado tão frequentemente quanto nós lhe damos o louvor por termos encontrado consolação nele, e por isto, sempre buscamos mais.

A seguir, deve-se observar como ele diz: *"Meus caminhos te descrevi, e tu me ouviste"*, as duas coisas andam bem juntas, sim, a Misericórdia e a Verdade; a verdade no coração do homem que confessa, a misericórdia em Deus, que ouve e perdoa; feliz é a alma em que as duas coisas se encontram. Há muitos que são destituídos desta consolação; eles não podem dizer, Deus me ouviu, e isto porque não lidam claramente e fielmente com o Senhor, *descrevendo os seus caminhos* a Ele. – *William Cowper*

v. 26: "Meus caminhos te descrevi". No versículo 59, ele *considera os seus caminhos*, isto é, as suas imperfeições internas e aberrações externas, desviando-o dos caminhos retos e difíceis de Deus; e aqui ele não se envergonha de *descrevê-los*, isto é, reconhecer e confessar que tudo isto lhe aconteceu porque ele se descuidou e deixou de fazer a vontade de Deus. Observe a conexão entre este versículo e o anterior: A minha alma está pegada ao pó porque eu não me apeguei a ti. – *Richard Greenham*

v. 26: "Meus caminhos te descrevi". סִפַּרְתִּי (*sippartí*), "Eu me lembrei dos meus caminhos", eu os investiguei; eu os examinei. E é evidente que ele tinha *orado* sinceramente pelo perdão com respeito ao que havia de errado neles; pois acrescenta, *"tu me ouviste"*. – *Adam Clarke*

v. 26: "Meus caminhos te descrevi", etc. Àquele a quem ouviste, em humilde confissão dos seus pecados, a ele ensinarás os teus estatutos. Os santos exibem a Deus o que encontram, tanto o bem quanto o mal, buscando libertação, provisão, fortalecimento, orientação, assim como os pacientes enfermos contam ao seu médico o bem e o mal que sentem, ou como expõem o seu caso em busca das suas orientações.

"Descrevi." Como se ele os tivesse lido em um livro. Os santos conhecem os seus caminhos. Um homem que tem a luz consigo vê o caminho, e pode contar tudo sobre ele; outro que está na escuridão, não reconhece nada; o primeiro observa o seu caminho, o segundo não.

"Tu me ouviste." A bondade de Deus é vista no fato de que Ele ouve o que lhe descrevermos. Se os grandes permitem que um pobre homem lhes conte a sua história, nós o consideramos uma honrosa paciência; mas é a glória de Deus ouvir as nossas necessidades, as nossas fraquezas pelo pecado, a invencibilidade dos nossos males, a nossa total impotência, em nós mesmos, até mesmo para buscar uma reparação. Este modo de proceder perderia a benevolência dos homens, mas ganharia a de Deus. Quanto mais humildemente nós confessarmos todas as nossas necessidades, mais confiantes poderemos estar de que Deus nos ouvirá. *Ele ensina o humilde*, pois o aluno humilde dará ao seu mestre a honra por aquilo que aprender.

Eu repeti (disse comigo mesmo) os meus caminhos; e "tu ouviste a minha confissão privada". "Descrevi" aos outros qual é o meu caminho, e "tu me ouviste" quando eu o fazia; por isto, *"ensina-me"*, vendo que eu transmito o que recebo. É uma súplica, derivada do seu interesse em aprender, e do uso que tinha feito do que tinha aprendido. Os piedosos, como velas, iluminam, uns aos outros. – *Paul Bayne*

v. 26: "Meus caminhos te descrevi". Aqueles que desejam ser bem sucedidos com Deus, devem aprender este ponto da engenhosidade cristã, de sinceramente expor todo o seu caso a Ele. Isto é, declarar o que fazem, a natureza das suas ocupações, a condição de seus corações, o tipo de bem ou de mal que encontram em si mesmos, seus conflitos, suas provisões, suas aflições, suas esperanças; isto é descrever os nossos caminhos – o bem e o mal de que somos conscientes. Assim como um doente dirá ao médico como estão as coisas consigo, nós também devemos agir da mesma forma com Deus, se desejarmos encontrar misericórdia. Esta descrição dos seus caminhos pode ser considerada:

1. Como um ato de fé e dependência.
2. Como um ato de santa comunhão.
3. Como um ato de contrição espiritual, e quebrantamento no coração, pois esta descrição deve ser explicada de acordo com o que Davi queria dizer com a expressão "meus caminhos".

Em primeiro lugar, com *"seus caminhos"* ele pode querer dizer os seus negócios ou atividades; eu os dei a conhecer a ti, entregando-os à orientação da tua providência; e assim, é um ato de fé e dependência, considerando Deus e familiarizando-o com todos os nossos desejos.

Em segundo lugar, com "seus *caminhos*" ele pode querer dizer todas as suas dificuldades, tristezas e todos os seus perigos; e assim, esta declaração é um ato de santa comunhão, quando um homem vem, como um amigo, a outro, e familiariza Deus com toda a sua condição, apresenta a sua condição diante do Senhor, com a esperança de obter misericórdia e alívio.

Em terceiro lugar, com *"caminhos"* o significado pode ser tentações e pecados; e assim esta declaração é um ato de contrição espiritual ou quebrantamento no coração. Os pecados são nossos caminhos (veja Ez 8.25). – *Thomas Manton*

vv. 26, 27, 29 e 30: "O caminho dos teus preceitos". "Meus caminhos." "O caminho da falsidade." "O caminho da verdade." Aqui deve-se observar os dois contrastes com que o profeta ensina o que deve ser repelido, na vida e também na doutrina, e o que deve ser aceito. O primeiro contraste diz respeito à *vida* dos cristãos, pois o profeta coloca o caminho dos mandamentos de Deus contra os seus próprios caminhos (vv. 26,27); e a respeito dos seus próprios caminhos, ele confessa que eles o pressionaram ao pó e o afligiram enormemente; mas a respeito do caminho dos preceitos de Deus, ele declara que o exaltaram. Com os seus próprios caminhos, ele quer dizer uma natureza depravada, o desejo carnal, e a mente carnal que é inimiga de Deus (Rm 8); mas com o caminho do Senhor, ele indica a vontade de Deus, expressa na Palavra. Portanto, são vazias as vanglórias dos papistas da perfeita obediência dos renovados; pois Davi, assegurado de ter sido renovado, se queixa amargamente, e com muitas lágrimas, de que a sua alma, sob o intolerável peso dos pecados, foi abatida ao pó da terra, e quase sufocada; mas Deus tinha ouvido as suas orações e o tinha levado de volta para o caminho dos seus preceitos. Aqui também vemos que, nesta vida, todos os santos experimentam a luta e o combate entre a carne e o espírito, de modo que são continuamente compelidos a lamentar que a sua carne os desvie do caminho do Senhor, levando-os aos atalhos do pecado; como Paulo clama: "Mas vejo nos meus membros outra lei que batalha contra a lei do meu entendimento..., etc. Miserável homem que eu sou! Quem me livrará do corpo desta morte?" (Rm 7.23,24).

O segundo contraste diz respeito à *doutrina*; pois Davi compara o caminho da falsidade com o caminho da verdade. Nós somos ensinados, com este contraste, que devemos evitar a falsa doutrina, e aderir firmemente à verdade divina. A isto, se aplica o preceito de Paulo "Pelo que deixai a mentira e falai a verdade cada um com o seu próximo" (Ef 4.25). Além disto, aprendemos que se odiarmos os nossos próprios caminhos – *isto é,* se confessarmos os nossos pecados ao Senhor, e, confiando no Mediador, orarmos, pedindo perdão – Deus está acostumado a ouvir e a ter misericórdia e assim perdoará os nossos pecados; como está escrito: "Se confessarmos os nossos pecados, ele é fiel e justo para nos perdoar os pecados e nos purificar de toda injustiça" (1 Jo 1.9). – *Solomon Gesner*

v. 26: "Tu me ouviste". As respostas anteriores à oração devem nos encorajar a comparecer ainda mais corajosamente diante do trono da graça. – Jacó jamais se esqueceu da noite que passou em Betel. – *William S. Plumer*

v. 26: "Ensina-me os teus estatutos". A frequente repetição deste tema neste salmo indica:

1. A necessidade deste conhecimento.
2. O desejo que ele tinha de obtê-lo.
3. Que estas repetições não são frívolas, quando se originam de um coração firme, um sentimento zeloso, e uma consideração da necessidade daquilo que se pede em oração.
4. Que os que são mais esclarecidos e iluminados, têm pouco, em comparação com o que deveriam ter.
5. Que, assim como os cobiçosos pensam que jamais têm ouro suficiente, também os cristãos devem pensar que jamais têm conhecimento suficiente. – Richard Greenham.

v. 26: "Ensina-me". Nós jamais poderemos ficar sem *ensinamento,* nem mesmo na velhice. A menos que o Espírito de Deus nos ensine, nós aprenderemos em vão. – *Martin Geier*

vv. 26 e 27: Aqui está o fervoroso desejo de Davi, pela continuidade daquela intimidade que tinha havido, entre ele e o seu Deus; não por visões e vozes do céu, mas pela Palavra e pelo Espírito, de maneira normal: *"Ensina-me os teus estatutos",* isto é, *"faze-me entender o caminho dos teus preceitos".* Depois de saber que Deus tinha ouvido a sua declaração dos seus caminhos, ele não diz, Agora, Senhor, conta-me o que vai acontecer comigo, e dá-me a saber qual será este evento; mas, Agora, Senhor, conta-me qual é o meu dever, faze-me saber o que desejas que eu faça, conforme o caso. Observe que aqueles que reconhecem a Deus em todos os seus caminhos, podem orar com fé de que Ele irá direcionar os seus passos no caminho correto. E a maneira mais garantida de conservar a nossa comunhão com Deus é aprendendo os seus estatutos e andando diligentemente no *caminho dos seus preceitos.* – *Matthew Henry*

v. 27: "Faze-me entender". A cegueira natural é uma doença obstinada, e dificilmente é curada, portanto, repetidas vezes nós temos necessidade de orar, "Desvenda os meus olhos"; "*ensina-me os teus estatutos*"; *"Faze-me entender o caminho dos teus preceitos".* A nossa ignorância é grande, mesmo quando parcialmente curada. As nuvens da tentação e dos interesses carnais fazem com que a ignorância retorne sobre nós, de modo que não saibamos o que sabemos. Por isto, ele clama, "desvenda os meus olhos"; "faze-me entender". Sim, quanto mais sabemos, mas a nossa ignorância nos é revelada; "Na verdade, que eu sou mais bruto do que ninguém; não tenho o entendimento do homem, nem aprendi a sabedoria, nem tenho o conhecimento do Santo" (Pv 30.2,3). "Com o ouvir dos meus ouvidos ouvi, mas agora te veem os meus olhos. Por isso, me abomino e me arrependo no pó e na cinza" (Jó 42.5, 6). Ai, um conhecimento insuficiente, pequeno, superficial, não tem utilidade; eles se abominam, quando têm um conhecimento mais íntimo. Ninguém é tão confiante como um jovem professor que conhece algumas verdades, mas de uma maneira fraca e imperfeita; na verdade, quanto mais conhecemos, mais sensíveis somos em relação à nossa ignorância e a quanto somos suscetíveis a este ou aquele engano, de modo que não devemos ousar confiar em nós mesmo nem por uma hora. – *Thomas Manton*

v. 27: "Entender o caminho... assim falarei". Nós poderemos falar com uma graça melhor sobre as *"maravilhas"* de Deus, as maravilhas da Providência, e especialmente, as maravilhas do amor redentor, quando compreendermos *o caminho* dos preceitos de Deus, e andarmos neste caminho. – *Matthew Henry*

v. 27: "O caminho dos teus preceitos". Ele deseja que Deus, parcialmente pelo seu Espírito, parcialmente pelos seus ministros, parcialmente pela aflição, parcialmente pelo estudo e esforço, faça com que ele tenha um entendimento firme e correto, não somente dos seus *estatutos*, mas do *caminho* dos seus estatutos, isto é, segundo que ordem ele pode viver e dirigir a sua vida, segundo aquelas coisas que Deus lhe ordenou na sua lei. Aprenda, aqui, como é difícil para o homem, arrogante e autoconfiante na sua própria sabedoria, conhecer a vontade de Deus, até que Deus o *faça* conhecer. – *Richard Greenham*

v. 27: "Assim, falarei das tuas maravilhas". Aquele que é sensível às maravilhas que há na palavra de Deus, estará falando sobre elas. 1. Assim será. 2. Assim deveria ser.

1. *Assim será.* Quando o coração está profundamente influenciado, a língua não consegue se conter, mas se esgota, expressando as maravilhas, porque "do que há em abundância no coração, disso fala a boca. Quando animados e revigorados em suas aflições, os santos são arrebatados com a ideia da excelência de Deus. "Vinde... e eu contarei o que ele tem feito à minha alma" (Sl 66.16). A mulher, depois de ter encontrado a dracma perdida, chamou seus vizinhos para comemorar com ela. Aquele que tem apenas um conhecimento frio, não será tão cheio de boas palavras.

2. *Assim deveria ser*, com relação a três aspectos: para a honra de Deus; para a edificação de outros; e para nosso próprio benefício.

(1). Para a honra de Deus, a quem devemos tanto, para apresentá-lo aos que estão à nossa volta. A experiência merece louvor; quando você encontrar o Messias, leve outros até Ele: "André achou primeiro a seu irmão Simão [Pedro] e disse-lhe: Achamos o Messias: Filipe achou Natanael e disse-lhe: Havemos achado aquele de quem Moisés escreveu na Lei e de quem escreveram os Profetas: Jesus de Nazaré, filho de José" (Jo 1.41-45).

(2). Para a edificação de outros: "E tu, quando te converteres, confirma teus irmãos" (Lc 22.32). A verdadeira graça se comunica como o fogo, etc.

(3). Para nosso próprio benefício. Aquele que usa o seu conhecimento, terá mais. Ao passo que, ao contrário, os seios cheios, se não sugados, se tornam secos. Na divisão, os pães se multiplicaram. Todas as dádivas, mas muito mais as espirituais, que são as melhores, são aprimoradas pelo exercício. – *Thomas Manton*

v. 27: "Assim, falarei", etc. O desejo de conhecimento não deve ser para satisfazer a curiosidade, ou para ostentação, ou para ganhos materiais, mas para edificar a nós mesmos, e aos outros em sabedoria... *"As tuas maravilhas"*. As obras da criação, redenção e providência, sejam estabelecidas nas Escrituras ou observadas em nossa própria experiência, transcendem a nossa capacidade, e não podem deixar de motivar a admiração daqueles que as veem bem. – *David Dickson*

v. 27: "Assim, falarei". Uma queixa frequente dos cristãos é que eles estão confinados no modo de vida religioso e em conversas religiosas, e frequentemente se sentem incapazes de falar "para promover a edificação, para que dê graça aos que ouvem" (Ef 4.29). Aqui, então, é revelado o segredo pelo qual nós seremos protegidos do perigo de lidar com verdades não sentidas, pois "do que há em abundância no coração, disso fala a boca" (Mt 12.34). Procure ter o coração sondado, purificado, cheio das graças do Espírito. A humildade, a capacidade de aprendizado, a simplicidade, trarão luz e esclarecimento ao entendimento, influenciarão o coração, "abrirão os lábios" e unirão todos os membros que temos no serviço e no louvor a Deus. – *Charles Bridges*

v. 27: "Falarei". Há uma íntima afinidade entre todos os deveres da religião. A mesma palavra é traduzida como *orar, meditar,* e *falar.* Nós pensamos na excelente majestade de Deus; nós clamamos a Ele, em humilde oração; nós estudamos a sua palavra, até que as nossas almas estejam cheias de alegria e admiração; e então, como podemos apenas *falar das suas maravilhas*? – *William S. Plumer*

v. 28: "A minha alma consome-se de tristeza". No original, o significado é "desaparece gradualmente". A Septuaginta diz: "A minha alma adormece de cansaço". Provavelmente, um engano dos transcritores, colocando uma palavra no lugar de outra. A minha alma se esgota. Isto pode se referir:

(1) À abundância das suas lágrimas, como a palavra é usada nas Escrituras: "Os meus amigos são os que zombam de mim; os meus olhos se desfazem em lágrimas diante de Deus" (Jó 16.20), ou se "esvaem" para Deus, que é a mesma palavra; assim, esta terminologia indica a sua profunda angústia, e a percepção da sua condição. Alusão semelhante é encontrada em Josué 7.5: "O coração do povo se derreteu e se tornou como água". Ou,

(2) a referência é à sua debilidade, sob a sua angústia extrema; como algo oleoso, que se esvai gota a gota, também a sua alma se esvai. Expressão semelhante é usada em Salmos 107.26: "E a sua alma se derrete em angústias"; e sobre Jesus Cristo, cuja força se esgotou pela enormidade das suas angústias, está escrito: "Como água me derramei, e todos os meus ossos se desconjuntaram; o meu coração é como cera e derreteu-se dentro de mim" (Sl 22.14). Quer a alusão seja a uma coisa ou a outra, ao gotejar das lágrimas, ou ao derreter e esgotar do que é gorduroso ou oleoso, ela indica uma angústia veemente, e um coração partido. Isto está claro: a sua alma se consumia, e a menos que Deus ajudasse, ele não poderia resistir muito mais tempo. – *Thomas Manton*

v. 28: "A minha alma consome-se". As versões mais antigas trazem o significado de *dormir* (LXX, ἐνύσταθεν, Vulg., *dormitavit*), o que tornaria a sentença admiravelmente coincidente com Lc 22.45. – *Joseph Addison Alexander*

v. 28: "Tristeza". Não há nada que possa consolar um homem natural, exceto o que Davi teve; mas tudo aquilo não podia guardá-lo desta tristeza, à qual, como testemunha o apóstolo Pedro, os filhos de Deus estão sujeitos nesta vida, através de suas múltiplas tentações. Os homens do mundo estão tão distantes desta disposição, que, se tiverem saúde e riqueza, se assombram com o que provoca tristeza ao homem: eles não estão familiarizados com o exercício de uma consciência sensível; eles não conhecem as dificuldades da vida espiritual, e não se entristecem por elas; estando mortos no pecado, não sentem que lhes falta vida; todas as suas preocupações são comer, beber, e alegrarem-se. Mas são infelizes, pois na sua melhor condição, são como gado alimentado para o matadouro. Ai daqueles que riem agora, pois chorarão; mas bem-aventurados são aqueles que choram agora, pois serão consolados. – *William Cowper*

v. 28: "Fortalece-me segundo a tua palavra". Fortalece-me para realizar os deveres, resistir às tentações, e suportar os pesares de um estado de aflição, para que o espírito não fraqueje. – *Matthew Henry*

v. 28: "Fortalece-me segundo a tua palavra". Qual é a palavra que Davi suplica? "A tua força será como os teus dias" (Dt 33.25). "Porventura, segundo a grandeza de seu poder", pergunta Jó, "contenderia comigo? Não; antes, cuidaria de mim", Jó 23.6. – *Charles Bridges*

v. 28: "Fortalece-me". Genésio traduz a expressão como *"Conserva-me vivo".* Assim, קַיְּמֵנִי neste versículo responde a חַיֵּנִי no primeiro versículo. Esta oração, por novas forças, ou nova vida, é uma súplica para que a vida que se consome pelas lágrimas possa ser restaurada pela palavra vivificante. – *Frederick G. Marchant*

v. 29: Está escrito, *"Desvia de mim o caminho"*, e não, "desvia-me do caminho"; porque este caminho de iniquidade está dentro de nós, pois nascemos na condição de filhos da ira, e as paixões inatas em nós correm para a mentira, e estabelecem um caminho infeliz de crimes em nossas almas. – *Thomas Le Blanc*

v. 29: "Desvia de mim o caminho da falsidade". Aqui, ele reconhece que, embora já tivesse se exercitado na lei de Deus e no seu conhecimento, e embora fosse um profeta, para ensinar os outros, ainda assim ele estava sujeito a inúmeros pensamentos ímpios e imaginações que poderiam sempre afastá-lo perversamente do caminho correto, a menos que Deus o sustentasse com sua mão forte e poderosa. E este é um ponto que aqui devemos observar, apropriadamente; pois vemos como os homens maltratam enormemente a si mesmos. Quando algum dentre nós tem um bom começo, imediatamente pensamos que esta pessoa já está no seu ápice; nós não pensamos em orar mais a Deus: Ele nos mostrou benevolência suficiente para nos ajudar; mas se tivermos realizado alguma obra, mesmo que pequena, nós lentamente nos exaltamos e nos admiramos com nossas grandes virtudes, pensando que o diabo não pode conseguir mais nada de nós. Esta tola arrogância fez com que Deus permitisse que nós nos desviássemos, para que caíssemos, sim, para que quebrássemos braços e pernas, e correndo grandes riscos de quebrar nossos pescoços. Eu não estou falando agora do nosso corpo, mas da nossa alma. Vamos examinar o próprio Davi, pois ele se fez prova disto. Aconteceu que ele cometeu um erro vil e infame, quando tomou Bate-Seba, a esposa de seu súdito Urias, para praticar atos libertinos com ela, e foi a causa de um assassinato tão execrável, na verdade, de muitos; pois ele fez o que desejou, e tal atitude poderia ter provocado a total derrota de todo o exército do Senhor e de todo o povo de Israel. Veja, então, a grande negligência e segurança em que caiu Davi, e veja também por que ele diz: "Ai, meu bom Deus, eu te peço, guia-me, para que eu deixe o caminho da falsidade". – *João Calvino*

v. 29: "Falsidade". Um pecado que Davi, devido à hesitação, cometia frequentemente. Veja 1 Samuel 21.2,8, onde ele diz três ou quatro mentiras; e coisa semelhante ele fez em 1 Samuel 27.8, 10; este mal ele viu, por si só, e aqui ele ora, pedindo proteção contra ele. – *John Trapp*

v. 29: "O caminho da falsidade", etc. Os caminhos de falsidade são todos os caminhos, com exceção dos caminhos dos mandamentos de Deus: a razão, a inteligência, o costume, um evento, desejos desprezíveis, tudo isto diz ao homem que ele está a salvo, ou que se arrependa, e não seja prejudicado no final, e prometem tranquilidade e bem-aventurança, mas não cumprem a promessa. O desejo de obedecer a Deus deve ser guardado dos maus caminhos: nós não somos tão santificados a ponto de que esta tentação não fira as nossas graças. Assim como o fogo não completamente aceso pode ser extinto com um pouco de água, também a nossa santidade pode ser molhada pela tentação. Nós encontramos em nós uma propensão para os falsos caminhos, assim como as velas recém apagadas logo se acendem outra vez. Portanto, da mesma maneira como as crianças queimadas temem o fogo, também nós devemos temer o caminho da falsidade. Deus não permite que as tentações venham à presença de alguns, e Deus torna o coração de outros contrário ao pecado, quando a tentação está presente. Nós devemos deixar os caminhos do pecado, antes de podermos andar nos caminhos de Deus. – *Paul Bayne*

v. 29: "O caminho da falsidade". Toda a vida de pecado é uma *falsidade,* do princípio ao fim. A palavra *"falsidade"* aparece *oito* vezes neste salmo. – *William S. Plumer*

v. 29: "O caminho da falsidade". Por *"caminho da falsidade"* deve-se entender tudo o que há na natureza do homem, que não esteja de acordo com a Palavra, sejam conselhos, ou conclusões do coração, ou atos externos; e é chamado de caminho de falsidade, porque a natureza promete um bem a ser obtido pelo pecado que os homens não encontrarão nele. – *William Cowper*

v. 29: "O caminho da falsidade". Aqui o profeta deseja ser confirmado por Deus contra todas as corrupções na doutrina, e todo o modo de vida desordenado, que Satanás, com seus instrumentos inteligentes e astutos procura estabelecer no mundo. Tudo isto é chamado *"o caminho da falsidade"*. 1. Porque são inventados por Satanás, o pai da mentira. 2. Eles são estimulados pelo intelecto do homem, o depósito das mentiras. 3. Eles parecem ser o que não são, o que é da natureza das mentiras. 4. Eles são contrários a Deus e à sua verdade, que revelam as mentiras. – *Richard Greenham*

v. 29: "Concede-me piedosamente a tua lei". Ele compara a lei de Deus ao caminho da falsidade. Em primeiro lugar, porque é a única regra de toda verdade, tanto na religião quanto em comportamento; o que não estiver de acordo com ela será apenas uma falsidade que irá enganar os homens. Em segundo lugar, ela destrói e destruirá completamente todos os erros contrários a ela. Assim como a vara de Arão tragou as varas dos encantadores, também a palavra, que é a vara da boca de Deus, irá, no final, devorar e consumir todas as falsidades, quaisquer que sejam. Em terceiro lugar, de acordo com a sentença desta palavra, assim será a cada homem; ela não engana a ninguém. Os homens descobrirão, pela experiência, que isto é verdade: aquele que anda em um caminho condenado pela palavra, chegará a um fim miserável. E, ao contrário, não pode deixar de estar tudo bem com aqueles que vivem de acordo com esta lei. – *William Cowper*

v. 29: "Concede-me piedosamente a tua lei". Davi sempre teve o livro da lei; pois todos os reis de Israel deviam tê-lo sempre a seu lado, e os rabinos dizem, escrito com a sua própria mão. Mas, *"concede-me piedosamente a tua lei"*; isto é, ele deseja que ele não apenas possa ser escrito por ele, mas deseja tê-lo gravado em seu coração, para que possa ter um coração que o observa e guarda. Esta é a bênção que ele suplica, *"a lei"*, e esta súplica é feita *"piedosamente"*, ou sobre termos de graça, meramente de acordo com a tua própria benevolência, e o teu prazer. Aqui temos:

I. O pecado reprovado, *"Desvia de mim o caminho da falsidade"*.

II. O bem, implorado, e pedido, *"Concede-me piedosamente a tua lei"*. Na primeira frase, você tem a doença; Davi tinha sido atraído a um caminho de falsidade. Na segunda, temos o remédio, que é a lei de Deus. – *Thomas Manton*

v. 30: "Escolhi o caminho da verdade". Aqui temos a obra de uma alma piedosa. Isto é mais do que sentar-se e ouvir a palavra – não tendo nenhuma objeção ao que se ouve. Este ouvir é tudo o se pode dizer sobre os ouvintes do Evangelho, de modo geral, mas nós acrescentamos que ninguém é mais propenso a ser atraído por caminhos falsos e fáceis de salvação, pois estão de acordo com tudo o que ouvem. O homem de Deus alcança uma nota mais elevada e mais espiritual – ele vai à *essência* das coisas; ele escolhe o caminho da verdade; e não pode deixar de escolhê-lo; é a tendência da sua natureza renovada, o resultado, realmente, de tudo o que ele tinha implorado. Como nós agimos? O caminho da verdade é tudo o que Deus revelou, a respeito do seu Filho Jesus Cristo. O coração disposto escolhe este caminho, e tudo o que há nele; a amargura que há nele, a renúncia a si mesmo que há nele, assim como a consolação que há nele; um Salvador do pecado, assim como um Salvador do inferno; um Salvador cujo Espírito pode conduzir da devoção e da religiosidade à santidade, da ociosidade no dia de repouso e adoração ao Senhor a uma atitude santa de se dedicar ao Senhor neste dia, da busca de si mesmo à busca de Cristo, do comportamento incoerente e negligente a uma observância cuidadosa de toda a vontade do Senhor. Eles se alegrarão por estar onde o povo de Deus se encontrar. Ó, se isto abundasse entre nós! – *John Stephen v. 30:* "Escolhi o caminho da verdade". A religião não é uma questão de oportunidade, mas de escolha. Nós pusemos as coisas na balança, e, depois de deliberação madura, fizemos uma escolha: "Nós teremos Deus, quaisquer que sejam as condições?" Nós nos sentamos e calculamos o custo – ou o que a religião *deverá* nos custar – a separação dos nossos desejos; e o que *poderá* nos custar – a separação das nossas vidas? Nós nos decidimos, com a ajuda da graça, a reconhecer Cristo, quando as espadas e varas estiverem levantadas? E também a navegar com Ele, não apenas em um barco de recreio, mas em um navio de guerra? Esta escolha de Deus diz que Ele é nosso; os hipócritas professam a Deus, pelo desígnio mundano, e não por uma escolha religiosa. – *Thomas Watson, "The Morning Exercises"*

v. 30: "Escolhi o caminho da verdade". A escolha que Davi faz aqui, da verdade de Deus, se origina da escolha e da seleção que o Senhor, antes de todos os tempos, fez de Davi, em Cristo, para ser um dos seus eleitos. Pois, assim como é verdade, sobre o amor: "Nisto consiste o amor: não em que nós tenhamos amado a Deus, mas em que ele nos amou" – nós jamais o teríamos amado, se, antes, Ele não nos tivesse amado; isto também é verdade em relação à sua escolha; se Ele, antes da fundação do mundo, não nos tivesse escolhido para que fôssemos o seu povo, jamais o teríamos escolhido para ser o nosso Deus. E isto eu percebo, naqueles que amam a palavra de Deus, e se alegram nela, que podem dizer, com um bom coração, que o Senhor é a sua porção e a alegria da sua alma: este é o selo garantido da sua escolha, gravado pelo dedo de Deus nos seus corações. – *William Cowper*

v. 30: Em todos os nossos exercícios religiosos, que a deliberação anteceda a nossa resolução, e que a consideração resulte em determinação. Davi fez isto; e por isto, ele diz aqui, *"Escolhi o caminho da verdade; propus-me seguir os teus juízos"*. Na verdade, ele não pode deixar de decidir e escolher o caminho da piedade, que apresenta diante dele a bondade, a retidão e o prazer do caminho. Quando o pródigo considera, consigo mesmo, como comiam bem os servos de seu pai, ele pensa, ou melhor, se determina a ir para casa: "Levantar-me-ei, e irei ter com meu pai". – *Abraham Wright, 1661*

v. 30: "Escolhi". Nenhum homem jamais serviu o Senhor, sem antes escolhê-lo para ser o seu Mestre. Cada homem, quando chega aos anos de sabedoria, e passa a ser senhor de si mesmo, pondera consigo mesmo que curso tomará, se irá servir a Deus ou ao mundo. Todos os santos de Deus fizeram esta escolha distinta; nós serviremos o Senhor, e a ninguém mais. Moisés, quando tinha diante de si os prazeres do Egito, de um lado, e Deus e o seu povo com suas aflições do outro, escolheu estes últimos, e não os primeiros (Hb 11.25). Também Davi diz ter feito a mesma coisa: *"Escolhi o caminho da verdade: propus-me seguir os teus juízos"*; pois a escolha acontece quando algo está diante do homem, e ele considera e a toma. Também Josué: "Eu e a minha casa serviremos ao Senhor". – *John Preston (1587-1628), "The Golden Sceptre held forth to the Humble", 1638*

v. 30: "Verdade". Há três tipos de verdade; a verdade no coração, a verdade em palavras, a verdade em obras (2 Rs 20.3; Zc 8.16; Hb 10.22). – *Ayguan. De "The Preacher's Storehouse", de J. E. Vaux*

v. 30: "Os teus juízos". A palavra de Deus é chamada de seus juízos, porque ela distingue o bem do mal; e não é uma sentença isolada, mas, da mesma maneira como ela aponta para o mal, também profere pragas contra ele, que serão executadas em conformidade com a sentença. – *William Cowper*

vv. 30 e 31: "Escolhi... apego-me". O cristão que escolhe provavelmente será o cristão que se apega, ao passo que aqueles que são cristãos por acaso mudam de direção com o vento. – *Matthew Henry*

v. 30: "Propus-me seguir os teus juízos". A consideração de que a palavra de Deus é o decreto ou o juízo de Deus pode proteger o crente dos terrores e das ilusões dos homens, e fixá-lo na sua escolha correta, como aqui. – *David Dickson v. 30:* "Propus-me seguir os teus juízos". Os homens que desejam viajar da maneira correta terão diante de si um mapa; também Davi, com a sua vontade decidida a seguir os caminhos da verdade, também coloca diante de seus olhos o mapa da lei, que manifestava isto a ele, como o navegador tem seu mapa com a bússola. – *Paul Bayne*

v. 31: "Apego-me aos teus testemunhos". É muito admirável que, enquanto o salmista diz: "A minha alma *está pegada* ao pó" (v. 25), aqui ele diz: *"Apego-me aos teus testemunhos"*; pois é a mesma palavra original nos dois versículos. Isto é completamente compatível com a experiência do crente. Fora, está o corpo do pecado interior, e dentro está o princípio eterno da graça divina. Existe uma disputa entre eles – "a carne cobiça contra o Espírito, e o Espírito, contra a carne" (Gl 5.17), e o crente é motivado a clamar: "Miserável homem que eu sou" (Rm 7.24). A situação é esta; e todos os crentes sabem disto. Enquanto a alma se sente, muitas vezes, pegada ao pó, o espírito luta para se apegar aos testemunhos de Deus. Por isto o crente ora: Não me deixes confundido. E permanecendo próximos de Cristo, irmãos, não sereis confundidos, até o fim do mundo. – *John Stephen*

v. 31: "Apego-me aos teus testemunhos". Ele se apegava a eles, quando interesses temporários poderiam ter sugerido uma linha de conduta diferente, quando a descrença estava pronta a fazê-lo recuar do caminho do dever, quando as aparências externas seriam muito desencorajadoras à fidelidade, quando todos estavam prontos a ridicularizar a sua determinação absurda. – *John Morison*

v. 31: "Apego-me". A verdadeira santidade usa na cabeça, para todo o sempre, a guirlanda da perseverança. – *William Cowper*

v. 31: "Não me confundas". Tendo em vista que Davi, em boa consciência, se esforçava para servir a Deus, ele pede que o Senhor não o confunda. Isto é feito de duas maneiras; ou quando o Senhor abandona os seus filhos, de modo que, na sua aflição, eles não sentem os seus consolos prometidos, e grande confusão de mente e perturbação os acomete; ou quando Ele os deixa como uma presa para seus inimigos, que zombam deles pela sua vida devota e sincera, e exultam sobre eles, em sua hora de aflição, quando eles veem que toda a sua oração e os outros exercícios religiosos não conseguem protegê-los das mãos dos seus inimigos – "confiou em Deus; livre-o agora". O salmista deseja que o Senhor o proteja desta confusão e deste desprezo, e que ele jamais seja como eles, que, desapontados com aquilo em que confiam, se confundem. – *William Cowper*

v. 32: "Correrei pelo caminho dos teus mandamentos", etc. Você deve se lembrar de que o salmista não é um homem que não se converteu, mas alguém que tinha sido trazido sob o domínio da religião há muito tempo. Portanto, ele não está solicitando as primeiras obras de um princípio de graça, mas as posteriores e multiplicadas; e declara o seu desejo com uma expressão que é singularmente descritiva da influência do coração sobre o restante do homem. O seu desejo é que o seu coração possa ser dilatado; e este desejo significa um anseio para que todo o seu ser possa agir em uníssono com o coração, de modo que ele possa se tornar, de certa forma, todo coração, e assim, o coração, no sentido mais exato, possa ser dilatado, espalhando-se sobre o corpo e a alma, dilatando-se até abranger todas as forças de ambos. Se houver o amor de Deus no coração, gradualmente o coração, possuído e influenciado por um princípio tão nobre e instigante, trará todas as energias a uma consagração sublime, sejam elas mentais ou corpóreas, e será praticamente a mesma coisa, como se os outros segmentos do homem fossem convertidos em coração, e ele passasse a ser, de acordo com a expressão que estamos acostumados a empregar, quando descrevemos um caráter de generosidade ilimitada e calorosa, "todo coração". O desejo de um coração dilatado pode ser considerado equivalente a um desejo de que cada faculdade pudesse ser trazida à total submissão a Deus, e assim como Deus é amor – amor sendo mais a essência divina do que um atributo divino, e, portanto, o amor se mesclando com todas as propriedades da Divindade, também o homem, tendo amor no coração, pudesse se tornar todo coração, o coração atirando-se em toda a sua capacidade, impregnando, mas não destruindo as características da sua natureza. E exatamente em conformidade com esta perspectiva da dilatação do coração que o salmista desejava está o resultado prático que se seguiria à sua obtenção. Ele já estava andando no caminho dos mandamentos de Deus; mas o que ele se propunha a fazer era *correr* por este caminho: *"Correrei pelo caminho dos teus mandamentos, quando dilatares o meu coração"*. Um passo acelerado, um progresso mais rápido, uma maior diligência, uma constância mais firme, uma obediência mais resoluta e inflexível, estes eram os resultados que o salmista procurava, na dilatação do seu coração. E verdadeiramente, se todas as faculdades de corpo e mente forem dedicadas a Deus, com um passo vigoroso e constante o homem avançará no caminho que conduz ao céu. Enquanto a dedicação é, na melhor hipótese, apenas parcial, o mundo retém alguma fração do seu império; apesar do estabelecimento do reino de Deus, não poderá haver nada, senão um progresso lento e com obstáculos, um andar interrompido por incômodos repetidos, se não retrocessos, e por muito ócio, se não uma verdadeira retirada; mas se o homem for todo coração, então será todo vida, todo calor, todo zelo, todo energia, e a consequência desta total entrega a Deus será exatamente o que é anunciado profeticamente por Isaías: "Mas os que esperam no Senhor renovarão as suas forças e subirão com asas como águias; correrão e não se cansarão; caminharão e não se fatigarão". – *Henry Melvill, 1798-1871*

v. 32: "Correrei". Isto significa a observância alegre, disposta e zelosa dos preceitos de Deus; não é ir, nem andar, mas *correr*. Aqueles que desejam chegar ao fim da sua jornada devem correr pelo caminho dos mandamentos de Deus. Isto indica uma obediência rápida e pronta, sem demora. Nós devemos começar com Deus logo. Ai! quando nós deveríamos estar visando o objetivo, muitos de nós mal começaram. E isto indica fervor; quando o coração se dedica a alguma coisa, o homem pensa que nunca poderá fazê-la com a brevidade suficiente. E isto é correr, quando somos veementes e fervorosos desfrutando a preciosa presença de Deus e de Cristo no caminho da obediência. E isto também indica que o coração se oferece livremente a Deus.

Este correr é o resultado do chamado efetivo. Quando o Senhor fala em um chamado efetivo, o resultado é correr; ao falar da conversão dos gentios, Ele diz: "Uma nação que nunca te conheceu correrá para ti"; e "Leva-me tu, correremos após ti". Quando Deus chama, há um movimento rápido e fervoroso da alma.

Este correr, assim como é o resultado do chamado efetivo, também é muito necessário; pois os movimentos frios e desanimados logo são vencidos pela dificuldade e pela tentação: "Corramos, com paciência, a carreira que nos está proposta" (Hb 12.1). Quando um homem se decide a fazer algo, ainda que haja obstáculos, ele aceita isto pacientemente, continua, e não se detém para discutir. Um movimento lento é facilmente interrompido, ao passo que um movimento rápido derruba aquilo que se opõe a ele; assim é, quando os homens correm e não se cansam no serviço de Deus. Finalmente, o prêmio exige que se corra: "Correi de tal maneira que o alcanceis" (1 Co 9.24). – *Thomas Manton*

v. 32: "Correrei". O que Davi aspirava não era *andar* "pelo caminho dos mandamentos de Deus", mas *correr* "pelo caminho dos mandamentos de Deus". O texto não tem conexão com o caso de alguém que habitualmente segue o caminho oposto; ele tem conexão exclusiva com a velocidade com que a linha do dever deve ser cruzada... pode, de alguma maneira não natural, despertar surpresa, o fato de que "o doce cantor de Israel" – aquele que foi enfaticamente declarado como sendo "um homem segundo o coração de Deus" – deveria, apesar disto, nas palavras do texto, parecer sugerir que ainda não estava "correndo pelo caminho dos mandamentos de Deus". Mas, queridos irmãos, quanto maior a santidade comparativa do indivíduo, mais intenso será o seu anseio pela santidade absoluta. Para os outros, Davi podia parecer estar correndo maravilhosamente pelo caminho da vida; mas ele mesmo considerava os seus movimentos muito menos rápidos. A sua humildade era uma das evidências da sua santidade. – *Hugh B. Moffat, 1871*

v. 32: "Correrei pelo caminho". O curso que ele pretende ter neste caminho, ele expressa correndo. É bom estar neste caminho, até mesmo com os mais lentos movimentos; o amor irá rastejar onde não puder andar. Mas se você estiver neste caminho, então ansiará por um movimento mais rápido; se você apenas rastejar, continue rastejando, desejará ser capacitado a continuar. Se você seguir, ainda que seja com pausas ou coxeando, desejará ser fortalecido para andar direito; e se andar, não deixe que isto satisfaça você, deseje correr. Aqui, Davi andava neste caminho; mas ansiosamente deseja corrigir o seu passo; ele correria de bom grado, e com esta *finalidade* desejava ter um coração dilatado.

Alguns disputam ou falam demais, quer vão ou não, e infantilmente contam seus passos, e desejam saber, a cada passo, se avançam ou não, e o quanto avançam; e assim se divertem, e passam o tempo, em vez de prosseguirem e fazerem, pois estão sempre questionando e duvidando. Isto acontece com muitos cristãos. Mas há uma maneira mais prudente e confortável de seguir adiante, a partir de então; e se você fizer poucos progressos, pelo menos estará desejando fazer mais: devemos orar e andar, e orar para que possamos andar mais rápido, e que, no final, possamos correr, insatisfeitos se não tivermos alcançado nada. Por esta insatisfação, não devemos nos sentir tão desanimados a ponto de nos assentarmos ou nos mostrarmos indiferentes, mas, em vez disto, devemos prosseguir com entusiasmo. – *Robert Leighton*

v. 32: "Quando dilatares meu coração", especificamente, com alegria. É óbvio observar a propriedade filosófica com que esta expressão é aplicada, uma vez que o coração está dilatado, e o ritmo, consequentemente, se torna mais forte e pleno, da exultação de alegria, assim como de orgulho. (Veja Parkhurst sobre רָחַב) – *Richard Mant*

v. 32: "Quando dilatares meu coração". Deus deseja dilatar a própria sede da vida, e dar mais força ao seu servo fraco; uma força tal que ele não mais precise ficar deitado no pó, lutando para se levantar; mas fortalecê-lo, para capacitá-lo a correr pelo caminho da verdade. Assim, aquele que ora, *"ó Senhor, não me confundas"* encontra para si mesmo a verdade de um cântico anterior: "Olharam para ele, e foram iluminados; e os seus rostos não ficarão confundidos". – *Frederick G. Marchant*

v. 32: "Quando dilatares meu coração". Sobre Salomão, está escrito que ele tinha "largueza de coração (a mesma palavra que é usada aqui) como a areia que está na praia do mar"; ou seja, um espírito vasto e abrangente, que poderia compreender muito da natureza, tanto as suas coisas maiores como as menores. Assim, eu imagino que a dilatação do coração significa o esclarecimento do entendimento. Surge uma luz mais clara para discernir as coisas espirituais de uma maneira mais espiritual; para ver a grande diferença entre as coisas vãs que o mundo procura, e o verdadeiro e sólido prazer que está no caminho dos mandamentos de Deus; para conhecer o falso rubor dos prazeres do pecado, e a deformidade que está por baixo desta máscara, e não ser atraído por ela; para ter percepções maiores de Deus, da sua excelência, e grandeza e bondade; como Ele merece ser obedecido e servido; esta é a grande dignidade e felicidade da alma; todas as outras pretensões são insuficientes, a este respeito. Aqui, então, está a largueza de coração, para que se possa ver a pureza e a beleza da sua lei, como é justa e razoável, como é agradável e afável; que os seus mandamentos não são angustiantes, que são leitos de especiarias; quanto mais andamos neles, mais do seu aroma agradável e da sua doçura encontraremos. – *Robert Leighton v. 32:* Estreito é o caminho para a vida, mas nenhum homem pode correr nele, exceto com o coração dilatado. – *Prosper de Aquitaine (403-463), citado por Neale e Littledale*

v. 32: "Dilatares". Certamente um templo para o grande Deus (como devem ser os nossos corações) seria belo e amplo. Se nós desejarmos que Deus habite em nossos corações, e irradie as suas influências, devemos abrir espaço para Deus em nossas almas, por uma maior dimensão de fé e expectativa. O homem rico pensou em ampliar seus celeiros, quando a sua produção aumentou (Lc 12), e da mesma maneira nós devemos estender as cortinas da tenda e habitação de Cristo, ter maiores expectativas de Deus, se recebermos mais dele. Os vasos se acabaram, antes que o azeite se acabasse. Nós não somos limitados por Deus, mas, sim, por nós mesmos; pela pequenez de nossos pensamentos, não abrimos lugar para Ele, nem engrandecemos a Deus: "A minha alma engrandece ao Senhor" (Lc 1.46). A fé engrandece a Deus. Como podemos tornar Deus maior do que Ele é? Quanto à existência informativa, nós podemos ter percepções maiores e melhores da sua grandeza, bondade e verdade.

1. É necessário um grande coração, porque o mandamento é extremamente amplo: "A toda perfeição vi limite, mas o teu mandamento é amplíssimo" (Sl 119.96). Uma lei ampla e um coração limitado jamais combinarão; nós precisamos de amor, fé, conhecimento e muito mais para nos conduzir por esta obra, que é de tão grande extensão e amplitude.

2. Nós precisamos de um coração dilatado, por causa dos obstáculos que há dentro de nós. A concupiscência nos desvia de Deus para objetos relacionados aos prazeres dos sentidos: "Mas cada um é tentado, quando atraído e engodado pela sua própria concupiscência" (Tg 1.14). Portanto, é necessário algo que nos atraia de volta, que nos leve, com força e vida, por outro caminho, que nos incentive no serviço de Deus. A concupiscência nos obstrui, é um peso de corrupção (Hb 12.1), retardando-nos em todos os nossos movimentos, distorcendo, combatendo, quebrando a força dos impulsos espirituais, ou impedindo-os completamente (Gl 5.17). Bem, então, quando a concupiscência nos atrai tão fortemente para um lado, Deus precisa nos atrair ainda mais fortemente para o outro lado. Quando há um peso que nos atrai para objetos terrenos e relacionados aos prazeres dos sentidos, nós precisamos de uma força que nos conduza com movimentos vigorosos e vívidos da alma em direção a Deus, uma sincera tendência sobre nossas almas, o que é esta dilatação de coração. – *Thomas Manton*

v. 32: "Meu coração". O grande Médico sabe imediatamente onde procurar a causa, quando vê que há algo de errado na vida exterior do seu povo. Ele sabe que toda doença espiritual é uma doença no coração, e é o remédio de coração que Ele deve aplicar. Em uma ocasião, o nosso Médico vê sintomas que são violentos em natureza; em outra, Ele vê sintomas de languidez e debilidade; mas Ele sabe que ambos vêm do coração, e é sobre o coração que Ele opera, quando se propõe a realizar uma cura.

A forte ação do coração, em todas as coisas santas, vem da bendita operação do Espírito sobre ele; nós somente podemos *"correr"* pelo caminho dos mandamentos de Deus depois que Ele tiver dilatado o nosso coração.

Entusiasmo em ação é o assunto ao qual a atenção do leitor é dirigida aqui, e é de considerável importância.

Há muitos crentes que, por falta de dilatação do coração, ocupam uma posição insatisfatória na igreja de Deus. Eles confiam em Jesus, no que diz respeito à vida eterna, e Ele, sem dúvida, não irá desapontá-los; Ele será fiel à sua Palavra, que diz que "Quem crer... será salvo", mas eles ainda se encontram, ai! fechados em si mesmos, de uma maneira deplorável; eles têm corações contraídos; eles têm uma perspectiva limitada das declarações de Deus e dos seus próprios privilégios, e da posição em que estão colocados no mundo; e por mais que possam ser considerados em pé, ou sentados, ou andando pelo caminho dos mandamentos de Deus, não podem ser considerados como *"correndo"* por ele. Correr é uma ação forte e saudável do corpo; requer energia; é um exercício que exige um coração saudável; ninguém pode correr no caminho dos mandamentos de Deus, exceto na força e no vigor que Ele fornece. Os cristãos que *correm* são comparativamente poucos; os que andam e se sentam são comparativamente comuns; mas os que correm são tão raros, a ponto de serem considerados quase loucos.

Visando a ordem, vamos classificar as nossas observações sobre este tema sob os seguintes cabeçalhos:

I. *O que é o entusiasmo.* O entusiasmo aqui mencionado, com a expressão "dilatação do coração", é a alegria em fazer a vontade de Deus – o amor por esta vontade – a ampliação dos sentimentos por ela – o interesse nela; tudo isto é o entusiasmo, e muito mais, que não é fácil de descrever ou definir.

II. *O que faz o entusiasmo.* Onde há a dilatação do coração por Deus, há uma emanação, além de todos os limites que o egoísmo anterior definia. O coração contraído na queda, diminuiu quando o pecado entrou nele; e se tornou incapaz de conter pensamentos grandiosos e benignos; ele se tornou um coração escravizado. É verdade! Não se pode escapar às responsabilidades do dever, nem às orientações da consciência; mas os interesses são voluntários, e o coração caído afasta seus interesses de Deus; parecia que o salmista tinha o poder de retê-los dele e dos seus mandamentos, e se alegrava em mostrar a sua inimizade, retendo a sua simpatia, onde não poderia reter a sua obediência...

III. *De onde vem o entusiasmo.* Como já dissemos, onde o coração é operado pelo Espírito, e o mal natural que há nele é dominado, há emanações que estão totalmente além dos limites que o egoísmo anterior definia. O amor está gravado nele; a união do sentimento, a identidade do interesse que o amor inspira, o permeia, em tudo pertencendo a Deus, pois ele recebeu tudo isto de Deus; o coração rompe a sua escravidão de meras regras, ou, para falar de modo mais apropriado, se eleva acima delas, e sente – não meramente *sabe*, mas *sente* – tanto a beleza dos mandamentos de Deus, que se deleita em *correr* neles; ele ama estar entusiasmado e ser sincero neles; os seus interesses, os seus sentimentos, estão neles. – *Philip Bennet Power, "The 'I Wills' of the Psalms", 1862*

v. 32: A inquietação do coração nos incapacita para o dever, impedido a nossa atividade na execução do dever. Todo o coração, e a alma, e a força, devem estar engajados em todos os serviços religiosos; mas estas dificuldades são como obstáculos e pesos, que atrapalham os movimentos. A alegria é a dilatação da alma, e a dilata, para qualquer coisa à qual ela se dedique; mas a angústia contrai o coração, e estreita todas as faculdades. Consequentemente, Davi implora um "coração dilatado", como o princípio de atividade: *"Correrei pelo caminho dos teus mandamentos, quando dilatares o meu coração"*. Pois o que mais se pode esperar, quando a mente está tão distraída pelo temor e pela angústia, se não que ela esteja irregular, hesitante, fraca e confusa? de modo que se ela não se dedicar a nada, ela age de maneira problemática, e faz muito pouco, com muita confusão; mas a inadequação seria pequena, se este pouco que ela pode fazer pudesse ser bem feito; mas a mente é tão interrompida em seus esforços, que algumas vezes, em oração, o homem começa, e então fica indeciso, e não ousa prosseguir, as suas palavras são tragadas, e fica "tão perturbado que não pode falar" (Sl 77.4). – *Richard Gilpin (1625-1699), Daemonologia Sacra*

EXPOSIÇÃO DOS VERSÍCULOS 33 A 40

33 *Ensina-me, ó Senhor, o caminho dos teus estatutos, e guardá-lo-ei até o fim.*
34 *Dá-me entendimento, e guardarei a tua lei e observá-la-ei de todo o coração.*

35 *Faze-me andar na verdade dos teus mandamentos, porque nela tenho prazer.*
36 *Inclina o meu coração a teus testemunhos e não à cobiça.*
37 *Desvia os meus olhos de contemplarem a vaidade e vivifica-me no teu caminho.*
38 *Confirma a tua promessa ao teu servo, que se inclina ao teu temor.*
39 *Desvia de mim o opróbrio que temo, pois os teus juízos são bons.*
40 *Eis que tenho desejado os teus preceitos; vivifica-me por tua justiça.*

Um sentimento de dependência e uma consciência da extrema necessidade permeiam esta seção, que é toda constituída de oração e súplicas. Os oito versículos anteriores tremiam com a sensação do pecado, com um sentimento infantil de fraqueza e tolice, que faziam com que o homem de Deus clamasse, pedindo ajuda, pela qual – e somente pela qual – a sua alma poderia ser preservada, para não cair novamente no pecado.

33. *"Ensina-me, ó Senhor, o caminho dos teus estatutos."* Palavras infantis, abençoadas, dos lábios de um velho e experiente crente, e um rei, e um homem inspirado por Deus. Ai daqueles que jamais permitem que sejam ensinados. Eles confiam cegamente na sua própria sabedoria, mas a sua loucura é aparente a todos os que julgam corretamente. O salmista deseja que o Senhor seja o seu professor; pois sente que o seu coração não aprenderá com um instrutor menos eficaz. Um sentimento de grande lentidão em aprender nos leva a buscar um grande professor. Que grande condescendência há, por parte do nosso grande Senhor, que Ele se digna a ensinar àqueles que o buscam. A lição que é desejada é completamente prática; o homem santo não somente deseja aprender os *estatutos*, mas o caminho dos estatutos, o uso diário deles, o seu teor, espírito, direção, hábito, tendência. Ele deseja conhecer o caminho da santidade que é delimitado pela lei divina, e ao longo dos quais os mandamentos do Senhor permanecem como sinais de orientação e marcos de referência e informação, guiando e marcando o nosso progresso. O próprio desejo de aprender este caminho é, por si só, uma garantia de que seremos ensinados nele, pois aquele que nos fez desejar conhecê-lo se certificará de satisfazer este desejo.

"E guardá-lo-ei até o fim." Aqueles que são ensinados por Deus jamais se esquecem de suas lições. Quando a graça divina coloca o homem no caminho verdadeiro, ele se torna fiel ao precioso e bendito Senhor. Apenas a inteligência e vontade do homem não terão uma influência tão duradoura; há um fim para toda a perfeição da carne, mas não há fim para a graça celestial, exceto o seu próprio fim, que é o aperfeiçoamento da santidade do temor do Senhor. A perseverança até o fim certamente será predita naqueles cujo começo se dá em Deus, e com Deus, e por Deus; mas aqueles que começam sem o ensinamento do Senhor logo se esquecem do que aprenderam, e começam a se desviar do caminho em que professaram ter entrado. Ninguém pode se vangloriar de que irá permanecer no seu caminho por suas próprias forças, pois isto depende do contínuo ensinamento do Senhor; nós cairemos como Pedro, se nos basearmos na suposição da nossa própria firmeza, como aconteceu com ele. Se Deus nos guardar, nós guardaremos o seu caminho; e é um grande consolo saber que há algo implícito em andar com Deus: Ele guarda o caminho dos seus santos. Mas nós devemos vigiar, como se a nossa permanência no caminho dependesse inteiramente de nós mesmos, pois, segundo este versículo, a nossa perseverança não se baseia em nenhuma força ou compulsão, mas no ensinamento do Senhor; e o ensinamento assegurado, a despeito de quem quer que seja o professor, requer aprendizado por parte de quem é ensinado; ninguém consegue ensinar a alguém que se recusa a aprender. Sinceramente, então, devemos beber da instrução divina, de modo que possamos conservar a nossa integridade, e até o último momento da vida seguir pelo caminho da retidão! Se nós recebemos a semente viva e incorruptível da palavra de Deus, viveremos; sem isto, não teremos a vida eterna, mas apenas a fama de que vivemos.

O *"fim"* de que Davi fala é o fim da vida, ou a plenitude da obediência. Ele confiava na graça para torná-lo fiel ao máximo, jamais traçando uma linha e dizendo à obediência, "Até aqui virás, e não mais adiante". O fim da nossa observância à lei só chegará quando deixarmos de respirar; nenhum homem bom pensará em determinar uma data e dizer, "Agora chega, agora posso relaxar e viver à moda dos homens". Assim como Cristo nos ama até o fim, também nós devemos servi-lo até o fim. O objetivo do ensinamento divino é que nós possamos perseverar até o fim.

Os grupos de oito versículos mostram um relacionamento. *Guimel* começa com uma oração de súplica de vida, para que ele possa guardar a palavra (17); *Dálete* suplica por mais vida, de acordo com aquela palavra (25); e agora *Hê* se inicia com uma oração, um pedido de ensinamento, para que ele possa guardar o caminho dos estatutos de Deus. Se um olhar atento examinar estes versículos, uma afinidade ainda maior será identificada.

34. *"Dá-me entendimento, e guardarei a tua lei."* Esta é a mesma oração, ampliada, ou melhor, é um suplemento que a intensifica. O salmista não somente precisa do ensinamento, mas da capacidade de aprender; não somente precisa entender, mas obter *entendimento.* Como o pecado nos abateu; pois sempre nos faltará a capacidade de compreender as coisas espirituais, e nós somos completamente incapazes de conhecê-las, até que sejamos dotados de discernimento espiritual. Deus nos dará o entendimento em cada obra? Este é um milagre da graça. No entanto, jamais será realizado em nós, até que conheçamos a necessidade que temos dele; e jamais perceberemos esta necessidade, até que Deus nos dê uma medida de entendimento, para percebê-la. Nós estamos em um estado de ruína, sim, uma ruína bastante complicada, da qual nada, exceto a multiforme graça, pode nos libertar. Aqueles que percebem a sua tolice são, pelo exemplo do salmista, encorajados a orar pedindo entendimento; que cada homem, pela fé, clame: "Dá-*me* entendimento". Outros disseram, por que ele não vem a *mim?* Era uma dádiva para eles; o Senhor não a concederá também a *mim*?

Nós não devemos buscar esta bênção para que possamos ser famosos pela nossa sabedoria, mas para que possamos ser abundantes no nosso amor à lei de Deus. Aquele que tem entendimento irá aprender, lembrar-se, guardar e obedecer os mandamentos do Senhor. O Evangelho nos dá a graça para obedecer à lei; a dádiva nos conduz ao serviço santo; não há maneira de alcançar a santidade, exceto pela aceitação da dádiva de Deus. Se Deus dá, nós guardamos; mas nunca guardamos a lei para obter a graça. O resultado seguro da regeneração, ou a concessão do entendimento, é uma reverência devota pela lei, e uma observância resoluta à lei no coração. O espírito de Deus faz com que conheçamos o Senhor, e que compreendamos um pouco do seu amor, da sua sabedoria, santidade e majestade; e o resultado é que nós honramos a lei, e entregamos nossos corações à obediência da fé.

"Observá-la-ei de todo o coração." O entendimento opera sobre os sentimentos; ele convence o coração da beleza da lei, de modo que a alma a ama com todas as suas forças; e então ela revela a majestade do Legislador, e toda a natureza se curva diante da sua vontade suprema. Um juízo esclarecido cura as divisões do coração, e faz com que os sentimentos se inclinem a uma rígida e vigilante observância da única regra da vida. Somente obedece a Deus aquele que pode dizer, "Meu Senhor, eu te servirei, e o farei com todo o meu coração"; e ninguém pode dizer isto verdadeiramente, até que tenha recebido, como uma concessão gratuita, o esclarecimento interior do Espírito Santo. Observar a lei de Deus com todo o nosso coração, em todos os momentos, é uma grande graça, e há poucos que a encontram; mas nós a obteremos, se consentirmos em ser ensinados pelo Senhor.

Observe a correspondência entre os versículos 2 e 10, onde *todo* o coração é mencionado, com referência à busca, e o versículo 58, implorando misericórdia; todos são versículos secundários em seus respectivos conjuntos de oito. A frequente repetição da expressão mostra a importância do amor indiviso; o coração nunca está sadio ou santo, a menos que esteja são ou unido. O coração jamais é um com Deus, até que seja um consigo mesmo.

35. *"Faze-me andar na verdade dos teus mandamentos; porque nela tenho prazer."* "A tua vontade está presente em mim, mas como realizar aquilo que é bom, eu não sei". Tu me criaste para amar o caminho, agora faze com que eu me mova por ele. É um caminho plano, que os outros estão percorrendo, pela tua graça; eu vejo, e admiro isto; faze com que eu o percorra. Este é o clamor de uma criança que deseja andar, mas é fraca demais; de um peregrino que está exausto, mas deseja prosseguir na marcha; de um coxo que deseja ser capaz de correr. É uma bênção deleitar-se na santidade, e certamente aquele que nos deu este prazer operará em nós a alegria ainda maior de possuí-la e praticá-la. Aqui está a nossa única esperança; pois não andaremos pelo caminho estreito até que sejamos levados a fazê-lo pelo poder do Criador. Ó, tu que me criaste, eu te peço, cria-me outra vez. Tu me fizeste conhecer; agora faz-me prosseguir. Certamente, eu jamais serei feliz, até que faça isto, pois o meu único prazer está em andar de acordo com a tua ordem.

O salmista não pede que o Senhor faça por ele aquilo que ele deve fazer por si mesmo; ele deseja andar ou caminhar pelo caminho dos mandamentos. Ele não pede para ser carregado, enquanto está passivo; mas pede para ser levado a "andar". A graça não nos trata como se fôssemos pedras ou gravetos, para sermos arrastados por cavalos ou motores, mas como criaturas dotadas de vida, razão, vontade e forças ativas, que estão dispostas a andar por si mesmas, se levadas a fazer isto. Deus opera em nós, mas para que possamos desejar e fazer de acordo com o seu prazer. A santidade que buscamos não é uma obediência forçada aos mandamentos, mas a indulgência de uma paixão sincera pela bondade, que deixará a nossa vida em conformidade com a vontade do Senhor. O leitor poderá dizer, *"porque nela tenho prazer"*? É a santidade prática a própria joia da nossa alma, o prêmio cobiçado da nossa mente? Se for, o caminho externo da vida, ainda que seja áspero, será limpo e conduzirá a alma ao prazer inefável. Aquele que tem prazer na lei não duvidará do fato de que será capacitado a correr pelos seus caminhos; pois onde o coração já encontra a sua alegria, os pés certamente o seguirão.

Observe que o versículo correspondente no conjunto anterior de oito versículos (27) era "Faze-me entender", e aqui temos, "Faze-me andar". Observe a ordem, em primeiro lugar, entender, e depois andar; pois um entendimento claro é de grande ajuda para a ação prática.

Ao longo dos últimos conjuntos de oito versículos, o quarto tem sido o versículo *do coração*; veja os versículos 20, 28 e agora 36. Na verdade, em todos os conjuntos anteriores, no quarto versículo pode ser observado grande estímulo. Isto também sugere o cuidado com que este cântico sagrado foi composto.

36. *"Inclina o meu coração a teus testemunhos."* Esta oração não parece desnecessária, uma vez que é evidente que o coração do salmista estava voltado para a obediência? Nós estamos certos de que nenhuma palavra é desnecessária nas Escrituras. Depois de pedir a virtude ativa, era apropriado que o homem de Deus pedisse que o seu coração pudesse estar em tudo o que fizesse. Como seriam os seus passos se o seu coração não o acompanhasse? Pode ser que Davi sentisse um desejo errante, uma inclinação desordenada da sua alma para os benefícios terrenos – possivelmente até mesmo invadindo as suas mais devotas meditações, e imediatamente ele clamou por mais graça. A única maneira de corrigir um ensinamento errado é ter a alma inclinada na direção oposta. A santidade de coração é a cura para a cobiça. Que bênção é que nós possamos pedir ao Senhor até mesmo esta inclinação. A nossa vontade é livre, e sem violar esta liberdade a graça pode nos inclinar na direção correta. Isto pode ser feito, esclarecendo o entendimento quanto à excelência da obediência, fortalecendo os nossos hábitos de virtude, dando-nos

uma experiência da doçura da piedade, e por muitas outras maneiras. Se algum dever é cansativo para nós, é necessário que ofereçamos esta oração com especial referência a este dever; nós devemos amar todos os testemunhos do Senhor, e se falharmos, em algum ponto, devemos prestar atenção duplicada a ele. A inclinação do coração é a maneira em que a vida irá se inclinar; por isto, a força da súplica, "Inclina o meu coração". Felizes somos nós, quando nos sentimos habitualmente inclinados a tudo o que é bom. Esta não é a maneira como um coração carnal se inclina; todas as suas inclinações estão em oposição aos testemunhos divinos.

"E não à cobiça." Esta é a inclinação da natureza, e a graça deve colocar uma negação a isto. Este defeito é tão ofensivo quanto comum. É tão desprezível quanto miserável. É idolatria, e assim destrona a Deus. É egoísmo, e assim é cruel para todos os que estão sob o seu poder. É avareza sórdida, e por isto venderia o próprio Senhor, por moedas de prata. É um pecado degradante, humilhante, e que insensibiliza, que seca tudo ao redor que seja agradável e próprio de Cristo. Aquele que é cobiçoso pertence à raça de Judas, e é muito provável que se torne um filho da perdição. O crime da cobiça é comum, mas poucos o confessam; pois quando um homem acumula ouro em seu coração, o pó do ouro ofusca os seus olhos, e ele não consegue ver os seus próprios erros. Os nossos corações devem ter algum objeto de desejo, e a única maneira de afastar o ganho mundano é colocar no seu lugar os testemunhos do Senhor. Se nós nos inclinarmos para um lado, nos afastaremos *do* outro. A virtude negativa é certamente obtida certificando-se da graça positiva que inevitavelmente a produz.

37. *"Desvia os meus olhos de contemplarem a vaidade."* Ele tinha orado a favor do seu coração, e poderíamos pensar que os olhos certamente teriam sido influenciados pelo coração, de modo que não houvesse necessidade de torná-los objeto de uma súplica especial; mas o nosso autor está decidido duplicar a certeza. Se os olhos não veem, talvez o coração possa não desejar; de qualquer forma, uma porta de tentação é fechada, quando nós nem mesmo olhamos para as ofertas do mundo, que são pobres e enganosas. O pecado entra na mente dos homens pelos olhos, e ainda é uma porta favorita para a entrada das atrações de Satanás; daí a necessidade de uma dupla vigilância sobre esta porta. A oração não é para que os olhos sejam fechados, mas *"desviados"*; pois nós precisamos tê-los abertos, mas dirigidos ao objeto correto. Talvez estejamos contemplando a tolice, e precisamos ter nossos olhos desviados; e se estivermos contemplando coisas celestiais, seremos sábios em implorar que os nossos olhos possam ser mantidos afastados da vaidade. Por que deveríamos olhar para a vaidade? – ela se esvai, como um vapor. Por que não olhar para as coisas eternas? O pecado é vaidade, o ganho injusto é vaidade, a arrogância é vaidade, e, na verdade, tudo o que não é de Deus se enquadra na mesma classificação. De tudo isto, devemos nos desviar. É uma prova da sensação de fraqueza sentida pelo salmista e da sua total dependência de Deus, o fato de que ele chega a pedir que os seus olhos sejam desviados; ele não quer dizer que deseja se tornar passivo, mas deseja demonstrar o seu próprio e completo desamparo, separado da graça de Deus. Temendo que se esquecesse e olhasse, com ansiedade e desejo para objetos proibidos, ele pede que o Senhor rapidamente o faça desviar os seus olhos, removendo-o de uma convivência tão perigosa com a iniquidade. Se nós formos impedidos de olhar para a vaidade, seremos preservados de amar a iniquidade.

"E vivifica-me no teu caminho." Dá-me tanta vida, de modo que a vaidade morta não tenha poder sobre mim. Capacita-me a viajar tão rapidamente pelo caminho para o céu que eu não possa parar o suficiente diante da visão da vaidade para me sentir fascinado por ela. A oração indica a nossa maior necessidade – mais vida na nossa obediência. Ela mostra o poder de preservação da vida ampliada, para nos manter afastados dos males que estão à nossa volta, e, além disto, nos diz de onde deve vir esta vida ampliada, ou seja, exclusivamente do Senhor. A vitalidade

é a cura da vaidade. Quando o coração estiver cheio de graça, os olhos estarão purificados da impureza. Por outro lado, se estivermos cheios de vida quanto às coisas de Deus, deveremos nos conservar afastados do pecado e da tolice, ou os olhos logo escravizarão a mente e, como Salomão, que pôde matar seus milhares, nós poderemos ser dominados pelas concupiscências que entrarem em nossa vida através dos nossos olhos.

Este versículo é correspondente aos versículos 21 e 29 dos conjuntos anteriores: "repreender", "afastar" (na versão ARA), "desviar"; ou "soberba", "falsidade", "vaidade".

38. *"Confirma a tua promessa ao teu servo."* Certifica-me da tua palavra garantida; torna-a assegurada a mim, e dá-me a certeza dela. Se possuirmos o espírito de serviço, e ainda estivermos perturbados por pensamentos céticos, não faremos nada melhor do que orar para ser confirmados na verdade. Surgirão tempos em que cada doutrina e promessa parecerá abalada, e nossas mentes não terão repouso; então devemos suplicar a Deus pela confirmação na fé, pois Ele deseja que todos os seus servos sejam bem instruídos e confirmados na sua palavra. Mas devemos nos lembrar de que somos os servos de Deus, caso contrário não ansiaremos por ser confirmados na sua verdade. A santidade prática é uma grande ajuda na direção da certeza doutrinária; se nós formos servos de Deus, Ele confirmará a sua palavra na nossa experiência. "Se alguém quiser fazer a vontade dele, conhecerá a respeito da doutrina" (Jo 7.17, ARA), e a conhecerá de modo a estar plenamente certo dela. O ateísmo no coração é uma praga horrível para um homem temente a Deus, traz mais tormento consigo do que pode ser descrito, e nada, exceto uma visitação de graça, pode acalmar a alma depois de ter sido violentamente atacada por ele. A vaidade ou a falsidade é ruim para os olhos, mas é ainda pior quando contamina o entendimento e lança dúvidas sobre a palavra do Deus vivo.

"Que se inclina ao teu temor", ou simplesmente – *"ao teu temor"*. Isto é, cumpre a tua palavra em relação ao santo temor, onde quer que ele exista; fortalece todo o corpo dos homens reverentes. Confirma a tua palavra, não somente a mim, mas a todos os santos sob o sol. Ou, novamente, isto pode significar: "Confirma a tua palavra em relação ao teu temor", ou seja, para que os homens possam ser levados a temer a ti; uma vez que a fé segura na promessa divina é a fonte e a fundação do temor devoto. Os homens jamais adorarão um Deus em quem não creem. Mais fé levará a mais temor devoto. Não podemos esperar o cumprimento de promessas na nossa experiência, a menos que vivamos sob a influência do temor do Senhor; a confirmação na graça é o resultado da santa vigilância e da energia na oração. Nós jamais estaremos enraizados e fundamentados em nossa crença, a menos que pratiquemos diariamente o que professamos crer. A certeza plena é a recompensa da obediência. As respostas às orações são dadas àqueles cujos corações atendem a ordem do Senhor. Se eles forem devotados ao temor a Deus, serão libertados de todos os outros temores. Não tem temor, quanto à verdade da palavra, aquele que está cheio do temor pelo Autor da palavra. O ceticismo é o pai e também o filho da impiedade; mas a fé forte gera piedade e também é gerada por ela. Nós recomendamos este versículo a qualquer homem devoto cuja tendência seja para o ceticismo; é uma oração admirável para uso em épocas de preocupações inusitadamente fortes.

39. *"Desvia de mim o opróbrio que temo."* Ele temia a reprovação, e tremia, só de pensar que pudesse fazer com que o inimigo blasfemasse por alguma inconsistência evidente. Nós devemos temer o opróbrio, e estar vigilantes para que possamos evitá-lo. Também podemos orar contra a perseguição sob a forma de calúnia, pois esta é uma amarga tentação, talvez a mais amarga para os homens de mentes sensíveis. Muitos prefeririam suportar ser queimados a sofrer a tentação de cruéis zombarias. Davi se irritava com facilidade, e provavelmente tinha o maior temor da calúnia, porque ela despertava a sua ira, e ele não podia dizer o que poderia fazer sob grande provocação. Se Deus desvia os nossos olhos da falsidade, nós também podemos

esperar que Ele impeça que a falsidade manche o nosso bom nome. Nós seremos protegidos das mentiras, se nos mantivermos afastados das mentiras.

"Pois os teus juízos são bons." Os juízos divinos são bons; por isto, o salmista está ansioso para que ninguém fale mal dos caminhos de Deus, ao ouvir um mau relato sobre si mesmo. Nós lamentamos quando somos caluniados; porque a vergonha é lançada mais sobre a nossa religião do que sobre nós mesmos. Se os homens se satisfizessem em atribuir o mal *a nós*, e não seguir adiante, poderíamos suportar isto, pois somos maus; mas a nossa tristeza é pelo fato de que eles procuram lançar uma crítica contra a palavra e o caráter de Deus, que é tão bom, e em comparação a Ele ninguém é bom. Quando os homens criticam o governo que Deus desempenha no mundo, é nosso dever e privilégio defendê-lo, e declarar abertamente diante dele, "os teus juízos são bons"; e devemos fazer a mesma coisa quando eles atacam a Bíblia, o Evangelho, a lei ou o nome do nosso Senhor Jesus Cristo. Mas devemos tomar cuidado para que eles não possam fazer nenhuma acusação verdadeira contra nós, ou o nosso testemunho será desperdiçado.

Esta oração contra as críticas é correspondente ao versículo 31, e, de modo geral, a muitos outros dos sétimos versículos nos conjuntos de oito, que usualmente sugerem oposição exterior, e uma santa satisfação interior. Observe as coisas que são boas: *"os teus juízos são bons"*; "Tu és bom e abençoador" (68); "Foi-me bom ter sido afligido" (71); "Ensina-me bom juízo" (66).

40. *"Eis que tenho desejado os teus preceitos."* Pelo menos, ele pode declarar sinceridade. Ele está profundamente prostrado pela sensação da sua fraqueza e necessidade de graça; mas ele deseja estar, em todas as coisas, em conformidade com a vontade divina. Onde estiverem os nossos anseios, ali estaremos nós, aos olhos de Deus. Se nós tivermos alcançado a perfeição, já terá valido a pena tê-la procurado. Aquele que nos deu aquilo que desejarmos, também nos concederá os meios para obtermos isto. Os preceitos são dolorosos para os ímpios, e por isto, quando estivermos tão transformados a ponto de ansiar por eles, teremos a clara evidência da conversão, e poderemos concluir com segurança que aquele que deu início à boa obra a aperfeiçoará. *"Vivifica-me por tua justiça"*. Dá-me mais vida com a qual seguir a tua justa lei; ou dá-me mais vida, porque prometeste ouvir as orações, e guardar a tua palavra está de acordo com a tua justiça. Com que frequência Davi suplica pela vivificação! Mas nunca é com frequência excessiva. Nós precisamos de vivificação em todas as horas do dia, pois somos muito tristemente propensos a nos tornar lentos e lânguidos nos caminhos de Deus. É o Espírito Santo que pode derramar nova vida em nós, não devemos cessar de clamar a Ele. Que a vida que já possuímos se exiba, ansiando por mais.

Os últimos versículos dos conjuntos de oito, em geral, exibem um olhar progressivo de resolução, esperança e oração. Aqui, os frutos passados da graça se tornam a súplica por novas bênçãos. O clamor deste versículo está relacionado à busca da vida celestial.

NOTAS ESPECIAIS SOBRE OS VERSÍCULOS 33 A 40

Sobre este conjunto de oito versículos, as observações fornecidas pelo Sr. Marchant, um dos tutores do Pastors' College são tão excelentes que as apresentamos integralmente.

Seção ה*, He*

Assunto: A lei do Senhor colocada diante dos Olhos, da Mente, dos Pés e do Coração.

Frase essencial: הָקֵם לְעַבְדְּךָ אִמְרָתֶךָ. *"Confirma a tua promessa ao teu servo"* (v. 38).
v. 33: A Palavra colocada diante dos olhos. *"Ensina-me"*; literalmente, *"destaca"*,

"indica-me". יָרָה, como usada aqui, significa *"estender a mão"*, especialmente no sentido de apontar. Por isto, "mostrar", "indicar", "ensinar". O salmista aqui ora pedindo orientação na sua forma mais superficial. Muitos caminhos estavam diante dos seus olhos, conduzindo diretamente à morte, mas havia um caminho diante dele, que conduzia à vida. Ele também pede que lhe seja mostrado *qual* é o caminho do Senhor. Se o Senhor mostrar aos seus olhos qual é o caminho correto, ele o guardará até o fim. Aqui a luz é necessária para os olhos. Assim como o índio segue pela sua trilha com olho infalível e passo resoluto, também, vigilantes contra qualquer desvio que possa nos tirar do caminho, nós devemos seguir pelo caminho que conduz à vida.

v. 34: A palavra colocada diante da mente. *"Dá-me entendimento"*. A palavra usada aqui se refere à compreensão mental, distinta da mera orientação, ou indicação, pedidas no versículo anterior. Aqui a súplica é, "Faz-me discernir", "Faz com que eu perceba", isto é, com o entendimento. "A fé é pelo ouvir, e o ouvir pela palavra de Deus". Os sentidos devem, antes de mais nada, enxergar o caminho; a seguir a mente deve entendê-lo, e por fim, com fé e amor, o coração deve seguir por ele. Assim também o salmista, se Deus fizer com que ele entenda a lei, a guardará com todo o seu coração. Mas o coração é propenso a se inclinar a coisas terrenas e pecaminosas, e a ajuda divina é agora implorada também para esta situação.

v. 35: A palavra colocada diante dos pés. A palavra הַדְרִיכֵנִי se origina de דָּרַךְ, *pisar com os pés*. Consequentemente, *"Faze-me andar"* é uma alusão ao próprio ato de andar pelo caminho divino, diferente da mera percepção do caminho com os olhos e com o entendimento. É nesta questão do andar prático que as verdadeiras dificuldades do caminho parecem vir mais forçosamente à luz; consequentemente, nós não mais temos דֶּרֶךְ usada (como no versículo 33), que pode significar um caminho amplo e aberto, mas נָתִיב, que (diz Genésio) "jamais indica um caminho público e real, como formado por arte e tecnologia, mas sempre uma trilha ou senda". Assim o jovem Buxtorf traduz a palavra por *Semita*. Quando os pés realmente vierem a pisá-lo, o caminho da verdade será sempre considerado o "caminho estreito".

v. 36: A palavra colocada diante do coração. *"Inclina o meu coração a teus testemunhos"*. Não significa nada que os olhos vejam, que a mente entenda, nem mesmo que os pés sejam levados a andar pelo caminho da verdade, se o coração também não estiver inclinado a este caminho. É com o coração que se crê para a justiça. Não ter amor é, de acordo com 1 Co 13, não ter nada.

Assim o sentido destes quatro pedidos metódicos nesta seção é o seguinte: Faze-me ver, faze-me entender, faze-me andar, e faze-me amar andar pelo caminho estreito dos teus testemunhos. Na minha opinião, Lutero fornece quase o sentido exato da explicação anterior; pois ele traduz as palavras iniciais dos versículos 33, 34, 35 e 36 com termos que significam, respectivamente, "Indica-me", "Explica-me", "Conduz-me" e "Inclina (curva) o meu coração", etc.

v. 37: "Desvia os meus olhos", etc. Literalmente, *"Faze com que os meus olhos evitem olhar para a vaidade"*; como se ele orasse: Qualquer que seja a vaidade, faze-me passar sem olhar para ela. O sentimento é assombrosamente semelhante ao da oração do nosso Senhor: "Não nos induzas à tentação". Tendo orado pelo que ele desejava ver, aqui o salmista ora para que lhe seja oculto o que ele não deseja ver.

v. 38: "Confirma a tua promessa ao teu servo". Em vista da explicação dos versículos anteriores da seção, este seria traduzido mais corretamente como *"Levanta a tua palavra diante do teu servo"*; isto é, mostra-a para os meus olhos, para a minha mente, para os meus passos e para o meu coração. Faze com que tudo o que é vaidade passe, para que eu não o veja; mas permite que a tua palavra seja colocada diante de todo o meu ser para que eu sempre a veja, e assim, por ela, veja o meu caminho rumo a ti.

v. 39: "Desvia de mim o opróbrio que temo". "Faze com que passe o opróbrio que temo". Isto também, como a vaidade mencionada no versículo 37, o salmista ora, pedindo para não ver. Ele deseja ter o olhar de toda a sua humanidade dirigido somente para a palavra. O opróbrio que ele temia é aquele ao qual ele já tinha se referido nos versículos 21, 22 e talvez, novamente, no versículo 31. O soberbo se desviou dos mandamentos, e herdou opróbrio; este opróbrio e vergonha que pertenciam ao soberbo é aquilo de que o salmista deseja ser desviado, de modo que estas coisas não sejam vistas. *"Pois os teus juízos são bons"*. Isto é fornecido como uma razão pela qual o opróbrio deva ser desviado. O soberbo tinha pensado com leviandade e desprezo sobre os juízos divinos, daí o seu opróbrio; o salmista considerava que os juízos eram bons, e por isto esperava não ver opróbrio.

v. 40: "Eis que tenho desejado", etc. Isto é incluído aqui como uma forma mais intensa da declaração que ele acabara de fazer, de que julgava que os juízos eram bons. Eles eram tão bons que o salmista ansiava por eles. Não apenas isto, mas ele desejava ansiar por eles ainda mais. Por isto, ele ora, pedindo ainda mais vida e vigor, para seguir o caminho que eles apontam: *"Vivifica-me por tua justiça"*. Aquele que realmente anseia pela verdade divina, lamenta não ansiar mais. Quando o coração não tem amor, a mente não tem luz e esclarecimento, e somente pode julgar erroneamente os preceitos. "Os puros de coração" veem melhor com a mente do que os impuros. "Aos justos nasce luz nas trevas". O amor dilata tanto o discernimento, que aquele que realmente ama, frequentemente descobre que o seu juízo das bem-aventuranças da verdade superou até mesmo o seu anseio por ele. Daí aquele que clama, *"Vivifica-me"*; aquele que tem desejos vivos é o que ora pedindo ainda mais vida, no caminho da justiça.

NOTAS SOBRE OS VERSÍCULOS 33 A 40

vv. 33 a 40: Neste conjunto de oito versículos, em várias ocasiões é repetida a mesma oração, à qual já fizemos menção diversas vezes. Pois ele ora para que possa ser divinamente ensinado, governado, fortalecido e defendido das calúnias, opróbrios e ameaças dos seus inimigos. E a oração está cheia dos mais ardentes anseios, o que é evidente, com base na mesma resolução tão frequentemente repetida. Pois quanto mais ele conhece a ignorância, a obscuridade, as dúvidas e a imbecilidade da mente humana, e vê como os homens são impelidos por um breve impulso, de modo a se afastar da verdade e praticar erros repugnantes à palavra divina, ou a cometer grandes pecados, mais ardentemente e fortemente ele pede em oração que possa ser divinamente ensinado, governado e fortalecido, para que não deixe de lado a verdade reconhecida, e para que não mergulhe na iniquidade. E pelo seu exemplo, ele ensina que nós, também, contra a cegueira que nasceu conosco, e a tolice da nossa carne, e também contra as armadilhas e loucuras dos demônios, devemos nos fortalecer com estas armas; especificamente, com o estudo e conhecimento correto da Palavra divina, e com constante oração. Pois se tão grande homem, que tinha alcançado tão proeminentes realizações, orava por isto, muito mais devemos nós, que somos apenas noviços e iniciantes ignorantes. Este é o resumo deste conjunto. – *D. H. Mollerus*

vv. 33 a 40: Nesta parte, o salmista envia nove vezes a sua súplica ao seu Deus, e seis destas vezes são acompanhadas por uma razão para ser ouvido... Estas súplicas são proferidas por um coração renovado; o homem de Deus não podia deixar de expressá-las – tal era o novo processo purificador que tinha ocorrido nele... O esquema é o seguinte: são oferecidas súplicas por Instrução (33) e Entendimento (34) e, de igual modo, por Habilidade Espiritual (35) e por Inclinação (36). Estas são seguidas por súplicas por Isenção do Espírito de Vaidade (37) e por Vivificação Divina (37). O Senhor recebe a súplica para que cumpra a sua Palavra de Promessa ao seu servo (38), e para que o liberte do Temido Opróbrio. Finalmente, o homem de Deus oferece a sua oração por vivificação com base na Justiça Divina (40). Que o Espírito Divino nos ensine a nos compararmos com o que encontramos aqui, de modo a podermos ver a salvação do nosso Deus! – *John Stephen*

vv. 33 a 40: Eu observo que, neste conjunto de oito versículos, o fato que não será encontrado em nenhum dos outros conjuntos, é que cada versículo contém uma oração diferente. No primeiro, ele ora para ser ensinado, e então promete aceitar o que Deus lhe ensinar. Anteriormente, ele tinha decidido correr por este caminho; mas ele sentiu imediatamente as suas próprias aberrações naturais, e por isto, ele vem a este guia, para ser ensinado. – *Richard Greenham*

v. 33: "Ensina-me, ó Senhor, o caminho dos teus estatutos", etc. A instrução do alto é necessária para os filhos de Deus, enquanto permanecem neste mundo. Quanto mais sabemos, mais desejaremos saber; nós suplicaremos um suprimento diário de graça, assim como de pão; e um sabor do "cacho de uvas de Escol" nos fará ansiar pelas uvas de Canaã (Nm 13.23). A religião é a arte da vida santa, e só é conhecida quando é praticada; assim como não é um mestre de música aquele que sabe ler as notas que a compõem, mas aquele que aprendeu a tomar uma lição prontamente do livro, e tocá-la no seu instrumento; depois disto, o prazer propiciado será motivo suficiente para continuar a fazê-lo. – *George Horne*

v. 33: "Ensina-me, ó Senhor, o caminho dos teus estatutos", etc. Na sinceridade de seu coração, busque em Deus o seu ensinamento. Deus se alegra com o pedido. "A teu servo, pois, dá um coração entendido para julgar a teu povo, para que prudentemente discirna entre o bem e o mal; porque quem poderia julgar a este teu tão grande povo? E esta palavra pareceu boa aos olhos do Senhor, que Salomão pedisse esta coisa" (1 Rs 3.9, 10). Oh, implorem a Deus, por três razões:

1. O caminho dos estatutos de Deus é digno de ser encontrados por todos.
2. É difícil ser encontrado e guardado, por qualquer pessoa.
3. Não encontrá-lo é tão perigoso, que isto deveria nos motivar a ser fervorosos em relação a Deus. – *Thoman Manton*

v. 33: "Ensina-me, ó Senhor", etc. "Aquele que é aluno de si mesmo", observa Bernardo, "tem um tolo como mestre". Um soldado que participa de uma marcha não define por si mesmo o seu andar, nem começa a jornada por sua própria vontade, nem escolhe atalhos agradáveis, para que não saia de forma, afastando-se do padrão, mas recebe a rota do seu general, e se atém a ela; ele avança segundo a ordem prescrita, anda armado e vai diretamente ao fim da sua marcha, para ali encontrar os suprimentos fornecidos pelo comissariado. Se ele seguir por outro caminho, não receberá razões, e não encontrará alojamento preparado, porque as ordens do general são de que todas as coisas deste tipo sejam preparadas para aqueles que o seguem, e não se desviam nem para a direita nem para a esquerda. E assim aquele que segue ao seu general não sucumbe, por boas razões, pois o general não se baseia na sua própria conveniência, mas na capacidade de todo o seu exército. E esta também é a ordem de marcha de Cristo, quando Ele conduz o seu grande exército do Egito espiritual para a Terra eterna do Paraíso. – *Ambrósio, citado por Neale e Littledale*

v. 33: "Ensina-me, ó Senhor, o caminho", etc. Jamais devemos nos esquecer, como esta quinta seção nos ensina, que existe um caminho designado por indicação de Deus, onde todo o seu povo deve andar, e no qual devem perseverar. Outros definem um caminho para si mesmos, e, conservando-se nele, pensam que estão seguros. Davi não confiou em nada deste tipo; ele somente desejava se encontrar no caminho da ordenança de Deus, e ser ensinado por Deus a guardá-lo até o fim; ou, como diz o original, conservá-lo como o fim, o fim da sua profissão, a salvação da sua alma. – *W. Wilson*

v. 33: "Ensina-me, ó Senhor, o caminho dos teus estatutos, e guardá-lo-ei", etc. Se continuares a ser um professor para mim, diz Davi, continuarei a ser um servo para ti. A perseverança não pode existir, a menos que luz e graça contínuas nos sejam fornecidas pelo Senhor. Assim como a árvore que não tem seiva na sua raiz pode crescer durante algum tempo, mas não resiste, também o homem, cujo coração não é regado continuamente pelo orvalho da graça de Deus, pode, durante algum tempo, exibir santidade, mas no final não mais a demonstrará. Nós não sustentamos a raiz, é a raiz que nos sustenta; devemos tremer e temer. Se não habitamos no nosso Senhor, nós nos tornamos ramos secos, sem utilidade, exceto para o fogo. Devemos sempre orar para que Ele sempre habite conosco, que nos informe pela sua luz, e nos conduza pelo seu poder, por aquele caminho que pode nos conduzir até Ele. – *William Cowper*

v. 33: "Estatutos", de uma palavra que significa *marcar, delinear, descrever* e *ordenar;* porque eles *delineiam* o nosso caminho, *descrevem* a linha de conduta que devemos seguir, e *ordenam* ou *decretam* o que devemos observar. – *Adam Clarke*

v. 33: Os *estatutos* de Deus declaram a sua autoridade e o seu poder de nos dar leis. – *Matthew Pool, 1624-1679*

v. 33: "Até o fim", ou *como forma de retribuição,* ou *recompensa* ou *gratidão* a ti; a misericórdia de Deus ao *ensinar*, devendo, com toda razão, ser *recompensada* ou retribuída pela nossa *observância* e pelos cuidados perfeitos do que Ele ensina. Ou pela analogia com Salmos 19.11, onde *guardar* os seus *mandamentos* traz *grande recompensa* consigo; pode aqui ser traduzido como עֵקֶב (interpretando a preposição ל) *como a recompensa*, significando a atual alegria por ela, versículo 32, sem excluir a coroa futura. – *H. Hammond*

v. 33: "Até o fim". *Completamente*; o texto hebraico diz, *integralmente.* A força das palavras parece ser "Completamente, da cabeça aos pés". – *Zachary Mudge, 1744*

vv. 33 e 34: "Até o fim". Ele não será *limitado pelo tempo*; ele o guardará *"até o fim"*. Ele não será *hipócrita;* ele o guardará *"de todo o coração"*. – *Adam Clarke*

v. 34: "Dá-me entendimento". O salmista vai à raiz da questão; ele é ensinado a fazer isto pelo Espírito que conhece todas as coisas. Ele não deseja meramente ser ensinado, como um mestre ensinaria, mas deseja ter a sua mente reformada e informada, como somente o Criador poderia fazer. A palavra tem este significado. *"Dá-me entendimento"* – faze com que eu entenda. Ele não deseja meramente conhecer uma coisa – a natureza geral dela; mas desejava compreender o início, a continuação e o fim dela. Ele desejava alcançar o poder de distinção entre o certo e o errado – o discernimento espiritual, para que pudesse discernir o correto – e, ao mesmo tempo, tudo o que era contrário a ele; ele desejava entendimento, para que pudesse conhecer, e discernir, e valorizar, a verdade, o verdadeiro caminho de Deus, evitando cuidadosamente tudo o que estivesse fora dele. – *John Stephen*

v. 34: "Dá-me entendimento". Por isto, estamos em dívida com Cristo; pois "o Filho de Deus é vindo e nos deu entendimento" (1 Jo 5.20). – *Matthew Henry*

v. 34: "Entendimento". O entendimento é o piloto e o guia do homem; a faculdade que se posiciona no leme da alma. Mas assim como o guia mais especializado pode se equivocar no escuro, o mesmo pode acontecer ao entendimento, quando lhe falta a luz do conhecimento. "Ficar a alma sem conhecimento não é bom" (Pv 19.2); nem a vida é boa, nem é segura a condição externa (Ef 4.18). "O meu povo foi destruído, porque lhe faltou o conhecimento" (Os 4.6).

É comum, nas Escrituras, colocar a profanação, e todos os tipos de faltas, como culpa da ignorância. As doenças do corpo, muitas vezes, se originam de desequilíbrios na *cabeça*, e as exorbitâncias de comportamento, de erros no juízo. E, na verdade, em cada pecado, há algo de ignorância e de erro, no fundo, pois os pecadores realmente sabiam o que estavam fazendo ao pecar; nós podemos dizer, sobre cada pecador, o que o apóstolo fala, a respeito deste grande pecado, "se a conhecessem [à sabedoria de Deus], nunca crucificariam ao Senhor da glória" (1 Co 2.8). Eles sabiam que todo pecado é uma provocação do Senhor ao zelo, uma proclamação de guerra contra o céu, uma nova crucificação do Senhor Jesus, o acúmulo de uma nova ira contra si mesmos, no dia da ira; e se eles forem perdoados, não será por um custo inferior ao preço do seu sangue – *isto dificilmente seria possível*, mas o pecado, em vez de seduzir, deveria afugentar, e em vez de tentar, amedrontar. – *de "Recommendatory Epistle prefixed to the Westminster Confession and Catechisms"*

v. 34: "De todo o coração". O homem como um todo pertence a Deus, por todo tipo de direitos e títulos; e por isto, quando Ele exige todo o coração, Ele apenas exige o que é seu. Deus nos deu o todo através da criação; e Deus preserva o todo, redime o todo, e promete glorificar o todo. Se nós tivéssemos sido desfigurados ou mutilados na criação, teríamos tido dificuldades; por exemplo, se nascêssemos sem mãos ou sem pés. Também teríamos um problema sério se Deus permitisse que guardássemos para nós mesmos aquilo que foi reservado para Ele, ou se Ele fizesse tal divisão na morte, levando uma parte do nosso ser para o céu, ou se Cristo tivesse comprado apenas parte de nós. "Porque fostes comprados por bom preço; glorificai, pois, a Deus no vosso corpo e no vosso espírito, os quais pertencem a Deus" (1 Co 6.20). Se alguma boa obra tiver sido realizada em sua vida, saiba que Deus santificou o todo, no sentido do Evangelho, isto é, todas as partes: "E o mesmo Deus de paz vos santifique em tudo; e todo o vosso espírito, e alma, e corpo sejam plenamente conservados irrepreensíveis para a vinda de nosso Senhor Jesus Cristo" (1 Ts 5.23). Não somente a consciência, mas a vontade e os sentimentos, o apetite e o corpo. E você deu tudo a Ele, para o seu uso: "Eu sou do meu amado" – não uma parte, mas o todo. Ele não pôde suportar que Ananias retivesse parte do preço: tudo lhe é devido. Quando o mundo, o prazer, a ambição, o orgulho, o desejo de riquezas, o amor impuro, desejam uma parte em nós, podemos nos lembrar de que não temos sentimentos dos quais dispor, sem a permissão de Deus. Tudo é seu, e é um sacrilégio roubar ou reter alguma parte de Deus. Será que separarei o que é de Deus, para satisfazer o mundo, a carne e o diabo? – *Thomas Manton*

vv. 34 e 35: "Dá-me entendimento". *"Faze-me andar"*. O entendimento que ele busca o leva a andar, e é buscado com este fim. O ensinamento de Deus gera obediência; Ele nos mostra o caminho da vida, e nos faz andar nele. É tal instrução que dá força, que desperta a vontade indolente, e quebra a força das inclinações corruptas; ela remove as trevas que a corrupção e o pecado trouxeram sobre a mente, e nos torna flexíveis e prontos a obedecer; ela nos dá não apenas a vontade, mas a obra; em resumo, ela nos engaja em uma obediência vigilante, cuidadosa, uniforme, e constante. – *Thomas Manton*

v. 35: "Faze-me andar na verdade dos teus mandamentos". Davi, nos versículos anteriores, tinha implorado pela luz, e agora pede forças para andar segundo esta luz. Nós precisamos, não somente de luz para conhecer o nosso caminho, mas de um coração para andar por ele. A orientação é necessária por causa da cegueira de nossas mentes; e os impulsos eficazes da graça são necessários por causa da fraqueza dos nossos corações. Ter uma noção crua das verdades não corresponderá ao nosso dever, a menos que as aceitemos e busquemos. Assim nós precisamos de dupla ajuda de Deus; a mente deve ser esclarecida e iluminada, a vontade motivada e inclinada. A obra de um cristão não está na profundidade da especulação, mas na altitude da prática. A excelência da graça divina consiste disto – o fato de que

Deus, em primeiro lugar, ensina o que deve ser feito, e então nos leva a fazer o que é ensinado; *"Faze-me andar na verdade dos teus mandamentos"*. – *Thomas Manton*

v. 35: "A verdade dos teus mandamentos". Eles são chamados *"caminhos"* porque os caminhos são passagens estreitas, curtas, retas e limpas para pessoas a pé, e não cavalos nem carros; e assim é o caminho do Senhor, em comparação com o caminho da carne e o do mundo, sendo todos os seus caminhos amplos, sujos e tortuosos, pisados por animais, o tipo do homem carnal e animal. O salmista atribui uma razão para ser ouvido quando diz, *"porque nela tenho trazer"*; porque, por meio da graça de Deus, eu escolhi este caminho, e desejei andar nele, e é somente apropriado que aquele que dá a alma dê a graça que a acompanha, como diz o apóstolo Paulo, "o que opera em vós tanto o querer como o efetuar". – *Robert Bellarmine*

v. 35: "O caminho" é "a verdade dos teus mandamentos". Não é nenhum novo caminho, mas o caminho antigo em que todos os servos de Deus andaram antes dele, e que os gregos (como observa Eutímio) chamavam τρίβον, *quasi viam tritam.* Mas seja como for que este caminho é formado, pelo andar e pisar de muitos por ele, ainda assim o salmista reconhece que é apenas um, e é um caminho estreito e difícil de guardar, e por isto busca ser guiado nele. – *William Cowper*

v. 35: "A verdade". É *um caminho*, não uma estrada pública; um caminho em que não anda nenhum *animal*, e raramente os *homens*. – *Adam Clarke*

vv. 35 e 37: "A verdade". "O teu caminho". Os hindus chamam *panth* ou *caminho* a linha de doutrina seguida por alguma seita, para alcançar *mukti*, ou a libertação do pecado. *Caminho* significa o meio principal para obter um fim, e se aplica às Escrituras (Sl 119.27), aos conselhos de Deus, às obras de Deus. O caminho espiritual é:

(1) *fácil* de encontrar, Is 35.8;

(2) *limpo*, sem lama de pecado;

(3) nunca está sem *manutenção* – Cristo é o mesmo que era há seis mil anos atrás;

(4) por ele não andam *leões* nem animais selvagens;

(5) *custoso*, o sangue de Cristo o fez;

(6) não *solitário*, muitos crentes andam nele (Hb 12.1);

(7) não *há tarifa*, todos podem vir;

(8) *amplo*. O caminho para as cidades de refúgio tinha quase quinze metros de largura. O mapa da Bíblia mostra este caminho;

(9) o *fim* agradável: o Céu. – *J. Long, "Eastern Proverbs and Maxims Illustrating Old Truths", 1881*

vv. 35 e 36: "Porque nela tenho prazer. Inclina o meu coração a teus testemunhos". Um filho de Deus não tem a tendência do seu coração tão perfeitamente fixa e dirigida a Deus, mas está sempre retornando à sua antiga propensão. Os melhores podem concluir que não conseguem guardar os seus sentimentos tão separados do mundo, quando têm casas, e terras, e todas as coisas que quiserem, como poderiam quando mantidos humildes e sem nada. Os melhores podem perceber que o seu amor pelas coisas celestiais está em decadência, enquanto as coisas terrenas estão em ascensão. Foi registrado que Pio Quinto disse, sobre si mesmo, que, quando foi ordenado, teve algumas esperanças da sua salvação; quando chegou a ser cardeal, duvidou; mas depois que veio a ser papa, quase perdeu a esperança. Muitos podem perceber uma grande mudança em si mesmos, muita decadência no zelo que demonstravam pela glória de Deus, e amor e cuidado pela palavra de Deus, e consideração pelas coisas celestiais, à medida que as coisas no mundo melhoram para si mesmos. É bom observar isto, antes que o mal aumente. Assim como o zelo e os cuidados são necessários para evitar a entrada e o início deste mal, também a observação é necessária para impedir que ele aumente. Quando o mundo aprofunda demais um interesse em nossos corações, quando ele começa a se insinuar e nos seduzir, afastando-nos de Deus, e enfraquece o nosso prazer nos caminhos de Deus e no zelo pela sua glória, então precisamos frequentemente nos lembrar de como é difícil um rico entrar no reino do céu. – *Thomas Manton*

v. 36: "Inclina o meu coração a teus testemunhos, e não à cobiça". Nós precisamos ser convencidos de que a cobiça, digo, a nossa cobiça, é um defeito, pois ela retém uma certa virtude de parcimônia, que é não desperdiçar o que se tem; e isto nos leva a alimentar pensamentos de que não é um defeito; e frequentemente dizemos que é bom ser um pouco mundano; nós gostamos de um pouco de cobiça, o que mostra que não a consideramos realmente um pecado. Pois se o pecado é nada, um pouco de pecado não pode ser bom. Como dizem os bons, um pouco de veneno seria bom, se não fosse demais. E assim nós percebemos que os homens repreendem seus filhos por gastar, e estão dispostos a expulsá-los, se forem dados ao desperdício; mas se estiverem próximos e economizando, nós gostamos demais disto; e eu conheço poucos homens que pedem a seus filhos que não poupem, que não economizem. Eu sei que a juventude está muito acostumada e é mais sujeita a gastar e consumir, porque a paixão natural é rápida e está ativa nos jovens; portanto, na verdade, há mais temor e perigo de que eles se mostrem esbanjadores e por isto ainda mais deve ser dito e feito neste sentido com os jovens. Mas eu insisto que, caso nós vejamos nossos filhos na sua juventude começando a ser cobiçosos e mundanos, nós os chamamos de bons administradores, e ficamos felizes por ver isto, e ficamos muito satisfeitos com eles por isto. Eles não se dão conta de que o materialismo é um pecado extremamente grave com respeito a Deus, e muito prejudicial com respeito aos homens. Veja o que a palavra de Deus diz sobre isto (Ef 5.5): *É idolatria*, e a idolatria é o primeiro pecado na primeira tábua. *É a raiz de toda espécie de males* (1 Tm 6.10). Não há mal que o homem mundano não cometa para salvar o seu bolso. Por isto, Davi diz: *"Inclina o meu coração a teus testemunhos e não à cobiça"*. Ele não diz, a este ou a aquele testemunho, mas (incluindo todas as leis de Deus), diz, *"testemunhos"*; para nos mostrar que a cobiça nos afasta, não somente de alguns, mas de todos os mandamentos de Deus. Como diz o apóstolo Paulo, onde há cobiça, há "muitas concupiscências" (1 Tm 6.9), e "muitas dores" (1 Tm 6.10). Ela "submerge os homens na perdição e ruína" (1 Tm 6.9). E a palavra grega significa tal submergir que é praticamente além de qualquer esperança de recuperação. É a destruição da sociedade; os homens clamam por isto, porque não aceitam que ninguém seja cobiçoso, ninguém seja rico, senão eles próprios. Eles odeiam toda a humanidade; eles odeiam todos os pobres, porque lhes pediriam algo, e todos os ricos, porque têm o que eles gostariam de ter. Um homem cobiçoso deseja ter tudo o que todos têm. Assim diz Crisóstomo. Estas pessoas não creem na palavra, não confiam em Deus nem nos homens. Pois aquele que confia em Deus, não pode confiar nos homens. A cobiça rouba de Deus aquela confiança que deveríamos ter nele, e a dependência que devemos a Ele, e afasta o homem de todos os mandamentos. Por isto o profeta Davi ora para que Deus incline o seu coração para os seus mandamentos, *"e não à cobiça"*. Pois não apenas nós não *devemos*, mas, como diz a expressão, "não *podemos* servir a Deus e a Mamom" (Lc 16.13). – *Richard Capel, "Tentations: Their Nature, Danger, Cure", 1655*

v. 36: "Inclina o meu coração a teus testemunhos, e não à cobiça". Sem uma mão repressora, o coração é propenso a se desviar pelos caminhos do amor mesquinho pelo dinheiro. O remédio deve vir do alto. A ajuda celestial deve ser buscada. – *Henry Law*

v. 36: "Inclina o meu coração". Se nós fôssemos naturalmente e espontaneamente inclinados à justiça da lei, não haveria oportunidade para o pedido do salmista, *"inclina o meu coração"*. O que acontece é que os nossos corações estão cheios de pensamentos pecaminosos, e se encontram em total rebelião, até que Deus, pela sua graça, os modifique. – *João Calvino v. 36:* "Inclina o meu coração". Nos versículos anteriores, Davi tinha pedido entendimento e orientação, para conhecer a vontade do Senhor; aqui, ele pede uma inclinação de coração para fazer a vontade do Senhor. O entendimento não precisa apenas ser esclarecido, mas a vontade precisa ser modificada. O coração do homem é, por si próprio, contrário a Deus e à santidade, mesmo quando o intelecto é mais refinado, e o entendimento está armazenado com elevadas noções; por isto Davi não diz apenas, "Dá-me entendimento", mas "*Inclina o meu coração*". Nós podemos ser materialistas por nossa própria conta, mas não podemos ser santos e voltados as coisas celestiais por nossa própria conta; devemos pedir isto àquele que é o Pai das luzes, de quem desce toda dádiva boa e perfeita. Aqueles que pedem o poder da natureza, excluem o uso da oração. Mas Austin disse apropriadamente, *Natura vera confessione non falsa defensione opus habet:* nós precisamos confessar a nossa fraqueza, e não defender a nossa força. Isto faz Davi, e isto deve fazer cada cristão de coração partido que tiver tido uma experiência com as tendências da sua própria alma, ele virá até Deus, e dirá, *"Inclina o meu coração a teus testemunhos, e não à cobiça"*. – *Thomas Manton*

v. 36: "Inclina". Então eu não declinarei. – *James G. Murphy*

v. 36: "A teus testemunhos". O contraste é assombroso. Há os *testemunhos divinos* por um lado, e a *"cobiça"* do outro. Deus está de um lado, e o mundo do outro. O homem renovado escolhe entre os dois lados; ele não precisa pensar por muito tempo, e Deus é a sua escolha. – *John Stephen*

v. 36: "Não à cobiça". Ele ora, em particular, para que o seu coração possa ser desviado da cobiça, que não é apenas um mal, mas, como diz o apóstolo, é "a raiz de toda espécie de males". Davi aqui a apresenta como um adversário a toda a justiça dos testemunhos de Deus; ela inverte a ordem da natureza, e torna terrena a alma celestial. É a criada de todos os pecados; pois não há nenhum pecado que um homem cobiçoso não use para seu ganho. Nós devemos tomar cuidado com todos os pecados, mas especialmente com a mãe dos pecados. – *William Cowper*

v. 36: "Cobiça", ou melhor, "ganho obtido de maneira injusta"... A palavra hebraica בֶּצַע pode somente significar *saque, rapina, ganho injusto*. – *J. J. Stewart Perowne*

v. 36: "Cobiça". S. Boaventura diz, a respeito deste salmo: A *cobiça* deve ser detestada, repelida, expulsa; deve ser detestada, porque ela ataca a vida da natureza; deve ser repelida, porque impede a vida de graça; e deve ser expulsa, porque obstrui a vida de glória. Clemente de Alexandria diz que a cobiça é a fortaleza dos defeitos, e Ambrósio diz que ela é a perdição da alma. – *Thomas Le Blanc*

v. 36: "Cobiça". Eu desejo chamar a atenção do leitor, e desejo que ele considere seriamente o fato de que, embora este mandamento, "Não cobiçarás" seja colocado em último lugar, é muito frequente que seja o primeiro a ser infringido, pois o coração cobiçoso do homem lidera a caravana da transgressão. – *William Crouch, "The Enormous Sin of Covetousness detected", 1708*

v. 36: "Cobiça" é um desejo imoderado de riquezas, do qual estes defeitos fazem parte. *Em primeiro lugar,* um excessivo amor pela riqueza, e a fixação de nossos corações sobre elas. *Em segundo lugar,* uma resolução em se tornar rico, seja por meios lícitos ou ilícitos (1 Tm 6.9). *Em terceiro lugar,* pressa em acumular riquezas, acompanhada de impaciência por qualquer demora (Pv 28.20,22; e 20.21). *Em quarto lugar,* um apetite insaciável, que jamais pode ser satisfeito; mas quando os cobiçosos têm demais, ainda desejam mais, e nunca têm o suficiente (Ec 4.8). Como a sanguessuga (Pv 30.15), a hidropisia e o próprio inferno (Pv 27.20). *Em quinto lugar,* a tenacidade avarenta, pela qual se recusam a usar os seus bens, seja para uso de outros, seja de si mesmos. *Em sexto lugar,* a crueldade (Pv 1.18, 19), exercida na sua falta de misericórdia e opressão sobre os pobres. A cobiça é um defeito odioso, pois é idolatria, e a raiz de toda espécie de males (Cl 3.5; 1 Tm 6.10); um espinho pernicioso, que asfixia toda a graça, e sufoca a semente da palavra (Mt 13.22), e fere os homens com muitas angústias (1 Tm 6.10), e os submerge em destruição e perdição. – *James Usher, 1580-1655*

v. 37: "Desvia os meus olhos", etc. Tendo orado pelo seu coração, agora o salmista ora também pelos seus olhos. *Omnia a Deo petit, docens illum omnia efficere.* Pelos olhos, frequentemente, como se fossem janelas, a morte entra no coração; por isto, para conservar o coração em bom estado, três coisas são necessárias: em primeiro lugar, um cuidadoso estudo dos sentidos, especialmente dos olhos; pois é uma obra justa do Senhor, *ut qui exteriori oculo negligenter utitur, interiori non injuste caecetur*; aquele que usa negligentemente o olho externo do seu corpo, deve ser punido com a cegueira do olho interno da sua mente. E por isto Nazianzo, lamentando as calamidades da sua alma, desejou que uma porta pudesse ser colocada diante de seus olhos e ouvidos, para fechá-los quando se abrissem para algo que não fosse bom; *malis autem sua sponte utrumque clauderetur.* A segunda coisa é, o controle do corpo, pela disciplina. E a terceira, a continuidade e constância na oração. – *William Cowper*

v. 37: "Desvia os meus olhos de contemplarem a vaidade". Observe que ele não diz: "Eu desviarei os meus olhos"; mas, *"Desvia os meus olhos"*. Isto mostra que não é possível que nós cuidemos dos nossos olhos, de maneira suficiente, pelos nossos próprios cuidados e diligência; mas deve haver a proteção divina. Pois, em primeiro lugar, em qualquer lugar deste mundo você encontrará provocações para o mal. Em segundo lugar, com as pessoas desavisadas, e muito diferentes, os olhos, os servos de um coração corrupto, procuram as coisas que são vaidades e futilidades. Em terceiro lugar, antes que você se dê conta, o mal contraído pelos olhos penetra nos recessos mais íntimos do coração, e lança sementes de perdição. Isto o próprio salmista tinha vivenciado, não sem grandes perturbações de coração e condição. – *Wolfgang Musculus, 1347-1563*

v. 37: "Desvia os meus olhos de contemplarem e vaidade". Pode parecer uma oração estranha para Davi, *"Desvia os meus olhos de contemplarem e vaidade"*, como se Deus pudesse intervir com os nossos olhos; ou como se nós não tivéssemos poder em nós mesmos de lançar os olhos sobre os objetos que desejamos. Mas não acontece que temos prazer em olhar as coisas que nos dão prazer? e o que amamos, amamos ver? e assim orar a Deus, pedindo que nossos olhos possam não ver a vaidade, é a mesma coisa que orar pedindo graça, para que possamos não amar a vaidade. Pois, na verdade, a vaidade tem um aspecto tão gracioso, que o homem natural não consegue deixar de olhar para ela, a menos que o aspecto mais agradável da graça de Deus atraia os nossos olhos e os desvie da vaidade, para olhar para a própria graça; e assim sempre estaremos olhando naturalmente para o que é mais agradável. E da mesma maneira como Davi faz esta oração de modo particular, contra as tentações da prosperidade, também Cristo nos ensina a fazer nossa oração de modo geral, contra as tentações, tanto de prosperidade quanto de adversidade, e com razão. Pois muitos podem suportar as tentações de um tipo, que são rapidamente superadas pelas tentações de outro tipo. Assim Davi podia suportar a perseguição sem se queixar, mas quando obteve a prosperidade, não conseguia desviar os seus olhos da vaidade. – *Sir Richard Baker*

v. 37: "Desvia os meus olhos de contemplarem e vaidade". Um objeto feio perde grande parte do seu aspecto desagradável, se o olharmos com frequência. O pecado segue esta lei geral, e deve ser completamente evitado, mesmo na sua contemplação, se desejarmos estar a salvo. Um homem deveria dar graças, neste mundo, por ter pálpebras; e como ele pode fechar os seus olhos, deveria fazê-lo frequentemente. – *Albert Barnes*

v. 37: "Desvia", e depois, "vivifica", etc. O primeiro pedido é pela remoção dos impedimentos à obediência, o segundo pelo acréscimo de novos níveis de graça. Os dois são apropriadamente unidos, pois as duas coisas têm uma influência natural, entre si; a menos que desviemos os nossos olhos da vaidade, logo ficaremos com o coração entorpecido. Nada provoca isto, como uma liberdade desenfreada nas vaidades carnais; quando os nossos sentimentos estão vivos para outras coisas, estão mortos para Deus, e por isto quanto menos dedicarmos nossos corações a estas coisas, mais vivos e alegres estaremos na obra da obediência. Por outro lado, quanto mais o vigor da graça é renovado, e os seus hábitos são vivificados com o exercício prático, mais o pecado é mortificado e subjugado. O pecado morre, e os nossos sentidos são restaurados para o seu uso apropriado. – *Thomas Manton*

v. 37: "Desvia os meus olhos de contemplarem a vaidade". Para que o pecado posa ser evitado, nós devemos evitar tudo o que conduza a ele, ou criam oportunidades para ele. Assim como isto fez com que Jó (31.1) fizesse um concerto firmemente com os seus olhos, também fez com que Davi orasse fervorosamente sobre os seus olhos. *"Desvia os meus olhos"* (ou como o texto em hebraico pode ser traduzido, *faze com que eles passem) "de contemplarem a vaidade".* O olho pode resistir, ou se fixar, quando nós estamos diante de um objeto que é uma armadilha; por isto é nosso dever fazer com que ele se desvie rapidamente ou orar para que Deus faça com que o olho passe rapidamente do objeto. Aquele que teme ser queimado deve evitar brincar com fogo; aquele que teme se afogar deve manter-se longe de águas profundas. Aquele que teme a praga não deve entrar em uma casa infectada. Evitariam o pecado aqueles que se apresentam às oportunidade do pecado? – *Joseph Caryl*

v. 37: "Desvia os meus olhos". Para que o olhar não provoque o gostar e o cobiçar (1 Jo 2.16). Em hebraico, a mesma palavra quer dizer "olho" e também *fonte;* para mostrar que do olho, como de uma fonte, flui muita maldade; e por esta janela Satanás frequentemente se lança para dentro da alma. Isto, Davi descobriu pela experiência, e por isto, ele ora aqui, *"Desvia"*, transfere, faze com que passem, *"os meus olhos"*, etc. Ele conhecia o perigo do olhar irregular e desordenado. – *John Trapp*

v. 37: "Desvia os meus olhos de contemplarem a vaidade". É uma experiência muito perigosa, que um filho de Deus se coloque na esfera de tentações sedutoras. Cada sentimento de dever, cada lembrança da sua própria fraqueza, cada recordação das falhas dos outros, deve levá-lo a se apressar e se colocar à maior distância possível da cena do conflito e do perigo desnecessários. – *John Morison*

v. 37: "Desvia os meus olhos de contemplarem a vaidade". De olhar para as *miragens* enganadoras que tentam o peregrino a deixar o caminho seguro. – *William Kay*

v. 37: É feita a pergunta: "O que conseguirá mais eficazmente desviar os meus olhos da vaidade?" Não a solidão do isolamento contemplativo – não a extinção da nossa conexão lícita com o mundo – mas a transcendente beleza de Jesus, revelada aos nossos olhos, e adequando os nossos corações. – *Charles Bridges*

v. 37: "Desvia os meus olhos", etc. A fortaleza da sua alma está correndo perigo de uma surpresa quando o exterior dos seus sentidos está desprotegido. Os seus olhos, que podem ser comportas para derramar lágrimas, não devem ser janelas que deixem entrar desejos. Um olho descuidado é um indício de um coração desprovido da graça. Lembre-se, o mundo inteiro morreu por causa de um ferimento no olho. Os olhos de um cristão devem ser como girassóis, que não se abrem para nenhum brilho, senão o do sol. – *William Seeker, 1660*

v. 37: "Vaidade", no uso em hebraico, faz especial referência aos ídolos e ao que acompanha a adoração dos ídolos. O salmista ora para que jamais possa ver tais objetos tentadores. – *Henry Cowles*

v. 37: "Vivifica-me". Cada santo é muito propenso a ser um preguiçoso no caminho e na obra de Deus. *"Vivifica-me"*, diz um dos principais santos, *"no teu caminho"*; e é como se ele dissesse, claramente, "Ah, Senhor, eu sou um cavalo velho e preguiçoso, e preciso frequentemente da tua espora, do teu Espírito". Esta oração de Davi parece prova suficiente disto; mas se você desejar confirmação adicional, eu apresento um argumento *instar omnium*, "que ninguém ousará negar, nem será capaz de desaprovar", e que é extraído do tópico da sua própria experiência; e é um *argumentum lugubre*, como um hino fúnebre, "muito triste e pesaroso". Você não sente, e pensa, para angústia das nossas próprias almas, que, considerando que você deva chorar como se não chorasse, se alegrar como se não se alegrasse, e comprar como se não possuísse, *inverso ordine*, ["invertendo esta ordem",] você chora por perdas, como se esgotasse os seus olhos; você se alegra com consolações temporais como se estivesse no céu; e você compra como se o dia fosse perpétuo (Sl 49.11). Mas, *e contrario*, ["ao contrário",] você ora como se não orasse; você ouve como se não ouvisse; trabalha para Deus como se não trabalhasse. Agora, nós sabemos, *experto credas******, um homem que se enterra em uma cova não precisa de nenhuma razão para provar que está dentro, mas de algo que o tire de lá. O melhor que você pode fazer é apresentar o caso de como você poderá se livrar deste convidado indesejado, que é a preguiça espiritual; é um caso em que todos temos interesse. *Asini aares quis non habet ?******* Todo homem e mortal tem em si um pouco do embotamento e da preguiça do jumento. – *Sr. Simmons, "The Morning Exercises", 1661*

v. 37: "Vivifica-me". Outra ordenança vivificadora é a *oração*. Com que frequência Davi ora pela graça vivificadora? Cinco ou seis vezes, em um único salmo. Ele começa muitas orações com um coração pesado, e antes de concluí-la, está cheio de vida. Portanto, ore muito, porque toda vida é de Deus, e Ele vivifica a quem Ele quiser. Somente deixe-me acrescentar esta advertência, antes que eu me esqueça: Certifique-se de que o seu entendimento e os seus sentimentos andem juntos, em cada ordenança, e em todas as partes da ordenança, se desejar ter uma ordenança vivificada. – *Matthew Lawrence, "The Use and Practice of Faith", 1657*

v. 37: "O teu caminho", como ênfase, em oposição a todos os outros caminhos, e exaltação acima deles. Este é um caminho quádruplo:

1. *Via mundi,* o caminho do mundo; e ele é *spinosa*, espinhoso.
2. *Via carnis,* o caminho da carne; e é *insidiosa*, traiçoeiro.
3. *Via Satana,* o caminho do diabo; e é *tenebricosa*, sombrio.
4. *Via Domini,* o caminho de Deus; e é *gratiosa,* piedoso. – *Simmons*

vv. 37 e 38: A oração nada é, senão a promessa invertida, ou a palavra de Deus formada em um argumento, e devolvida, pela fé, a Deus. Saiba, cristão, que você tem a lei do seu lado. As contas e obrigações devem ser pagas. Davi ora contra os pecados de um olho corrupto, e de um coração morto: *"Desvia os meus olhos de contemplarem a vaidade; E vivifica-me no teu caminho"*; e veja como ele insiste com as palavras seguintes: *"Confirma a tua promessa ao teu servo"*. Um homem bom é tão bom quanto a sua palavra, e um bom Deus não o será? Mas onde Davi encontra esta palavra de ajuda, contra estes pecados? Certamente, no concerto. Está na magna carta. A primeira promessa nos ofereceu tudo isto: "A semente da mulher ferirá a cabeça da serpente". – *William Gurnall*

v. 38: "Confirma a tua promessa ao teu servo", etc. Bem, mas aqui há algo estranho – um homem que é um fiel *"servo de Deus"*, *"que se inclina ao seu temor"*, orando pelo que certamente ele já deve possuir, caso contrário como poderia ser um servo? Ou viver no temor do Senhor? Ele parece supor, claramente e sem dúvida, a sua própria consagração pessoal, e então ora pelo que certamente deve ser, pelo menos em uma medida considerável, suposto e compreendido na ideia de uma verdadeira consagração

***** Você pode dar crédito àquilo que você já colocou à prova".

****** Onde está o homem que não tem as orelhas de um jumento?"

pessoal. A menos que a palavra de Deus seja confirmada a um homem, ele jamais se tornará seu servo. Se ele é seu servo, porque ora, *"Confirma a tua promessa"?* Por que, além disto, ele diria, no versículo 35, *"Faze-me andar na verdade dos teus mandamentos; porque nela tenho prazer"?* "Nela tenho prazer". É o caminho da minha escolha, da minha alegria! E, apesar disto, "Faze-me andar" neste caminho, como se eu estivesse relutante. Esta aparente contradição ou discrepância é facilmente solucionada em uma verdadeira experiência, e, na verdade, não pode ser solucionada de nenhuma outra maneira. Não é esta a condição de muitos? *"Confirmados"*, mas comovidos; *"devotados"*, mas incertos; *"servindo"* fielmente a Deus, mas procurando e ansiando por uma garantia mais clara, e uma sanção mais elevada, e uma graça mais interna, para servir melhor; "crentes", *mas clamando, algumas vezes,* com lágrimas, Ajuda a minha incredulidade! – *Alexander Raleigh*

v. 38: "Confirma a tua promessa ao teu servo". Por que Davi ora, *"Confirma a tua promessa a mim"*, uma vez que a palavra de Deus é tão certa e tão confirmada e estável em si mesma, que não pode ser mais do que é? (2 Pe 1.19). "E temos, mui firme", ou muito estável, "a palavra dos profetas", que é o que a palavra significa. Como a palavra pode ser mais estável do que já é? Eu respondo que isto é certo com respeito ao Deus de quem ela vem, e em si mesma. Com respeito às coisas propostas, a promessa não pode ser mais nem menos estável, não lhe pode faltar a firmeza; mas com respeito a nós, ela pode ser mais ou menos confirmada. E, de duas maneiras:

1. Pela certeza interior do Espírito, aumentando a nossa fé.
2. Pela realização exterior do que é prometido.

Em primeiro lugar, pela certeza interior do Espírito, pelo qual a nossa fé é aumentada. Grande é a fraqueza da nossa fé, como fica evidente pelos nossos temores, nossas dúvidas, desconfianças, de modo que precisamos ser assegurados, cada vez mais. Nós precisamos dizer, com lágrimas, como ele diz no Evangelho: "Eu creio, Senhor! Ajuda a minha incredulidade" (Mc 9.24); e clamar com os apóstolos, "Acrescenta-nos a fé" (Lc 17.5). Todos nós precisamos crer ainda mais. E neste sentido, a palavra é ainda mais confirmada, "quando somos confirmados na crença dela, e a consideramos como uma base segura na qual podemos apoiar a nossa fé". Em segundo lugar, pela realização, quando a promessa se cumpre para nós. Cada evento que acontece de acordo com a palavra é um notável testemunho da verdade da palavra, e um selo que confirma e fortalece a nossa fé. O cumprimento pode acontecer de três maneiras:

1. O cumprimento de algumas promessas, em determinada ocasião, fortalece a nossa fé para esperarmos semelhante benevolência em outra ocasião. Cristo se sentiu aborrecido com os seus discípulos, porque não se lembravam do milagre dos pães, quando estavam em uma dificuldade semelhante. "Não compreendeis ainda, nem vos lembrais dos cinco pães?" (Mt 16.9). Nós devemos buscar em cada dificuldade, se alguma experiência anterior do mesmo tipo seria um meio de confirmação para nós: "O qual nos livrou... e livrará; em quem esperamos que também nos livrará ainda" (2 Co 1.10). Quando ensinamos uma criança a soletrar, nós nos zangamos, quando lhe mostramos uma letra uma vez, duas vezes, e uma terceira vez, e ainda assim ela ainda não se lembra da letra quando se depara com ela; da mesma maneira, Deus se desagrada por nossa causa, quando, depois de termos tido experiência com a sua palavra nesta, naquela, e em outra providência, permitimos que as nossas dúvidas ainda retornem sobre nós.

2. O cumprimento de uma promessa confirma outra; pois Deus, que nos tocou em uma ocasião, o fará novamente, em outra: "E fiquei livre da boca do leão. E o Senhor me livrará de toda má obra e guardar-me-á para o seu Reino celestial" (2 Tm 4.17, 18). Em tal apuro, Deus não falhou, e certamente aquele que foi fiel até aqui não falhará no final.

3. Quando a palavra é cumprida, em parte, isto nos assegura do cumprimento do todo. É um sinal que nos é dado de todo o resto: "Porque todas quantas promessas

há de Deus são nele sim; e por ele o Amém" (2 Co 1.20). Um cristão tem muitas promessas, e elas são cumpridas diariamente; Deus está livrando-o, consolando-o, protegendo-o, trazendo paz à sua consciência, mas a maior parte ainda está por ser cumprida. A experiência atual nos assegura do que ainda está por vir. Assim, *"Confirma a tua palavra"*, isto é, cumpre-a no evento, de modo que eu possa aprender a confiar em outra ocasião, seja pela mesma promessa, ou por outras promessas ou cumprimentos da tua palavra. – *Thomas Manton*

v. 38: "Confirma a tua promessa ao teu servo". Confirma-a; faze com que ela *se mostre* firme e verdadeira; não permitas que a minha mente vacile ou seja cética, com relação à tua verdade. Esta parece ser uma oração contra a influência da dúvida e do ceticismo, uma oração para que as dúvidas não possam surgir na sua mente, e para que as objeções e dificuldades do ceticismo não encontrem lugar ali. Há um tipo de homens cujas mentes são, por natureza, céticas e descrentes, e para estes homens esta oração é peculiarmente apropriada. Pois a ninguém pode ser impróprio orar para que a palavra de Deus possa sempre se mostrar verdadeira, para que as suas mentes jamais possam estar sob a influência da dúvida e da incredulidade. – *Albert Barnes*

v. 38: "Que se inclina ao teu temor". A palavra pode ser traduzida como "que" ou "quem", em referência à tua palavra ou ao teu servo. 1. A tua palavra, pois no original em hebraico este verso tinha a seguinte aparência: "Confirma ao teu servo a tua palavra, que se inclina ao teu temor", ou "Confirma ao teu servo a tua promessa, que provém do temor a ti", havendo, na palavra de Deus, os maiores argumentos e incentivos para temê-lo, reverenciá-lo e obedecer a Ele. A palavra de Deus deve semear o temor de Deus em nossos corações, e aumentar a nossa reverência a Deus; não que possamos manter os devassos com promessas, e alimentar nossas concupiscências com elas. 2. Eu prefiro adotar a nossa própria tradução, que tem o mesmo sentido que a passagem "Mas eu faço oração" (Sl 109.4). No original, o texto é, "Mas eu oro". Assim, neste ponto podemos interpretar, Confirma a tua promessa ao teu servo, "que deve temer-te". Os nossos tradutores acrescentam, para tornar o significado mais abrangente, "que se inclina ao teu temor", isto é, que consideram sua ocupação, interesse e desejo estarem no temor a Deus.

Isto é acrescentado como uma verdadeira observação e descrição dos servos de Deus, como sendo uma das principais coisas na religião: "O temor do Senhor é o princípio da sabedoria" (Sl 111.10), é a primeira questão de ordem. E é a primeira coisa, quando nós começamos a ser sábios, a pensar em Deus, a ter pensamentos reverentes sobre Deus, é um ponto essencial de sabedoria, a grande coisa que nos torna sábios para a salvação. E é acrescentado como um argumento de oração: "Ah! Senhor, estejam, pois, atentos os teus ouvidos à oração do teu servo e à oração dos teus servos que desejam temer o teu nome" (Ne 1.11). Quanto mais alguém recebe do temor a Deus, mais certeza terá do amor de Deus, e da sua disposição para ouvi-lo no trono da graça. – *Thomas Manton*

v. 38: "Que se inclina ao teu temor". Aquele que recebeu do Senhor a graça para temê-lo poderá ser corajoso para buscar qualquer boa coisa necessária nele; porque o temor a Deus anexou as promessas de todas as outras bênçãos a esta graça. – *William Cowper*

v. 38: Aquele que escolhe Deus, que se dedica a Deus como os utensílios do santuário eram consagrados e separados dos comuns para usos santos, também aquele que escolheu Deus para ser o seu Deus, se dedicou a Deus e não mais será dedicado a usos profanos. – *Thomas Watson*

v. 39: "Desvia de mim o opróbrio que temo", etc. Nestas palavras, temos: 1. Um pedido, *"Desvia de mim o opróbrio"*. 2. Uma razão para o pedido, *"Pois os teus juízos são bons"*.

Primeiramente, quanto ao pedido. *"Desvia"*, tira de mim, é o significado. Ele estava coberto com o opróbrio; agora, tira de mim *"o opróbrio que temo"*. Alguns pensam que ele se refere à sentença de condenação de Deus, que se converteria em seu opróbrio, ou alguma notável censura de Deus, por causa do seu pecado. Eu prefiro pensar que a referência é às calúnias dos seus inimigos; e ele menciona *"o opróbrio que temo"*, seja como merecido por ele, ou como tendo pessoalmente pousado sobre ele a censura que provavelmente seria a sua porção neste mundo, devido à perversidade dos seus inimigos: *"o opróbrio que temo"*, isto é, que eu tenho motivos para esperar, e de cujas tristes consequências tenho conhecimento.

Em segundo lugar, quanto à razão pela qual o pedido é feito: *"Pois os teus juízos são bons"*. Há diferentes opiniões sobre a forma deste argumento. Alguns interpretam a razão da seguinte maneira: Não permitas que eu sofra opróbrio por aderir à tua palavra, a tua palavra que é tão boa. Mas Davi não fala aqui de sofrer opróbrio por causa da justiça, mas do opróbrio que provavelmente lhe sobreviria por causa das suas próprias fraquezas e falhas. Opróbrios por causa da justiça devem produzir "alegria", mas ele diz, *"que temo"* e por isto eu suponho que a razão é diferente. Eu também não aceito o outro sentido: Por que eu deveria ser considerado um malfeitor, enquanto estiver guardando a tua lei e observar os teus estatutos? Os outros me julgam mal, mas eu apelo ao teu bom juízo.

Como *"juízos"* podemos entender a maneira como Deus nos trata. Tu não lidas com os homens de acordo com o merecimento deles. As tuas dispensações são benignas e piedosas. Ainda melhor, como *"juízos"* entendemos os caminhos, os estatutos e as ordenanças de Deus, chamados de juízos, porque todas as nossas palavras, e obras, e pensamentos, devem ser julgados em conformidade com a sentença da palavra; é uma pena que eles permitam o meu opróbrio e ignomínia. Isto é o que eu temo, mais do que qualquer outra coisa que possa acontecer comigo. Eu penso que a razão seria ainda melhor: Senhor, existem na tua lei, na tua palavra, no teu concerto, muitas promessas para encorajar o teu povo, e por isto, regras, para prover a devida honra e credibilidade do teu povo. – *Thomas Manton*

v. 38: "Desvia de mim o opróbrio que temo". No texto em hebraico, temos, *"Remove o meu opróbrio"*; como se ele tivesse dito: Ó, Senhor, eu posso cometer algum mal contra a tua lei, sim, alguma notória transgressão, que possa levar à minha vergonha; eu te peço, remove-a. Ou ele pode ter querido dizer: Ó Senhor, por diversos pecados, e por adultério e assassinato, eu já trouxe vergonha e censura sobre mim mesmo, entre os homens; eu te peço que removas de mim esta vergonha e esta censura.

Da primeira explicação, aprendemos, em primeiro lugar, que os piedosos estão sujeitos a notórios pecados. Em segundo lugar, que estes pecados lhes causarão vergonha, embora os ímpios não se envergonhem. Em terceiro lugar, que somente Deus pode remover esta vergonha. Em quarto lugar, que nós podemos orar pela remoção da vergonha entre os homens, especialmente aquela que poderá trazer consigo alguma desonra a Deus. Em quinto lugar, que os piedosos são mais zelosos quanto a si mesmos. Em sexto lugar, que a maneira de evitar o pecado é sempre temer que possamos pecar.

Da segunda explicação, perceba que a lembrança dos nossos pecados anteriores deve produzir em nós orações a Deus, para que, por causa deles, não sejamos censurados em desprazer nesta vida, nem confundidos e abatidos na vida futura. – *Richard Greenham*

v. 38: "Meu opróbrio" é o opróbrio que o mundo lança sobre os tementes a Deus. Isto é temido, como uma grande tentação para a apostasia. – *James G. Murphy*

v. 39: "Pois os teus juízos são bons". Seria de se esperar que ele dissesse – Pois és misericordioso – Faze com que o opróbrio que temo passe por mim, pois és misericordioso. Porém ele não acrescenta isto como sua razão atual, mas *"Os teus juízos são bons"*. Nós deveríamos captar o significado imediatamente, se as palavras fossem – Pois os teus juízos são *terríveis* – "Desvia de mim o opróbrio que temo", pois os teus juízos são terríveis. Mas, como as palavras são: "Pois os teus juízos são *bons"*, nós percebemos que ele verdadeiramente se refugia nos "juízos" – isto é, que o Senhor o defenderia contra todos os juízos injustos dos homens; e quanto ao juízo de Deus, uma vez que ele se refugiou na expiação que o Senhor indicou, o Senhor também o justificaria. – *John Stephen*

v. 39: "Pois os teus juízos são bons". Os juízos dos ímpios são maus juízos, mas os juízos de Deus são bons; Eu oro contra aqueles, eu apelo aos teus: Eu temo os primeiros, mas aprovo os teus. Os juízos que Deus profere na sua palavra, sejam ameaças na lei ou consolações no Evangelho, e também aqueles que Ele executa no mundo, seja sobre os ímpios ou os piedosos, são necessariamente bons. 1. Porque Deus é benigno. 2. Ele não pode ser enganado. 3. Ele não pode ser subornado. 4. Somente Ele não faz acepção de pessoas, mas julga de acordo com a obra de cada um. – *Richard Greenham*

v. 39: O "opróbrio" que o poeta teme neste versículo não é vergonha de confessar a Deus, mas de negar a Deus. – *Franz Delitzsch*

v. 39: "Pois os teus juízos são bons". Esta razão mostra que ele temia o opróbrio de Deus. O *"opróbrio"* dos homens vem de um juízo corrupto, os homens condenam onde Deus absolve, eu não aprovo isto, mas sei que o teu opróbrio é sempre merecido, *"pois os teus juízos são bons"*. – *William Nicholson*

v. 40: "Eis que tenho desejado os teus preceitos". Às vezes, nós somos inconscientemente levados a *"desejar"* as promessas, mais do que *"os preceitos"* de Deus; esquecendo-nos de que é nosso privilégio e segurança ter igual consideração por ambos – obedecer aos seus preceitos, confiando nas suas promessas, e esperar pelo cumprimento das promessas no caminho da obediência aos preceitos. – *Charles Bridges*

v. 40: "Preceitos", de uma palavra que significa *depositar em confiança*, significa algo confiado aos homens, "aquilo que te é confiado"; as instruções de Deus, que consequentemente têm a ver com a consciência, pela qual o homem é responsável como um ser inteligente. Os preceitos não são tão obviamente apreendidos como a lei e os testemunhos. Eles devem ser buscados. *"Eis que tenho desejado os teus preceitos"* (v. 40). *"Busquei os teus preceitos"* (v. 45). *"Tenho buscado os teus preceitos"* (v. 94)... Eles são uma lei de liberdade: *"E andarei em liberdade, pois busquei os teus preceitos"*. (v. 45). – *John Jebb*

v. 40: "Vivifica-me por tua justiça". Ele disse antes: "Vivifica-me segundo a tua palavra", aqui, "por tua justiça"; é a mesma coisa; pois a palavra de Deus é a justiça de Deus, na qual está estabelecida a vontade da justiça. E nisto o profeta deseja ser vivificado, isto é, ser confirmado, para que com alegria de espírito ele possa confiar na palavra de Deus. – *Richard Greenham*

v. 40: "Vivifica-me por tua justiça". O pedido é de vivificação no conhecimento e na prática da santidade, de acordo com o teor da palavra de Deus, e pela sua operação no coração. Se alguém prefere interpretar *"justiça"* como a fidelidade ou a justiça de Deus, segundo a qual Ele se compromete a dar graça àqueles que confiam nele, não há nenhuma objeção a tal interpretação. Na verdade, ela está implícita nas outras. Quem quer que possa verdadeiramente usar a linguagem deste versículo é regenerado. Antes da graça renovadora, a lei era uma letra morta; e, mais do que isto, era um texto odiado. A mente carnal não está sujeita à lei de Deus, nem pode estar, na verdade. O pecador não deseja ser restrito pelos preceitos divinos. – *William S. Plumer*

EXPOSIÇÃO DOS VERSÍCULOS 41 A 48

41 *Venham também sobre mim as tuas misericórdias, ó Senhor, e a tua salvação, segundo a tua palavra.*
42 *Assim, terei que responder ao que me afronta, pois confio na tua palavra.*
43 *E de minha boca não tires nunca de todo a palavra de verdade, pois me atenho aos teus juízos.*
44 *Assim, observarei de contínuo a tua lei, para sempre e eternamente.*
45 *E andarei em liberdade, pois busquei os teus preceitos.*
46 *Também falarei dos teus testemunhos perante os reis e não me envergonharei.*
47 *E alegrar-me-ei em teus mandamentos, que eu amo.*
48 *Também levantarei as minhas mãos para os teus mandamentos, que amo, e meditarei nos teus estatutos.*

Nestes versículos, o santo temor é aparente e proeminente. O homem de Deus treme e pede que em nenhum caminho ou estágio o Senhor remova a sua benevolência dele. Os oito versículos formam um apelo contínuo pela permanência da graça na sua alma, apelo respaldado por tais santos argumentos que somente sugeririam um espírito ardente de amor por Deus.

41. *"Venham também sobre mim as tuas misericórdias, ó Senhor."* Ele deseja *misericórdia* além de ensinamento, pois era culpado, além de ignorante. Ele precisava de muita misericórdia, e variada, por isto o pedido está no plural. Ele precisava da misericórdia de Deus, e não da dos homens, e por isto pede "tuas misericórdias". O caminho às vezes parecia bloqueado, e por isto ele pede que as misericórdias possam ter seu caminho aberto por Deus, e possam "vir" sobre ele. Aquele que disse, "Haja luz", pode também dizer, "Haja misericórdia". Pode ser que sob uma sensação de falta de merecimento, o autor temesse que a misericórdia fosse dada a outros, e não a ele mesmo; por isto, ele clama, "Abençoa também a mim, ó meu Pai". Vistas sob esta luz, as palavras são equivalentes aos nossos versos tão conhecidos:

"Senhor, eu ouço sobre chuvas de bênçãos
que tu estás distribuindo, abundantes e gratuitas;
Chuvas que refrescam a terra sedenta;
Que algumas gotas caiam sobre mim,
sim, sobre mim".

Senhor, os teus inimigos vêm a mim para me censurar, que as tuas misericórdias venham para me defender; as tentações e dificuldades são abundantes, e não são poucos os esforços e sofrimentos que se aproximam de mim; Senhor, que as tuas misericórdias, em grande número, passem pela mesma porta, e no mesmo momento; pois não és tu o Deus da minha misericórdia?

"E a tua salvação." Esta é a soma e a coroa de todas as misericórdias – a libertação de todo o mal, agora e para sempre. Aqui está a primeira menção de salvação no salmo, acompanhada de misericórdia; "Pela graça sois salvos". A salvação é chamada de "tua salvação", atribuindo-a inteiramente ao Senhor: "O nosso Deus é o Deus da salvação". Que conjunto de misericórdia está agrupado na grande salvação do nosso Senhor Jesus! Ele inclui as misericórdias que nos poupam antes da nossa conversão, e nos conduzem a ela. A seguir vem a misericórdia do chamado, a misericórdia da regeneração, a misericórdia da conversão, a misericórdia da justificação, a misericórdia do perdão. Também não podemos excluir da completa salvação nenhuma daquelas muitas misericórdias que são necessárias para conduzir o crente em segurança até a glória. A salvação é um agregado de misericórdias, incalculáveis em número, de

valor inestimável, de aplicação incessante, eternas em duração. Glória ao Deus das nossas misericórdias, eternamente.

"Segundo a tua palavra." O caminho da salvação é descrito na palavra, a salvação propriamente dita é prometida na palavra, e a sua manifestação interior é operada pela palavra; assim, em todos os aspectos, a salvação que há em Cristo Jesus está de acordo com a palavra. Davi amava as Escrituras, mas ansiava por conhecer, por sua própria experiência, a salvação nelas contida; ele não ficava satisfeito por ler a palavra, ele ansiava por vivenciar o seu sentido interior. Ele valorizava o campo das Escrituras, por causa do tesouro que tinha descoberto nelas. Ele não se satisfaria com capítulo e versículo, ele queria as misericórdias e a salvação.

Observe que no primeiro versículo do conjunto de Hê (33), o salmista orou, pedindo para ser ensinado a guardar a palavra de Deus, e aqui no conjunto Vau, ele pede que o Senhor cumpra a sua palavra. No primeiro caso, ele ansiava por ir ao Deus das misericórdias, e aqui ele deseja que as misericórdias do Senhor venham até ele: ali, ele buscava graça para perseverar na fé, e aqui ele procura o objetivo da sua fé, a salvação da sua alma.

42. *"Assim, terei que responder ao que me afronta."* Esta é uma resposta impossível de responder. Quando Deus, ao nos conceder a salvação, dá às nossas orações uma resposta de paz, nós estamos prontos imediatamente a responder às objeções dos infiéis, às críticas dos céticos, e ao desprezo dos insolentes. É muito desejável que as injúrias sejam respondidas, e por isto nós podemos esperar que o Senhor salve o seu povo de modo que uma arma possa ser colocada nas suas mãos, com a qual derrotar os seus adversários. Quando aqueles que nos afrontam também estão afrontando a Deus, podemos pedir que Ele nos ajude a silenciá-los, com provas seguras da sua misericórdia e fidelidade.

"Pois confio na tua palavra." A sua fé era vista no fato de ele ser fiel sob tentação, e ele alega isto como uma razão pela qual deveria ser ajudado a combater as críticas com uma feliz experiência. A fé é o nosso argumento, quando buscamos misericórdias e salvação; a fé no Senhor que falou conosco na sua palavra. "Confio na tua palavra" é uma declaração que merece ser feita, mais do que qualquer outra; pois aquele que pode verdadeiramente fazê-la recebeu a capacidade de se tornar filho de Deus, e assim ser herdeiro de incontáveis misericórdias. Deus tem mais respeito pela confiança de um homem do que por todas as demais coisas que haja nele; pois o Senhor escolheu a fé para ser a mão em que Ele colocará as suas misericórdias e a sua salvação. Se alguém nos afrontar por confiarmos em Deus, nós lhes respondemos com argumentos ainda mais conclusivos, mostrando que Deus cumpriu as suas promessas, ouviu as nossas orações e supriu as nossas necessidades. Até mesmo os mais céticos são forçados a se curvar diante da lógica dos fatos.

Neste segundo versículo, deste conjunto de oito, o salmista faz uma confissão de fé, e uma declaração da sua crença e experiência. Observe que ele faz a mesma coisa nos versículos correspondentes das seções a seguir. Veja 50, "a tua palavra me vivificou"; 58, "Implorei deveras o teu favor"; 66, "cri nos teus mandamentos"; 74, "tenho esperado na tua palavra". Um pregador inteligente veria nestas frases uma série de discursos experimentais.

43. *"E de minha boca não tires nunca de todo a palavra de verdade."* Não impeças a minha pregação por ti, deixando-me sem o que transmitir; pois como eu poderia continuar a proclamar a tua palavra, se perceber que ela fraqueja em mim? – este deve ser o significado. A palavra da verdade não pode ser uma alegria para nossas bocas, a menos que tenhamos uma experiência dela em nossas vidas, e pode ser prudente que fiquemos em silêncio se não pudermos respaldar os nossos testemunhos com o veredicto da nossa consciência. Esta oração pode também referir-se a outros modos pelos quais nós podemos estar incapacitados de falar em nome do Senhor; como, por exemplo, quando caímos no pecado declarado, quando nos tornamos

deprimidos e desanimados, quando trabalhamos sob doença ou desequilíbrio mental, quando não encontramos meio de comunicação, ou quando não nos deparamos com uma audiência disposta. Aquele que prega o Evangelho com todo o seu coração se enche de horror com a ideia de ser removido do ministério; ele procurará que lhe seja permitida uma pequena participação no santo testemunho, e considerará seus "sábados mudos" como dias de punição e exclusão.

"Pois me atenho aos teus juízos." Ele tinha esperado que Deus aparecesse e defendesse a sua causa, de modo que ele pudesse falar com confiança a respeito da sua fidelidade. Deus é o autor das nossas esperanças, e nós podemos, muito apropriadamente, suplicar que Ele as satisfaça. Os juízos da sua providência são o resultado da sua palavra; o que Ele diz nas Escrituras, Ele realmente realiza no seu governo; nós podemos, portanto, esperar que Ele se mostre forte em nome das suas próprias ameaças e promessas, e não esperaremos em vão.

Os ministros de Deus, algumas vezes, são licenciados pelos pecados do seu povo, e é conveniente que eles supliquem contra tal juízo; é muito melhor que eles sofram doenças ou pobreza, do que a luz do Evangelho seja apagada entre eles, pois assim eles pereceriam sem remédio. O Senhor nos salva, a nós, que somos os seus ministros, e não permite que sejamos os instrumentos que infligirão tal penalidade. Devemos exibir uma alegre esperança em Deus, para que possamos suplicar em oração a Ele, quando Ele ameaçar fechar os nossos lábios.

No encerramento deste versículo, há uma declaração do que o salmista tinha feito com referência à palavra do Senhor, e neste aspecto os terceiros versículos dos conjuntos são frequentemente semelhantes. Veja 35, "Nela tenho prazer"; 43, "pois me atenho aos teus juízos"; 51, "apesar disso, não me desviei da tua lei"; 59, "voltei os meus pés para os teus testemunhos"; e versículos 67, 83, 99, etc. Estes versículos propiciam uma série admirável de meditações.

44. *"Assim, observarei de contínuo a tua lei, para sempre e eternamente."* Nada prende mais eficazmente um homem ao caminho do Senhor, do que uma experiência na verdade da sua palavra, na forma de misericórdias e libertações. Não apenas a fidelidade do Senhor abre nossas bocas contra os seus adversários, como também conecta nossos corações ao seu temor, e torna a nossa união com Ele cada vez mais intensa. Grandes misericórdias nos levam a sentir uma inexprimível gratidão que, se não for expressa a tempo, promete cumular a eternidade de louvores. Para um coração inflamado com gratidão, as palavras "para sempre e eternamente" do texto não parecem ser redundantes; sim, a hipérbole de Addison nos seus famosos versos demonstrarão um grande bom senso:

"Por toda a eternidade, a ti
um cântico de alegria elevarei;
Mas, oh! a eternidade é breve demais
Para proferir todo o teu louvor".

Somente a graça de Deus pode nos capacitar a guardar os seus mandamentos, sem interrupção e sem fim; o amor eterno nos assegura a vida eterna, e disto virá a obediência eterna. Não há outra maneira de assegurar a nossa perseverança na santidade, exceto pela palavra de verdade residindo em nós, como Davi orou, pedindo que ela residisse nele.

O versículo começa com "Assim", como o versículo 42. Quando Deus concede a sua salvação, nós somos *tão* favorecidos, que silenciamos o nosso pior inimigo e glorificamos o nosso melhor amigo. A misericórdia responde a todas as coisas. Se Deus apenas nos der a salvação, nós poderemos vencer o inferno, e comungar com o céu, respondendo aos opróbrios e guardando a lei, e até o fim, eternamente.

Não podemos ignorar outro sentido que é sugerido aqui. Davi orou para que a palavra de verdade não fosse tirada da sua boca, para que assim pudesse guardar a lei de Deus; isto equivale a dizer que, pelo seu testemunho público, assim como pela sua vida pessoa, ele iria cumprir a vontade divina, e confirmar os laços que o prendiam ao seu Senhor para sempre. Sem dúvida, a graça que nos capacita a dar testemunho com a boca é uma grande ajuda para nós mesmos, assim como para outros; nós sentimos que os votos do Senhor estão sobre nós, e não podemos retroceder.

45. *"E andarei em liberdade, pois busquei os teus preceitos."* Os santos não encontram escravidão na santidade. O Espírito de santidade é um espírito livre; ele coloca os homens em liberdade, e os capacita a resistir a todos os esforços de sujeitá-los. O caminho da santidade não é uma trilha para escravos, mas a estrada do rei para os homens livres, que estão alegremente deixando o Egito, da escravidão, rumo à Canaã do descanso. As misericórdias de Deus, e a sua salvação, ensinando-nos a amar os preceitos da palavra, nos levam a um feliz descanso; e quanto mais buscarmos a perfeição da nossa obediência, mais desfrutaremos da completa emancipação de cada forma de escravidão espiritual. Davi, em certa época da sua vida, se encontrou em grande escravidão, por ter seguido uma política distorcida. Ele enganou Aquis tão persistentemente que foi levado a atos de ferocidade para ocultar isto. E ele deve ter se sentido muito infeliz, na sua posição anormal, como aliado de filisteus, e capitão da guarda do rei deles. Ele deve ter temido a sua queda nos caminhos tortuosos da falsidade, quando a verdade não mais estaria na sua língua, e, por isto, orou a Deus, para que, de alguma maneira, operasse a sua libertação de tal escravidão. Por meio de coisas terríveis, em justiça, o Senhor respondeu a ele, em Ziclague; o laço se quebrou, e ele escapou.

O versículo se une ao que o antecede, pois começa com a palavra "E", que funciona como um gancho para uni-lo aos versículos anteriores. Ele menciona outro dos benefícios esperados pela vinda das misericórdias de Deus. O homem de Deus tinha mencionado o silenciar dos seus inimigos (42), o poder para prosseguir em testemunho (43) e a perseverança na santidade; agora, ele se estende sobre a liberdade, que, depois da vida, é o mais importante para todos os homens corajosos. Ele diz, "Andarei", indicando o seu progresso diário pela vida; "em liberdade", como alguém que sai da prisão, sem que os adversários o impeçam, alguém que não está sobrecarregado, mas sem algemas, podendo andar sem temor. Esta liberdade seria perigosa, se o homem estivesse buscando a si mesmo ou aos seus próprios desejos, mas quando só se busca a vontade de Deus, não há nada que restrinja o que busca. Nós não devemos restringir o homem que pode dizer, "Busquei os teus preceitos". Observe que no versículo anterior ele disse que iria guardar a lei; mas aqui, ele fala de buscá-la. Ele não quer dizer que irá obedecer àquilo que conhece, e se esforçar para conhecer mais? Não é este o caminho para a mais elevada forma de liberdade – sempre se empenhar para conhecer a vontade de Deus, e estar em conformidade com ela? Aqueles que *guardam* a lei certamente a *buscam,* e se incentivam a guardá-la mais e mais.

46. *"Também falarei dos teus testemunhos perante os reis e não me envergonharei."* Isto faz parte da sua liberdade; ele está livre do temor dos mais grandiosos, mais soberbos e mais tirânicos dos homens. Davi foi chamado a comparecer diante de reis, quando estava no exílio; e posteriormente, quando ele mesmo era um monarca, ele conhecia a tendência dos homens de sacrificar a sua religião à pompa e à política; mas ele se decidiu a não fazer nada disto. Ele santificaria políticos, e faria com que o gabinete soubesse que somente o Senhor é o Grande Governador entre as nações. Como rei, ele falaria a reis, a respeito do Rei dos reis. Ele diz, *"Falarei"*; a prudência poderia ter sugerido que a sua vida e o seu comportamento seriam suficientes, e que seria melhor não tocar o assunto da religião na presença de personagens reais, que adoravam outros deuses, e clamavam estar certos ao fazer isto. De maneira muito

apropriada, antes desta declaração, ele já tinha declarado "Andarei", mas ele não faz da sua conduta pessoal uma desculpa para um silêncio pecaminoso, pois acrescenta, "Falarei". Davi reivindicava liberdade religiosa, e tomou cuidado para usá-la, pois falava daquilo em que cria, mesmo quando estava na mais elevada companhia. Ele tomava cuidado para guardar a palavra de Deus em tudo o que dizia, pois ele diz, "falarei dos *teus testemunhos"*. Não há tema como este, e não há maneira de lidar com este tema, como conservando-se fiel ao livro, e usando o seu pensamento e a sua linguagem. O grande obstáculo ao nosso falar sobre temas santos, em todos os grupos, é a vergonha, mas o salmista *"não se envergonhará"*; não há nada de que se envergonhar, e não há desculpa para se envergonhar, mas muitos estão tão calados como os mortos, por temerem que alguma criatura, como eles mesmos, se ofenda. Quando Deus dá a graça, a covardia logo desaparece. Aquele que fala por Deus, no poder de Deus, não se envergonha, quando começa a falar, nem enquanto fala, nem depois de falar; pois o seu tema é aquele que é adequado para os reis, é necessário para os reis, e benéfico para os reis. Se os reis objetam, nós podemos nos envergonhar *deles*, mas jamais do nosso Mestre, que nos enviou, nem da sua mensagem, ou do seu desígnio ao enviá-la.

47. *"E alegrar-me-ei em teus mandamentos, que eu amo."* Depois da liberdade e da coragem, vem a alegria. Depois de terminado o nosso dever, nós encontramos nele uma grande recompensa. Se Davi não tivesse falado pelo seu Mestre diante de reis, ele teria temido de pensar na lei que tinha negligenciado; mas depois de falar pelo seu Senhor, ele sente uma dtoce serenidade de coração, quando medita sobre a palavra. Obedeça ao mandamento, e você o amará; carregue o jugo, e ele lhe será leve; e o descanso virá através destas atitudes. Depois de falar da lei, o salmista não estava cansado deste tema, mas se retira, para meditar sobre ela; ele discursou, e depois se alegrou, pregou e depois se retirou para o seu estudo, para renovar as suas forças, alimentando-se novamente da preciosa verdade. Quer alegrasse os outros ou não, quando estava falando, ele jamais deixou de se alegrar quando estava meditado na palavra do Senhor. Ele declara que amava os mandamentos do Senhor, e com esta declaração ele revela a sua razão para se alegrar neles; onde está o nosso amor, aí está a nossa alegria. Davi não se alegrava nas cortes dos reis, pois considerava que eram lugares de tentação e vergonha, mas nas Escrituras ele se sentia em casa; o seu coração estava nelas, e lhe davam supremo prazer. Não é de admirar que ele falasse de guardar a lei, que ele amava; Jesus diz: "Se alguém me ama, guardará a minha palavra". Não é de admirar que ele falasse em andar em liberdade, e falasse corajosamente, pois o verdadeiro amor é sempre livre e destemido. O amor é o cumprimento da lei; onde o amor pela lei de Deus reina no coração, a vida está cheia de bem-aventurança. Senhor, que as tuas misericórdia venham a nós, para que possamos amar a tua palavra e o teu caminho, e encontrar neles todo o nosso prazer.

O versículo está no tempo futuro, e assim apresenta não apenas o que Davi tinha feito, mas o que ele faria; com o tempo, ele viria a se alegrar nos mandamentos do seu Senhor. Ele sabia que eles não se alterariam, nem falhariam em lhe dar alegria. Ele também sabia que a graça o conservaria na mesma condição de coração, com relação aos preceitos do Senhor, de modo que durante toda a sua vida ele sentiria uma suprema alegria na santidade. O seu coração estava tão fixo no amor pela vontade de Deus, que estava certo de que a graça sempre o sustentaria sob a sua prazerosa influência.

Todo o salmo é fragrante de amor pela palavra, mas aqui, pela primeira vez, o amor é expressamente mencionado. Ele está aqui combinado com a alegria, e no versículo 165, com "muita paz". Todos os versículos em que o amor é declarado com tantas palavras são dignos de nota. Veja os versículos 47, 97, 113, 127, 140, 159, 163, 164, 167.

48. *"Também levantarei as minhas mãos para os teus mandamentos, que amo."* Ele estenderá as mãos, buscando a perfeição, tanto quanto puder, esperando alcançá-la um dia; quando as suas mãos baixarem, ele se alegrará e deixará o abatimento, pela perspectiva de glorificar a Deus, pela obediência; e dará sinal solene do seu sincero consentimento a tudo o que o seu Deus ordena. A frase "levantarei as minhas mãos" é cheia de significado e, sem dúvida, o doce cantor se referia a tudo o que podemos ver nela, e muito mais. Novamente, ele declara o seu amor; pois um coração sincero se apraz em se expressar; é um tipo de fogo que deve irradiar as suas chamas. Era natural que ele procurasse alcançar uma lei na qual se alegrasse, como uma criança estende as suas mãos para receber um presente que deseja há muito tempo. Quando algo tão adorável como a santidade é apresentado diante de nós, nós devemos nos dispor a nos levantar, em direção a ela, com toda a nossa natureza, e até que ela esteja plenamente alcançada, nós devemos, pelo menos, levantar nossas mãos para ela em oração. Todo o homem um dia seguirá o caminho trilhado pelas mãos santas e pelos corações santos.

"E meditarei nos teus estatutos." Por mais que meditemos sobre a vontade de Deus, jamais será o suficiente. Os súditos amorosos desejam ser familiarizados com os estatutos do seu soberano, pois são ansiosos por não pecar, pela ignorância. A oração com as mãos levantadas, e a meditação com os olhos voltados para o alto, em feliz união, irão operar internamente os melhores resultados. A oração do versículo 41 já está atendida no homem que se esforça assim para ascender e estuda profundamente. Todo este versículo está no futuro, e ele pode ser considerado, não somente como uma determinação da mente de Davi, mas como um resultado que ele sabia que seria o resultado do envio, por parte do Senhor, das suas misericórdias e da sua salvação. Quando a misericórdia desce, nossas mãos se levantam; quando Deus, em benevolência, pensa em nós, certamente nós pensamos nele. Feliz é aquele que está com suas mãos levantadas, para receber as bênçãos e também para obedecer aos preceitos; ele não esperará pelo Senhor em vão.

NOTAS SOBRE OS VERSÍCULOS 41 A 48

vv. 41 a 48: Aqui tem início uma nova porção do salmo, em que cada versículo se inicia com a letra *Vau*, ou *v*. Quase não há palavras, no idioma hebraico, que comecem com esta letra, que é, na verdade, uma conjunção, e consequentemente, em cada um dos versículos desta seção, o início do versículo é, no original, uma conjunção: *vau*. – *Albert Barnes*

vv. 41 a 48: Toda esta seção consiste de pedidos e promessas. Os pedidos são dois: versículos 41 e 43. As promessas são seis. Esta é uma de muitas diferenças entre os homens piedosos e os outros: todos os homens buscam boas coisas de Deus, mas os ímpios buscam de modo que não deem a Ele nada de volta, nem lhe prometam nenhum tipo de retribuição. As suas orações são improdutivas, porque procedem do amor que sentem por si mesmos, e não pelo Senhor. Se eles obtiverem aquilo que é para a sua necessidade, não se importarão em dar ao Senhor aquilo que é para a sua glória; mas os piedosos, da mesma maneira como buscam as boas coisas, também dão louvor a Deus quando as obtêm, e retribuem o uso das coisas recebidas para a glória de Deus, que as deu. Eles não amam a si mesmos, por si mesmos, mas pelo Senhor; o que eles buscam dele, o buscam para que possam ser mais capazes de servi-lo. Devemos prestar atenção a isto, porque é um claro sinal segundo o qual os que são verdadeiramente religiosos são distinguidos dos falsos hipócritas. – *William Cowper*

v. 41: "Venham também sobre mim as tuas misericórdias". O caminho estava bloqueado com pecados e dificuldades, mas a misericórdia podia limpá-lo, e abrir acesso a Ele, ou abrir o seu próprio caminho: *"Venham"*, isto é, que isto se realize ou venha a acontecer, conforme a tradução: "Cumpram-se as tuas palavras" (Jz 13.12) – em hebraico, "que venham". Aqui nós interpretamos como: que elas venham *para mim*, para meu consolo e minha libertação. Em outra passagem, Davi diz: "Certamente que a bondade e a misericórdia me seguirão todos os dias da minha vida" (Sl 23.6); elas o acompanharão, e o encontrarão nas suas peregrinações. Assim, "Que darei eu ao Senhor por todos os benefícios que *me tem feito?*" (Sl 116.12). Elas chegam até ele, ainda que o caminho esteja impedido, com pecados e perigos. – *Thomas Manton*

v. 41: "Venham também sobre mim as tuas misericórdias, ó Senhor". As misericórdias de Deus, em todas as partes, encontram o homem a quem Deus *vivifica* (v. 40). Davi compreendia que Deus abençoa a alma, o corpo, a casa, as ordenanças, e todas as outras coisas que pertencem aos seus servos; o conjunto destas bênçãos vem da misericórdia, sem merecimento, concedida de maneira abrangente, maravilhosa, etc. – *Martin Geier*

v. 41: "Venham também sobre mim as tuas misericórdias, ó Senhor", etc. Os ministros da palavra e os estudantes de teologia são lembrados, com esta oração, de que não devem somente pregar aos outros a verdadeira maneira de obter a salvação eterna, mas que também devem, com fervorosas orações, clamar a Deus, para que possam participar das misericórdias divinas, e receber "o fim da sua fé, a salvação da alma". Paulo, na verdade, era muito ansioso quanto a esta questão, e foi impelido a escrever, de modo que conservou seu corpo dominado, para que, depois de pregar aos outros, ele mesmo não fosse reprovado. – *Solomon Gesner*

v. 41: "Tuas misericórdias". "A tua palavra". Aqui, devemos considerar a maneira como o profeta busca a salvação de Deus. Nesta oração, ele une duas coisas, as que sustentam a sua confiança, a saber, a misericórdia de Deus e a sua palavra. Para o homem de fé, estes são os dois mais resistentes pilares da sua esperança. – *Wolfgang Musculus.*

v. 41: "E a tua salvação", etc. Não é por algum tipo de libertação, de qualquer maneira, que o servo de Deus, em dificuldades, clama; não é o que ele deseja, mas uma libertação como a que Deus permitirá, e se alegrará em conceder, de uma maneira santa. *"Venha a tua salvação"*. Assim como a palavra de promessa é o que governa a nossa súplica, também é um sinal daquilo que foi prometido, e deve ser segura, até que chegue o seu cumprimento: *"Venham também sobre mim as tuas misericórdias, ó Senhor, e a tua salvação, segundo a tua palavra"*; e esta é uma das razões para a súplica. – *David Dickson*

v. 42: "Assim, terei", etc. Eu terei algo com que poderei responder àqueles que me caluniam. Assim o Salvador respondeu às sugestões do tentador, quase completamente, com passagens das Escrituras (Mt 4.4,7,10); e assim, em muitos casos, a melhor resposta que poderá ser dada às críticas sobre o assunto da religião será encontrada nas próprias palavras das Escrituras. Um homem de pouca instrução além da que obteve na Bíblia, pode frequentemente silenciar assim as críticas e objeções dos céticos instruídos; um homem de piedade sincera e pura, com nenhuma arma, exceto a palavra de Deus, pode frequentemente estar mais bem armado do que estaria se tivesse todos os argumentos das escolas ao seu dispor. Compare Efésios 6.17. – *Albert Barnes*

v. 42: "Assim, terei que responder", etc. Quando o coração compreende a salvação assegurada, ele é suprido de abundantes respostas para aqueles que zombam das alegrias da fé. – *Henry Law*

v. 42: "Assim, terei que responder", etc. Hugo Cardinales observa que há três tipos de blasfemadores dos piedosos – os demônios, os hereges e os caluniadores. A resposta para os demônios deve ser dada pela palavra interna de humildade; para os hereges, pela palavra externa de sabedoria; para os caluniadores, pela palavra ativa de uma vida de bem. – *Richard Greenham*

v. 42: "Assim, terei", etc. Pois eu lhes darei uma resposta curta, e verdadeira – *pois confio na tua palavra*; deposito a minha confiança em ti, que podes cumprir as tuas promessas, porque és onipotente; e as cumprirás, porque és misericordioso. – *William Nicholson*

v. 42: "Assim, terei que responder", etc. Isto vem depois da frase, *"segundo a tua palavra"*. Com o exemplo de Davi, os cristãos devem aprender o que podem usar para combater as censuras e as falsas acusações dos inimigos da verdade. Nada se consegue com calúnia, mas as armas devem ser obtidas da palavra de Deus; e estas são fortes, pela fé em Deus, para a derrota, tanto do próprio diabo quanto de seus instrumentos. Pois, verdadeiramente, com armas deste tipo, o próprio Salvador frustrou Satanás no deserto (Mt 4); e Paulo (Ef 6) veste, e recomenda ao soldado cristão, o cinturão da verdade divina, a couraça da justiça, os calçados do Evangelho, o escudo da fé, e a espada do Espírito, que é a Palavra de Deus. – *Solomon Gesner*

v. 42: "Que responder", etc. Não é proibido que os crentes, de maneira abrangente e modesta, *respondam* àqueles que os criticam, e refutem as mentiras. Veja Provérbios 26.5; 27.11. Ser capaz de responder a eles é considerado uma bênção de Deus. – *Martin Geier*

vv. 42 e 43: No versículo 42, há um jogo com os dois sentidos de *"palavra"*, assim: "e responderei uma palavra aos que me difamam, pois confiei na tua palavra". Tendo confiado na tua palavra de promessa, eu terei uma palavra de resposta para dar a eles, quando tu piedosamente ouvires esta oração. *"De minha boca não tires nunca de todo a palavra de verdade"* (isto é, de promessa), que eu ainda possa proferi-la diante dos meus inimigos, e descansar nela, em benefício da minha própria alma. Se Deus falhasse em cumprir a sua palavra de promessa, a palavra, no sentido aqui contemplado, seria tirada da sua boca. – *Henry Cowles*

v. 43: "Não tires nunca de todo a palavra de verdade", etc. É sabido que os homens, quando ameaçados por perseguição, negam completamente a verdade, ou a confessam de maneira fraca e apática; mas para que isto não acontecesse consigo, Davi ora aqui, *"ó Senhor, de minha boca não tires nunca de todo a palavra de verdade"*, isto é, faze com que eu, com espírito intrépido, sempre confesse a verdade manifesta de maneira corajosa e determinada. No texto hebraico temos עַד־מְאֹד, *"muita"*, ou, como traduz Agostinho, *"completamente ou integralmente"*; e ele acredita que Davi orava para que, se pela fraqueza humana acontecesse a sua queda, e em uma ou outra ocasião ele não confessasse firmemente a palavra, Deus não permitisse que ele continuasse neste pecado, mas novamente o restaurasse e estabelecesse; e ele exemplifica isto usando o exemplo de Pedro. Além disto, Davi acrescenta a razão que o impeliu a orar assim: *"pois me atenho"*, e com grande desejo, como é o significado do verbo יָחַל, *"aos teus juízos"*, com os quais, no último dia, julgarás abertamente os hereges, fanáticos e tiranos. – *Solomon Gesner.*

v. 43: "De minha boca não tires nunca de todo a palavra". A palavra é tirada da boca, quando se diz ao pecador, *"Que tens tu que recitar os meus estatutos?"* E a própria eloquência emudece, se a consciência for má. As aves do céu vêm e tiram a palavra da minha boca, assim como tiraram da rocha a semente da palavra, para que ela não produzisse frutos. – *Ambrósio*

v. 43: A palavra também é tirada da nossa boca quando, em fortes tentações, todas as coisas, de certa forma, falham, e não podemos sequer descobrir onde poderemos nos manter em pé (Sl 69.2). – *Martin Geier*

v. 43: "E de minha boca não tires nunca de todo a palavra de verdade". Às vezes, nós temos medo de falar a favor do Salvador, para não incorrermos na acusação de hipocrisia. Em outras ocasiões, nós temos vergonha de falar, pela ausência daquele único princípio que nos compeliria – "o amor de Cristo". E assim *"a palavra de verdade é tirada de nossa boca"*. Frequentemente nós desejamos ter uma palavra para dizer para o alívio do povo sofredor do Senhor, e não conseguimos encontrá-la; de modo que a lembrança de preciosas oportunidades perdidas bem pode expressar a oração: *"De minha boca não tires nunca de todo a palavra de verdade"*. Não somente não a tires do meu coração, mas deixa-a preparada na minha boca, para uma confissão do meu Mestre. Alguns de nós conhecemos a dolorosa tentação da indulgência de hábitos e do modo de vida mundanos, quando a falta de liberdade de espírito nos impede de nos levantarmos corajosamente a favor do nosso Deus. Talvez pudéssemos alegar timidez ou precaução judiciosa, como justificativa para o silêncio, mas, na maioria dos casos, devemos considerar estas coisas como uma desculpa enganosa para a verdadeira causa do impedimento – a falta de percepção da misericórdia de Deus na alma. – *Charles Bridges*

v. 43: "E de minha boca não tires nunca de todo a palavra de verdade". Oh, que serviço pode um corpo mudo prestar à casa de Cristo! Oh, eu penso que a palavra de Deus também está aprisionada! Oh, eu sou uma árvore seca! Ai, eu não consigo plantar nem regar! Oh, se o meu Deus desejar fazer esterco de mim, para tornar férteis e produtivas as suas plantações no Monte Sião! Ou, se eu pudesse apenas falar a três ou quatro pessoas sobre o meu digno Mestre, eu ficaria satisfeito em ser o mais humilde e obscuro de todos os pastores nesta terra, e em viver em qualquer lugar, em qualquer das mais humildes casas de Cristo! Mas Ele diz, "Sirrah, não te enviarei, não tenho missões para ti ali". O meu desejo de servi-lo está repleto de zelo, para que Ele não deixe de me empregar... Eu estou muito bem; e quero dedicar todo louvor àquele cujos livros devo defender, até mesmo como seu devedor! Somente o meu silêncio me atormenta. Eu tive uma alegria do céu, ao lado de Cristo, meu Salvador, que consistiu em pregá-lo a esta geração incrédula; e eles me tiraram esta grande alegria. Isto era, para mim, como o único olho que o pobre possui; e eles me arrancaram este olho. – *Samuel Rutherford*

v. 43: "Pois me atenho aos teus juízos". A palavra מִשְׁפָּט, *juízo,* pode significar tanto a lei, quanto a execução da sua sentença.

1. A lei, ou toda a palavra de Deus; de modo que, *"me atenho aos teus juízos"* não mais seja o caso, mas, em tua palavra eu espero; como "Aguardo o Senhor; a minha alma o aguarda, e espero na sua palavra" (Sl 130.5).

2. A execução da lei, quando a promessa ou a ameaça se cumpre. (1) Quando a promessa é cumprida: isto é juízo, de certa forma, quando Deus realiza o que prometeu pela nossa salvação e libertação. Assim, dizemos que Deus julga o seu povo, quando Ele lhes faz justiça e lhes salva de acordo com a sua palavra: "Viste, Senhor, a injustiça que me fizeram; julga a minha causa" (Lm 3.59). (2) Mas a noção mais usual do juízo é a execução das ameaças sobre os ímpios; o que, sendo um benefício aos servos fiéis de Deus, e sendo feito para o seu bem, Davi estaria certo em esperar. O seu "juízo" é a obtenção da promessa para nós. – *Thomas Manton*

vv. 43 e 44: Senhor, que eu tenha a palavra de verdade na *"minha boca"*, para que eu possa realizar o sagrado *depositum* à nova geração (2 Tm 2.22), e para que por eles ela possa ser transmitida às gerações futuras; assim a *"tua lei"* será guardada, *"para sempre e eternamente"*, isto é, de uma geração a outra, de acordo com aquela promessa (Is 59.21): "As minhas palavras, que pus na tua boca, não se desviarão da tua boca, nem da boca da tua posteridade, nem da boca da posteridade da tua posteridade". – *Matthew Henry.*

v. 44: "Assim, observarei de contínuo a tua lei", etc. O fato de que o Senhor guarda o nosso coração na fé, e a nossa boca e o homem exterior, no curso da confissão e da obediência, é a causa da nossa perseverança. – *David Dickson*

v. 44: "Assim, observarei". Observe que a promessa da obediência é apresentada como um argumento; *"Assim, observarei"*, *"assim"*, isto é, isto irá me encorajar, isto irá me capacitar.

Em primeiro lugar, a concessão dos seus pedidos lhe daria encorajamento; quando Deus responde à nossa esperança e expectativa, a gratidão deve nos incentivar e motivar para todas as formas de obediência. Se Ele nos der a coragem e um pouco de liberdade para confessar o seu nome, e servi-lo, nós não estaremos relutantes nem inseguros, mas andaremos próximos a Ele.

Em segundo lugar, isto lhe daria auxílio e forças. Se Deus nos der ajuda diária, nós resistiremos; se não, falharemos e fracassaremos; isto poderá ser um meio para a nossa perseverança, não somente para nos engajar e obrigar, mas para nos ajudar a resistir até o fim.

E observe a constância desta obediência, *"De contínuo... para sempre e eternamente"*. Davi não desejava conservá-la por um momento, nem por alguns dias, nem por um ano, mas sempre, até o fim da sua vida. Aqui há três expressões com o mesmo sentido: *"de contínuo"*, *"para sempre"*, *"eternamente"*. E a Septuaginta assim expressa: "Observarei a tua lei continuamente, para sempre, e para todo o sempre, e eternamente"; quatro expressões. Esta abundância de expressões não é em vão.

1. Ela mostra a dificuldade da perseverança; a menos que os crentes persistam vigorosamente na resistência à tentação, logo serão desviados do caminho; por isto, Davi obriga firmemente o seu coração; nós devemos fazer isto agora, sim, e sempre, até o fim.

2. Ela expressa a sua veemência de sentimentos; aqueles que são profundamente afetados com alguma coisa estão acostumados a se expressar tão abundantemente quanto puderem. Como Paulo, que tinha uma profunda percepção do poder de Deus: "a sobreexcelente grandeza do seu poder sobre nós... segundo a operação da força do seu poder" (Ef 1.19). Ele agrupa diversas palavras, porque a sua percepção delas era tão grande; da mesma maneira, aqui Davi agrupa palavras – *"de contínuo, para sempre e eternamente"*.

3. Alguns pensam que as palavras são tantas que podem se referir não apenas a esta vida, mas à que há de vir. Eu o farei, de contínuo, e para sempre e eternamente, isto é, todos os dias da minha vida, e no próximo mundo. Segundo Crisóstomo: "Observarei de contínuo", etc., aponta para a outra vida, onde a lei de Deus será observada, de modo puro e exato. Aqui estamos em perigo, a todos os momentos, mas então, estaremos livres de todos os perigos, e sem medo de pecar, permanecermos em plena e perfeita justiça; nós esperamos aquilo que ainda não alcançamos e isto nos encoraja no presente – assim ele deseja que Davi se expresse.

4. Se nós desejarmos distinguir estas palavras, eu suponho que elas sugiram a continuidade e a perpetuidade da obediência; a continuidade da obediência, para que ele pudesse servir a Deus "de contínuo", sem interrupção; e a perpetuidade da obediência, para que ele pudesse servir a Deus para sempre, e eternamente, sem desertar nem revoltar-se, em todos os momentos, até o fim. A constância e a perseverança na obediência são o que a recomenda. – *Thomas Manton*

v. 44: "Assim, observarei de contínuo a tua lei". Isto é, se não tirares a palavra da tua verdade da minha boca, *"Observarei a tua lei... para sempre"*. *"De eternidade em eternidade"* – ele mostra o que quer dizer com *para sempre*. Pois às vezes *"para sempre"* quer dizer, enquanto vivermos aqui, mas isto não é *"de eternidade em eternidade"*. Pois é melhor traduzi-lo assim do que da maneira como lemos em algumas cópias, *"por toda a eternidade"*, uma vez que não podem dizer "de eternidade em eternidade". A interpretação deve ser segundo a lei, da qual o apóstolo diz, "o cumprimento da lei é o amor". Pois isto será guardado pelos santos, de cuja boca a palavra de verdade não é tirada, isto é, pela igreja do próprio Cristo, não apenas neste mundo, isto é, até o fim deste mundo, mas no outro mundo, que é chamado de *mundo sem fim*. Pois não receberemos ali os mandamentos da lei, como aqui, para guardá-los, mas guardaremos a plenitude da própria lei, sem nenhum temor de pecar; pois nós amamos a Deus mais plenamente quando o vemos; e também o nosso próximo; pois "Deus estará com eles"; não haverá ali lugar para nenhuma falsa suposição a respeito do nosso próximo, onde nenhum homem estará escondido de ninguém. – *Agostinho*

v. 44: "De contínuo, para sempre e eternamente". As palavras deste versículo são muito enfáticas. A perfeita obediência irá constituir uma grande proporção da felicidade celestial por toda a eternidade; e quanto mais próximos nós estivermos dela na terra, mais antecipamos a felicidade do céu. – *nota na Comprehensive Bible, de Bagster*

v. 45: "E andarei em liberdade". Sempre que Deus perdoa o pecado, Ele o subjuga (Mq 7.19). Então o poder condenador do pecado é removido, quando o poder que o comanda é removido. Se um malfeitor está na prisão, como saberá que o seu príncipe o perdoou? Se um carcereiro vem e solta suas correntes e grilhões, e o solta da prisão, então ele poderá saber que foi perdoado; como saberemos, então, que Deus nos perdoou? Se os grilhões do pecado forem rompidos, e nós andarmos em liberdade nos caminhos de Deus, isto é um sinal abençoado de que fomos perdoados. – *Thomas Watson*

v. 45: "Andarei em liberdade, pois busquei os teus preceitos". Como aquele que evita confessar a verdade de Deus se lança em dificuldades, perigos e armadilhas, também aquele que faz a confissão da verdade anda como um homem livre; a verdade o liberta. – *David Dickson*

v. 45: "Andarei em liberdade, pois busquei os teus preceitos". Quando a Bíblia diz que um homem conduzido pelo Espírito não está debaixo da lei, isto não quer dizer que ele seja livre para pecar sem que venha a ser punido; mas significa que ele é livre porque, sendo ensinado pelo Espírito de Deus a amar aquilo que a sua lei ordena, ele não age mais, conscientemente, de acordo com as variadas restrições. A lei não o conduz, porque o Espírito o conduz... Existe uma condição, irmãos, na qual nós reconhecemos a Deus, mas não amamos a Deus em Cristo. É a condição em que admiramos o que é excelente, mas não somos capazes de realizá-lo. É a condição em que o amor ao que é bom equivale a nada, morrendo em um mero desejo. Este é um estado de natureza, quando estamos debaixo da lei, e não convertidos ao amor de Cristo. E então, há outro estado, em que Deus escreve a sua lei em nossos corações por amor, e não pelo temor. O primeiro estado é o seguinte, "Eu não consigo fazer o que desejo", o outro estado é "Andarei em liberdade, pois busquei os teus preceitos". – *Frederick William Robertson, 1816-1853*

v. 45: "Andarei em liberdade". A mente do salmista entende a amplitude da sua posição. Um pouco antes, ele se sentia como um homem limitado – cercado por rochas, em uma passagem estreita e perigosa – que não conseguia sair. Você conhece as características de Canaã e pode facilmente imaginar a posição de um viajante que explora o seu terrível caminho por uma das passagens montanhosas. O viajante diante de nós conseguiu pisar em terreno seguro. Agora, de repente, beneficiado pelo Altíssimo, e consciente de estar no seu caminho, ele se encontra em um lugar amplo, e anda tranquilamente; *"E andarei em liberdade; pois busquei os teus preceitos"*. Ele tinha feito uma busca diligente em tudo o que o Senhor tinha recomendado, e procurando estar em conformidade com tudo isto, ele sentia que poderia andar em liberdade. Ele se recria, em sua emancipação espiritual. O malfeitor secreto que professa ser justo não conhece esta liberdade espiritual. Enquanto o homem perceber que está errado, e especialmente um homem de consciência terna, ele se sentirá impedido por todos os lados, deprimido em mente e em circunstâncias maléficas. A que dilatação de mente desperta o homem, quando se torna consciente de estar no caminho indicado por Deus! E ele está verdadeiramente em liberdade; pois a boa providência de Deus está ao redor dele, e a sua graça o sustenta. – *John Stephen*

v. 45: Aquele que segue pelo caminho correto não terá os olhos feridos por arbustos. – *provérbio saxão*

vv. 45 a 48: Davi aqui promete cinco coisas a si mesmo, na força da graça de Deus. 1. Que ele seria livre e estaria tranquilo no seu dever: *"Andarei em liberdade"*; libertado do que é mau, e não impedido pelos grilhões das suas próprias corrupções, e livre para o que é bom. 2. Que ele seria ousado e corajoso no seu dever: *"falarei dos teus testemunhos perante os reis"*. 3. Que ele seria alegre e teria prazer no seu dever: *"alegrar-me-ei em teus mandamentos"*, convivendo com eles, em conformidade com eles. 4. Que ele seria diligente e vigoroso no seu dever: *"levantarei as minhas mãos para os teus mandamentos"*; o que indica não somente um desejo veemente por eles, mas uma íntima aplicação de mente na observância deles. 5. Que ele seria atento e ponderado no seu dever: *"meditarei nos teus estatutos"*. – *Matthew Henry*

vv. 45 a 48: Nestes quatro versículos, ele explica *seriatim* em que consiste a observância da lei; uma coisa que ele prometeu, quando disse, no quarto versículo deste grupo, que observaria a lei de Deus em seu coração, em suas palavras, na sua mente e nos seus atos; e o profeta parece imediatamente, como se tivesse sido ouvido, ter modificado o seu modo de falar, pois diz, *"E andarei em liberdade"*. Quando a misericórdia de Deus me visitou, eu não mais andei nos caminhos estreitos do temor, mas no caminho largo, do amor; isto equivale a dizer, eu observei a lei, voluntariamente, alegremente, com todo o meu coração, *"pois busquei os teus preceitos"*, como algo de grande valor, que seria muito importante alcançar; *"e falarei"* abertamente e sem temor sobre a justiça da sua mais santa lei, até mesmo *"perante os reis e não me envergonharei"*; e constantemente investiguei a lei em minha mente, e tornei os seus mistérios o assunto da minha meditação, *"e levantarei as minhas mãos"* para realizar os seus sublimes preceitos; isto é, os seus mandamentos extremamente perfeitos e árduos. Finalmente, de todas as maneiras, em coração, em mente, em palavra e em obras, *"trabalhei para que fosses justificado"*. – *Robert Bellarmine*

v. 46: "Também falarei dos teus testemunhos perante os reis". Com estas palavras, ele parece crer que tem a posse daquilo pelo que orou anteriormente. Ele tinha dito, "de minha boca não tires nunca de todo a palavra de verdade", e agora, como se tivesse obtido o que tinha pedido, ele se levanta e sustenta que não ficaria emudecido, mesmo se chamado a falar na presença de reis. Ele afirma que falará voluntariamente, em defesa da glória de Deus, diante de todo o mundo. – *João Calvino*

v. 46: "Também falarei dos teus testemunhos perante os reis". O terror dos reis e dos homens de autoridade é um obstáculo comum para a confissão da verdade de Deus em tempos de perseguição; mas a fé na verdade, sustentada por Deus no coração, é capaz de produzir uma confissão, sejam quais forem os riscos. – *David Dickson*

v. 46: "Também falarei dos teus testemunhos perante os reis". Antes que Davi fosse coroado, alguns reis foram seus *juízes*, como Saul e Aquis; mas se ele fosse chamado à presença deles, para dar uma razão para a esperança que havia nele, falaria sobre os testemunhos de Deus, e declararia que desejava edificar a sua esperança neles, e torná-los o seu conselho, a sua guarda, a sua coroa, sim, o seu tudo. Jamais devemos ter receio de reconhecer a nossa religião, ainda que ela nos exponha à ira de reis, mas falar dela como aquilo segundo o que vivemos, viveremos e morreremos, como fizeram os três jovens diante de Nabucodonosor (Dn 3.16, At 4.20). Depois que Davi assumiu a coroa, os reis eram, às vezes, seus *colegas*, e o visitavam, e ele retribuía as suas visitas; mas não acontecia que ele, por gentileza a eles, falasse de tudo menos a religião, por temor de ofendê-los ou tornar a conversa desagradável para eles; não, os testemunhos de Deus eram o principal tema do seu discurso com os reis, não somente para mostrar que ele não se envergonhava da sua religião, mas para instruí-los sobre ela, e trazê-los a ela. É bom que os reis ouçam os *testemunhos de Deus*, e falar sobre eles adornará a conversação dos próprios príncipes. – *Matthew Henry*

v. 46: "Também falarei dos teus testemunhos perante os reis". Homens de grande santidade foram homens de grande coragem; veja, por exemplo, Neemias, os três jovens, Daniel e todos os santos profetas e apóstolos: "Fogem os ímpios, sem que ninguém os persiga; mas qualquer justo está confiado como o filho do leão" (Pv 28.1), sim como um leãozinho, como diz o texto em hebraico, alguém que é ardente e nada teme, e que é mais corajoso do que todos os outros. A santidade tornou Daniel não apenas corajoso como um leão, mas também assombrou os leões com a sua coragem. Lutero foi um homem de grande santidade, e de grande coragem; testemunhe a sua posição e resistência contra todo o mundo; e quando o imperador mandou buscá-lo, para que fosse a Worms, e seus amigos o dissuadiram de ir, como algumas vezes os amigos de Paulo faziam, "Eu vou", ele dizia, "certamente irei, uma vez que sou chamado, no nome do nosso Senhor Jesus Cristo, embora eu saiba que há tantos demônios em Worms que resistirão a mim, como há telhas para cobrir as casas, ainda assim eu irei". E quando o mesmo autor e seus colegas foram ameaçados de muitos perigos, por opositores de todos os lados, ele profere este heroico e magnânimo discurso: "Venham, entoemos o salmo 46, e então que eles façam o pior". Latimer era um homem de grande santidade, considerando a obscuridade e a profanação dos tempos em que viveu, e um homem de grande coragem e ousadia; testemunhe a ocasião em que ele presenteou o rei Henrique VIII, no Ano Novo, com um Novo Testamento, embrulhado em um guardanapo, com este lema, "Aos libertinos e adúlteros, Deus julgará". – *Thomas Brooks*

v. 46: Observe que neste versículo nós somos ensinados a evitar quatro defeitos. Em primeiro lugar, o excesso de silêncio; por isto ele diz, *"Falarei"*. Em segundo lugar, a tagarelice inútil: *"dos teus testemunhos"*. Os doutores hebreus dizem que dez maneiras de falar desceram à terra – nove foram adotadas pelas mulheres, e apenas uma sobrou, para o resto do mundo. Hierônimo exorta apropriadamente todos os cristãos: "Consagre a sua boca ao Evangelho, não esteja disposto a abri-la com brincadeiras ou fábulas". Em terceiro lugar, nós somos ensinados a evitar a covardia: *"perante os reis"*. Pois, como está escrito: *"O receio do homem armará laços"* (Pv 29.25). Em quarto lugar, e finalmente, nós somos ensinados a evitar a vergonha covarde: *"e não me envergonharei"*. – *Thomas Le Blanc*

v. 46: "Não me envergonharei". Isto é, não serei desencorajado na minha posição ou na minha esperança; não me amedrontarei; nem, por temor do perigo ou da crítica, evitarei ou renunciarei à confissão. Nem serei dominado por terrores ou ameaças. – *D. H. Mollerus*

vv. 46, 47 e 48: Nestes três últimos versículos, Davi promete uma tripla tarefa de gratidão. Em primeiro lugar, o serviço da sua língua. Em segundo lugar, o serviço dos seus sentimentos. Em terceiro lugar, o serviço dos seus atos. Uma boa consciência sempre produz grande consolação; e uma vida honesta produz grande coragem para falar sem temor ou vergonha, como vemos em Davi falando com Saul, em Elias falando com Acabe, em Paulo falando com Agripa, Festo e Félix. – *William Cowper*

v. 47: "E alegrar-me-ei em teus mandamentos". É apenas uma pequena consolação para o crente ser capaz de falar bem com os outros sobre os caminhos de Deus, e até mesmo "suportar o opróbrio" do seu povo, quando o seu próprio coração é frio, insensível e tolo. Ele anseia por *"alegria"* nestes caminhos, e se alegrará neles. – *Charles Bridges*

v. 47: Aquele que prega ousadamente aos outros precisa *"se alegrar"* na prática daquilo que prega. Se houver em nós uma nova natureza, ela *"amará os mandamentos de Deus"* por serem agradáveis a ela; sobre o que amamos, estaremos continuamente *"meditando"* e a nossa meditação terminará em ação; nós "levantaremos as mãos cansadas" (Hb 12.12), para que possam "fazer as obras de Deus, enquanto é dia; a noite vem, quando ninguém pode trabalhar" (Jo 9.4). – *George Horne*

v. 47: "Teus mandamentos, que eu amo". Sobre a palavra *"amo"*, Carmelita cita dois ditados de antigos filósofos, que ele recomenda à aceitação daqueles que aprenderam a verdadeira filosofia do Evangelho. O primeiro é a resposta de Aristóteles à pergunta sobre qual benefício ele tinha obtido com a filosofia: "eu aprendi a fazer, sem pressão, o que outros fazem por medo da lei". O segundo é um ditado muito similar de Aristipo: "Se as leis fossem perdidas, todos nós viveríamos como vivemos agora, que elas estão em vigor". E para nós, todo o versículo é resumido nas palavras de um professor muito maior do que eles: "Se alguém me ama, guardará a minha palavra": João 14.23. – *Neale e Littledale*

vv. 47 e 48: O que é, na palavra, um preceito, é, no coração, uma lei de amor; o que é, na palavra, um mandamento, é, no coração, uma lei de liberdade. "O amor é o cumprimento da lei" (Gl 5.14). A lei do amor no coração, é o cumprimento da lei de Deus no Espírito. Podemos dizer que ela está escrita no coração, quando o homem a ama. Como dizemos, uma coisa adorada está em nossos corações, não fisicamente, mas moralmente, como se dizia que Calais estava no coração da Rainha Maria. Eles poderiam ter procurado por muito tempo, antes que pudessem ter encontrado ali o mapa da cidade, mas a tristeza pela perda a matou. É um amor que é inexprimível. Davi se alegra em mencioná-lo, em dois versículos consecutivos: *"Alegrar-me-ei em teus mandamentos, que eu amo. Também levantarei as minhas mãos para os teus mandamentos, que amo"*, e frequentemente no salmo ele repete esta afirmação. Antes da nova criação, não havia afeto pela lei; não era somente um texto morto, mas um texto demoníaco, na avaliação do homem; ele desejava que ele fosse riscado do mundo, e entrasse em vigor outro mais agradável para a carne. Ele desejava uma lei para si mesmo; mas quando isto está escrito dentro dele, ele se alegra tanto com esta inscrição, que, nem mesmo ganhando o mundo todo poderia ficar sem esta lei, e o amor por ela; a obediência que prestava à lei anteriormente era por temor, e agora é por afeto; não somente por causa da autoridade do legislador, mas pela pureza da própria lei. Ele desejava mantê-la, com todo o seu poder, contra o poder do pecado interior, e os poderes das trevas externas. Ele ama examinar esta lei; considerar cada característica dela, com prazerosos arrebatamentos. Se este olho ou se este pé fossem eliminados, como ele se dissolveria em lágrimas, lamentaria e gemeria, até que o seu sentimento anterior fosse restabelecido, e ele recuperasse o fôlego e se levantasse! – *Stephen Charnock*

v. 48: "Também levantarei as minhas mãos para os teus mandamentos", etc. O dever que Davi promete aqui a Deus é o serviço dos seus atos, é que ele erguerá suas mãos para a prática dos mandamentos de Deus. O reino de Deus não é de palavra, mas de poder; nós somos os discípulos deste Mestre, que primeiro começou a fazer, e depois a ensinar. Mas agora o mundo está cheio de cristãos mutilados; ou lhes falta uma orelha, e não conseguem ouvir à palavra de Deus, ou lhes falta uma língua, e não conseguem falar dela; ou têm ambos, mas lhes faltam mãos, e não podem praticar a palavra. – *William Cowper*

v. 48: "Também levantarei as minhas mãos". *Levantar as mãos* é interpretado de diversas maneiras, e significa: – 1. *Orar:* como em Salmos 28.2; Lamentações 2.19; Habacuque 3.10. – 2. *Bendizer* outros: como em Levítico 9.22; Salmos 124.2. – 3. *Jurar:* como em Gênesis 14.22; Êxodo 6.8. – 4. *Iniciar algo importante:* como Gênesis 41.44; "sem ti ninguém levantará a sua mão ou o seu pé"; *isto é,* não tentará nem concretizará nada; Salmos 10.12, "levanta a tua mão", isto é, efetivamente, para trazer ajuda; Hebreus 12.12, "tornai a levantar as mãos", etc.; *isto é,* estimulem fortemente os cristãos. Talvez tudo isto possa ser incluído nesta passagem; pois é possível que seja, 1. Oração pela graça divina, para realizar os preceitos; ou, 2.

Bênção, *isto é,* louvor a Deus, por causa dos preceitos e dos benefícios que foram acumulados para nós; o que a tradução siríaca aprova, pois acrescenta, "e me gloriarei na tua fidelidade"; – ou, 3. Voto, ou juramento de constante obediência, etc.: – ou, 4. Um ativo e fervoroso entendimento dele; o que também parece ser aqui o significado principal. – *Henry Hammond, "Synopsis Poli"*

v. 48: "Também levantarei as minhas mãos para os teus mandamentos"; jurando obediência a eles (Gn 14.22). – *William Kay*

v. 48: "Também levantarei as minhas mãos". Apresentarei cada vítima e cada sacrifício que a lei exige. Eu farei oração e súplica diante de ti, levantando mãos santas, sem ira nem contenda. – *Adam Clarke*

v. 48: "Também levantarei as minhas mãos". Aben Ezra explica (talvez apropriadamente) que a metáfora, neste ponto, é extraída da ação daqueles que recebem alguém a quem se alegram ou se orgulham de ver. – *Daniel Cresswell, 1776-1844*

v. 48: "Levantarei as minhas mãos" em admiração aos "teus mandamentos, e meditarei nos teus estatutos". – *W. Green, "A New Translation of the Psalms", 1762*

v. 48: Levantar as mãos é um gesto que traduz prontidão, e intenção especial de fazer algo. "Também levantarei as minhas mãos" (diz Davi) "para os teus mandamentos"; assim como um homem que está disposto a fazer algo, e se prepara para fazê-lo, levanta a sua mão, também um homem devoto é descrito como levantando as suas mãos, para obedecer aos mandamentos de Deus. – *Joseph Caryl*

v. 48: "Teus mandamentos". Por *mandamentos,* ele entende a palavra de Deus, mas a expressão é mais forte do que isto; não é, Amei a tua *palavra;* mas, Amei aquela parte da tua palavra que são os teus *"mandamentos"*, a parte *obrigatória.* Há algumas partes da vontade e da palavra de Deus que até mesmo os ímpios ficarão satisfeitos em amar. Há a parte da *promessa*; todos os homens reúnem e se esforçam por agarrar as promessas, e mostrar amor por elas. A razão é clara: há prazer, e benefício, e ganho, e vantagens, nas promessas; mas uma alma piedosa não considera apenas as promessas, mas os *mandamentos.* A piedade olha Cristo como um *Legislador,* além de um *Salvador,* e não somente como *Mediador,* mas como *Senhor* e *Mestre*; ela não somente vive pela *fé,* mas vive pela *lei*; isto torna, realmente, as *promessas* o sustento de uma vida cristã, mas faz dos mandamentos de Deus o *nível.* Um coração piedoso sabe que algum mandamento está sugerido na qualificação e na condição da cada promessa; e sabe que, quanto ao cumprimento das promessas, isto só pertence a Deus; mas o cumprimento dos mandamentos pertence a nós. Por isto, assim parece, para o benefício daquilo que é prometido, que é preciso fazer antes aquilo que é ordenado. Não há esperança de obter consolação na promessa, a menos que se guarde o preceito; por isto, ele assinala a ênfase, "amo a tua *palavra*", que é verdadeira, e *toda* a tua palavra, e esta parte, a parte *dos mandamentos*: "amo os teus *mandamentos*".

Observe o plural: "teus mandamentos", isto é, *todos* os teus mandamentos, sem exceção; caso contrário, os homens ímpios se satisfarão em amar *alguns* mandamentos, se puderem escolhê-los. – *Richard Holdsworth, (1590-1649), "The Valley of Vision"*

v. 48: "Que amo", ou "amei", como no versículo 47, cujos termos são cuidadosamente repetidos com um interessante efeito retórico, que é ainda mais engrandecido com a palavra *e* no início, unindo os dois versículos em uma única sentença, de certa forma. Como se ele tivesse dito: Eu obterei a minha felicidade dos teus mandamentos, que eu amo, e amei, e para estes mandamentos, que amo e amei, levantarei minhas mãos, e também meu coração. – *Joseph Addison Alexander*

v. 48: "Meditarei". É em santa meditação sobre a palavra de Deus que todas as graças do Espírito se manifestam. O que é o princípio de fé, senão a confiança da alma nas promessas da palavra? O que é a sensação de santo temor, senão o tremor da alma diante das ameaças de Deus? O que é o objeto de esperança, senão a glória de Deus que pode ser percebida? O que é a excitação do desejo ou do amor, senão contemplações ansiosas e ternas do Salvador, e das suas indescritíveis bênçãos? De modo que mal podemos imaginar as influências da graça separadas da meditação espiritual sobre a palavra. – *Charles Bridges*

v. 48: A versão siríaca traz um acréscimo ao versículo 38, e eu me surpreendo de que ele não tenha sido notado. O acréscimo é, *"e me gloriarei na tua fidelidade"*. Em uma observação, Dathe diz: A Septuaginta parece apresentar algum acréscimo semelhante, ainda que não exatamente o mesmo. – *Edward Thomas Gibson, 1819-1880*

EXPOSIÇÃO DOS VERSÍCULOS 49 A 56

49 *Lembra-te da palavra dada ao teu servo, na qual me fizeste esperar.*
50 *Isto é a minha consolação na minha angústia, porque a tua palavra me vivificou.*
51 *Os soberbos zombaram grandemente de mim; apesar disso, não me desviei da tua lei.*
52 *Lembrei-me dos teus juízos antiquíssimos, ó Senhor, e, assim, me consolei.*
53 *Grande indignação se apoderou de mim, por causa dos ímpios que abandonam a tua lei.*
54 *Os teus estatutos têm sido os meus cânticos no lugar das minhas peregrinações.*
55 *De noite, me lembrei do teu nome, ó Senhor, e observei a tua lei.*
56 *Isto fiz eu, porque guardei os teus mandamentos.*

Estes oito versículos tratam da consolação da palavra. O conjunto começa buscando a consolação principal, ou seja, o cumprimento do Senhor das suas promessas, e a seguir mostra como a palavra nos sustenta sob aflição, e nos torna tão resistentes ao ridículo que nós somos levados, pela crueldade dos ímpios, a sentir mais horror pelo seu pecado do que por qualquer submissão às suas tentações. A seguir, nós vemos como as Escrituras fornecem cânticos para os peregrinos, e recordações para os que vigiam à noite; e este trecho do salmo é concluído com a declaração geral de que esta felicidade e consolação surgem da observância aos estatutos do Senhor.

49. *"Lembra-te da palavra dada ao teu servo."* Ele não pede nenhuma nova promessa, mas deseja que a antiga seja cumprida. Ele é grato por ter recebido uma palavra tão generosa, e a aceita com todo o seu coração, e agora pede que o Senhor lide com ele de acordo com esta palavra. Ele não diz, "lembra-te do meu serviço a ti", mas "da tua palavra a mim". As palavras dos senhores aos servos nem sempre são do tipo que os servos desejam que seus senhores as lembrem; pois normalmente eles observam as falhas no trabalho realizado, na medida em que não está de acordo com a palavra de ordem. Mas nós, que servimos ao melhor dos senhores, não ficamos ansiosos e preocupados com a possibilidade de uma das suas palavras cair por terra, uma vez que o Senhor irá, tão benignamente, lembrar-se da sua palavra de ordem, para nos dar graça, com a qual possamos obedecer, e Ele a combinará com uma lembrança da sua palavra de promessa, de modo que nossos corações possam ser consolados. Se a palavra de Deus para nós, como seus servos, é tão preciosa, o que diremos das suas palavras a nós, como seus filhos?

O salmista não teme uma falha na memória do Senhor, mas faz uso da promessa como uma súplica, e esta é a forma como ele fala, segundo a maneira dos homens, quando imploram, uns aos outros. Quando o Senhor se lembra dos pecados do seu servo, e os apresenta diante da sua consciência, o penitente clama: Senhor, lembra-te da tua palavra de perdão, e, portanto, não te lembres mais dos meus pecados e iniquidades. Há um mundo de significado na palavra *"lembra-te"*, quando é dirigida a Deus; ela é usada, nas Escrituras, no sentido mais terno, e é apropriada para os que lamentam e para os deprimidos. O salmista clama, "Senhor, lembra-te de

Davi, e todas as suas aflições". Jó também orou para que o Senhor lhe indicasse um tempo adequado, e se lembrasse dele. No exemplo atual, a oração é tão pessoal quanto o "Lembra-te" do ladrão, pois a sua essência está nas palavras – "ao teu servo". Seria inútil para nós se a promessa para todos os outros fosse lembrada, e se não se cumprisse para nós mesmos; mas não há este temor, pois o Senhor jamais se esquece de uma única promessa feita a um único crente.

"Na qual me fizeste esperar." O argumento é de que Deus, tendo dado a graça de ter esperança na promessa, certamente jamais desapontaria esta esperança. Ele não nos faria ter esperança, sem motivo. Se nós temos esperança na sua palavra, temos um bom motivo: o nosso Senhor piedoso jamais zombaria de nós, despertando falsas esperanças. A esperança retardada faz adoecer o coração, daí o pedido pela lembrança imediata da palavra animadora. Além disto, é a esperança de um servo, e não é possível que um senhor grandioso e bom desapontasse o seu dependente; se a palavra deste senhor não fosse mantida, somente poderia ser por descuido, por isto o clamor ansioso: "Lembra-te". O nosso grande Mestre não se esqueceria dos seus próprios servos, nem desapontaria a expectativa que Ele mesmo tinha despertado; como nós pertencemos ao Senhor, e nos esforçamos para nos lembrar da sua palavra, obedecendo a ela, podemos ter certeza de que Ele pensará nos seus servos, e se lembrará da sua própria promessa, cumprindo-a.

Este versículo é a oração do amor que teme ser esquecido, da humildade que está consciente da própria insignificância, e ansiosa por não ser ignorada, da penitência temendo que o mal dos seus pecados ofusque a promessa, do ansioso desejo pela bênção, e da santa confiança que sente que tudo o que é desejado está contido na palavra. Basta que o Senhor se lembre da sua promessa, e o ato prometido será considerado realizado.

50. *"Isto é a minha consolação na minha angústia, porque a tua palavra me vivificou."* Ele quer dizer: a tua palavra é a minha consolação, ou o fato de que a tua palavra me seja trazida rapidamente é a minha consolação. Ou ele quer dizer que a esperança que Deus lhe tinha dado era a sua consolação, pois Deus o tinha vivificado com ela. Qualquer que possa ser o significado exato, está claro que o salmista sentia angústia – uma angústia peculiar a ele, que ele chama de *"minha* angústia" – e que ele sentia consolação nela – consolação particularmente sua, pois a chama de *"minha* consolação"; e que ele sabia qual era a consolação, e de onde ela vinha, pois exclama: *"isto é a* minha consolação". O materialista se agarra à sua bolsa, e diz, "isto é a minha consolação"; o perdulário aponta para a sua aparência luxuosa e diz, "isto é a minha consolação"; o bêbado ergue seu copo, e canta, "isto é a minha consolação"; mas o homem cuja esperança vem de Deus sente o poder vivificador da palavra do Senhor, e testifica, "isto é a minha consolação". Paulo disse: "Eu sei em quem tenho crido". A consolação é desejável, em todos os momentos, mas a consolação na angústia é como uma lâmpada em um lugar escuro. Alguns são incapazes de encontrar consolação nestas ocasiões; mas isto não acontece com os crentes, pois o seu Salvador lhes disse: "Não vos deixarei órfãos". Alguns têm consolação sem angústia, ao passo que outros têm angústia sem consolação; mas os santos têm consolação na sua angústia.

A palavra frequentemente nos consola, aumentando a força da nossa vida interior; "isto é a minha consolação; a tua palavra me vivificou". Vivificar o coração significa alegrar todo o homem. O caminho mais próximo para a consolação é, frequentemente, a santificação e a vitalização interior. Se não pudermos dissipar a névoa, é melhor subir a um nível mais alto, e assim estar acima dela. Os problemas que nos oprimem, quando estamos meio mortos, tornam-se meras brincadeiras, quando estamos cheios de vida. Assim nós frequentemente somos exaltados em espírito pela graça vivificadora, e a mesma coisa acontecerá outra vez, pois o consolador ainda está conosco, a Consolação de Israel vive para sempre, e o Deus da paz é, para sempre, o nosso Pai. Ao examinarmos a nossa vida passada, há um motivo de consolação quanto ao nosso estado – a palavra de Deus nos vivificou, e nos conserva vivos. Nós estávamos mortos, mas não mais estamos. Disto, podemos deduzir, com alegria, que, se o Senhor tivesse intenção de nos destruir, Ele não nos teria vivificado. Se nós fôssemos apenas hipócritas, dignos de escárnio, como dizem os soberbos, Ele não teria nos vivificado pela sua graça. Uma experiência de vivificação é uma fonte de bom ânimo.

Veja como este versículo é convertido em uma oração no versículo 107. "Vivifica-me, ó Senhor, segundo a tua palavra". A experiência nos ensina como orar, e nos fornece argumentos na oração.

51. *"Os soberbos zombaram grandemente de mim."* Os soberbos jamais amam os homens piedosos, e como os temem, ocultam seu temor sob um falso desprezo. Neste caso, o seu ódio se revelava no ridículo, e este ridículo era longo, e em voz alta. Quando desejavam zombar, zombavam de Davi, porque ele era servo de Deus. Os homens que consideram a fé como uma farsa, e a santidade como uma comédia, devem ter algum problema em seus olhos; mas é triste o fato de que os homens que têm pouca sabedoria possam, em geral, provocar um grande sorriso, zombando de um santo. Os pecadores arrogantes fazem dos homens piedosos bolas de futebol. Eles acham muito divertido ridicularizar um membro fiel do "Clube Santo"; os seus métodos de vida cuidadosa são material para suas brincadeiras sobre o "metódico"; e o seu ódio pelo pecado faz com que as línguas dos arrogantes se agitem contra o puritanismo melancólico e a hipocrisia excessivamente convencional. Se Davi foi tão enormemente ridicularizado, não podemos esperar escapar ao escárnio dos ímpios. Há exércitos de soberbos, ainda sobre a face da terra, e se encontrarem um crente em aflição, serão suficientemente mesquinhos, e suficientemente cruéis, para fazer brincadeiras às custas dele. É a natureza do filho da escrava zombar do filho da promessa.

"Apesar disso, não me desviei da tua lei." Assim, os que zombam não atingiram o seu objetivo; eles riram, mas não venceram. O homem piedoso, tão longe de se desviar do caminho correto, nem mesmo faz com que o seu passo vacile, nem, de maneira alguma, o afasta de seus santos hábitos. Muitos teriam se desviado, muitos se desviaram, mas não Davi. Ceder aos tolos – ainda que o mínimo possível – é o mesmo que dar-lhes uma grande honra. A sua alegria profana não nos causará mal, se não prestarmos atenção a ela, assim como a luz nada sofre por parte dos cães que ladram para ela. A lei de Deus é a nossa estrada para a paz e a segurança, e aqueles que riem de nós por causa dela não desejam o nosso bem.

Com base no versículo 61, nós percebemos que Davi não foi dominado pelo espólio dos seus bens, não mais do que por estas cruéis zombarias. Veja também o versículo 157, onde a multidão de perseguidores e inimigos foi frustrada nos seus esforços para fazê-los se desviar dos caminhos de Deus.

52. *"Lembrei-me dos teus juízos antiquíssimos, ó Senhor; e, assim, me consolei."* Ele tinha pedido que o Senhor se lembrasse, e aqui ele se lembra de Deus e dos seus juízos. Quando não vemos alguma exibição imediata do poder divino, é prudente voltarmos a recorrer aos registros de eras passadas, uma vez que eles estão tão disponíveis como se tais eventos tivessem ocorrido ontem, uma vez que o Senhor não muda; Ele é sempre o mesmo. A nossa verdadeira consolação deve ser encontrada naquilo que o nosso Deus opera em nome da verdade e da justiça, e como as histórias antigas estão repletas de interposições divinas, é bom estarmos totalmente familiarizados com elas. Além disto, se nós estivermos avançados em idade, temos as providências dos nossos primeiros dias para rever, e eles não devem, de maneira alguma, ser esquecidos, ou excluídos de nossos pensamentos. O argumento é bom e sólido: aquele que se mostrou forte para o bem do seu povo crente é o Deus imutável, e por isto podemos esperar a libertação das suas mãos.

O sorriso dos soberbos não nos perturbará, quando nos lembrarmos de como o Senhor lidou com os seus predecessores no passado; Ele os destruiu com o dilúvio, Ele os confundiu em Babel, Ele os afogou no Mar Vermelho, Ele os expulsou da Canaã; em todas as gerações, Ele agitou seu braço contra os arrogantes, e os rompeu como vasos de barro. Embora nos nossos corações nós bebamos, humildemente, da misericórdia de Deus na quietude, não deixamos de ter a nossa consolação em épocas de agitação e desvio; pois então recorremos à justiça de Deus, e nos lembramos de como Ele zomba dos escarnecedores: "Aquele que se assenta nos céus ri, o Senhor os faz desviar".

Quando estava sendo enormemente escarnecido, o salmista não se assentou em desespero, mas combateu e se restabeleceu. Ele sabia que a consolação é necessária para a força e a resistência no serviço e para suportar a perseguição, e por isto se consolava. Ao fazer isto, ele recorria não tanto ao lado doce, mas ao firme, das decisões do Senhor, e confiava nos seus juízos. Se pudermos encontrar doçura na justiça divina, muito mais a perceberemos no amor e na graça divinos. Quão completamente deve estar em paz com Deus este homem que consegue encontrar consolação, não somente nas suas promessas, mas nos seus juízos. Até mesmo as coisas terríveis de Deus são animadoras para os crentes. Eles sabem que nada é mais benéfico para todas as criaturas de Deus do que serem governadas por uma mão forte que lhes fará justiça. O justo não teme a espada do governante, que é um terror apenas para os malfeitores. Quando o homem devoto é tratado de maneira injusta, encontra consolação no fato de que há um Juiz de toda a terra, que irá defender os seus eleitos, e reparar os males destes tempos desordenados.

53. *"Grande indignação se apoderou de mim, por causa dos ímpios que abandonam a tua lei."* Ele estava horrorizado com os atos dos ímpios, com a soberba que os levou a isto, e com a punição que certamente lhes sobreviria. Quando pensava nos antigos juízos de Deus, ele se enchia de terror pelo destino dos ímpios, que seria terrível. O riso deles não o tinha afligido, mas ele se angustiou por uma previsão da derrota deles. As verdades que sempre os divertiram lhe causaram assombro. Ele os viu afastando-se completamente da lei de Deus, e deixando-a como um caminho abandonado e coberto de vegetação, por falta de tráfico, e este abandono da lei o enchia com as mais dolorosas emoções; ele se assombrou com a iniquidade deles, e se impressionou com a sua presunção, e se alarmou com a expectativa da sua súbita derrota, e se surpreendeu com o terror da sua certa condenação.

Veja os versículos 106 e 158, e observe a ternura que combinava tudo isto. Aqueles que creem mais firmemente na punição eterna dos ímpios são os que mais lamentam o seu destino. Fechar os olhos para o terrível destino dos ímpios não é prova de ternura. A compaixão é mostrada de maneira muito melhor, quando se tenta salvar os pecadores, do que quando se tenta tornar as coisas agradáveis ao seu redor. Oh, se nós ficássemos mais angustiados quando pensamos no destino dos ímpios, no lago de fogo! A atitude da maioria das pessoas consiste em fechar os olhos e se esquecer de tudo o que esteja relacionado a este assunto, ou fingir que duvida da condenação dos iníquos; este não é o caminho do servo fiel de Deus.

54. *"Os teus estatutos têm sido os meus cânticos no lugar das minhas peregrinações."* Como outros servos de Deus, Davi sabia que não estava em casa neste mundo, mas era um peregrino passando por ele, em busca de um lugar melhor. No entanto, ele não suspirou por este fato, mas cantou sobre ele. Ele não nos diz nada sobre os seus suspiros de peregrino, mas fala dos seus cânticos de peregrino. Até mesmo o palácio onde ele habitava era apenas *"o lugar das suas peregrinações"*, a hospedaria onde ele descansava, a estação onde tinha feito uma parada por algum tempo. Os homens estão acostumados a cantar quando chegam ao seu alojamento, e isto fez este devoto visitante; ele cantou os cânticos de Sião, os estatutos do grande Rei. Os mandamentos de Deus eram tão conhecidos dele quanto as canções da sua nação, e eram agradáveis

ao seu gosto, e musicais para os seus ouvidos. Feliz é o coração que encontra a sua alegria nos mandamentos de Deus, e faz da obediência a sua diversão. Quando a religião recebe música, é bom. Quando nós cantamos nos caminhos do Senhor, isto mostra que os nossos corações estão neles. Os nossos salmos são cânticos de peregrinações, cânticos de degraus, mas são cânticos que podemos cantar por toda a eternidade, pois os estatutos do Senhor são o saltério do céu.

Os santos encontram horror no pecado, e harmonia na santidade. Os ímpios evitam a lei, e os justos cantam sobre ela. No passado, nós cantamos os estatutos do Senhor, e neste fato podemos encontrar consolação na angústia atual. Uma vez que os nossos cânticos são tão diferentes dos cânticos dos soberbos, podemos esperar um estribilho diferente no final, e cantar em um lugar distante da sua residência.

Observe como, nos sextos versículos de seus respectivos conjuntos de oito, frequentemente encontramos decisões de bendizer a Deus, ou registros de testemunho. No versículo 46, está escrito, "Falarei", e no 62, "me levantarei para te louvar", ao passo que aqui, o salmista fala de cânticos.

55. *"De noite, me lembrei do teu nome, ó Senhor."* Quando os outros dormiam, eu me despertei, para pensar em ti, na tua pessoa, nos teus atos, no teu concerto, no teu *nome* – e sob este último termo ele compreende o caráter divino, até onde foi revelado. Ele ansiava tanto pelo Deus vivo, que despertou no meio da noite, para pensar nele. Estes eram os pensamentos noturnos de Davi. Se não eram lembranças ensolaradas, eram lembranças do Sol da Justiça. É bom quando a nossa lembrança nos fornece consolação, de modo que possamos dizer, como o salmista: tendo sido ensinado antes a te conhecer, eu somente tive que lembrar-me das lições da tua graça, e o meu coração foi consolado. Este versículo nos mostra não somente que o homem de Deus tinha se lembrado, mas que ainda se lembrava do Senhor, seu Deus. Nós devemos santificar o nome de Deus, e não poderemos fazer isto, se ele não estiver na nossa lembrança.

"E observei a tua lei." Ele encontrou a santificação através da meditação; pelos pensamentos da noite, ele controlava os atos do dia. Assim como os atos do dia frequentemente criam os sonhos da noite, também os pensamentos da noite produzem as obras do dia. Se não conservarmos o nome de Deus na nossa lembrança, não guardaremos a lei de Deus na nossa conduta. O esquecimento da mente nos leva ao esquecimento da vida.

Quando ouvimos os cânticos noturnos daqueles que festejam, temos neles a evidência de que são pessoas que não guardam a lei de Deus; mas as tranquilas reflexões dos homens piedosos são provas positivas de que o nome do Senhor é precioso para eles. Nós podemos julgar tanto as nações como também os homens pelos seus cânticos; e no caso dos justos, o seu cântico e o seu modo de pensar são indicações do seu amor por Deus; quer elevem as suas vozes, quer se assentem em silêncio, ainda pertencerão ao Senhor. Bem-aventurados são os homens cujos "pensamentos noturnos" são lembranças da luz eterna; eles serão lembrados pelo seu Senhor, quando a noite da morte vier. Leitor, os seus pensamentos no escuro da noite estão cheios de luz, porque estão cheios de Deus? O seu nome é o assunto natural das suas reflexões noturnas? Se sua resposta for sim, então isto lhe dará um tom para as suas horas da manhã e da tarde. Ou você dedica toda a sua mente às preocupações e aos prazeres fugazes deste mundo? Se for assim, não é de admirar que você não viva como deveria viver. Nenhum homem é santo por acaso. Se não tivermos a lembrança do nome do Senhor, provavelmente não nos lembraremos dos seus mandamentos; se não pensarmos nele em segredo, não obedeceremos a Ele abertamente.

56. *"Isto fiz eu, porque guardei os teus mandamentos."* Ele tinha esta consolação, esta lembrança de Deus, este poder de cantar, esta coragem para enfrentar o inimigo, esta esperança na promessa, porque tinha observado fervorosamente os mandamentos

de Deus, e tinha se esforçado para andar neles. Nós não somos recompensados pelas nossas obras, mas há uma recompensa *nelas*. Muitas consolações são obtidas somente por um modo de vida cuidadoso; nós podemos, com certeza, afirmar, sobre tais consolações, "isto fiz eu, porque guardei os teus mandamentos". Como podemos desafiar a zombaria, se estamos vivendo de modo incoerente? Como poderemos recordar de modo consolador o nome do Senhor, se vivermos de modo descuidado? Pode ser que Davi queria dizer que ele tinha sido capaz de guardar a lei, porque tinha observado os preceitos, em separado; ele tinha considerado detalhadamente os mandamentos, e assim tinha alcançado a santidade da vida. Ou, ao guardar determinados preceitos, ele tinha conquistado a força espiritual para guardar outros; pois Deus dá mais graça àqueles que têm alguma quantidade dela, e aqueles que aproveitam os seus talentos se aprimorarão. Pode ser melhor deixar a passagem em aberto, como faz a nossa versão, de modo que possamos dizer, sobre mil bênçãos inestimáveis, "elas nos vieram, no caminho da obediência". Tudo o que possuímos são as dádivas da graça, e algumas delas vêm sob a forma de recompensas; mas mesmo a recompensa não é de dívida, mas de graça. Deus opera em nós boas obras, em primeiro lugar, e depois nos recompensa por elas.

Aqui temos uma conclusão desta seção do salmo, pois este versículo é um forte argumento para a oração com que a seção se iniciou. O doce cantor tinha evidência de ter guardado os preceitos de Deus, e por isto podia, ainda mais apropriadamente, implorar que o Senhor cumprisse as suas promessas. Ao longo de toda a passagem podemos encontrar alegações, especialmente nos dois *"lembrei"*. "Lembrei-me dos teus juízos antiquíssimos" e "me lembrei do teu nome"; "Lembra-te da palavra dada ao teu servo".

NOTAS SOBRE OS VERSÍCULOS 49 A 56

v. 49: "Lembra-te da palavra dada ao teu servo", etc. Aqueles que fazem das promessas de Deus a sua porção, podem, com humilde ousadia, fazer delas o seu apelo. Deus deu a promessa em que o salmista esperava, e a esperança pela qual ele aceitava a promessa. – *Matthew Henry*

v. 49: "Lembra-te da palavra dada ao teu servo", etc. Quando nós ouvimos alguma promessa na palavra de Deus, devemos convertê-la em uma oração. As promessas de Deus são compromissos que Ele mesmo assumiu. Ore a Ele sem duvidar, pois não há dúvidas de que as cumprirá. Ele se apraz em que nós contendamos com Ele, por causa das suas promessas. Ora, Senhor, tu me fizeste esta promessa, e aquela, não podes negar a ti mesmo, não podes negar a tua própria verdade; não podes deixar de ser Deus, e assim como não podes deixar de ser Deus, não podes negar a tua promessa, pois isto faz parte de teu caráter. *"Lembra-te da palavra, Senhor"*. Eu me lembro da tua promessa, *"na qual me fizeste esperar"*. Eu bem sei que jamais decepcionarias nem enganarias alguém. Tu me fizeste estas promessas, e me fizeste crer em ti, e "tu nunca falhas com aqueles que confiam em ti, por isto cumpra a tua palavra a mim". – *Richard Sibbes*

v. 49: "Lembra-te da palavra dada ao teu servo", etc. Deus promete salvação antes de dá-la, para estimular em nós o desejo dela, para exercitar a nossa fé, para provar a nossa sinceridade, para aperfeiçoar a nossa paciência. Para estes propósitos, Ele parece, algumas vezes, ter se esquecido da sua palavra, e ter abandonado aqueles a quem se engajou para socorrer e aliviar; neste caso, Ele deseja que nós, de certa forma, o lembremos da sua promessa, e solicitemos o seu cumprimento dela. Aqui, o salmista nos instrui a apresentar a nossa súplica sobre as seguintes bases: em primeiro lugar, porque Deus não pode provar falsa a sua própria palavra: *"Lembra-te da palavra dada"*; em segundo lugar, porque Ele jamais irá desapontar uma expectativa que Ele mesmo suscitou: *"Na qual me fizeste esperar"*. – *George Horne*

vv. 49, 52 e 55: "Lembra-te". "Lembrei-me". Assim como Davi pede que o Senhor se lembre da sua promessa, também declara, no versículo 52, que se lembrou dos juízos de Deus, e foi consolado; e no versículo 55, que se lembrou do nome do Senhor à noite. É apenas zombar de Deus, desejar que Ele se lembre da sua promessa feita a nós, quando não temos consciência da promessa que fizemos a Ele. Mas, ai, com que frequência falhamos neste dever, e por nosso próprio erro diminuímos a consolação que poderíamos ter nas promessas de Deus no dia da nossa aflição. – *William Cowper*

v. 49: "teu servo". Esteja certo da sua qualificação; pois Davi pede aqui, parcialmente como um servo de Deus, e parcialmente como um crente. Em primeiro lugar, "Lembra-te da palavra dada ao teu servo", e depois, "na qual me fizeste esperar". Há uma dupla qualificação: com respeito ao preceito da submissão, e à promessa de dependência. O preceito vem antes da promessa. Têm direito às promessas, e com razão podem se apegar a elas, os que são servos de Deus; somente aqueles que se dedicam a obedecer aos seus preceitos podem aplicar apropriadamente as suas promessas a si mesmos. Ninguém pode reivindicar a graça de recompensa, senão os que participam da graça santificadora. Deixem claro que vocês são servos de Deus, e então estas promessas que são oferecidas de modo geral serão de vocês, como se o nome de vocês estivesse inserido na promessa, e escrito na Bíblia. – *Thomas Manton*

v. 49: "Me fizeste esperar". Devemos nos lembrar, em primeiro lugar, que as promessas que nos são feitas são parte da misericórdia gratuita de Deus; que a graça para crer, que é a condição da promessa, também vem dele; pois "a fé é a dádiva de Deus"; em terceiro lugar, que os argumentos pelos quais Ele confirma a nossa fé na certeza da nossa salvação são obtidos dele mesmo e não de nós. – *William Cowper*

v. 50: "Isto é a minha consolação", etc. A palavra de promessa de Deus era a consolação de Davi, porque a palavra o tinha vivificado para receber a consolação. O original permite outra modificação de pensamento – *"Isto é a minha consolação, porque a tua palavra me vivificou"*. Ele tinha a feliz experiência dentro de si; ele sentia o poder da palavra, que revive, restaura e vivifica, quando lia, quando meditava sobre ele, quando o estudava, e quando se entregava ao caminho da palavra. O crente tem todas as promessas infalíveis de Deus, nas quais confiar, e enquanto confia, ele ganha força, pelas suas próprias experiências felizes na fidelidade da palavra. – *John Stephen*

v. 50: "Minha consolação". "A tua palavra". Deus nos deu as suas Escrituras, a sua palavra; e as consolações que são obtidas delas são fortes, porque são as suas consolações, uma vez que vêm do seu mundo. A palavra de um príncipe consola, ainda que ele não esteja ali para pronunciá-la. Ainda que seja por carta, ou por mensageiro, aquele a quem pertence a palavra, é alguém capaz de cumpri-la. Deus é Senhor, e Mestre do seu mundo. A palavra de Deus é consoladora, e todas as razões que há nela, e que são deduzidas dela, com boa base e consequência, são consoladoras, porque é a palavra de Deus. Estas consolações na palavra de Deus, e as razões dela obtidas, são maravilhosas, em variedade. Há consolação na liberdade de um cristão, porque ele tem livre acesso ao trono da graça; consolação nas prerrogativas de um cristão, porque ele é filho de Deus, porque é justificado, porque é herdeiro do céu, etc.; consolação das promessas da graça, da presença de Deus, da ajuda pela sua presença. – *Richard Sibbes*

v. 50: "Consolação". *Nechamah*; de onde deriva o nome de Neemias. A palavra aparece apenas em Jó 6.10.

v. 50: "Consolação". O verbo em hebraico traduzido como *consolar* significa, em primeiro lugar, arrepender-se, e então, consolar. E certamente a mais doce alegria vem das lágrimas mais certas. As lágrimas geram a alegria espiritual. Depois que Ana chorou, se foi, e o seu semblante já não era triste. A abelha ajunta o melhor mel das mais amargas ervas. Cristo transformou a água no melhor vinho...

As consolações do Evangelho são, em primeiro lugar, consolações inexprimíveis (1 Pe 1.8; Fp 4.4). Em segundo lugar, são reais (Jo 14.27); todas as demais são apenas consolações visuais, apenas consolações falsificadas. Em terceiro lugar, são santas consolações (Is 64.5; Sl 138.5); elas fluem de um Espírito Santo, e nada pode vir do Espírito Santo, exceto aquilo que é santo. Em quarto lugar, são as maiores e mais fortes consolações (Ef 6.17). Poucas mentes e poucos corações são capazes de recebê-las, assim como poucas são capazes de suportar o vinho forte. Em quinto lugar, elas alcançam o homem interior, até a alma (2 Ts 2.17), a parte mais nobre do homem. "A minha alma se alegra em Deus", meu Salvador. As nossas outras consolações somente alcançam a face, não chegam tão profundamente como, por exemplo, ao coração. Em sexto lugar, elas são as consolações que mais preenchem e satisfazem a alma (Sl 16.11; Ct 2.3). Outras consolações não alcançam a alma, e por isto não podem preencher nem satisfazê-la. Em sétimo lugar, elas consolam nas mais tristes angústias, na mais escura noite, e no dia mais tempestuoso (Sl 94.19, Hc 3.7, 8). Em oitavo lugar, são eternas (2 Ts 2.16). A alegria dos ímpios é como um vidro, brilhante e frágil, sempre com risco de quebrar, mas a alegria dos santos é eterna. – *Thomas Brooks*

v. 50: "A tua palavra me vivificou". A palavra de Deus é um consolo renovador que vivifica a alma. Muitas vezes nós parecemos estar mortos para todas as operações espirituais, os nossos sentimentos estão entorpecidos e desencorajados; mas a palavra de Deus infunde vida aos mortos, e nos alivia nas nossas maiores angústias. A angústia opera a morte, mas a alegria é a vida da alma. Quando estiver morto a toda razão e a todo sentimento, "o justo, pela sua fé, viverá" (Hc 2.4) e a esperança operada em nós pelas Escrituras é "uma viva esperança" (1 Pe 1.3). Outras coisas arranham a ferida, mas a nossa dor respira novamente, e corre; a fé penetra no interior de um homem, e faz bem ao coração; e a alma revive, confiando em Deus, e obtém viva e força. – *Thomas Manton*

v. 50: "A tua palavra me vivificou". Aqui, como fica evidente pela menção a "angústia" – e, na verdade, ao longo de todo o salmo – o verbo *"vivificar"* é usado, não meramente com o sentido externo de "preservação da morte" (Hupfeld), mas de "reviver o coração", "infundir nova coragem", etc. – *J. J. Stewart Perowne*

v. 50: "A tua palavra me vivificou". Ela me fez viver, quando eu estava morto no pecado; muitas vezes me infundiu vida, quando eu estava morto no dever; e me vivificou ao que é bom, quando eu estava relutante e contrário a isto; e me vivificou no que é bom, quando eu era frio e indiferente. – *Matthew Henry*

v. 50 (segunda parte): Adore a graça distinta de Deus, se você já sentiu a força e a autoridade da palavra na sua consciência, se puder dizer, como Davi, *"A tua palavra me vivificou"*. Cristão, bendiga a Deus, porque Ele não somente lhe deu a sua palavra, como regra de santidade, mas a sua graça, como princípio de santidade. Bendiga a Deus porque Ele não somente escreveu a sua palavra, mas a selou sobre o seu coração, e a tornou eficaz. Você não pode dizer que é de inspiração divina, porque você sente que é de vigorosa operação? Oh, graça gratuita! Que Deus envie a sua palavra, e te cure, que Ele cure a ti, e não a outros! As mesmas Escrituras que para eles são uma letra morta, devem ser, para ti, um cheiro de vida. – *Thomas Watson*

v. 51: "Os soberbos zombaram grandemente de mim". Os santos de Deus se queixaram disto em todas as gerações; Davi se queixou dos seus escarnecedores; os abjetos zombavam dele.

Jó foi desdenhado pelos filhos daqueles pais aos quais ele teria desdenhado de pôr com os cães do seu rebanho (Jó 30.1). José foi chamado de sonhador, Paulo de falador, o próprio Cristo de samaritano, e com intenção de ofensa, de carpinteiro... Mical era estéril, mas teve inúmeros filhos, que zombam do hábito e dos exercícios de santidade. Não pode haver maior argumento de uma alma infame, do que a zombaria em relação aos serviços religiosos. Os corações mundanos nada veem nestes atos, senão tolice e loucura; a piedade é desagradável aos seus paladares. – *Thomas Adams*

v. 51: "Os soberbos", etc. O escárnio se origina da soberba (Pv 3.34, com 1 Pe 5.5). – *John Trapp*

v. 51: "Grandemente". A palavra significa "continuamente", a Septuaginta traduz como σφόδρα, a Vulgata Latina, como *usque valde*, e *usque longe*. Eles zombavam dele com toda a amargura possível; e todos os dias escarneciam dele, de modo que esta era uma tentação angustiosa e perpétua. – *Thomas Manton*

v. 51: "Zombaram". Davi conta que tinha sido ridicularizado pela sua religião, mas isto não tinha sido suficiente para afastá-lo dela. Eles riam dele porque orava, e o consideraram como hipócrita pela sua seriedade, e tolo pela sua rigidez, considerando o seu zelo como algo desnecessário. – *Matthew Henry*

v. 51: É uma grande qualidade de um soldado comportar-se bem sob fogo; mas é uma coisa ainda maior que um soldado da cruz seja firme no dia da sua tentação. Não fere os cristãos que os cães ladrem para eles. – *William S. Plumer*

vv. 50 e 51: A vida e o vigor que me foram infundidos pela promessa que *"me vivificou"* me fizeram *"não me desviar da tua lei"*, apesar de que *"os soberbos zombaram grandemente"* de mim, fazendo tudo o que podiam, com suas zombarias, para impedir que eu observasse a tua lei. – *Robert Bellarmine*

v. 52: "Lembrei-me dos teus juízos antiquíssimos". É bom ter alguns exemplos das atitudes de Deus em relação aos seus servos, armazenados no depósito de uma lembrança santificada, de modo que, por eles, a fé possa ser fortalecida no dia de angústia; pois assim nós somos ensinados. – *David Dickson*

v. 52: "Lembrei-me dos teus juízos". Ele se lembrou de que, no início, Adão, por causa da transgressão ao mandamento divino, foi expulso e proibido de habitar no Paraíso; que Caim, condenado pela autoridade da sentença divina, pagou o preço pelo seu crime parricida; que Enoque, arrebatado ao céu devido à sua devoção, escapou ao veneno da iniquidade terrena; que Noé, por causa da justiça que venceu o dilúvio, se tornou o sobrevivente da raça humana; que Abraão, por causa da fé, difundiu a semente da sua posteridade por toda a terra; que Israel, por suportar pacientemente dificuldades, consagrou um povo crente, pelo sinal do seu próprio nome; que o próprio Davi, por causa da docilidade, tendo recebido uma honra real, foi preferido aos seus irmãos mais velhos. – *Ambrósio*

v. 52: "Lembrei-me", etc. Jerônimo escreve sobre Paula, a senhora religiosa, que sabia de memória grande parte das Escrituras. Nós somos instruídos a permitir que "a palavra habite" em nós (Cl 3.16). A palavra é uma joia que adorna o homem interior, e não nos lembraremos dela? "Porventura, esquece-se a virgem dos seus enfeites?" (Jr 2.32). Alguns têm uma doença chamada *lienteria*, em que o alimento retorna com a mesma rapidez com que o comem, e não permanece no estômago, e por isto não os nutre. Da mesma maneira, se uma palavra não permanece na lembrança, não terá utilidade. Alguns podem se lembrar de uma notícia com mais facilidade do que de uma linha das Escrituras: as suas lembranças são como os lagos, onde vivem os sapos, mas os peixes morrem. – *Thomas Watson, "The Morning Exercises"*

v. 52: "Lembrei-me dos teus juízos... e assim, me consolei". Um caso de consciência pode ser proposto: como Davi poderia ser consolado pelos juízos de Deus, uma vez que parecia algo bárbaro alegrar-se com a destruição de alguém? Está escrito, "o que se alegra da calamidade não ficará impune" (Pv 17.5).

1. Devemos nos lembrar de que os juízos indicam os dois lados da dispensação justa de Deus, a libertação dos piedosos e a punição dos ímpios. No primeiro sentido,

não há motivo para escrúpulos, pois está escrito, "Mas o juízo voltará a ser justiça" (Sl 94.15); os sofrimentos dos homens bons devem ser usados para seu maior benefício, como mostra o contexto de que Deus não irá expulsar o seu povo, mas o juízo voltará a ser justiça. 2. O juízo, assim como significa punição dos ímpios, pode ser uma consolação, não como a calamidade de alguém, mas,

(1) quando o ímpio é punido, a cilada e a atração do pecado, que são a esperança de impunidade, são removidos; pois com a sua punição, os homens veem que é perigoso pecar contra Deus: "Havendo os teus juízos na terra, os moradores do mundo aprendem justiça" (Is 26.9); a cilada é removida de muitas almas.

(2) Cessam a sua zombaria e o seu escárnio da santidade; eles não mais irritam e atormentam as almas dos piedosos, dizendo, "Ah! Ah!" (Sl 40.15); é uma ferida para o seu coração, quando dizem, "Onde está o teu Deus?" (Sl 42.10). O juízo mata este mal.

(3) Os impedimentos e obstáculos para adorar e servir a Deus são removidos; depois que o joio é extirpado, o trigo tem mais lugar para crescer.

(4) A oportunidade de molestar os servos de Deus é removida, e a igreja não mais pode ser afligida por suas opressões, e assim é aberto o caminho para a ampliação do reino de Cristo.

(5) Assim, também a justiça de Deus é manifestada: "No bem dos justos, exulta a cidade; e, perecendo os ímpios, há júbilo" (Pv 11.10); "E os justos o verão, e temerão, e se rirão dele, dizendo: Eis aqui o homem que não pôs a Deus por sua fortaleza" (Sl 52.6, 7); Alegrai-vos sobre a Babilônia "vós, santos apóstolos e profetas, porque já Deus julgou a vossa causa quanto a ela" (Ap 18.20). Quando a palavra de Deus se cumpre, certamente então poderemos nos alegrar porque a sua justiça e verdade serão aclaradas. – *Thomas Manton*

v. 52: A palavra *mishphatim, "juízos"* é usada nas Escrituras, seja para as leis promulgadas, seja para os juízos executados em conformidade com estas leis. As primeiras podem ser chamadas de juízos da sua boca, pois "lembrai-vos das maravilhas que fez, dos seus prodígios e dos juízos da sua boca" (Sl 105.5), e os outros, os juízos da sua mão. Assim como ambos são chamados de juízos, também ambos podem ser considerados *"antiquíssimos"*. Os seus decretos e estatutos que têm em si mesmos uma justiça eterna, e que foram gravados no coração dos homens inocentes, poderão ser considerados "antiquíssimos", e como, desde o princípio do mundo, Deus vem punindo os ímpios, e libertando os piedosos, no devido tempo, as suas dispensações judiciárias também podem ser descritas assim. A questão não é tanto se nós os interpretamos como seus estatutos ou decretos, pois ambos contêm consolação, e nós podemos ver a destruição dos ímpios na palavra, se não a virmos na providência. Mas eu os interpreto como um daqueles atos de justiça registrados nas Escrituras, que Deus, como um juiz justo, executou em todas as gerações, de acordo com as promessas e ameaças anexas às suas leis. Somente neste sentido eu devo chamar a sua atenção – os juízos indicam as suas misericórdias na libertação dos seus servos justos, assim como as suas punições para os ímpios; as oportunas imposições do seu socorro para alguém nas maiores angústias, assim como a sua justa vingança sobre outra pessoa, apesar de sua maior prosperidade. – *Thomas Manton*

vv. 52 e 55: "Lembrei-me dos teus juízos", "De noite, me lembrei do teu nome". Thomas Fuller assim escreve em sua obra "David's Heartie Repentance":

"Em diversas obras ele dividiu os seus dias,
fazendo do seu trabalho a sua diversão;
para a oração, ele separou a preciosa manhã;
a tarde, dedicou-se à meditação;

As doces histórias sagradas reservou para a noite,
para ler sobre a mansidão de Moisés, e a força de Sansão:
Isto era a sua alegria, somente isto era o seu prazer".

v. 53: "Grande indignação se apoderou de mim, por causa dos ímpios". Eu tive claras visões da *eternidade*; vi a bem-aventurança dos *piedosos*, em boa medida, e desejei compartilhar da sua feliz condição, além de estar confortavelmente satisfeito pelo fato de que, pela graça, eu o farei; mas, oh, que angústia emerge em minha mente, pensar em uma *eternidade* para aqueles que estão *sem Cristo*, para aqueles que estão enganados, e que levam suas falsas esperanças consigo para a sepultura! A visão foi tão assombrosa que eu não pude, de nenhuma maneira, suportá-la; os meus pensamentos se horrorizaram, e eu disse (com um sentimento mais comovedor do que antes) "Quem dentre nós habitará com as labaredas eternas?" – *David Brainerd, 1718-1747*

v. 53: "Grande indignação se apoderou de mim", etc. Oh, quem pode expressar qual é a condição de uma alma em tais circunstâncias! Tudo o que podemos dizer sobre isto somente fornece uma ideia muito frágil e tênue; é inexprimível e inimaginável; pois quem conhece o poder da ira de Deus?

Quão terrível é a condição daqueles que estão, todos os dias, e em todos os momentos, correndo o risco desta grande ira e infinita desgraça! Mas este é o caso desanimador de cada alma nesta congregação, que não tenha nascido de novo, por mais morais, rígidas, sóbrias e religiosas que elas possam ser. Oh, que você considere isto, seja você jovem ou velho! Há uma razão para pensar que há muitos nesta congregação, ouvindo estas palavras, que, na verdade, estarão sujeitos a esta mesma desgraça por toda a eternidade. Não sabemos quem são, nem onde estão sentados, ou que pensamentos têm agora. Pode ser que agora estejam tranquilos, e ouçam todas estas coisas sem grande perturbação, e agora estejam se iludindo, pensando que não são as pessoas a que me refiro, e prometendo a si mesmos que irão escapar. Se nós soubéssemos que havia uma pessoa, e apenas uma, em toda a congregação, que viria a estar sujeita a esta desgraça, que coisa terrível de se imaginar! Se soubéssemos quem era, que visão terrível seria ver esta pessoa! Toda a congregação poderia erguer um lamentável e amargo clamor por ela! Mas, ai, infelizmente não apenas uma pessoa, mas muitos, provavelmente, se lembrarão destas palavras no inferno! – *Jonathan Edwards, em um sermão intitulado "Pecadores nas Mãos de um Deus Irado".*

v. 53: "Indignação". זַלְעָפָה (*zaleāpâ*) significa, a rigor, o vento quente e pestilento que os árabes chamavam de simoon (veja Sl 11.6); e aqui é usada em sentido figurado, como a mais horrível angústia mental; e destaca fortemente a ideia que o salmista tinha da natureza do pecado – pestilenta, que corrompe e que destrói. – *nota na Comprehensive Bible, de Bagster*

v. 53: "Indignação". A palavra para *"indignação"* significa também uma tempestade. As traduções variam; alguns interpretam, como Junius, "uma tempestade avassaladora"; Ainsworth, "um horror ardente se apoderou de mim", e explica tratar-se de uma tempestade de terror e desânimo. A Septuaginta, ἀθυμία κατέσχεν με, "fraqueza e depressão na mente me dominam"; e na nossa própria tradução, "estou horrivelmente temeroso"; todas as traduções, bem como a palavra original, indicam grande perturbação na mente, e uma comoção veemente; como uma tempestade, era um motivo de inquietação e tremor para Davi. – *Thomas Manton*

v. 53: "Por causa dos ímpios que abandonam a tua lei". Davi se angustiou, não porque ele mesmo fosse atacado, mas porque a lei de Deus era abandonada; e lamentou a condenação daqueles que o faziam, porque estavam perdidos para Deus. Esta é a mesma situação de um bom pai, ao ser maltratado por seu filho, na loucura dele, que lamenta não a sua própria desgraça, mas a do doente, e lamenta a ofensa, não por ser feita contra si mesmo, mas porque a pessoa doente não sabe o que faz, na sua loucura; também um homem de bem, quando vê que um pecador não reverencia nem honra os cabelos grisalhos de um pai, que tal filho o insulta diretamente, não sabendo, na loucura do pecado, que coisas inconvenientes e vergonhosas faz, se angustia por ele, como por alguém à beira da morte, e lamenta por ele, como por alguém que está desenganado pelos médicos. Como um bom médico, aconselha, em primeiro lugar, e mesmo que receba palavras, ainda que seja ofendido, enquanto o homem está doente, tem paciência com ele, e mesmo se amaldiçoado, não o abandona, e não recusa qualquer remédio que possa ser aplicado, nem se afasta como de uma pessoa teimosa, mas procura, com toda diligência, curá-lo, como alguém que merece o bem dele, exercendo não apenas a habilidade da ciência, mas também a benignidade de disposição. Da mesma maneira, um justo, quando é tratado com desprezo, não se afasta, mas quando é caluniado, considera isto loucura, e não depravação, e deseja, em lugar disto, aplicar o seu próprio remédio à ferida, e se solidariza, e se angustia, não por si mesmo, mas por aquele que se esforça sob uma doença incurável. – *Ambrósio*

v. 53: "Por causa dos ímpios que abandonam a tua lei"; não somente transgridem a lei do Senhor, como fazem todos os homens, uns mais, outros menos, mas voluntariamente e obstinadamente a desprezam, e a deixam para trás de si, e vivem em um caminho continuado de desobediência a ela; ou renegam a doutrina da palavra de Deus; deliberadamente negam a verdade, depois de terem tido um conhecimento especulativo dela; a sua punição é muito angustiosa (Hb 10.26-29); e agora parcialmente, por causa da ousada impiedade dos homens perversos, que estendem as suas mãos contra Deus, e se fortalecem contra o Todo-Poderoso, e o atacam, até mesmo as pequenas saliências do seu escudo; devido à natureza chocante do seu pecado, os tristes exemplos dados a outros, o detrimento que são para si mesmos, e a desonra que trazem a Deus; e parcialmente, por causa da terrível punição que lhes será infligida aqui, e especialmente no futuro, quando uma horrível tempestade de ira lhes sobrevirá. Por isso este temor domina o salmista; e há algo que acontece frequentemente: os homens de bem tremem mais pelos ímpios do que por si mesmos; veja o versículo 120. – *John Gill*

v. 54: "Os teus estatutos têm sido os meus cânticos". O salmista se alegra, sem dúvida, como os bons se alegram hoje, 1. Na própria lei; lei, como regra; lei como guia de conduta; lei como garantia de segurança. 2. Em tal lei como a de Deus – tão pura, tão santa, tão adequada para promover a felicidade do homem. 3. Na estabilidade desta lei, como constituindo a sua própria segurança pessoal, a base da sua esperança. 4. Na lei, na sua influência sobre o universo, preservando a ordem e assegurando a harmonia. – *Albert Barnes*

v. 54: "Os teus estatutos têm sido os meus cânticos". Nos primeiros séculos, era costumeiro compor as leis em versos, para que as pessoas pudessem aprendê-las, memorizá-las e cantá-las. – *Williams*

v. 54: "Os teus estatutos têm sido os meus cânticos". Os estatutos de Deus são aqui os *"cânticos"* do salmista, que lhe dão renovação espiritual, que suavizam as dificuldades da peregrinação, e medem e apressam os seus passos. – Franz Delitzsch.

v. 54: "Cânticos". Os viajantes cantam para ludibriar a monotonia do caminho; a mesma coisa fez Davi; e assim ele se consolava sob a indignação de que fala, no versículo 53. Grande é a consolação que nos vem, cantando os salmos com graça em nossos corações. – *John Trapp*

v. 54: "Cânticos".

"Estes cânticos têm o poder de aquietar
o pulsar inquieto das preocupações,

e vêm como a bênção
que se segue à oração.

E a noite se encherá de música,
e as preocupações que infestam o dia
dobrarão as suas tendas como os árabes,
e com o mesmo silêncio se irão".
– *Henry Wodsworth Longfellow*

v. 54: "Cânticos no lugar das minhas peregrinações". Por que, tudo o que é semelhante ao calor, na religião, é marcado com uma expressão de entusiasmo? O calor é esperado no poeta, no músico, no acadêmico, no amante – e até mesmo no comerciante é permitido, se não recomendado – por que, então, é condenado quando relacionado aos interesses da alma – um assunto que, infinitamente acima de todos os demais, exige e merece toda a energia da mente? Um prisioneiro exultaria com a proclamação da libertação, e o pecador redimido deve sair da sua escravidão sem ter se comovido, sem ter sido afetado, sem sentir gratidão ou alegria? Não. "Com alegria, saireis e, em paz, sereis guiados; os montes e os outeiros exclamarão de prazer perante a vossa face, e todas as árvores do campo baterão palmas". Que emoções o criminoso condenado sentirá, quando, em lugar da execução da sentença, ele receber o perdão? E o transgressor absolvido deverá ficar insensível e em silêncio? Não. "Sendo, pois, justificados pela fé, temos paz com Deus por nosso Senhor Jesus Cristo, pelo qual também temos entrada pela fé a esta graça, na qual estamos firmes; e nos gloriamos na esperança da glória de Deus. E não somente isto, mas também nos gloriamos nas tribulações... E não somente isto, mas também nos gloriamos em Deus por nosso Senhor Jesus Cristo, pelo qual agora alcançamos a reconciliação".

Muitos viajantes estão acostumados a diminuir a monotonia da sua jornada com um cântico. Os israelitas, quando se dirigiam, das regiões extremas da nação, três vezes ao ano, a Jerusalém para adorar, tinham cânticos específicos e recomendados, e cantavam durante o percurso. E sobre os justos, está escrito: "Cantarão os caminhos do Senhor. E os resgatados do Senhor voltarão e virão a Sião, com júbilo; e alegria eterna haverá sobre a sua cabeça". – *William Jay*

v. 54: "Cânticos no lugar das minhas peregrinações". Veja como o Senhor, na sua sábia dispensação, se concilia com as nossas fraquezas. A nossa vida está sujeita a muitas mudanças, e Deus, pela sua palavra, nos forneceu também muitas instruções e soluções. Cada tribulação tem a sua própria solução, e cada estágio da vida tem a sua própria instrução. Às vezes, a nossa angústia é tão grande, que não podemos cantar; então, devemos orar; às vezes, as nossas libertações são tão prazerosas, que devemos irromper em agradecimentos; então, devemos cantar; "Está alguém entre vós aflito? Ore. Está alguém contente? Cante louvores". Deus, pelo seu próprio Espírito, escreveu para nós orações para cada tribulação e salmos para cada libertação; de modo que agora somos mais do que inescusáveis, se falharmos nesta tarefa. – *William Cowper*

v. 54: "No lugar das minhas peregrinações". Esta expressão está de acordo com o original, isto é, quaisquer que sejam os lugares pelos que peregrinei durante a perseguição que Saul fez contra *mim. – Samuel Burder*

v. 54: "No lugar das minhas peregrinações". Vatablus explica isto, como se tratando do exílio de Davi entre os filisteus; quando ele foi expulso da sua nação natal e afastado de sua família – quando todas as outras consolações lhe falharam, a palavra do Senhor lhe forneceu motivo de alegria. E, na verdade, a expulsão dos servos de Deus pode lançá-los longe de seus familiares e conhecidos, mas os traz mais próximos do Senhor, e o Senhor, mais próximo deles. Prova disto está em Jacó, quando foi enviado e teve que passar a noite inteira nos campos, e encontrou uma presença de Deus mais familiar do que quando dormia em uma tenda, com seu pai e sua mãe.

Mas podemos, na verdade, como Basílio, considerar que aqui a referência é a toda a vida mortal de Davi: *omnem vitam suam peregrinationem vocare arbitror.* Assim Jacó reconheceu ao Faraó, que a sua vida era uma peregrinação; e Abraão e Isaque habitaram no mundo como estrangeiros.

O apóstolo Pedro, por isto, nos ensina que como peregrinos devemos nos abster das concupiscências da carne; e o apóstolo Paulo nos ensina a usar este mundo como se não o usássemos, pois os desejos, assim, desaparecem. De muitas maneiras esta lição nos é ensinada, mas somos lentos para aprendê-la. Ai, que tolice é esta, que um homem deseje habitar na terra, quando Deus o chama para ser um cidadão do céu! Mas grande é a consolação que temos com isto, porque as casas em que nos alojamos sobre a terra são apenas *lugares da nossa peregrinação.* Os fiéis israelitas suportaram a sua escravidão no Egito, ainda mais pacientemente, porque sabiam que seriam libertados dela. Se as casas da nossa servidão fossem mansões eternas, quão lamentável seria a nossa condição! Mas graças a Deus, são apenas cabanas para caminhada, e lugares da nossa peregrinação. Uma casa como esta foi o ventre de nossa mãe; se tivéssemos ficado encerrados ali para sempre, que carga teria sido para ela, que escravidão para nós! Uma casa assim será a nossa sepultura; e dela, devemos todos dizer, como Jó: "Se eu olhar a sepultura como a minha casa; se nas trevas estender a minha cama". Se nós tivéssemos que habitar ali para sempre, como estaríamos desconfortáveis. Mas, louvado seja Deus, a nossa mansão está no alto; e as casas pelas quais passamos aqui na terra são apenas os lugares da nossa peregrinação; e feliz é aquele que pode viver assim no mundo, considerando-se na sua própria casa, na sua própria cama, sim, no seu próprio corpo, apenas como um estranho, por causa da sua falta de comunhão com o Senhor. – *William Cowper*

v. 54: "Minhas peregrinações". Se os homens foram chamados de peregrinos, e a vida de jornada, então podemos acrescentar que a peregrinação cristã supera todas as jornadas, nos seguintes particulares: na benevolência do caminho, na beleza dos prospectos, na excelência da companhia, e na vasta superioridade das acomodações propiciadas para o viajante cristão, quando ele termina o seu percurso. – *H. G. Salter, The Book of Illustrations, 1840*

v. 55: "De noite, me lembrei do teu nome, ó Senhor", etc. Como a segunda parte do versículo depende da primeira, eu considero todo o versículo apresentando a mesma verdade; e, portanto, o profeta quer dizer que foi induzido, pela lembrança que tinha de Deus, a guardar a lei. O desprezo pela lei se origina no fato de que poucos têm alguma consideração por Deus; e por isto, as Escrituras, ao condenar a impiedade dos homens, declaram que eles *se esqueceram* de Deus (Sl 50.22; 78.11; 106.21).

O salmista não tem a intenção de que a palavra *"noite"* signifique a lembrança de Deus meramente por pouco tempo, mas uma lembrança perpétua dele; ele, no entanto, se refere a este período em particular, porque então praticamente todos os nossos sentidos estão dominados pelo sono. "Quando os outros estão dormindo, Deus aparece nos meus pensamentos, durante o meu sono". Ele tem outra razão para se referir ao período da noite: para que possamos saber que, embora ninguém o observasse, e ninguém o fizesse se lembrar, embora ele estivesse coberto pelas trevas, ele era tão solícito para apreciar a lembrança de Deus como se ocupasse o mais público e evidente lugar. – *João Calvino*

v. 55: "De noite, me lembrei do teu nome" e, portanto, *"observei a tua lei"* todo o dia. – *Matthew Henry*

v. 55: "De noite, me lembrei do teu nome, ó Senhor". Este versículo contém uma nova declaração do seu honesto afeto pela palavra de Deus. Nele, em primeiro lugar, observamos a sua *sinceridade;* ele era religioso, não somente em público, mas em particular; pois as práticas em particular são os mais seguros testes da verdadeira religião. Em público, frequentemente a hipocrisia faz com que os homens simulem ser o que não são; isto não acontece na devoção em particular; pois então, ou o homem, quando não tem consciência da adoração de Deus, a negligencia completamente, porque não há olhos de homem algum que o vigiem, ou, se ele for verdadeiramente religioso, em particular ele apresenta seu coração a Deus, procurando ser aprovado por Ele; pois o seu "louvor não provém dos homens, mas de Deus".

Novamente, isto defende o seu *fervor* na religião: pois assim como, em outras passagens, ele declara que amava a palavra mais do que o seu alimento, também aqui ele declara que desistiu do seu descanso noturno para que pudesse meditar sobre a palavra. Mas agora, com o zelo tão decaído nos professores, eles não abandonam a sua superfluidade, e muito menos os seus alívios necessários, por amor à palavra de Deus. – *William Cowper*

v. 55. "O teu nome, ó Senhor". O *"nome"* do Senhor é o seu caráter, a sua natureza, os seus atributos, as manifestações que Ele fez da sua santidade, da sua sabedoria, bondade e verdade. – *John Stephen*

v. 55: "De noite". Em primeiro lugar, isto é, *continuamente,* porque ele se lembrava de Deus também durante o dia. Em segundo lugar, *sinceramente,* porque ele evitava o aplauso dos homens. Em terceiro lugar, *com alegria,* porque o peso do sono natural não pôde dominá-lo. Tudo isto mostra que ele era *intensamente* dedicado à palavra; pois nós vemos que os homens do mundo dedicarão alguma parte da noite para seus prazeres. E no fato de que ele observava os testemunhos de Deus durante a noite, ele mostra que era o mesmo, na intimidade e em público; e com isto, ele condenou todos aqueles que encobrem a sua iniquidade com as trevas. Devemos examinar a nós mesmos: será que interrompemos o nosso sono para invocar a Deus, assim como o fazemos para satisfazer os nossos prazeres? – *Richard Greenham*

v. 55: "De noite". O pastor Harms de Hermansburg costumava pregar e orar e instruir o seu povo durante nove horas aos sábados. E quando a sua mente estava completamente exausta, e todo o seu corpo estremecida de dor, e ele parecia estar quase à beira da morte pela falta de repouso, não conseguia dormir. Mas costumava dizer que adorava ficar desperto durante a noite toda, no silêncio e na escuridão, pensando em Jesus. A noite removia qualquer outra coisa dos seus pensamentos, e deixava o seu coração livre para a comunhão com aquele a quem a sua alma amava mais devotamente, e que visitava e consolava o seu discípulo cansado nas vigílias noturnas. E assim os filhos de Deus frequentemente aproveitavam extraordinárias ocasiões de comunhão com Ele na solidão do exílio, na profunda escuridão da masmorra, na noite perpétua da cegueira, e em momentos em que todas as vozes e instruções do mundo tinham sido completamente afastadas, e a alma tinha sido deixada sozinha com Deus. – *Daniel March, "Night unto Night", 1880*

v. 55: "De noite". Não há um momento em que não seja adequado voltar-se para Deus e pensar no seu nome. Na escuridão da meia-noite, na escuridão da depressão mental, na escuridão das providências externas, Deus ainda é um tema apropriado. – *William S. Plumer*

v. 55: "De noite".

"Querida noite! a derrota deste mundo;
A pausa para os loucos atarefados; O freio para as preocupações;
o dia dos espíritos; o calmo retiro da minha alma
que ninguém pode perturbar!
O progresso de Cristo, e o seu momento de oração;
As horas com as quais os altos céus se harmonizam.

"O voo de Deus, em silêncio, sondando;
quando a cabeça do meu Senhor está cheia de orvalho e
todos os seus cachos estão molhados com as gotas claras da noite;
O seu chamado tranquilo e suave;
O momento da sua chamada; a vigília silenciosa da alma,
quando cada espírito encontra o seu semelhante".
– *Henry Vaughan, 1621-1695*

v. 55: "E observei a tua lei"; ainda que de maneira imperfeita, mas espiritualmente, sinceramente, fervorosamente e com um princípio de amor e gratidão, e tendo em vista a glória de Deus, e sem fins mercenários ou sinistros. – *John Gill*

v. 55: "E observei a tua lei". Horas de comunhão secreta com Deus devem resultar no desejo de uma maior conformidade com a sua santa vontade. É a lembrança de Deus que leva à observância da sua lei, assim como é o esquecimento de Deus que possibilita toda espécie de transgressão. – *John Morison*

v. 55: "E observei". O verbo está no futuro, e talvez assim seja mais bem traduzido, expressando um propósito solene e deliberado de continuar com a obediência a Ele. – *William S. Plumer*

vv. 55 e 56: Àquele que se alegra em observar a lei de Deus, Deus lhe dará mais graça para observá-la, de acordo com aquele texto notável: *"De noite, me lembrei do teu nome, ó Senhor, e observei a tua lei. Isto fiz eu, porque guardei os teus mandamentos".* O que conseguiu Davi, por guardar os mandamentos de Deus? Ele teve forças para guardar a sua lei; isto é, para crescer na observância a ela. Assim como o profeta (Os 6.3) fala sobre o conhecimento de Deus: "Conheçamos e prossigamos em conhecer o Senhor", isto é, se nos esforçarmos em conhecer a Deus, teremos esta recompensa, de sermos capacitados de conhecê-lo mais, também posso dizer sobre a graça de Deus: aquele que se alegra em observar a lei de Deus terá a sua recompensa – será capacitado a observá-la de maneira mais perfeita. Uma alegria verdadeira na palavra de Deus é uma graça crescente. A graça é a mãe de toda a verdadeira alegria (Is 32.17) e a alegria é a filha; assim, mãe e filha vivem e morrem juntas. – *Edmund Calamy (1600-1666), "The Godly Man's Ark"*

v. 56: "Isto fiz eu, porque guardei os teus mandamentos". Assim como o pecado é uma punição pelo pecado, e os ímpios tornam-se cada vez mais ímpios, também a santidade é a recompensa da santidade. O uso correto de um talento o faz aumentar, e o princípio da santidade é abençoado com um crescimento da santidade. Os bons exercícios de Davi aqui o mantinham na lembrança do seu Deus, e a lembrança de Deus o tornava mais devoto e religioso. – *William Cowper*

v. 56: "Isto fiz eu", etc. Os rabinos têm um ditado análogo: *A recompensa de um preceito é um preceito;* ou, *Um preceito atrai um preceito.* O significado é que àquele que observa um preceito, Deus concede, como recompensa, a capacidade de observar outro preceito, ainda mais difícil. O contrário a isto é aquele outro ditado dos rabinos: *a recompensa de um pecado é um pecado;* ou, *transgressão atrai transgressão.* – *Simon de Muis, 1587-1644*

v. 56: "Isto fiz eu", isto é, isto aconteceu comigo, etc. Eu passei por muitos males e adversidades; mas, por outro lado, eu obtive as mais doces consolações da palavra, e fui coroado com muitas bênçãos por Deus.

Outros traduzem, Esta é minha ocupação, com isto eu me preocupo e isto eu desejo, guardar os teus mandamentos; *isto é,* apego-me à doutrina incorrupta, com fé e boa consciência. – *D. H. Mollerus*

v. 56: "Isto fiz eu", etc. Eu tive a consolação de guardar a tua lei *porque a guardei.* A obra de Deus traz consigo uma recompensa especial. – *Matthew Henry v. 56:* "Isto fiz eu", etc. O que é isto? Este consolo eu tive, este sustento eu tive em todas as minhas aflições, esta consolação eu tive, esta doce comunhão com Deus eu tive. Por que? *"Porque guardei os teus mandamentos"*. Obedeci à tua vontade. Quanto mais obediência for dedicada aos mandamentos de Deus, maior será a consolação que fluirá na alma. Deus normalmente concede consolações de modo proporcional à nossa obediência. Ó, a doce consolação, a satisfação da alma que encontra um filho de Deus, nos caminhos de Deus, e ao realizar a vontade de Deus, especialmente quando está no seu leito de morte; então ela lhe será mais doce do que o mel; então ele dirá, como o bom rei Ezequias, quando estava no seu leito de morte: "Senhor, lembra-te, peço-te, de que andei diante de ti em verdade e com coração perfeito e fiz o que era reto aos teus olhos". Ó, doce satisfação que a alma encontra em Deus, quando comparece diante de Deus! – *James Nalton, 1664*

v. 56: "Isto fiz eu", etc. Ou, "Esta foi minha *consolação*: o fato de que guardei teus mandamentos"; o que é praticamente a interpretação da versão siríaca, e traduz mais plenamente o sentido. – *nota na Comprehensive Bible, de Bagster*

v. 56: "Isto fiz eu", etc. Quando eu ouço o povo fiel de Deus, falando do seu amor, e dizendo: *"Isto fiz eu"*, não devo, se estiver incapaz de acompanhar o seu alegre reconhecimento, atribuir isto ao meu andar infiel, e dizer, "Isto não fiz eu" – porque falhei na obediência aos teus preceitos; porque fui descuidado e desenfreado; porque desprezei o teu amor; porque "entristeci o teu Espírito Santo" e me esqueci de "perguntar pelas veredas antigas, qual é o bom caminho, e andar por ele; e achar descanso para a minha alma"? (Jr 6.16). – *Charles Bridges*

v. 56: Davi diz, indefinidamente, *"Isto fiz eu"*; não nos contando qual era o bem ou o privilégio – somente de modo geral, era algum benefício que lhe resultava nesta vida. Ele não diz, Isto espero, mas *"Isto fiz eu"*; e por isto ele não fala da recompensa abundante na vida futura. No céu, nós receberemos a recompensa abundante da obediência; mas aquele que anda atento, que confia em Deus em humilde e constante obediência, terá suficiente encorajamento, até mesmo nesta vida. Não somente será bem-aventurado, mas é bem-aventurado; ele tem alguma coisa na mão, e também na esperança: como diz Davi neste Salmo 119, não somente será bem-aventurado, mas é bem-aventurado; como aqueles que viajavam para Sião, encontraram uma fonte pelo caminho: "o qual, passando pelo vale de Baca, faz dele uma fonte; a chuva também enche os tanques" (Sl 84.6). Em um deserto árido e estéril, pelo qual deviam passar, não foram deixados sem consolação, mas encontraram uma fonte ou uma cisterna; isto é, eles tiveram alguma consolação assegurada a eles, antes que viessem a desfrutar da presença de Deus em Sião; tiveram algum alívio pelo caminho. Como os servos que, além de seus salários, têm os seus véus, também, além da recompensa futura, nós temos nossas consolações e nossos sustentos atuais, durante o nosso serviço, que são suficientes para contrabalançar as alegrias terrenas e superar os maiores prazeres que os homens podem esperar no caminho do pecado. Diante dos benefícios que os crentes encontram, andando com Deus em um caminho de obediência, todos podem dizer, *"Isto fiz eu, porque guardei os teus mandamentos"*. – *Thomas Manton*

EXPOSIÇÃO DOS VERSÍCULOS 57 A 64

57 *O Senhor é a minha porção; eu disse que observaria as tuas palavras.*
58 *Implorei deveras o teu favor de todo o meu coração; tem piedade de mim,*
segundo a tua palavra.
59 *Considerei os meus caminhos e voltei os meus pés para os teus testemunhos.*
60 *Apressei-me e não me detive a observar os teus mandamentos.*
61 *Bandos de ímpios me despojaram; apesar disso, eu não me esqueci da tua lei.*

62 *À meia-noite, me levantarei para te louvar pelos teus justos juízos.*
63 *Companheiro sou de todos os que te temem e dos que guardam os teus preceitos.*
64 *A terra, ó Senhor, está cheia da tua benignidade; ensina-me os teus estatutos.*

Nesta seção, o salmista parece se apegar firmemente ao próprio Deus; apropriar-se dele (57), clamar por Ele (58), retornar a Ele (59), consolar-se nele (61,62), associar-se com o seu povo (63), e suspirar desejando experiência pessoal da sua bondade (64). Observe como o primeiro versículo deste conjunto está conectado com o último do conjunto anterior, do qual, na verdade, é uma repetição ampliada. "Isto fiz eu, porque guardei os teus mandamentos. O Senhor é a minha porção: eu disse que observaria as tuas palavras".

57. *"O Senhor é a minha porção."* Uma sentença incompleta. Os tradutores a repararam, com inserções, mas talvez tivesse sido melhor deixá-la como era, e então ela apareceria como uma exclamação: "Minha porção, ó Senhor!" O poeta está perdido em assombro, quando vê que o grande e glorioso Deus é todo seu! Bem pode ser, pois não há possessão como o próprio Senhor. A forma da sentença expressa alegre reconhecimento e apropriação – "Minha porção, ó Senhor!" Davi frequentemente tinha visto o despojo ser dividido, e tinha ouvido os vitoriosos disputando-o; aqui, ele se alegra, como alguém que se apodera da sua parte do despojo; ele escolhe o Senhor como sua parte do tesouro. Como os levitas, ele tomou Deus para ser a sua porção, e deixou os outros assuntos àqueles que os cobiçassem. Esta é uma grande e duradoura herança, pois inclui tudo, e mais do que tudo, e dura mais do que tudo; e, no entanto, nenhum homem a escolhe por si mesmo, até que Deus o tenha escolhido e renovado. Quem, sendo verdadeiramente sábio, poderia hesitar por um momento, quando o Deus infinitamente bendito está diante dele, para ser o objeto da sua escolha? Davi aproveitou a oportunidade, e agarrou a bênção inestimável. Aqui o nosso autor ousa exibir o título de propriedade da sua porção, diante dos olhos do próprio Senhor, pois ele dirige as suas alegres palavras diretamente a Deus, a quem ousadamente ele chama de seu. Com muitas outras coisas para escolher, pois ele era um rei, e homem de grandes recursos, ele deliberadamente se afasta de todos os tesouros do mundo, e declara que o Senhor, Jeová, é a sua porção.

"Eu disse que observaria as tuas palavras." Nem sempre podemos olhar para trás com conforto sobre o que dissemos, mas neste caso, Davi tinha falado sabiamente e apropriadamente. Ele tinha declarado a sua escolha: ele preferiu a palavra de Deus à riqueza material. Foi a sua firme decisão de guardar – isto é, apreciar e observar – as palavras do seu Deus, e da mesma maneira como antes ele a tinha declarado solenemente na presença do próprio Senhor, também aqui ele confessa a obrigação do seu voto anterior. Jesus disse, "Se alguém me ama, guardará a minha palavra", e este é o caso que poderia ter citado como exemplo; pois o amor do salmista por Deus, como a sua porção, levou-o a guardar as palavras de Deus. Davi tomou Deus para ser o seu Príncipe, além de sua Porção. Ele estava confiante quanto ao seu interesse em Deus, e por isto estava decidido na sua obediência a Ele. A plena segurança é uma origem poderosa de santidade. As próprias palavras de Deus devem ser guardadas; pois quer estejam relacionadas à doutrina, à promessa, ou a preceitos, elas são muito preciosas. Quando o coração está determinado a guardar estas palavras, e tendo registrado o seu propósito no tribunal do céu, ele está preparado para todas as tentações e testes que possam lhe acontecer; pois, com Deus como sua herança, sempre estará em boa situação.

58. *"Implorei deveras o teu favor de todo o meu coração."* Uma possessão completamente assegurada de Deus não deixa de lado a oração, mas na verdade nos estimula a ela; aquele que sabe que Deus é o seu Deus irá buscar o seu rosto, ansiando pela sua presença. Buscar a presença de Deus é a ideia transmitida pela

leitura à margem, "teu rosto", e isto é verdade, para os hebreus. A presença de Deus é a mais alta forma da sua benevolência, e por isto é o desejo mais urgente das almas graciosas: a luz do seu semblante nos dá um preâmbulo do céu. Ó, que sempre desfrutemos dela! O homem de bem suplica o sorriso de Deus como alguém que implora pela sua vida, e toda a força do seu desejo acompanha a súplica. Estas súplicas fervorosas são certeza de sucesso; o que vem do nosso coração certamente chegará ao coração de Deus. Todos os favores de Deus estão prontos para quem os procura com todo o seu coração.

"Tem piedade de mim, segundo a tua palavra." Ele suplicou a benevolência, e a forma em que ele mais precisa dela é a forma da misericórdia, pois ele é mais pecador do que qualquer outra coisa. Ele nada pede, além da promessa, ele somente implora pela misericórdia que a palavra revela. E o que mais ele poderia desejar ou pedir? Deus revelou tal infinidade de misericórdia na sua palavra que seria impossível conceber mais. Veja como o salmista se estende sobre a benevolência e a misericórdia, que ele jamais sonhava em merecer. Ele não exige, mas suplica; pois sente a sua própria falta de merecimento. Observe como ele continua suplicando, embora saiba que tem tudo no seu Deus. Deus é a sua porção, e apesar disto, ele implora por um olhar para o seu rosto. A ideia de que alguém se apresente diante de Deus, não sem merecer, mas favorecido, não passava pela sua mente. Aqui temos a sua súplica, "Tem piedade de mim", elevando-se com tanta intensidade de humilde súplica como se ainda estivesse entre os mais amedrontados penitentes. A confiança que vem da fé nos torna corajosos na oração, mas não nos ensina como viver sem oração; nem nos justifica para sermos qualquer outra coisa, senão humildes pedintes à porta da misericórdia.

59. *"Considerei os meus caminhos e voltei os meus pés para os teus testemunhos."* Enquanto estudava a palavra, ele foi levado a considerar a sua própria vida, e isto provocou uma grande revolução. Ele veio à palavra, e depois caiu em si, e isto fez com que ele se levantasse e fosse até o seu Pai. A consideração é o princípio da conversão: nós pensamos, antes, e depois nos convertemos. Quando a mente se arrepende dos maus caminhos, os pés logo são conduzidos pelos bons caminhos; mas não haverá arrependimento, até que haja pensamento profundo e sincero. Muitos homens são contrários ao pensamento, de qualquer tipo, e quanto ao pensamento sobre os seus caminhos, eles não conseguem suportá-lo, pois os seus caminhos não resistirão ao pensamento. Os caminhos de Davi não tinham sido tudo o que ele teria desejado que fossem, e por isto os seus pensamentos são sóbrios com arrependimento; mas ele não se limita a inúteis lamentações, ele inicia uma correção prática; ele se converteu, buscou os testemunhos do Senhor, e se apressou para aproveitar, uma vez mais, a consciente benevolência do seu amigo celestial. A ação sem pensamento é loucura, e o pensamento sem ação é preguiça; pensar cuidadosamente e então agir prontamente é uma feliz combinação. Ele tinha suplicado pela comunhão renovada, e agora provava que era genuíno o seu desejo, pela obediência renovada. Se nós estivermos nas trevas, e lamentarmos um Deus ausente, o nosso método mais sábio não será o de pensar nas nossas angústias, mas sobre os nossos caminhos; embora não possamos modificar o curso da providência, podemos modificar o caminho do nosso andar, e isto logo corrigirá as coisas. Se nós conseguirmos adequar nossos pés, no que diz respeito ao andar santo, logo conseguiremos que nossos corações estejam adequados, quanto à vida feliz. Deus se voltará para os seus santos, quando eles se voltarem para Ele; sim, Ele já os favoreceu com a luz do seu semblante, quando começam a pensar e se converter.

60. *"Apressei-me e não me detive a observar os teus mandamentos."* Ele se apressou para retornar ao caminho real, do qual tinha se desviado, e a percorrer este caminho nas tarefas do Rei. A rapidez no arrependimento e a rapidez na obediência são duas coisas excelentes. Frequentemente nós somos rápidos para pecar; ó,

se pudéssemos ter rapidez maior para obedecer. A demora no pecado resulta no aumento do pecado. Ser lento para obedecer aos mandamentos é, na realidade, infringi-los. Há muito mal em um ritmo lento, quando o mandamento de Deus deve ser seguido. Uma diligência santa no serviço deve ser cultivada. Ela deve ser operada em nós pelo Espírito de Deus, e os versículos anteriores descrevem este método; nós somos levados a perceber e lamentar os nossos erros, somos conduzidos de volta ao caminho correto, e então ficamos ansiosos por compensar pelo tempo perdido, precipitando-nos para obedecer ao preceito.

Quaisquer que possam ser os escorregões e erros de um coração honesto, ainda restará nele o suficiente de vida fiel para produzir uma fervorosa piedade, quando ele for vivificado pelas visitações de Deus. O salmista pediu misericórdia; e quando a recebeu, se tornou fervoroso e veemente nos caminhos do Senhor. Ele sempre os tinha amado, e, consequentemente, quando foi enriquecido com a graça, exibiu grande vivacidade e prazer neles. Ele se precipitou, pois, positivamente, ele "se apressou", e negativamente ele se recusou a ceder a qualquer motivo que sugerisse adiamento – ele não "se deteve". Assim, ele fez rápidos progressos e realizou muito serviço, cumprindo, assim, o juramento que está registrado no versículo 57: "Eu disse que observaria as tuas palavras". Os mandamentos aos quais ele estava tão ansioso por obedecer, não eram ordenanças do homem, mas preceitos do Altíssimo. Muitos são zelosos em obedecer aos costumes e à sociedade, mas são lentos ao servir a Deus. É uma verdadeira vergonha que os homens devam ser servidos com toda rapidez, e que a obra de Deus deva ser secundária, ou ser realizada com negligência.

61. *"Bandos de ímpios me despojaram."* Anteriormente, eles o ridicularizaram, e agora o enganaram. Os ímpios tornam-se cada vez mais ímpios, e cada vez mais ousados, de modo que passam da zombaria ao roubo. Grande parte da sua ousada oposição se originava do fato de que se agrupavam em bandos; os homens ousarão fazer, em grupos, o que não pensariam fazer sozinhos. Quando há brasas juntas, não há como dizer quanto fogo criarão. Parece que grupos inteiros de homens atacaram este único filho de Deus; eles eram suficientemente covardes para qualquer coisa; embora não pudessem matá-lo, eles o roubaram; os cães de Satanás preocuparão os santos, se não puderem devorá-los. Os inimigos de Davi fizeram o máximo que podiam; as serpentes silvaram, antes, e depois picaram. Como as palavras não tiveram utilidade, os ímpios passaram aos golpes. Como os ímpios saquearam os santos, em todos os tempos, e com que frequência os justos suportaram alegremente o roubo dos seus bens!

"Apesar disso, eu não me esqueci da tua lei." Isto era bom. Nem o seu senso de injustiça, nem a sua angústia pelas suas perdas, nem os seus esforços de defesa, o desviaram dos caminhos de Deus. Ele não faria injustiça, para evitar que lhe fosse feita injustiça, nem faria o mal para se vingar do mal. Ele trazia a lei em seu coração, e por isto nenhuma perturbação de mente poderia impedi-lo de obedecer a ela. Ele poderia ter se esquecido de si mesmo, se tivesse se esquecido da lei, ele estava disposto a perdoar e esquecer as ofensas que lhe haviam sido feitas, pois o seu coração estava tomado pela palavra de Deus. Os bandos de ímpios não o tinham privado do seu tesouro, uma vez que lhe tinham deixado a sua santidade e a sua felicidade. Algumas traduções interpretam esta passagem como "Bandos de ímpios me cercaram". Eles o cercaram, e o privaram de todo auxílio, fecharam todas as saídas, mas o homem de Deus tinha seu protetor consigo; uma clara consciência confiava na promessa, e uma corajosa determinação se apegava ao preceito. Ele não podia ser subornado nem intimidado para pecar. O cerco dos ímpios não podia separá-lo de Deus, nem separar Deus dele; e isto, porque Deus era a sua porção, e ninguém poderia privá-lo de sua porção, por força ou por fraude. Esta é a verdadeira graça, que consegue resistir ao teste: alguns são pouco piedosos, em meio ao seu círculo de amigos, mas este homem era santo em meio a um cerco de adversários.

62. *"À meia-noite, me levantarei para te louvar pelos teus justos juízos."* Ele não tinha medo dos bandos de ímpios; ele se levantou, não para vigiar a sua casa, mas para louvar o seu Deus. A meia-noite é o horário dos ladrões, e havia bandos deles ao redor de Davi, mas não ocupavam os seus pensamentos, que se dedicavam totalmente ao Senhor, seu Deus. Ele não pensava em bandidos, mas em agradecimentos; não no que *eles* podiam roubar, mas no que *ele* iria dar ao seu Deus. Um coração agradecido é uma bênção tal que afasta o medo, e abre espaço para o louvor. Os agradecimentos convertem a noite em dia, e consagram todas as horas à adoração de Deus. Cada hora é canônica para um santo.

O salmista observava a postura; ele não se deitava na cama para louvar. Não há tanto na posição do corpo, mas há algo, e este algo deve ser observado, sempre que seja útil para a devoção e expressivo da nossa diligência ou humildade. Muitos se põem de joelhos sem orar, enquanto alguns oram sem se ajoelhar; mas o melhor é se ajoelhar e orar; assim, aqui, não haveria virtude em se levantar sem dar graças, e não teria sido pecado dar graças sem se levantar; mas levantar-se e dar graças é uma feliz combinação. Quanto à ocasião, era tranquila, solitária, e provava o seu zelo. À meia-noite, ele não seria observado ou perturbado; era o seu próprio tempo, que ele roubava do seu sono, e assim ele estaria livre da acusação de sacrificar os deveres públicos para as devoções em particular. A meia-noite conclui um dia e dá início a outro, e por isto era apropriada para proporcionar os solenes momentos para a comunhão com o Senhor. À meia-noite ele se voltava para o seu Deus. Ele tinha dado graças pelas graças que Deus lhe tinha dado; ele tinha em mente a verdade do versículo 57, "O Senhor é a minha porção", e se há algo que pode fazer um homem cantar no meio da noite, é isto.

Os feitos *justos* do grande Juiz alegravam o coração deste homem piedoso.

Os *juízos* são o lado terrível de Deus, mas não são um terror para os justos; eles os admiram, e adoram o Senhor por eles; eles se levantam à noite para bendizer a Deus, porque Ele irá defender os seus escolhidos. Alguns detestam a própria noção da justiça divina, e nisto eles estão tão separados deste homem de Deus como os pólos estão separados entre si; este homem de Deus estava cheio de alegre gratidão pela lembrança das sentenças do Juiz de toda a terra. Sem dúvida, com a expressão "teus justos juízos", Davi também se refere aos juízos escritos de Deus, sobre vários aspectos da conduta moral; na realidade, todos os preceitos divinos podem ser considerados sob esta luz; todos eles são decisões legais do Árbitro Supremo, do que é certo e do que é errado. Deus era fascinado por estes juízos. Como Paulo, ele podia dizer, "no tocante ao homem interior, tenho prazer na lei de Deus". Ele não podia encontrar tempo suficiente durante o dia para estudar as palavras da sabedoria divina, nem para bendizer a Deus por elas, e assim, abria mão do seu sono, para que pudesse expressar a sua gratidão por tal lei e tal legislador.

Este versículo é uma evolução sobre o sentido do versículo 52, e contém, como acréscimo, a essência do versículo 55. O nosso autor jamais se repete; embora ele percorra, ascendendo e descendendo, a mesma escala, a sua música tem uma infinita variedade. As permutações e combinações que podem ser formadas em conexão com algumas verdades vitais são incontáveis.

63. *"Companheiro sou de todos os que te temem."* O versículo anterior dizia, "eu me levantarei", e este diz, "sou". Dificilmente poderemos esperar ser justos, no futuro, a menos que sejamos justos agora. O homem santo passava suas noites com Deus, e seus dias com o povo de Deus. Aqueles que temem a Deus amam aqueles que o temem, e selecionarão as suas companhias, enquanto forem, verdadeiramente, tementes a Deus. Davi era um rei, e, apesar disto, ele se associava com *"todos"* os que temiam ao Senhor, a despeito de serem obscuros ou famosos, pobres ou ricos. Ele tinha comunhão com o Colégio de Todos os Santos.

Ele não escolheu alguns santos particularmente eminentes, abandonando os crentes comuns. Não; ele se alegrava com a companhia daqueles que tinham apenas o princípio da sabedoria, na forma do "temor do Senhor"; ele se alegrava de assentar-se com eles, nas formas inferiores da escola de fé. Ele procurava o temor piedoso interior, mas também esperava ver a piedade exterior naqueles aos quais aceitava no seu grupo; consequentemente, ele acrescenta, *"e dos que guardam os teus preceitos"*. Se eles guardassem os preceitos do Senhor, o servo do Senhor guardaria a sua companhia. Davi era conhecido por estar do lado piedoso, ele jamais pertenceu ao grupo puritano; os homens de Belial o odiavam por isto, e sem dúvida, o desprezavam por conservar a companhia tão pouco desejável de homens e mulheres humildes, que eram excessivamente conservadores e religiosos; mas o homem de Deus, de maneira alguma, se envergonha dos seus associados; longe disto, ele até mesmo se gloria de reconhecer a sua união com eles, pensem o que quiserem os seus inimigos. Ele encontrava prazer e benefício na companhia dos santos; ele crescia na companhia dos bons, e obtinha honra por conservar a companhia honrosa. O que diz o leitor? Você aprecia a sociedade dos santos? Você se sente à vontade entre as pessoas piedosas? Caso afirmativo, você pode obter consolação deste fato. As pessoas que são semelhantes tendem a se agrupar. Um homem é conhecido pela sua companhia. Aqueles que não têm temor por Deus diante dos seus olhos raramente desejam a companhia dos santos; ela é lenta demais, monótona demais para eles. Que seja este o nosso consolo, para que, quando formos alcançados pela morte, sejamos levados para junto do nosso próprio grupo; aqueles que amaram os santos na terra serão contados com eles, no céu.

Há uma certa correspondência entre este sétimo versículo deste conjunto, e o sétimo do conjunto de Tete (71) e de Jode (79); mas, de modo geral, as similaridades que estavam tão evidentes em versículos anteriores agora começam a se obscurecer. À medida que a percepção se aprofunda, a forma artificial de expressão é menos considerada.

64. *"A terra, ó Senhor, está cheia da tua benignidade."* Davi tinha estado exilado, mas jamais tinha sido tirado do alcance da misericórdia, pois via que o mundo estava cheio dela, em todas as partes. Ele tinha peregrinado por desertos e tinha estado escondido em cavernas, e ali tinha visto e sentido a benignidade do Senhor. Ele tinha percebido que muito além da fronteiras da terra da promessa e da raça de Israel se estendia o amor do Senhor, e neste versículo, ele expressava a noção do Deus benigno, que tão raramente é vista no judeu moderno. Como é doce saber que não somente há benignidade por todo o mundo, mas há tal abundância dela que a terra está "cheia" dela. Não é de admirar que o salmista, como sabia que o Senhor era a sua porção, esperava obter um pouco desta benignidade para si mesmo, e por isto estava encorajado a orar *"ensina-me os teus estatutos"*. Ele considerava o *ideal* da misericórdia, ser ensinado por Deus, e ensinado sobre lei do próprio Deus. Ele não podia imaginar uma misericórdia maior do que esta. Certamente, aquele que enche o universo com a sua graça concederá um pedido como este aos seus próprios filhos. Devemos expressar tal desejo ao Todo-misericordioso Senhor, e podemos ter certeza de que será satisfeito.

O primeiro versículo deste conjunto de oito é fragrante com plena certeza e forte determinação, e este último versículo transborda com uma percepção da plenitude divina, e da dependência pessoal do salmista. Este é um exemplo do fato de que a plena certeza jamais ofusca a oração nem impede a humildade. Não haveria erro algum, se disséssemos que ela cria humildade e sugere súplica. "O Senhor é a minha porção" é, apropriadamente, seguida por "ensina-me"; pois o herdeiro de uma grande propriedade deve ser educado de modo abrangente, para que o seu comportamento possa estar de acordo com a sua sorte. Que tipo de discípulos devem ser aqueles cuja herança é o Senhor dos Exércitos? Aqueles que têm a Deus como sua porção anseiam por tê-lo como seu Senhor. Além disto, aqueles que se decidiram a obedecer são os mais ansiosos a serem ensinados. A expressão, "Eu disse que observaria as tuas palavras" é maravilhosamente seguida por "ensina-me os teus estatutos". Aqueles que desejam guardar uma lei são ansiosos por conhecer todas as suas cláusulas e provisões, para que não a infrinjam, pela inadvertência. Aquele que ousa não se preocupar em ser instruído pelo Senhor nunca se decidiu sinceramente a ser santo.

NOTAS SOBRE OS VERSÍCULOS 57 A 64

Aqui se inicia uma nova divisão do salmo, indicada pela letra *Cheth* em hebraico, que pode ser representada, no idioma português por *Hete*. – *Albert Barnes*

vv. 57 a 64: Nesta seção, Davi se esforça para confirmar a sua fé, e para se consolar com a certeza da sua regeneração, com oito propriedades de um bom crente, ou oito características de uma nova criatura. A primeira é a sua escolha de Deus como sua porção. Disto, aprenda,

1. Aqueles aos quais Deus escolheu e efetivamente chamou, obtêm graça para fazer de Deus a sua escolha, o seu prazer e a sua porção; e aqueles que escolheram Deus como sua porção têm uma evidência da sua regeneração e escolha; pois aqui Davi faz disto um sinal da sua regeneração: *"O Senhor é a minha porção"*.

2. É outro sinal de regeneração, depois de crer em Deus e escolhê-lo como nossa porção, que nos decidamos a apresentar os frutos da fé na nova obediência, como fez Davi: "Eu disse que observaria as tuas palavras".

3. Assim como é usual para os filhos de Deus, de vez em quando, por causa do pecado, sentirem o desprazer de Deus, também é um sinal de uma nova criatura não permanecer tola e insensível sob este desprazer, mas lidar com Deus fervorosamente, para restaurar o senso de reconciliação, e ter uma nova experiência da sua misericórdia, como fez o salmista, *"Implorei deveras o teu favor de todo o meu coração"*, e esta é a evidência de uma nova criatura.

4. O crente penitente tem a palavra da graça e o concerto de Deus como sua garantia de ser ouvido, quando buscar misericórdia: *"Tem piedade de mim, segundo a tua palavra"*.

5. A busca, na condição em que nos encontrarmos, e o exame dos nossos caminhos, de acordo com a palavra, e a renovação do arrependimento, com um empenho de correção, é a quarta característica de uma nova criatura: *"Considerei os meus caminhos e voltei os meus pés para os teus testemunhos"*.

6. Quando vemos o nosso pecado, nós somos, por natureza, lentos para corrigir os nossos atos; mas quanto antes nos voltarmos para o caminho da obediência a Deus, mais bem sucedidos seremos, e mais rápida será a reforma da nossa vida, e melhor sinal de uma nova criatura: *"Apressei-me e não me detive a observar os teus mandamentos"*.

7. Suportar a perseguição e o despojo dos nossos bens, por aderir à palavra de Deus, sem abandonar a sua causa, é a quinta característica de uma nova criatura: *"Bandos de ímpios me despojaram; apesar disso, eu não me esqueci da tua lei"*.

8. Assim como a sorte dos filhos de Deus que decidem ser piedosos é sofrer perseguição, e muitas vezes ser forçados a perder seus bens temporais ou perder uma boa causa e uma boa consciência, também a sabedoria dos piedosos é lembrar-se do que a palavra do Senhor exige de nós, e nos fala, e isto consolará a nossa consciência mais do que a perda das coisas temporais pode perturbar as nossas mentes: *"Bandos de ímpios me despojaram: apesar disso, eu não me esqueci da tua lei"*.

9. A sexta característica de uma nova criatura é estar tão longe de se perturbar sob o severo exercício, a ponto de agradecer a Deus, em secreta alegria, pela sua

piedosa palavra, e por todas as passagens da sua providência, onde ninguém nos vê e onde não há risco de ostentação: *"À meia-noite, me levantarei para te louvar pelos teus justos juízos"*.

10. Uma sétima característica de uma criatura renovada é associar-nos e conservar a comunhão com os que são verdadeiramente piedosos, e realmente temem a Deus, na medida em que formos capazes de distingui-los: *"Companheiro sou de todos os que te temem"*.

11. O temor a Deus é evidenciado quando cremos e obedecemos à doutrina e às orientações das Escrituras, e de nenhuma outra maneira: *"Companheiro sou de todos os que te temem e dos que guardam os teus preceitos"*.

12. A oitava característica de uma nova criatura consiste não em descansar em alguma medida de renovação, mas sinceramente e fervorosamente lidar com Deus, para o aumento do conhecimento salvador, e da obediência frutífera a ele; pois *"ensina-me os teus estatutos"* é a oração dos homens de Deus, em que todas as características anteriores podem ser encontradas.

13. Assim como todas as criaturas são testemunhas da benignidade de Deus com os homens, e participam desta benignidade, também elas são a garantia do prazer de Deus em conceder aos seus servos dádivas maiores do que estas, e o aumento da santificação, com um novo esclarecimento de mente e uma transformação de vida; pois isto o salmista usa como argumento para ser cada vez mais santificado: *"A terra, ó Senhor, está cheia da tua benignidade; ensina-me os teus estatutos"*. – *David Dickson*

v. 57: "O Senhor é a minha porção". A sinceridade desta declaração pode ser percebida, porque ele fala como dirigindo-se a Deus. Ele não diz, meramente, "Ele é a minha porção"; mas menciona a Deus, diretamente: *"O Senhor é a minha porção"*. Em outra passagem, está escrito: "A minha porção é o Senhor, diz a minha alma" (Lm 3.24). Ali, ele não fala dirigindo-se a Deus, mas acrescenta, "diz a minha alma", mas aqui, ele fala diretamente a Deus, que conhece os segredos do coração. Falar assim sobre Deus, com Deus, declara a nossa sinceridade, quando, diretamente diante de Deus, nós confirmamos a nossa confiança e escolha; como Pedro, "Senhor, tu sabes tudo; tu sabes que eu te amo" (Jo 21.17). – *Thomas Manton*

v. 57: "O Senhor é a minha porção". Lutero aconselha cada cristão a responder a todas as tentações com esta curta frase, *"Christianus sum"*, Eu sou um cristão; e eu aconselharia cada cristão a responder a todas as tentações com esta curta frase: "O Senhor é a minha porção". Ó, cristão, quando Satanás ou o mundo tentar você, com honras, responda: "O Senhor é a minha porção"; quando tentarem você com riquezas, responda: "O Senhor é a minha porção"; quando tentarem você com primazias, responda: "O Senhor é a minha porção"; e quando tentarem você com as benevolências dos grandiosos, responda: "O Senhor é a minha porção"; sim, e quando este mundo perseguidor ameaçar você com a perda das suas propriedades, responda: "O Senhor é a minha porção"; e quando ameaçarem você com a perda da sua liberdade, responda: "O Senhor é a minha porção"; e quando ameaçarem você com a perda dos amigos, responda, "O Senhor é a minha porção"; e quando ameaçarem você com a perda da sua vida, responda: "O Senhor é a minha porção". Ó, se Satanás se aproximar de você com uma maçã, como fez com Eva, diga a ele que "o Senhor é a sua porção"; ou com uvas, como fez certa vez com Noé, diga a ele que "o Senhor é a sua porção"; ou com mudas de vestes, como certa vez fez com Geazi, diga a ele que "o Senhor é a sua porção"; ou com uma cunha de ouro, como fez com Acã, diga a ele, que "o Senhor é a sua porção"; ou com uma bolsa de dinheiro, como fez com Judas, diga a ele que "o Senhor é a sua porção"; ou com uma coroa, um reino, como fez, certa vez, com Moisés, diga a ele que "o Senhor é a sua porção". – *Thomas Brooks v. 57:* "O Senhor é a minha porção". Deus é suficiente; abrace-o como sua *"porção"*, e terá tudo; então, você terá a infinita sabedoria para orientar você, o conhecimento infinito para ensinar você, a misericórdia infinita para se apiedar e salvar você, o amor infinito para cuidar de você e consolar você, e poder infinito para proteger e guardar você. Se Deus for seu, todas as suas criaturas, todas as suas obras de providência, lhe farão bem, quando você precisar delas. Ele é uma porção eterna, plena, satisfatória. Ele é um amigo sempre vivo, sempre amoroso, sempre presente; e sem Ele você é uma criatura amaldiçoada, em cada condição, e todas as coisas operarão contra você. – *John Mason, -1694*

v. 57: "O Senhor é a minha porção". Se houve um momento, na vida de Davi, em que alguém poderia se sentir inclinado a invejá-lo, não seria naquele jorro de vitória juvenil, quando Golias caiu prostrado aos seus pés, nem naquela hora de triunfo ainda maior, quando as virgens de Israel cantaram seus louvores na dança, dizendo, "Saul feriu os seus milhares, porém Davi, as suas dezenas de milhares"; não seria naquele dia real, quando a sua reivindicação indiscutida ao trono de Israel foi reconhecida por todos os lados e por cada tribo; mas seria naquele momento em que, com um coração amoroso e confiante, ele olhou para Deus e disse, *"O Senhor é a minha porção"*. Em um salmo posterior (142), que traz o título, "Poesia de Davi. Oração que ele fez quando estava na caverna", temos a mesma expressão: "Eu disse: tu és o meu refúgio e a minha porção na terra dos viventes". Esta expressão será intensificada de maneira imensurável se nós cremos que ela foi proferida em uma ocasião em que todas as possessões e heranças foram tiradas dele, e somente o Senhor era a sua porção. – *Barton Bouchier*

v. 57: É excessivamente cobiçoso aquele para quem Deus não é suficiente, e é excessivamente tolo aquele para quem o mundo é suficiente. Pois Deus é um tesouro inesgotável de todas as riquezas, sendo suficiente para incontáveis homens; ao passo que o mundo tem muitas diversões e fascinações a oferecer, e conduz a alma à pobreza, profunda e lamentável. – *Thomas Le Blanc*

v. 57: Aqueles que não têm um grande patrimônio nesta vida, podem conseguir para si mesmos uma porção na bem-aventurança celestial. – *Solomon Gesner*

v. 57: "Eu disse que observaria as tuas palavras". Isto ele diz, para provar o que disse nas palavras anteriores. Muitos dirão como Davi, que Deus é a sua porção; mas aqui está a questão, como poderão prová-lo? Se Deus fosse a sua porção, eles o amariam; se eles o amassem, amariam a sua palavra; se amassem a sua palavra, viveriam de acordo com ela, e fariam dela a regra da sua vida. – *William Cowper*

v. 57: "Eu disse que observaria as tuas palavras". Ele estava decidido a guardar os seus mandamentos, acumular as suas promessas, observar as suas ordenanças, professar e conservar a fé nas suas doutrinas. – *John Gill*

v. 58: "Implorei deveras o teu favor", ou, busquei a tua face. Buscar a face significa vir à presença. Assim dizem os hebreus, quando desejosos de expressar o relacionamento familiar ao qual Deus aceita o seu povo, quando lhes ordena que deem a conhecer as suas exigências. É, verdadeiramente, a mesma coisa que falar, face a face, com Deus. – *Franciscus Vatablus, 1545*

v. 58: "Implorei deveras o teu favor de todo o meu coração". Frequentemente tenho observado a maneira piedosa e amorosa como o Senhor se alegra em dar uma resposta à oração, com as mesmas palavras que subiram diante dele, como para nos assegurar que elas alcançaram o seu ouvido, e retornaram rapidamente dele, carregadas e ampliadas. *"Implorei deveras o teu favor de todo o meu coração"*. Ouça a resposta do Senhor ao seu povo que ora: "E alegrar-me-ei por causa deles, fazendo-lhes bem... *com todo o meu coração e com toda a minha alma"*. – *Barton Bouchier*

v. 58: "De todo o coração". Os hebreus expressam grande fervor e humildade na súplica. – *A. R. Fausset*

v. 58: "De todo o coração". A oração é, principalmente, uma obra do coração. Deus ouve o coração sem a boca, mas nunca ouve a boca, de maneira aceitável, sem o coração. – *Walter Marshall*

v. 58: "Tem piedade de mim", etc. Ele declarou anteriormente, que buscava o Senhor com todo o seu coração, e agora ora para que possa encontrar misericórdia. Assim será, na verdade; que possa buscar corajosamente a misericórdia nas mãos de Deus aquele que o busca verdadeiramente. A misericórdia e a verdade estão acostumadas a andar juntas, e a abraçar, uma à outra; onde a verdade está na alma, para buscar, não pode deixar de haver misericórdia em Deus, para abraçar. Se a verdade estiver em nós, para confessarmos nossos pecados e abandoná-los, encontraremos piedade em Deus, para perdoá-los e esquecê-los. – *William Cowper*

v. 58: "Conforme a tua palavra". Ele ora, não pelo que deseja, mas pelo que o Senhor prometeu, pois Tiago declara que há aqueles que pedem e não recebem, e esta é a causa pela qual não temos aquilo que pedimos em oração, porque não oramos conforme a palavra. A sua palavra deve governar as nossas orações, e então receberemos; como Salomão orou e recebeu as ricas bênçãos do Senhor. Deus prometeu o perdão dos pecados, o conhecimento da sua palavra, e muitas outras bênçãos. Se tivermos tudo isto, que os nossos corações não se dediquem a outras coisas. – *Richard Greenham*

v. 58: "Conforme a tua palavra". A Palavra de Deus pode ser dividida em três partes, mandamentos, ameaças e promessas; e embora um cristão não deva negligenciar a palavra de mandamento e de ameaça, se ele desejar fazer da Palavra um canal para consolação divina, deverá estudar a palavra de promessa; pois as promessas são a carta magna do cristão, para o céu. Toda consolação deve ser fundamentada em uma promessa das Escrituras, caso contrário será presunção, e não verdadeira consolação. As promessas são *pabulum fidei, et anima fidei,* alimento da fé, e a alma da fé. Assim como a fé é a vida de um cristão, também as promessas são a vida da fé; a fé é uma fé morta, se não houver promessa que a vivifique. Assim como as promessas não têm utilidade sem a fé que as aplique, também a fé não tem utilidade sem uma promessa à qual se apegar. – *Edward Calamy*

v. 58: A regra e o fundamento para a confiança é, *"conforme a tua palavra".* A palavra de Deus é o que rege a nossa confiança, pois nela está o caminho declarado de Deus. Se desejarmos obter o favor e a benignidade de Deus, deverá ser nos seus próprios termos. Deus irá nos aceitar em Cristo, se nos arrependermos, crermos e obedecermos, e buscarmos diligentemente a sua benignidade; Ele não negará as bênçãos necessárias àqueles que buscarem, pedirem, e baterem. Muitos desejam obter misericórdia, mas não observam as orientações de Deus. Nós devemos pedir, de acordo com a vontade de Deus, não sem uma promessa, nem contra um mandamento. Deus se faz um devedor voluntário pela sua promessa. São notáveis motivações e suportes para a fé quando somos encorajados a buscar segundo a oferta, e incentivados a nos aplicar segundo a promessa. Nós não temos uma percepção ainda mais consoladora do amor de Deus, porque não adotamos este caminho. – *Thomas Manton*

v. 59: "Considerei os meus caminhos e voltei os meus pés para os teus testemunhos". A transição que o texto faz, do motivo desta alteração, *"Considerei os meus caminhos"* para a mudança propriamente dita, é muito sublime e elegante. O salmista não nos diz que, depois de considerá-los, ele viu a tolice e o perigo do pecado, a degradação dos seus prazeres, e o veneno nos seus deleites; nem que, depois de examinar a lei de Deus, ficou convencido de que aquilo que ele antes imaginava tão severo, rígido e assustador, agora era amistoso e afetuoso; mas imediatamente ele acrescenta, *"Voltei os meus pés para os teus testemunhos",* sobre os quais não consigo conceber nada mais nobre ou forte; pois enfaticamente está escrito que não havia necessidade de expressar a aparência dos seus caminhos quando ele pensou sobre eles. O que deve ser a consequência da sua deliberação era muito claro, especificamente, que o pecado nunca prevalece, exceto quando é mascarado com alguns falsos encantos, e que o pecador descuidado e tolo inocentemente dá ouvidos aos seus encantos, e não se esforça ou se preocupa em investigá-los; pois uma investigação profunda e exaustiva logo revelaria que as suas mais atraentes aparências são apenas vaidades falsas, e que aquele que é cativado com esta exibição vazia está nas mesmas circunstâncias que uma pessoa em meio a um sonho, que se alegra com sua fantasia somente enquanto está dormindo, e que o seu despertar do sono logo revela o engano, assim como uma consideração séria sobre os caminhos da iniquidade e da rebelião contra Deus irá manifestar a loucura fatal dos homens ao segui-los. – *William Dunlop, 1692-1720*

v. 59: "Considerei os meus caminhos e voltei os meus pés para os teus testemunhos". Alguns traduzem o original como: Considerei os dois lados dos meus caminhos, e os considerei de todas as maneiras, "e voltei os meus pés para os teus testemunhos". Eu considerei que estava vagando como uma ovelha perdida, e então retornei. – *George Swinnock.*

v. 59: "Considerei os meus caminhos", etc. A palavra hebraica חָשַׁב, que aqui é usada com o sentido de considerar, significa pensar sobre os caminhos do homem com precisão, cautela, seriedade, empenho e curiosidade. Este santo homem de Deus pensou com exatidão e curiosidade sobre todos os seus propósitos e costumes, em tudo o que dizia e fazia, em todas as suas palavras e obras, e percebendo que um número excessivo delas não estava em conformidade com a lei, mas na verdade, estava contra a lei, voltou seus pés para os testemunhos de Deus; tendo descoberto seus erros, depois de uma busca diligente e um sério escrutínio, ele passou para uma nova página e ajustou o seu caminho de uma maneira que estivesse mais de acordo com a lei. Cristãos! Vocês devem examinar as suas necessidades espirituais, tanto quanto os seus prazeres espirituais; devem examinar o que vocês distribuem e também o que acumulam; devem olhar à frente, para o que vocês devem ser, e para trás, para o que são. Certamente jamais será eminente em santidade o cristão que tem muitos olhos para contemplar uma pequena santidade, e nenhum olho para ver a sua falta de santidade. – *Thomas Brooks*

v. 59: "Considerei os meus caminhos". A palavra significa um pensamento firme e permanente. Alguns entendem que se trata de uma alusão às pessoas que bordam, que são muito meticulosas para cobrir a menor falha, ou às pessoas que fazem cálculos. Calcule consigo mesmo, O que eu devo? De que sou digno? *"Considerei"* não somente a minha riqueza, como o cobiçoso (Sl 49.11); mas *"os meus caminhos"*; não o que eu tenho, mas o que faço; porque o que nós fazemos nos seguirá para o outro mundo, quando o que temos será deixado para trás. Muitos são suficientemente críticos em suas observações sobre os caminhos dos outros, a ponto de nunca pensar nos seus próprios caminhos, mas "prove cada um a sua própria obra".

Esta descrição que Davi fornece aqui de si mesmo pode referir-se à sua constante prática diária; ele refletia sobre os seus caminhos à noite, dirigia seus pés para os testemunhos de Deus durante o dia, e o que a sua mão encontrasse para fazer, que fosse bom, ele o fazia sem demora; ou isto pode referir-se ao seu primeiro contato com Deus e com a religião, quando começou a se despojar da vaidade da infância e da juventude, e a se lembrar do seu Criador; esta mudança abençoada foi operada pela graça de Deus. Observe, 1. A conversão se inicia com a séria consideração (Ez 18.28; Lc 15.17). 2. A consideração deve ter como objetivo uma conversão sadia. Com que propósito consideramos os nossos caminhos, se não voltamos os nossos pés rapidamente para os testemunhos de Deus? – *Matthew Henry*

v. 59: "Considerei os meus caminhos". Seja constante neste trabalho de séria consideração. Se você prestar contas diariamente, todos os atos de graça terão melhor resultado. Sêneca perguntou a Sextius, *Quod hodie malum sanasti? cui vitio obstitisti?* Você tem o exemplo de Deus, ao revisar a obra de cada dia, e ao lidar com Adão antes que este dormisse. O homem que estava sujo devia lavar suas vestes à noite. – *Thomas Manton*

v. 59: "Considerei os meus caminhos", etc. Os venenos podem ter uso medicinal. Que os pensamentos sobre os antigos pecados despertem uma comoção de ira e ódio. Nós sentimos nosso espírito estremecendo, e nosso sangue acelerando, com o mero pensamento da poção amarga que tomamos anteriormente. Por que não podemos fazer espiritualmente aquilo que a moldura e constituição de nossos corpos faz naturalmente, com a lembrança de alguma coisa repugnante? Os pecados dos romanos eram transitórios, mas a vergonha era renovada cada vez que eles refletiam sobre eles: "De que agora vos envergonhais" (Rm 6.21). Eles reagiram ao ódio, e não ao prazer; assim devem ser recebidas as lembranças de antigos pecados em nossas memórias, com nossos suspiros, e não nossa alegria. Nós também devemos aproveitar a oportunidade para promover novos estágios da nossa conversão: *"Considerei os meus caminhos e voltei os meus pés para os teus testemunhos"*. Sem mencionar a fundo o movimento do nosso inimigo, podemos encontrar algumas fagulhas dele para acender o nosso amor por Deus, renovar o nosso arrependimento, elevar a nossa gratidão, ou despertar a nossa obediência. – *Stephen Charnock*

v. 59: "E voltei os meus pés para os teus testemunhos". Mencionando esta passagem, Philip Henry observou que a grande conversão a ser feita, no coração e na vida, é de todas as outras coisas à palavra de Deus. A conversão nos volta para a palavra de Deus, como nossa pedra de toque, para examinarmos a nós mesmos, a nossa condição, nossos caminhos, estado de espírito, doutrinas, adorações, costumes; como nosso espelho, para nos vestirmos (Tg 1); como a regra segundo a qual andamos e trabalhamos (Gl 6.16); como nossa água, para nos lavar (Sl 119.9); como nosso fogo, para nos aquecer (Lc 24); como nosso alimento, para nos nutrir (Jó 23.12); como nossa espada para combater, (Ef 6); como nossa conselheira, em todas as nossas dúvidas (Sl 119.24); como nosso bálsamo, para nos confortar; como nossa herança, para nos enriquecer.

v. 59: "E voltei os meus pés para os teus testemunhos". Nenhum itinerário para a cidade celestial é mais simples ou abrangente do que a resposta dada por um prelado inglês a um escarnecedor que lhe perguntou qual era o caminho para o céu: "Em primeiro lugar, vire à direita, e siga em frente". – *Neale e Littledale*

v. 59: "E voltei". Volte-se para Deus, e Ele se voltará para você; então você será feliz, ainda que o mundo inteiro se volte contra você. – *John Mason*

v. 60: "Apressei-me e não me detive", etc. O dever descoberto deve ser desempenhado instantaneamente. Há um perigo em cada passo que é dado na indulgência de algum pecado conhecido, ou na negligência de alguma obrigação conhecida. Uma consciência terna não brincará com as suas convicções, para que o coração não se endureça com os enganos do pecado. É perigoso, é irracional, é altamente criminoso hesitar em realizar aquela transformação que a consciência dita. Aquele que demora, quando o dever chama, poderá jamais ter a capacidade de evidenciar a sinceridade da sua contrição por loucuras e negligências passadas. *"Apressei-me"*, diz o salmista, *"e não me detive a observar os teus mandamentos"*; isto é, estando plenamente convencido da necessidade e da excelência da obediência, instantaneamente decidi a favor dela, e imediatamente a coloquei em execução. – *John Morison*

v. 60: "Apressei-me e não me detive a observar os teus mandamentos". Nós ouvimos frequentemente as palavras, "Pense duas vezes, na segunda vez o resultado será melhor". Isto não é válido para a vida religiosa. No contexto, o salmista diz, "Considerei os meus caminhos e voltei os meus pés para os teus testemunhos", isto é, não esperei para pensar outra vez. Na religião, pode ser um hábito mortal passar algum tempo refletindo. Apresse-se. – *Henry Melvill v. 60:* "Apressei-me e não me detive". Quando alguém é licitamente chamado, seja para o estudo da teologia, seja para o ensinamento na igreja, não deve hesitar como Moisés, nem se desviar, como Jonas; mas, deixando todas as outras coisas, deve obedecer a Deus, que o chama; como diz Davi, *"Apressei-me e não me detive"* (Mt 4.20; Lc 9.62). – *Solomon Gesner*

v. 60: "Apressei-me e não me detive". A fé profunda nunca é desconfiada, nem curiosa, ela crê no que Deus diz, sem suspirar, sem examinar. Pois uma vez que é impossível que Deus minta (como Ele poderia mentir?), é apropriado que se acredite na sua palavra, por si mesma. Ela não deve ser examinada com perguntas sobre como e por que. O que o salmista diz, sobre observar a lei, isto deve o cristão dizer, ao receber o Evangelho. לֹא הִתְמַהְמָהְתִּי, "não discuti", diz Davi; não argumentei *com Deus.* A palavra é muito elegante no idioma original, e deriva, em hebraico, do pronome מָה, que significa *quid.* A fé não argumenta com Deus, não pergunta *quids,* nem *quares,* nem *quomodos,* nada de que, nem como, nem por que; ela não suscita perguntas. Ela concorda mansamente, e humildemente diz *Amém* a cada palavra de Deus. Esta é a fé com que o nosso Salvador se maravilhou, na história do centurião. – *Richard Clerke, 1634*

v. 60: "Apressei-me e não me detive". A palavra original, que traduzimos como *"não me detive"*, é assombrosamente enfática. וְלֹא הִתְמַהְמָהְתִּי (*w^elō' hitmahmāhtî*), não fiquei *fazendo perguntas;* ou, como costumamos expressar o mesmo sentimento, *hesitando* interiormente; eu estava *determinado*, e assim agi. A palavra em hebraico, assim como em português, assinala fortemente a indecisão de mente, suspendendo a ação positiva, porque a mente está tão incerta a ponto de não conseguir tomar uma decisão. – *Adam Clarke*

v. 60: Tome cuidado com os atrasos e retardamentos, com a postergação diária, dizendo que haverá tempo suficiente no futuro; haverá tempo suficiente para que eu busque o céu depois que tiver me cansado do mundo; se eu fizer isto no último ano da minha vida, no último mês do último ano, na última semana do último mês, será suficiente. Cuidado com os atrasos; este postergar do arrependimento destruiu milhares de almas; evite aquela cova em que muitos caíram, evite aquela rocha que provocou o naufrágio de muitos; diga como Davi, *"Apressei-me e não me detive a observar os teus mandamentos"*. – *James Nalton, 1664*

v. 60: "Apressei-me e não me detive", etc. No versículo imediatamente anterior, o homem de Deus fala do arrependimento como o resultado da consideração e do autoexame: "Considerei os meus caminhos e voltei os meus pés para os teus testemunhos". Mas quando ele se voltou? Embora vejamos o mal dos nossos caminhos, somos por natureza lentos para corrigi-los. Por isto Davi não somente se voltou para Deus, mas o fez rapidamente; nós temos uma explicação disto neste versículo, *"Apressei-me"*, etc. Esta prontidão na obediência é expressa duplamente; de maneira afirmativa e também negativa. Afirmativa, *"Apressei-me"*; negativa, *"não me detive"*. Esta dupla expressão intensifica o sentido, à maneira dos hebreus; como, "Não morrerei, mas viverei" (Sl 118.17); isto é, certamente viverei; assim, aqui, *"Apressei-me e não me detive"*; isto é, verdadeiramente não me detive nem por um momento; tão logo considerou os seus caminhos, e tomou a decisão de andar intimamente com Deus, ele pôs isto em prática. A Septuaginta assim interpreta as palavras, "Eu estive pronto, e não me perturbei nem me desviei pelo temor ou perigo". Na verdade, além da nossa lentidão natural em sermos bons, este é um motivo usual para as demoras; nós nos distraímos com os temores; e, quando Deus nos dá a conhecer a sua vontade para nós, em muitos deveres, nós pensamos em nos demorar, até que a ocasião seja mais tranquila, e mais favorável à nossa prática, ou até que as questões estejam em melhor situação. Esta é uma boa tradução, e podemos usá-la com tranquilidade: *"Apressei-me e não me detive"*, etc.

Davi *não se deteve.* Quando nós não ousamos recusar abertamente, nós postergamos, ou tardamos. *Non vacat,* esta é a alegação do pecador, "não tenho tempo livre"; mas, *Non placet,* esta é a realidade. Aqueles que foram convidados para as bodas poliram a sua recusa com uma desculpa (Mt 22.5). A demora é uma recusa; pois, se estivessem dispostos, não haveria desculpa. Para nos livrarmos de credores importunos e preocupantes, nós lhes prometemos o pagamento em outra ocasião, embora saibamos que nossa situação estará ainda pior naquela ocasião, isto é apenas para afastá-los; e também esta demora e este afastamento de Deus é apenas uma artimanha. Aqui está o problema: Deus sempre vem inoportunamente a um coração carnal. Foram os demônios que disseram, "Vieste aqui atormentar-nos antes do tempo?" (Mt 8.29). As boas coisas são um tormento para um coração carnal, e sempre vêm inoportunamente. Certamente, o melhor momento é quando a palavra é inculcada no coração com evidência, luz e poder, e quando Deus lida com você sobre a sua paz eterna. – *Thomas Manton*

v. 60: "Detive". Hithmahmah; a palavra usada a respeito da demora de Ló, em Gênesis 19.16. – *William Kay*

v. 60: A demora nas tarefas do Senhor está próxima à desobediência, e geralmente se origina dela, ou resulta nela. "Disse Deus que me apressasse" (2 Cr 35.21). Devemos nos assegurar de que possamos dizer, *"Apressei-me e não me detive a observar os teus mandamentos".* – *Frances Ridley Havergal*

v. 60: Evite qualquer demora na realização desta grande obra de crer em Cristo. Até que a tenhamos desempenhado, nós continuaremos sob o poder do pecado e Satanás, e sob a ira de Deus; e não há nada entre nós e o inferno, além do fôlego das nossas narinas. É perigoso que Ló se demore em Sodoma, pois o fogo e o enxofre podem descer do céu sobre ele. O assassino devia fugir apressadamente para a cidade de refúgio, para que o vingador de sangue não o perseguisse, enquanto estivesse acalorado, e não o matasse. Nós devemos nos apressar, e não nos deter a observar os mandamentos de Deus. – *Walter Marshall*

v. 60: Se a convicção começar a trabalhar, instantaneamente ceda à sua influência. Se algum desejo mundano ou pecaminoso for atingido, que seja no mesmo momento crucificado. Se algum sentimento se acender com relação ao Senhor, dê imediata expressão à sua voz. Se alguma graça reviver, que seja convocada para o dever imediato. Esta é a melhor, e a única maneira de fixar e reter o movimento do Espírito que agora prospera no coração; e quem sabe, o aproveitamento desta vantagem possa ser o momento da vitória sobre as dificuldades, até aqui consideradas insuperáveis, e possa abrir o nosso caminho para o céu com menos interrupções e um progresso mais constante? – *Charles Bridges*

v. 61: "Bandos de ímpios me despojaram". São possíveis duas interpretações: *Bandos de ímpios me despojaram* (ARC) ou *Laços de perversos me enleiam* (ARA). Quer adotemos uma ou outra destas interpretações, o que o profeta deseja declarar é que quando Satanás atacava os princípios de piedade na sua alma, com angustiosas tentações, ele continuava, com invariável firmeza, no amor e na prática da lei de Deus. *Laços*, no entanto, pode permitir duas interpretações; em primeiro lugar, como indicando os atrativos enganosos pelos quais os ímpios se esforçavam para envolvê-lo na sua sociedade; ou, em segundo lugar, as fraudes que praticavam, para concretizar a sua ruína. – *João Calvino*

v. 61: "Bandos de ímpios me despojaram". Alguns assim interpretam, "Laços de perversos me enleiam". Outros, "Armaram uma armadilha para me pegar". O significado é que homens ímpios, com seus planos e estratagemas, o tinham cercado, como os homens prendem um animal selvagem em suas ciladas. Eles podiam, realmente, cercá-lo no deserto, mas não podiam subjugar a mente livre; ele ainda se sentia em liberdade em espírito, ele não se esquecia da lei de Deus. – *John Stephen v. 61:* "Bandos de ímpios me despojaram". Eles atacaram os seus bens, e o privaram deles, fosse por saque, em tempos de guerra, ou por multas e confiscos, sob o pretexto da lei. Saul (provavelmente) se apoderou dos seus objetos pessoais; Absalão, seu palácio; os amalequitas saquearam Ziclague. – *Matthew Henry*

v. 61: A amizade dos ímpios deve ser evitada. Em primeiro lugar, porque ela nos prende, como eles estão presos – *"bandos de ímpios"*. Cada pecador é um gladiador com rede e espada, descendo à arena e se empenhando em capturar com a rede qualquer pessoa que se aproxime dele. Uma segunda razão para evitar a amizade dos ímpios, que pode ser obtida da palavra hebraica, é a sua crueldade e barbárie; pois não apenas os ímpios prendem seus amigos, como fazem deles um despojo e uma presa: *"me despojaram"*. Eles são bandidos sedutores, viajando com um viajante desavisado, até que o tenham atraído a bosques escuros e fechados, onde o despem das riquezas celestiais. – *Thomas Le Blanc*

v. 61: "Bandos de ímpios me despojaram". Então disse *Cristão* ao seu companheiro, Agora eu me lembro do que me foi dito, sobre uma coisa que aconteceu a um bom homem perto daqui. O nome do homem era *Pouca Fé*, mas era um homem bom, e habitava na cidade de *Sinceridade.* O evento foi o seguinte: no início desta passagem, parte da *Porta do Caminho Largo,* uma viela chamada *Viela do morto,* assim chamada por causa dos assassinatos que normalmente acontecem ali. E aconteceu que este *Pouca Fé* seguindo em peregrinação, como nós fazemos agora, sentou-se ali e adormeceu. Aconteceu, naquela ocasião, que desceram por aquela viela, vindos da *Porta do Caminho Largo* três mau-caráteres robustos, cujos nomes eram *Covardia, Desconfiança* e *Culpa* (três irmãos), e observavam *Pouca Fé* onde ele estava, aproximando-se rapidamente. O homem bom acabava de despertar do seu sono, e se levantava para prosseguir a sua jornada. E eles se aproximaram dele, e com palavras ameaçadoras o fizeram *parar.* Com isto, *Pouca Fé* ficou branco como uma nuvem, e não teve forças para *lutar* nem *fugir.* Então *eles disseram: Pouca Fé,* entregue o seu dinheiro; mas como ele não se apressou em fazer isto (pois não queria perder o seu dinheiro), *Desconfiança* correu para ele, e, enfiando sua mão no bolso dele, puxou de lá uma bolsa com moedas de prata. Então, ele gritou, Ladrões! Ladrões! Com isto, *Culpa,* com um grande pedaço de madeira que estava na sua mão, golpeou *Pouca Fé* na cabeça, e com este golpe ele caiu ao chão, onde ficou sangrando como alguém sangra até a morte... O lugar onde estavam as suas joias, eles não encontraram, de modo que as conservou; mas, fiquei sabendo que o bom homem ficou muito angustiado pela sua perda. Pois os ladrões levaram quase todo o seu dinheiro. O que eles levaram (como eu disse) não eram joias, e ainda lhe sobrou um pouco de dinheiro, mas apenas o suficiente para levá-lo ao fim da sua jornada; na verdade (se eu não estiver mal informado), ele foi forçado a mendigar pelo caminho, para se conservar vivo (pois as suas joias ele não podia vender). Mas mendigando, e fazendo tudo o que podia, ele caminhou, muitas vezes com o estômago vazio, a maior parte do resto do caminho. – *John Bunyan*

v. 61: "Bandos". De qualquer maneira, para se fortalecer em um caminho maligno, os ímpios andam juntos, em bandos e grupos, mas isto não lhes beneficiará, nem nos ferirá. Os edificadores de Babel, e também Moabe, Amom, Edom, conspirando, podem nos dizer: "Ainda que o mau junte mão à mão, não ficará sem castigo". Os ímpios são como espinhos diante do fogo; a sua multidão pode alimentar o fogo, mas não pode resistir a ele. – *William Cowper*

v. 61: É uma reflexão salutar para ter em mente, o fato de que milhares de adversários espirituais estão sempre vigilantes, para fazer de nós suas presas. – *John Morison*

v. 62: "À meia-noite, me levantarei para te louvar". Embora não possamos reforçar em você a observância particular, ainda assim há muitas lições notáveis a serem extraídas da prática de Davi:

1. O ardor da sua devoção, ou o seu fervoroso desejo de louvar a Deus: *"à meia-noite"*, quando o sono invade os olhos dos homens, então ele se levantaria. O seu coração estava tão dedicado ao louvor de Deus, e a percepção da sua justa providência o afetava tanto, incentivando-o a realizar o seu dever, que ele não somente desejava se dedicar a esta obra durante o dia, e assim mostrar o seu amor por Deus, mas se levantava do seu leito para adorar a Deus e celebrar o seu louvor. Aquilo que impede o sono dos homens comuns são as preocupações deste mundo, o impaciente ressentimento pelas ofensas, ou o aguilhão de uma má consciência; estas coisas conservavam os outros acordados, mas Davi foi despertado pelo desejo de louvar a Deus. Nenhum momento é inoportuno para um coração piedoso; ele expressa o seu afeto por Deus, quando os outros descansam. Nós lemos sobre o nosso Senhor Cristo, que Ele passava noites inteiras em oração (Lc 6.12). Está escrito sobre os santos glorificados, no céu, que eles louvam a Deus continuamente: "Por isso estão diante do trono de Deus e o servem de dia e de noite no seu templo; e aquele que está assentado sobre o trono os cobrirá com a sua sombra" (Ap 7.15). Os santos, embora muito impedidos pelas suas necessidades físicas, chegarão tão próximos ao louvor contínuo quanto a sua fragilidade permita. Ai de nós, pois frequentemente iniciamos o dia com algum fervor em oração e louvor, mas desanimamos antes que a noite chegue.

2. A sua sinceridade, vista no seu sigilo. Davi professava a sua fé em Deus quando não tinha testemunha junto de si; *"à meia-noite"*, quando não havia risco de ostentação. Era uma alegria e um prazer secretos, em Deus; quando sozinho, ele podia não procurar o aplauso dos homens, mas somente desejar a aprovação de Deus, que vê em segredo. Veja a orientação de Cristo: "Mas tu, quando orares, entra no teu aposento e, fechando a tua porta, ora a teu Pai, que vê o que está oculto; e teu Pai, que vê o que está oculto, te recompensará" (Mt 6.6). Observe também a prática do próprio Cristo: "E, levantando-se de manhã muito cedo, estando ainda escuro, saiu, e foi para um lugar deserto, e ali orava" (Mc 1.35); antes de raiar o dia, Ele foi a um deserto para orar; o momento e o lugar sugeriam sigilo.

3. Nós aprendemos, consequentemente, como é o tempo precioso; assim foi com Davi; observe como ele passa o tempo da sua vida. Nós lemos que Davi, quando se deitava, à noite, molhava sua cama com suas lágrimas, depois de examinar seu coração (Sl 6.6); à meia-noite, ele se levantava para dar graças; ele orava nas vigílias matinais; e sete vezes por dia, louvava a Deus: manhã, tarde e noite consagrava. Todos estes são atos de eminente piedade. Não devemos nos contentar com a graça que meramente servirá para nos salvar. Ai! Temos muito tempo ocioso em nossas mãos; seria tão bom se o déssemos a Deus!

4. A importância dos exercícios piedosos, acima do revigoramento natural. A palavra é mais doce do que o alimento recomendado: "As palavras da sua boca prezei mais do que o meu alimento" (Jó 23.12). Davi prefere os louvores de Deus antes do seu sono e descanso da noite. Certamente isto deveria nos envergonhar pela preferência que muitas vezes damos aos prazeres dos sentidos. Nós podemos prescindir de outras coisas pelos nossos vãos prazeres; nós já fizemos tanto pelo pecado, por vãs diversões, etc., e não renunciaremos a nós mesmos por Deus?

5. A grande reverência a ser usada na adoração secreta. Davi não somente eleva seu estado de espírito para louvar a Deus, como se levanta da sua cama, para dobrar os joelhos a Ele. Os deveres realizados em segredo devem ser cumpridos com solenidade, e não com negligência. O louvor, um ato especial de adoração, exige a adoração de corpo e alma. – *Thomas Manton*

v. 62: "À meia-noite, me levantarei para te louvar". Ele tinha louvado a Deus nos átrios da casa do Senhor, e ainda o fará no seu quarto. A adoração em público não nos dispensará da adoração em segredo. – *Matthew Henry*

v. 62: "À meia-noite, me levantarei para te louvar". Ele não estava preparado também para louvar a Deus ao meio-dia? Certamente: mas ele diz, *"à meia-noite"*, para que possa expressar o fervor e o anseio da sua alma. Estamos acostumados a assegurar aos nossos amigos a nossa boa vontade, dizendo que se for preciso nos levantaremos à meia-noite para meditar sobre as suas questões. – *Wolfgang Musculus*

v. 62: "À meia-noite, me levantarei para te louvar", etc. Nessas palavras, observe três coisas: 1. A santa ocupação de Davi, ou o dever prometido, dando graças a Deus. 2. A sua sinceridade e o seu fervor, sugeridos na hora mencionada, "à meia-noite, me levantarei"; ele preferia interromper o seu sono e o seu descanso, a deixar que o seu louvor faltasse a Deus. 3. A causa do seu agradecimento, "pelos teus justos juízos"; com isto, ele se refere às dispensações da providência de Deus, ao libertar os piedosos e punir os ímpios, de acordo com a sua palavra. – *Thomas Manton*

v. 62: "À meia-noite, me levantarei para te louvar". As preocupações deste mundo, a impaciência dos erros, uma má consciência, conservam os ímpios despertos, e perturbam o seu sono. *(Rivetus)*; mas eu me desperto para dar graças a ti. – *A. R. Faussett*

v. 63: "Companheiro sou", etc. Ele disse, no primeiro versículo desta seção, que Deus era a sua porção; agora ele diz, que todos os santos de Deus são seus companheiros. Estas duas coisas andam juntas – o amor por Deus, e o amor pelos seus santos. Aquele que não ama a seu irmão, criado segundo a imagem de Deus, a quem ele vê, como poderá amar a Deus, a quem não vê? O que poderemos argumentar se, mesmo vendo, a nossa bondade não se estender ao Senhor? Se nós a exibirmos aos seus santos sobre a terra, por causa dele, teremos um forte argumento a favor do nosso afeto amoroso com relação a Ele.

Piedosamente, Davi, quando Jônatas morreu, fez diligente investigação. Não há ainda algum da descendência de Jônatas para que use com ele de beneficência, por causa de Jônatas? Assim, se investigarmos com diligência, será que não há sobre a terra alguém a quem possamos mostrar benevolência, por causa de Cristo, que está no céu? Certamente encontraremos alguém, e tudo o que fizermos, será aceito como feito para Ele mesmo.

A sua grande modéstia deve ser observada. Ele não diz, Companheiro sou de todos os que te seguem, mas de todos os que te temem. O temor do Senhor é o princípio da sabedoria. Davi se coloca entre os novatos em humildade, embora superasse os antigos em piedade. – *William Cowper*

v. 63: "Companheiro sou de todos os que te temem". Como é fraca a natureza humana! Na verdade, há momentos em que a presença de alguém tão grandioso como o Todo-Poderoso se torna opressiva, e sentimos a nossa necessidade de alguém como nós mesmos, para se solidarizar conosco... E nos foi feita a provisão; Deus nos providenciou, pelo caminho, muitos amigos gentis e solidários, como Jesus. À medida que passamos, obtemos o sustento e o apoio humano que o Senhor forneceu. Nós os conseguimos também pela comunhão. – *John Stephen*

v. 63: "Companheiro sou de todos os que te temem". Os que são semelhantes, andam juntos. Os servos do mesmo Deus, se forem fiéis, se unem com seus companheiros, e não com os servos do seu inimigo. Quando um homem chega a uma hospedaria, você pode ter um palpite admirável sobre o lugar ao qual se destina, através das perguntas que faz. Por exemplo, uma pergunta como esta: "Você conhece algum viajante que se dirija a Londres? Eu ficaria sinceramente feliz com a sua companhia", traduz a sua vontade e o seu caminho. Se ele souber de alguém que se dirija a outro lugar, ele não o considera; mas se souber de algum passageiro honesto que vá viajar pelo mesmo caminho, e partir para a mesma cidade que ele, pede para chamá-lo, e implora o favor da sua boa companhia. Este mundo é uma hospedaria; todos os homens são, de alguma maneira, peregrinos e estrangeiros, e não têm morada aqui. O grupo pelo qual perguntam, e com o qual se alegram, sejam aqueles que andam pelo "caminho largo" da carne, ou os que andam pelo "caminho estreito" do Espírito, declarará se estão indo para o céu ou para o inferno. Um ímpio não desejará a companhia daqueles que andam pelo caminho contrário, e um santo não se alegrará em associar-se com os que vão em direção oposta à sua jornada. "Andarão dois juntos, se não estiverem de acordo?" As jovens perdizes se abrigam debaixo de uma galinha por algum tempo, juntamente com os pintinhos, e lhes fazem companhia, arranhando a terra; mas depois que crescem, e suas asas estão preparadas, sobem ao ar, e procuram aves da sua própria natureza. Um cristão, antes da sua conversão, cresce sob o domínio do príncipe das trevas, e anda em companhia da sua amaldiçoada equipe, de acordo com os caminhos deste mundo; mas quando o Espírito modifica a sua disposição, rapidamente ele altera sua companhia, e se alegra apenas com os santos que estão na terra. – *George Swinnock*

v. 63: "Companheiro sou de todos os que te temem". 1. A pessoa que fala. A disparidade das pessoas deve ser observada. Davi, que era um grande profeta, sim, um rei, ainda assim disse: *"Companheiro sou de todos os que te temem"*. O próprio Cristo os chamava de seus "companheiros": "Deus, o teu Deus, te ungiu com óleo de alegria, mais do que a teus companheiros" (Sl 45.7); e por isto Davi podia dizer, *"Companheiro sou"*.

2. As pessoas de quem se fala. Davi fala de *"todos os que te temem"*. A partícula universal deve ser observada; não apenas alguns, mas *"todos"*; quando alguém o encontrava, ou ele encontrava a algum deles, eles lhe eram bem-vindos. Como seria bom para o mundo, se os grandes e poderosos da terra pensassem assim, falassem assim e agissem assim: *"Companheiro sou de todos os que te temem"*. O amor próprio reina na maioria dos homens: muitos de nós amamos os ricos e desprezamos os pobres, e assim temos a fé do nosso Senhor Jesus Cristo em acepção de pessoas (Tg 2.1); portanto esta universalidade deve ser considerada. É necessário que demonstremos a fé e a caridade para com todos os santos (Ef 1.15), desde os humildes até os mais grandiosos. A mesquinhez não remove as relações da igreja (1 Co 11.20). Há muitas diferenças, em aspectos terrenos, entre um cristão e outro; em dons espirituais, alguns são mais fracos, outros mais fortes; mas devemos amar a todos; pois todos são filhos de um mesmo Pai, todos são reconhecidos por Cristo: "Não se envergonha de lhes chamar irmãos" (Hb 2.11).

Isto, eu devo dizer, é digno de nota, a disparidade entre as pessoas: de um lado, Davi; do outro, todo o povo de Deus. – Thomas Manton.

v. 63: "Companheiro sou", etc.; como se ele dissesse, Este é um sinal, para mim, de que pertenço à tua família; porque *"companheiro sou de todos os que te temem"* com um temor filial, e guardam *"os teus preceitos"*. – *Paulus Palanterius*

v. 63: "Companheiro" é alguém com quem escolho andar e conviver, com sincera amizade; assim, esta companhia implica três coisas: em primeiro lugar, é uma questão de escolha, e por isto os parentes não são apropriadamente descritos como sendo nossos companheiros; em segundo lugar, implica em um andar e convivência constantes, uns com os outros, e assim é expresso (Jó 34.8; Pv 13.20). E, em terceiro lugar, esta convivência ou este conviver comum, de uns com os outros, deve ocorrer em uma forma de amizade. – *William Bridge, 1600-1670*

v. 63: Evite a companhia daqueles que evitam a Deus, e conserve a companhia que Deus conserva. Considere a sociedade dos carnais ou ímpios como sendo contagiosa, mas considere as pessoas sérias e que oram como as excelentes sobre a terra. Elas vivificarão você, quando você estiver morto, e aquecerão você, quando estiver com frio. Faça dos mais vivazes do povo de Deus os que têm maior intimidade com você, e certifique-se de que o amor e a semelhança de Cristo sejam o grande motivo para o seu amor por eles, mais do que o amor deles por você, ou a semelhança com você. – *John Willison, 1680-1750 v. 64:* "A terra, ó Senhor, está cheia da tua benignidade". O servo humilde e devotado de Deus não olha com olhos preconceituosos para a cena pela qual está passando, rumo à sua morada eterna. Em meio a muitas angústias e privações, os frutos inevitáveis do pecado, ele contempla toda a natureza e a providência exibidas na rica expressão da benignidade paternal de Deus e na sua misericórdia para com os filhos dos homens. – *John Morison*

v. 64: "A terra, ó Senhor, está cheia da tua benignidade". O mar de fundição, os pães da proposição, o incenso aromático, a fumaça dos sacrifícios, o peitoral de Arão, a pregação da cruz, as chaves do reino do céu; estas coisas, todas elas, não proclamam benignidade? Quem poderia entrar no santuário, examinar a consciência, erguer os olhos para o céu, orar ou oferecer sacrifício, invocar a Deus, ou pensar na árvore da vida no meio do paraíso de Deus, se não houvesse benignidade? Todas as visões, todos os concertos, promessas, mensagens, mistérios, purificações lícitas, pacificações evangélicas, não confirmam isto? Sim, a benignidade está no ar que respiramos, na luz diária que brilha sobre nós, na chuva piedosa da herança de Deus; é a nascente pública para todos os que têm sede, o hospital comum para todos os necessitados; todas as ruas da igreja estão pavimentadas com estas pedras. O que aconteceria com as crianças, se não houvesse estes seios de consolação? Como a esposa, a esposa do Cordeiro, seria adornada, se seu esposo não a enfeitasse com estas vestimentas? Como o Éden pareceria o Jardim de Deus, se não fosse regado por estes rios? É a benignidade que nos tira do ventre, nos alimenta nos dias da nossa peregrinação, nos dota de provisões espirituais, fecha os nossos olhos em paz, e nos translada a um lugar de descanso seguro. É o primeiro pedido do suplicante, e o primeiro artigo do crente, a contemplação de Enoque, a confiança de Abraão, o peso dos cânticos proféticos, a glória de todos os apóstolos, o apelo do penitente, os êxtases dos reconciliados, as hosanas do crente, os aleluias dos anjos. Ordenanças, oráculos, altares, púlpitos, as portas da sepultura, e as portas do céu, tudo depende da benignidade. É a estrela guia do peregrino, o resgate do cativo, o antídoto do tentado, o profeta dos viventes, e a consolação efetiva dos moribundos – não haveria sequer um santo regenerado sobre a terra, nem um santo glorificado no céu, não fosse pela benignidade de Deus. – *De G. S. Bowes, "Illustrative Gatherings", 1869*

v. 64: "A terra, ó Senhor, está cheia da tua benignidade".

"Por que irrompe tal melodia de árvores e arbustos,
transbordando o coração de cada cantor,
enchendo o meu, de modo que ele mal pode fazer silêncio
por algum tempo, para ouvir, mas deseja tomar parte?
É apenas um cântico, que eu ouço onde quer que eu vá,
Embora as notas sejam incontáveis, dizendo que Deus é amor.

"Por que salta a correnteza pela vertente,
Apressando-se tão velozmente para o vale abaixo dela,
Para alegrar o rebanho sedento do pastor ou escorregar
onde o sol ardente deixou as flores desbotadas,
ou ondulando, acompanha a música de um bosque?
A sua alegre voz responde: Porque Deus é amor.

"É um mundo caído, ao qual eu contemplo?
Estou tão profundamente caído, como os demais,
mas participando das alegrias, depois do meu máximo louvor,
em vez de peregrinar cansado e sem bênçãos?

É como se um espírito invisível lutasse
para gravar em meu coração que Deus é amor!"
- *Thomas Davis, 1864*

EXPOSIÇÃO DOS VERSÍCULOS 65 A 72

65 *Fizeste bem ao teu servo, Senhor, segundo a tua palavra.*
66 *Ensina-me bom juízo e ciência, pois cri nos teus mandamentos.*
67 *Antes de ser afligido, andava errado; mas agora guardo a tua palavra.*
68 *Tu és bom e abençoador; ensina-me os teus estatutos.*
69 *Os soberbos forjaram mentiras contra mim; mas eu de todo o coração guardarei os teus preceitos.*
70 *Engrossa-se-lhes o coração como gordura, mas eu me alegro na tua lei.*
71 *Foi-me bom ter sido afligido, para que aprendesse os teus estatutos.*
72 *Melhor é para mim a lei da tua boca do que inúmeras riquezas em ouro ou prata.*

Nesta nona seção, todos os versículos começam com a letra Tete. Eles são as testemunhas da experiência, testificando a bondade de Deus, a piedade das suas atitudes, e a preciosidade da sua palavra. Especialmente, o salmista proclama os excelentes usos da adversidade, e a bondade de Deus, ao afligi-lo. O versículo 65 traz o texto de todo o conjunto.

65. *"Fizeste bem ao teu servo, Senhor, segundo a tua palavra."* Este é o resumo da sua vida, e certamente da nossa. O salmista declara ao Senhor o veredicto do seu coração; ele não pode ficar em silêncio, mas deve falar da sua gratidão na presença do Senhor, seu Deus. Com base na bondade universal de Deus, por natureza, expressa no versículo 64, é um passo fácil e agradável confessar a bondade uniforme do Senhor para conosco, pessoalmente. É bom que Deus tenha *lidado* com seres insignificantes e não merecedores como nós, e melhor ainda é que Ele tenha lidado *bem* conosco, e tão bem, tão maravilhosamente bem. Ele fez todas as coisas bem; a regra não tem exceção. Na providência e na graça, ao dar prosperidade e enviar adversidade, em tudo o Senhor lidou bem conosco. De nossa parte, lidar bem é contar ao Senhor que nós sentimos que Ele lidou bem conosco; o louvor deste tipo é particularmente apropriado e conveniente. Esta bondade do Senhor, no entanto, não é obra do acaso; Ele prometeu fazer isto, e o fez, segundo a sua palavra. É muito precioso ver a palavra do Senhor cumprida em nossa feliz experiência; isto torna as Escrituras preciosas para nós, e nos faz amar o Senhor das Escrituras. O livro da Providência está de acordo com o livro da Promessa; aquilo que nós lemos na página da inspiração, encontramos outra vez nas páginas da história da nossa vida. Nós podemos não ter pensado que seria assim, mas nos arrependemos da nossa descrença, quando vemos a misericórdia do Senhor conosco, e a sua fidelidade à sua palavra; por isto, somos levados a exibir uma fé mais firme, em Deus e também na sua promessa. Ele falou bem, e lidou bem conosco. Ele é o melhor dos Senhores; pois é com um *servo* muito indigno e incapaz que Ele lidou desta maneira abençoada; isto não nos torna cada vez mais prazerosos no seu serviço? Não podemos dizer que nós tenhamos lidado bem com o nosso Mestre; pois depois que tivermos feito tudo, ainda seremos servos inúteis; mas, quanto ao nosso Senhor, Ele nos deu um serviço leve, grande sustento, encorajamento afetuoso e um salário generoso. É um milagre que Ele não tenha nos descartado há muito tempo, ou, pelo menos, reduzido nossas recompensas, ou nos tratado de maneira rude; mas não recebemos um mau tratamento; tudo foi ordenado com tanta consideração, como se nós tivéssemos sido perfeitamente obedientes. Tivemos pão suficiente, e, de sobra, as nossas vestes nos foram fornecidas, e o seu serviço nos enobreceu e nos fez felizes como reis. Não temos nenhuma queixa. Nós

nos perdemos em ações de graças de adoração, e nos encontramos novamente em uma vida cuidadosa, através da qual demonstramos a nossa gratidão.

66. *"Ensina-me bom juízo e ciência."* Novamente, ele pede ensinamento, como no versículo 64, e novamente usa a misericórdia de Deus como argumento. Uma vez que Deus tinha lidado bem com ele, ele se sente encorajado para orar, pedindo juízo para apreciar a benignidade do Senhor. O bom juízo é a forma de bondade que o homem piedoso mais necessita, e mais deseja, e uma das que o Senhor está mais disposto a conceder. Davi sentia que frequentemente tinha falhado no juízo sobre a questão das atitudes do Senhor com relação a ele; pela falta de conhecimento, ele tinha julgado equivocadamente a mão punitiva do Pai celestial, e por isto agora ele pede para ser mais bem instruído, uma vez que percebe a injustiça que tinha feito ao Senhor, por suas conclusões precipitadas. Ele quer dizer: Senhor, tu lidaste bem comigo, quando eu te julguei duro e firme, alegra-te em dar-me mais conhecimento, para que eu não pense mal do meu Senhor pela segunda vez. Uma visão dos nossos erros e a percepção da nossa ignorância deve nos tornar dispostos a aprender. Nós não somos capazes de julgar, pois o nosso conhecimento é tristemente inexato e imperfeito; se o nosso Senhor nos ensinar conhecimento, nós alcançaremos o bom juízo, mas não conseguiremos fazê-lo de outra maneira. Somente o Espírito Santo pode nos encher de luz e esclarecimento, e dar um equilíbrio apropriado ao entendimento; devemos ansiar ardentemente pelos seus ensinamentos, uma vez que é muito desejável que não mais sejamos meras crianças em conhecimento e entendimento.

"Pois cri nos teus mandamentos." O seu coração era correto, e por isto ele esperava que a sua mente se tornasse correta. Ele tinha fé, e por isto esperava receber sabedoria. A sua mente tinha se estabelecido na convicção de que os preceitos da palavra vinham do Senhor, e, por isto, eram justos, sábios, gentis e proveitosos; ele acreditava na santidade, e como esta crença não é uma obra pequena da graça sobre a alma, ele esperava novas operações da graça divina. Aquele que crê nos mandamentos é o homem que irá conhecer e compreender as doutrinas e promessas. Se, ao examinarmos nossos enganos e ignorâncias, ainda pudermos ver que amamos sinceramente os preceitos da vontade divina, teremos boas razões para ter esperança de que somos os discípulos de Cristo, e de que Ele nos ensinará e nos tornará homens de bom juízo e ciência correta. Aquele que aprendeu a ter discernimento por experiência, e assim se tornou um homem de bom juízo, é um membro valioso da igreja, e é instrumento de grande edificação para os outros. Que todos os que desejam ser grandemente úteis ofereçam a oração deste versículo: "Ensina-me bom juízo e ciência".

67. *"Antes de ser afligido, andava errado."* Em parte, talvez, pela ausência de provações. Frequentemente as nossas provações agem como um a cerca de espinhos, para nos conservar no bom pasto, mas a nossa prosperidade é um vão pelo qual nós nos desviamos. Se algum de nós se lembrar de uma época em que não tinha problemas, provavelmente também se lembrará de que então a graça era pouca, e a provação era forte. Pode ser que algum crente clame: "Ah, se eu pudesse estar como naqueles dias de verão, antes que fosse afligido". Esta perspectiva não é nada sábia, e nasce de um amor carnal pela tranquilidade; o homem espiritual que valoriza o crescimento na graça irá bendizer a Deus porque os dias difíceis se acabaram, e porque, se o tempo for mais tempestuoso, também será mais saudável. É bom quando a mente é aberta e sincera, como neste caso; talvez Davi jamais tivesse conhecido e confessado os seus próprios enganos, se não tivesse sido ferido pela vara. Devemos nos unir aos seus humildes reconhecimentos, pois sem dúvida nós o imitamos nos seus erros. Por que um pouco de tranquilidade nos traz tanta enfermidade? Jamais poderemos descansar sem decair? Jamais nos satisfaremos, sem engordar? Seria possível conquistar um mundo, sem abrir mão de outro? Que criaturas fracas somos nós, incapazes de tolerar um pouco de prazer! Que corações

infames são aqueles que transformam a abundância da benignidade de Deus em uma oportunidade para o pecado.

"Mas agora guardo a tua palavra." A graça está naquele coração que se beneficia do seu castigo. Não adianta arar o solo estéril. Quando não há vida espiritual, a aflição não traz nenhum benefício espiritual; mas onde o coração é honesto, as dificuldades despertam a consciência, a peregrinação é confessada, a alma se torna novamente obediente ao mandamento e assim permanece. Açoites não transformarão um rebelde em um filho; mas para o filho fiel, um toque da vara é um corretivo eficaz. No caso do salmista, o remédio da aflição operou uma mudança – *"mas"*; uma mudança imediata – *"agora"*; uma mudança duradoura – *"guardo"*; uma mudança interior –*"guardo"*; uma mudança em direção a Deus – *"a tua palavra"*. Antes das suas dificuldades, ele tinha peregrinado, mas depois dela ele se conservou no interior da cerca da palavra, e encontrou bom pasto para a sua alma; a tentação o amarrou ao seu lugar apropriado; ela o guardou, e então ele guardou a palavra de Deus. Doces são os usos da adversidade, e este é um deles: colocar um freio na transgressão e dar à santidade um grande incentivo.

68. *"Tu és bom e abençoador."* Mesmo na aflição Deus é bom, e faz o bem. Esta é a confissão da experiência. Deus é essencialmente benigno em Si mesmo, e em cada atributo da sua natureza Ele é bom, no sentido mais amplo do termo; na verdade, Ele tem um monopólio da bondade, pois não há bom, senão um só que é Deus. Os seus atos estão de acordo com a sua natureza; de uma fonte pura, correm correntes puras. Deus não é uma bondade latente e inativa; Ele se exibe pelas suas obras, Ele é ativamente benigno, Ele faz o bem. Nenhuma língua pode expressar quanto bem Ele faz! Nenhum coração pode conceber o quanto Ele é bom! É bom adorar ao Senhor como o poeta aqui adora, descrevendo-o. Os fatos sobre Deus são o melhor louvor a Deus. Toda a glória que pudermos dar a Deus deverá refletir a glória que Ele merece. Não podemos dizer nada melhor sobre Deus, do que aquilo que Deus é e faz. Nós cremos na sua bondade, e assim o honramos pela nossa fé; nós admiramos esta bondade, e assim o glorificamos pelo nosso amor; nós declaramos esta bondade, e assim o magnificamos pelo nosso testemunho.

"Ensina-me os teus estatutos." A mesma oração que vimos anteriormente, respaldada pelo mesmo argumento. Ele ora, "Senhor, sê bom, e faze-me o bem, para que eu possa ser bom e fazer o bem, pelo teu ensinamento". O homem de Deus era um aprendiz, e se deleitava em aprender; ele atribuía isto à bondade do Senhor, e esperava que, pela mesma razão, lhe fosse permitido permanecer na escola e continuar aprendendo, até que pudesse praticar com perfeição cada ensinamento. Ele tinha escolhido, como livro de classe, os estatutos reais, ele não desejava outro livro. Ele conhecia o triste resultado de infringir estes estatutos, e por dolorosa experiência tinha sido conduzido de volta ao caminho da justiça; e, por isto, ele implorava, como o maior exemplo possível da bondade divina, que lhe fosse ensinado um conhecimento perfeito da lei, e uma completa conformidade a ela. Aquele que lamenta não ter guardado a palavra, deseja que ela lhe seja ensinada, e aquele que se alegra com o fato de que, pela graça, foi ensinado a guardá-la, não está menos ansioso para que instrução semelhante tenha continuidade em si mesmo.

No versículo 12, que é o quarto versículo da letra Bete, temos praticamente o mesmo sentido que neste quarto versículo da letra Tete.

69. *"Os soberbos forjaram mentiras contra mim."* Primeiramente, eles o ridicularizaram (51), depois o despojaram (61), e agora o difamaram. Para ofender o caráter do salmista, eles recorreram às falsidades, pois não poderiam encontrar nada contra ele, se falassem a verdade. Eles forjaram uma mentira como um ferreiro forja uma arma de ferro, ou falsificaram a verdade como os homens cunham uma moeda falsa. O original pode sugerir uma expressão comum – "Proferiram uma mentira contra mim". Eles não eram orgulhosos demais para mentir. A soberba

é uma mentira, e quando um homem soberbo profere mentiras, "ele fala de si mesmo". Os soberbos normalmente são os mais amargos oponentes dos justos; eles invejam a sua boa fama, e são ansiosos por arruiná-la. A calúnia é uma arma barata e conveniente, se o objeto é a destruição de uma reputação piedosa; e quando muitos soberbos conspiram para inventar, exagerar e espalhar uma falsidade maligna, em geral conseguem ferir a sua vítima, e não será por alguma falha sua se não a aniquilarem completamente e com um único golpe. Ó, o veneno que está sob a língua de um mentiroso! Muitas vidas felizes têm sido amarguradas por ela, e muitas boas reputações envenenadas, como se fosse com a mais mortal droga. É extremamente doloroso ouvir homens inescrupulosos martelando na bigorna do diabo, forjando uma nova calúnia; a única ajuda contra isto é a doce promessa: "Toda ferramenta preparada contra ti não prosperará; e toda língua que se levantar contra ti em juízo, tu a condenarás".

"Mas eu de todo o coração guardarei os teus preceitos." A minha única ansiedade será cuidar da minha vida e manter-me fiel aos mandamentos do Senhor. Se a lama que é atirada contra nós não cegar os nossos olhos nem ferir a nossa integridade, ela nos causará pouco dano. Se nós guardarmos os preceitos, os preceitos nos guardarão no dia da ofensa e da calúnia. Davi renova a sua determinação – *"guardarei"*; ele examina outra vez os mandamentos, e vê que eles são realmente do Senhor – *"teus preceitos"*; e incita toda a sua natureza para o trabalho – *"de todo o coração"*. Quando os caluniadores nos levam à obediência mais resoluta e cuidadosa, eles trabalham para o nosso bem eterno; a falsidade inventada contra nós pode promover a nossa fidelidade à verdade, e a maldade dos homens pode aumentar o nosso amor por Deus. Se tentarmos responder a mentiras com as nossas palavras, nós seremos derrotados na batalha; mas uma vida santa é uma refutação incontestável a todas as calúnias. A maldade é frustrada e não segue adiante, se nós perseverarmos na santidade, apesar de toda a oposição.

70. *"Engrossa-se-lhes o coração como gordura."* Eles se alegram na gordura, mas eu me alegro em ti. Os seus corações, pela indulgência dos prazeres dos sentidos, ficaram insensíveis, ásperos e servis; mas tu me salvaste deste destino, pela tua mão punitiva. Os soberbos engordam devido às luxúrias carnais, e isto os torna ainda mais soberbos. Eles se alvoroçam em sua prosperidade, e enchem seus corações com ela, até que se tornam insensíveis, efeminados e autoindulgentes. Um coração gordo é algo horrível; é uma gordura que torna um homem presunçoso, uma degeneração do coração que leva à debilidade e à morte. A gordura nestes homens mata a vida que há neles. Dryden escreveu:

> "Ó almas! Em quem não se encontra nenhum fogo celestial,
> Mentes gordas, que se revolvem no chão!"

Nesta condição, os homens não têm coração, senão para a luxúria, o seu próprio ser parece mergulhar e cozinhar na gordura dos banquetes. Vivendo da gordura da terra, a sua natureza é subjugada àquilo de que se alimentam; o músculo da sua natureza ficou flácido e gordo.

"Mas eu me alegro na tua lei." Como é melhor se alegrar na lei do Senhor do que nas indulgências dos prazeres dos sentidos! Isto torna o coração saudável, e mantém humilde a mente. Ninguém que ama a santidade tem o menor motivo para invejar a prosperidade dos mundanos e materialistas. A alegria na lei eleva e enobrece, ao passo que o prazer carnal obstrui o intelecto e degrada os sentimentos. Existe, e sempre deve existir, um vívido contraste entre o crente e o homem que se entrega aos prazeres dos sentidos, e este contraste é visto igualmente nos sentimentos do coração e nos atos da vida; o *seu* coração é tão gordo como a própria gordura, e o nosso coração se alegra com a lei do Senhor. Os nossos prazeres são uma prova

melhor do nosso caráter do que qualquer outra coisa; o homem é como é o seu coração. Davi tornou mais fácil a sua vida, tendo o seu prazer na lei de Deus, e não na gordura dos prazeres dos sentidos. Ele tinha seus gostos e seus manjares, suas festas e seus prazeres, e tudo isto ele encontrou, ao cumprir a vontade do Senhor, seu Deus. Quando a lei se torna um prazer, a obediência é bem-aventurada. A santidade no coração faz com que a alma coma a gordura da terra. Ter a lei como nosso prazer gerará, em nossos corações, o oposto dos resultados da soberba; a falta de vida, os prazeres dos sentidos e a obstinação serão curadas, e nós nos tornaremos dispostos a aprender, tornando-nos sensíveis e espirituais. Como devemos ser cuidadosos, e procurar viver sob a influência da lei divina, para não cairmos sob a lei do pecado e da morte.

71. *"Foi-me bom ter sido afligido."* Embora a aflição viesse de homens maus, teve boa finalidade; embora fosse má, quando veio deles, foi boa para Davi. Ela o beneficiou de muitas maneiras, e ele sabia disto. O que quer que ele tenha pensado quando se encontrava sob a provação, ele percebia agora, que ela havia terminado, que era para o bem. Não era bom que o soberbo fosse próspero, pois seu coração ficaria voltado aos prazeres dos sentidos e se tornaria insensível; mas a aflição era boa para o salmista. O nosso pior é melhor para nós, do que o melhor do pecador. É mau, para os pecadores, se alegrar, e é bom, para os santos, se entristecer. Mil benefícios nos vieram, através de nossas dores e nossos pesares, e entre eles, está este – o fato de que fomos instruídos na lei. *"Para que aprendesse os teus estatutos".* Nós acabamos por conhecê-los, e guardá-los, sentindo o ferimento da vara. Nós oramos, pedindo que o Senhor nos ensine (66) e agora vemos como Ele já o fazia. Verdadeiramente, Ele lidou bem conosco, pois lidou sabiamente conosco. Nós fomos protegidos da ignorância dos que têm corações gordos por meio de nossas provações; e isto, se não fosse nada além disto, já seria um motivo justo para uma constante gratidão. Estar cheio de prosperidade não é bom para os soberbos; mas que a verdade seja aprendida pela adversidade, é bom para os humildes. Muito pouco se aprende sem aflição. Se devemos ser aprendizes, devemos ser sofredores. Como dizem em latim, *Experientia docet*, a experiência ensina. Não há caminho real para o aprendizado dos estatutos reais; os olhos molhados de lágrimas leem melhor os mandamentos de Deus.

72. *"A lei da tua boca."* Um nome docemente expressivo para a palavra de Deus. Ela vem da própria boca de Deus, com frescor e vigor, para as nossas almas. As coisas escritas são como ervas secas; mas a palavra expressa oralmente tem consigo uma vivacidade e um orvalho. Nós fazemos bem em confiar na palavra do Senhor, como se tivesse acabado de ser proferida aos nossos ouvidos; pois, na verdade, ela não decaiu com os anos, mas é tão vigorosa e certa como se tivesse proferida há pouco. Os preceitos são valorizados quando se vê que eles vêm dos lábios do nosso Pai que está nos céus. Os mesmos lábios que, falando, nos deram a existência, falaram a lei pela qual devemos governar esta existência. De onde pode vir tão docemente uma lei, senão da boca do nosso Deus do concerto? Nós podemos considerar inestimável aquilo que vem de tal fonte.

"Melhor é para mim do que inúmeras riquezas em ouro ou prata." Se um homem pobre tivesse dito isto, os que se julgam inteligentes teriam deduzido que ele pareceria desprezar o que, na realidade, inveja, e que os homens que não têm riquezas são os primeiros a desprezá-las; mas este é o veredicto de um homem que tinha seus milhares, e podia julgar, por experiência, o valor do dinheiro e o valor da verdade. Ele fala de grandes riquezas, ele as acumula aos milhares, e menciona as variedades de suas formas – "ouro ou prata"; e ele coloca a palavra de Deus antes de tudo isto, como melhor *para ele*, mesmo que os outros não pensem que ela é melhor para eles. A riqueza é boa, em alguns aspectos, mas a obediência é melhor em todos. É bom guardar os tesouros desta vida; mas é muito mais recomendável

e elogiável guardar a lei do Senhor. A lei é melhor do que ouro e prata, pois estes podem ser roubados de nós, mas a palavra, não; eles desaparecem rapidamente, mas a palavra de Deus permanece; eles são inúteis na hora da morte, mas é então que a promessa é mais cara. Os cristãos instruídos reconhecem o valor da palavra do Senhor, e calorosamente a expressam, não somente nos seus testemunhos para seus companheiros, mas nas suas devoções a Deus. É um sinal garantido de um coração que aprendeu os estatutos de Deus, quando ele os valoriza, acima de todas as possessões terrenas; e é igualmente um sinal assegurado de graça, quando os preceitos das Escrituras são tão preciosos quanto a promessa divina. O Senhor nos faz valorizar a lei da sua boca.

Veja como esta porção do salmo tem sabor de bondade. As tratativas de Deus são boas (65), o santo juízo é bom (66), a aflição é boa (67), Deus é bom (68), e aqui a lei não apenas é boa, mas é melhor do que o melhor dos tesouros. Senhor, faze-nos bons, pela tua boa palavra. Amém!

NOTAS SOBRE OS VERSÍCULOS 65 A 72

Tete. No original, cada versículo começa com T, e, na versão em inglês isto também acontece, em todos os versículos, com exceção do 67 e do 70, que podem ser facilmente transcritos para começar com esta letra, da seguinte maneira, "Até que fui afligido" e "Foi-me bom ter sido afligido". – *C. H. S.*

v. 65: "Fizeste bem ao teu servo, Senhor segundo a tua palavra".

1. Quem faz bem é o próprio Senhor; todo o bem deve ser referido a Deus, como seu autor.

2. O benefício recebido, em geral, é expresso como *"Fizeste bem"*. Alguns traduzem do hebraico, *"Bonum fecisti*, fizeste bem com o teu servo; a Septuaginta, Χρηστότητα ἐποίησας μετὰ τοῦ δούλου σου, fizeste bondade ao teu servo, ou com ele; como resultado, a Vulgata, *Bonitatem fecisti.* Alguns interpretam esta frase de modo geral: "Tudo o que fazes pelos teus servos é bom"; eles assim o consideram, ainda que seja contrário aos interesses da carne; a doença é boa, a perda de amigos é boa; e igualmente a pobreza e a perda dos bens, para uma mente humilde e agradecida. Mas certamente Davi aqui se refere a alguma provisão e libertação em que Deus lhes tinha feito alguma boa promessa. Os rabinos judeus interpretam que a referência é ao seu retorno ao reino; mas muitos autores cristãos entendem que se trata de algum benefício espiritual; o bem que Deus lhe tinha proporcionado. Se pudermos aprender algo dos versículos posteriores, certamente é algum bem espiritual. A Septuaginta repete χρηστότητα duas vezes, neste versículo e no seguinte, como se o salmista reconhecesse o benefício do bom juízo e da ciência, os quais ele pede aqui que sejam ampliados. Isto já lhe tinha sido concedido, em parte, e por intermédio de aflições, como vemos no terceiro versículo deste grupo: "Antes de ser afligido, andava errado; mas agora guardo a tua palavra". A sua oração é: Agora, então, continua ampliando esta obra, esta bondade que mostraste ao teu servo.

3. O objeto, *"teu servo"*: é um estilo honorável e confortável; Davi se alegrava nele. Deus é o Senhor bondoso e piedoso, disposto a fazer o bem aos seus servos, recompensando-os com graça, aqui, e coroando esta graça, no futuro, com glória: "Aquele que se aproxima de Deus creia que ele existe e que é galardoador dos que o buscam" (Hb 11.6). – *Thomas Manton*

v. 65: "Fizeste bem". Se os filhos de Deus apenas soubessem o que é melhor para eles, perceberiam que Deus fez o que era melhor para eles. – *John Mason*

v. 65: "Fizeste bem ao teu servo". Ele sabia que Deus não se arrepende das suas dádivas, e que Ele não se cansa de fazer o bem, mas concluirá o que começou; e, por isto, o salmista alega benevolências passadas. Nada é mais contundente para obter benignidade, do que apresentar diante de Deus as suas benignidades anteriores. Aqui há duas razões. Em primeiro lugar, se Deus lidou bem com ele, quando ele não estava regenerado, quanto mais lidaria agora? e, em segundo lugar, todas as dádivas de Deus serão perfeitamente concluídas, por isto Ele continuará a fazer o bem ao seu servo. Aqui há uma diferença entre a fé e uma consciência acusadora; a consciência acusadora tem medo de pedir mais, porque abusou das benignidades anteriores, mas a fé, certificando-nos de que todos os benefícios de Deus são símbolos do seu amor, que nos é concedido de acordo com a sua palavra, tem a coragem de pedir mais. – *Richard Greenham*

v. 65: "Fizeste bem ao teu servo". "Sem dúvida", disse o falecido Rev. J. Brown, de Haddington, Escócia, "Eu me deparei com provações, tanto quanto os outros; mas Deus foi tão bondoso comigo, que eu penso que se Ele me desse a mesma quantidade de anos que eu já vivi no mundo, eu não desejaria que nem uma circunstância fosse modificada, apenas gostaria de ter pecado menos. No meu caixão, poderia estar escrito, 'Aqui jaz um dos cuidados da Providência que cedo perdeu pai e mãe, mas jamais sentiu falta deles'". – *Arvine, "Anecdotes"*

v. 65: "Fizeste bem ao teu servo, Senhor, segundo a tua palavra". A expressão *"segundo a tua palavra"* é tão frequentemente repetida neste salmo, que nós somos propensos a negligenciá-la, ou atribuir a ela apenas o significado geral de "por causa da tua promessa". Mas, na realidade, ela quer dizer muito mais. Deus tinha feito *"bem"* a Davi, de acordo com a ideia do homem? Caso afirmativo, o que significam expressões como: "Não me desampares totalmente" (v. 8); "Sou peregrino na terra" (v. 19); "A minha alma está pegada ao pó" (v. 25); "A minha alma consome-se de tristeza" (v. 28); "Desvia de mim o opróbrio que temo" (v. 39); "Os soberbos zombaram grandemente de mim" (v. 51); "Grande indignação se apoderou de mim" (v. 53)?

Em vista de passagens como estas, poderemos dizer que Deus "fez *bem*" a Davi, segundo a ideia do homem? A experiência de Davi era de grande e variada provação. Não há uma fase nos nossos sentimentos de angústia que não encontre ampla expressão nos seus salmos. E, no entanto, ele diz, *"Fizeste bem ao teu servo, segundo a tua palavra".*

Como, então, nós devemos interpretar a expressão, tão frequentemente repetida aqui, em conformidade com os fatos da vida espiritual de Davi?

Deus fez o bem a ele, "segundo a sua palavra", no sentido de fazer o bem a ele *de acordo com aquilo que a sua palavra explicava ser o verdadeiro bem* – e não libertando-o de toda provação, mas enviando-lhe tantas provações conforme ele necessitasse. Ele sentia, verdadeiramente, que Deus tinha lhe feito *bem*, quando pôde dizer (v. 67): "Antes de ser afligido, andava errado; mas agora guardo a tua palavra". Novamente (v. 71): "Foi-me bom ter sido afligido, para que aprendesse os teus estatutos". Este tratamento foi difícil de ser suportado pela carne e pelo sangue, mas, na verdade, foi *"bom"* no sentido de obter resultados mais abençoados.

Ele também foi "segundo a sua palavra", no sentido de estar *em conformidade com a sua maneira revelada de lidar com o seu povo*, que era castigado para seu próprio benefício.

Novamente, Deus tinha "feito bem" a Davi *segundo a sua palavra, ou o seu concerto*; o cumprimento atual (ainda que amargo em si mesmo) é um sinal garantido do seu aperfeiçoamento final da sua obra, e da glorificação de Si mesmo, no cumprimento total da sua palavra, na salvação completa do seu servo.

Segundo a tua palavra, ó Senhor, fizeste bem ao teu servo. A tua palavra é a luz que mostra as coisas no seu verdadeiro aspecto, nos ensina e nos leva a saber que todas as coisas trabalham juntas para o bem do teu povo, e que tu fizeste bem todas as coisas. "Desvenda os meus olhos, para que veja as maravilhas da tua lei". O que pode ser mais maravilhoso para os nossos olhos do que estas visões?

"Segundo a tua palavra"; não somente "por causa da tua promessa", mas como a tua palavra declara. Veja como tal entendimento da expressão abre a ideia de "tem piedade de mim, segundo a tua palavra" (v. 58). Todas as doces promessas e declarações da misericórdia infinita de Deus aparecem diante de nós, e formam um vasto pedido. Novamente, "Vivifica-me", e "fortalece-me segundo a tua palavra" – *na medida exata do que prometeste e propiciaste para o teu povo.* Veja a plenitude desta perspectiva, no versículo 76: "Sirva, pois, a tua benignidade para me consolar, *segundo a palavra que deste ao teu servo".* Novamente (v. 169), "dá-me entendimento *conforme a tua palavra";* (v. 170), "livra-me *segundo a tua palavra".* Em cada um destes versículos, nós devemos sentir que o pedido inclui a ideia de tudo o que a palavra ensina sobre o assunto.

Que a nossa oração, por misericórdia, e benignidade, e força, e consolação, e entendimento, e libertação, sempre seja uma oração por estas coisas, na medida exata em que são reveladas e prometidas na palavra de Deus. – *Mary B. M. Duncan (1835-1865), "Under the Shadow"*

v. 66: "Ensina-me bom juízo", etc. Davi, que descobriu um gosto santo (Sl 19.10; 104.34; 119.103); e o recomendou a outros (34.8), pede, no nosso texto, que ele seja aumentado. Pois a palavra traduzida como *"juízo"* significa, na verdade, *gosto,* e indica o gosto pela verdade divina, e pela bondade e santidade divinas, que é peculiar aos verdadeiros santos. Eu proponho, portanto, considerar a natureza e objetos daquele gosto particular que está em cada alma piedosa, e que todos os verdadeiros santos desejam possuir, em um grau ainda maior.

A palavra original, que é frequentemente aplicada a estes objetos dos sentidos, que são distinguidos pelo paladar, é aqui usada em um sentido metafórico, como o termo correspondente é usado na nossa própria língua. "O ouvido não provará as palavras, como o paladar prova as comidas?" (Jó 12.11). Os nossos tradutores, neste ponto, traduzem *"juízo",* o que é praticamente a mesma coisa; mas, como os termos são aplicados entre nós, há uma diferença entre eles. Gosto é o que capacita o homem a formar um juízo mais resumido. O juízo é mais lento, em suas operações, do que o gosto; ele forma suas decisões por um caminho mais sinuoso. Assim, aplicamos o termo "gosto" a muitos objetos de decisão mental, à beleza de um poema, à excelência de estilo, à elegância de vestes ou de conduta, à pintura, à música, etc., em que um bom gosto levará aqueles que o possuem a decidir rapidamente, e, apesar disto, com exatidão, sobre a beleza, excelência, e propriedade dos objetos com que tinham convivido sem uma consideração exaustiva.

De igual maneira, os verdadeiros santos têm a capacidade de receber prazer da beleza da santidade, que resplandece na palavra de Deus, no caráter divino, na lei, no Evangelho, na cruz de Cristo, no exemplo de Cristo, e na conduta de todos os seus fiéis seguidores, na medida em que estão em conformidade com a sua Pessoa adorável. Eu não quero dizer, com isto, que eles são influenciados por um instinto cego, ao qual não podem atribuir uma razão suficiente; os genuínos sentimentos de um verdadeiro cristão podem ser, todos eles, justificados pela mais sólida razão; mas os sentimentos que foram produzidos pela graça renovadora, são tão fortalecidos pela comunhão diária com Deus, e pela frequente contemplação das coisas espirituais, que adquirem uma delicadeza e prontidão de percepção, que ninguém pode possuir se jamais tiver provado o quanto o Senhor é misericordioso. Você não pode tocar, digamos, uma determinada corda, mas o coração renovado deve necessariamente responder a ela. O que quer que leve, verdadeiramente, a exaltar a Deus, a levar a alma para perto dele, e a assegurar que Ele seja glorificado e apreciado, naturalmente atrairá a atenção, despertará os afetos e influenciará a conduta daquele que nasce de Deus. "Mais doce do que o mel". "A minha meditação a seu respeito será suave".

"Quão doces são as tuas palavras ao meu paladar! Mais doces do que o mel à minha boca" "Provai e vede que o Senhor é bom". – *John Ryland, 1753-1825*

v. 66: "Ensina-me bom juízo e ciência", etc. Literalmente, isto pode ser traduzido assim: Ensina-me bondade, discernimento e conhecimento; pois cri, ou confiei, nos teus mandamentos. No nosso sistema de coisas divinas, nós podemos estar propensos a colocar o conhecimento e o discernimento em primeiro lugar, gerando a "bondade". Mas é um fato confirmado que as forças intelectuais e morais são recíprocas – que a moral também dá força à intelectual. Além disto, somente o homem espiritual discerne as coisas de Deus. O fato de estar voltado mentalmente para o espiritual, e também familiarizado com as coisas divinas, dá vigor e fôlego para o próprio intelecto, que se manifesta admiravelmente na vida de homens eminentes. E se você observar que foram eminentes alguns que eram destituídos de qualidades espirituais, a resposta pode ser – quão mais eminentes teriam sido, se tivessem possuído tais qualidades. A súplica é, *"Ensina-me bondade, discernimento e conhecimento"*. O princípio de agradar a Deus pode ser interior, e a mente pode precisar ser esclarecida em todo o dever; e, novamente, embora todo o dever seja conhecido, nós podemos precisar de discernimento espiritual para senti-lo e vê-lo apropriadamente. – *John Stephen*

v. 66: "Ensina-me bom juízo". Em uma palestra de Sir John Lubbock [sobre a fertilização de flores pelos insetos], uma assombrosa distinção se observa, com relação a esta operação, entre plantas belas e odiosas. As abelhas, aparentemente, se alegram com aromas agradáveis e cores brilhantes, e invariavelmente escolhem as plantas que dão prazer aos homens. Se observarmos o curso destes insetos na sua visita a um jardim, veremos que se assentam na rosa, na lavanda, e em todas as demais plantas similares e agradáveis, de tonalidades brilhantes ou aroma doce. Em nítido contraste com isto está o comportamento das moscas, que sempre mostram uma preferência por plantas de tonalidade amarelo lívido ou vermelho escuro, e que possuem um odor desagradável. A abelha é uma criatura de gostos sensíveis e refinados. A mosca é "uma espécie de abutre do reino dos insetos", voltando-se naturalmente ao alimento vegetal que se assemelha à carniça do reino animal. Se dois pratos forem colocados sobre um gramado, separados por alguma distância, um deles contendo aquele fungo subterrâneo mal cheiroso, o Stinkhorn, e no outro, um punhado de rosas de cálice musgoso, de forte aroma, e esta diferença será imediatamente percebida. O feio fungo de mau odor logo será coberto de moscas, ao passo que as abelhas procurarão o prato de rosas. Nós devemos, a este amor das abelhas por belas cores e perfumes fragrantes, as nossas melhores flores. Pois, levando o pólen de alguma bela flor ao estigma de outra, com esta união elas produziram a semente de uma variedade ainda mais preciosa. Assim, com o passar do tempo, muitas flores foram ficando cada vez mais belas. Por outro lado, é estranho dizer que, por um processo similar, uma evolução na direção oposta ocorreu naquelas plantas que são visitadas por moscas, e que as suas qualidades insalubres e repulsivas se intensificaram.

A mesma coisa acontece com as duas grandes classes em que a humanidade pode ser dividida: os homens deste mundo, e os homens do próximo. Os interesses purificados de um grupo se concentram continuamente em "tudo o que é verdadeiro, tudo o que é honesto, tudo o que é justo, tudo o que é puro, tudo o que é amável, tudo o que é de boa fama", os interesses materialistas e vis do outro se prendem à corrupção. A abelha laboriosa voa de uma bela flor a outra da mesma maneira como o cristão busca propositadamente tudo o que é mais belo, mais doce e melhor na terra. A sua oração é a oração de Davi em Sl 119.66: *"Ensina-me bom gosto"* (esta é a tradução literal); e "se há alguma virtude, e se há algum louvor", ele pensa nestas coisas. – *James Neil, "Rays from the Realms of Nature", 1879 v. 66:* "Bom juízo e ciência". Não há bênçãos mais agradáveis do que *"bom juízo e ciência"* – *"conhecimento", ou ciência* de nós mesmos, do nosso Salvador e do caminho da obediência – e *"bom juízo"* para orientar e aplicar este conhecimento a algum propósito valioso. Estas duas partes do nosso equipamento intelectual têm uma importante conexão e dependência, entre si. *"Ciência"* é a percepção especulativa da verdade geral. *"Juízo"* é a aplicação prática desta percepção, ao coração e ao comportamento. – *Charles Bridges*

v. 66: "Pois cri nos teus mandamentos". Estas palavras merecem um pouco de consideração, porque crer, aqui, está conectado a um objeto incomum. Se estivesse escrito, "pois cri nas tuas promessas", ou "obedeci aos teus mandamentos" o significado da sentença teria sido mais óbvio à compreensão comum. Crer nos mandamentos parece áspero para o ouvido comum, como ver com o ouvido e ouvir com os olhos; mas, apesar disto, os mandamentos são o objeto; e sobre eles, o salmista não diz, "obedeci", mas *"cri"*.

Para remover a aparente aspereza da frase, alguns intérpretes assumem que a palavra *"mandamentos"* aqui representa a palavra, de modo geral; e assim as promessas estão incluídas, na opinião destes intérpretes, e são o significado pretendido principal, especialmente as promessas que o encorajavam a confiar em Deus para as coisas necessárias, como são o bom juízo e a ciência. Mas esta interpretação nos desvia do peso e da força destas palavras significativas. Por isto, observe:

1. Certamente há uma fé nos mandamentos, assim como nas promessas. Nós devemos crer que Deus é o seu autor, e que eles são as expressões da sua vontade imperativa e legislativa, à qual somos obrigados a obedecer. A fé deve discernir a soberania e a bondade do legislador e crer que os seus mandamentos são santos, justos e bons; e também deve nos ensinar que Deus ama àqueles que guardam a sua lei, e se ira com aqueles que a transgridem, e que Ele se certificará de que a sua lei seja defendida no último e grande dia.

2. A fé nos mandamentos é tão necessária como a fé nas promessas; pois, assim como as promessas não são estimadas, aceitas e aproveitadas, a menos que acreditemos que elas são de Deus, a mesma coisa acontece com os preceitos; eles não influenciam a consciência, nem inclinam os sentimentos, a menos que acreditemos que eles são divinos.

3. A fé nos mandamentos deve ser tão viva como a fé nas promessas. Assim como as promessas não são aceitas por uma fé viva, a menos que livrem o coração das futilidades carnais, para buscar esta felicidade que elas nos oferecem, também os preceitos não são alvo correto da fé, a menos que nós estejamos plenamente decididos a aquiescer com eles, como a única regra para nos guiar na obtenção de tal felicidade, e a menos que estejamos decididos a aderir a eles, e a obedecer a eles. Assim como as leis do rei não são guardadas, tão logo acreditemos que são as leis do rei, a menos também que, pela consideração da sua autoridade e do seu poder, nos submetamos a elas, também esta crença observa uma diligência e prontidão para ouvir a voz de Deus, e obedecer a ela, e para governar nossos corações e atos de acordo com o seu conselho e a sua orientação na palavra. – *Thomas Manton*

v. 66: "Pois cri nos teus mandamentos". Os mandamentos de Deus não estão sozinhos, mas têm promessas de graça, do seu lado direito, e ameaças de ira do esquerdo; em ambos, a fé se exercita, e sem esta fé ninguém será capaz de obedecer aos mandamentos de Deus. – *Wolfgang Musculus*

v. 67: "Antes de ser afligido, andava errado", etc. Não que ele se afastasse do seu Deus impiamente, maldosamente e com desprezo; isto, ele nega (Sl 18.21); mas pela fraqueza da carne, o predomínio da corrupção e a força da tentação, e também por um estado de espírito descuidado, insensato e negligente, ele deixou o caminho correto e se afastou dele, antes que se desse conta. A palavra é usada com o significado de errar por ignorância, ou desconhecimento (Lv 5.18). Isto aconteceu no seu tempo de prosperidade, quando, embora ele não pudesse, como Jesurum, engordar e dar coices, e abandonar e desprezar a Rocha da sua salvação, ou cair em tentação e luxúrias prejudiciais, e se afastar da fé, e ser atingido por muitas angústias, ainda assim se tornou desatento aos deveres da religião, e negligente a eles, o que é bastante comum. – *John Gill*

v. 67: "Antes de ser afligido". A Septuaginta e a Vulgata dizem, "Antes de ser humilhado". A palavra hebraica tem o significado geral de ser afligido, e pode referir-se a qualquer tipo de provação. – *Albert Barnes*

v. 67: "Antes de ser afligido". A prosperidade é uma prova mais refinada e severa de caráter do que a adversidade, pois uma hora de sol de verão produz maior corrupção do que o mais longo dia de inverno. – *Eliza Cook*

v. 67: "Afligido". Deus, em sabedoria, lida conosco como alguma pessoa importante e nobre lidaria com um filho desobediente, que deixa sua casa e se rebela entre os seus arrendatários. O seu pai ordena que eles o tratem mal, o afrontem e o castiguem e expulsem do seu meio, e tudo isto para que possa trazê-lo de volta. A situação é a mesma, com Deus; o homem é seu filho selvagem e corrompido; ele foge das ordens do seu Pai, e não consegue suportar viver sob o seu governo rígido e severo. Ele recorre aos prazeres do mundo, e se rebela entre as criaturas. Mas Deus decide recuperá-lo, e por isto ordena que todas as criaturas o tratem asperamente. "Queime-o, fogo; agitem-no, tempestades, e destruam as suas propriedades; abandonem-no, amigos; desígnios, falhem com ele; filhos, rebelem-se contra ele, como ele se rebelou contra mim; que aquilo que o sustenta, e aquilo em que confia, afunde debaixo dele, que as suas riquezas se derretam, que o deixem pobre, e desprezado, e destituído". Todos estes são servos de Deus, e devem obedecer à sua vontade. E que finalidade tem tudo isto, exceto, fazer com que, quando ele se vir abandonado por tudo, ele possa, por fim, como o filho pródigo, retornar ao seu pai? – *Ezekiel Hopkins, 1663-1690*

v. 67: "Afligido". Assim como os homens cortam as penas das suas aves, quando elas começam a voar muito alto, ou para muito longe, da mesma maneira Deus diminui as nossas riquezas, etc., para que não ultrapassemos os nossos limites, e não nos gloriemos demais em tais dádivas. – *Otho Wermullerus*

v. 67: "Mas agora guardo a tua palavra". A aflição faz com que o homem volte para casa.

"O homem, como uma ovelha tola, frequentemente se desvia,
sem conhecer o seu caminho,
e por desertos de pecado
viaja diariamente;
Nada o fará retornar com mais rapidez
do que as aflições.
Ele vaga sob o sol, mas também sob a chuva
e a tempestade se apressa a voltar para casa.

"Tu, grande pastor da minha alma,
Ó, guarda-me, a tua ovelha indigna,
Impeça que eu vague; ou se os meios justos não o fizerem,
então que a infração me traga de volta.
Pai, então, para que eu não pereça no meu erro,
Senhor, traga-me de volta, com terror;
É melhor ser castigado com a tua vara,
e o cajado do Pastor, do que me afastar de ti, meu Deus.

"Embora os açoites deste momento me angustiem intensamente,
no final, me trarão mais benefício.
E me farão observar a tua palavra,
que eu negligenciei antes;
Que eu volte para casa, por uma cruz de lágrimas
para não continuar perplexo.
Eu preferiria tomar um remédio amargo, para ter saúde,
a comer guloseimas, e estar sempre doente",
Thomas Washbourne, 1606-1687

v. 67: Da multidão incontável diante do trono de Deus e do Cordeiro, podemos ainda ouvir as palavras do salmista, *"Antes de ser afligido, andava errado; mas agora guardo a tua palavra"*. Há muitos que dirão, "Eis que bem-aventurado é o homem a quem Deus castiga" (Jó 5.17). Poderíamos dizer que esta destruição material era o resultado de uma antecipação daquilo que acontecerá no céu; ou que a perda de tudo era, no todo, um ganho. Há multidões a quem Deus afligiu com cegueira natural, para que possam ganhar visão espiritual; e aqueles que, sob fraquezas físicas e doenças de diversos tipos consomem e aparentemente desperdiçam esta vida terrena, alegremente se agarram à glória, à honra e à imortalidade. – *William Garret Lewis, "Westbourne Grove Sermons", 1872*

v. 67: Pela aflição, Deus separa da alma que Ele ama, o pecado que detesta. – *John Mason*

v. 68: "Tu és bom e abençoador". Há um bem que Deus coloca diante de nós, que não podemos receber como um padrão inferior de bondade. Ele nos é representado como toda a bondade. Ele é bom, na sua natureza; e a sua obra está de acordo com a sua natureza; nada falta a ela, nem é imperfeito nela. Nada pode ser acrescentado a ela, para torná-la mais perfeita. Filo disse, "Ὁ ὄντως ὢν το πρῶτον ἀγαθόν": o primeiro ser deve ser, necessariamente, o primeiro bem. Tão logo percebamos que há um Deus, imediatamente percebemos que Ele é bom. Ele é bom, em Si mesmo, bom por Si mesmo, é a própria bondade, e é a fonte e também o padrão de todo o bem que há nas criaturas.

1. Quanto à sua natureza, Ele é, originalmente, *"bom"*, bom em Si mesmo, e bom para os outros; como o sol tem luz, em si mesmo, e dá luz a todas as outras coisas. Essencialmente bom; não apenas bom, mas a própria bondade. A bondade em nós é uma qualidade adicional, ou um dom suplementar; mas, em Deus, não é uma qualidade, mas a sua essência. Em um utensílio que é coberto por uma camada de ouro, o brilho é uma qualidade adicional; mas em um utensílio que é todo feito de ouro, o brilho e a substância são a mesma coisa. Deus é infinitamente bom; o bem das criaturas é limitado, mas não há nada que possa limitar a perfeição de Deus, ou dar-lhe qualquer medida. Ele é um oceano de bondade, sem margens nem fundo. Ai! O que é a nossa gota, em comparação com este oceano! Deus é imutavelmente bom; a sua bondade jamais pode ser maior ou menor do que é; assim como nada pode ser adicionado a ela, também nada pode ser subtraído dela. O homem, na sua inocência, foi *peccabilis*, ou propenso ao pecado, e posteriormente, *peccator*, ou um pecador real; mas Deus sempre foi e é bom. Este é o padrão que nos é proposto, mas a sua natureza tem uma grande profundidade. Por isto,

2. Quanto à sua obra, *"Ele faz o bem"* (versão ARA). O que Deus esteve fazendo, no grande teatro do mundo, senão fazendo o bem, durante estes seis mil anos? "Não se deixou a si mesmo sem testemunho, beneficiando-vos lá do céu, dando-vos chuvas e tempos frutíferos, enchendo de mantimento e de alegria o vosso coração" (At 14.17). Ele não deixou a Si mesmo sem testemunho, ἀγαθοποιῶν, não com vingança por causa das idolatrias do seu povo, mas distribuindo benevolências. Isto é proposto,

para nossa imitação, para que toda a nossa vida possa ser nada além de fazer o bem: "Sede vós, pois, perfeitos, como é perfeito o vosso Pai, que está nos céus" (Mt 5.48). Portanto, o salmista diz, *"Ensina-me os teus estatutos"* – *Thomas Manton*

v. 68: "Tu és bom, e abençoador". Nós devemos bendizer ao Senhor em todos os momentos, e conservar bons pensamentos a respeito de Deus em todas as ocasiões, especialmente em tempos de aflição. Por isto, somos instruídos a glorificar a Deus em meio às dificuldades (Is 24.15); e isto foi o que fizeram os três jovens no forno mais quente... na verdade, eu admito, não podemos dar graças pela aflição como aflição, mas como um instrumento de algum bem para nós, ou como a mão graciosa de Deus, de alguma maneira notável com relação a nós. A este respeito, não há condição deste lado do inferno, mas temos razões para louvar a Deus, ainda que seja em meio à maior das calamidades. Por isto, Davi, quando fala da sua aflição, acrescenta imediatamente: *"Tu és bom, e abençoador"*; e ele declara (v. 65), *"Fizeste bem ao teu servo, Senhor, segundo a tua palavra"*. Por isto, Paulo e Silas louvaram a Deus, quando foram açoitados e aprisionados. – *John Willison, 1680-1750*

v. 68: "Tu és bom". Os abençoados efeitos da punição, como exemplo especial da bondade do Senhor, podem, naturalmente, levar a um reconhecimento da sua bondade geral, no seu próprio caráter, e nas suas inabaláveis e inesgotáveis dispensações de amor. Julgando, com pressa descrente, as suas atitudes de providência e piedade, os sentidos débeis imaginam uma expressão carrancuda, quando os olhos da fé discernem um sorriso no seu rosto; e, por isto, à medida que a fé é exercida, na revisão do passado, e na experiência do presente, nós somos preparados com a declaração de louvor – *"Tu és bom"*. – *Charles Bridges*

v. 69: "Os soberbos forjaram mentiras contra mim". Se, no presente, os inimigos da verdade, em seus escritos de falsidade, atacam os professores ortodoxos na igreja, precisamos nos lembrar de que este é um antigo artifício do diabo, uma vez que Davi se queixa de que, no seu tempo, isto aconteceu com ele. – *Solomon Gesner*

v. 69: "Os soberbos forjaram mentiras contra mim". Eles preparam mentiras, com sombras de verdade e linguajar ordenado; eles têm como compor suas mentiras e como divulgá-las. – *William Greenhill, 1591-1677*

v. 69: "Os soberbos". A fé humilha, e a infidelidade torna os homens soberbos. A fé humilha, porque ela nos faz ver os nossos pecados, e as punições por eles, e que não temos como lidar com Deus, exceto pela mediação de Cristo; e que não podemos fazer nenhum bem, nem evitar o mal, senão pela graça. Mas quando os homens não sabem disto, eles têm grande opinião a respeito de si mesmos, e por isto, são soberbos. Por isto, todos os homens ignorantes e materialistas são soberbos. Aqueles que se humilham sob a mão de Deus, se humilham para os homens; mas aqueles que desprezam a Deus também perseguem os seus servos. – *Richard Greenham*

v. 69: "Forjaram mentiras". Vatablus traduz *concinnarunt mendacia.* E Tremélio diz: *Prepararam mentiras.* Assim como Satanás pode se transformar em um anjo de luz, ele também pode preparar suas mentiras, sob aparência de verdade, para torná-las mais plausíveis para os homens. E, na verdade, não é tentação pequena, quando as mentiras proferidas contra os piedosos são preparadas com as sombras da verdade, e os ímpios disfarçam suas atitudes injustas com aparência de justiça. Assim, não somente os piedosos são perseguidos injustamente, mas os símplices são levados a crer que o mereceram. Neste caso, os piedosos devem se sustentar com um testemunho de uma consciência piedosa. – *William Cowper*

v. 69: "Forjaram" expressa o significado essencial da palavra hebraica, mas não é à sua forma figurada, que parece ser de costurar, semelhante a entrelaçar, uma vez que se aplica à mesma coisa, tanto em hebraico como em outras línguas. Nós também podemos comparar a nossa expressão figurada, *remendar* que, no entanto, não é tão sugestiva de um artifício ou talento, quanto da falta dele. A conexão entre as sentenças é que toda a astúcia e maldade de seus inimigos apenas o levavam a obedecer a Deus com um coração mais íntegro do que nunca. – *Joseph Addison Alexander*

v. 69: "Forjaram". A metáfora pode ser como o grego (ῥάπτειν δόλους), de costurar ou remendar: ou, de *manchar* ou *emplastar* (Delitzsch, Moll, etc.) um muro, de modo a esconder a verdadeira substância. O salmista continua fiel a Deus, apesar das falsidades com que os soberbos mancham e escondem a sua verdadeira fidelidade. – *"The Speaker's Commentary"*

v. 69: "Mentiras". Os dois braços de Satanás, com que ele luta contra os piedosos, são a violência e as mentiras; onde ele não pode ou não ousa usar violência, certamente não deixará de lutar usando mentiras. E nisto o Senhor mostra grandemente a sua atenta providência, ao proteger os seus filhos da maldade de Satanás e das ostentações soberbas dos seus instrumentos, quando os seus soberbos corações são forçados a forjar mentiras; a sua maldade é tão grande que eles são obrigados a fazer o mal; mas o seu poder é contido, para que não possam fazer o que desejam. – *William Cowper*

v. 69: "De todo o coração guardarei os teus preceitos". Que venha a palavra do Senhor, que venha, e se nós tivéssemos seiscentos pescoços, os submeteríamos, todos eles, aos seus ditames. – *Agostinho*

v. 70: "Engrossa-se-lhes o coração como gordura". A palavra טָפַשׁ não aparece em nenhuma outra passagem das Escrituras, mas entre os caldeus טְפַשׁ significa *engordar*; e também *tornar estúpido e tolo*, porque assim são, frequentemente, os glutões... Por esta razão os soberbos, que são mencionados no versículo anterior, são descritos em sua resolução pelo mal, porque são praticamente insensíveis; como acontece com os porcos, que, quando a pele lhes é perfurada com um estilete, lentamente, enquanto o estilete somente toca a gordura, eles não sentem nada, até que ele atinja a carne. Assim os soberbos, cuja grande prosperidade é comparada à gordura, têm um coração completamente insuscetível, que é insensível às severas repreensões da palavra Divina, e também, aos seus santos prazeres, por causa da abundância de coisas carnais; além disto, ele é completamente inadequado para bons impulsos; como podemos ver no caso dos animais gordos, como são lentos e inadequados para o trabalho, quando, ao contrário, os que são ágeis e rápidos não são prejudicados pela gordura. – *Martin Geier*

v. 70: "Engrossa-se-lhes o coração como gordura". Isto os torna: 1. *Insensíveis* e seguros; eles estão além dos sentimentos; assim, esta expressão é usada: "Engorda o coração deste povo" (Is 6.10). Eles não são sensíveis ao ensinamento da palavra de Deus, nem à sua vara. 2. *Sensuais* e voluptuosos: "Os olhos deles estão inchados de gordura" (Sl 73.7); eles se deleitam nos prazeres dos sentidos, e os aceitam como seu bem supremo, e muito bem isto lhes pode fazer; mas eu não trocaria de condição com eles; *"Eu me alegro na tua lei"*. – *Matthew Henry*

v. 70: "Engrossa-se-lhes o coração como gordura, mas eu me alegro na tua lei"; como se ele dissesse: O meu coração é um coração magro, um coração faminto, a minha alma ama a tua palavra e nela se alegra. Eu não tenho mais nada com que enchê-la, senão a tua palavra, e os consolos que obtenho dela; mas os seus corações são corações gordos; gordos com o mundo, gordos com desejos; eles odeiam a palavra. Assim como um estômago cheio abomina o alimento e não pode digeri-lo, também os ímpios odeiam a palavra, não a aceitam, ela não satisfaz os seus desejos. – *William Fenner*

Ansioso por conhecer o significado médico de um coração gordo, eu procurei um eminente senhor que é muito conhecido por ter sido Presidente de uma Faculdade de Medicina. A sua resposta mostra que a linguagem é mais figurada do que literal. Gentilmente, ele me respondeu da seguinte maneira:

Há duas formas do assim chamado “coração gordo”. Na primeira, há uma quantidade excessiva de tecido gorduroso envolvendo o exterior do órgão, especialmente ao redor da base. Isto pode ser observado em todos os casos em que o corpo do animal é completamente gordo, como nos animais engordados para o matadouro. Isto não interfere, necessariamente, com o funcionamento do coração, e pode não ser de muita importância, desde um ponto de vista médico. A segunda forma é, no entanto, uma condição muito mais séria. Neste caso, a estrutura muscular do coração, de que depende o seu funcionamento, como a força propulsora central, passa por uma modificação degenerativa, pela qual as fibras contráteis dos músculos se convertem em uma estrutura que não possui nenhuma das propriedades das fibras naturais, e em que é encontrada uma quantidade de gordura, glóbulos de gordura, que podem ser facilmente vistos por meio do microscópio. Esta condição, se abrangente, torna o funcionamento do coração débil e irregular, e é muito perigosa, não sendo infrequente que provoque morte súbita. Ela é encontrada em conexão com uma condição do sistema que não é, de modo geral, salutar, e evidencia má nutrição, de modo geral. Ela é provocada por um modo de vida indolente e luxurioso, ou, de qualquer forma, pela negligência a exercícios físicos, e àquelas regras de higiene que são essenciais para a nutrição saudável. No entanto, não se pode dizer que seja incompatível com o vigor mental, e certamente não é, necessariamente, associada à estupidez. Mas o coração, nesta forma da doença, está literalmente “engordado” e pode ser verdadeiramente descrito como “gordo como a gordura”. Basta de fisiologia e patologia. Eu posso me aventurar no território sagrado da exegese bíblica sem correr o risco de ser insensato ou tolo? O salmista não está comparando aqueles que têm uma vida animal, consumista, depravada, com que o corpo e a mente ficam incapacitados para serem usados apropriadamente, com aqueles que podem *correr* pelo caminho dos mandamentos de Deus, e *se alegrar* em fazer a sua vontade, e *meditar* nos seus preceitos? A preguiça, a gordura e a estupidez, *versus* a atividade, músculos firmes e vigor mental. Corpo *versus* mente. O homem convertido em animal *versus* o homem que conserva a imagem de Deus. – *Sir James Risdon Bennett, 1881*

v. 71: “Foi-me bom”, etc. Eu estou restabelecido pela minha doença, enriquecido pela minha pobreza, e fortalecido pela minha fraqueza, e, com Bernardo, desejo, *Irascaris mihi Domine, Ó, Senhor, ira-te comigo.* Pois se não me repreendes, não me consideras; se eu não provar a amargura, não tenho remédio; se não me corriges, não sou teu filho. Isto aconteceu com o bisneto de Davi, Manassés, quando estava em aflição. “Ele buscou o Senhor, seu Deus”; mesmo o ferro daquele rei era mais precioso para ele, do que o seu ouro, a sua prisão um alojamento mais feliz do que o seu palácio, e a Babilônia uma escola melhor do que Jerusalém. Quão tolos somos, então, em reclamar por nossas aflições! Elas, por mais amargas que sejam, são nossos melhores amigos. Na verdade, elas não se destinam para o nosso prazer, mas para o nosso benefício; o seu resultado as torna merecedoras de boas vindas. Não nos importa o quanto pode ser amarga a poção que traz saúde. – *Abraham Wright*

v. 71: “Foi-me bom ter sido afligido”. Os santos são grandes ganhadores pela aflição, porque a “piedade”, que é “grande ganho”, que “para tudo é proveitosa”, é mais poderosa do que antes. A vara da correção, por um milagre da graça, como o da vara de Arão, floresce, e produz os frutos da justiça, que são excelentes. Uma rara visão é, na verdade, ver um homem saindo de um leito de doença, ou de algum outro forno de aflição, mais parecido aos anjos, em pureza, mais semelhante a Cristo, que foi santo, inofensivo, imaculado e separado dos pecadores; mais parecido com o próprio Deus, sendo mais exatamente justos em todos os seus caminhos, e mais exemplarmente santos, em todo o seu modo de vida. – *Nathanael Vincent, -1697*

v. 71: “Foi-me bom ter sido afligido”. Se eu não tiver nenhuma cruz para suportar hoje, não progredirei rumo ao céu. Uma cruz (que é alguma coisa que perturba a nossa paz) é a espora que estimula, e sem a qual nós provavelmente ficamos parados, cegos com vaidades vazias, e afundando cada vez mais no pecado. Uma cruz nos ajuda a subir, apesar da nossa apatia e resistência. Ficar tranquilamente em uma cama pode parecer uma existência muito doce, mas a tranquilidade agradável e o descanso não são a sorte de um cristão; se ele desejar subir cada vez mais alto, deverá ser por um caminho difícil. Ai daqueles que não têm uma cruz diária! Ai daqueles que não se afligem nem se preocupam com isto! – *de Gold Dust, 1880*

v. 71: "Foi-me bom", etc. Há algumas coisas que são boas, mas não agradáveis, como a *angústia* e a *aflição.* O pecado muitas vezes é agradável, mas não é benéfico; e a angústia é benéfica, mas desagradável. Assim como as águas são mais puras quando em movimento, também os santos são, em geral, mais santos quando em aflição. Alguns cristãos se parecem àquelas crianças que somente aprendem com seus livros enquanto a vara está em suas costas. É fato conhecido que, pela maior aflição, o Senhor selou a mais doce instrução. Muitos não melhoram em nada pelos juízos que veem, mas só melhoram pelos juízos que sentem. O ouro mais puro é o mais maleável. A melhor lâmina é a que se dobra bem, sem se manter deformada. – *William Seeker, 1660*

v. 71: "Foi-me bom", etc. A piedade tem uma maravilhosa capacidade de transformar todas as coisas em motivo de consolação e alegria. Nenhuma condição, na verdade, pode ser triste ou má para um homem piedoso; as suas próprias angústias são agradáveis, as suas fraquezas são saudáveis, as suas necessidades o enriquecem, as suas desgraças o adornam, as suas cargas o aliviam; os seus deveres são privilégios, as suas quedas são as bases para o progresso, os seus próprios pecados (gerando contrição, humildade, circunspecção e vigilância) o aperfeiçoam e são benéficos para ele; ao passo que a impiedade arruína cada condição, corrompe todas as coisas boas, e azeda todas as conveniências e consolos da vida. – *Isaac Barrow, 1630-1677*

v. 71: "Foi-me bom ter sido afligido". Na obra muito interessante da senhorita E. J. Whately, sobre a vida de seu pai, o renomado arcebispo de Dublin, um fato é registrado, narrado pela Dra. Whately, com referência à introdução do lariço na Inglaterra. Quando as plantas foram trazidas pela primeira vez, o jardineiro, tendo ouvido que elas vinham do sul da Europa e supondo que elas necessitariam de calor – esquecendo-se de que podiam crescer junto às neves eternas – colocou-as em uma estufa. Elas murchavam, dia a dia, até que o jardineiro, desgostoso, atirou-as sobre um monte de lixo, do lado de fora da estufa; ali elas começaram a reviver e prosperar, e por fim, cresceram e se tornaram árvores. Elas precisavam do frio.

O grande Lavrador frequentemente salva as suas plantas, atirando-as para fora, no frio. O frio penetrante da provação e da aflição é frequentemente necessário, se quisermos que os lariços de Deus cresçam. É sob tal disciplina que novos pensamentos e sentimentos aparecem. O coração se torna mais morto para o mundo e para o indivíduo. Da noite da angústia nasce a manhã de alegria. O inverno é o precursor da primavera. Da crucificação do velho homem vem a ressurreição do novo, assim como na natureza a vida é filha da morte.

"A noite é a mãe do dia,
E o inverno, da primavera;
E mesmo do que decai
nascem os mais verdes musgos".
– James Wareing Bardsleg, "Illustrated Texts and Texts Illustrated", 1876

v. 71: "Foi-me bom ter sido afligido". É uma circunstância notável o fato de que as mais brilhantes cores das plantas sejam vistas sobre os mais altos montes, em lugares que estão mais expostos ao mais terrível clima. Os mais brilhantes liquens e musgos, as mais adoráveis flores selvagens, abundam sobre o pico sombrio e devastado pelas tempestades. Uma das mais ricas exibições de cores que eu já contemplei foi próximo do pico do monte Chenebettaz, um monte de altitude aproximada de 3.000 metros, imediatamente acima da grande casa de repouso São Bernardo. Toda a face de uma impressionante rocha estava coberta com um líquen de coloração amarelo vívido, que resplandecia sob o sol como muralhas douradas de um castelo encantado. Ali, naquela região sublime, em meio à mais ameaçadora devastação, exposto às mais violentas tempestades do céu, este líquen exibia uma glória de cores como jamais se viu no vale protegido. Eu tenho duas amostras do mesmo líquen, diante de mim, enquanto escrevo estas linhas, uma do grandioso São Bernardo, e a outra da muralha de um castelo na Escócia, profundamente protegida entre plátanos; e a diferença de formas e cores entre eles é assombrosa. O espécime cultivado em meio às terríveis tempestades do pico montanhoso é de uma tonalidade amarela adorável, e tem textura suave e contornos definidos; ao passo que o cultivado em meio à brisa suave e às chuvas delicadas do vale é de uma tonalidade apagada e tem textura escamosa, e os contornos indefinidos. E não é assim com o cristão que é afligido, agitado pelas tempestades e sem consolação? Até que as tempestades e vicissitudes da providência de Deus o castiguem repetidas vezes, o seu caráter parece desfigurado e enevoado por influências egoístas e materiais. Mas as provações dissipam a obscuridade, aperfeiçoam os contornos da sua disposição, e dão brilho e bênçãos à sua piedade.

"Em meio à minha lista de bênçãos infinitas,
esta é a primeira: o fato de que o meu coração sangrou;
Por *todas* eu te bendigo*, mas principalmente* pelas *severas".*
– Hugh Macmillan.

v. 71: "Para que aprendesse os teus estatutos". Ele não fala daquele aprendizado que é obtido ouvindo ou lendo a palavra de Deus; mas do aprendizado que tinha obtido pela experiência; pois ele tinha sentido a verdade e a consolação da palavra de Deus mais eficazmente e vividamente nas dificuldades do que poderia ter sentido sem elas; o que também o tornava mais piedoso, sábio e religioso após as dificuldades. – *William Cowper*

v. 71: "Para que aprendesse". "Eu jamais teria sabido", disse a esposa de Martinho Lutero, "o que tais e tais coisas significavam, em tais e tais salmos, tais queixas e obras de espírito; eu jamais teria entendido a prática dos deveres cristãos, se Deus não tivesse me colocado em aflição". É verdade que a vara de Deus é como o apontador do professor para a criança, apontando a letra, para que ele possa percebê-la melhor; desta maneira, ele nos aponta muitas boas lições que jamais teríamos aprendido de outra maneira. – *De John Spencer, "Things New and Old", 1658*

v. 71: "Para que aprendesse". Da mesma maneira como a prosperidade cega os olhos dos homens, também a adversidade os abre. Como o bálsamo que cura a doença dos olhos primeiramente arde e fere os olhos, e os faz lacrimejar, mas depois a visão está mais clara do que era, também as dificuldades perturbam os homens, maravilhosamente a princípio, mas depois elas abrem os olhos da mente, de modo que ela, posteriormente, fica mais racional, sábia e circunspecta. Pois as dificuldades trazem experiência, e a experiência traz a sabedoria. – *Otho Wermullerus, 1551*

v. 71: "Aprendesse os teus estatutos". O cristão tem razões para agradecer a Deus porque as coisas não se acomodaram aos seus desejos. Quando a névoa de lágrimas estava nos olhos do salmista, ele olhou para a palavra de Deus e viu coisas magníficas. Quando Jonas saiu das profundezas do oceano, mostrou que tinha aprendido os estatutos de Deus. Ninguém nunca foi fundo demais para obter conhecimento, como ele. Nada poderia impedi-lo agora de ir a Nínive. É como se ele tivesse trazido, das profundezas, um exército de doze legiões, dos mais formidáveis soldados. A palavra de Deus, compreendida pela fé, era tudo isto para ele, e muito mais. No entanto, ele ainda precisava de mais aflições; pois havia alguns estatutos que ainda não haviam sido aprendidos. Algumas aboboreiras deviam secar. Ele devia descer ao vale da Humilhação. Até mesmo a mais profunda aflição talvez não nos ensine tudo; às vezes, cometeremos um engano, mas por que deveríamos levar Deus a usar de medidas drásticas conosco? Por que não nos assentarmos aos pés de Jesus, e aprender tranquilamente o que precisamos aprender? – *George Bowen, "Daily Meditations", 1873*

v. 71: "Estatutos". O verbo de que esta palavra é formada quer dizer gravar ou fazer uma inscrição. A palavra significa uma lei definida, prescrita, escrita. O termo é aplicado à lei de José, sobre a porção dos sacerdotes no Egito, à lei sobre a Páscoa, etc. Mas neste salmo ele tem um significado mais interior; a lei moral de Deus que está gravada nas tábuas de carne do coração; a compreensão interior e espiritual da sua vontade; não tão óbvia, como a lei e os testemunhos, e uma questão de comunicação espiritual mais direta do que os seus preceitos; sendo estes mais elaborados pelos esforços da própria mente, divinamente guiada, realmente, mas talvez empregada mais instrumentalmente, e menos passivamente. Eles são continuamente mencionados como coisas que ainda devem ser aprendidas, seja integralmente ou em parte, e não já aprendidas objetivamente, como a lei de Deus... Eles são aprendidos, não repentinamente, mas pela experiência, e pelos meios de provação misericordiosamente ordenados por Deus; lições, portanto, que estão profundamente gravadas no coração. "Foi-me bom ter sido afligido, para que aprendesse os teus estatutos". "Tenho mais entendimento do que todos os meus mestres, porque medito nos teus testemunhos". – *John Jebb*

v. 72: "Melhor é para mim a lei da tua boca", etc. Valorize muito as Escrituras. Pode ser proficiente, em qualquer assunto, quem a despreza? Valorize este livro, mais do que todos os outros livros. Gregório chama a Bíblia de "coração e alma de Deus". Os rabinos dizem que um monte de razão paira sobre cada cume e título das Escrituras. "A lei do Senhor é perfeita" (Sl 19.7). As Escrituras são a biblioteca do Espírito Santo; é um tratado de conhecimento divino, um modelo exato e uma plataforma da religião. As Escrituras contêm a *credenda*, "as coisas em que devemos acreditar", e a *agenda*, "as coisas que devemos praticar". Elas "podem fazer-te sábio para a salvação" (2 Tm 3.15). As Escrituras são o padrão de verdade, o juiz das controvérsias; a estrela polar que nos conduz ao céu (Is 8.20). "O mandamento é uma lâmpada" (Pv 6.23). As Escrituras são a bússola que deve orientar o leme da nossa vontade; é o campo em que Cristo, a Pérola de grande valor, está escondido; é uma rocha de diamantes; um colírio, ou bálsamo ocular, sagrado e remedia os olhos que contemplam o Senhor; é uma lente espiritual, em que a glória de Deus é resplandecente; é uma panaceia, ou remédio universal para a alma. As folhas das Escrituras são como as "folhas da árvore da vida, para a saúde das nações" (Ap 22.2). As Escrituras são o que gera e o que alimenta a graça. Como nasce o convertido, senão pela "palavra da verdade"? (Tg 1.18). Como ele cresce, senão pelo "leite racional da palavra"? (1 Pe 2.2). A palavra escrita é o livro do qual obtemos nossas experiências relacionadas ao céu, é a boia que nos mostra as rochas de pecado a serem evitadas no mar; é o antídoto contra o erro e a apostasia, a espada de dois gumes que fere a velha serpente. É nosso castelo forte para resistir à força da concupiscência; como o Capitólio de Roma, que era um lugar de força e munição. As Escrituras são a "torre de Davi", de onde pendem os escudos da nossa fé (Ct 4.4). "Remove a palavra e nos privarás do sol", disse Lutero. A palavra escrita está acima de um mensageiro angelical, ou uma voz do céu. "E ouvimos esta voz dirigida do céu... E temos, mui firme, a palavra" (2 Pe 1.18, 19). Ó, valorize a Palavra escrita; valorizar é o caminho para ser beneficiado. Se César valorizava assim os seus próprios comentários a ponto de, para preservá-los, ter perdido o seu manto púrpura, imagine o quanto devemos valorizar os oráculos sagrados de Deus! "As palavras da sua boca prezei mais do que o meu alimento". – *Thomas Watson, "The Morning Exercises"*

v. 72: "Melhor é para mim a lei da tua boca". As sagradas Escrituras são os tesouros e prazeres de uma alma piedosa; para Davi, eram melhores do que inúmeras riquezas de ouro e prata. Um monte de pérolas transparentes, empilhadas, tão alto como o céu, não é tão rico em tesouros como este, por isto aquele bom homem as escolhe como sua herança para sempre, e se alegra nelas, como em todas as riquezas. Um infeliz cobiçoso não poderia ter tal deleite em suas bolsas, nem um jovem herdeiro em uma grande herança, como o santo Davi, na palavra de Deus.

A palavra *lei* se origina de uma raiz que significa testar, como os comerciantes que buscam e provam as mercadorias que compram e acumulam; daí, também, se origina a palavra para pedras e joias que são testadas, e verificadas genuínas. O bom cristão é o sábio comerciante, que busca pérolas boas; ele testa o que vê ou ouve, segundo o padrão ou critério das Escrituras, e tendo encontrado verdades genuínas, ele as acumula, para grande enriquecimento da sua suprema e soberana faculdade do entendimento. – *Oliver Heywood*

v. 72: A palavra de Deus deve estar mais próxima de nós do que os nossos amigos, deve ser mais cara para nós do que as nossas vidas, mais doce para nós do que a nossa liberdade, e mais agradável para nós do que todas as consolações terrenas. – *John Mason*

v. 72: Uma lição, ensinada pela aflição santificada, é o amor pela *palavra de Deus.* "Isto é a minha *consolação* na minha angústia, porque a tua palavra me vivificou". Ao ler uma parte do salmo 119 à senhorita Westbrook, que morreu, ela me disse, "Pare, senhor, eu jamais lhe disse tanto antes – jamais pude; mas agora eu *posso* dizer, 'Melhor é para mim a lei da tua boca do que *inúmeras riquezas* em ouro ou prata'. O que o ouro e a prata podem fazer por mim *agora?"* – *George Redford, "Memoirs of the Late Rev. John Cooke", 1828*

v. 72: "Inúmeras riquezas de ouro e prata". As riquezas deste mundo são obtidas com esforço, conservadas com cuidado, e perdidas com tristeza. Elas são falsos amigos, que estão mais distantes de nós quando mais precisamos de consolação; como todos os mundanos perceberão que é verdade, na hora da morte. Pois como a aboboreira de Jonas foi tirada dele, certa manhã, quando ele mais precisava dela como proteção contra o sol, também acontece com a consolação dos mundanos. Mas é completamente diferente com a palavra de Deus; pois se a guardarmos em nossos corações, como fez Maria, a sua consolação nos sustentará, quando todas as outras consolações nos falharem.

É isto o que nos torna ricos para Deus, quando nossas almas são depósitos, cheios com os tesouros da sua palavra. Nós pensamos que é pobreza ter escassez de ouro e prata? *An ideo angelus pauper est, quia non habet jumenta,* etc.******* Consideraremos que os anjos são pobres, porque não têm rebanhos? ou que o apóstolo Pedro era pobre, porque não tinha ouro nem prata para dar ao aleijado? Não, ele tinha depósito de graça, infinitamente mais excelente do que isto.

Que as riquezas do ouro sejam deixadas para os materialistas; elas não são correntes em Canaã nem consideradas na nossa nação celestial. Se desejarmos ter algum apreço ali, devemos enriquecer as nossas almas com as graças espirituais que temos em abundância nas minas e tesouros da palavra de Deus. – *William Cowper*

v. 72: As Escrituras são uma fonte que jorra eternamente, que não pode secar, e um tesouro inesgotável que não pode se esvaziar. A este propósito tendem aquelas semelhanças da lei usadas por Davi neste salmo, e com não menos justiça se aplicam

******* Crisóstomo

ao Evangelho; as Escrituras não são apenas melhores do que *"ouro e prata"*, que são coisas de valor, mas são melhores do que *"inúmeras riquezas"*, o que sugere abundância. Em outro versículo, ele compara as Escrituras a todas as riquezas e grande despojo, que contêm em si *multiplex genus*, todos os tipos de bens valiosos, ovelhas, bois, terras, casas, vestes, mercadorias, dinheiro e similares; assim todos os tipos de riquezas espirituais, abundância de cada tipo, estão no Evangelho. Portanto, os patriarcas gregos comparam as verdades das Escrituras a pedras preciosas, e o nosso Salvador a uma pérola de grande valor. Um ministro, neste sentido, é chamado de comerciante de joias inestimáveis; pois, na verdade, as verdades do Evangelho são excelentes, tão valiosas como nossas almas, como o céu, como a salvação. Na verdade, eu devo ir ainda mais longe, contemplando o valor que há nas riquezas da graça de Deus, e no precioso sangue de Cristo, discernindo outras coisas que possam ser secundariamente aplicadas ao Evangelho, que nos revela e oferece todas as coisas. – *Abraham Wright*

vv. 72 e 127: Quando Davi viu como alguns anulavam a lei de Deus, disse, *"Pelo que amo os teus mandamentos mais do que o ouro, e ainda mais do que o ouro fino"*. Como se ele tivesse dito: Eu amo a tua lei ainda mais, porque vejo que alguns homens a consideram como se fosse lixo, e a lançam para o alto, como vazia e antiquada, ou têm coragem, de certa forma, de repeli-la e anulá-la, para que possam estabelecer suas próprias concupiscências e vãs imaginações. Porque vejo homens profanos e supersticiosos sem amor pela tua lei, por isto o meu amor mais se inflama para ela, *"amo-a mais do que o ouro"*, que deixa a maioria dos homens cativos no amor por ele; e eu a aprecio mais do que aquilo que é mais apreciado pelos homens, trazendo-lhes mais estima neste mundo, *"o ouro fino"*; sim, como ele disse: *"Mais desejáveis do que muito ouro fino"* (Sl 19.10). – *Joseph Caryl*

v. 72: Vocês, que são senhores, lembrem-se do que Hierom narra sobre Nepotiano, um jovem de Roma, *qui longa et assidua meditatione Scripturarum pectus suum fecerat bibliothecam Christi,* que, por longa e assídua meditação sobre as Escrituras, fez do seu peito a biblioteca de Cristo. Lembre-se do que é dito sobre o rei Alfonso, que leu toda a Bíblia catorze vezes, juntamente com os comentários que havia disponíveis naquele tempo.

Vocês, que são acadêmicos, lembrem-se de Cranmer e Ridley; o primeiro aprendeu o Novo Testamento e o memorizou na sua viagem a Roma, ao passo que o segundo o fez em caminhadas por Pembroke-hall, em Cambridge. Lembrem-se do que está escrito sobre Thomas-à-Kempis – que não encontrou descanso em nenhuma parte, *nisi in angulo, cum libello,* exceto em um canto, com este Livro em sua mão. E o que é dito sobre Beza – que quando tinha mais de oitenta anos, podia recitar perfeitamente e de memória qualquer capítulo das epístolas de Paulo, em grego.

Vocês, que são mulheres, considerem o que Hierom diz sobre Paula, Eustoquiama e outras senhoras, que eram singularmente versadas nas Santas Escrituras.

Que todos os homens considerem este discurso hiperbólico de Lutero, de que ele não desejava viver no Paraíso sem a Palavra; e com ela, ele poderia viver suficientemente bem no inferno. Estas palavras de Lutero devem ser interpretadas *cum grano salis*. – *Edmund Calamy*

EXPOSIÇÃO DOS VERSÍCULOS 73 A 80

73 *As tuas mãos me fizeram e me afeiçoaram; dá-me inteligência para que aprenda os teus mandamentos.*

74 *Os que te temem alegraram-se quando me viram, porque tenho esperado na tua palavra.*

75 *Bem sei eu, ó Senhor, que os teus juízos são justos e que em tua fidelidade me afligiste.*

76 *Sirva, pois, a tua benignidade para me consolar, segundo a palavra que deste ao teu servo.*
77 *Venham sobre mim as tuas misericórdias, para que viva, pois a tua lei é a minha delícia.*
78 *Confundam-se os soberbos, pois me trataram de uma maneira perversa, sem causa; mas eu meditarei nos teus preceitos.*
79 *Voltem-se para mim os que te temem e aqueles que têm conhecido os teus testemunhos.*
80 *Seja reto o meu coração para com os teus estatutos, para que eu não seja confundido.*

Chegamos, agora, à décima parte, em que cada versículo começa com a letra Jode, mas certamente não trata de jotas, nem tis, e outros detalhes insignificantes. O seu tema parece ser a experiência pessoal e a sua atraente influência sobre os outros. O profeta está em profunda angústia, mas espera ser libertado, e abençoado. Esforçando-se para ensinar, o salmista, em primeiro lugar, procura ser ensinado (v. 73), persuade a si mesmo de que será bem recebido (74) e repete o testemunho que pretende dar (75). Ele ora, pedindo mais experiência (76, 77), pedindo a frustração dos soberbos (78), a congregação dos piedosos junto a si (79) e ora, novamente, por si mesmo, para que possa estar plenamente equipado para dar testemunho e poder ser sustentado nele (80). Este é o ansioso e também esperançoso clamor de alguém que está enormemente afligido por cruéis adversários, e por isto faz seu apelo a Deus, como seu único amigo.

73. *"As tuas mãos me fizeram e me afeiçoaram."* É benéfico recordar a nossa criação, é agradável ver que as mãos divinas têm muito a ver conosco, pois elas jamais se afastam do pensamento divino. Gratidão, reverência e afeição com relação a Deus, tudo isto é estimulado em nós, quando o vemos como nosso Criador, usando o cuidadoso talento e o poder das suas mãos para nos formar e moldar. Ele teve um interesse pessoal em nós, criando-nos com as suas próprias mãos; Ele foi duplamente atencioso, pois é representado criando-nos e também moldando-nos. Ao dar a existência e também ao organizar a existência, Ele manifestou amor e sabedoria; e por isto encontramos razões para louvor, confiança e expectativa na nossa existência e nosso bem-estar.

"Dá-me inteligência para que aprenda os teus mandamentos." Como me criaste, ensina-me. Aqui está o vaso que tu formaste; Senhor, encha-o. Tu me deste corpo e alma; concede-me, agora, a tua graça, para que a minha alma possa conhecer a tua vontade, e o meu corpo possa tomar parte no seu cumprimento. O apelo é muito insistente; é uma intensificação daquele clamor, "não desampares as obras das tuas mãos". Sem compreender a lei divina e sem obedecer a ela, nós somos imperfeitos e inúteis; mas nós podemos esperar razoavelmente que o grande Oleiro conclua a sua obra e dê o toque final, conferindo-lhe conhecimento sagrado e santos procedimentos. Se Deus nos tivesse criado toscamente, e não nos tivesse moldado de maneira detalhada, este argumento perderia muito da sua força; mas certamente, da arte delicada e do talento maravilhoso que o Senhor exibiu na formação do corpo humano, podemos deduzir que Ele está preparado para fazer semelhantes esforços com a alma, até que ela exiba perfeitamente a sua imagem.

Um homem desprovido de pensamentos é um tolo, uma mera imitação de homem; e uma mente sem a graça é ímpia, a triste perversão de uma mente. Nós oramos para que não deixemos de ter um juízo espiritual; por isto o salmista orou no versículo 66, e aqui ele pede isto novamente; não há como conhecer verdadeiramente e guardar os mandamentos sem isto. Os tolos podem pecar; mas somente aqueles que são ensinados por Deus podem ser santos. Nós falamos frequentemente de homens dotados; mas tem os melhores dons aquele a quem Deus deu um entendimento santificado com o qual conhecer e apreciar os caminhos do Senhor. Observe que a oração de Davi, pedindo entendimento, não está ligada ao desejo de se obter conhecimento espiritual, nem à gratificação da sua curiosidade; ele deseja um juízo esclarecido para que possa aprender os mandamentos de Deus e assim tornar-se obediente e santo. Este é o melhor aprendizado. Um homem pode estar todos os seus dias na instituição onde esta ciência é ensinada, e ainda assim clamar pedindo a capacidade de aprender mais. O mandamento de Deus é extremamente amplo, e por isto possibilita o alcance das mentes mais vigorosas e instruídas; na verdade, nenhum homem tem, por natureza, um entendimento capaz de compreender um campo tão amplo, e por isto a oração, "dá-me inteligência", o que equivale a dizer, "eu consigo aprender outras coisas com a mente que tenho, mas a tua lei é tão pura, tão perfeita, espiritual e sublime, que eu preciso ter a minha mente esclarecida antes que possa me tornar proficiente nela". Ele apela pedindo que o seu Criador faça isto, como se sentisse que nenhum poder aquém daquele que o criou poderia torná-lo sábio em santidade. Nós precisamos de uma nova criação, e quem pode nos concedê-la, senão o próprio Criador? Aquele que nos fez viver pode nos fazer aprender; aquele que nos deu forças para ficar em pé pode nos dar a graça para compreender. Devemos, cada um de nós, expressar ao céu a oração deste versículo, antes de dar um passo adiante, pois estaremos perdidos, até mesmo nestas súplicas, a menos que oremos enquanto as fazemos, e clamemos a Deus, pedindo entendimento.

74. *"Os que te temem alegraram-se quando me viram: porque tenho esperado na tua palavra."* Quando um homem de Deus obtém graça para si mesmo, ele se torna uma bênção para os outros, especialmente se esta graça o tornou um homem de sólido entendimento e santo conhecimento. Os homens tementes a Deus são encorajados quando se encontram com crentes experientes. Um homem esperançoso é um enviado de Deus, quando as coisas estão em declínio ou perigo. Quando as esperanças de um crente se realizam, os seus amigos se alegram e são levados também a ter esperança. É bom para os olhos ver um homem cujo testemunho é de que o Senhor é verdadeiro; é uma das alegrias dos santos conviver com seus irmãos mais esclarecidos. O temor a Deus não é uma graça desajeitada ou tola, como alguns a chamam, mas é muito consistente com a alegria; pois se até mesmo a visão de um companheiro alegra os que temem a Deus, quão alegres eles devem ficar na presença do próprio Senhor! Nós não somente nos congregamos para compartilhar as dificuldades, uns dos outros, mas para participar das alegrias, uns dos outros, e alguns homens contribuem enormemente para o estoque de alegrias mútuas. Os homens esperançosos trazem consigo alegria. Os espíritos desanimados espalham a infecção da depressão, e por isto poucos se alegram ao vê-los, ao passo que aqueles cujas esperanças se fundamentam na palavra de Deus trazem a luz do sol em seus rostos e são bem recebidos por seus amigos. Eles são professores cuja presença espalha a tristeza, e os piedosos tranquilamente evitam a sua companhia; que isto jamais aconteça conosco.

75. *"Bem sei eu, ó Senhor, que os teus juízos são justos."* Aquele que deseja aprender deve ser grato pelo que já sabe, e estar disposto a confessar isto para a glória de Deus. O salmista tinha sido amargamente provado, mas tinha continuado a ter esperança em Deus sob esta provação, e agora ele declara a sua convicção de que tinha sido afligido com justiça e sabedoria. Isto ele não apenas pensava, mas sabia, de modo que foi positivo sobre isto, e falou em um momento de hesitação. Os santos têm certeza sobre a intensidade das suas dificuldades, mesmo quando não conseguem ver o objetivo delas. Os piedosos ficaram felizes por ouvir Davi dizer isto, *"que em tua fidelidade me afligiste"*. Porque o amor exigia severidade, por isto o Senhor a exerceu. Não foi por Deus ser infiel (pois Ele é sempre fiel) que o crente se encontrou em uma amarga dificuldade, mas exatamente pelo motivo oposto; foi a fidelidade de Deus ao seu concerto que colocou o escolhido sob a vara. Podia não ser necessário que outros fossem tentados naquela ocasião, mas foi necessário para

o salmista, e por isto o Senhor não reteve a bênção. O nosso Pai celestial não é Eli: Ele não permitirá que os seus filhos pequem sem serem repreendidos; o seu amor é excessivamente intenso para permitir isto. O homem que faz a confissão deste versículo já está progredindo na escola da graça, e está aprendendo os mandamentos. Este terceiro versículo da seção corresponde ao terceiro de Tete (67), e, até certo ponto, a vários outros versículos que são os terceiros em seus conjuntos de oito.

76. *"Sirva, pois, a tua benignidade para me consolar, segundo a palavra que deste ao teu servo."* Tendo confessado a justiça do Senhor, agora o salmista apela para a sua misericórdia, e embora não peça que a vara lhe seja removida, fervorosamente implora por consolação quando ela agir. A justiça e a fidelidade não nos permitem consolação se não pudermos também provar a misericórdia, e, bendito seja Deus, isto nos é prometido na palavra, e por isto podemos ter esperança disto. A palavra "benignidade" é uma feliz escolha, e expressa exatamente o que precisamos ter na aflição; benignidade para nos perdoar o pecado, e consolação para nos sustentar em meio à angústia. Com isto, poderemos estar confortáveis nos dias nublados e escuros, e sem isto estaremos verdadeiramente perdidos; por isto, então, devemos orar ao Senhor, a quem entristecemos com nosso pecado, e devemos alegar a palavra da sua graça como nossa única razão para esperar a sua benevolência. Bendito seja o seu nome, apesar dos nossos erros nós ainda somos seus servos, e servimos a um Mestre misericordioso. Alguns interpretam a última frase como "segundo o que disseste ao teu servo"; algumas palavras especiais do Senhor são lembradas e alegadas; não podemos nos lembrar de algumas "palavras fiéis" e torná-las a base da nossa súplica? A expressão "segundo a palavra" é uma expressão favorita, que mostra o motivo para a benignidade e o modo da benignidade. Nossas orações estão de acordo com a vontade de Deus, quando estão de acordo com a palavra de Deus.

77. *"Venham sobre mim as tuas misericórdias, para que viva."* O salmista foi tão terrivelmente pressionado que estaria às portas da morte, se Deus não o socorresse. Ele precisava, não apenas de benignidade, mas de "misericórdias", e elas precisavam ser de um tipo muito piedoso e atencioso, pois ele estava muito ferido. Estas bondosas graças devem vir do Senhor, pois nada menos do que isto seria suficiente; e devem "vir" diretamente para o coração do sofredor, pois ele não era capaz de viajar até elas; tudo o que ele podia fazer era suspirar, "Ó, se elas viessem". Se a libertação não viesse em breve, ele já se sentia pronto a expirar, mas, apesar disto, ele nos disse, há pouco tempo, que tinha esperança na palavra de Deus; como é verdadeiro que esta esperança continue vivendo, quando a morte parece estar escrita em todo o resto. Um pagão disse, "*dum spiro spero*", *enquanto eu respiro, tenho esperança*; mas o cristão pode dizer, "*dum expiro spero*", *mesmo quando expiro, ainda tenho a esperança da bênção*. Mas nenhum verdadeiro filho de Deus pode viver sem a misericórdia do Senhor; é a morte para ele, estar sob o desprazer de Deus. Observe, outra vez, a feliz escolha de palavras na nossa versão em Inglês. Já se ouviu som mais doce do que este – "misericórdia"? Aquele que esteve angustiadamente aflito, e ainda assim foi ternamente socorrido, é o único homem que conhece o significado desta excelente palavra.

Quão verdadeiramente vivemos, quando as misericórdias vêm até nós. Então nós não meramente existimos, mas vivemos; nós somos vivazes, cheios de vida, e vigorosos. Nós não sabemos o que é vida, até que conheçamos a Deus. Está escrito que alguns morrem pela visitação de Deus, mas nós vivemos por ela.

"Pois a tua lei é a minha delícia." Ó bendita fé! Não é um mero crente aquele que se alegra na lei, mesmo quando os seus preceitos infringidos o fazem sofrer. Alegrar-se na palavra, quando ela nos censura, é prova de que estamos nos beneficiando com ela. Certamente, este é um apelo que irá prevalecer com Deus, por mais amargas que possam ser nossas tristezas; se ainda nos alegramos na lei do Senhor, Ele

não nos deixará morrer, Ele deve lançar – e lançará – um olhar terno sobre nós, e consolará nossos corações.

78. *"Confundam-se os soberbos."* Ele implorou que os juízos de Deus não mais caíssem sobre ele, mas sobre os seus cruéis adversários. Deus não permitirá que aqueles que esperam na sua palavra sejam envergonhados ou confundidos, pois reserva esta recompensa para os espíritos soberbos; eles serão dominados pela confusão, e se tornarão sujeitos a desprezo, ao passo que os afligidos de Deus novamente levantarão suas cabeças. A vergonha é para os soberbos, pois é vergonhoso ser soberbo. A vergonha não é para os santos, pois nada há, na santidade, de que se envergonhar.

"Pois me trataram de uma maneira perversa, sem causa." A perversidade dos inimigos do salmista era costumeira, ele não os tinha provocado. Eles empregaram falsidade para forjar uma acusação contra ele; eles tinham que deformar os atos dele, antes que pudessem atacar o seu caráter. Evidentemente, o salmista sentia intensamente a maldade dos seus adversários. A consciência da sua inocência, com relação a eles, criava um sentido ardente de injustiça, e ele apelou ao justo Senhor para que o defendesse e cobrisse de vergonha os seus falsos acusadores. Provavelmente, ele os mencionou como "os soberbos" porque sabia que o Senhor sempre se vinga dos soberbos, e defende a causa daqueles oprimidos por eles. Às vezes, ele menciona os soberbos, e em outras ocasiões, os ímpios, mas sempre se refere às mesmas pessoas; as palavras são intercambiáveis: aquele que é soberbo certamente é ímpio, e os perseguidores soberbos são os piores ímpios.

"Mas eu meditarei nos teus preceitos." Ele queria deixar os soberbos nas mãos de Deus, e entregar-se a santos estudos e contemplações. Para obedecer aos preceitos divinos, nós precisamos conhecê-los, e pensar muito sobre eles; consequentemente este santo perseguido sentia que a meditação devia ser a sua principal ocupação. Ele desejava estudar a lei de Deus, e não a lei da retaliação. Os soberbos não são dignos sequer de um pensamento. A pior ofensa que podem nos fazer é nos afastar das nossas devoções; devemos frustrá-los, conservando-nos o mais próximo possível do nosso Deus, quando eles forem mais perversos em seus ataques.

Em posição semelhante a esta, nós nos encontramos com os soberbos em outras seções, e ainda os encontraremos outra vez. Eles são, evidentemente, uma grande praga para o salmista, mas ele se levanta acima deles.

79. *"Voltem-se para mim os que te temem e aqueles que têm conhecido os teus testemunhos."* Talvez a língua do caluniador tivesse alienado alguns dos piedosos, e provavelmente os erros de Davi tivessem angustiado a muitos mais. Ele implora que Deus se volte para ele, e então volte o seu povo para ele. Aqueles que estão bem com Deus são também ansiosos para estar bem com os seus filhos. Davi desejava o amor e a simpatia dos homens piedosos de todos os tipos – dos que eram iniciantes na graça, e daqueles que estavam amadurecidos na piedade – "os que te temem" e "aqueles que têm conhecido os teus testemunhos". Não podemos nos permitir perder o amor do menor dos santos, e se perdermos a sua estima, podemos, adequadamente, orar para tê-la restaurada. Davi era o líder do grupo piedoso da nação, e o seu coração ficava ferido quando percebia que aqueles que temiam a Deus não ficavam tão satisfeitos ao vê-lo como ocorria anteriormente. Ele não ameaçou, dizendo que se eles podiam ficar sem *ele*, então ele poderia ficar muito bem sem *eles*, mas ele sentia tão profundamente a importância da simpatia deles, que fez uma oração para que o Senhor voltasse os seus corações novamente para ele. Os que são amados de Deus e instruídos na sua palavra são muito preciosos aos seus olhos, e nós devemos fazer o máximo que pudermos para ter um bom relacionamento com eles.

Davi tem duas descrições para os santos, eles temem a Deus e conhecem a Deus. Eles possuem a devoção e também a instrução; eles têm o espírito e também a ciência da verdadeira religião. Nós conhecemos alguns crentes que são piedosos, mas não inteligentes; por outro lado, também conhecemos alguns professores que têm cabeça, mas não coração; mas o salmista é o homem que combina devoção com inteligência. Nós não nos interessamos por piedosos ignorantes, nem por icebergs intelectuais. Quando o temor e o conhecimento andam de mãos dadas, fazem com que os homens estejam completamente equipados para todas as boas obras. Se estes são os meus melhores companheiros, posso esperar que eu pertença ao seu grupo. Que estas pessoas se voltem para mim, por encontrarem em mim uma companhia agradável.

80. *"Seja reto o meu coração para com os teus estatutos; para que eu não seja confundido."* Isto é ainda mais importante do que ser estimado pelos homens bons. Aqui está a raiz do problema. Se o coração for reto e obediente a Deus, tudo estará bem, ou ficará bem. Se nosso coração for reto, estaremos corretos no principal. Se não formos sadios diante de Deus, a nossa profissão de piedade será um som vazio. A mera profissão de fé falhará, e a estima imerecida irá desaparecer, como uma bolha quando explode; somente a sinceridade e a verdade suportarão o dia do mal. Aquele que é reto no coração não tem razão para se envergonhar, nem se confundir, e jamais terá; os hipócritas devem se envergonhar agora, e um dia serão submetidos a uma vergonha sem fim; os seus corações estão apodrecidos, e seus nomes apodrecerão. Este oitavo versículo é uma variação da oração do versículo 73; ali ele buscava inteligência e aqui ele vai mais fundo e implora por um coração reto. Aqueles que descobriram a sua própria fragilidade, por triste experiência, são levados a mergulhar abaixo da superfície, e clamar ao Senhor pela verdade interior. No encerramento das considerações destes oito versículos, devemos acompanhar o autor na oração: "Seja reto o meu coração para com os teus estatutos".

NOTAS SOBRE OS VERSÍCULOS 73 A 80

Nesta seção, cada versículo começa com a letra hebraica *Jode*, ou i, a menor letra do alfabeto hebraico, que em Mt 5.18 é chamada *jota:* "Nem um jota ou um til se omitirá da lei sem que tudo seja cumprido". – *Albert Barnes*

vv. 73 a 80: A explicação usual desta seção, fornecida pelos teólogos medievais, é que ela é a oração do homem, pedindo para ser restaurado ao seu estado original de inocência e sabedoria, através de uma bênção: ser conforme a imagem de Cristo. E isto se enquadra com o significado óbvio, que é parcialmente uma súplica pela graça divina e parcialmente uma declaração de que o exemplo de piedade e resignação nas dificuldades é suficientemente atraente para levar os corações dos homens rumo a Deus – uma verdade estabelecida de uma vez pela Paixão, e pelas vidas de todos aqueles santos que tentaram segui-la. – *Neale e Littledale*

v. 73: "As tuas mãos me fizeram e me afeiçoaram", etc. Este versículo contém uma súplica por entendimento, e uma razão com ela: Eu sou a obra das tuas mãos, por isto dá-me inteligência. Não há homem que não beneficie as obras das suas mãos. E o Senhor não amará muito mais as suas criaturas, especialmente o homem, a sua mais excelente criatura? Sim, a qual, se considerarmos, de acordo com a forma do seu corpo, nada encontraremos na terra que seja mais preciosa do que ela; mas no que não é visto, ou seja, na sua alma, o homem é ainda mais belo. Assim, você percebe, o raciocínio de Davi é muito eficaz; é como se ele dissesse, como diz em outras passagens: "não desampares as obras das tuas mãos"; tu me fizeste e me afeiçoaste, a tua ajuda busco, e a ajuda de ninguém mais.

Ninguém pode buscar, apropriadamente, boas coisas de Deus, se não considerar o bem que o Senhor já lhe tiver feito. Mas muitos são tão ignorantes quanto a isto, que não sabem quão maravilhosamente Deus os criou; e, por isto, não podem bendizer a Ele, nem buscar nada nele, como seu Criador e Preservador. Mas este argumento, extraído da nossa "primeira criação", ninguém pode usar apropriadamente, exceto aquele que, pela graça, participa da "segunda criação"; pois na nossa queda perdemos todos os privilégios da primeira criação. De modo que, agora, por natureza, não é consolação para nós, nem motivo para esperança, o fato de que Deus nos criou; mas sim motivo para nosso temor e desconfiança, o fato de que nos criamos, inadequadamente, nós mesmos, perdemos a sua imagem, e não somos mais como Deus nos criou no princípio. – *William Cowper*

v. 73: "As tuas mãos me fizeram e me afeiçoaram", etc. Observe aqui duas coisas: em primeiro lugar, que, ao fazer a sua oração, pedindo santo entendimento, o salmista se acusa, a si mesmo, e acusa todos os outros, de cegueira, que não se origina do Criador, mas do homem corrompido. Em segundo lugar, que, desde a sua criação, ele alimentava a esperança de que Deus continuaria a sua obra, iniciada nele, porque Deus não desampara a sua obra, e por isto, ele pede que Deus lhe conceda novas graças e conclua o que tinha iniciado nele. – *Thomas Wilcocks, 1586*

v. 73: Hugo observa com perspicácia, nos diferentes verbos deste versículo, os erros particulares a serem evitados: ingratidão, onde está escrito, *"as tuas mãos me fizeram"*; soberba, *"e me afeiçoaram"*; confiança no juízo próprio, *"dá-me inteligência"*; curiosidade, *"para que aprendesse os teus estatutos"*.

v. 73: "As tuas mãos". Hilary e Ambrósio opinam que, com o plural, *"mãos"*, a sugestão é de que há uma obra mais exata e perfeita no homem, e de certa fora, com maior esforço e habilidade ele tinha sido formado por Deus, porque foi formado *segundo a imagem e semelhança de Deus,* e que não está escrito que qualquer outra coisa, exceto o homem, tenha sido criada por Deus, com as suas mãos, pois Ele disse, em Isaías "Também a minha mão fundou a terra" (Is 48.13).******** – *John Lorinus,* 1569-1634.

v. 73: "As tuas mãos". Ó, examina as *feridas* das tuas mãos, e não te esqueças da *obra* das tuas mãos, assim orava a Rainha Elizabeth. – *John Trapp*

v. 73: Alguns consideram que o verbo עָשָׂה, *"fizeram"*, se refere à alma, e כּוֹנֵן, *"afeiçoaram"*, ao corpo. – *D. H. Mollerus*

v. 73: "[Elas] me fizeram e me afeiçoaram; dá-me inteligência". A grandeza de Deus não é obstáculo para o seu relacionamento conosco, pois uma parte muito especial da grandeza divina consiste em ser capaz de condescender com a pequenez dos seres criados, vendo que é próprio das criaturas, pela sua própria natureza, ter esta pequenez; considerando que Deus sempre será Deus, e o homem sempre será homem, o oceano sempre será o oceano, a gota sempre será a gota. A grandeza de Deus envolvendo a nossa pequenez, como os céus envolvem a terra, e se encaixando nela, por todos os lados, assim como o ar preenche todas as partes da terra, é o que torna o relacionamento tão completo e abençoado: "Está na sua mão a alma de tudo quanto vive, e o espírito de toda carne humana" (Jó 12.10). Tal é a sua proximidade, tal é a sua intimidade com as obras das suas mãos.

É proximidade, e não distância, que o nome Criador sugere, e o simples fato de que Ele nos *fez* é a garantia do seu desejo de nos abençoar e de conservar o relacionamento conosco. A comunicação entre a coisa criada e o seu criador está envolvida na própria ideia da criação. *"As tuas mãos me fizeram e me afeiçoaram; dá-me inteligência para que aprenda os teus mandamentos"*. "Fiel Criador" é o seu nome (1 Pe 4.19), e como tal, nós apelamos a Ele, "não desampares as obras das tuas mãos" (Sl 138.8). – *Horácio Bonar, "The Rent Veil", 1875*

v. 73: "Dá-me inteligência", etc. O livro de Deus é como a farmácia, não há uma ferida para a qual não haja um remédio; mas se um estrangeiro entrar na farmácia, embora todas estas coisas estejam ali, ele não saberá dizer onde elas estão, mas

******** Isto, no entanto, é um engano, como observa Agostinho, pois está escrito: "Os céus são obra das tuas mãos" (Sl 102.25). – *C. H. S.*

somente o próprio farmacêutico saberá; assim também nas Escrituras, há curas para quaisquer enfermidades; há consolação contra quaisquer angústias, e, consultando os seus capítulos, nós os entenderemos. As Escrituras não são insuficientes para nós, mas nós o somos, para nós mesmos; devemos nos familiarizar com elas, e as compreenderemos, enquanto grandes clérigos que são negligentes permanecem nas trevas. – *Richard Stock*

v. 73: "Dá-me inteligência". Oremos a Deus, para que Ele abra nosso entendimento; para que, assim como Ele nos deu consciência, para nos guiar, também dê olhos para estes guias, para que possam nos orientar corretamente. A verdade é que somente Deus pode esclarecer e iluminar solidamente as nossas consciências; e, por isto, devemos orar, para que Ele o faça. Todo o nosso estudo, e a nossa audição, e a nossa leitura, e as nossas consultas, jamais serão capazes de fazê-lo; é apenas o poder daquele que nos fez, que pode fazer isto. Aquele que fez a nossa consciência, somente Ele pode dar a elas esta luz celestial de verdadeiro conhecimento e entendimento correto; e por isto devemos buscar, fervorosamente, inteligência junto a Ele. – *William Fenner, 1600-1640*

v. 73: "Para que aprenda os teus mandamentos". Para que ele possa *aprendê*-los, e também conhecer o seu sentido e significado, a sua pureza e espiritualidade; e de modo a obedecer a eles, por um princípio de amor, na fé, e para a glória de Deus; pois o significado aqui não é um mero aprendizado deles, memorizando-os, nem a mera teoria deles, mas a prática deles, em fé e amor. – *John Gill*

vv. 73 e 74: Destes versículos, aprenda: 1. Embora nada possa satisfazer a descrença, a verdadeira fé fará uso do mais comum benefício da criação para se fortalecer: *"As tuas mãos me fizeram e me afeiçoaram"*. 2. É uma boa maneira de argumentar com Deus, de pedir outra dádiva, porque já recebemos uma; e da mesma maneira como Ele deu benefícios comuns, pedir que Ele também nos desse graças de salvação: *"As tuas mãos me fizeram e me afeiçoaram: dá-me inteligência para que aprenda os teus mandamentos"*. 3. Vendo que Deus é o nosso Criador, e que a finalidade da nossa criação é servir a Deus, podemos confiantemente pedir qualquer graça que possa nos capacitar a servi-lo, como o exemplo do salmista nos ensina... 4. Deve ser a alegria de todos os crentes ver um dos seus ser sustentado nos seus sofrimentos: pois na prova e no exemplo de um sofredor, um sinal é dado a todos os demais, de que Deus os ajudará em situação similar: *"Os que te temem alegraram-se quando me viram"*. – *David Dickson*

v. 74: "Os que te temem alegraram-se", etc. Aqueles que *"temem a Deus"* naturalmente *"se alegram quando veem"* e convivem com alguém como eles; mas mais especialmente, quando este alguém é uma pessoa cuja fé e paciência a sustentaram durante as dificuldades, e o tornaram vitorioso sobre as tentações; alguém que tem *"esperado na palavra de Deus"* e não ficou desapontado. Cada exemplo deste tipo propicia novo encorajamento a todos aqueles que, em meio ao seu bem-estar, enfrentarão problemas similares, e encontrarão tentações semelhantes. Em todas as nossas provações, devemos, portanto, recordar que os nossos irmãos, assim como nós mesmos, estão profundamente interessados no evento, que pode fortalecer ou enfraquecer as mãos das multidões. – *George Horne*

v. 74: "Os que te temem alegraram-se quando me viram", etc. Como é consolador que os herdeiros da promessa se vejam, uns aos outros, ou se congreguem; *aspectus boni viri delectat, a própria aparência de um homem bom é prazerosa*; é um prazer conviver com aqueles que têm o cuidado de agradar a Deus, e temem ofendê-lo. Quão afetados eles são com as misericórdias, uns dos outros: *"Alegraram-se quando me viram"*, uma vez que obtive um evento que correspondeu à minha esperança. Eles vieram e me olharam como um monumento e espetáculo da misericórdia e da verdade de Deus. Mas que misericórdia ele tinha recebido? O contexto parece sugerir que era a graça de obedecer aos mandamentos de Deus; esta foi a oração imediatamente precedente - ser instruído e ensinado na lei de Deus (v. 73). Eles se alegraram em ver o meu santo comportamento, eu me beneficiei e glorifiquei a Deus com isto. Os autores hebreus traduzem o motivo, "Porque eu serei capaz de instruí-los nestes estatutos, quando eles virem que eu, o seu rei, estudo a lei de Deus". Isto pode ser explicado a respeito de qualquer outra bênção ou benefício que Deus tivesse dado, de acordo com a sua esperança, e eu prefiro interpretar assim: eles ficaram felizes por vê-lo sustentado, apoiado e confirmado em suas dificuldades e sofrimentos. "Alegraram-se quando viram em mim um notável exemplo do fruto da esperança na tua graça". - *Thomas Manton*

v. 74: "Porque tenho esperado na tua palavra". E não tinha ficado desapontado. A Vulgata traduz como *supersperavi*, tive muita esperança; e Aben-Ezra enfatiza, *"Tenho esperado em todos os teus decretos";* até mesmo no que me aflige, como no versículo seguinte. - *John Trapp*

v. 75: "Bem sei eu, ó Senhor, que os teus juízos são justos". No início da vida, a árvore da ciência parecia uma árvore muito agradável e gloriosa, aos meus olhos, mas quantos enganos eu cometi sobre este assunto! E quantos são os enganos que ainda abundam naquilo que nos alegramos em chamar de ciência, ou conhecimento, na linguagem comum. Aquele que leu os clássicos, que mergulhou na ciência matemática, que é versado em história, e gramática, e elocução comum; aquele que é capaz e está disposto a solucionar alguma questão complicada, e é versado nas antigas doutrinas de aprendizado, é considerado um homem de conhecimento; e realmente o é, em comparação com a massa ignorante da humanidade. Mas o que é tudo isto, em comparação com o conhecimento no meu texto? O conhecimento com o qual poucos dos instruídos, como são chamados, têm a menor familiaridade.

"Bem sei" - O que, Davi? O que você sabe? - "Bem sei eu, ó Senhor, que os teus juízos são justos e que em tua fidelidade me afligiste".

Ainda que eu possa gostar de outras especulações, eu prefiro, muito mais, possuir o conhecimento deste homem neste texto, a ter maior familiaridade com todo o círculo das ciências, como é orgulhosamente chamado... Eu percebo que, na primeira sentença, o salmista fala, de modo geral, das ordenanças, recomendações, providências e juízos de Deus; e a declaração é de que ele sabe que eles são corretos, que são justos, que são sábios e que não há erro neles, e isto, embora os homens, pela tolice, caiam em aflição, e então seus corações se agitem contra Deus. Ele era abençoado com inteligência superior. Ele não faz nenhuma exceção: "Bem sei eu que *todos* os teus juízos são justos". E na última parte do texto, ele torna a questão pessoal. Pode-se dizer que é uma coisa fácil para se pensar, quando vemos as revoluções de reinos, o cambalear de tronos, as aflições de alguns mortais, e os esforços de outros, que estão todos bem. "Sim", diz ele, "mas eu tenho a mesma persuasão a respeito de todas as minhas angústias; eu sei que em tua fidelidade *me* afligiste". - *de um sermão de John Martin, 1817*

v. 75: "Bem sei eu, ó Senhor, que os teus juízos são justos", etc. O texto é dirigido a Deus. Nós encontramos isto com frequência nos textos de Davi. Quando ele deseja expressar algum sentimento profundo, ou algum ponto de experiência espiritual, ele o faz desta maneira - dirigindo-se a Deus. Os que amam a Deus se alegram em ter comunhão com Ele; e há alguns sentimentos em que a mente espiritual, ao falar ao próprio Deus, encontra consolo e prazer peculiares. *"Bem sei eu, ó Senhor, que os teus juízos são justos".* Deus ordena todas as coisas, e os seus *"juízos"*, aqui, significam as suas disposições gerais, decisões, atitudes - não somente aflições, ainda que elas estejam incluídas. E quando o salmista diz, *"teus juízos"*, ele se refere especialmente aos juízos de Deus com relação a *ele*, as atitudes de Deus com ele, e assim tudo o que tinha acontecido a ele, ou iria acontecer com ele. Pois no credo do salmista não existia algo como o acaso. Deus ordenou tudo o que lhe acontecia, e ele se comprazia em pensar assim. Ele expressa uma feliz confiança e certeza em tudo o que Deus fazia, e faria, com relação a ele. Ele confiava plenamente na sabedoria de Deus, no poder de Deus, no amor de Deus. *"Bem sei eu, ó Senhor, que os teus juízos são justos"* – completamente justos, justos de todas as maneiras, sem um ponto sequer que pudesse ser melhor, perfeitamente sábio e bom. Ele mostra a mais firme certeza disto. "Bem *sei*", diz ele, e não meramente "Penso". Mas estas mesmas palavras, "Bem *sei*" mostram claramente que isto era uma questão de fé, e não de visão. Pois ele não diz, "Eu posso *ver* que os teus juízos são justos", mas *"sei"*. O significado é, claramente, "Embora eu não possa ver tudo – embora existam algumas coisas nas tuas atitudes que eu não consigo compreender plenamente – ainda assim eu creio, estou persuadido, e desta maneira bem *sei* eu, ó Senhor, que os teus juízos são justos".

"Teus juízos." Não alguns deles, mas todos. Ele considera todas as atitudes de Deus com ele, e sobre elas diz, sem exceção, *"Bem sei eu, ó Senhor, que os teus juízos são justos"*. Quando as coisas que nos acontecem são claramente para nossa consolação e nosso bem, como são muitas delas, então nós recebemos com gratidão aquilo que Deus nos envia, e o reconhecemos como o que dá tudo, e o bendizemos por sua piedosa atitude; e isto é o certo. Mas toda a fé necessária para isto (e nisto há alguma fé) é reconhecer que Deus está lidando conosco, ao invés de receber com ingratidão as dádivas, sem pensar naquele que as deu. É um nível muito mais alto de fé o que fala de *todas* as atitudes de Deus, mesmo quando, aparentemente, não são para nossa felicidade, *"Bem sei eu, ó Senhor, que os teus juízos são justos"*.

E é este o significado aqui, ou certamente o significado principal. Pois, embora a palavra *"juízos"* realmente signifique as atitudes de Deus, de todos os tipos, *aqui* as palavras que aparecem a seguir a aplicam especialmente às atitudes aflitivas de Deus, isto é, às suas atitudes que não parecem ter como objetivo a nossa felicidade: *"Bem sei eu, ó Senhor, que os teus juízos são justos e que em tua fidelidade me afligiste"*.

Os juízos que o salmista tinha em mente, e que ele sentia que eram tão justos não eram alegrias, mas tristezas; não eram coisas concedidas, mas removidas; aquelas bênçãos que não percebemos, aquelas misericórdias veladas, aquelas dádivas cobertas de pesares, que Deus tão frequentemente envia aos seus filhos. O salmista sabia, e sabia contra toda aparência em contrário, que estes juízos eram *"justos"*. O que quer que pudessem ser – perdas, prejuízos, lutos, desapontamentos, dores, doenças – eram justos; tão justos como as bênçãos mais manifestas que os precediam; bastante justos, perfeitamente justos; tão justos que não poderiam ter sido mais justos; exatamente os melhores; e tudo porque eram juízos de Deus. Isto satisfazia a mente do salmista, e tranquilizava todas as dúvidas. Ele poderia ter duvidado das atitudes, em si mesmas, mas não daquele a quem pertenciam estas atitudes. "*Teus* juízos". Isto esclarecia tudo. *"Que em tua fidelidade me afligiste"*. Isto significa que, ao designar dificuldades como a sua sorte, Deus tinha lidado com ele, em fidelidade à sua palavra, fidelidade aos seus propósitos de misericórdia, com um amor fiel, e não fraco. Ele lhe tinha enviado exatamente o que era o melhor para ele, ainda que nem sempre o que era o mais agradável; e nisto Ele tinha se mostrado fiel. Gentilmente e amorosamente o Senhor lida com os seus filhos. Ele não envia dor desnecessária; mas aquilo que é necessário, Ele não reterá. – *Francis Bourdillon, 1881*

v. 75: "Os teus juízos". Há *judicia oris* e há *judicia operis; os juízos da boca de Deus,* e *os juízos das mãos de Deus.* Sobre os primeiros, é feita menção no versículo 13: "Com os meus lábios declarei todos os juízos da tua boca". E com estes *"juízos"* a referência é feita a nada mais do que a santa lei de Deus e a sua palavra escrita; que, em todas as partes deste salmo, são chamadas, indiferentemente, de seus "estatutos", seus "mandamentos", seus "preceitos", seus "testemunhos", seus "juízos".

E as leis de Deus são, portanto, entre outros motivos, chamadas de *"juízos"* porque por meio delas nós obtemos um juízo justo, com o qual podemos discernir entre o bem e o mal. Não fosse assim, não poderíamos julgar, com qualquer certeza, o que é adequado que façamos, e o que é necessário que evitemos. *A lege tua intellexi,* no versículo 104: "Pelos teus mandamentos, alcancei entendimento". O apóstolo Paulo confessa (Rm 7) que ele jamais teria sabido corretamente o que era o pecado, não fosse pela lei; e ele exemplifica com o pecado da concupiscência, *que não teria sabido ser pecado, se a lei* não dissesse, "Não cobiçarás". E não há dúvida de que estes *"juízos"*, estes *judicia oris,* são todos *"justos"* também; pois seria irracional pensar que Deus fizesse tal lei de justiça para nós, se ela não fosse justa por si só. Nós temos o nome (de *"juízos"*) e também a coisa em si (que são *"justos"*) no salmo 19, onde, tendo elogiado enormemente a lei de Deus, sob as diversas denominações da "lei", testemunhos, preceitos e mandamentos (vv. 7,8), o profeta, então, concluiu com o nome de "juízos" (v. 9): "Os juízos do Senhor são verdadeiros e justos juntamente".

Além destes *judicia oris* que são os juízos de *orientação* de Deus, também há os *judicia operis* que são os seus juízos para *correção.* E estes incluem também *aliquid paenale,* algo que nos é infligido pelo Deus Todo-Poderoso, como se fosse como punição; algo que gera em nós perturbação ou pesar. O apóstolo diz (Hb 12) que toda correção produz tristeza; e assim é, ou não representaria nenhuma punição, para nós. E estes são, novamente, de dois tipos; não distinguidos tanto pelas coisas propriamente ditas que são infligidas, como pela condição das pessoas sobre as quais são infligidas, e especialmente pelo afeto e pela intenção de Deus, que as inflige. Pois todos, sejam calamidades públicas que acontecem a nações inteiras, a cidades ou a outras sociedades humanas, maiores ou menores (como são as pestes, a fome, a guerra, as inundações, o tempo inóspito e outros eventos semelhantes) ou aflições privadas, que sobrevêm a famílias ou indivíduos em particular (como doenças, pobreza, ofensas, morte de amigos e outros eventos semelhantes), tudo isto, e quaisquer outras coisas de qualquer um dos dois tipos, pode ser considerado de duas maneiras, sendo que em qualquer uma delas não será inadequado que sejam chamados de juízos de Deus, ainda que em aspectos diferentes.

Agora vemos os diversos tipos de juízos de Deus; a qual de todos eles podemos pensar que a referência é feita aqui? Se nós considerarmos todos eles, a conclusão caberia a eles e seria verdadeira também. *Judicia oris,* e *judicia operis*; juízos públicos e privados; as pragas com as quis, em ira, Ele pune os seus inimigos, e as varas com que, em misericórdia, Ele corrige os seus filhos; certamente, eles são todos *"justos"*. Mas, ainda assim, eu imagino que os *judicia oris* não são a referência neste ponto; pois a exegese na última parte do versículo (em que o que aqui é chamado de *juízos* é ali tratado como *aflições*) parece excluí-los, e limitar a intenção do texto aos *judicia operis* somente; mas a todos eles, sejam de qualquer tipo, públicos ou privados, pragas ou correções, ele pronuncia como sendo *"justos"*, o que é o predicado da conclusão: *"Bem sei eu, ó Senhor, que os teus juízos são justos". – Robert Sanderson*

v. 75: "Em tua fidelidade me afligiste". Observe a ênfase: o salmista não reconhece, apenas, que Deus era fiel, embora o tivesse afligido, mas fiel ao enviar as aflições. Aflições e problemas não apenas são consistentes com o amor de Deus, assegurado no concerto da graça, mas são partes e ramificações da administração do novo concerto. Deus não é apenas fiel apesar das aflições, mas é fiel ao enviá-las. Há uma diferença entre as duas coisas: a primeira é como uma exceção à regra, *quae firmat regulam in non exceptis;* a outra entende como uma parte da regra. Deus não pode ser fiel sem fazer todas as coisas que visam o nosso bem, e o nosso bem-estar eterno. A conduta da sua providência é uma parte do acordo do concerto; o mesmo acontece com a sua atitude de perdoar os nossos pecados, e de nos santificar, e de nos glorificar, por fim, também para adequar a sua providência quando a nossa necessidade e o nosso benefício o exigirem, no caminho para o céu. É um ato da sua misericórdia soberana que Ele prometeu ao seu povo, usar de tal disciplina que conduza à sua segurança. Em resumo, a cruz não é uma exceção à graça do concerto, mas uma parte da graça do concerto.

A causa de todas as aflições é o pecado, por isto a justiça deve ser reconhecida; o seu fim é o arrependimento, e por isto a fidelidade deve ser reconhecida. O fim não é a destruição e a ruína, de modo que as aflições seriam atos de justiça, sobre os ímpios; mas para que possamos estar adequados a receber as promessas, e por isto as aflições são atos de fidelidade. – *Thomas Manton*

v. 75: "Em tua fidelidade me afligiste". E o fizeste com a sincera intenção de fazer-me o bem. Deus conhece intimamente a nossa constituição, o que é prejudicial à nossa saúde, e o que pode remediar nossas enfermidades; e por isto, Ele decreta:

*Pro jucundis aptissima quaeque*********

Em vez do mel agradável, às vezes Ele nos prescreve uma amargura saudável. Nós somos enormemente ignorantes em relação ao que conduz ao nosso verdadeiro bem, e, se a nossa condição nos fosse totalmente revelada, levaria a escolhas muito tolas, e muito desvantajosas.

Nós gostaríamos (esteja certo) todos nós, de aceitar uma condição rica e abundante; porém, Deus sabe que isto nos tornaria preguiçosos e luxuriosos, nos incharia de orgulho e pensamentos arrogantes, nos sobrecarregaria de preocupações ansiosas e nos exporia a perigosas tentações; nos faria descuidar de nós mesmos, e negligenciar ao Senhor. Por isto Ele sabiamente nos prescreve a pobreza; a pobreza, a mãe da sobriedade, a ama do esforço, a amada da sabedoria; que nos fará compreender a nós mesmos e a nossa dependência dele, e nos forçará a recorrer à sua ajuda. E não há uma razão pela qual deveríamos ser gratos, por meio da qual somos libertados destes enganos desesperadores e obtemos estas vantagens excelentes?

Nós todos (certamente) gostaríamos de escolher a benevolência e o aplauso dos homens; mas isto, Deus também sabe, corromperia nossas mentes com vã presunção, intoxicaria nossos gostos com prazeres espúrios, nos tentaria a atribuir tudo, imoderadamente, a nós mesmos, e de modo sacrílego privaria Deus da honra que lhe é devida. Portanto Ele deliberadamente permite que nos ocorram desgraças e desprazeres, e que nos sejam dirigidos o ódio e o desprezo dos homens; de modo que possamos colocar a nossa glória somente nas esperanças da sua benevolência, e possamos buscar mais fervorosamente os mais puros desejos de uma boa consciência. E esta parte da providência divina não merece os nossos agradecimentos?

Nós desejaríamos subir a lugares altos, sem considerar os precipícios sobre os quais estão ou a vertigem de nossos próprios cérebros, mas Deus nos manteve a salvo nos humildes vales, designando-nos tarefas que somos mais capazes de desempenhar.

Nós desejaríamos, talvez insolentemente, abusar do poder, se ele nos fosse entregue; nós desejaríamos empregar grande parte a projetos difíceis, como fazem muitos, para a perturbação de outros, e sua própria destruição; vasto conhecimento nos faria valorizar demais a nós mesmos e desprezar a outros; desfrutando continuamente de saúde, não percebemos o benefício dela, nem nos lembramos daquele que a deu a nós. A bondade divina nos concedeu uma mediocridade apropriada destas coisas, para que não passássemos necessidade, nem nos fartássemos com abundância.

Na verdade, as vantagens oriundas das aflições são tantas, e tão grandes, que seria fácil demonstrar que temos grandes razões, não apenas para ficar satisfeitos, mas alegres e muito agradecidos, por todas as cruzes e obstáculos com que nos deparamos; por recebê-las alegremente das mãos de Deus, como remédios para

******** Juv. Sat. x. 349.

nossa alma, e condimentos da nossa sorte; como argumentos da sua boa vontade, e instrumentos de virtude; como bases sólidas de esperança, e presságios consoladores de uma alegria futura para nós. – *Isaac Barrow*

v. 75: "Em tua fidelidade me afligiste". Quando um pai renega e expulsa um filho, deixa de corrigi-lo. Assim Deus pode permitir que alguém a quem pretende destruir continue impune; mas nunca alguém com quem Ele fez um concerto. – *William S. Plumer*

v. 75: "Bem sei eu, ó Senhor", etc.

Senhor, no melhor lugar da memória
eu guardo aquelas tristes épocas
quando, olhando para o alto, vi teu rosto
coberto com bondosa austeridade.

Eu não sentiria falta de nenhum suspiro ou lágrima;
Sofrimento ou palpitação;
doce era o severo castigo,
e doce é a sua lembrança agora.

Sim! Que as cicatrizes flagrantes permaneçam
como símbolos do amor em seu lugar,
sombras apagadas do lado perfurado pela lança,
e da cabeça envolta por espinhos.

E que a tua terna força continue
quando os indivíduos se desviarem,
moldando à verdade a vontade interior
ao longo do teu estreito caminho.
– *John Henry Newman, 1829*

v. 76: "Sirva, pois, a tua benignidade para me consolar". No versículo anterior, ele reconheceu que o Senhor o tinha afligido; agora, neste, ele pede em oração que o Senhor o console. Isto é estranho, que um homem busque consolação na mesma mão que o aflige – isto é a obra da fé; a natureza jamais nos ensinará a fazer isto. "Vinde, e tornemos para o Senhor, porque ele despedaçou e nos sarará, fez a ferida e a ligará". Novamente, vemos que as cruzes que Deus coloca sobre os seus filhos não são para confundi-los, nem para consumi-los, mas somente para prepará-los para maiores consolações. Com isto, Davi se sustentou e protegeu da maldição de Simei: "O Senhor olhará para a minha miséria e me pagará com bem a sua maldição deste dia"; com isto o nosso Salvador consola os seus discípulos: "A vossa tristeza se converterá em alegria". No final, a condição de Jó era melhor do que no princípio; assim o Senhor dará mais aos seus filhos no final do que agora, no início, tira deles; devemos, portanto, levar a sua cruz, como preparativo para a consolação. – *William Cowper*

v. 76: "Sirva, pois, a tua benignidade para me consolar". Vários dos versículos anteriores falavam de aflição (vv. 67,71,75). O salmista agora apresenta o seu pedido de alívio desta aflição. Mas de que tipo? Ele não pede que a aflição lhe seja removida. Ele não orou ao Senhor, para que a desviasse dele (2 Co 12.8). Não. Os seus repetidos reconhecimentos dos sustentos concedidos em meio à tribulação, e dos benefícios que ele tinha obtido dela, o tinham reconciliado para confiar a sua medida e continuidade ao Senhor. Tudo o que ele precisa, e tudo o que ele pede, é uma percepção da sua *"benignidade"* sobre a sua alma. Assim, ele se submete à justiça divina, em seus juízos acumulados, e espera a consolação em meio a eles, unicamente com base no seu favor gratuito. – *Charles Bridges v. 76:* "Sirva, pois, a tua benignidade", etc. Permite que eu obtenha a minha consolação e felicidade de uma difusão do teu amor, e misericórdia, חַסְדְּךָ (*ḥasdᵉhā*), a tua exuberante bondade, através da minha alma. – *Adam Clarke*

v. 76: "Segundo a palavra que deste ao teu servo". Se a promessa de Deus não agradasse o próprio Senhor, por que Ele a teria feito? Se a nossa confiança na promessa não o agradasse, por que a sua bondade a operou? Seria incoerente com a sua bondade zombar da sua criatura, e seria a maior zombaria divulgar a sua palavra, e criar um estado de espírito no coração do suplicante, adequado à sua promessa, que Ele jamais pretenderia satisfazer. Ofender à sua criatura é como ofender a Si mesmo, e por isto Ele jamais poderá desapontar aquela fé que, segundo os seus próprios métodos, se lança nos braços da sua bondade, e é criada por Ele, e o chama de seu autor. Esta bondade que é distribuída tão gratuitamente e livremente à criação irracional não negligenciará as criaturas mais nobres que depositam nele a sua confiança. Isto faz de Deus um objeto apropriado de confiança. – *Stephen Charnock*

v. 76: "Segundo a palavra que deste". Davi tinha uma promessa particular de um benefício particular; ou seja, o reino de Israel. E esta promessa Deus cumpriu a ele; mas as suas consolações não estavam nela, pois Saul teve o reino antes dele, mas as promessas de misericórdia não pertenciam a ele, e por isto, quando Deus o abandonou, o seu reino não pôde sustentá-lo. Mas aqui Davi confia nas promessas gerais da misericórdia de Deus, feitas aos seus filhos, onde ele reconhece uma promessa de misericórdia particular, feita a ele. Pois as promessas gerais de misericórdia e graça, feitas no Evangelho, são, pela fé, tornadas particulares a cada crente. – *William Cowper*

v. 76: "A palavra que deste ao teu servo". Aqui podemos fazer uso da pergunta do eunuco: "Rogo-te, de quem diz isto o profeta? De si mesmo ou de algum outro??" De si mesmo, sem dúvida, sob a denominação de servo de Deus. Mas então a pergunta retorna: É uma promessa feita a si mesmo, em particular, ou aos servos de Deus, de modo geral? Alguns dizem que se trata da primeira hipótese, as promessas feitas a ele através de Natã. Eu estou mais inclinado à segunda hipótese, que nos ensina estas três verdades:

Em primeiro lugar, que somente os servos de Deus são capazes de receber os doces efeitos da sua misericórdia e das consolações das suas promessas. Quem são os servos de Deus? (1) Os que reconhecem o seu direito, e são sensíveis ao interesse de Deus sobre eles: "Deus, de quem eu sou e a quem sirvo" (At 27.23). (2) Os que se entregam a Ele, renunciando a todos os outros senhores. Devemos renunciar, pois estivemos sujeitos a outro senhor (Rm 6.17; Mt 6.24; Rm 6.13; 1 Cr 30.8). (3) Os que se enquadram para realizar a sua obra, sinceramente: "sirvo em meu espírito" (Rm 1.9); e "em novidade de espírito" (Rm 7.6), como convém àqueles que são renovados pelo Espírito; diligentemente (At 26.7) e universalmente (Lc 1.74, 75), e confiando nele, pela graça para fazer isto (Hb 12.28). Estes podem ter consolação. O livro de Deus não fala de consolação às pessoas que vivem no pecado, mas aos servos de Deus, que não vivem como se estivessem à sua própria disposição, mas servindo a Deus. Se Ele diz "ide", eles vão. Eles se entregam para ser e fazer o que Deus desejar que eles sejam e façam.

Em segundo lugar, se nós temos o benefício da promessa, devemos nos colocar sob um título ou outro, entre aqueles aos quais a promessa é feita; se não como filhos de Deus, como servos de Deus. Então a promessa é tão assegurada para nós como se nossos nomes estivessem escritos nela.

Em terceiro lugar, todos os servos de Deus têm motivos comuns para consolação; cada um dos servos de Deus pode implorar a Deus, como Davi. As consolações da palavra são a porção comum do povo de Deus. – *Thomas Manton*

v. 76: "A palavra que deste ao teu servo". O nosso Senhor transmitiu a sua palavra a todos os seus servos, de que Ele será bondoso para com eles, e eles podem alegar isto na preciosa presença dele. – *Matthew Henry*

v. 77: "Venham sobre mim as tuas misericórdias, para que viva". Se nós observarmos atentamente, veremos que Davi aqui busca outro tipo de misericórdia, diferente do que tinha buscado antes. Pois antes, ele buscou misericórdia, para o perdão dos seus pecados; depois, ele buscou misericórdia, para sua consolação em suas dificuldades; agora, ele busca misericórdia para viver, e não mais pecar. Infelizmente, muitos buscam a primeira misericórdia, de remissão; e a segunda misericórdia, da consolação nos problemas, e são completamente descuidados da terceira misericórdia, para viver bem. É uma grande misericórdia de Deus, reparar a tua vida; onde isto não acontecer, que ninguém pense que recebeu alguma das misericórdias anteriores. É uma grande misericórdia de Deus, que não somente perdoa o mal que é feito, mas nos fortalece para fazer o bem que não fizemos; e esta é a misericórdia que Davi busca aqui. – *William Cowper*

v. 77: "Venham sobre mim as tuas misericórdias", etc. As misericórdias de Deus são *"graças"*, são as misericórdias de um pai para com o seu filho, ou melhor, ternas como a compaixão de uma mãe para com o filho do seu ventre. Elas *"vêm sobre"* nós, quando nós não conseguimos ir até elas. Somente por elas, nós *"vivemos"* a vida de fé, de amor, de alegria e felicidade. E aos que se *"deleitam"* na sua lei, Deus concederá estas misericórdias, e esta vida; Ele lhes dará perdão, e, ao fazer isto, dará vida aos que estão mortos. – *George Horne*

v. 77: "Venham sobre mim as tuas misericórdias", etc. Tornando a tradução mais literal, as palavras expressam grande confiança: "As tuas misericórdias *virão* sobre mim, e viverei; pois a tua lei é a minha delícia". Se o crente não tivesse nada, senão o seu próprio merecimento para suportar o seu apelo, junto ao trono da graça, jamais se ergueria nesta grande confiança. Ele edifica sobre a fundação da bondade divina, manifestada pelo Ungido, e assim se pronuncia com segurança. – *John Stephen*

v. 77: "Venham". Vir a ele indica uma solicitação pessoal e eficaz. Em primeiro lugar, Uma solicitação pessoal, como no versículo 41 deste salmo: "Venham também sobre mim as tuas misericórdias, ó Senhor, e a tua salvação, segundo a tua palavra". Davi não seria esquecido, nem excluído ou perdido na multidão da humanidade, quando a misericórdia estivesse distribuindo a bênção a eles. Em segundo lugar, a solicitação efetiva, que significa, 1. A remoção de obstáculos e empecilhos; 2. A obtenção dos frutos e resultados desta misericórdia.

Em primeiro lugar. A remoção de obstáculos. Até que haja um caminho preparado, a misericórdia de Deus não poderá vir até nós; pois o caminho está impedido e fechado pelos nossos pecados; assim como o Senhor abre um caminho para a sua ira (Sl 78.50), removendo os obstáculos, também o Senhor abre caminho para a sua misericórdia, ou a misericórdia abre seu próprio caminho, quando remove a obstrução. O pecado é o grande obstáculo à misericórdia. Nós mesmos levantamos as névoas e as nuvens que interceptam a luz do semblante de Deus; nós erguemos o muro que separa Deus de nós; mas a misericórdia abre o seu caminho.

Em segundo lugar. A obtenção dos frutos da misericórdia... Não é suficiente ouvir alguma coisa sobre as misericórdias contidas na salvação que é dada por Deus; mas nós devemos implorar que elas venham até nós, sejam eficazmente e sensivelmente transmitidas a nós, para que possamos vivenciá-las em nossas almas. Um homem que tenha lido sobre o mel, ou ouvido falar sobre o mel, pode conhecer a sua doçura por suposição e imaginação; mas um homem que tenha provado o mel conhece a sua doçura de verdade; assim, lendo e ouvindo sobre a graça e a misericórdia de Deus em Cristo, nós podemos imaginar que seja uma coisa doce; mas aquele que teve uma prova experimental dos doces efeitos e frutos delas, em seu próprio coração, percebe que tudo o que é falado sobre o perdão e a consolação de Deus aos pecadores, é verificado em si mesmo. – *Thomas Manton v. 77:* "A tua lei é a minha delícia". Um filho de Deus, ainda que não possa servir ao Senhor perfeitamente, o serve de bom grado; a sua vontade está na lei do Senhor; ele não é um soldado pressionado, mas um voluntário. Pela batida deste coração, podemos julgar se há vida espiritual em nós, ou não. Davi professa que a lei de Deus era a sua delícia; ele tinha a sua coroa para se deleitar, tinha a sua música para se deleitar; mas o amor que tinha pela lei de Deus superava todas as outras alegrias; da mesma maneira como a alegria da colheita e da vindima excede a alegria de ajuntar. – *Thomas Watson*

v. 78: "Confundam-se os soberbos", etc. Aqui está a justa recompensa da soberba dos ímpios. De bom grado os soberbos teriam honra e proeminência, mas Deus não daria isto a eles; eles fogem da vergonha e do desprezo, mas Deus os derramará sobre eles. *"Pois me trataram de uma maneira perversa, sem causa"*. Davi se queixa das atitudes falsas e ímpias dos seus inimigos, contra ele; e a sua oração é escrita para nos sustentar em tentações semelhantes. Pois Satanás continua o mesmo, odiando aqueles a quem o Senhor ama. Dificilmente ele conseguiria ser pior, e jamais poderá ser melhor; e por isto, com incansável maldade, ele incita todos os seus amaldiçoados instrumentos, nos quais ele reina, para que persigam àqueles que são amados e protegidos do Senhor. *"Mas eu meditarei nos teus preceitos"*. Os inimigos de Davi lutavam contra ele, com as armas da carne, iniquidade e falsidade; ele resiste a eles, com a armadura do Espírito; não retribuindo iniquidade por iniquidade, e falsidade por falsidade. Pois se combatermos Satanás com as armas de Satanás, ele logo nos derrotará; mas se nos vestirmos com a armadura completa de Deus, para resistir a Satanás, ele fugirá de nós. – *William Cowper*

v. 78: "Confundam-se os soberbos". Isto é, que não possam prosperar nem ter sucesso nos seus intentos; pois os homens se confundem, ou se envergonham, quando são desapontados. Todos os seus esforços para extirpar o povo de Deus são vãos e infrutíferos, e todas as coisas que eles tramaram sutilmente não têm o efeito que eles se propunham. *"Pois me trataram de uma maneira perversa, sem causa"*. A Septuaginta traz ἀδίκως, injustamente. Ainsworth diz, "Com falsidade me depravaram". Isto sugere duas coisas: a primeira, que eles fingiram uma causa; mas, a segunda, que Davi declara a sua inocência a Deus; e assim, sem nenhuma culpa de Davi, eles acusaram, difamaram, condenaram seus atos, como é usual em tais casos. Quando os soberbos causam problemas e ofensas ao povo de Deus, os santos podem, corajosamente, entregar a sua causa a Deus... O Senhor pode receber os apelos, devido a duas coisas; em parte, porque Ele é inimigo dos soberbos, e amigo dos humildes (Tg 4.6; Sl 138.6); e parcialmente, porque Ele é a porção dos aflitos e oprimidos (Sl 140.12). Quando Satanás incita seus instrumentos, para que odeiem aqueles aos quais o Senhor ama, o Senhor incitará o seu poder para auxiliar e defendê-los. Esta não é uma oração vingativa?

Resposta: Não. Em primeiro lugar, porque aqueles que oram por isto, estão buscando a sua própria libertação, para que possam servir mais livremente a Deus, por consequência. Na verdade, pela demonstração de misericórdia de Deus pelo seu povo, a soberba dos ímpios é suprimida (v. 134); mas a misericórdia é o principal objeto da oração.

Em segundo lugar, a respeito dos seus inimigos, ele se expressa em termos mansos – que *"confundam-se"*; isto é, que se desapontem, em seus conselhos, esperanças, maquinações e esforços. E, portanto, não é contra as pessoas de seus inimigos, mas suas tramas e empreitadas. Em tais casos, a vergonha e o desapontamento podem até mesmo fazer-lhes algum bem. Eles pensam em provocar a total supressão do povo de Deus, mas isto os endureceria nos seus pecados; por isto, o povo de Deus deseja que Ele não permita que a sua inocência seja pisada, mas que Ele desaponte os seus adversários, para que os soberbos possam ser confundidos com o fracasso de seus esforços.

Em terceiro lugar, as orações dos justos pela derrota dos ímpios, são um tipo de profecia; de modo que, ao orar, Davi, na verdade, prediz que os que agem perversamente logo serão confundidos, uma vez que uma boa causa não será oprimida para sempre: "O Senhor seja glorificado, para que vejamos a vossa alegria! Mas eles serão confundidos" (Is 66.5).

Em quarto lugar, os santos têm a liberdade de pedir vingança, mas isto deve ser usado moderadamente e com grande cautela: "Sejam confundidos e consumidos os que são adversários da minha alma" (Sl 71.13). Podemos orar expressamente contra os inimigos maldosos. – *Thomas Manton*

v. 78: "Confundam-se [ou, "Sejam envergonhados"] os soberbos". Isto sugere uma palavra para os ímpios. Tomem cuidado para que, pelo seu ódio implacável pela verdade e pela igreja de Deus, vocês não incitem as orações dela contra si mesmos. Estas orações maldizentes dos santos, quando disparadas visando o alvo correto, são assassinas, e matam a quem atingirem. "E Deus não fará justiça aos seus escolhidos, que clamam a ele de dia e de noite, ainda que tardio para com eles? Digo-vos que, depressa, lhes fará justiça" (Lc 18.7, 8). Não são palavras vazias – como as maldições dos ímpios, derramadas ao ar, e ali desaparecendo com a sua respiração – mas são recebidas no céu, e serão enviadas de volta, com trovões e relâmpagos, sobre as cabeças dos ímpios. A oração de Davi expôs a política de Aitofel, e colocou nele a corda da forca. As orações dos santos devem ser mais temidas – como disse uma pessoa muito poderosa, pois sentiu isto – do que um exército de vinte mil homens no campo de batalha.

O jejum de Ester precipitou a ruína de Hamã, e o ataque de Ezequias contra Senaquerib levou o seu imenso exército à matança, e trouxe um anjo do céu, para realizar a execução deles em uma noite. – *William Gurnall*

v. 78: "Os soberbos". Os ímpios, especialmente os que perseguem o povo de Deus, normalmente são caracterizados com este termo, neste salmo, *"soberbos"* (vv. 51,69,122). A soberba leva os ímpios a serem incômodos e ofensivos ao povo de Deus. Mas por que os perseguidores e ofensivos são chamados *"soberbos"*? 1. Porque os ímpios se livram do jugo de Deus, e não se submetem ao seu Criador, e por isto não desistem de perturbar o seu povo: "Quem é o Senhor, cuja voz eu ouvirei, para deixar ir Israel?" (Êx 5.2). O que estava na sua língua, está nos corações de todos os homens: eles desprezam a Deus e às suas leis. Cada santo tem um certo grau de orgulho, e um desprezo por Deus incluído nele (2 Sm 12.9). 2. Porque eles estão embriagados com a felicidade terrena, e jamais pensam em mudar. "A nossa alma está sobremodo farta da zombaria daqueles que estão à sua vontade e do desprezo dos soberbos" (Sl 123.4). Quando os homens prosperam, eles são propensos a perturbar injustamente os outros, e então desprezá-los na sua infelicidade, e desdenhar a pessoa e a causa do povo de Deus, o que é um resultado de grande arrogância e soberba. Eles pensam que podem fazer o que querem: "Não há neles nenhuma mudança, e tampouco temem a Deus. Puseram suas mãos nos que tinham paz com ele" (Sl 55.19, 20); enquanto seguem prosperando e sem serem perturbados, não conseguem se abster de violência e opressão. 3. Porque eles levam uma vida de pompa, e tranquilidade, e grandeza carnal, e assim desprezam a aflição, e a humildade e simplicidade do povo de Deus. A falsa igreja normalmente tem a vantagem do poder terreno e da glória externa, e a igreja fiel é conhecida pelo poder, pelos dons e pelas graças divinos, e pelo brilho da santidade. 4. Eles são chamados de *"soberbos"* por causa do seu insolente ataque contra o povo do Senhor; parcialmente em suas leis, exigindo que eles lhes dediquem mais honra, respeito e obediência do que em consciência lhes pode ser dedicado; como Hamã desejou que Mardoqueu se prostrasse diante dele, à moda dos persas (Et 3.5). – condensado da obra de Manton.

v. 78: "Quando algum de vocês", diz Cesário, "estiver cantando o versículo do salmo em que está escrito *'Confundam-se os soberbos'*, que seja fervoroso, para evitar soberba, para que possa escapar à vergonha eterna". – *William Kay*

v. 78: "Mas eu meditarei nos teus preceitos". Ele repetia frequentemente a mesma coisa, e certamente, se o mundo não podia conter os livros que podiam ser escritos sobre Cristo, e, pela nossa fraqueza o Senhor os condensou em poucos livros, e há uma coisa neles que é frequentemente repetida, isto mostra que o assunto é importante, e deve ser por nós considerado devidamente e frequentemente. E novamente somos ensinados que esta é uma coisa que ninguém examina tão atentamente como deveria. E ele mostra que, da mesma maneira como os seus inimigos buscavam feri-lo, por meios maléficos, também ele buscava manter uma boa consciência, de modo que não pudessem feri-lo. Então não devemos combater política com política, nem *cretizare cum Cretensibus*; mas devemos sempre tender para a palavra, e nos conservar dentro dos seus limites, e lutar com as armas que ela nos fornece... se desejarmos nos entregar a Deus e à sua palavra, e não admitir nada, senão o que está de acordo com a palavra – então nos tornaremos mais sábios do que os nossos inimigos. – *Richard Greenham*

v. 78: "Eu meditarei nos teus preceitos". O verbo אָשִׂיחַ (*'āśîaḥ*), na segunda parte do versículo, pode ser traduzido como *"falarei de"*, e também *"meditarei sobre"*; sugerindo que, quando tivesse obtido a vitória, ele proclamaria a bondade de Deus, que tinha experimentado. *Falar sobre os estatutos de Deus* é equivalente a declarar, pela lei, com que fidelidade Ele protege os seus santos, com que segurança Ele os liberta, e com que justiça Ele vinga o mal que sofreram. – *João Calvino*

v. 78: "Meditarei". As verdades ficam escondidas no coração sem eficácia nem poder, até que sejam aproveitadas por pensamentos profundos, sérios e insistentes... a súbita passagem de uma luz por um quarto não nos dá uma visão tão abrangente do objeto como quando ficamos por algum tempo contemplando-o. Uma contemplação firme é uma grande vantagem. – *Thomas Manton*

v. 79: "Voltem-se para mim os que te temem". Alguns pensam que isto sugere que, quando Davi tinha sido culpado daquele terrível pecado, no assassinato de Urias, embora fosse um rei, aqueles que temiam a Deus se tornaram estranhos a ele, e se afastaram dele, pois estavam envergonhados dele; isto o perturbou, e por isto ele ora: Senhor, faze com que *"voltem-se para mim"* novamente. Ele deseja, particularmente, a companhia daqueles que não apenas eram honestos, mas inteligentes, *"que têm conhecido os teus testemunhos"*, têm boas mentes assim como bons corações, e cuja convivência será edificante. É desejável ter intimidade com estas pessoas. – *Matthew Henry*

v. 79: "Voltem-se para mim os que te temem", etc. Assim como ele não tinha que combater apenas a sua própria carne, mas também o mundo, também não somente ele lutou, mas buscou a ajuda de outros. Quando muitos veem que a religião não pode ser verdadeiramente professada, porque pode haver perigo em praticá-la, porque muitos são contrários a ela, eles fogem dela e aderem ao grupo maior, que é o dos ímpios. Se nós desejarmos evitar isto, devemos nos unir aos filhos de Deus, e eles nos irão ajudar com conselhos; pois um pode ser forte quando nós formos fracos, outro pode ter conselhos quando não soubermos o que fazer; por isto, por eles, seremos protegidos de muitos males. Assim, Paulo (2 Tm 1.16), depois de ter se queixado do mal que muitos lhe tinham feito, imediatamente dá graças pela família de Onesíforo, que o revigorou mais do que todos os seus inimigos puderam desencorajá-lo; de modo que ele coloca esta única casa em oposição a toda a multidão dos ímpios. – *Richard Greenham*

v. 79: "Os que te temem", etc. Você deve ir até Deus e implorar que Ele escolha por você as suas companhias. Observe o que Davi disse e fez. No versículo 63, ele diz, *"Companheiro sou de todos os que te temem"*; e neste versículo, ele vai até Deus e ora, dizendo: *"Voltem-se para mim os que te temem e aqueles que têm conhecido os teus testemunhos"*. Como se dissesse, "É verdade, Senhor, eu sou companheiro de todos os que te temem, mas não está em meu poder curvar os seus corações para mim, os corações de todos os homens estão nas tuas mãos, por isto, *"permite que aqueles que te temem se voltem para mim"*. Assim, você vai até Deus, e diz, da mesma maneira: Senhor, escolha por mim as minhas companhias; oh, curva e inclina os corações deles, para que sejam meus companheiros. – *William Bridge*

v. 79: "Os que te temem e aqueles que têm conhecido". O temor e o conhecimento formam um homem devoto. O conhecimento sem o temor gera a presunção; e o temor sem conhecimento gera a superstição; e o zelo cego, como um cavalo cego, pode ser cheio de coragem, mas sempre tropeça. O conhecimento deve orientar o medo, e o medo deve amadurecer o conhecimento; então isto será uma feliz mistura e composição. – *Thomas Manton*

v. 79: Um grande meio de restaurar um bom entendimento entre o povo de Deus é a oração. Davi vai pedir isto a Deus: *"Senhor, que voltem-se para mim"*. O Senhor governa corações e interesses, ambos estão nas suas mãos, e Ele usa a sua alienação ou reconciliação, seja para juízo ou misericórdia. Deus, quando quer, pode nos afastar da consolação de amigos piedosos; e quando quer, pode trazê-los de volta para nós. Os pés dos filhos de Deus são dirigidos pelo próprio Deus; se eles vierem para nós, será uma bênção de Deus; se não, será uma correção. Ele fez com que Jacó e Labão se encontrassem pacificamente (Gn 30), e no capítulo seguinte, Jacó e Esaú. – *Thomas Manton*

v. 80: "Seja reto o meu coração". O que é um coração reto? Ele indica realidade e solidez na graça. A Septuaginta diz: *Que meu coração seja imaculado e irrepreensível.* Isto implica a realidade da graça, em oposição à forma pura da piedade, ou às exibições dos hipócritas e aos movimentos repentinos e fugazes daquilo que é temporário.

Se você deseja que eu explique o que é este coração reto, digo-lhe que ele exige estas quatro coisas:

1. Um entendimento esclarecido; isto é, a parte diretiva da alma; e é reto, quando é preservado livre do fermento e contágio do erro: "O homem sábio anda retamente" (Pv 15.2). Uma mente reta é uma boa ajuda para um coração reto.

2. É necessária uma consciência desperta, que nos adverte do nosso dever, e se ergue, no desgosto pelo pecado, em todas as ocasiões: "Quando caminhares, isso te guiará; quando te deitares, te guardará; quando acordares, falará contigo" (Pv 6.22); para termos um constante monitor em nossos seios, que nos lembre de Deus, quando o nosso coração falar conosco à noite (Sl 16.7); há um espião oculto em nossos seios, que observa tudo o que fazemos, e pensamos, e falamos; um pastor doméstico, que está sempre pregando para nós. O seu coração é a sua Bíblia.

3. É necessária uma vontade com a disposição correta, ou um firme propósito de andar com Deus, em todas as condições, e fazer o que é bom e aceitável aos seus olhos: "Exortou a todos a que, com firmeza de coração, permanecessem no Senhor" (At 11.23). Muitos têm tendências superficiais, ou decisões hesitantes; mas os seus corações não se dedicam, firmemente, e habitualmente, a agradar a Deus. Mas é nisto, principalmente, que está o seu coração sadio: ele se apega a Deus de um modo inseparável, em todas as coisas.

4. É necessário que os sentimentos sejam purificados e despertados; são os movimentos vigorosos da vontade, e por isto devem ser necessariamente considerados, e devem ser purificados daquelas características carnais que se agarram a eles. Nas Escrituras, isto é chamado de circuncisão do coração (Dt 30.6). – *condensado da obra de Manton*

v. 80: "Seja reto o meu coração". "Mente sana, em corpo sano" foi a oração de um pagão, e o seu desejo estava de acordo com a dimensão do seu conhecimento; mas um coração reto, nos estatutos de Deus, reto até o âmago, sem mancha, sem mácula, sem rugas, nem qualquer outra coisa, e como a filha do rei, "toda ilustre no seu palácio", é o que o salmista pede na oração, isto é o que todo filho de Deus deve almejar, e pedir também em oração – "como também ele é puro". – *Barton Bouchier*

v. 80: "Seja reto o meu coração".

Sinceros, sem reservas, fiéis e leais,
Ó Rei de nossa vida, pela tua graça seremos!
Sob o teu pavilhão, exaltado e real,
Fortes em tua força, batalharemos por ti!

Sinceros, sem reservas! Lealdade total
submissa ao nosso glorioso Rei;
Valente esforço e amorosa obediência
Livremente e alegremente agora traremos.

Sinceros, Salvador, conheces a nossa história;
Fracos são os corações que depositamos aos teus pés,
Pecadores e traiçoeiros! Mas pela tua glória,
Cura-os, e purifica-os do pecado e do engano

Sinceros! Salvador, amado e glorioso,
Toma o teu grande poder e reina, somente tu,
Sobre nossas vontades e nossos sentimentos, vitorioso,
livremente vencidos, e integralmente teus.

Indiferentes! Falsos! Ouçamos o aviso!
Somente o que é íntegro pode ser perfeitamente fiel;
trazer a oferta integral, tímida, sob o escárnio,
Sinceros, apenas, se nos mostrarmos sem reservas.

Indiferentes! Salvador, que nada seja retido;
Dar a ti parte, a ti, que nos deste tudo?
bênçãos derramadas, e promessas douradas
feitas, sem reserva ou cancelamento.

Hesitante! Mestre, alguém que te conhece,
Te entregará de má vontade a sua vida, a ti, que mos deste a tua?
Não, nós oferecemos os corações que te devemos:
Viver exclusivamente pelo teu amor e pela tua glória.

Irmãs, queridas irmãs, o chamado ecoa.
Não ecoará o refrão de prata,
Vigoroso e doce, e abundante em alegria,
"Sinceros, sem reservas! soando outra vez?

Jesus está conosco, o seu descanso está diante de nós,
Brilhante, o seu pavilhão se agita no alto.
Irmãos, queridos irmãos, em coro reunido,
ecoem a senha de coragem e amor!

Ecoem a senha, e jamais a silenciem.
Cântico dos nossos espíritos, alegre e livre!
"Rei das nossas vidas, sinceros, sem reservas,
agora e para sempre, pela tua graça, seremos!"
– Frances Ridley Havergal (1836-1879) em "Loyal Responses"

v. 80: "Seja reto o meu coração", etc. Esta é uma clara diferença entre um coração reto e um coração falso; ao receber a Cristo, o coração reto o recebe assim como um favorito recebe um príncipe, entrega tudo a Ele, e deixa que Ele tenha o comando de tudo. Um mero dono de hospedaria recebe quem quer que se aproxime dele; ele aceitará o dinheiro de qualquer homem, e dará as boas vindas a qualquer homem; se for o pior dos homens, ele não se importa, pois ama o ganho, acima de todas as coisas. Não é assim com o bom coração; ele recebe somente a Cristo, e entrega tudo a Cristo. O que quer que seja agradável a Cristo, ele o fará, e o que quer que venha de Cristo, ele receberá. – *Thomas Hooker (1586-1647), "The Soules Implantation"*

v. 80: "Seja reto". Heb. *Seja perfeito*; como a palavra de mesma raiz é traduzida em Jó 1.1. O Dr. R. Young indica, como significado da palavra, conforme a usou o salmista, *íntegro, completo, pleno.*

v. 80: "Reto para com os teus estatutos", etc. Embora um *credo ortodoxo* não constitua uma verdadeira religião, ainda assim é a base dela; e é uma grande bênção tê-lo. – *Nicolson, citado por W. S. Plumer*

v. 80: Se você deseja ser fiel a Cristo, seja sincero na sua profissão a Ele, faça com que a oração e o desejo de Davi sejam os seus: *"Seja reto o meu coração para com os teus estatutos; para que eu não seja confundido"*. A religião que se inicia na hipocrisia certamente terminará na apostasia, e isto sempre traz consigo reprovação e ignomínia. – *William Spurstow (-1666)*

v. 80: "Confundido". Nós podemos nos confundir ou ser envergonhados diante de Deus, ou diante dos homens, diante de nós mesmos ou dos outros.

1. Na presença de Deus: seja quando nos dirigimos a Ele, no trono de graça, ou quando formos convocados a comparecer no último dia, diante do tribunal da sua justiça. (1) Se interpretarmos como uma referência à nossa aproximação a Ele, não poderemos ir à sua presença com confiança se não tivermos um coração reto. "Se o nosso coração nos não condena, temos confiança para com Deus" (1 Jo 3.21). Nós perdemos esta santa familiaridade e alegria quando os nossos corações não são retos, sim, quando isto fica patente na santa presença do nosso Pai Celestial. (2) Quando somos convocados a comparecer diante do tribunal da sua justiça. Muitos, agora, com ousado atrevimento, irão se exceder na adoração a Deus, porque não o veem e não têm a devida percepção da sua majestade; mas virá o tempo em que os pecadores mais atrevidos e corajosos ficarão atônitos, quando os segredos de todos os corações serão expostos e manifestos, e as coisas ocultas serão trazidas à luz (1 Co 4.5); e cada um deverá receber o seu juízo de Deus, de acordo com o que fez, bom ou mau.

2. Diante dos homens, um homem pode se confundir, ou ser envergonhado, e também diante de nós mesmos e dos outros. (1) Nós mesmos. Pitágoras dizia, Reverencia a ti mesmo; não te envergonhes de ti mesmo. Deus tem um espião e representante dentro de nós, e observa a nossa conformidade com a sua vontade, e, depois do pecado cometido, castiga a alma com a sensação da sua própria culpa e loucura, enquanto o corpo é castigado com açoites: "E que fruto tínheis, então, das coisas de que agora vos envergonhais?" Rm 6.21. (2) Diante de outros. E assim a nossa vergonha pode ser ocasionada por nossos escândalos ou nossas punições; é difícil dizer o que se pretende dizer aqui. – *condensado da obra de Manton*

EXPOSIÇÃO DOS VERSÍCULOS 81 A 88

81 *Desfaleceu a minha alma, esperando por tua salvação; mas confiei na tua palavra.*
82 *Os meus olhos desfaleceram, esperando por tua promessa; entretanto, dizia:*
Quando me consolarás tu?
83 *Pois fiquei como odre na fumaça; mas não me esqueci dos teus estatutos.*
84 *Quantos serão os dias do teu servo? Quando me farás justiça contra os*
que me perseguem?
85 *Os soberbos abriram covas para mim, o que não é conforme a tua lei.*
86 *Todos os teus mandamentos são verdade; com mentiras me perseguem; ajuda-me!*
87 *Quase que me têm consumido sobre a terra; mas eu não deixei os teus preceitos.*
88 *Vivifica-me segundo a tua benignidade; então, guardarei o testemunho da tua boca.*

Esse trecho do gigantesco salmo vê o salmista *in extremis*, em situação difícil. Os seus inimigos o levaram à mais profunda condição de angústia e depressão; mas ele é fiel à lei e confia em Deus. Estes oito versículos são a meia-noite, muito sombria e negra, do salmo. No entanto, as estrelas brilham e o último versículo dá a promessa do amanhecer. Depois disto, a melodia será mais animada; mas, enquanto isto, estes versículos devem nos ministrar consolo, por ver um servo de Deus tão eminente usado de forma tão dura pelos ímpios: evidentemente, nas nossas perseguições, nada estranho aconteceu conosco.

81. *"Desfaleceu a minha alma, esperando por tua salvação."* Ele não desejava nenhuma libertação, senão a que vinha de Deus: o seu único desejo era o da "tua salvação". Ele estava extremamente ansioso por esta libertação divina – até o extremo das suas forças, e, apesar disto, ele desfaleceu. Tão forte era o seu desejo, que produzia prostração de espírito. Ele se cansou de esperar, desfaleceu de vigiar, adoeceu com a urgente necessidade. Desta maneira fica provada a sinceridade e a avidez dos seus desejos. Nada mais poderia satisfazê-lo, senão a libertação operada pela mão de Deus; a sua natureza mais íntima ansiava e desejava ardentemente a salvação do Deus de toda a graça, e ele precisava tê-la, ou seria completamente destruído.

"Mas confiei na tua palavra." Portanto, ele sentia que a salvação viria, pois Deus não pode deixar de cumprir a sua palavra, nem desapontar a esperança que a sua própria palavra despertou: sim, o cumprimento da sua palavra está próximo, quando a nossa esperança é firme e o nosso desejo, fervoroso. Somente a esperança pode impedir que a alma desfaleça, usando o aroma da promessa. Mas a esperança não extingue o desejo de uma resposta rápida à oração: ela aumenta a nossa importunidade, pois estimula o ardor, ao mesmo tempo em que sustenta o coração em meio à demora. Desfalecer pela salvação, e ser impedido de ser completamente destruído pela esperança desta salvação, é a experiência frequente do cristão. Nós estamos "cansados, mas ainda perseguindo". A esperança sustenta, quando o desejo se esgota. Quando a graça do desejo nos derruba, a graça da esperança nos ergue novamente.

82. *"Os meus olhos desfaleceram, esperando por tua promessa; entretanto, dizia: Quando me consolarás tu?"* Os seus olhos exibiam a busca ávida pela bondosa aparição do Senhor, ao passo que o seu coração, cansado, clamou, pedindo rápida consolação. Ler a palavra até que os olhos não mais possam ver é apenas uma pequena coisa, em comparação com vigiar esperando o cumprimento da promessa, até que os olhos internos da expectativa comecem a se obscurecer com a esperança que se adia. Nós não podemos estabelecer cronogramas para Deus, pois isto é limitado ao Santo de Israel, mas podemos encorajar nosso pedido de modo importuno, e investigar com fervor a respeito de por que a promessa tarda. Davi não buscava outra consolação, exceto a que vem de Deus; a sua pergunta é, "Quando me consolarás *tu*?" Se a ajuda não vier do céu, não virá de maneira

alguma: todas as esperanças do homem bom se voltam nesta direção, ele não tem um olhar para lançar em outra direção. Esta experiência de esperar e desfalecer é bastante conhecida de santos já plenamente formados, e os ensina preciosas lições que jamais poderiam aprender por quaisquer outros meios. Entre os resultados, está este – o fato de que o corpo cresce em afinidade com a alma, coração e carne clamam pelo Deus vivo, e até mesmo os olhos encontram uma língua, dizendo: "Quando me consolarás tu?" Este deve ser um anseio intenso que não é satisfeito, expressando-se pelos lábios, mas fala com os olhos, por estes olhos que desfalecem pela espera intensa. Os olhos podem falar com grande eloquência: eles usam o sonoro e o surdo, e às vezes podem dizer mais do que a língua. Em outra passagem, Davi diz: "o Senhor já ouviu a voz do meu lamento" (Sl 6.8). Particularmente os nossos olhos são eloquentes, quando começam a desfalecer pelo cansaço e pela angústia. Um olhar humilde, elevado ao céu, em silenciosa oração, pode emitir tal brilho que pode derreter os ferrolhos que barram a entrada da oração vocal, e assim o céu é tomado de surpresa com a artilharia de lágrimas. Bem-aventurados são os olhos que estão cansados de procurar por Deus. Os olhos do Senhor providenciarão que estes olhos não desfaleçam. Como é melhor esperar pelo Senhor com olhos doloridos, do que tê-los brilhando com o brilho da futilidade.

83. *"Pois fiquei como odre na fumaça."* As peles usadas para armazenar vinho, quando vazias, eram penduradas na tenda, e quando o lugar estava cheio de fumaça, as peles ficavam escuras de fuligem, e no calor, se enrugavam e ficavam com aparência desgastada. O rosto do salmista, pela tristeza, tinha ficado escuro e desanimado, enrugado e marcado; na verdade, todo o seu corpo tinha tal afinidade com a sua mente angustiada, que tinha perdido toda a sua umidade natural, e tinha se tornado como uma pele, seca e escura. O seu caráter estava cheio da fumaça da calúnia, e a sua mente, árida pela perseguição; ele tinha medo de vir a tornar-se inútil e incapaz, com tanto sofrimento mental, e de que os homens o considerassem como um odre velho e gasto, que não poderia reter nada e não teria nenhuma utilidade. Que metáfora para um homem que certamente era um poeta, um homem de Deus e um mestre em Israel, se não um rei, e um homem segundo o coração de Deus! Não é de admirar que nós, pessoas comuns, sejamos levados a ter uma opinião tão má sobre nós mesmos, e estejamos cheios de aflição. Alguns de nós conhecem o significado interior desta comparação, pois nós, também, nos sentimos sujos, escuros, insignificantes e sem valor, adequados somente para sermos deixados de lado. Muito escura e quente é a fumaça que nos envolve; ela parece vir não apenas da fornalha egípcia, mas do abismo, do inferno; e ela tem tal poder de adesão que faz com que a fuligem se prenda a nós, e nos enegreça com pensamentos infelizes.

"Mas não me esqueci dos teus estatutos." Aqui está a paciência dos santos, e a vitória da fé. O homem de Deus pode estar enegrecido pela falsidade, mas a verdade estava nele, e ele jamais abriu mão dela. Ele foi fiel ao seu Rei, quando parecia abandonado e deixado aos mais infames propósitos. As promessas vinham à sua mente e, o que era uma evidência ainda melhor da sua lealdade, também estavam ali os estatutos: ele se mantinha firme nos seus deveres, assim como às suas consolações. Nem as piores circunstâncias podem destruir o apego do crente fiel ao seu Deus. A graça é uma força viva, que sobrevive, de modo que sufoca todas as outras formas de existência. O fogo não consegue consumi-la, e a fumaça não consegue sufocá-la. Um homem pode estar reduzido a pele e ossos, e todas as suas consolações podem ter se esvaído dele, mas ainda assim ele pode conservar a sua integridade e glorificar ao seu Deus; não é, no entanto, nenhuma surpresa que, neste caso, os olhos que estão atormentados pela fumaça clamem, pedindo a mão libertadora do Senhor, e que o coração aquecido e fraco anseie pela salvação divina.

84. *"Quantos serão os dias do teu servo."* Eu não posso esperar viver muito tempo nestas condições, necessito que tu venhas rapidamente em meu socorro, ou morrerei.

Será que toda a minha curta vida será consumida em tais angústias destruidoras? A brevidade da vida é um bom argumento contra a extensão de uma aflição. Talvez o salmista queira dizer que os seus dias pareciam ser excessivos, quando passados em meio a tal angústia. Ele teria desejado que os seus dias estivessem concluídos, e por isto, pergunta, perturbado: "Quantos serão os dias do teu servo?" Como um servo assalariado, ele tinha um determinado tempo de serviço, e não desejava se queixar; mas o tempo parecia longo demais, porque as suas angústias eram extremamente graves. Ninguém sabe o número indicado dos nossos dias, exceto o Senhor, e por isto a Ele é feito o apelo, de que não os prolongue além da resistência do seu servo. Não pode ser desejo do Senhor que o seu servo seja sempre tratado de maneira tão injusta; este sofrimento deve ter um fim; quando será?

"Quando me farás justiça contra os que me perseguem?" Ele tinha depositado o seu caso nas mãos do Senhor, e orava para que a sentença fosse proferida e executada; ele não desejava nada além de justiça, que o seu caráter pudesse ser justificado e os seus perseguidores, silenciados. Ele sabia que Deus certamente vingaria o seu próprio eleito, mas o dia da libertação tardava, as horas se arrastavam pesadamente, e o perseguido clamava dia e noite pela libertação.

85. *"Os soberbos abriram covas para mim, o que não é conforme a tua lei."* Da mesma maneira como os homens que caçam animais selvagens estão acostumados a armar ciladas e armadilhas, também os adversários de Davi se empenhavam em capturá-lo. Eles se empenhavam, com esforço e astúcia, tentando destruí-lo – "abriram *covas*"; não uma, mas muitas. Se um deles não o prendesse, talvez outro conseguisse fazê-lo, e assim cavavam, repetidas vezes. Poderíamos pensar que estas pessoas arrogantes não teriam sujado seus dedos, ao cavar estas covas; mas eles engoliam seu orgulho, com a esperança de engolir a sua vítima. Embora devessem se sentir envergonhados de tal mesquinhez, não tinham consciência de nenhuma vergonha, mas, ao contrário, se orgulhavam de sua astúcia; estavam orgulhosos de armar uma cilada para um homem piedoso.

"O que não é conforme a tua lei." Nem os homens nem suas covas estavam de acordo com a lei divina: eles eram enganadores cruéis e ardilosos, e suas covas eram contrárias à lei levítica, e contrárias ao mandamento que nos diz que devemos amar a nosso próximo. Se os homens desejassem obedecer aos estatutos do Senhor, teriam tirado os caídos da cova, ou teriam preenchido as covas, de modo que ninguém caísse nelas; mas jamais desperdiçaram um momento sequer sem imaginar como prejudicar os outros. Quando, no entanto, eles se tornam soberbos, certamente irão desprezar os outros; e por este motivo procuram enganá-los, para que posteriormente possam ridicularizá-los.

Era bom, para Davi, que os seus inimigos fossem inimigos de Deus, e que os seus ataques contra ele não tivessem sanções do Senhor! Também era para seu benefício que ele não era ignorante dos seus mecanismos, pois tinha sido prevenido, e levado a vigiar seus caminhos, para que não caísse nas armadilhas dos inimigos. Enquanto ele obedecesse à lei do Senhor, estaria a salvo, embora então o seu caminho fosse desconfortável e perigoso, por causa da astúcia da maldade intencional.

86. *"Todos os teus mandamentos são verdade."* Ele não tinha encontrado nenhum problema na lei de Deus, embora tivesse caído em tristes dificuldades pela obediência a ela. Tudo o que o mandamento pudesse lhe custar, valeria a pena; ele sentia que o caminho de Deus podia ser áspero e difícil, mas era correto; podia trazer-lhe alguns inimigos, mas ainda era o seu melhor amigo. Ele acreditava que, no final, a lei de Deus seria para o seu próprio benefício, e que ele não sairia perdendo, por obedecer a ela.

"Com mentiras me perseguem." O erro estava com seus perseguidores, não com o seu Deus, nem com ele mesmo. Ele não tinha feito nenhum mal a ninguém, nem agido de maneira que não estivesse de acordo com a verdade e a justiça, e por isto, confiantemente, apela ao seu Deus e clama, *"ajuda-me!"* Esta é uma

oração de ouro, tão preciosa quanto curta. As palavras são poucas, mas cheias de significado. A ajuda era necessária, para que o perseguido pudesse evitar a cilada, pudesse suportar as dificuldades, e pudesse agir com prudência para frustrar seus inimigos. A ajuda de Deus é a nossa esperança. Quem quer que possa nos ferir, não importa, enquanto o Senhor nos ajudar; pois se o Senhor realmente nos ajudar, ninguém poderá realmente nos ferir. Muitas vezes estas palavras foram proferidas com gemidos, por santos em dificuldades, pois elas se adequam a milhares de condições de necessidade, dor, angústia, fraqueza e pecado. "Ajuda-me, Senhor" será uma oração apropriada para os jovens e os idosos, para o trabalho e o sofrimento, para a vida e a morte. Nenhuma outra ajuda é suficiente, mas a ajuda de Deus é autossuficiente e podemos nos lançar nela sem temor.

87. *"Quase que me têm consumido sobre a terra."* Os seus adversários quase o tinham destruído, procurando fazê-lo fracassar completamente. Se pudessem, eles o teriam comido, ou o teriam sepultado vivo; qualquer coisa, para que pudessem ter acabado com o homem bom. Evidentemente, ele tinha caído sob o poder de seus adversários, em grande escala, e eles tinham usado este poder, de modo que ele estava quase destruído; ele estava quase deixando a terra; mas *quase* não é igual a *completamente*, e ele escapou depois de se esforçar com unhas e dentes. Os leões estão acorrentados: eles não podem se enfurecer mais do que o nosso Deus permite. O salmista percebe o limite do poder deles: eles somente podiam tocar a sua vida terrena e os seus bens terrenos. Sobre a terra, eles quase o devoraram, mas ele tinha uma porção eterna que eles não podiam sequer tocar. *"Mas eu não deixei os teus preceitos".* Nada podia impedi-lo de obedecer ao Senhor. Se nos fixarmos nos preceitos, seremos resgatados pelas promessas. Se os maus tratos pudessem ter desviado o santo oprimido do caminho da justiça, o propósito dos ímpios teria se cumprido, e não mais ouviríamos falar de Davi. Se nós estivermos decididos a morrer antes de abandonar o Senhor, poderemos confiar que não iremos morrer, mas viver, para ver a derrota daqueles que nos odeiam.

88. *"Vivifica-me segundo a tua benignidade."* Que oração sábia, que oração abençoada! Se formos vivificados na nossa piedade pessoal, estaremos fora do alcance daqueles que nos atacam. A nossa melhor proteção dos tentadores e dos perseguidores é mais vida. A benignidade não nos pode fazer bem maior do que fazer com que tenhamos vida mais abundantemente. Quando somos vivificados, somos capazes de suportar a aflição, de frustrar a astúcia e de derrotar o pecado. Nós vemos a benignidade de Deus como a fonte de renovação espiritual, e pedimos que o Senhor nos vivifique, não segundo o que merecemos, mas pelo ilimitado poder da sua graça. Que palavra abençoada é esta – benignidade. Compartilhe-a, e admire a força dupla do amor.

"Então, guardarei o testemunho da tua boca." Se vivificados pelo Espírito Santo, certamente exibiremos um caráter santo. Nós seremos fiéis à sã doutrina, quando o Espírito nos visitar e nos tornar fiéis. Ninguém guarda a palavra da boca de Deus, a menos que a palavra da boca de Deus o vivifique. Nós devemos admirar profundamente a prudência espiritual do salmista, que não ora tanto pela libertação das tentações, mas pela vida vivificada, para que possa ser sustentado em meio às tentações. Quando a vida interior é vigorosa, tudo está bem. Davi orou por um coração reto, no versículo final do último conjunto de oito, e aqui ele busca um coração vivificado; isto é ir à raiz do problema, buscando a coisa que é mais necessária de todas. Senhor, que isto seja uma obra no nosso coração, e que os nossos corações sejam retos para contigo.

NOTAS SOBRE OS VERSÍCULOS 81 A 88

Os oito versículos, 81 a 89: A décima primeira letra, *Cafe*, significa a *mão em forma côncava.* Os comentaristas, no entanto, examinando apenas o significado *curvado*, que é apenas metade da sua importância, explica a seção, como representando o ato de se curvar em penitência, ou observando que os pais do Antigo Testamento eram como soldados veteranos, curvados pela idade e pelo esforço, e curvados ainda mais pelo peso da lei, que somente seria removida pela vinda de Cristo pela qual eles oravam. Outros ampliam a noção, para os santos da igreja, curvados pelas angústias e pelas preocupações desta vida, e desejando ser dissolvidos e estar com Cristo. O verdadeiro significado deve ser procurado na plena interpretação da palavra; pois a mão está côncava, para conservar algo que realmente está nela, ou para receber algo que nela será colocado, por outra mão. Assim, a mão pode ser a de Deus, que dá a generosidade, ou a do homem, que a recebe; e todo o escopo da seção, como uma oração que pede rápida ajuda, é o fato de que o homem estende a sua mão como um mendigo, suplicando a misericórdia de Deus. – *Jerônimo, Ambrósio e outros, em Neale e Littledale*

v. 81: "Desfaleceu a minha alma, esperando por tua salvação". A palavra aqui traduzida como *"desfaleceu"* é a mesma que em Salmos 73.26 (NTLH) é traduzida como *"enfraquecem":* "Ainda que a minha mente e o meu corpo *enfraqueçam"*. A ideia é que a sua força se exauriu; ele tinha um *desejo* tão intenso de salvação, que ficou fraco e impotente. Qualquer emoção forte *pode* nos prostrar; e o amor de Deus, o desejo da sua benevolência, o anseio pelo céu, pode ser intenso a ponto de produzir este resultado. – *Albert Barnes*

v. 81: "Desfaleceu a minha alma". Desfalecer é próprio do corpo, mas aqui é a alma que desfalece, como em outras passagens. O apóstolo diz, "para que não enfraqueçais, desfalecendo em vossos ânimos" (Hb 12.3); aqui duas palavras são usadas, enfraquecer e desfalecer, e ambas são tomadas do corpo. A fraqueza é um grau menor de deficiência, o desfalecer é um grau maior: na fraqueza, o corpo exige descansar ou se revigorar, quando a força ativa é enfraquecida, e o espírito vital e os princípios do movimento são entorpecidos; mas, ao desfalecer, a força vital é contraída, e retirada, e deixa as partes exteriores sem vida e sem sentidos. Quando um homem está fraco, a sua força é abatida: quando ele desfalece, ele está praticamente exausto. Estas coisas, com uma metáfora, são aplicadas à alma, ou mente. Um homem está fraco quando a fortaleza da sua mente, a sua força moral ou espiritual se quebra; ou começa a se abater quando a sua alma está desconfortável sob os sofrimentos; mas, quando ele afunda sob o peso de uma aflição longa e angustiante, então diz-se que ele desfalece – quando todas as razões e motivos da sua consolação são praticamente esgotados, e ele não mais consegue resistir. – *Thomas Manton*

v. 81: "Desfaleceu a minha alma". O que é este desfalecer, senão o estado sublime da contemplação arrebatada em que a força dos afetos celestiais enfraquece os terrenos. Assim como a subida aos montes mais altos nos causa uma nova respiração, o mesmo certamente aconteceu quando Daniel teve uma grande visão de Deus. Foi-nos dito, "enfraqueceu e esteve enfermo alguns dias". – *E. Paxton Hood, 1871*

v. 81: "Desfaleceu a minha alma, esperando por tua salvação; mas confiei". Creia sob uma nuvem, e confie nele, quando não há luz de lua nem estrelas. Que a fé viva e respire em sua vida; tome a salvação segura de Deus, quando as nuvens e as trevas estão à sua volta, e a perspectiva de apodrecer na prisão está diante de você. Preste atenção a corações descrentes, que podem inventar mentiras sobre Cristo. Cuidado com "Acabou-se já a promessa que veio de geração em geração?", pois foi um homem, e não Deus, que disse isto. Quem sonha que uma promessa de Deus pode falhar, desfalecer ou morrer? Quem pode fazer Deus adoecer, ou enfraquecer suas promessas? Quando nós nos alegramos em fazer um apelo a Cristo, devemos pedir para termos esperança nele. Oh, vigorosa palavra de fé, "Ainda que ele me mate, nele esperarei". Ó, doce epitáfio, escrito na lápide de um crente falecido, ou seja, "Morri com esperança, e meu pó e minhas cinzas creem na vida!" Os olhos de fé, que podem ver através de uma pedra de moinho, podem ver através de uma penumbra******** de Deus, e sob isto leem os pensamentos de Deus, de amor e de paz. Apegue-se a Cristo no escuro; certamente você verá a salvação de Deus. Os seus adversários estão maduros e secos para o fogo. Mais um pouco, e arderão em chamas; o sopro do Senhor, como um rio de enxofre, acenderá o fogo ao redor deles. – *Samuel Rutherford, 1600-1661*

v. 81: "Por tua salvação". Interpretado com um sentido mais elevado, o homem santo anseia pela vinda do Salvador em carne. – *Cornelius Jansen*

v. 81: "tua salvação". Um crente em Deus, por mais aflito que possa estar, não procura ser libertado, senão de uma maneira permitira por Deus; *"Desfaleceu a minha alma, esperando por tua salvação";* ou, até que tu me libertes, da tua maneira. – *David Dickson*

v. 81: "Confiei na tua palavra". Davi sabia onde ancorar seu barco. A esperança sem uma promessa é como uma âncora sem um terreno ao qual se prender; mas a esperança de Davi se fixava na palavra divina. – *William Gurnall*

v. 81: "Confiei na tua palavra", isto é, Espero algo além de qualquer coisa que eu possa compreender, e além de qualquer coisa que eu possa fazer, e além de qualquer coisa que eu mereça, e além de todas as consolações carnais e espirituais, pois desejo e espero apenas por ti. Eu busco a ti, e não aos teus; eu desejo ouvir a *"tua palavra"*, para poder obedecer a ela, com paciência e mansidão. – *Le Blanc*

vv. 81 e 83: É bom, em todos os momentos de perseguição ou aflição, olhar para as promessas e também para os preceitos; pois confiar na promessa encoraja a esperança, e observar os preceitos prova que a esperança é sadia. O salmista *confiava na palavra* (v. 81) e (v. 83) *não se esqueceu dos estatutos.* – *David Dickson*

v. 82: "Os meus olhos desfaleceram, esperando por tua promessa". Uma mãe prometeu visitar seu filho ou sua filha? Se ela não conseguir ir, a observação de seu filho ou filha será: "Oh! minha mãe prometeu vir me ver; quanto tempo fiquei esperando? Mas surgiu uma mancha no meu olho". "Não consigo ver, meus olhos estão falhando", isto é, por ter esperado pela vinda dela tão intensamente. – *Joseph Roberts*

v. 82: "Os meus olhos desfaleceram, esperando por tua promessa". Ele erguia continuadamente os olhos para o céu, esperando a ajuda de Deus. Ele o fazia tão continuamente, que, no final, seus olhos se obscureceram.

"Quando me consolarás tu?" Ele dizia isto em seu coração; ele dizia isto com sua boca; ele dizia a mesma coisa com seus olhos que olhavam continuamente para o céu. – *Wolfgang Musculus*

v. 82: "A tua palavra". Os filhos de Deus fazem mais promessas do que os outros; e isto por dois motivos: parcialmente, porque eles valorizam a bênção prometida; e parcialmente, porque estão satisfeitos com a certeza dada pela palavra de Deus; de modo que, embora os outros passem por estas coisas com um olhar descuidado, as suas almas se erguem para a constante e ansiosa expectativa da bênção prometida. Sobre o trabalhador, está escrito que ele deve receber seu salário antes do pôr-do-sol, porque é pobre e sua alma se atém a isso (Dt 24.15); ou, como está escrito na versão em hebraico, levanta a sua alma a ele, significando assim o seu desejo e também a sua esperança. Ele valoriza o seu salário, pois é a consolação dos seus esforços, e a manutenção da sua vida; e certamente ele o espera, com a promessa e a aliança daquele que lhe deu trabalho. Assim é com os filhos de Deus; eles valorizam as bênçãos prometidas, e a palavra de Deus lhes dá a certeza de que não esperam por Ele em vão. – *Thomas Manton*

v. 82: "Dizia: Quando". O mesmo espírito de fé que ensina um homem a clamar fervorosamente, o ensina a esperar pacientemente: pois assim como lhe assegura que a misericórdia está na mão do Senhor, também lhe garante que ela virá, segundo o tempo do Senhor. – *John Mason, 1688*

******** Frown.

v. 82: "Quando me consolarás tu?" É costumeiro, na maneira como Deus opera com os seus filhos, retardar a resposta às suas orações, e suspender o cumprimento das suas promessas – não porque Ele não esteja disposto a dar, mas porque Ele deseja que eles estejam mais bem preparados para receber. *Tardiusdando quod pettimus instantid nobis orationis indicit:*[********] Muitas vezes Ele é lento para dar o que buscamos para que não busquemos lentamente, mas possamos ser incitados ao fervor e à insistência na oração, pois Ele sabe que é o que é mais aceitável a Ele, e mais benéfico para nós. – *William Cowper*

v. 82: "Quando me consolarás tu?" Não devemos nos queixar sobre Deus, mas *a* Deus. As queixas sobre Deus dão vazão a murmurações, mas as queixas a Deus dão vazão a fé, esperança e paciência. – *Thomas Manton*

v. 82: O profeta, para impedir que outros supusessem que ele era efeminado e covarde demais, indica que o seu desfalecimento não era sem motivos. Ao perguntar a Deus, *"Quando me consolarás tu?"* ele mostra, com suficiente clareza, que estava, há muito tempo, abandonado e esquecido. – *João Calvino*

v. 82: "Quando me consolarás tu?" O povo de Deus, às vezes, sente-se muito desconsolado, e precisando de consolação, pela predominância do pecado, o poder das tentações de Satanás, os momentos em que Deus esconde sua face, e uma variedade de aflições, quando buscam consolação em Deus, que é o único que pode consolá-los, e que os faz buscá-lo, mas eles são propensos a pensar que o tempo é longo demais, e indagar, como Davi, aqui, quando isto irá acontecer. – *John Gill*

v. 82: "Quando me consolarás tu?" Uma mulher pobre tinha, durante muito tempo, se questionado e duvidado da sua salvação; quando, por fim, o Senhor provou, para a sua alma, que ela era de Cristo, quando o seu ministro disse a ela: O Senhor nem sempre dará aos seus filhos um estímulo, mas o terá preparado para eles, quando estiverem fraquejando. – *Thomas Hooker*

v. 82: "Quando me consolarás tu?" A consolação é necessária, porque uma grande parte das nossas tentações está nas dificuldades, bem como nas fascinações. A sensação de dor pode nos fazer desmoronar, da mesma maneira como o prazer nos atrai. O mundo é um mundo de perseguição, bem como um mundo de tentação. A carne traz sofrimentos, e também seduz. O diabo perturba e também engana. Mas a consolação, embora necessária, não é tão necessária quanto a santidade: por isto, embora a consolação não deva ser desprezada, o amor sincero por Deus deve ter a preferência. E embora a consolação não seja dispensada com certeza, com constância e em grandes doses neste mundo, nós devemos ficar satisfeitos. A obra de consolação do Espírito é interrompida com mais frequência do que a obra da santidade; mas certamente receberemos aquilo que for necessário para nos capacitar a servir a Deus neste mundo. – *Thomas Manton*

v. 83: "Odre na fumaça". Dormir estava fora de questão, pois eu estava... quase coberto de fuligem da lenha queimando, pois não havia chaminé. Eu estava, realmente, *"Como odre na fumaça"*, enegrecido e seco, quase a ponto de quebrar – pois isto era uma parte do que o salmista tinha em vista. Os odres, sendo de couro, e pendurados em salas com grandes fornos de madeira, e sem chaminés, ficavam defumados, murchos e inapropriados para o uso. – *de "My Wanderings", de John Gadsby, 1860*

v. 83: "Como odre na fumaça". A tenda dos árabes comuns é um ambiente tão enfumaçado, que eu considero a expressão *odre na fumaça* equivalente a *odre na tenda de um árabe.* Havia um fogo, sabemos, na tenda árabe a que o bispo Pococke foi conduzido, quando estava se dirigindo a Jerusalém. Como deve ter sido enfumaçado este ambiente, e como deviam ser escuros todos os seus utensílios! Le Bruyn, indo

******** Crisóstomo.

de Aleppo a Scanderoon, teve uma boa percepção disto, pois foi obrigado a passar uma noite inteira em uma cabana de junco, em cujo centro havia um fogo para aquecer uma panela de alimento que estava pendurada sobre o fogo, e para assar pão em meio às cinzas – ele considerou a fumaça intolerável, uma vez que a porta era o único lugar pelo qual se podia sair da cabana.

O salmista parece se referir à *cor negra* de um odre feito de pele de cabra, em uma tenda, mas também à *insignificância* de tal recipiente, e era uma imagem natural para o seu uso, tendo em vista que ele próprio havia sido retirado de entre os recipientes de ouro e prata do palácio de Saul, para viver como os árabes vivem e viviam, e, consequentemente, frequentemente obrigado a beber de um odre de pele defumada. – *Thomas Harmer, 1719-1788*

v. 83: "Pois fiquei como odre na fumaça". Um odre na fumaça é pouco inchado, úmido ou belo. Desta maneira, Deus desgasta, humilha e esvazia o seu povo, quando os exercita com tribulações e a inquietação de ter esperança, e aguardar. A glória e a avidez da carne devem ser esvaziadas, para que os dons de Deus possam ter espaço, e a lembrança dos seus mandamentos possa ser mantida – o que não pode ser bem conservado em odres que estão inchados, inflados e cheios. – *Wolfgang Musculus*

v. 83: "Odre na fumaça". Entre os antigos, um dos propósitos desta exposição do odre à fumaça era suavizar e adocicar o vinho, pela subida gradual do calor e da fumaça do fogo sobre o qual o odre era suspenso: e assim, as palavras nos ensinam o uso da aflição para amadurecer e aprimorar a alma. – *Rosenmuller, citação em Neale e Littledale.*

v. 83: "Pois fiquei como odre na fumaça", etc. Satanás pode afligir o *corpo* por meio da *mente*. Pois o corpo e a mente estão tão intimamente conectados, que o seu bem estar ou mal estar é compartilhado entre eles. Se o coração está feliz, a fisionomia é alegre, a força é renovada, os ossos florescem como uma erva. Se o coração está perturbado, a saúde é prejudicada, a força é esgotada, o tutano dos ossos se desgasta, etc. A angústia de coração é como uma traça na roupa, que consome o corpo e o desajusta. Esta vantagem de enfraquecer o corpo cai nas mãos de Satanás como uma consequência necessária, como os figos temporãos do profeta, que caíram na boca daquele que os havia de comer. E certamente ele se agrada muito com isto, pois é um inimigo, tanto do corpo como da alma. Mas é uma satisfação maior para ele, porque pode fazer com que as angústias da mente produzam a fraqueza e a doença do corpo; da mesma maneira como pode fazer com que o mal físico (por reciprocidade) aumente a perturbação da mente. O que faz um corpo doente? Ele incapacita o homem para todos os serviços; ele não pode orar, nem ler, nem ouvir. A doença remove a doçura e a consolação das práticas religiosas; isto lhe dá oportunidade para pensar o pior de si mesmo; ele crê que a alma está cansada dos caminhos de Deus, quando o corpo não pode resistir. – *Richard Gilpin, "A Treatise of Satan's Temptations", 1677*

v. 83: "Como odre na fumaça". Nisto, o afligido salmista encontra um símbolo assombroso do seu próprio estado espiritual. Ele esperava que o Senhor viesse em seu auxílio. Em espírito, ele estava exaurido, pela pressão que havia sobre ele; e ainda esperava a vinda do Senhor, declarando a sua condição esgotada. Talvez o seu homem exterior compartilhasse das mesmas tristes qualidades nesta ocasião... A aparência externa de um homem de Deus, a que ele pode estar se referindo, era, no entanto, apenas a lembrança da sua natureza espiritual neste período, quaisquer que pudessem ter sido os efeitos visíveis. Davi estava exposto aos relatos caluniosos dos homens perversos, e à acalorada perseguição de inimigos incansáveis, até que o efeito na sua mente foi tal que toda a sua natureza espiritual se assemelhava, na sua própria mente, a um odre pendurado na fumaça por algum tempo. Ele não apenas estava murcho, na avaliação pública, mas também na sua própria opinião: na verdade, não porque nesta ocasião, e por causa das acusações feitas contra ele,

ele se sentia merecedor, mas porque tão incessante e múltipla era a amarga invasão do seu espírito, que até mesmo com toda a sua fé em Deus, ele estava praticamente soterrado por ela. A palavra usada na nossa tradução para a original significa que, apesar de tudo, ele resistia – "pois fiquei como odre na fumaça; *mas não me esqueci dos teus estatutos"*. Embora as palavras traduzidas mais literalmente transmitissem o significado de que tudo isto devesse lhe acontecer, enquanto ele estava no caminho do dever: *"Fiquei como odre na fumaça – não me esqueci dos teus estatutos"*. Ele estava no caminho das indicações do Senhor para toda a salvação, mas, apesar disto, as dificuldades vieram. É triste quando o nosso homem espiritual fica murcho e seco, por causa do nosso pecado, ou por causa de omissões culposas; mas aqui parece se tratar de uma queda do homem espiritual, e do homem físico, ao passo que o crente está consciente de que não está se esquecendo dos estatutos do seu piedoso Deus. – *John Stephen*

v. 83: Observe, aqui, a diferença entre a beleza e a força do corpo e da alma: a beleza da alma é beneficiada pelas aflições, ao passo que a do corpo murcha. Davi era um odre murcho e encolhido; mas a santa estrutura da sua alma não tinha sido alterada: a sua beleza física tinha se deteriorado, mas não a sua graça. – *Thomas Manton*

v. 83: "Fiquei como odre no gelo" (conforme a tradução da Septuaginta). Quando os desejos espirituais ardem, os carnais, sem dúvida, esfriam: por causa disto, lemos, *"Como me tornei como um odre no gelo, não me esqueço da tua justiça"*. Ele verdadeiramente desejava que o odre representasse a sua carne mortal, e que o gelo representasse a bênção celestial; pois os desejos da carne, pelo frio, ficariam mais lentos, e consequentemente a justiça de Deus não escaparia da lembrança, enquanto não nos afastássemos dela; isto está de acordo com aquilo que o apóstolo diz (Rm 13.14), e que realmente acontece: "Revesti-vos do Senhor Jesus Cristo e não tenhais cuidado da carne em suas concupiscências". Por isto, quando ele disse, *"Pois fiquei como odre no gelo"*, acrescenta, *"e não me esqueço da tua justiça"*, isto é, não a esqueço, porque nela fui transformado. Pois o fervor das concupiscências se tornou gelado, para que a lembrança do amor pudesse reluzir. – *Agostinho*

v. 84: "Quantos serão os dias do teu servo?" Alguns interpretam as duas sentenças separadamente, como se a primeira fosse uma queixa genérica pela brevidade da vida humana, como veremos em outros salmos, e mais frequentemente no livro de Jó; e a seguir, na opinião deles, vem uma oração especial do salmista para que Deus se vingue dos seus inimigos. Mas eu prefiro unir as duas sentenças, e limitar as duas às aflições de Davi: como se tivesse sido dito, Senhor, quanto tempo tu estás determinado a abandonar o teu servo à mercê dos ímpios? Quando irás colocar-te em oposição à crueldade e à infâmia deles, e vingar-te deles? As Escrituras frequentemente usam a palavra *"dias"* com este sentido... Com o uso do plural, o sentido é de uma determinada porção do tempo, que, em outras passagens, é comparada com "dia de trabalho" (Jó 14.6; Is 16.14). O salmista, então, não lamenta de modo genérico a vida transitória do homem, mas se queixa de que o tempo neste estado de batalha neste mundo tinha sido prolongado demais; e, portanto, ele deseja naturalmente que seja concluído. Ao protestar na presença de Deus sobre os seus problemas, ele não o faz obstinadamente, mas com um espírito de queixa; mas, ao perguntar quanto tempo será necessário que ele sofra, humildemente ora para que Deus não tarde em socorrê-lo. – *João Calvino*

v. 84: "Quando me farás justiça contra os que me perseguem?" Ele declara que não duvida que, em algum momento, as suas aflições chegarão a um fim, e que haverá um momento em que os que o odeiam e são seus inimigos serão julgados e punidos. Ele supõe o fato, e por isto, indaga a data. Assim, nos santos, a sua mesma impaciência pela demora prova a sua confiança na salvação e libertação futuras. – *Wolfgang Musculus*

v. 84: "Quando me farás justiça", etc. Esta é uma oração comum, não contra determinadas pessoas, mas contra os inimigos de Deus, e seus maus caminhos. Pois o Senhor executa o juízo relacionado aos seus filhos pela sua conversão, como Paulo (At 9), e o juízo relacionado aos ímpios, pela sua confusão. Ele ora contra aqueles que não pertencem a Deus; não tanto contra a pessoa deles, mas contra as suas más causas; de fato, não contra a pessoa deles, mas porque se associam às más causas. Assim podemos orar pela confusão dos inimigos de Deus; e não por outra coisa. – *R. Greenham*

v. 84: Neste versículo, não há nenhuma das dez palavras usadas para referir-se à lei de Deus. – *Adam Clarke. [Justiça, não é uma delas? – C. H. S.]*

v. 85: "Covas". Hajji disse que iria me contar uma história ou duas sobre crocodilos, e começaria contando como ele e seus companheiros os capturavam, às vezes. Uma cova profunda, disse ele, é cavada à margem do rio, e coberta com palha. Os crocodilos caem nestas covas, e não conseguem sair... Não pode haver dúvida de que anteriormente, eram cavadas covas para os crocodilos, como descreveu Hajji, como é o caso ainda em algumas partes do mundo, para a captura de outros animais. A este costume é feita alusão em Salmos 7.15; 9.15; 10.2; 35.8; 141.10; Provérbios 26.27; Eclesiastes 10.8, etc. "Cavou um poço, e o fez fundo, e caiu na cova que fez". Provavelmente também fosse este o tipo de cova mencionada em Êxodo 21.33: "Se alguém cavar uma cova e não a cobrir", isto é, não a cobrir apropriadamente, "e nela cair um boi ou jumento", etc.

Às vezes, os prisioneiros eram encerrados em covas, e deixados sem água, para morrer literalmente de sede. Que terrível morte! Dizem que nada pode ser mais terrível. Como devem ser angustiados os seus gemidos! – *John Gadsby*

v. 85: "Os soberbos abriram covas". Parece estranho que um homem orgulhoso cave covas; mas assim acontece; pois a soberba, por algum tempo, pode se sujeitar para obter uma vantagem maior sobre aquele ao qual ela deseja pisar: "Por causa do seu orgulho, o ímpio não investiga; todas as suas cogitações são: Não há Deus.... Encolhe-se, abaixa-se, para que os pobres caiam em suas fortes garras" (Sl 10.4, 10). Assim, o orgulhoso Absalão se humilhou para pessoas mais humildes, para que pudesse preparar um caminho de usurpação contra seu rei e pai. Mas, observe, o salmista não disse que tinha caído nas covas que os seus inimigos tinham cavado. Não, não; nos justos juízos de Deus, os ímpios são presos na obra de suas próprias mãos, ao passo que os bons ficam livres. "Cavou um poço, e o fez fundo, e caiu na cova que fez. A sua obra cairá sobre a sua cabeça; e a sua violência descerá sobre a sua mioleira" (Sl 7.15, 16). Assim Hamã inaugurou a forca que tinha erguido para Mardoqueu; e Saul, quando pensava, pela astúcia, matar Davi com a espada dos filisteus (quando o enviou para buscar duzentos dos seus prepúcios como dote), teve o seu propósito desapontado; mas ele mesmo, no final, foi morto pela espada. – *William Cowper*

v. 85: Que os homens tomem cuidado quando *cavarem covas* para outros. Toda a Palavra de Deus testemunha contra tal iniquidade. Quantos testes são inventados, simplesmente com o propósito de envolver as consciências dos homens e propiciar motivos para perseguição. – *William S. Plumer*

v. 85: "O que não é conforme a tua lei". Hebraico: Não conforme a tua lei. Isto pode se referir aos homens ou ao costume. Os homens não andam conforme a tua lei, e as suas práticas fraudulentas não estão de acordo com a tua lei; a lei de Deus condenava as covas para animais domésticos (Êx 21.33,34). Embora fosse lícito que os caçadores capturassem animais selvagens, deviam, no entanto, tomar cuidado para que um animal doméstico não caísse nas covas. – *Thomas Manton*

v. 85: "O que não é conforme a tua lei". Não poderiam ser conforme a lei de Deus enquanto estivessem fazendo tais coisas. Talvez ele se refira às obras, mais do que aos homens: "Os soberbos abriram covas para mim, o que não é conforme a tua lei" – o que é contra a tua lei; e pareceriam fazê-lo porque é contra a tua lei – deleitar-se na iniquidade, como eles fazem. Estes homens pareceriam embeber o espírito vil que Milton atribui ao arcanjo caído: "Mal, sê o meu bem". Obviamente, no entanto, as palavras contêm este sentimento – os soberbos procuraram me destruir, porque não são obedientes à tua lei. Desta maneira, ele define a conduta deles, à luz dos santos mandamentos de Deus, para que a comparação possa ser feita: *"Todos os teus mandamentos são verdade; com mentiras me perseguem"*. O que quer que o Senhor fizesse, seria feito em verdade; estes homens agiam contra o seu servo, sem motivos, e, ao fazer isto, também agiam desafiando a sua vontade conhecida. – *John Stephen*

v. 85: "Os ímpios me contaram fábulas, mas não como a tua lei" (segundo a Septuaginta). A razão especial por que ele deseja ser libertado da companhia dos ímpios é porque eles sempre tentam os piedosos, relatando os prazeres deste mundo, que não são nada além de fábulas, prazeres imundos e transitórios, mais fantasiosos do que reais – em nada parecidos com o grande e sólido prazer que sempre flui de uma piedosa observância à lei do Senhor. – *Robert Bellarmine*

v. 86: "Todos os teus mandamentos são verdade". Aqui, Davi estabelece três pontos. O primeiro, é que Deus é verdadeiro; e depois disto, ele acrescenta uma declaração da sua boa conduta e orientação, e da maldade de seus adversários; em terceiro lugar, ele invoca a Deus, em suas aflições. A respeito do primeiro, ele nos mostra que, embora Satanás nos inquiete, e no final deseje nos tomar, procurando nos enganar sutilmente e ardilosamente, nós devemos, ao contrário, aprender como conhecer seus embustes, e como escapar deles. Então, quando estamos angustiados, com a adversidade e a aflição, onde devemos começar? O que Satanás diz quando pega suas redes e arma suas emboscadas para nos atrair e nos persuadir a entrar nelas? Você não vê que foi abandonado pelo seu Deus? Onde estão as promessas em que você confiava? Agora você se considera uma criatura abandonada. Assim, você pode ver que Deus abandonou você, e que as promessas em que você confiava não se referem a você. Veja aqui a sutileza de Satanás. O que devemos fazer? Devemos concluir como Davi e dizer, Deus é verdadeiro e fiel. Devemos ter em mente a verdade de Deus como um escudo para rebater o que quer que Satanás possa fazer para nos atacar. Quando ele procura nos fazer renegar a fé, quando ele mente sobre nós, para nos fazer crer que Deus não pensa mais em nós, ou que é inútil confiar nas suas promessas, devemos entender exatamente o contrário, e crer que aquilo que Deus nos diz é a verdade muito clara. Embora Satanás não nos lance muitos dardos, embora ele jamais use de excessivos mecanismos contra nós, embora de vez em quando, pela violência, às vezes com sutileza e astúcia, nos parece, em cada feito, que ele nos irá derrotar, ele jamais consegue fazer com que isto aconteça, pois a verdade de Deus será certa em nossos corações. – *João Calvino*

v. 86: "Todos os teus mandamentos são verdade". Em hebraico, fidelidade; isto equivale a dizer, eles são verdadeiros, certos, infalíveis. *"Com mentiras me perseguem"*; sem dúvida, por declarar as verdades e os mandamentos de Deus, e por aderir a eles. – *John Trapp*

v. 86: "Com mentiras me perseguem". Há uma ênfase na palavra *mentiras*; pois é verdadeiro o ditado sobre um mártir santo,[********] "A causa, e não a dor, faz o mártir". Por isto o apóstolo nos ensina: "Que nenhum de vós padeça como homicida, ou ladrão, ou malfeitor, ou como o que se entremete em negócios alheios; mas, se padece como cristão, não se envergonhe; antes, glorifique a Deus nesta parte". – *Neale e Littledale*

******** Cipriano

v. 86: "Ajuda-me". "Deus me ajude" é uma oração excelente, abrangente; é uma pena que seja sempre usada com leviandade e de modo secundário. – *Matthew Henry*

v. 87: "Quase que me têm consumido". A vida dos homens bons é repleta de livramentos miraculosos. Os justos são salvos com dificuldade. Muitas vezes, os seus pés quase escorregam. Mas aquele que os redimiu não permitirá que eles caiam de modo que não possam mais se levantar. Um dos seus maiores perigos é a tentação de usar meios ilícitos para concluir as suas tentações. – *William S. Plumer*

v. 87: Deve-se observar que ele diz "sobre a terra", pois isto mostra que mesmo se os seus inimigos tivessem tirado a sua vida sobre a terra, ainda assim ele esperava confiantemente outra vida no céu, e que ele já tinha, pela fé, entrado no céu, e estava vivendo uma vida celestial; de modo que, se a vida do corpo fosse removida, isto não deveria ser considerado um mal. Aqueles que vivem desse modo se recuperam rapidamente do desespero. – *D. H. Mollerus*

v. 88: "Vivifica-me segundo a tua benignidade". Finalmente, o homem de Deus aparece pedindo para ser vivificado, de modo que ele pudesse ser capacitado a guardar o testemunho divino... Aqui há um último recurso, mas é um recurso garantido. Que os princípios vivos da graça divina sejam distribuídos à alma, assim o crente será erguido, acima do desânimo diante dos homens. Como a mente espiritual pode triunfar acima das fraquezas do corpo! Nós podemos contemplar isto, do leito de morte do crente, e podemos ver isto na vida e na morte de muitas pessoas eminentes. O homem de mente pura vai diretamente à fonte da vida. Ele continua, com entendimento, pois assume o caráter em que o Senhor falara de Si mesmo: *"Vivifica-me segundo a tua benignidade"*. De uma vez, ele deixa de lado os pensamentos sobre os seus inimigos; ele está na presença do seu Deus. O seu desejo é subir à existência espiritual mais elevada, para poder ter uma comunhão mais íntima com o Pai das luzes, que é imutável. – *John Stephen*

v. 88: "Vivifica-me", etc. Anteriormente, ele tinha orado, "vivifica-me por tua justiça" (v. 40); mas aqui, "Vivifica-me segundo a tua benignidade". O sinal mais assegurado da boa vontade de Deus para conosco é a sua boa obra em nós. – *Matthew Henry*

v. 88: "Vivifica-me". Muitas vezes, neste salmo, Davi faz este pedido; e parece estranho que, com tanta frequência, ele reconheça que é um homem morto, e deseje que Deus o vivifique. Mas é isto que acontece no caso dos filhos de Deus: cada deserção e diminuição de forças é uma morte. Tão desejosos eles são de viver com Deus, quando fracassam e encontram qualquer incapacidade em suas almas de servir a Deus como desejam, eles se consideram mortos, e pedem, em oração, que o Senhor os vivifique. – *William Cowper*

v. 88: "O testemunho da tua boca". O título aqui dado à lista de nossos deveres – *"o testemunho da boca de Deus"* dá uma força crescente às nossas obrigações. Assim, que cada palavra que nós lemos ou ouvimos seja considerada como vindo diretamente da "boca de Deus" (Jo 6.63). Que reverência! Que submissão implícita isto requer! Que isto possa nos encontrar em uma postura de atenção, humildade e fé! Que cada um de nós esteja sempre pronto a dizer: "Fala, Senhor, porque o teu servo ouve". – *Charles Bridges*

EXPOSIÇÃO DOS VERSÍCULOS 89 A 96

89 *Para sempre, ó Senhor, a tua palavra permanece no céu.*
90 *A tua fidelidade estende-se de geração a geração; tu firmaste a terra, e firme permanece.*
91 *Conforme o que ordenaste, tudo se mantém até hoje; porque todas as coisas te obedecem.*

92 *Se a tua lei não fora toda a minha alegria, há muito que teria perecido na minha angústia.*
93 *Nunca me esquecerei dos teus preceitos, pois por eles me tens vivificado.*
94 *Sou teu, salva-me; pois tenho buscado os teus preceitos.*
95 *Os ímpios me esperam para me destruírem, mas eu atentarei para os teus testemunhos.*
96 *A toda perfeição vi limite, mas o teu mandamento é amplíssimo.*

89. *"Para sempre, ó Senhor, a tua palavra permanece no céu."* A melodia é mais alegre, pois a experiência deu ao doce cantor um conhecimento consolador da palavra do Senhor, e isto torna um tema feliz. Depois de ser jogado de um lado a outro, em um mar de perturbação, aqui o salmista salta para a praia e fica em pé sobre um rochedo. A palavra do Senhor não é instável nem incerta; é estabelecida, determinada, fixa, segura, imutável. Os ensinamentos dos homens mudam tão frequentemente que nunca há tempo para que sejam estabelecidos; mas a palavra do Senhor é, desde eternamente, a mesma, e permanece imutável eternamente. Alguns homens nunca ficam mais felizes do que quando estão transtornando e perturbando tudo e todos; mas a mente de Deus não está com eles. O poder e a glória do céu confirmaram cada sentença que a boca do Senhor proferiu, e assim confirmaram que, por toda a eternidade, ela deve permanecer a mesma – definida no céu, onde nada pode alcançá-la. Na seção anterior, a alma de Davi desfalecia, mas aqui o bom homem olha para fora de si mesmo, e percebe que o Senhor não fraqueja, nem se cansa, nem há qualquer falha na sua obra.

O versículo assume a forma de uma atribuição de louvor: a fidelidade e a imutabilidade de Deus são temas apropriados para um cântico sagrado, e quando nós estivermos cansados de contemplar a cena inconstante desta vida, o pensamento da promessa imutável encherá a nossa boca com cânticos. Os propósitos, as promessas e os preceitos de Deus são todos definidos na sua própria mente, e nenhum deles poderá ser perturbado. As definições do concerto não serão removidas, por mais incertos que possam se tornar os pensamentos dos homens; estabeleçamos, portanto, em nossas mentes, que permaneceremos na fé do nosso Senhor, enquanto tivermos alguma existência.

90. *"A tua fidelidade estende-se de geração a geração."* Esta é uma glória adicional: Deus não é afetado pelo erro das gerações; Ele não é apenas fiel a um homem, ao longo da sua vida, mas aos filhos dos seus filhos, depois dele, sim, e a todas as gerações, enquanto eles obedecerem ao seu concerto, e enquanto eles se lembrarem dos seus mandamentos, para obedecê-los. As promessas são coisas antigas, mas não se desgastam por séculos de uso, pois a fidelidade divina dura para sempre. Aquele que socorreu os seus servos, há milhares de anos, ainda se mostra forte, para o bem de todos aqueles que confiam nele.

"Tu firmaste a terra, e firme permanece." A natureza é governada por leis fixas; o globo conserva o seu curso pelo mandamento divino, e não exibe nenhum movimento errático; as estações obedecem à sua ordem predestinada, o mar obedece à regra das marés, e todas as outras coisas são organizadas na sua ordem indicada. Existe uma analogia entre a palavra de Deus e as obras de Deus, e, particularmente nisto, porque a palavra e as obras são constantes, fixas e imutáveis. A palavra de Deus, que estabeleceu o mundo, é a mesma que Ele incorporou nas Escrituras. Pela palavra do Senhor, os céus foram criados, e particularmente por aquele que é enfaticamente o VERBO. Quando nós vemos que o mundo conserva o seu lugar, e todas as suas leis permanecem as mesmas, temos a certeza de que o Senhor será fiel ao seu concerto, e não permitirá que a fé do seu povo seja humilhada. Se a terra permanece, a criação espiritual permanece; se a palavra de Deus é suficiente para estabelecer o mundo, certamente é suficiente para o estabelecimento do crente individualmente.

91. *"Conforme o que ordenaste, tudo se mantém até hoje."* Porque o Senhor ordena que o universo permaneça, por isto ele permanece, e todas as suas leis continuam a operar com precisão e poder. Porque o poder de Deus está sempre presente, para conservá-las, todas as coisas continuam. A palavra que fez com que todas as coisas existissem as sustenta até hoje, e ainda sustentará a sua existência e o seu bem-estar. A ordenança de Deus é a razão para a existência continuada da criação. Que importantes forças são estas ordenanças!

"Porque todas as coisas te obedecem." Criadas pela tua palavra, elas obedecem a esta palavra, respondendo, desta maneira, ao propósito da sua existência, e realizando os desígnios do seu Criador. Tanto as grandes coisas como as pequenas homenageiam ao Senhor. Nem um átomo escapa à sua lei, nem um mundo evita o seu governo. Desejaremos nos libertar do governo do Senhor e nos tornar nossos próprios senhores? Se fizéssemos isto, seríamos terríveis exceções de uma lei que assegura o bem-estar do universo. Em vez disto, enquanto lemos a respeito de todas as coisas – que elas continuam a servir e obedecer, devemos continuar a servir, e a servir de maneira mais perfeita, enquanto nossas vidas continuam. Que por esta palavra que é definida, possamos ser estabelecidos; que por esta voz que estabelece a terra, possamos ser estabelecidos; e que por este mandamento que todas as coisas criadas obedecem, possamos ser feitos servos do Senhor Deus Todo-Poderoso.

92. *"Se a tua lei não fora toda a minha alegria, há muito que teria perecido na minha angústia."* Esta palavra que preservou os céus e a terra também preserva o povo de Deus nos seus momentos de provação. Por esta palavra, somos seduzidos; é uma mina de alegria para nós. Nós temos nela uma alegria dupla e tripla, e dela obtemos múltiplos prazeres, e ela nos é útil, quando todos os outros prazeres são tirados de nós. Nós deveríamos ter nos sentido prontos a deitar e morrer diante das nossas angústias se as consolações espirituais de Deus não tivessem nos sustentado; mas pela sua influência que sustenta, nós somos mantidos acima de todas as depressões e dos desesperos que crescem naturalmente a partir da severa aflição. Alguns de nós podemos assinar esta declaração. A nossa aflição, se não fosse pela graça divina, teria nos tirado a existência, de modo que teríamos perecido. Nos nossos momentos mais sombrios, nada impede que nos desesperemos, exceto a promessa do Senhor; sim, às vezes não havia nada entre nós e a auto-destruição, exceto a fé na palavra eterna de Deus. Quando consumidos pela dor, até que o cérebro se atordoasse e a razão quase se extinguisse, um doce texto nos sussurrou a sua certeza animadora, e a nossa pobre mente lutadora repousou no seio de Deus. Aquilo que era nosso deleite na prosperidade foi a nossa luz na adversidade; aquilo que, durante o dia, nos impediu de ser arrogantes, durante a noite nos impediu de perecer. Este versículo contém uma suposição pesarosa – *"se"*; descreve uma terrível condição – *"teria perecido na minha angústia"*; e sugere uma gloriosa libertação, pois ele não morreu, mas viveu para proclamar as honras da palavra de Deus.

93. *"Nunca me esquecerei dos teus preceitos pois por eles me tens vivificado."* Quando tivermos sentido o poder vivificador de um preceito, jamais poderemos esquecê-lo. Nós podemos lê-lo, repeti-lo, e pensar que o assimilamos, e ainda assim ele pode escapar de nossas mentes, mas uma vez que ele tenha nos dado vida ou renovado esta vida, não há como ele deixar de fazer parte de nossas lembranças. A experiência ensina, e ensina eficazmente. Como é abençoado ter os preceitos escritos no coração, com a pena dourada da experiência, e gravados na memória com o estilete divino da graça. O esquecimento é um grande mal, em coisas sagradas; aqui, vemos o homem de Deus lutando contra ele, e certo da vitória, porque conhecia o poder vivificador da palavra na sua própria alma. Aquilo que vivifica o coração certamente irá vivificar a memória.

Parece singular que o salmista atribuísse a vivificação aos preceitos, e ainda assim confiasse neles e em todas as palavras do Senhor, de igual maneira. Deve-se observar que, quando o Senhor ressuscitava os mortos, Ele lhes dirigia a palavra de ordem. Ele disse, "Lázaro, vem para fora", ou "Levanta-te, menina!" Nós não precisamos ter receio de dirigir preceitos do Evangelho a pecadores mortos, uma vez que, por intermédio deles, o Espírito lhes dá vida. Lembre-se de que o salmista não diz que os preceitos o vivificaram, mas que o Senhor o vivificou, por intermédio deles: assim, ele examina a vida, do canal para a fonte, e coloca a glória no local devido. E, ao mesmo tempo, valoriza os instrumentos da bênção, e decide não esquecê-los. Ele tinha se lembrado deles quando se comparou a um odre na fumaça, e agora ele sente que, seja na fumaça ou no fogo, a lembrança dos preceitos do Senhor jamais se afastará dele.

94. *"Sou teu, salva-me."* Uma oração abrangente com um argumento dominante. A consagração é um bom apelo pela preservação. Se nós estivermos confiantes de que somos do Senhor, podemos ter confiança de que Ele irá nos salvar. Nós somos do Senhor, por criação, escolha, redenção, entrega e aceitação. E daí a nossa firme esperança e confiança garantida de que Ele irá nos salvar. Um homem certamente irá salvar seu próprio filho: Senhor, salva-me. A necessidade de salvação é vista melhor pelo povo do Senhor do que por qualquer outro povo, e daí a oração – "salva-me"; eles sabem que somente Deus pode salvá-los, e por isto clamam, somente a Ele; e sabem que nenhum mérito pode ser encontrado neles, e daí apresentam uma razão, obtida da graça de Deus – "sou teu".

"Pois tenho buscado os teus preceitos." Assim ele teria provado que era do Senhor. Ele pode não ter alcançado toda a santidade que desejava, mas ele almejava fervorosamente ser obediente ao Senhor, e por isto implorou para ser salvo, até o fim. Um homem pode buscar as doutrinas e as promessas, e ainda assim não ser renovado no coração; mas buscar os preceitos é um sinal seguro de graça; ninguém jamais ouviu falar de um rebelde ou um hipócrita buscando os preceitos. O Senhor evidentemente tinha operado uma grande obra no salmista, e ele o buscou, para concluir esta obra. A salvação está conectada com a busca, "salva-me, pois busquei"; e quando o Senhor nos faz buscar, não nos recusa a salvação. Aquele que busca a santidade já está salvo; se buscamos ao Senhor, podemos ter certeza de que o Senhor nos buscará, e certamente irá nos salvar.

95. *"Os ímpios me esperam para me destruírem: mas eu atentarei para os teus testemunhos."* Eles eram como animais selvagens, arrastando-se pelo caminho, ou como assaltantes surpreendendo um viajante indefeso; mas o salmista prosseguiu pelo seu caminho sem levá-los em consideração, pois estava considerando algo melhor, ou seja, o testemunho que Deus deu aos filhos dos homens. Ele não permitiu que a maldade dos ímpios o afastasse do seu estudo da santa palavra divina. Ele estava tão calmo, que poderia "atentar"; tão santo, que amava considerar "os testemunhos" do Senhor; tão vitorioso sobre todos os estratagemas deles, que não permitiu que eles o afastassem de suas piedosas contemplações. Se o inimigo não puder fazer com que afastemos os nossos pensamentos do santo estudo, ou os nossos pés do santo caminho, ou os nossos corações de santas aspirações, ele será mal sucedido nos seus ataques. Os ímpios são os inimigos naturais dos homens santos e dos pensamentos santos; se pudessem, não somente nos prejudicariam, mas nos destruiriam, e se não puderem fazer isto hoje, irão esperar por novas oportunidades, ansiando que seus maus desígnios possam ser alcançados. Até agora, esperaram em vão, e ainda terão que esperar muito tempo; pois se estivermos tão inabaláveis, a ponto de não lhes darmos sequer um pensamento, a sua esperança de nos destruir será muito pequena.

Observe a dupla espera – a paciência do ímpio, que espera por muito tempo e cuidadosamente uma oportunidade de destruir os piedosos, e então, a paciência do santo, que não irá deixar suas meditações, nem mesmo para acalmar os seus adversários. Veja como a semente da serpente fica à espera, como uma víbora, que morde os calcanhares do cavalo; mas veja como o eleito do Senhor está acima do seu veneno, e não toma conhecimento dele, como se este não existisse.

96. *"A toda perfeição vi limite."* Ele tinha visto seu limite, pois não chegou longe; ele tinha visto a sua evaporação, sob as tentações da vida, a sua detecção sob o olhar perscrutador da verdade, a sua exposição pela confissão do penitente. Não existe perfeição sob a lua. Os homens perfeitos, no sentido absoluto da palavra, vivem apenas em um mundo perfeito. Alguns homens não enxergam os limites da sua própria imperfeição, mas isto ocorre porque são perfeitamente cegos. O crente experiente viu o limite de toda a perfeição em si mesmo, nos seus irmãos, nas melhores obras dos melhores homens. Seria bom se alguns dos que professam serem perfeitos pudessem ver o começo da perfeição, pois nós receamos que eles não tenham começado corretamente, ou não falariam com um orgulho tão excessivo. Não é o início da perfeição, lamentar a sua imperfeição? Não existe perfeição em qualquer coisa que seja obra do homem.

"Mas o teu mandamento é amplíssimo." Quando a amplitude da lei é conhecida, a noção de perfeição na carne desaparece: esta lei toca cada ato, palavra e pensamento, e é de tal natureza espiritual que julga os motivos, desejos e emoções da alma. Ela revela uma perfeição que nos condena pelas imperfeições, bem como pelas transgressões, e não nos permite compensar as deficiências em uma direção através de cuidados especiais em outras. O ideal divino de santidade é amplo demais, para que possamos esperar abranger toda a sua ampla arena, e, no entanto, não é mais amplo do que deveria ser. Quem desejaria ter uma lei imperfeita? Na verdade, a sua perfeição é a sua glória; mas a nossa própria imperfeição é a morte de toda a glorificação que desejamos trazer a nós mesmos. Há uma amplitude sobre o mandamento que jamais foi plenamente satisfeita por uma amplitude correspondente de santidade em qualquer homem, enquanto ele está aqui na terra – somente em Jesus é que vemos a santidade plenamente personificada. A lei é, em todos os aspectos, um código perfeito; cada preceito isolado tem grande alcance no seu significado santificado, e o conjunto dos dez mandamentos abrange tudo, e não deixa espaço para a satisfação das nossas paixões. Nós podemos adorar a infinidade da santidade divina, e então avaliar a nós mesmos segundo este padrão, e nos curvar diante do Senhor com toda humildade, reconhecendo o quanto estamos longe dela.

NOTAS SOBRE OS VERSÍCULOS 89 A 96

Lâmede – v. 89: Aqui está o clímax da definição da peregrinação do suplicante. Nós chegamos ao centro do salmo, e a conexão é propositadamente interrompida. O conteúdo das onze primeiras estrofes foi, evidentemente: "Até aqui, o Senhor me trouxe: agora irei perecer?" A isto respondem as onze estrofes seguintes, "A palavra do Senhor não muda; e apesar de todos os presságios, o Senhor realizará, a meu respeito, a obra que Ele já iniciou". – *Joseph Francis Thrupp, 1860*

v. 89: "Para sempre, ó Senhor, a tua palavra permanece no céu". Estas palavras normalmente são traduzidas como fazendo uma única proposta, mas o sotaque *atynab* mostra que há duas ramificações: a primeira, que declara a eternidade de Deus; a outra, a constância e permanência. Assim, 1. *"Para sempre* [*és tu*], *ó Senhor"*. 2. *"A tua palavra permanece no céu"*. É o que traz a versão siríaca; e Geierus, e, depois dele, outros, testaram e aprovaram esta interpretação. E assim este versículo e o seguinte se harmonizam um com o outro, se observarmos o princípio e o fim: Tu és "para sempre, ó Senhor" e "a tua fidelidade estende-se de geração a geração", que são exatos paralelos. E também a última parte corresponde: "A tua palavra permanece no céu" e "tu firmaste a terra, e firme permanece".

Está implícito que, da mesma maneira como Deus é eterno, também a sua palavra o é, e ela tem uma representação apropriada, tanto no céu como na terra: no céu, no movimento constante dos corpos celestes; na terra, na sua consistência e permanência; assim como a sua palavra permanece firme no céu, também a sua fidelidade na terra, onde as aflições dos piedosos parecem contradizê-la. – *Thomas Manton*

v. 89: "Para sempre, ó Senhor, a tua palavra permanece no céu". Quando Jó considera seu corpo se convertendo em pó e vermes (Jó 19,19, 25), ainda assim, pela fé, ele diz, "o meu Redentor vive", etc. Mesmo quando a paciência se esgotou em Jó, ainda assim a *fé* não o fez. Ainda que Deus mate todas as outras graças e consolações, e também a minha alma, ainda assim não matará a minha fé, diz ele. Se Ele separar a minha alma do meu corpo, ainda assim não separará a fé da minha alma. E, por isto, o justo vive pela fé, e não pelas outras graças, porque mesmo quando tudo acabar, a fé permanecerá, e a fé permanece porque a *promessa* permanece; *"Para sempre, ó Senhor, a tua palavra permanece no céu"*. E este é o significado apropriado e principal desta passagem. – *Matthew Lawrence*

v. 89: "Para sempre, ó Senhor, a tua palavra permanece no céu". Se examinarmos a palavra da promessa de Deus, e a considerarmos semelhante aos nossos corações instáveis, pensaremos que ela está pronta para vacilar como os nossos corações. Esta situação será como a sombra do sol e da luz na água: ela parece se agitar tanto quanto a água sobre a qual se estende. Mas mesmo com tudo aparentemente abalado aqui, o sol e a lua prosseguem, em um curso firme no céu. Assim, o salmista nos diz que ainda que nossos corações vacilem em relação a uma promessa, pela descrença, e ainda que a nossa descrença nos faça crer que a promessa frequentemente é abalada, ainda assim *a palavra de Deus permanece* não *em nossos corações*, mas *"no céu"*; sim, e ali, *"para sempre"*, tão firme como o próprio céu; sim, ainda mais; pois "é mais fácil passar o céu e a terra do que cair um til da Lei (e, portanto, do Evangelho)" (Lc 16.17). – *Anthony Tuchney, 1599-1670*

v. 89: "Permanece". J. M. Good traduz este versículo da seguinte maneira: "Para sempre, ó Senhor, a tua palavra organiza os céus", e observa que a palavra hebraica נצב é um termo militar, e se aplica a organizar e posicionar as divisões de um exército em seus postos para se tomar um campo. Aqui se supõe que os exércitos do céu sejam organizados ou formados com uma ordem exata; e que mantenham para sempre as tarefas relativas que a eles são impostas: ao passo que a terra, como os céus, tem uma marcha estabelecida que lhe é prescrita, e que ela igualmente cumpre; pois todos são servos do grande Criador; e consequentemente, à medida que eles mudam, produzem a bela regularidade das estações, os ricos produtos da colheita, e declaram diariamente a glória do Senhor.

v. 89: "No céu". Sempre que você olhar para o céu, lembre-se de que você tem um Deus dentro de si, que ali fixou residência e ali mostrou a sua glória e ali fez o trono da sua misericórdia e também da sua justiça. Você também tem um Salvador que, depois de ter morrido pelos nossos pecados, assentou-se à direita da Majestade, para ver cumpridas as suas promessas, e para, pela sua palavra, subjugar o mundo todo. Há anjos que "cumprem as suas ordens, obedecendo à voz da sua palavra" (Sl 103.20). Há santos glorificados, que veem Deus face a face, e habitam com Ele para sempre, e para lá vão pelo mesmo concerto que nos é proposto, como o prêmio da nossa paz e esperança. Na região externa do céu, vemos o sol e a lua, e todos os astros, movendo-se no curso e na ordem em que Deus os colocou. Se Deus mostra a sua constância no curso da natureza, será que Ele seria instável e mutável no concerto da graça, em que Ele dispôs a ordem e o método das suas misericórdias? – *Thomas Manton*

vv. 89 e 91: Nesses versículos está a declaração de uma analogia entre a palavra de Deus e as suas obras. Está escrito, sobre a sua *"palavra"*, que ela *"permanece no céu"*, e que ela mantém a sua fidelidade, de uma geração a outra, sucessivamente. E sobre as suas *"obras"*, e mais especificamente, sobre aquelas que estão mais próximas de nós, e sobre a terra em que habitamos, que da mesma maneira como foram estabelecidas, no princípio, assim se mantêm posteriormente. E então, de modo a aperfeiçoar a assimilação entre elas, está escrito, sobre ambas, no versículo 91, *"Conforme o que ordenaste, tudo se mantém até hoje"; porque todas as coisas te obedecem"*; identificando, desta maneira, a certeza da palavra que é proferida pelos seus lábios, com a constância infalível da Natureza que foi formada e é mantida pelas suas mãos.

A constância da natureza é ensinada por experiência universal, e o olhar popular a percebe como os mais característicos dos traços que lhe foram imputados. Pode ser necessário o auxílio da filosofia, para perceber o quão invariável a natureza é, em todos os seus processos – como até mesmo as aparentes anomalias podem ser atribuídas a uma lei que é inflexível – como aquilo que parece, a princípio, ser o capricho da sua desobediência, é, na verdade, a evolução de um mecanismo que jamais se modifica – e que quanto mais integralmente ela é verificada e testada pelas interrogações dos curiosos, mais certamente eles irão perceber que ela segue uma regra que não conhece anulação, e persevera com passos obedientes no mesmo caminho no qual o olho do mais rígido escrutínio jamais detectou um fio de cabelo de desvio. Os cientistas já não mais duvidam que até mesmo a aparência de irregularidade no universo se deve não à inconstância da natureza, mas à ignorância do homem – que os seus mais ocultos movimentos são conduzidos com uma uniformidade tão rigorosa quanto o *destino* – que até mesmo as agitações intermitentes do clima têm suas leis e seus princípios – que a intensidade de cada brisa, e o número de gotas de cada chuva, e a formação de cada nuvem, e todas as alterações ocorrentes de chuvas e sol, e as intermináveis variações de temperatura, e as trêmulas variações do ar que nossos instrumentos nos capacitaram a descobrir, mas não nos capacitaram a explicar – que eles seguem, uns aos outros, por um método que, embora muito mais intrincado, ainda assim é tão absoluto em si mesmo quanto a ordem das estações, ou os cursos matemáticos da astronomia. Esta é a impressão de cada mente filosófica com relação à natureza, fortalecida por cada novo acréscimo que se faz à ciência... mas há suficiente regularidade patente e palpável na natureza para dar à mente popular a mesma impressão da sua constância. Há uma grande experiência que ensina a mesma lição, e que aloja em cada seio um tipo de firme confiança na uniformidade dos seus processos. Até uma criança sabe disto. Ela está ciente da característica e propriedade permanente dos elementos ao seu redor, e já aprendeu muito sobre o fogo, e a água, e o alimento que come, e o firme terreno em que pisa, e até mesmo sobre a gravidade pela qual ela deve regular suas posições e seus movimentos, de modo a provar que, ainda que seja criança, está plenamente iniciada na doutrina, que a natureza tem suas leis e ordenanças, e que permanece e as provas disto se multiplicam ao longo da jornada da observação humana; de modo que, quando chegamos à idade adulta, lemos sobre a constância da natureza em cada departamento do mundo visível. Ela se encontra em qualquer ponto ao qual dirijamos nossos olhos... Deus formou a máquina das minhas percepções, de modo que eu sou levado, de modo irresistível, a esperar que, em todas as partes, os eventos se sucedam, uns aos outros, no mesmo curso em que eu estou acostumado a observá-los; e tendo em vista que Deus sustenta desta maneira a uniformidade da natureza, de modo que em cada exemplo ela assim seja, rigidamente, uniforme, Ele está manifestando a fidelidade do seu caráter. Fosse de outra maneira, Ele estaria zombando da expectativa que Ele mesmo inspirou. Podemos dizer que Deus prometeu, a cada ser humano, que a natureza será constante – se não pelo sussurro de uma voz interior a cada coração, pelo menos pela força de uma tendência incontrolável, que Ele imprimiu em cada constituição. De modo que, quando contemplamos a natureza mantendo a sua constância, contemplamos o Deus da natureza, mantendo a sua fidelidade; e o sistema das coisas visíveis, com suas leis genéricas e suas sucessões, que são invariáveis, em vez de um materialismo opaco que intercepta, da visão dos mortais, a face da Divindade, se torna o espelho que reflete, na verdade que é imutável, a ordenação que jamais falha. E assim é, que no nosso texto aqui são representadas juntas, como se houvesse um elo de semelhança entre elas – que o mesmo Deus, que é fixo quanto às ordenanças da natureza, é fiel quanto às declarações da sua palavra, e da mesma maneira como a experiência prova o quão firmemente Ele pode merecer a confiança pela primeira, da mesma maneira há um argumento tão forte quanto a experiência que prova o quão firmemente Ele pode merecer a confiança pela segunda. Pela sua obra em nós, Ele despertou a expectativa de uma constância na natureza, que Ele jamais desaponta. Pela sua palavra em nós, se desperta a expectativa de tal certeza nas suas declarações: Ele jamais a desapontará. É pelo fato da natureza ser tão fixa que nós percebemos que o Deus da natureza é tão fiel. Aquele que jamais falsifica a esperança que nasce em cada seio, do instinto que Ele mesmo transmitiu, jamais irá falsificar a esperança que surgirá em cada seio em relação ao pronunciamento da sua voz. Se Ele fosse um Deus em cuja mão os processos da natureza estivessem sempre mudando, então nós poderíamos imaginá-lo como um Deus de cuja boca as proclamações de graça teriam características semelhantes de variação e vacilação. Mas é por causa da nossa confiança na primeira que podemos nos sentir tão tranquilos na nossa dependência na segunda; e o mesmo Deus que é tão infalível nas ordenanças da sua criação, nós consideramos igualmente infalível nas ordenanças da sua palavra. – *Thomas Chalmers*

v. 90: "A tua fidelidade estende-se de geração a geração". Da mesma maneira como ele concluiu a certeza da palavra de Deus, a partir da permanência do céu, também aqui ele a confirma, considerando a fundação da terra. Uma vez que a fundação da terra, feita pela palavra de Deus, é certa, não deveremos pensar que a fundação da nossa salvação, em Jesus Cristo é muito mais certa? Embora as criaturas não nos possam ensinar o caminho da nossa salvação (pois isto devemos aprender pela palavra), ainda assim confirmam aquilo que diz a palavra: "Assim diz o Senhor, que dá o sol para luz do dia e as ordenanças da lua e das estrelas para luz da noite, que fende o mar e faz bramir as suas ondas; Senhor dos Exércitos é o seu nome. Se se desviarem estas ordenanças de diante de mim, diz o Senhor, deixará também a semente de Israel de ser uma nação diante de mim, para sempre" (Jr 31.35, 36). Da mesma maneira como Jeremias deduz a estabilidade da igreja, com base na estabilidade das criaturas, também aqui Davi confirma a certeza da nossa salvação, pelo mais seguro e imutável curso de criação; e ambos, aqui, são amplificados por Cristo Jesus: "Até que o céu e a terra passem, nem um jota ou um til se omitirá da lei sem que tudo seja cumprido". Fortaleçamo-nos, portanto, na fé, e glorifiquemos a *Deus. – William Cowper*

v. 90: "Tu firmaste a terra, e firme permanece". Cada vez que nós colocamos os pés no chão, nos lembramos da estabilidade das promessas de Deus, e isto também é uma confirmação de fé. Assim,

1. A estabilidade da terra é o resultado da palavra de Deus; este é o verdadeiro pilar sobre o qual se mantém a terra; pois Ele sustenta "todas as coisas pela palavra do seu poder". "Porque falou, e tudo se fez; mandou, e logo tudo apareceu" (Sl 33.9). Agora, a sua palavra de poder nos ajuda a confiar na sua palavra de promessa.

2. Não há lugar sobre o qual o globo da terra deva se apoiar e descansar: "O norte estende sobre o vazio; suspende a terra sobre o nada" (Jó 26.7). O fato de que este vasto e poderoso corpo se apoie sobre o ar fluido como se fosse uma firme fundação, é motivo de assombro: a pergunta é proposta no livro de Jó: "Sobre que estão fundadas as suas bases, ou quem assentou a sua pedra de esquina?" (Jó 38.6). Mas ela é firme, embora esteja suspensa como uma bola no ar... Uma vez que a sua palavra sustenta tal peso, e todo o peso da igreja, e o nosso próprio peso se apoiam na promessa de Deus, Ele pode, pelo poder da sua palavra, sustentar tudo sem meios visíveis. Por

isto o seu povo pode confiar na sua providência; Ele pode sustentá-los em qualquer aflição, quando não aparece outra ajuda.

3. A firmeza e estabilidade são oferecidas aos nossos pensamentos. A terra permanece no mesmo lugar e na mesma condição em que Deus a deixou, enquanto o curso e a ordem da natureza continuam (Sl 104.5). A verdade de Deus é tão imóvel como a terra (Sl 117.2). Certamente, se a fundação da terra permanece segura, a fundação da nossa salvação, lançada por Jesus Cristo, é muito mais segura.

4. A estabilidade permanece, em meio às mudanças (Ec 1.4). Todas as coisas do mundo estão sujeitas a muitas revoluções, mas a verdade de Deus é uma só, e sempre a mesma.

5. Sustentando a estrutura do mundo, são vistos todos estes atributos, que são uma grande ajuda para o coração de um crente, como a sabedoria, a força e a bondade. O concerto da graça é tão certo como o concerto feito depois do dilúvio. Não podemos considerar esta terra sem ver nela uma exibição dos mesmos atributos que confirmam a nossa fé, confiando em Deus até que as suas promessas se cumpram em nós. – *condensado da obra da T. Manton*

v. 90: "Permanece". A criação é como a mãe, e a Providência é a ama, que preserva todas as obras de Deus. Deus não é como o homem; pois o homem, quando cria uma obra, não consegue mantê-la, ele faz um barco, e não pode impedir que ele naufrague, edifica uma casa, e não pode impedir que ela caia. Com Deus, não acontece isto; nós podemos ver diariamente o seu poder conservador, sustentando as suas criaturas; que deveria nos confirmar que Ele não nos destruirá, nem permitirá que nós pereçamos (uma vez que nós somos as obras das suas mãos) se confiarmos nele, e lhe dermos glória como nosso Criador, Conservador e Redentor. – *William Cowper*

v. 91: "Conforme o que ordenaste, tudo se mantém até hoje", etc. Qual das obras de Deus não é impregnada de uma bela *ordem?* Pense na sucessão de dia e noite. Pense no ciclo das estações. Pense nas estrelas que percorrem seus cursos majestosos – uma grande lei de harmonia, para "ajuntar as cadeias do Sete-estrelo... e guiar a Ursa com seus filhos" (Jó 38.31,32). Olhe para cima, em meio à magnificência da noite, para aquele côncavo cheio de astros – mundos sobre mundos – e, apesar disto, veja a calma grandeza desta nobre marcha – não há uma nota discordante aqui para perturbar a harmonia, ainda que a velocidade seja inconcebível em suas intrincadas e tortuosas órbitas! Estas sentinelas celestiais todas guardam suas torres de vigia indicadas. Estes levitas no firmamento superior acendem os fogos de seus altares "no momento da queima do incenso da tarde" e os apagam quando o sol, que é nomeado para governar o dia, sai da sua câmara. "Todos esperam de ti" (Sl 104.27). *"Conforme o que ordenaste, tudo se mantém até hoje: porque todas as coisas te obedecem"*. – *J. R. Macduff, "Sunsets on the Hebrew Mountains", 1862*

v. 91: "Conforme o que ordenaste, tudo se mantém até hoje". O homem pode destruir uma planta, mas ele é impotente para forçá-la à desobediência às leis que lhe deu o Criador comum. "Se", dizem, "o homem a empregar para o seu uso, deverá prestar cuidadosa atenção às suas necessidades e ao seu estilo, e curvar sua orgulhosa vontade à mais humilde erva aos seus pés. O homem poderá, pela força, obstruir o caminho de um ramo em crescimento, mas este coloca-se tranquilamente de lado e se move, pacientemente e irresistivelmente, pelo seu caminho. Faça o homem o que fizer, não crescerá turfa nos trópicos, nem a palmeira dará seus frutos em um clima frio. O arroz se recusa a prosperar fora dos pântanos, ou o algodão a formar a sua lã de fibras brancas como a neve, onde a chuva puder alcançá-lo. Algumas das mais belas flores do mundo, e as mais estranhas, algumas das mais suculentas plantas que conhecemos, adornam as áridas e desoladas areias do Cabo da Boa Esperança, e não florescerão em outros lugares. Se você torcer um ramo de uma árvore de modo a voltar para o céu o lado inferior das suas folhas, em muito pouco tempo todas estas folhas se voltarão para baixo e assumirão a sua posição indicada. Este processo será realizado, mais cedo ou mais tarde, segundo o calor do sol e a flexibilidade das folhas, mas ainda assim, acontecerá. Não se pode induzir a árvore triste da Índia a florescer durante o dia, ou fazer que ela deixe de carregar o ar noturno, durante o ano todo, com o rico perfume de suas flores semelhantes a laranjas. O filósofo não precisa ir muito longe para descobrir este segredo. O salmista o declara, quando, falando sobre a natureza universal, investiga a verdadeira causa da sua ordem imutável. Deus, diz ele, "os confirmou para sempre e lhes deu uma lei que não ultrapassarão"; ou, como na versão do livro de orações, "lhes deu uma lei que não será infringida" (Sl 148.6). Na verdade, está dito, em outro salmo (119.91), *"Conforme o que ordenaste, tudo se mantém até hoje: porque todas as coisas te obedecem"*. Os homens voluntariosos podem ousar desafiar o seu Criador, e reduzir a nada os seus sábios e misericordiosos mandamentos; mas a natureza não faz isto. Na verdade, é para o nosso bem que todas as suas outras obras não seguem o padrão da nossa rebelião; é para o nosso bem que o tempo de semear e colher, o frio e o calor, o verão e o inverno, o dia e a noite, com toda a sua provisão, não cessaram! A vegetação ainda rende uma submissão implícita aos preceitos que lhe foram impostos, quando ela veio à existência no terceiro dia da criação; e a planta mais tenra morrerá, antes de transgredir. Que terrível contraste com a conduta dos homens, a mais nobre obra de Deus, dotada de razão e de uma alma imortal, mas que frequentemente arruína a sua saúde, desperdiçando e destruindo o seu poder mental, contaminando o seu espírito imortal e, *em uma palavra,* loucamente se empenhando para frustrar cada propósito para o qual ele foi criado. – *James Neil, "Rays from the Realms of Nature", 1879*

v. 91: Todas as criaturas observam pontualmente a lei que Ele implantou na sua natureza, e em suas várias capacidades, o reconhecem como seu soberano; elas se movem de acordo com as inclinações que Ele lhes imprimiu. O mar se conserva dentro de seus limites, e o sol não deixa a sua esfera; as estrelas marcham, em sua ordem; *"Conforme o que ordenaste, tudo se mantém até hoje; porque todas as coisas te obedecem"*. Se Ele ordena coisas contrárias à sua natureza primitiva, elas obedecem a Ele. Quando Ele diz a palavra, o fogo devorador se torna gentil, e não toca nem o cabelo dos filhos que Ele irá preservar; os leões famintos suspendem sua natureza voraz, quando um bocado tão bom como Daniel é colocado diante deles; e o sol, que tinha estado em movimento perpétuo, desde a sua criação, obedece à ordem de parada, que Deus enviou nos tempos de Josué. Esta obediência total e incondicional ainda é a mesma. – *Stephen Charnock*

v. 91: "Todas as coisas te obedecem". Nós devemos considerar quão grande é a perversidade pela qual somente o homem, formado à imagem de Deus, juntamente com os anjos reprovados, se afastou da obediência a Deus; de modo que o que é dito sobre todas as outras criaturas não pode ser dito sobre ele, a menos que renovado por graça singular. – *Wolfgang Musculus.*

v. 91: "Porque todas as coisas te obedecem". Como todas as criaturas podem servir a Deus, não devemos usá-las para qualquer outro propósito, nem dedicá-las ao serviço do pecado. A criatura, pelo pecado dos nossos primeiros pais, se fez sujeita à vaidade, e geme, e anseia por ser libertada (Rm 8); os cristãos, portanto, que usam a criatura e o mundo, devem usar mas sem abusar (1 Co 7), mas usá-las com louvor à majestade e à bondade divinas (1 Tm 4). – *Solomon Gesner*

v. 91: "Todas as coisas te obedecem"
Não digas, alma minha, "De onde
Poderá Deus aliviar as minhas preocupações?"
Lembre-se de que a Onipotência
tem servos em todas as partes.
– *Thomas T. Lynch, 1855*

v. 92: "Se a tua lei não fora toda a minha alegria", etc. Este texto exibe o grande benefício e consolo que Davi encontrou na lei de Deus, por ocasião da sua aflição. Ela impediu que ele perecesse: *"Se a tua lei não fora toda a minha alegria, há muito que teria perecido na minha angústia"...* Davi diz isto (diz Musculus) sobre a condição aflitiva em que se encontrava, quando perseguido por Saul, forçado a fugir aos filisteus, e, às vezes, se esconder nas cavernas da terra. É muito provável (diz ele) que Davi tivesse consigo o livro da lei de Deus, e ao lê-lo mitigasse e aliviasse suas angústias, e se conservasse puro, sem compactuar com os pagãos em suas superstições. Os acadêmicos gregos declaram que Davi proferiu estas palavras quando foi expulso por Saul e obrigado a viver entre os filisteus, etc. Pois ele teria sido atraído a compactuar com eles nas suas impiedades, se não tivesse levado consigo a meditação da palavra de Deus.

A palavra de Deus que é a sua alegria é o antídoto do santo angustiado, contra a ruína e a destruição. A palavra de Deus é o bálsamo do santo enfermo, o revigorante do santo moribundo, um precioso remédio para impedir que o povo de Deus pereça em tempos de aflição. Isto impediu que Jacó se arruinasse, quando seu irmão Esaú veio marchando furiosamente para destruí-lo (Gn 32.12): "E tu o disseste: Certamente te farei bem", etc. Desta maneira, a promessa de Deus o manteve. E também sustentou Josué e o capacitou a lutar corajosamente as batalhas do Senhor, porque Deus tinha dito: "Não te deixarei nem te desampararei" (Jo 1.5). Melancthon diz que o Nobre de Hesse lhe disse, em Dresden, que era impossível que ele tivesse suportado as múltiplas desgraças de uma prisão tão longa, *Nisi habuisset consolationem verbo divino in suo corde,* exceto pela consolação das Escrituras em seu coração. – *Edmund Calamy (1600-1666), "The Godly Man's Ark"*

v. 92: Certamente, a leitura de muitas partes das Escrituras deve, necessariamente, ser algo muito consolador; e eu penso que um coração piedoso (com a disposição que deveria ter) dificilmente poderá explicar porque está triste, enquanto está. Pois que consolo é, para um homem, ler as cartas de um pai terreno enviadas a ele, ainda que escritas há muito tempo? Com que cuidado nós guardamos estas cartas em nosso peito? Com que alegria nós as tomamos e lemos, de vez em quando? E com que tristeza nós as perdemos? É o meu amor pelo meu pai *terreno* tão grande, e o meu amor pelo meu Pai *celestial* será menor? Será que o meu coração poderia fazer algo além de se alegrar, e os meus ossos florescerem como uma erva, todas as vezes que eu examinar a vontade e o testamento do meu Redentor, em que eu sei que Ele me deu tanto, e que tanto faz por mim continuamente, e que eu sempre estarei com Ele?

Observe como Davi fala constantemente e repetidamente da *alegria* que sente pela *lei de Deus,* e pelos seus estatutos e testemunhos. Esta estava com ele, em lugar de todas as outras alegrias; ao seu lado, quando todas as outras o deixavam: *"Se a tua lei não fora toda a minha alegria* (ou, *a minha verdadeira e grande alegria), há muito que teria perecido na minha angústia"* (v. 92). Mesmo que *os príncipes se sentem e falem* contra ele, ainda assim ele irá meditar sobre os estatutos de Deus (v. 23). Mesmo que ele tenha muitos *perseguidores e inimigos,* ainda assim não declinará dos testemunhos de Deus (v. 157). Mesmo que ele esteja em um lugar estranho, ali os estatutos de Deus serão seu cântico (v. 54). Mesmo que ele seja *um estranho na terra* durante toda a sua vida, se ele não for estranho aos mandamentos de Deus, ele não se importará (v. 19). Embora tenha muito *desprezo* lançado a ele, não se esquecerá dos preceitos de Deus (v. 141). Embora a sua alma esteja *continuamente na sua mão,* isto não fará com que ele se esqueça da lei de Deus. Sim, embora ele se torne como *odre na fumaça,* ainda assim não se esquecerá dos preceitos de Deus (v. 83). Por isto ele se alegrava: porque tinha sido *angustiado* por este motivo, e isto fez com que ele aprendesse os estatutos de Deus. Ele não se interessava por nenhuma outra *riqueza. "Os teus testemunhos tenho eu tomado por herança para sempre, pois são o gozo do meu coração"* (v. 111). Ele nem se preocupava tanto com a *vida*, mas somente em obedecer à palavra de Deus (v. 17). A despeito do que quer que ele tivesse dito antes, ou tencionasse dizer em seguida, ele ainda clama: *"Ensina-me os teus estatutos"* e *"Eis que tenho desejado os teus preceitos"*, etc., ou alguma expressão deste tipo. Ele não podia deixar de falar deles, pois ainda estavam diante dele (v. 30). Não é de admirar, então, que ele meditasse tão frequentemente sobre eles, como diz. *"Oh! Quanto amo a tua lei! É a minha meditação em todo o dia"* (v. 97). E *"medito nos teus testemunhos"* (v. 99). Os mandamentos de Deus eram, para Davi, mais doces na sua boca do que o mel, tanto para falar como para discutir a respeito deles (v. 103). – *Zachary Bogan, 1653*

v. 92: As pessoas que a palavra de Deus realmente conduz à *alegria ou ao deleite* são os filhos de Deus, e ninguém mais. Ninguém, exceto eles, está preparado para aceitar a consolação da palavra.

1. Pois somente eles são espiritualmente esclarecidos para discernir as grandes e consoladoras coisas que ela contém, esclarecidos de uma maneira como ninguém mais pode ser: "O homem natural não compreende as coisas do Espírito de Deus, porque lhe parecem loucura; e não pode entendê-las, porque elas se discernem espiritualmente" (1 Co 2.14).

2. Pois eles dão a maior importância à palavra de Deus, e isto os prepara para receber dela a consolação.

3. Como eles têm seus corações e costumes em conformidade com a palavra de Deus, esta é outra razão para a alegria que obtêm dela. "Porque os que são segundo a carne inclinam-se para as coisas da carne", e delas obtêm prazer, "mas os que são segundo o Espírito, [inclinam-se] para as coisas do Espírito" (Rm 8.5). As consolações da palavra são espirituais, e somente o coração espiritual, renovado pela graça, pode prová-las e saboreá-las. A alegria que o povo de Deus obtém da palavra é um privilégio peculiar a eles; e esta palavra contém o suficiente para dar alegria a todos eles. – *Daniel Wilcox, 1676-1733*

v. 92: "A minha alegria". A palavra significa alegrias, no plural. Muitas eram as angústias na vida de Davi, mas contra todas elas, ele encontrou igual número de consolações e deleites na palavra de Deus. Com tal variedade de santa sabedoria Deus escreveu a sua palavra, que ela contém consolação conveniente para cada condição da vida, e por isto os filhos de Deus não consideram nada tão valioso e caro como ela; eles a preferem, ao seu alimento. – *William Cowper*

v. 92: "tua lei... minha alegria... na minha angústia". Certa vez, eu estava em uma mercearia, em uma grande cidade industrial, no oeste da Escócia, quando uma viúva, pobre, idosa e frágil, entrou para comprar algumas poucas coisas. Nunca houve, talvez, naquela cidade, uma época de mais severa angústia. Praticamente todos os teares estavam parados. Comerciantes decentes e respeitáveis, que tinham visto dias melhores, eram obrigados a sobreviver da caridade pública. Alguma quantia diária de dinheiro (mas, na melhor das hipóteses, muito pouco), era reservada aos realmente pobres e merecedores. A pobre viúva tinha recebido a sua pequena ração diária, e tinha vindo à mercearia, para dispor dela da maneira mais vantajosa. Ela tinha apenas algumas moedas, em suas mãos enrugadas. Cuidadosamente ela gastou a sua pequena provisão – um pouco disto e daquilo, necessários para a vida, praticamente esgotaram tudo o que ela tinha. Ela chegou à sua última moeda, e com uma expressão singular de heroica satisfação e alegre resignação em seu rosto enrugado, disse, "Agora eu preciso comprar azeite com esta moeda, para poder ler a minha Bíblia durante estas longas e escuras noites, pois este é o meu único consolo agora que todos os outros se foram". – *Alexander Wallace, "The Bible and the Working Classes", 1853*

v. 92: Eu posso chamar este versículo de Perfume contra a Praga; Bálsamo do Enfermo; Consolação do Aflito; e um abençoado Triunfo, em todas as aflições, e sobre elas. – *Richard Greenham*

v. 93: "Nunca me esquecerei dos teus preceitos", etc. Deve-se procurar combater o *esquecimento* de todas as maneiras possíveis, para que ele não se infiltre gradualmente através da ingratidão, do envelhecimento, da mente fraca ou de outras preocupações esmagadoras. Veja os versículos 16, 61 e 83. – *Martin Geier*

v. 93: "Nunca me esquecerei dos teus preceitos", etc. Este bom homem aflito agora é consolado; a sua consolação veio da sua alegria na lei de Deus; ele pensa nela, ele sente a força dela, e por isto, com o objetivo de que ele possa, para sempre, receber consolações semelhantes, ele se comprometerá com uma promessa ao Senhor, de que jamais se esquecerá dos seus preceitos; acrescentando uma razão, especificamente, que eles eram, para ele, espírito e vida.

"Por eles me tens vivificado." Ele estava vivificado, como diz, por Deus, mas também pela palavra, pregada de maneira correta, compreendida de maneira salvadora, e aplicada, particularmente à consciência. Assim, então, a força da morte de Cristo nos faz andar em novidade de vida. Não há *aqua vitae*, ou *celestis*, como ela, pela qual nós temos paz interior de consciência, e uma obediência externa aos mandamentos de Deus. Davi se alegrava nesta bênção, e nós devemos fazer o mesmo: nós desejamos ser vivificados e estar alegres, prontos a realizar todas as boas obras; é somente Deus, pelo seu Espírito, na Palavra, que pode nos dar isto. – *Richard Greenham*

v. 93: "Por eles me tens vivificado". O Espírito vivificador se alegra em operar por meio da palavra; mas, embora a palavra seja o meio, o benefício vem de Deus; "pois por eles [tu] me tens vivificado". A vida vem da fonte da vida. O Evangelho é um curativo soberano, mas é a mão de Deus que deve aplicá-lo; é Ele que faz com que ele seja paz, consolação, e vivificação para as nossas almas. Existe uma dupla vivificação, quando, de mortos, ele nos faz vivos; ou quando, de frios, e tristes e deprimidos, ele nos faz vivazes... e não apenas nos faz ter vida, mas desfrutá-la mais abundantemente, de acordo com a promessa piedosa de Cristo (Jo 10.10): "Para que tenham vida e a tenham com abundância". Esta segunda vivificação pode ser interpretada mais genericamente, como a vitalidade da graça, ou, de maneira mais restrita, como a consolação táctil. Na interpretação mais genérica, é assim que Deus vivifica: Ele aumenta a vida na graça; seja interiormente, pela promessa de uma vida de graça, ou moralmente e exteriormente, prometendo a vida na glória. Na interpretação mais restrita, a sua vivificação pode ser interpretada como consolação e apoio na aflição; esta, provavelmente, é a interpretação aqui: ele tinha dito imediatamente antes, "Se a tua lei não fora toda a minha alegria, há muito que teria perecido na minha angústia"; e agora, "Nunca me esquecerei dos teus preceitos, pois por eles me tens vivificado". Foram grande consolação e apoio para ele, e, por isto, ele valorizaria a palavra, enquanto vivesse. – *Thomas Manton*

v. 93: "[Tu] me tens vivificado". Não deixe de ler a Bíblia frequentemente, até que o seu coração seja vivificado. Leia a palavra não somente como uma história, mas esforce-se para ser influenciado por ela. Deixe que ela não apenas lhe informe, mas que ela lhe inflame. "Não é a minha palavra como fogo? diz o Senhor" (Jr 23.29). Não se afaste da palavra, até que você possa dizer como aqueles dois discípulos: "Porventura, não ardia em nós o nosso coração?" (Lc 24.32). – *Thomas Watson*

v. 94: "Sou teu, salva-me". Davi, um homem segundo o coração de Deus, seria salvo, mas não à maneira dos homens deste mundo, que desejam ser salvos para serem de si próprios e para desfrutar as suas próprias vontades; mas ele, sendo salvo, seria de Deus, e estaria à sua disposição: *"Sou teu, salva-me"*. Este argumento tem uma força tripla.

1. A *lei da natureza*, que obriga um pai a ser bom com o seu filho, o marido à esposa, etc., e Deus se submeteu mais à lei da natureza, Ele está mais sujeito a ela, do que qualquer destas pessoas; e Ele cumpre esta lei da natureza de maneira mais perfeita, mais plena e gloriosa do que qualquer destas pessoas; não há pai como Ele,

nem amigo, nem marido, como Ele. "Pode uma mulher esquecer-se tanto do filho que cria?... eu, todavia, me não esquecerei de ti" (Is 49.15). Uma mãe dificilmente o faria; a natureza a ensina a ter entranhas, e uma recordação misericordiosa com relação ao seu filho, e muito mais o farei Eu, diz Deus.

2. Quando podemos dizer a Deus, *"Sou teu"*, nós apelamos *ao concerto que Deus fez conosco,* em que Ele se tornou nosso pai e amigo; e isto é o que foi alegado em Is 63.16: "Mas tu és nosso Pai, ainda que Abraão nos não conhece, e Israel não nos reconhece (porque eles se foram, e não nos conhecem agora); tu, ó Senhor, és nosso Pai; nosso Redentor desde a antiguidade é o teu nome". Veja a conclusão que é feita aqui; sem dúvida, tu és nosso Pai, e por isto podemos te invocar, pedindo ajuda.

3. Há um encorajamento e uma força que o espírito de um homem recebe nesta argumentação com Deus: *se ele puder dizer, em verdade, "Sou teu", Deus dirá muito mais à criatura, "Sou teu".* Se nós tivermos tanto amor para oferecer a nós mesmos, a Deus, e nos tornarmos seus, o amor de Deus fará muito mais, sim, fará com que Ele se torne nosso; pois Deus ama primeiro, e, além disto, o seu amor é mais garantido. Se meu coração se erguer para Deus, muito mais o coração de Deus, em direção a mim; porque o amor está na fonte. Se uma esposa falar a seu marido, a quem a sua alma ama ao máximo, de maneira tão disposta, e disser, *"Sou tua"*, ela não estará falando mais enfaticamente do que o espírito de um justo que diz a Deus, *"Senhor, sou teu"*. E ele o ama com um *amor de gratidão.* Tu te entregaste a mim, diz ele, e eu me afastaria de ti? Tu, que és tão grande, fizeste tudo isto para mim e por mim, e eu me colocaria contra ti? O homem piedoso de boa vontade reconhecerá que é do Senhor. Os santos frequentemente o fazem: Davi, mais de vinte vezes, reconhece isto neste salmo, e em Salmo 116.16: *"Sou teu servo; sou teu servo"*. Dizer uma vez só não foi suficiente; ele o diz outra vez, para mostrar a sinceridade do seu espírito, e para testemunhar que o seu coração se alegrava plenamente com isto – que ele não pertencia a si mesmo, mas ao Senhor. O conhecimento do nosso interesse por Deus facilita a nossa aproximação de Deus. Quando um homem tem a certeza e pode dizer, com espírito sincero, *"Sou teu"*, ele naturalmente clamará, *"salva-me"*. Este homem é um homem de oração; ele se dirige a Deus e tem comunhão com Ele. – *Joseph Symonds, 1653*

v. 94: "Sou teu". Este é um excelente motivo para buscar ajuda do Senhor, nas dificuldades. – *"Sou teu"*. Teu *por criação,* fui criado por ti; teu *por adoção,* fui entregue a ti; teu *por doação*, eu fui dado a ti; teu por *casamento*, eu me casei contigo; teu por *redenção,* eu fui comprado por ti; teu por *determinação,* eu me prometi a ti. – *Richard Greenhan*

v. 94: "Pois tenho buscado os teus preceitos". Veja aqui como Davi qualifica o seu pedido: com o seu mais sincero e fervoroso afeto pela palavra de Deus, ele prova que era um homem que pertencia a Deus, e não seu próprio servo. Não são palavras, mas afetos e ações que devem provar que nós somos do Senhor. *Tuus sum, quia id solum quod tuum est qusesivi:* Sou teu, porque nada busquei, senão o que é teu, e como poderia te agradar. *Mihi in tuis justiflcationibus est omne patrimonium:* na observância dos teus preceitos está todo o meu patrimônio. – *William Cowper*

v. 95: "Os ímpios me esperam para me destruírem". Duas coisas, novamente, ele observa nos seus inimigos; diligência, esperando todas as ocasiões em que poderiam fazer-lhe mal; e crueldade sem misericórdia, pois o propósito deles era destruí-lo – nisto, vemos o quão insaciável e inquieta é a perversidade dos ímpios contra os piedosos. A preservação de Daniel na cova dos leões foi um grande milagre; mas não é uma obra menos maravilhosa de Deus, o fato de que os piedosos, que são o rebanho de Cristo, sejam diariamente preservados no meio dos ímpios, que nada mais são do que lobos enfurecidos, e sedentos do sangue dos santos de Deus, com um cruel propósito em seus corações, se puderem realizá-lo, que é destruí-los completamente. – *William Cowper*

v. 95: "Mas eu atentarei para os teus testemunhos". Que terrível tentação, ser buscado para ser entregue ao sacrifício; mas era uma misericórdia maior poder considerar os testemunhos de Deus mesmo quando a sua vida era buscada. Não fosse pela consideração dos testemunhos de Deus, certamente ele teria caído em apostasia. – *Richard Greenhorn*

v. 96: "A toda perfeição vi limite", etc. Estas palavras são traduzidas e interpretadas de maneiras variadas pelos intérpretes, que, nesta variedade, concordam com o mesmo sentido. A paráfrase dos *caldeus* traduz assim as palavras: *"Vi o fim de todas as coisas pelas quais me interessei, mas o teu mandamento é muito amplo"*. A versão *siríaca*, traduz desta maneira: *"Vi o fim de todas as regiões e nações"* (isto é, descobri que o mundo habitável é finito e limitado), *"mas o teu mandamento tem vasta extensão"*. Outras versões assim explicam: *"Vi o fim de toda perfeição"*, isto é, de todas as coisas deste mundo que os homens valorizam e têm em alta consideração; de toda a sabedoria e conhecimento terrenos, da riqueza, e honra e grandeza, pois tudo isto perece e desaparece, *"mas a tua lei é eterna, e continua a mesma"*; ou, como as Escrituras afirmam, em outra passagem, "a palavra do Senhor permanece para sempre". – *John Tillotson, 1630-1694*

v. 96: "A toda perfeição vi limite". Que pobre perfeição é aquela cujo fim pode ser visto! Mas assim são todas as coisas deste mundo que se passam por perfeições. Davi, no seu tempo, viu Golias, o mais forte, derrotado; Asael, o mais ligeiro, ultrapassado; Aitofel, o mais sábio, enganado; Absalão, o mais belo, deformado. – *Matthew Henry*

v. 96: "A toda perfeição vi limite", etc. As palavras do salmista nos oferecem um duplo consolo e encorajamento. Nós podemos interpretá-las de duas maneiras: (1)"A toda perfeição vi limite; *pois* o teu mandamento é amplíssimo"; e (2) "A toda perfeição vi limite, *mas* o teu mandamento é amplíssimo".

Na primeira interpretação, eles sugerem o pensamento animador, de que a nossa consciência inquietante sobre a imperfeição emerge da brilhante e impressionante perfeição da Lei a que devemos obedecer, do ideal que colocamos diante de nós. Não é porque sejamos piores do que os que estão sem lei, ou que são a sua própria lei, que sejamos inquietos e insatisfeitos conosco; mas porque avaliamos tanto a nós como aos nossos companheiros pelo elevado padrão do mandamento de Deus. É pelo mandamento ser tão amplo, que não podemos abrangê-lo; é por ser tão elevado, que não podemos alcançá-lo; é por ser tão perfeito, que não conseguimos obedecê-lo perfeitamente.

Mas nós podemos interpretar o versículo de outra maneira, e ainda obter dele consolação e encorajamento. Nós podemos dizer: "A toda perfeição vi limite, em mim mesmo, e no mundo, *Mas* o teu mandamento é amplíssimo: ele é perfeito, e eu, imperfeito, e na perfeição dele eu encontro a promessa da minha própria perfeição". Pois dará Deus uma lei para a vida humana, e esta lei permanecerá para sempre sem ser cumprida?! Impossível! "Os dons e a vocação de Deus são sem arrependimento" – irreversíveis, e jamais serão diminuídos ou retirados. O seu propósito não deve deixar de ter efeito devido às nossas fraquezas e pecados. Na Lei, Ele nos mostrou o que deseja que sejamos. E nós jamais nos tornaremos o que Ele deseja? A Lei poderá permanecer para sempre, sem nenhuma vida que corresponda a ela, e a cumpra? Na verdade, Deus jamais irá se arrepender do belo e perfeito ideal de vida humana retratado na sua Lei, jamais irá retroceder no seu propósito de elevar a vida do homem, até que ela toque e satisfaça o seu ideal. E assim a mesma lei que é nosso desespero também é nossa consolação; pois para que *ela* seja perfeita, *nós* devemos nos tornar perfeitos; a sua perfeição é o sinal da nossa. – *de The Expositor, 1876*

v. 96: "A toda perfeição vi limite". O olho natural de Davi tinha visto o limite de muitas perfeições humanas, e o olho do seu entendimento tinha visto o fim de todos eles. Ele tinha visto alguns limites reais, e viu que tudo tinha limite. Adão não prosseguiu naquela perfeição que não continha nenhuma imperfeição; como, então, algum dos seus filhos poderá continuar naquilo que é, na melhor hipótese, uma perfeição imperfeita? – *Abraham Wright*

v. 96: "Vi limite", etc. As leis de Licurgo, entre os gregos, e de Numa, entre os romanos, tinham algo de bom, mas não tudo; proibiam algo que fosse mau, mas não tudo o que era mau. Mas a religião cristã tem uma amplitude maior, tanto em seus preceitos quanto em suas proibições: *"A toda perfeição vi limite: mas o teu mandamento é amplíssimo"*. Um homem com os olhos do seu corpo pode contemplar o limite de muitas perfeições terrenas, de muitas belas propriedades, belezas esplêndidas, vastas regiões, famílias esperançosas, mas um homem com os olhos da sua alma (ou pela fé) pode ver o limite de todas as perfeições terrenas. Ele pode ver o mundo em uma chama, e toda a sua pompa e a sua soberba, e glória, e valentia, e coroas e cetros, e riquezas e tesouros, convertidos em cinzas. Ele pode ver os céus se desintegrando como um pergaminho, e os elementos derretendo com calor fervente, e a terra, com todas as coisas que nela há, consumida; e todas as suas perfeições, de que dependem tanto os homens, desaparecidas, em fumaça, e reduzidas a nada. É fácil ver o limite de todas as perfeições terrenas, mas é difícil, na verdade, impossível, ver o limite dos preceitos divinos: *"Mas o teu mandamento é amplíssimo"*, de uma grande amplitude, além da nossa compreensão. Os teus mandamentos são tão profundos que ninguém pode medi-los (Sl 36.6), tão elevados que estão estabelecidos no céu (Sl 119.48); têm tão grande duração, que permanecem para sempre (2 Pe 1), e são tão amplos, que não se pode medi-los. Não são apenas *"amplos"*, mas *"amplíssimos"*: "Como as alturas dos céus, mais comprida é a sua medida do que a terra; e mais larga do que o mar". Os mandamentos de Deus alcançam as partes interiores, os movimentos mais secretos e os recessos mais retirados da alma. Alcançam todos os pensamentos privados, penetram até à divisão da alma, e do espírito, e das juntas e medulas, e são aptos para discernir os pensamentos e intenções do coração (Hb 4.12). Alcançam todas as nossas ações; até aquelas que parecem menores e menos significativas, e também aquelas que são maiores e de maior importância. – *George Swinnock*

v. 96: "O teu mandamento é amplíssimo". Da mesma maneira como há mais misericórdia no Evangelho do que nós conseguimos compreender, também há mais santidade na lei do que nós somos capazes de compreender. Ninguém jamais viu as profundezas desta justiça. Há uma santidade infinita na lei. *"A toda perfeição vi limite: mas o teu mandamento é amplíssimo"*. Ele não fala do que é concreto, "Vi o limite das *coisas perfeitas*", mas do que é abstrato, "o limite da *perfeição*", eu cheguei ao fundo de tudo (um homem pode percorrer todas as perfeições que há no mundo e ver o seu limite, ou ver que elas têm limite); *"mas o teu mandamento é amplíssimo"*, isto é, é muito mais amplo do que qualquer uma destas perfeições; eu não consigo ver o limite dele, e sei que jamais terá um limite. Há uma vastidão de pureza e espiritualidade na lei. – *Joseph Caryl*

v. 96: "O teu mandamento é amplíssimo". E assim é, pela aplicabilidade abrangente das suas regras, simples e grandiosas. "Amarás ao Senhor, teu Deus, de todo o teu coração, e de toda a tua alma, e de todas as tuas forças, e de todo o teu entendimento e ao teu próximo como a ti mesmo". É assim, pela ordem ampla de seus mandados. Onde há um ponto sem um sinal da vontade divina? Assim é, desde os primeiros princípios e da origem de que tudo pode derivar, em espírito e ação humanos; e então alcança todas as coisas que realmente derivam ou podem derivar deles; é uma jurisdição sobre todos os pensamentos e sentimentos interiores. Toda linguagem é proferida sob esta mesma jurisdição. Tudo o que o homem e cada homem é, em ação. E mantém a sua autoridade mesmo sobre o que não está concluído, e profere seus juízos. É uma coisa positiva, com relação ao que é negativo, omisso, e não existente. Como o governo divino no mundo material, sobre os lugares ermos, desertos e areias estéreis. E destes espaços de nada (de certa forma), pode erguer formas substanciais de mal, de pecado, em evidência contra os homens. Como na ressurreição, os homens irão se erguer de lugares vazios, onde não se suspeitaria que houvesse alguém escondido. Que um indivíduo examine todas as suas omissões, e pense o que a lei divina pode erguer, entre elas, contra ele. Desta maneira, da lei, em sua amplitude, não há lugar livre; ela não se estende a esta ampla extensão por abismos e espaços vazios. Se o indivíduo pudesse encontrar algo assim, poderia assumir a sua posição a favor do pecado com impunidade, se não com inocência. – *John Foster, 1768-1843*

v. 96: "O teu mandamento é amplíssimo". Na literatura religiosa popular da atualidade, os termos "amplo" e "livre" são frequentes. A fascinação que os cerca é enfatizada pelo uso, ao mesmo tempo, de seus opostos, "estreito" e "intolerante". Por meio de uma hábil manipulação destes termos e seus equivalentes, e heterodoxia atual se empenha para erradicar a doutrina e o espírito da fé evangélica, e atrair a multidão cristã com a influência da tendência racionalista em expansão. No mercado onde as mercadorias heterodoxas são exibidas com rótulos tão atrativos, o comprador desavisado logo descobre que "a sua vinha é a vinha de Sodoma e dos campos de Gomorra; as suas uvas são uvas de fel, cachos amargosos têm". Não é chegado o momento em que os adeptos da verdadeira fé devam fazer um esforço para arrancar de seus oponentes o monopólio do uso destes termos, que parecem desejosos de estabelecer para si mesmos? Aqueles que, no espírito do seu Mestre, permanecem mais próximos a toda a fé que foi transmitida aos santos, e combatem com maior tenacidade por ela, devem ser os mais liberais e universais; e aqueles que abandonam os "antigos caminhos" devem, proporcionalmente à extensão de seu afastamento, ter o seu entendimento reduzido, e a alma restrita. Não é a Bíblia – toda a Bíblia – o único manual de igreja ampla, no seu sentido mais verdadeiro e elevado? Não é a revelação do Filho de Deus em nós, o grande poder de expansão da alma? "Se, pois, o Filho vos libertar, verdadeiramente, sereis livres".

Não devemos deduzir, das palavras de Cristo, "conhecereis a verdade, e a verdade vos libertará", que a mente que apreender a verdade será um lar de liberdade mental? A rígida conformidade da vida com a lei de Deus não produz uma amplitude real de caráter? Pois *"o teu mandamento é amplíssimo"*. O sistema do Evangelho não é o único sistema de igreja ampla – "a lei perfeita da liberdade"? O crente não é – e ainda mais, proporcionalmente à força da sua fé – o único e verdadeiro homem da igreja ampla, que "cresce com o crescimento de Deus", "cheio de toda a plenitude de Deus"? – *James Ken, "The Modern Scottish Pulpit", 1880*

v. 96: "Amplíssimo". Apesar do fato de que muitas coisas mostram que o caminho da vida é estreito, ainda assim, para o homem piedoso, é um caminho de grande amplitude; embora não para o pecado, mas para o dever e a alegria. Ele se apressa e progride nele. – *Robert Trail, 1642-1716*

v. 96: Observe que a lei, que é a sua marca, é *amplíssima*. E não é mais fácil de alcançar, porque você deve desejar alcançá-la, em cada dever, com um desempenho de igual amplitude, ou não conseguirá alcançá-la de maneira alguma. – *Stephen Marshall*

EXPOSIÇÃO DOS VERSÍCULOS 97 A 104

97 *Oh! Quanto amo a tua lei! É a minha meditação em todo o dia!*
98 *Tu, pelos teus mandamentos, me fazes mais sábio que meus inimigos, pois estão sempre comigo.*

99 *Tenho mais entendimento do que todos os meus mestres, porque medito nos teus testemunhos.*
100 *Sou mais prudente do que os velhos, porque guardo os teus preceitos.*
101 *Desviei os meus pés de todo caminho mau, para observar a tua palavra.*
102 *Não me apartei dos teus juízos, porque tu me ensinaste.*
103 *Oh! Quão doces são as tuas palavras ao meu paladar! Mais doces do que o mel à minha boca.*
104 *Pelos teus mandamentos, alcancei entendimento; pelo que aborreço todo falso caminho.*

97. *"Oh! Quanto amo a tua lei!"* É uma exclamação. Ele ama tanto, que precisa expressar o seu amor, e, ao tentar fazê-lo, percebe que o amor é impossível de expressar – e por isto, clama: "Oh! Quanto amo!" Não somente reverenciamos, mas amamos a lei, nós obedecemos a ela por amor, e mesmo quando ela nos repreende pela desobediência, nós a amamos, igualmente. A lei é a lei de Deus, e por isto é o nosso amor. Nós a amamos pela sua santidade, e desejamos ser santos; nós a amamos pela sua sabedoria, e nos esforçamos para ser sábios; nós a amamos pela sua perfeição, e ansiamos por sermos perfeitos. Aqueles que conhecem o poder do Evangelho, percebem um infinito encanto na lei, quando a veem cumprida e personificada em Cristo Jesus.

"É a minha meditação em todo o dia!" Isto era o resultado do seu amor e também a causa dele. Ele meditava sobre a palavra de Deus, porque a amava, e a amava mais, porque meditava sobre ela. Nunca era suficiente o que ele meditava, pois a amava tão ardentemente: o dia inteiro não era longo o suficiente para a sua convivência com ela. A sua oração matinal, o seu pensamento ao meio-dia, o seu cântico vespertino, tudo era extraído do Texto Sagrado; sim, mesmo nas suas atividades terrenas, ele conservava a sua mente saturada com a lei do Senhor. A respeito de alguns homens, diz-se, quanto mais você os conhece, menos os admira; mas com a palavra de Deus acontece exatamente o oposto. A familiaridade com a palavra de Deus gera o afeto, e o afeto busca uma familiaridade ainda maior. Quando a "tua lei" e a "minha meditação" estão juntas, o dia inteiro, o dia se torna santo, devoto e feliz, e o coração vive com Deus. Davi se afastou de todo o resto; pois no versículo anterior, ele nos diz que tinha visto o limite de toda a perfeição, mas ele se voltava à lei e ali permanecia durante o dia todo da sua vida na terra, ficando, consequentemente, cada vez mais sábio e cada vez mais santo.

98. *"Tu, pelos teus mandamentos, me fazes mais sábio que meus inimigos."* Os mandamentos eram o seu livro, mas Deus era seu professor. A lei pode nos dar conhecimento, mas somente o Espírito de Deus pode nos fazer sábios. A sabedoria é o conhecimento aplicado no uso prático. A sabedoria nos vem pela obediência: "Se alguém quiser fazer a vontade dele, conhecerá a respeito da doutrina". Nós aprendemos, não apenas da promessa, e doutrina, e história sagrada, mas também dos preceitos e mandamentos; na verdade, dos mandamentos nós obtemos a sabedoria mais prática, e que nos capacita a lidar melhor com nossos adversários. Uma vida santa é a mais alta sabedoria e a mais certa defesa. Os nossos inimigos são notórios pela sutileza, desde o seu primeiro pai, a antiga serpente, até o último basilisco que emergiu do ovo; e seria inútil que nós tentássemos nos equiparar a eles, na astúcia e no mistério da perspicácia, pois os filhos deste mundo são, na sua geração, mais sábios do que os filhos da luz. Nós devemos ir a outra escola e aprender com um instrutor diferente, e então, com a sinceridade nós frustraremos a fraude, com a simples verdade nós subjugaremos as intrigas cuidadosamente planejadas, e pela honestidade declarada derrotaremos a calúnia. Um homem completamente honesto, desprovido de toda política, é um terrível enigma para os diplomatas; eles suspeitam que ele tenha uma duplicidade sutil através da qual não conseguem ver, ao passo

que ele, indiferente a todas as suas suspeitas, conserva o caráter do seu caminho e frustra todos os seus estratagemas. Sim, "a honestidade é a melhor política". Aquele que é ensinado por Deus tem uma sabedoria prática do tipo que a perversidade não pode propiciar aos ardilosos; embora inofensivo e simples como uma pomba, ele também exibe uma sabedoria maior do que a da serpente.

"Pois estão sempre comigo." Ele está sempre estudando os mandamentos, ou obedecendo a eles; eles eram seus companheiros preferidos e mais constantes. Se desejarmos ser proficientes, devemos ser infatigáveis. Se conservarmos a sábia lei sempre perto de nós, nos tornaremos sábios, e quando os nossos adversários nos atacarem, estaremos preparados para eles com aquela pronta sagacidade que é o resultado de se ter a palavra de Deus na ponta da língua. Assim como um soldado na batalha jamais deve deixar de lado o seu escudo, também nós jamais devemos tirar de nossas mentes a palavra de Deus; ela deve estar sempre conosco.

99. *"Tenho mais entendimento do que todos os meus mestres."* Aquilo que o Senhor lhe tinha ensinado lhe tinha sido útil no campo, e agora ele percebe que é igualmente valioso nas escolas. Não devemos confiar sempre nos nossos professores; na verdade, não podemos seguir, a nenhum deles, implicitamente, pois Deus nos pedirá explicações pelos nossos juízos pessoais. É conveniente, então, que sigamos atentamente o esquema da Palavra de Deus, para que sejamos capazes de salvar a embarcação mesmo quando o piloto erra. Se nossos professores forem, em todas as coisas, honestos e idôneos, ficarão muito felizes que nós os superarmos, e estarão prontos a reconhecer que o ensinamento do Senhor é melhor do que qualquer ensinamento que eles possam nos transmitir. Os discípulos de Cristo, que se assentam aos seus pés, frequentemente são mais talentosos nas coisas divinas do que os "doutores em divindade".

"Porque medito nos teus testemunhos." Este é o melhor modo de adquirir entendimento. Nós podemos ouvir os mais sábios mestres e continuar tolos, mas se meditarmos na palavra sagrada, nos tornaremos sábios. Há mais sabedoria nos testemunhos do Senhor do que em todos os ensinamentos dos homens, se fossem reunidos todos em uma única e vasta biblioteca. Este único livro supera todos os demais.

Davi não hesita em falar a verdade neste ponto, a respeito de si mesmo, pois ele é inocente da consciência própria. Ao falar do seu entendimento, ele pretende louvar a lei e o Senhor, e não a si mesmo. Não há nada de vanglória nestas ousadas expressões, mas apenas um sincero desejo infantil de apresentar a excelência da palavra do Senhor. Aquele que conhece a verdade ensinada na Bíblia não será culpado de egoísmo, se acreditar que está possuído de uma verdade mais importante do que todos os professores agnósticos, vivos ou mortos.

100. *"Sou mais prudente do que os velhos, porque guardo os teus preceitos."* Os homens de mais idade, e os homens de antigamente, foram ultrapassados pelos aprendizes mais santos e mais jovens. Ele tinha sido ensinado a observar no coração e na vida os preceitos do Senhor, e isto era mais do que o mais venerável pecador jamais aprendeu, mais do que o filósofo da antiguidade tinha desejado tanto saber. Ele tinha a palavra dentro de si, e assim superou seus adversários; ele meditava nela, e assim ultrapassou seus amigos; ele a praticava, e assim ofuscou os seus antepassados. A instrução obtida das Sagradas Escrituras é útil em muitas direções, superior em muitos pontos de vista, incomparável, em todas as partes, e de todas as maneiras. Assim como a nossa alma pode se gloriar no Senhor, também nós podemos nos gloriar na sua palavra. "Não há outra semelhante; dá-ma", disse Davi sobre a espada de Golias, e podemos dizer a mesma coisa, sobre a palavra do Senhor. Se os homens valorizam a antiguidade, aqui a têm. Os antigos eram tidos em alta consideração, mas o que eles sabiam em comparação com o que nós percebemos nos preceitos divinos? "O antigo é melhor", dizem, mas o mais antigo de todos, é o melhor de todos, e o que é isto, senão a palavra do Ancião de dias.

101. *"Desviei os meus pés de todo caminho mau, para observar a tua palavra."* Não há como acumular a santa palavra, a menos que haja uma expulsão de tudo o que é profano: se nós guardarmos a santa palavra, devemos abrir mão do mal. Davi tinha vigiado zelosamente os seus passos e controlado a sua conduta – ele tinha desviado seus pés. Nenhum mau caminho poderia atraí-lo, pois ele sabia que se viesse a se desviar em uma única estrada praticamente deixaria o caminho da justiça, e por isto evitava todo mau caminho. Os atalhos eram suaves e floridos, mas ele sabia muito bem que eram maus, e assim desviava seus pés, e seguia somente pelo caminho reto e com espinhos que conduz a Deus. É um prazer examinar as conquistas próprias – "Desviei"; e é um prazer ainda maior saber que nós o fizemos não pelo mero desejo de ficar bem com nossos companheiros, mas com a motivação única de guardar a lei do Senhor. O pecado evitado, para que a obediência possa ser aperfeiçoada, é a essência deste versículo; ou pode ser que o salmista nos deseje ensinar que não há reverência verdadeira pela Bíblia onde não há cuidado para evitar cada transgressão aos seus preceitos. Como podemos guardar a palavra de Deus, se não impedirmos que as nossas próprias palavras se tornem infames?

102. *"Não me apartei dos teus juízos: porque tu me ensinaste."* São bem ensinados aqueles a quem Deus ensina. O que nós aprendemos do Senhor, jamais esquecemos. A instrução de Deus tem um resultado prático – nós seguimos o seu caminho, quando Ele nos ensina, e isto tem um efeito permanente – não nos afastamos da santidade. Leia este versículo em conexão com o anterior, e você terá o "sim" e o "não" do crente: ele é bom, positivamente e negativamente. O que ele fez, especificamente, "desviar os seus pés", impediu que ele fizesse o que, de outra maneira, poderia ter feito, especificamente, "apartar-se dos teus juízos". Aquele que é cuidadoso a ponto de não se desviar sequer um centímetro não deixará o caminho. Aquele que jamais toca o cálice intoxicante jamais ficará embriagado. Aquele que jamais profere uma palavra ociosa, jamais será profano. Se nós começarmos a nos afastar, um pouco, jamais poderemos dizer onde iremos terminar. O Senhor nos faz perseverar na santidade, abstendo-nos de começar a pecar; mas qualquer que seja o método, é Ele que opera a nossa perseverança, e a Ele deve ser dada toda a glória.

103. *"Oh! Quão doces são as tuas palavras ao meu paladar!"* Ele não apenas tinha ouvido as palavras de Deus, mas tinha se alimentado delas: elas influenciavam o seu paladar, bem como o seu ouvido. As palavras de Deus são muitas e variadas, e o seu conjunto constitui o que nós chamamos de "a palavra": Davi as amava, a cada uma, individualmente, e o seu conjunto como um todo: ele provava uma indescritível doçura nelas. E expressa o fato da sua doçura, mas não consegue expressar o grau da sua doçura, e clama, "Quão doces!" Sendo as palavras de Deus, são divinamente doces ao servo de Deus; aquele que colocou a doçura nelas, tinha preparado o paladar do seu servo, para discerni-las e desfrutá-las. Davi não faz distinção entre promessas e preceitos, doutrinas e ameaças; tudo está incluído nas palavras de Deus, e todas são preciosas, na sua estima. Oh, que amor profundo devemos ter por tudo o que o Senhor revelou, qualquer que seja a forma que tudo isto possa assumir.

"Mais doces do que o mel à minha boca." Quando não apenas comia, mas também falava a palavra, instruindo outras pessoas, ele sentia um prazer intenso. A doçura de todas as coisas temporais está aquém da infinita delícia da palavra eterna: o próprio mel é privado de doçura, quando comparado à palavra do Senhor. Quando o salmista se alimentava dela, sentia a sua doçura; mas quando ele dava testemunhos dela, a doçura era ainda maior. Como será sábio, de nossa parte, guardar a palavra no nosso paladar, pela meditação, e na nossa língua, pela confissão. Ela deve ser doce ao nosso paladar, quando pensamos sobre ela, ou não será doce na nossa boca, quando falarmos dela.

104. *"Pelos teus mandamentos, alcancei entendimento."* A orientação de Deus é nossa instrução. A obediência à vontade divina gera a sabedoria da mente, e ação. Como o caminho de Deus é sempre melhor, aqueles que o seguem certamente serão justificados pelo resultado. Se o Legislador fosse tolo, a sua lei também o seria, e a obediência a esta lei nos envolveria em mil erros; mas, como o caso é, na verdade, o oposto, nós podemos nos considerar felizes por ter uma lei tão sábia, prudente e benéfica no governo das nossas vidas. Nós somos sábios, se obedecemos; e nos tornamos sábios obedecendo!

"Pelo que aborreço todo falso caminho." Como tinha entendimento, e por causa dos preceitos divinos, ele detestava o pecado e a falsidade. Cada pecado é uma falsidade; nós cometemos o pecado porque acreditamos em uma mentira, e no final, o mau bajulador se converte em mentiroso, para nós, e nos vemos traídos. Os corações fiéis não são indiferentes quanto à falsidade, eles se acaloram na indignação; da mesma maneira como amam a verdade, também odeiam a mentira. Os santos têm horror universal a tudo o que é falso; eles não toleram falsidade nem loucura, voltam seus rostos contra todos os erros da doutrina ou iniquidades da vida. Aquele que ama um pecado está em aliança com todo o exército de pecados; nós não devemos fazer trégua nem negociação com um destes amalequitas, pois o Senhor guerreou com eles de geração a geração, e devemos fazer a mesma coisa. É bom ser um bom inimigo. E o que é isto? Um inimigo, não de um ser vivo, mas de "todo falso caminho". O caminho da teimosia, da falsa moral, do materialismo, da soberba, da descrença, da hipocrisia – todos estes são falsos caminhos, e por isto não devem apenas ser evitados, mas detestados e abominados. Este versículo final da estrofe marca um grande progresso no caráter, e mostra que o homem de Deus está ficando cada vez mais forte, ousado, e feliz do que antes. Ele foi ensinado pelo Senhor, de modo que discerne entre o precioso e o vil, e enquanto ama fervorosamente a verdade, detesta a falsidade intensamente. Que todos nós possamos alcançar este estado de discriminação e determinação, de modo que possamos glorificar grandemente a Deus.

NOTAS SOBRE OS VERSÍCULOS 97 A 104

v. 97: "Oh! Quanto amo a tua lei!" Ele não fala do seu conhecimento, de ler, ouvir, falar, de praticar externamente a lei, mas de *amar* a lei: isto é mais do que todas as anteriores: todas as anteriores existem sem isto, mas este amor não existe sem as anteriores. Nós podemos conhecer, ler, ouvir, falar, e pregar a lei, e toda a palavra de Deus, como também realizar obras exteriores prescritas e ordenadas pela lei, e ainda assim não amá-la; mas onde se encontra este amor, ele não pode deixar de competir com todas as demais coisas. O amor é o sentimento principal, acima de todos os outros, como uma rainha que comanda e domina todo o resto; todo o resto depende dele; sim, às vezes até mesmo o juízo. Assim como o amor se volta, quer corretamente ou não, para o bem ou o mal, também oscilam todos os sentimentos; sim, o próprio juízo às vezes erra, cego pelo amor, da mesma maneira como o próprio amor erra; e assim as palavras e todos os atos, de modo correspondente. A experiência diária não ensina diariamente a verdade disto? Além disto, além desta observação desta palavra, com relação a outras, e em um tipo de oposição a outras, vamos observar duas outras coisas: 1. A primeira pessoa: 2: O tempo presente. Ele não diz, Oh como a tua palavra deve ser amada, ou seja, pelos outros; mas, Oh, quanto *eu mesmo* amo a tua lei, ou a tua palavra! Ele também não diz, Oh, quanto amei a tua lei no passado, nem Quanto a amarei no futuro, ou Quão sinceramente eu me proponho a amá-la quando tiver progredido e estiver estabelecido no meu reino; nem, Oh, quanto eu a amaria, se tivesse progredido e estivesse estabelecido, ou se estivesse nesta ou naquela condição, ou se tivesse isto ou aquilo que não tenho, ou que os outros têm; o profeta, repito, não fala desta maneira; mas fala na primeira pessoa e também no tempo presente, dizendo, Oh! Quanto [eu] amo [agora] a tua lei! Estas coisas são muito merecedoras da nossa observação, e devem ter ainda mais, com respeito à pessoa do profeta; pois embora o nome do autor deste salmo não seja expresso no seu título (como em muitos outros salmos), muitos dos intérpretes o atribuem a Davi. Também o assunto e o estilo do salmo, comparados com o assunto e o estilo de outros salmos que são de autoria de Davi, têm características de Davi, e defendem que foi escrito por Davi. Quer Davi tivesse agora a plena e tranquila possessão do seu reino (embora não sem muitos adversários), ou se fosse considerado apenas como herdeiro aparente, indicado para suceder a Saul (como opinam muitos), ou se estivesse, durante algum tempo, fugindo da cruel e rebelde insurreição do seu filho Absalão, é muito importante que aqui ele fale do seu grande amor pela lei de Deus. Se ele estivesse em plena e tranquila possessão do seu reino, então teria muitas outras coisas que poderia ter amado – e com que os corações dos príncipes se divertem – também roubadas das coisas que são muito mais merecedoras do nosso amor. O que eu preciso falar da experiência diária, em que a verdade é manifesta em pessoas muito inferiores aos príncipes? Se Davi estivesse no exílio ou em fuga, um homem pensaria que a sua esposa, e seus filhos, e outros amigos, e também a sua nação, teriam ocupado e possuído o seu coração tão plenamente que teria havido pouco lugar para outras coisas; mas então ele deveria ter dito, Oh, quanto eu amo estas coisas! Oh, como o meu coração está perturbado com pensamentos sobre elas, e preocupação com elas, no meu grande amor por elas! Além disto, o fato de que, nem os problemas, quaisquer que sejam, por um lado, pelos quais Davi era continuamente solicitado, nem as suas honras, riquezas ou prazeres, quer possuídos ou em expectativa, pelo outro lado, extinguiram, esfriaram ou abateram o seu amor, não é algo digno de nota?

A próxima palavra a ser observada é a palavra *"quanto"*: "Oh *quanto* amo a tua lei!" Isto indica a maneira ou a dimensão do seu amor. É uma expressão de admiração, ou de comparação, assim é interpretada em vários outros trechos... indica um tipo de excesso ou excelência, de maneira como não pode ser bem expressa. O profeta parece falar de um tipo de suspiro, como estando tão arrebatado pelo amor pela lei de Deus, que estava praticamente doente de amor, como diz a igreja (Ct 2.5; 5.8), ela estava doente de amor por Cristo, e assim o profeta parece estar doente de amor pela palavra de Deus. Esta palavra *"quanto"* também indica uma comparação e sugere um amor maior em Davi pela palavra do que por riquezas ou quaisquer outras coisas; a este respeito, ele diz, mais adiante, neste mesmo salmo (v. 127) que ama os mandamentos do Senhor "mais do que o ouro, e ainda mais do que o ouro fino"; assim como quem quer que não ama a Cristo, de modo que, com respeito a Cristo, e por causa de Cristo, abandone pai, e mãe, e irmãos, e irmãs, esposa e filhos, e também a sua própria vida (muito mais riquezas e outras coisas sem comparação com a vida) não é digno dele, também aquele que não ama a palavra acima de todas as outras coisas; sim, aquele que não detesta todas as outras coisas, com respeito à palavra, não é digno da palavra. O próprio Cristo amava a palavra de Deus mais do que amava quaisquer riquezas, pois, para cumprir a palavra, Ele não se submeteu a tais necessidades, de modo que as raposas tinham covis, e as aves do céu tinham ninhos, mas Ele não tinha onde reclinar a cabeça? E, embora Ele fosse o herdeiro de todas as coisas, era servido por certas mulheres? Ele amava a palavra de Deus mais do que amava sua mãe, seus irmãos e irmãs... Sim, Cristo amava a palavra de Deus mais do que amou a sua própria vida, pois não entregou a sua própria vida para cumprir a palavra de Deus?... Se o próprio Cristo Jesus amou a palavra mais do que todas as outras coisas, mais do que a sua própria vida, que era mais do que a vida de todos os anjos, não havia grandes razões por que Davi deveria amá-la de igual maneira? Davi não tinha tanta necessidade dela como Cristo?... *"É a minha meditação."* O substantivo *"meditação"* parece mais significativo do que se ele tivesse dito apenas que meditava. Pois ele parece querer dizer que, embora pensasse frequentemente sobre outros assuntos, não fazia de nenhum deles a sua "meditação", exceto a lei de Deus de que ele fala aqui, que era a sua única e principal meditação e estudo.

O objeto da meditação de Davi não deve apenas ser interpretado como a lei, literalmente, como se ele sempre meditasse sobre algum texto ou outro da palavra escrita, mas também os assuntos contidos na palavra, como a justiça, o poder, a sabedoria, a misericórdia e a bondade de Deus; sobre a fragilidade, corrupção e iniquidade que estão no homem naturalmente, sobre os pecados que Deus proíbe, e sobre as virtudes que Deus recomenda na palavra, e outras coisas semelhantes. Pois aquele que medita sobre estas coisas, ainda que não medite sobre nenhum texto da palavra, ainda assim pode ser considerado como meditando sobre a palavra.

"Em todo o dia." Não devemos imaginar que o profeta não fizesse outra coisa além de meditar sobre a palavra, mas, em primeiro lugar, não se passava um dia sequer em que ele não meditasse sobre a palavra; ele aproveitava todas as ocasiões para meditar sobre a palavra. Ele nunca se cansava de meditar. Embora tivesse muitas outras coisas às quais se dedicar, ele não se esquecia da meditação da palavra. A sua mente não era dissuadida, por nenhuma outra atividade, da meditação sobre a palavra, mas, na verdade, era ainda mais incentivada a fazê-lo. Assim como um homem que nunca tenha sentido ter trabalhado tanto em um dia na sua profissão não deve se sentir cansado por isto, mas deve trabalhar novamente no dia seguinte, e assim por diante, um dia após o outro, também assim era o profeta a respeito deste ato de meditação. Em segundo lugar, quando ele diz que meditava na palavra continuamente, ou todo o dia, ele quer dizer que não fazia nada, em nenhum momento do dia, sem meditar na palavra, antes de agir. Por isto, podemos dizer, com segurança, que a meditação contínua é mais necessária do que a oração contínua, é necessária antes de se fazer alguma coisa, e durante o próprio ato de fazer alguma coisa; inclusive, antes do dever da oração, e durante a realização deste ato, este trabalho de meditação sobre a palavra é sempre necessário; sem ele, não sabemos pelo que devemos orar, nem de que maneira orar; é a palavra de Deus, e somente ela, que pode e deve nos ensinar a orar e também como orar. – *Thomas Stoughton, "Two Profitable Treatises", 1616*

v. 97: "Oh! Quanto amo a tua lei!" Aquele que, sem amor, tenta fazer alguma coisa na lei de Deus, o faz friamente, e desiste rapidamente. Pois a mente não consegue se dedicar fervorosamente e perseverar nas coisas que não são amadas. Somente aquele que ama a lei faz dela a sua meditação todos os dias, e o dia todo. – *Wolfgang Musculus*

v. 97: "Oh! Quanto amo a tua lei!" Se eu pudesse receber o que recebeu Ezequias, e ter quinze anos adicionados à minha vida, eu seria muito mais frequente em minhas súplicas ao trono da graça. Se eu pudesse refazer os meus estudos, eu me abriria mão daquelas coisas inúteis – historiadores, oradores, os poetas da antiguidade – e dedicaria a minha atenção às Escrituras da verdade. Eu me assentaria com muito maior assiduidade aos pés do meu Divino Mestre, e não desejaria conhecer nada além de "Jesus Cristo, e este crucificado". Esta sabedoria, cujos frutos são a paz na vida, a consolação na morte e a salvação eterna depois da morte – esta eu buscaria – esta eu exploraria pelos campos amplos e deliciosos do Antigo e do Novo Testamento. – *James Hervey, 1713/14-1758*

v. 97: Essa joia tão preciosa deve ser preferida acima de todos os tesouros. Se tens fome, é alimento para te satisfazer; se tens sede, é bebida para te refrescar; se estás enfermo, é um remédio presente; se estás fraco, é um bastão para te apoiar; se o teu inimigo te ataca, é uma espada para combatê-lo; se estás nas trevas, é uma luz para guiar os teus pés; se tens dúvidas sobre o caminho, é uma estrela brilhante para te guiar; se estás desagradando a Deus, é a mensagem de reconciliação; se procuras salvar a tua alma, recebe a palavra impressa, pois ela pode fazer isto: é a palavra da vida. Quem ama a salvação irá amar esta palavra, amar lê-la, ouvi-la; e aos que não desejam lê-la nem ouvi-la, Cristo diz claramente, não são de Deus. Pois a esposa ouve alegremente a voz do esposo, e "as minhas ovelhas ouvem a minha voz", diz o Príncipe dos pastores (Jo 10.27). – *Edwin Sandys, 1519-1587*

v. 97: "Oh! Quanto amo a tua lei!" Assim como a fé opera por amor a Deus, também opera por amor à sua palavra. Quem me ama, ama a minha palavra; quem ama a um rei, ama as suas leis. Assim foi com Davi, e assim deve ser conosco: "Oh! Quanto amo a tua lei!", diz Davi. *"Oh! Quanto amo a tua lei!"* cada um de nós deve dizer; não apenas porque é uma boa lei, mas principalmente porque é a lei de Deus. – *Richard Capel, 1586-1656*

v. 97: "Oh! Quanto amo a tua lei!" Ele chama o próprio Deus para ser o juiz do seu amor pela palavra, testemunhando, desta maneira, que o amor que ele tinha pela palavra não era um falso amor, mas um amor completo e sincero. Declarações semelhantes foram usadas pelo apóstolo Pedro: "Senhor; tu sabes que te amo". – *William Cowper*

v. 97: "tua lei". Em cada um destes oito versículos, e, na verdade, por todo o salmo, a Bíblia é citada como sendo do Senhor. Quem é o autor das Escrituras? Deus. Qual é o assunto das Escrituras? Deus. Não era apropriado que ninguém escrevesse sobre Deus, exceto o próprio Deus. Qual é o objetivo das Escrituras? Deus. Por que as Escrituras foram escritas, senão para que nós pudéssemos desfrutar para sempre do Deus bendito? Assim como César escreveu os seus próprios comentários, também Deus, uma vez que não havia ninguém acima dele sobre quem Ele pudesse escrever, escreveu sobre Si mesmo; por meio de histórias, leis, profecias e promessas e muitas outras doutrinas, Ele se apresentou e se dispôs a ser o Criador, Preservador, Libertador e Glorificador da humanidade, e tudo isto feito de uma maneira perfeita. – *Thomas Manton*

v. 97: "É à minha meditação". As Sagradas Escrituras não são um livro para os preguiçosos, não é um livro que possa ser interpretado sem o Espírito Santo, por cujo intermédio ele foi transmitido, ou separadamente dele, ou pelos que o negam. Em vez disto é um campo sobre cuja superfície às vezes colhemos o maná com facilidade e sem esforço, sendo entregue gratuitamente às nossas mãos; mas também muitas porções devem ser cultivadas com esforço antes que produzam frutos para o uso do homem. Este pão da vida também deve ser comido com todo o suor da nossa fronte. – *Richard Chevenix French, 1807-*

v. 98: "Tu, pelos teus mandamentos, me fazes mais sábio que meus inimigos". Agora, ele louva a palavra, pelo benefício e pelos frutos singulares que colheu dela; ou seja, ele aprendeu sabedoria com ela. E isto ele amplifica, comparando-se com três tipos de homens; seus inimigos, seus professores, e os velhos. E isto ele faz, não por vanglória (pois vangloriar-se está longe daquele que é governado pelo Espírito de graça); mas para elogiar a palavra do Senhor e para atrair a outros, para que a amem, declarando-lhes os múltiplos bens que encontrara nela.

"Mais sábio que meus inimigos." Mas como pode ser, vendo que o nosso Salvador diz que os filhos deste mundo são mais sábios, na sua própria geração, do que os filhos de Deus? A resposta é: o nosso Salvador não chama os mundanos simplesmente de sábios, mas *mais prudentes na sua geração,* isto é, prudentes nas coisas que dizem respeito a esta vida. Ou, como Jeremias os chama, "sábios para o mal"; e quando o tiverem feito, sábios para ocultá-lo e disfarçá-lo. Tudo o que, em cada obra, é apenas loucura, e, por isto, Davi, que, pela luz da palavra de Deus, viu que era assim, não pôde se motivar a seguir o caminho deles. Bem; há uma grande controvérsia entre os piedosos e os ímpios: cada um deles, no seu juízo, considera que os outros são loucos; mas é a luz da palavra de Deus que deve decidir isto. – *William Cowper v. 98:* "Mais sábio que meus inimigos". Aqueles que são fiéis a Deus são mais sábios que seus inimigos no que diz respeito à segurança contra os seus ataques, e à inimizade e oposição que realizam contra eles; eles estão muito mais seguros, andando sob o abrigo da proteção de Deus do que seus inimigos poderão estar, tendo todo o tipo de vantagens terrenas. Um homem sábio e devoto é cuidadoso para estar bem com Deus; ele é mais preparado e mais dotado, pode ter uma maior esperança, mais expectativa de sucesso do que os outros; ou, se não for assim, ele tem suficientes provisões, ainda que as coisas aconteçam de modo a interceptar os seus desejos. Quanto ao sucesso, pense, quem fez a provisão mais sábia, aquele que fez de Deus seu amigo, ou aquele que é sustentado por apoios terrenos? os que são guiados pelo Espírito de Deus, ou os que são guiados por Satanás? os que se empenham em andar com Deus, passo a passo, ou aqueles que não apenas o abandonam, mas o provocam diretamente? os que rompem com os homens, e conservam a amizade com Deus, ou os que rompem com Deus? Certamente, um filho de Deus tem mais segurança pela piedade do que seus inimigos poderão ter, pela política secular, com que pensam derrotá-lo e destruí-lo. A segurança de um filho de Deus está em duas coisas: 1. Deus é seu amigo. 2. Enquanto Deus tiver um trabalho para que ele faça, Ele o preservará e o sustentará. – *Thomas Manton*

v. 98: "Estão sempre comigo". O significado desta última parte não é, simplesmente *"estão sempre comigo"*, mas *"estão para sempre comigo"*, isto é, são meus, minha possessão inalienável e irrevogável. – *Joseph Addison Alexander*

v. 98: "Estão sempre comigo". Deus dá conhecimento a quem quiser; mas aqueles que meditam mais, prosperam mais. Isto também pode significar que a palavra deve ser uma ajuda pronta e imediata. Aqueles que obtêm a sua sabedoria de fora não podem ter sempre consigo os seus conselheiros, para lhes dar conselhos. Mas, quando um homem tem a palavra em seu coração, encontra uma ajuda imediata: ele tem uma palavra oportuna para orientá-lo em todas as dificuldades, em todos os apuros, e em todas as tentações, para ensinar-lhe o que fazer contra o peso das exigências atuais; para ensinar-lhe o que fazer, e o que esperar. – *Thomas Manton*

v. 98: "Estão sempre comigo". Um bom homem, onde quer que vá, leva sua Bíblia consigo, se não em suas mãos, na sua mente e no seu coração. – *Matthew Henry*

vv. 98, 99 e 100: Ele menciona três tipos de homens, *"inimigos"*, *"mestres"*, *"velhos"*; os inimigos são excelentes na política, os mestres, na doutrina, e os velhos nos conselhos; no entanto, pela palavra, Davi se fez mais sábio do que todos eles. A maldade aguça a inteligência dos inimigos, e lhes ensina as artes da oposição; os mestres ou professores são dotados de aprendizado, devido ao seu trabalho; e os velhos ficam sábios pela experiência; mas Davi, pelo estudo da palavra, superou a todos eles. – *Thomas Manton*

v. 99: "Tenho mais entendimento do que todos os meus mestres". Mesmo quando o pregador é piedoso, participante desta graça, da qual é um embaixador a outras pessoas, acontece, frequentemente, que uma dose maior de luz e graça é transmitida pelo seu ministério a outra pessoa, do que é dada a ele mesmo; da mesma maneira como Agostinho, iluminado e convertido por Ambrósio, superou, tanto em conhecimento como em graça espiritual àquele que lhe ensinou. E nisto Deus mostra maravilhosamente a sua glória, pois, a despeito de quem quer que seja o instrumento, é Ele quem dispensa a luz e a glória, dando, através do instrumento, mais do que o próprio instrumento contém em si mesmo. E isto está muito longe de ser, para um professor piedoso, motivo de alegria, sendo, na verdade, motivo de glória. – *William Cowper*

v. 99: "Tenho mais entendimento do que todos os meus mestres". Não é uma reflexão sobre os meus mestres, mas na verdade, uma honra a eles, que eu me aprimore a ponto de superá-los, e não mais precise deles. Pela *meditação,* nós pregamos a nós mesmos, e conseguimos *compreender mais do que os nossos mestres*, pois conseguimos compreender nossos corações, e eles não conseguem. - *Matthew Henry*

v. 100: "Sou mais prudente... porque guardo". Nós desejamos conhecer o Senhor? Devemos guardar os seus mandamentos. "Pelos teus preceitos", diz Davi, isto é, pela observância dos teus preceitos, "tenho entendimento". "Se alguém quiser fazer a minha vontade" (diz o nosso bendito Salvador, Jo 7.17), "conhecerá a respeito da doutrina". Βούλει θεόλογος γενὲσθαι? τὰς ἐντολάς φυλασσε, diz Nazianzo: Você deseja ser de Deus? Obedeça aos mandamentos; pois a ação é, de certa forma, a base da contemplação. Há uma observação de Gregório, a respeito dos dois discípulos que não reconheceram ao Senhor Jesus Cristo, enquanto falava com eles; mas, ao realizarem um ato de hospitalidade para com Ele, isto é, partindo o pão com Ele, então o conheceram, pois foram iluminados, não por ouvirem-no, mas por terem realizado os preceitos divinos. *Quisquis ergovult audita intelligere; festinet ea qusejam audire potuit, opere implere.* Quem quiser compreender, que primeiramente se apresse para fazer o que ouve. - *Nathanael Hardy, 1618-1670*

v. 100: "Sou mais prudente do que os velhos". A resposta comum das pessoas ignorantes é, "O que? Devemos ser mais prudentes do que nossos antepassados?" Mas estas mesmas pessoas desejam ser mais ricas do que seus antepassados foram. A *maximum quod sic* para um cristão é esta - ele deve crescer em graça, até que a sua cabeça alcance o céu, até que a graça seja perfeita em glória. - *Christopher Love, 1618-1651*

v. 100: "Mais... do que os velhos". O entendimento obtido pelos preceitos da palavra é melhor do que o entendimento obtido pela longa experiência. É melhor, em quatro aspectos. Em primeiro lugar, é *mais exato*. A nossa experiência alcança apenas algumas poucas coisas; mas a palavra de Deus alcança todos os casos que dizem respeito à verdadeira felicidade.

A palavra é o resultado da sabedoria de Deus, que é o ancião de dias; portanto, supera a sabedoria dos velhos, ou a experiência de qualquer homem, ou de todos os homens. Em segundo lugar, assim como é mais exato, também é a maneira *mais segura* de aprender sabedoria, ao passo que a experiência é mais incerta. Muitos têm muita experiência, mas não têm um coração para ver e obter sabedoria daquilo que sentem (Dt 29.2-4). Em terceiro lugar, é um aprendizado *mais seguro e mais barato*, aprender pela lei, do que aprender por um caminho lacrimoso, e aprender sabedoria por nossa própria dor. A experiência é um caminho muito caro; e, se não tivéssemos nada além dela para nos guiar, quantos milhares de desgraças nos atingiriam? Em quarto lugar, é *mais breve*. O caminho através da idade e da experiência é um caminho longo; assim sendo, toda a mocidade de um homem deverá ser, necessariamente, infeliz e tola por muito tempo. Mas aqui você pode, em breve, ser sábio, estudando a palavra de Deus. Interessa ao homem, não somente ser sábio, de modo geral, mas ser sábio logo. As virgens loucas foram sábias tarde demais; mas ninguém foi sábio cedo demais. - *condensado da obra de Thomas Manton*

v. 100: Se o caminho [a Palavra de Deus] era tão perfeito, nos tempos de Davi, o que ele se tornou, pela adição de tantas partes as Escrituras, desde então? Se então ele dava sabedoria aos símplices (Sl 19.7); se fez Davi, que tinha sido criado apenas como um pastor, *mais sábio* que seus inimigos, que *os velhos*, que seus mestres; como um anjo de Deus, no discernimento do certo e do errado (2 Sm 14.17); capaz de guiar o povo com a perícia de suas mãos (Sl 78.72); que tipo de sabedoria existe, que não possamos obter dele agora? Que profundidade de filosofia natural temos nos livros de Gênesis e Jó! Que flores de retórica nos livros dos profetas! Que força de lógica nas epístolas de Paulo! Que arte de poesia nos Salmos! Que excelentes preceitos morais, não apenas para a vida privada, mas para a administração de famílias e comunidades, em Provérbios e no livro de

Eclesiastes! E a eles devem ser adicionados, em um segundo escalão, por serem muito úteis, embora apócrifos, o Livro da Sabedoria e Eclesiástico. Que leis justas e razoáveis temos em Levítico e Deuteronômio, que levaram o grande Ptolomeu a contratar os Setenta para traduzi-las ao idioma grego: que antiguidade, variedade, e maravilhosos eventos, e certeza da história, tudo isto incomparável, nos livros de Moisés, Josué, Juízes, Samuel, Reis, e Crônicas, juntamente com Rute e Ester, Esdras e Neemias, e, desde Cristo, nos sagrados Evangelhos e no livro de Atos dos Apóstolos. E, por fim, que mistérios profundos temos nas profecias de Ezequiel e Daniel, e no livro do Apocalipse, de João. Mas ela supera, infinitamente, a sabedoria dos escritos humanos, porque, apenas ela, pode "fazer um homem sábio para a salvação" (2 Tm 3.15). Com estas considerações, Carlos V, da França, chamado *O Sábio*, não somente fez com que a Bíblia fosse traduzida ao idioma francês, mas ele mesmo foi um grande estudioso das Sagradas Escrituras. E Afonso, rei de Aragão, é descrito como tendo lido toda a Bíblia catorze vezes, com observações de Lyra; embora ele fosse extraordinariamente instruído, a lei de Deus era a sua alegria, "mais desejável do que o ouro, sim, do que muito ouro fino; e mais doces do que o mel e o licor dos favos". – *George Hakewell, 1579-1649*

v. 101: "Desviei os meus pés", etc. 1. Nós lemos sobre a prática de Davi: *"Desviei os meus pés de todo caminho mau"*. 2. O seu objetivo ou motivo: *"para observar a tua palavra";* para que ele pudesse ser exato e pontual com Deus, no curso da obediência.

Em primeiro lugar, na sua prática. Você pode perceber a seriedade dela: *"Desviei os meus pés"*. Os *pés* significam os sentimentos: "Guarda o teu pé, quando entrares na Casa de Deus" (Ec 5.1). Os nossos sentimentos, que são a tendência da alma, nos envolvem na prática: desta maneira, adequadamente representados pelos pés, pelos quais andamos para qualquer lugar que desejemos; de modo que *"Desviei os meus pés"* tem o significado de, Eu controlo rigidamente os meus sentimentos, para que não possam me conduzir ao pecado. Então você pode perceber a sua extensão: ele não diz apenas, Eu me desviei do mal, mas universalmente, *"de todo caminho mau"*. Mas como Davi podia dizer isto com sinceridade de coração, se estava consciente da sua transgressão no caso de Urias? Resposta: Esta era a disposição normal da sua alma, e o curso da sua vida; e este tipo de declaração, a respeito dos santos, deve ser interpretado *voce et canatu, licet non semper eventu.* Isto era sua missão e tendência, seu propósito e empenho, seu curso usual, ainda que ele tivesse suas falhas.

Em segundo lugar, qual era o seu objetivo e motivo ao fazer isto? "Para observar a tua palavra"; para que eu possa ser exato e pontual com Deus, em um curso de obediência, e ser fiel à sua palavra de maneira universal e imparcial. – *Thomas Manton*

v. 101: "Desviei os meus pés", etc. Onde existe santidade verdadeira, existe um ódio e uma indignação santos, contra toda a impiedade e iniquidade, e com santos motivos: "*Desviei os meus pés de todo caminho mau"*. Mas, por que? *"Para observar a tua palavra"*. "Pelos teus mandamentos, alcancei entendimento; pelo que aborreço todo falso caminho" (v. 104). O bem que ele obtinha dos preceitos divinos despertava o seu ódio contra todo falso caminho (v. 128), "Por isso, tenho, em tudo, como retos todos os teus preceitos e aborreço toda falsa vereda". A alta consideração que ele tinha por cada preceito despertava nele uma santa indignação contra todo mau caminho. Um homem santo sabe que todos os pecados atacam a santidade de Deus, a glória de Deus, a natureza de Deus, a existência de Deus, e a lei de Deus; e por isto o seu coração se levanta contra tudo; ele considera cada pecado como os escribas e fariseus que acusaram Cristo; e como aquele Judas, que traiu Cristo; e como aquele Pilatos, que condenou Cristo; e como aqueles soldados que açoitaram Cristo; e como aquelas lanças que perfuraram Cristo; por isto o seu coração clama por justiça contra todos. – *Thomas Brooks*

v. 101: "Desviei... para observar". Fazendo o que é certo, nós conseguimos conhecer o que é certo e também ser mais capazes de fazê-lo. – *Plain Commentary*

v. 101: "Desviei os meus pés", etc. A palavra *"desviei"* nos adverte que nós somos naturalmente conduzidos pelos nossos pés no caminho de todos os tipos de pecado, e somos precipitados neste caminho pelo fluxo das paixões humanas, de modo que até mesmo os que têm sabedoria e entendimento precisam controlar, lembrar e examinar os seus passos, para que possam observar a palavra de Deus, e não se tornar náufragos. E observe, ainda, que a palavra hebraica, aqui traduzida como *"desviei"* tem um significado ainda mais forte, e indica "Eu *refreei* ou *aprisionei* os meus pés", com o que aprendemos que a leve resistência não é suficiente para impedir que eles nos desviem do nosso caminho. – *Agellius e Genebrardus, em Neale e Littledale*

v. 102: Por *misphalim, "juízos"*, o autor quer dizer a lei de Deus; pois com ela, Ele irá julgar o mundo. E as palavras *"não me apartei"* indicam a sua exatidão e constância; a sua exatidão, pois não se desviava nem mesmo como a largura de um fio de cabelo da sua direção; "Olhai, pois, que façais como vos mandou o Senhor, vosso Deus; não declinareis, nem para a direita, nem para a esquerda" (Dt 5.32); e a sua constância é implícita, pois somos descritos como nos desviando de Deus e da sua lei quando nos afastamos dele em juízo e prática (Jr 32.40). – *Thomas Manton*

v. 102: "Tu me ensinaste". Deus ensina de duas maneiras: 1. Com esclarecimento comum. 2. Por operação especial.

1. Com um esclarecimento comum, um esclarecimento insuficiente para que a mente possa conhecer ou compreender o que Ele propõe, através dos seus mensageiros: foi assim que Deus tratou os pagãos (Rm 1.20).

Mas, então, 2. Por operação especial, dispondo eficazmente a vontade para aceitar e realizar tarefas conhecidas: "Porei a Minha lei no seu interior e a escreverei no seu coração" (Jr 31.33). Este modo de ensinamento é sempre eficaz e persuasivo. Neste sentido, eles são ensinados por Deus, de modo que não apenas obtêm um ouvido para ouvir, mas um coração para compreender, aprender e praticar.

Este ensinamento é a base da constância, porque (1) Os que são ensinados por Deus veem as coisas com maior clareza do que os outros; Deus é o professor mais excelente. (2) Eles conhecem as coisas com mais segurança, e com certeza de demonstração, ao passo que os outros têm apenas conjeturas dúbias e opiniões débeis e hesitantes sobre as coisas de Deus. (3) Este ensinamento é tão eficaz e poderoso, de modo que surge o resultado: "Ensina-me, Senhor, o teu caminho, e andarei na tua verdade" (Sl 86.11.) (4) Deus renova o seu ensinamento, e está sempre próximo, para nos guiar, e para nos dar conselhos, o que é a causa da nossa reputação. – *Thomas Manton*

v. 102: "Tu me ensinaste". Para que não se tenha a impressão de que Davi atribuía o louvor da santidade a si mesmo, ou que dissesse que ela tinha se originado de alguma bondade sua, que tinha desviado os seus pés de todo mau caminho, aqui ele dá toda a glória a Deus, declarando que, porque Deus o ensinou, ele não declinou. E disto aprendemos que, se em algum momento nos levantamos, ou depois de caídos nos levantamos e nos arrependemos, isto deve ser sempre atribuído a Deus, que nos ensina. Pois mesmo não havendo mal tão abominável, ele logo se tornaria plausível para nós, se Deus nos abandonasse à nossa própria sorte. Davi foi ensinado por seus professores comuns, e os reverenciava; mas o que teve de benefícios, por causa deles, ele atribui a Deus. Paulo pode plantar, e Apolo regar, mas é Deus quem dá o crescimento. – *William Cowper*

v. 103: "Oh! Quão doces são as tuas palavras ao meu paladar!" Oh, como até mesmo a palavra de uma criatura da terra é inexpressivelmente doce, às vezes, como também incalculavelmente preciosa! Todo o ouro e prata seriam desprezados, em comparação com estas palavras. Elas vêm carregadas com amor, e o coração é enriquecido com elas, como se o fôlego de Deus tivesse entrado nelas. Mas este arco-íris de alegria terrena não desaparece gradualmente? As palavras arrebatadoras, mais cedo ou mais tarde, não se secam na memória, e não podem vir a encontrar um tratamento de desprezo como recordações de uma ilusão terrena? Na verdade, sim; isto pode acontecer.

No entanto, o coração pode encontrar a sua felicidade, a sua verdadeira e incessante felicidade, *nas palavras* de Deus. Neste momento, não há nada, no mundo inteiro, que deva ser tão desejado como determinadas palavras. Palavras de amor. Palavras que expressam um amor infinito. Tesouros, prazeres, honras da terra, o que são eles? A minha alma insatisfeita clama, Dê-me palavras. Palavras com que eu possa conhecer o amor que Deus sente por mim. Palavras que declaram a conexão imutável do Salvador. Palavras que purifiquem o meu coração. Que me incentivem na oração. Que me exibam a bênção futura. Palavras que deem vida às minhas forças mortas, e me transformem de glória em glória, como pelo Espírito do Senhor. – *George Bowen, "Daily Meditations", 1873*

v. 103: "Quão doces são as tuas palavras ao meu paladar!", etc. Aqui o regenerado recebe um paladar novo, sobrenatural, divino e espiritual. Este sentido é, em sua própria natureza, diferente de qualquer dos outros cinco sentidos, e algo é percebido por um verdadeiro santo no exercício desta nova percepção de mente, em coisas espirituais e divinas, como completamente diferente de qualquer coisa que é percebida nelas por homens naturais, como o doce sabor do mel é diferente das ideias que os homens fazem do mel, olhando para ele, ou sentindo-o. É a beleza da santidade que é percebida por este sentido espiritual, e é completamente diferente de tudo o que os homens naturais percebem nelas; ou este tipo de beleza é a qualidade que é o objeto imediato do sentido espiritual; esta é a doçura, que é o próprio objeto deste sabor espiritual. As Escrituras frequentemente representam a beleza e a doçura da santidade como o grande objeto de um sabor espiritual e de um apetite espiritual. Este era o doce alimento da santa alma de Jesus Cristo (Jo 4.32,34): "Uma comida tenho para comer, que vós não conheceis... A minha comida é fazer a vontade daquele que me enviou e realizar a sua obra". Não conheço outra parte das Sagradas Escrituras onde a natureza e a evidência da piedade sincera e verdadeira seja tão amplamente e tão completamente delineada e enfatizada como no Salmo 119. O salmista declara o seu desígnio nos primeiros versículos deste salmo, e o tem diante de seus olhos todo o tempo, e o busca, até o fim. A excelência da santidade é representada como o objeto imediato de um gosto e prazer espiritual. *A lei de Deus* – esta grande expressão e emanação da santidade da natureza de Deus, e prescrição de santidade à criatura – é, todo o tempo, representada como o grande objeto do amor, da complacência, e do júbilo da natureza piedosa, que ama os mandamentos de Deus *mais do que o ouro, e ainda mais do que o ouro fino* e para quem eles são *mais doces do que o mel e o licor dos favos*; e isto por causa da sua santidade. O mesmo salmista declara que esta é a doçura de um sabor espiritual na lei de Deus (Sl 19.7-10). – *Jonathan Edwards, 1703-1758*

v. 103: "Oh! Quão doces são as tuas palavras ao meu paladar!" Por que ele não diz, "Como são agradáveis as tuas palavras ao meu ouvido?" em lugar de quão doces elas são ao seu paladar e à sua boca? Resposta: É muito apropriado que, quando Deus fala por intermédio da boca de seus ministros, nós sejamos ouvintes, e que as palavras de Deus sejam as mais alegres de todas aos nossos ouvidos. Mas também é a prática dos piedosos viver e praticar as palavras de Deus, e as suas palavras são tão doces, para o seu próprio paladar, que eles se sentem mais alegres e satisfeitos do que com qualquer favo de mel. E isto é muito necessário, quando há uma escassez de professores, como aconteceu com Davi no deserto, ou enquanto ele estava entre os filisteus, ou quando aqueles que têm o dever de ensinar, adulteram e corrompem a palavra pura de Deus. – *Wolfgang Musculus*

v. 103: Isto que é aqui chamado de *"palavras"*, eu prefiro interpretar como *"juízos"*, parcialmente porque, no idioma propriamente dito, a palavra é deixada de fora, e parcialmente porque o escritor tinha usado esta palavra, *juízos*, no versículo imediatamente anterior. Mas alguns dirão, Como podem os juízos de Deus ser *"doces"*, sendo tão problemáticos, lacrimosos e angustiantes? Eu respondo: o piedoso não tem alegria maior do que quando sente as misericórdias de Deus, realizadas com relação àqueles que o temem, ou os seus juízos derramados sobre os degenerados. – *Richard Greenham*

v. 103: "Ao meu paladar... À minha boca". Isto é, tenho tão grande prazer em conversar, conferir e persuadir sobre os teus juízos, quanto a minha boca, ou a boca de quem ama o mel, se delicia com ele. – *Richard Greenham.*

v. 103: "Mais doce". Como sempre há, entre as violetas, algumas que são muito mais doces do que outras, também entre os textos há alguns que são muito mais preciosos para nós do que outros. – *Henry Ward Beecher, 1879*

v. 103: Uma mulher afetuosa frequentemente diz, "Marido meu, as tuas palavras são mais doces para mim do que o mel, sim, mais doces do que a cana-de-açúcar". "Ai! meu marido se foi", diz a viúva, "como eram doces as suas palavras! Saía mel da sua boca: as suas palavras eram como ambrosia". – *Joseph Roberts*

v. 104: "Pelos teus mandamentos, alcancei entendimento; pelo que aborreço todo falso caminho". Nesta sentença, o profeta parece inverter a ordem exposta no versículo 101. Ele tinha dito, "Desviei os meus pés de todo caminho mau, para observar a tua palavra", onde evitar o mal é o meio de se beneficiar da palavra; aqui, o benefício da palavra é a causa de evitar o mal. Em um versículo, você tem uma explicação do seu início com Deus, no outro, do seu progresso. – *Thoman Manton*

v. 104: "Aborreço todo falso caminho". Davi disse, *"Aborreço todo falso caminho"*; não apenas odeio o caminho, quando fui desorientado e levado a andar nele, mas odeio andar nele; e professa, no versículo 163, *"Abomino e aborreço a falsidade, mas amo a tua lei"*. Abster-se da mentira e evitá-la é sinal de um coração piedoso, muito mais do que odiá-la e abominá-la. Um homem piedoso não somente faz o que é bom, mas se alegra em fazê-lo, a sua alma se apega a isto; ele se comporta de forma comum quando faz o bem, nada lhe é mais adequado do que o realizar do seu dever; ele ama fazer isto, sim, mesmo quando não pode fazê-lo (Rm 7.22). Paulo se queixava muito de que suas corrupções eram, para ele, um obstáculo e o prendiam; ele estava em uma armadilha, no que diz respeito a fazer o bem, mas (diz ele) "segundo o homem interior, tenho prazer na lei de Deus", isto é, o homem interior alegremente age de acordo com a lei de Deus. Porém muitas vezes ajo de modo vil, de acordo com o meu coração corrupto, e motivado pela tentação contra a lei de Deus. Da mesma maneira como um homem piedoso não apenas decide fazer a santa vontade de Deus, mas se alegra e sente prazer em fazê-la, e tem um doce contentamento em fazê-la, de igual maneira um homem piedoso não somente se recusa a fazer a vontade da carne, ou seguir o curso do mundo, mas detesta fazer isto, e jamais está tão descontente consigo mesmo como quando, por descuido e negligência na sua vigilância, é dominado e falha. Um homem carnal pode evitar fazer o mal, e fazer o que é materialmente bom, mas jamais detesta o que é mau, nem se alegra com o que é bom. Embora se abstenha de fazer aquelas coisas que Deus proíbe, ele não diz, como Jó, "Longe de mim que eu que eu..." Alegrar-se no bem é melhor do que fazer o bem, e detestar o mal é melhor do que evitar fazê-lo. E se compararmos a natureza do pecado com a nova natureza de um homem piedoso, poderemos ver motivos claros pelos quais a abstinência do pecado é acompanhada pelo ódio ao pecado. – *Joseph Caryl*

v. 104: "Pelos teus mandamentos, alcancei entendimento". O entendimento espiritual está conectado com o sabor da doçura espiritual. (Compare Pv 2.10,11). "A doçura dos lábios" – como observa o sábio – "aumentará o ensino. O coração do sábio instrui a sua boca e acrescenta doutrina aos seus lábios" (Pv 16.21,23). Tendo aprendido "os rudimentos da doutrina de Cristo", nós somos incentivados a "prosseguir à perfeição" – "crescendo *na graça* e no conhecimento de Cristo". Pois a conexão entre "graça e conhecimento" se manifesta claramente. – *Charles Bridges*

v. 104: "Aborreço todo falso caminho". A universalidade nisto é um sinal claro de sinceridade. Herodes cospe alguns pecados, enquanto tem outros, como doces guloseimas, em sua boca. Um hipócrita sempre deixa algum reduto onde o mal possa se instalar, embora remova muitos. Alguns homens não comprarão alguns bens, porque não podem tê-los pelo preço que desejam, mas gastam o mesmo dinheiro em outros; assim os hipócritas evitam alguns pecados, caso se desagradem com eles, porque não podem tê-los sem desgraça ou doença, ou alguma outra desvantagem, mas depositam o mesmo amor em outros pecados que se adequarão melhor aos seus desígnios. Alguns afirmam que o que o mar perde, em um lugar, ganha em outro; assim também o terreno que a corrupção dos não convertidos perde de um lado, ganha de outro. Há nele um desejo em especial, que é o seu favorito; há alguns reis que pecam, como Agague, e devem ser poupados por algum tempo, ao passo que outros são destruídos. "Nisso, perdoe o Senhor a teu servo", diz Naamã. Mas agora, o regenerado se esforça para se purificar de todas as contaminações, tanto de carne como de espírito (2 Co 7.1). – *Goerge Swinnock*

v. 104: "Aborreço". *As Escrituras geralmente enfatizam a religião como algo que contém um forte sentimento: o amor*; amor por Deus, e pelo Senhor Jesus Cristo; amor pelo povo de Deus, e pela humanidade. Os textos em que isto é manifestado, tanto no Antigo como no Novo Testamento, são incontáveis. O sentimento contrário ao *ódio* também, tendo o pecado como seu objeto, é mencionado nas Escrituras, como uma parte não secundária da verdadeira religião. Ele é citado como aquilo pelo que a verdadeira religião pode ser conhecida e distinguida. "O temor do Senhor é aborrecer o mal" (Pv 8.13). De igual maneira, os santos devem dar evidências da sua sinceridade fazendo isto. "Vós que amais ao Senhor, *aborrecei* o mal" (Sl 97.10). E o salmista frequentemente menciona isto como evidência da sua sinceridade, "Andarei em minha casa com um coração sincero. Não porei coisa má diante dos meus olhos; *aborreço* as ações daqueles que se desviam" (Sl 101.2,3). Assim também Salmos 119.128, e esta passagem. Novamente (Sl 139.21): "Não *aborreço* eu, ó Senhor, aqueles que te aborrecem?" – *Jonathan Edwards*

v. 104: "Aborreço". O ódio é um sentimento que fere, e que mata; ele busca o pecado com um coração motivado para a morte, como um vingador de sangue, isto é, do sangue da alma que o pecado iria derramar, e do sangue de Cristo que foi derramado por causa do pecado. Odeie perfeitamente e perpetuamente o pecado, e não o irá poupar, mas o irá matar imediatamente. Até que o pecado seja odiado, não poderá ser mortificado; você não clamará contra ele, como os judeus clamaram contra Cristo, Crucifica-o! Crucifica-o!, mas mostrará indulgência para com ele, como Davi com Absalão, dizendo, Brandamente tratai por amor de mim ao jovem – com este ou aquele pecado. A misericórdia para com o pecado é crueldade para com a alma. – *Edward Reyner, 1600-1670*

v. 104: "Falso caminho". Não está escrito, "mau caminho", mas "falso caminho", ou, como diz o original, todo caminho de mentira e falsidade. A falsidade pode estar tanto na opinião como na prática. Se você interpretar no primeiro sentido, falsidade em opinião ou erro de juízo, ou falsa doutrina, ou falsa adoração, esta sentença é válida. Aqueles que obtêm entendimento da palavra se estabelecem contra o erro, e não somente contra o erro, ou contra aceitá-lo ou possuí-lo, mas o abominam. – *Thomas Manton v. 104:* "Falso caminho". Todo pecado é uma *mentira*. Por meio dele, nós tentamos enganar a Deus. Com ele, nós realmente enganamos nossas almas (Pv 14.12). Não há engano como a loucura de crer que um caminho de pecado irá conduzir à nossa felicidade. – *William S. Plumer*

EXPOSIÇÃO DOS VERSÍCULOS 105 A 112

105 *Lâmpada para os meus pés é tua palavra e luz, para o meu caminho.*
106 *Jurei e cumprirei que hei de guardar os teus justos juízos.*
107 *Estou aflitíssimo; vivifica-me, ó Senhor, segundo a tua palavra.*
108 *Aceita, Senhor, eu te rogo, as oferendas voluntárias da minha boca; ensina-me os teus juízos.*
109 *A minha alma está de contínuo nas minhas mãos; todavia, não me esqueço da tua lei.*
110 *Os ímpios me armaram laço; contudo, não me desviei dos teus preceitos.*
111 *Os teus testemunhos tenho eu tomado por herança para sempre, pois são o gozo do meu coração.*
112 *Inclinei o meu coração a guardar os teus estatutos, para sempre, até ao fim.*

105. *"Lâmpada para os meus pés é tua palavra."* Nós somos andarilhos pela cidade deste mundo, e frequentemente temos que sair e entrar nas trevas; jamais devemos nos aventurar ali sem a palavra que ilumina, para não escorregarmos. Cada homem deve usar a palavra de Deus pessoalmente, praticamente e habitualmente, para que possa ver o seu caminho e o que há nele. Quando as trevas se instalam ao meu redor, a palavra do Senhor, como uma tocha ardente, revela o meu caminho. Uma vez que, antigamente, nas cidades orientais não havia lâmpadas fixas, cada passageiro carregava consigo uma lâmpada para que não caísse no esgoto aberto, nem tropeçasse nas pilhas de lixo que poluíam a estrada. Este é um verdadeiro retrato do nosso caminho por este mundo sombrio: nós não conheceríamos o caminho, nem andaríamos por ele, se as Escrituras, como uma tocha ardente, não o revelasse. Um dos benefícios mais práticos dos Textos Sagrados é a orientação nos atos da vida diária; esta tocha não é enviada para nos assombrar com seu brilho, mas para nos orientar com a sua instrução. É verdade que a cabeça precisa de esclarecimento, mas ainda mais os pés precisam de orientação, caso contrário tanto a cabeça como os pés poderão cair em uma cova. Feliz é o homem que se apropria pessoalmente da palavra de Deus, e a usa, praticamente, como seu consolo e conselheiro – uma lâmpada para os seus próprios pés.

"E luz, para o meu caminho." É uma lâmpada durante a noite, uma luz durante o dia, e um prazer, em todos os momentos. Davi guiou seus próprios passos por ela, e, graças aos seus raios, também viu as dificuldades do seu caminho. Aquele que anda nas trevas, mais cedo ou mais tarde, certamente irá tropeçar; ao passo que aquele que anda sob a luz do dia, ou com a lâmpada à noite, não tropeça, mas conserva a sua firmeza. A ignorância é dolorosa, nos aspectos práticos: ela gera indecisão e suspense, e estas coisas são desconfortáveis: a palavra de Deus, transmitindo conhecimento celestial, conduz à decisão, e quando é seguida com resolução determinada, como neste caso, traz consigo grande tranquilidade para o coração.

Este versículo dialoga com Deus, em um tom de adoração e, apesar disto, familiar. Nós não temos alguma coisa com este mesmo teor para dirigir ao nosso Pai Celestial?

Observe como este versículo é semelhante ao primeiro versículo do primeiro conjunto de oito, e também ao primeiro versículo do segundo e do terceiro conjuntos. Os segundos versículos de cada conjunto também são semelhantes entre si.

106. *"Jurei e cumprirei que hei de guardar os teus justos juízos."* Sob a influência da clara luz do conhecimento, o salmista tinha decidido firmemente

e solenemente declarado a sua resolução diante de Deus. Talvez sem confiar na sua própria mente instável, ele tenha se empenhado, de uma maneira santa, a permanecer fiel às determinações e decisões do Senhor seu Deus. Qualquer que fosse o caminho que viesse a se abrir diante dele, ele havia jurado seguir aquele sobre o qual brilhava a lâmpada da palavra. As Escrituras são juízos de Deus, ou veredictos, sobre grandes questões morais; elas são justas, e por isto os homens justos devem decidir segui-las, qualquer que seja o preço, uma vez que sempre é correto fazer o que é correto. A experiência mostra que, quanto menos os homens prometerem, jurarem, e firmarem alianças, melhor será; e a engenhosidade dos ensinamentos do nosso Salvador é contrária a toda promessa e todo juramento desnecessários; mas, sob o Evangelho, nós devemos nos sentir tão obrigados a obedecer à palavra do Senhor como se tivéssemos jurado fazê-lo. Os laços do amor não são menos sagrados do que as correntes da lei. Quando um homem jurar, ele deverá ter o cuidado de "cumprir"; e quando ele não jurar, com tantas palavras, que guardará os juízos do Senhor, ainda assim estará igualmente obrigado a fazer isto, por obrigações que existem, independentemente de qualquer promessa de nossa parte – obrigações baseadas na eterna adequação das coisas, e confirmadas pela abundante bondade do Senhor, nosso Deus. Cada crente não irá reconhecer que está obrigado ao Senhor redentor, a seguir o seu exemplo e guardar as suas palavras? Sim, os votos do Senhor estão sobre nós, especialmente sobre os que adotaram a profissão de fé do discipulado, e que foram batizados em nome da Trindade, e que participaram da Ceia do Senhor, e falaram em nome do Senhor Jesus. Nós nos alistamos, e juramos, e somos obrigados a ser soldados leais, durante toda a guerra. Tendo recebido a palavra em nossos corações, com uma firme decisão de obedecê-la, nós temos uma lâmpada dentro de nossas almas, como no Livro, e o nosso caminho será leve até o fim.

107. *"Estou aflitíssimo."* De acordo com o último versículo, ele tinha prestado juramento como soldado do Senhor, e neste versículo seguinte, ele é chamado para sofrer dificuldades nesta qualidade. O nosso serviço ao Senhor não nos isenta do juízo, mas na verdade o assegura para nós. O salmista era um homem consagrado, mas um homem punido, e suas punições não eram leves; pois parece que, quanto mais ele era obediente, mais era afligido. Evidentemente, ele sentia a vara ferindo-o profundamente, e isto ele alega, diante do Senhor. Ele fala, não como uma queixa ou murmuração, mas como um apelo; sim, devido à grande aflição em que se encontra, ele apela por uma vivificação.

"Vivifica-me, ó Senhor, segundo a tua palavra." Este é o melhor remédio para a tribulação; a alma se ergue acima do pensamento das aflições atuais, e se enche de santa alegria, que acompanha a vigorosa vida espiritual, e assim a aflição fica mais leve. Somente o Senhor pode vivificar; Ele tem a vida em Si mesmo e por isto pode transmiti-la imediatamente; Ele pode nos dar vida em qualquer momento, neste mesmo instante; pois é da natureza da vivificação ser rápida em sua operação. O Senhor prometeu, preparou e propiciou esta bênção de vida renovada, para todos os seus servos que esperam; é uma bênção de concerto, e é tão possível de ser obtida quanto é necessária. Frequentemente, a aflição se faz o meio para a vivificação, da mesma maneira como atiçar o fogo promove o calor da chama. Na sua aflição, alguns desejam a morte; porém nós devemos orar pela vida. Os nossos presságios, sob tentação, são frequentemente muito sombrios. Devemos pedir que o Senhor nos trate, não de acordo com os nossos temores, mas de acordo com a sua própria palavra. Davi tinha poucas palavras para citar, e provavelmente elas estavam nos seus próprios salmos, mas ele implora a palavra do Senhor; muito mais devemos nós, uma vez que a nós tantos homens santos falaram pelo Espírito do Senhor, nesta maravilhosa biblioteca que é agora a nossa Bíblia. Vendo que temos mais promessas, devemos oferecer mais orações.

108. *"Aceita, Senhor, eu te rogo, as oferendas voluntárias da minha boca."* Os vivos louvam ao Deus vivo, e por isto aquele que é vivificado, uma vez mais, apresenta seu sacrifício. Ele oferece oração, louvor, confissão e testemunho – estes, apresentados com a sua voz diante de um público, eram o tributo da sua boca ao Senhor. Ele teme que eles sejam mal proferidos, a ponto de desagradar ao Senhor, e por isto implora aceitação. Ele pede que a homenagem da sua boca seja espontânea e alegre; tudo o que a sua boca proferia eram ofertas de boa vontade. Não pode haver valor em confissões obtidas por extorsão: os recursos para a sustentação da obra de Deus não são obtidos por meio de impostos forçados, mas por doações espontâneas. Não pode haver aceitação onde não há boa vontade; não há obra da graça gratuita onde não há o fruto da boa vontade. A aceitação é uma benevolência que se deve buscar no Senhor, com todo fervor, pois sem ela, as nossas ofertas são mais do que inúteis. Que milagre de graça que o Senhor aceite qualquer coisa de pessoas indignas como nós!

"Ensina-me os teus juízos." Quando nós entregamos o melhor de nós ao nosso Senhor, nós nos tornamos ainda mais interessados em fazer melhor. Se o Senhor realmente nos aceitar, então nós deveremos desejar ser ainda mais instruídos, para que possamos ser ainda mais aceitáveis. Depois da vivificação, nós precisamos de ensinamento: a vida sem luz, ou esclarecimento, ou o zelo sem conhecimento, seriam apenas uma "meia bênção". Estes repetidos pedidos de ensinamento mostram a humildade do homem de Deus, e também revelam em nós a nossa necessidade de similar instrução. O nosso juízo precisa de educação, até que conheça os juízos do Senhor, e esteja de acordo com eles, e aja de acordo com eles. Estes juízos não são sempre tão claros como podem parecer à primeira vista; nós precisamos ser ensinados sobre estes juízos, até que admiremos a sua sabedoria e adoremos a sua bondade, tão logo as percebamos.

109. *"A minha alma está de contínuo nas minhas mãos."* Ele vivia em meio ao perigo. Ele tinha que estar sempre lutando pela sua existência – escondendo-se em cavernas ou combatendo em batalhas. Este é um estado muito desconfortável e tentador, e os homens são propensos a pensar em qualquer expediente justificável pelo qual possam trazer esta condição a um fim; mas Davi não se desviou para encontrar segurança no pecado, pois ele diz, *"todavia, não me esqueço da tua lei"*. Dizem que tudo é permitido, no amor e na guerra; mas o homem santo não pensava assim: embora levasse sua vida em suas mãos, também levava a lei em seu coração. Nenhum perigo físico pode nos fazer arriscar nossas almas, esquecendo-nos do que é direito. As dificuldades fazem muitos homens se esquecerem de seu dever, e teriam tido o mesmo efeito sobre o salmista, se ele não tivesse obtido vivificação (v. 107) e ensinamento (v. 108). Na sua lembrança da lei do Senhor estava a sua segurança; ele tinha a certeza de que não seria esquecido por Deus, pois não se esquecia de Deus. O fato de nada poder expulsar a verdade dos nossos pensamentos, ou a santidade das nossas vidas, é uma prova especial da graça. Se nos lembrarmos da lei, mesmo quando a morte estiver diante de nós, poderemos ter certeza de que o Senhor se lembra de nós.

110. *"Os ímpios me armaram laço."* A vida espiritual é o cenário de constante perigo; o crente vive com a vida em suas mãos, e todo o tempo, todos parecem tramar para tirar a sua vida, pela astúcia, se não puderem fazê-lo pela violência. Nós não julgamos fácil viver a vida dos fiéis. Os espíritos malignos e os homens maus não pouparão esforços para a nossa destruição. Se todos os outros estratagemas falharem, e até mesmo armadilhas não tiverem sucesso, os ímpios ainda irão perseverar em seus esforços traiçoeiros, e, tornando-se ainda mais ardilosos, montam armadilhas para a vítima do seu ódio. As menores espécies de caça são normalmente capturadas por este método, por armadilhas, ou emboscadas, ou redes, ou laços. Os ímpios são bastante indiferentes quanto à maneira que usam

para destruir o homem bom – eles o consideram apenas como um coelho ou um rato; a astúcia e a traição sempre são aliadas da maldade, e qualquer coisa semelhante a um sentimento generoso ou benévolo é desconhecido entre os que não têm piedade e que tratam os piedosos como se fossem vermes que devem ser exterminados. Quando um homem sabe que é atacado desta maneira, é propenso a ficar temeroso, e a recorrer a algum mecanismo precipitado para sua salvação, não sem pecar neste esforço; mas Davi calmamente manteve seu curso, e foi capaz de escrever, *"não me desviei dos teus preceitos"*. Ele não caiu na armadilha, pois conservou seus olhos abertos, e se manteve próximo ao seu Deus. Ele não caiu na emboscada nem se permitiu ser roubado, pois seguia pelo caminho de santidade do Rei, onde Deus assegura segurança a todos os viajantes. Ele não se desviou do que é direito, e não foi impedido de segui-lo, porque recorria ao Senhor em busca de orientação, e a obtinha. Se nós nos desviarmos dos preceitos, nos separaremos das promessas; se nos retirarmos da presença de Deus, vagaremos pelos desertos onde os caçadores espalham livremente suas redes. Com base neste versículo, devemos aprender a estar vigilantes, pois também nós temos inimigos que são astuciosos e ímpios. Os caçadores colocam suas armadilhas nos caminhos costumeiros dos animais, e as nossas piores armadilhas são armadas nos nossos próprios caminhos. Conservando-nos nos caminhos do Senhor, escaparemos das armadilhas dos nossos adversários, pois os seus caminhos são seguros e estão a salvo da traição.

111. *"Os teus testemunhos tenho eu tomado por herança para sempre."* Ele os escolheu como sua porção, sua propriedade; e, além disto, ele se apropriou deles, e os tornou sua propriedade, tomando posse deles e desfrutando deles. A escolha de Davi é a nossa escolha. O nosso desejo deve consistir em guardar perfeitamente os mandamentos de Deus. Conhecer a doutrina, desfrutar a promessa, praticar o mandamento – que este seja um reino suficientemente grande para mim. Aqui temos uma herança que não pode desaparecer nem ser alienada; é para sempre, e é nossa para sempre, se a recebermos. Algumas vezes, como Israel na sua primeira vinda a Canaã, nós temos que tomar a nossa herança por meio de grandes lutas, e, se for assim, ela vale todo o nosso esforço e sofrimento; mas ela sempre será recebida por meio de uma escolha decidida do coração e pelo controle da vontade. O que Deus dá, devemos receber.

"Pois são o gozo do meu coração." A alegria que lhe tinha envolvido, através da palavra do Senhor, o tinha levado a fazer uma escolha inalterável. Todas as partes das Escrituras tinham sido agradáveis a Davi, e ainda o eram, e por isto ele se apegava a elas, e desejava se apegar a elas para sempre. O que alegra o coração certamente deve ser escolhido e valorizado. Não é o conhecimento da cabeça, mas a experiência do coração, que traz a alegria.

Neste versículo, que é o sétimo deste conjunto, nós alcançamos a mesma doçura que no sétimo do último conjunto (103): na verdade, em vários dos sétimos que virão a seguir, o prazer é evidente. Como é bom quando a experiência amadurece e se converte em alegria, passando pela tristeza, oração, conflito, esperança, decisão e santo contentamento, até o gozo! A alegria cura o espírito; quando o coração se alegra na palavra divina, ele a valoriza grandemente, e se une para sempre a ela.

112. *"Inclinei o meu coração a guardar os teus estatutos, para sempre, até ao fim."* Ele não se inclinava apenas um pouco à virtude, mas estava sinceramente inclinado a ela. Todo o seu coração estava curvado em santidade prática e perseverante. Ele estava decidido a guardar os estatutos do Senhor, com todo o seu coração, durante todo o tempo, sem falhas ou limites. Ele fez de seu objetivo o guardar a lei até o fim, e isto sem limites. Pela oração, e meditação, e resolução, ele tinha feito todo o seu ser se inclinar para os mandamentos de Deus; ou como nós, diríamos em outras palavras – a graça de Deus o tinha influenciado a inclinar o seu coração em uma

direção santificada. Muitos são inclinados à pregação, mas o salmista era propenso à prática; muitos são inclinados a realizar cerimônias, mas ele era propenso a cumprir estatutos; muitos são inclinados a obedecer de vez em quando, mas Davi desejava obedecer sempre; e, ai, muitos são inclinados à religião temporária, mas este homem devoto era dedicado por toda a eternidade; ele desejava obedecer os estatutos do seu Senhor e Rei até o fim. Senhor, envia-nos uma inclinação de coração celestial como esta; então mostraremos que tu nos vivificaste e nos ensinaste. Com este objetivo, cria em nós um coração puro, e renova diariamente em nós um espírito reto, pois somente assim nos inclinaremos na direção correta.

NOTAS SOBRE OS VERSÍCULOS 105 A 112

v. 105: "Lâmpada para os meus pés é tua palavra, e luz", etc. Davi era um homem de grande inteligência e bom entendimento natural, mas ele dá a Deus a glória pela sua sabedoria, e reconhece que a sua melhor luz era apenas escuridão, quando não era iluminado e governado pela palavra de Deus. Oh, que nós pudéssemos considerar isto, que, em todos os nossos caminhos em que a palavra de Deus não brilha sobre nós, para nos orientar, nós apenas andamos nas trevas, e os nossos caminhos, sem ela, não nos podem conduzir a outro fim que não a completa escuridão. Se não damos ouvidos à palavra de Deus, se não andamos pela sua regra, como é possível que possamos ir à presença de Deus? – *William Cowper*

v. 105: "Lâmpada para os meus pés é tua palavra e luz, para o meu caminho". A *lâmpada* é usada durante a noite, ao passo que a *luz* do sol brilha durante o dia. Seja dia ou noite conosco, claramente nós compreendemos o nosso dever, pela Palavra de Deus. A *noite* significa adversidade, e o *dia,* a prosperidade. Consequentemente, podemos aprender como nos comportar em todas as condições. A palavra *"caminho"* indica a nossa escolha e o curso da vida; a palavra *"pés"*, os nossos atos em particular. Quer a questão com que devemos ser informados diga respeito à nossa escolha do caminho que conduz à verdadeira felicidade, ou à nossa hábil busca do caminho, a palavra de Deus ainda irá orientar uma mente humilde e bem disposta. – *Thomas Manton*

v. 105: "Lâmpada para os meus pés é tua palavra", etc. Basil, o Grande, interpretando a *"palavra"* como a vontade relevada de Deus nas Sagradas Escrituras, observa que o Antigo Testamento, e em particular a Lei, era apenas uma *lanterna* (*lâmpada* ou *vela*), como uma luz artificial, que ilumina as trevas de modo imperfeito, ao passo que o Evangelho, dado pelo próprio Senhor Jesus, é uma *luz* do Sol da justiça, que dá claridade a todas as coisas. Ambrósio, indo mais além, nos diz que Cristo é, Ele mesmo, a *lâmpada* e a *luz.* Ele, o Verbo de Deus, é uma grande luz para alguns, e para outros é uma lâmpada. Para mim, Ele é uma lâmpada; para os anjos, uma luz. Ele foi uma luz para Pedro, quando o anjo esteve ao seu lado na prisão, e a luz brilhou ao redor dele. Ele foi uma luz para Paulo, quando a luz do céu brilhou ao redor dele e ele ouviu Cristo dizendo: "Saulo, Saulo, por que me persegues?" E Cristo é verdadeiramente uma lâmpada para mim quando eu falo sobre Ele, com a minha boca. Ele brilha no barro, brilha no vaso de um oleiro: Ele é aquele tesouro que nós guardamos em vasos de barro. – *Neale e Littledale*

v. 105: "Lâmpada... é tua palavra... e luz". A menos que a *"lâmpada"* seja acesa – a menos que o ensinamento do Espírito acompanhe a palavra – tudo ainda é *"trevas e escuridão".* Se nós habitualmente esperássemos receber, e procurássemos melhorar a luz do mundo, não nos queixaríamos com tanta frequência da perpetuidade da nossa dor. – *Charles Bridges*

v. 105: "Lâmpada para os meus olhos". O que todos queremos não é ver maravilhas que nos assombram, e ser arrebatados por visões e esplendores de êxtase, mas um pouco de luz no caminho escuro e complicado em que temos que pisar, uma lâmpada que irá arder firmemente e nos ajudará a realizar a obra. As estrelas são infinitamente mais sublimes, meteoros infinitamente mais soberbos e assombrosos; mas a lâmpada que brilha em um lugar estranho é infinitamente mais próxima à nossas necessidades práticas. – *de The Expository, 1864*

v. 105: "Lâmpada para os meus pés é tua palavra". Tendo andado cerca de três quilômetros para chegar a um local onde muito poucos sabiam ler, para passar uma noite de leitura com um grupo que se reuniu para ouvir, e prestes a retornar por uma estreita trilha em meio às árvores, onde as trilhas se confundiam, eu recebi uma tocha de pinheiro. Eu objetei: era muito pequena, não pesava mais que 250 gramas. *"Isto iluminará o seu caminho para casa"*, respondeu meu anfitrião. Eu disse, "O vento poderá apagá-la". Ele disse, "Isto iluminará o seu caminho para casa". "Mas, e se chover?" Novamente objetei. "Isto iluminará o seu caminho para casa", insistiu ele.

Contrariamente aos meus temores, a tocha forneceu luz abundante e iluminou todo o meu caminho de volta para casa, propiciando um excelente exemplo, como frequentemente penso, da maneira como os corações duvidosos serão conduzidos ao longo do "caminho estreito". Se eles levarem a Bíblia como seu guia, ela será uma lâmpada para seus pés, e os conduzirá ao lar celestial. Um homem tinha cinco objeções à Bíblia. Se ele a levasse como uma lâmpada para os pés, ela "iluminaria o seu caminho e o conduziria para casa". Outro me disse que havia dois erros na Bíblia. Eu lhe respondi com as palavras do meu bom amigo, que me deu a tocha, "Ela iluminará o seu caminho para casa". – *de American Messenger, 1881*

v. 105: "Lâmpada para os meus pés", etc. Tudo depende da nossa maneira de utilizar a lâmpada. Um homem disse que, quando menino, se orgulhava de carregar a lâmpada para o seu professor no Sabbath. O caminho para a escola percorria ruas escuras e enlameadas. O menino segurou a lâmpada muito alto, e ambos afundaram na lama profunda. "Ah! você precisa segurá-la mais baixo", exclamou o professor, quando conseguiram pisar em terreno firme. O professor, então, explicou o nosso texto, de uma maneira muito bonita, e o homem declara jamais ter esquecido a lição daquela noite. É fácil segurar a lâmpada alto demais, mas dificilmente a seguraremos baixo demais. – *James Wells, Bible Images, 1882*

v. 105: "Luz".

Guia, luz amável, em meio à escuridão ao meu redor,
Guia-me.
A noite é escura, e estou longe de casa,
Guia-me.
Guia os meus pés; eu não peço para ver
à distância, um passo à minha frente já basta para mim.
– *John Henry Newman (1801-)*

vv. 105 e 106: "Luz, para o meu caminho. Jurei e cumprirei", etc. Eu considerei a tua palavra como uma lâmpada para os meus pés, como algo que me interessava intimamente, e então jurei, e cumprirei, que guardarei os teus justos juízos. É uma maneira poderosa de despertar o espírito de um homem e incitá-lo à obediência, considerar a palavra como escrita para ele, como uma lâmpada e uma luz para ele. Quando você consegue ouvir a palavra de Deus, e Deus conduz o ministro para que você apreenda a palavra que é dita, ela lhe incitará e despertará, e você dirá, "Oh, eu senti que hoje cada palavra que o ministro dizia era dirigida a mim; eu preciso dar ouvidos a ela". E, assim, saiba que cada palavra nas Escrituras que diz respeito a você, foi escrita por Deus para você; e se você assim entender, este será um meio poderoso de incitá-lo à obediência. – *Jeremiah Burroughs, 1599-1646 v. 106:* "Jurei", etc. A paráfrase de Patrick é: "Eu decidi, solenemente, e me comprometi, pelos mais sagrados laços, que jamais irei romper, mas agora confirmo".

v. 106: "Jurei". Agora eu convido você a se entregar solenemente ao serviço de Deus. Não apenas estabeleça este propósito no seu coração, mas declare-o expressamente na presença de Deus. Esta solenidade na maneira de fazê-lo certamente é muito razoável, na natureza das coisas; e certamente é altamente expediente, para comprometer ao Senhor um coração enganoso, como sabemos que é o nosso. Será agradável refletir sobre isto, como algo feito em tal ocasião, sob tais e tais circunstâncias de lugar e método, o que pode servir para incitar a memória e a consciência. A percepção das promessas de Deus que estão sobre você irá lhe fortalecer na hora da tentação; e a lembrança pode encorajar a sua humilde coragem e a sua liberdade de dirigir-se a Ele, sob a característica e a relação do seu Deus de concerto e Pai, conforme exigirem as circunstâncias futuras.

Faça isto, portanto, mas faça-o deliberadamente. Considere o que você deve fazer e considere como é razoável que isto seja feito, e feito com alegria, "não por força, mas voluntariamente"; pois neste sentido, e em todos os outros, "Deus ama ao que dá com alegria"...

Deixe-me lembrar a você que esta entrega deve ser perpétua. Você deve se entregar a Deus de uma maneira completa, jamais pretendendo pertencer a si mesmo. Pois os direitos de Deus são, como a sua natureza, eternos e imutáveis; e com relação às suas criaturas racionais, são os mesmos, ontem, hoje e para sempre.

Eu desejo ainda aconselhar e insistir que esta dedicação ou consagração seja feita com toda solenidade possível. Faça-a com palavras expressas. E talvez possa ser muito expediente em muitos casos, como muitos clérigos piedosos recomendaram, que seja feita por escrito. Confirme e assine este propósito, "de que em tal dia, de tal mês e ano, e em tal lugar, depois de plena consideração e séria reflexão, você chegou a esta feliz resolução, de que, independentemente do que possam fazer os outros, você irá servir ao Senhor". – *Philip Doddridge (1702-1751), "The Rise and Progress of Religion in the Soul"*

v. 106: Resoluções frequentemente renovadas, estabelecidas e santas. Um soldado sem a determinação de lutar pode facilmente ser derrotado. A coragem verdadeira e aguçada derrota as dificuldades que poderiam triunfar sobre um espírito frio e hesitante. A determinação em um homem fraco fará mais do que fortalecer um covarde. A fraqueza das nossas graças, a força das nossas tentações e a diligência de nossos inimigos espirituais exigem fortes resoluções. Nós devemos ser "firmes e constantes", e isto nos fará "sempre abundantes na obra do Senhor" (1 Co 15.58). O exercício abundante na obra do Senhor irá fortalecer o hábito da graça, aumentar a nossa habilidade na disputa, e tornará a vitória mais fácil e agradável para nós. Devemos inserir as resoluções com fé e humildade na força da graça de Deus, com temor em nós mesmos, mas confiança em Deus. Davi se comprometeu com Deus com um juramento sincero, confiando na sua força: *"Jurei e cumprirei que hei de guardar os teus justos juízos"*. Isto não era com a sua própria força, pois (v. 107) ele deseja que Deus o vivifique e que "aceite as oferendas voluntárias da sua boca" (v. 108), isto é, o juramento que foi proferido por uma boca livre e determinada. Deus não irá desprezar, mas fortalecer as sinceras resoluções das suas criaturas. Não podemos evitar as nossas falhas a menos que, antes, possamos impedir que nossas resoluções sejam débeis. – *Stephen Charnock*

v. 106: "Jurei e cumprirei". Teodorico, arcebispo de Colônia, quando o imperador Sigismundo lhe perguntou qual era o meio mais direto e resumido para alcançar a verdadeira felicidade, deu uma breve resposta: "Cumpra, quando você estiver bem, o que prometeu, quando estava doente". Davi fez isto; ele fez juramentos na época da guerra, e os cumpriu na época da paz; e assim devem fazer todos os homens bons; não como o ardiloso diabo, sobre quem escreve o epigramatista:

"O diabo estava doente, e então o diabo prometeu ser um monge;
O diabo ficou bem, e então se tornou um monge diabo".

Nem como muitos, hoje em dia, que, se a mão de Deus colocar algo ligeiramente pesado sobre eles, oh, quantas promessas, quantos compromissos assumem para que a sua vida seja restaurada! Como o mármore sob a chuva, parecem suar, e parece até que irão derreter; mas ainda conservam a sua dureza. Basta que a vara seja retirada de suas costas, ou a sua saúde seja restaurada, que, assim como seus corpos vivem, seus juramentos morrem; tudo fica esquecido: muitas vezes acontece que eles ficam muito piores do que tinham sido antes. – de *Things New and Old*, 1658, de John Spencer.

v. 106: "Teus justos juízos". Assim Davi intitula a palavra de Deus, porque ela julga, com muita justiça, entre o certo e o errado, entre a verdade e a falsidade. E, em segundo lugar, porque, de acordo com o juízo ali declarado, Deus irá agir com os homens. Devemos dar ouvidos a ela; pois a palavra contém o juízo de Deus sobre os homens e uma lista dos que não herdarão o reino de Deus, e outra dos que irão habitar no tabernáculo de Deus: devemos ler e ver em qual das duas listas nos encontramos; pois, de acordo com esta palavra, será o juízo. – *William Cowper*

v. 107: "Estou aflitíssimo", etc. Disto, aprendemos que, 1. Não é estranho que os mais santos homens estejam familiarizados com os mais tristes tipos de aflição, física e espiritual: *"Estou aflitíssimo"*. 2. Pois a despeito de onde quer que venha a aflição, a fé procura somente a Deus para o consolo, como aqui: *"vivifica-me, ó Senhor"*. Quando Deus se alegra em tornar viva a palavra da promessa, ou em cumprir o que a promessa nos permitiu esperar, este consolo é um antídoto suficiente contra a mais pesada aflição: *"Vivifica-me, ó Senhor, segundo a tua palavra"*. – *David Dickson*

v. 107: "Estou aflitíssimo". Podemos recomendar de maneira muito persuasiva que o cálice da angústia seja bebido com alegria, quando, na mão dos outros, mas como nos desagrada quando ele é posto na nossa mão. – *Alfred John Morris, 1814-1869*

v. 107: "Estou aflitíssimo... vivifica-me". O cristão vive em meio a cruzes, assim como o peixe vive no mar. – *Jean-Baptiste-Marie Vianney, 1786-1859*

v. 107: "Vivifica-me, ó Senhor". Como Deus nos vivifica? Fazendo reviver as nossas graças em meio ao sofrimento, como a nossa esperança, paciência e fé. Desta maneira, Ele nos injeta vida novamente, para que possamos prosseguir alegremente em nosso serviço, pela infusão de novas consolações. Ele vivifica o coração dos seus contritos, como diz o profeta (Is 57.15). Isto é muito necessário, pois o salmista diz, em outra passagem, "vivifica-nos, e invocaremos o teu nome" (Sl 80.18, ARA). O desconforto e o desencorajamento enfraquecem as nossas mãos, e a invocação a Deus. A menos que o Senhor nos vivifique outra vez, não teremos vida na oração. De duas maneiras, em particular, Deus nos vivifica na aflição: vivificando a nossa percepção do seu amor, e vivificando a nossa esperança de glória. – *Thomas Manton*

v. 107: "Segundo a tua palavra". Davi frequentemente revê esta expressão, o que sugere que ele tinha a percepção de alguma promessa que Deus lhe tinha feito de vivificar o seu coração quando ele estivesse abatido, e consequentemente, ele recorda a graciosa influência do Espírito de Deus, e professa que jamais se esquecerá dos seus preceitos, porque, por eles, o Senhor o tinha vivificado (v. 93).

Portanto, coloquem os seus corações mortos aos pés de Cristo, e supliquem desta maneira: Senhor, o meu coração está extremamente lento e distraído; eu não consigo sentir estas influências de dilatação e abrandamento que os teus santos sentiram; mas não são elas as principais misericórdias do concerto? Não prometeste um espírito de iluminação, convicção e humilhação? Não é a santidade de coração e vida uma parte principal disto? Não prometeste escrever a tua lei no meu coração? Dar-me uma unidade de coração, colocar o teu temor em mim, subjugar as minhas corrupções, e ajudar as minhas fraquezas na oração? Agora, Senhor, estas são as misericórdias que a minha alma deseja e pelas quais ela espera; encha a minha alma com estas influências animadoras, reviva a tua obra de graça na minha alma, atraia o meu coração para junto de ti, aumente a minha afeição por ti, repare a tua imagem, convoque a graça ao exercício da vivificação. A palavra piedosa não tem em vista esta misericórdia, quando dizes que não apenas me darás um coração novo, mas porás dentro de mim "um espírito novo" (Ez 36.26), tornando minha alma viva, ativa e espiritual, nos deveres e exercícios? Amado Senhor, eu não estou em concerto contigo? E não são estas as misericórdias de concerto? Por que, então, meu Deus, o meu coração está tão endurecido em relação ao teu temor? Por que me deixas nesta situação de falta de vida e distração? Lembra-te da palavra dada ao teu servo, na qual me fizeste esperar, e que me ajudaste a suplicar: Oh, vivifica o meu duro coração, segundo a tua palavra. – *Oliver Heywood*

v. 107: "Segundo a tua palavra". Davi, quando pede a vivificação, é encorajado a fazê-lo, por causa de uma promessa. A pergunta é, qual será esta promessa? Alguns pensam que é a promessa geral da lei, "Fazendo-os o homem, viverá por eles" (Lv 18.5) e que, a partir daí, Davi chegou a esta conclusão particular, de que Deus vivificaria o seu povo. Mas, na verdade, foi alguma outra promessa, alguma palavra de Deus que ele havia recebido, que o respaldava nesta súplica. O Senhor faz muitas promessas a nós, de santificar a nossa aflição. O fruto de todas é tirar o pecado (Is 27.9); melhorar-nos e aperfeiçoar-nos (Hb 2.10), moderar a nossa aflição, e tirar o seu vento forte, no tempo do vento leste (Is 27.8); nos assegurar de que não permitirá que soframos mais do que nos capacitou a suportar (1 Co 10.13). Ele prometeu que irá atenuar a nossa aflição, de modo que não seremos tentados acima das nossas forças. Ele prometeu que irá nos resgatar das nossas aflições, que o cetro da impiedade não permanecerá sobre a sorte dos justos (Sl 125.3), e que Ele estará conosco e não nos desamparará (Hb 13.5). Agora, o meu argumento é: se o povo de Deus conseguiu firmar o coração na palavra de Deus, quando tinha apenas indicações obscuras sobre as quais poderiam trabalhar, a ponto de não saberem exatamente onde estava a promessa, ah! como os nossos corações deveriam estar firmes em Deus, quando temos tantas promessas! Tendo em vista que as Escrituras são ampliadas para o consolo e a dilatação da nossa fé, certamente deveríamos dizer, como Paulo, quando recebemos uma palavra: "Creio em Deus" (At 27.25); eu posso esperar que Deus fará isto por mim, uma vez que a sua palavra assegura isto em todas as partes. – *Thomas Manton*

v. 108: "As oferendas voluntárias da minha boca" *podem* ser as ofertas que ele tinha prometido e jurado com a sua boca. E quem pode reivindicar estas coisas, como o Senhor? Dele são todas as coisas. – *John Stephen*

v. 108: "As oferendas voluntárias da minha boca". Aqui se indica aquele tipo de sacrifícios que nem as tribulações nem a pobreza de recursos podem impedir, e que não exige um templo externo, mas que em lugares desertos e entre os pagãos pode ser oferecido por um homem devoto. E estes sacrifícios da boca, o próprio Deus considera mais do que se todos os rebanhos de toda a terra lhe tivessem sido oferecidos, e todos os tesouros de ouro, e prata, e de pedras preciosas. – *Wolfgang Musculus*

v. 108: "Oferendas voluntárias". Esta expressão é usada frequentemente na lei (Lv 22.18, Nm 29.39, 2 Cr 31.14, Am 4.15). Quais são estas oferendas voluntárias? Elas são distintas da adoração a Deus já declarada, e daquele serviço que está incluído em um voto. Além das ofertas pacíficas fixas, há determinados sacrifícios realizados em determinadas ocasiões para testemunhar a bondade de Deus, em geral, e pelo recebimento de alguma misericórdia especial; e você perceberá que estes sacrifícios são expressamente distintos daqueles aos quais os homens se obrigam por um voto (Lv 7.16)... Estes servem para nos ensinar duas coisas. Em primeiro lugar, eles nos ensinam quão dispostos devemos estar para aproveitar todas as oportunidades para a gratidão e a adoração espiritual; pois, além de seus serviços prometidos e sacrifícios instituídos, eles tinham suas oferendas voluntárias, oferecidas a Deus por gratidão por alguma bênção especial recebida ou pela libertação do perigo. Em segundo lugar, eles nos mostram que, sob o Evangelho, devemos realizar a adoração a Deus com voluntariedade, disposição e alegria, e que deve haver uma livre disposição de coração e um controle sobre os nossos sentimentos em todas as coisas que oferecemos a Deus; neste último sentido, nossas ofertas a Deus – oração e louvor – devem ser oferendas voluntárias, devem partir de nós não como a água de um destilador, forçada pelo fogo, mas como a água de uma fonte, com frescor nativo, prontamente e livremente. – *Thomas Manton*

v. 108: "Oferendas". Todas as pessoas que são de Deus se fazem sacerdotes para Deus; pois cada oferenda pressupõe um sacerdote, pois está escrito que Cristo Jesus nos fez reis e sacerdotes (Ap 1.6). Todos os cristãos têm comunhão com Cristo, em todas as suas funções; o que quer que Cristo for, certamente eles também o serão, até certo ponto. – *Thomas Manton*

v. 108: "Aceita, Senhor... as oferendas voluntárias da minha boca". É uma grande graça que o Senhor aceite qualquer coisa vinda de nós, se considerarmos estas três coisas: Em primeiro lugar, quem é o Senhor; a seguir, quem somos nós; e em terceiro lugar, o que temos para dar a Ele.

Quanto ao Senhor, Ele é autossuficiente, e não tem necessidade de nada que possamos dar a Ele. Nós não temos outro bem além do Senhor (Sl 16).

Quanto a nós, somos pobres criaturas que vivemos pela sua liberalidade; sim, interagindo com o resto das suas criações, o sol e a lua, o ar, a água e a terra; as aves e os peixes; até os vermes: alguns nos dão luz, alguns nos dão alimento, alguns nos dão roupas; e são estes mendigos, como nós, adequados para dar alguma coisa a um rei?

E, em terceiro lugar, se nós considerarmos bem, o que é que nós damos? Nós temos alguma coisa a dar, além do que recebemos dele? E sobre isto, podemos dizer, com Davi, "Tudo vem de ti, e da tua mão to damos" (1 Cr 29.15). Que isto nos humilhe, e nos impeça de ter aquela vã arrogância que consiste em pensar que merecemos algo das mãos de Deus.

Davi, no seu tempo, em meio a uma grande necessidade, não tendo outro sacrifício a oferecer ao Senhor, lhe ofereceu os sacrifícios dos seus lábios, mas sem dúvida, quando pudesse, ofertaria mais.

Não há nada que seja tão pequeno aos olhos de Deus, pois se vier de um coração bom, Ele o aceitará: a moeda da viúva, um copo de água fria; e o louvor dos nossos lábios, ainda que nenhuma oblação externa o acompanhe; mas aqueles que podem dar mais, e não o fazem, mostram que o seu coração não está sinceramente afetado por Ele, e, assim, os seus louvores não são bem-vindos ao Senhor. – *William Cowper*

v. 108: "Aceita, Senhor... as oferendas voluntárias da minha boca; ensina-me os teus juízos". Aqui nos são ensinadas duas coisas pelas quais orar, com relação às nossas atividades religiosas.

1. A aceitação delas: Em tudo o que fizermos na religião, que quer presentes ou ausentes, o que devemos ter em vista é ser aceitos pelo Senhor. É isto que Davi aqui pede fervorosamente em oração: a aceitação das duas *"oferendas voluntárias"*, não da sua bolsa, mas da sua *"boca"*, seus louvores e suas orações. "Os sacrifícios dos nossos lábios" (Os 14.2) e "o fruto dos lábios" (Hb 13.15) são as oferendas espirituais que todos os cristãos, como sacerdotes espirituais, devem oferecer a Deus; e elas devem ser *"oferendas voluntárias"*, pois devemos oferecê-las abundantemente e alegremente; e é esta mente disposta que é aceita. Quanto mais liberdade e disposição há no serviço que oferecemos a Deus, mais agradável é para Ele.

2. Auxílio nelas: *"ensina-me os teus juízos"*. Não podemos oferecer algo a Deus, tendo razões para pensar que Ele o aceitará, mas devemos oferecer o que Ele se

alegra em nos instruir a fazer; e devemos ansiar pela graça de Deus em nós, tanto como pela benevolência de Deus para conosco. – *Matthew Henry*

v. 108: "Ensina-me os teus juízos". Como se o homem de Deus dissesse, Isto é algo a que eu vou me dedicar, até mesmo para ver como tu punes os ímpios e conduzes os teus filhos. De modo que devemos aprender, que assim como é necessário compreender a lei e o Evangelho, também é essencial discernir os juízos de Deus. Pois assim como não podemos aprender alguma coisa sem observar a misericórdia de Deus, também não conseguimos obter outras sem distinguir a sua vingança. Nós devemos sempre observar, pelo peculiar ensinamento do Espírito de Deus, como o Senhor pune em justiça, mas também em misericórdia; com ira, mas com amor; com rigor e ódio pelo nosso pecado, humilhando-nos com uma mão, mas com piedade e compaixão pela nossa salvação, consolando-nos com a outra mão. Nós vemos, então, como o profeta ora, tanto para ver estas coisas como para discerni-las; nós precisamos ensinar isto frequentemente porque sonhamos muito sobre a necessidade fatal e as conexões das causas naturais, ou porque não conseguimos discernir entre as cruzes dos piedosos e dos ímpios. É então, um dom singular de Deus, discernir como, pelos mesmos meios, o Senhor humilha os bons e também subverte os ímpios. – *Richard Greenham*

v. 109: "A minha alma está de contínuo nas minhas mãos". Ele tinha a sua alma em suas mãos, pronta para dá-la quando o Deus desejasse tomá-la. E deve ser observado que não há nenhuma aflição tão pronta a tirar a vida dos filhos de Deus, do que quando eles estão prontos a entregá-la. Assim como Elias saiu à entrada da caverna para se encontrar com o Senhor, e Abraão saiu à porta da sua tenda para falar com o anjo, também a alma do piedoso está pronta, à porta do tabernáculo do seu corpo, a sair, quando o Senhor assim o ordenar; ao passo que a alma dos ímpios recua, escondendo-se, como Adão entre os arbustos, e é tirada do corpo forçosamente. Assim era a alma daquele homem mundano: "esta noite te pedirão a tua alma", mas eles jamais sacrificam as suas almas, voluntariamente, ao Senhor. – *William Cowper*

v. 109: "A minha alma está de contínuo nas minhas mãos". Se alguém traz na mão um recipiente frágil, feito de vidro ou algum material similar, cheio com um líquido precioso, especialmente se a mão for fraca, ou se, por outras causas houver a ameaça de algum perigo, dificilmente será possível evitar que o recipiente se quebre, e que o líquido se derrame. Tal é a condição da minha vida, que eu, atacado por muitos inimigos, trago-a como se ela estivesse na minha mão; assim sendo, ela está exposta a tão grande perigo, como sempre tive a morte presente, diante dos meus olhos. A minha vida está suspensa pelo fio mais frágil. – *Andreas Rivetus, 1572-1651*

v. 109: "A minha alma está de contínuo nas minhas mãos". O crente está sempre nas garras da morte. Ele vive com as asas estendidas, para fugir. Paulo testemunhou: "Cada dia morro". Na situação extrema de perseguição, o desejo mais fervoroso do salmista era saber o que Deus desejava que ele fizesse. – *Henry Law*

v. 109: "A minha alma está de contínuo nas minhas mãos". A minha vida não é diferente do que o pássaro de uma criança, que o carrega na palma de sua mão. – *John Trapp*

v. 109: "A minha alma está de contínuo nas minhas mãos", etc. Por que Davi diz, "Minha alma está nas minhas mãos"? Ele teria tirado a sua vida da mão de Deus, e assumido a responsabilidade? Nada disto. O significado é apenas este: eu ando em meio a perigos e entre mil riscos de morte, continuamente; eu estou frequentemente junto à morte, a minha vida está exposta a perigos todos os dias, mas ainda assim não me esqueço da tua lei. Eu me conservo próximo de ti, e me conservarei próximo de ti, aconteça o que acontecer. Agostinho, neste ponto, confessa ingenuamente que não compreendia o que Davi queria dizer, quando declarava ter a sua alma em suas mãos; mas Jerônimo, outro dos antigos, nos ensina que é um hebraísmo, que significa uma situação de extremo perigo. Os gregos também converteram esta expressão em um provérbio que quer dizer a mesma coisa.

Mas por que segurar ou colocar a vida nas mãos significa expor a vida a um perigo? Há duas razões para isto:

Em primeiro lugar, porque todas as coisas que são levadas abertamente nas mãos podem cair da mão, e sendo levadas à vista de todos, podem ser roubadas ou arrancadas da mão. E, portanto, embora estar na mão de Deus signifique *segurança*, porque a sua mão é armada com um poder irresistível para nos proteger, um homem levar algo na sua própria mão significa levá-la com perigo, porque a sua mão é fraca, e há maneiras mais seguras de carregar ou transportar alguma coisa, do que abertamente na mão. Se um homem tiver que fazer uma longa viagem levando consigo algum tesouro, ele não o levará na mão, mas o colocará em algum lugar secreto onde ele possa estar escondido e, assim, mais seguro. A paráfrase dos caldeus, para expressar a elegância do lugar mencionado anteriormente, nos diz, *"A minha vida corre tanto perigo como se estivesse na superfície ou fora da minha mão"*, como se ele não a segurasse, mas ela estivesse simplesmente apoiada sobre a sua mão; pois aquilo que é colocado sobre a palma da mão, e não é agarrado, está em maior perigo. As coisas que estão mais seguras são aquelas que estão escondidas ou agarradas com firmeza.

Em segundo lugar, há outro motivo para esta frase, porque quando um homem está prestes a entregar alguma coisa, ou desistir dela, ele a traz na mão. Aqueles que se colocam em grandes perigos por Deus e pelo seu povo, entregam suas vidas e tudo o que têm a Deus. Daí o conselho do apóstolo: "Portanto, também os que padecem segundo a vontade de Deus encomendem-lhe a sua alma, como ao fiel Criador, fazendo o bem" (1 Pe 4.19). Assim, aqui, a vida dos homens em perigo é descrita como posta na mão, porque eles estão, de certa forma, prontos a entregar suas vidas a Deus, para que Ele cuide das suas vidas, preservando-as do perigo, ou para que as tome para Si se eles as perderem no serviço que prestam a Ele. – *Joseph Caryl*

v. 110: "Os ímpios". O salmista os chama de *ímpios*; o que sugere três coisas. Em primeiro lugar, que praticavam iniquidades. Em segundo lugar, que gostavam de praticá-las. Em terceiro lugar, que perseveram em praticá-las. – *William Cowper*

v. 110: "Laço". Uma maneira de capturar animais selagens, como leões, ursos, chacais, raposas, cervos, cabritos monteses e antílopes era por meio de um laço (*pach*), que é a palavra usada neste ponto. O laço era escondido debaixo da terra (Jó 18.10), no caminho do animal (Pv 22.5) e prendia o animal pelo calcanhar (Jó 18.9). – *William Latham Bevan, "Smith's Dictionary of the Bible", 1863*

v. 110: "Os ímpios me armaram laço". Ao comer, o ímpio demonstra gulodice; no amor, ele impele à luxúria; no trabalho, à preguiça; na convivência, à inveja; no governo, à cobiça; na correção, à ira; na honra, à soberba; no coração, ele instala maus pensamentos; na boca, más palavras; nos atos, as más obras; quando desperto, ele é levado a maus atos; quando adormecido, a sonhos repugnantes. – *Girolamo Savonarola, 1452-1498*

v. 110: "Os ímpios me armaram laço; contudo, não me desviei", etc. O lançar da isca não fere o peixe, se o peixe não a morder. – *Thomas Watson*

v. 111: "Os teus testemunhos tenho eu tomado", etc. As Escrituras são chamadas *"testemunhos"*, a respeito do próprio Deus, porque elas dão testemunho dele, e tornam Deus conhecido para nós; elas dão um testemunho de todos os seus atributos – da sua sabedoria, do seu poder, da sua justiça, da sua bondade, da sua verdade. Nós temos as declarações de todos estes atributos nos vários livros das Escrituras:

não há um livro, mas o testemunho destes atributos. No livro de Gênesis, temos o testemunho do seu *poder*, ao criar o mundo, da sua *justiça* ao inundar o mundo, e da sua *bondade,* ao salvar Noé e sua família. No livro do Êxodo, temos o testemunho da sua *providência*, ao conduzir o povo de Israel, através do Mar Vermelho, tirando-os do Egito; temos o testemunho da sua *sabedoria*, ao dar-lhes a sua lei. O que mais devo mencionar? No *Novo* Testamento, no Evangelho, tudo é testemunho. Assim como o *Antigo* Testamento dá testemunho de *Deus*, também o *Novo*, de *Cristo*; "Dele todos os profetas dão testemunho", não somente do *Antigo*, mas do *Novo* Testamento; "São elas que de mim testificam". Em todos os lugares há um testemunho de Cristo – da sua *Humildade,* ao assumir a nossa natureza; do seu *poder*, ao realizar milagres; da sua *sabedoria*, nas parábolas que Ele falava; da sua *paciência*, e do seu *amor*, nos tormentos que Ele sofreu por nós. Tanto a Lei como o Evangelho – todo o livro das Escrituras, e cada parte do livro, neste aspecto, é apropriadamente chamado de *"testemunhos do Senhor"*. E o santo salmista escolheu este nome quando teve que falar sobre a honra e a glória do livro; porque este era o nome de que ele obtinha grande consolação, pois era o testemunho da *verdade* e da *bondade* de Deus, e da sua *sabedoria*, e do seu *poder*, a ele; por isto ele o valoriza tanto, tomando como sua *"herança"*. – *Richard Holdsworth (1590-1649), "The Valley of Vision"*

v. 111: "Teus testemunhos". *"Testemunhos"* significam o concerto entre Deus e o seu povo; assim Ele se comprometia com eles, e eles se comprometiam com Ele. Alguns creem que a excelência da palavra é aqui apresentada, por muitos nomes, mas devemos considerar a propriedade de cada palavra: como antes, "juízos", também agora esta palavra, *"testemunhos"* significa o concerto: não os mandamentos, porque eles não podem ser uma herança, pois não podem nos consolar, porque não conseguimos cumpri-los, mas falhamos e, por isto, não podemos obter consolação deles. É o Evangelho que traz paz e consolação. *"A lei"*, quando é interpretada de modo geral, contém toda a palavra, particularmente os mandamentos; assim *"a palavra"*, de modo geral, contém a lei e também o Evangelho, mas particularmente as promessas, como Romanos 10. De igual modo, *"testemunhos"*, quando em oposição à lei, significa a promessa do concerto, como em Is 8, e este testemunho nos é confirmado pelos sacramentos, como a eles, por sacrifícios. – *Richard Greenham*

v. 111: "Por herança". Por que os testemunhos divinos devem ser chamados pelo salmista de *herança*; por que ele os traz no conteúdo desta noção, não é tão fácil de compreender; pois a palavra de Deus destaca a herança, mas não é a herança em si mesma. Sim, há uma boa razão para a expressão, se não houvesse mais do que esta: que nós devemos considerar o inestimável consolo, e o tesouro celestial que se encontra na palavra de Deus; é uma rica mina de todo o tesouro celestial, é um armazém de todas as coisas boas, de todo o conhecimento de salvação.

Todos os privilégios que podemos esperar, seja no céu ou na terra, estão todos contidos na palavra de Deus: aqui há base suficiente para que seja chamada *herança;* tem uma boa *herança* aquele que tem tudo isto.

Mas há uma razão ainda melhor do que esta, pois se o céu é a nossa herança, então a palavra de Deus também o é, porque é a palavra que aponta para o céu, que dá a *certeza* do céu; na palavra de Deus nós temos todas as evidências do céu. Qualquer que seja o *direito* que algum santo tenha ao céu, ele o tem com base na palavra de Deus. As evidências estão na palavra de Deus, tanto a evidência da *descoberta,* o registro (ou inventário de bens de raiz) sagrado da Canaã celestial, como a evidência da *certeza*, o elo sagrado ou a relação entre Deus e a sua criatura. Gregório disse com perspicácia, quando a chamou de epístola de Deus, que Ele enviou ao homem para a declaração da sua vontade e prazer; ele poderia também tê-la chamado de escritura de dádivas de Deus, pela qual Ele nos transfere e transmite todas aquelas esperanças que procuramos no céu. Qualquer que seja o interesse que temos em Deus, em Cristo, qualquer esperança de bênção e glória, qualquer consolação do

Espírito, qualquer proporção de graça, tudo isto nos é transmitido, nas promessas do Evangelho, na palavra de Deus.

Agora, junte tudo isto, considere como nos assuntos humanos as *evidências*, embora não sejam de fato a herança propriamente dita, são chamadas de herança, e são a herança, pois embora não o sejam realmente, o são na prática; porque todo o direito que temos a uma herança está nas escrituras dos bens e nas evidências; por isto, as evidências são coisas preciosas. Embora seja apenas um pedaço de papel, cheio de poeira e comido por traças, ainda vale muito – às vezes tem o mesmo valor que uma propriedade, tanto quanto toda a possessão de um homem, e ainda mais. A mesma coisa acontece com as Escrituras; elas não são, realmente e propriamente a herança, mas são *via*, o caminho para o reino. Elas são chamadas de Evangelho do reino, ou melhor, o próprio reino: "É chegado a vós o Reino de Deus", ou está "entre vós". Por que o reino? Por que a herança? Pela mesma razão; porque aqui temos a *transmissão,* aqui temos a *escritura*, aqui temos a *certeza* de qualquer direito ou reivindicação que fazemos ao céu. – *Richard Holdsworth*

v. 111: "São o gozo do meu coração". Ele não diz que os testemunhos de Deus trazem alegria, mas que são a própria alegria; não há outra alegria, senão a alegria na lei do Senhor. Pois, sobre qualquer outra alegria, o rei sábio, a respeito do riso, disse: "Está doido"; e da alegria: "De que serve esta?" (Ec 2). A verdadeira alegria é o sinal que temos do céu, é o tesouro da alma, e por isto deve ser armazenada em um lugar seguro; e não há, neste mundo, um lugar seguro onde guardá-la. E, por isto, com a esposa, dizemos, "Em ti nos regozijaremos e nos alegraremos; do teu amor nos lembraremos, mais do que do vinho". Que os outros busquem a sua alegria no vinho, na sociedade, no modo de vida, na música; para mim, "Puseste alegria no meu coração, mais do que no tempo em que se multiplicaram o seu trigo e o seu vinho". O trigo e o vinho são, realmente, preciosos frutos da terra, mas não têm sabor especial; mesmo tendo-os, um homem pode ter a alma vazia, sem valor. E, por isto, estas não são as alegrias dos santos; eles precisam ter Deus, ou vão morrer de tristeza; a sua lei é a sua vida. – *Abraham Wright*

v. 112: "Inclinei o meu coração a guardar os teus estatutos, para sempre", etc. No versículo anterior, ele mostrou a sua fé, e a alegria que resultou dela; aqui, ele mostra que nesta alegria, ele irá guardar os mandamentos; com isto, ele mostra que esta era uma alegria verdadeira, tendo em vista que ela operou o interesse em fazer o bem. Pois, se nós cremos verdadeiramente nas promessas, então também amamos os mandamentos, caso contrário, a fé é inútil; um interesse em viver uma vida piedosa alimenta a fé nas promessas de Deus. Aqui está a causa, então, por que muitos não consideram a palavra e os sacramentos; ou, se o fizerem, o pouco que apresentarão a Deus será quase inútil, porque não se esforçam para guardar os mandamentos. Pois, a menos que se interessem por fazer isto, nem a palavra de Deus, nem os sacramentos sagrados, lhes poderão ser benéficos. – *Richard Greenham*

v. 112: "Inclinei o meu coração a guardar", etc. Observe. No versículo 36, ele orou a Deus, dizendo, *"Inclina o meu coração a teus testemunhos"*. E aqui ele fala, sobre si mesmo, dizendo, *"Inclinei o meu coração a guardar os teus estatutos, para sempre, até ao fim"*. Que necessidade, então, havia, de pedir a Deus o que, em outra ocasião, ele se gloria de ter feito, ele mesmo? Resposta: Estas coisas não são contrárias, uma à outra. Deus se inclina, e o homem piedoso também se inclina. O homem se inclina, lutando; Deus se inclina, realizando. Não é isto o que o homem tenta, nem é o que ele, lutando, consegue, do homem; mas ele o recebe de Deus, que opera *"tanto o querer como o efetuar, segundo a sua boa vontade"* (Fp 2.13). – *Wolfgang Musculus*

v. 112: O coração pecador, por si só, irá se dedicar a todas as coisas; a coisas terrenas, a coisas malignas, ou a coisas impertinentes e irracionais; mas não se inclinará àquilo que realmente deveria importar, nem o guardará; portanto, ele precisa ser tomado como que por uma mão forte, e dedicar-se a coisas espirituais, dedicar-se à meditação das coisas celestiais. Um coração carnal é como um imã, não se agarra a nada, exceto aço ou ferro, e se une facilmente a ambos; mas o coração deve ter outra propriedade e agir de uma maneira mais elevada. E um coração bom, embora se preocupe muito com a terra e frequentemente se engane, ainda assim se dedicará a pensar sobre as cosias certas, e se fará unir a elas. Davi nos diz como fez; ele *inclinou seu coração aos estatutos de Deus*, tanto para guardá-los como para meditar sobre eles. Ele tomou e *inclinou seu coração*, como algo que se curva demais para outras coisas; dedicou a sua mente a meditar sobre isto. Ele percebeu que seu coração e a lei de Deus estavam muito separados, e assim continuariam, a menos que ele os unisse e os tornasse uma coisa só. Se ele não tivesse inclinado o seu coração à palavra, jamais teria meditado: o objeto não pode se aplicar à mente, é a mente que deve ir até o objeto. Nenhum dever sagrado vem até nós, nós é que devemos ir até eles. – *Nathanael Ranew, "Solitude Improved by Divine Meditation", 1670*

v. 112: "Inclinei o meu coração a guardar", etc. Ele estava determinado a *continuar* nesta obra. 1. *"Inclinei o meu coração".* O conselho da alma é como uma balança; e a mente, que tem poder sobre os sentimentos, inclina a balança para o lado que julgar melhor; 2. Para *realizar isto* é que ele *inclinou seu coração.* 3. E isto não por algum *tempo,* ou para alguma *ocasião particular,* mas *para sempre,* e até *ao fim.* Então *o fim da vida* seria o *início da glória.* – *Adam Clarke*

v. 112: "Inclinei o meu coração". O profeta, para definir o que é servir a Deus, declara que aplicava não somente suas mãos, seus olhos ou seus pés para guardar a lei, mas que começava com o afeto do coração. – *João Calvino*

v. 112: "Até ao fim". A nossa vida, na terra, é uma corrida; em vão, ele começa a correr rapidamente, pois fraqueja e é ultrapassado antes de chegar ao fim. E isto era representado (diz Gregory) quando, na lei, a cauda do animal era sacrificada com o restante: a perseverança coroa tudo. É bom que tenhamos começado a fazer o bem; mas devemos também lutar para perseverar até o fim. – *William Cowper*

EXPOSIÇÃO DOS VERSÍCULOS 113 A 120

113 *Aborreço a duplicidade, mas amo a tua lei.*
114 *Tu és o meu refúgio e o meu escudo; espero na tua palavra.*
115 *Apartai-vos de mim, malfeitores, para que guarde os mandamentos do meu Deus.*
116 *Sustenta-me conforme a tua palavra, para que viva, e não me deixes envergonhado da minha esperança.*
117 *Sustenta-me, e serei salvo e de contínuo me alegrarei nos teus estatutos.*
118 *Tu desprezas a todos os que se desviam dos teus estatutos, pois o engano deles é falsidade.*
119 *Tu tiraste da terra, como escórias, a todos os ímpios; pelo que amo os teus testemunhos.*
120 *O meu corpo se arrepiou com temor de ti, e temi os teus juízos.*

113. *"Aborreço a duplicidade, mas amo a tua lei."* Neste parágrafo, o salmista trata de pensamentos, coisas e pessoas que se opõem aos santos pensamentos e caminhos de Deus. Evidentemente, ele sente grande temor dos poderes das trevas, e de seus aliados, e toda a sua alma é incitada a se levantar contra eles, com uma oposição determinada. Da mesma maneira como ele começou o conjunto do versículo 97, com "Oh! Quanto amo a tua lei!", também aqui ele começa com uma declaração de ódio, contra o que infringe a lei. O oposto da lei fixa e infalível de Deus é a opinião inconstante e mutável dos homens: Davi tinha um total desprezo por

isto; toda a sua reverência e consideração eram depositadas na palavra garantida do testemunho. O seu ódio pelas invenções dos homens era proporcional ao seu amor pela lei. Os pensamentos dos homens são vaidade; mas os de Deus são verdade. Nós ouvimos muito, nestes dias, sobre "homens de opinião", "pregadores zelosos" e "pensamento moderno"; o que é isto, senão o antigo orgulho do coração humano? O homem vão deseja se passar por sábio. O salmista não se gloriava nos seus pensamentos; e o que era chamado "pensamento", na sua época, era algo que ele detestava. Quando o homem pensa o melhor, os seus pensamentos mais elevados ainda estão tão abaixo dos da revelação divina como a terra está abaixo dos céus. Alguns dos nossos pensamentos são particularmente vãos, no sentido de vanglória, soberba, arrogância e autoconfiança; outros, no sentido de trazer desapontamento, como a ambição irreal, o sonho pecaminoso, e a confiança no homem; no sentido de vazio e frivolidade, como os pensamentos ociosos e os romances vagos em que tantos se afundam; e, uma vez mais, muitos dos nossos pensamentos são vãos, no sentido de serem pecaminosos, maus, e tolos. O salmista não é indiferente aos maus pensamentos, como o são os negligentes; mas ele os considera com um ódio tão verdadeiro como era o amor com que se apegava aos puros pensamentos de Deus.

O último conjunto de oito versículos foi prático, este é zeloso; ali o homem de Deus cuidava de seus pés, e aqui, do seu coração: as emoções da alma são tão importantes como os atos da vida, pois são a fonte e nascente de que se originam os atos. Quando nós amamos a lei, ela se torna uma lei de amor, e nos apegamos a ela com todo o nosso coração.

114. *"Tu és o meu refúgio e o meu escudo."* Ao seu Deus ele corria em busca de abrigo e proteção dos vãos pensamentos; ali, ele se escondia de suas intrusões de tormento, e em solene silêncio de alma, descobria que Deus era o seu refúgio. Quando chamado ao mundo, se não pudesse estar sozinho com Deus, como seu esconderijo, ele podia ter o Senhor consigo, como seu escudo; e, deste modo, podia impedir os ataques de sugestões ímpias. Este é um versículo experimental, e dá testemunho daquilo que o autor conhecia, sim, do seu conhecimento pessoal; ele não podia combater os seus próprios pensamentos, nem escapar deles, até que fugiu para o seu Deus, e ali encontrou libertação. Observe que ele não fala da palavra de Deus como sendo a sua dupla proteção, mas atribui a sua defesa ao próprio Deus. Quando nós somos incomodados por ataques espirituais, como os que emergem de pensamentos vãos, fazemos bem em correr distintamente à pessoa do nosso Senhor, e em nos lançar à sua real presença. Feliz é aquele que pode verdadeiramente dizer ao Deus trino: "Tu és o meu refúgio". Ele contemplou Deus sob este aspecto do glorioso concerto, que assegura a quem o contempla a mais certa consolação.

"Espero na tua palavra." E bem podia fazê-lo, pois tinha experimentado e provado: ele procurava proteção de todo o perigo, e preservação de toda a tentação junto àquele que, até aqui, tinha sido a sua torre de defesa, em ocasiões anteriores. É fácil exercermos a esperança, onde fomos ajudados. Às vezes, quando pensamentos sombrios nos afligem, a única coisa que podemos fazer é ter esperança, e, felizmente, a palavra de Deus sempre coloca diante de nós objetos de esperança e razões de esperança, de modo que ela se torna a própria esfera e o sustento da esperança, e assim os pensamentos cansativos são superados. Entre a irritação e a preocupação, a esperança do céu é um golpe final eficaz.

115. *"Apartai-vos de mim, malfeitores."* Aqueles que têm consciência de seus pensamentos provavelmente não irão tolerar as más companhias. Se nós corremos a Deus, fugindo dos vãos pensamentos, muito mais devemos evitar os homens vaidosos. Os reis são muito propensos a se rodear de uma classe de homens que os adulam, e, ao mesmo tempo, tomam a liberdade de infringir as leis de Deus: Davi limpou seu palácio destes parasitas; ele não os abrigaria debaixo de seu teto.

Sem dúvida, eles lhes teriam trazido uma má fama, pois as obras deles lhe teriam sido imputadas, uma vez que os atos dos cortesãos geralmente são relacionados com os atos da própria corte; portanto o rei os expulsa, dizendo: "Apartai-vos de mim". Desta maneira, ele antecipou a sentença do último grande dia, quando o Filho de Davi dirá: "Apartai-vos de mim, vós todos os que praticais a iniquidade". Não podemos expulsar todos os malfeitores de nossas casas, mas isto se tornará um dever frequente, quando houver razão para isto e o direito de fazê-lo. Uma casa é muito melhor se livre de mentirosos, ladrões, luxuriosos e caluniadores. Nós devemos correr todos os tipos de perigo para nos manter livres destas companhias que nos vêm por nossa própria escolha, se tivermos qualquer razão para crer que o seu caráter seja maldoso. Os malfeitores são maus conselheiros. Aqueles que dizem a Deus "Aparte-se de nós" devem ouvir o imediato eco de suas palavras das bocas dos filhos de Deus, "Apartai-vos de nós, não podemos comer pão com traidores".

"Para que guarde os mandamentos do meu Deus." Uma vez que ele achava difícil guardar os mandamentos na companhia dos ímpios, ele os mandou embora. Ele *devia* guardar os mandamentos, mas não precisava conservar a companhia dos ímpios. Que belo título para o Senhor contém este versículo! A palavra *Deus* aparece apenas neste único lugar, em todo este extenso salmo, e então é acompanhada pela palavra pessoal "meu" – "meu Deus".

"Meu Deus! Como é agradável o som!
Como é agradável repetir!
Bem pode o coração com prazer se confinar
onde Deus fixou o seu trono".

Uma vez que o Senhor é o nosso Deus, nós nos decidimos a obedecer a Ele, e a eliminar de nossa vista aqueles que desejarem nos atrapalhar no seu serviço. É uma grande bênção quando a nossa mente chega ao ponto de estar firmemente fixa nesta santa determinação: "para que guarde os mandamentos". A lei de Deus é o nosso prazer, quando o Deus da lei é nosso Deus.

116. *"Sustenta-me conforme a tua palavra, para que viva."* Era tão necessário que o Senhor sustentasse o seu servo, que ele não poderia sequer viver, sem isto. A nossa alma morreria, se o Senhor não a sustentasse continuamente, e cada graça que faz com que a vida espiritual seja verdadeiramente a vida, decairia, se Ele retirasse a sua mão sustentadora. É uma doce consolação que esta grande necessidade de sustento seja propiciada na palavra, e não precisemos pedi-la, como uma misericórdia fora do concerto, mas simplesmente pedir pelo cumprimento de uma promessa, dizendo, "Sustenta-me conforme a tua palavra". Aquele que nos deu a vida eterna nos assegurou, a todos nós, nesta dádiva, tudo o que é essencial para ela, e como o sustento piedoso é uma das coisas necessárias, podemos ter certeza de que o teremos.

"E não me deixes envergonhado da minha esperança." No versículo 114, o salmista tinha falado da sua esperança, baseada na palavra, e agora ele implora o cumprimento daquela palavra, para que a sua esperança possa ser justificada à vista de todos. Um homem deve se envergonhar da sua esperança, se acontecer que ela não está baseada em uma fundação segura; mas isto nunca irá acontecer no nosso caso. Nós podemos nos envergonhar dos nossos pensamentos, e das nossas palavras, e das nossas obras, pois tudo isto emerge de nós; mas jamais devemos nos envergonhar da nossa esperança, pois ela emerge do Senhor, nosso Deus. Tal é a fragilidade da nossa natureza, que a menos que sejamos continuamente sustentados pela graça, cairemos de modo tão desagradável a ponto de nos envergonharmos de nós mesmos, e nos envergonharmos de todas as gloriosas esperanças que agora são a coroa e a glória da nossa vida. O homem de Deus

tinha pronunciado as mais positivas resoluções, mas ele sentia que não podia confiar na sua própria determinação solene: daí, estas orações. Não é errado tomar decisões, mas será inútil fazer isto, a menos que as temperemos com clamores de fé a Deus. Davi desejava guardar a lei do Senhor, mas, antes disto, ele precisava que o Senhor da lei o guardasse.

117. *"Sustenta-me"* – como uma babá segura um bebê. *"E serei salvo"* e nada mais; pois, a menos que me sustentes, eu cairei como uma criança que tem os joelhos fracos. Nós somos salvos pelas graças passadas, mas não estamos a salvo, a menos que recebamos a graça presente. O salmista tinha jurado guardar os mandamentos do Senhor, mas aqui ele pede que o Senhor o guarde: um modo de proceder muito sensível. A nossa versão apresenta a palavra "sustenta-me", e, verdadeiramente, nós precisamos desta bênção, em todas as formas em que ela puder vir, pois, de todas as maneiras, os nossos adversários procuram nos desencorajar. Ser salvo é uma feliz condição; só existe uma porta para isto e ela consiste em ser sustentados pelo próprio Deus; graças a Deus, esta porta está aberta, para o mais inferior de nós.

"E de contínuo me alegrarei nos teus estatutos." Na obediência, está a segurança; no ser sustentado, está a obediência. Nenhum homem irá guardar exteriormente os estatutos do Senhor por muito tempo, a menos que tenha um respeito interior por eles, e isto jamais acontecerá, a menos que a mão do Senhor sustente perpetuamente o coração em santo amor. A perseverança até o final, e a obediência contínua, só vêm pelo poder divino; nós começamos "de lado", como um arco enganoso, a menos que sejamos mantidos retos por aquele que nos deu a graça, em primeiro lugar. Feliz é o homem que cumpre este versículo na sua vida. Sustentado durante toda a sua vida em um caminho de integridade inabalável, ele se torna um homem seguro e confiante, e conserva uma sagrada delicadeza de consciência que é desconhecida dos outros. Ele sente um terno respeito pelos estatutos do Senhor, um respeito que o conserva isento de incoerências e conformidades com o mundo, que são tão comuns entre os outros; e, consequentemente, ele é uma coluna na casa do Senhor. Ai, nós conhecemos alguns professores que não são justos, e por isto se inclinam para o pecado, até que caiam, e embora sejam restaurados, jamais estão a salvo nem são confiáveis, jamais têm aquela doce pureza de alma que é o encanto dos mais santificados, que foram impedidos de cair na lama.

118. *"Tu desprezas a todos os que se desviam dos teus estatutos."* Não há sustento para eles; eles são desprezados e desprezados novamente, pois escolhem descer aos caminhos errantes do pecado. Mais cedo ou mais tarde, Deus colocará o seu pé sobre aqueles que desviam seus pés dos seus mandamentos: sempre foi assim, e sempre será assim, até ao fim. "Se o sal for insípido, com que se há de salgar? Para nada mais presta, senão para se lançar fora e ser pisado pelos homens". Deus tira todos os ímpios da terra, como escórias, que só servem para ser descartadas como lastro de estradas, para serem pisados.

"Pois o engano deles é falsidade." Eles o chamam de política previdente, mas é falsidade absoluta, e assim será considerada e tratada. Os homens comuns o chamam de diplomacia inteligente, mas o homem de Deus o chama pelo nome adequado, e nada diferente disto, pois ele sabe que assim é aos olhos de Deus. Os homens que se afastam da estrada principal inventam desculpas agradáveis pelas quais enganam a si mesmos e a outros, e assim acalmam suas consciências e conservam seus créditos. Mas a sua máscara de falsidade é transparente demais. Deus despreza a falsidade; ela serve apenas para ser pisoteada por Ele, e esmagada no pó. Como devem se sentir horrorizados aqueles que passaram a vida inteira praticando uma religião falsificada, e então a veem desprezada por Deus como um fingimento que Ele não pode suportar!

119. *"Tu tiraste da terra, como escórias, a todos os ímpios."* O salmista não brinca com eles, nem lida com eles com luvas de pelica. Não, ele os julga como a escória

da terra, e os trata de maneira apropriada, afastando-os. Ele os expulsa da sua igreja, das suas honras, da terra e, por fim, da sua presença. "Apartai-vos", diz ele, "malfeitores". Se até mesmo um *homem* bom se sente forçado a afastar de si os malfeitores, muito mais o santo Deus trino afastará de Si os ímpios. Eles pareciam metais preciosos, estavam intimamente misturados com eles, estavam no mesmo monte, mas o Senhor é um refinador, e todos os dias Ele remove alguns dos ímpios de entre o seu povo, quer fazendo uma vergonhosa revelação da sua hipocrisia ou expulsando-os da terra. Eles são removidos como escória, para jamais serem lembrados. Da mesma maneira como o metal é melhor, depois de perder sua liga, também a igreja é melhor, tendo removidos os ímpios. Estes ímpios são "da terra" – "os ímpios da terra", e não têm direito de estar com aqueles que não são deste mundo; o Senhor percebe que estão fora de lugar e que são ofensivos, e por isto Ele os remove, a *todos* eles, não deixando nenhum para deteriorar a sua igreja. O processo, um dia, será perfeito; nenhuma escória será poupada, nenhum ouro ficará impuro. Onde estaremos, quando esta grande obra estiver concluída?

"Pelo que amo os teus testemunhos." Mesmo o rigor do Senhor incita o amor do seu povo. Se Ele permitisse que os homens pecassem impunemente, não seria tão plenamente o objeto de nossa amorosa admiração; Ele é glorioso em santidade, porque livra o seu reino dos rebeldes, e o seu templo daqueles que o profanam. Nestes dias de perversidade, quando a punição de Deus aos pecadores se torna alvo de zombaria de discussões céticas, podemos considerar um sinal característico do verdadeiro homem de Deus o fato de que ele ama ao Senhor, ainda mais, por causa do juízo merecido que Ele inflige aos ímpios.

120. *"O meu corpo se arrepiou com temor de ti."* Tal era o seu temor na presença do Juiz de toda a terra, cujo juízo ele acabava de considerar, que ele estremecia excessivamente. Até mesmo a parte mais rude da sua existência – a sua carne – sentia um temor solene apenas com o pensamento de ofender alguém tão bom e grandioso, que iria realmente separar os ímpios dos justos. Ai, pobre carne, isto é o máximo que você consegue alcançar!

"E temi os teus juízos." As palavras de juízo de Deus são solenes, e as suas obras de juízo são terríveis; elas podem nos provocar temor. Somente ao pensar no Juiz de todos – nos seus olhos perscrutadores, nos seus livros de registros, no seu dia de juízo, e nas operações da sua justiça – bem podemos clamar, pedindo pensamentos, corações, e caminhos purificados, para que os seus juízos sejam leves sobre nós. Quando vemos o grande Refinador separando os preciosos dos vis, bem podemos sentir um santo temor de sermos deixados de lado por Ele, e deixados para sermos pisados sob os seus pés.

O amor, no versículo anterior, é bastante coerente com o temor neste versículo: o temor que atormenta é eliminado, mas não o temor filial que leva à reverência e à obediência.

NOTAS SOBRE OS VERSÍCULOS 113 A 120

A décima quinta letra, Sâmeque, indica uma *coluna* ou um *pilar*, e é bastante apropriada ao assunto da estrofe, em que Deus recebe duas vezes a súplica para sustentar o seu servo (vv. 16,17), ao passo que a destruição total daqueles que menosprezam a sua lei, ou encorajam o ceticismo com relação a ela, pode ser comparada ao destino dos líderes filisteus, sobre os quais Sansão fez vir abaixo o telhado da casa onde se divertiam, derrubando as colunas que o sustentavam. – *Neale e Littledale*

vv. 112 e 113: Quando Davi teve seu coração inclinado para os estatutos de Deus, o efeito imediato disto foi *"aborrecer a duplicidade"*. Nós lemos, *"Inclinei o meu coração a guardar os teus estatutos"*; e a consequência é *"Aborreço a duplicidade"*. A futilidade do seu coração era um peso para ele. Uma nova criatura é tão cuidadosa contra a iniquidade na cabeça ou no coração, quanto o é na vida. Um homem piedoso será mais puro aos olhos de Deus do que aos olhos dos homens. Ele sabe que ninguém, exceto Deus, pode ver as hesitações do seu coração ou os pensamentos da sua mente, mas ele é cuidadoso, de modo que os seus pecados não apareçam nem irrompam. – *Stephen Charnock*

v. 113: "Aborreço a duplicidade", ou os esquemas malévolos; ou as ideias enganadoras, ou os pensamentos contrários ao que é bom e certo; ou seja, aquele tipo de prática de alguns homens, que seguirão conforme o vento, e que procuram ter o pé em duas canoas. A palavra hebraica significa, na verdade, ramos ou galhos, que se erguem confusamente em uma árvore. – *Theodore Haak, 1618-1657*

v. 113: "Aborreço a duplicidade". Naquelas horas de folga, que conseguimos separar do trabalho, aquelas horas que dedicamos ao lazer, aos relacionamentos e ao sono, e que são passadas em solidão, em casa ou não, pensamentos inúteis e não proveitosos, cobiçosos, sensuais, invejosos ou malévolos ocupam a mente dos ímpios, e frequentemente infectam até mesmo os seus sonhos. Eles não são apenas pecaminosos por si só, indicando a condição de seus corações, e como tal devem ser explicados no dia do juízo, mas incitam as corrupções adormecidas, e levam a infrações mais declaradas e mais flagrantes da lei divina. A mente carnal aceita e se alegra em perder tempo com estas ideias, e se consola com indulgências imaginárias, quando a oportunidade de outra gratificação não se apresenta, ou quando o indivíduo não ousa cometer a transgressão. Mas a mente espiritual não os aceita; estes pensamentos irão invadir, de tempos em tempos, mas não serão bem-vindos, e serão perturbadores, e imediatamente serão descartados; ao passo que outros assuntos, da palavra de Deus, são acumulados, prontamente, para ocupar a mente de maneira mais benéfica e agradável durante as horas de folga e isolamento. Não há teste melhor do nosso verdadeiro caráter, do que o efeito habitual da *"duplicidade"* em nossas mentes – quer a amemos e toleremos, ou abominemos, e sejamos vigilantes contra ela, e oremos contra ela. – *Thomas Scott, 1747-1821*

v. 113: "Aborreço a duplicidade". Um homem piedoso pode ter pensamentos errantes. A triste experiência prova isto; os pensamentos dançam de um lado a outro, na oração. Os santos são chamados de estrelas, mas, às vezes, no seu dever, são estrelas errantes. O coração é como o mercúrio, que não quer se fixar. É difícil unir dois pensamentos bons; não podemos fechar os nossos corações, pois estes pensamentos que distraem irão penetrar neles, como o vento. Hierom reclama, a seu respeito, "Às vezes", diz ele, "quando estou no serviço de Deus, me surpreendo andando em galerias ou fazendo contas mentalmente". Mas estes pensamentos errantes não são permitidos: *"Aborreço a duplicidade"*, eles vêm como convidados não desejados, que tão logo percebidos, são expulsos. – *Thomas Watson*

v. 113: "Aborreço". Não é suficiente não gostar do mal, mas é necessário o ódio perfeito contra todos os tipos e intensidades de pecado. – *David Dickson*

v. 113: "Duplicidade". A palavra é usada para as *opiniões* dos homens, e pode ser aplicada a todas as opiniões heterodoxas, doutrinas humanas, e heresias condenáveis; tudo isto é inconsistente com as perfeições de Deus, abolido da sua graça, e da pessoa e das funções de Cristo, e é contrário à palavra, e, por isto, é rejeitado e abominado pelos bons homens. – *John Gill*

v. 113: "Duplicidade". Em hebraico, *seäphim,* hesitações entre duas opiniões. Veja 1 Rs 18.21. *Consequentemente,* significa dúvida cética. – *Christopher Wordsworth*

v. 113: "Duplicidade". Quando os nossos pensamentos se estendem sobre brincadeiras e coisas frívolas, não há nenhum benefício para nós, nem para os outros: "o coração dos ímpios é de nenhum preço"; todos os seus debates, a sua prepotência, as suas reflexões, não têm valor, pois todos os seus pensamentos são tomados pela futilidade infantil e pela arrogância tola. "O pensamento do tolo é pecado" (Pv 24.9); não somente o pensamento de iniquidade, mas também o de tolice. Os pensamentos são o primogênito da alma, o resultado imediato da mente; mas nós os desperdiçamos em bobagens. Siga os homens, o dia todo, e registre os pensamentos que eles têm. Oh, que loucura e tolice há em todas as reflexões de que eles têm consciência: "O Senhor conhece os pensamentos do homem, que são vaidade" (Sl 94.11). Se nós julgássemos como Deus julga, e todos os pensamentos, raciocínios e discursos da mente, fossem apresentados sob forma de tabela, poderíamos escrever, na última linha: Aqui está a soma e o resultado final – nada, senão vaidade e futilidade.

Os pecados que normalmente mais absorvem e dominam os nossos pensamentos são:

Em primeiro lugar, a impureza. A iniquidade especulativa abre passagem para a ativa: "Já em seu coração cometeu adultério" (Mt 5.28). Nós nos contaminamos através dos nossos pensamentos; e este pecado normalmente funciona desta maneira.

Em segundo lugar, a vingança. As bebidas alcoólicas azedam, quando armazenadas por muito tempo; assim, quando nos estendemos sobre descontentamentos, estes se convertem em vingança. Propostas de vingança são extremamente doces e agradáveis à natureza carnal: "Perversidade há no seu coração; todo o tempo maquina mal" (Pv 6.14), ou seja, ele está cheio de pensamentos vingativos e rancorosos.

Em terceiro lugar, a inveja. É um pecado que devora a mente. Os cânticos das mulheres – de que Saul feriu os seus milhares, porém Davi, os seus dez milhares – corroíam a mente de Saul, e por isto, ele odiava Davi (1 Sm 18.7-9). A inveja é uma terrível doença que habita no coração, e se revela, principalmente, em pensamentos.

Em quarto lugar, a soberba. Seja a soberba nos desejos, ou a soberba na mente, ou a vanglória ou a arrogância, ela distrai nossos corações com sussurros de vaidade; por isto, está escrito: "dissipou os soberbos no pensamento de seu coração" (Lc 1.51); os soberbos estão cheios de imaginação.

Em quinto lugar, a avareza, que não é nada além de reflexões inúteis e exercícios do coração: "tendo o coração exercitado na avareza" (2 Pe 2.14). E afasta o coração no exato momento da adoração a Deus: "o seu coração segue a sua avareza" (Ez 33.31).

Em sexto lugar, a desconfiança é outra coisa que normalmente ocupa os nossos pensamentos – pensamentos contrários à providência de Deus. – *Thomas Manton*

v. 113: "Duplicidade", ou "pensamentos vãos" (na versão AV). Devemos entender o que é *vaidade*. Se examinarmos todos os seus significados, está claro que os nossos pensamentos são *"fúteis"* ou *"vãos"*.

1. Ela é interpretada como *falta de benefícios*. Assim, segundo Eclesiastes 1.2,3, "É tudo vaidade", porque o homem não obtém vantagem em "todo o seu trabalho, que ele faz debaixo do sol". Estes são os nossos pensamentos, por natureza; o mais sábio deles não nos sustentará em qualquer época de necessidade, em um momento de tentação, aflição de consciência, dia de morte ou juízo: "Sabedoria... não, porém, a sabedoria deste mundo, nem dos príncipes deste mundo, que se aniquilam" (1 Co 2.6), "O coração dos ímpios é de nenhum preço" (Pv 10.20), não vale um centavo.

2. A vaidade é interpretada como *leveza*. "Mais leves do que a vaidade" é a expressão usada (Sl 62.9); e de quem se está falando? Dos homens; e se alguma coisa neles é mais leve do que outra, são os seus *pensamentos*, que nadam nas partes superiores, flutuam no topo, são como a escória do coração. Quando os melhores, e mais sábios, e mais profundos, e mais sadios pensamentos em Belsazar, um príncipe, foram pesados, o resultado foi que eram leves demais (Dn 5.27).

3. A vaidade pode significar *tolice*. Assim, "homens vãos" ou "ociosos" são os "faltos de juízo" (Pv 12.11). Assim são os nossos pensamentos. Entre outros males que são descritos como "vindos do interior do coração" (Mc 7.22), ἀφροσύνη está incluída, a "tolice", isto é, os pensamentos que os loucos têm, e os tolos – não servem para nenhum propósito.

4. A vaidade significa *inconstância* e fraqueza; portanto, a vaidade e uma sombra são sinônimas (Sl 144.4). Assim são os nossos pensamentos, fugazes e perecíveis, como bolhas: "Perecem os seus pensamentos" (Sl 146.4).

5. Finalmente, eles são *ímpios e pecaminosos.* A vaidade está (Jr 4.14, AV) ligada à iniquidade, e os homens vãos são igualados aos filhos de Belial (2 Cr 13.7, AV). E assim são os nossos pensamentos, por natureza: "O pensamento do tolo é pecado" (Pv 24.9). E, por isto, o homem deve ser humilhado por um pensamento arrogante. – *Thomas Goodwin*

v. 113: "Mas amo a tua lei". Equilibre o seu coração com o amor a Deus. O amor, por meio de uma violência agradável àquele que a pratica, irá dominar os seus pensamentos: se ele não firmar as nossas mentes, os pensamentos serão como uma rolha que, com uma pequena brisa e um pequeno redemoinho de água, é jogada de um lado para outro. Os alunos que se comprazem em aprender estarão continuamente estudando uma noção ou outra que possa fazê-los progredir ainda mais, e irão agarrar o ensinamento com uma grande vontade, como o ferro que se prende ao imã. Aquele que "voa para Cristo com amor divino" terá frequentes relances e escapadas até Ele, e deixará suas atividades terrenas várias vezes ao dia, para fazer-lhe uma visita. O amor, na obra, é uma graça estabilizadora; ele aumenta o nosso prazer em Deus, parcialmente pela visão da sua benevolência, que nos fica clara, no próprio ato do amor, e parcialmente pelas recompensas que Ele oferece pelo comportamento da sua criatura; ambas irão impedir que o coração abrigue estas companhias descuidadas como são os maus pensamentos. – *Stephen Charnock*

vv. 113 e 114: Quando Davi pôde declarar o seu amor pelo mandamento, não questionou o seu direito à promessa. Aqui, ele declara a sua sincera afeição pelos preceitos: *"Aborreço a duplicidade, mas amo a tua lei".* Veja, ele não diz que está *isento* de pensamentos vãos, mas que ele os "odeia" – ele aprecia a companhia deles tanto quanto alguém aprecia um grupo de ladrões que invade a sua casa. Ele também não diz que *guardava plenamente* a lei, mas que *amava* a lei, mesmo quando não a obedecia plenamente. A partir deste testemunho, que a sua consciência apresentava do seu amor pela lei, a sua fé age claramente e fortemente na promessa, nas palavras seguintes: *"Tu és o meu refúgio e o meu escudo; espero na tua palavra".* – *William Gurnall*

v. 114: "Tu és o meu refúgio e o meu escudo", etc. O salmista nos ensina a voar através da oração, dos pensamentos vãos e das pessoas vãs, até Deus, que é o nosso Refúgio e Protetor. O crente seguirá este caminho, na hora da tentação e do perigo, tão naturalmente como os filhotes da galinha, percebendo uma ave de rapina pairando sobre as suas cabeças, se retiram ao seu *"refúgio"*, debaixo das asas da mãe, ou como o guerreiro apresenta seu *"escudo"* às flechas que são arremessadas contra ele. – *George Horne*

v. 114: "Tu és o meu refúgio". Cristo tem todas as qualificações que podem adequá-lo para este trabalho [de ser um *refúgio* para os crentes].

1. Ele tem *força.* Um refúgio deve ser *locus munitissimus.* Casas de papel jamais serão bons refúgios. As casas feitas de junco ou de madeira pobre não serão locais adequados onde os homens possam se esconder. Jesus Cristo é um local resistente. Ele é a Rocha eterna: o seu nome é "Deus Forte" (Is 9.6).

2. Ele tem *altura.* Um refúgio deve ser *locus excelsissimus.* As casas baixas logo são escaladas. Jesus Cristo é um lugar elevado, tão elevado como o céu. Ele é a escada de Jacó que, da terra, alcançava o céu (Gn 28.12). Ele é elevado demais para os homens, elevado demais para os demônios, nenhuma criatura pode escalar estes muros altos.

3. Ele tem *locais secretos.* Um refúgio deve ser *locus abditissimus.* Quanto mais secreto, mais seguro. Mas Jesus Cristo tem muitas câmaras secretas que as criaturas

jamais poderão encontrar: "Pomba minha, que andas pelas fendas das penhas, no oculto das ladeiras" (Ct 2.14). Da mesma maneira como Cristo tem consolações ocultas, que nenhum homem conhece, exceto aquele que as recebe, também tem lugares secretos que ninguém pode encontrar, exceto aquele que ali habita. "Vai, pois, povo meu, entra nos teus quartos e fecha as tuas portas sobre ti" (Is 26.20).

4. Cristo é *fiel.* Aquele que irá esconder outros deve, necessariamente, ser fiel. Um protetor hipócrita é pior que um perseguidor declarado. "Entregar-me-iam os cidadãos de Queila?", pergunta Davi; "Entregariam", diz o Senhor. Mas como Cristo é fiel (Ap 3.14), Ele é "a testemunha fiel", Ele não pode ser persuadido a entregar nenhuma criatura que venha a se esconder nele. Cristo jamais trairá a confiança que é depositada nele.

5. Cristo é *diligente.* A diligência é tão necessária, para aqueles que escondem outros, como a fidelidade. Um guarda sonolento pode trair um castelo ou um destacamento de soldados, assim como um guarda desleal. Mas Jesus Cristo é muito diligente e vigilante, Ele tem seus informantes, sim, os seus próprios olhos percorrem a terra de um lado a outro, para ver quais são os estratagemas planejados e colocados em ação contra aqueles que estão escondidos nele: "Eis que não tosquenejará nem dormirá o guarda de Israel" (Sl 121.3,4). – *Ralph Robinson (1614-1655), "Christ All in All"*

v. 114: "Refúgio". A primeira palavra do versículo significa, mais exatamente, um lugar secreto, ou lugares secretos. – *Joseph Addison Alexander*

v. 114: "Meu escudo". Os crentes fiéis estão a salvo, sob a proteção de Deus; Ele é a sua "força e o seu escudo"; o seu "escudo e seu grandíssimo galardão"; e aqui, o seu *"refúgio e seu escudo".* – *Matthew Henry*

v. 114: "Escudo". A excelência e as propriedades de um escudo estão nestas coisas: 1. Na sua amplitude, pois ele esconde e protege a pessoa que o usa de todas as setas lançadas contra ela, de modo que elas não a alcancem: "Tu, Senhor, abençoarás ao justo; circundá-lo-ás da tua benevolência como de um escudo" (Sl 5.12). 2. A excelência de um escudo está no fato de que ele é duro e impenetrável. Isto corresponde ao poder invencível da providência de Deus, pelo qual Ele pode interromper os ataques de todos os inimigos; e um escudo como este, é Deus para o seu povo: "Escudo meu, em quem eu confio", (Sl 144.2). 3. Posso acrescentar ainda uma coisa? As pedras e setas atiradas contra um escudo resistente retornam àquele que as lançou; assim também Deus devolve o mal aos seus inimigos e aos inimigos do seu povo: "Abate-os, ó Senhor, nosso escudo" (Sl 59.11). – *Thomas Manton*

v. 114: "Espero na tua palavra". De todos os ingredientes que adoçam o cálice da vida humana, não há nenhum mais rico ou poderoso do que a *esperança.* A sua ausência torna a mais doce sorte amarga, a sua presença alivia a mais profunda angústia. Podem cercar-me todas as alegrias que a lembrança pode despertar ou a possessão conceder – sem esperança, não é suficiente. Na ausência da esperança, há tristeza nas alegrias presentes e passadas – tristeza na ideia de que o passado é passado, e de que o presente também está passando. Mas, ainda que eu seja privado de todas as alegrias que o passado ou o presente possam conceder, se o amanhã brilhar com esperança estarei satisfeito em meio ao meu lamento. De todos os motivos que incitam esta terra fervilhante, a esperança é o mais atarefado. Ela é o bálsamo mais doce, que alivia as nossas tristezas, o mais brilhante raio que doura nossos prazeres. A esperança é o produto mais nobre que alguém pode gerar; é o primogênito; é também o último filho que os homens que têm visão e que aguardam o melhor sepultariam. Sem ela, os animais irracionais podem ficar satisfeitos em meio à abundância atual. Mas sem ela, os homens racionais não devem, e não podem, ser verdadeiramente felizes. – *William Grant (1814-1876), "Christ our Hope, and other Sermons" vv. 114 e 115:* "Tu és meu refúgio". "Apartai-vos de mim, malfeitores." Tranquilo e a salvo em seu refúgio, Davi censura todas as tentativas de perturbar a sua paz. A sociedade, portanto, dos ímpios, é intolerável para ele, e ele não consegue deixar de repeli-los da sua presença. Ele tinha descoberto que eles se opunham aos seus melhores interesses, e temia que a sua influência abalasse a sua determinação de obediência ao seu Deus. Na verdade, quando o povo de Deus deixou de perceber que esta sociedade é um obstáculo predominante, ao prazer e ao serviço de Deus? – Charles Bridges.

v. 115: "Apartai-vos de mim, malfeitores", etc. Como se ele tivesse dito, chega disto, podem poupar o seu fôlego, eu estou decidido no meu caminho, eu jurei e estou firmemente determinado a guardar os mandamentos do meu Deus; com a ajuda de Deus, ali me conservarei, e nem o mundo todo conseguirá me arrastar dali. – *Robert Sanderson, 1587-1662/3*

v. 115: "Apartai-vos de mim, malfeitores", etc. É comum pecar em grupo, e este cálice normalmente passa por todos, de um a outro. Por isto, é sábio deixar o grupo que está infectado pelo pecado. Este grupo não poderá trazer nenhum benefício a você. No mínimo, as más companhias irão diminuir o bem que há em você. A erva da graça nunca prosperará em um solo tão frio. Como cresce com dificuldade a plantação de trigo que está cercada de ervas daninhas! Estimulantes e tônicos não conseguirão tratar ao corpo enquanto ele estiver cheio de graves chagas internas. As ordenanças têm pouco resultado para as almas que estão perturbadas com tais problemas internos. Está escrito, sobre o monte Cades, que a vinha que fosse plantada perto dele, secaria e morreria; é extremamente raro que os santos prosperem estando próximos a tais obstáculos. É difícil, até mesmo por um milagre, guardar os mandamentos de Deus e também as más companhias; por isto, quando Davi decidiu se casar com os mandamentos de Deus, amá-los, e viver com eles, em qualquer situação, durante todos os seus dias, ele sente-se forçado a se divorciar das más companhias, sabendo que, não sendo assim, o casamento jamais se realizaria: *"Apartai-vos de mim, malfeitores, para que guarde os mandamentos do meu Deus"*. Como se ele tivesse dito: Saibam, ó pecadores, que eu estou fazendo um concerto sincero com os mandamentos de Deus; eu os amo tanto, que estou decidido a entregar-me a eles, e a agradá-los em todas as coisas, o que jamais poderei fazer, a menos que vocês me deixem; vocês são como uma meretriz, que procura roubar o amor da verdadeira esposa. Eu não posso, como deveria, obedecer aos preceitos do meu Deus, enquanto vocês estiverem na minha presença; por isto, apartai-vos de mim, malfeitores, para que guarde os mandamentos do meu Deus. – *George Swinnock*

v. 115: "Apartai-vos de mim, malfeitores". Ai do ímpio, e ai daqueles que aderem a ele, e se associam a ele, diz *Ben Sira*. E antigamente, até mesmo se pensava que as pragas acompanhavam aqueles que tinham más companhias.

Habitar, ou viajar com um ímpio, e com alguém de quem os deuses não gostem, era considerado por eles algo que traz má sorte e infelicidade.

Vetabo qui Cereris sacrum
Vulgavit, sub isdem
Sit trabibus, fragilemque mecuia
Solvat phaselum,
como diz Horácio.********

Habitar debaixo do mesmo teto, ou navegar no mesmo barco com pessoas profanas era considerado perigoso e inseguro para os homens de princípios pagãos.

******** Aqueles que revelam mistérios debaixo do meu teto jamais viverão, jamais içarão comigo a vela da dúvida.

Quanto mais, então, devem os cristãos ser completamente persuadidos do prejuízo e do perigo de conviver com homens ímpios? De maneira nenhuma pode ser seguro conviver com eles. Sim, nós corremos um grande perigo, durante todo o tempo em que estamos com eles. Vocês sabem, suponho, que ninguém tomaria um longo banho, em um banheiro público, enquanto ali estivesse um grande herege. Observe, por exemplo, o caso de João, o evangelista: como nos diz *Irineu*, ele não permaneceria em um lugar como este porque *Cerinto*, que negava a divindade de Cristo, estava ali presente. Este homem santo acreditava que não era seguro permanecer em um lugar onde estivessem tais pessoas.

Portanto, lembre-se da exortação do apóstolo: "Pelo que saí do meio deles, e apartai-vos" (2 Co 6.17); ouça esta voz do céu: "Sai dela, povo meu, para que não sejas participante dos seus pecados e para que não incorras nas suas pragas". Separem-se deles, para não prejudicar não somente as suas almas, mas os seus corpos, para que algum juízo notável não se abata sobre vocês aqui, e para que a vingança divina não ataque vocês mais furiosamente no futuro. Os poetas fantasiosos nos dizem que *Teseu* e *Perithous* (dois amigos íntimos) se amavam tanto que foram juntos para o inferno. Eu tenho a certeza de que não é ficção poética afirmar que muitos fazem isto; ou seja, eles perecem juntos e juntos descem ao inferno por causa da companhia. – *John Edwards (1637-1716), "Theologia Reformata"*

v. 115: Afastem-se daqueles que se afastam de Deus. – *T. Manton*

v. 115: "Do meu Deus". Assim como um homem pode apreciar qualquer coisa que saiba que lhe pertence, também, se ele souber que Deus é seu, não poderá deixar de amá-lo, e obedecer a Ele cuidadosamente; nem é possível que qualquer homem possa oferecer a Deus um serviço sincero e permanente se não estiver persuadido a dizer, com Davi, *Ele é o meu Deus.* Todos os prazeres, todos os terrores do mundo não podem separar de Deus a alma que pode verdadeiramente dizer: *O Senhor é o meu Deus.* – *W. Cowper*

v. 116: "Sustenta-me". Uma pipa voando alto está em uma situação bastante estranha à sua natureza; o mesmo ocorre com a alma do homem, quando se ergue acima deste mundo inferior, para buscar coisas elevadas e celestiais. Uma pessoa, à distância, não vê como a pipa é mantida na sua situação exaltada: não vê o vento que sopra nela, nem a mão que a segura, nem o fio pelo qual é suspensa. Mas todas estas forças são necessárias para a sua preservação naquele estado pouco natural. Se o vento parasse, ela cairia. Não haveria nada, em si mesma, que a sustentasse; ela tem a mesma tendência de gravitar rumo à terra que sempre teve; e se deixada às suas próprias custas por um momento, cairia. Assim é, com a alma de cada verdadeiro crente. Ela foi erguida, pelo Espírito de Deus, até um novo estado, celestial e pouco natural; e neste estado, é sustentada por uma mão invisível e poderosa, por meio da fé. E sustentada será, mas não por qualquer poder que tenha em si mesma. Se deixada por um momento, cairá, tanto quanto antes. Toda a sua força se encontra apenas em Deus; e toda a sua segurança está na inalterabilidade da sua natureza, e na eficácia da sua graça. Em uma palavra, "Ela é mantida pelo poder de Deus, pela fé, para a salvação". – *de "The Book of Illustrations", de H. G. Salter, 1840*

v. 116: "Para que viva". A vida de um cristão depende de que ele tenha a sua vida vivificada pelo espírito de graça. Pois, assim como a presença da alma vivifica o corpo, e o seu afastamento traz morte instantânea, e o corpo sem ela é apenas um monte morto de barro, de igual maneira a presença do Espírito de Deus é o que dá vida à alma do homem. E esta vida é conhecida por estes dois notáveis resultados: em primeiro lugar, ela traz uma alegre percepção da misericórdia de Deus; e, em segundo lugar, uma disposição espiritual para os exercícios espirituais. E, sem isto, o homem pode fingir como quiser; ele será apenas a imagem de um cristão, será ligeiramente parecido com um cristão, mas não será vivificado pela vida que há em Cristo. – *William Cowper*

v. 116: "Para que viva". Os filhos de Deus pensam que não têm vida, se não viverem a vida em comunhão com Deus. Pois se nós pensamos que estamos vivos porque vemos, os animais selvagens também fazem isto; se pensamos que estamos vivos porque ouvimos, o gado também ouve; se pensamos que estamos vivos porque comemos e bebemos, ou dormimos, também o fazem os animais; se pensamos que vivemos porque raciocinamos e argumentamos, também o fazem os pagãos. A vida dos filhos de Deus é a morte para o pecado; pois onde o pecado estiver vivo, esta parte estará morta para Deus... os filhos de Deus, percebendo que são lentos para as boas coisas, quando não podem se alegrar nas promessas de Deus nem encontrar seu homem interior extasiado com a lei de Deus, julgam estar mortos. – *Richard Greenham*

v. 117: "Sustenta-me, e serei salvo". Não apenas a consciência da minha fraqueza, mas o perigo do caminho escorregadio diante de mim me lembra de que a segurança de cada momento depende do poder sustentador do meu Deus fiel. Os caminhos da tentação são muitos e imperceptíveis – a sua influência, tão aterradora – a entrada neles tão enganosa, tão ilusória, tão insensível – e a minha própria fraqueza e desatenção tão indescritíveis – que não posso fazer nada, além de seguir no meu caminho, orando a cada passo, *"Sustenta-me, e serei salvo".* – *Charles Bridges*

v. 117: "Sustenta-me". Três coisas amedrontavam Davi. Em primeiro lugar, a grande tentação exterior; pois de todos os lados, o vento da tentação sopra sobre um cristão. Em segundo lugar, a grande corrupção interior. Em terceiro lugar, exemplos de outros homens dignos que tinham caído antes dele, e que estão escritos para nós: não que nós devamos aprender a cair, mas a temer, para não cairmos. Estas três coisas devem nos conservar humildes, de acordo com a advertência: "Aquele, pois, que cuida estar em pé, olhe que não caia". – *William Cowper*

v. 117: "Sustenta-me", acima da pequenez em que vivi por tanto tempo – acima das armadilhas que tão frequentemente me aprisionaram – acima dos blocos de tropeço em que tão frequentemente caí – acima do mundo – acima de mim mesmo – mais alto do que jamais alcancei – acima do nível da minha própria imortalidade; digno de ti – digno do sangue com que fui comprado – mais perto do céu – mais perto de ti – *"sustenta-me".*

São muitos os métodos que Deus usa para sustentar o seu povo. Às vezes, é pela palavra do pregador, quando a palavra é apropriadamente dita ao coração e à consciência. Que Deus, na sua infinita condescendência, capacite e use os seus servos nesta igreja para sustentar você. Às vezes, é pelos meios e sacramentos que a sua graça ordena. Às vezes, é pela eficácia das Sagradas Escrituras, quando algumas passagens, no seu próprio quarto, influenciam a mente, oportunamente; ou alguma doce promessa surge, sustentando o seu espírito. Às vezes, pela simples invocação do Espírito Santo nos pensamentos de um indivíduo; assim Ele irá operar – "sustém-me com um espírito voluntário". Às vezes, pelo ministério dos anjos – "Eles te sustentarão nas suas mãos, para que não tropeces com o teu pé em pedra". Às vezes, humilhando intensamente você, fazendo você sentir que o lugar seguro é o vale. Não há elevação como a elevação da humilhação. Às vezes, por rígida disciplina, para reanimar o coração, e fortalecê-lo, e torná-lo independente das coisas externas. Às vezes, por pesada aflição, agarrando a sua mão, para que Ele possa lhe segurar com mais firmeza. Às vezes, fazendo o seu coração pensar exatamente no que você precisa – pedindo em oração aquilo que Ele pretende conceder. Às vezes, parecendo abandonar e desamparar você, enquanto, ao mesmo tempo – como a siro-fenícia – está dando a você o desejo de resistir, para que Ele possa lhe dar mais, no final. – *James Vaughan, de Brighton, 1877 v. 117:* "De contínuo me alegrarei nos teus estatutos". Segundo alguns, eu me ocuparei; atentarei, segundo outros (na versão ARA); aos teus estatutos. Se a mão direita de Deus nos sustentar, nós devemos, na sua força, realizar o nosso dever, com diligência e com prazer. – *Matthew Henry*

v. 118: "Tu desprezas", etc. Aqui Davi, por uma nova meditação, se confirma no curso da santidade; considerando os juízos de Deus, executados de acordo com a sua vontade, em todas as épocas, sobre os ímpios, ele se decide ainda mais temer a Deus e guardar os seus testemunhos. Assim os juízos de Deus, executados sobre os outros, devem ser como faixas de respeito, que nos impeçam de pecar de maneira semelhante.

Ao castigar os seus filhos, o Senhor os toma pela mão, como um pai, para discipliná-los; mas quando a sua ira se acende contra os ímpios, Ele os despreza, e os pisa com seus pés, como criaturas vis, que não têm nada a ver com Ele. – *William Cowper*

v. 118: "Tu desprezas". A Septuaginta, ἐξουδένωσας, *ad nihil deduxisti*; reduziste a nada; Áquila, *confixisti,* golpeaste; Símaco, ἀπήλεγξας, *reprobasti,* reprovaste; a Vulgata, *sprevisti,* menosprezaste; Apolinário, ἀθέριξας, *parvi pependisti,* tiveste pouca apreciação; tudo isto, com o mesmo significado. A expressão de desprezar, ou de pisar, usada por nós, indica, 1. Uma punição abrangente. 2. Uma punição deplorável. 1. Uma punição abrangente. Deus os removerá de suas alturas, abatendo-os até o pó, levando-os a jamais se exaltar tão alto e orgulhosamente contra Ele. Uma derrota completa dos inimigos é frequentemente expressa desta maneira nas Escrituras. A assíria é descrita como "roubando a presa, e pondo-a para ser pisada aos pés, como a lama das ruas" (Is 10.6). 2. A expressão indica uma punição deplorável: "Até que ponha os teus inimigos por escabelo dos teus pés" (Sl 110.1); uma expressão usada para mostrar a ignomínia e o desprezo que Deus lhes dirigirá. Assim, Sapor, rei da Pérsia, pisou sobre Valeriano, o imperador, e Tamerlão fez de Bajazé seu escabelo. O significado é que Deus não somente os dominará, mas os reduzirá a uma condição abjeta e desprezível. Assim Crisóstomo explica esta frase, Deus os tornará ἐπονειδίστους καὶ καταγελάστους, ignomínios e desprezíveis. Eles não se vão de modo honroso, mas com escárnio e confusão, miseravelmente destruídos. – *Thomas Manton*

v. 118: "Tu desprezas", etc. Existe uma disposição para fundir todas as características da Divindade em uma só; e embora muitos dos nossos mais eminentes autores se estendam abundantemente sobre a exuberante bondade, a suave e dócil benignidade, a misericórdia que ignora e permite, liberalmente, as hesitações da fraqueza humana – houve o que os franceses chamariam de *reticence,* ou reserva, se não estudada, pelo menos efetivamente observada, sobre o tema da sua verdade e pureza, e o seu ódio pelo mal moral. Não pode existir governo sem uma lei; e a pergunta é pouco considerada – como as infrações a esta lei devem ser tratadas? Cada lei tem as suas sanções – as esperanças da prometida recompensa, por um lado, e os temores da vingança ameaçada, do outro. A vingança deve ser somente ameaçada, mas jamais executada? A culpa deve ser tratada somente por proclamações anteriores, mas jamais por punições que devem se seguir?... Remova da jurisprudência as suas penalidades, ou, o que seria ainda pior, permita que as penalidades sejam apenas proclamadas, mas jamais postas em prática; e reduzimos o conjunto a uma zombaria não substancial. O governo moral cai em fragmentos; e, em vez de uma grande autoridade presidindo o universo, temos um trono subvertido e um soberano degradado... Se houver apenas a exibição de uma administração judicial, sem o seu poder ou o seu cumprimento; se a verdade só estiver nas promessas de recompensa, mas estiver constantemente ausente das ameaças de vingança; se o juiz estiver perdido no pai arrogante – então, positivamente, não haverá nada de governo moral sobre nós, exceto o nome; não seremos súditos da autoridade de

Deus; seremos apenas os queridinhos aos seus olhos. Em um sistema como este, todo o universo seria arrastado a uma condição de anarquia; e, no alvoroço deste desgoverno selvagem, o Rei que se assenta nas alturas perderia o seu controle sobre a criação que Ele mesmo criou. – *Thomas Chalmers*

v. 118: "Pois o engano deles é falsidade". O verdadeiro sentido desta passagem é, "pois a sua astúcia é enganadora", isto é, a astúcia os tinha enganado e trazido a sua destruição. – *Samuel Horsley, 1733-1806*

v. 118: "O engano deles é falsidade". Ele não se refere àquele engano com que os ímpios enganam os outros, mas com que eles se enganam a si mesmos. E isto tem duas partes: a primeira – eles procuram um bem no pecado, que o pecado promete, de maneira enganosa, mas jamais encontrarão. A segunda – eles se iludem com um vão convencimento de que vão escapar ao juízo, que certamente se abaterá sobre eles. – *William Cowper*

Versículo 119: *"Tu tiraste da terra, como escórias, a todos os ímpios".* Os piedosos e os ímpios vivem juntos na igreja visível, como a escória e o metal bom; mas Deus, que é o purgador da sua igreja, não deixará, pela diversidade de juízos, de fazer a diferença entre eles, e, por fim, fará a separação perfeita deles, e lançará fora os ímpios como refugo. – David Dickson.

Versículo 119: Os juízos de Deus sobre os outros podem ser um ato necessário de amor a nós. Eles são purgados, como *"escórias"*, para que não nos infectem com o seu exemplo, nem nos perturbem com suas perseguições ou opressões. Quanto mais formos favorecidos nisto, mais devemos servir alegremente a Deus; Para que "libertados das mãos de nossos inimigos, o [sirvamos] sem temor, em santidade e justiça perante ele, todos os dias da nossa vida" (Lc 1.74,75). O mundo é um destes inimigos; ele está repleto de ímpios; por isto, devemos servir fielmente a Deus. – *Thomas Manton.*

v. 119: "Tu tiraste da terra... a todos os ímpios". De muitas maneiras, os ímpios são tirados da terra; às vezes, pelas mãos de outros homens, às vezes, pelas suas próprias mãos. Os filisteus não mataram Saul, mas o forçaram a se matar; mas o olho da fé vigia o dedo de Deus, e vê que a queda dos ímpios é obra de Deus. – *William Cowper*

v. 119: "Da terra... os ímpios". Por que são assim caracterizados? Porque aqui prosperam; os seus nomes "serão escritos sobre a terra" (Jr 17.13); aqui eles alcançam grandes números. Judas tinha a bolsa; eles prosperam no mundo; "Eis que estes são ímpios... e se lhes aumentam as riquezas" (Sl 73.12). Aqui, são respeitados: "Do mundo são; por isso, falam do mundo, e o mundo os ouve" (1 Jo 4.5). Os seus corações e suas mentes estão no mundo (Mt 6.19, 20). É de sua natureza serem mundanos; eles apenas saboreiam as coisas do mundo; preferência, honra, grandeza, são seu *unum magnum;* aqui está o seu prazer, e aqui está a sua porção, sua esperança e sua felicidade. Um filho de Deus espera outra herança, incorruptível e incontaminável. – *Thomas Manton*

v. 119: "Como escórias". Os homens deste mundo consideram os filhos de Deus como a escória da terra; assim Paulo (um instrumento escolhido de Deus) foi desprezado pelos homens; mas você vê aqui o que são os ímpios, na opinião de Deus, apenas escórias, realmente, que é o refugo do ouro e da prata. Que isto confirme os piedosos, contra o desprezo dos homens: somente o Senhor tem, na sua própria mão, a balança que pesa os homens, de acordo com o que eles são. – *William Cowper*

v. 119: "Escórias". A escória obscurece o brilho e a glória do metal, e os encobre, de modo que não aparecem; a ferrugem e a sujeira envolvem e escondem o ouro, de modo que nem a sua natureza nem o seu brilho podem ser vistos. 2. A *escória* é enganosa. Parece metal, mas não é metal; a escória da prata é parecida com a prata, e a escória do ouro é parecida com o ouro, mas a escória não é, nem prata, nem ouro. 3. A *escória* não é aprimorada pelo fogo: colocada no fogo, repetidas vezes, ainda continua sendo escória. 4. A *escória* não tem valor. É vil e desprezível. 5. É inútil e deve ser rejeitada. 6. A *escória* é uma coisa ofensiva: a ferrugem come o metal, e o expõe, e faz com que o ourives acenda o fogo para separá-la do ouro e da prata. – *condensado da obra de William Greenhill*

v. 119: "Os teus testemunhos". Muito frequentemente, o salmista chama assim a palavra de Deus, em que há mandamentos e promessas: os mandamentos de Deus pertencem a todos, os seus testemunhos pertencem somente aos seus filhos; a rigor, eu interpreto as suas promessas como contendo declarações especiais do seu amor e da sua benevolência para com os seus, em Cristo Jesus. – *William Cowper*

v. 120: "O meu corpo se arrepiou com temor de ti". Em lugar de exultar sobre aqueles que caíram no desprazer de Deus, ele se humilha. O que lemos e ouvimos sobre os juízos de Deus sobre os ímpios deve nos fazer (1) Reverenciar a sua terrível majestade, e ter respeito por Ele. "Quem poderia estar em pé perante o Senhor, este Deus santo?" (1 Sm 6.20). (2) Temer ofendê-lo e nos tornar odiosos à sua ira. Os homens bons precisam ser afastados do pecado pelos terrores do Senhor; especialmente tendo em vista que o juízo começa na casa de Deus, e os hipócritas são revelados e rejeitados, como escória. – *Matthew Henry*

v. 120: "O meu corpo se arrepiou com temor de ti", etc. Na presença do Senhor, quando Ele aparece para julgar, a terra treme e fica em silêncio. Os seus melhores servos não estão isentos de um terrível temor, em tais ocasiões; cenas deste tipo, mostradas em visões aos profetas, fizeram com que a sua carne estremecesse, e que todos os seus ossos tremessem. Envoltos por um corpo frágil, e um mundo pecaminoso, necessitamos de todos os laços possíveis; e os sentimentos, tanto de amor como de temor, devem ser empregados, para nos impedir de transgredir; nós devemos, ao mesmo tempo, "amar os testemunhos de Deus, e temer os seus juízos". – *George Horne*

v. 120: "O meu corpo se arrepiou com temor de ti", etc. Na oração, à noite, tive visões tão próximas e terríveis dos juízos de Deus sobre os pecadores no inferno, que minha carne tremeu, por temor deles... Fugi, tremendo, para Jesus Cristo, como se as chamas se apoderassem de mim! Oh! Cristo realmente me salvará, ou então, perecerei. – *Henry Martyn, 1781-1812*

v. 120: "O meu corpo se arrepiou com temor de ti". A familiaridade com os homens gera desprezo; a familiaridade com Deus, não; ninguém reverencia mais ao Senhor do que aqueles que o conhecem melhor, e que estão mais familiarizados com Ele. – *William Cowper*

v. 120 com v. 116: "O meu corpo se arrepiou com temor de ti; e temi... Não me deixes envergonhado da minha esperança". A verdadeira religião consiste em uma mescla apropriada de *temor* a Deus e de *esperança* na sua misericórdia; e sempre que alguma destas coisas estiver faltando completamente, não poderá haver a verdadeira religião. Deus uniu estas coisas, e nós não devemos, de maneira alguma, separá-las. Ele não pode se alegrar com aqueles que o temem com um temor servil, sem ter esperança na sua misericórdia, porque parecem considerá-lo um Ser cruel e tirânico, que não tem misericórdia nem bondade na sua natureza; e, além disto, eles o acusam implicitamente de falsidade, recusando-se a crer e ter esperança nos seus convites e nas suas ofertas de misericórdia. Por outro lado, Ele não pode se alegrar com aqueles que fingem ter esperança na sua misericórdia, sem temê-lo; pois o insultam, supondo que não há nada nele que deva ser temido; e também o fazem parecer mentiroso, não crendo nas suas terríveis ameaças, proferidas contra os pecadores, e questionando a sua autoridade, recusando-se a obedecer a Ele. Somente aqueles que o temem e também têm esperança na sua misericórdia, lhe dão a honra que é devida ao seu nome. – *Edward Payson*

v. 120: "Arrepiou-se", ou estremeceu, é um termo usado especificamente sobre o cabelo em pé, devido ao terror (compare Jó 4.15). – *J. J. Stewart Perowne*

EXPOSIÇÃO DOS VERSÍCULOS 121 A 128

121 *Fiz juízo e justiça; não me entregues aos meus opressores.*
122 *Fica por fiador do teu servo para o bem; não deixes que os soberbos me oprimam.*
123 *Os meus olhos desfaleceram, esperando por tua salvação e pela promessa da tua justiça.*
124 *Trata com o teu servo segundo a tua benignidade e ensina-me os teus estatutos.*
125 *Sou teu servo; dá-me inteligência, para entender os teus testemunhos.*
126 *Já é tempo de operares, ó Senhor, pois eles têm quebrantado a tua lei.*
127 *Pelo que amo os teus mandamentos mais do que o ouro, e ainda mais do que o ouro fino.*
128 *Por isso, tenho, em tudo, como retos todos os teus preceitos e aborreço toda falsa vereda.*

121. *"Fiz juízo e justiça."* Era uma grande coisa que um governante oriental pronunciasse esta frase, em qualquer era, pois estes déspotas se interessavam muito mais pelos ganhos do que pela justiça. Alguns deles negligenciaram completamente o seu dever, e nem mesmo realizaram nenhum juízo, preferindo seus prazeres aos seus deveres; e muitos mais venderam seus juízos a quem pagasse mais, aceitando subornos ou fazendo acepção das pessoas dos homens. Alguns governantes não realizaram juízo nem justiça, outros realizaram juízo sem justiça, mas Davi fez juízo e justiça, e fez com que suas sentenças fossem executadas. Ele podia declarar, diante do Senhor, que tinha feito justiça imparcial, e ainda a fazia. Sobre isto, ele apresenta uma justificativa, com a qual respalda a oração.

"Não me entregues aos meus opressores." Aquele que, até onde vai o seu poder, tem feito o bem, pode ter esperança de ser libertado dos seus superiores quando estes tentarem fazer-lhe algum mal. Se eu não oprimir os outros, posso orar com esperança de que os outros não me oprimam. Um caminho de conduta irrepreensível é o que nos dá coragem de apelar ao Grande Juiz, pedindo libertação da injustiça dos outros. Este tipo de apelo não deve ser censurado como hipócrita; quando nós estamos lidando com Deus, a respeito das nossas imperfeições, nós usamos um tom muito diferente daquele com que enfrentamos as censuras dos nossos companheiros; quando eles estão em questão, e nós somos inocentes em relação a eles, somos justificados, ao alegar nossa inocência.

122. *"Fica por fiador do teu servo para o bem."* Responde por mim. Não deixes que o teu pobre servo morra pelas mãos dos inimigos, sejam estes inimigos dele ou teus. Toma os meus interesses e os entrelace com os teus, e apoia-me. Como meu Mestre, assume a causa do teu servo, e representa-me diante dos rostos dos homens arrogantes, até que eu veja que augusto aliado eu tenho no Senhor, meu Deus.

"Não deixes que os soberbos me oprimam." A tua interposição irá corresponder ao propósito da minha libertação: quando os soberbos virem que tu és meu defensor, esconderão suas cabeças. Nós teríamos sido esmagados pelo nosso orgulhoso adversário, o demônio, se o nosso Senhor Jesus não tivesse se colocado entre nós e o acusador, e se tornado um fiador por nós. É por esta interposição de Deus que escapamos, como um pássaro da armadilha do caçador. Que bênção, ser capazes de deixar nossos problemas nas mãos do nosso Fiador, sabendo que tudo ficará bem, uma vez que Ele tem uma resposta para cada acusador, uma censura para cada difamador.

Os homens bons temem a opressão, pois ela faz com que até um homem sábio enlouqueça, e enviam seus clamores para o céu, em busca de libertação; não clamarão em vão, pois o Senhor abraçará a causa dos seus servos, e lutará as suas batalhas, contra os soberbos. A palavra "servo" é sabiamente usada como um apelo de benevolência para si mesmo, e a palavra "soberbos", como argumento contra seus inimigos. Parece inevitável que os soberbos se tornem opressores, e que se alegrem extremamente em oprimir homens verdadeiramente piedosos.

123. *"Os meus olhos desfaleceram, esperando por tua salvação."* Ele chorou, esperou a mão salvadora de Deus, e vigiou, e estes exercícios puseram à prova os olhos da sua fé, até que chegaram quase a ponto de desfalecer. Ele confiou somente em Deus, ele esperou ansiosamente, esperou por muito tempo, e vigiou, até que seus olhos doessem. A misericórdia é, que se os nossos olhos falham, Deus não falha, nem os *seus* olhos falham. Os olhos são delicados, e também o são a nossa fé, a nossa esperança e a nossa expectativa: o Senhor não os irá provar acima do que são capazes de suportar.

"E pela promessa da tua justiça." Uma promessa que silenciaria as palavras injustas dos seus opressores. Os seus olhos, assim como os seus ouvidos, esperavam pela palavra do Senhor: ele vigiava, para ver a palavra divina se manifestar como uma ordem para a sua libertação. Ele estava "esperando o veredicto" – o veredicto da própria justiça. Quão felizes somos, se tivermos a justiça do nosso lado; pois então aquilo que é o terror dos pecadores será a nossa esperança, aquilo que os soberbos temem será a nossa expectativa e o nosso desejo. Davi deixou sua reputação inteiramente nas mãos do Senhor, e estava ansioso para ser justificado pela palavra do Juiz, em vez de qualquer defesa própria. Ele sabia que tinha agido bem, e, portanto, em lugar de evitar a suprema corte, implorou a sentença que ele sabia que realizaria a sua libertação. Ele assistiu, com olhos ansiosos, o juízo e a libertação, a palavra de justiça de Deus, que representou a salvação para si.

124. *"Trata com o teu servo segundo a tua benignidade."* Aqui, ele se lembra – embora diante dos homens ele estivesse tão justificado que poderia desafiar a palavra de justiça, ainda assim, perante o Senhor, como seu servo, ele sentia que devia apelar para a misericórdia. Nós nos sentimos mais seguros, o nosso coração tem mais repouso no clamor, "Deus, tem piedade de mim" do que apelando à justiça. É bom poder dizer, "Fiz juízo e justiça" e, então, acrescentar, com toda humildade, "trata com o teu servo segundo a tua benignidade". O título de servo abrange um apelo; o senhor justificará o caráter do seu servo, se ele for falsamente acusado, e resgatá-lo daqueles que o oprimem; e, além disto, o senhor mostrará misericórdia para com seu servo, mesmo que lide severamente com um estranho. O Senhor lida, ou se comunica, com os seus servos, de maneira condescendente, sem menosprezá-los, mas tendo comunhão com eles; e Ele faz isto de uma maneira terna e misericordiosa, pois com qualquer outro tratamento, nós seríamos esmagados até o pó.

"E ensina-me os teus estatutos." Esta será uma maneira de lidar conosco com misericórdia. Nós podemos esperar que um senhor ensine ao seu próprio servo o significado das suas próprias ordens. Mas a nossa ignorância surge da nossa própria estupidez pecaminosa; é uma grande misericórdia, por parte de Deus, o fato de que Ele é condescendente para nos instruir nos seus mandamentos. Pois que o nosso governante se torne nosso professor é um ato de grande graça, pelo qual a nossa gratidão nunca será suficiente. Entre as nossas graças, esta é uma das maiores.

125. *"Sou teu servo."* Esta é a terceira vez que ele repete este título, nesta única seção: evidentemente, ele gosta do nome, e entende que este será um apelo muito eficaz. Nós, que nos alegramos por sermos filhos de Deus, de maneira alguma nos alegramos menos por sermos seus servos. O Filho primogênito não assumiu a forma de um servo, e não cumpriu integralmente o trabalho de um servo? Que honra maior podem desejar os irmãos mais jovens, senão a de serem feitos como o Herdeiro de todas as coisas?

"Dá-me inteligência, para entender os teus testemunhos." No versículo anterior, ele buscava ensinamento; aqui, no entanto, ele vai muito além, e anseia por inteligência. Normalmente, se o instrutor fornece o ensinamento, o aluno encontra o entendimento, mas, no nosso caso, nós somos muito mais dependentes, e devemos

implorar pelo entendimento, bem como pelo ensinamento; isto, um professor comum não pode dar, e nós somos triplamente felizes porque o nosso Tutor Divino pode nos conceder isto! Nós devemos confessar que somos tolos, e então o nosso Senhor nos fará sábios, e nos dará inteligência. O melhor entendimento é aquele que nos capacita a prestar perfeita obediência, e a exibir uma fé inteligente, e isto é o que Davi deseja – "inteligência, para entender os teus testemunhos". Alguns prefeririam não conhecer estas coisas; eles preferem ficar tranquilos, nas trevas, em lugar de possuir a luz que conduz ao arrependimento e à diligência. O servo de Deus anseia por conhecer, com inteligência, tudo o que o Senhor revela, sobre o homem, e ao homem; ele deseja ser instruído de maneira que possa apreender e compreender o que lhe é ensinado. Um servo não deve ser ignorante, a respeito do seu senhor, ou dos negócios do seu senhor; ele deve estudar a mente, a vontade, o objetivo daquele a quem serve, pois somente assim pode completar o seu serviço; e como ninguém conhece estas coisas tão bem como o seu senhor, o servo deve frequentemente recorrer a ele, em busca de instruções, evitando que o seu próprio zelo sirva apenas para fazer com que ele cometa grandes erros.

É notável o fato de que o salmista não ora pedindo entendimento, através da aquisição de conhecimento, mas implora ao Senhor, em primeiro lugar, que possa receber o gracioso dom da inteligência, para depois poder obter a desejada instrução. Tudo o que sabemos, antes de ter inteligência, pode nos prejudicar e gerar vaidade em nós; mas se houver antes um coração com inteligência, então os armazéns de conhecimento enriquecem a alma, e não trazem consigo nem pecado nem tristeza. Além disto, este dom da inteligência age também na forma de discernimento, e assim o homem bom é impedido de acumular o que é falso e perigoso; ele sabe quais são e quais não são os testemunhos do Senhor.

126. *"Já é tempo de operares, ó Senhor, pois eles têm quebrantado a tua lei."* Davi era um servo, e por isto era sempre o seu momento de trabalhar; mas, sendo oprimido por uma visão do comportamento ímpio dos homens, Davi sente que está faltando a mão do seu Mestre, e por isto apela, que Ele opere contra a obra do mal. Os homens anulam a lei de Deus, negando que é a sua lei, promulgando mandamentos e doutrinas em oposição a ela, colocando a tradição no seu lugar, ou negligenciando-a completamente, e zombando da autoridade do Legislador. Então, o pecado se torna moderno, e um andar santo é considerado como um puritanismo desprezível; a maldade é um prazer elegante, e a vaidade é o mais apreciado dos pecados. Então, o santo suspira, pela presença e pelo poder do seu Deus; Oh, quem nos dera ter uma hora do Rei sobre o trono, e a vara de ferro! Oh, que outro Pentecostes, com todos os seus milagres, para revelar o poder de Deus aos opositores, e fazê-los ver que existe um Deus em Israel! A situação extrema dos homens, seja de necessidade ou pecado, é a oportunidade de Deus. Quando a terra era sem forma e vazia, o Espírito se movia sobre a face das águas; e Ele não viria quando a sociedade está retornando a um caos semelhante? Quando Israel, no Egito, foi reduzida à sua condição mais baixa, e parecia que o concerto havia sido anulado, então Moisés apareceu e realizou poderosos milagres; também, então, quando a igreja de Deus é desprezada, e a sua mensagem é ridicularizada, podemos esperar ver a mão do Senhor estendida para a renovação da religião, a defesa da verdade e a glorificação do nome divino. O Senhor pode operar por meio de juízos, que se precipitam pelas trincheiras dos adversários, ou por renovações, que edificam os muros da sua própria Jerusalém. Quão fervorosamente podemos orar para que o Senhor levante novos evangelistas, e vivifique aqueles que já temos, que inflame toda a sua igreja e traga o mundo aos seus pés! A obra de Deus é sempre honrosa e gloriosa; quanto à nossa obra, não será nada se estiver separada dele.

127. *"Pelo que amo os teus mandamentos mais do que o ouro; e ainda mais do que o ouro fino."* Assim como era tempo de Deus operar, também era tempo de

Davi amar. Tão longe de se desviar, seguindo o exemplo dos homens, a ponto de se unir a eles no desprezo às Escrituras, ao contrário, ele era levado a um amor mais veemente por elas. Quando via os mandamentos desprezados pelos ímpios, o seu coração se solidarizava com Deus, e ele sentia um ardente afeto pelos seus santos princípios. É característica de um verdadeiro crente o fato de que ele não depende dos outros para a sua religião; mas bebe a água do seu próprio poço, que jorra mesmo quando todas as cisternas da terra estão secas. O nosso santo poeta, em meio a uma depreciação geral da lei, sentia a sua própria estima por ela subindo tão alto, que o ouro e a prata afundavam, em comparação com ela. A riqueza traz consigo tantas conveniências que os homens, naturalmente, a apreciam, e ao ouro, como o símbolo dela; mas na opinião dos sábios, as leis de Deus são mais enriquecedoras, e trazem consigo mais consolação do que todos os outros tesouros. O salmista não podia se vangloriar de sempre guardar os mandamentos; mas ele podia declarar que os amava; ele era perfeito no coração, e de bom grado procurava ser perfeito na vida. Ele julgava os santos mandamentos de Deus melhores do que a melhor coisa terrena, sim, melhores do que o melhor tipo da melhor coisa terrena; e esta estima era confirmada e expressa pelas mesmas oposições do mundo que levam os hipócritas a abandonar o Senhor e os seus caminhos.

> "Ainda mais, pela fúria deles,
> as tuas palavras amo e reconheço,
> uma herança mais rica
> do que ouro e pedras preciosas".

128. *"Por isso, tenho, em tudo, como retos todos os teus preceitos."* Porque os ímpios encontravam falhas nos preceitos de Deus, Davi tinha ainda mais certeza de que eles eram corretos. A censura dos ímpios é um certificado de mérito; devemos, com razão, suspeitar daquilo que eles sancionam, mas aquilo que eles abominam podemos, ardentemente, admirar. A alegria do homem de bem na lei de Deus é ilimitada e sincera, ele crê em todos os preceitos de Deus, a respeito de todas as coisas.

"E aborreço toda falsa vereda." O amor pela verdade gerava o ódio à falsidade. Este homem piedoso não era indiferente a nada, mas aquilo que não amava, odiava. Ele não era "uma colherada de mingau de aveia sem sabor"; ele amava bem, ou odiava bem, mas jamais era hesitante. Ele sabia o que sentia, e o expressava. Ele não era Gálio, a quem nada destas coisas incomodava. O seu ódio era tão sincero quanto o seu afeto; ele não tinha uma boa palavra a respeito de qualquer prática que não trouxesse a luz da verdade. O fato de que grandes multidões seguissem pelo caminho largo não influenciava este homem santo, exceto para torná-lo ainda mais determinado a evitar toda forma de erro e pecado. Que o Espírito Santo governe nossos corações para que os nossos sentimentos possam estar na mesma condição decidida, com relação aos preceitos da palavra.

NOTAS SOBRE OS VERSÍCULOS 121 A 128

v. 121: Aqui começa uma nova divisão do salmo, indicada pela letra hebraica *Ain* – uma letra que não pode ser bem representada no alfabeto ocidental, pois, na verdade, nenhuma letra no nosso idioma corresponde exatamente a ela. Ela seria melhor representada, provavelmente, pelo que chamamos *"sussurro"*, em grego. – *Albert Barnes*

v. 121: "Fiz juízo" contra os ímpios e "justiça" para com os bons. – *Simon de Muis, 1587-1644*

v. 121: "Fiz juízo e justiça". Aqui a visão de Davi, na sua capacidade judicial, pode se apresentar a nós, e, neste caso, temos Davi em meio a grandes experiências;

pois as palavras absorvem uma grande parte da sua vida. Quão abençoadas seriam as suas reflexões se, depois de um longo reinado, todos os governantes soberanos pudessem apelar desta maneira a Deus. Deveria ser assim, pois a Ele todos deverão prestar contas, no final. Embora nós somente imaginemos Davi falando na qualidade de um homem privado, ainda assim o sentimento merece toda consideração... Os pais dizerem isto sobre a maneira como tratam seus filhos – ou os senhores sobre os seus servos, ou um homem sobre os seus vizinhos – será algo excelente. – *John Stephen*

v. 121: "Juízo" e "justiça" frequentemente, nas Escrituras, querem dizer a mesma coisa, e, quando as duas palavras estão juntas, a segunda é como um epíteto da primeira. *"Fiz juízo e justiça"*, isto é, fiz juízo *com justiça*, de maneira justa, de maneira exata. – *Joseph Caryl*

v. 121:

Aja de maneira justa, e seja um rei,
Seja este o seu baluarte de proteção
para preservar a sua inocência consciente,
nunca empalideça por causa da culpa.
– *Horácio de Francis.*

v. 121: "Se o nosso coração nos não condena, temos confiança para com Deus", (1 Jo 3.21). Este "testemunho de consciência" tem sido frequentemente "a alegria" do povo do Senhor, quando sofrendo sob reprovação imerecida ou "opressão dos soberbos". Eles puderam alegar isto, sem transgressão, na presença do seu santo Deus, que sonda os corações; mesmo quando, com a perspectiva da grande e última prestação de contas, eles poderiam ter recuado do escrutínio infalível e rígido do seu Juiz Onisciente. Talvez, no entanto, não sejamos suficientemente conscientes da importância da integridade moral, em conexão com a nossa consolação espiritual. Veja a ousadia que isto deu a Davi, na oração: "Fiz juízo e justiça; não me entregues aos meus opressores". – *Charles Bridges*

v. 121: "Não me entregues aos meus opressores". Isto é, conserva-me a salvo dos que me desejam prejudicar, porque eu ajo com justiça; coloca-te entre mim e os meus inimigos, como se fosse minha garantia. A justiça imparcial sobre os opressores, às vezes, deixa os juízes abertos à opressão; mas aqueles que correm grandes perigos pelo zelo por Deus encontrarão Deus pronto a ser o seu Fiador, quando oram, *"Fica por fiador do teu servo"*, como no versículo seguinte. – *Abraham Wright*

vv. 121 e 122: "Fiz juízo e justiça", mas, para que eu possa sempre fazer isto, e jamais falhe ao fazê-lo, *"fica por fiador do teu servo para o bem"*, orientando-o, para que ele possa sempre saborear o que é bom, e então a consequência será que *"os soberbos não irão me oprimir"*, pois aquele que está bem estabelecido *"para o bem"*, e assim decidiu que nada, exceto o que é bom e justo será agradável para ele, irá perseverar de tal maneira que não terá motivos para temer que *"os soberbos o caluniem"* – *Robert Bellarmine*

v. 122: "Fica por fiador do teu servo para o bem". Aquilo que Davi pede que Deus seja para ele, Cristo o é, para todo o seu povo (Hb 7.22). Cristo se aproximou de Deus, deu a mão a Ele, deu a sua palavra e se comprometeu a pagar as dívidas do seu povo; e Se colocou no meio deles, e Se tornou responsável pela lei e pela justiça para eles; e Se envolveu, para fazer a indenização pelos pecados deles, para trazer uma justiça eterna para a sua justificação, e para preservá-los e guardá-los, e conduzi-los, a salvo, para a glória e a felicidade eterna; e isto era ser *um fiador deles para o bem*. – *John Gill v. 122:* "Fica por fiador do teu servo para o bem". Há três explicações para esta frase: com relação ao objetivo, à causa, e ao evento.

1. Responsabilizar-se por mim, *ut sim bonus et Justus,* disse o rabino Arama; *"Fica por meu fiador, para que eu possa ser bom".* Teodoreto explica: "Assegura que eu cumpra a minha determinação de guardar a tua lei". Aquele que se propõe, realiza; embora nós tenhamos preceitos e promessas, sem a garantia de Deus jamais seremos capazes de realizar o nosso dever.

2. Responsabilizar-se por mim, para me ajudar *a fazer o bem*; esta é a interpretação de alguns; Deus não participaria em uma causa má; recomendar uma causa errada à proteção de Deus é provocá-lo a precipitar a nossa punição, fazer-nos servir sob os nossos opressores; mas, quando temos uma boa causa e uma boa consciência, Ele nos irá reconhecer. Não podemos esperar que Ele nos sustente e confirme no serviço do diabo, em que venhamos nos envolvemos, pelo nosso próprio pecado.

3. *Ficar comigo para o bem:* esta é a tradução frequente: "Mostra-me um sinal para bem" (Sl 86.17); "Não rogues por este povo para bem" (Jr 14.11); também, "Lembra-te de mim, Deus meu, para o bem" (Ne 13.31). Também aqui: *"Fica por fiador do teu servo para o bem". – Thomas Manton*

v. 122: "Fica por fiador do teu servo para o bem". É a oração de Ezequias, na sua tribulação, "ó Senhor, ando oprimido! Fica por meu fiador" (Is 38.14); esta é a oração de Jó, por um árbitro que possa estar entre ele e Deus (Jó 9.33); é o clamor da igreja, antes da Encarnação, pela aparição de um Mediador Divino; é a confiança de cada alma fiel, desde aquela bendita ocasião, na intercessão perpétua do nosso grande Sumo Sacerdote no céu, que, para nós, é o sinal das bênçãos futuras. – *Agellius e Cocceius, em Neale e Littledale*

v. 122: "Fica por fiador do teu servo para o bem". O que ele quer dizer é: Senhor, tu sabes quão injustamente me caluniam e falam mal de mim em muitos lugares: onde eu não estiver presente, ou não puder responder por mim mesmo, Senhor, responde tu por mim. – *William Cowper*

v. 122: "Fica por fiador do teu servo para o bem". Os olhos aguçados do mundo possivelmente não serão capazes de localizar qualquer mácula na minha profissão de fé exterior, mas, "Se tu, Senhor, observares as iniquidades, Senhor, quem subsistirá?" A dívida vai se acumulando continuamente, e a perspectiva de pagamento fica cada vez mais distante. Eu posso esperar ser "entregue aos meus opressores", a menos que pague tudo o que é devido ao meu Senhor. Mas, veja! "Onde está o furor daquele que te atribulava?" (Is 51.13). O Fiador é encontrado – a dívida é paga – o resgate é aceito – o pecador é libertado. Ouviu-se uma voz no céu – "Livra-o, que não desça à cova; já achei resgate" (Jó 33.24). O próprio Filho de Deus se tornou "Fiador do estranho" e "sofreu severamente" por isto (Pv 11.15). Com um custo infinito – o custo do seu próprio precioso sangue – Ele me libertou dos *"meus opressores"* – o pecado – Satanás – o mundo – a morte – o inferno. – *Charles Bridges*

v. 122: Alguns observam que este é o único versículo, em todo o salmo, em que a Palavra não é mencionada com os nomes de "lei", "juízos", "estatutos" ou termos semelhantes, e a este respeito, observam, "Onde a lei falha, ali Cristo é o fiador de um melhor concerto". Há quem traduza as palavras como – *"Suaviza ou alegra o teu servo para o bem",* isto é, torna-o alegre e confortável na busca e na prática do que é bom – *John Trapp*

v. 123: "Os meus olhos desfaleceram, esperando por tua salvação". Em épocas da grande angústia, quando o coração está oprimido pela preocupação, e quando o perigo ameaça de todos os lados, o olho humano expressa, com assombrosa fidelidade, a angústia e a aflição da alma. A postura aqui descrita é a de um indivíduo que se percebe rodeado de inimigos, dos mais terríveis, que sente a sua própria fraqueza e insuficiência para entrar em conflito com eles, mas que está esperando ansiosamente a chegada de um amigo poderoso e fiel, que prometeu socorrê-lo nesta hora de calamidade. À medida que o seu amigo retarda a hora de sua chegada, os seus temores e ansiedades se multiplicam, até que ele se encontra na condição de alguém cujos olhos falham e obscurecem, enquanto ele espera a chegada deste grande libertador. Nesta condição se encontrava o suplicante aqui descrito – os seus inimigos já estavam prontos para tragá-lo, e, com exceção do céu, ele não tinha nenhuma esperança de salvação no final. Às promessas de Deus ele se dirigiu, e enquanto esperava o seu cumprimento, e esperava, com o maior fervor, a palavra da justiça de Deus, ele expressa o sentimento de desespero, *"Os meus olhos desfaleceram, esperando por tua salvação"*. Oh, desejemos calorosamente e ansiosamente esta grande salvação, que nos trará a vitória sobre todos os nossos inimigos espirituais, e nos capacitará a gritar, triunfantemente, por toda a eternidade, o nome do nosso poderoso Libertador! – *John Morison*

v. 123: "Os meus olhos desfaleceram... pela promessa da tua justiça". Ainda que as palavras da promessa jamais se cumpram, nem nada semelhante seja realizado, a fé justifica a promessa, por ser verdadeira e fiel. – *David Dickson*

v. 123: "Pela promessa da tua justiça". Esta seria a promessa da salvação, que o Senhor tinha feito, com justiça. Que apelo assombroso – Deus, com base na sua própria justiça, recebe o nosso apelo de libertação – e que verdadeiro! Ou esta pode ser a promessa da sua justiça, a distribuição da justiça, o exercício de uma decisão justa entre ele e os seus opressores. Ele esperou que o Senhor se interpusesse entre eles, e assim cumprisse tudo o que Ele tinha prometido para o bem do crente. O Senhor vingará os seus. Estão em grande dificuldade, e esperando que o Senhor se interponha, já tendo entregado a Ele suas preocupações?... Esperem; Ele não irá desapontar uma esperança piedosa. – *John Stephen*

v. 123: "Pela promessa da tua justiça", ou "a promessa da tua retidão"; ou seja, a sentença da justiça sobre os meus opressores, como ensina a primeira parte do versículo; pois esta sentença será equivalente a conceder a salvação que o salmista tão fervorosamente desejava. – *George Phillips*

v. 124: "Trata com o teu servo segundo a tua benignidade". Se eu sou um *"servo"* de Deus, eu posso apresentar meus serviços diante dele somente com base na *"misericórdia"*; sentindo que, para o meu melhor desempenho, eu preciso de uma imensurável palavra de misericórdia – misericórdia que perdoa, que salva, e que é eterna; e eu sou encorajado, pelo sangue de Jesus, a apelar pela minha alma – *"Trata com o teu servo segundo a tua benignidade"*.

Mas eu sou tão ignorante quanto culpado; e, no entanto, não ouso pedir o ensinamento divino, em tanta quantidade e tão frequentemente como necessito, até que tenha obtido misericórdia. *"Benignidade"*, ou misericórdia, é a primeira bênção, não somente em importância, mas em ordem. Eu devo buscar ao Senhor e reconhecê-lo como Salvador, antes que eu possa ir até Ele com qualquer confiança, para que Ele seja o meu professor. Mas quando eu tiver encontrado a aceitação para a minha súplica – *"Trata com o teu servo segundo a tua benignidade"*, o meu caminho estará aberto, para prosseguir com a nova súplica – *"ensina-me os teus estatutos. Dá-me inteligência, para entender os teus testemunhos"* – para que eu possa conhecer, andar, sim "correr pelo caminho dos teus mandamentos", com um coração dilatado (v. 32). O meu apelo é o mesmo que fiz, pedindo aceitação (v. 94) – *"Sou teu servo"*. – *Charles Bridges*

v. 124: "tua benignidade". Durante todo o ano, cada hora de cada dia, Deus nos abençoa ricamente; tanto quando dormimos como quando estamos acordados, a sua misericórdia nos visita. O sol pode deixar de brilhar, mas o nosso Deus jamais deixará de animar e alegrar os seus filhos com o seu amor. Como um rio, a sua amorosa benignidade estará sempre fluindo, com uma abundância inesgotável, como a sua própria natureza, que o origina. Como a atmosfera que está sempre ao redor da terra, e sempre a postos para sustentar a vida do homem, a benevolência de Deus está ao redor de todas as suas criaturas; nela, como se estivessem no seu elemento, eles vivem e agem, e têm sua existência. Como o sol, nos dias de verão, parece nos alegrar com raios mais aquecidos e brilhantes do que em outros dias, e como os rios, em determinadas estações, têm seu nível elevado, pela chuva, e como a própria atmosfera, em determinações, propicia influências mais frescas, mais estimulantes ou mais calmantes do que em outras, também acontece com a misericórdia de Deus; ela tem seus momentos de prosperidade, seus dias de abundância, quando o Senhor amplifica a sua graça e exalta o seu amor diante dos filhos dos homens. – *C. H. S.*

v. 124: "Ensina-me". Davi teve Natã e Gade, os profetas; e, além deles, os levitas normais, para ensiná-lo. Ele lia diligentemente a palavra de Deus, e meditava sobre a lei, noite e dia; mas reconhecia que tudo isto não era nada; a menos que Deus falasse ao coração; assim Paulo pregou a Lídia, mas foi Deus abriu que o coração dela. Devemos orar, pedindo esta graça. – *William Cowper*

v. 125: "Sou teu servo; dá-me inteligência", etc. Eu não sou um estranho para ti, sou teu próprio servo; não permita que me falte a graça que pode me capacitar a te servir. – *William Cowper*

v. 125: "Sou teu servo". Você deve considerar o fato de que você é servo *de Deus* como a sua principal glória e bênção. – *Martin Geier*

v. 126: "Já é tempo de operares, ó Senhor". Alguma vez, houve alguma embarcação em calmaria mais desesperadora no meio do oceano? ou alguma tripulação clamou mais freneticamente, suplicando alguma brisa, do que a tripulação da igreja do Deus vivo? Se Deus não operar, certamente não haverá nada à frente da igreja, exceto a perspectiva de total ruína e embaraço. O mundo será maior do que a igreja, se Deus não estiver nela. Mas se Deus estiver nela, ela não se abalará. Que Ele possa ajudá-la, e logo!

Quando Ele se manifesta, para operar, não sabemos qual será a forma desta operação. Ele opera de acordo com o conselho da sua própria vontade; e muitas vezes, quando Ele se manifesta, e se reveste da sua força, esta não se limita, em seus resultados, à vivificação imediata e exclusiva da vida espiritual da igreja, mas vem associada com providenciais convulsões e agitações que enchem o coração do mundo com assombro e desânimo. O seu reino espiritual não fica isolado. Ele se relaciona intimamente com o universo material, e com a sociedade humana e a vida nacional. Houve ocasiões em que Deus operou, e os sinais da sua presença foram vistos, em terríveis agitações das nações, ao arar suas fundações de antiga injustiça, ao ferir de tiranias esmagadoras, e na emancipação de um povo cuja vida tinha sido um gemido longo e desesperançado. Houve ocasiões, também, e muitas, em que Ele operou usando elementos da natureza – golpes de vento e umidade, enchentes e fome, enxames de gafanhotos, invasões de lagartas e pulgões; pelo comércio debilitado, com seu maquinário enferrujando no moinho e seus barcos apodrecendo no porto. Todas estas coisas são seus servos. Algumas vezes, o sono do mundo, e também da igreja, é tão profundo que somente pode ser interrompido por instrumentos como o vento, ou o fogo, ou um terremoto, como o que fez o profeta tremer, à entrada da caverna, e sem o qual a voz que se seguiu, tão calma, tão terna, teria perdido muito do seu poder dominador. Quando a sociedade se torna drogada com o cálice do materialismo de Circeano, e não presta atenção ou não ouve as vozes que vêm da eternidade, o terror tem a sua missão misericordiosa. Os corações frívolos e superficiais dos homens têm que se tornar sérios, seus ídolos devem ser quebrados, seus ninhos devem ser apedrejados ou arrancados das árvores onde foram feitos com tanto cuidado, e eles devem ser ensinados de que se esta vida fosse o mais importante, tudo não passaria de uma ilusão e de uma zombaria. Quando vier o dia do Senhor, em que Ele começará a operar, não deveremos nos assombrar, porque "será contra todo o soberbo e altivo e contra todo o que se exalta, para que seja abatido; e contra todos os cedros do Líbano, altos e sublimes; e contra toda torre alta e contra todo muro firme; e contra todos os navios de Társis e contra todas as pinturas desejáveis. E a altivez do homem será humilhada, e a altivez dos varões se abaterá, e só o Senhor será exaltado naquele dia". Mas esta obra de Deus também poderá ter outras formas. Ela não será vista na inspiração da igreja, com a fé no seu próprio credo, na medida em que este credo tem a garantia da palavra divina? A igreja crê no seu credo? Ela o escreve, o apresenta, o canta, o defende; mas ela crê nele, pelo menos com uma fé que gere entusiasmo, em si mesma, ou respeito, no mundo? As verdades que formam os símbolos sistematizados da igreja não se tornaram proposições, em vez de forças vivas? Não estarão embalsamadas com reverência supersticiosa na arca da tradição, sendo carinhosamente apreciadas pelo que fizeram? Mas não nos esquecemos de que, se são verdades, não estão mortas, e não podem morrer? Elas são verdades, agora, ou jamais foram verdades; vivem agora, ou jamais viveram. O tempo não pode tocá-las, nem a opinião humana, nem a preguiça ou a incredulidade da igreja, pois são emanações da essência divina, juntamente com a sua própria vida. Elas não são um equipamento que pode se tornar antiquado e obsoleto e ser substituído por invenções melhores; não são métodos políticos, criados para condições temporárias, e que desaparecem com elas; não se encaixam, umas nas outras, de modo que uma verdade superior deva ser cultivada, de tempos em tempos. Elas são como aquele que é o propósito da nossa existência, "Jesus Cristo... o mesmo ontem, e hoje, e eternamente". Não há nem uma delas que, se a fé que ela desperta fosse apenas proporcional ao seu valor intrínseco, não revestiria a igreja com um novo e maravilhoso poder. Mas o que seria este poder, se esta fé dominasse a todos? Seria a vida dos *mortos*. – *Enoch Mellor (1823-1881), "The Hem of Christ's Garment, and other Sermons"*

v. 126: "Já é tempo de operares, ó Senhor". עֵת expressa enfaticamente *o momento apropriado* para que o Senhor realize a sua própria obra; como se o salmista tivesse dito, "Não nos cabe prescrever o tempo e a ocasião para que Deus exerça o seu poder, e defenda a autoridade da sua própria lei; Ele faz tudo no tempo apropriado, e, no momento adequado, irá punir aqueles *'que têm quebrantado a sua lei'* e que se tornaram notórios pela sua impiedade e iniquidade". – *George Phillips*

v. 126: "Já é tempo de operares", da mesma maneira como quando o ataque de alguma doença se torna mais severo, você apressa o médico, para que ele venha mais depressa, para que, mais tarde, não seja incapaz de fazer algum bem. Também, quando este profeta viu, pelo Espírito Santo, a rebelião do povo, a sua luxúria, os seus prazeres, enganos, fraudes, avareza, embriaguez, ele corre, para pedir a ajuda em nosso favor, para Cristo, sabendo que somente Ele é capaz de remediar tais pecados; ele implora que Cristo venha, e suplica que não haja demora. – *Ambrósio, em Neale e Littledale*

v. 126: "Já é tempo de operares, ó Senhor". A infidelidade nunca foi mais sutil, mais prejudicial, mais plausível, talvez mais bem sucedida, do que nos dias em que vivemos. Ela deixou o nível da vulgaridade, grosseria e obscenidade, e se entrincheirou nas alturas da crítica, filologia e até mesmo da própria ciência. Ela permeia a nossa literatura popular enormemente; ela se revestiu com os encantos da poesia, para lançar seu feitiço sobre a mente pública; ela se esforçou para se mesclar com a ciência; e deve estar pouco familiarizado com a opinião predominante nesta terra aquele que não sabe que ela é aceita por uma grande porção das mentes educadas desta geração. "Já é tempo de operares, ó Senhor". – *John Angell James, 1785-1859*

v. 126: "Já é tempo de operares, ó Senhor", etc. Já é tempo de enviar o Messias, de realizar justiça, de cumprir a lei e defender a honra dela, atacada pelos homens. Os judeus sempre tiveram uma noção de que o tempo da vinda do Messias seria quando houvesse grande iniquidade na terra; e isto parece estar de acordo com a palavra de Deus, e era verdade. Veja Malaquias 2.17; 3.1,2,3,15,16; e 4.2. – *John Gill*

v. 126: "Já é tempo de operares, ó Senhor", etc. É verdade, Senhor, que não devemos prescrever-te os teus tempos e limites, pois tu és o ancião de dias, o Criador e destinador do Tempo. Nem nos atrevemos a pressionar diante da tua câmara particular, para "saber os tempos ou as estações" que o Pai estabeleceu pelo seu próprio poder; sim, Senhor, tu nos ensinaste, como discernir o aspecto do céu, como desvendar os sinais dos tempos, e como, da causa, esperar o resultado que necessariamente se seguirá. "Misericordioso e piedoso é o Senhor; longânimo e grande em benignidade" (Sl 103.8); e tu toleras muitos erros dos filhos dos homens, esmagado pelos seus pecados, como uma carroça carregada com roldanas, mas se eles continuarem a te sobrecarregar, tu te livrarás deste peso, e o lançarás no chão da confusão. Tu és "tardio em irar-te, mas grande em força e ao culpado não tens por inocente" (Na 1.3). Por muito tempo, tu te calaste diante dos pecados dos homens, e ainda te calas, e te reprimes, mas se os homens não se converterem, tu irás afiar a tua espada e curvar o teu arco e prepará-lo. Tu és paciente, e por muito tempo contiveste a tua mão. Mas quando o rosto do pecado começa a perder o rubor da vergonha, quando a relação de transgressões cresce vertiginosamente, de leste a oeste, quando o clamor deles se percebe acima das nuvens, quando a iniquidade atinge uma altura extrema, e os seus frutos estão maduros, então é o momento em que tu, Senhor, deves tomar conhecimento disto, despertando-te como um gigante e exibir a tua mão vingativa.

Mas os nossos pecados já estão maduros, e já passando do ponto de serem colhidos; a medida das nossas iniquidades está cheia até o topo. Sem dúvida, a nossa terra está profundamente imersa em iniquidade; as nossas línguas e obras têm sido contrárias ao Senhor, provocando os olhos da sua glória; a aparência do nosso rosto testifica contra nós (Is 3.8, 9), sim, nós declaramos nossos pecados, como Sodoma; não os escondemos, o clamor dos nossos pecados é excessivamente doloroso, o seu clamor perfura os céus, e com alta voz, clamam, "Até quando, ó verdadeiro e santo Dominador não se vingaria a tua alma de gente tal como esta?" (Ap 6.10; Jr 9.9). – *George Webbe, "A Posie of Spiritual Flowers", 1610*

v. 126: "Já é tempo de operares, Senhor". Alguns interpretam da seguinte maneira (e o original o aceita): *"É tempo de trabalhar por ti, Senhor"*; é tempo de cada um, em seu lugar, se posicionar ao lado do Senhor, contra a crescente ameaça da profanação e imoralidade. Nós devemos fazer tudo o que pudermos para apoiar os interesses da religião, que estão naufragando; e, no final, devemos implorar que Deus tome o trabalho nas suas próprias mãos. – *Matthew Henry*

v. 126: "Eles têm quebrantado a tua lei". No segundo versículo deste grupo, o salmista se queixou de que os soberbos o oprimiam, agora ele se queixa de que eles violaram a lei de Deus. Quem, então, são os inimigos de Davi, que procuram oprimi-lo? São os inimigos de Deus, que procuram destruir a sua lei. Temos uma grande consolação no fato de que, se amarmos o Senhor e procurarmos, com boa consciência, servi-lo, não teremos inimigos, senão os que são inimigos de Deus. – *William Cowper*

v. 126: "Eles têm quebrantado a tua lei". Como se eles não apenas pecassem contra a Lei, mas pecassem, destruindo a Lei – não somente deixassem de obedecer a ela, mas a removessem do mundo; eles desejam anular e repelir os santos atos de Deus, para que os seus próprios atos pudessem não ser questionados; e para que a Lei não tivesse poder de puni-los, eles lhe negavam o poder de governá-los; esta é a força da palavra simples aqui usada, aplicada à maior transgressão contra a Lei de Deus. – *Joseph Caryl*

vv. 126 e 127: Um santo é melhor em todos os aspectos. Não apenas em relação às ordenanças, à palavra, aos sacramentos, à santa sociedade, mas também aos pecadores e ao seu próprio pecado. Ele exibe suas graças mesmo que só possa fazê-lo com lamentação santa e dolorosa. Um santo é sensível a qualquer vento. Da mesma maneira como os ímpios são feridos pelas melhores coisas, também os piedosos são aperfeiçoados pelas piores. "Eles têm quebrantado a tua lei, pelo que amo os teus mandamentos." Quanto mais o mundo despreza a santidade, mais ela é reconhecida pelos piedosos. Os santos da casa de César estavam dentre os mais eminentes (a casa de César [Nero], Fp 4.22); dentre aqueles que guardaram o nome de Deus, estavam aqueles que viveram onde estava o trono de Satanás (Ap 2.13). O zelo por Deus cresce mais forte em meio à oposição; e, por isto, o crente fiel deve se esforçar para oferecer a devida reparação à glória de Deus. – *William Jenkyn (1612-1685), "The Morning Exercises"*

v. 127: "Pelo que amo os teus mandamentos mais do que o ouro", etc. Em parte porque uma evidência da sua excelência é o fato de que os mais infames dos homens não os apreciam. Em parte, pela minha justa indignação e oposição contra os meus inimigos declarados; e, em parte, porque a grande e geral apostasia dos outros torna este dever mais necessário para impedir as suas falhas e as de outros homens. – *Matthew Pool*

v. 127: "Amo os teus mandamentos mais do que o ouro, e ainda mais do que o ouro fino". A imagem empregada nos mostra a imagem do avarento; o seu coração e o seu tesouro estão em seu ouro. Com que prazer ele o conta! Com que vigilância ele o guarda, escondendo-o em lugar seguro, para que não seja despojado do que lhe é mais precioso do que a sua própria vida. Assim deveriam ser os cristãos, contando, com avareza espiritual, o seu tesouro, que é superior ao *"ouro fino"*; e "escondendo-o em seu coração", a salvo, em lugar seguro, onde o grande ladrão não poderá alcançá-lo. Oh, cristãos, muito mais vale a sua porção, para vocês, do que o tesouro do avarento! Escondam-na; vigiem-na; conservem-na. Vocês não devem temer ser avarentos em coisas espirituais; mas "procurá-las com zelo" para aumentar o seu estoque; pois vivendo de acordo com os mandamentos, e neles, o seu tesouro irá crescer e tornar-se mais rico em quantidade e mais precioso em valor. – *Charles Bridges*

v. 127: "Amo os teus mandamentos". Ele não professa que obedecia aos mandamentos – mas que os *amava*; e verdadeiramente, este é um grande progresso na santidade, se chegarmos até este ponto – amá-los com o nosso coração. O homem natural odeia os mandamentos de Deus; eles são altamente contrários à sua corrupção; mas o homem regenerado, da mesma maneira como odeia a sua própria corrupção, também ama a palavra, porque, de acordo com ela, ele deseja ser transformado. E aqui está o nosso consolo, pois, embora não possamos fazer o que nos é ordenado, se amarmos fazê-lo, já será um sinal da graça recebida. *"Mais do que o ouro"*, etc. É lícito amar as criações que Deus designou para o nosso uso, porém com as seguintes condições: a primeira é que o primeiro lugar no nosso sentimento de amor seja reservado a Deus; e qualquer outra coisa que amemos, que a amemos nele, e por Ele, e que lhe demos apenas o segundo lugar. Assim Davi, sendo um homem natural, amava seu alimento natural, mas declara que amava a lei de Deus mais do que o seu alimento; e aqui ele ama os mandamentos de Deus, mais do que todo o ouro. – *William Cowper*

v. 128: "Tenho, em tudo, como retos todos os teus preceitos". Este testemunho com que o salmista conclui (*Tenho, em tudo, como retos todos os teus preceitos*) não é um testemunho que comprometa a integridade e a importância dos preceitos do Senhor. Cada mandamento, por mais duro que seja; cada ordem, por mais desagradável que seja; cada preceito, por mais severo que seja; até mesmo cortar a mão direita, arrancar o olho direito, esquecer o meu povo e a casa do meu pai; tomar a minha cruz todos os dias; vender tudo o que tenho – sim, Senhor, até mesmo nisto, "tenho, em *tudo*, como retos todos os teus preceitos". Que verdade abençoada é esta, a que podemos chegar, e na qual podemos encontrar consolação. – *Barton Bouchier*

v. 128: "Tenho, em tudo, como retos todos os teus preceitos", etc. Não devemos apenas respeitar todos os mandamentos de Deus, mas também respeitá-los, a todos, igualmente, e dar a todos eles igual respeito. A obediência deve ser universal. – *R. Mayhew, "The death of Death in the Death of Christ", 1679*

v. 128: "Todos". Os muitos *todos* que este versículo usa (não diferentemente de Ez 44.30) mostram a integridade e universalidade da obediência do salmista. *"Todos"* é uma palavra pequena, mas tem grande abrangência. – *John Trapp*

v. 128: "Tenho, em tudo, como retos todos os teus preceitos". Ele tinha uma grande consideração pelos preceitos de Deus; ele os considerava justos em tudo; justos, porque não prescrevem nada que não seja exatamente justo; e justos, porque trazem uma justa punição sobre os transgressores, e uma recompensa para os justos. – *William Nicholson*

v. 128: O homem justo regula todos os seus atos segundo uma regra justa: a razão carnal não pode influenciá-lo, a prática corrupta não pode desviá-lo, mas as palavras sagradas de Deus o dirigem. Assim, o seu respeito é universal; ele respeita igualmente todos os preceitos divinos, evitando todo o mal, realizando todo o bem sem exceção. Assim, Davi, um homem justo, *tem, em tudo, como retos todos os preceitos de Deus*, e por isto é cuidadoso em observá-los. Assim, ele é o mesmo homem, em todas as ocasiões, em todos os lugares; porque em todas as ocasiões, e em todas as sociedades, ele age segundo uma só regra. Há uma frase muito propícia de Cipriano, *ea non est religio, sed dissimulatio, quae per omnia non constat sibi, não é piedade, mas hipocrisia, não agir da mesma maneira em todas as coisas, uma vez que o homem justo avalia cada ação segundo a linha reta dos preceitos divinos.* – *Abraham Wright*

v. 128: "Aborreço toda falsa vereda". A melhor prova do nosso amor por Deus e pela sua palavra é o ódio ao pecado e à impiedade: "Vós que amais ao Senhor, aborrecei o mal". Aquele que ama uma árvore detesta o verme que a consome; aquele que ama uma roupa detesta a traça que a corrói; aquele que ama a vida odeia a morte; e aquele que ama ao Senhor odeia tudo o que o ofende. Que os homens que amam os seus pecados prestem atenção nisto: como pode o amor por Deus estar neles?

A religião nos obriga não somente a odiar o caminho da falsidade, mas todas as suas veredas. Há coisas que não são totalmente boas, porém o homem piedoso as ama; da mesma forma, há coisas que não são totalmente más, porém ele as odeia. E esta é a perfeição dos filhos de Deus; uma perfeição que não é demonstrada em estágios, pois nem amamos o bem nem odiamos o mal como deveríamos, mas vivemos uma perfeição em partes; porque amamos todo o bem, e odiamos todo o mal, de alguma maneira. – *William Cowper*

v. 128: "E aborreço". Aquele Ser que ama o bem com intensidade infinita odeia o mal com a mesma intensidade. Tão longe da incompatibilidade entre este amor e este ódio, eles são contrapartidas, um do outro – pólos opostos da mesma emoção moral. – *John W. Haley, "An Examination of the Alleged Discrepancies of the Bible", 1875*

v. 128: "Aborreço toda falsa vereda". Se Satanás se apropriar de alguém através de algum pecado, não é suficiente que lhe conduza à condenação? Assim como o açougueiro conduz os animais ao matadouro, alguns presos pelas quatro patas, e outros apenas por uma, o mesmo ocorre com Satanás. Embora você não seja um escravo de todos os pecados, se for escravo de um deles, o domínio que ele terá sobre você, por este único interesse pecaminoso, será suficiente para torná-lo um cativo. – *William Cowper*

EXPOSIÇÃO DOS VERSÍCULOS 129 A 136

129 *Maravilhosos são os teus testemunhos; por isso, a minha alma os guarda.*
130 *A exposição das tuas palavras dá luz e dá entendimento aos símplices.*
131 *Abri a boca e respirei, pois que desejei os teus mandamentos.*
132 *Olha para mim e tem piedade de mim, conforme usas com os que amam o teu nome.*
133 *Ordena os meus passos na tua palavra, e não se apodere de mim iniquidade alguma.*
134 *Livra-me da opressão do homem; assim, guardarei os teus preceitos.*
135 *Faze resplandecer o teu rosto sobre o teu servo e ensina-me os teus estatutos.*
136 *Rios de águas correm dos meus olhos, porque os homens não guardam a tua lei.*

129. *"Maravilhosos são os teus testemunhos."* Cheios de maravilhosas revelações, mandamentos e promessas. Maravilhosos em sua natureza, livres de todo erro e trazendo consigo evidências esmagadoras da sua verdade; maravilhosos em seus efeitos de instrução, exaltação, fortalecimento e consolação da alma. Jesus, o Verbo eterno, é chamado de Maravilhoso, e todas as palavras proferidas por Deus são maravilhosas. Aqueles que as conhecem melhor são os que mais se maravilham com elas. É maravilhoso que Deus tenha dado testemunho a todos os homens pecadores, e ainda mais maravilhoso que o seu testemunho tenha tal caráter, seja tão claro, tão pleno, tão piedoso, tão poderoso;

"Por isso, a minha alma os guarda." O maravilhoso caráter dos mandamentos impressionava tanto a sua mente, que ele os guardava na memória; a sua maravilhosa excelência encantava tanto o seu coração, que ele os guardava na sua vida. Alguns homens se maravilham com as palavras de Deus, e as usam para sua especulação, mas Davi sempre foi prático, e quanto mais se maravilhava, mais obedecia. Observe que a sua religião era um trabalho da alma. Ele não guardava os testemunhos apenas com a cabeça e as mãos; mas a sua alma, o seu "eu" mais verdadeiro e mais real, se apegava firmemente a eles.

130. *"A exposição das tuas palavras dá luz."* Tão logo as palavras de Deus são admitidas na alma, já a iluminam; que luz pode ser esperada da sua permanência prolongada! A sua própria "entrada na mente" enche a mente de instrução, pois elas muito plenas, e muito claras; mas, por outro lado, deve haver esta "entrada", ou não haverá iluminação, ou esclarecimento. A mera audição da palavra com o ouvido externo tem um pequeno valor, por si só, mas quando as palavras de Deus entram nas câmaras do coração, então a luz se difunde por todos os lados. A palavra não encontra entrada em algumas mentes porque estas mentes estão bloqueadas com a soberba, ou o preconceito, ou a indiferença; mas onde a palavra recebe a devida atenção, a iluminação divina certamente acompanha o conhecimento da mente de Deus. Oh, que as tuas palavras, como os raios do sol, possam entrar pela janela do meu entendimento, e dissipar as trevas da minha mente!

"E dá entendimento aos símplices." Os sinceros e simples são os verdadeiros discípulos da palavra. A eles, ela dá, não apenas conhecimento, mas entendimento. Estes sinceros são frequentemente desprezados, e a sua simplicidade tem outro significado inculcado, de modo que se torna tema de ridículo; mas o que importa? Aqueles a quem o mundo rotula como tolos estão entre os mais verdadeiramente sábios, desde que sejam ensinados por Deus. Que poder divino tem a palavra de Deus, uma vez que não apenas confere luz, mas "dá entendimento" aquele olho mental pelo qual a luz é recebida. Daí o valor das palavras de Deus aos símplices, que não podem receber a verdade misteriosa, a menos que suas mentes sejam auxiliadas a vê-la e preparadas para compreendê-la.

131. *"Abri a boca e respirei."* Tão ardente era o seu desejo, que ele procurou no mundo animal para encontrar uma imagem para descrevê-lo. Ele estava cheio de

um intenso anseio, e não se envergonhou de descrevê-lo com um símbolo muito expressivo, natural, ainda que singular. Como um veado que é caçado e perseguido, e por isto anseia por respirar, também o salmista ansiava pela entrada da palavra de Deus na sua alma. Nada mais poderia contentá-lo. Tudo o que o mundo pudesse dar-lhe, ainda o deixaria ansiando por respirar, com a boca aberta.

"Pois que desejei os teus mandamentos." Ele desejou conhecê-los, desejou obedecer a eles, desejou estar em conformidade com o espírito deles, desejou ensiná-los a outros. Ele era um servo de Deus, e a sua mente esforçada desejava receber ordens; ele era um aprendiz na escola da graça, e o seu espírito ansioso desejava ser ensinado a respeito do Senhor.

132. *"Olha para mim."* Um homem piedoso não pode desejar ficar sem oração. Durante os versículos anteriores, ele tinha expressado o seu amor pela palavra de Deus, mas aqui ele está de seus joelhos, outra vez. Esta oração é particularmente curta, mas extremamente sentenciosa, "Olha para mim". Enquanto estava com a boca aberta, tentando respirar, suspirando pelos mandamentos, o salmista pediu que o Senhor olhasse para ele, e permitiu que a sua condição e seus desejos ocultos falassem por ele. Ele deseja ser conhecido por Deus, e observado diariamente por Ele. Ele deseja também ser favorecido com o sorriso divino, que está incluído na palavra – "olha". Se um olhar nosso para Deus tem em si a eficácia que salva, o que não podemos esperar de um olhar de Deus para nós.

"E tem piedade de mim." O olhar de Cristo para Pedro foi um olhar de misericórdia, e todos os olhares do Pai celestial são do mesmo tipo. Se Ele olhasse com rígida justiça, os seus olhos não nos tolerariam, mas olhando com misericórdia, Ele nos poupa e nos abençoa. Se Deus olha e nos vê ansiando por respirar, não deixará de ser misericordioso conosco.

"Conforme usas com os que amam o teu nome." Olha para mim, como olhas para aqueles que te amam; tem piedade de mim, como estás acostumado a ter, daqueles que verdadeiramente te servem. Há um costume que Deus observa com relação àqueles que o amam, e Davi desejava poder vivenciá-lo. Ele não desejava que o Senhor o tratasse nem melhor nem pior do que estava acostumado a tratar os seus santos – um tratamento pior não o salvaria, um melhor seria impossível. Na verdade, ele ora, "Sou teu servo; trata-me como tratas os teus servos. Sou teu filho; lida comigo como um filho". Fica particularmente claro, com base no contexto, que ele deseja receber a palavra e o claro entendimento dela, como Deus normalmente concede aos seus, de acordo com a promessa, "E todos os teus filhos serão discípulos do Senhor".

Leitor, você ama o nome do Senhor? É o seu caráter honroso aos seus olhos? Precioso ao seu coração? Este é um claro sinal da graça, pois nenhuma alma jamais amou o Senhor, exceto como resultado do amor recebido do próprio Senhor.

133. *"Ordena os meus passos na tua palavra."* Esta é uma das graças costumeiras do Senhor aos seus escolhidos – "Os pés dos seus santos guardará". Pela sua graça, Ele nos capacita a colocar os nossos pés, passo a passo, no mesmo lugar que a sua palavra ordena. Esta oração busca uma benevolência muito especial, ou seja, que cada ato distinto, cada passo, possa ser arranjado e governado pela vontade de Deus. Isto não fica aquém da perfeita santidade, nem os desejos do crente serão satisfeitos com qualquer coisa abaixo da abençoada consumação.

"E não se apodere de mim iniquidade alguma." Este é o lado mais difícil da bênção. Nós pedimos para fazer tudo o que é correto, e não cair sob o poder de nada que seja errado. Deus é o nosso soberano, e devemos ter cada pensamento sujeito à sua vontade. Os crentes não têm pecados estimados e favoritos aos quais desejam se curvar. Eles procuram a perfeita liberdade do poder do mal, e, estando conscientes de que não conseguem obtê-la sozinhos, clamam a Deus, por ela.

134. *"Livra-me da opressão do homem."* Davi tinha provado toda a amargura deste grande mal. Isto o fez um exilado da sua nação, e o baniu do santuário do Senhor;

por isto, ele pede para ser salvo dela. Diz-se que a opressão converte um sábio em um louco, e sem dúvida, ela converteu muitos justos em pecadores. A opressão é perversa por si só, e leva os homens à iniquidade. Nós não sabemos quanto da nossa virtude se deve à nossa liberdade; se nós tivéssemos estado aprisionados sob o poder de soberbos tiranos, poderíamos ter nos rendido a eles, e em vez de confessores agora poderíamos ser apóstatas. Aquele que nos ensinou a orar, "Não nos induzas à tentação", aprovará esta oração, que tem praticamente o mesmo teor, uma vez que estar oprimido é ser tentado.

"Assim, guardarei os teus preceitos." Quando a tensão da opressão fosse removida, ele prosseguiria no seu próprio caminho, e este caminho seria o caminho do Senhor. Embora não devamos ceder às ameaças dos homens, muitos fazem isto; a esposa é, às vezes, compelida, pela opressão de seu esposo, a agir contra a sua própria consciência: os filhos e servos, e até mesmo nações inteiras, estiveram na mesma dificuldade. Os seus pecados culparão o opressor, e normalmente Deus se agrada, antes que passe muito tempo, em derrotar estas forças e estes domínios que compelem os homens a fazer o mal. O pior é que algumas pessoas, quando livres da opressão, seguem a injustiça por sua própria iniciativa. Estas pessoas dão evidências de serem pecadores por natureza. Quanto aos justos, acontece com eles o mesmo que acontecia aos apóstolos de antigamente, "soltos eles, foram para os seus". Depois de libertos do tirano, os homens alegremente prestam homenagem ao seu rei.

135. *"Faze resplandecer o teu rosto sobre o teu servo."* Os opressores me olham com reprovação, mas tu sorris. Eles obscurecem a minha vida, mas tu brilhas sobre mim, e tudo fica claro. O salmista declara, outra vez, que é servo de Deus, e não busca a benevolência dos outros, mas somente a de seu próprio Senhor e Mestre.

"E ensina-me os teus estatutos." Esta é a benevolência que ele considera como o brilho do rosto de Deus para ele. Se o Senhor for extremamente gracioso, e o tornar seu favorito, o salmista não pedirá nenhuma outra bênção senão a de ainda ser ensinado nos estatutos reais. Veja como ele anseia pela santidade; esta é a melhor de todas as pedras preciosas, na sua consideração. Como dizemos, entre os homens, que uma boa educação é uma grande felicidade, também ser ensinado pelo Senhor é uma dádiva de graça especial. O mais favorecido dos crentes precisa de ensinamento; mesmo quando anda à luz do rosto de Deus, ainda precisa aprender os estatutos divinos, ou irá transgredir.

136. *"Rios de águas correm dos meus olhos, porque os homens não guardam a tua lei."* Ele chorava solidarizando-se com Deus, por ver a santa lei desprezada e infringida. Ele chorava por piedade dos homens que assim atraíam sobre si mesmos a violenta ira de Deus. A sua tristeza era tanta que ele mal conseguia dar vazão a ela; as suas lágrimas não eram meras gotas de tristeza, mas torrentes de lamentação. Nisto, ele se tornou como o Senhor Jesus, que contemplou a cidade e chorou por ela; e como o próprio Senhor, que não tem prazer na morte dos ímpios, mas que ele se converta e viva. A experiência deste versículo indica uma grande vantagem sobre tudo o que tivemos antes: o salmo e o salmista, ambos estão crescendo. Este homem é um crente amadurecido, que se entristece pelos pecados dos outros. No versículo 120, a sua carne tremia na presença de Deus, e aqui ela parece fluir em torrentes de lágrimas. Ninguém é tão influenciado pelas coisas celestiais como aqueles que se dedicam grandemente ao estudo da palavra, e são, consequentemente, ensinados nas palavras e na essência das coisas. Os homens carnais temem a força bruta e choram pelas perdas e tribulações; mas os homens espirituais sentem um santo temor do próprio Senhor, e, acima de tudo, lamentam quando veem a desonra lançada sobre o seu santo nome.

"Senhor, que eu não chore por nada, além do pecado,
e por ninguém, senão por ti;

e então, ó, que eu seja
um constante pranteador".

NOTAS SOBRE OS VERSÍCULOS 129 A 136

Todos os versículos desta seção começam com a décima sétima letra do alfabeto hebraico, mas cada versículo, com uma palavra diferente – *William S. Plumer.*

Esta décima sétima letra é a letra P. A seção é preciosa, prática, proveitosa, e poderosa, potencialmente. – *C. H. S.*

v. 129: "Maravilhosos são os teus testemunhos". As Escrituras são *"maravilhosas"* com respeito ao seu conteúdo, à maneira em que elas foram escritas, e aos resultados que produzem. Elas contêm as mais sublimes verdades espirituais, ocultas sob cerimônias externas e sacramentos, descrições figurativas, histórias típicas, parábolas, comparações, etc. Quando abertas apropriadamente e postas em prática, elas aterrorizam e humilham, convertem e transformam, consolam e fortalecem. Que possamos nos alegrar em estudar e "guardar" estes "testemunhos" da vontade e da sabedoria, do amor e do poder do Deus Altíssimo! Enquanto tivermos estes textos sagrados, não devemos desperdiçar o nosso tempo, empregar mal nossos pensamentos, nem prostituir a nossa admiração, dedicando-nos a tolices humanas, e vagando por futilidades humanas. – *George Horne*

v. 129: "Maravilhosos são os teus testemunhos". Os testemunhos de Deus são "maravilhosos" (1) na sua *majestade*, e *serenidade*; eles despertam a reverência nos corações daqueles que os consideram; as Escrituras falam conosco claramente; elas são a voz de Deus. (2) Eles são "maravilhosos" pelo *assunto* e pela *profundeza de mistério*; eles não podem ser encontrados em nenhuma outra parte, a respeito de Deus, e Cristo, a criação do mundo, as almas dos homens, e sua condição imortal e eterna, o pecado do homem, etc. (3) São "maravilhosos" pela *pureza* e *perfeição.* O Decálogo compreende, em apenas dez mandamentos, todo o dever do homem, e alcança a própria alma, e todos os impulsos do coração. (4) São "maravilhosos" pela sua *harmonia* e *concordância* de todas as partes. Toda a religião é um conjunto coerente, e uma parte não interfere com outra, mas conspira para promover o grande objetivo da submissão da criatura a Deus. (5) São "maravilhosos" pelo seu *poder.* Um grande poder acompanha a palavra de Deus, e assombra os corações daqueles que o consideram e o sentem (1 Ts 1.5). – *Thomas Manton*

v. 129: "Maravilhosos são os teus testemunhos". A Bíblia, por si só, é um milagre, assombroso e permanente. Escrita, fragmento por fragmento, durante o curso de quinze séculos, sob diferentes condições de sociedades e em idiomas diferentes, por pessoas dos mais diferentes temperamentos, talentos e condições, instruídos e não instruídos, príncipes e camponeses, escravos e libertos; arranjada em todas as formas de composição instrutiva e bem escrita; história, profecia, poesia, alegoria, representação emblemática, interpretação criteriosa, declarações literais, preceitos, exemplos, provérbios, dissertações, epístolas, sermões, orações – em resumo, todas as formas racionais do discurso e tratamento humano, além disto, em assuntos não óbvios, mas extremamente difíceis; os seus autores não são como os outros homens, que se contradizem uns aos outros nos temas mais comuns sobre fatos e opiniões, mas estão em harmonia sobre todo o conjunto do seu sublime e monumental esquema. – *J. Maclagan, 1853*

v. 129: Tenha as Escrituras em alta consideração, ou não obedecerá a elas. Davi disse, *"por isso, a minha alma os guarda"*; e por que isto, senão porque ele os considerava maravilhosos? Pode ter a proficiência em qualquer arte quem a despreza? Valorize este livro de Deus, acima de qualquer outro livro. Gregório chama a Bíblia de "coração e alma de Deus". Os rabinos dizem que há uma montanha de sentido que paira sobre cada *ápice* e título das Escrituras. "A lei do Senhor é perfeita" (Sl

19.7). As Escrituras são a biblioteca do Espírito Santo; elas são um tratado de conhecimento divino, um modelo exato e uma plataforma da religião. As Escrituras contêm a *credenda*, "as coisas em que devemos crer", e a *agenda*, "as coisas que devemos praticar". Elas "podem fazer-te sábio para a salvação" (2 Tm 3.15). As Escrituras são o padrão da verdade ("A tua palavra é a verdade", Jo 17.17), o juiz das controvérsias; a estrela polar que nos conduz ao céu (Is 8.20). "O mandamento é uma lâmpada" (Pv 6.23). As Escrituras são a bússola pela qual devemos conduzir o leme da nossa vontade; é o campo em que Cristo, a Pérola de grande valor, está escondido; é uma rocha de diamantes, é um *colírio* sagrado; ela repara *os olhos* que a estudam; é uma lente espiritual em que a glória de Deus resplandece; é a panaceia, ou "remédio universal" para a alma. As páginas das Escrituras são como as folhas da árvore da vida, "para a saúde das nações" (Ap 22.2). As Escrituras é que geram e alimentam a graça. Como é gerado o convertido, senão pela "palavra da verdade"? (Tg 1.18). Como ele cresce, senão pelo "leite racional, não falsificado"? (2 Pe 2.2). A palavra escrita é o livro de que obtemos todas as nossas evidências do céu; é a boia que nos mostra onde estão os rochedos de pecado que devemos evitar; é o antídoto contra o erro e a apostasia, a espada de dois gumes que fere a velha serpente. É nosso castelo forte para resistir à força da luxúria; como o Capitólio de Roma, que era um lugar de força e munição. As Escrituras são a "torre de Davi", de onde pendem os escudos da nossa fé (Ct 4.4). "Tire-nos a palavra, e nos privarás do sol", disse Lutero. A palavra escrita está acima de um mensageiro angelical, ou uma voz do céu. "Ouvimos esta voz dirigida do céu. E temos", βεβαιότερον λόγον, "mui firme, a palavra" (2 Pe 1.18, 19). Oh, valorize a palavra escrita, valorizá-la é o caminho para beneficiar-se dela. Se César valorizava tanto os seus Comentários, a ponto de, para preservá-los, ter perdido o seu manto púrpura, que extremo valor devemos dar aos oráculos sagrados de Deus? "As palavras da sua boca prezei mais do que o meu alimento" (Jó 23.12). O rei Eduardo VI, no dia de sua coroação, tinha diante de si três espadas, que significavam que ele era o monarca de três reinos. O rei disse que faltava uma espada; quando lhe perguntaram qual era, ele respondeu, "A Bíblia Sagrada, que é a espada do Espírito, e deve ter preferência a estas insígnias da realeza". O rei Roberto, da Sicília, valorizava tanto a palavra de Deus que, falando com seu amigo Petrarca, disse: "Eu declaro, as Escrituras são mais preciosas para mim do que o meu reino, e se eu tiver que ser privado de um deles, prefiro perder minha coroa a perder as Escrituras". – *Thomas Watson, "The Morning Exercises"*

v. 129: A Palavra contém material para exercitar as mentes mais excelentes. Muitos homens não suportam dedicar seus pensamentos e seu tempo a questões triviais, ao passo que outros julgam ser suficientemente felizes se puderem, com os métodos mais inferiores, procurar subsistência. Oh, que todos os que têm aspirações elevadas se exercitem na lei de Deus; aqui há assuntos apropriados para as grandes mentes, assuntos que irão elevar as mais excelentes. E, na verdade, ninguém, no mundo, é verdadeiramente excelente, exceto os santos, pois eles se exercitam nos maiores conselhos de Deus. Nós consideramos os homens que se dedicam a questões de estado como excelentes; porém os santos são exaltados acima de todas as coisas deste mundo, e consideram a todos como pequenos e inferiores, e se exercitam nas grandes questões do reino de Jesus Cristo. Consequentemente o Senhor deseja que os reis e os juízes tenham o livro da lei escrito (Dt 17.18, 19); e diz-se que Alfonso, rei de Aragão, em meio às suas múltiplas ocupações, leu as Escrituras catorze vezes, com comentários. Quantas vezes lemos que homens de grandes posses, e que declaram ter mentes excelentes, mal consideramos a lei de Deus; eles consideram a sua lei abaixo deles. Eles estudam com diligência os livros de história e de guerra, mas quanto às Escrituras, para eles é um livro que pouco contém em si. Ter elevados pensamentos sobre a lei de Deus, é um meio especial de obediência. Esta é a razão pela qual o profeta declara: "Escrevi para eles as grandezas da minha lei; mas isso é para eles como coisa estranha" (Os 8.12). Como se ele dissesse, se eles tivessem tido as grandezas da lei nos seus pensamentos, jamais teriam agido assim, *"Maravilhosos são os teus testemunhos; por isso, a minha alma os guarda"* (Sl 119.129). Ele não disse, "por isso eu os guardo", mas "por isso *a minha alma* os guarda"; a minha própria alma está guardando os teus testemunhos, pois os considera maravilhosos. É um bom sinal que o espírito do grande Deus esteja em um homem, quando o exalta acima de outras coisas, para considerar as coisas do seu mundo como as únicas grandezas do mundo. "Toda carne é erva, e toda a sua beleza, como as flores do campo. Seca-se a erva, e caem as flores, mas a palavra de nosso Deus subsiste eternamente" (Is 40.6, 8). Há uma futilidade em todas as coisas do mundo; mas naquilo que a palavra revela, há uma eternidade; nós devemos, portanto, não nos admirar com nada que há no mundo, e devemos nos alegrar enormemente nos mandamentos de Deus; um grau normal de admiração ou alegria não é suficiente – deve haver grande admiração e grande alegria na lei de Deus. E todos os argumentos extraídos da lei de Deus devem prevalecer poderosamente conosco. – *Jeremiah Burroughs*

v. 129: "Maravilhosos são os teus testemunhos". As maravilhas não cessarão jamais. O ar, a terra, a água, o mundo superior, o mundo inferior, o tempo, a eternidade, os vermes, os pássaros, os peixes, os animais, os homens, os anjos, todos estão cheios de maravilhas. Quanto mais todas as coisas são estudadas, mais maravilhas aparecem. É inútil, portanto, tentar encontrar falhas nos mistérios das Escrituras, ou negá-los. A inspiração se gloria neles. Aquele que rejeita os mistérios do amor, da graça, da verdade, do poder, da justiça e da fidelidade na palavra de Deus, rejeita a salvação. Ela traz maravilhas em si mesma, e maravilhas na sua operação; elas são boas causas para amor, e não ataque; para *guardar*, e não infringir os preceitos de Deus. – *William S. Plumer*

v. 129: "A minha alma", não apenas eu, mas eu, com todo o meu coração e toda a minha alma. – *Joseph Addison Alexander*

v. 129: Eu completei a leitura de toda a Bíblia que tinha começado no mês de janeiro. Eu comecei a leitura no primeiro dia deste ano, e a concluí no dia 26 de outubro. Eu a li, durante este período, quatro vezes, e não sem um real benefício para mim. Eu sempre encontro nela alguma coisa nova; ela é, como o seu Autor, infinita e inesgotável. – *Samuel Eyles Pierce, 1841*

v. 129: O que não devo ao Senhor, por permitir que eu participe da interpretação da sua palavra? Jamais vi tais maravilhas, e tal sabedoria, e tal amor, no livro bendito, como desde que me vi obrigado a estudar cada expressão; e o fato da morte não poder nos privar do prazer de estudar os seus mistérios é uma reflexão deliciosa. – *Henry Martyn*

v. 130: "A exposição das tuas palavras dá luz e dá entendimento aos símplices". A versão comum da primeira palavra (*entrada*) é inexata, e a que é aqui fornecida, embora exata, é ambígua. A sentença não se refere ao abrir mecânico do livro pelo leitor, mas ao abrir espiritual do seu significado verdadeiro, pela iluminação divina, para a mente que não consegue discerni-lo naturalmente. – *Joseph Addison Alexander*

v. 130: "Exposição", lit. *abertura, isto é,* revelação. – *J. J. Stewart Perowne*

v. 130: "A exposição das tuas palavras dá luz". A entrada, ou o vestíbulo: pois o salmista deseja destacar que somente os princípios são apreendidos nesta vida; e que estes princípios devem ser preferidos a toda a sabedoria humana. – *Henricus Mollerus*

v. 130: "A exposição das tuas palavras dá luz", etc. O princípio delas; os três primeiros capítulos do livro de Gênesis – que luz eles proporcionam sobre a origem de todas as coisas; a criação do homem, o seu estado de inocência; o seu pecado, pelas tentações de Satanás, e a sua recuperação e salvação por Cristo, a semente da mulher! Os primeiros princípios dos oráculos de Deus, os rudimentos da religião, os elementos do mundo, os ritos da lei cerimonial, dão grande luz aos mistérios do Evangelho. – *John Gill*

v. 130: "A exposição das tuas palavras dá luz". Um balconista ímpio comprime em seu bolso uma folha de uma Bíblia, e lê as últimas palavras de Daniel: "Tu, porém, vai até ao fim; porque repousarás e estarás na tua sorte, no fim dos dias", e começa a pensar em qual será a sua sorte, quando os dias se acabarem. Um professor de Göttingen abre uma grande Bíblia impressa para ver se a sua visão é suficiente para lê-la, e se depara com a passagem: "E guiarei os cegos por um caminho que nunca conheceram", e ao lê-la, os olhos do seu entendimento são esclarecidos. O soldado de Cromwell abre a sua Bíblia para ver até que ponto a bala de mosquete a penetrou, e a encontra alojada no versículo: "Alegra-te, jovem, na tua mocidade, e alegre-se o teu coração nos dias da tua mocidade, e anda pelos caminhos do teu coração e pela vista dos teus olhos; sabe, porém, que por todas essas coisas te trará Deus a juízo". E em uma brincadeira, o soldado de Kent abre a Bíblia que sua mãe entristecida lhe enviou, e a primeira sentença que lhe aparece é o texto tão familiar, dos seus dias de infância: "Vinde a mim, todos os que estais cansados e oprimidos", e o libertino cansado foi revigorado pelo descanso que só pode ser encontrado em Jesus Cristo. – *James Hamilton. 1814-1867*

v. 130: Ele amplifica o seu louvor à palavra de Deus quando diz que a sua entrada, a primeira abertura da porta da palavra, dá luz; pois se a primeira entrada dá luz, o que farão o progresso e a continuidade? Isto acusa a geração em que vivemos, aqueles que, por muito tempo, têm sido ensinados pela palavra de Deus, com tanta clareza, que, apesar do tempo em que têm sido professores de outros, ainda são apenas crianças em termos de conhecimento e entendimento. Mas a quem a palavra dá entendimento? Davi disse, aos *"símplices"*; não aos que são magnânimos ou nobres, ou ambíguos no coração, ou sábios aos seus próprios olhos, que irão examinar os mistérios da piedade com a agilidade do raciocínio natural. Não. Ela dá luz aos que negam a si mesmos, cativos de seu entendimento natural, e como discípulos humildes se submetem, não a perguntar, mas a ouvir; não à razão, mas à crença. E por este motivo, os naturalistas que não têm esta humildade não podem se beneficiar da palavra; não é de admirar que fiquem muito menos sábios os papistas que têm seus corações tão cheios de preconceitos a respeito da palavra, que não poupam suas blasfêmias contra ela, chamando-a não de não benéfica, mas de perniciosa aos símplices e aos incultos.

E, novamente, como eles podem acusarem-na de ser difícil, dizendo que os homens símplices e incultos não deveriam ter permissão de lê-la, porque é obscura, uma vez que todas estas alegações frívolas são anuladas pelo testemunho de Deus, de que ela *dá entendimento aos símplices*? – *William Cowper*

v. 130: "Luz". Esta *"luz"* tem excelentes propriedades. 1. Ela é *lux manifestans,* ela manifesta a si mesma e a todas as coisas. Como eu vejo o sol, senão pelo próprio sol, pela sua própria luz? Como eu sei que as Escrituras são a palavra de Deus, senão pela luz que brilha nelas, remetendo-a à minha consciência? Assim ela manifesta todas as outras coisas; ela expõe todas as fraudes e as imposturas de Satanás, a inutilidade das coisas terrenas, os enganos do coração, o ódio do pecado. 2. Ela é *lux dirigens,* uma luz que guia, para que possamos ver o nosso caminho e o nosso trabalho. Da mesma maneira como o sol ilumina o homem no seu trabalho, também ela nos guia em todas as nossas situações (v. 105). Ela nos orienta na maneira como nos conduzir em todas as situações. 3. Ela é *lux vivificans,* uma luz que vivifica. "Eu sou a luz do mundo; quem me segue não andará em trevas, mas terá a luz da vida" (Jo 8.12). "Desperta, ó tu que dormes, e levanta-te dentre os mortos, e Cristo te esclarecerá" (Ef 5.14). Esta luz era a vida dos homens; assim, é esta vida espiritual; ela não somente revela o assunto, como auxilia a faculdade, enchendo a alma de vida e força. 4. Ela é *lux exhilarans,* uma luz que consola, revigora, e alegra; e isto, em dois aspectos: (1) Porque ela nos apresenta excelentes motivos para consolação; (2) Porque ela é uma luz que satisfaz a alma. – *condensado da obra de Manton*

v. 130: "Dá entendimento". Se todos os livros do mundo fossem reunidos, a Bíblia tomaria a liderança na disciplina do entendimento e também na orientação da alma. Ela não forma astrônomos, químicos nem linguistas, mas há uma grande diferença entre fortalecer a mente e deixá-la repleta de informações. – *Henry Melvill*

v. 130: "Dá entendimento aos símplices". Não há ninguém que tenha tanto conhecimento que Deus não possa cegar; ninguém tão cego e ignorante cuja mente e coração o seu espírito não possa abrir. Aquele que, na incubação que promoveu nas águas, na criação, converteu aquela massa rude na bela forma que hoje vemos, e que do escuro caos formou os gloriosos céus, e os dotou com tantas estrelas para orientação, pode mover-se na tua alma escura e iluminá-la, ainda que ela esteja tão privada de conhecimentos como a noite do primeiro dia do mundo estava privada de luz. O professor às vezes envia a criança para casa, e pede que o seu pai a coloque em outra atividade, porque ele não consegue, com todo o seu conhecimento, transformá-la em um aluno; mas se o Espírito de Deus for o professor, qualquer um aprenderá, ainda que seja uma pessoa lenta para aprender: *"A exposição das tuas palavras dá luz e dá entendimento aos símplices".* Tão logo entra na escola do Espírito, a alma dos símplices se torna proficiente. – *William Gurnall*

v. 130: "Aos símplices". Ele não diz, *"dá entendimento"* aos sábios e prudentes, aos homens instruídos e aos versados em letras; mas, aos "símplices". – *Wolfgang Musculus*

v. 130: "Aos símplices". Esta é uma grande característica da palavra de Deus – por mais que seja incompreensível para a mente carnal, ela se adapta a todos os graus da inteligência esclarecida. – *W. Wilson*

v. 130: "Aos símplices". A palavra é usada, às vezes, em um bom sentido, e às vezes, em um mau sentido. Ela é usada em um bom sentido, em primeiro lugar, para os sinceros e francos: "O Senhor guarda aos símplices; estava abatido, mas ele me livrou" (Sl 116.6). "Porque a nossa glória é esta: o testemunho da nossa consciência, de que, com simplicidade e sinceridade de Deus, não com sabedoria carnal, mas na graça de Deus, temos vivido no mundo e maiormente convosco" (2 Co 1.12). Em segundo lugar, para aqueles que não se opõem à presunção da sabedoria carnal em comparação com a luz pura da palavra; de modo que todos nós devemos ser símplices, ou loucos, para que possamos ser sábios; "se alguém dentre vós se tem por sábio neste mundo, faça-se louco para ser sábio" (1 Co 3.18); isto é, na simplicidade de coração, sujeitando-se à orientação de Deus, e crendo no que Ele revelou. – *Thoman Manton*

v. 131: "Abri a boca e respirei". Com este modo de dizer, Davi expressa, como pensa Basílio, *animi propensionem*, que a propensão da sua alma estava voltada à palavra de Deus. Pois, a boca aberta, segundo Ambrósio, é *os interioris hominis*, a boca do homem interior, que, na verdade, é o seu coração; e as palavras indicam *vehementem animi iniensionem,* uma veemente intenção do seu espírito, diz Eutímio. Mas não será errado considerar aqui como a mente dos piedosos, fervorosamente afetada, impulsiona também o corpo. As palavras podem ser extraídas de viajantes, que, muito desejosos de alcançar os seus destinos, empenham suas forças nisto; e encontrando uma fraqueza no seu corpo em responder à sua vontade, abrem a boca e respiram, buscando no ar alívio com o qual renovar suas forças: ou, como pensa Vatablus, de homens extremamente sedentos e famintos, que abrem suas bocas como se pudessem sugar todo o ar, e então respiram e suspiram interiormente, quando não se veem plenamente revigorados por isto. Assim ele o expressa: "Meu coração arde, com um anseio tão fervoroso pelos teus mandamentos, que sou forçado, repetidas vezes a engasgar, por causa da minha dolorosa respiração".

Seja como for, isto permite que nós vejamos como a audição, a leitura ou a meditação sobre a palavra de Deus despertaram em Davi um fervoroso interesse em ter a luz, a alegria, a graça e a consolação da palavra de Deus transmitida ao seu coração. Pois no piedoso, o conhecimento do bem aumenta os desejos, e não é possível expressar quão veementemente as suas almas desejam sentir este poder e a consolação que eles sabem que há no mundo; e quão terrivelmente se angustiam e perturbam, quando não os encontram.

E nós somos felizes, se pudermos encontrar o Senhor com um sentimento semelhante a este, para que, quando Ele abrir a sua boca, nós possamos também abrir nosso coração para ouvir, como Davi, aqui. *Christus aperit os, ut daret aliis spiritum*; *David aperuit ut acciperet*; oferecendo o seu coração para receber o espírito da graça, quando Deus, na sua palavra, abre sua boca para dá-lo. Pois uma das suas promessas para nós é a seguinte: "abre bem a tua boca, e ta encherei". Convertamos isto em oração, para que o Senhor, que abriu o coração de Lídia, abra o nosso coração para que recebamos a graça, quando esta nos for oferecida. É pela bondade do Senhor que recebemos a graça que Ele nos oferece. – *William Cowper*

v. 131: "Abri a boca e respirei". Há duas maneiras de interpretar estas palavras. Elas podem ser consideradas como expressando o mesmo anseio fervoroso do salmista, por maior familiaridade com Deus, nas coisas espirituais; e, então, ao dizer, *"Abri a boca e respirei"*, ele simplesmente declara a veemência do seu desejo. Ou você pode separar as cláusulas; você pode considerar a primeira como as palavras de um homem inteiramente descontente com a terra e as coisas terrenas, e a segunda como a expressão de uma consciência de que Deus, e somente Deus, poderia satisfazer os anseios da sua alma. *"Abri a boca, e respirei"*. Sem fôlego, com sombras que me perseguem, e buscando bugigangas, eu me sento, exausto, mais distante do que nunca daquilo que é buscado fervorosamente mas inutilmente. Para onde, então, devo me voltar? Os teus mandamentos, ó Senhor, e somente eles, podem satisfazer os desejos de um ser imortal como eu; e a eles, portanto, a partir de agora dirigirei os meus desejos. – *Henry Melvill*

v. 131: "Abri a boca e respirei". Uma metáfora obtida dos homens queimados e sufocados pelo calor, ou dos que ficam sem fôlego buscando aquilo que desejam tomar. A metáfora anterior expressava a veemência do seu amor; a outra, o fervor da sua busca; ele era como um homem que procurava ar para respirar, sugando o ar frio. – *Thoman Manton*

v. 131: "Desejei os teus mandamentos". Este é um desejo que Deus irá satisfazer. "Abre bem a tua boca, e ta encherei" (Sl 81.10). – *Thomas Manton*

v. 132: "Olha para mim e tem piedade de mim", etc. *"Olha para mim"*, despido de minhas virtudes por ladrões, e então ferido com pecados, e *"tem piedade de mim"*, mostrando compaixão por mim, cuidando de mim na hospedaria da igreja universal, para que eu não caia outra vez nas mãos de ladrões, nem seja ferido pelos lobos que uivam ao redor deste curral, mas não ousam entrar nele. *"Olha para mim"*, não mais digno de ser chamado teu filho, e *"tem piedade de mim"*, não como o ciumento irmão mais velho me trataria, mas permita que eu me una ao cântico alegre e ao banquete daqueles que amam o teu nome. Olha para mim, o publicano que está distante do teu templo, a igreja, e tem piedade de mim, não segundo o juízo dos fariseus, mas *"conforme usas com os que amam o teu nome"*, tu que és o Deus piedoso. Olha para mim como para Pedro, e tem piedade de mim como tiveste dele, que amou tanto o teu nome de modo que a sua tripla confissão de amor limpou completamente a sua tripla negação, quando disse, "Senhor, tu sabes que eu te amo". *"Olha pra mim"* como para a mulher pecadora, penitente e que chora, e tem piedade de mim, não segundo o juízo do fariseu que murmurou contra ela, ou como Judas que se indignou com ela, mas perdoando-me como perdoaste a ela, "porque muito amou", dizendo-me também, "A tua fé te salvou; vai-te em paz". – *Neale e Littledale*

v. 132: "Olha para mim". Senhor! Como os nossos olhares para ti são frequentemente tão desdenhosos, tão frios, tão distantes, e não provocam nenhuma impressão sobre os nossos corações, condescende tu, continuamente, em olhar para nós com misericórdia e com poder. Concede-nos um olhar que possa nos trazer à razão, e nos toque com ternura e contrição na recordação daquele pecado, da descrença e da desobediência que perfuraram as mãos, os pés, o coração do nosso amado Senhor e Salvador. Compare Lucas 22.61. – *Charles Bridges*

v. 132: "Conforme usas", etc. Davi não perderia nenhum privilégio que Deus, por promessa, tinha dado a seus filhos. Faz comigo, diz ele, *"conforme usas com os que amam o teu nome"*. Isto não é nada além do programa familiar, o que prometeste fazer por todos os que te amam; e não permitas que eu esteja mais coberto do que os meus irmãos. – *William Gurnall*

v. 132: "Conforme usas com os que amam o teu nome", etc. Nós devemos estar satisfeitos pelo fato de Deus lidar conosco como sempre lidou com o seu povo. Embora não pudesse ficar satisfeito com nada menos do que a sua porção, Davi não pede nada melhor; ele não implora para receber uma dispensação da sua benevolência, nem um desvio dos métodos costumeiros da sua graça... Esta é sempre uma boa prova de que as nossas convicções e desejos estão ligados à operação do Espírito Santo em nossa vida: quando desejamos estar em conformidade com a ordem de Deus. Qual é esta ordem? É a de dispensar as suas bênçãos de maneira coerente. É jamais justificar sem santificar; jamais dar um título ao céu sem que ele seja apropriado. O homem que tem a bênção e o privilégio de ter, em sua vida, a operação divina não irá esperar nem desejar uma coisa sem a outra. Por isto não esperará as bênçãos de Deus sem a obediência; porque é sempre a maneira de Deus, conectar os consolos do Espírito Santo com o temor do Senhor; e, se os seus filhos transgredirem as suas leis, visitar as suas transgressões com uma vara. Por isto, o salmista não esperará nem desejará a bênção do precioso e bendito Senhor sem que haja empenho de sua parte; mas sempre foi a maneira de Deus coroar somente aqueles que correm a carreira que está diante deles, militando a boa milícia da fé. Portanto, ele não esperará nem desejará a bênção divina sem oração; pois Deus sempre teve uma maneira peculiar de trabalhar: Ele torna o seu povo sensível às suas necessidades, e então dá uma resposta à oração. Por isto, o salmista não esperará nem desejará alcançar o céu sem dificuldades; pois cada servo de Deus sempre teve que negar a si mesmo, e tomar a sua cruz. Se eles não tivessem sido escolhidos na fornalha da aflição, não teriam sido purificados. Deus teve um único Filho sem pecados; porém jamais teve algum filho que não tivesse tristezas e aflições: "Ele açoita a qualquer que recebe por filho". "Sim", diz o suplicante diante de nós, "assegura-me a sua porção eterna, e estarei disposto a beber do cálice de que eles beberam, e ser batizado com o batismo com que eles foram batizados. Eu não quero um caminho novo, nem um atalho para a glória. Eu estou satisfeito em guardar o caminho do rei. *'Tem piedade de mim, conforme usas com os que amam o teu nome'.* Nada mais peço". – *William Jay, 1769-1853*

v. 133: "Ordena os meus passos na tua palavra". Da mesma maneira como ele buscava misericórdia antes, agora busca graça. Há muitos que buscam misericórdia para o perdão dos seus pecados, que não buscam nenhuma graça para libertá-los do poder do pecado: isto é usar mal a misericórdia de Deus, e tentar converter a sua graça em libertinagem. Aquele que ora por misericórdia para receber perdão somente da culpa do pecado, não busca que, por este pecado, não ofenda a Deus, mas que possa pecar e não ferir a si mesmo; mas aquele que busca a libertação também do poder dominador e do engano do pecado, busca não apenas um benefício para si mesmo, mas também a graça para agradar e servir ao Senhor, seu Deus. O primeiro ama apenas a si mesmo, o segundo ama a Deus, mais do que a si mesmo. E, verdadeiramente, jamais soube o que era buscar a misericórdia pelo pecado passado aquele que, com isto, não buscou também fervorosamente a graça para afastá-lo de pecados futuros. Estes benefícios não podem ser divididos: aquele que não tem a segunda (por mais que possa se enganar) pode ter certeza de que não obteve a primeira. – *William Cowper*

v. 133: "Ordena os meus passos na tua palavra". Está escrito, sobre Boleslau, um dos reis da Polônia, que sempre levava consigo o retrato de seu pai, e quando tinha que fazer alguma grande obra ou dar início a algum desígnio extraordinário, olhava para o retrato e orava para que não fizesse nada indigno do nome de seu pai. Semelhantemente, as Escrituras são o retrato da vontade de Deus, estendido à própria vida. Antes que um homem inicie algum negócio ou se envolva em alguma atividade, deve olhar para as Escrituras e ler ali o que deve ser feito; o que deve ser desfeito; e o que Deus ordena, que seja feito; o que Ele proíbe, que seja desfeito; que o equilíbrio do santuário pese tudo, que os oráculos de Deus decidam tudo, que a regra da palavra de Deus seja o padrão de tudo, e que a sua glória seja o mais supremo de todos os objetivos. – *de "Things New and Old", de Spencer*

v. 133: "Ordena os meus passos". הָכֵן (*hākēn*), torna-os *firmes*; não permitas que eu ande com passos hesitantes ou irresolutos. – *Adam Clarke*

v. 133: "Ordena os meus passos", etc. O povo de Deus não somente deve ter o seu caminho reto, mas os seus *passos ordenados*; o seu curso geral não deve ser errado (como aqueles que andam no caminho da perdição eterna), e nem mesmo um passo deve ser dado errado; eles não errariam o caminho para o céu, seja integralmente ou em parte. – *Thomas Manton*

v. 133: "Os meus passos". Falando sobre os degraus do Templo, Bunyan diz, "Estes degraus, sejam de cedro, ouro ou pedras, com o que quer que fosse acrescentado ao seu embelezamento, eram como os adornos de uma rainha. E qualquer que fosse o material de que fossem feitos, certamente eram apenas uma sombra daqueles degraus que devemos tomar para entrar na casa de Deus. 'Passos de Deus' (Sl 85.13). 'Passos confirmados pelo Senhor' (Sl 37.23). 'Passos ordenados na sua palavra' (Sl 119.133). 'Pisadas de fé' (Rm 4.12). 'Pisadas do espírito' (2 Co 12.18). 'Passos na verdade' (3 Jo 4). 'Passos lavados em manteiga' (Jó 29.6). 'Passos diante de Deus, ou na presença de Deus'. Passos limitados por um governo divino. Estes são verdadeiramente passos". – *John Bunyan, "Solomon's Temple Spiritualized"*

v. 133: "E não se apodere de mim iniquidade alguma". A verdadeira obediência a Deus é inconsistente com o domínio de qualquer desejo ou interesse corrupto. Ainda que um homem, por algum toque insuficiente e fraco da religião em seu coração, andar no caminho reto por algum tempo e fazer muitas coisas alegremente, se nele houver alguma corrupção tolerada, e ele estiver sob tal poder, esta corrupção irá, no final, afastá-lo de Deus; por isto, nenhum pecado deve ter domínio sobre nós. Quando o pecado reina, ou tem domínio sobre nós? Quando nós não nos empenhamos em mortificá-lo, e extirpar as provisões que podem alimentar tal desejo. Crisóstomo observa que um apóstolo não diz: 'não permita que algum pecado governe você com tirania', mas 'não permita que ele reine sobre você'; isto é, jamais permita que o pecado tenha um reinado tranquilo em seu coração. – *Thomas Manton*

v. 133: "E não se apodere de mim iniquidade alguma". Eu preferiria ser um prisioneiro dos homens por toda a minha vida do que um escravo do pecado por um dia. O salmista não diz: Não permita que este ou outro homem reine sobre mim; mas "não se apodere de mim *iniquidade* alguma". Muito bem dito! Há esperança na condição de um homem, enquanto for assim. – *Michael Bruce, 1666*

v. 134: "Livra-me da opressão do homem". 1. *"Homem"* na forma de *distinção.* Existe a opressão e tirania do diabo e do pecado; mas o salmista não se refere a isto, agora: *Hominum non dsemonum,* diz Hugo. 2. *"Homem"* na forma de *agravante. Homo homini lupus:* não há criatura tão voraz e destruidora de seus semelhantes como o homem. É uma vergonha que um homem oprima outro. Os animais normalmente não devoram os de mesma espécie: mas, normalmente, os inimigos de um homem são os de sua própria casa (Mt 10.36). Quanto mais próximos estivermos, nos laços da lealdade, maior o ódio. 3. *"Homem* através da *diminuição.* E para diminuir o temor deste mal, o termo Adão é dado a eles, para mostrar a sua fraqueza, em comparação com Deus. Tu és Deus; mas aqueles que estão tão prontos e dispostos a nos oprimir e ofender são apenas homens; tu podes, facilmente, dominar o poder dos homens, e romper o jugo. Eu creio que esta consideração é essencial, por causa de outras passagens. "Quem pois és tu, para que temas o homem, que é mortal, ou o filho do homem, que se tornará em feno? E te esqueces do Senhor, que te criou, que estendeu os céus e fundou a terra, e temes todo o dia o furor do angustiador, quando se prepara para destruir? Onde está o furor daquele que te atribulava?" (Is 51.12,13). – *Thomas Manton*

v. 134: "Da opressão do homem". Alguns traduzem, *"da opressão de Adão",* como observa Jarqui; e Arama interpreta como sendo uma referência ao pecado de Adão, e uma oração para ser libertado ou redimido dele; como o povo do Senhor o é, pelo sangue de Cristo. – *John Gill*

v. 135: "Faze resplandecer o teu rosto sobre o teu servo". O rosto de Deus resplandece sobre nós, quando, na sua providência, nós somos guiados e sustentados, também quando nós somos levados a compartilhar das boas coisas da sua providência, e quando somos colocados em uma posição em que podemos fazer um grande bem. Muito mais o rosto de Deus resplandece sobre nós, quando somos beneficiados com sinais da sua graciosa benevolência; pois então estamos sob a percepção de um Deus amoroso, com ricos fornecimentos da sua graça e do seu Espírito. – *John Stephen*

v. 135: "Faze resplandecer o teu rosto sobre o teu servo". Frequentemente as atitudes erradas dos homens, tanto as dos outros como as nossas, como uma nuvem de fumaça que sobe da terra e obscurece a face do sol, escondem de nós, por algum tempo, a luz do rosto de Deus, mas Ele logo dissipa a fumaça, e olha para nós com amorosa misericórdia, como antes, iluminando para nós o caminho da obediência, e iluminando o caminho que nos conduz para junto de Si. – *"Plain Commentary", 1859.*

v. 135: "Faze resplandecer o teu rosto sobre o teu servo". O clamor incessante do crente é: Veja eu "a face do rei". Esta é uma bênção pela qual vale a pena orar. É o desejo do coração do fiel, o seu privilégio atual, e, o que é infinitamente melhor, a sua perspectiva assegurada e eterna – *"E verão o seu rosto"* (Ap 22.4). – *Charles Bridges*

v. 135: "Faze resplandecer o teu rosto... e ensina-me". Bem-aventurado é o homem ao qual a Verdade eterna ensina, não por figuras obscuras e sons temporários, mas por uma comunicação plena e direta. As percepções dos nossos sentidos são limitadas e tolas, e a nossa razão nestas percepções frequentemente nos confunde. Aquele a quem a Palavra eterna condescende em ensinar é desconectado, imediatamente, do labirinto das opiniões humanas. Pois o precioso e bendito Senhor sustenta todas *as coisas* pela sua Palavra (Hb 1.3); e todas as coisas, sem linguagem, sem fala, falam somente dele: Ele é aquele princípio divino que fala em nossos corações, e sem o qual não é possível nem a justa apreensão nem a retidão de juízo.

Ó Deus, que és a verdade, torna-me um só, contigo, na vida eterna! Eu me canso de ler, e me canso de ouvir; somente em ti está a soma do meu desejo! Que todos os professores fiquem em silêncio, que toda a criação emudeça diante de ti, e somente tu fales à minha alma!

Os teus ministros podem proferir as palavras, mas não podem conceder o precioso Espírito; eles podem fazer com que a ideia seja admitida através dos encantos da eloquência, mas se tu te mantêns em silêncio, eles não inflamam o coração. Eles administram as palavras, mas tu lhes abres o sentido; eles proferem o mistério, mas tu revelas o seu significado; eles apontam o caminho da vida, mas tu concedes a força para andar nele; eles regam, mas tu promoves o crescimento. Portanto, tu, ó Senhor, meu Deus, Eterna Verdade, fala à minha alma, para que, estando aquecido exteriormente, mas não vivificado interiormente, eu não morra e seja considerado infrutífero! "Fala, Senhor, porque o teu servo ouve". Somente tu tens as palavras de vida eterna. – *Thomas à Kempis, 1380-1471*

v. 135: "Faze resplandecer o teu rosto... ensina-me", etc. Deus tem muitas maneiras de ensinar: Ele ensina pelo livro, ensina pelos seus dedos, ensina pela sua vara; mas o seu ensinamento mais consolador e eficaz é pela luz dos seus olhos: *"Envia a tua luz e a tua verdade, para que me guiem e me levem ao teu santo monte e aos teus tabernáculos"* (Sl 43.3). – *Richard Alleine (1611-1681), "Heaven Opened"*

v. 135: "Faze resplandecer o teu rosto... ensina-me os teus estatutos". Os filhos de Deus, quando imploram por consolação, também pedem a graça para servi-lo de maneira aceitável. Pois ensinar os estatutos de Deus, aqui, não quer dizer meramente dar-nos um conhecimento especulativo da vontade de Deus, pois, como diz Davi aqui, *"Faze resplandecer o teu rosto"*, e *"ensina-me os teus estatutos"*. – *Thomas Manton*

v. 136: "Rios de águas correm dos meus olhos". Muitos orientais derramam lágrimas muito mais copiosamente do que os europeus. O salmista diz que *rios de águas* corriam dos seus olhos; e embora a linguagem seja maravilhosamente figurada, eu não tenho dúvidas de que também fosse literalmente verdade. Eu mesmo vi árabes derramando lágrimas copiosamente. – *John Gadsby*

v. 136: "Rios de águas correm dos meus olhos", etc. Ou, *porque os meus olhos não guardam a tua lei*, segundo alguns. O olho é a porta de entrada e saída de muitos pecados, e por isto deve ser um olho que chora. Ou, o pronome *eles, significa aqueles que estão ao meu redor* (v. 139). Observe que os pecados dos pecadores são as angústias dos santos. Nós devemos lamentar aquilo que não podemos reparar. – *Matthew Henry*

v. 136: "Rios de águas correm dos meus olhos", etc. As aflições de Davi não lhe provocavam tantas lágrimas quanto os pecados dos outros. Não era o seu exílio, provocado pelo seu filho, mas a transgressão à lei de Deus pelos ímpios é que lhe faziam derramar mais lágrimas. Nada tocava tanto o seu coração como a desonra de Deus, cuja glória, brilhando em sua palavra e ordenanças, é mais preciosa para os piedosos do que as suas vidas. Elias desejou morrer quando viu Deus tão desonrado por Acabe e Jezabel. O olho serve para duas coisas, a visão e as lágrimas: se virmos que Deus é desonrado, imediatamente os nossos olhos devem se encher de lágrimas. – *William Greenhill, 1591-1677*

v. 136: "Rios de águas correm dos meus olhos", etc. Os homens piedosos se afligem com profunda angústia pelos pecados dos ímpios.

Vamos considerar a *natureza* deste sentimento. 1. Não é uma apatia estoica, ou um descuido fingido; muito menos uma participação prazerosa em práticas pecaminosas. 2. Não é uma exibição orgulhosa da sua própria bondade, expondo os pecados dos outros, como os fariseus fazem, nos Evangelhos. 3. Não é o escárnio ou as loucuras dos homens, como no caso daquele "filósofo que ri", mas se aproxima mais do espírito do *outro*, que sempre *chorou* por isto. 4. Não é uma ira amarga, que irrompe em ataques e censuras, nem um ataque de recriminações. 5. Nem é um desejo vingativo de punição, que extravasa em maldições e imprecações, o que é o temperamento rude de muitos, mas particularmente do tipo vulgar. A atitude dos discípulos em relação a Cristo era muito diferente; no entanto, Ele lhes diz, "Vós não sabeis de que espírito sois". Eles pensavam que tinham o espírito de Elias, mas Ele lhes disse que estavam enganados, e não sabiam que espírito os motivava naquelas atitudes. O zelo intoxicante frequentemente se confunde e se ensoberbece. Não vemos aqui um desejo de que venha fogo do céu sobre os que infringem a lei, mas uma tristeza que traria água para apagá-lo, se estivesse caindo sobre eles. *"Rios de águas correm dos meus olhos"*. – *Robert Leighton.*

v. 136: "Rios de águas correm dos meus olhos", etc. O Senhor exige isto [chorar amargamente pelos pecados de outros homens] para conservar nossos corações mais ternos e retos; é um ato que Deus usa para nos tornar mais cuidadosos em relação às nossas próprias almas, e perturbados com os pecados dos outros, com o pecado em uma terceira pessoa. Isto nos conserva a uma grande distância da tentação. Isto é como apagar o fogo na casa de um vizinho: antes que se aproxime de você, você corre com o seu balde. Não há uma maneira de nos mantermos afastados da infecção; a única coisa que podemos fazer é clamar ao Senhor, e lamentar. A alma nunca irá concordar em fazer aquilo que tanto a angustiou, por ver que outra pessoa o fazia. E, da mesma maneira como nos conserva retos, também nos conserva humildes, temerosos do juízo divino, sensíveis, para não transgredirmos, e assim trazermos a ira de Deus. Aquele que deu de ombros quando viu uma cobra espreitando outra pessoa, ficará muito mais amedrontado quando ela se aproximar dele. Diante dos nossos próprios pecados, nós temos a vantagem da consciência castigando a alma com remorso e vergonha; no lamento dos pecados dos outros, nós temos apenas os motivos do dever e da obediência. Aqueles que lutam fora de casa, por amor à bravura e às façanhas, certamente lutarão em casa, por amor à sua própria segurança. – *Thomas Manton*

v. 136: "Rios de águas correm dos meus olhos", etc. O caráter do povo de Deus aqui representado é bastante uniforme – não apenas como aqueles que estão *livres das abominações* – mas como *"os que suspiram e que gemem por causa de todas as abominações que se cometem no meio da terra"* (Ez 9.4). E quem não vê que esfera ampliada ainda se apresenta, de todos os lados, para o exercício irrestrito da compaixão cristã? O espetáculo terrível de um mundo apóstata e separado de Deus, de multidões brincando com a destruição eterna – como se o Deus do céu fosse "homem, para que minta" – certamente é suficiente para forçar *"rios de águas" correndo dos* corações daqueles que se interessam pela sua honra. Que massa de pecado sobe, como uma nuvem, diante do Senhor, de um único coração! Some o total de uma aldeia – uma cidade – uma nação – um mundo, todos os dias – todas as horas – a cada momento! Bem poderiam os *"rios de águas"* subir em uma maré arrasadora, pronta a irromper suas barreiras. – *Charles Bridges*

v. 136: "Rios de águas correm dos meus olhos, porque os homens não guardam a tua lei". As maldades dos religiosos são a vergonha da religião: a visão disto fez os mais decididos defensores de Cristo se esvaírem em lágrimas. Davi era um dos grandes e dignos do mundo, incomparável, no seu tempo, no entanto, ele chora. Ele rasgou um urso, como se fosse de pelúcia, quando era ainda apenas um menino? Resgatou um cordeiro, matando um leão? Combateu um poderoso gigante, que tinha desafiado todo o exército de Deus? Ele, como um redemoinho, destruiu seus inimigos diante de si, e agora, como uma criança ou uma mulher, explode em lágrimas? Sim, ele tinha ouvido o nome de Deus blasfemado, tinha visto os seus santos ritos profanados, os seus estatutos infringidos, e uma violência sendo feita à pura castidade daquela santa virgem, a religião, e isto fez com que o seu coração corajoso se dissolvesse em lágrimas; *"Rios de águas correm dos meus olhos"*. – *Thomas Adams*

v. 136: A minha alma frequentemente se esgotava em tais suspiros pela conformidade com a lei de Deus, de que o salmo 119 está cheio: "Tomara que os meus caminhos sejam dirigidos de maneira a poder eu observar os teus estatutos! A minha alma está quebrantada de desejar os teus juízos em todo o tempo. Inclinei o meu coração a guardar os teus estatutos, para sempre, até ao fim", e outras coisas semelhantes. Isto ainda era mais evidente em um desgosto pela menor inconformidade com a lei, fosse em mim mesmo, ou nos outros. Mas, embora eu estivesse sempre adequadamente afetado com as minhas próprias infrações, ou com as dos outros, esta era a minha carga; eu sempre desejei que rios de lágrimas pudessem correr dos meus olhos, porque eu, ou outros transgressores, não guardamos a lei de Deus. – *Thomas Halyburton, 1674-1712*

v. 136: Se não lamentarmos pelos outros, o pecado deles pode se tornar nosso. (Ez 9.8; 1 Co 5.2). – *William Nicholson*

EXPOSIÇÃO DOS VERSÍCULOS 137 A 144

137 *Justo és, ó Senhor, e retos são os teus juízos.*
138 *Os teus testemunhos, que ordenaste, são retos e muito fiéis.*
139 *O meu zelo me consumiu, porque os meus inimigos se esqueceram da tua palavra.*
140 *A tua palavra é muito pura; por isso, o teu servo a ama.*
141 *Pequeno sou e desprezado, mas não me esqueço dos teus mandamentos.*
142 *A tua justiça é uma justiça eterna, e a tua lei é a verdade.*
143 *Aperto e angústia se apoderam de mim; não obstante, os teus mandamentos são o meu prazer.*
144 *A justiça dos teus testemunhos é eterna; dá-me inteligência, e viverei.*

Esta passagem trata da perfeita justiça do Senhor e da sua palavra, e expressa as lutas de uma santa alma em referência a esta justiça. A inicial com que cada versículo começa soa como a palavra hebraica que significa *justiça*; a nossa ideia principal é a justiça.

137. *"Justo és, ó Senhor."* O salmista não usa frequentemente o nome de Jeová nesta vasta composição. Todo o salmo mostra que ele deve ter sido um homem profundamente religioso, completamente familiarizado com as coisas de Deus; e pessoas como ele jamais usam o santo nome de Deus de maneira descuidada, nem o usam com tanta frequência, em comparação com os descuidados e os ímpios. A familiaridade gera reverência, neste caso. Aqui, ele usa o nome santo na adoração. Ele louva a Deus, atribuindo a Ele a justiça perfeita. Deus está sempre certo, e Ele é sempre ativamente certo, isto é, justo. Esta qualidade está associada à nossa própria ideia de Deus. Não podemos imaginar um Deus injusto.

"E retos são os teus juízos." Aqui ele exalta a palavra de Deus, ou os seus juízos registrados, como retos, assim como o seu Autor é justo. Aquilo que vem do Deus justo é, em si mesmo, justo. O Senhor diz e faz o que é certo, e apenas o que é certo. Esta é uma grande ajuda para a alma, em tempos de dificuldade. Quando estamos mais terrivelmente aflitos, e não conseguimos ver a razão para a dispensação, podemos nos apoiar neste fato, certo e seguro, de que Deus é justo, e de que as suas atitudes para conosco também são justas. Será a nossa glória cantar esta corajosa confissão, quando todas as coisas ao nosso redor parecerem sugerir exatamente o contrário. Esta é a melhor adoração – a que emerge dos lábios da fé quando a razão carnal reclama sobre a severidade aparentemente indevida, ou algo similar.

138. *"Os teus testemunhos, que ordenaste, são retos e muito fiéis."* Tudo aquilo que Deus testificou na sua palavra é certo e confiável. É justo, e merecedor de confiança no presente; é fiel, e merecedor de confiança no futuro. Em cada parte dos testemunhos inspirados, há autoridade divina; eles são divulgados e publicados pelo *mandamento* de Deus, e trazem impresso o estilo real que traz consigo a onipotência. Não apenas os preceitos, mas também as promessas são ordenadas pelo Senhor, e também o são todos os ensinamentos das Escrituras. Não nos cabe decidir se os aceitaremos ou não; eles são divulgados por ordem real, e não devem ser

questionados. A sua característica é que eles são como o Senhor que os proclamou, são a essência da justiça e a alma da verdade; a palavra de Deus é justa e não pode ser posta em dúvida; ela é fiel e não pode ser questionada; ela é verdadeira, desde o início, e será verdadeira até o fim.

Concentre-se nesta doce expressão – *"muito fiéis"*. Oh! que misericórdia que tenhamos um Deus com quem lidar, que é escrupulosamente fiel a todos os itens e detalhes das suas promessas, pontual no tempo, firme todo o tempo. Nós poderíamos arriscar tudo em uma palavra que é "sempre fiel, sempre verdadeira".

139. Nos dois últimos versículos, Davi falou, a respeito de Deus e da sua lei; aqui, ele fala de si mesmo, e diz, *"O meu zelo* me *consumiu, porque os meus inimigos se esqueceram da tua palavra"*; isto, sem dúvida, foi ocasionado pelo fato dele ter uma percepção tão clara do admirável caráter da palavra de Deus. O seu zelo era como um fogo, que ardia dentro da sua alma. A visão do esquecimento de Deus, por parte do homem, agia como um forte vento para incitar o fogo a uma chama ainda mais veemente, e este fogo ardeu até que estava pronto para consumi-lo. Davi não podia suportar que os homens se esquecessem das palavras de Deus. Ele estava pronto a esquecer de si mesmo, ou melhor, a se consumir, porque estes homens se esqueceram de Deus. Os ímpios eram inimigos de Davi: seus inimigos, porque o odiavam, pela sua piedade; seus inimigos, porque ele os abominava pela sua impiedade. Estes homens tinham ido tão longe, na iniquidade, que não somente infringiam e negligenciavam os mandamentos de Deus, mas também por terem realmente se esquecido deles. Isto deixava Davi ardendo, ele ardia de indignação. Como eles ousam desprezar as coisas sagradas! Como alguns podem ignorar completamente os mandamentos do próprio Deus! Ele estava atônito, e cheio de uma "ira santa".

140. *"A tua palavra é muito pura."* Ela é verdade destilada, santidade na sua quinta-essência. Na palavra de Deus não se admite erro nem pecado. Ela é pura no seu sentido, pura na sua linguagem, pura no seu espírito, pura na sua influência, e tudo isto no mais alto grau – *"muito* pura".

"Por isso, o teu servo a ama", o que é uma prova de que ele mesmo era puro em seu coração, pois somente aqueles que são puros amam a palavra de Deus, por causa da sua pureza. O seu coração estava unido à palavra por causa da sua gloriosa santidade e verdade. Ele a admirava, e tinha prazer nela, e procurava praticá-la, e ansiava por estar sob o seu poder purificador.

141. *"Pequeno sou e desprezado, mas não me esqueço dos teus mandamentos."* Desta falha, em consequência do esquecimento, que ele condenava nos outros (v. 139), o salmista não poderia ser acusado. Os seus inimigos não o consideravam, eles o viam como um homem sem poder ou capacidade, e por isto o desprezavam. Ele parece aceitar esta situação, e humildemente aceita o lugar mais baixo, mas traz consigo a palavra de Deus. Quantos homens foram levados a realizar alguma má ação, para responder ao desprezo de seus inimigos: para se fazerem notar, eles falam ou agem de uma maneira que o salmista não poderia justificar. A beleza da piedade do salmista consiste no fato de que era calma e bem balanceada, e de que ele não se entusiasmava pela adulação, de modo que não era derrotado pela vergonha. Se ele era pequeno, ainda mais zelosamente realizava as menores tarefas; e, se desprezado, ainda mais fervoroso era, para guardar os desprezados mandamentos de Deus.

142. *"A justiça dos teus testemunhos é eterna."* Tendo, em um versículo anterior, atribuído a justiça a Deus, agora o salmista prossegue, declarando que esta justiça é imutável, e permanece, de geração a geração. A alegria e a glória dos santos estão no fato de que o que Deus é, Ele sempre será, e o seu modo de proceder com relação aos filhos dos homens é imutável – tendo guardado a sua promessa, e distribuído

justiça entre o seu povo, Ele o fará eternamente. Tanto a justiça como a injustiça dos homens têm um fim, mas a justiça de Deus não tem fim.

"E a tua lei é a verdade." Assim como Deus é amor, também a sua lei é a verdade, a própria essência da verdade, a verdade aplicada à ética, a verdade em ação, a verdade no trono do juízo. Nós ouvimos grandes discussões sobre "O que é a verdade?" As sagradas Escrituras são a única resposta para esta pergunta. Observe que elas não são apenas verdadeiras, mas são a verdade propriamente dita. Não podemos dizer, sobre elas, que contêm a verdade, mas que são a verdade: "a tua lei é a verdade". Não há nada falso sobre a lei ou os preceitos das Escrituras. Aqueles que são obedientes a ela descobrirão que estão andando em um caminho consistente com os fatos, ao passo que os que andam contrários a ela estão andando em uma exibição inútil.

143. *"Aperto e angústia se apoderam de mim."* Esta aflição pode ter se originado das suas circunstâncias, ou da crueldade de seus inimigos, ou ainda dos seus próprios conflitos internos, mas o que é certo é que ele estava sujeito a grande aflição, uma aflição que se apoderou dele, e o carregava cativo e subjugado ao seu poder. As suas angústias, como cães ferozes, tinham se apoderado dele; ele podia sentir os seus dentes. Ele tinha um duplo problema: problema exterior e angústia interior, como o apóstolo Paulo explicou, "por fora combates, temores por dentro".

"Não obstante, os teus mandamentos são o meu prazer." Assim, ele se tornou um enigma; perturbado, e apesar disto, satisfeito; angustiado, mas sentindo prazer. O filho de Deus pode compreender este enigma, pois ele bem sabe que embora desencorajado por causa do que vê em si mesmo, é ainda mais exaltado pelo que vê na palavra. Ele se alegra com os mandamentos, embora esteja perturbado porque não consegue obedecer a eles perfeitamente. Ele encontra abundante luz nos mandamentos, e pela influência desta luz, ele descobre e lamenta as suas próprias trevas. Somente o homem que está familiarizado com as lutas da vida espiritual compreenderá a expressão diante de nós. Querido leitor, que você encontre um equilíbrio no qual examinar a si mesmo. Você sente, mesmo quando está rodeado de angústias, que é uma coisa maravilhosa fazer a vontade do Senhor? Você encontra mais alegria em ser santificado, do que angústia em ser castigado? Então a marca dos filhos de Deus está sobre você!

144. *"A justiça dos teus testemunhos é eterna."* Primeiramente, ele tinha dito que os testemunhos de Deus são justos, depois que são eternos, e agora, que a justiça deles é eterna. Assim, quanto mais ele está envolvido em escrever sobre a palavra de Deus, mais detalhado é o relato que ele nos faz. Quanto mais nós falamos em louvor ao texto sagrado, mais podemos dizer, e mais devemos dizer. Os testemunhos de Deus ao homem não podem ser atacados, eles são justos, do princípio ao fim; e embora os homens ímpios tenham se oposto à justiça divina, especialmente no plano da salvação, eles nunca conseguiram estabelecer qualquer acusação contra o Altíssimo. Enquanto houver terra, enquanto houver uma única criatura inteligente no universo, será confessado que os planos de misericórdia de Deus são, em todos os aspectos, provas maravilhosas do seu amor pela justiça; o precioso e bendito Senhor jamais será injusto para que possa ser piedoso.

"Dá-me inteligência, e viverei." Esta oração para que Deus lhe dê inteligência é uma oração que o salmista faz constantemente. Aqui, evidentemente, ele considera que esta dádiva é essencial para a sua vida. Viver sem inteligência ou entendimento não é viver a vida de um homem, mas estar morto, enquanto vivo. Somente quando conhecemos e apreendemos as coisas de Deus podemos dizer que vivemos. Quanto mais o Senhor nos ensinar a admirar a firmeza da sua palavra, e quanto mais Ele nos vivificar para o amor desta firmeza, mais felizes e melhores seremos. Como nós amamos a vida, e desejamos ter muitos dias em que possamos ver o bem, nos convém buscar a imortalidade na palavra eterna, que vive e permanece para sempre, e buscar o bem na renovação de nossa natureza, que começa com o esclarecimento do entendimento e prossegue com a regeneração do homem, como um todo. Aqui

podemos ver a necessidade que temos do Espírito Santo, o Senhor, que dá a vida, e que é o Guia de todos os vivificados, sim, aquele que nos conduz a toda a verdade. Ó, quão preciosas são as visitações da sua graça nesta boa hora!

NOTAS SOBRE OS VERSÍCULOS 137 A 144

Jerônimo, seguido por muitos dos medievalistas, explica *tsaddîq* como significando *justiça* ou *retidão*, o que, no entanto, é צֶדֶק (*tsedeq*). Mas ele está tão certo, que há um jogo, nesta estrofe, sobre o som da letra inicial, como no caso de *gimel*; pois a primeira palavra, justo, é צַדִּיק (*tsaddîq*), e todo o escopo da estrofe é a forte compreensão que até mesmo a alma jovem e inexperiente pode ter da justiça, em meio aos problemas do mundo. – Neale e Littledeale.

Todos estes versículos começam com *tsadeh*, a décima oitava letra do alfabeto hebraico; os versículos 137, 142, 144, começam com alguma forma da palavra que traduzimos como *justo,* ou *justiça;* cada um dos demais, com uma palavra inteiramente diferente. – *William S. Plumer.*

v. 137: "Justo és, ó Senhor", etc. Aqui Davi, muito perturbado e angustiado pela iniquidade dos seus inimigos, e enormemente tentado à impaciência e desconfiança, considerando a situação próspera dos seus inimigos, apesar da sua tão terrível impiedade, agora nos mostra uma tripla razão para consolação, que, nesta perigosa tentação, o sustentou. A primeira é uma consideração do que Deus é, em Si mesmo; ou seja, justo e reto; a segunda, uma consideração da equidade da sua palavra; e a terceira, uma visão da sua constante verdade, declarada no fato de que Ele age de acordo com a sua palavra. Quando nos encontramos tentados a desconfiar, olhando a prosperidade dos ímpios, devemos olhar para Deus, e considerar a sua natureza, a sua obra, a sua palavra, e encontraremos consolação.

"Justo és, ó Senhor." Este é o primeiro motivo para consolação – uma meditação sobre a justiça da natureza de Deus; Ele não se modifica com o passar do tempo, nem muda com as pessoas; Ele é sempre o mesmo Deus justo e santo. A justiça é essencial nele; faz parte dele próprio; e Ele não pode enganar os piedosos, privando-os das consolações prometidas, nem permitir que os ímpios continuem impunemente com os seus pecados, assim como não pode negar que é Deus; isto seria impossível. – *William Cowper*

v. 137: "Justo és, ó Senhor", etc. Essencialmente, originalmente, e em Si mesmo; naturalmente, imutavelmente e universalmente, em todos os seus caminhos e nas obras de natureza e graça; em seus pensamentos, propósitos, conselhos e decretos; em todas as dispensações da sua providência; na redenção, na justificação de um pecador, no perdão do pecado, e na dádiva da vida eterna, por intermédio de Jesus Cristo.

"E retos são os teus juízos." Eles estão de acordo com as regras de justiça e equidade. O salmista se refere aos preceitos da palavra, às doutrinas do Evangelho, bem como aos juízos de Deus, infligidos sobre os homens ímpios, e todas as atitudes providenciais de Deus para com o seu povo, e também ao juízo final. – *John Gill*

v. 137: "Justo és, ó Senhor", etc. Aqui há muito para conservar os filhos de Deus reverentes. O Senhor é um Deus justo; embora eles tenham encontrado misericórdia, e proteção na sua graça, o Senhor é imparcial na sua justiça. Deus, que não poupou os anjos quando eles pecaram, nem a seu Filho, quando Ele se fez um pecador por imputação, não irá poupar você, embora você seja o amado da sua alma (Pv 11.31). Os caminhos pecaminosos dos filhos de Deus ocasionam uma amargura suficiente; eles jamais se aventuram no pecado, pois, se o fizerem, sofrerão grandes perdas. Se Paulo abrigar uma pequena soberba, Deus o humilhará. Se alguém ceder ao pecado, a sua peregrinação se tornará desconfortável. Eli cai em negligência e indulgência, então a arca de Deus é tomada, os seus dois filhos são mortos em batalha, a sua nora morre, e ele mesmo quebra o pescoço. Oh! As assombrosas tragédias que o pecado opera nos lares dos filhos de Deus! Davi, quando se envolveu com aquilo que era proibido, foi tirado do seu palácio, suas concubinas foram profanadas, seu próprio filho foi morto, e muitas calamidades se abateram sobre ele. Os filhos de Deus têm motivos para temer, pois o Senhor é o Deus justo, e eles perceberão isto. Aqui, sobre a terra, Ele reservou para Si mesmo a liberdade de visitar a iniquidade deles com varas, e as suas transgressões com açoites. Eu devo insistir que você imite a justiça de Deus: "Se sabeis que ele é justo, sabeis que todo aquele que pratica a justiça é nascido dele" (1 Jo 2.29). Vocês têm um Deus justo, e esta parte do seu caráter você deve imitar. – *Thomas Manton*

v. 137: O grande interesse de Davi, quando se encontrava sob a mão aflitiva de Deus, era isentar o Senhor de qualquer acusação de injustiça. Oh, Senhor, diz ele, não há a menor marca, sinal, mancha, mácula ou mistura de injustiça, em todas as aflições que tu trouxeste sobre mim! Eu me envergonho e confirmo que o Senhor é justo e que não há injustiça, nem crueldade, nem medidas extremas em tudo o que o Senhor trouxe sobre mim. Docemente e prontamente, ele implora a justiça de Deus nas pungentes e agudas aflições com que Ele o instruía. *"Justo és, ó Senhor, e retos são os teus juízos"*. Os juízos de Deus são sempre justos; Ele jamais aflige, exceto com fidelidade. A sua vontade é a regra da justiça; e por isto uma alma benevolente não ousa contestar nem questionar os seus atos. – *Thomas Brooks*

v. 137: O versículo 137, como o 25, está associado com as angústias de um penitente imperial.[********] Quando o imperador Maurício, deposto e cativo, foi conduzido para a execução, pelo usurpador, Focas, seus cinco filhos foram previamente assassinados, um a um, na sua presença; e a cada golpe fatal, pacientemente ele exclamava, *"Justo és, ó Senhor, e retos são os teus juízos"*. – *Neale e Littledale*

v. 138: "Os teus testemunhos, que ordenaste, são retos e muito fiéis". A força desta expressão é muito mais débil do que a do original, que pode ser traduzida, literalmente, como: "Tu ordenaste justiça, os teus testemunhos e a extrema verdade". É o que diz a Septuaginta. A justiça e a verdade eram os seus testemunhos; os testemunhos eram uma coisa só, juntamente com a sua justiça e verdade. A tradução em inglês diz *a qualidade dos testemunhos*; o texto em hebraico diz *o que é exigido*; como se pudéssemos dizer: Tu ordenaste que a justiça fosse os teus testemunhos, e a extrema verdade. – *John Stephen*

v. 138: "Os teus testemunhos". A palavra de Deus é chamada de seu *testemunho*, porque testifica a sua vontade, o que Ele deseja que nós façamos, e também porque ela testifica aos homens verdadeiramente o que acontecerá com eles, seja isto bom, ou mau. Os homens, por natureza, são curiosos por conhecer o seu fim, em lugar de serem cuidadosos para corrigir a sua vida; e por este motivo buscam respostas onde jamais as conseguem; quando, se realmente quiserem conhecer, devem se voltar à Palavra e ao testemunho, não precisando consultar nenhum outro oráculo. Se a palavra de Deus testifica boas coisas para eles, têm motivos para regozijo; se, por outro lado, ela testemunha o mal para eles, que se apressem para evitá-lo, caso contrário certamente este mal os dominará. – *William Cowper*

v. 138: "Retos e muito fiéis". Literalmente, "extremamente fiéis". Por mais duros e severos que possam parecer, eles são integralmente para o maior bem dos homens. – *William Kay*

v. 139: "O meu zelo me consumiu". *"Zelo"* é uma grande dose de amor; e quando o objeto deste amor é maltratado, ele se expressa em uma mistura de angústia

******** Gibbon. Decline and Fall; cap. xlvi.

e indignação, que são suficientes para desgastar e "consumir" o coração. Este será o caso, quando os homens imaginarem corretamente esta desonra que é continuamente feita a Deus pelas criaturas que Ele criou e redimiu. Mas o versículo jamais poderia ser proferido com tal plenitude de verdade e propriedade, exceto pelo Filho de Deus, que teve tal percepção da glória do seu Pai, e do pecado do homem, como ninguém mais jamais teve. E, consequentemente, quando o seu zelo foi exercido na purificação do templo, o apóstolo João nos diz, "E os seus discípulos lembraram-se do que está escrito: O zelo da tua casa me devorará". A passagem em que isto está escrito é Sl 69.9, e é exatamente correspondente a esta que temos diante de nós. – *George Horne*

v. 139: "O meu zelo me consumiu", etc. O zelo é o calor ou a intensidade dos sentimentos; é um calor santo, com que nosso amor e nossa ira são incitados ao máximo, por Deus, e pela sua glória. O nosso amor por Deus e seus caminhos, e o nosso ódio pela iniquidade, deveriam ser aumentados, por causa dos homens ímpios. Cores nebulosas e sombrias em uma mesa fazem com que as que são vívidas pareçam mais bonitas. O pecado dos outros torna Deus e a santidade mais agradáveis aos nossos olhos. O seu coração deve se inflamar, ao atingir estas pedras frias. Davi, por uma santa antiperístase, se inflamava pela frieza dos outros: *"O meu zelo me consumiu, porque os meus inimigos se esqueceram da tua palavra"*. Golpes frios de vento fazem com que o fogo se inflame mais, e queime mais ardentemente. – *George Swinnock*

v. 139: "O meu zelo me consumiu". O fogo do zelo, como o fogo que consumiu o sacrifício de Salomão, desce do céu; e os verdadeiramente zelosos não são aquelas salamandras que sempre vivem no fogo do ódio e das contendas; mas os serafins, que ardem com o fogo espiritual do amor divino. E o verdadeiro zelo inflama os desejos e os sentimentos da alma. Se for um zelo verdadeiro, então lapsos de tempo, inúmeros desencorajamentos, a falsidade dos homens que abandonam a causa, fortes opositores, não cansarão o espírito de um homem. O zelo torna os homens resolutos; as dificuldades são apenas pedras de amolar para a sua fortaleza. Elas conduzem o espírito dos homens a uma resolução inabalável.

Este era o zelo que ardia nos discípulos (Lc 24), que consumia Davi, aqui, e que ardeu em Cristo, o Filho de Deus, de maneira extrema (Jo 2.17). – *Abraham Wright*

v. 139: "O meu zelo me consumiu". Existem vários tipos de zelo: existe o zelo pelo mundo, o zelo pela carne, zelo pela falsa religião, o zelo pela heresia, e existe o zelo pela palavra fiel de Deus. Em primeiro lugar, vemos que o zelo pelo mundo faz com que os homens trabalhem noite e dia, para conseguir algo transitório. O zelo pela carne atormenta a mente dos homens, em todos os momentos, por um prazer momentâneo. O zelo pela heresia faz com que os homens viagem e percorram terras e mares, para conservar e estender a sua opinião. Assim vemos que cada homem é devorado por algum tipo de zelo. O bêbado é consumido pela embriaguez, a prostituta é consumida pela sua atividade, o herege é comido pela heresia. Oh, como isto deveria nos envergonhar, a nós, que sonos tão pouco consumidos e devorados pelo zelo pela palavra! E ainda mais, porque o zelo devoto nos deixa uma vantagem e uma recompensa, que os homens zelosos, terrenos e carnais, não têm. Pois quando toda a força de seus corpos, e todo o poder das suas mentes os tiverem consumido, não lhes sobrará nenhum ganho nem consolação, exceto o tormento da consciência; e quando estiverem consumidos externamente, poder-se-á ter a certeza de que nunca estiveram melhor interiormente, ao passo que o devoto, interessado por uma coisa boa, e consumido pelo zelo da glória de Deus, tem o notável privilégio e benefício de que, não importando quanto o seu homem exterior pereça e decaia, o seu homem interior ainda é revigorado e estimulado para a vida eterna. Oh, que benefício é ser consumido pelo amor e pelo zelo de uma coisa boa! – *Richard Greenham v. 139:* "[Eles] se esqueceram da tua palavra". Esta é uma expressão apropriada para se apresentar àqueles que fazem parte do seio da igreja visível, que não negam ou rejeitam inteiramente a palavra e a lei das Escrituras, mas ainda assim vivem como se as tivessem esquecido: eles não as observam; como se Deus jamais tivesse dito nada deste tipo, nem lhes tivesse dado qualquer lei. Aqueles que rejeitam e condenam as coisas que a palavra impõe, certamente não se lembram de praticá-las. – *Thomas Manton*

v. 140: "A tua palavra é muito pura". No original, "examinada, refinada, purificada, como o ouro no forno", absolutamente perfeita, sem a escória da vaidade e da falibilidade, encontrada nos textos humanos. Quanto mais colocamos as promessas à prova, mais certas vemos que elas são. O ouro puro é tão imutável, que Boerhaave nos informa que uma onça de ouro (aproximadamente 28 gramas), colocada no centro de um forno para vidro, durante dois meses, não perdeu um único grão. – *George Horne*

v. 140: "A tua palavra é muito pura; por isto", etc. A palavra de Deus não é apenas *"pura"*, livre de toda mistura inferior, mas é *purificadora*; ela purifica do pecado e da culpa todo coração com que entra em contato. "Vós já estais limpos", disse Jesus Cristo aos seus discípulos, "pela palavra que vos tenho falado" (Jo 15.3). É a sua pura qualidade, combinada com a sua tendência de purificar toda natureza, que produz a sua santa influência, que a torna preciosa a todos os filhos de Deus. É aqui que encontramos perspectivas do caráter divino, aquelas promessas, aqueles preceitos, aquelas descrições da deformidade do pecado, da beleza da santidade, que nos levam, acima de tudo, a buscar conformidade com a imagem divina. Um filho de Deus, nos seus melhores momentos, não deseja que a palavra de Deus desça ao mesmo nível do seu caráter imperfeito, mas deseja que o seu caráter possa ascender gradualmente a uma conformidade com esta palavra abençoada. Por ser totalmente pura, e por tender a converter aqueles que fazem do seu constante estudo uma medida da sua própria pureza, o filho de Deus a ama, e se alegra em meditar sobre ela, noite e dia. – *John Morison*

v. 140: "A tua palavra é muito pura". Antes mesmo que eu conhecesse a palavra de Deus em espírito e em verdade, pela sua grande antiguidade, pelas suas interessantes narrativas, pela sua biografia imparcial, pela sua moralidade pura, pela sua poesia sublime, em resumo, pela sua variedade, maravilhosa, eu a preferia, a todos os outros livros; mas desde que a sua mensagem entrou em meu coração e a compreendi, como aconteceu com o salmista, eu a amo, acima de todas as coisas, pela sua pureza; e assim, quanto a todas as demais coisas que leio tenho um desejo: que estas leituras possam aumentar o conhecimento que tenho da Bíblia Sagrada, fortalecendo o meu afeto pelas suas verdades divinas e santas. – *Sir William Jones, 1746-1794*

v. 140: "A tua palavra". Devemos revigorar nossas mentes e nossas lembranças com alguns dos complementos das Escrituras, conectados com "a palavra", e perceber, até certo ponto, pelo menos, as múltiplas relações que têm, tanto com Deus como com as nossas almas. Ela é chamada de "a palavra de Deus", porque foi Ele quem a deu, e ela, em sua totalidade, testifica a respeito dele... ela é chamada de "palavra da sua graça", porque o tema glorioso sobre o qual ela ama se estender é a *graça*, e especialmente a graça como é vista no amor de Cristo, na sua morte, pelos homens pecadores. Ela é chamada de... "palavra da cruz" (1 Co 1.18), porque na crucificação do divino Redentor podemos ver a misericórdia eterna, no seu mais brilhante resplendor. É chamada "palavra do Evangelho" porque traz boas novas de grande alegria a todas as nações. É chamada "palavra do reino", porque estende, a todos os crentes, a esperança de um reino eterno de justiça e paz. É chamada "palavra de salvação", porque o propósito para o qual ela foi dada é a salvação dos pecadores. É chamada "palavra da verdade" porque, como diz Chillingworth, o seu autor é Deus, o seu objetivo é a salvação, e o seu conteúdo é a verdade, sem mistura ou erro. E nós apenas acrescentaremos, é chamada "palavra de vida", porque revela a um mundo pecador e perecível as doutrinas da vida e da imortalidade. – *W. Graham, "A Commentary on the First Epistle of John", 1857*

v. 140: "Por isso, o teu servo a ama". O amor que há em Deus é a fonte de todos os seus benefícios, que são estendidos a cada um de nós; e o amor que há no homem é a fonte de todo o nosso serviço e obediência a Deus. Ele nos amou primeiramente, para nos fazer o bem; e daí nós recebemos a graça para amá-lo, e para prestar-lhe serviço. O amor é tal dever que a sua falta não pode ser desculpada em ninguém; pois os mais pobres podem e devem amar a Deus: mas sem amor, todo o resto que você puder fazer, no seu serviço a Deus, não é nada; nem se você desse os seus bens aos pobres, e oferecesse o seu corpo para ser queimado. Os pequenos sacrifícios que fluem da fé e do amor são bem-vindos a Ele; ao passo que os maiores sacrifícios, sem a fé e o amor, são apenas abominações para Ele. Temos provas das duas coisas na moeda da viúva e na rica oblação de Caim: uma foi rejeitada, mas a outra foi aceita. Felizes seremos – ainda que não possamos dizer, "fizemos o que Deus manda" – se, com um coração sincero, pudermos dizer, "amamos fazer o que Deus manda". – *William Cowper*

v. 140: "Por isto, o teu servo a ama". De todos os nossos motivos para amar a Palavra de Deus, o mais nobre e excelente é o amor pela Palavra, pela pureza dela. Isto mostra, realmente, que participamos da natureza divina (2 Pe 1.4). Pois, observe que quando nós odiamos o mal, como mal, e amamos o bem, como bem, temos o mesmo amor e o mesmo ódio que Deus tem. Quando amarmos as coisas porque são puras, isto será um sinal de que temos o mesmo amor que Deus tem. – *Thomas Manton*

v. 140: "O teu servo a ama". Caso contrário, realmente, o salmista não teria sido servo do Senhor. Mas ele se gloria no título, porque se alegra no puro serviço. – *John Stephen*

vv. 140 e 141: A palavra de Deus é, na verdade, sem máculas, e por isto não deve ser criticada; a palavra de Deus é metal puro, testado no fogo, nobre, e por isto o salmista a ama, e, embora jovem e pouco considerado, não se preocupa com os protestos de seus orgulhosos oponentes que são mais velhos e mais instruídos do que ele. – *Franz Delitzsch*

v. 141: "Pequeno sou e desprezado", ou tenho sido. Algumas versões traduzem *jovem,* como se isto se referisse à época da sua unção por Samuel, quando era desprezado e negligenciado na família de seu pai (1 Sm 16.11 e 17.28); porém, a palavra usada aqui não expressa idade, mas estado, condição e circunstâncias; e o significado é que ele era pequeno na sua própria opinião, e na opinião dos homens, e era desprezado; e isto, por causa da religião, na qual ele era um tipo de Cristo (Sl 22.6, e Is 53.3). Esta também é a sorte comum dos homens bons, que são tratados pelo mundo como sendo o lixo que há nele, e a escória de todas as coisas. – *John Gill*

v. 141: "Pequeno sou". Aqueles que amam a Deus podem ser reduzidos a uma condição inferior e afligida; o Senhor julga isto adequado, por muitas razões: 1. Para que possamos saber que a sua felicidade não está neste mundo, e ansiemos ainda mais pelo céu, e nos alegrem nas coisas celestiais; 2. É necessário extirpar as provisões da carne e o combustível dos seus desejos. Um solo fértil gera ervas, e quando navegamos a pleno vapor podemos ser levados com ele; 3. Para que possamos ser mais sensíveis ao seu desprazer pelos nossos pecados e pelo comportamento escandaloso com que o desonramos e com que provocamos os olhos puros da sua glória; 4. Para que possamos aprender a viver das promessas e a exercer as graças que estão ligadas ao sofrimento; especialmente, a dependência de Deus, que pode nos sustentar sem um interesse temporal visível; 5. Para que Deus possa convencer os inimigos de que há um povo que o serve sinceramente, e não por objetivos carnais e egoístas (Jó 1.6). Para que a sua glória possa ser ainda mais vista na nossa libertação; e, portanto, antes que Deus se manifeste aos seus filhos, Ele os humilha. – *Thomas Manton*

v. 141: "Pequeno". Isto se aplica a Davi no início, nos seus dias de perturbação e perseguição. É difícil encontrar qualquer outro indivíduo a quem isto seja tão apropriado. – *James G. Murphy*

v. 141: Um notável exemplo para a vergonha daqueles que desejam servir e louvar a Deus na sua prosperidade, e quando os bens lhes são aumentados; mas quando chega a aflição ou a necessidade, perdem o ânimo de fazê-lo. – *Abraham Wright*

v. 141: "Mas não me esqueço dos teus mandamentos". Deus observa o que fazemos, na nossa aflição: "Se nós esquecermos o nome do nosso Deus e estendermos as nossas mãos para um deus estranho, porventura, não conhecerá Deus isso? Pois ele sabe os segredos do coração" (Sl 44.20,21). Se formos negligentes no nosso serviço a Deus, ou se cairmos em algum grau de apostasia, o Juiz dos corações sabe disto; Deus sabe se temos depravação e corrupção em nossa doutrina, adoração ou ordenanças; ou se nos voltamos fielmente a Ele, à sua palavra, à sua adoração e às suas ordenanças, seja qual for o custo desta atitude.

Na nossa pobre e desprezível condição, vemos mais motivos para amar a palavra do que antes; porque nós sentimos o sustento e a consolação que temos dela; "sabendo que a tribulação produz a paciência", etc. (Rm 5.3); "Porque, como as aflições de Cristo são abundantes em nós, assim também a nossa consolação sobeja por meio de Cristo" (2 Co 1.5). Deus tem consolações especiais para o seu povo aflito e desprezado, e faz com que a consolação que recebem *por* meio de Cristo, acompanhe os seus sofrimentos *por* Cristo. – *Thomas Manton*

v. 141: "Mas não me esqueço dos teus mandamentos". Nós vemos, por experiência, que os nossos sentimentos e afetos já não estarão mais depositados sobre as coisas, a partir do momento em que elas deixarem a nossa lembrança. Nós deixamos de amar quando deixamos de nos lembrar; mas o amor fervoroso e sincero sempre renova a lembrança daquilo que é amado. O primeiro passo da deserção é se esquecer do que Deus ordenou, e do que o dever de fazer para Ele; e depois disto, facilmente vem a ofensa a Deus pelas nossas transgressões. Os animais que não ruminavam, segundo a lei eram considerados imundos, e não eram apropriados para o sacrifício a Deus; esta era apenas uma imagem, significando que um homem que recebeu boas coisas de Deus e não pensa sobre elas, não pode sentir a sua doçura e, portanto, não pode ser grato a Deus. – *William Cowper*

v. 142: "A tua justiça é uma justiça eterna". Aqui, a lei de Deus é honrada pelo elogio adicional de que é justiça eterna e verdade, como se tivesse sido dito que todas as outras regras da vida, com quaisquer atrações que possam parecer ser recomendadas, são apenas uma sombra, que rapidamente desaparece. O salmista, sem dúvida, compara indiretamente a doutrina da lei com todos os preceitos humanos que lhe foram transmitidos, a fim de levar todos os fiéis a se sujeitarem a ela, uma vez que ela é a escola da perfeita sabedoria. Pode haver mais plausibilidade nas investigações refinadas e sutis dos homens, mas não há nada nelas que seja firme ou sólido, na sua base, como há na lei de Deus. Esta firmeza da lei divina, ele prova no versículo seguinte, com um exemplo – o contínuo consolo que encontrou nela, quando se sentiu perturbado e angustiado pelas tentações. E o verdadeiro teste do benefício que obtemos dela é este: quando nos opomos a todas as aflições, de qualquer tipo, que possam nos angustiar, recebemos a consolação que só se pode obter na Palavra de Deus. Ela, e só ela, é capaz de eliminar toda a tristeza de nossas mentes. Aqui Davi expressa algo a mais do que no versículo anterior; pois ali, ele apenas disse que servia a Deus reverentemente, embora, pelo seu tratamento severo, parecesse perder o seu esforço; mas agora, quando angustiado e atormentado, ele afirma que encontra, na lei de Deus, o mais reconfortante prazer, que alivia todas as angústias, e não somente suaviza as suas amarguras, mas também lhe proporciona uma certa doçura. Certamente que, se este gosto não existisse para nos propiciar prazer, não haveria nada mais natural do que sermos engolidos pela tristeza. – *João Calvino*

v. 142: "A tua justiça é uma justiça eterna". Ela não é somente justa, no momento da sua distribuição, mas justa em todas as épocas e tempos; e deveríamos desprezar esta regra que permanecerá para sempre? No mundo há sempre novos senhores, e novas leis; os homens variam e mudam os seus desígnios e propósitos; os privilégios concedidos hoje podem ser repelidos amanhã; mas esta palavra se mantém verdadeira para sempre. A nossa justificação por Cristo é irrevogável; esta parte da justiça é eterna. Certifique-se de ser justificado agora, nos termos do Evangelho, e será justificado para sempre; o seu perdão é um perdão eterno, e a sua paz é uma paz eterna: "nunca mais me lembrarei dos seus pecados" (Jr 31.34). Assim a outra justiça, a de santificação, é para sempre; faça-se aceito por Deus agora, e você será aceito no dia do juízo. – *Thomas Manton.*

v. 142: "A tua justiça é uma justiça eterna", etc. O texto original é muito bem expresso: "A tua justiça é justa eternamente, e a tua lei é verdade". Isto diz a Septuaginta. A tradução para o inglês expressa a *perpetuidade* da justiça, o original expressa também o *caráter* dela... A justiça de Deus é essencialmente e eternamente justiça. As expressões são absolutas; existe somente esta justiça, e somente esta verdade. – *John Stephen*

v. 142: "A tua lei é a verdade". 1. É a *principal* verdade. Existe alguma verdade nas leis dos homens e nos textos dos homens, até mesmo dos pagãos; mas eles são apenas fragmentos e retalhos de verdade, que não são capazes de vencer ou mesmo resistir ao pecado. 2. É a *única* verdade; isto é, a única revelação da mente de Deus em que você pode edificar. É a regra da verdade. 3. É a *pura* verdade. Nela não há nada, exceto a verdade, sem qualquer mistura de falsidade; cada parte é verdadeira, como a própria verdade. É verdadeira nas promessas, ameaças, doutrinas, histórias, preceitos e proibições. 4. É *toda* a verdade. Ela contém todas as coisas necessárias para a salvação daqueles que se entregam para serem instruídos por ela. – *Thomas Manton*

v. 143: "Aperto e angústia se apoderam de mim; não obstante, os teus mandamentos são o meu prazer". É estranho, que, em meio à angústia Davi tivesse *prazer*: mas, na verdade, a doçura de Deus é mais bem percebida sob a amargura da cruz. A alegria de Cristo e a alegria do mundo não podem estar em harmonia. Um coração que sente alegria mundana não consegue sentir as consolações do Espírito; uma irá destruir a outra; mas na angústia santa, as consolações da palavra de Deus são sentidas e percebidas, de uma maneira mais sensível. Muitas vezes, Davi declarou este seu prazer na palavra de Deus, e é verdadeiramente um grande argumento de santidade, quando os homens passam não somente a reverenciá-la, mas a amá-la e a alegrar-se com ela. Que pensem nisto aqueles homens infelizes que a ouvem por costume, considerando-a apenas cansativa. – *Abraham Wright*

v. 143: "Aperto e angústia se apoderam de mim", ou "me encontraram", etc. Não precisamos nos esforçar, como muitos, "para encontrar aperto e angústia", pois um dia eles "nos encontrarão". Neste dia, as revelações de Deus estarão, para nós, no lugar de todos os "prazeres" terrenos, que então nos terão abandonado; e como seria infeliz e desolado o nosso estado, se não tivéssemos outros prazeres para sucedê-los, e nos acompanhar à eternidade! Que o nosso estudo, então, esteja nas Escrituras, se esperamos a nossa consolação nelas no futuro. – *George Horne*

v. 143: "Aperto e angústia se apoderam de mim". Você pode imaginar aqui uma figura ousada, como se Aperto e Angústia fossem enviados contra os desamparados filhos dos homens. Como inimigos, andavam à volta. Em vez de agarrar os ímpios, tinham encontrado o homem justo. Assim era, pela ordem de Deus. Eu suponho que muitos de nós já observaram que o crente nunca fica muito tempo em tranquilidade. Ele está no mundo; ele está na carne; existe o pecado interior; existem inimigos ao redor; existe o grande inimigo; além de tudo isto, às vezes, o Senhor, com propósitos sábios, esconde de nós o seu rosto. Então o crente está em aperto e angústia. – *John Stephen.*

v. 143: "[Eles] se apoderaram de mim". Em hebraico, *me encontraram.* Como cães que perseguem um animal selvagem que se esconde ou está fugindo. – *A. R. Fausset.*

v. 143: "Os teus mandamentos são o meu prazer". O prazer em coisas morais (diz Aquino) é a regra pela qual podemos julgar a bondade ou a maldade dos homens. *Delectatio est quies voluntatis in bono. Os homens são bons e maus, assim como o são os objetos do seu prazer*: são bons os que se alegram nas boas coisas, e são maus os que se alegram nas coisas más. – *Thomas Manton*

v. 144: "A justiça dos teus testemunhos é eterna". *A* tua *lei moral* não foi feita para um povo, ou para uma época em particular; ela é tão incorruptível quanto a tua natureza, e a sua obrigatoriedade é eterna. É em conformidade com esta lei que todos os filhos de Adão serão julgados. *"Dá-me inteligência"*, para conhecê-la e praticá-la. *"E viverei".* E te glorificarei e viverei eternamente; não pelo *mérito* de ter feito isto, mas porque tu cumpriste a obra da lei no meu coração, tendo me salvado da condenação que seria infligida por ela. – *Adam Clarke*

v. 144: "Dá-me inteligência, e viverei". Eu a leio em conexão com a sentença anterior; embora Davi deseje ter a sua mente esclarecida por Deus, Ele não imagina nenhuma outra forma pela qual possa obter um entendimento esclarecido do que beneficiar-se do estudo da lei. Além disto, aqui ele ensina que não se pode dizer que os homens, a rigor, vivam, quando são destituídos da luz da sabedoria celestial; e como o fim para o qual os homens foram criados não é que, como os porcos ou jumentos, possam inchar seus ventres, mas que possam se exercitar no conhecimento e no serviço a Deus, quando eles se afastam desta atividade a sua vida fica pior do que mil mortes. Davi, portanto, declara que, para ele, viver não era meramente ser alimentado com comida e bebida, e desfrutar de consolações terrenas, mas aspirar uma vida melhor, o que ele não conseguiria fazer, exceto sob a orientação da fé. Este é um aviso muito necessário; pois, embora seja reconhecido universalmente que o homem nasce com esta distinção – que ele supera os animais inferiores, em inteligência – ainda assim o grande volume da humanidade, como se com um propósito deliberado, reprime qualquer luz que Deus derrama em seu entendimento. Na verdade, eu admito que todos os homens desejem ser inteligentes e perspicazes; mas poucos aspiram pelo céu e consideram que o temor a Deus seja o princípio da sabedoria. Uma vez que, então, a meditação sobre a vida celestial está sepultada pelas preocupações terrenas, os homens não fazem nada mais que mergulhar na sepultura, de modo que, enquanto vivem no mundo, morrem para Deus. Com a palavra "vida", no entanto, o profeta indica o máximo que poderia desejar. É como se ele tivesse dito: Senhor, embora eu já esteja morto, se tu tiveres prazer em iluminar a minha mente com o conhecimento da verdade celestial, esta graça será suficiente para que eu reviva. – *João Calvino*

v. 144: "Dá-me inteligência, e viverei". O conhecimento salvador dos testemunhos de Deus é a única maneira de viver. Existe uma vida tripla. 1. A vida natural. 2. A vida espiritual, e, 3. A vida eterna. Em todas estas considerações o objetivo pode ser cumprido.

Em primeiro lugar, a vida é interpretada como *vida da natureza*, ou a vida do corpo, ou a vida temporal, chamada de "esta vida" nas Escrituras (1 Co 15.19; 1

Tm 14.8). A vida é melhor preservada em um caminho de obediência do que pelo pecado, que provoca Deus a nos expulsar e nos expor a perigos. O mundo não tem o poder de nos fazer viver ou morrer um dia antes ou depois do que Deus desejar. Se Deus nos fizer felizes, eles não podem nos fazer infelizes: portanto, *"Dá-me inteligência, e viverei"*; isto é, levarei uma vida confortável e feliz, por enquanto. Evite o pecado, e você evitará o perigo. A obediência é a melhor maneira de preservar a vida temporal: por mais que pareça ser um grande paradoxo, é uma verdade das Escrituras: "Guarda os meus mandamentos e vive" (Pv 4.4); e "Pega-te à correção e não a largues; guarda-a, porque ela é a tua vida" (v. 13); e "na sua esquerda, riquezas e honra e aumento de dias há na sua mão direita" (Pv 3.16); e "é árvore da vida" (v. 18). O conhecimento e a prática da palavra é a única maneira de viver confortavelmente e felizmente aqui, assim como em todo o período futuro.

Em segundo lugar, a *vida espiritual* que é dupla, a vida de justificação e a vida de santificação.

1. A vida de justificação: "por um só ato de justiça veio a graça sobre todos os homens para justificação de vida" (Rm 5.18). Não apenas aquele em quem o carrasco exerceu o seu trabalho está morto, mas também aquele sobre quem o juiz proferiu sentença e a lei o pronunciou morto. Neste sentido, estávamos todos mortos, e a justificação é chamada justificação para vida; não há vida, neste sentido, sem conhecimento: "o meu servo, o justo, justificará a muitos" (Is 53.11). Nós vivemos pela fé, e a fé vem pelo ouvir, e a audição não faz nenhum bem, até que o Senhor nos dê entendimento, assim como o alimento não nutre a menos que seja recebido e digerido.

2. A vida de santificação: "E vos vivificou, estando vós mortos em ofensas e pecados" (Ef 2.1). E os homens não vivem de maneira apropriada até que vivam a vida da graça: eles vivem uma vida falsa, e não uma vida feliz, abençoada, certa e verdadeira. Agora, esta vida começa e continua pelo conhecimento que salva: "e vos vestistes do novo [homem], que se renova para o conhecimento" (Cl 3.10). Novamente, os homens são descritos como "separados da vida de Deus, pela ignorância que há neles" (Ef 4.18). Os que são ignorantes estão mortos no pecado: a vida espiritual vem pelo conhecimento. Daí começa a mudança do homem interior, e por isto, vivemos. *"Dá-me inteligência", ut vere in te vivam,* que a vida verdadeira começada em mim possa continuar e crescer todos os dias, mas jamais ser extinta pelo pecado.

Em terceiro lugar, *vida eterna*, ou o nosso estado abençoado no céu. Está escrito sobre os santos que morreram: "Para ele [Deus] vivem todos" (Lc 20.38). E isto é chamado de água da vida, árvore da vida, coroa da vida; é esta vida, apropriadamente. O que é a vida atual, em comparação com a vida eterna? A vida atual é *mors vitalis,* uma morte que vive; ou *mortalis vita,* uma vida que morre, sim, um tipo de morte; ela está sempre *in fluxu*, como em uma correnteza: ela se afasta de nós tão rapidamente quanto vem a nós, "foge também como a sombra e não permanece" (Jó 14.2). Nós morremos tão rapidamente quanto vivemos: a diferença está no ponto em que uma fase começa e a outra termina. Não é uma coisa única nem permanente, é como a sombra de uma estrela em uma correnteza que flui. A sua satisfação é humilde e inferior, e em algumas traduções da Bíblia Sagrada é chamada de "vida da tua mão" (Is 57.10). É um remendo de várias criaturas, que de bom grado saqueariam os depósitos da natureza para consertarem um tecido arruinado. E compare com a vida da graça aqui – ela não nos isenta do pecado, nem das infelicidades. As nossas capacidades são limitadas. Nós estamos cheios de temores, e dúvidas, e perigos, mas na vida de glória não pecaremos nem nos angustiaremos, nunca mais. O significado aqui é: *"A justiça dos teus testemunhos é eterna; dá-me inteligência, e viverei"*. Isto se refere, principalmente, à vida de glória. Este é o fruto do conhecimento que salva, quando conhecemos suficientemente a Deus e a Cristo, a ponto de irmos a Deus através de Cristo. – *Thomas Manton*

v. 144: "Viverei". Serei protegido daqueles pecados que merecem e trazem a morte. – *Matthew Pool*

EXPOSIÇÃO DOS VERSÍCULOS 145 A 152

145 *Clamei de todo o meu coração; escuta-me, Senhor, e guardarei os teus estatutos.*
146 *A ti te invoquei; salva-me, e guardarei os teus testemunhos.*
147 *Antecipei-me à alva da manhã e clamei; esperei na tua palavra.*
148 *Os meus olhos anteciparam-me às vigílias da noite, para meditar na tua palavra.*
149 *Ouve a minha voz, segundo a tua benignidade; vivifica-me, ó Senhor, segundo o teu juízo.*
150 *Aproximam-se os que seguem aos malvados; afastam-se da tua lei.*
151 *Tu estás perto, ó Senhor, e todos os teus mandamentos são a verdade.*
152 *Acerca dos teus testemunhos eu soube, desde a antiguidade, que tu os fundaste para sempre.*

Esta seção é dedicada às lembranças de oração. O salmista descreve o momento e a forma das suas devoções, e pede a Deus libertação de suas dificuldades. Aquele que esteve com Deus no aposento de suas orações, o encontrará na fornalha. Se nós pedirmos, seremos atendidos. As respostas atrasadas podem nos levar a ser importunos; mas não precisamos temer o resultado final, uma vez que as promessas de Deus não são incertas, mas "permanecem para sempre". A passagem nos mostra: como ele orou (v. 145). O que ele pediu na oração (v. 146). Quando ele orou (147). Por quanto tempo ele orou (148). O que ele suplicou (149). O que aconteceu (150). Como ele foi salvo (151). Qual foi o seu testemunho, quanto a toda a questão (152).

145. *"Clamei de todo o meu coração."* A sua oração foi uma expressão sincera, queixosa, dolorosa e natural, como a de uma criatura em sofrimento. Não podemos saber se, em todas as ocasiões, ele usou a sua voz, quando clamou assim, mas somos informados de algo que tem muito maior consequência – ele clamou com o seu coração. Os clamores do coração são a essência da oração. O salmista menciona a unidade do seu coração neste santo compromisso. Toda a sua alma suplicava a Deus, todos os seus sentimentos, todos os seus desejos, seguiam em direção ao Deus vivo. É bom quando um homem pode dizer isto em relação às suas orações, mas deve-se temer que muitos nunca clamem a Deus com todo o seu coração, durante a sua vida inteira. Pode ser que não haja uma bela elocução em nossas orações, nem uma expressão extensa, nem uma doutrina profunda, nem uma dicção exata, mas, se todo o coração estiver nelas, elas encontrarão o seu caminho para o coração de Deus.

"Escuta-me, Senhor." Ele pede ao Senhor que os seus clamores não morram no ar, mas que Deus possa atentar para eles. Os verdadeiros suplicantes não ficam satisfeitos com o exercício por si só, eles têm um objetivo e um objeto na oração, e é o que procuram. Se Deus não ouvir a oração, nós oramos em vão. O termo "escuta-me" é frequentemente usado nas Escrituras, para expressar atenção e consideração. De certa maneira, Deus ouve cada som que é produzido sobre a terra, e todo desejo de cada coração, mas Davi queria dizer muito mais do que isto; ele desejava uma audição bondosa e solidária, como a que um médico dá ao seu paciente, quando ouve a sua história digna de pena. Ele pedia que o Senhor se aproximasse, e ouvisse, com ouvidos amistosos, a voz da sua queixa, para apiedar-se dele, e ajudá-lo. Observe que a sua oração sincera se dirige apenas ao Senhor; ele não tem uma segunda esperança ou ajuda. "Escuta-me, Senhor", é todo o escopo da sua petição e expectativa.

"Guardarei os teus estatutos." Ele não podia esperar que o Senhor o ouvisse, se primeiramente ele próprio não ouvisse o Senhor, nem seria verdade que ele orava com todo o seu coração a menos que fosse manifesto que ele se empenhava, com todas as suas forças, para ser obediente à vontade divina. O seu objetivo, ao buscar libertação, era para que ele pudesse ser livre, para satisfazer a sua religião e realizar cada ordenança do Senhor. Ele desejava ser um homem livre, para que tivesse liberdade de servir ao Senhor. Observe que uma santa resolução combina com uma súplica inoportuna: Davi está determinado a ser santo, todo o seu coração acompanha esta resolução, bem como as suas orações. Ele irá guardar os estatutos de Deus na sua lembrança, nos seus sentimentos e nos seus atos. Ele não irá negligenciar nem infringir voluntariamente nenhuma das leis divinas.

146. *"A ti te invoquei."* Novamente, ele menciona que a sua oração se destinava exclusivamente a Deus. Esta sentença indica que ele orava veementemente, e com muita frequência; e a sua invocação a Deus tinha se tornado um dos maiores fatos da sua vida.

"Salva-me." Esta foi a sua oração; muito curta, mas muito abrangente. Ele precisava de salvação, ninguém exceto o Senhor poderia salvá-lo, e a Ele o salmista clamou: "Salva-me" dos perigos que me rodeiam, dos inimigos que me perseguem, das tentações que me importunam, dos pecados que me acusam. Ele não multiplicou palavras, e os homens nunca o fazem, quando estão em total fervor. Ele não multiplicou pedidos, e os homens raramente o fazem quando se concentram na única coisa necessária; "salva-me" foi a sua única oração.

"E guardarei os teus testemunhos." Este era o seu grande desígnio, ao desejar a salvação – que ele pudesse ser capaz de continuar em uma vida irrepreensível de obediência a Deus, que pudesse ser capaz de crer no testemunho de Deus, e também se tornar uma testemunha para Deus. É excelente quando os homens buscam a salvação com um propósito tão elevado. Ele não pedia para ser salvo, para que pudesse pecar impunemente, o seu clamor era para ser libertado do próprio pecado. Ele tinha jurado guardar os estatutos, ou leis; aqui ele decide guardar os testemunhos ou doutrinas, e assim ser tão perfeito de cabeça como puro de mãos. A salvação traz consigo todas estas coisas boas. Davi não imaginava uma salvação que lhe permitisse viver no pecado, nem permanecer no erro: ele sabia muito bem que não há como um homem ser salvo enquanto ele permanecer na desobediência e na ignorância.

147. *"Antecipei-me à alva da manhã e clamei."* Ele se levantava antes do nascer do sol, e começava as suas súplicas antes que o orvalho começasse a deixar a grama. Qualquer coisa que valha a pena se fazer, vale a pena ser feita rapidamente. Esta é a terceira vez que ele menciona que clamou. Ele clamou, e clamou, e clamou outra vez. As suas súplicas tinham se tornado tão frequentes, tão fervorosas e tão intensas que dificilmente poderíamos dizer que ele fizesse qualquer outra coisa, da manhã à noite, senão clamar ao seu Deus. Tão forte era o seu desejo de salvação que ele não podia descansar na sua cama; tão ansiosamente ele a buscava, que no primeiro momento possível ele já se colocava de joelhos.

"Esperei na tua palavra." A esperança é um meio muito poderoso para nos fortalecer na oração. Quem oraria se não tivesse a esperança de que Deus o ouviria? Quem não oraria, quando tem uma boa esperança de um resultado feliz para as suas súplicas? A sua esperança estava firme na palavra de Deus, e esta é uma ancoragem garantida, porque Deus é fiel, e, em nenhum caso, jamais voltou atrás na sua promessa, nem alterou aquilo que saiu da sua boca. Aquele que é diligente na oração jamais será privado de esperança. Observe que, assim como o pássaro madrugador consegue a minhoca, também a oração na madrugada logo é revigorada com a esperança.

148. *"Os meus olhos anteciparam-me às vigílias da noite."* Ou melhor, *as vigílias.* Antes que o vigia gritasse a hora, ele clamava a Deus. Ele não precisava ser informado sobre como as horas voavam, pois a cada hora, o seu coração voava em direção ao céu. Ele começava o dia com oração, e continuava em oração durante das vigílias do dia, e as da noite. Os soldados faziam a troca da guarda, mas Davi não mudava a sua santa ocupação. Particularmente, no entanto, à noite ele conservava seus olhos abertos, e afastava o sono, para que pudesse conservar a comunhão com o seu Deus. Ele continuava adorando, de vigília em vigília, como os viajantes viajam, de estação em estação.

"Para meditar na tua palavra." A Palavra de Deus tinha se tornado comida e bebida para ele. A meditação era o alimento da sua esperança, e o alívio da sua tristeza: o único tema que percorria seus pensamentos era a abençoada "palavra" que ele menciona continuamente, e em que seu coração se regozija. Ele preferia estudar a dormir, e aprendeu a se privar do seu sono necessário em benefício da devoção, que é muito mais necessária. É instrutivo encontrar a meditação tão constantemente conectada com a oração fervorosa: ela é o combustível que alimenta a chama. Como este artigo é raro nos dias de hoje!

149. *"Ouve a minha voz, segundo a tua benignidade."* Os homens consideram muito útil usar as suas vozes em oração; é difícil manter por muito tempo a intensidade na devoção, a menos que nos ouçamos falar; consequentemente, Davi, por fim, rompeu o seu silêncio, emergiu de suas tranquilas meditações, e começou a clamar com sua voz, além do seu coração, ao Senhor, seu Deus. Observe que o fato de que ele não alega o seu merecimento, nem por um momento significa o pagamento de uma dívida por razão de mérito; ele toma o caminho expresso da graça e o expressa, "segundo a tua benignidade". Quando Deus ouve as orações, segundo a sua benignidade, Ele ignora todas as imperfeições da oração, e se esquece da iniquidade de quem a oferece, e com amor piedoso, concede o desejo, ainda que o suplicante não seja merecedor dele. Segundo a benignidade de Deus está a resposta rápida, a resposta frequente, a resposta abundante, excessivamente abundante, acima de tudo o que pedimos ou até mesmo pensamos. Benignidade é uma das mais doces palavras da nossa língua. A bondade tem em si muita coisa preciosa, mas a benignidade é duplamente preciosa; é a melhor bondade.

"Vivifica-me, ó Senhor, segundo o teu juízo." Esta é outra das sábias e ardentes orações de Davi. Primeiramente, ele clamou, "Salva-me", e depois, "Escuta-me", e agora, "Vivifica-me". Esta é, frequentemente, a melhor maneira de nos libertar de problemas – nos dar mais vida, para que possamos escapar da morte; e acrescentar mais força àquela vida, para que não sejamos sobrecarregados com suas cargas. Observe que ele pede para receber a vivificação segundo o juízo de Deus, isto é, de tal maneira que seja consistente com a sabedoria e prudência infinitas. Os métodos de Deus, de comunicar maior vigor à nossa vida espiritual, são extremamente sábios; provavelmente seria inútil que tentássemos compreendê-los; e será sábio e prudente que desejemos receber a graça, não segundo a nossa a noção de como ela deveria vir até nós, mas segundo o método celestial de Deus de concedê-la. É sua prerrogativa vivificar, bem como matar, e este ato soberano será melhor se deixado ao seu juízo infalível. Ele já não nos deu uma vida cada vez mais abundante? "que Ele tornou abundante para conosco em toda a sabedoria e prudência".

150. *"Aproximam-se os que seguem aos malvados."* Ele podia ouvir seus passos logo atrás de si. Eles não o seguiam para seu benefício, mas para prejudicá-lo, e por isto o som da sua aproximação deveria ser temido. Eles não perseguem um bom objeto, mas um bom homem. Como se não tivessem suficiente maldade em seus corações, ainda procuram mais. Ele os vê em uma busca, ignorando quaisquer obstáculos, para prejudicá-lo, e ele os mostra para Deus, e pede que o Senhor fixe seus olhos

neles, e lide com eles, para sua confusão. Eles já estavam praticamente sobre ele, e ele estava quase sob o seu domínio, e por isto, clama ainda mais fervorosamente.

"Afastam-se da tua lei." Uma vida perversa não pode ser uma vida obediente. Antes que estes homens pudessem se tornar perseguidores de Davi, eles eram obrigados a se afastar das restrições da lei de Deus. Eles não podiam odiar um santo e ainda amar a lei. Aqueles que guardam a lei de Deus não fazem mal a si mesmos, nem a outros. O pecado é o maior mal do mundo. Davi menciona isto ao Senhor em oração, sentindo algum tipo de consolação no fato de que aqueles que o odiavam também odiavam a Deus, e julgavam necessário se afastar de Deus para que pudessem estar livres para agir com crueldade contra o salmista. Quando sabemos que nossos inimigos são inimigos de Deus, e são nossos inimigos porque são inimigos dele, nós podemos nos consolar.

151. *"Tu estás perto, ó Senhor."* Ainda que o inimigo estivesse perto, Deus estava mais perto: esta é uma das melhores consolações do filho perseguido de Deus. O Senhor está perto, para ouvir nossos clamores, e para nos fornecer socorro rapidamente. Ele está perto para perseguir nossos inimigos, e nos dar descanso e paz.

"E todos os teus mandamentos são a verdade." Deus não ordena mentiras, nem mente em seus mandamentos. A virtude é a verdade em ação, e isto é o que Deus ordena. O pecado é falsidade em ação, e isto é o que Deus proíbe. Se todos os mandamentos de Deus são verdade, então o homem fiel ficará satisfeito em conservar-se próximo a eles, e nisto encontrará o Deus fiel perto de si. Esta sentença será a proteção do homem perseguido contra os corações falsos que procuram fazer-lhe mal: Deus está próximo e Deus é verdadeiro, e por isto o seu povo é salvo. Se, em qualquer ocasião, nós cairmos em perigo, por observar os mandamentos de Deus, não precisamos supor que agimos de maneira imprudente: nós podemos, ao contrário, ter certeza absoluta de que estamos no caminho certo; pois os preceitos de Deus são retos e verdadeiros. É por este motivo que os ímpios nos atacam – eles odeiam a verdade, e, portanto, odeiam aqueles que cumprem a verdade. A sua oposição pode ser a nossa consolação; ao passo que a presença de Deus ao nosso lado é nossa glória e alegria.

152. *"Acerca dos teus testemunhos eu soube, desde a antiguidade, que tu os fundaste para sempre."* Davi soube desde a antiguidade que Deus os tinha fundado, desde a antiguidade, e que eles permaneceriam firmes ao longo de todos os séculos. É algo abençoado, ser ensinado tão cedo sobre Deus, de modo que conhecemos doutrinas substanciais desde a nossa mocidade. Aqueles que pensam que Davi era um jovem quando escreveu este salmo julgarão difícil conciliar este versículo com a teoria; é muito mais provável que ele agora já fosse grisalho, e estivesse recordando o que sabia há muito tempo. Ele soube, desde o início, que as doutrinas da palavra de Deus foram definidas antes do início do mundo, que jamais tinham sido alteradas, e jamais poderiam, sob qualquer hipótese, ser alteradas. Ele tinha começado edificando sobre uma rocha, vendo que os testemunhos de Deus eram "fundados", isto é, lançados como fundações, definidos e estabelecidos; e isto visando todas as gerações futuras, durante todas as mudanças que aconteceriam. Era porque Davi sabia disto que tinha tal confiança na oração e era tão inoportuno nela. É doce suplicar as promessas imutáveis a um Deus imutável. Por causa disto, Davi aprendeu a ter esperança: um homem não pode ter grandes expectativas em um amigo que muda, mas pode ter confiança em um Deus que não pode mudar. Por isto ele se alegrava em estar perto do Senhor, pois é muito abençoado conservar um relacionamento próximo com um Amigo que nunca muda. Há aqueles que preferem acompanhar a escola moderna e esperar que uma nova luz irrompa, tirando de vista a antiga luz; nós estamos satisfeitos com a verdade que é tão antiga como os outeiros e tão firme como os montes altos. Que os "intelectos cultivados" inventem outro deus, gentil e efeminado quando comparado ao Deus de Abraão – porém nós

estamos bastante satisfeitos por adorarmos ao Senhor, que é o mesmo eternamente. As coisas estabelecidas desde a antiguidade são a alegria dos santos estabelecidos. Os meninos gostam de bolhas, mas os homens apreciam aquelas coisas que são sólidas e substanciais, com uma fundação que suporte o passar dos séculos.

NOTAS SOBRE OS VERSÍCULOS 145 A 152

v. 145: "Clamei de todo o meu coração". Assim como um homem clama mais alto quando clama com a sua boca aberta, também um homem ora mais eficazmente quando ora com todo o seu coração. Estas palavras não declaram apenas o fervor do seu sentimento, mas indicam também que ele buscava em Deus uma grande coisa. E você, quando orar, ore pedindo coisas excelentes; coisas eternas, e não coisas perecíveis; não ore pedindo prata, ela é apenas ferrugem; nem pedindo ouro, pois é apenas metal; nem possessões, são apenas terra. Estas orações não ascendem até Deus. Ele é um Deus excelente, e se considera desonrado quando coisas excelentes não são buscadas nele com grande sentimento. – *William Cowper.*

v. 145: "Clamei de todo o meu coração". Em todas as suas atividades de oração, Deus examina, antes de mais nada, os *corações*: "Dá-me, filho meu, o teu coração" (Pv 23.26). Não é um pedaço, nem um canto, do coração que irá satisfazer aquele que criou o coração; o coração é um tesouro, um canteiro de bálsamo, um trono real em que Ele se alegra. Deus não olha a elegância das nossas orações, para ver se são bem organizadas; nem para a geometria das nossas orações, para ver se são longas; nem a aritmética das nossas orações, para ver quantas são; nem para a música das nossas orações, nem para a doçura da nossa voz, nem para a lógica das nossas orações; mas a sinceridade das nossas orações, quão sinceras elas são. Não há oração reconhecida, aprovada, aceita, registrada ou recompensada por Deus, senão aquela que é feita por alguém cujo coração é sincero e íntegro. A verdadeira mãe não desejará ver seu filho dividido ao meio. Deus ama um coração quebrantado e contrito, e detesta um coração dividido (Sl 51.17; Tg 1.8). Deus não ama a hesitação nem a divisão, Ele deseja ser servido fielmente e integralmente. A lei real é, "Amarás, pois, o Senhor, teu Deus, de todo o teu coração, e de toda a tua alma".

Entre os pagãos, quando os animais eram cortados para o sacrifício, a primeira coisa que o sacerdote examinava era o coração, e se o coração não estivesse ali, o sacrifício era rejeitado. Na verdade, Deus rejeita todos os sacrifícios em que o coração não está presente. A oração sem coração é apenas um amontoado de palavras sem sentido, como o soar de um címbalo. A oração somente é agradável e poderosa quando o coração está nela, e de nenhuma outra maneira. Não é o erguer da voz, nem o retorcer das mãos, nem o bater no peito, nem o tom afetado, nem os movimentos estudados, nem as expressões seráficas, mas as agitações do coração, que Deus examina na oração. Deus não ouve nada além do que o coração fala. Se o coração estiver mudo, certamente Deus estará surdo. Nenhuma oração é aceita por Deus, exceto aquela que é feita com todo o esforço do coração. – *Thomas Brooks*

v. 146: "A ti te invoquei". A alma aflita se expressa com fortes clamores e lágrimas. Há muito tempo os servos de Deus clamavam ao Senhor, e Ele os ouvia nas suas aflições. Como, por exemplo, Israel no Mar Vermelho. Os reformistas assim se expressavam, em fervorosa oração, e encontraram alívio. Lutero, na Dieta de Worms, quando detido por mais um dia, passou a longa noite proferindo em voz alta uma oração, pedindo para comparecer pelo seu Senhor diante de uma augusta assembleia terrena. A nossa leitura dos tempos do concerto nos lembrará de muitos exemplos similares. Nós podemos pensar em John Welch, indo ao seu jardim, noite após noite, protegido pela noite, e pedindo ao Senhor que lhe desse a Escócia. A expressão da oração, no entanto, é múltipla, tanto quanto a estrutura do espírito. Sentimentos intensos gerarão fortes clamores na oração; mas a oração que é proferida, sob a percepção do nosso Deus piedoso será mansa, e frequentemente feita como em sussurros. Assim Alexander Peden estava acostumado a orar, como se estivesse conversando calmamente com um amigo... Mas quando o sentimento é intenso, quando a ira pesa sobre nós, quando o perigo está próximo, quando o Senhor é imaginado à distância ou quando há um desejo ansioso por uma concretização imediata – em todos estes casos haverá fortes clamores. Este parece ter sido o estado de espírito do salmista, quando derramou as expressivas orações neste trecho. – *John Stephen*

v. 146: Ainda que as súplicas sejam breves, o domínio da linguagem não poderia fazê-las mais abrangentes. *"Escuta-me"*. A alma é sincera, *todo o coração* está envolvido no "clamor". *"Salva-me"* – inclui toda a necessidade do pecador – perdão, aceitação, acesso, santidade, força, consolação, céu – tudo isto em uma única palavra – Cristo. A forma de acesso *não é mencionada* nestas curtas expressões. Mas *sempre está indicada* em cada abordagem ao trono da graça. *"Escuta-me"* em nome do meu Defensor que prevalece sobre tudo. *"Salva*-me" por intermédio daquele cujo nome é Jesus, o Salvador. – *Charles Bridges*

v. 146: "A ti te invoquei". Uma oração perfura as profundezas do céu. Nós não lemos uma palavra que Moisés tivesse dito, mas Deus se comoveu com o seu clamor (Êx 14.15). Isto não significa um ruído indisciplinado, mas gemidos comoventes do coração. Mas às vezes as necessidades e aflições dolorosas e agudas de um espírito exortam clamores vocais que não são desagradáveis aos ouvidos inclinados de Deus. "Com a minha voz clamei ao Senhor", diz Davi, "ele ouviu-me desde o seu santo monte" (Sl 3.4). E isto incentiva um novo princípio: "Atende à voz do meu clamor, Rei meu e Deus meu" (Sl 5.2). "Inclina os teus ouvidos ao meu clamor; não te cales perante as minhas lágrimas" (Sl 39.12). Em outra ocasião, ele faz com que a caverna faça eco aos seus clamores. "Clamei... clamei... Atende ao meu clamor, porque estou muito abatido". – *Samuel Lee* (1625-1691), *em "The Morning Exercises"*

v. 146: "A ti te invoquei; salva-me". Nas nossas aflições, devemos recorrer a Deus, e implorar a Ele, com oração e súplicas, a ajuda e a libertação, no devido tempo. Porque Ele pode nos livrar de toda e qualquer aflição. Nas misericórdias e aflições, não devemos recorrer aos homens, mas a Deus; ao lidar com Ele, em humildade, interrompemos a ira já na fonte: aquele que nos prende irá nos soltar; Ele está na fonte de todas as coisas, e quaisquer que sejam os instrumentos da nossa aflição, e por mais malévolos que sejam, é com Deus que devemos nos reconciliar; pois Ele tem a disposição absoluta de todas as criaturas, e desejará que nós reconheçamos o domínio da sua providência e a nossa dependência dele. Nos tratados de paz, entre dois grupos que guerreiam, não se trata com os soldados individualmente, mas com o capitão; "O Senhor o tomou", disse Jó; "Se ele aquietar, quem, então, inquietará?" (Jó 34.29). – *Thomas Manton*

v. 146: "Salva-me, e guardarei os teus testemunhos". Os servos de Deus consideram a própria vida, como desejável, por causa da oportunidade que ela oferece de servir a Deus: *"Salva-me para que possa guardar os teus testemunhos"* é a oração do crente nos dias de aflições e de conflitos. "Porque para mim o viver", diz ele, "é Cristo, e o morrer é ganho", Como é diferente o ímpio! O seu único desejo, no dia da aflição, se concentra no desejo de escapar à calamidade; ele não deseja ser libertado do pecado, não deseja estar em conformidade com Deus! – *John Morison*

v. 146: "Salva-me". Dos meus pecados, das minhas corrupções, das minhas tentações, de todos os obstáculos que estão no meu caminho, para que eu possa *"guardar os teus testemunhos"*. Nós devemos clamar, pedindo salvação, não para que possamos ter a tranquilidade e a consolação que ela pode nos proporcionar, mas para que possamos ter a oportunidade de servir a Deus mais alegremente. – *Matthew Henry v. 146:* Deus nos ouve e devemos ouvi-lo. – *Thomas Manton*

v. 147: "Antecipei-me à alva da manhã". A forma de expressão deve ser observada. Ele diz que se antecipou ao amanhecer, declarando, desta forma, que vivia, de certa forma, lutando contra o tempo, cuidadoso para que o tempo não o derrotasse. Ele sabia que o tempo passa, e com isto reduz os homens a pó e cinzas. Mas Davi se apressava para estar adiante do tempo, fazendo algum bem antes que o tempo se esvaísse. Como este cuidado que Davi tinha todos os dias deve ter envergonhado àqueles que não têm este cuidado durante uma vida inteira! Ele tinha receio de perder um dia; eles não se preocupam em perder meses e anos sem fazer nenhum bem: sim, tendo passado as três idades da sua vida em futilidade e libertinagem, dificilmente eles consagrarão a sua velhice decrépita ao Senhor. – *William Cowper*

v. 147: "Antecipei-me à alva da manhã", etc. Aqueles que se dedicam à oração usam grande vigilância e diligência ao oferecê-la. Eu me refiro àqueles que se dedicam à oração; outros, que a usam como uma formalidade complementar e costumeira, não serão afetados desta maneira; eles a praticam como algo incidental, ou como algo que bem poderia ser evitado, e não a consideram como um dever necessário; mas se o coração do homem estiver inclinado a orar, ele estará trabalhando logo cedo, e orará de manhã e à noite; ele se dedicará a manter comunhão com Deus, os seus desejos não o deixarão dormir, e ele se levanta cedo, para invocar a Deus. "Eu, porém, Senhor, clamo a ti, e de madrugada te envio a minha oração" (Sl 88.13). Assim os homens bons interromperão o seu sono, para se devotar à oração, e invocar o nome de Deus. – *Thomas Manton*

v. 147: "Antecipei-me à alva da manhã". Será muito doloroso se os raios do sol nascente lhe encontrarem preguiçoso e envergonhado na sua cama, e a luz brilhante atingir os olhos ainda pesados com preguiça sonolenta. Você não sabe, ó homem, que deve as primícias diárias do seu coração e da sua voz a Deus? Você tem uma colheita diária, uma renda diária. O Senhor Jesus permaneceu a noite toda em oração, não porque precisasse desta ajuda, mas para dar um exemplo para que você imitasse. Ele passou a noite toda em oração por você, para que você pudesse aprender como pedir por si mesmo. Restitua a Ele, portanto, aquilo que Ele pagou por você. – *Ambrósio*

v. 147: "Antecipei-me à alva da manhã". Davi era um bom marido, levantava-se cedo, e à noite dedicava bastante tempo a este dever: "À meia-noite, me levantarei para te louvar" (v. 62). Isto era certamente o que ele queria dizer quando disse que habitaria na casa do Senhor por longos dias: ele desejava estar sempre na casa de oração... eu desejo que, quando eu abrir meus olhos pela manhã, possa então, com uma oração que jorra da alma, abrir meu coração para o meu Deus, e que à noite a oração possa tornar a minha cama macia e também o meu travesseiro; que durante o dia a oração possa perfumar as minhas roupas, adoçar minha comida, lubrificar as rodas da minha vocação particular, fazer-me companhia em todas as ocasiões, e abrilhantar todos os meus atos naturais, civis e religiosos. Eu desejo que, depois de ter derramado minha oração em nome de Cristo, segundo a vontade de Deus, tendo plantado a minha semente, eu possa esperar uma colheita, esperando ansiosamente que ela brote, e crendo, com confiança, que colherei no momento adequado, se não esmorecer. – *George Swinnock*

v. 147: "Antecipei-me à alva da manhã". Os que oram pela manhã não se perturbam com as preocupações e agitações da vida, e se assemelham à doce melodia daquelas aves que cantam mais alto e mais docemente quando há poucos ouvidos abertos para ouvi-las. Ó, minha alma, não podes dizer *"antecipei-me à alva da manhã"* nas tuas abordagens a Deus? O desejo da comunhão com o céu te despertou do teu sono, de sacudiu da tua preguiça, e te pôs de joelhos? – *John Morison*

v. 147: "E clamei". Aqui há uma repetição da mesma oração, *"clamei"*; sim, novamente clamei, e uma terceira vez, "antecipei-me à alva da manhã e clamei". O nosso costume é bater a uma porta três vezes, e então partir. O nosso Senhor Jesus "foi orar pela terceira vez, dizendo as mesmas palavras" (Mt 26.44), "Meu Pai, se é possível, passa de mim este cálice". Também o apóstolo Paulo: "Acerca do qual três vezes orei ao Senhor, para que se desviasse de mim" (2 Co 12.8). Assim, "Então, se mediu sobre o menino três vezes, e clamou ao Senhor, e disse: Ó Senhor, meu Deus, rogo-te que torne a alma deste menino a entrar nele" (1 Rs 17.21). Aparentemente, este era o número com que esperavam uma resposta, nos casos mais graves, mas eu não me limitarei a este número; pois devemos reiterar nossas súplicas pela mesma coisa, tão frequentemente como a ocasião o exigir, até que seja concedida. – *Thomas Manton*

v. 147: Os poetas se alegravam em cantar a manhã como "Mãe dos orvalhos", "semeando a terra com a pérola do Oriente"; e muitos dos santos, erguendo-se de seus leitos ao primeiro sinal do amanhecer, descobriram que a poesia da natureza é a realidade da graça, quando sentiram os orvalhos do céu revigorando seus espíritos. Assim, os exercícios matinais sempre foram caros às almas esclarecidas e amantes do céu, e o seu costume é jamais ver o rosto dos homens sem ter antes visto o rosto de Deus. O agradável ar da manhã, que aguça o aroma de flores, é um incenso oferecido pela terra ao seu Criador, e os homens vivos jamais devem permitir que a terra morta os supere; os homens que verdadeiramente dedicam seus corações ao cântico, como os pássaros, saúdam a radiante misericórdia que se revela no oriente. A primeira hora de cada manhã deveria ser dedicada ao Senhor, cuja misericórdia a adorna com luz dourada. O olho do dia abre as suas pálpebras, e, ao fazê-lo, abre os olhos dos homens adormecidos que são protegidos pelo céu; é apropriado que estes olhos olhem, antes de mais nada, para o grande Pai das Luzes, a fonte e a origem de todo o bem sobre o qual a luz do sol brilha. Quando começamos o nosso dia com Deus, logo em suas primeiras horas, o prognóstico é de um dia de graça para nós; a influência santificadora do tempo passado sobre o monte opera sobre cada hora posterior. A devoção pela manhã ancora a alma, de modo que ela não se afaste prontamente de Deus durante o dia; ela perfuma o coração, de modo que ele exala fragrância de piedade até o cair da noite; ela prende as vestes da alma, de modo que esta seja menos propensa a tropeçar, e alimenta todas as suas forças, de modo que ela não venha desfalecer. A manhã é a porta do dia, e deve ser bem guardada com oração. É uma ponta do fio em que as ações do dia estão presas, e cujo nó deve ser bem feito, com devoção. Se nós sentíssemos mais a majestade da vida, seríamos mais cuidadosos sobre as suas manhãs. Aquele que corre da sua cama para o seu trabalho e não dedica nenhum instante para adorar, é tão louco como se não tivesse vestido as suas roupas, ou lavado o seu rosto, e é tão imprudente como se corresse para a batalha sem armas ou armaduras. Nós devemos nos banhar no rio que corre suavemente, da comunhão com Deus, antes que o calor do deserto e o cansaço do caminho comecem a nos oprimir. – *C. H. S.*

v. 147: "Esperei na tua palavra". Mesmo se não houver um prazer verdadeiro, pelo menos devemos honrar a Deus pelo espírito da expectativa. – *Charles Bridges*

vv. 147 e 148: O estudante de teologia e o ministro da palavra devem começar o dia com oração, e isto principalmente para pedir a Deus que eles possam compreender corretamente a palavra de Deus e possam ser capazes de ensiná-la a outros. – *Solomon Gesner.* Irmãos, lembrem-se disto! – *C. H. S.*

vv. 147 e 148: Veja aqui: 1. Que Davi se levantava cedo, o que talvez contribuísse para a sua eminência. Ele não era daqueles que dizem, "Vou dormir só mais um pouco". 2. Que ele começava o dia com Deus; a primeira coisa que ele fazia, pela manhã, antes que se dedicasse a qualquer atividade, era orar; quando a sua mente estava mais revigorada e na melhor forma. Se os nossos primeiros pensamentos da manhã forem dirigidos a Deus, isto nos ajudará a nos conservar no seu temor durante todo o dia. 3. Que a sua mente estava tão impregnada de Deus e dos interesses e dos prazeres da sua religião, que pouco sono lhe bastava, mesmo nas *"vigílias da noite"*. Quando ele se despertava do seu primeiro sono, preferia meditar e orar a voltar a dormir. Ele estimava mais as palavras que vinham dos lábios de Deus, do que o seu repouso necessário, o que, se nos faltar, será tão terrível quanto a falta do nosso alimento! (Jó 23.12) 4. Que ele encontrava tempo para exercícios religiosos; ele estava atarefado todo o dia, mas isto não isentará nenhum homem da devoção em particular; é melhor usar o tempo do sono, como fazia Davi, do que não encontrar tempo para a oração. E esta é a nossa consolação, quando oramos à noite: o fato de que jamais viremos de maneira pouco razoável ao trono da graça, se pudermos ter acesso a ele em todos os momentos. Baal podia estar dormindo, mas o Deus de Israel jamais dorme, nem há nenhuma hora em que não se possa falar com Ele. – *Matthew Henry*

v. 148: "Os meus olhos anteciparam-me às vigílias da noite, para meditar na tua palavra". Vocês devem admitir que esta é a linguagem de um estudante ardente, sincero e esforçado. Davi descreve a si mesmo como "levantando cedo, e descansando tarde", propositadamente, para que pudesse se dedicar ao estudo da palavra de Deus. "Ele *medita* nesta palavra", e esta expressão implica pensamento atento e paciente; como se houvesse muito na palavra que não pudesse ser detectado por um exame rápido, e que exigisse a mais firme aplicação, da mente e do coração.

A Bíblia é um livro sobre o qual podemos meditar continuamente, e ainda assim não esgotaremos o seu conteúdo. Quando Davi se expressava na linguagem do nosso texto, os Textos Sagrados – a palavra de Deus – era, naturalmente, um volume muito menor do que é agora, embora, ainda agora, a Bíblia esteja longe de ser um livro extenso. Mas Davi não pôde, por assim dizer, chegar ao final do livro; ele poderia estar estudando o livro durante anos – na verdade, nós estamos certos de que realmente o estudou – e ainda assim, como se estivesse iniciando um novo estágio de leitura, com volume após volume para estudar, ele se levantava antes do nascer do dia, para realizar o estudo. *"Os meus olhos anteciparam-me às vigílias da noite, para meditar na tua palavra"*.

A mesma observação pode ser feita sobre os preceitos que recomendam o estudo contínuo da Bíblia. Há ali material para este estudo? A menos que haja, os preceitos se tornam deslocados; o estudante das Escrituras terá esgotado as Escrituras, e o que deverá fazer, então? Ele não poderá mais obedecer aos preceitos, e assim parecerá que os preceitos não foram feitos para a perpetuidade – para os homens de todas as gerações e todas as condições...

Aqui está um servo de Deus, que, desde a sua mocidade, foi diligente no estudo da Bíblia. Embora a Bíblia seja apenas um único volume, e não tão grande, após ano, ele se dedicara ao estudo dela. "Muito bem", você estará inclinado a dizer, "o estudo certamente, a esta altura, terá esgotado o livro! Não pode haver nada novo para ele descobrir, nada que ele não tenha investigado e compreendido". Ah, como vocês se enganam com a Bíblia! Como ela é um livro muito maior do que parece! Em lugar de tê-la esgotado, o estudante real fala como se houvesse mais trabalho diante dele do que ele sabia como atacar. *"Os meus olhos anteciparam-me às vigílias da noite, para meditar na tua palavra"*. – *Henry Melvill*

v. 148: "Os meus olhos anteciparam-me às vigílias da noite". A palavra em hebraico significa *uma vigília* – uma parte da noite, assim chamada pelas vigílias militares, ou uma divisão da noite, para manter guarda. A ideia do salmista, aqui, é que ele *antecipara* estas divisões regulares da noite, para que pudesse se envolver na devoção. Tão grande era o prazer do seu coração no serviço de Deus, que em vez de esperar que estas divisões retornassem, ele se levantava para a oração antes disto. A linguagem parece ser a de alguém que estava acostumado a orar nestas sucessivas *"vigílias"* da noite; a primeira, a da meia-noite, e a o alvorecer. Isto pode exemplificar o que acontece na vida de todos os que amam a Deus. Eles terão sessões regulares de devoção, mas frequentemente irão *antecipar* estas sessões. Eles estarão em um estado de espírito que os motivará a orar quando nada mais satisfaça o seu estado de espírito, *exceto* a oração; e também quando não puderem esperar pela sessão regular de devoção; é como um homem faminto, que não consegue esperar pelo horário regular de suas refeições. O significado da expressão, *"Os meus olhos* anteciparam" é de que ele despertava antes do momento usual para a devoção. – *Albert Barnes*

v. 148: "Os meus olhos anteciparam-me às vigílias da noite", etc. O seu propósito anterior ainda continua, declarando a sua perseverança incansável na oração. Oh, se pudéssemos aprender com ele a usar bem o nosso tempo! À noite, ele se deitava com orações e lágrimas; à meia-noite, ele se levantava para dar graças; e se levantava antes da luz da manhã, para invocar ao Senhor. Isto é imitar a vida dos anjos, que estão sempre alegres em contemplar a face de Deus, cantando sempre um novo cântico, sem esmorecer. Isto é começar o nosso céu sobre a terra; oh, que possamos sempre nos lembrar disto! – *William Cowper*

v. 148: "Vigílias da noite". Os judeus, como os gregos e romanos, dividiam a noite em vigílias militares, em lugar de horas, cada vigília representando o período durante o qual os sentinelas ou vigias permaneciam a serviço. O cálculo judeu, propriamente dito, reconhecia somente três destas vigílias, que eram assim chamadas: a primeira, ou "o princípio da vigília" (Lm 2.19), "a vigília da meia-noite" (Jz 7.19) e "a vigília da manhã" (Êx 14.24; 1 Sm 11.11). Elas duravam, respectivamente, do pôr-do-sol até às 10 horas da noite; das 10 horas da noite até às 2 horas da manhã; e das 2 horas da manhã até o nascer do sol. Lightfoot argumentou que os judeus, na verdade, calculavam quatro vigílias, das quais três tinham lugar à noite, e a quarta começava na manhã. Isto, no entanto, é considerado improvável pelo uso do termo "intermediária" para a vigília da meia-noite, e está em oposição à autoridade rabínica. Depois do estabelecimento da supremacia romana, o número de vigílias foi aumentado para quatro, que eram descritas conforme a sua ordem numérica, como no caso da "quarta vigília" (Mt 14.25) ou pelos termos "à tarde, à meia-noite, ao cantar do galo, pela manhã" (Mc 13.35). Estas terminavam, respectivamente, às 9 horas da noite, à meia-noite, às 3 horas da manhã, e às 6 horas da manhã. Consequentemente, a guarda dos soldados era dividida em quatro turnos (At 12.4), mostrando que o regime romano era seguido no exército de Herodes. As ruas de cidades judaicas parecem ter sido patrulhadas por vigilantes (Ct 3.3; 5.7; Sl 127.1, onde devemos substituir "edificar" por "vigiar"; Sl 130.6). – *William Latham Bevan, em Smith, "Dictionary of the Bible", 1863*

v. 149: "Vivifica-me". Por *vivificação,* alguns entendem a restituição à felicidade; pois um homem nefasto é alguém morto e enterrado sob profundos e pesados problemas, e sua recuperação é uma vida dos mortos, ou um reviver da sepultura; assim a vivificação parece ser interpretada em Sl 71.20: "Tu, que me tens feito ver muitos males e angústias, me darás ainda a vida e me tirarás dos abismos da terra"; outros entendem *vivificação* como a renovação e o aumento do vigor da sua vida espiritual. Ele pede que Deus vivifique, aumente, e preserve esta vida, o que Ele já tinha feito, para que pudesse ser aperfeiçoado e consumado em glória. Ele desejava que o precioso e bendito Senhor pudesse estar sempre pronto a transformar os hábitos de graça em ações. – *Thomas Manton*

v. 149: "Juízo" é, às vezes, interpretado como a execução das ameaças de Deus contra os transgressores; e isto, Davi declara: "não entres em juízo com o teu servo" (Sl 143.2). Às vezes, é interpretado como o cumprimento das suas promessas, segundo a sua palavra, e isto Davi deseja, neste versículo. – *William Cowper*

v. 150: "Afastam-se da tua lei". Verdadeiramente, todos os piedosos se consolariam enormemente, lembrando-se de que os que são seus inimigos também são inimigos de Deus. Uma vez que estão longe da obediência à lei de Deus, seria de admirar que também estivessem longe do dever do amor que nos devem? Pode nos contentar desejar este consolo por parte de homens que poderiam demonstrá-lo; porém Deus deseja ser glorificado neles. Que isto nos sustente, quando virmos que os homens ímpios são nossos inimigos. – *William Cowper*

v. 150: Se pudermos ter um travesseiro carnal debaixo das nossas cabeças, nós dormimos e sonhamos muitos sonhos dourados, repletos de tranquilidade e segurança. Deus, que é zeloso pela nossa confiança, não nos desamparará, e por isto não permitirá que nos tornemos relapsos; se for necessário, Ele poderá chegar a permitir que enfrentemos sérias provações. Não é na fé, mas nos sentidos, que vivíamos antes; a fé é vista quando somos capazes de confiar em Deus em meio às situações mais difíceis: "Aproximam-se os que seguem aos malvados"; "Não terei medo de dez milhares de pessoas que se puseram contra mim ao meu redor" (Sl 3.6). Um perigo à distância é apenas imaginado, mas funciona de maneira diferente, quando está próximo. O próprio Cristo tinha ideias sobre o perigo próximo, diferente do perigo à distância: "Agora, a minha alma está perturbada" (Jo 12.27). Este vaso de água pura estava perturbado, embora não revelasse erro. – *Thomas Manton*

vv. 150 e 151: Os nossos inimigos espirituais, como os perseguidores terrenos de Davi, estão sempre presentes e ativos. O "leão" devorador ou a "serpente" insinuante *"aproxima-se, para seguir aos malvados"*, e são ainda mais perigosos, quando sua aproximação é invisível. Próximo também está um mundo tentador que nos prepara ciladas, e, ainda mais próximo, um mundo de pecado interior à espreita, separando-nos da comunhão com o nosso Deus. Mas se nos voltarmos habitualmente e imediatamente à nossa fortaleza, poderemos desfrutar da confiança – "Tu estás perto, ó Senhor". Embora sejas "o Alto e o Sublime, cujo nome é Santo", embora sejas o justo e terrível Deus, ainda assim tu te aproximas do teu povo e ele de ti, "pelo sangue da sua cruz". E tu manifestas a tua presença a eles no "Filho do teu amor". – *Charles Bridges*

vv. 150 e 151: Eles estão *"perto"* para me perseguir e destruir; me tu estás *perto*, ó Senhor, para ajudar. – *J. J. Stewart Perowne*

vv. 150 e 151: "Aproximam-se... Tu estás perto". Da meditação sobre a maldade dos seus inimigos, novamente Davi retorna à meditação sobre a misericórdia de Deus; e assim é bom que nós façamos, para que o número e a grandeza e maldade dos nossos inimigos não nos façam desfalecer, quando os contemplamos. É bom que ergamos nossos olhos em direção ao Senhor; pois então veremos que eles não estão tão perto, para nos ferir, como o Senhor nosso Deus está perto, para nos ajudar; e não há neles nenhum mal que tenhamos motivos para temer, mas encontraremos no nosso Deus um bem contrário e suficiente para nos proteger. Não sendo assim, não poderíamos resistir, se quando Satanás e seus agentes se aproximassem para nos perseguir, o Senhor não estivesse perto, para nos proteger. – *William Cowper*

v. 151: "Tu estás perto, ó Senhor". Quão docemente e frequentemente este pensamento ocorreu a alguém abandonado e esquecido! "Quando meu pai e minha mãe me desampararem, o Senhor me recolherá", era o consolo, nesta profunda aflição. E na primeira explosão do coração, quão docemente a convicção nos ocorreu, como algum sussurro de paz, "Estou contigo". E não tenho dúvida nenhuma, de que muitas vezes, nestas horas de oração em solidão, seja antes do alvorecer da manhã, ou, antes das vigilâncias noturnas, o salmista se levantava à meia-noite para ter comunhão com Deus. Quando não havia outra voz rompendo o silêncio, e cada alma silenciava o bater de seu próprio coração, então Davi ouvia o sussurro do Espírito Santo de Deus, "*Estou perto*", "Não temas, pois, porque estou contigo". – *Barton Bouchier*

v. 151: "Estás perto, ó Senhor". Isto tinha sido, *uma vez*, a maior bênção do homem, e fonte de mais doce consolação. Era a mais bela flor que crescia no Paraíso; mas o pecado a secou, a flor murchou, caiu, morreu (Gn 3.8; 4.16). E assim deve ser *uma vez* mais; a flor deve, novamente, florescer, novamente deve reviver; deve florescer sobre a terra, ou jamais exibirá sua fragrância no céu.

"Tu estás perto." Nas tuas obras de *criação,* no sol na sua glória, na lua, na sua suavidade, brilhando no firmamento, eu te vejo. No bálsamo deste ar perfumado, na luz deste dia feliz, na fragrância destes arbustos ao meu redor, cujos topos floridos, à medida que bebem da gentil chuva, quando ela cai, parecem exalar um novo perfume, de gratidão por aquele que a envia. Na melodia destes pássaros que enchem o ar com seus cânticos, tu, ó Senhor, estás perto. Eu não te percebo com meus olhos físicos, embora, por eles, eu consiga discernir a tua obra, e com o olho da mente te contemplo nas tuas obras, *um Deus presente.*

"Tu estás perto." Mesmo no livro da tua providência, ainda que seja sombrio e misterioso, eu te vejo. Ali eu leio a tua *sabedoria,* desenvolvida no teu mundo, na tua igreja, nos teus santos, no teu servo, diante de ti; a sabedoria que guia, a sabedoria que protege, a sabedoria que concede, a sabedoria que encoraja, a sabedoria que corrige, que mata e que dá vida. Ali eu leio o teu *poder,* a tua *justiça,* a tua *fidelidade,* a tua *santidade,* o teu *amor.*

Mas é no teu *Filho,* no teu Filho amado, que eu te vejo perto, mais claramente e mais distintamente. Se na criação, e na providência, tu estás perto, nele tu estás muito perto, ó Senhor. Perto, como um Deus que perdoa os pecados (Rm 8.1). Perto como um Deus que cumpre as promessas (2 Co 1.20). Perto como um Deus que ouve as orações (Jo 16.20; Sl 145.18). Perto como um Deus que guarda o concerto (Hb 8.10). Perto como um Pai terno e piedoso (Jo 20.17).

"Tu estás perto, ó Senhor." Ó, que eu possa viver na constante percepção da tua proximidade a mim! Com que frequência, excessiva, eu pareço me esquecer disto!

Estás perto? Então, eu posso me aperceber e me lembrar de que, *pelo sangue do teu Filho amado,* e somente por isto, eu cheguei perto (Ef 2.13); não foi necessário nada menos do que o inclinar da Divindade, e os sofrimentos e a morte da sua humanidade perfeita, para remover os obstáculos que se interpunham entre um Deus santo e uma criatura ímpia. Ó como desejo andar diante de ti com um espírito agradecido, e com um coração quebrantado e contrito!

Estás perto? Então eu posso andar como diante de ti, *vendo-te*, em santo temor, em amor filial, em fé simples, em uma confiança pura como a das crianças (Gn 17.1). Quando *o pecado* tentar e solicitar indulgência, quando o *mundo* apresentar alguma nova atração, quando *Satanás* se aproveitar da constituição, da sociedade, das circunstâncias, ó, que eu possa sempre me lembrar: *"Tu estás perto".*

Se os meus mais preciosos consolos caírem e morrerem, se os amigos forem frios, se os laços que já foram os mais firmes, os mais íntimos, os mais ternos, forem rompidos, e separados, ainda assim eu posso me lembrar: *"Tu* estás perto, ó Senhor", e não distante. E quando chegar o momento solene, quando coração e carne falharem, quando todas as coisas terrenas forem vistas com um olho moribundo, quando eu te ouvir dizendo: "morrerás e não viverás", então, ó, então que eu possa me lembrar, com toda a tranquilidade da fé, e toda a vivacidade da esperança, e todo o ardor do amor: *"Tu estás perto, ó Senhor". – James Harrington Evans, 1785-1849*

v. 151: "Todos os teus mandamentos são a verdade". O significado é o seguinte: Embora, ó Senhor, a má vontade dos ímpios me siga, porque eu te sigo, ainda assim eu sei que os teus mandamentos são a verdade, e que não é possível que tu abandones ou desaponte os teus servos que se preparam para a preservação da tua palavra. Então, veja observe que a consolação de Davi em meio às angústias não estava em alguma presunção arrogante da sua própria sabedoria ou força, mas na verdade das promessas de Deus, que, ele estava persuadido, não poderia falhar com ele. E aqui também ele faz uma secreta comparação e oposição entre a palavra do Senhor e a palavra dos seus inimigos. Às vezes, os homens ordenam, mas sem razão; às vezes, eles ameaçam, mas sem resultado. As ordens de Herodes, os ataques de Rabsaqué, a arrogante vanglória de Jezabel contra Elias, podem provar isto. Mas quanto ao Senhor, nosso Deus, Ele é sempre melhor do que somos capazes de compreender em sua Palavra, e os seus servos encontrarão mais no seu desempenho futuro do que agora podem perceber na sua promessa: porém os seus inimigos encontrarão, nos seus juízos, um peso maior do que agora podem perceber através das suas ameaças. – *William Cowper*

v. 152: Esta porção do salmo é concluída com o triunfo da fé acima de todos os perigos e tentações. *"Acerca dos teus testemunhos"*, as revelações da tua vontade, os teus conselhos para a salvação dos teus servos, *"eu soube, desde a antiguidade"*, pela fé, e pela minha própria experiência, assim como de outros, *"que tu os fundaste para sempre"*; eles são inalteráveis e eternos, como os atributos do seu grande Autor, e jamais poderão desapontar àqueles que confiam neles, no tempo ou na eternidade. – *George Horne*

v. 152: "Eu soube, desde a antiguidade". Não era uma persuasão tardia, ou algo que ele acabara de aprender; ele sempre soube, desde que conhecia algo a respeito de Deus, que Deus tinha reconhecido a sua palavra como a regra constante dos seus procedimentos com as criaturas, porque Deus tinha tão frequentemente cumprido a sua Palavra para com ele, não somente por experiências presentes e recentes, mas também antigas. Então a persuasão de Davi da verdade e imutabilidade da palavra não era um capricho repentino ou um impulso atual, ou uma persuasão recente, mas ele tinha sido confirmado nela através de uma longa experiência. Uma ou duas experiências não tinham representado uma prova para a verdade da palavra, elas podiam ser apenas uma boa pista, mas a palavra de Deus sempre se prova verdadeira, não uma vez, nem duas, mas sempre; o que dizemos "desde a antiguidade", a Septuaginta diz κατ' ἀρχὰς, "desde o princípio"; isto é, ou – 1. Desde a minha infância. Timóteo conhecia as Escrituras desde criança (2 Tm 3.15); também Davi, desde muito jovem, esteve familiarizado com Deus e a sua verdade. 2. Ou, desde a primeira vez em que tinha começado a se interessar seriamente e sinceramente pela palavra, ou a ser um estudante da palavra ou das obras de Deus, comparando as providências com as promessas, ele descobriu, a respeito dos seus testemunhos, que *"Deus os fundou para sempre"*. 3. Por fim, *"desde a antiguidade"* pode ser o que eu ouvi de todas as gerações anteriores, tanto a sua experiência, como também a minha: "Em ti confiaram nossos pais; confiaram, e tu os livraste. A ti clamaram e escaparam; em ti confiaram e não foram confundidos" (Sl 22.4, 5). – *Thomas Manton*

v. 152: Devemos observar esta base eterna dos "testemunhos de Deus". Todo o plano de redenção foi enfaticamente *"fundado para sempre"*; o Salvador foi *"conhecido, ainda antes da fundação do mundo"*. O povo de Deus foi *"eleito nele [em Cristo] antes da fundação do mundo"*. O grande Autor *"anuncia o fim desde o princípio"* e, desta maneira, isenta as suas dispensações de qualquer acusação de mutabilidade ou contingência. Cada evento na igreja é fixo, permitido e determinado – não no momento passageiro do tempo, mas nos conselhos da eternidade. Quando, portanto, os testemunhos apresentam o fiel compromisso de Deus, com o seu povo, desde a antiguidade, a lembrança de que eles são *"fundados para sempre"* nos provoca um interesse atual e imutável neles. E quando vemos que eles são fundados no juramento e na promessa de Deus – as "duas coisas imutáveis, nas quais é impossível que Deus minta" – podemos, verdadeiramente, "ter firme consolação" em arriscar cada esperança da eternidade sobre esta rocha; e não devemos desanimar por vermos diante de nós todas as nossas dependências terrenas – "o mundo, e a concupiscência da carne, e a concupiscência dos olhos" – pois todas estas coisas passam. – *Charles Bridges*

EXPOSIÇÃO DOS VERSÍCULOS 153 A 160

153 *Olha para a minha aflição e livra-me, pois não me esqueci da tua lei.*
154 *Pleiteia a minha causa e livra-me; vivifica-me, segundo a tua palavra.*
155 *A salvação está longe dos ímpios, pois não buscam os teus estatutos.*
156 *Muitas são, ó Senhor, as tuas misericórdias; vivifica-me, segundo os teus juízos.*
157 *Muitos são os meus perseguidores e os meus inimigos; mas não me desvio*
dos teus testemunhos.
158 *Vi os transgressores e me afligi, porque não observam a tua palavra.*
159 *Considera como amo os teus preceitos; vivifica-me, ó Senhor, segundo a tua*
benignidade.
160 *A tua palavra é a verdade desde o princípio, e cada um dos teus juízos dura*
para sempre.

Nesta seção, o salmista parece aproximar-se ainda mais de Deus, em oração, e declarar o seu caso e pedir a ajuda divina com ainda maior ousadia e expectativa. É uma passagem de súplica, e a palavra chave é "Olha". Com muita ousadia, ele alega a sua união íntima com a causa do Senhor como uma razão pela qual ele deveria ser socorrido. A ajuda especial que ele busca é uma *vivificação* pessoal, pela qual ele clama ao Senhor repetidas vezes.

153. *"Olha para a minha aflição e livra-me."* O autor tem um bom argumento, embora seja angustiante, e está pronto, ou melhor, ansioso, para se submeter à avaliação divina. As suas questões são justas, e ele está pronto a apresentá-las diante da corte suprema. O seu comportamento é o de alguém que se sente a salvo diante do trono. Mas não há impaciência: ele não pede uma ação rápida, mas consideração. Na verdade, ele clama, "Olha para a minha aflição e verifica se não preciso ser libertado. A partir da minha lamentável condição, julga o método e o momento apropriado para a minha libertação". O salmista deseja duas coisas, e estas duas coisas mescladas: a primeira, uma consideração completa da sua angústia; e a segunda, libertação; e, então, que esta libertação venha com a consideração da sua aflição. Deve ser o desejo de cada indivíduo piedoso, em meio à adversidade, que o Senhor considere a sua necessidade, e a alivie, de tal maneira que seja para a glória divina e para o seu próprio benefício. As palavras "minha aflição" são pitorescas, elas parecem destacar um ponto particular de angústia como a herança do próprio autor: ele possui esta aflição, como ninguém mais jamais possuiu, e implora que o Senhor tenha este ponto particular diante de seus olhos; como um lavrador examinando todos os seus campos pode ter uma preocupação particular com um ponto determinado. A sua oração é eminentemente prática, pois ele busca ser libertado; isto é, tirado da dificuldade e preservado, para não sofrer nenhum dano sério devido a esta dificuldade. Pois o fato de Deus considerar significa que Ele irá agir no devido tempo. Os homens consideram as situações e não fazem nada; mas isto jamais acontece com o Senhor nosso Deus.

"Pois não me esqueci da tua lei." A sua aflição não era suficiente, apesar de toda a sua amargura, para expulsar da sua mente a lembrança da lei divina; nem poderia levá-lo a agir de maneira contrária ao mandamento divino. Ele se esquecia da prosperidade, mas não se esquecia da obediência. Este é um bom apelo quando pode ser feito com honestidade. Se nós formos fiéis à lei de Deus, podemos ter

certeza de que Deus permanecerá fiel à sua promessa. Se não nos esquecermos da sua lei, o Senhor não se esquecerá de nós. Ele não deixará por muito tempo em dificuldade aquele homem cujo único temor, na aflição, é deixar o caminho reto.

154. *"Pleiteia a minha causa e livra-me."* No último versículo, o salmista tinha orado, "livra-me", e aqui ele especifica um método pelo qual esta libertação pode ser concedida, ou seja, pela justificação da sua causa. Na providência, o Senhor tem muitas maneiras de inocentar os caluniados das acusações que são feitas contra eles. Ele pode deixar manifesto, a todos, que tais acusações foram desmentidas, e, desta maneira, Ele pode pleitear a causa dos seus de maneira prática. Além disto, Ele pode levantar amigos para os piedosos, que não medirão esforços até que o caráter dos seus seja inocentado, ou Ele pode ferir os seus inimigos com tal pranto que eles serão forçados a confessar a sua falsidade, e desta maneira os justos serão livrados sem desferir um golpe sequer. Alexander assim interpreta: "Luta a minha luta, e redime-me" – isto é, ajuda-me, carrega a minha carga, luta a minha luta, paga o meu preço e leva-me à liberdade. Quando nos sentimos como bobos diante do adversário, aqui está a nossa oração. Que consolação é o fato de que, se pecarmos, temos um defensor, e, se *não* pecarmos, o mesmo intercessor estará engajado do nosso lado. *"Vivifica-me".* Nós vimos esta oração na seção anterior, e a teremos mais algumas vezes nesta seção. É um desejo que nunca poderá ser excessivamente sentido e expressado. Assim como a alma é o centro de tudo, também ser vivificado é a bênção central. Ela significa mais amor, mais graça, mais fé, mais coragem, mais força, e se conseguirmos tudo isto, podemos manter nossas cabeças erguidas diante dos nossos adversários. Somente Deus pode dar esta vivificação; mas para o Senhor que dá a vida este trabalho é bastante fácil, e Ele se alegra em realizá-lo.

"Segundo a tua palavra." Davi tinha encontrado grandes bênçãos entre as coisas prometidas, ou, ao menos, tinha percebido que havia algo que estava de pleno acordo com o teor geral da palavra de Deus: os crentes que são postos à prova são vivificados e levantados novamente do pó da terra; por isto, o salmista implora pela palavra, e deseja que o Senhor aja com ele de acordo com o conteúdo usual da palavra. Que apelo poderoso é este – "segundo a tua palavra". Nenhuma arma de todos os nossos arsenais pode se equiparar a esta.

155. *"A salvação está longe dos ímpios."* Devido à sua perseverança no mal, eles tinham se colocado praticamente fora da tábua da esperança. Eles falam sobre serem salvos, mas não podem tê-la conhecido, caso contrário não teriam permanecido ímpios. Cada passo que eles deram no caminho do mal os afastou ainda mais do reino da graça; eles passam de um grau de insensibilidade a outro, até que seus corações se tornam como uma pedra. Quando eles caem em aflição, o seu caso se torna irremediável. Mas eles se vangloriam, como se não precisassem de nenhuma salvação, ou se pudessem se salvar a si mesmos quando os seus caprichos assim o desejassem.

"Pois não buscam os teus estatutos." Eles não se esforçam para serem obedientes, mas exatamente o oposto; eles buscam a si mesmos, eles buscam o mal, e por isto jamais encontrarão o caminho da paz e da justiça. Depois de infringir os estatutos do Senhor, o caminho mais prudente, para os homens, será o do arrependimento, para buscar o perdão, e o da fé, para buscar a salvação; então a salvação estará próxima deles, tão próxima, que eles não poderão deixar de percebê-la; mas quando os ímpios continuam a buscar maldades e enganos, a salvação se coloca cada vez mais distante deles. A salvação e os estatutos de Deus andam juntos; aqueles que são salvos pelo Rei da graça amam os estatutos do Rei da glória.

156. Este versículo é extremamente semelhante ao versículo 149, mas não se trata de uma repetição inútil. Não há uma diferença tão grande na ideia principal, para que um versículo seja considerado distinto do outro. No primeiro caso, ele menciona a sua oração, mas deixa o método para a sua concretização a cargo da

sabedoria ou do juízo de Deus; ao passo que aqui ele não alega uma oração sua, mas simplesmente implora as misericórdias do Senhor, e suplica para ser vivificado pelos juízos, em lugar de ser deixado à mercê da letargia espiritual. Nós podemos ter certeza de que um autor inspirado jamais terá tão pouca inspiração a ponto de ser obrigado a se repetir; quando pensamos que temos a mesma ideia neste salmo, somos enganados pelo nosso estudo pouco cuidadoso ou negligente. Cada versículo é uma pérola distinta. Cada folha de grama neste campo tem a sua própria gota de orvalho celestial.

"Muitas são, ó Senhor, as tuas misericórdias." Aqui o salmista alega a grandeza da misericórdia de Deus, a imensidão do seu terno amor; ele fala de *misericórdias* – muitas misericórdias, ternas, graciosas, excelentes; e ao Senhor glorioso, ele faz este apelo com esta oração principal, a oração pela vivificação. A vivificação é uma misericórdia excelente e terna; e ela abrange muitas misericórdias em uma. Alguém tão enormemente bom permitirá que o seu servo morra? Alguém tão terno não soprará nova vida no seu servo?

"Vivifica-me, segundo os teus juízos." Uma medida de despertamento vem com os juízos de Deus; os juízos são assombrosos e estimulantes; e consequentemente vem a vivificação do crente. Davi desejava que cada golpe fosse santificado para o seu benefício, assim como cada graça. A primeira parte deste versículo pode ser interpretada como "Muitas", ou "múltiplas são, ó Senhor, as tuas misericórdias". Isto ele relembra, em conexão com os "muitos perseguidores", de que falará no versículo seguinte. Por meio de todas estas misericórdias, ele pede a graça vivificadora, e assim "terá o pé em várias canoas", ou muitas vantagens. Argumentos jamais nos serão escassos, se os buscarmos no próprio Deus, e apelarmos tanto para as suas misericórdias quanto para os seus juízos como motivos para a nossa vivificação.

157. *"Muitos são os meus perseguidores e os meus inimigos."* São muitos os que realmente me atacam, ou que me abominam secretamente. Ele coloca isto contra as muitas graças e misericórdias de Deus. Parece estranho que um homem verdadeiramente piedoso, como era Davi, tivesse muitos inimigos; mas isto é inevitável. O discípulo não pode ser amado, quando o seu Mestre é odiado. A semente da serpente deve se opor à semente da mulher: é da sua natureza.

"Mas não me desvio dos teus testemunhos." Ele não se desviava da verdade de Deus, mas prosseguia pelo caminho reto, ainda que muitos adversários se empenhassem em bloquear a sua passagem. Alguns homens se desviam por um único inimigo, mas aqui está um santo que se manteve no seu caminho a despeito de muitos perseguidores. Nos testemunhos de Deus há o suficiente para nos recompensar por prosseguir, contra todos os exércitos que possam se unir contra nós. Se não podem nos levar a um declínio espiritual, os nossos adversários não nos causam grandes danos, e não conseguem nada com a sua maldade. Se nós não decairmos, eles são derrotados. Se eles não conseguirem nos fazer pecar, erraram o alvo. A fidelidade à verdade é a vitória sobre os nossos inimigos.

158. *"Vi os transgressores."* Vi os traidores; entendi o seu caráter, o seu objetivo, o seu método e o seu fim. Não pude evitar vê-los, pois eles se puseram no meu caminho. Como fui obrigado a vê-los, fixei meus olhos neles, para aprender deles o que pudesse.

"E me afligi." Eu me angustiei por ver tais pecadores. Eu fiquei desgostoso com eles, e me cansei deles, e não pude suportá-los. Não encontrei prazer neles; eles foram, para mim, uma visão triste, por mais elegantes que fossem as suas vestes ou por mais inteligente que fosse a sua conversa. Mesmo quando eles se mostravam mais alegres, a visão deles entristecia meu coração; eu não conseguia tolerá-los, nem às suas obras.

"Porque não observam a tua palavra." A minha angústia era ocasionada mais pelos pecados deles contra Deus do que pela sua inimizade comigo. Eu podia tolerar

a maneira como recebiam mal as minhas palavras, mas não a sua negligência à tua palavra. A tua palavra é tão preciosa para mim que aqueles que não a observam me levam à indignação; eu não consigo manter o relacionamento com aqueles que não observam a palavra de Deus. O fato de que eles não sintam amor por mim é algo desprezível; mas desprezar o ensinamento do Senhor é algo abominável.

159. *"Considera"*, ou olha, *"como amo os teus preceitos"*. Uma segunda vez, o salmista pede consideração. Da mesma maneira como ele disse antes, "Olha para a minha aflição", agora diz, "Considera o meu afeto". Ele amava os preceitos de Deus – de uma maneira indescritível – ele os amava tanto, a ponto de se angustiar com aqueles que não os amavam. Este é um teste certeiro: há muitos que são receptivos às promessas, mas, quanto aos preceitos, não podem suportá-los. O salmista amava tanto tudo o que era bom e excelente, que amava tudo o que Deus tinha ordenado. Todos os preceitos são sábios e santos, e por isto o homem de Deus os amava extremamente, amava conhecê-los, pensar neles, proclamá-los, e principalmente, praticá-los. Ele pediu que o Senhor se lembrasse disto, e considerasse, não pelo mérito, mas porque isto serviria como resposta às acusações caluniosas que, nesta ocasião, eram o grande aguilhão da sua angústia.

"Vivifica-me, ó Senhor, segundo a tua benignidade." Aqui ele retorna à sua oração anterior, "Vivifica-me" (v. 154), "vivifica-me" (v. 156). "Vivifica-me". Ele ora outra vez, pela terceira vez, usando as mesmas palavras. Nós podemos entender que Davi se sentia um pouco abalado e impressionado com os ataques dos seus adversários, e que estava pronto a cair sob a sua incessante impiedade. O que ele desejava era renovação, restauração; por isto ele pede mais vida: Ó, tu que me vivificaste quando eu estava morto, vivifica-me outra vez, para que eu não retorne aos mortos! Vivifica-me, para que eu possa sobreviver aos golpes dos meus inimigos, à debilidade da minha fé, e ao desfalecimento da minha angústia. Desta vez, ele não diz, "Vivifica-me, segundo os teus juízos", mas "Vivifica-me, ó Senhor, segundo a tua benignidade". Esta é a grande arma que ele traz, por último, ao conflito: este é o seu argumento supremo – se for bem sucedido, ele não cairá. Ele tinha estado batendo à porta da misericórdia, e com este apelo, ele desfere o seu mais forte golpe. Quando ele tinha caído em grande pecado, esta era a sua oração, "Tem misericórdia de mim, ó Deus, segundo a tua benignidade", e agora, que está em grandes aflições, ele corre para o mesmo apelo eficaz. Como Deus é amor, Ele nos dará vida; como Ele é bondoso, novamente acenderá a chama celestial dentro de nós.

160. O doce cantor encerra esta seção da mesma maneira que a última, insistindo na certeza da verdade de Deus. Será bom que o leitor observe a semelhança entre os versículos 144, 152 e este.

"A tua palavra é a verdade." O que quer que os transgressores possam dizer, Deus é verdade, e a sua palavra é verdade. Os ímpios são falsos, mas a verdade de Deus é verdade. Eles nos acusam de sermos falsos, mas o nosso consolo é o fato de que a palavra verdadeira de Deus nos inocentará.

"Desde o princípio." A palavra de Deus tinha sido verdade deste o primeiro momento em que tinha sido proferida, verdade ao longo de toda a história, verdade para nós deste o instante em que cremos nela, sim, verdade para nós, antes que nós fôssemos fiéis a ela. Alguns interpretam, "A tua palavra é a verdade desde a cabeça", verdade como um topo, verdade da base ao topo. A experiência tinha ensinado isto a Davi, e a experiência nos está ensinando a mesma coisa. As Escrituras são tão verdadeiras no livro de Gênesis quanto no livro do Apocalipse, e os cinco livros escritos por Moisés são tão inspirados quanto os quatro Evangelhos.

"E cada um dos teus juízos dura para sempre." O que tu decidiste permanece irreversível, em cada um dos casos. Contra as decisões do Senhor, não se pode emitir nenhuma ordem de revisão, nem jamais haverá revogação de quaisquer atos da sua soberania. Não há um erro sequer, seja na palavra de Deus, seja nas atitudes

providenciais de Deus. Nem no livro da revelação nem no livro da providência haverá necessidade de adicionar uma única nota de *errata*. O Senhor nada tem para revogar, nada de que se arrepender, nada a corrigir, nada a reverter. Todos os juízos, decretos, mandamentos e propósitos de Deus são justos, e como as coisas justas são coisas eternas, cada uma delas irá viver mais do que as estrelas. "Até que o céu e a terra passem, nem um jota ou um til se omitirá da lei sem que tudo seja cumprido". A justiça de Deus permanece para sempre. Este é um pensamento animador, mas há outro, muito mais doce, que, desde a antiguidade, era o cântico dos sacerdotes no templo: que seja nosso cântico também, "A sua benignidade é para sempre".

NOTAS SOBRE OS VERSÍCULOS 153 A 160

v. 153: "Olha para a minha aflição e livra-me". Deus considera o homem de várias maneiras, e com diferentes finalidades. Para dar-lhe luz, ou esclarecimento, pois "passando Jesus, viu um homem cego de nascença" (Jo 9.1). Para convertê-lo, "E [Jesus] viu assentado na alfândega um homem chamado Mateus e disse-lhe: Segue-me" (Mt 9.9). Para restaurá-lo: "E, virando-se o Senhor, olhou para Pedro" (Lc 22.61). Para libertá-lo, "Tenho visto atentamente a aflição do meu povo, que está no Egito" (Êx 3.7). Para fazê-lo progredir: "Atentou na humildade de sua serva" (Lc 1.48), e para recompensá-lo, "Atentou o Senhor para Abel e para a sua oferta" (Gn 4.4). – *Hugo (aproximadamente* 1120), *em Neale e Littledale*

v. 153: "Olha para a minha aflição e livra-me". Devemos orar, pedindo que Deus nos ajude e nos liberte, não de acordo com os estratagemas de nossos próprios cérebros, mas com o método que parecer melhor à sua terna sabedoria, ou para que Ele mitigue a nossa dor, para que a nossa fraqueza não nos faça desfalecer completamente. Como um doente, embora não duvide em nada da fidelidade e dos cuidados do seu médico, ainda assim deseja que ele cuide do seu problema tão ternamente quanto possível; da mesma forma, nós podemos invocar a Deus, para que, se não for contrário à sua honra e glória, Ele conceda algum alívio para a nossa dor. – *Otho Wermullerus*

v. 153: "Olha para a minha aflição". Estas orações de Davi são escritas com tal sabedoria celestial que são convenientes para a condição de toda a igreja e de cada um de seus membros. A igreja é a sarça que arde com o fogo, mas não pode ser consumida; cada membro da igreja traz uma parte da cruz de Cristo; os membros jamais estão sem aflição, e por este motivo precisam orar, como Davi: *"Olha para a minha aflição"*.

Nós sabemos que, nas aflições, nos traz alguma consolação saber que aqueles que nós temos certeza que nos amam, conhecem as nossas cruzes; a nossa dor é aliviada quando eles lamentam conosco, embora não sejam capazes de nos ajudar. Mas o cristão tem uma consolação mais sólida, isto é, o fato de que, em todas as suas aflições, o Senhor olha para ele, como um rei, alegrando-se em ver o seu servo lutando contra o inimigo. Ele olha com olhos misericordiosos, apiedando-se da fraqueza dos seus, quando os vê, e com uma mão poderosa, pronta a auxiliá-los. Mas, como muitas vezes, a nuvem da nossa corrupção se interpõe entre o Senhor e nós, e não nos permite ver a sua mão auxiliadora, nem o seu rosto amoroso, olhando para nós, precisamos, então, orar nestas ocasiões como Davi, *"Olha para a minha aflição"*. – *William Cowper*

v. 154: "Pleiteia a minha causa e livra-me", etc. Embora os piedosos, sob perseguição, tenham uma boa causa, eles não podem pleiteá-la, a menos que Deus, o Redentor, se mostre como defensor deles; por isto, o salmista ora: *"Pleiteia a minha causa"*.

Quando Deus, o Redentor, pleiteia a causa de um homem, Ele o faz propositadamente e eficazmente; *"Pleiteia a minha causa e livra-me"*.

A menos que aqueles que buscam a Deus encontrem novas influências da parte de Deus de tempos em tempos, nas suas aflições, eles serão apenas como mortos, nos seus exercícios; a expressão, *"Vivifica-me"* sugere isto.

Até que encontremos encorajamento ativo, que nos seja dado em meio às aflições, devemos aderir à palavra da promessa: *"vivifica-me, segundo a tua palavra"*.

Deus não tem apenas a vontade de fornecer aquilo que o crente necessita. Ele assumiu voluntariamente a função de fazê-lo, e tem todo o poder para fazê-lo, como vemos aqui. Ele tem a função de Defensor e também de um poderoso Redentor, de modo que o crente pode, confiantemente, utilizar os seus recursos diariamente, conforme necessitar: *"Pleiteia a minha causa e livra-me: vivifica-me, segundo a tua palavra"*. – *David Dickson*

v. 154: "Pleiteia a minha causa e livra-me", etc. Agora, ele supõe estar diante do tribunal dos homens, como certamente estava, devido às acusações gerais que pesavam contra ele; processado, na sua impotência, sem nome, sem pompa, como alguém renegado ou repudiado seria acusado. Ele ora, pedindo que o Senhor venha e pleiteie a sua causa, assim ele seria redimido; pois este é o significado do texto original. De certa forma, ele se considera vendido a juízos corruptos, ou, de qualquer forma, como alguém que perdeu sua posição na sociedade, na avaliação dos homens. Mas se o Senhor vier, e defender a causa do seu servo, o seu servo realmente será redimido. Há uma grande confiança nesta oração: o homem de Deus está familiarizado com os métodos do Senhor, e faz a sua súplica crente. Oh, quanto precisamos conhecer o caráter justo do Senhor nas épocas em que passamos por grandes aflições! O Senhor pleiteia a causa dos seus, pelo poder da verdade; Ele a pleiteia também nas suas providências de diversos tipos; Ele age nos corações, e nas esperanças, e nos temores dos homens; e, de muitas maneiras maravilhosas, Ele pleiteia a causa do seu povo. Ele redime os seus santos de todo o mal; e, se não de todo o mal deste mundo, certamente de todo o mal, no que diz respeito ao mundo futuro. – *John Stephen*

v. 154: "Pleiteia a minha causa e livra-me", etc. Neste versículo, há três pedidos, todos respaldados pelo mesmo e único argumento. No primeiro, ele sugere o direito da sua causa, e que foi injustamente atormentado por homens ímpios; por isto, oprimido pelas calúnias deles, o salmista deseja que Deus tome a sua defesa: *"Pleiteia a minha causa"*. No segundo pedido, ele descreveu a infelicidade e o desamparo da sua condição; portanto, oprimido pela violência, ele diz, *"Livra-me"*, cujo significado é o mesmo da palavra Redime-me. No terceiro pedido, a sua própria fraqueza, e prontidão a desmaiar sob a sua carga; por isto diz, *"Vivifica-me"*.

Ou, em resumo, com respeito à injustiça dos seus adversários, *"Pleiteia a minha causa"*; com respeito à infelicidade da sua condição, *"Livra-me"*; com respeito à fraqueza e imbecilidade do seu próprio coração, *"Vivifica-me"*.

A razão e o fundamento do pedido, *"Segundo a tua palavra"*. Esta última frase deve ser aplicada a todas as partes da oração: "Pleiteia a minha causa", "segundo a tua palavra"; "livra-me", "segundo a tua palavra"; "vivifica-me", "segundo a tua palavra"; pois Deus, na sua palavra, se engaja em todas estas atividades: ser Defensor, Redentor e fonte da vida. A palavra em que Davi confiava era encontrada nas promessas gerais, feitas àqueles que observam a lei, ou em alguma promessa particular, feita a Davi, pelos profetas daquela época. – *Thomas Manton*

v. 154: "Pleiteia a minha causa e livra-me". Uma mulher ímpia, certa vez, fez uma acusação contra o Dr. Payson, sob circunstâncias nas quais parecia impossível que ele pudesse escapar. Ela fazia parte do mesmo pacote com o qual, muitos meses antes, ele tinha ido a Boston. Durante algum tempo, parecia quase certo que o seu caráter seria arruinado. Todos os recursos lhe foram arrancados, com a exceção do trono da graça. Ele sentia que a sua única esperança estava em Deus; e a Ele dirigiu sua fervorosa oração. Ele foi ouvido pelo Defensor dos inocentes. Uma "visita de remorso" induziu a mulher ímpia a confessar que tudo tinha sido uma maldosa calúnia. – *Da obra de Asa Cummings, "Memoir of Edward Payson"*

v. 154: "Pleiteia a minha causa". Eu não sei o que Davi queria dizer, pedindo a Deus que pleiteasse a sua causa, senão que Ele reconhecesse a sua inocência, e a tornasse manifesta a todos, livrando-o das mãos de todos os seus inimigos; mas, quer ele tivesse ou não um objetivo velado, a palavra, poderosamente e docemente, lembra a cada coração cristão aquele que realmente seria o Defensor dos pobres pecadores, Jesus Cristo, o justo, que é a propiciação pelos nossos pecados. – *Barton Bouchier*

v. 154: "Pleiteia a minha causa". Os filhos deste mundo são mais sábios, na sua geração, do que os filhos de Deus; e isto fez com que Davi aqui orasse a Deus, pedindo que *Ele pleiteasse a sua causa,* e fosse seu Defensor contra todas as suas políticas. Ele não confiava na equidade da sua própria causa, mas no Senhor. Disto, percebemos que a causa pela qual os nossos opressores frequentemente prevalecem contra nós é que confiamos excessivamente em nossa própria inteligência, e nos apoiamos excessivamente em nossas próprias invenções; contrapondo sutileza a sutileza, um ardil a outro, equiparando e mantendo política por política, e não confiando a nossa causa a Deus. – *Abraham Wright*

v. 154: "Livra". Não como no versículo 153, mas uma palavra que significa *redimir* ou salvar por justificação. A partícula correspondente é traduzida como redentor, defensor, vingador, resgatador, remidor, parente próximo. – *William S. Plumer*

v. 154: "Vivifica-me". Aqui, novamente, nós devemos considerar a influência da mente piedosa. O grande desejo do homem de Deus é progredir na vida com Deus. Ele busca o ganho espiritual em tudo. Ele busca as suas pérolas piedosas mesmo em meio a condições estranhas; a razão é que o seu coração está nestas coisas. A libertação do mal temporal, a libertação do mal espiritual, ambos eram buscados; mas, juntamente com estas, o homem de Deus ora para ser vivificado. Certamente, podemos entender que ele está buscando vida. Este é o significado da fraseologia; mas em um homem como Davi, a vida que ele busca deve ser a mais elevada. Ele deseja a vida espiritual acima de todas as coisas; ele deseja mais do que uma abençoada similitude com Deus, de modo que possa desfrutar do maior bem. Para isto se empenha a alma que nasceu no céu... Dê isto ao crente, e isto o colocará acima de todos os males da vida. E este bem, e todos os bens, foram prometidos na palavra. Por isto, ele ora, *"Vivifica-me, segundo a tua palavra"*. Ele recorre à palavra para tudo; ali, ele não será enganado. Julguem a vocês mesmos, meus irmãos, pelas suas aspirações espirituais. Nada menos do que isto irá provar que vocês são redimidos do Senhor. – *John Stephen*

vv. 154, 156 e 159: "Vivifica-me". Ore para ser *vivificado,* como o salmista ora com frequência, e busque a Jesus Cristo, que é o Espírito vivificante: "O primeiro homem, Adão, foi feito em alma vivente; o último Adão, em espírito vivificante" (1 Co 15.45). Assim como Ele lhe deu vida, também está disposto a dá-la, cada vez mais abundantemente; isto fará com que você viva para Ele, e esteja incansavelmente ativo por Ele. – *Nathanael Vincent, "A Present for such as have been Sick and Recovered", 1693*

v. 155: "A salvação está longe dos ímpios". O Senhor é poderoso para perdoar; mas Ele não fará isto por aquele que se mantiver na condição de pecador impenitente. Você não tem um amigo no tribunal, e nem sequer um atributo que, em nome de Deus, fale em seu favor. A própria misericórdia se sentará e votará com os demais atributos pela sua condenação. Deus pode salvar e auxiliar em tempos de necessidade, mas com que familiaridade você é tão ousado com Deus, a ponto de esperar que o seu braço salvador se estenda para você? Embora um homem se levante à meia-noite, para deixar entrar um filho que chora e bate à sua porta, ele não fará os mesmos esforços por um cão que esteja uivando ali. Isto apresenta a sua condição, pecador – é muito triste, e esta é a maneira mais justa de contar a sua história; pois este poder de Deus que está engajado pela salvação do crente, está, com a mesma profundidade, obrigado a trazer a você a sua execução e a sua condenação. Que laço mais forte há, do que um juramento? O próprio Deus está sob um juramento, de ser a destruição de cada alma impenitente. Aquele juramento que Deus fez na sua ira, contra os israelitas incrédulos, de que eles jamais entrariam no seu repouso, diz respeito a cada incrédulo, até o fim do mundo. Considere a seguinte situação: se houvesse em nome de Deus o juramento de um homem, ou de um grupo de homens que, como os do livro de Atos, jurassem a morte de alguém, e você fosse este alguém, isto não encheria você de temor e tremor, noite e dia, e não removeria a tranquilidade da sua vida, até que eles se fizessem seus amigos? De que, então, estão recheados os travesseiros daqueles que conseguem dormir tão tranquilamente, sem qualquer horror ou assombro, ainda que lhes seja dito que o Deus Todo-Poderoso está sob um juramento de condenar seus corpos e suas almas, se não houver o arrependimento oportuno? – *William Gurnall*

v. 155: "Salvação". Que música há na Palavra, música que não nos cansa, mas que é sempre nova, que sempre nos incita, mas sempre nos descansa! Ela traz, em si mesma, tudo o que os nossos corações desejam dizer. É um doce vigor para nós pela manhã, e à noite é uma paz que satisfaz. É um cântico que sempre é entoado, profundamente, pela alma alegre. Os ouvidos angelicais se impressionam com ele, no céu; e o nosso Pai Eterno o ouve com adorável complacência. É doce até mesmo para aquele de cuja mente nasce a música mais bela. Ser salvo! O que é ser salvo, no seu sentido mais abrangente? Quem poderá dizer? O olho não viu, o ouvido não ouviu. É um resgate, e de tal naufrágio! É um descanso, e em um lar inimaginável! É estar para sempre no seio de Deus, em um arrebatamento interminável de contentamento insaciável. – *Frederick William Faber, 1853*

vv. 155 e 156: "A salvação está longe dos ímpios... Muitas são, ó Senhor, as tuas misericórdias". Quando os piedosos pensam e falam sobre a triste condição dos ímpios, não deveriam deixar de perceber o fato de que este mal lhes vem por seu merecimento, nem deixar de perceber a graça de Deus, que fez a diferença entre eles e os ímpios. – *David Dickson*

v. 156: "Muitas são, ó Senhor, as tuas misericórdias". O salmista atribui dois epítetos às misericórdias de Deus: em primeiro lugar, ele as chama de *"grandes"* e, a seguir, diz que são "graças". Elas são grandes, em muitos aspectos: por sua continuidade, elas duram para sempre; pela sua extensão, elas alcançam os céus, e são maiores do que eles; sim, elas estão acima de todas as obras de Deus. E isto é para o consolo de pobres pecadores, cujos pecados são muitos e grandes – que eles não se desesperem; as suas misericórdias são maiores e em maior número; pois uma vez que são maiores do que todas as suas obras, muito maiores serão do que você e todas as suas obras pecaminosas!... O outro epíteto que ele lhes dá é de que são *"ternas"* (TB); porque é fácil suplicar ao Senhor, pois Ele é tardio em irar-se, mas pronto em mostrar misericórdia. Tiago diz que a sabedoria que vem do alto é "pura, pacífica, moderada, tratável, cheia de misericórdia". Se a sua graça, nos seus filhos, os torna gentis e tratáveis, o que pensaremos dele? Uma vez que Ele tem tal piedade de nós, pobres criaturas, Ele nos ensina a perdoar as ofensas de nossos irmãos setenta vezes sete vezes durante o dia; oh, que piedade e compaixão abundam nele! Assim vemos que a nossa consolação aumenta, porque, assim como as suas misericórdias são grandes, também são ternas, são graças; facilmente obtidas, quando sinceramente buscadas. – *William Cowper v. 156:* O salmista, quando fala da triste condição dos *"ímpios"*, é naturalmente levado a adorar as misericórdias do Senhor que "o tornaram diferente". Pois, na verdade, somente a esta fonte devemos atribuir a distinção que há entre nós e eles. – *Charles Bridges*

v. 157: "Perseguidores". Um particípio do verbo traduzido como *perseguir*. "Inimigos", como no versículo 139, os autores da minha angústia. Até que os homens sejam caçados e perseguidos por muitos inimigos, que, nesta ocasião, têm poder, e são cruéis e, até certo ponto, inescrupulosos, poderão ter apenas uma pálida ideia da angústia do profeta, quando vivenciou os males mencionados neste versículo. Mas isto não o demoveu da sua constância e integridade. – *William S. Plumer*

v. 158: "Vi os transgressores e me afligi". Celerino, nas Epístolas de Cipriano, apresenta um amigo com sua grande angústia pela apostasia de uma mulher, pelo medo da perseguição; e isto o afligiu tanto, que na festa da Páscoa (a rainha das festas, na igreja primitiva), ele chorou noite e dia, e decidiu que jamais conheceria um momento de prazer, até que, pela misericórdia de Deus, ela se recuperasse. – *Charles Bridges*

v. 158: "Vi os transgressores e me afligi". Oh, se vocês têm os corações de cristãos ou de homens em vocês, permitam que eles anseiem pelos seus próximos, pobres, ignorantes, ímpios. Ai, há apenas um passo entre eles, e a morte e o inferno: muitas centenas de doenças estão esperando, prontas para se apoderar deles, e se morrerem sem se regenerar, estarão perdidos para sempre. Será que os vossos corações estão tão empedernidos, que não se apiedam de homens em um caso como este? Se não vocês não creem na palavra de Deus, e no perigo que correm os pecadores, por que vocês são cristãos? Se vocês creem, por que não se motivam a ajudar os outros? Vocês não se importam com quem esteja condenado, desde que vocês estejam salvos? Se for assim, vocês têm motivos suficientes para sentirem compaixão de vocês mesmos, pois têm um estado de espírito totalmente inconsistente com a graça; vocês não prefeririam dizer, como os leprosos de Samaria, "Este dia é dia de boas-novas, e nos calamos?" (2 Rs 7.9). Deus teve tanta misericórdia de vocês, e vocês não terão misericórdia de seus próximos? Vocês não precisam ir longe para encontrar objetos para a sua piedade: examinem as suas ruas, ou a casa ao lado da sua, e provavelmente encontrarão estes objetos. Vocês não têm um vizinho ignorante ou tolo, não regenerado, que dedica o seu coração às coisas inferiores, e negligencia a eternidade? Em que lugar abençoado vocês vivem, onde não haja uma pessoa assim? Será bom, se não houver pessoas assim na sua própria família. E vocês fazem silêncio? Vocês vivem perto deles, ou se encontram com eles nas ruas, ou trabalham com eles, ou viajam com eles, ou se sentam e conversam com eles, e não dizem nada às suas almas, sobre a vida futura? Se as casas deles estivessem em chamas, vocês correriam para ajudar; e não os ajudam, quando são as almas deles que estão quase no fogo do inferno? Se vocês conhecessem apenas um remédio para as doenças deles, vocês lhes diriam, caso contrário poderiam se considerar culpados da morte deles. – *Richard Baxter* (1615-1691), *em "The Saints' Everlasting Rest"*

v. 158: "E me afligi, porque não observam a tua palavra". Eu nunca pensei que o mundo tinha sido tão ímpio, quando o Evangelho começou, como agora vejo que é; eu esperava que cada indivíduo tivesse saltado de alegria, quando se encontrou livre da sujeira do Papa, das suas lamentáveis perturbações às pobres consciências aflitas, e que, por intermédio de Cristo, eles, pela fé, obtivessem o tesouro celestial que buscavam, com tanto esforço e custo, embora em vão. E, particularmente, eu pensei que os bispos e as universidades tivessem recebido com alegria de coração as verdadeiras doutrinas; mas eu estava lamentavelmente enganado. Moisés e Jeremias, também, se queixaram de que estavam enganados. – *Martinho Lutero v. 158:* "E me afligi". A palavra que aqui é traduzida como *"afligi"* vem de *katat*, que significa odiar, abominar e contender. Eu contemplei os transgressores, e os abominei; eu contemplei os transgressores, e os odiei. Eu contemplei os transgressores, e contendi com eles; mas não tanto porque fossem meus inimigos, mas porque eram teus inimigos. – *Thomas Brooks*

v. 158: O dia em que conheci o Coronel Gardiner, em Leicester, eu estava pregando sobre Sl 119.158: *"Vi os transgressores e me afligi; porque não observam a tua palavra"*. Eu fui copioso, na descrição daquele misto de indignação e angústia, fortemente expresso pela palavra original aqui, com que um homem bom considera os vários transgressores da lei divina; e, ao investigar as causas desta angústia, como tendo surgido de uma consideração pela honra divina, e do interesse de um Redentor, e um interesse compassivo pela infelicidade que estes transgressores trazem sobre si mesmos, e pelo engano que provocam ao mundo ao seu redor. Eu não sabia a exatidão com que estava descrevendo o caráter do Coronel Gardiner em cada um destes itens, e frequentemente considero que isto foi uma feliz providência, que me abriu um caminho muito mais rápido e feliz do que eu poderia ter esperado, para o peito de um dos mais amáveis e úteis amigos que eu poderia esperar encontrar sobre a terra. Posteriormente, nós cantamos um hino, que nos lembrou novamente de alguns dos principais assuntos do sermão, e o atingiu tão forte, que, depois de obter uma cópia, ele o memorizou, e costumava repeti-lo com tal inflexão, que mostrava como cada linha expressava a sua própria alma. O leitor irá me perdoar, se insiro aqui o hino, particularmente porque eu não sei quando poderei ter tempo de publicar um volume com estas composições, sérias, embora simples, que enviei a ele, em manuscrito, há alguns anos, e às quais, desde então, fiz grandes acréscimos:

Surjam, meus mais ternos pensamentos, surjam.
Levem meus olhos a torrentes de lágrimas:
e você, coração meu, com angústia,
sinta estes males que você não poderá curar.

Veja a natureza humana afundar em vergonha,
veja escândalos derramados em nome de Jesus;
o Pai ferido, através do Filho
A Palavra, maltratada, e as almas destruídas.

Veja como dura pouco o deleite vão
que se encerra na noite eterna;
em chamas, que não conhecem a extinção,
embora lágrimas salgadas sejam derramadas para sempre.

Meu Deus, eu vejo a cena lamentável;
minhas entranhas anseiam pelos homens moribundos,
e a minha piedade de bom grado reclama,
e arrebata os tições do fogo.

Mas a minha compaixão prova ser frágil
e não pode fazer nada além de chorar onde mais ama.
Emprega o teu braço que a todos salva,
e converte estas lágrimas de tristeza em alegria.
– Philip Doddridge, "The Life of Colonel Gardiner"

v. 159: "Considera como amo os teus preceitos". Sonda-me. Eis a evidência do meu apego pela tua lei. Este é o confiante apelo de alguém que estava consciente de que era verdadeiramente apegado a Deus; de que realmente amava a sua lei. É similar ao apelo de Pedro ao Salvador (Jo 21.17): "Senhor, tu sabes tudo; tu sabes que eu te amo". Um homem que ama verdadeiramente a Deus *pode* fazer este apelo, com toda propriedade. Ele pode ser tão confiante, tão seguro, que sente um verdadeiro amor pelo caráter de Deus, que pode fazer um apelo solene a Ele sobre o assunto, como poderia apelar a um amigo, à sua esposa, a seu filho, à sua filha, com a máxima confiança de que os ama. Um homem *deve* sentir tal amor pelos *preceitos* de Deus, que possa afirmar isto, sem hesitação nem dúvida; um homem *deve* sentir tal amor por *Deus*, que possa afirmar isto com igual confiança e propriedade. – *Albert Barnes*

v. 159: "Considera como amo os teus preceitos". Ele não diz, Considera como *realizo* os teus preceitos; mas como eu *amo* os teus preceitos. O consolo de um militante cristão, neste corpo de pecado, está mais na sinceridade e no fervor dos seus sentimentos do que na absoluta perfeição de seus atos. Ele falha muitas vezes, na sua obediência aos preceitos de Deus, com relação aos seus atos; mas o amor ainda permanece nos seus sentimentos; de modo que, tanto antes da tentação do pecado, quanto depois, há uma angústia na sua alma, de que ele encontrasse em si mesmo qualquer desejo corrupto, contrário à santa vontade do Senhor seu Deus; e isto prova que há nele um amor invencível pelos preceitos de Deus. – *William Cowper*

v. 159: "Considera", etc. O texto pode ser traduzido como (sendo o texto em hebraico o mesmo do versículo 158), *"Vê* como amo os teus preceitos", como fica evidente quando "*Vi* os transgressores e me afligi". Ele implora que Deus veja isto, não como merecedor de graça, mas como um sinal característico de um homem piedoso. – *A. R. Fausset*

v. 159: "Amo os teus preceitos; vivifica-me". O amor com que ele amava a Deus vinha daquele amor com que Deus o amou primeiro. Pois, ao ver o grande amor com que Deus o amava, ele se comovia e era forçado a amar a Deus novamente. De modo que o que ele quer dizer é: Tu vês, Senhor, que eu sou inimigo do pecado em mim, pois não me esqueço da tua lei; vês que eu sou inimigo do pecado em outras pessoas, pois me aflijo por vê-los transgredir a tua lei; por isto, ó Senhor, *"vivifica-me"*, e que a tua amorosa misericórdia, com que me criaste e me redimiste em Cristo, com que me libertaste de tantos problemas, e me enriqueceste com tantos benefícios contínuos, me renove, me reviva, me vivifique e me restaure. – *Richard Greenham*

v. 159: "Vivifica-me". Frequentemente, quando o salmista repete esta oração, pedindo a graça que vivifica,[********] isto não era uma *"vã repetição"*, ou um som vazio. Cada vez, a oração era avivada por fé abundante, sentimento intenso da sua necessidade, e a veemência do mais ardente afeto. Se a consciência da fragilidade da nossa força, e da frieza dos nossos sentimentos nos levasse a oferecer esta oração cem vezes por dia, com este estado de espírito, ela jamais deixaria de ser aceita. – *Charles Bridges*

v. 159: "Segundo a tua benignidade". Não precisamos desejar ser vivificados, não mais do que a benignidade de Deus irá nos vivificar. – *Matthew Henry*

v. 160: "A tua palavra é a verdade desde o princípio". Literalmente, "O princípio da tua palavra é verdade", em antítese com a expressão "dura para sempre", no futuro, na sentença seguinte. Cocceius e Hengstenberg traduzem, "A *soma* da tua palavra é verdade", como em Nm 26.2; 31.26. Mas a antítese observada acima, na versão em inglês, é perdida; porém as versões antigas sustentam a versão inglesa.

******** Nove vezes é feito este pedido: versículos 25, 37, 40, 88, 107, 149, 154, 156, 159.

Além disto, se fosse *"a soma"*, deveria ser seguida por um plural, ou seja, "das tuas *palavras*", e não "da tua *palavra*". – *A. R. Fausset*

v. 160: "A tua palavra é a verdade desde o princípio", etc. Como se ele dissesse, eu creio que tu irás me vivificar desta maneira, porque o próprio princípio da tua palavra é muito justo e verdadeiro; e quando tu fizeste o concerto comigo, eu vi que tu não me enganaste, nem me iludiste. E quando, pelo teu Espírito, tu me fizeste crer no teu concerto, disseste a verdade, e sei que, o que prometeste, irás realizar, pois não és mais liberal nas promessas do que fiel e justo no cumprimento, e o teu juízo será tão justo quanto a tua promessa é verdadeira. Eu sei que, tão logo falas, a verdade procede de ti; e assim eu sei que tu irás me defender e me preservar, para que os teus juízos possam brilhar igualmente justos em ti. – *Richard Greenham*

v. 160: "A tua palavra é a verdade desde o princípio", etc. O mandamento e a promessa de Deus são excessivamente amplos, abrangendo todos os tempos. A palavra de mandamento foi "o guia da sua juventude"? Eu lhe asseguro que ela será um bom bastão na sua velhice. Uma boa promessa é uma boa enfermeira, tanto para a criança como para o velho decrépito. Os melhores remédios dos seus farmacêuticos, com o tempo, perdem o efeito, e, às vezes, quanto mais fortes são, mais cedo o efeito é perdido. Mas uma promessa animou você, digamos, há vinte, trinta, quarenta anos? Prove-a de novo, e verá que ela é tão fresca e cheia de vigor como sempre. Se ela foi a sua maior alegria na sua feliz mocidade, eu lhe digo, ela lhe proporcionará igual alegria na sua triste velhice. O que o profeta diz, sobre si mesmo, pode ser dito a respeito da palavra de Deus (Is 46.4): "E até à velhice eu serei o mesmo e ainda até às cãs eu vos trarei". O salmista não diz a mesma coisa aqui, *"A tua palavra é a verdade desde o princípio"*? Está bem, ela começa bem, Mas irá durar bem, também? Sim; ele acrescenta, *"e cada um dos teus juízos dura para sempre"*. Correspondente a esta é a outra expressão (v. 152): *"Acerca dos teus testemunhos eu soube, desde a antiguidade, que tu os fundaste para sempre"*. "Para sempre", e "fundaste para sempre". Ó, doce expressão! Ó, doce consolo! Irmãos, familiarizem-se com a palavra e a promessa de Deus, tão logo puderem, e conservem eternamente esta familiaridade; e o seu conhecimento sobre ela não deverá estar aquém, nem ir além, da sua verdade. Saibam disto, tão logo quiserem ou puderem, e pelo tempo que quiserem ou puderem, e jamais as verão brincar ou falhar; mas vocês poderão, depois de longa experiência de Deus, dizer: *"Eu soube, desde a antiguidade, que tu os fundaste para sempre"*. – *Anthony Tuckney, 1599-1670*

EXPOSIÇÃO DOS VERSÍCULOS 161 A 168

161 *Príncipes me perseguiram sem causa, mas o meu coração temeu a tua palavra.*
162 *Folgo com a tua palavra, como aquele que acha um grande despojo.*
163 *Abomino e aborreço a falsidade, mas amo a tua lei.*
164 *Sete vezes no dia te louvo pelos juízos da tua justiça.*
165 *Muita paz têm os que amam a tua lei, e para eles não há tropeço.*
166 *Senhor, tenho esperado na tua salvação e tenho cumprido os teus mandamentos.*
167 *A minha alma tem observado os teus testemunhos; amo-os extremamente.*
168 *Tenho observado os teus preceitos e os teus testemunhos, porque todos os meus caminhos estão diante de ti.*

161. *"Príncipes me perseguiram sem causa."* Estas pessoas deveriam ter pensado melhor, deveriam ter se solidarizado com alguém da sua própria classe. Um homem espera um julgamento justo da mão de seus pares: seria ignóbil sofrer algum tipo de preconceito. Além disto, ainda que a honra seja banida de todos os outros peitos, ela deve permanecer no seio de reis, e a honra proíbe a perseguição aos inocentes. Príncipes devem proteger os inocentes e vingar os oprimidos, e é uma

vergonha, quando eles mesmos se tornam os que atacam os justos. Foi um caso triste, quando o homem de Deus se encontrou atacado pelos juízes da terra, pois a posição eminente adicionava peso e veneno à sua inimizade. Foi bom o sofredor ter podido declarar sinceramente que esta perseguição era sem causa. Ele não tinha infringido as suas leis; ele não os tinha ofendido; ele sequer tinha desejado vê-los prejudicados; ele não tinha sido um defensor de rebelião ou anarquia; ele não tinha, abertamente ou secretamente, se oposto ao poder deles, e, por isto, enquanto isto tornava a sua opressão ainda mais imperdoável e injustificável, removia uma parte do seu aguilhão e ajudava o servo corajoso de Deus a suportar isto.

"Mas o meu coração temeu a tua palavra." Ele poderia ter sido derrotado pelo temor dos príncipes, não fosse pelo fato de que um temor maior expulsa o menor, e ele foi influenciado pelo temor à Palavra de Deus. Quão pequenos ficam as coroas e os cetros no juízo daquele homem que percebe uma realeza mais majestosa nos mandamentos do seu Deus. Nós não seremos desencorajados pela perseguição, nem ela nos conduzirá ao pecado, se a palavra de Deus tiver continuamente seu poder supremo sobre as nossas mentes.

162. *"Folgo com a tua palavra, como aquele que acha um grande despojo."* O seu temor não evitou a sua alegria; o seu temor a Deus não era o tipo que o amor perfeito descarta, mas o tipo que ele alimenta. Ele tremia com temor da Palavra do Senhor, mas também se alegrava com ela. Ele compara a sua alegria com a de alguém que esteve em batalha por muito tempo, e por fim obteve a vitória e está dividindo os despojos. Esta, normalmente, é a sorte dos príncipes, e embora Davi não participasse com eles de suas perseguições, ele teve as suas vitórias, e os seus despojos eram iguais aos maiores ganhos dos príncipes. Os lucros obtidos na busca das Escrituras eram maiores do que os troféus de guerra. Nós também temos que lutar pela verdade divina; cada doutrina nos custa uma batalha, mas quando obtemos um pleno entendimento dela, pelas batalhas pessoais, ela se torna duplamente preciosa para nós. Nestes dias, os homens piedosos têm uma grande cota de batalhas pela Palavra de Deus; que os nossos despojos possam nos dar uma possessão mais firme da Palavra inestimável. Talvez, no entanto, o salmista possa ter se alegrado como alguém que obtém um tesouro oculto, pelo qual não tinha lutado, e neste caso vemos a analogia no homem de Deus que, enquanto lê a Bíblia, faz grandes e abençoadas descobertas da graça que Deus acumulou para ele – descobertas que o surpreenderam, pois ele não esperava encontrar tal prêmio. Quer nós conquistemos a verdade como descobridores ou como guerreiros que lutam por ela, o tesouro celestial deve ser igualmente valioso para nós. Com que tranquila alegria o lavrador vai para casa, com sua descoberta de ouro! Como gritam os vitoriosos, quando repartem os despojos! Que alegria deve ter o homem que descobriu a sua porção nas promessas dos textos sagrados, e é capaz de desfrutá-las, sabendo, pelo testemunho do Espírito Santo, que é tudo seu.

163. *"Abomino e aborreço a falsidade."* Uma expressão dupla, para um ódio inexprimível. A falsidade na doutrina, na vida ou nas palavras, a falsidade em qualquer forma, tinha se tornado completamente detestável para o salmista. Esta era uma condição notável para um oriental, pois, de modo geral, a mentira é o deleite dos orientais, e o único mal que eles veem nela é a falta de habilidade no seu exercício, de modo que assim o mentiroso seja descoberto. O próprio Davi tinha feito muitos progressos neste aspecto. No entanto, ele não se refere apenas à falsidade no modo de vida; evidentemente, ele se refere à perversidade na fé e nos ensinamentos. Ele registra como mentira toda a oposição ao Deus da verdade, e então volta toda a sua alma contra isto, na mais intensa forma de indignação. Os homens piedosos devem detestar a falsa doutrina como abominam uma mentira.

"Mas amo a tua lei", porque ela é toda verdade. O seu amor era tão ardente quanto o seu ódio. Os homens genuínos amam a verdade, e odeiam a mentira. É bom que

saibamos em que direção vão nossos ódios e nossos amores, e poderemos prestar um serviço essencial a outros, declarando quais são seus objetos. Tanto o amor como o ódio são contagiantes, e quando são santificados, a sua influência é mais ampla e melhor.

164. *"Sete vezes no dia te louvo pelos juízos da tua justiça."* Ele se empenhava perfeitamente em louvar o seu Deus perfeito, e desta maneira cumpria o número perfeito de cânticos. Sete também pode significar frequência. Frequentemente ele elevava seu coração para dar graças a Deus pelos seus divinos ensinamentos na Palavra, e por suas divinas ações na providência. Com sua voz ele exaltava a justiça do Juiz de toda a terra. Sempre que ele pensava nos caminhos de Deus, um cântico aflorava aos seus lábios. Vendo os príncipes opressores e ouvindo a abundante falsidade ao seu redor, ele se sentia ainda mais obrigado a adorar e magnificar a Deus, que, em todas as coisas, é verdade e justiça. Quando outros nos roubam o nosso louvor, isto deveria ser para nós uma advertência, para não cairmos no mesmo comportamento com relação ao nosso Deus, que é muito mais merecedor de honra. Se louvarmos a Deus quando somos perseguidos, a nossa música será ainda mais doce para Ele, por causa da nossa constância em meio ao sofrimento. Se nós nos conservarmos isentos de toda mentira, o nosso canto será ainda mais aceitável, porque sai de lábios puros. Se nós jamais adularmos os homens, estaremos em melhor condição para honrar ao Senhor. Nós louvamos a Deus sete vezes por dia? Nós o louvamos uma vez em cada sete dias?

165. *"Muita paz têm os que amam a tua lei."* Que versículo encantador é este! Ele não trata daqueles que observam perfeitamente a lei, pois onde poderiam ser encontradas estas pessoas? Ele trata daqueles que a amam, cujos corações e mãos se enquadram em seus preceitos e exigências. Estes homens estão sempre lutando, com todo seu coração, para andar em obediência à lei, e ainda que sejam frequentemente perseguidos, têm paz, sim, *muita* paz; pois aprenderam o segredo do sangue reconciliador, e sentiram o poder do Espírito consolador, e comparecem diante do Pai como homens aceitos. O Senhor lhes permitiu sentir a sua paz, que excede todo entendimento. Eles têm muitas dificuldades e provavelmente serão perseguidos pelos soberbos, mas a sua condição usual é de profunda calma – uma paz grande demais, para que este mundo pequeno a rompa.

"E para eles não há tropeço", ou "nada realmente os prejudicará". "Todas as coisas contribuem juntamente para o bem daqueles que amam a Deus, daqueles que são chamados por seu decreto". É necessário que venham as ofensas, mas os que amam a lei são pacificadores, e assim não ofenderão nem serão ofendidos. Esta paz, que se fundamenta na conformidade com a vontade de Deus, é uma paz viva e duradoura, e merecedora de ser expressa por escrito com entusiasmo, como faz aqui o salmista.

166. *"Senhor, tenho esperado na tua salvação e tenho cumprido os teus mandamentos."* Aqui temos a salvação pela graça, e os seus frutos. Toda a esperança de Davi estava fixa em Deus, ele confiava somente nele para a salvação; e então ele se empenhava, ainda mais fervorosamente, em cumprir os mandamentos da sua lei. Aqueles que depositam a menor confiança em boas obras frequentemente são os que mais as recebem; o mesmo ensinamento divino que nos livra da confiança nas nossas próprias obras, nos leva à abundância em cada boa obra para a glória de Deus. Em tempos de aflição, há duas coisas a serem feitas, a primeira é ter esperança em Deus, e a segunda é fazer o que é certo. A primeira, sem a segunda, seria mera presunção; a segunda, sem a primeira, mera formalidade. É bom se, ao olhar para trás, pudermos declarar que agimos da maneira que o Senhor ordena. Se tivermos agido corretamente com relação a Deus, podemos ter certeza de que Ele irá agir com bondade para conosco.

167. *"A minha alma tem observado os teus testemunhos."* A minha vida exterior guardou os teus preceitos, e a minha vida interior – a minha alma, guardou os teus testemunhos. Deus deu testemunho de muitas verdades sagradas, e a estas

nos apegamos, como à própria vida. O homem piedoso acumula a verdade de Deus dentro do seu coração, como um tesouro extremamente precioso – ele a guarda. A sua alma secreta, o seu eu interior, se torna guardião destes ensinamentos divinos, que são sua única autoridade em questões da alma.

"Amo-os extremamente." Por isto, ele os guardava, e tendo-os guardado, este era o resultado.

Ele não acumulava meramente a verdade revelada por dever, mas por causa de um profundo e inexprimível afeto por ela. Ele sentia que poderia morrer antes de abrir mão de cada parte da revelação de Deus. Quanto mais armazenarmos em nossas mentes a verdade celestial, mais profundamente a amaremos: quanto mais pudermos ver as excelentes grandezas da Bíblia, mais o nosso amor irá ultrapassar medidas e expressão.

168. *"Tenho observado os teus preceitos e os teus testemunhos."* Tanto as partes práticas como as doutrinárias da Palavra de Deus, ele observou, e preservou, e seguiu. É algo abençoado ver as duas formas da Palavra divina, igualmente conhecidas, igualmente apreciadas, igualmente confessadas: não se deve ser seletivo, no que diz respeito à mente de Deus. Nós conhecemos aqueles que se esforçam para ser cuidadosos quanto aos preceitos, mas que parecem pensar que as doutrinas do Evangelho são mera questão de opinião, que podem formar por si mesmos. Este não é um estado de coisas perfeito. Nós conhecemos outros que são muito rígidos quanto às doutrinas, e dolorosamente complacentes com referência aos preceitos. Isto também está longe de ser correto. Quando as duas coisas são "observadas" com igual fervor, então temos o homem perfeito.

"Porque todos os meus caminhos estão diante de ti." Provavelmente, ele quer dizer que este era o motivo para o seu esforço em ser correto, tanto na cabeça quanto no coração, porque sabia que Deus o via, e sob a percepção da presença divina, ele tinha medo de errar. Ou ele apela a Deus, para que dê testemunho da verdade do que ele disse. Seja como for, não é um pequeno consolo sentir que o nosso Pai celestial conhece tudo a nosso respeito, e que, se os príncipes falam contra nós, e os mundanos enchem suas bocas com cruéis mentiras, ainda assim Ele pode nos defender e justificar, pois nada lhe é secreto ou oculto.

Nós nos assombramos com o contraste entre este versículo, que é o último deste grupo de oito, e o versículo 176, que tem a posição correspondente no próximo grupo de oito. Esta é uma declaração de inocência, "Tenho observado os teus preceitos", e aquela, uma confissão de pecado, "Desgarrei-me como a ovelha perdida". Ambas sinceras, ambas precisas. A experiência deixa claros muitos paradoxos, e aqui está um. Diante de Deus: podemos estar isentos de um erro declarado, e, ao mesmo tempo, lamentar por mil desvios de coração que precisam da sua mão restauradora.

NOTAS SOBRE OS VERSÍCULOS 161 A 168

v. 161: "Príncipes me perseguiram". O mal é agravado pela consideração de que são as mesmas pessoas que deveriam ser como escudos para nos proteger, que empregam sua força para nos ferir. Sim, quando os aflitos são atacados por aqueles que estão em altas posições, de certa forma pensam que a mão de Deus está contra eles. Havia, também, esta peculiaridade no caso do profeta, pois ele tinha que encontrar os nobres do povo escolhido – homens aos quais Deus tinha colocado em posições honrosas, com a finalidade de que eles fossem as colunas da igreja. – *João Calvino*

v. 161: "Sem causa". Para mim, está claro que quanto mais diligentemente e fielmente eu servir a Cristo, maior reprovação e mais ofensas devo esperar. Eu bebi o cálice da calúnia e da reprovação antes, mas não me desencorajei, de maneira alguma, nem pelo insucesso dos meus esforços em corrigir este mundo mau, o que é muito mais difícil de suportar. – *Philip Doddridge*

v. 161: "Sem causa". Nós sabemos as perseguições que o corpo de Cristo, isto é, a santa igreja, sofreu por parte dos reis da terra. Devemos, portanto, reconhecer aqui também as palavras da igreja: *"Príncipes me perseguiram sem causa"*. Como os cristãos prejudicaram os reinos da terra? Embora o seu Rei lhes prometesse o reino do céu, como, pergunto, eles prejudicaram os reinos da terra? O seu Rei proibiu que os seus soldados prestassem o devido serviço aos reis da terra? Ele não disse aos judeus que estavam tentando caluniá-lo: "Dai, pois, a César o que é de César e a Deus, o que é de Deus"? (Mt 22.21). E Ele mesmo, na sua própria pessoa, não pagou tributo, tirando-o da boca de um peixe? O seu precursor, quando os soldados deste reino estavam investigando o que deviam fazer pela sua salvação eterna, em vez de responder, "Afrouxem seus cintos, abandonem suas armas, deixem o seu rei, para que possam guerrear pelo Senhor", não respondeu, "A ninguém trateis mal, nem defraudeis e contentai-vos com o vosso soldo"? (Lc 3.14). E um dos seus soldados, o seu mais amado companheiro, não disse a seus colegas soldados, os provincianos, por assim dizer, de Cristo, "Toda alma esteja sujeita às autoridades superiores"? e, um pouco mais baixo, acrescentou, "Portanto, dai a cada um o que deveis: a quem tributo, tributo; a quem imposto, imposto; a quem temor, temor; a quem honra, honra. A ninguém devais coisa alguma, a não ser o amor com que vos ameis uns aos outros" (Rm 13.1,7,8). Ele não ordena que a igreja ore até mesmo pelos próprios reis? Como, então, os cristãos os ofenderam? Que dever não cumpriram? Em que os cristãos não obedeceram aos monarcas da terra? Os reis da terra, portanto, perseguiram e têm perseguido os cristãos, *sem causa*. – *Agostinho*

v. 161: "Mas o meu coração temeu a tua palavra". Se permanece algum resquício de temor em teu coração, temor da ira de homens sanguinários, que te ameaçam pela tua profissão da verdade, então, que um coração inflamado com o amor pela verdade se esforce para acrescentar a outros corações o temor desta ira que Deus tem armazenado para todos os que apostatam e se afastam da verdade. Quando tiver que se arriscar a queimar um dedo, você poderá se aproximar do fogo, e, aumentando a área de exposição do seu corpo ao fogo, perceberá que queimar um dedo é algo menos grave do que queimar o corpo todo. Assim, quando os seus pensamentos estiverem chamuscados, e o seu coração amedrontado com o fogo da ira dos homens, coloque-os, por algum tempo, junto ao fogo do inferno, que Deus preparou para os medrosos (Ap 21.8) e para todos aqueles que se afastam da verdade (Hb 10.39), e assim você perderá o medo da perseguição, por temer mais o inferno eterno. *Ignosce imperator,* diz o santo, *tu carcerem, Deus gehennam minatur*; "Perdoa-me, ó Imperador, se não obedeço ao teu mandamento, tu ameaças com uma prisão, mas Deus, com um inferno". É notável o que diz Davi: "Príncipes me perseguiram sem causa: mas o meu coração temeu a tua palavra". Ele não tinha motivos para temer os que não tinham motivos para persegui-lo. Uma ameaça de fora do mundo, que dirige a ira de Deus ao seu coração, o amedronta mais do que o pior que os grandes da terra possam fazer a ele. A ira do homem, quando inflamada, é apenas um clima temperado, em comparação com a ira do Deus vivo. Aqueles que já sentiram ambas assim testemunharam. A ira do homem não consegue impedir o acesso do amor de Deus à criatura, que fez com que os santos cantassem no fogo, apesar das garras dos inimigos. Mas a criatura sob a ira de Deus é como alguém encerrado em um forno, sem nenhuma abertura para a saída do calor, ou sem qualquer alívio para ele. – *William Gurnall*

v. 161: "O meu coração temeu a tua palavra". Há um *temor* pela palavra, não para nos tornar tímidos, mas ternos e temerosos de infringi-la, ou de fazer alguma coisa contrária a ela. Este não é o fruto do amor escravo, mas do santo amor; ele não tem medo da Palavra, mas se deleita nela, à medida que nos revela a vontade de Deus; como, no versículo seguinte, está escrito, "Folgo com a tua palavra". Este temor é chamado por um nome próprio: reverência, ou temor piedoso, quando consideramos de quem é a Palavra, ou seja, a Palavra do Senhor, que é o nosso Deus, e que tem o direito de ordenar o que quiser àqueles que já demonstraram obediência à sua vontade e palavra. Sim, nós nos dedicamos a andar de um modo digno dele, em tudo o que lhe for agradável. É Ele que pode contemplar todas as nossas falhas, conhecendo os nossos pensamentos à distância (Sl 139.2), e tendo todos os nossos caminhos diante de Si. A respeito dele lemos: "É Deus santo, é Deus zeloso, que não perdoará a vossa transgressão nem os vossos pecados" (Js 24.19), ou seja, se continuarmos impenitentes neles. Considerando estas coisas, recebemos a palavra com aquele tremor de coração que Deus tanto estima. – *Thomas Manton*

v. 161: "Temeu a tua palavra". Eu aconselho, a todos vocês, que vierem a ler ou ouvir este livro, que é a Palavra de Deus, a mais preciosa joia, e a mais santa relíquia que permanece sobre a terra, que tragam, com vocês, o temor de Deus, e que o façam com toda a devida reverência, usando o seu conhecimento, não para vanglória de frívola disputa, mas para a honra de Deus, para o acréscimo de virtude, e para a edificação, tanto de vocês mesmos quanto de outros. – *Thomas Cranmer, 1489-1555*

v. 161: "Temeu a tua palavra". Aqueles que tremem diante das convicções da Palavra podem triunfar nos seus consolos. – *Matthew Henry*

v. 162: "Folgo com a tua palavra, como aquele que acha um grande despojo". Ele não voltava a uma ordenança, senão como um soldado ao despojo, depois de uma grande batalha, como estando em um estado de guerra constante com as suas corrupções que combatiam a sua alma. Ele vem para ver o que Deus irá lhe dizer, e se tornará um salvador [ou ganhador], e obterá um despojo de cada mandamento, promessa ou ameaça que ouvir. – *John Cotton (1585-1652), em "The way of life"*

v. 162: "Folgo com a tua palavra". "Eurípides", diz o orador, "tem, nas suas tragédias bem escritas, mais sentimentos do que ditados", e Tucídides recheou tanto cada palavra da sua história com substância, que uma corre paralela à outra; as obras de Lísias são tão bem formuladas que não se pode remover nem a menor palavra, sem remover com ela todo o sentido; e Fócion tem uma faculdade especial de falar muito com poucas palavras. Os cretenses, nos tempos de Platão (embora degenerado, nos tempos de Paulo) tinham mais peso que palavras; Timantes era famoso pelo fato de que em suas imagens havia mais coisas tencionadas do que decifradas; e de Homero se diz que ninguém se comparava a ele na poesia. Então, muito mais aptos e apropriados são estes elevados louvores ao livro de Deus, apropriadamente chamado de *a Bíblia*, ou *o Livro*, pois, de certa forma, realmente é, tanto pela adequação de termos como pela plenitude da verdade, o único livro diante do qual (como diz Lutero) todos os livros do mundo são apenas papel desperdiçado. É chamado de *a palavra*, por sua eminência, porque deve ser o alvo e os limites de todas as nossas palavras; e *Escrituras*, como o senhor supremo, acima de todas as outras palavras ou de todos os outros escritos dos homens, reunidos em volumes, como dizem os rabinos, uma montanha de razão pairando sobre cada um de seus títulos, de onde podemos obter flores e frases com as quais adornar nossas palavras, e palavras sadias, que têm uma propriedade curativa, muito acima de todas as expressões da elocução humana. – *Thomas Adams*

v. 162: "Como aquele que acha um grande despojo". Esta imagem expressiva pode nos lembrar do conflito interior que deve ser suportado quando se obtêm os despojos desta palavra preciosa. É tão contrário à nossa tendência e temperamento natural, que a auto-negação habitual e a luta com a indisposição do coração são as únicas coisas que podem nos capacitar a *"achar o despojo"*. Mas que *"grande despojo"* é dividido, como o fruto do conflito! Quão rica e abundante é a recompensa do "bom soldado de Jesus Cristo", que está determinado, por intermédio do poder do Espírito, a "suportar a dificuldade" até superar a relutância do seu coração para com este dever espiritual. Ele *"folga"* ao *"achar um grande despojo"*. Às vezes – como o despojo com que os leprosos enriqueceram, no campo sírio – ele pode ser encontrado inesperadamente. Às vezes, vemos as riquezas e os tesouros contidos em uma passagem ou doutrina, muito antes que possamos nos apossar delas. E frequentemente, quando nos preparamos para o conflito com indolência, e hesitações, sob a fraqueza das nossas percepções espirituais e da força da incredulidade, muitas orações e muitos suspiros são enviados, pedindo a ajuda divina, antes que sejamos coroados com a vitória e capacitados, à medida que o fruto da nossa conquista nos leva à apropriação da palavra para nossa atual necessidade e aflição. – *Charles Bridges*

v. 163: "Abomino e aborreço a falsidade", etc. Vemos aqui como a luz na alma de Davi crescia mais e mais, até ser dia perfeito. Na primeira parte deste salmo, Davi, ao se lembrar do seu próprio pecado, tinha orado, "Desvia de mim o caminho da falsidade" e o Senhor tinha atendido esta súplica, pois agora ele declara o seu ódio total a cada falso caminho: *"Abomino e aborreço a falsidade"*. E vemos, até certo ponto, o instrumento pelo qual o Espírito Santo operou a mudança: *"Amo a tua lei"*; na verdade, como ele acrescenta em um versículo à frente, "amo-os [os teus testemunhos] extremamente". E assim deve ser; o coração deve ter algum objeto de interesse mais santo para preencher o vazio, ou não haverá nenhuma proteção de uma recaída no pecado. Eu poderia falar para sempre sobre o pecado, a desgraça e o perigo da mentira, e embora no momento e ainda durante algum tempo as minhas palavras pudessem ter alguma influência, a menos que o coração esteja cheio com o amor de Deus, e o amor pela lei de Deus, a primeira tentação provaria ser poderosa demais. A Bíblia nos ensina isto, de várias maneiras. Deus diz a Israel não apenas "cessai de fazer mal", mas "aprendei a fazer o bem". E ainda mais rígido é o que diz o apóstolo, quando combate a embriaguez: "Não vos embriagueis com vinho, em que há contenda, mas enchei-vos do Espírito". – *Barton Bouchier*

v. 163: "Abomino e aborreço a falsidade". *"Falsidade"*, no uso que fazem as Escrituras, não apenas significa falar o oposto do que se pensa, mas também pensar o oposto à verdade das coisas, e, em especial, dedicar a qualquer outro aquela adoração e glória que são devidas exclusivamente ao Deus verdadeiro. É pensar e agir separadamente da verdade de Deus. Os homens que perseguiram este homem piedoso pensavam em prosperidade e poder terrenos como não deveriam ter pensado; eles julgavam o servo de Deus com falsidade, e pensavam com maldade sobre o próprio Deus. O homem de Deus examinou estas coisas, ele viu a falsidade e a infâmia deles, e continuou – "Abomino e aborreço a falsidade, *mas amo a tua lei"*. De todos os caminhos enganosos e ilusórios dos homens, de todo o orgulho e a pompa que há nas cortes, dos prazeres pecaminosos dos homens mundanos, assim como da idolatria ostentosa das nações pagãs, ele pôde se voltar com sincero prazer para a contemplação do Senhor, por meio daquele maravilhoso ritual que manifestava a misericórdia divina em sacrifícios indiretos, e observâncias e festas; e para a santa lei que tinha sido dada como o dever e a agradecida obediência do homem, e tudo isto Davi amava, como manifestações da graça de Deus. – *John Stephen*

v. 163: "Abomino e aborreço a falsidade", não somente a *"abomino", nem apenas a* "aborreço", *mas* "abomino e aborreço", *fortalecendo e aumentando o sentido e tornando-o mais veemente.* Quando a inimizade ao pecado não é grande, o assunto pode ser mesclado e aceito, mas Davi não deseja ter nada a ver com o pecado, pois disse – Abomino e aborreço – e realmente o odiava com um ódio mortal. Um ódio superficial a um caminho pecaminoso não é suficiente para proteger-nos dele. – *Thomas Manton*

v. 163: O pecado parece ter o seu nome derivado da palavra hebraica *sana, odiar,* a palavra aqui usada, porque ele deve, acima de tudo, ser odiado, como o maior mal, como o que nos afasta mais de Deus, que é o maior bem. Ninguém pode odiá-lo, senão os que amam a lei de Deus, pois todo o ódio a alguma coisa vem do amor por outra. Um homem natural poderá se irritar com o seu pecado, mas não poderá odiá-lo; na verdade, ele poderá deixá-lo, mas não abominá-lo; se o fizesse, odiaria todo o pecado, como qualquer pecado. – *Abraham Wright*

v. 163: "Falsidade". Toda injustiça é abominável: cometer qualquer injustiça é um crime hediondo, mas mentir é aquele crime que, acima de todos os outros, tende à dissolução da sociedade e perturbação da vida humana; o que Deus certamente mais odeia, e os homens têm razões para detestar. Disto, o caluniador é profundamente culpado. "A testemunha de Belial escarnece do juízo, e a boca dos ímpios engole a iniquidade", disse o sábio (Pv 19.28). Aquele que age com falsidade realmente é, de acordo com a avaliação justa, culpado de todos os tipos de ofensa, infringindo todos os mandamentos da segunda tábua, com respeito ao próximo. Mais especificamente, ele dá falso testemunho contra o seu próximo: ele cobiça os bens do seu próximo, pois sente constantemente um desejo tão irregular, pela sua suposta vantagem, de privar o seu próximo de algum bem e transferi-lo a si mesmo, que o caluniador profere a sua mentira; ele também rouba o bom nome do próximo, destrói e degrada a sua reputação, e é um assassino da sua honra. Ele infringe todas as regras da justiça, e perpetra todos os tipos de injustiça contra o seu próximo. – *Isaac Barrow*

v. 164: "Sete vezes no dia te louvo". Os interesses da alma não podem ser mantidos em segredo por muito tempo; se forem fortes, irromperão em ações. O amor por Deus é como um fogo no coração do homem, que irrompe e se manifesta na obediência aos seus mandamentos e no louvor pelos seus benefícios; e é isto o que Davi declara agora – que o amor por Deus não estava ocioso em seu coração, mas o tornava fervoroso e sincero no louvor a Deus, de modo que *"sete vezes no dia"* ele louvava a Deus. Por este número é expressa a atenção à santa devoção e o fervor do seu amor. Ele nunca se satisfazia no louvor a Deus, diz Basil. – *William Cowper*

v. 164: "Sete vezes no dia te louvo". "Assim como cada graça", diz Sibbes, "cresce, quando exercida, também a graça da oração. Pela oração, nós aprendemos a orar". E assim era com o salmista; frequentemente ele antecipava o alvorecer para o seu exercício de oração; e à meia-noite frequentemente se levantava para derramar sua alma em oração; agora, ele acrescenta que *"sete vezes no dia"*, ou, como diríamos, "a todo momento", ele encontrava oportunidade para louvar, e se alegrava em fazê-lo. Oh, se tivéssemos o espírito de Davi, e a prática de Davi! – *Barton Bouchier*

v. 164: "Sete vezes no dia te louvo". Um cristão deve se entregar eminentemente a este dever, sem limitações. – *Walter Marshall*

v. 164: "Sete vezes no dia te louvo". Não como se ele tivesse sete horários fixos para este dever, todos os dias, como fariam os papistas, para permitir as suas sete horas canônicas, mas, na verdade, este número definido representa um indefinido, e corresponde a isto – muitas vezes ao dia ele louvava a Deus; o seu santo coração aproveitava cada indicação da providência para levá-lo ao céu em sua missão de louvor e oração. – *William Gurnall*

v. 164: "Sete vezes no dia". Alguns dos rabinos judeus afirmam que aqui Davi deve ser interpretado literalmente, observando que os hebreus devotos estavam acostumados a louvar a Deus duas vezes pela manhã, antes de ler os Dez Mandamentos, e uma vez depois; duas vezes à noite, antes de ler o mesmo trecho de inspiração, e duas vezes depois; o que totaliza o número de sete vezes por dia. – *Nota de James Anderson a Calvino, in loc.*

v. 165: "Muita paz têm os que amam a tua lei". *Em meio às tempestades do mundo, há uma perfeita calma no seio daqueles que não somente obedecem à vontade de Deus, mas* "amam" fazer isto. Eles estão em paz com Deus, pelo sangue da reconciliação; em paz consigo mesmos, pela resposta de uma boa consciência, e a submissão dos desejos que guerreiam contra a alma; em paz com todos os homens, pelo espírito da caridade; e toda a criação está tão em paz com eles, que todas as coisas trabalham juntas, para o seu bem. Nenhuma aflição externa poderá roubar deles esta *"muita paz"*, nenhuma "ofensa" ou obstáculo, que for colocado em seu caminho pela perseguição, ou tentação, pela maldade de inimigos, ou pela apostasia de amigos, por qualquer coisa que possam ver, ouvir ou sentir, poderá detê-los no seu caminho, ou desviá-los dele. O amor celestial supera cada obstáculo, e percorre com prazer o caminho dos mandamentos de Deus. – *George Horne*

v. 165: "Muita paz têm os que amam a tua lei". Houve Eli e outros semelhantes a ele tremendo pela arca de Deus, e Uzias, e outros como ele, estendendo sua mão, temendo que ela caísse; mas, em meio aos mais terríveis problemas pelos quais a igreja passou, e as mais violentas tempestades que se abateram sobre ela, houve homens de Deus, fiéis e leais, que nunca se desesperaram. Em cada geração, houve pessoas como Lutero e Latimer, que não somente foram firmes em sua confiança, mas cuja paz se aprofundava com o rugir das ondas. Quanto mais eram abandonados pelos homens, mais íntima era a sua comunhão com Deus. E com forte apego a Ele e às suas promessas, e aos corações que podiam entrar no lugar secreto do Altíssimo, embora do lado de fora houvesse todas as agitações, ameaças e alarmes, eles foram conduzidos à paz perfeita. – *James Martin, "The Christian Mirror, and other Sermons", 1878*

v. 165: "Muita paz têm os que amam a tua lei". A consciência limpa é uma ajuda para os pensamentos consoladores. Mas, observe, a paz não é afetada, mas preservada, por uma boa consciência e um bom modo de vida; pois embora a alegria no Espírito Santo não possa se aninhar em nenhum lugar, senão em uma alma santa, somente o sangue de Cristo pode trazer paz: "Sendo, pois, justificados pela fé, temos paz" (Rm 5.1). Uma vida correta não torna calma uma consciência, mas a conservará assim; um sapato confortável não cura um pé que dói, mas evita a dor em um pé saudável. Andar com Deus de acordo com as leis do Evangelho traz consigo a paz, e esta paz é tal tesouro, com que o cristão pode ter esta alegria em si mesmo (Gl 6.4, 16). O seu próprio coração lhe entoa um cântico alegre, que as ameaças e reprovações do mundo não podem calar. O tesouro da consolação não se esgota na aflição; a própria morte não o esgota, mas o aumenta e promove, para um triunfo eterno. Ó, a excelência e a necessidade deste tesouro! Paulo o armazena como um incentivo no leito de morte: "A nossa glória é esta: o testemunho da nossa consciência" (2 Co 1.12). E Ezequias ousa mostrar a Deus que também a integridade será boa como motivo de tranquilidade: "Qualquer justo está confiado como o filho do leão", quem ama e guarda os mandamentos de Deus tem grande paz (Pv 28.1; Sl 119.165). E diz o apóstolo: "Se o nosso coração nos não condena, temos confiança para com Deus" (1 Jo 3.21), e eu acrescento, temos confiança para com os homens. Oh, que consolação e estímulo tem uma consciência limpa! Um homem consciencioso tem alguma coisa interna para responder às acusações externas; ele tem tão rico tesouro que não irá cair nas maiores dificuldades. Eu vou concluir isto, com uma frase notável de Bernard: "Os prazeres de uma boa consciência são o paraíso das almas, a alegria dos anjos, um jardim de delícias, um campo de bênçãos, o templo de Salomão, o átrio de Deus, a morada do Espírito Santo". – *Oliver Heywood*

v. 165: "Muita paz". Observe que a palavra hebraica para *"paz"* é שָׁלוֹם (*shālôm*), que significa não apenas *"paz"*, mas também *perfeição, integridade, prosperidade, tranquilidade, saúde,* a *finalização* e *consumação* de todas as coisas boas, e assim é frequentemente interpretada pelos hebreus; consequentemente, nas saudações, desejando o bem uns dos outros, eles dizem, שָׁלוֹם לְךָ (*shālôm lᵉkā*), *isto é,* "a paz esteja contigo"; como se alguém dissesse, "que todas as coisas te sejam prósperas". – *Thomas Le Blanc v. 165:* "Os que amam a tua lei". *Amar* uma lei pode parecer estranho, mas é a única maneira de viver uma vida verdadeiramente divina. Guardá-la, porque temos medo das suas penalidades, é apenas uma forma de temor ou consideração prudente. Guardá-la para preservar um bom nome pode significar propriedade e respeitabilidade. Guardá-la porque é melhor para a sociedade pode ter como motivo um interesse próprio e terreno. Guardá-la por causa da saúde física pode ser a política da filosofia epicurista. Guardá-la porque a amamos é mostrar que ela já faz parte de nós – já faz parte do tecido moral do nosso ser. O pecado, então, se torna desagradável, e as tentações perdem a sua força. – *W. M. Statham, citado em "A Homilelic Commentary on the Psalms", 1879*

v. 165: "Para eles não há tropeço". Este é o significado literal do texto em hebraico, ou seja, "não há nada que os faça cair". "Aquele que ama a seu irmão permanece na *luz,* e nele não há nenhum *tropeço*" (1 Jo 2.10), ou seja, a luz faz com que ele veja e evite tais obstáculos. A riqueza, a tribulação, a tentação, que são motivos para a queda de muitos (Is 8.14, 15; Ez 3.20; 7.19; 14.3,4,7), não o serão para ele. – *A. R. Faussett*

v. 165: Aprenda a verdadeira sabedoria daqueles que são novas criaturas e que amam a santa lei de Deus. Todos vocês, que são realmente trazidos a Cristo, são modificados, à sua imagem, de modo que amem a santa lei de Deus. "Segundo o homem interior, tenho prazer na lei de Deus". "Os preceitos do Senhor são retos e alegram o coração" (Sl 19). O mundo diz: Que escravo você é! Você não pode ter uma pequena diversão no dia dedicado ao repouso e à adoração ao Senhor – não pode fazer um passeio, nem ir a um chá da tarde, não pode ir a um baile nem ao teatro, não pode desfrutar a indulgência dos prazeres dos sentidos – você é um escravo. Eu respondo: Cristo não teve nenhum destes prazeres. Ele não os queria; e nós também não os queremos. Ele sabia o que é verdadeiramente sábio, e bom, e feliz, e escolheu a santa lei de Deus. Ele foi o mais livre de todos os seres, e, no entanto, não conheceu pecado. Somente faze-me livre, como Cristo é livre – isto é tudo o que eu peço. "Muita paz têm os que amam a tua lei, e para eles não há tropeço". – *Robert Murray M'Cheyne, 1813-1843*

v. 165: "Para eles não há tropeço". Os que têm este caráter dos filhos de Deus, não tropeçarão nas dispensações de Deus; que elas jamais frustrem os seus desejos, porque eles têm um Deus ao qual recorrer em todos os seus problemas, e um concerto assegurado no qual podem descansar. Por isto, as reprovações que lhes são feitas, e ao caminho de Deus, não os escandalizam, pois eles encontraram Deus neste mesmo caminho de que os outros falam mal; eles não são tão ofendidos por qualquer coisa que esteja no caminho de Deus, a ponto de abandonar ou repudiar este caminho. Apesar disto, devemos tomar cuidado, para que não sejamos ofendidos. – *John Bunyan*

v. 166: "Senhor, tenho esperado na tua salvação", etc. Esta é a postura em que todos os servos de Deus devem desejar ser encontrados – esperando na sua misericórdia, e obedecendo a todos os seus mandamentos. Como seria fácil demonstrar a conexão entre o sentimento mental aqui reconhecido, e a obediência com que ele é aqui associado! É a esperança de salvação que é o grande e impregnante motivo para a santidade, e a consciência da obediência à vontade de Deus que fortalece a nossa esperança de interesse na misericórdia divina. – *John Morison*

v. 166: "Senhor, tenho esperado na tua salvação". Estas palavras, ele toma emprestadas do bom e velho Jacó (Gn 49.18). – *John Trapp*

v. 166: "Tenho cumprido os teus mandamentos". Pratique o que você lê. Um estudante de física não ficará satisfeito em ler sobre um sistema ou corpo da física, mas desejará praticar a física: o sangue vivificador da religião está na parte prática. Os cristãos devem ser Bíblias ambulantes; Xenofonte disse: "Muitos leem as leis de Licurgo, mas poucos as observam". A palavra escrita é não apenas uma regra de conhecimento, mas uma regra de obediência; ela não apenas deve corrigir a nossa visão, mas também os nossos passos. Davi chama a palavra de Deus de "lâmpada para os seus pés" (v. 105). Ela era não somente uma luz com a qual os seus olhos viam, mas com cuja luz seus pés andavam. Através da prática, nós negociamos com o talento do conhecimento e o convertemos em lucro. Esta é uma leitura abençoada das Escrituras, quando fugimos dos pecados que a palavra proíbe e desposamos as doutrinas que a palavra recomenda. A leitura, sem a prática, será apenas uma tocha que iluminará o caminho dos homens para o inferno. – *Thomas Watson*

vv. 166, 167 e 168: Aquele que deixa de lado os mandamentos é muito presunçoso ao aplicar as promessas a si mesmo. A esperança que não for acompanhada da obediência envergonhará o homem. Aquele que aprendeu a palavra de Deus sabe que a lei não é anulada pela fé, mas estabelecida por ela (Rm 3.31). Cristo, o Cabeça e Profeta da Igreja, no seu Sermão da Montanha, mostra a extensão da lei, que exige pureza no coração e nos pensamentos, bem como na vida e nos atos, e condena aquele que "violar um destes menores mandamentos e assim ensinar aos homens", mas "aquele que os cumprir e ensinar" Cristo reconhece como grande, no seu reino (Mt 5.19). A lei entregue no Monte Sinai é estabelecida pelo Legislador Cristo no Monte Sião como regra de justiça. E os que são instruídos corretamente, que "andarem conforme esta regra", terão o coração e o modo de vida ordenado de acordo com a sua orientação, e terão "paz e misericórdia" sobre si mesmos, e assim mostrarão que são verdadeiramente o Israel de Deus. – *Nathanael Vincent*

v. 167: "A minha alma tem observado os teus testemunhos; amo-os extremamente". Ele não deveria ter dito, em primeiro lugar, amo os teus testemunhos, e por isto os observo? Sem dúvida, ele fez isto, mas aqui ele percorria um círculo mais santo e mais celestial – eu os tenho observado, e os amo; e os amo, e os observo. Se amarmos a Cristo, também viveremos a vida de amor, na nossa medida; e os seus mandamentos serão mais preciosos quando Ele mesmo for mais precioso para nós. – *Thomas Shepard, "The Sound Believer", 1671*

v. 167: "A minha alma". É comum que os hebreus, quando desejam expressar seu interesse em alguma coisa, digam *"minha alma"*, como em Salmos 103.1 e 104.1, "Bendize, ó *minha alma*, ao Senhor", e Lucas 1, *"A minha alma* engrandece ao Senhor". – *Richard Greenham*

v. 167: "Amo-os extremamente". É apenas uma retribuição razoável a Deus, pois o Pai me amou tão *extremamente*, a ponto de não poupar o seu próprio Filho, mas o entregou, por mim; e o Filho me amou tão *extremamente*, que se entregou a mim, e me restituiu a mim mesmo, quando eu estava perdido em meus pecados, tanto naqueles que me foram ensinados pela sociedade, como naqueles que eu mesmo quis praticar. – *Gerhohus (1093-1169), em Neale e Littledale*

vv. 167 e 168: Que a nossa consciência de nossas falhas diárias nos faça retroceder desta forte expressão de confiança. Ela é declarada como evidência de graça, e não como reivindicação de mérito; e, portanto, o crente mais humilde não precisa hesitar em adotá-la como a expressão de sinceridade cristã diante de Deus. Davi não desejava um caráter mais elevado do que o de um pobre pecador, mas ele estava consciente da espiritualidade da obediência, do *"amor extremo"* pela palavra divina, e de um andar habitual sob os olhos do seu Deus – as evidências de um coração (frequentemente mencionado no Antigo Testamento) "perfeito para com ele". – *Charles Bridges*

v. 168: "Tenho observado os teus preceitos e os teus testemunhos, porque todos os meus caminhos estão diante de ti". Quando os homens estão longe dos olhos do rei, procuram ser atrativos em seu comportamento vaidoso; mas quando vão à câmara do rei para falar com ele, são muito cuidadosos. Como os santos estão sempre diante dos olhos de Deus, o seu comportamento deve ser constantemente piedoso e honroso. – *George Swinnock*

v. 168: "Tenho observado os teus preceitos", etc. A palavra hebraica שָׁמַר (*shāmar*), que aqui é traduzida como *"tenho observado"*, significa observar com cuidado, diligência, zelo, exatidão. Ela significa guardar, como os homens guardam prisioneiros, e guardar como um vigia guarda a cidade ou a guarnição; guardar como um homem guardaria a sua própria vida. Mas veja agora qual era a razão pela qual Davi guardava os preceitos e os testemunhos do Senhor com tanto cuidado, sinceridade, diligência, zelo e exatidão. A razão, você vê na última parte deste versículo, *"porque todos os meus caminhos estão diante de ti"*. Senhores! Para aquele que deseja ser eminente na santidade, ter o Senhor sempre diante de si é tão necessário quanto respirar. Em Jó 31, temos uma narrativa extensa sobre o peso e a perfeição da santidade que Jó tinha alcançado, e a grande razão que ele nos dá, é a do versículo 4, *"Ou não vê ele os meus caminhos e não conta todos os meus passos?"* Os olhos de Deus têm uma influência tão forte sobre o seu coração e a sua vida, que fizeram com que ele alcançasse um nível altíssimo de santidade. – *Thomas Brooks*

v. 168: "Todos os meus caminhos estão diante de ti". O fato de que Deus sonda os segredos do nosso coração é algo terrível para os ímpios, mas prazeroso para os piedosos. Os ímpios lamentam que seu coração esteja tão aberto: ele é uma panela onde ferve todo o engano, é uma fornalha e uma forja para o mal. E os angustia o fato de que o homem ouça e veja seus atos e suas palavras – mas que terror é o fato de que o seu Juiz, a quem odeiam, veja seus pensamentos! Se pudessem negar isto, o fariam, mas muitos deles, que são convencidos e forçados a reconhecer um Deus, às vezes também são perturbados pelo fato de que Ele tudo vê. Outros agem de maneira mais concisa, e imediatamente negam a divindade no seu coração, e assim destroem esta consciência da sua onisciência. Mas isto é inútil; quanto mais endurecem seu coração com este pensamento sem deus, mais temor há nele; enquanto eles engolem e repreendem a sua consciência que não os repreende com a previsão de uma vingança temível, e que, por enquanto, os convence da onisciência de Deus, mais se empenham para suprimi-la. Mas os piedosos se alegram com ela, pois é, para eles, uma regra pela qual regular seus pensamentos; eles não tomam a liberdade de ter maus pensamentos, maus desejos, má vontade ou maus sentimentos em seus corações. Onde brilhar esta luz, todas as coisas são merecedoras dele e da sua visão, daquele que eles sabem que estará sondando o seu coração. – *William Struther, 1633*

v. 168: "Todos os meus caminhos estão diante de ti". Ande, cristão, diante da onisciência de Deus; diga à sua alma, *cave, videt Deus;* cuidado, Deus vê. É debaixo da rosa, diz o ditado, que se dá a traição, quando os súditos pensam que estão suficientemente longe dos ouvidos do seu rei; mas se soubessem que o príncipe está debaixo da janela, ou atrás dos reposteiros, as suas palavras seriam mais leais. Isto fazia com que Davi fosse tão reto no seu andar: *"Tenho observado os teus preceitos e os teus testemunhos, porque todos os meus caminhos estão diante de ti"*. Se o trono vazio de Alexandre, que seus capitães, quando se reuniam em conselho, colocavam diante de si, os provocava tal temor a ponto de conservá-los em boa ordem, como seria útil colocar diante de nós o fato de que Deus está olhando para nós! Os judeus cobriram o rosto de Cristo, e então o esbofetearam (Mc 14.65). A mesma coisa faz o hipócrita; ele primeiro diz, em seu coração, "Deus não está vendo", ou pelo menos se esquece de que Ele vê, e então peca ousadamente contra Ele; como a ave tola, que esconde sua cabeça entre as canas, e se julga a salvo do predador, como se, porque não pode ver o seu inimigo, ele também não pudesse vê-la. *Te mihi absconddm, non me tibi* (Agostinho). *Eu posso te esconder dos meus olhos, mas não posso me esconder dos teus olhos.* – *William Gurnall*

EXPOSIÇÃO SOBRE OS VERSÍCULOS 169 A 176

169 *Chegue a ti o meu clamor, ó Senhor; dá-me entendimento conforme a tua palavra.*
170 *Chegue a minha súplica perante a tua face; livra-me segundo a tua palavra.*
171 *Os meus lábios proferiram o louvor, quando me ensinaste os teus estatutos.*
172 *A minha língua falará da tua palavra, pois todos os teus mandamentos são justiça.*
173 *Venha a tua mão socorrer-me, pois escolhi os teus preceitos.*
174 *Tenho desejado a tua salvação, ó Senhor; a tua lei é todo o meu prazer.*
175 *Viva a minha alma e louvar-te-á; ajudem-me os teus juízos.*
176 *Desgarrei-me como a ovelha perdida; busca o teu servo, pois não me esqueci dos teus mandamentos.*

O salmista está chegando ao fim do salmo, e suas súplicas ganham força e fervor; ele parece penetrar no círculo íntimo da comunhão divina, e chegar aos pés do grande Deus cuja ajuda ele implora. Esta proximidade cria uma visão extremamente humilde de si mesmo, e o leva a concluir o salmo com o rosto na mais profunda auto-humilhação, implorando para ser buscado, como uma ovelha perdida.

169. *"Chegue a ti o meu clamor, ó Senhor."* Ele está tremendo de medo de não ser ouvido. Ele está consciente de que a sua oração não é nada melhor do que o clamor de uma pobre criança ou o gemido de um animal ferido. Ele teme ser excluído do ouvido do Altíssimo, mas ora, ousadamente, para que o seu clamor possa chegar diante de Deus, que possa estar diante dos seus olhos, ser percebido por Ele, e aceito por Ele; e vai mais além, pedindo, "Chegue a ti o meu clamor, ó Senhor". Ele deseja que a atenção do Senhor à sua oração seja muito atenta e considerada. Ele usa uma figura de linguagem e personifica a sua oração. Podemos imaginar a sua oração como Ester, aventurando-se na presença do rei, pedindo uma audiência, e implorando para encontrar benevolência aos olhos do bendito e único soberano. É muito doce quando um suplicante tem a certeza de que a sua oração foi ouvida, quando ela pisou o mar de cristal diante do trono, e chegou aos pés do trono glorioso em torno do qual os céus e a terra adoram. É para Jeová que esta oração é expressa com tremor e sinceridade – os nossos tradutores, cheios de alegre reverência, traduzem a palavra como "ó Senhor". Nós não pedimos uma audiência com ninguém mais, pois não confiamos em ninguém mais.

"Dá-me entendimento conforme a tua palavra." Esta é uma oração que traz extrema ansiedade ao salmista. Independentemente do que ele obtivesse, ele desejava conseguir entendimento, e independentemente do que lhe faltasse, ele está decidido a não permitir que lhe falte este benefício inestimável. Ele deseja luz espiritual ou esclarecimento e entendimento, conforme a promessa contida na palavra de Deus, pois isto procede da Palavra de Deus e produz obediência à Palavra de Deus. Ele suplica, como se não tivesse nenhum entendimento próprio, e pede que lhe seja dado algum. "Dá-me entendimento". Na verdade, ele tinha entendimento, conforme o juízo dos homens, mas o que ele buscava era um entendimento conforme a Palavra de Deus, o que é completamente diferente. O entendimento das coisas espirituais é um dom de Deus. O entendimento iluminado por luz celestial e em conformidade com a verdade divina é um privilégio que somente a graça pode conceder. Muitos homens que são considerados sábios conforme este mundo são loucos conforme a Palavra do Senhor. Possamos nós estar entre aqueles filhos felizes que serão ensinados pelo Senhor.

170. *"Chegue a minha súplica perante a tua face."* É a mesma súplica com uma ligeira substituição de palavras. Humildemente ele chama este seu clamor de súplica, um tipo de pedido; e novamente ele pede audiência e uma resposta.

Poderia haver algum obstáculo no caminho para a audiência, e ele implora pela sua remoção – que a sua súplica chegue. Outros crentes são ouvidos – que a minha oração chegue diante de ti.

"Livra-me segundo a tua palavra." Livra-me dos meus adversários, inocenta-me dos meus caluniadores, preserva-me das minhas tentações, e livra-me de todas as minhas aflições como a tua palavra me levou a esperar que farás. É por isto que ele busca entendimento. Os seus inimigos seriam bem sucedidos devido à sua loucura, se é que o seriam, mas se ele exercesse um juízo correto, eles seriam frustrados, e ele escaparia deles. O Senhor, em resposta à oração, frequentemente livra os seus filhos, tornando-os prudentes como serpentes e símplices como as pombas.

171. *"Os meus lábios proferiram o louvor, quando me ensinaste os teus estatutos."* Nem sempre ele estará suplicando por si mesmo, ele se erguerá acima de todo o egoísmo e dará graças pelo benefício recebido. Ele promete louvar a Deus depois de ter obtido instruções práticas relacionadas à santidade em sua vida espiritual: isto é algo a louvar, nenhuma bênção é mais preciosa. O melhor louvor possível é o que vem daqueles que honram a Deus, não somente com seus lábios, mas com suas vidas. Nós aprendemos a música do céu na escola da vida santa. Aquele cuja vida honra ao Senhor certamente é alguém que merece elogios. Davi não desejava somente ser agradecido em silêncio, mas desejava expressar esta gratidão com termos apropriados: os seus lábios expressariam o que a sua vida tinha praticado. Eminentes discípulos estão acostumados a falar bem do mestre que os instruiu, e este homem santo, quando ensinado nos estatutos do Senhor, promete dar toda a glória àquele a quem ela é devida.

172. *"A minha língua falará da tua palavra."* Depois de cantar, ele começou a pregar. As graças de Deus podem ser proferidas ou cantadas. Quando a língua fala da palavra de Deus, ela tem um assunto extremamente frutífero; este falar será como a árvore da vida, cujas folhas são para a saúde das pessoas. Os homens se congregarão para ouvir este falar, e o guardarão em seus corações. O pior que acontece conosco é o fato de que, na maior parte do tempo, estamos cheios das nossas próprias palavras e falamos muito pouco da Palavra de Deus. Oh, seu pudéssemos chegar à mesma resolução deste homem santo, e dizer: "A minha língua falará da tua palavra". Então romperíamos o nosso silêncio pecaminoso; não mais seríamos testemunhas covardes e indiferentes, mas verdadeiras testemunhas de Jesus. Não é somente das obras de Deus que devemos falar, mas da sua Palavra. Nós podemos exaltar a sua verdade, a sua sabedoria, a sua preciosidade, a sua graça, a sua força, e podemos falar de tudo o que ela revelou, tudo o que ela prometeu, tudo o que ela ordenou, e tudo o que ela realizou. O assunto nos fornece abundante espaço, podemos falar para sempre: a história é contada para sempre, e ainda há sempre o que contar.

"Pois todos os teus mandamentos são justiça." Davi parece estar enamorado principalmente pela parte dos preceitos da Palavra de Deus, e quanto aos preceitos, o seu principal prazer está na sua pureza e excelência. Quando um homem consegue dizer isto do fundo do seu coração, o seu coração é, realmente, um templo do Espírito Santo. Ele tinha dito, anteriormente (v. 138), "Os teus testemunhos são retos", mas aqui ele declara que são a justiça propriamente dita. A lei de Deus não é somente o padrão da justiça, mas a essência da justiça. Isto o salmista declara, sobre todos e cada um dos preceitos, sem exceção. Ele se sentia como Paulo – "a lei é santa; e o mandamento, santo, justo e bom". Quando um homem tem tão elevada opinião sobre os mandamentos de Deus, não é de admirar que seus lábios estejam prontos a exaltar aquele que é Sempre Glorioso.

173. *"Venha a tua mão socorrer-me."* Dá-me um socorro prático. Não me entregues aos meus amigos, nem aos teus amigos, mas que a tua própria mão se empenhe nesta obra. A tua mão tem habilidade e poder, prontidão e força; exibe todas estas

qualidades por mim. Eu estou disposto a fazer o máximo que puder fazer, mas o que eu necessito é a tua ajuda, e isto é tão urgentemente necessário que se eu a tiver, não desfalecerei. Não me recuses a tua ajuda. Que a tua mão, grandiosa como é, lance luz sobre mim. A oração nos recorda Pedro andando sobre as águas, e começando a afundar; ele, também, clamou, "Senhor, salva-me", e a mão do seu Mestre se estendeu para socorrê-lo.

"Pois escolhi os teus preceitos." Um bom argumento. Um homem pode pedir apropriadamente a ajuda da mão de Deus, quando dedica integralmente a sua própria mão à obediência da fé. "Escolhi os teus preceitos". A sua escolha tinha sido feita, a sua mente estava decidida. Com referência a todas as regras e aos caminhos terrenos, acima até mesmo da sua própria vontade, ele tinha escolhido ser obediente aos mandamentos divinos. Deus não socorrerá um homem em santa obra e serviço sagrado? Certamente, Ele o fará. Se a graça nos deu o coração com o qual desejar, também nos deu a mão com a qual realizar. Sempre que, sob as limitações de uma vocação divina, estivermos engajados em alguma empreitada elevada e sublime, e sentirmos que será demais para nossas forças, poderemos invocar a mão direita de Deus em obras como estas.

174. *"Tenho desejado a tua salvação, ó Senhor."* Ele fala como o velho Jacó, no seu leito de morte; na verdade, todos os santos, em oração e na morte, são parecidos, em palavras, obras e estado de espírito. Ele conhecia a salvação de Deus, e ansiava por ela; isto é, ele tinha vivenciado uma parte dela, e por isto tinha sido levado a esperar algo mais elevado e mais completo. Há uma salvação ainda por vir, quando seremos completamente livres do corpo desta morte, libertados de todo o redemoinho e as dificuldades desta vida mortal, exaltados acima das tentações e dos ataques de Satanás, e levados para perto do nosso Deus, para sermos como Ele, e para estar com Ele, para todo o sempre. "Tenho desejado a tua salvação, ó Senhor, *a tua lei é todo o meu prazer"*. A primeira parte nos diz o que o santo deseja, e esta nos informa qual é a sua satisfação atual. A lei de Deus, contida nos dez mandamentos, dá alegria aos crentes. A lei de Deus, isto é, toda a Bíblia, é uma fonte de consolação e prazer a todos os que a recebem. Embora ainda não tenhamos alcançado a plenitude da nossa salvação, nós encontramos, na Palavra de Deus, tanta informação a respeito de uma salvação atual que nos deleitamos, até mesmo agora.

175. *"Viva a minha alma."* Encha-a de vida, preserve-a, impeça-a de vagar pelos caminhos da morte, permita que ela desfrute do Espírito Santo interior, que viva para a plenitude da vida, para as máximas possibilidades do seu ser recém-criado.

"E louvar-te-á." Ela te louvará, durante a vida toda, a nova vida, pois tu és o Senhor que dá a vida. Quanto mais ela viver, mais ela louvará, e quando ela viver em perfeição, te louvará com perfeição. A vida espiritual consiste de oração e louvor.

"Ajudem-me os teus juízos." Que enquanto eu leio o registro do que fizeste, em terror ou em amor, eu seja vivificado e me desenvolva. Que enquanto eu vejo a tua mão operando sobre mim, e sobre os outros, castigando o pecado e sorrindo para a justiça, eu seja auxiliado, para viver de modo reto e para te louvar. Que todas as tuas obras na providência me instruam, e me auxiliem na luta para derrotar o pecado e praticar a santidade. É a segunda vez que o salmista pede ajuda, neste trecho; ele sempre precisa de ajuda. E nós também.

176. Este é o *finale*, a conclusão de todo o assunto: *"Desgarrei-me como a ovelha perdida"* – frequentemente, voluntariamente, sem motivo, e até mesmo sem esperanças, mas pela tua graça intercessora. No passado, antes que eu estivesse aflito, e antes que tu me tivesses ensinado plenamente os teus estatutos, "Desgarrei-me" dos preceitos práticos, das doutrinas instrutivas, e das experiências celestiais que puseste diante de mim. Perdi o meu caminho, e perdi a mim mesmo. Mesmo agora, sou propenso a vagar – e, na verdade, já o fiz; por isto, Senhor, restaura-me.

"Busca o teu servo." Ele não era como um cão, que de uma maneira ou de outra poderia encontrar seu caminho de volta, mas era como uma ovelha perdida, que cada vez se afasta mais de casa; mas ainda era uma ovelha, uma ovelha do Senhor, sua propriedade, e precioso aos seus olhos, e por isto esperava ser buscado para ser restaurado. Por mais longe que pudesse ter ido, ele ainda era, não apenas uma ovelha, mas "servo" de Deus, e por isto desejava estar na casa do seu Mestre outra vez, e novamente ser honrado com comissões do seu Senhor. Se ele fosse apenas uma ovelha perdida, não teria orado para ser buscado; mas sendo também um "servo", tinha a capacidade de orar. Ele clama, "Busca o teu servo", e espera não somente ser buscado, mas perdoado, aceito, e levado a trabalhar novamente para o seu gracioso Mestre.

Perceba esta confissão: muitas vezes, nos salmos, Davi defendeu a sua inocência contra os acusadores e caluniadores, mas quando está diante do Senhor seu Deus, ele está suficientemente pronto a confessar suas transgressões. Aqui ele resume, não somente o seu passado, mas também a sua vida atual, sob a imagem de uma ovelha que se desgarrou de seu pasto, abandonou o rebanho, deixou o pastor, e entrou no deserto, onde se tornou algo perdido. A ovelha bale, e Davi ora, "Busca o teu servo". O seu argumento é convincente – *"pois não me esqueci dos teus mandamentos"*. Eu conheço o que é correto, aprovo e admiro o que é reto, e, além disto, amo o que é reto, e anseio por isto. Eu não posso ficar satisfeito em continuar no pecado, eu preciso ser restaurado aos caminhos da justiça. Eu tenho saudades do meu Deus, eu anseio pelos caminhos da paz; eu não posso esquecer os seus mandamentos, e não os esqueço, nem deixo de saber que eu sou mais feliz e mais seguro quando obedeço a eles escrupulosamente, e encontro toda a minha alegria ao fazer isto. Se a graça de Deus nos possibilita manter em nossos corações a lembrança afetuosa dos mandamentos de Deus, certamente irá nos restaurar à santidade prática. Não pode estar completamente perdido o homem cujo coração ainda está com Deus. Ainda que ele venha a se desgarrar em muitos aspectos, se for fiel nos desejos mais íntimos da sua alma, ele será encontrado outra vez e plenamente restaurado. Mas o leitor deve se lembrar do primeiro versículo do salmo, enquanto lê o último: a maior bem-aventurança não está em ser restaurado da peregrinação, mas em ser conservado em um caminho irrepreensível, até o fim. Nós devemos conservar o melhor caminho, jamais deixando a estrada do rei por algum atalho, ou algum outro caminho florido de pecado. Que o Senhor possa nos sustentar até o fim. Mas mesmo então, não seremos capazes de nos vangloriar com os fariseus, mas ainda deveremos orar com o publicano: "Ó Deus, tem misericórdia de mim, pecador", e com o salmista, "Busca o teu servo".

EXPOSIÇÃO DOS VERSÍCULOS 169 A 176

Aqui se inicia uma nova divisão do salmo, indicada pela última letra do alfabeto hebraico, a letra *Tau*, que corresponde ao nosso *"t"*. – *Albert Barnes*

v. 169: "Chegue a ti o meu clamor, ó Senhor". Isto é, como alguns interpretam, que todo o salmo precedente e todas as súplicas (das quais aqui temos uma repetição) nele contidas, possam ser aceitas no céu. – *John Trapp*

v. 169: "Chegue a ti o meu clamor, ó Senhor". Agora chegamos à última seção deste salmo, em que vemos Davi mais fervoroso na oração do que estava na primeira seção, como facilmente poderemos observar, comparando as duas seções. Quanto mais tempo os crentes dedicam para falar com Deus, mais sinceros e fervorosos são para falar com Ele; de modo que, a menos que a necessidade os obrigue, jamais desejam interromper a conversa com Ele.

Ele fez muitas orações a Deus neste salmo; agora, no final, ele ora para que o Senhor permita que elas sejam apresentadas diante dele. Alguns homens enviam orações mas Deus as converte em pecado e as afasta de Si; por isto Davi busca benevolência nas suas orações. – *William Cowper*

v. 169: "Dá-me entendimento". Esta foi a oração de Salomão (1 Rs 3.9) e lemos que ela agradou ao Senhor, e como recompensa Ele acrescentou prosperidade temporal, que o jovem rei não tinha pedido. Mas Salomão, com sua oração, queria dizer menos do que seu pai Davi, pois vemos nele poucos traços da profunda devoção pela qual seu pai era tão notável. Aqui o salmista faz uma oração profunda, que somente pode ser atendida pelo próprio Espírito Santo, iluminando a alma. O entendimento é um membro muito importante da nossa constituição espiritual. A consciência é o entendimento exercido sobre questões morais, e se ela não estiver correta, onde estaremos? O nosso entendimento da Palavra de Deus nos vem pelo ensinamento, mas também por intermédio da experiência; dificilmente entenderemos alguma coisa até que a experimentemos. Esta experiência iluminadora e esclarecedora é dádiva de Deus, e a Ele devemos pedi-la, em oração. – *C. H. S.*

v. 169: "Dá-me entendimento". A obra especial do Espírito Santo, na iluminação de nossas mentes para o entendimento da ressurreição, é chamada *"entendimento"*. O salmista ora *"Dá-me entendimento, e guardarei a tua lei"* (v. 34). Assim o apóstolo diz a Timóteo: "Considera o que digo, porque o Senhor te dará entendimento em tudo" (2 Tm 2.7). Além da sua própria consideração do que lhe era proposto, que inclui o devido e diligente uso de todos os meios externos, era também necessário que Deus *lhe desse entendimento* por uma obra interior eficaz do seu Espírito, para que ele pudesse compreender as coisas em que era instruído. E o desejo disto, como algo sem o qual não pode haver o conhecimento salvador da Palavra, nem o benefício de tal conhecimento, o salmista expressa enfaticamente, com grande fervor de espírito, no versículo 144: "A justiça dos teus testemunhos é eterna; dá-me inteligência, e viverei". Sem isto, ele sabia que não poderia ter nenhum benefício da justiça eterna dos testemunhos de Deus. Todo o entendimento, na verdade, ainda que seja extremamente mal utilizado, é a obra e o resultado do Espírito Santo, pois "a inspiração do Todo-Poderoso os faz sábios" (Jó 32.8). Este entendimento espiritual é, de uma maneira especial, dom de Deus. Neste "entendimento", tanto a capacidade da nossa mente como o devido exercício desta capacidade estão incluídos. Esta consideração de que os santos de Deus têm orado com tanto fervor para que Deus *lhe dê entendimento*, quanto à sua vontade revelada na Palavra, com suas promessas reiteradas de que o faria, tem mais importância para mim do que todas as disputas dos homens em oposição a ela. Nenhum novo argumento é necessário para provar que os homens não entendem a vontade de Deus nas Escrituras da devida maneira, senão a sua suposição e confiança de que podem fazer isto sem a comunicação de um entendimento espiritual a eles, pelo Espírito Santo. Esta auto-confiança é diretamente contrária aos testemunhos claros e expressos da Palavra. – *John Owen*

v. 169: "Dá-me entendimento". Por que o homem de Deus ora aqui pedindo *entendimento?* Ele não tinha orado frequentemente pedindo isto antes? Seria ele um novato em conhecimento, sendo um profeta? O nosso Salvador Jesus Cristo não repreende as repetições e a tagarelice na oração? É verdade que o nosso Salvador Jesus Cristo repreende a tagarelice que não tem fé nem conhecimento, e a percepção das nossas necessidades, mas ele não fala contra estas sérias repetições que procedem de um conhecimento abundante, de uma fé abundante, e da percepção vívida das nossas necessidades. Novamente, embora não se possa negar que ele era um homem de Deus e tinha recebido grande graça, Deus dá conhecimento apenas parcial aos seus amados santos nesta vida, e a maior parte do que vemos e conhecemos é apenas um pouco. Além disto, quando temos conhecimento, e o conhecimento tiver que ser posto em prática, encontraremos tais dificuldades, tal desobediência, tal esquecimento, tal necessidade, que embora tenhamos, com o profeta, uma boa orientação nas coisas relacionadas à Palavra em geral, que são universais e poucas, ainda assim encontraremos em nossas práticas muitas distrações, que devem ser particulares e muitas; e nos falhará a memória, pelo esquecimento, ou o juízo, pela cegueira, ou os interesses, por estupidez. Podemos facilmente escorregar, quando pensamos que podemos prosseguir na nossa jornada. Portanto, o homem de Deus, com o exame que fez de seu coração e seus sentimentos, vendo estas múltiplas dificuldades, ora no versículo seguinte, não pela renovação do homem, de modo geral, em suas aflições, mas pela consideração de sua condição particular. – *Richard Greenham*

v. 169: "Conforme a tua palavra". Aqui Davi busca o entendimento, não conforme a carne, pois a sabedoria da carne é morte, mas ele busca entendimento *conforme a palavra de Deus.* Sem isto, a sabedoria do homem é tolice; e quanto mais sutil ele parece ser nos seus caminhos, mais profundamente ele se envolve na armadilha do diabo. "Eis que rejeitaram a palavra do Senhor; que sabedoria, pois, teriam?" (Jr 8.9). Mas se ele era um grande profeta, e anteriormente protestou que tivesse mais entendimento do que os antigos, seus professores, como é que ele ainda ora, pedindo entendimento? Em resposta a isto, devemos saber que há uma grande diferença entre os dons da natureza e as dádivas da graça. A natureza frequentemente dá aos homens dons excelentes, como uma memória excepcional, conhecimento, raciocínio rápido, força, beleza exterior; mas ela não ensina o homem a considerar aquilo que necessita, e assim ocorre que ele se orgulha do que tem. Isto é algo comum aos homens no estado natural, levando-os a alimentar um grande orgulho com pequenos dons, mas a graça, como dá ao homem dádivas mais excelentes do que a natureza pode lhe propiciar, também o ensina a considerar o que lhe falta, para que não se orgulhe considerando o que tem, mas seja levado, com toda a humildade de coração, a orar por aquilo que necessita. – *Abraham Wright*

v. 170: "Chegue a minha súplica perante a tua face", etc. O adorador sincero não pode ficar satisfeito com nada aquém do relacionamento com Deus. A série de deveres não pode agradar onde o espírito de graça e súplica não for assegurado. Uma disposição filial irá se derramar em fervoroso anseio pela comunhão com Deus. A esperança de audiência piedosa não será encontrada em nenhum outro apelo, exceto na palavra assegurada da promessa do Senhor. É de acordo com esta palavra, e não em oposição a ela, que o filho de Deus espera ser ouvido. Ele sente que a sua libertação vem do Senhor, e tudo o que ele espera do céu, antecipa em resposta à oração. Oh, se houvesse mais desta fé que apela à veracidade divina, e que espera firmemente a promessa de um Deus que cumpre o concerto. – *John Morison*

v. 170: "Chegue a minha súplica perante a tua face". Observe a ordem das palavras, aqui e no versículo anterior. Primeiramente, tivemos: "Chegue a ti o meu clamor"; então", Dá-me entendimento", e isto "conforme a tua palavra", e agora *"Chegue a minha oração* (LXX., Sir., Arb., Vulg.) *perante a tua face".* Assim, se você deseja uma entrevista com um homem que ocupa um cargo importante, primeiramente você se aproxima da sua casa, a seguir pede informações e instruções quanto às suas intenções, depois pede permissão para entrar, para não ser expulso e ter negada a sua entrada. Bata, portanto, à porta do palácio celestial: bata, não com a sua mão física, mas com a mão honesta da oração. Pois a voz não pode bater tão bem como a mão, como está escrito, "eis a voz do meu amado, que estava batendo" (Ct 5.2). E depois de ter batido, veja como você entra, para que não aconteça que, depois de entrar, não consiga ver o Rei. Pois há muitos que conseguem entrar nos palácios, e não conseguem, imediatamente, uma audiência com um soberano terreno, mas precisam estar constantemente vigilantes para obter, por fim, uma entrevista. Eles também não podem escolher a oportunidade, eles vêm quando são chamados e então apresentam seus pedidos, se desejarem ser favoravelmente recebidos. – *Ambrósio, em Neale e Littledale*

v. 171: "Os meus lábios proferiram o louvor". Você ficou junto à nascente de um curso de água, e admirou, enquanto se formavam as bolhas, e ele corria para formar um riacho, até que, por fim, crescia e se tornava um poderoso rio. Esta é a alusão, aqui. O coração ensinado por Deus não consegue se conter, mas irrompe em louvor e cânticos. Este deve ser o efeito da iluminação e esclarecimento divinos, e isto deveria ser percebido como um privilégio, e um grande dever. Vocês já pensaram assim, crentes, especialmente em ocasiões de comunhão? Estejam certos, estas expressões são marcas de um coração renovado; um coração cheio com toda gratidão de um sentimento sincero. – *John Stephen*

v. 171: "Os meus lábios proferiram o louvor", etc.
Ó, Senhor, que eu aprenda os teus estatutos!
Guarda em teus caminhos os meus pés,
Então meus lábios arderão divinamente;
Então meus cânticos serão doces.

Cada pecado que eu remova
Fará a minha alma voar mais forte;
Cada obra de santidade incitará
ainda mais um caráter divino.

Minha voz alegrará mais teus ouvidos
Quanto mais eu confiar em ti;
O teu serviço trará meu cântico mais próximo
da harmonia angelical.
– *T. H. Gill, "Breathings of the Better Life"* [1881]

v. 172: "A minha língua falará da tua palavra". Um dever de gratidão prometido por Davi é *falar das palavras de Deus* para a edificação dos outros. Cada cristão, assim como é um sacerdote que oferece sacrifício a Deus, também é um profeta que ensina seus irmãos, pois a todos nos se aplica o mandamento, "Edificando-vos na vossa fé santíssima" (Jd 1.20, ARA). Mas, ai, vocês verão muitos cristãos agora que, junto a suas mesas, e em seus grupos de amigos e familiares podem falar livremente sobre qualquer assunto; somente para questões espirituais, que dizem respeito à alma, são mudos, e não podem dizer, como Davi, *"A minha língua falará da tua palavra"*. – *William Cowper*

v. 173: "Venha a tua mão socorrer-me". Tendo Davi, anteriormente, feito promessas de gratidão, ele agora busca a ajuda de Deus, para poder cumprir estas promessas. A nossa suficiência não vem de nós mesmos, mas de Deus; desejar e fazer, as duas coisas vêm dele. Nas coisas temporais, frequentemente os homens fazem grandes esforços, com pouco lucro; em primeiro lugar, porque eles não buscam confirmar a sua consciência; além disto, porque não buscam ajuda de Deus; por isto, eles não são mais bem sucedidos do que Pedro, que pescou durante toda a noite e não conseguiu nada, até que lançou a sua rede no nome do Senhor. Mas nas coisas espirituais, nós teremos muito menos probabilidade de prosperar, se não pedirmos a ajuda de Deus: os meios não nos serão benéficos, a menos que a bênção de Deus os acompanhe. Existe pregação, mas a maior parte dela, sem benefícios; existe oração, mas não prevalece; existe audição da Palavra, mas sem edificação; e tudo porque, nos exercícios espirituais, não é feita uma oração instantânea a Deus, para que a sua mão possa estar conosco, para nos ajudar. – *Abraham Wright*

v. 173: "Escolhi os teus preceitos". Deus lhe deu um coração para escolher os seus caminhos? Ó, bendito Deus! Houve uma época em que você dava prazer à carne, e não via nada melhor do que este tipo de vida, e o Senhor se alegrou por revelar coisas melhores a você, de modo a fazer você renunciar aos seus antigos caminhos, e escolher outro caminho em que a sua alma encontrasse outro tipo de consolos, e satisfações, e contentamentos, do que jamais você encontrou antes? Bendiga a Deus, como Davi: "Louvarei ao Senhor que me aconselhou". Vendo que Deus inclinou o seu coração para Ele, seja estabelecido para sempre na sua *escolha*; vendo que Deus mostrou a você os seus caminhos, como Pilatos disse, em outra situação, "O que escrevi, escrevi", diga também, "O que escolhi, escolhi". – *Jeremiah Burroughs, "Moses his Choice"*

vv. 173 e 174: "Escolhi... meu prazer". A alegria acompanha a escolha de algo. A estupidez é um sinal que jamais escolhemos, mas fomos forçados a isto. A alegria, no serviço, produz alegria nas misericórdias: "Saíste ao encontro daquele que se alegrava e praticava justiça" (Is 64.5). Ele estende a sua mão para ajudar uma pessoa assim. Cristo não ama o serviço melancólico e fleumático; este temperamento, em atos de obediência, é uma desgraça para Deus e para a religião; para Deus, pois nos entrega a pensamentos melancólicos a respeito de Deus, como se Ele fosse um senhor severo demais e cruel; para a religião, pois faz com que os outros pensem que os deveres religiosos são um trabalho penoso, e não privilégios. – *Stephen Charnock*

v. 174: "Tenho desejado a tua salvação, ó Senhor", etc. O que aprendemos com o fato de Davi unir estas duas frases, *"tenho desejado a tua salvação"* e *"a tua lei é todo o meu prazer"*, é que não é suficiente que um homem diga que anseia e deseja ser salvo, a menos que se dedique a usar os meios indicados para isto. Teria sido apenas hipocrisia para Davi dizer que ansiava pela salvação, se a sua consciência não tivesse sido capaz de testemunhar com ele que *a lei era o seu prazer.* É mera zombaria que um homem diga que deseja pão, e que ora todos os dias para que Deus lhe dê o seu pão cotidiano, se ele andar sem nenhuma vocação, ou se procurar obtê-lo por meio de fraude ou roubo, sem se entregar, de maneira alguma, à providência de Deus. Quem imaginará que deseje saúde um homem que despreza ou negligencia os meios para a sua recuperação? Deus, na sua própria sabedoria, indicou um meio lícito, para cada coisa lícita; se este meio for usado com obediência, pode-se esperar confiantemente a confortável obtenção do fim; se o meio não for observado, pensar em alcançar o meio é mera presunção. Deus iria salvar Noé do dilúvio, mas Noé devia ser *"divinamente avisado"* e *"preparar a arca"* (Hb 11.7), caso contrário não poderia ter escapado. Deus salvaria Ló de Sodoma, mas Ló deveria sair de lá rapidamente, e não olhar para trás, até que tivesse entrado em Zoar (Gn 19.17). Ele se alegraria por curar Ezequias da praga, mas Ezequias deveria "tomar uma pasta de figos e pô-la como emplasto sobre a chaga" (Is 38.21). Ele condescendeu em preservar Paulo e seu grupo no mar, mas os marinheiros deveriam "ficar no navio"... caso contrário não podereis salvar-vos, disse Paulo (At 27.31). – *Samuel Hieron, 1572-1617*

v. 174: "Tenho desejado a tua salvação". É a salvação de Deus que ele deseja – *"tua salvação"* – pois nada mais poderá satisfazer a sua mente pura – a paz perfeita com Deus, a pureza perfeita, a esperança perfeita. Se você perguntar qual era o método de libertação de Deus, e qual era o seu caminho de salvação, a resposta é, está escrito na sua palavra, e é o que o salmista chama de sua *"lei"*. A salvação de Deus e a sua lei eram entendidas como uma coisa só. *"Tenho desejado a tua salvação, ó Senhor; e tua lei é todo o meu prazer"*. – *John Stephen v. 174:* "Tenho desejado a tua salvação, ó Senhor". *A "salvação"*, pela "mão" ou pelo braço de Jeová (que frequentemente nas Escrituras é um título do Messias) tem sido o objeto das esperanças, os desejos e as expectativas e "desejos" dos fiéis, desde Adão até hoje, e assim continuará sendo, até que aquele que já nos visitou em grande humildade retorne, em gloriosa majestade, para completar nossa redenção e nos conduzir para junto de Si. – *George Horne*

v. 174: "Tenho desejado a tua salvação, ó Senhor". A salvação atual, da culpa e do poder do pecado, e a salvação futura, no desfrute pleno e eterno de Deus, no céu. Davi teve a felicidade de experimentar tanto a misericórdia que perdoa quanto a graça que santifica; mas ele ainda desejava mais desta salvação, isto é, uma fé mais segura de misericórdia que perdoa, e maiores medidas da graça santificadora. Uma alma piedosa é insaciável; quanto mais ela recebe, mais deseja receber. O recebimento, em lugar de prejudicar, aguça o apetite. Tão doce é o sabor das coisas espirituais, que cada sabor renovado delas extingue a sede de outras coisas.

"Tua lei é [...] o meu prazer." Aqui, Davi escolhe a palavra *"lei"* para referir-se à totalidade da revelação da vontade de Deus, para nos lembrar da inseparável conexão entre privilégio e dever, fé e obediência, santidade e consolação; e nos ensinar que devemos ser agradecidos a Deus tanto pela orientação que Ele nos deu, no caminho do céu, quanto pelas promessas pelas quais somos assegurados da posse desta orientação. – *Robert Walker, 1716-1783*

v. 174: "Tua lei é [...] o meu prazer". A religião decairá ou prosperará, conforme for nosso *dever* ou nosso *prazer*. A mente é incapaz de contínua aplicação *no dever*; mas prontamente desmorona com *"prazer"*. Assim nossos deveres se tornam nossos privilégios, enquanto Cristo é sua fonte e vida. Cada passo do progresso é um progresso na felicidade. Este versículo (do qual a experiência é o melhor intérprete) é a linguagem do crente nesta sua condição vivaz, bem como na sua condição fraquejante. Quanto mais ele conhece e desfruta da presença Divina, mais ele deseja conhecê-la e desfrutar dela. – *Charles Bridges*

v. 174: "Prazer", no plural "prazeres", como nos versículos 24, 77, 92 e 143. A Palavra de Deus é uma fonte abundante de prazer para o seu povo. – *William S. Plumer*

v. 175: "Viva a minha alma e louvar-te-á", etc. Este versículo contém três coisas. A primeira, a súplica de Davi, por vida: *"Viva a minha alma"*. *"Minha alma"*, isto é, eu mesmo: a alma significa todo o homem. O oposto: "Morra eu com os filisteus", diz Sansão (Jz 16.30); no texto em hebraico, à margem, "Que morra a minha alma". A crueldade dos seus inimigos buscava a sua vida; e ele desejava que Deus o mantivesse vivo.

Em segundo lugar, o seu argumento quanto ao objetivo da sua vida; *"Louvar-te-á"*. A glorificação de Deus era o seu objetivo. Todos os benefícios de Deus nos serão vantajosos, e nos levarão a louvá-lo. Davi professa que todos os dias da sua vida ele viveria na percepção e no reconhecimento destes benefícios.

Em terceiro lugar, o motivo para a sua esperança e confiança, na última frase: *"Ajudem-me os teus juízos"*. Nossas esperanças de ajuda estão baseadas nos juízos de Deus, que significam a sua palavra. Juízos são decretados e juízos são executados; juízos doutrinários, e juízos providenciais. Isto sugere a distinção: "Visto como se não executa logo o juízo sobre a má obra, por isso o coração dos filhos dos homens está inteiramente disposto para praticar o mal" (Ec 8.11). Há *sententia lata et dilata*. Aqui, os juízos de Deus significam a sentença pronunciada; e principalmente uma parte deles, as promessas da graça. Como também, "[Eu] me atenho aos teus juízos" (Sl 119.43). As promessas são objetos de esperança. – *Thomas Manton*

v. 175: "Viva a minha alma". O que é esta vida pela qual o salmista agora ora, senão a salvação pela qual ele tinha acabado de expressar o seu desejo? O sabor que ele recebeu o faz ter fome de um prazer ainda maior e mais continuado – não por gratificação egoísta, mas para que ele pudesse se dedicar ao louvor do seu Deus. Na verdade, à medida que nos aproximamos do fim deste salmo, não podemos deixar de observar este caráter de louvor que permeia a sua experiência, o que tem sido observado, de maneira geral, nos salmos que concluem este livro sagrado. Nós perdemos uma brande força espiritual por não nos ocuparmos mais com o exercício do louvor. – *Charles Bridges*

v. 175: "Viva... e louvar-te-á". Aquele que procura se santificar aproveita as suas coisas terrenas para uma finalidade celestial. Onde você acumula o seu tesouro? Você o dedica ao seu apetite voluptuoso, seus abutres e suas caças, ou você o guarda no seio dos pobres membros do corpo de Cristo? Que uso você faz da sua honra e grandeza? Você as usa para fortalecer as mãos dos ímpios ou dos piedosos? E assim, o que dizer sobre todos os seus outros benefícios temporais. Um coração piedoso os aproveita para Deus; quando um santo ora pedindo estas coisas, ele tem em vista algum fim celestial. Se Davi ora pedindo vida, não é para que ele possa simplesmente viver, mas *"viver e louvar a Deus"*. Quando ele foi removido de seu trono real pelos braços rebeldes de Absalão, veja qual era o seu desejo e a sua esperança: "Então disse o rei a Zadoque: Torna a levar a arca de Deus à cidade; se achar eu graça aos olhos do Senhor, ele me tornará a trazer para lá e me deixará ver a ela e a sua habitação" (2 Sm 15.25). Perceba, não está escrito, me deixará ver minha coroa, meu palácio, mas a arca, a casa de Deus. – *William Gurnall*

v. 175: "Viva... e louvar-te-á". A vivacidade da alma é uma dádiva do Espírito, e se mostrará em abundantes louvores. – *Henry Law.*

v. 175: "Ajudem-me os teus juízos". Na segunda frase, seria difícil entender a palavra *"juízo"* como mandamentos, aos quais não compete, na verdade, dar ajuda. Parece, então, que o profeta, percebendo-se sujeito a incontáveis calamidades – como os fieis, por razão da liberdade desenfreada dos ímpios, habita neste mundo como ovelhas em meio a lobos – invoca a Deus para protegê-lo, restringindo e impedindo, pela sua secreta providência, que os ímpios lhe façam algum mal. É muito benéfico, quando as coisas no mundo estão em uma condição de grande confusão, e quando a nossa segurança está em perigo em meio a muitas e variadas tempestades, erguer nossos olhos para os juízos de Deus, e buscar neles um remédio. – *João Calvino*

vv. 175 e 176:
Embora como uma ovelha desgarrada eu me desvie,
ainda assim não renunciarei ao teu caminho.
Estende a tua mão; reivindica os teus;
concede-me a vida, e louvarei o teu nome.
– *Richard Mant*

v. 176: "Desgarrei-me como a ovelha perdida". Embora uma ovelha se desvie, logo é chamada de volta, pela voz do pastor: "As minhas ovelhas ouvem a minha voz". Assim também Davi, quando foi atacar Nabal, foi chamado de volta pela voz do Senhor através de uma mulher; e quando tinha assassinado Urias, foi trazido de volta por Natã. E, portanto, se desejarmos ser ovelhas, às vezes nos desviaremos, mas seremos facilmente recuperados. – *Richard Greenham*

v. 176: "Desgarrei-me como a ovelha perdida", expulso pela tempestade, ou pelo dia escuro, ou pelos cães, perseguido pelo resto do rebanho. – *David Dickson*

v. 176: "Desgarrei-me como a ovelha perdida", etc. E esta é toda a conclusão – *"uma ovelha perdida"!* Este longo salmo, de imputações, declarações, resoluções, grandes esperanças, termina com isto – ele é uma ovelha que perece. Mas há esperança – *"Busca o teu servo... Desgarrei-me como a ovelha perdida"*. O original é extremamente abrangente, compreendendo todo o tempo passado, e também as tendências habituais do homem. O crente sente que tinha se desgarrado quando a graça de Deus o encontrou; que teria se desgarrado muitas vezes, se a graça de

Deus não o tivesse impedido. Ele sente que se desgarrou nesta ou naquela ocasião infeliz. Ele também sente que se desgarrou em tudo o que fez; e, na verdade, que está desgarrado agora. Mas a palavra expressa a tendência habitual, da mesma forma – eu me desgarro como uma ovelha perdida – e esta tradução está de acordo com a oração, *"Busca o teu servo"*. O terceiro membro também é apropriadamente traduzido de acordo com isto: "Eu me desgarro como uma ovelha perdida; busca o teu servo; pois não me esqueço dos teus mandamentos". Tudo isto descreve a corrupção residual que há no crente. Ele não deixa de se importar com o Senhor, ele tem em si a raiz da questão, a semente de vida divina; mas ele se desgarra; daí a necessidade da oração: *"Busca o teu servo"*. A descrição que Isaías faz dos homens, embora traduzida nos mesmos termos, é evidentemente mais devastadora do que as palavras mostram no contexto: "Todos nós andamos desgarrados como ovelhas; cada um se desviava pelo seu caminho, mas o Senhor fez cair sobre ele a iniquidade de nós todos". Isto parece se aplicar à raça do homem. Na verdade, a experiência do salmista é similar àquela descrita pelo apóstolo Paulo: "Acho, então, esta lei em mim: que, quando quero fazer o bem, o mal está comigo. Porque, segundo o homem interior, tenho prazer na lei de Deus. Mas vejo nos meus membros outra lei que batalha contra a lei do meu entendimento e me prende debaixo da lei do pecado que está nos meus membros". E o salmista tinha o mesmo remédio, naquela época, que o apóstolo teve, em tempos posteriores, pois a salvação de Deus é uma só. O remédio do salmista era *"Busca o teu servo"*, o do apóstolo, "Miserável homem que eu sou! Quem me livrará do corpo desta morte? Dou graças a Deus por Jesus Cristo, nosso Senhor". – *John Stephen*

v. 176: "Desgarrei-me". A palavra original significa o desviar dos pés, ou o desviar do coração, ou ambos, do caminho. *"Desgarrei-me como a ovelha perdida"*, isto é, fui enganado, e assim deixei o caminho dos teus santos mandamentos. Satanás é um mau guia, e nossos corações não são melhores do que ele. Aquele que segue a Satanás ou a seu próprio coração, rapidamente se perde; e até que Deus nos busque (como ora Davi, nas palavras a seguir), não podemos encontrar o nosso caminho, depois de ter saído dele. – *Joseph Caryl*

v. 176: "Desgarrei-me". Gotthold, certo dia, viu um fazendeiro cuidadosamente contanto suas ovelhas, quando voltavam do campo. Em um estado de espírito ansioso e entristecido na ocasião, ele deu vazão a seus sentimentos, e disse: Por que estás deprimida, alma minha? E por que te inquietas com pensamentos perturbadores? Certamente, deves ser preciosa para o Altíssimo, como as suas ovelhas são para este fazendeiro. Não és melhor do que muitas ovelhas? Não é o Homem Cristo o teu pastor? Ele não derramou seu sangue e sua vida por ti? Não tens interesse nas suas palavras: "Dou-lhes a vida eterna, e nunca hão de perecer, e ninguém as arrebatará das minhas mãos"? Jo 10.28. Este homem está contando seu rebanho, e você pensa que Deus também não conta e se preocupa com os seus filhos crentes e eleitos, particularmente, como afirmou seu Filho amado, que até mesmo os fios de cabelo de nossas cabeças estão todos contados? (Mt 10.30). Durante o dia, eu posso, talvez, ter saído do caminho, e descuidadamente ter seguido meus próprios esquemas, mas, com a aproximação da noite, quando o Pastor fiel conta suas ovelhas, Ele notará minha ausência, e graciosamente me buscará e me trará de volta. Senhor Jesus, *"desgarrei-me como a ovelha perdida, busca o teu servo; pois não me esqueci dos teus mandamentos"*. – *Christian Scriver (1629-1693), "Gotthold's Emblems"*

v. 176: "Desgarrei-me", etc. Quem é chamado "o homem segundo o coração de Deus?" Davi, o rei hebreu, tinha cometido suficientes pecados – crimes dos mais graves – não lhe faltavam pecados. E, por isto, os descrentes zombam, e perguntam, "É este homem segundo o coração de Deus?" O que zomba, me parece, é apenas superficial. O que são os erros, o que são os detalhes externos de uma vida, se o seu segredo interior, o remorso, as tentações, a luta frequentemente frustrada e incessante, for esquecido?.... Eu considero a vida e a história de Davi, escrita para nós nos seus salmos, o mais verdadeiro emblema que já nos foi dado do progresso moral e da batalha de um homem, aqui, na terra. Todas as almas sinceras irão descobrir nela a fiel luta de uma alma humana sincera, rumo ao que é bom e melhor. Uma batalha frequentemente frustrada – muito frustrada – conduzida a uma destruição total; mas uma batalha jamais concluída, nem mesmo com lágrimas, com arrependimento, e com um propósito verdadeiramente inconquistável, renovado. – *Thomas Carlyle (1795-1881), em "Heroes and Hero-Worship"*

v. 176: "Pois não me esqueci dos teus mandamentos". Em toda a minha peregrinação, com a minha consciência do erro, com meu sentimento de culpa, ainda *sinto* realmente que amo a tua lei, o teu serviço, os teus mandamentos. Eles são a alegria do meu coração, e eu desejo ser lembrado, de todas as minhas peregrinações, que posso encontrar a felicidade em ti e no teu serviço, para sempre. Este é o fervoroso e sincero desejo de cada coração regenerado. Pois alguém assim pode ter se desgarrado de Deus, mas ainda assim é consciente da verdadeira conexão com Ele e o seu serviço; o salmista deseja e fervorosamente ora para que possa ser "buscado", trazido de volta, e protegido e impedido de vagar outra vez. – *Albert Barnes*

v. 176: "Pois não me esqueci dos teus mandamentos". Os piedosos jamais se esquecem dos mandamentos de Deus, mas permanece neles alguma graça que reserva uma esperança de remédio para curá-los: assim também Davi, aqui. Embora ele tivesse transgredido alguns dos mandamentos de Deus, não caiu em nenhum esquecimento pleno deles. – *William Cowper*

v. 176: Eu não creio que possa haver uma conclusão mais apropriada para um salmo como este, tão cheio da variada experiência e dos sentimentos mutáveis até mesmo de um filho de Deus, sob a luz do sol e debaixo da nuvem, na calma e na tempestade, do que esta sensação sempre permanente da sua propensão para vagar, e a expressão da sua completa incapacidade de encontrar o seu caminho de volta sem a mão orientadora do Senhor para restaurá-lo; e, ao mesmo tempo, com tudo isto, a sua determinação fixa e permanente de jamais se esquecer dos mandamentos do Senhor. Que visão dos nossos pobres e instáveis corações este versículo nos dá – não meramente propensos a vagar, mas sempre vagando, sempre perdendo nosso caminho, sempre tropeçando nos montes escuros, ainda que sempre agarrados aos mandamentos de Deus! Mas, ao mesmo tempo, que oração ele coloca em nossas bocas, *"Busca o teu servo"* – "Sou teu, salva-me". Sim, bendito seja Deus! Há um Poderoso que salva. "Mediante a fé, estais guardados na virtude de Deus, para a salvação". – *Barton Bouchier*

Dentro da minha capacidade, na medida em que fui auxiliado pelo Senhor, eu expliquei e detalhei este grande salmo. Esta foi uma tarefa que expositores mais hábeis e instruídos realizaram, ou realizarão melhor do que eu; mas, apesar disto, os meus serviços não devem ser desprezados por causa disto, tendo em vista que foram os meus irmãos que enfaticamente o exigiram de mim. – *Agostinho*

SUGESTÕES AOS PREGADORES

Esboços sobre as Palavras-Chave do Salmo, de Autoria do Pastor C. A. Davis

Uma boa lembrança. I. O que ela deve reter: o *"nome"* de Deus (v. 55); a *"palavra"* de Deus (v. 16); a *"lei"* de Deus (v. 109). A lei é comentada sob vários nomes, *"estatutos"* (v. 83); *"preceitos"* (v. 141); *"mandamentos"* (v. 176); *"juízos"* (v. 52).

II. Como o seu poder de retenção pode ser estimulado. Pela força de vontade (v. 16; 93). Pelo prazer no tema (v. 16). Pela consideração das bênçãos recebidas (v. 93).

III. Obstáculos que devem ser superados. Os que emergem de graves aflições (v. 83); de perigo pessoal (v. 109); e da insignificância e do desprezo relativo (v. 141).

IV. Razões para cultivar a lembrança. Bênçãos recebidas anteriormente (v. 93). Isto propicia base para apelos a Deus (vv. 153,176).

V. O bem que resultará disto. Fidelidade constante (v. 55); ou, se necessário, restauração de desvios (v. 176). Consideração divina (v. 153); consolação (v. 52); prazer (v. 16). E agora o crente pode apelar à lembrança de Deus (v. 49).

O crente em aflição. I. A sua aflição (v. 92).
II. O seu sustento (v. 92).
III. A sua submissão (v. 75).
IV. A sua oração (vv. 107,153).
V. A sua resposta (v. 50).
VI. O seu exame (v. 71).

Entendimento espiritual. I. É dádiva de Deus. Jeová (o único sábio), 169. Criador (que nos dotou de nossas outras faculdades, e, portanto, também desta), 73. Mestre (que distribui o nosso serviço e, portanto, a nossa qualificação), 125.

II. Deve ser buscado em Deus. Com profundo sentimento de necessidade, 169. Com fé, 169. Com perseverança e importunidade, 27, 34, 73, 125, 144, 169.

III. Súplicas a usar na oração pedindo entendimento. Que eu possa *aprender*, 73, e *conhecer* os teus mandamentos, 125. Que assim eu possa viver, 144. Odiando cada falso caminho, 104. Prestando obediência sincera, 34, e envolvendo-me em um modo de vida piedoso, 27.

IV. Uma vez obtido, deve ser aprimorado pelo exercício na Palavra de Deus. A entrada da palavra no coração é o começo de um novo dia, 130. Ele aumenta, pela meditação sobre a palavra, 99. E é aprimorado até à perfeição pela fiel observância aos preceitos da palavra, 100 (Jo 7.17).

Os dez títulos para a Palavra de Deus. "Caminho" (v. 1, etc.). "Lei" (v. 1). "Testemunhos" (v. 2). "Preceitos" (v. 4). "Estatutos" (v. 5). "Mandamentos" (v. 6). "Juízos" (v. 7). "Palavra" (v. 9). "Verdade" (v. 30). "Justiça" (v. 40).

Mostre o significado particular de cada um destes títulos, e a luz que eles lançam sobre a lei divina e o dever do crente.

Santa meditação. I. O seu tema: A vontade revelada de Deus, nos seus variados aspectos, *isto é,* "preceitos"; "estatutos"; "lei"; "testemunhos"; "palavra".

II. O espírito que a motiva: amor (vv. 48,97). O amor por Deus irá induzir a meditação. A negligência à meditação significa falta de amor.

III. Os momentos para ela: Durante o "dia" (v. 97). Durante a "noite" (v. 148); quando sob maus tratos do mundo (v. 78); quando sob falsas acusações (v. 23).

IV. Os resultados: Um andar piedoso (v. 15). Proficiência em entendimento (v. 99). Apoio nas tentações (vv. 23,78). Se você deseja alegrar suas noites e seus dias e seus momentos de tentação, se você deseja ser excelente em sabedoria celestial, e santificar a sua vida, ocupe-se abundantemente com sagrada meditação.

O Salmo Estudado em suas Seções, por C. A. Davis

O tema de cada parte é indicado no seu primeiro versículo. Cada seção pode servir como assunto de um sermão.

vv. 1 a 8. *Os imaculados*; descrição, nos versículos 1-3. Esta vida, ordenada por Deus, é pedida em oração no versículo 5, e com a felicidade que a acompanha é antecipada nos versículos 6-7, e decidida no versículo 8.

vv. 9 a 16. *Santificação pela palavra,* declaração geral (v. 9); busca pessoal (v. 10-12); divulgada a outros (v. 13); motivo de alegria pessoal (vv. 14-16).

vv. 17 a 24. *Graças divinas desejadas.* Vida, para o serviço piedoso (v. 17). Esclarecimento (v. 18). Orientação no caminho para casa para o peregrino ("teus mandamentos") (vv. 19,20), e, olhando para os soberbos que se desviam desta orientação (v. 21), o salmista ora pedindo a remoção do "opróbrio" ou a reprovação exigida pela fidelidade a Deus (vv. 22-24).

vv. 25 a 32. *Vivificação.* Pedida em oração com confissão (vv. 25,26). Uma vez obtida, deve-se falar sobre ela (v. 27). Desejada visando a força (v. 28), a veracidade (vv. 29-31) e a atividade (v. 32).

vv. 33 a 40. *Fidelidade assegurada pela obra divina interior.* Oração pela concessão divina de ensinamento, entendimento, restrição e controle de coração e olhos, para assegurar perseverança e fidelidade sincera (vv. 33-37). O salmista, assim estabelecido na Palavra, ora pedindo o estabelecimento da Palavra para si mesmo (v. 38); protesta contra a acusação de infidelidade (v. 39); e reforça toda a oração pela veemência do desejo que a motiva (v. 40).

vv. 41 a 48. *Misericórdias prometidas.* Desejadas (v. 41), como uma resposta "ao que confronta" (vv. 42,43); como meio de fidelidade (v. 44); liberdade (v. 45); ousadia (v. 46); prazer (v. 47) e anseio fervoroso (v. 48).

vv. 49 a 56. *Esperança na aflição.* Ela se origina da Palavra de Deus (v. 49). Produz consolação (v. 50), até mesmo nas dificuldades causadas pelos ímpios (vv. 51-53). Ela alegra a peregrinação do crente e os seus momentos noturnos de santidade (vv. 54-56).

vv. 57 a 64. *A porção do crente.* O Senhor é a porção do crente (v. 57); é buscada fervorosamente (vv. 58-60); permanece, ainda que todo o resto seja tirado (v. 61); traz alegria até mesmo à meia-noite (v. 62) e a escolha de uma companhia agradável (vv. 63,64).

vv. 65 a 72. *A maneira como o Senhor nos trata.* Reconhecida com gratidão (v. 65), e a sua instrução ainda é desejada (v. 66), até mesmo a aflição que dele vem é "boa" (vv. 67,68), e com seus resultados benéficos é preferida à prosperidade dos ímpios (vv. 69-72).

vv. 73 a 80. Criação natural e espiritual. O salmista ora pedindo ao Criador a vida espiritual ou a "inteligência" (v. 73), então será recebido pelos espirituais (v. 74). De maneira submissa, ele recebe a aflição com fins de treinamento espiritual (vv. 75-77), protesta contra a hostilidade dos soberbos (v. 78), deseja a companhia dos espirituais (v. 79) e ora pedindo a retidão de coração (v. 80).

vv. 81 a 88. *A esperança na depressão.* Na depressão que resulta da fragilidade mortal (vv. 81-84) e da perseguição injusta (vv. 85-87), a Palavra de Deus é fonte de alegria e consolação.

vv. 89 a 96. *A palavra imutável de Deus.* Está entronizada no céu (v. 89) e na terra (vv. 90,91), é a salvação do crente em aflição (vv. 92-94), seu recurso no perigo (v. 95) e a materialização da perfeição (v. 96).

vv. 97 a 104: *Os benefícios da santa meditação.* Seu tema – "tua lei" (v. 97), seu resultado – "sabedoria e prudência" (vv. 98-100), exibida de modo prático na vida diária (vv. 101,102), a sua doçura (v. 103) e influência santificadora (v. 104).

vv. 105 a 112. *A palavra, uma lâmpada.* Para orientação (v. 105, 106). Para a vida em meio à aflição (v. 107). Para a preservação no perigo ou dos inimigos (vv. 109,110). Para alegria de coração (vv. 111,112).

vv. 113 a 120. *Pensamentos vãos, contrastados com a lei de Deus.* O crente adota lados (vv. 113-115); ora pedindo para ser sustentado na lei (vv. 116,117); contempla o destino dos que seguem pensamentos vãos (vv. 118,119); e expressa o santo temor assim inspirado (v. 120).

vv. 121 a 128. *A oração do justo, contra a injustiça.* Da prisão da opressão, ele pede que Deus seja a sua segurança (vv. 121,122); profere o seu anseio cansado por libertação (vv. 123-125); aponta para o "tempo" (v. 126); e professa o seu supremo amor pela lei de Deus, em contraste com o desprezo dos opressores por esta lei (vv. 127,128).

vv. 129 a 136. *A maravilha dos testemunhos de Deus.* Declarada (v. 129), exposta como dando luz e esclarecimento (v. 130), ansiosamente desejada (v. 131). Um apelo por ordenação divina na palavra (vv. 132-135). A angústia pelo fato dela ser rejeitada pelos outros (v. 136).

vv. 137 a 144. *A justiça de Deus e da sua palavra.* Declarada (vv. 137,138). Indignação com o esquecimento da Palavra por parte dos inimigos (v. 139). A pureza da palavra (vv. 140,141). Esta justiça de Deus e dos seus testemunhos é eterna (vv. 142-144).

vv. 145 a 152. *Os crentes clamam.* O clamor reiterado (vv. 145-148). Uma súplica de audiência (v. 149). A proximidade do inimigo é percebida (v. 150). Mas, em resposta ao clamor, Deus está também próximo (v. 151).

vv. 153 a 160. *Consideração divina buscada.* "Olha para a minha aflição" (v. 153); minha causa (v. 154); "segundo os teus juízos" (v. 156). Considera os meus perseguidores (vv. 157,158), e o meu amor pelos teus preceitos (v. 160), e atua em conformidade com isto.

vv. 161 a 168. *O que a palavra é para o crente.* Objeto de temor (v. 161), alegria (v. 162), amor (v. 163), louvor (v. 164), produz a paz (v. 165) e esperança (166); por isto, é extremamente amada (v. 167) e fielmente observada (v. 168).

vv. 169 a 176. *O clamor de conclusão.* Evidenciando audiência para o seu clamor, o salmista pede entendimento e salvação (vv. 169, 170); promete louvar a Deus (v. 171), e falar de Deus (v. 172), e novamente clama pedindo ajuda (v. 173), salvação (v. 174), vida (v. 175) e restauração (v. 176).

SUGESTÕES AOS PREGADORES

v. 1. *"Bem-aventurados".* A verdadeira bem-aventurança está,

I. Na profanação que a palavra evita.

II. No prazer vivenciado na palavra.

v. 1. Os peregrinos espirituais são frequentemente mencionados neste salmo. Os viajantes modelo são descritos nesta passagem. Observe,

I. *O seu caráter:* "Irrepreensíveis" (ARA). Eles são assim, (1) *em Cristo:* e se encontram nele, completos, aceitos. Eles são assim (2) *por Cristo:* o seu espírito, a sua verdade e graça estão neles. "Geração eleita", "povo adquirido".

II. *O seu caminho:* "a lei do Senhor". Este caminho é:

(1) *Conspícuo* – elevado, visível, distinto de todos os demais.

(2) *Antigo.* O caminho antigo. A santidade é mais antiga do que o pecado; a sabedoria, mais antiga do que a loucura; a vida, do que a morte; a alegria, do que a tristeza.

(3) *Seguro.* Cristo o reparou. Sem a sua obra, ninguém pode estar em segurança. Ele derrubou montes, nivelou vales, endireitou caminhos tortuosos e aplanou asperezas. Ele afastou o leão.

(4) *Estreito.* Ele tem uma cerca de mandamentos de um lado, e de proibições do outro. A entrada é feita por uma porta estreita, o que torna necessário que os grandes se tornem como criancinhas.

III. *Seu progresso:* "andam". Não somente falam, mas pisam nas pegadas de Jesus. Eles seguem aquele que cumpriu a lei. Eles prosseguem no exercício de suas graças, na exibição de suas virtudes, no cumprimento de suas regras, e no benefício da sua benevolência.

IV. *Sua felicidade:* "Bem-aventurados". Eles têm ajuda infalível, companhia apropriada, e perspectivas animadoras pelo caminho. – *W. Jackson,* 1882

vv. 1, 2 e 3. I. Bem-aventuranças positivas e negativas da existência.
II. Seis condições de paz com Deus.
1. Pureza.
2. Obediência.
3. Fidelidade.
4. Busca.
5. Integridade.
6. Seguimento. – *William Durban, 1882*

v. 2. *"Bem-aventurados os que guardam os seus testemunhos e o buscam de todo o coração".*

I. *A Busca sagrada:* "E o buscam". Ele tem sido buscado entre as árvores, os montes, os planetas, as estrelas. Ele tem sido buscado na sua própria imagem desfigurada, o homem. Ele tem sido buscado em meio às rodas misteriosas da Providência. Mas estas buscas frequentemente têm sido motivadas simplesmente pelo intelecto, ou impelidas pela consciência, e por isto têm resultado em uma luz fria e pálida. Ele tem sido buscado na palavra que este salmo tanto exalta, tendo subido aos picos reluzentes e cobertos de fumaça do Sinai. E tendo descido abaixo das oliveiras do Getsêmani, para testemunhar a misteriosa luta, em suor de sangue e angústia, o Calvário, onde, no lugar da caveira, a vida e a imortalidade foram trazidas à luz. A busca sagrada começa ali.

II. *A conduta da busca.* Os que buscam podem ser equivocadamente desalentados por uma interpretação muito literal de "todo o coração". Nós não hesitamos em dizer que uma corrente está, em todo o seu volume, fluindo para o mar, embora haja pequenos riachos laterais em que a água retrocede; nem em dizer que a maré está subindo, apesar de ondas vazantes; ou que a primavera chegou, apesar da chuva de granizo e do vento cortante. Indicação de, 1. Unidade. 2. Intensidade. 3. Determinação. Ninguém conduz apropriadamente esta busca, se não estiver motivado ou sustentado nela pelo Espírito de graça.

III. *Bem-aventurança tanto na busca como no resultado.* 1. Bem-aventurança na amargura da penitência. A maçaneta da porta tocada por ele goteja mirra. O sol nascente envia raios flamejantes sobre os mais altos picos. 2. Bem-aventurança nas prazerosas descobertas de salvação e adoção. 3. Bem-aventurança na busca perpétua. – *William Anderson, 1882*

v. 2. A dupla bênção. I. Em guardar os testemunhos.
II. Em buscar ao Senhor.

v. 2. *"E o buscam de todo o coração".*
I. O que buscam? Ao próprio Deus. Não há paz, até que Ele seja encontrado.
II. Onde o buscam? Nos seus testemunhos. 1. Estudando-os. 2. Sendo fiéis a eles.
III. Como o buscam? De todo o coração. – *George Rogers.*

v. 2. *Buscando a Deus.*

I. A maneira do salmista buscar a Deus. 1. Ele buscava a Deus *com o coração.* Somente o coração pode encontrar Deus. A vista falha. "O método científico" falha. Toda a razão falha. Somente o amor e a confiança podem ser bem sucedidos. O amor vê muito, onde qualquer outra percepção nada encontra. A fé geralmente acompanha a descoberta, e, acima de tudo, quando se trata da descoberta de Deus. 2. Ele buscava a Deus *de todo o coração.* (1) A indiferença raramente encontra algo que valha a pena ter. (2) A indiferença mostra desprezo por Deus. (3) Deus não se revelará à indiferença. Seria dar o maior prêmio possível à indiferença.

II. O apelo do salmista, ao buscar a Deus: "Não me deixes desviar dos teus mandamentos". 1. Os mandamentos de Deus conduzem, imediatamente, à sua própria presença. Se tomarmos a lei moral, cada um dos dez mandamentos nos afasta do mundo, e do pecado, para nos conduzir à separação da santidade, em que Ele se esconde. É assim com todos os mandamentos das Escrituras. 2. O fervor e a sinceridade da busca da alma por Deus se torna, em si mesma, uma súplica para que Deus se deixe encontrar por nós. Deus, que ama a importunidade na oração, não a ama menos, quando ela assume a forma de busca, com todo o coração. Aquele que busca com todo o coração encontra encorajamento especial para orar: "Não me deixes desviar dos teus mandamentos". – *F. G. Marchant*

v. 2. *"E o buscam"*. Nós devemos nos lembrar das seis condições que são exigidas naqueles que desejam buscar ao Senhor apropriadamente.

I. Nós devemos buscá-lo em Cristo, o Mediador (Jo 14.6).

II. Devemos buscá-lo na verdade (Jr 10.10; Jo 4.24; Sl 7.6).

III. Devemos buscá-lo na santidade (2 Tm 2.19; Hb 12.14; 1 Jo 3).

IV. Devemos buscá-lo acima de todas as coisas, e por aquilo que Ele é.

V. Devemos buscá-lo à luz da sua própria Palavra.

VI. Devemos buscá-lo com diligência e perseverança, jamais descansando, até que o encontremos, como a esposa de Cantares. – *William Cowper*

vv. 2, 4, 5 e 8. "Bem-aventurados os que *guardam*". "Tu ordenaste... para que diligentemente os *observássemos*". "Tomara que os meus caminhos sejam dirigidos de maneira a poder eu *observar*". *"Observarei"*. A bem-aventurança de *guardar* os preceitos de Deus – exibida (2), ordenada (4), pedida em oração (5), decidida (8). – *C. A. D.*

v. 3. *"Não praticam iniquidade"*. Eles não praticam iniquidade com, – 1. Propósito no coração; 2. Deleite; 3. Perseverança; 4. De maneira nenhuma, quando o coração está plenamente santificado em Deus; com Cristo habitando nele pela fé, e expulsando o pecado. – *Adam Clarke*

v. 3. A relação entre a virtude positiva e a negativa. Ou o andar com Deus, o melhor preventivo da iniquidade.

v. 4. I. Observe o Legislador: "Tu". Não alguém igual a ti, ou alguém que ficará frustrado, mas o grande Deus.

II. Ele interpôs a sua autoridade: "ordenaste".

III. A natureza desta obediência, ou o que é ordenado: "Que observássemos os teus mandamentos". – *T. Manton*

v. 4. *O mandamento complementar*. Tendo Deus ordenado a lei moral, Ele a complementa com um mandamento que prescreve a maneira de guardá-la. Assim,

I. Deus não é indiferente à maneira como os homens tratam a sua lei – se a observam, negligenciam ou desafiam.

II. Quando observada, Deus discrimina o espírito da observação, se é escravo, parcial, descuidado ou diligente.

III. Há apenas um espírito de obediência, seja ele escravo, parcial, descuidado ou diligente.

III. Há apenas um espírito de obediência que satisfaz as exigências de Deus. "Diligentemente" sugere uma obediência que é – cuidadosa para observar a lei – pronta para cumpri-la (v. 60) – sem reservas – inspirada pelo amor ("diligentemente", significado antigo, do latim, "amorosamente", vv. 47,97,113).

IV. A nossa obediência se equipara a este padrão? – *C. A. D.*

v. 4. Não apenas o serviço é ordenado, mas também a maneira de realizá-lo. Sinceridade, cuidado, perseverança, são exigidos, porque sem eles a obediência não será verdadeira, uniforme nem vitoriosa sobre as dificuldades.

v. 4. Como obedecer: *"Diligentemente"*. 1. Não parcialmente, mas plenamente. 2. Não de maneira duvidosa, mas com confiança. 3. Não com relutância, mas com prontidão. 4. Não com negligência, mas cuidadosamente. 5. Não friamente, mas fervorosamente. 6. Não irregularmente, mas regularmente. – *W. J.*

vv. 4, 5 e 6. Um reconhecimento de bom grado (v. 4). Uma aspiração ardente (v. 5). Uma feliz consequência (v. 6). – *W. D.*

v. 5. A oração do piedoso.

I. Sugerida por cada sentença de bem-aventurança anterior.

II. Por uma consciência das falhas.

III. Por uma dependência amorosa do Senhor.

v. 5. I. O fim desejado: "Observar os teus estatutos". Não meramente seguro, nem feliz, mas santo.

II. Ajuda suplicada. 1. Para entender os preceitos divinos. 2. Para guardá-los. – *G. R.*

v. 5: Ansioso por obedecer. 1. *É uma nobre aspiração.* Não há nada mais sublime do que o desejo de fazer isto, exceto realmente fazê-lo. 2. *É uma aspiração espiritual.* Não o produto da nossa natureza carnal. É o coração de Deus na nova criatura. 3. *É uma aspiração praticável.* Às vezes, suspiramos pelo impossível. Mas isto pode ser obtido, pela graça divina. 4. *É uma aspiração intensa.* É o "Oh!" de um desejo ardente. 5. *É uma aspiração influente.* Não evapora em suspiros. É um poderoso incentivo, implantado pela graça, que não nos deixará descansar sem santidade. – *W. J.*

v. 6. Veja "Spurgeon's Sermons", n. 1443: "A Clear Conscience".

v. 6. A santa confiança é o produto da obediência universal.

v. 6. *A armadura da prova.*

I. A obediência universal fornecerá uma confiança imperturbável – 1. Diante do mundo crítico. 2. No tribunal da consciência. 3. Diante do trono da graça. 4. No dia do juízo.

II. Mas a nossa obediência está longe de ser universal, e nos deixa abertos – 1. Aos ataques do mundo. 2. Às censuras da consciência. 3. Ela paralisa as nossas orações, e, 4. Não ousa comparecer em nosso favor diante do tribunal de Deus.

III. Devemos, então, pela fé, nos envolver na justiça perfeita de Cristo. A nossa resposta à crítica do mundo. Nós não somos isentos de faltas, e, pela salvação, devemos descansar inteiramente em quem o é. Esta justiça é – 1. O bálsamo para a nossa consciência ferida. 2. A nossa poderosa súplica na oração. 3. A nossa justificação triunfante no dia do juízo. – *C. A. D.*

v. 6. Tópico: – O respeito próprio depende do respeito por alguém maior do que você mesmo. – *W. D.*

v. 7. O melhor do louvor, o melhor do aprendizado, a melhor das combinações, ou seja, louvor e santidade.

v. 7. I. O professor de música sacra: "Louvar-te-ei".

II. O tema do seu cântico: "a ti".

III. O instrumento: "Coração".

IV. O instrumento afinado: "retidão de coração".

V. A academia de treinamento do músico: "Juízos". – *W. J.*

v. 7. Aprendizado e louvor. I. São *dois exercícios espirituais.* É possível que os aprendizes e os cantores sejam carnais e voltados aos prazeres dos sentidos; mas, neste caso, eles são empregados com respeito aos fins, obras e caminhos justos do Senhor.

II. São *dois exercícios apropriados.* O que pode ser mais conveniente do que aprender com Deus, e louvá-lo?

III. São *dois exercícios benéficos.* As expectativas do maior proveito são ultrapassadas. O prazer e o proveito rendem recompensas abundantes. Coração, cabeça, vida, todos são beneficiados.

IV. São *dois exercícios que se auxiliam mutuamente.* Em um deles, nós somos receptivos, e no outro, comunicativos. Por um deles, nós nos tornamos adequados a fazer o outro.

Pelo primeiro, nós somos estimulados a fazer o segundo. Quão maravilhosamente a lição é convertida em um cântico, e o aprendiz em um cantor. – *W. J.*

v. 7. I. Deficiência confessada: "Quando tiver aprendido". É essencial para o crescimento. É uma admissão que todos podem fazer verdadeiramente.

II. O progresso antecipado. Ele dedicou seu coração à obra do aprendizado. Ele buscou ajuda divina.

III. O louvor prometido. Ele o prometeu apenas para Deus. Ele prometeu que seria sincero: "com retidão de coração". – *W. Williams, 1882*

v. 8. I. Uma determinação de vida esperançosa.

II. Um terrível temor.

III. Uma série de considerações que removem o medo.

Versículo 8: I. A resolução: "Observarei", etc.

II. A súplica: "Não me desampares totalmente". 1. Submissão filial. Eu mereço isto, ocasionalmente. 2. Confiança filial. "Não totalmente".

III. A conexão entre as duas. A obediência sem oração, e a oração sem obediência, são igualmente inúteis. Para progredir, deve-se usar os dois remos. Deus não pode habitar em suplicantes preguiçosos, que enquanto puderem conseguir alguma coisa apenas pedindo, jamais irão trabalhar. – *G. R.*

v. 8. *"Não me desampares totalmente"*. A deserção em relação ao Senhor Deus é reprovada.

I. A oração angustiada. 1. Abandono soberano. A soberania não é arbitrariedade nem capricho; talvez a sua definição correta seja o amor misteriosamente bondoso, desconhecido agora, mas justificado depois de revelado. 2. Abandonos secundários. 3. Abandono por causa do pecado. Davi, Jonas e Pedro. As sete igrejas da Ásia; os judeus. Mas para saber o que *"totalmente"* quer dizer, tanto em grau como no tempo, devemos analisar a questão do inferno. Como alguém que treme à beira do inferno, ele ora. Como o viajante atrasado, que, no bosque vasto e rodeado de animais de rapina, suspira no dia da partida. Como aquele que vigia na jangada, e grita até ficar rouco, pedindo socorro, mas vê a vela do navio ao qual pediu socorro desaparecer no horizonte.

II. A sua fundação doutrinária. Onde Ele condescende em habitar, a sua habitação é perpétua. Ele só pode nos abandonar totalmente se tivermos tentado enganá-lo. Ele só pode abandonar totalmente se tiver sido frustrado em relação a alguém. As duas condições implicam blasfêmias. Senhor, tu, que odeias matar, tu, que jamais abandonaste *totalmente* qualquer santo, não faças de mim a única exceção.

III. Certeza histórica da resposta. O santo e a igreja, libertados em todos os tempos. Pode demorar até a "noite", como no caso de Cowper. O seu rosto trazia, depois da morte, uma expressão de prazerosa surpresa. – *W. A.*

v. 9. I. A pergunta do jovem.

II. A resposta do sábio.

v. 9. Na Palavra de Deus, quando aplicada ao coração pelo Espírito de Deus,

I. Suficiente luz para revelar aos homens a necessidade de purificar o seu caminho.

II. Suficiente energia para purificar seu caminho.

III. Suficiente prazer para encorajá-los a decidir purificar seu caminho.

IV. Suficiente apoio para sustentá-los no seu caminho purificado. – *Theophilus Jones, "Sermon to the Young" 1829*

v. 9. A Palavra de Deus possibilita a purificação do caminho,

I. Apontando ao jovem o mal que há no caminho.

II. Revelando um remédio infalível para as desordens da sua natureza – a salvação que há em Jesus Cristo.

III. Tornando-se diligente em todos os caminhos do dever aos quais Ele possa ser chamado. – *Daniel Wilson, 1828*

v. 9. As regras do salmista para a obtenção da santidade, deduzidas da sua própria experiência. 1. Buscar a Deus com "todo o seu coração" (v. 2). Ser verdadeiramente sensível às suas necessidades. 2. Guardar e recordar o que Deus diz (v. 11): "Escondi a tua palavra", etc. 3. Reduzir tudo isto à prática (v. 11): "Para eu não pecar contra ti". 4. Bendizer a Deus pelo que Ele deu (v. 12): "Bendito és tu", etc. 5. Pedir mais (v. 12): "Ensina-me os teus estatutos". 6. Estar pronto a transmitir seu conhecimento a outras pessoas (v. 13): "Com os meus lábios declarei". 7. Deixar que tenha o efeito devido no seu próprio coração (v. 14): "Folgo", etc. 8. Meditar frequentemente sobre os preceitos (v. 15): "Meditarei", etc. 9. Refletir profundamente sobre eles (v. 16): "Alegrar-me-ei", etc. Assim como o alimento não digerido não irá nutrir o corpo, também a Palavra de Deus, não considerada com profunda meditação e reflexão, não irá alimentar a alma. 10. Tendo seguido o curso acima, ele devia continuar nele, e então a sua felicidade estaria assegurada (v. 16): "Não me esquecerei da tua palavra; alegrar-me-ei (consequentemente) nos teus estatutos". – *Adam Clarke*

v. 9. Uma pergunta e uma resposta para os jovens. A Bíblia é um livro para jovens. Aqui, ela indica,

I. Que o caminho do jovem *deve ser purificado* – isto é, a sua maneira de pensar, sentir, falar, agir.

II. Que *ele deve ter uma participação ativa no trabalho.* A causa eficaz na operação é Deus. Outras boas influências também estão em ação. Mas o jovem deve ter uma simpatia sincera e prática pelo seu trabalho.

III. Que *ele deve usar a Bíblia neste propósito.* Ela registra fatos, apresenta incentivos, reforça preceitos, expressa promessas e nos dá exemplos, sendo tudo isto adaptado para tornar santo um jovem. Ao ler, estudar e imitar as Escrituras, com um espírito de humildade e oração, o jovem escapará à sociedade de corrupção e adorno. – *W. J.*

v. 9. Uma palavra aos jovens.

I. Mostre como o jovem corre perigo especial de contaminar o seu caminho. Com, 1. Suas fortes paixões. 2. Seu juízo imaturo. 3. Sua inexperiência. 4. Sua autossuficiência intempestiva. 5. Suas companhias levianas, e 6. Sua negligência, de modo geral.

II. A circunspecção que ele deve usar para purificar seu caminho. *"Observando"*, 1. A sua propensão para o mal. 2. As suas companhias. 3. As suas buscas. 4. As tendências de tudo o que ele faz.

III. O guia infalível pelo qual a sua circunspecção deve ser regulada: *"Conforme a tua palavra"* – isto é, 1. Os seus preceitos. 2. Os seus exemplos. 3. Os seus motivos. 4. As suas advertências. 5. Os seus encantos. – *C. A. D.*

v. 10. I. Um exame agradecido.

II. Uma previsão ansiosa.

III. Uma oração elogiável.

v. 10. As duas grandes súplicas do crente. 1. O que ele está ansioso por encontrar: "[Eu] te busquei". 2. O que ele teme perder: "Teus mandamentos". – *W. D.*

v. 10. *Sinceridade, não autossuficiência.*

I. O crente deve ser consciente e sincero ao buscar a Deus, sabendo que deverá fazê-lo de todo o seu coração.

II. Mas a consciência e a sinceridade não asseguram a autossuficiência.

III. Mesmo aquele que busca com maior sinceridade, esperará que a graça divina o impeça de se desviar. – *C. A. D.*

v. 11. A melhor coisa, no melhor lugar, para o melhor dos propósitos.

v. 12. A bem-aventurança de Deus e a maneira de alcançá-la.

v. 12. I. Davi dá glória a Deus: *"Bendito és tu, ó Senhor".*

II. Ele pede graça a Deus. – *Matthew Henry*

v. 12. I. O que é, ou como Deus nos ensina. 1. Deus nos ensina externamente; pelas suas ordenanças, pelo ministério dos homens. 2. Internamente, pela inspiração e obra do Espírito Santo.

II. A necessidade do seu ensinamento.

III. O benefício e a utilidade do ensinamento. – *T. Manton*

v. 12. *O desejo do ensinamento divino, estimulado pelo reconhecimento da bênção divina.*

I. Revela, de uma maneira inadequada, a felicidade do sempre bendito Deus, emergindo da sua pureza, benevolência, amor.

II. Mostra a maneira pela qual o homem pode participar desta bem-aventurança, pela conformidade com os seus preceitos.

III. Expressa a oração do texto. – *C. A. D.*

v. 13. Palavras apropriadamente empregadas. Elas tratam de um assunto selecionado, um assunto completo, um assunto benéfico aos homens, e que glorifica a Deus.

v. 14. Religião prática, a fonte de uma consolação que supera riquezas. Ela dá ao homem paz de espírito, independência no comportamento, importância na influência, e outras questões que supostamente emergem da riqueza.

v. 14. I. O assunto do regozijo. Não os "testemunhos", meramente, mas suas observâncias, "o caminho deles", etc.

II. O regozijo neste assunto. 1. Na sua paz interior. 2. Nas suas consequências externas. III. O grau do regozijo: "mais... do que", etc. – *G. R.*

v. 14. *Os dois pratos da balança.* As riquezas podem ser boas para muitas coisas; porém os testemunhos de Deus são melhores ainda para todas elas. I. As riquezas são desejáveis como um meio de se obter o que é essencial para a vida; mas os testemunhos de Deus suprem as necessidades da alma.

II. As riquezas são desejáveis como um meio de obter prazer pessoal, mas os testemunhos de Deus produzem a maior alegria.

III. As riquezas são desejáveis como um meio de alcançar aprimoramento pessoal, mas os testemunhos de Deus são os mais sublimes educadores.

IV. As riquezas são desejáveis como um meio de fazer o bem, mas os testemunhos de Deus operam o maior bem. – *C. A. D.*

v. 15. A vida contemplativa e a ativa; seu alimento comum, objeto e recompensa.

v. 16. I. O que há, para se alegrar.

II. O que vem de tal prazer: "Não me esquecerei".

III. O que resulta desta lembrança – mais prazer.

v. 17. I. Um senhor generoso.

II. Um servo em necessidade – implorando pela própria vida.

III. Uma recompensa apropriada: "E observe a tua palavra".

v. 17. Aqui aprendemos, I. Que devemos a nossa vida à misericórdia de Deus. II. Que, portanto, devemos vivê-la a serviço de Deus. – *Matthew Henry*

v. 18. I. A caixa de joias preciosa: "tua lei".

II. O tesouro invisível: "as maravilhas".

III. A visão milagrosa: "para que veja".

IV. O oftalmologista divino: "Desvenda os meus olhos".

v. 18. *As maravilhas ocultas do Evangelho.* Há muitas coisas ocultas na natureza, muitas nos nossos companheiros, e muitas há na Bíblia. As coisas da Bíblia são ocultas, por causa da cegueira do homem.

I. *A tristeza do cego:* "Desvenda os meus olhos". Eu não consigo ver. Eu tenho olhos e não vejo. A dor desta cegueira consciente, quando um homem realmente a sente.

II. *A convicção do cego:* "Para que veja as maravilhas", etc. Há coisas maravilhosas para serem vistas. Tenho certeza disto. Há uma visão maravilhosa, – (1) do pecado; (2) do inferno, como o que é merecido; (3) daquele pronto a salvar; (4) do perdão perfeito; (5) do amor de Deus; (6) de toda a graça autossuficiente; (7) do céu.

III. *A sabedoria do cego.* O erro está nos meus olhos, não na tua palavra. "Desvenda os meus olhos", e tudo estará bem. A razão para não ver é porque os olhos estão cegos pelo pecado. Não há nada que falte na Bíblia.

IV. *A oração do cego:* "Desvenda [*tu*] os meus olhos". 1. Eu não consigo abri-los. 2. Os meus mais queridos amigos não conseguem. 3. Somente tu podes. "Senhor, eu te peço, abre-os". Muitos buscam interromper esta oração. Seja como Bartimeu, que *"clamava cada vez mais"*.

V. *A expectativa do cego:* "Para que veja". 1. A alegria de um cego curado, quando está prestes a ver, pela primeira vez, as belezas da natureza. 2. A alegria dos espiritualmente curados, quando começam a "ver Jesus". 3. O caráter pessoal da alegria: "Desvenda os meus olhos, para que veja". Até aqui, eu tive que ver, por intermédio dos olhos dos outros. Já não mais dependo dos olhos dos outros. A feliz expectativa de Jó: "Vê-lo-ei por mim mesmo, e os meus olhos, e não outros, o verão". – *Frederick G. Marchant, 1882*

v. 18. A Palavra de Deus adequada ao sentimento de maravilha do homem.

I. Faremos algumas observações sobre o sentimento de maravilha no homem, e o que, de modo geral, o estimula. Um dos primeiros motivos para maravilhar-se é o *novo e inesperado.* A segunda causa é encontrada em coisas *belas e excelentes.* Uma terceira causa é *o mistério* que cerca o homem – há coisa que *não se pode conhecer.*

II. Deus fez provisões para este sentimento de maravilha, na sua Palavra revelada. A Bíblia trata do nosso sentimento de maravilha, constantemente apresentando o *novo e inesperado* a nós; colocando diante de nós coisas *belas e excelentes.* Se viermos à terceira causa de maravilha, que é a de despertar *assombro*, teremos a ocupação peculiar da Bíblia em lidar com isto.

III. Os meios que devemos usar, para ter a Palavra de Deus revelada desta maneira – a oração do salmista pode ser nosso guia – "Desvenda os meus olhos, para que veja as maravilhas da tua lei". – *John Ker, de Glasgow, 1877*

v. 18. *Visões maravilhosas para olhos abertos.*

I. As maravilhas na lei de Deus. Uma lei de vida maravilhosa. Uma maravilhoso caminho contra a transgressão. Uma redenção maravilhosa da maldição que pairava devido à lei cerimonial.

II. É preciso uma visão especial para contemplá-las. São coisas espirituais. Os homens são espiritualmente cegos (1 Co 2.14).

III. *A oração pessoal ao Grande Abridor de Olhos. – C. A. D.*

v. 19. Uma visão da vontade divina, a melhor ajuda na nossa jornada pela terra. Ou, o que eu sou, onde estou, para onde vou, como vou chegar lá?

v. 19 (primeira parte). *O peregrino na terra.*

I. Uma breve explicação. O texto significa, – 1. Que o santo não nasce da terra. 2. Que o santo não é conhecido na terra. 3. A porção do santo não é da terra. 4. O santo está envolvido por tristezas e provações sobre a terra. 5. O santo logo deixará a terra.

II. Uma breve aplicação. 1. Não seja como o mundo. 2. Esteja preparado para sofrer na terra. 3. Não se apegue ao mundo. 4. Seja dedicado ao lar. 5. Alimente amor fraterno pelos seus companheiros, que são outros peregrinos na terra. 6. Anseie fervorosamente a volta para casa. 7. Insiste que outros venham com você. – *Duncan Macgregor, Sermão em "The Shepherd in Israel", 1869*

v. 19. *A oração do peregrino.* I. Como ele veio a ser peregrino na terra. Ele nasceu de novo. Ele aprendeu os modos do seu lar estrangeiro. Ele falava a língua da sua terra natal, a terra de seu Pai; e por isto era mal interpretado e rejeitado na terra.

II. Como ele desejava que tudo fosse como em seu lar. As regras da casa: "teus mandamentos". O ensino em casa: "não escondas". Especialmente a voz de seu Pai.

III. Como, na sua solidão, ele se consolava com a comunicação com seu Pai.

IV. Você não gostaria de ser um peregrino? – *C. A. D.*

v. 20. I. A palavra buscada, e buscada em todos os momentos.

II. A palavra buscada, e buscada com intenso desejo.

III. A palavra buscada, e buscada mais intensamente, à medida que mais era encontrada. Mesmo já tendo encontrado tanto na Palavra de Deus, a alma do salmista desejava ansiosamente encontrar mais. Aqueles que já foram aceitos no "mistério do Senhor" encontram sua maior alegria conhecendo este mistério ainda mais plenamente. É aos que conhecem o mistério que a promessa é feita: "Ele lhes fará saber o seu concerto" (Sl 25.14). – *F. G. M.*

v. 20. Um dos melhores testes de caráter e uma das melhores profecias do que será um homem, são os seus desejos.

I. O que o santo deseja absorver: "Teus juízos". A palavra aqui é sinônima de a "Palavra" de Deus. 1. O salmista reverenciava enormemente a Palavra. 2. Ele desejava intensamente conhecer o seu conteúdo. 3. Ele desejava se alimentar da Palavra de Deus. 4. Ele desejava obedecer a ela. 5. Ele desejava sentir a força dos juízos de Deus no seu próprio coração.

II. Os ardentes desejos do santo. 1. Constituem uma experiência vívida. 2. A expressão usada no texto representa uma humilde sensação de imperfeição. 3. Ela indica uma experiência avançada. 4. É uma experiência que podemos chamar de agridoce. 5. Estes anseios podem tornar-se muito cansativos para a alma de um homem.

III. Alegres reflexões. 1. Deus está em ação na sua alma. 2. O resultado da obra de Deus é muito precioso. 3. Ele conduz a algo ainda mais precioso. 4. O desejo está fazendo bem a você. 5. Torna Cristo precioso. Veja "Spurgeon's Sermons", n. 1586: "santos anseios".

v. 21. I. O caráter dos soberbos.

II. A maneira como Deus os trata.

III. O nosso relacionamento com eles.

v. 21. I. O pecado: "[Eles] se desviam dos teus mandamentos". 1. Por negligência; ou, 2. por usá-los mal.

II. A sua origem – orgulho: orgulho de razão, de coração, de vida.

III. A sua punição. 1. Censura. 2. Condenação. – *G. R.*

v. 23. Meditação. I. A nossa melhor ocupação, quando outros caluniam.

II. A nossa melhor consolação, sob a falsidade deles.

III. A nossa melhor preservação e defesa contra um espírito de vingança.

IV. O nosso melhor modo de mostrar a nossa superioridade aos seus ataques.

v. 24. I. Ele os reverenciava como testemunhos de Deus.

II. Ele se deleitava com eles, como seu prazer.

III. Ele se referia a eles como seus conselheiros.

v. 25. I. A natureza e a sua tendência.

II. A graça e seu modo de operação.

III. As duas verdades, em sua aplicação pessoal.

v. 25. *"Vivifica-me"*, etc. I. Há muitas razões pelas quais devemos buscar vivificação. 1. Por causa da influência mortal do mundo. "A minha alma está pegada", etc. 2. A influência da vaidade (veja v. 37). 3. Porque estamos rodeados de enganadores (veja vv. 87,88). 4. Por causa do efeito das épocas de aflição sobre nós (veja v. 7).

II. Alguns dos motivos pelos quais buscar a vivificação. 1. Por causa de quem você é – um cristão; a vida busca mais vida. 2. Por causa do que você deveria ser. 3. Por causa do que você será. 4. Para a obediência (veja v. 88). 5. Para nossa consolação (vv. 107,50). 6. Como a melhor proteção contra os ataques dos inimigos (vv. 87,88). 7. Para revigorar nossas lembranças (v. 93). 8. Considere (como motivo para buscar esta vivificação) as terríveis consequências da perda da vida espiritual, ou, em outras palavras, da falta dela, na sua exibição manifesta.

III. Algumas das maneiras pelas quais a vivificação nos pode ser trazida. 1. Deve ser pelo próprio Senhor. "Vivifica-me, ó Senhor". 2. Pelo desviar dos olhos (v. 37).

3. Pela Palavra (v. 50). 4. Pelos preceitos (v. 93). 5. Pela aflição (v. 107). 6. Pelas consolações divinas.

IV. Investigar como estão as nossas alegações quando comparecemos diante de Deus, para pedir a vivificação. 1. A nossa necessidade (vv. 107, etc.). 2. O nosso fervoroso desejo (v. 40). 3. Apelo à justiça de Deus (v. 40). 4. A sua benignidade (vv. 88,149,156). 5. A justificação no texto: "segundo a tua palavra" (vv. 28,107). Veja "Spurgeon's Sermons", n. 1350: "Vivificação e revigoração".

v. 26. Confissão. Absolvição. Instrução.

v. 26. I. O dever: "Meus caminhos te descrevi" – tornei conhecida a minha experiência da tua palavra a outros.

II. A sua observação, por Deus: "tu me ouviste".

III. A sua recompensa. Mais conhecimento será dado: "Ensina-me", etc. – *G. R.*

v. 27. I. A oração de um estudante. 1. Ela trata do tema principal do modo de vida que deve ser a ocupação do estudante – "o caminho dos preceitos de Deus". 2. Uma confissão é sugerida: "Faze-me", etc. 3. Uma grande bênção é pedida – entender, conhecer os teus estatutos. 4. A Fonte de toda a sabedoria é buscada.

II. A ocupação do homem instruído. 1. Ele testemunha as obras de Deus – suas maravilhosas obras – a obra de Cristo por nós; a obra do Espírito Santo em nós. O caráter maravilhoso destas obras de Deus, um campo amplo para estudo devoto. 2. Ele fala com muita clareza: "falarei", etc. 3. Ele falará muito frequentemente: "falarei". 4. Ele falará objetivamente: "Assim" – isto é, de acordo com o entendimento.

III. A íntima relação entre a oração do estudante e a busca que ele empreendeu posteriormente. Veja "Spurgeon's Sermons", n. 1344: "A oração do estudante".

v. 27. Educação para o ministério. I. O estudante na escola: "Faze-me entender". A sua lição. O seu instrutor. A sua dedicação.

II. O pregador no seu trabalho: "Assim falarei", etc. A sua qualificação. O seu tema. A sua maneira. – *C. A. D.*

v. 28. A tristeza, a sua causa, a sua maldição e a sua cura.

v. 29. O caminho da falsidade.

I. Descreva o caminho da falsidade. Vários caminhos, *por exemplo,* interpretações errôneas da doutrina; falsos fundamentos de fé; falta de firmeza na prática; recuar da cruz diária.

II. Mostrar por que tem este nome. Ele não fornece os prazeres prometidos. Ele não conduz ao seu objetivo professado. Ele se estende pelo território do pai da mentira.

III. Observe a peculiaridade na oração contra ele. Não me desvie do caminho, mas desvia de mim o caminho: pois o caminho da falsidade está dentro de nós.

IV. A nossa libertação do caminho da falsidade está em Deus. – *C. A. D.*

vv. 29 e 30. I. O caminho da falsidade, o nosso desejo de tê-lo desviado, e o método da resposta.

II. O caminho da verdade, a nossa escolha, e o método para andarmos nele.

v. 31. Razões para se apegar aos testemunhos divinos.

v. 31. Uma mistura homogênea.

I. Fidelidade resistente.

II. Falta de confiança em si mesmo, e

III. Oração importuna. – *C. A. D.*

v. 32. O corredor acorrentado é libertado.

I. O caminho que o convidou.

II. As algemas que o prenderam.

III. A impaciência que o instigou.

IV. O Senhor que o libertou.

V. Agora, deixe-o ir. – *C. A. D.*

v. 32. I. A liberdade desejada. II. Liberdade usada corretamente. Ou o resultado do coração acima dos pés.

v. 32. O texto nos dará oportunidade para falar, 1. Sobre o benefício de um coração dilatado. A precedência necessária desta obra, por parte de Deus, antes que possa haver qualquer séria tendência ou movimento de coração em direção a Deus, de nossa parte. 2. A subsequente resolução dos santos, de empenhar seus corações em viver para Deus. 3. Com que fervor e sinceridade, diligência e vigor de espírito, esta obra deve ser realizada: "Correrei". – *T. Manton*

v. 32. I. O caminho da obediência: "Teus mandamentos".

II. O dever da obediência: "Correrei" – não ficar parado – não perder tempo – não rastejar – não andar, mas correr.

III. A vida de obediência. 1. Onde está – no coração. 2. De onde vem: "Quando dilatares", etc. 3. O que ela faz – dilata o coração. – *G. R.*

v. 33. Nesta oração pedindo graça, observe, 1. A pessoa a quem ele ora: "Ó Senhor". 2. A pessoa por quem ele ora: "ensina-me". 3. A graça pela qual ele ora: ser ensinado. 4. O objeto deste ensinamento: "o caminho dos teus estatutos". O ensinamento que ele implora não é especulativo, mas prático, ele deseja aprender como andar no caminho de Deus. – *T. Manton.*

v. 33. A superior eficácia do ensinamento divino: ele protege a prática santa e assegura a sua perpetuidade.

vv. 33 e 34. *Luz do alto.* I. O poder que o pecado tem para cegar. "Ensina-me", isto é, "mostra-me". "Dá-me entendimento". Qualquer que possa ter sido a quantidade original de luz que resultou de comer da árvore da ciência do bem e do mal, esta luz já era insuficiente por muito tempo. 1. Os homens precisam de luz para discernir o caminho certo do errado. 2. Os homens precisam de luz para entender as formosuras do caminho correto. Estas formosuras assinalam o caminho da verdade, de qualquer um dos dois lados, mas somente a mente ensinada por Deus as aprecia. Até mesmo Jesus, que é o caminho, a verdade e a vida, é entendido, na mente do pecador, como uma raiz tirada de um solo seco, até que a mente do pecador seja ensinada pelo Senhor. O pecado é a causa da sua cegueira. Quanto maior é a distância que um homem percorre pelo caminho do pecado, menos ele consegue ver das formosuras da santidade.

II. A graça esclarecedora do Senhor. "Ensina-me". "Dá-me entendimento". Esta graça, 1. Pode ser pedida com ousadia: "Se algum de vós tem falta de sabedoria, peça-a a Deus". 2. Será dada gratuitamente. "Que a todos dá liberalmente". "Pedi, e dar-se-vos-á". 3. Será amplamente suficiente. "Guardá-lo-ei até o fim". "Guardarei a tua lei". "Ver" (ou "enxergar") é o mesmo que seguir.

III. O poder estimulante da verdade claramente revelada. "Observá-la-ei de todo o coração". Ver não é somente seguir, mas seguir com amor e alegria. Está escrito, sobre a luz que está diante do trono: "Seremos semelhantes a ele; *porque* assim como é o veremos". "Ó tu, que te assentas entre os querubins, resplandece", aqui, no caminho que conduz à tua presença. – *F. G. M.*

vv. 33 a 35. *Alfa e Ômega.* I. Deus, que dá instrução espiritual, v. 33.

II. Que dá entendimento espiritual, sem o qual esta instrução é inútil, v. 34.

III. Que dá graça para a obediência prática, quando houver esta instrução, v. 35.

IV. Para a obediência sincera, v. 34.

V. Para a perseverança final, v. 33. – *C. A. D.*

vv. 33 a 36. *Dependência humana na ajuda divina.* I. Não pode haver uma observância firme no caminho do Senhor sem a orientação do Senhor, v. 33.

II. Não pode haver uma observância no caminho com o coração, sem a luz divina na mente, v. 34.

III. Não se pode seguir diligentemente pelo caminho, até que a energia divina seja incorporada à vontade, v. 35.

IV. Não pode haver um verdadeiro amor pelo caminho, a menos que o coração seja restringido pelo amor de Deus: v. 36. Aquele que disse, "sem mim nada podereis fazer" é o precioso e bendito Senhor que faz com que enxerguemos o caminho, entendamos o caminho, andemos pelo caminho, e amemos o caminho. – *F. G. M.*

v. 34. A influência do entendimento sobre o coração, e o poder que o entendimento e o coração, unidos, têm sobre a vida.

v. 34. *Vendo e amando.* I. Quando os homens veem, amam (o versículo todo).

II. Quando os homens veem, amam. Somente o coração com amor poderia ter visto o suficiente para escrever este versículo. – *F. G. M.*

v. 35. A oração de um filho, e o prazer de um filho. Ou, O nosso prazer na santidade, um apelo para a graça.

v. 35. I. O prazer declarado.

II. Relutância implícita.

III. Constrangimento implorado. – *W. W.*

v. 36. Santidade, uma cura para a cobiça.

vv. 36 e 112. *A cooperação do divino e do humano, na salvação.*

I. É Deus que opera em você, v. 36.

II. Por isto, opere a sua própria salvação, com temor e tremor: v. 112. – *C. A. D.*

v. 37. *"Vivifica-me no teu caminho".* Esta curta oração – 1. Lida com a necessidade frequente do crente.

II. Ela nos dirige ao que opera a vivificação: "tu".

III. Ela descreve a esfera de vigor renovado: "No teu caminho". IV. Indica que pode haver razões especiais e ocasiões especiais para esta oração – ocasiões de tentação, v. 37; ocasiões de aflição, v. 107; quando chamados para algum serviço extraordinário. Veja "Spurgeon's Sermons", n. 1073: "Um favo de mel".

v. 37. Aqui temos,

I. Conversão *da* "vaidade".

II. Conversão *para* o "teu caminho".

III. Conversão *através de uma bênção* – "Vivifica-me". – *G. R.*

v. 37. Davi ora, (1) pedindo graça *que reprime*, para que possa ser protegido daquilo que o impediria no caminho do seu dever: "Desvia os meus olhos de contemplarem a vaidade". Ele ora (2) pedindo graça *que limita*, para que ele possa não somente ser protegido de tudo o que pudesse obstruir o seu progresso no caminho para o céu, mas para que possa ter a graça que é necessária para fazê-lo progredir: "Vivifica-me no teu caminho". – *M. Henry*

v. 38. Confirmação. O que? "Confirma a tua promessa". A quem? "Ao teu servo". Por que? "Que se inclina", etc.

v. 38. O temor de Deus se evidencia, 1. Por um temor do seu desprazer. 2. O desejo da sua benevolência. 3. Consideração pelas suas excelências. 4. Submissão à sua vontade. 5. Gratidão pelos seus benefícios. 6. Obediência conscienciosa aos seus mandamentos. – *Charles Buck*

v. 38. Os quatro tipos do temor. 1. O temor do homem, pelo qual somos levados a fazer o mal em lugar de sofrê-lo. 2. O temor servil, pelo qual somos levados a evitar o pecado somente pelo temor do inferno. 3. O temor inicial, em que evitamos o pecado, parcialmente pelo temor do inferno, mas também parcialmente pelo amor a Deus, que é o temor dos cristãos comuns. 4. O temor filial, em que temos medo de desobedecer a Deus unicamente pelo amor que temos por Ele. Jr 32.40. – *Ayguan, em J. Edward Vaux, "Preacher's Storehouse", 1878*

v. 39. I. O juízo dos homens é temido.

II. O juízo de Deus é aprovado.

v. 39: *A reprovação da inconsistência.* I. A desonra causada por isto (2 Sm 12.14).
II. O perigo de incorrer nela.
III. A oração contra ela. – *C. A. D.*
v. 40. I. Sentimento de anseios de graça.
II. Sentimentos de grande necessidade – mais vida é necessária. III. Sábia súplica oferecida.
v. 41. Veja "Spurgeon's Sermons", n. 1524: "sua salvação pessoal".
v. 41. I. As graças de Deus nos vêm sem ser buscadas, continuamente. As suas graças misericordiosas, graças temporais, etc.
II. O principal resultado das graças de Deus é a sua salvação. É a nossa maior necessidade; é a sua maior dádiva.
III. Nós devemos ter um interesse pessoal nesta salvação: "Venham também sobre mim as tuas misericórdias".
IV. Quando buscamos a salvação de Deus, podemos alegar a sua promessa: "Segundo a tua palavra". – *Horatio Wilkins, 1882*
v. 41. "Sobre mim". I. Em mim, há a necessidade de misericórdia.
II. A mim, a misericórdia pode vir.
III. A tua salvação me é apropriada.
IV. Dificuldades especiais me amedrontam.
V. A tua palavra me encoraja.
v. 41. I. – A salvação é toda de misericórdia.
II. Todas as misericórdias estão na salvação.
III. Todos os homens devem estar ansiosos para que a salvação venha a eles.
IV. Ela somente pode vir, segundo a palavra de Deus. – *W. W.*
vv. 41 a 43. *Uma oração abrangente.*
I. A posse da salvação, v. 41.
II. É o poder para a defesa, v. 42.
III. E a qualificação para ser útil, v. 43. – *C. A. D.*
v. 42. A resposta da fé à reprovação encontrada no fato de que ela confia na Palavra de Deus.
vv. 42, 43 e 47. Fé, esperança e amor. "Confio". "E me atenho". "Amo". A fé que combate, a esperança que testifica, o amor que obedece.
v. 43. Como o pregador fiel poderia ser silenciado, e o seu apelo para que não o fosse.
v. 44. A perpetuidade da vida piedosa. Em que se condiciona: "Assim". Como é completamente consistente com o livre arbítrio: "Observarei". Como é contínua e como é eterna.
v. 44. *O céu, iniciado aqui, abaixo.* I. A vida atual do crente – guardando a lei de Deus.
II. O interesse contínuo do crente – guardar a lei de Deus.
III. A perspectiva eterna do crente – guardar a lei de Deus para todo o sempre. – *C. A. D.*
vv. 45 a 47. Liberdade no andar. Liberdade de discurso. Liberdade no coração.
vv. 45 a 48. O homem verdadeiramente livre desfruta, 1. *De andar livremente* com Deus. 2. *De falar livremente* sobre Deus. 3. *De amar livremente* a Deus. 4. *De* exercitar a alma livremente, (1) na prática santa; (2) em meditação celestial. – *W. Durban.*
vv. 45 a 48. Cinco coisas o salmista promete a si mesmo, na força da graça de Deus. 1. Que ele seria livre e estaria tranquilo no seu dever: "Andarei em liberdade". 2. Que seria ousado e corajoso no seu dever: "Falarei dos teus testemunhos perante os reis". 3. Que seria alegre e vigoroso no seu dever: "E alegrar-me-ei em teus mandamentos". 4. Que ele seria diligente e vigoroso no seu dever: "E alegrar-me-ei em teus mandamentos". 5. Que seria considerado e atento no seu dever: "meditarei nos teus estatutos". – *M. Henry*

vv. 46 a 48. *Lábios, coração e mãos.* I. A profissão pública da Palavra de Deus ("Falarei", v. 46) deve ser assegurada por,

II. Prazer particular na Palavra de Deus ("alegrar-me-ei", v. 47), o que deve resultar em

III. Obediência prática à Palavra de Deus ("levantarei as minhas mãos", v. 48).

v. 46. I. Os verdadeiramente fervorosos e sinceros devem falar.

II. Eles não se confundem nos bons assuntos: "Teus testemunhos". O alcance é ilimitado – a variedade interminável.

III. Jamais temem qualquer audiência: "perante os reis". – *W. W.*

v. 48. I. O amor renovando a sua atividade.

II. O amor se revigorando com alimento espiritual.

v. 48. I. Escrituras nas mãos, para ler. Frequentemente na mão.

II. Na mente, para meditar: "Meditarei", etc.

III. No coração, para amar: "Que eu amo". – *G. R.*

v. 48. A religião engajada integralmente na humanidade de Davi: mãos, coração, cabeça.

I. As mãos levantadas. 1. *Fazendo um juramento de lealdade à Palavra de Deus* (Gn 14.22; 22; Ez 20.28). Para receber as suas doutrinas, obedecer aos seus preceitos, considerar os seus avisos, sustentar a sua honra. 2. *Implorando uma bênção na Palavra de Deus* (Gn 48,14; Lv 9.22; Lc 24.50). Para que a sua luz possa se espalhar: "Voe para longe, poderoso Evangelho", para que a sua influência possa se tornar universal.

II. O coração leal. 1. *Isto explica as mãos levantadas.* Ele tinha amado a Palavra. A religião é interior antes, e depois exterior. Nós devemos amar a Palavra antes de estar ansiosos para espalhá-la. 2. *Mas o que explica o coração leal?* A Palavra tinha lhe trazido salvação, tinha lhe dado sustento, tinha lhe fornecido orientação. Nós amamos a Palavra pelos seus alegres efeitos em nós mesmos.

III. A mente estudiosa. 1. A meditação devota é a melhor ocupação. 2. A Palavra de Deus permite um grande campo para ela. 3. Para meditar sobre ela, aprenda a amá-la: "amo", "meditarei". – *W. W.*

v. 48. I. Os mandamentos de Deus, amados. Nós amamos a lei quando amamos ao Legislador. Nós amamos a sua vontade somente quando os nossos corações são reconciliados e renovados. Daí a necessidade da renovação espiritual.

II. Os mandamentos de Deus, que são tema de oração: "Também levantarei as minhas mãos". Perowne diz: "A expressão sugere o ato da oração". Nós podemos orar por um conhecimento mais pleno, uma experiência mais profunda, uma obediência mais pronta e mais perfeita.

III. Um tema para meditação. Em meio à pressa das atividades externas, não devemos esquecer a necessidade da meditação tranquila. – *H. W.*

v. 49. I. A personalidade da palavra: "a palavra dada ao teu servo". II. A aplicação da palavra: "na qual me fizeste esperar".

III. A súplica da palavra: "Lembra-te da palavra", etc.

v. 49. *A palavra de esperança.* I. A palavra de Deus, fundação da esperança humana. (Fato de uma revelação. Substância da revelação).

II. Palavras particulares de Deus, que foram consideradas peculiarmente incentivadoras de esperança.

III. A súplica destas palavras diante do trono da graça. – *C. A. D.*

v. 50. Cada homem tem a sua própria aflição e a sua própria consolação. A piedade vivificada é a melhor consolação. A palavra é o meio para isto.

v. 50. I. A necessidade da consolação.

II. A consolação necessitada. – *G. R.*

v. 51. A rudeza do soberbo, e a constância do piedoso.

v. 51. *Fidelidade diante do desprezo.* I. O soberbo ridiculariza a submissão do crente à lei de Deus.

II. Ele ridiculariza o prazer do crente no serviço de Deus.

III. A oposição a ele é feita pela resolução do crente de se apegar a Deus (2 Sm 6.20,22). – *C. A. D.*

v. 52. Consolação derivada de uma revisão das obras antigas do Senhor para com os ímpios e para com o seu povo.

v. 52. I. Os mortos falariam aos vivos?

II. Os vivos ouviriam os mortos? – *G. R.*

v. 52. *Água doce, de um poço escuro.* I. Os juízos de Deus são projetados para inspirar terror.

II. Mas eles provam o cuidado supervisor de Deus pelo mundo.

III. Eles são sempre contra o pecado, e a favor da santidade. IV. Em todas as ocasiões de juízos, Deus liberta o seu povo. Noé, Ló, etc.

V. Por isto, os juízos de Deus são uma fonte de consolação para o crente. – *C. A. D.*

v. 53. Os sentimentos dos homens piedosos diante dos pecadores: horror com os seus crimes, a sua perseverança neles, a sua rejeição da graça, e o seu fim.

v. 53. Dominados pelo horror. *I. A culpa dos pecadores impenitentes e o perigo que correm.*

II. O horror e a preocupação dos espectadores piedosos.

III. *A oração e o esforço que esta preocupação deve motivar.* – *C. A. D.*

v. 54. Aqui temos, I. Luz nas trevas.

II. Companhia na solidão.

III. Atividade no descanso; "o lugar das minhas peregrinações". – *G. R.*

v. 54. A alegre peregrinação. I. Um homem bom considera a sua residência neste mundo somente como o lugar de suas peregrinações.

II. A situação, ainda que desvantajosa, admite alegria.

III. As fontes da sua alegria derivam das Escrituras, – *W. Jay.*

v. 54. Veja "Spurgeon's Sermons", n. 1652: "O peregrino que canta".

v. 55 com 49. "Lembra-te", "me lembrei".

v. 55. Lembranças à noite. Deveres durante o dia. Como eles agem e reagem, uns aos outros.

v. 55. Noites escuras. Lembranças brilhantes. Resultados corretos. – *C. A. D.*

v. 55. I. Noite feliz, ainda que inquieta.

II. Dia feliz, ainda que agitado. – *W. D.*

v. 56. Os benefícios da santidade; ou o que um homem obtém por meio da vida santa.

v. 56. I. O dever: "Guardei os teus mandamentos".

II. A sua recompensa: "Isto fiz eu", etc. Proteção: "Isto fiz eu". Orientação: "Isto fiz eu". Prosperidade: "Isto fiz eu". Consolação: "Isto fiz eu". – *G. R.*

v. 57. I. A possessão infinita: "O Senhor é a minha porção". Observe, 1. Uma clara distinção feita pelo salmista, entre a sua porção e a dos ímpios, aqui e no futuro; veja Salmos 73. 2. Uma declaração positiva: "O Senhor é a minha porção". Esta "porção" é ilimitada, permanente, apropriada, satisfatória, enaltecedora, pura graça.

II. A resolução apropriada: "Eu disse que observaria as tuas palavras". 1. Observe o prefácio: "Eu disse". 2. O elo entre a porção possuída e a resolução tomada. 3. A obra de guardar as palavras de Deus. Guardar aquele que é o *Verbo*, a *Palavra* – Cristo Jesus. Guardar a Palavra do Evangelho – doutrinas, preceitos, promessas (guardados no coração, para consolação do crente). Este tema abençoado sugere um solene contraste. Veja a porção do servo que não guardou a palavra do seu Senhor (Mt 29.48-51). Veja "Spurgeon's Sermons", n. 1372: "Deus, nossa Porção, e a sua Palavra, nosso Tesouro".

v. 57 (primeira parte). A porção do crente. I. Mostra a validade da sua declaração: "minha". 1. Uma dádiva através do concerto (Hb 8.10-13). 2. Co-herdeiro com Cristo (Rm 8.17. 3). Confirmado pela esperança da fé.

II. Investiga o valor superlativo da sua possessão: "O Senhor". 1. Absolutamente bom. 2. Infinitamente precioso. 3. Inesgotável. 4. Eternamente assegurado.

III. Sugere um método para se obter a maior vantagem *atual* de tudo isto. 1. Medita muito sobre Deus, sob a convicção de que Ele é a nossa porção. 2. Leva todas as preocupações a Ele, e lance cada peso sobre Ele. 3. Remete cada tentação à palavra da sua Lei, e cada dúvida, à palavra da sua promessa. 4. Usa as suas riquezas para satisfazer cada necessidade, à medida que surgir. – *John Field,* 1882.

vv. 57 e 58. A propriedade do crente, sua profissão, sua petição.

v. 58. *O brilho da alma.* I. A benevolência de Deus, uma coisa necessária.

II. A sinceridade, um modo de solicitá-la.

III. A misericórdia do concerto, a única justificativa para obtê-la. – *C. A. D.*

v. 58. Podemos aprender como o que busca pode vir a desfrutar da benevolência da salvação, por um cuidadoso estudo, I. Da Profissão: "Implorei deveras o teu favor de todo o meu coração". 1. O que ele fez: "Implorei". Hebraico, "Busquei dolorosamente o teu rosto". Desejo fervoroso. Súplica importuna. Dolorosa angústia pelo pecado. 2. Como ele fez isto: "De todo o meu coração". O intelecto, os sentimentos, a vontade, todos em um esforço engajado e concentrado. Não fosse assim, buscar seria uma brincadeira solene! Somente isto é merecedor do nosso propósito, agradável a Deus, e bem sucedido. 3. A evidência de que estamos fazendo isto: Oração frequente, estudo da palavra, frequentes investigações e indagações. As primeiras questões, e principais – entregar a Cristo.

II. A súplica: "Tem piedade de mim". 1. A benevolência de Deus deve ser esperada apenas nos termos da misericórdia. 2. Felizmente, esta é uma oração que cada pecador pode e deve usar. 3. Abençoadamente, é verdade que ela jamais falha.

III. A justificativa: "Segundo a tua palavra". 1. Uma justificativa que não pode ser negada é uma grande coisa em uma súplica. 2. A promessa de Deus é este tipo de justificativa. 3. Busque-a, apodere-se dela, e incentive-a. – *J. F.*

v. 59. I. Autoexame: "Considerei os meus caminhos" – sociais, sagrados, públicos.

II. Suas vantagens: "e voltei os meus pés", etc. – *G. R.*

v. 59. I. Desatento e sem se desviar.

II. Atentos, e voltando os seus passos. – *C. A. D.*

v. 59. I. Convicção.

II. Conversão. – *W. B.*

v. 59. *Pensando em nossos próprios caminhos.* Pergunte, I. Por que é tão negligenciado, de maneira geral?

I. Falta de coragem. 2. Ocupações excessivas. 3. Desagradáveis, e por isto o principal interesse de muitos é aboli-los.

II. Quando isto é conduzido prudentemente? 1. Quando a honestidade está envolvida. 2. Quando é exaustivamente realizada. 3. Quando as Escrituras são a referência e o padrão. 4. Quando a ajuda divina é buscada.

III. Para qual finalidade servirá? 1. Devemos nos afastar dos nossos próprios caminhos, com vergonha e penitência. 2. Devemos nos dirigir aos testemunhos de Deus com fervor, reverência e esperança. – *J. F.*

v. 59. I. Pensamento correto: "Considerei os meus caminhos". 1. É evidente o fato de que este pensamento sobre os seus caminhos causava insatisfação ao salmista. 2. O pensamento correto sobre os nossos caminhos irá sugerir uma mudança prática. 3. O retrospecto que fazemos da nossa vida deve sugerir que qualquer mudança de direção que façamos deverá ser voltada para Deus: "para os teus testemunhos". 4. O pensamento correto também sugere que esta mudança de direção é possível.

II. Mudança de direção correta. A mudança foi, 1. Completa. 2. Prática. 3. Espiritual. 4. Imediata. 5. É uma obra divina. Veja "Spurgeon's Sermons", n. 1181: "Pensar e voltar-se".

v. 60. Os perigos da demora. As razões para ação imediata.

v. 60. *Um sermão para os que perdem tempo.* I. Reflexão. Guardar os mandamentos de Deus é o meu dever; é o meu bem-estar. Os mandamentos adiados podem não ser guardados nunca. O atraso é, em si mesmo, desobediência. A diligência é a alma da obediência.

II. Resolução. Eu vou me apressar, e não adiar. – *C. A. D.*

v. 60. I. Rápido. II. Certo. – *W. D.*

v. 60. O adiamento considerado na sua mais importante aplicação, isto é, a religião. I. Este adiamento é irracional.

II. É desagradável, incômodo e doloroso.

III. É infeliz.

IV. É pecaminoso, no mais elevado grau.

V. É perigoso. – *John Angell James*

v. 61. I. Roubos na estrada espiritual.

II. O viajante guardando seu caminho. Ou, o que os inimigos podem ou não podem fazer.

v. 62. I. O dever da gratidão: "louvar".

II. O motivo para gratidão: "teus justos juízos".

III. A ocasião para gratidão: a noite, bem como o dia. – *G. R.*

v. 62. Levantar-se à noite. Cantar à noite. Razões para esta conduta singular.

v. 62. O rouxinol, I. Uma associação natural de pensamento: "meia-noite" e "juízos" (Êx 12 etc).

II. Uma associação incongruente de sentimentos: "louvor" e "juízos".

III. Uma justificação plena para esta aparente incoerência: *"louvar"* por causa dos teus *"justos* juízos".

IV. Um desempenho vigoroso de um dever relacionado: "À meia-noite, me levantarei para te louvar". – *C. A. D.*

v. 63. I. A verdadeira religião é amistosa.

II. As nossas amizades devem ser amplas e universais.

II. As nossas amizades devem ser discriminatórias.

IV. Estas amizades são extremamente úteis.

v. 63. Sobre boa e má companhia. Como evitar uma, e aprimorar a outra. Veja o sermão de W. Bridge, em suas obras, vol. v., p. 90. Edição de Tegg, 1845.

v. 63. A escolha das companhias do crente. I. Deve ser decidida pela piedade das companhias: "os que te temem". II. Deve ser dirigida pelo comportamento delas: "os que guardam os teus preceitos".

III. Deve se estender ao máximo possível. "Todos".

IV. Envolve obrigação recíproca: "Companheiro sou". – *J. F.*

v. 64. A soma e a substância deste versículo estarão resumidas nestas cinco proposições: – I. O conhecimento que salva é um benefício que deve ser pedido a Deus.

II. Este benefício nunca é pedido com excessiva frequência nem suficientemente: é o seu pedido contínuo.

III. Ao pedir, somos encorajados pela generosidade ou misericórdia de Deus.

IV. Todas as suas criaturas declaram que Deus é misericordioso.

V. A sua bondade para com todas as suas criaturas deve nos confirmar na esperança pela graça que salva ou boas coisas espirituais. – *T. Manton.*

v. 64. I. Observações na escola da natureza.

II. Súplicas para entrar na escola da graça.

v. 64. A misericórdia de Deus na natureza e a sua misericórdia, conforme revelada na palavra.

I. Uma, excelente, a outra, mais do que excelente.

II. Uma, facilmente dada, a outra, obtida através de um grande sacrifício.

III. Uma pode ser desfrutada, e até mesmo aumentar a condenação; a outra, se desfrutada, é salvação segura.

IV. Uma deve conduzir ao arrependimento; a outra é particularmente adaptada à restauração do crente à santidade. – *J. F.*

v. 65. O servo atribui ao seu senhor um caráter, ou a experiência de acordo com as Escrituras: dois temas frutíferos.

v. 65. I. A experiência confirmada pela palavra.

II. A palavra confirmada pela experiência. – *G. R.*

v. 65. A história de um servo. I. Embora conhecesse as minhas falhas, Ele me contratou.

II. Embora eu esteja excessivamente abaixo dele, ainda assim Ele me ensina familiarmente.

III. Embora eu esteja sempre afligido, Ele é muito bondoso comigo, nas minhas aflições.

IV. Embora eu seja um dos mais humildes dos seus servos, Ele me permite comer à sua mesa.

V. Embora eu realize pouco trabalho, Ele me paga bons salários.

VI. Embora eu tenha estes grandes salários, tenho muitas gratificações. Embora o meu Mestre seja tudo isto comigo (você consegue crer nisto?), eu me queixo e reclamo com Ele, se Ele me contraria em alguma coisa. Aplicação: 1. A palavra "servo" não soa como um nome impróprio? – "Já vos não chamarei servos"... "mas tenho-vos chamado amigos" (Jo 15.15). 2. Embora Ele me chame de "amigo", eu jamais deixarei de chamá-lo "Mestre". – *Richard Andrew Griffin, Stems and Twigs".*

v. 66. I. Fé singular. "Cri nos teus mandamentos".

II. Súplica especial, baseada nisto: "ensina-me".

v. 66. A importância de um bom juízo para o conhecimento reto.

I. Ele discrimina cuidadosamente entre a verdade e o erro.

II. Ele coloca cada verdade em seu relacionamento apropriado com outras verdades.

III. Ele declara firmemente cada verdade, mas tem mais preocupação com as mais importantes.

IV. Na verdade, isto evita os curiosos e especulativos, mas verdadeiramente ama o simples e útil.

V. Sabendo, também, que as verdades só são apropriadamente entendidas quando são aplicadas, tudo é convertido a uma explicação prática.

VI. Sabendo, também que o bom alimento pode, sob algumas circunstâncias, se tornar venenoso, é cuidadoso na sua seleção e no seu uso de verdades. – *J. F.*

v. 67. I. Os perigos da prosperidade.

II. Os benefícios da adversidade. – *G. R.*

v. 67. O poder restritivo da aflição.

vv. 67, 71, 75. *Aflição três vezes considerada e três vezes abençoada.*

I. Antes da aflição: desvio.

II. Durante a aflição: aprendizado.

III. Depois da aflição: conhecimento. – *C. A. D.*

v. 68. A dupla súplica por uma bênção excelente. A bondade de Deus é a esperança para a nossa ignorância.

v. 68. *"Tu és bom e abençoador".* A natureza e a obra de Deus são manifestas na natureza, providência, graça e glória. Elas são moralmente boas; beneficamente boas; perfeitamente boas; incomensuravelmente boas; imutavelmente boas; experimentalmente boas; satisfatoriamente boas. – *W. J.*

v. 68 (primeira parte). Um sermão sobre a bondade de Deus.

I. A sua perfeição.

II. As provas dela.

III. O poder que ela tem sobre nós. – *J. F.*

v. 69. A obediência sincera, o melhor consolo sob as calúnias; a melhor resposta para elas; e a melhor maneira de converter os caluniadores.

v. 70. I. Grande degeneração do coração.

II. Completa regeneração do coração.

v. 70. *Um grande ouvido.* I. O diagnóstico da doença.

II. Os seus sintomas. Soberba; falta de prazer em Deus, e na sua lei; antipatia pelo seu povo; prontidão para mentir; versículo 69.

III. O seu caráter fatal.

IV. A sua única cura (Sl 51.10; Ez 36.26). – *C. A. D.*

v. 71. I. Davi sabia o que era bom para ele.

II. Davi sabia o que era essencialmente bom. A obediência ativa é aprendida pela obediência passiva.

v. 71. A aflição, um instrutor. I. Jamais bem-vinda. "Foi".

II. Frequentemente suportada com impaciência.

III. Sempre lembrada com gratidão: "Foi-me bom", etc.

IV. Eficiente para um estudante perverso; "para que aprendesse".

V. Indispensável na educação de todos. – *J. F.*

v. 71. *A escola da aflição.* I. O estudante relutante, enviado à escola.

II. A dura lição do estudante. III. O aprendizado abençoado do estudante.

IV. A doce reflexão do estudante. – *C. A. D.*

v. 72. As vantagens das riquezas, muito superadas pelas bênçãos da Palavra.

v. 72. Uma avaliação. I. A elevada opinião que os santos têm a respeito da lei de Deus.

II. Mostre quando ela foi formada: durante a aflição, v. 71.

III. Defenda a sua verdade – exemplificando o vazio das riquezas, e a satisfação que é encontrada na santidade. – *C. A. D.*

v. 72. A Palavra, melhor do que o ouro e a prata.

I. Ela dá o que nem o ouro nem a prata podem comprar.

II. Sem o que ela dá, o ouro e prata podem ser uma maldição.

III. Sem o ouro e a prata, ela pode nos dar o seu tesouro mais livremente e mais plenamente do que com eles.

IV. A Palavra e o que ela dá alegrarão o coração, quando o ouro e a prata forem inúteis aos seus desapontados adoradores. – *J. F.*

v. 72. "Melhor é para mim a lei da tua boca", etc. I. É mais purificadora, e me torna melhor.

II. É mais enriquecedora, e me torna mais rico.

III. É mais peculiar, e me torna mais excelente.

IV. Provê mais sustento, e me torna mais forte.

V. É mais preservadora, e me torna mais seguro.

VI. É mais satisfatória, e me torna mais feliz.

VII. É mais duradoura, e mais adequada para mim, como imortal. – *W. J.*

v. 73. I. Considere o grande cuidado do Senhor, na nossa criação.

II. Veja nisto uma razão para Ele aperfeiçoar a nova criação em nós.

III. Observe o método deste aperfeiçoamento.

v. 74. I. A encorajadora influência de bons homens sobre outros.

II. A influência instrutiva dos outros sobre eles. – *G. R.*

v. 74. A convivência com um crente experimentado, mas firme, é uma fonte de alegria para os filhos de Deus.

I. Ele tem uma história emocionante de experiências para contar.

II. Ele tem conselhos e advertências valiosas para transmitir.

III. Ele é um monumento à fidelidade de Deus, confirmando a esperança dos outros.

IV. Ele é uma epístola de Cristo, escrita expressamente para exemplificar a preciosidade e a força do Evangelho. – *J. F.*

v. 75. Conhecimento experimental: positivo, pessoal, que glorifica a Deus, que consola os santos.

v. 76. Consolação. I. Pode ser um motivo de oração. II. É fornecida no Senhor, e pelo Senhor.

III. É prometida na Palavra.
IV. É de grande valor para o crente.
v. 76. I. A necessidade de consolação.
II. A fonte da consolação: "A tua benignidade".
III. A regra da consolação: "segundo a palavra que deste". – *G. R.*
v. 77. I. Visitantes convidados.
II. A bênção esperada.
III. A recepção assegurada: "pois a tua lei", etc.
v. 77. Vida divina. – Nasce, é sustentada, cresce, pelas graças de Deus. –*W. W.*
v. 78. I. Algo difícil – envergonhar o soberbo.
II. Algo cruel – "[Eles] me trataram de uma maneira perversa", etc.
III. Algo sábio – "mas eu meditarei", etc.
v. 79. Restauração à comunhão da igreja.
I. Os homens bons podem estar em uma situação tal que precisem ser restaurados.
II. Eles não devem se envergonhar de buscar esta restauração. III. Eles devem orar, pedindo esta restauração.
v. 79. *Selecionar a companhia.* I. A sociabilidade é um instinto da natureza humana.
II. A sociabilidade é útil para uma vida cristã íntegra.
III. A escolha da companhia deve ser motivo de oração. – *C. A. D.*
v. 80. I. A oração de Davi, pedindo sinceridade – para que seu coração possa ser direcionado aos estatutos de Deus, e para que possa ser perfeito neles, e não corrupto nem enganoso.
II. O seu temor das consequências da hipocrisia: "para que eu não seja confundido". A vergonha – ou confusão – é o destino dos hipócritas, aqui ou no futuro. – *M. Henry*
v. 80. I. O coração na religião.
II. A necessidade de que o coração seja íntegro nela.
III. O resultado desta integridade de coração.
v. 81. Texto apropriado para um sermão missionário. I. A condição do mundo pagão, suficiente para fazer com que o cristão desfaleça, desejando que a salvação de Deus visite este mundo. 1. A gravidade das trevas no mundo pagão. 2. A sua amplitude. 3. A sua longa continuidade. 4. O caráter e esforço limitados do trabalho missionário. 5. As influências antagônicas.
II. Esta condição, embora extremamente triste, não é sem esperanças. Devido, 1. À intenção, adaptação e ao chamado universal do Evangelho. 2. À comissão de Cristo à sua igreja. 3. Ao caráter misericordioso dos espiritualmente esclarecidos, caráter este produzido pela sua fé na Palavra. 4. Às profecias e promessas. Assim, há esperança na Palavra.
III. Se os cristãos estão desfalecendo esperando a salvação, mas com esperança na Palavra, o seu interesse na obra missionária será intensa, e será demonstrada. 1. Na oração fervorosa, por mais obreiros, e por maiores resultados. 2. Na dedicação de si mesmos, se possível, ao trabalho. 3. Na doação livre e generosa, para auxiliar na obra. – *J. F.*
v. 81. "Desfaleceu a minha alma", etc. Os homens desfalecem por razões de saúde, provisão, descanso, promoção, sucesso, e, em alguns casos, de salvação. Davi desfaleceu. I. Pela sua própria salvação. 1. Da culpa: "Livra-me de todas as minhas transgressões", "dos crimes de sangue". 2. Da corrupção: "Cria em mim, ó Deus, um coração puro", "lava-me". 3. Da formalidade: "Sejam agradáveis as palavras da minha boca", etc. 4. Das trevas: "Por que te escondes?" "Levanta-te", etc. "Dize à minha alma", etc. 5. Da infelicidade: "Das profundezas", etc.
II. Pela salvação dos outros. 1. Ele falou sobre ela: "Já é tempo de operares, ó Senhor". 2. Ele orou por ela: "Oh! Se [de Sião] já viesse a salvação", etc. "Apareça a tua obra", etc. "Deus tenha misericórdia de nós"; "Salva, Senhor, nós te pedimos". 3. Ele se empenhou por ela: "Farei menção da tua justiça"; "ensinarei aos transgressores os teus caminhos". – *W. J.*

v. 81. I. O fervor da expectativa.

II. A energia da esperança.

III. O estabelecimento da promessa: "Na tua palavra".

v. 81. "Salvação", nas Escrituras, tem várias aceitações: ela significa, 1. Aquela libertação temporal que Deus dá, ou prometeu dar, ao seu povo; assim é interpretada (Êx 14.13). 2. A exibição de Cristo na carne (Sl 98.2,3; Lc 2.29,30). 3. Os benefícios que temos, por Cristo, deste lado do céu, como o perdão dos pecados, e a renovação da nossa natureza (Mt 1.21; Tt 3.5; Sl 51.12. 4). A vida eterna: "alcançando o fim da vossa fé, a salvação da alma" (1 Pe 1.9); significando, portanto, a nossa recompensa final. – *T. Manton*

v. 81. I. Desfalecer. II. Buscar. – *W. D.*

v. 82. Resposta à pergunta, "Quando me consolarás tu?" 1. Quando a sua tristeza tiver cumprido o seu propósito. 2. Quando você crer. 3. Quando você deixar o pecado. 4. Quando você obedecer. 5. Quando você se submeter à Minha vontade. 6. Quando você buscar a Minha glória.

v. 82. I. Com que ansiedade o crente se volta para Deus, em busca de consolação na sua aflição: "Quando me consolarás tu?"

II. Com que intensidade ele espera e procura as promessas divinas: "Os meus olhos desfaleceram, esperando por tua promessa".

III. Como o cansaço da espera não consegue esgotar a sua paciência, enquanto a esperança aumenta a sua importunidade: "Quando?" – *J. F.*

v. 82. O apelo dos olhos. I. Como os olhos falam. Pela "expressão" do estado de espírito da alma, com – ansiedade (Is 8.17; fé, Is 45.22; Hb 12.2); expectativa (Sl 5.3; Fp 3.20; Tt 2.13); amor (2 Co 3.18; Jo 1.14).

II. O que dizem os olhos. "Quando me consolarás *tu*? Deixando de lado todos os outros consoladores, tu és meu sol; minha vida; meu amor; meu tudo".

III. Como os olhos suplicantes encontrarão o Olhar receptivo do Senhor (Hb 9.18). No olhar de reconhecimento da angústia (Êx 2.25); no olhar de perdão (Lc 23.61); no olhar que dá forças (Hz 6.14); no olhar de amor complacente (Is 66.2). – *C. A. D.*

v. 83. I. O homem exterior em má situação.

II. O caráter enegrecido.

III. Constantemente exposto aos desconfortos.

IV. Amadurecendo interiormente.

v. 83. "Odre na fumaça". I. O povo de Deus tem suas provações. 1. Pela pobreza de sua condição. 2. As nossas provações frequentemente resultam dos nossos confortos. 3. O ministério tem muita fumaça consigo. 4. O pobre odre na fumaça fica ali por muito tempo, até que fique enegrecido.

II. Os cristãos sentem suas aflições; são como "odres" na fumaça. 1. A provação que não sentimos não é uma provação verdadeira. 2. As provações que não são sentidas são improdutivas. Um odre na fumaça fica muito enegrecido, se torna inútil, é um odre vazio.

III. Os cristãos, em suas aflições, não se esquecem dos estatutos de Deus, de mandamentos, de promessas. Por que Davi ainda se apegava firmemente aos estatutos de Deus? 1. Ele não era um odre na fumaça, ou teria se esquecido deles. 2. Jesus Cristo estava na fumaça com ele, e os estatutos também estavam com ele na fumaça. 3. Os estatutos estavam na alma, onde a fumaça não entra. – *De "Spurgeon's Sermons"*, n. 71.

v. 84. Uma pergunta solene, que aponta para a brevidade da vida, a severidade da angústia, a necessidade da dedicação, a proximidade da recompensa.

v. 85. Covas; ou os esquemas secretos dos ímpios contra os piedosos.

v. 86 (última parte). Uma oração para todas as ocasiões. Veja os muitos casos em que ela é usada nas Escrituras.

v. 87. I. O que o homem bom perde, ao ganhar.

II. O que ele ganha, ao perder. – *G. R.*

v. 87. I. "Quase", mas não completamente.
II. A sentença salvadora: "mas eu não deixei os teus preceitos".
v. 87. Passando entre chamas e combustíveis.
v. 88. I. A nova vida é a causa da nova obediência.
II. A nova obediência é o resultado da nova vida. – *G. R.*
v. 88. Vivificação. I. Nossa maior necessidade.
II. A mais graciosa generosidade de Deus.
III. A garantia da nossa estabilidade, e, assim,
IV. A promoção da glória de Deus.

v. 88. 1. Ele encerra com uma súplica frequente: *"Vivifica-me"* – torna-me vivo. Toda verdadeira religião consiste na vida *de Deus* na alma *do homem*. 2. A *maneira* como ele deseja ser vivificado: *"segundo a tua benignidade"*. Ele não deseja ser ressuscitado da *morte do pecado, pelo trovão de Deus,* mas pela *voz amorosa* de *um Pai terno*. 3. O *resultado* que isto deveria ter sobre ele: *"então, guardarei o testemunho da tua boca"*. Tudo o que tu *disseres,* eu *ouvirei, receberei, amarei, e obedecerei*. – *Adam Clarke*

vv. 89 a 92. Aqui o salmista nos conta a prescrição que suavizou suas dores e sustentou seu ânimo. Aqui temos forte consolação, I. Em certos fatos que ele recordou. 1. A existência eterna de Deus. 2. A imutabilidade da sua Palavra. 3. A fidelidade do cumprimento desta palavra. 4. A perpetuidade da palavra, na natureza. 5. A perpetuidade da palavra, na experiência.

II. Os prazeres que ele sentiu, quando da sua aflição. Na privação, quando tudo parecia mutável e inconstante; quando a sua própria fé o abandonava; quando todos os outros ajudadores lhe faltaram, ele voltou a recorrer às disposições eternas: "Para sempre, ó Senhor, a tua palavra permanece", etc. Veja "Spurgeon's Sermons", n. 1656: "Meu consolo na minha aflição".

v. 89. Disposições eternas, ou certezas celestiais.

v. 89. A calma eterna de Deus (em contraste com as mutações da terra), espelhada nos céus estrelados. – *William Bickle Haynes*, 1882

v. 89. Considere, I. A expressão "tua palavra". 1. Uma palavra é um pensamento revelado. As Escrituras são exatamente isto: os pensamentos e os propósitos de Deus, tornados inteligíveis para os homens. 2. Mas uma "palavra" também caracteriza especialmente a unidade (é uma palavra) e a integridade, uma palavra, não uma sílaba. As Escrituras são um corpo único e completo.

II. A declaração, "para sempre... permanece no céu". 1. "Permanece no céu", antes de vir à terra; portanto, seria como um contínuo desdobrar, por meio de várias dispensações, sem sombra de hesitação ou contradição nela manifestada. 2. Permanece "para sempre... no céu", pela sua revelação central: a expiação é um fato completo, e Cristo está agora no céu, um perfeito Salvador; assim, a palavra é inalterável. 3. "Para sempre... permanece no céu". Não somente porque Deus, no céu, tem uma única vontade e ela não pode ser alterada, mas porque a justiça propriamente dita, a justiça do céu, exige que uma expiação feita com grande sofrimento seja compensada, plenamente e eternamente, com a sua justa recompensa.

III. As lições. 1. Se permanecer no céu, os homens na terra jamais poderão tirá-la de lá. 2. O ímpio não poderá alimentar uma esperança futura derivada de qualquer nova dispensação além do sepulcro; a palavra presente de Deus para nós não pode ser alterada. 3. O piedoso pode confiar em uma palavra estabelecida e permanente entre as experiências e sentimentos mutáveis que têm lugar na terra. – *J. F.*

v. 90. A estabilidade da terra, um retrato presente da fidelidade eterna.

vv. 90 e 91. Considere, I. A estabilidade da natureza, dependente do decreto divino: "conforme o que ordenaste".

II. A subserviência da natureza à vontade divina: "porque todas as coisas te obedecem".

III. A rigidez das leis da natureza, juntamente com a sua subserviência aos propósitos de Deus, como confirmação da fé do cristão na palavra escrita, no cuidado de uma providência divina, e na certeza das coisas espirituais e celestiais. "A tua fidelidade estende-se", etc. – *J. F.*

v. 91. Os nossos monitores estrelados. Eles nos ensinam,

I. A servir: embora não possamos brilhar com o seu resplendor.

II. A fazer tudo com rígida consideração à vontade de Deus.

III. A "nos mantermos" – "conforme o que ordenaste". – *W. B. H.*

v. 91. A utilidade da natureza. I. Universal: "todas as coisas te obedecem".

II. Obediente: "conforme o que ordenaste".

III. Perpétua: "tudo se mantém".

IV. Resultante: "tu firmaste a terra".

v. 92. O poder sustentador da alegria em Deus.

v. 92. A Palavra de Deus como poder sustentador, entre as maiores angústias da vida. I. A sua necessidade. 1. Pela sua falta, os homens se tornaram embriagados, por se afogarem em suas angústias; e se tornaram suicidas porque a vida era intolerável; se tornaram destruídos e desesperançados, porque não tiveram forças para lutar contra a infelicidade; se tornaram ateus como eram antes, na prática; tudo, na verdade, se tornou sujeito à maior amargura da angústia e aos piores resultados da calamidade. 2. Nada pode ocupar o lugar da Palavra de Deus. A natureza não esclarece o mistério do sofrimento. A filosofia humana é, na melhor hipótese, uma fria consolação; e quanto mais necessária for, mais falha se mostrará.

II. A sua eficiência. Provada, 1. Na experiência daqueles que a testaram. 2. Pelo caráter das suas promessas. 3. Pela revelação que faz, de uma providência beneficente que opera pela calamidade e pela angústia. 4. Pela revelação que faz da misericórdia de Deus e da compaixão de Cristo. 5. Pelo seu registro do "homem de dores", que, através do sofrimento, realizou a salvação do homem e entrou na sua glória. 6. Pelo seu ensinamento sobre o Verbo encarnado; desta maneira, exibindo um Deus sofredor, que pode ser um consolo para o homem sofredor. 7. Exibindo a glória do céu e a felicidade eterna à espera daqueles que vencerem pelo sangue do Cordeiro. – *J. F.*

v. 92. A Arca do Homem de Deus; ou, A Cidade de Refúgio no dia da sua angústia. Um tema descoberto em diversos sermões (cinco)... De Edmund Calamy, B. D. ... Décima-oitava edição. 1709. 12mo.

v. 92. O salmista coloca diante de nós,

I. A situação em que tinha estado, e à qual agora se refere – triste e devastadora. Ele estava sob tal aflição, que estava pronto a perecer, o que parece incluir angústia interior e exterior, ao mesmo tempo. Provações externas e pressões internas.

II. O que lhe dava alívio, quando nada mais poderia fazê-lo, etc., a lei de Deus.

III. Como ele recordava este alívio recebido, ou seja, com gratidão por Deus, a quem ele fala, e registra, para incentivo e para orientação dos outros: "Se a tua lei não fora toda a minha alegria, há muito que teria perecido na minha angústia". – *Daniel Wilcox,* 1676-1733

v. 92. *A boia da vida.* Sob a forma de narrativa de um marinheiro que sofreu naufrágio, descreva a experiência da alma lutando no mar da aflição; quase derrotado, mas sustentado pela boia, após cada vagalhão; e finalmente, salvo, agarrando-se à Palavra de Deus. – *C. A. D.*

v. 92. O salmista estremece, ao se lembrar do perigo.

I. Terrível perigo: aflição que tende a desespero e ruína.

II. Crise terrível: "então".

III. Ajuda múltipla: "Tua lei... minha alegria". – *W. B. H.*

v. 93. A experiência fixa a Palavra na memória.

v. 93. I. Uma boa determinação: "Nunca me esquecerei dos teus preceitos". 1. Os preceitos merecem ser lembrados. 2. A segurança está em lembrá-los. 3. A fidelidade a Deus não existirá, se eles não forem lembrados. 4. Não lembrá-los é uma vergonhosa ingratidão.

II. Uma excelente razão para fazer isto: "pois por eles me tens vivificado". 1. Uma razão baseada na experiência pessoal: "me". 2. Uma razão que aprecia o benefício recebido: "vivificado". 3. Uma razão que indica a gratidão a Deus: "tu". – *J. F.*

v. 93. "Nunca me esquecerei"; uma expressão frequentemente pronunciada. Aqui, dourada.

I. Algo que não *poderia* ser esquecido: vida e perdão recebidos. Como poderia ser esquecido?

II. Algo que não *deveria* ser esquecido: a preciosa utilidade. – *W. B. H.*

v. 93. I. O poder instrumental da verdade. 1. Usada por Deus, na nossa regeneração (Tg 1.18; Sl 19.7). 2. Usada na nossa libertação (Jo 8.32. 3). Usada na nossa santificação (Jo 17.7).

II. O nosso consequente afeto por ela. Não podemos nos esquecer dela. 1. As nossas obrigações para com ela. 2. A nossa dependência dela. 3. A nossa futura necessidade dela. – *W. W.*

v. 94. 1. Davi declara o relacionamento com Deus: "Sou teu" – devotado a ti, e possuído por ti, teu em concerto. 2. Ele prova a sua declaração: "Sou teu, salva-me; pois tenho buscado os teus preceitos"; *isto é,* investiguei cuidadosamente a respeito do meu dever, e diligentemente me empenhei em cumpri-lo. 3. Ele aprimora a sua declaração: "Sou teu, salva-me". Salva-me do pecado, salva-me da destruição. – *M. Henry*

v. 94. I. Uma grande oração: "Salva-me".

II. Uma oração excelente: "Sou teu".

III. Uma experiência de graça: "tenho buscado", etc.

v. 94. I. Relacionamento: "Sou teu".

II. Preservação: "salva-me".

III. Obrigação: "tenho buscado', etc. – *G. R.*

v. 94. O filho de Deus, humildemente, ressalta a sua responsabilidade: "Sou teu".

II. E se arrisca a insistir na sua própria sinceridade: pelo menos ele "tem buscado".

III. Com as duas mãos estendidas, ele profere um pedido pungente de ajuda: "salva-me". – *W. B. H.*

v. 94. *Multum in parvo.* I. Uma profissão.

II. Uma oração.

III. Uma súplica. – *C. A. D.*

v. 94. I. O interesse de Deus em nós.

II. O nosso interesse em Deus. – *W. D.*

v. 94. As características da religião pessoal. I. Devoção pessoal a Deus: "Sou teu".

II. Obediência pessoal prestada: "tenho buscado os teus preceitos".

III. Expectativa pessoal apreciada: "salva-me". – *J. F.*

v. 94. A coragem que a obediência traz.

I. Ela nos encoraja para uma firme certeza: "Sou teu, pois tenho buscado", etc. 1. Nós recebemos Deus somente pela fé. 2. Mas a certeza de ser seu não pode existir sem a obediência; a obediência prova a fé, para nós mesmos; ela nos satisfaz, quanto à graça recebida. 3. A obediência insuficiente sempre interfere com a certeza.

II. Ela nos encoraja para orar, e na oração diz: "salva-me". 1. As orações do cristão não são somente feitas pela fé; elas são oferecidas com fé. 2. Mas a desobediência faz com que ele deixe de se aproximar de Deus na oração, e o torna frágil na súplica. 3. A obediência é humilde, mas corajosa. A sentença central do texto se aplica igualmente à primeira e à terceira. – *J. F.*

v. 95. Os ímpios perseveram na realização do mal. Os homens bons perseveram, na consideração dos caminhos do Senhor.

v. 95. O ódio dos ímpios pelos justos. I. Mostre que sempre foi assim, e ainda é. 1. Escolha exemplos das Escrituras, começando com Abel. 2. Observe as perseguições à igreja. 3. Tratamento no seminário. 4. Frequentemente no lar. 5. A maneira desprezível com que os "santos" são mencionados, etc.

II. Indague por que é assim. 1. A inimizade do coração carnal por Deus. 2. O zelo incitado pela certeza que o cristão tem da bem-aventurança eterna. 3. A consciência de ser repreendido para viver uma vida santa. 4. Estimulada a isto por Satanás. 5. O infatigável engano do pecado que, se não puder impedir a santidade, ferirá perversamente os seus defensores.

III. Oriente como se deve agir, quando exposto a ela: "atentarei para os teus testemunhos". Isto significa – 1. Ser mais obediente a Deus. 2. Ter controle mais vigilante sobre palavras e sentimentos. 3. Amar os seus inimigos. 4. Orar por aqueles que odeiam você. 5. Faça bem a eles, em cada nova oportunidade. 6. Seja agradecido por estar entre os odiados, e não entre os que odeiam. 7. Considere especialmente o santo testemunho da grande paciência de Cristo. – *J. F.*

v. 95. A esperança dos ímpios é vencida pela obediência dos justos. I. Tentações à espreita.

II. O santo com o seu Senhor. – *W. B. H.*

v. 95. *Imunidade.* I. Eu estou em perigo.

II. Eu vou cumprir o meu dever.

III. Eu vou confiar em ti, para me salvar. – C. A. D.

v. 96. I. Um limite: – "vi"; visto por um homem onde não deveria ter sido; visto onde não havia o objetivo de vanglória; visto em *toda* perfeição.

II. Sem limites – para a amplitude, espiritualidade, perpetuidade e perfeição da lei.

v. 96. I. O finito explorado. II. O infinito inexplorado. – *W. D.*

v. 96. O perfeccionismo refutado pela experiência e inspiração. – *W. B. H.*

v. 96. *Perfeição – perfeita e imperfeita.* I. As declarações de perfeição, proferidas em voz alta, nascem da ignorância (de si mesmo, ou das exigências de Deus).

II. São peculiarmente passíveis de desmoronar: "Vi limite".

III. São mais bem corrigidas pelo sopro da lei divina. – *C. A. D.*

v. 97. I. Exclamação incomum.

II. Aplicação incomum. – *W. D.*

v. 97. Amor indescritível e pensamento insaciável. Ação e reação do afeto e da meditação.

v. 97. I. O objeto do amor: "tua lei".

II. O grau deste amor: "Oh! Quanto amo", etc.

III. A evidência deste amor: "é a minha meditação", etc. – *G. R.*

v. 97. *Amor pela lei.* I. Uma ardente confissão de amor.

II. Uma evidência incontestável de amor. – *C. A. D.*

v. 97 (primeira parte). Veemência de amor pela Palavra de Deus. I. Suas características reconhecíveis. 1. Profunda reverência pela autoridade da Palavra. 2. Admiração pela sua santidade. 3. Zelo pela sua honra; o servo de Deus sente uma dor aguda, quando os homens mostram qualquer desprezo pela Palavra de Deus. 4. Respeito pela sua integridade: ele não separa preceitos de promessas, nem ignora uma única afirmação nela contida. 5. Infatigabilidade no estudo da Palavra. 6. Sincero e ardente desejo de obedecer a ela. 7. Presteza em louvá-la. 8. Atividade em transmiti-la.

II. A sua racionalidade. 1. A palavra bem a merece. 2. É uma prova de verdadeira inteligência. 3. Não é nada menos que uma consideração pelas nossas necessidades.

III. A necessidade de se ter a Bíblia para que se ofereça a adoração fiel a Deus. Os homens, zombeteiramente, chamam tal sentimento de bibliolatria, como se fosse a adoração a um livro. Na verdade, é um elemento essencial na devida adoração a Deus. Pois – 1. Sem ela, não pode haver a fé que honra a Deus. 2. Ela está envolvida naquele amor por Deus que constitui a verdadeira essência da adoração. 3. É, em si mesma, um ato de homenagem que um adorador não ousa reter. – *J. F.*

vv. 97 a 100. *Sabedoria espiritual.* I. A palavra de Deus – fonte de sabedoria inigualável – superando a de "meus inimigos", "meus mestres", "os velhos".

II. Os três métodos de aquisição desta sabedoria – amor, meditação, prática.

III. O único que dá esta sabedoria: "Tu", v. 98. – C. A. D.

v. 98. Constante comunhão com a verdade, o caminho do estudante à proficiência.

vv. 98, 99 e 100. O homem verdadeiramente sábio. 1. *A fonte da sua sabedoria.* A palavra do "único Deus sábio", aqui descrita como (1) Teus mandamentos. (2) Teus testemunhos. (3) Teus preceitos. 2. *O aumento da sua sabedoria.* Surge (1) da residência permanente da Palavra: "sempre comigo", v. 98. (2) Da meditação sobre a Palavra, v. 99. (3) Da obediência à palavra, v. 100. 3. *A dimensão da sua sabedoria.* (1) Mais sábio do que os seus inimigos, cuja sabedoria não "vem do alto, mas é terrena, animal e diabólica". (2) Mais sábio do que os seus mestres, cuja sabedoria era "deste mundo". (3) Mais sábio do que os velhos, cuja sabedoria era a da idade e experiência não santificadas. – *W. H. J. Page,* 1882

v. 99. O caminho mais seguro para a excelência. I. Um bom súdito: "teus testemunhos".

II. Um bom método: "medito".

v. 100. A idade não assegura a verdade, em comparação com a revelação: a velhice não é prova de sabedoria, em comparação com a vida santa; a confissão declarada não é evidência de vanglória, em comparação com a soberba obstinada.

v. 100. Obediência, o caminho para o entendimento. – *W. B. H.*

v. 100. Obediência, a chave do conhecimento (Jo 7.17).

v. 100. Autocontrole, necessário para a piedade.

v. 102. Ensinamento divino necessário para assegurar a perseverança, e eficiente para esta finalidade.

v. 102. Considere, I. O caminho indicado, onde os homens devem andar: "Teus juízos". 1. Caminho correto. 2. Caminho limpo. 3. Caminho agradável. 4. Caminho seguro. 5. O objetivo – a glória eterna.

II. A busca persistente deste caminho: "não me apartei". I. A perseguição o afastaria dele. 2. Os prazeres o atrairiam e o afastariam dele. 3. A carne se cansaria dele. 4. Mas o crente verdadeiro se determina a se manter neste caminho até o fim. 5. E cuidadosamente vigia seus passos, para que não se apartem.

III. O poder de preservação que mantém o viajante no caminho: "porque tu me ensinaste". 1. O viajante anda com Deus, e recebe instrução, pelo esclarecimento especial do Espírito Santo. 2. A propriedade excelente deste ensinamento é não somente o fato de que ele torna a alma sábia, mas também o fato dele cativar a alma, e fortalecê-la, e conservá-la em santa obediência. – *J. F.*

v. 103. Experiência na religião, a fonte da alegria nela; ou, I. Provar a palavra: a sua doçura.

II. Declarar a palavra com a boca: sua maior doçura.

v. 103. I. A palavra é positivamente doce: "doces ao meu paladar".

II. Comparativamente doce: "mais doces do que o mel".

III. Superlativamente doce: "quão doces", etc. – *G. R.*

v. 103. A comparação, apresentando a preciosa propriedade da doçura na palavra: "mais doces do que o mel". "Melhores do que o mel" não teria o mesmo significado. Ela é, 1. A mais pura doçura; mesmo os preceitos e as censuras. 2. Doçura de que não nos saciamos. 3. Sempre uma doçura benéfica. 4. Uma doçura especialmente grata – na aflição, à hora da morte. – *J. F.*

v. 103. *Delícia espiritual.* I. O paladar necessário para saboreá-la.

II. A vida que é nutrida por ela.

III. O raro prazer que é obtido dela. – *C. A. D.*

v. 103. I. É doce.

II. Vamos desfrutar da Palavra.

III. Os melhores resultados virão em seguida. George Herbert diz:

"Ó Livro! Infinita doçura! que o meu coração
sugue cada letra, e obtenha um mel,
precioso para qualquer angústia, de qualquer pessoa,
para limpar o peito, para mitigar toda a dor".

v. 103. Se desejarmos provar o mel de Deus, deveremos ter o paladar da fé. – *A. R. Fausset*

v. 104. A influência dos preceitos. I. Sobre o entendimento.
II. Sobre os sentimentos.
III. Sobre a vida.

v. 104. I. O efeito intelectual das Escrituras: "alcancei entendimento".
II. Seu efeito moral: "aborreço", etc. – *G. R.*

v. 104. O entendimento derivado dos preceitos de Deus gera ódio santo,
I. pelos falsos caminhos da moralidade convencional.
II. Pelos falsos caminhos de uma religiosidade formal.
III. Pelos falsos caminhos de uma teologia equivocada.
IV. Pelos falsos caminhos da prática hipócrita.
V. Pelos falsos caminhos de sugestões pecaminosas.
VI. Pelos falsos caminhos do coração enganoso. – *J. F.*

vv. 105 a 108. I. Esclarecimento (v. 105).
II. Decisão (v. 106).
III. Teste: "Estou aflitíssimo" (v. 107).
IV. Consagração (v. 108).
V. Educação: "ensina-me", etc. (v. 108).

v. 105. O uso prático, pessoal, diário, da Palavra de Deus.

v. 105. *Lâmpada.* I. A perigosa jornada noturna do crente pelo mundo.
II. A lâmpada que ilumina o seu caminho.
III. O dia eterno, rumo ao qual ele viaja (*quando* a lâmpada será deixada de lado – Ap 22.5). – *C. A. D.*

v. 106. Decisão por Deus, e modos apropriados de expressá-la.

v. 106. I. Veneração pela Palavra.
II. Consagração à Palavra.
III. Fidelidade à Palavra. – *G. R.*

v. 106. *Juramento e cumprimento.* I. A utilidade dos juramentos religiosos. Para despertar a percepção; para despertar a consciência; (visto na nação judaica; Êx 24.37; 2 Cr 15.12–15; Ne 10.28, 29; na nação escocesa – *Solemn League and Covenant*).

II. O perigo dos juramentos religiosos. Um juramento que não é cumprido, ou do qual se retrocede, é uma ofensa moral (Ec 5.4-7).

III. A salvaguarda dos juramentos religiosos: dependência do Espírito de Deus (Ez 11.19, 20; 2 Co 4.5) – *C. A. D.*

v. 107. I. Um bom homem, enormemente aflito.
II. A cura segura para os males da aflição: "Vivifica-me".
III. Uma regra prática pela qual orar, quando aflito: "segundo a tua palavra".

v. 107. I. O "aflitíssimo". 1. O mundo tem pessoas assim – viúvas, órfãos, etc. 2. Muitos experimentam a aflição.

II. Mas há "muita" graça. 1. A Palavra de Deus promete a vivificação necessária. 2. Ele mesmo é muito maior do que todas as nossas necessidades. 3. Cristo morreu e, "em todos os pontos", tem todo o auxílio.

III. Por isto, traga "muita" fé, como o salmista, aqui. 1. Tenha um olhar aguçado para as promessas. 2. Seja fervoroso, ao suplicá-las. 3. Seja forte na expectativa. – *W. B. H.*

v. 108. *Considere,* I. O título instrutivo dado à oração e ao louvor: "as oferendas voluntárias da minha boca". 1. Mostra que o crente é um sacerdote: "oferendas". 2. Mostra a peculiaridade do seu serviço: "voluntárias". 3. Sugere consagração sincera e incondicional.

II. A humildade retratada na oração: "Aceita, eu te rogo". 1. Não há vanglória farisaica, aqui. 2. Mesmo a oferenda voluntária sente que precisa de um "eu te rogo".

III. O fervoroso desejo de mais instrução, para uma obediência mais perfeita: "ensina-me os teus juízos". – *J. F.*

v. 108. O livre arbítrio, buscando a graça gratuita. – *W. D.*

v. 108. Trabalho para voluntários. I. Ofertas de oração – para cada uma das bênçãos da salvação.

II. Ofertas de repúdio – de todas as declarações de bem, sem auxílio.

III. Ofertas de louvor – pela graça soberana. – *W. B. H.*

v. 109. A vida da alma, em risco. A vida da alma, protegida.

vv. 109 e 110. Aqui temos, I. Davi correndo risco de perder a sua vida. Há apenas um pequeno passo entre ele e a morte; pois "os ímpios armaram laço" para ele. Onde quer que estivesse, ele encontrava um ou outro desígnio contra ele, o que o levava a dizer, "A minha alma está de contínuo nas minhas mãos". Não era somente como homem – é verdade que todos nós estamos expostos aos golpes da morte – mas como guerreiro, e especialmente como um "homem segundo o coração de Deus".

II. Davi sem perigo de perder a sua religião, devido a este perigo: pois, 1. Ele "não se esquece da lei', e por isto, provavelmente, irá perseverar. 2. Ele não se afastava dos preceitos de Deus, e por isto é de se esperar que não o fizesse. – *M. Henry.*

v. 110. Vários tipos de armadilhas, e a única maneira de escapar a elas.

v. 110. Considere, I. Algumas das armadilhas armadas para os santos pelos pecadores. 1. Armadilhas doutrinárias, por pecadores intelectuais. 2. Falsas acusações, por pecadores malignos. 3. Falsas adulações, por pecadores enganosos. 4. Falsa caridade, por parte de um grande número de pecadores, na atualidade.

II. A salvaguarda para a segurança de um santo: "não me desviei dos teus preceitos". Obediência a Deus fornece segurança, porque, 1. Agora, o indivíduo suspeita de armadilhas e fica vigilante. 2. Os pés não podem ser presos nelas. 3. Deus guarda aquele que guarda a sua palavra. – *J. F.*

v. 111. I. Estado:

II. Entrando nele.

III. Transmitindo-o.

IV. Aproveitando-o.

v. 111. Observe, I. Quão rico o salmista estava determinado a ser: "Os teus testemunhos tenho eu tomado por herança". Rico, 1. Em conhecimento. 2. Em santidade. 3. Em consolação. 4. Em comunhão, pois a companhia de Deus acompanha a sua palavra. 5. Em esperança.

II. Como ele se apegava à sua riqueza: "para sempre". 1. Ele não prejudicava a ninguém, ao fazer isto; ele podia dar generosamente a sua porção, e ainda assim não desperdiçar. 2. Ele estava certo; pois tinha a única riqueza que é possível possuir eternamente. 3. Ele era sábio.

III. Como ele se alegrava na sua riqueza: "são o gozo do meu coração". 1. Aqui há uma alegria interior e profunda; esta alegria não vem através das riquezas materiais. 2. Alegria pura, sem impurezas; isto não acontece com outras riquezas. 3. Alegria segura; há outras alegrias que são perigosas. 4. Alegria que não se pode perder. – *J. F.*

v. 112. Tendências do coração. Personalidade, pressão, inclinação, desempenho, constância, perpetuidade.

v. 112. A obediência do piedoso.

I. A sua realidade. 1. "Para guardar"; não palavras nem sentimentos, meramente, mas obras. 2. "Teus estatutos", não invenções humanas, nem conceitos próprios, nem máximas convencionais.

II. A sua cordialidade: "inclinei o meu coração". 1. A inclinação de coração é essencial para agradar um Deus que sonda o coração. 2. E para tornar a obediência fácil e até mesmo prazerosa. 3. "Inclinei", ele diz, isto significa que era obra sua? Sim: Era apenas sua obra? Não. Veja o versículo 36. 4. As provas. (1) Universalidade: "estatutos", todos eles. (2) Uniformidade: "sempre".

III. A sua constância: "até ao fim". 1. Embora um homem possa ser cuidadoso, quando faz planos para o futuro, o seu propósito de longo prazo para a vida é correto, sábio e seguro. 2. E não pode propor menos, se um santo fervor encher o seu coração; 3. Não é nada além do que Deus e a coerência exigem. – *J. F.*

v. 113. O pensamento da época, e a verdade de todos os tempos.

v. 113. I. O objeto do ódio.

II. O objeto do amor. Ou – I. Amor, a causa do ódio.

II. Ódio, o resultado do amor. – *G. R.*

v. 113. *"Duplicidade"*. O que é isto. De onde vem. O engano que provoca. Como deve ser tratada. – *W. H. J. P.*

v. 113. Como o crente, 1. Fica perturbado com duplicidades. Uma experiência dolorosa e frequente. 2. Não tolera a duplicidade. Alguns permitem que ela se aloje em seu interior; ele está ansioso por expeli-la. 3. Ele triunfa sobre a duplicidade. Pelo seu amor pela lei de Deus. A sua oração é: Senhor,

"Com pensamentos sobre Cristo e coisas divinas,
encha este meu tolo coração". – *W. H. J. P.*

v. 114. A nossa proteção *do* perigo – "refúgio"; *no* perigo – "escudo"; *antes* do perigo – "espero". **v. 114.** *"Refúgio"*. Discrição, para nos esconder. Capacidade, para nos proteger. Segurança. Conforto. – *T. Manton*

v. 114. *Esconder-se e esperar,* I. Um refúgio é necessário.

II. Um refúgio é propiciado (Is 25.14; 32.2).

III. Um refúgio é usado. – *C. A. D.*

v. 114. I. O refúgio propiciado: "Tu és", etc.

II. O refúgio revelado: "na tua palavra".

III. O refúgio encontrado: "espero", etc. – *G. R.*

v. 114. *"Tu és o meu refúgio"*. I. Na tua graça, refúgio da condenação.

II. Na tua compaixão, refúgio da tristeza.

III. No teu socorro, refúgio da tentação.

IV. No teu poder, refúgio da oposição.

V. Na tua abundância, refúgio da necessidade. – *W. J.*

v. 115. I. As más companhias são um obstáculo à piedade.

II. A piedade expulsa as más companhias.

III. A piedade, ao exigir esta separação, age como Deus agirá, no final.

v. 115. Más companhias, incompatíveis com a justiça genuína. 1. Elas precisam ser encobertas, precisam de concessões.

II. Elas destroem a capacidade de comunhão com Deus, e o gosto pelas coisas espirituais.

III. Elas entorpecem a sensibilidade da consciência.

IV. E envolvem a desobediência deliberada a Deus. – *J. F.*

v. 116. I. Sustento prometido.

II. Necessário para a vida santa.

III. Obstáculo para atos vergonhosos.

v. 116. "Sustenta-me conforme a tua palavra", etc. 1. O salmista alega a promessa de Deus, a sua dependência na promessa, e a expectativa que tinha dela:

"Sustenta-me conforme a tua palavra", a palavra em que confio, e que, se não for cumprida, eu ficarei "envergonhado da minha esperança". 2. Ele alega a grande necessidade que tinha da graça de Deus, e o grande benefício que ela seria, para ele: "Sustenta-me, para que viva"; indicando que não poderia viver sem a graça de Deus. – *M. Henry*

v. 117. I. Sustento – Deus, sustentando-nos. Isto sugere perigo, e este perigo pode assumir várias formas. A vida do crente pode ser descrita como um andar em justiça; ele é um peregrino. Ele necessita sustento, pois – 1. O caminho é escorregadio. 2. Os nossos pés criam o perigo, bem como o caminho. 3. Adversários astutos buscam nos fazer tropeçar. 4. Às vezes, a dificuldade não é causada pelo caminho, mas pela altura à qual Deus pode nos elevar. 5. A oração é ainda mais necessária, porque muitas pessoas não se mantêm eretas.

II. Duas coisas abençoadas que resultam deste sustento. 1. Nós seremos salvos, e serviremos como exemplos, e como pilares da igreja. 2. Nós seremos vigilantes, e sensíveis: "de contínuo me alegrarei nos teus estatutos". Sem isto, nenhum homem está salvo. Veja "Spurgeon's Sermons", n. 1657: "Minha oração de hora em hora".

v. 117. "Sustenta-me", etc. I. O homem bom está bem.

II. O homem bom deseja permanecer assim.

III. O homem bom ora para ser sustentado.

IV. O homem bom sabe que o sustento divino é abundantemente suficiente. – *W. J.*

v. 117. I. Dependência para o futuro: "Sustenta", etc. II. Resolução para o futuro: "E me alegrarei", etc. – *G. R.*

v. 118. Pecado e falsidade: a sua conexão, punição e cura.

v. 118. I. Ouça a marcha dos exércitos de Deus. Na natureza; providência; exércitos angelicais do último dia.

II. As vítimas mutiladas. Enganadores ardilosos, especialmente odiosos a Deus. Exemplos: Balaão, Faraó, Roma, a enganadora das nações.

III. Os avisos que recebemos sobre isto. Aceldama. Arrependam-se. Evitem o engano. Prestem atenção aos marcos de Deus. Escondam-se em Cristo. – *W. B. H.*

v. 118. A punição de Deus aos ímpios, ainda que terrivelmente severa, é justa e necessária.

I. É devida, como o salário merecido pela iniquidade.

II. É exigida, pela posição de Deus como governante moral, e pelo seu caráter, como justo.

III. É necessária, para assinalar o verdadeiro valor da justiça, e sua recompensa. Se os ímpios não são punidos, o valor total da justiça não aparece.

IV. Na natureza do caso, é absolutamente inevitável, com a exceção de uma condição, que é a dádiva do genuíno arrependimento e da santidade após a morte; *isto* nenhum homem tem qualquer direito de esperar, nem Deus deu a menor indicação de que irá conceder.

V. O inferno está no seio do pecado; e se os ímpios fossem levados para o céu, para lá levariam o inferno. O céu não fornece as coisas que dão prazer aos ímpios, embora seja abundante naquelas coisas que eles não podem entender, e nas quais não têm prazer. – *J. F.*

v. 118 (segunda parte). Os enganos dos ímpios são falsidades.

I. A palavra que eles recebem é uma falsa Dalila.

II. O prazer que têm é uma armadilha satânica.

III. A sua religiosidade formal é uma ilusão vã.

IV. Os seus conceitos a respeito de Deus são mentiras inventadas por eles mesmos. – *J. F.*

vv. 118 a 120. *Salvo pelo temor.* I. A ira de Deus revelada contra o pecado.

II. O juízo de Deus, executado sobre os pecadores.

III. O temor de Deus, criado no coração. – *C. A. D.*

v. 119. A aquiescência dos santos, nos juízos de Deus. – *W. B. H.*

v. 119. I. Comparação do ímpio com a escória.

II. Comparação com seu destino com a eliminação da escória. III. A admiração do santo pela justiça divina, vista na rejeição dos ímpios.

v. 119. Deus elimina os ímpios, como escória. I. Os juízos de Deus são um fogo que perscruta e separa.

II. O juízo final do grande dia irá concluir o processo de separação.

III. O grande resultado será o metal genuíno e a escória, um separado do outro, cada um em seu *próprio* lugar. – *J. F.*

v. 120. Os juízos de Deus sobre os ímpios provocam, nos justos,

I. Amor.

II. Respeito.

III. Temor.

v. 120. I. Descreva o verdadeiro caráter do temor. 1. É o temor da reverência pela autoridade e pelo poder de Deus. 2. É o temor do horror do pecado, como merecedor de juízo. II. Mostre a sua compatibilidade com o amor filial. 1. Quanto mais amamos a Deus, mais firmemente cremos na certeza e no terror dos seus juízos. 2. Quanto mais amarmos a Deus, mais temeremos erguer a sua vara punitiva contra nós mesmos. 3. Na verdade, se não amarmos a Deus, não teremos o temor de que o pecado nos envolva no juízo.

III. Elogie-o, 1. Como prova de uma justa percepção do merecimento do pecado. 2. Como demonstração de uma verdadeira apreciação da justiça de Deus. 3. Não como um temor que atormenta, mas um temor que faz aumentar a vigilância, e anda de mãos dadas com a confiança perfeita na graça salvadora. – *J. F.*

vv. 121 e 122. *A dupla justificativa.* I. De integridade consciente: "Fiz juízo", etc. II. De deficiência consciente: "Fica por fiador do teu servo para o bem". – *C. A. D.*

v. 122. I. A fiança é pedida.

II. O bem é esperado.

III. A obrigação é reconhecida: "teu servo".

v. 122 (primeira parte). Depois de explicar o que o salmista queria dizer, como vimos no versículo anterior, esta sentença pode ser usada em um sermão sobre a Fiança de Cristo, como uma referência a Hb 7.22.

I. Uma garantia para o bem é desejada – a necessidade, profundamente sentida, ainda que, talvez, indefinida, de uma alma atormentada pelo pecado. 1. A mera declaração de um perdão gratuito, por parte de Deus, não é perfeitamente crível para uma alma como esta, e se pudesse ser crível, não traria paz à consciência. Pois, por um lado, o perdão não poderia ser percebido como justo, nem coerente com o ódio necessário de Deus pelo pecado, e a consciência exige esta percepção; por outro lado, o mero perdão não mostra como a obrigação de um perfeito cumprimento da lei de Deus, como justiça, pode ser cumprida, e a consciência exige ver isto, antes de poder se satisfazer em concretizar a paz. A experiência de Lutero. 2. Agora, as Escrituras nos contam que Deus "justifica o ímpio", e que a sua "justiça" é declarada quando Ele justifica os pecadores (Rm 3.25). Ele pode perdoar pecados com justiça. Ele pode tratar os pecadores como pessoas justas, e ser justo, ao fazer isto. Como? Por um Fiador. Desta maneira, um Fiador é a necessidade real.

II. Existe uma garantia. Jesus é a Garantia. 1. Ele se incumbiu de suportar a nossa obrigação sofrendo a penalidade da lei, e a cumpriu, em sua morte. Desta maneira, o perdão, embora seja misericórdia para nós, é um ato de justiça para Cristo. 2. Ele se incumbiu da nossa obrigação com uma perfeita obediência, e a satisfez no seu cumprimento da lei; assim, o fato de que Deus nos trate como justos é apenas justo para com Cristo. 3. Deus mostrou a sua satisfação com o ofício de Cristo e com a sua obra, pela ressurreição e glorificação de Cristo. Assim sendo, Ele é o Fiador eficiente e autorizado.

III. Um Fiador próximo. 1. No Evangelho, Cristo, como Fiador, vem ao pecador, tão verdadeiramente, como se Ele mesmo deixasse o seu trono e viesse pessoalmente. 2. Assim, Ele está tão próximo, que um pecador apenas tem que receber o Evangelho no seu coração, recebendo a Cristo. 3. Cristo recebido como Fiador é o Fiador para quem quer que o receba. – *J. F.*

v. 123. Santa expectativa – mantida por muito tempo, em risco de falhar; este fato é alegado; razões para nunca renunciar a ela.

vv. 124 e 125. *O servo de Deus.* I. Professando: "Sou teu servo".

II. Confessando – culpa, embotamento, ignorância.

III. Suplicando – misericórdia, entendimento, e ensino. – *C. A. D.*

v. 124. Instrução celestial, uma grande misericórdia.

v. 124. I. A sua confiança na misericórdia divina.

II. A sua submissão à autoridade divina.

III. A sua oração pedindo ensinamento divino. – *G. R.*

v. 124. Uma oração perfeita. I. Quanto ao seu conteúdo. 1. Aqui não há nada supérfluo; não há pedido de riqueza, nem honras, nem nada que os mundanos ambicionam. 2. Aqui não falta nada: a expressão, "Trata com o teu servo segundo a tua benignidade", abrange tudo o que a alma culpada necessita; "Ensina-me os teus estatutos", compreende tudo o que um santo deve desejar.

II. Quanto à sua forma. 1. É direta e definida. 2. É simples e fervorosa. 3. É reverente mas também corajosa.

III. Quanto ao seu espírito. 1. "Trata com o teu *servo*"; um senso de obrigação; um sentimento de devoção; um espírito de consagração para o trabalho santo. 2. "Trata... segundo a tua benignidade"; um senso de desmerecimento, humildade conveniente; submissão à vontade divina quanto à forma que a misericórdia adotará; grande fé na misericórdia, na sua liberalidade e suficiência. 3. "Ensina-me os teus estatutos". Anseio por santidade; sensação de ignorância, de fraqueza, de dependência da influência espiritual divina. – *J. F.*

v. 125. I. Uma função aceita.

II. Adequabilidade solicitada.

III. Discernimento desejado.

v. 125. I. Um reconhecimento alegre: "Sou teu servo".

II. Um desejo implícito – servir mais perfeitamente.

III. Uma necessidade reconhecida – instrução divina no serviço santo.

IV. Um apelo apresentado: "Sou teu servo", por isto, "ensina-me", etc. – *W. H. J. P.*

vv. 126 a 128. I. Um terrível fato: eles "têm quebrantado a tua lei" (v. 126).

II. Duas deduções abençoadas: "Pois", "Por isso", etc. (vv. 127,128).

v. 126. Eles tinham anulado a lei, negando a inspiração, exaltando a tradição, pelo antinomianismo, pelo ceticismo, pela indiferença, etc.

v. 126. I. Há momentos em que o pecado é particularmente ativo e dominante. 2. Estes momentos revelam a dependência que a igreja tem de Deus. 3. Estes momentos despertam os desejos da igreja pela intervenção de Deus. 4. Estes momentos são aqueles em que Deus se levanta para defender a sua própria causa. – *W. H. J. P.*

v. 126. I. A obra antecipada – a justificação da lei divina.

II. A obra postergada.

III. A obra executada: "Já é tempo", etc. – *G. R.*

v. 127. O ataque do mundo à verdade, uma razão para o nosso amor por ela.

v. 127. I. O objeto de amor: "Os teus mandamentos".

II. A intensidade do amor: "mais do que o ouro", etc.

III. A razão deste amor: "pois", etc., porque o seu objeto deve prevalecer. – *G. R.*

v. 127. A vontade de Deus *versus* o ídolo de ouro.

I. Os mandamentos de Deus são melhores do que o ouro.

II. O amor por eles é proporcionalmente mais nobre.

III. A imensurável superioridade do caráter que eles produzem. – *W. B. H.*

v. 128 (primeira parte). Deve ser feita esta consideração sobre todos os preceitos divinos quanto à sua influência.

I. Com relação a Cristo.

II. Com relação ao indivíduo.

III. Com relação ao mundo.

IV. Com relação à igreja.

V. Com relação ao céu. – *W. J.*

v. 128. A Bíblia, correta.

I. A sua ciência é correta.

II. A sua história é verdadeira.

III. As suas promessas são genuínas.

IV. A sua moralidade é perfeita.

V. As suas doutrinas são divinas. – *W. W.*

v. 128. Aprenda quatro lições,

I. É bom quando os ímpios não louvam a verdade que não conseguem amar.

II. É uma circunstância suspeita quando eles são encontrados falando bem de qualquer parte dela; é um beijo de Judas, para trair os seus interesses.

III. Deve ser correto aceitar e amar aquilo a que se opõem os ímpios.

IV. É sempre seguro estar do lado oposto a eles. – *J. F.*

vv. 129 a 136. Nesta divisão, o salmista,

I. Louva a Palavra de Deus.

II. Mostra o seu afeto por ela.

III. Ora pedindo graça para guardá-la.

IV. Lamenta por aqueles que não o fazem. – *Adam Clarke*

v. 129. O maravilhoso caráter da palavra, uma razão para obediência. Tão maravilhosamente pura, justa, equilibrada, exaltadora. Tão dirigida para o nosso benefício, para o bem da sociedade e para a glória divina.

v. 129. I. Deve-se crer no que é maravilhoso na Palavra de Deus.

II. Deve-se obedecer àquilo em que se crê. – *G. R.*

v. 129. *"Maravilhosos são os teus testemunhos"*. 1. Os *fatos* que eles registram são maravilhosos – tão maravilhosos, que se o livro que os registra fosse agora publicado pela primeira vez, não haveria limites para a avidez e a curiosidade com que ele seria buscado e estudado atentamente. 2. A *moralidade* que eles inculcam é maravilhosa. 3. Se você se voltar da moralidade para as *doutrinas* da Bíblia, a sua admiração aumentará, em lugar de diminuir, com o conteúdo do livro singular. 4. Estes testemunhos são maravilhosos por causa do *estilo* em que são escritos. 5. Eles são maravilhosos pela sua *preservação* no mundo. 6. Eles são maravilhosos pelos *efeitos* que produziram. – *Hugh Hughes,* 1838

v. 129. *"Maravilhosos são os teus testemunhos"*. 1. A *lei cerimonial* é maravilhosa, porque o mistério da nossa redenção pelo sangue de Cristo é destacado nela. 2. As *profecias* são maravilhosas, como predições, falando em termos humanos; são tão incertas e tão distantes no tempo, porém tão exatas! 3. O *decálogo* é maravilhoso, pois contêm em muito poucas palavras todos os princípios de justiça e caridade. 4. Se nos dirigirmos ao *Novo Testamento*, aqui as maravilhas se multiplicam! Tudo é assombroso; mas o salmista não poderia ter tido isto em mente. – *Adam Clarke*

v. 129 (primeira parte). I. Vamos examinar cinco das maravilhas da Bíblia.

1. A sua autoridade. Ela introduz cada declaração com a expressão "Assim diz o Senhor". 2. A sua luz. 3. O seu poder – ela tem um poder convincente, que desperta, que atrai, que dá vida. 4. A sua profundidade. 5. A sua adaptação universal.

II. Vamos indicar três usos práticos. 1. Estudar a Bíblia diariamente. 2. Orar para que o Espírito a grave no seu coração com uma pena de ferro. 3. Colocá-la em prática diariamente. – *D. Macgregor*

v. 129. Para quem, e em que aspectos, os testemunhos de Deus são maravilhosos? I. Para quem? Para aqueles – e somente aqueles – que, pela graça, conhecem, creem, e vivenciam a verdade e o poder dos testemunhos por si mesmos.

II. Em que aspectos são maravilhosos, *isto é,* assombrosamente agradáveis, prazerosos, e benéficos (veja v. 174). 1. Com respeito ao autor, e à sua origem, a quem pertencem e de onde vêm. 2. Com respeito ao assunto que eles contêm e revelam. 3. Com respeito à forma de linguagem com que são revelados e declarados. 4. Com respeito à multidão e variedade deles, adequados a cada caso. 5. Com respeito à sua utilidade, e ao grande benefício e à grande vantagem que ele recebeu deles. 6. Com respeito ao prazer e ao deleite que ele encontra neles (veja v. 111). 7. Com respeito ao desígnio, à intenção e ao objetivo deles; ou seja, a vida eterna, a salvação e a glória. – *Samuel Medley,* 1738-1799

v. 130. I. A luz essencial da Palavra.

II. O seu surgimento na alma.

III. O grande benefício do dia do seu avanço.

v. 130. I. A fonte de luz divina para o homem: "tuas palavras".

II. A sua força, forçando uma entrada no coração.

III. A quem ela se destina: "aos símplices".

IV. O seu resultado: "dá entendimento". – *G. R.*

v. 130. *A sermão da Bible Society.*

I. Comprovações da história e de experiência pessoal, de que a Palavra de Deus distribuiu a luz da civilização, liberdade, santidade.

II. Argumentos daí extraídos, da disseminação da Palavra de Deus. – *C. A. D.*

v. 130. A virtude da Palavra de Deus, que testemunha por si só.

I. Prove isto. "A exposição das tuas palavras dá luz". Se isto for verdade, a Palavra de Deus é luz, pois somente luz pode dar luz. Mas a luz testemunha por si só, ela não precisa de nada que mostre a sua presença e o seu valor, exceto ela mesma; e assim também a Palavra de Deus, para mostrar a sua própria verdade e divindade para o crente.

I. A sua consciência prova isto; na sua convicção do pecado; na sua paz, por meio do sangue expiador. 2. O seu coração prova isto; nos seus arrebatamentos de amor por Deus, pelo Cristo e pela justiça revelada. 3. A sua experiência na aflição e na tentação prova isto; na consolação e na força fornecidas pela Palavra.

II. Resposta a uma objeção. "Se a Palavra de Deus testemunhasse de si mesmo, como acontece com a luz, então todos saberiam que isto é /ela é a verdade". Resposta: Não; pois a lei é cumprida na experiência universal, de modo que apenas a "exposição" das palavras já dá luz. A luz não pode entrar em um cego. 1. As Escrituras ensinam que os homens são cegos por natureza. 2. Se todos os homens percebessem, meramente lendo e ouvindo a Palavra, que ela é luz e verdade, por mais paradoxal que isto possa parecer, a Palavra não seria verdade. 3. Daí a falta de conhecimento universal não é uma objeção, mas uma confirmação.

III. Mostre a sua importância. 1. Ela torna o crente independente da autoridade da igreja pela sua fé. 2. Ele não precisa se incomodar em examinar livros de provas. A sua fé é suficientemente válida sem eles. 3. Aquele que recebe em sua alma a Palavra ficará satisfeito com a sua verdade e a sua importância. – *J. F.*

v. 131. Desejando a santidade. Uma fome rara; a evidência de muita graça e o penhor da glória.

v. 132. I. Olhe-a.

II. Ame-a.

III. Viva-a e acostume-se a ela.

v. 132. Comunhão com os justos.

I. Há alguns que amam o nome de Deus.

II. A sua piedade é a fonte de toda a bondade que eles vivenciam.

III. O Senhor sempre esteve acostumado a tratá-los com piedade.

IV. A sua piedade para com eles deve nos encorajar a implorar piedade para nós mesmos.

V. Nós devemos ficar ansiosos em assegurar a piedade que é peculiar a eles.

VI. Nós devemos ficar satisfeitos, se Deus lidar conosco, como sempre lidou com o seu povo. – *W. Jay*

v. 132. *Uso e costume divinos.* I. Deus está acostumado a considerar o seu povo e a ter piedade dele.

II. Nós somos estimulados a desejar particularmente este tratamento piedoso em tempos de aflição.

III. O amor por Deus nos qualifica para estas considerações amorosas e este tratamento piedoso. – *C. A. D.*

v. 132. Observe, – I. A característica dos verdadeiros crentes: “os que amam o teu nome”.

II. O costume de Deus, de lidar com eles: “tem piedade de mim, conforme usas”.

III. A sua súplica individual e fervorosa: “olha para mim”. – *J. F.*

v. 133. I. Uma vida santa não é obra do acaso, é uma obra prima da *ordem* – a ordem da conformidade à regra prescrita; há ordem aritmética e geométrica: a ordem proporcional; a ordem de relação; uma ordem de período: a santidade, no que diz respeito à ordem, tem o seu tempo oportuno, é conveniente.

II. A regra desta ordem: “na tua palavra”.

III. O diretor escolhido. Veja “Spurgeon’s Sermons”, n. 878: “Uma vida bem-ordenada”.

v. 133. I. A ordem na vida exterior é desejada.

II. Ordem, em conformidade com o pensamento divino.

III. Ordem no governo interior.

v. 133. I. Ajuda necessária. 1. Para evitar o pecado. 2. Para ser santo.

II. Ajuda buscada. 1. De baixo: “tua palavra”. 2. Do alto: “ordena”, etc., e “não se apodere”, etc. – *G. R.*

v. 133. A influência e o poder dominador do pecado na alma.

I. Fervorosamente desaprovado. 1. Percepção dos horrores do seu domínio. 2. Reconhecimento do poder melhor. 3. Busca da exclusão total.

II. Sabiamente combatido. 1. Funcionalidade, além de religiosidade. 2. Consideração com os pequenos “passos”. 3. Passos que devem ser regidos pela lei divina. 4. Nenhum sistema será confiável se estiver separado de Deus. – *W. B. H.*

v. 133. Observe, – I. O caminho correto para os pés humanos: “na tua palavra”.

II. A ajuda necessária para controlar os passos: “ordena os meus passos”.

III. O poder de perversão de um pecado dominante: “não se apodere”, etc. – *J. F.*

v. 134. Quais pecados podem ser produzidos pela opressão. Qual obediência deve vir daqueles que são libertados.

v. 134. I. O curso que deve ser seguido: “os teus preceitos”.

II. A oposição a este curso: “a opressão do homem”. 1. Opiniões humanas. 2. Exemplos humanos. 3. Simpatias humanas. 4. Interesses. 5. Perseguições.

III. A resistência a esta oposição: “Livra-me... assim”, etc. – *G. R.*

v. 134. *Obstáculos removidos.*

I. Impedimento à influência da perseguição.

II. A oração do perseguido.

III. A conduta do libertado (Lc 1.74, 75). – *C. A. D.*

v. 134. I. Como alguns homens oprimem seus companheiros. Pelas leis que criam – como estadistas. Pelos livros que escrevem – como autores. Pela tirania que exercem – como senhores. Pelas vidas que vivem – como professores. Pelos sermões que proferem – como *ministros!*. II. Como a oração dos oprimidos pode ser atendida. Pela dádiva de estadistas bons e sábios. Pelo crescimento da literatura saudável. Pela conversão ou remoção dos senhores cruéis. Pelo batismo do Espírito na igreja. – *W. W.*

v. 135. I. Uma posição excelente: "teu servo".

II. Um prazer excelente: "resplandecer o teu rosto".

III. Um privilégio excelente: "ensina-me os teus estatutos."

v. 135. I. Deus *na* palavra: "tua palavra".

II. Deus *pela* palavra: "ensina-me", etc.

III. Deus *com* a palavra: "Faze resplandecer o teu rosto", etc. – *G. R.*

v. 135. *Brilho do sol.* I. A luz sob a qual melhor podemos aprender nossas lições – a benevolência de Deus, exibida no perdão, justificação, adoção, certeza, etc.

II. As lições que devemos aprender sob esta luz – a graça produz santidade. – *C. A. D.*

v. 135. I. Uma rica promessa histórica (Nm 6.25). A sua sublime origem e associações.

II. A *nova* oração que dela nasce. 1. Olhe para o rosto divino: o mesmo, em sua majestosa doçura, que assistiu a decadência de gerações, desde que a palavra foi proferida pela primeira vez. 2. Peça para conhecer o seu brilho. Luz da paternidade, etc.

III. A *antiga* oração repetida: "ensina-me os teus estatutos." A última vez em que foi vista, foi no Salmo 1. A nossa necessidade de ensinamento – oração frequentemente repetida. 2. A íntima conexão entre a obediência e o resplendor do rosto de Deus. – *G. B. H.*

v. 136. Abundante angústia pelo abundante pecado. Os pecados de outros homens são as angústias do santo. Ele pensa no bom Deus provocado, nos pecadores humilhados, na morte e perdições deles.

v. 136. I. Motivo da sua angústia: "não guardam a tua lei".

II. Extensão da sua angústia: "rios", etc. Veja exemplos em Jeremias, Esdras, Paulo, e o próprio Cristo.

III. Resultado da sua angústia. Advertir, ensinar, convidar e exortar os pecadores – como nos seus salmos. – *G. R.*

v. 136. *Lágrimas santas.* I. O mundo pecando.

II. A igreja chorando.

III. É o momento do mundo começar a chorar por si mesmo. – *C. A. D.*

v. 136. Eu choro, por causa, 1. Da desonra feita ao Legislador. 2. Dos danos causados ao transgressor. 3. Do mal feito aos que permanecem na lei. "Aquele profeta real, que chorou tão copiosamente pelas suas próprias transgressões (Sl 6.6), ainda tem rios de lágrimas para lamentar as transgressões do seu povo" (Sl 119.136). – *Thomas Adams.* Bendetti, um monge franciscano, autor de *Stabat Mater*, certo dia foi encontrado chorando; e quando lhe perguntaram a razão de suas lágrimas, exclamou, "Choro porque o amor anda por aí sem ser amado". – *W. H. J. P.*

vv. 137 e 138. *Solene contemplação.* I. A contemplação da profunda e terrível exibição do caráter divino é boa para a alma.

II. Ela levará a uma convicção da justiça do caráter e da administração de Deus.

III. E resultará em leal submissão. – *C. A. D.* **v. 137.** Uma consideração da justiça divina. Ela nos convence do pecado, nos reconcilia com providências de tentação, incita o desejo de imitação, e incentiva à reverente adoração.

v. 137. Deus é justo.

I. Nos seus mandamentos.

II. Nas suas ameaças.

III. Nas suas punições.

IV. Nos seus juízos.

V. Nas suas promessas. – *G. R.*

v. 138. *"Muito fiéis"*. Baseados em um concerto fiel; confirmados por promessas fiéis; executados por um Redentor fiel; até aqui, aproveitados; merecedores de confiança para o futuro. "Se formos infiéis, ele permanece fiel".

v. 139. *"Zelo"*.

I. Consumindo-se.

II. Inflamado por aquilo que naturalmente o extinguiria.

III. Alimentado das palavras de Deus.

v. 139. *"Zelo"*. I. Prosperando em uma atmosfera não condescendente.

II. Alcançando um crescimento assombroso.

III. Realizando um trabalho abençoado – a destruição do ego. – *C. A. D.*

v. 139. I. O objeto do seu zelo: "tuas palavras".

II. O motivo do seu zelo: "os meus inimigos", etc.

III. O fervor do seu zelo: "O meu zelo me consumiu". – *G. R*

v. 140. I. Um pecador que despertou e que ama a lei santa.

II. Um santo que a ama, porque os puros amam o que é puro.

III. Um santo entre pecadores, que ama a lei ainda mais, por causa do seu contraste.

v. 140. I. A correnteza cristalina. 1. Flui de debaixo do trono. 2. Reflete o céu. 3. Sem ser contaminada, ao longo dos séculos. 4. Nutre a santidade, à medida que flui.

II. O peregrino extasiado. 1. Mantendo-se à sua margem. 2. Encantado com suas lúcidas profundezas. 3. Satisfeito com as revelações refletidas – indivíduo, céu, Deus. 4. Purificado e revigorado pelas suas águas. – *W. B. H.*

v. 140. 1. *A pureza da palavra de Deus.* 1. Deriva de uma fonte perfeitamente pura: *"tua* palavra". 2. Revela uma pureza que, de outra forma, seria desconhecida. 3. Trata o que é impuro com absoluta pureza. 4. Inculca a mais perfeita pureza. 5. Produz esta pureza naqueles que estão sujeitos ao seu poder.

II. *O amor que esta pureza inspira nas almas piedosas.* 1. Eles a amam porque, embora revele a sua impureza natural, ela lhes mostra como escapar desta impureza. 2. Eles a amam porque ela os deixa em conformidade com a sua própria pureza. 3. Eles a amam, porque para um coração puro, a pureza da Palavra é uma das suas principais qualidades.

III. *As evidências deste amor pela palavra pura.* 1. O desejo de possuí-la nesta pureza. 2. A submissão ao seu espírito e aos seus ensinamentos. 3. O Zelo pela sua honra e difusão. – *W. H. J. P.*

vv. 141 a 144. *Um cântico pesaroso, e um alegre refrão.*

Estrofe I. "Pequeno sou e desprezado". Refrão. A justiça eterna de Deus.

Estrofe II. "Aperto e angústia se apoderam de mim". Refrão. A justiça eterna de Deus. – *G. A. D.*

v. 141. Aqui, temos, – 1. Davi piedoso, e, no entanto, pobre. Ele era um homem segundo o coração de Deus, mas, ainda assim, "pequeno e desprezado" na sua própria avaliação, e na opinião de muitos outros. 2. Davi, pobre, e, no entanto, piedoso; "pequeno e desprezado" pela sua santidade rígida e séria; mas a sua consciência pode testemunhar por ele, que ele "não se esquecia dos mandamentos de Deus". – *M. Henry*

v. 141. I. A origem da pequenez do homem está em si mesma.

II. A origem da sua grandeza está na palavra divina. Consequentemente, o maior filósofo é um homem pequeno, em comparação com o menos instruído, cujo prazer está na lei de Deus, e que medita nela, etc. – *G. R.*

v. 141. I. Um pequeno estudante.

II. Um aprendiz rápido.

III. Um homem de lembrança firme.

v. 141. *"Como desconhecidos, mas sendo bem conhecidos"*. I. A avaliação formada do crente, pelo mundo. II. A avaliação formada pelo crente, sobre si mesmo.

III. A profissão feita pelo crente a Deus.
IV. Em uma análise, uma avaliação revisada do crente (1 Co 1.27; Tg 2.5). – *C. A. D.*
v. 142. A justiça, a imutabilidade, e a verdade, combinadas, na revelação de Deus.
v. 143. Emoções mescladas.
v. 143. I. A nuvem escura. Aperto, etc.
II. O raio de esperança. Não obstante, etc.
v. 143. I. O santo lançado à prisão. 1. Os carcereiros: "Aperto e angústia". 2. O que fazem: "se apoderam" e o fazem jejuar.
II. Cânticos à noite. 1. Tema abençoado: "os teus mandamentos". 2. Melodias de êxtase: "prazer".
III. Que os prisioneiros as ouçam. 1. Presos pela dor, presos pelo pecado, presos pelo desespero. 2. É assunto e melodia que abre prisões. – *W. B. H.*
v. 143. Considere, – I. A excelência da Palavra, no fato de que ela dá prazer quando o aperto e a angústia oprimem.
II. A grande bondade de Deus, ao organizar a sua palavra de modo que ela possa dar-lhe prazer nesta ocasião, e sob tais circunstâncias.
III. A disposição do crente em recorrer à palavra por prazer, quando outros se entregam à vã angústia e desânimo.
IV. A abençoada posição do crente, no fato de que jamais precisa estar sem alegria. – *J. F.*
v. 144. A justiça eterna revelada na Palavra, e produzindo a vida eterna nos crentes.
v. 144. I. Verdades eternas.
II. A vida eterna dependente delas.
III. Um clamor entre estas colinas eternas. – *W. B. H.*
v. 144 (última parte). I. Considere a oração na sua simplicidade. 1. É apropriada para o pecador desperto. 2. Para o cristão que luta contra a tentação. 3. Para o crente que sofre. 4. Para o trabalhador. 5. Para as mentes ambiciosas na igreja de Deus. 6. Para os santos, ao expirarem.
II. A oração mais aberta. 1. Aqui a necessidade é confessada. 2. A oração é evidentemente apoiada na graça livre: "Dá".
III. Apresenta o argumento na oração. 1. A Palavra de Deus, quando interpretada de maneira prática e experimental, é uma promessa de vida. 2. A Palavra de Deus é a "semente" incorruptível que vive e permanece para sempre. 3. É o alimento da vida. 4. É a flor e a coroa e a glória da vida verdadeira. 5. É justa. 6. É eterna. Veja "Spurgeon's Sermons", n. 1572: "Viva".
vv. 145 a 148. *O clamor.* I. De onde veio: do meu coração.
II. Para onde foi: ao Senhor.
III. Onde era ouvido: ao amanhecer e à noite.
IV. O que buscava: audiência, salvação.
V. O que prometia: obediência.
VI. Como se mantinha: pela esperança na palavra de Deus. – *C. A. D.*
vv. 145 e 146. O clamor da alma. I. A profundeza de que emergia.
II. A altura que alcançava.
vv. 145 e 146. *Oração infantil.* I. No seu tom: "Clamei".
II. Na sua objetividade: "a ti".
III. Na sua explosão: "de todo o meu coração".
IV. Nos seus clamores: "escuta-me", "salva-me".
V. Na sua promessa de melhor comportamento: *"Guardarei* os teus estatutos". – *W. B. H.*
v. 145. I. O modelo de oração: "Clamei de todo o meu coração".
II. A finalidade da oração: "Escuta-me, Senhor".
III. O acompanhamento da oração: "Guardarei os teus estatutos".
v. 146. I. Oração relembrada.

II. Oração continuada: "Salva-me".

III. Fruto da oração: "Guardarei", etc.

v. 146. *Salvação.* I. Um caminho provável até ela – a oração: continue clamando.

II. O lugar apropriado para isto: "a ti"; não ao homem, nem ao coração.

III. Uma boa perspectiva disto: "guardar os teus testemunhos". Não escapar ao inferno, nem alcançar o céu, mas agradar e amar a Deus. – *W. B. H.*

vv. 147, 148 e 149. I. As companhias celestiais: oração e meditação. Inseparáveis. Mutuamente úteis.

II. Seus momentos favoritos: momentos de quietude; à noite; antes do amanhecer.

III. O seu volume e lâmpada: "tua palavra", "esperei". Ou – I. Um grande apelo: "tua benignidade". Quem pode se equiparar a ela? Quem pode avaliá-la? Quem pode desfigurá-la?

II. Um suplicante insignificante: "minha voz". O que a "minha voz" pode dizer, para acompanhar a "tua benignidade"? Pedir demais está fora de questão.

III. Uma súplica inteligente ("segundo o teu juízo"); um pedido de vida; uma súplica baseada na Palavra de Deus. A benignidade de Deus é equiparada à promessa do próprio Deus. – *W. B. H.* **v. 147.** Observe na diligência de Davi, I. Esta era uma oração pessoal, secreta ou íntima; "Clamei"; sozinho, contigo, em segredo.

II. Esta era uma oração ao alvorecer: "Antecipei-me à alva da manhã".

III. Era uma oração veemente e fervorosa; pois é expressa pelo clamor. – *T. Manton*

v. 147. *O levantar cedo é elogiado.* I. Um momento adequado para a oração.

II. Para ler a palavra.

III. Para permitir as emoções incitadas por ela; "esperei na tua palavra".

v. 148. "The Inexhaustibleness of the Bible." ["A inesgotabilidade da Bíblia".] Um sermão proferido por Harry Melvill, na "The Golden Lecture", 1850.

v. 148. *Meditação.* Momento apropriado, e tema frutífero.

v. 148. A meditação sobre a palavra merece a renúncia de si mesmo e o cuidado, por parte do cristão. I. Sem a meditação, a leitura é uma perda de tempo e uma indignidade oferecida à palavra.

II. A meditação com oração, mas não a oração sem meditação, revelará o significado da palavra, quando todos os outros meios falharem; e tem a vantagem de que o significado penetra na mente.

III. A meditação extrai doçura das promessas, e vigor de toda a verdade.

IV. A meditação faz daquele que tem pouco talento natural ou aprendizado um sábio professor e um trabalhador eficaz.

V. A meditação submete a alma ao poder santificador da palavra.

VI. A meditação é um convite para que o Espírito Santo abençoe a alma, pois Ele está intimamente associado com a verdade, e se alegra em ver a verdade honrada. – *J. F.*

v. 149. Oração – ouvindo o resultado do amor; oração – a resposta é governada pela sabedoria.

v. 149. *Vivificação.* I. Uma oração de inquestionável necessidade: "vivifica-me".

II. Dois apelos de irresistível força: "tua benignidade", "teus juízos". – *C. A. D.*

v. 149. Duas vezes "segundo". I. O "segundo" pelo qual o crente espera ser ouvido por Deus: "Ouve a minha voz, segundo a tua benignidade". 1. O crente está plenamente ciente da sua própria indignidade e das imperfeições das suas orações, e por isto deseja que Deus o aceite e interprete as suas orações de acordo com a regra da sua própria benignidade. 2. Ele não espera em vão; a benignidade de Deus ignora as imperfeições, e supre aquilo que falta devido às omissões. 3. Que bênção, o fato de que, enquanto o Espírito Santo auxilia as nossas fraquezas, os gemidos que não podem *ser* proferidos são interpretados com o seu verdadeiro significado, pela benignidade divina!

II. O "segundo" pelo qual o crente espera ser atendido por Deus: "Vivifica-me, segundo os teus juízos". A palavra "juízos", aqui, pode significar a palavra revelada. Então,

– 1. Ele espera ser atendido com certeza. 2. Ele espera ser atendido com sabedoria. 3. Ele espera ser atendido plenamente, como todas as suas necessidades exigem. 4. Ele espera que cada resposta vivifique a vida espiritual, tornando-o santo. – *J. F.*

vv. 150 e 151. *Contra os que produzem enganos.*

I. Eles insistem o máximo que podem para nos prejudicar.

II. Eles se afastam ainda mais do que é correto, para conseguir mais liberdade para nos prejudicar.

III. O Senhor está mais próximo do que eles.

IV. A verdade de Deus é o nosso escudo e a nossa espada.

vv. 150 e 151. *Os adversários estão próximos; porém o Amigo está ainda mais próximo.*

I. O crente vê com alarme a *aproximação* de seus adversários: "aproximam-se".

II. O crente vê, com consolação, a *presença* de seu amigo: "Tu estás perto" (Gn 15.1; 2 Rs 6.14-17). – *C. A. D.*

vv. 150 e 151. Dois exércitos em combate. I. O exército do mal: PERTO – 1. Demônios, homens ímpios, adversários espirituais do mundo e do coração. 2. O engano e a maldade fazem parte de sua bagagem. 3. A lei e a verdade são deixadas para trás. 4. Buscando estreitar suas linhas. 5. Assim são assediados todos os santos. II. O exército de Deus: mais perto – O Senhor, seus anjos e batalhões de verdades, santas e imortais: "Tu e todos os teus mandamentos". 1. Entrincheirados na razão: "são a verdade". 2. Acampados na tenda do coração: "perto". 3. Formando fileiras fortes dentro das fileiras do inimigo. – *W. B. H.*

v. 150. Considere, I. Se a descrição aqui fornecida não se aplica, mais ou menos, a todos os crentes em Cristo: "os que seguem aos malvados". 1. Alguns homens, indubitavelmente e propositadamente, seguem a maldade; eles se tornam tentadores de outros, e sentem prazer nisto. 2. Outros, que não sentem prazer nisto, ainda assim não conseguem evitar o efeito maldoso de seu exemplo. 3. A própria moralidade de muitos incrédulos os capacita a levar a influência perniciosa de sua incredulidade onde os que são ímpios imorais não conseguem chegar. 4. Até mesmo aqueles que frequentam regularmente a adoração pública podem, com a sua indecisão, encorajar outros a adiar sua participação.

II. A perigosa posição de todos os que se encaixam, de qualquer maneira, na descrição: "afastam-se da sua lei". 1. Assim agem, porque são incrédulos; pois "o seu mandamento é este: que creiamos", etc. 2. Eles assim são, pois são uma causa de mal para os outros, pois nós recebemos a ordem de amar e fazer o bem. 3. Estar longe da lei de Deus é estar perto da justa ira de Deus. 4. Por causa dos outros, bem como por amor a si mesmos, os homens devem crer em Cristo, e, pela fé, devem se tornar santos. – *J. F.*

v. 151 (última parte). Os mandamentos do Senhor são verdadeiros, em princípio: eles conduzem à vida fiel, se obedecermos a eles; eles verdadeiramente recompensam os obedientes; eles jamais conduzem à falsidade, nem causam enganos.

v. 152. Conhecimento da palavra. I. É bom conhecê-la, como a Palavra de Deus.

II. Como baseada na verdade.

III. Como fundamentada para sempre.

IV. Quanto mais cedo nós a conhecermos, melhor.

vv. 153 a 159. Duas vezes "considera". Os assuntos, as orações, os argumentos.

vv. 153 e 154. Aqui, – I. Davi ora, pedindo socorro na aflição. "Está alguém entre vós aflito? Ore"; que ore, como Davi ora, aqui. 1. Ele visa a piedade de Deus, e ora, *"Olha para a minha aflição"*, recebe-a em teus pensamentos, em todas as circunstâncias, e não ajas como alguém que não está interessado. Deus jamais deixa de se interessar pelas aflições do seu povo, mas desejará que nós "procuremos lembrá-lo" (Is 43.26), apresentar nosso caso diante dele, e então entregá-lo à sua misericordiosa consideração, para fazer, na sua sabedoria, o que julgar adequado, no seu próprio tempo, à sua própria maneira. 2. Ele visa o poder de Deus, e ora, *"livra-me"*, e, outra vez, *"livra-me"*. Considera as minhas aflições e tira-me delas. Deus prometeu libertação (Sl 50.15) e podemos orar, pedindo esta libertação, submetendo-nos à sua vontade, e considerando a sua glória, para que possamos servi-lo melhor; 3. Ele visa a justiça de Deus, e ora: *"Pleiteia a minha causa"*, sê tu meu patrono e advogado, e toma-me como teu cliente. Davi tinha uma causa justa, mas os seus adversários eram muitos e poderosos, e ele corria o risco de ser derrotado por eles: por isto, ele suplica que Deus esclareça a sua integridade, e silencie as acusações falsas dos adversários. Se Deus não pleitear a causa do seu povo, quem o fará? Ele é justo, e eles se entregam a Ele, e por isto, Ele o fará, e o fará eficazmente (Is 51.22; Jr 1.34. 4). Ele visa a graça de Deus, e ora, *"Vivifica-me"*. Senhor, sou fraco e incapaz de lidar com as minhas aflições; meu espírito está quase desfalecendo; Oh, que tu possas vivificar-me e consolar-me, até que a libertação se complete!

II. Ele alega a sua dependência na palavra de Deus, e a sua devoção à sua conduta. *"Vivifica-me"* e *"livra-me"*, *"segundo a tua palavra"* de promessa: *"pois não me esqueci da tua lei"*. Quanto mais intimamente nos agarrarmos à Palavra de Deus, tanto como nossa regra quanto como nosso apoio, mais segurança podemos ter da libertação no devido tempo. – *M. Henry*

v. 153. *A oração do homem enfermo.* I. O remédio é relembrado.

II. O médico é chamado.

III. O médico considera o caso.

IV. A cura é realizada. – *G. A. D.*

v. 153. I. Senhor, não te esqueças da minha angústia.

II. Eu não me esqueço da tua lei.

vv. 154, 156 e 159. A tripla vivificação. Um tema muito importante, se os contextos forem cuidadosamente considerados.

v. 154. Intercessão, libertação, vivificação, e tudo isto, na fidelidade à palavra.

v. 154. Uma oração.

I. Pela defesa prometida.

II. Pela libertação prometida.

III. Pela restauração prometida. – *G. R.*

v. 154. *O defensor*, I. A alma pressionada pelo acusador – na consciência (1 Jo 3.20); diante do mundo; diante do trono da graça (Zc 3); no tribunal do juízo.

II. A alma acusada, entregando seu caso ao Defensor (1 Jo 2.2; 2 Tm 1.12).

III. Como o caso será conduzido. Ele jamais perdeu um. – *C. A. D.*

v. 155. I. Uma terrível distância.

II. Uma distância que jamais diminui pela busca.

III. Uma distância que aumenta pelo pecado.

v. 155. I. Quando a salvação está muito distante.

II. Quando está próxima. Ou – I. Quando a palavra está distante, a salvação está distante.

II. Quando a palavra está perto, a salvação está perto. – *G. R.*

v. 155. *Como evitar a salvação.* I. A salvação é inseparável da conformidade à lei de Deus (Lv 18.5; Lc 10.25-28; Mt 19.17).

II. A salvação é trazida aos transgressores pelo Legislador, que condescende em se tornar o guardião da lei e a vítima da lei. A salvação é evitada por aqueles que se recusam a viver em conformidade com a lei ou a vontade eterna de Deus. Eles perecem; o seu próprio pecado os pune: a necessidade e a pobreza os punem. – *C. A. D.*

v. 155. Um silogismo ou salvação. I. A salvação e a obediência andam juntas. 1. Têm um centro comum – Deus, seu *braço* e seus *lábios*. 2. Uma relação mútua: nós somos salvos pela obediência, e para a obediência. Ao obedecer, somos salvos. Sem a obediência, não há salvação. 3. Um objetivo idêntico – o nosso bem e a glória de Deus. 4. A obediência e a salvação são inseparáveis, para sempre.

II. Os ímpios estão longe da obediência. 1. Mandamentos evitados. 2. Submissão excluída.

III. Portanto, estão longe da salvação. Eles *não* desejam uma coisa, *não* poderão ter a outra. – *W. B. H.*

v. 156. I. Uma grande necessidade.

II. Apresentada diante de um grande Senhor.

III. Grandes benefícios pedidos.

IV. Uma grande misericórdia buscada: "vivifica-me."

v. 156. *Justo e Vivificador.* I. A vida espiritual é uma dádiva da misericórdia de Deus.

II. A sua continuidade depende do exercício do poder de Deus.

III. Podemos, portanto, pedir a vivificação, com base na justiça de Deus. – *C. A. D.*

v. 156. O santo. I. Estupefato em admiração. 1. Das graças de Deus. 2. Ele clama, pela sua grandeza. Elas são numerosas. Enormemente ternas. Excelentes *e* ternas (excelente combinação!)

II. Cheio de animação. O filho da sua admiração. 1. A oração como uma flecha: "Vivifica-me". Ser como Ele, ser fiel a Ele, um Deus assim. 2. O arco na mão: "segundo os teus juízos". – *W. B. H.*

v. 156. I. A ternura da grandeza de Deus.

II. A grandeza da ternura de Deus.

III. Os estímulos da vida, encontrados na sua presença, grandiosa e terna.

v. 157. I. Uma palavra sobre multidão: "muitos".

II. Uma tendência ao temor, ou seja, uma tendência ao declínio.

III. Uma nota de consolação: "Mas não me desvio".

v. 158. *Uma visão angustiante.* I. Os transgressores além dos limites de Deus.

II. Os limites tão generosamente definidos: "tua palavra".

III. As transgressões tão costumeiramente ingratas, tão terrivelmente perigosas, tão fatais.

v. 158. *A angústia pelos pecadores.* I. Uma visão que não podemos evitar:

II. Uma angústia que não devemos evitar (veja Ló; 2 Pe 2.7, 8; Moisés, Dt 9.18, 19; Samuel, 1 Sm 15.11; Jr 9.1; Paulo, Fp 3.18; Cristo, Lc 19.41).

III. Uma razão que não evitaremos apoiar.

v. 158. Um homem justo não pode evitar ficar angustiado com os pecados dos ímpios. Ele vê neles,

I. A infração da lei divina, que ele ama.

II. Os ingratos se rebelando contra o Deus que ele adora.

III. O desprezo pelo Evangelho da salvação e o sangue de Cristo.

IV. O domínio de Satanás, o inimigo do seu Deus.

V. A degradação das almas que poderiam ter sido templos santos.

VI. Sinais proféticos de uma retribuição terrível e eterna. – *J. F.*

v. 159. I. O seu próprio amor, confessado.

II. O amor de Deus suplicado.

III. A vida renovada, implorada.

v. 159. I. Atenção, convidada: "Considera como".

II. Profissão, feita: "amo os teus preceitos".

III. Súplica, oferecida: "Vivifica-me", etc.

IV. Argumento sugerido: "segundo", etc. – *G. R.*

v. 159. *O meu amor e a tua benignidade.* O amor do santo.

I. Declarado. "Tudo conheces", etc.

II. Submetido. Em humilde insistência na sua sinceridade. Na percepção da sua insuficiência. Em oração, para que Deus não o ignore.

III. Fora da visão, na repentina glória da benignidade de Deus. Onde está meu amor, agora?

IV. Recuperado e humildemente trazido para a vivificação. Senhor, nada mais direi sobre isto: "Vivifica-me". – *W. B. H.*

v. 159. *Vivifica-me, pelo amor.* I. Uma oração por uma vida vivificada.

II. Despertada pelo amor, para o controle divino da vida.

III. Imposta pelo apelo deste amor. IV. Destinada ao Deus de amor. – *C. A. D.*

v. 159. Considere, – I. A santa insatisfação do crente: "Vivifica-me", etc. 1. Uma oração que aparece frequentemente no salmo, e sempre proposta com grande fervor. 2. A sua importunidade prova a posse da vida espiritual; na verdade, ninguém, exceto os vivos, desejam a vivificação. 3. Os mais fervorosos sentem mais agudamente o seu pecado interior, e apreciam mais plenamente a santificação completa. 4. Assim, esta é, talvez, a única insatisfação, perfeitamente pura no seu caráter.

II. O atributo divino reconfortante, ao qual ele pode apelar: "segundo a tua benignidade". 1. Um atributo, não somente dado a conhecer ao mundo, mas manifestado a nós, na nossa experiência do seu bondoso tratamento para conosco. 2. Um atributo que encobre o pecado, e é tocado pela percepção das nossas fraquezas. 3. Um atributo que é influenciado pelo clamor pela graça vivificadora.

III. A consideração que ele deve ser capaz de apresentar diante de Deus: "Considera como amo os teus preceitos". 1. Porque, da Palavra, ele aprendeu sobre a benignidade, e por ela, recebeu a vida. 2. Sem ela, a oração não pode ser genuína. 3. É uma boa razão para esperar mais graça; pois "a qualquer que tiver ser-lhe-á dado", etc. – *J. F.*

v. 160. I. No princípio: "a verdade desde o princípio".

II. No fim: "dura para sempre". Ou, A verdade e a imutabilidade; Jaquim e Boaz do crente.

vv. 161 e 162. A Palavra de Deus, motivo de santo temor e santa alegria. 1. Ela faz o coração estremecer, por sua pureza e seu poder. 2. Ela faz o coração se alegrar, pela sua graça e verdade. – *W. H. J. P.*

v. 161. I. O erro sem causa.

II. Certo, com abundante causa.

v. 161 (segunda parte). O respeito pela Palavra de Deus – a sua propriedade, a sua santa influência, o mal da sua ausência.

v. 161. *Restrição pelo temor,* I. A falta de causa da perseguição.

II. As tentações do mal ocasionadas por este sentimento – vingança, apostasia.

III. A salvaguarda contra o pecado: temor pela Palavra de Deus (1 Sm 24.6; Dn 3.16-18; At 4.19; 5.29). – *C. A. D.*

v. 162. I. O tesouro escondido: "grande despojo", escondido na palavra divina.

II. O tesouro encontrado "como aquele que acha", etc. 1. Pela leitura. 2. Pela meditação. 3. Pela oração.

III. O tesouro desfrutado: "folgo", etc. – *G. R.*

v. 162. A alegria de Davi pela palavra de Deus é comparada à alegria do guerreiro, quando encontra grande despojo.

I. Esta grande alegria surge, às vezes, do fato de que há uma palavra de Deus. 1. As Escrituras são uma revelação de Deus. 2. Guia da nossa vida. 3. Promessa assegurada de misericórdia. 4. O início da comunhão com Deus. 5. O instrumento útil.

II. Frequentemente, a alegria do crente na palavra se deve ao fato de que ele teve uma batalha para conseguir obtê-la. 1. Nós tivemos que lutar por certas doutrinas, antes que pudéssemos realmente alcançá-las. 2. O mesmo pode ser dito das promessas. 3. Dos preceitos. 4. Das ameaças. 5. E até mesmo da palavra que revela Cristo.

III. Às vezes, a alegria do crente está no fato de desfrutar da palavra de Deus sem nenhuma luta: "Aquele que acha".

IV. Há uma alegria que emerge do fato de que as Sagradas Escrituras podem ser consideradas um despojo. 1. Um despojo é o fim da incerteza. 2. É o enfraquecimento do adversário, para quaisquer ataques futuros. 3. E dá uma sensação de vitória. 4. Na divisão do despojo, há lucro, prazer e honra. 5. O despojo do inimigo é uma profecia de descanso. Veja "Spurgeon's Sermons", n. 1641: "Grande despojo".

v. 163. *Pólos opostos do caráter cristão.* I. Ora, eu odeio mentir, porque a mentira vem do diabo (Pv 8.14, At 5.3); ela leva ao diabo (Ap 21.8, 22.15); é infame, perigosa, degradante (Pv 19.5; 1 Tm 4.2; 2 Tm 3.13); é odiada pelo Senhor (Pv 6.16, 17, 12.22).

II. Por que amo a lei. Porque ela emana de Deus; é o reflexo do seu caráter; é o ideal do meu caráter.

III. Como cheguei a odiar e amar. Pela graça de Deus: v. 29. – *C. A. D.*

v. 163. I. Coisas opostas.

II. Sentimentos opostos.

v. 164. Louvor oferecido. Frequentemente, declaradamente, sinceramente, inteligentemente.

v. 164. *Louvor perpétuo.* I. O louvor verdadeiro é sempre assegurado.

II. O verdadeiro louvor é sempre bem-vindo.

III. O verdadeiro louvor nunca traz o enfado. – *C. A. D.*

v. 164. 1. Alguns jamais te louvam; mas eu o farei "sete vezes no dia", etc., pois me alegro em fazer isto; "Os juízos da tua justiça" são um terror para eles, porém uma alegria para mim. 2. Alguns te louvam debilmente e friamente, ao passo que eu o faço, "sete vezes" ao dia, etc. Minha calorosa devoção frequentemente se expressa em louvor. 3. Alguns se satisfazem em te louvar ocasionalmente, mas eu, "sete vezes", etc. Eles pensam que é suficiente começar e terminar o dia com louvor, quando o dia inteiro eu estou no espírito de louvor. 4. Alguns logo cessam de louvar-te, mas eu te louvo "sete vezes" ao dia, etc. Não apenas sete vezes, mas "setenta vezes sete". Sem cessar, eu te louvarei. – *W. H. J. P.*

v. 165. I. Grande amor por uma grande lei.

II. Grande paz, sob grande inquietude.

III. Grande sustento, diante de todos os obstáculos.

v. 165. *Paz perfeita.* I. A lei de Deus deve ser considerada com amor.

II. O amor pela lei produz grande paz. A paz com Deus por intermédio do sangue da expiação; a paz do homem consigo mesmo pela boa consciência e pela supressão dos maus desejos; e a paz com os outros homens, pela caridade.

III. A paz que emerge do amor pela lei é uma proteção contra os tropeços: "para eles não há tropeço"; nem a cruz diária (Mc 10.21,22); nem a terrível provação (Mc 4.7); nem a humilde doutrina (Jo 1.60,66, etc.). – *G. A. D.*

v. 165. I. O caráter descrito: "Os que amam a tua lei".

II. A bênção de que desfrutam: "muita paz".

III. Os males de que escapam: "para eles não há tropeço". – *G. R.*

v. 165. A paz e a segurança dos piedosos.

I. *A sua paz.* Ela se origina de – 1. Liberdade de uma consciência acusadora. 2. Conformidade com as exigências da lei. 3. Prazer nos privilégios revelados na lei. 4. Garantia da aprovação e bênção divinas.

II. *A sua segurança.* 1. Eles são preparados para cada dever. 2. São prova contra cada tentação. 3. São empenhados para a perseverança final. 4. Têm a promessa da proteção divina. – *W. H. J. P.*

v. 165. I. Um título honroso: "Os que amam a tua lei".

II. Uma boa possessão: "Muita paz têm".

III. Uma imunidade abençoada: "para eles não há tropeço". – *J. F.*

v. 166. I. Uma esperança que não se envergonha.

II. Uma vida que não se envergonha.

III. Um Deus de quem ele não se envergonha.

v. 166. *Uma boa esperança, pela graça.*

I. A salvação é dádiva de Deus: "a tua salvação".

II. É apreendida pela esperança: "tenho esperado".

III. É acompanhada da obediência: "e tenho cumprido os teus mandamentos" (Hb 6.9). – *C. A. D.*

v. 167. Passado e presente.

v. 167. I. Quanto mais guardamos os testemunhos de Deus, mais os amamos.

II. Quanto mais os amamos, mais os guardamos. – *G. R.*

v. 167. I. As joias: "Os teus testemunhos". 1. Raros: nada se iguala a eles. 2. Ricos: além de qualquer avaliação. 3. Embelezam quem os usa. 4. Reluzem com um esplendor interno e essencial, nas trevas deste mundo. 5. Relembram as antigas superstições a respeito de pedras preciosas; havia aqueles que achavam que elas tinham virtudes mágicas e medicinais.

II. O estojo: "a minha alma". 1. Feita sob medida para receber as joias. 2. Uma maravilhosa obra de manufatura divina; mas totalmente arruinada e corrompida, a menos que aplicada ao uso designado. 3. O único receptáculo do qual a genuína beleza dos testemunhos de Deus pode brilhar para despertar a admiração dos que os contemplam.

III. O fecho que mantém tudo protegido: "amo-os extremamente". 1. O amor é a mais segura fortaleza do universo. 2. Ele é necessário, pois dez mil ladrões espreitam ao nosso redor, para roubar de nós o tesouro. 3. O amor "extremo" é uma patente celestial, nenhuma tática pode roubá-lo, ele é à prova de fogo e à prova de roubo, contra o próprio inferno. – *J. F.*

v. 168. I. A reivindicação da palavra de Deus: a nossa máxima obediência. "Tenho observado os teus preceitos e os teus testemunhos". O salmista não quer dizer que os tinha observado perfeitamente, pois isto seria contradizer outras expressões no salmo. Ele quer dizer que os tinha observado sinceramente, e tinha se esforçado para guardá-los perfeitamente, como alguém que percebia as suas exigências. 1. Toda a palavra é divina: a mesma autoridade impregna cada preceito; nenhuma distinção deve ser feita entre maior ou menor obrigação. 2. Toda a palavra é pura e reta; a conveniência, ou adequação da medida e da maneira da obediência aos nossos próprios propósitos, é um falso princípio, que deve ser cuidadosamente distinto da conveniência justa, que é a renúncia a um direito pessoal, em consideração ao benefício de outros. 3. O código moral da palavra é uma unidade. A obediência é como uma corrente conectada; uma falha voluntária em um elo torna toda a corrente inútil.

II. A consciência que contribui enormemente para a obediência: "porque todos os meus caminhos estão diante de ti". 1. "Estão diante de ti", como vistos claramente por ti. 2. "Estão diante de ti" – constantemente observados. 3. "Estão diante de ti", deliberadamente colocados diante de ti, por mim, para que possam ser corrigidos e orientados. – *J. F.*

v. 168. *"Porque todos os meus caminhos estão diante de ti".* O prazer dos santos.

II. A aflição do pecador. – *W. W.*

v. 168 (segunda parte). 1. *Necessariamente,* pois tu és o Deus onisciente (Sl 139.3). 2. *Voluntariamente:* pois eu escolhi andar diante de ti. Veja Sl 116.9. 3. *Conscientemente e abençoadamente:* pois a luz do teu rosto me inspira e me alegra. Veja Sl 89.15. – *W. H. J. P.*

v. 168 (segunda parte). Vivendo diante dos olhos de Deus. Na verdade, é a situação de todos; e designadamente o caso dos santos; felizmente, o caso dos favorecidos; principalmente o caso dos que permanecem em comunhão.

v. 168. I. Os ensinamentos práticos e doutrinários de Deus, diante de nós.

II. Todos os nossos caminhos diante dele.

III. O tipo de conduta que estes dois motivos irão produzir.

vv. 169 e 170. I. A singular dignidade da oração. Nós estamos na terra, mas as nossas orações passam pelos serafins e "chega perante a sua face".

II. O direito poderoso da oração – de insistir com Deus sobre a sua própria palavra: "conforme a tua palavra".

III. As possibilidades triunfantes da oração. Abençoando-nos, em mente e condição. Por toda a eternidade. "Dá-me entendimento", "Livra-me".

IV. A assombrosa permissão concedida à oração, de dobrar e reiterar seus pedidos (como aqui). – *W. B. H.*

v. 169. I. Admissão à corte real.

II. Instrução do trono real.

III. Confiança na palavra real.

vv. 170 a 174. O pleiteante (v. 170). O cantor (v. 171). O pregador (v. 172). O trabalhador (v. 173). Aquele que espera (v. 174).

v. 170. I. O acesso buscado.

II. A resposta solicitada.

III. Argumento empregado.

v. 171. Ensinado: ensinado a louvar; louvando; louvando por ter sido ensinado.

v. 171. Aprendendo a cantar, aprendendo a obedecer.

v. 171. *O estudante feliz.* I. Ele se alegra com a lição que aprendeu.

II. Com o Professor que o ensinou.

III. Espera ansiosamente o fim da sua lição, como o momento para cantar plenamente o seu cântico. – *C. A. D.*

v. 171. Lições sobre o louvor. – I. É trabalho dos santos.

II. É um trabalho sagrado, não deve ser realizado com pressa.

III. Precisa de cantores instruídos pelo Espírito. – *W. B. H.*

v. 172. I. O orador: "A minha língua falará".

II. O tema escolhido por ele: "da tua palavra".

III. O seu impulso interior: "pois todos os teus mandamentos são justiça".

v. 172. *Sermão agradável.* I. Uma resolução que todos os crentes deveriam fazer.

II. A qualificação que todos os crentes devem buscar (Sl 45.1; Mt 12.34, 35).

III. A edificação que os crentes assim asseguram. – *C. A. D.*

v. 173. I. "O querer está em mim".

II. "Não faço o bem que quero".

III. "Ajuda-me, Senhor".

v. 173. I. Ajuda necessária para guardar os preceitos divinos.

II. Ajuda buscada. "Venha a tua mão", etc. Nós não devemos escolher nada, ou fazer nada, em que não possamos pedir a ajuda de Deus. – *G. R.*

v. 173. I. A mão de Deus. 1. O seu suave controle (Jo 10.29). 2. A sua riqueza de conteúdo (Sl 104.28). 3: O seu pesado golpe (Sl 39.10). 4. O seu peso (1 Sm 5.11). 5. A sua extensão salvadora (Is 59.1). 6. A sua doce sombra (Is 49.2), etc.

II. O santo o puxa pela manga: "Venha a tua mão socorrer-me". 1. A sua humilde representação. 2. A maneira como ele, a partir de uma posição inferior, puxa a mão de Deus. – *W. B. H.*

v. 173. *"Venha a tua mão socorrer-me".* I. A tua mão reconciliadora: "estendida".

II. A tua mão consoladora: como a que tocou Daniel e João.

III. A tua mão provedora. "Abres a mão", etc.

IV. A tua mão protetora: "todos os teus santos estão na tua mão" (Dt 33.3). "Grande Pastor das ovelhas".

V. A tua mão que sustenta: "Eu te sustento".

VI. A tua mão que governa: "Os meus tempos estão nas tuas mãos".

VII. A tua mão que pune: "A tua mão pesava sobre mim". VIII. A tua mão que prospera: "E a mão do Senhor era com eles", etc. – *W. J.*

v. 174. I. Os desejos de Jacó.

II. A escolha de Moisés.

v. 174. O servo de Deus, bebendo do poço da salvação, mas insaciado.

I. O anseio dando lugar ao prazer. 1. Na salvação de Deus. 2. No rico estoque das Escrituras.

II. O prazer produzindo novo anseio. 1. Por revelações mais profundas da palavra. 2. Experiências mais ricas na vida. 3. A consumação – no céu. – *W. B. H.*

v. 174. I. Suspiros pelo céu. Santidade, felicidade, Deus.

II. Goles pelo caminho. A palavra de Deus, a vontade de Deus, Deus em tudo. – *W. B. H.*

v. 174. *"Tenho desejado a tua salvação".* A tua santa salvação. A tua plena salvação. A tua salvação gratuita. A tua salvação atual. A tua salvação permanente. – *W. J.*

v. 174. *"Tenho desejado"*, etc. Este desejo surge, 1. De uma dolorosa conscientização sobre a necessidade da salvação. 2. De uma percepção das glórias da salvação de Deus. 3. Das promessas que dão segurança quanto à possibilidade da obtenção desta salvação. 4. Das graciosas instigações do Espírito Santo. – *W. H. J. P.*

v. 175. I. A mais sublime vida.

II. A mais sublime ocupação.

III. Ambas dependendo da mais sublime ajuda.

v. 175. *Louvor.* I. A mais nobre atividade da vida – louvar a Deus.

II. A mais nobre apresentação de louvor – a vida santa.

III. A mais nobre aplicação dos juízos divinos – inspirar louvor.

v. 176. I. Minha confissão: "Desgarrei-me".

II. Minha profissão: "teu servo".

III. Minha súplica: "busca o teu servo".

IV. Meu argumento: "pois não me esqueci", etc.

v. 176. I. A confissão: "Desgarrei-me".

II. A súplica: "busca o teu servo".

III. O argumento: "pois não", etc. – *G. R.*

v. 176. O último versículo, *como tal. A cadência menor de encerramento.*

I. Os mais elevados voos de devoção humana devem terminar na confissão do pecado: "Desgarrei-me".

II. As mais sinceras profissões de fidelidade humana devem dar lugar ao reconhecimento do desamparo: "busca o teu servo".

III. As mais sublimes declarações humanas de amor pela lei de Deus devem se caracterizar pelo pesaroso reconhecimento de que apenas não o esquecemos. – *C. A. D.*

SALMO 120

De repente, deixamos o continente dos vastos Salmos 190 e passamos para as ilhas e ilhotas dos Cânticos dos Degraus. Pode ser bom engajar-se em prostrada devoção em uma ocasião espiritual, mas não se deve, por isso, menosprezar as sagradas brevidades que santificam a vida devota, dia após dia. AquEle que inspirou o mais longo dos salmos também foi o autor das curtas composições que o seguem.

TÍTULO

Um Cântico de Degraus. Nós já dedicamos espaço suficiente para a consideração deste título, na sua aplicação a este salmo e as quatorze composições que o sucedem. Estes salmos parecem ser, em nossa opinião, salmos de peregrinação, mas não temos certeza de que fossem sempre entoados em grupos; pois muitos deles estão escritos na primeira pessoa do singular. Sem dúvida, havia peregrinos solitários, bem como grupos de pessoas que iam à casa do Senhor, e para estes solitários havia hinos preparados.

ASSUNTO

Certo autor supõe que este hino foi entoado por um israelita ao deixar sua casa para subir a Jerusalém. Ele pensa que o bom homem tinha sofrido com a calúnia de seus vizinhos, e estava feliz por se afastar dos seus mexericos, e passar o seu tempo nas atividades mais felizes das festas santas. Isso pode ser verdade, mas nós esperamos que as pessoas devotas não fossem tão ingênuas a ponto de cantar sobre seus maus vizinhos quando os estavam deixando por alguns dias. Se eles desejavam deixar seus lares em segurança e voltar para um ambiente gentil e agradável, teria sido o máximo da ingenuidade provocar àqueles aos quais estavam deixando para trás, cantando em voz alta um salmo de queixas contra eles. Nós não sabemos por que esta ode é colocada em primeiro lugar, entre os *Salmos dos Degraus*, e não vamos arriscar nenhuma conjetura. Nós preferimos o antigo resumo dos tradutores — *"Davi orou contra Doegue"* — a qualquer suposição absurda; e se este for o escopo deste salmo, podemos ver, imediatamente, por que ele ocorreu a Davi, no local onde a arca estava, tendo ele vindo para removê-la. Ele veio para levar a arca, e no local onde a encontrou, o salmista pensou sobre Doegue, e derramou esta queixa sobre ele. O autor tinha sido gravemente caluniado, e tinha sido amargamente torturado pelas falsas acusações de seus perseguidores, e aqui está o seu apelo ao grande Árbitro do certo e do errado, perante cujo tribunal nenhum homem sofrerá pelas línguas caluniadoras.

EXPOSIÇÃO

1 *Na minha angústia clamei ao Senhor, e ele me ouviu.*
2 *Senhor, livra a minha alma dos lábios mentirosos e da língua enganadora.*
3 *Que te dará, ou que te acrescentará a língua enganadora?*
4 *Flechas agudas do valente, com brasas vivas de zimbro.*
5 *Ai de mim, que peregrino em Meseque, e habito nas tendas de Quedar.*
6 *A minha alma bastante tempo habitou com os que detestam a paz.*
7 *Pacífico sou, mas, em eu falando, já eles estão em guerra.*

1. *"Na minha angústia."* A calúnia ocasiona aflição, do tipo mais angustiante. Aqueles que sentiram a lâmina de uma língua cruel, certamente, sabem que ela é mais afiada do que a espada. A calúnia origina a nossa indignação, por um sentimento de injustiça, e nos encontramos impotentes para combater o mal ou agir em nossa própria defesa. Nós poderíamos evitar os golpes de um cutelo, mas não temos escudo contra a língua de um mentiroso. Nós não sabemos quem foi o pai da falsidade, nem onde ela nasceu, nem para onde foi, nem como segui-la e nem como deter a sua influência daninha. Nós nos sentimos perplexos e não sabemos para que lado nos voltar. Como a praga de moscas no Egito, ela frustra a oposição, e poucos conseguem resistir a ela. A difamação nos toca no nosso ponto mais sensível, e nos fere profundamente, e deixa atrás de si um veneno que é difícil de extrair. Sob todos os aspectos, é uma amarga aflição estar sob o poder da "difamação, a mais terrível cria da iniquidade". Mesmo em meio a tal aflição, não devemos hesitar em clamar ao Senhor. O silêncio dirigido ao homem e a oração dirigida a Deus são as melhores curas para o mal da difamação.

"Clamei ao Senhor" (ou Jeová). O caminho mais prudente e sábio que o salmista poderia seguir. Pouco adianta apelar aos nossos companheiros, na questão da difamação, pois quanto mais mexemos nela, mais ela se espalha; pouco adianta apelar para a honra dos caluniadores, pois eles não a têm, e as mais lastimosas exigências de justiça irão apenas aumentar a sua malignidade e encorajá-los a novos insultos. É a mesma coisa, argumentar com panteras e lobos ou com difamadores perversos. No entanto, quando clamar ao homem seria a nossa fraqueza, clamar a Deus será a nossa força. A quem os filhos devem clamar, senão ao seu Pai? Quando esta coisa infame e odiosa, a falsidade, nos deixa de joelhos e nos conduz ao nosso Deus, não podemos dizer que até mesmo ela nos trouxe algum bem?

"E ele me ouviu." Sim, o Senhor [Jeová] ouve. Ele é o Deus vivo, e consequentemente, orar a Ele é razoável e benéfico. O salmista relembrou e registrou o exemplo de oração ouvida, pois evidentemente isso o tinha afetado muito; e agora ele o repete, para a glória de Deus e o bem de seus irmãos. "Os justos clamam, e o Senhor os ouve". O ouvido do nosso Deus não é surdo, nem está agravado. Ele ouve atentamente, Ele percebe o primeiro sinal de súplica; Ele faz com que cada um dos seus filhos confesse, "Ele *me* ouviu". Quando somos caluniados, é uma alegria o fato de que o Senhor nos conhece e não pode ser levado a duvidar da nossa honradez: Ele não ouvirá a mentira contra nós, mas ouvirá a nossa oração contra a mentira.

Se estes salmos foram entoados na subida da arca ao Monte Sião, e posteriormente, pelos peregrinos que iam a Jerusalém nas festas anuais e no retorno da Babilônia, encontraremos, na vida de Davi, uma razão para o fato de que este é o primeiro deles. Davi não se encontrou com Doegue, o edomita, quando indagou ao oráculo sobre Abiatar, e aquela terrível criatura não o decepcionou e não o entregou a Saul? Isso causou uma impressão muito dolorosa e permanente sobre a lembrança do salmista, e por isso, ao começar a jornada da arca, ele derrama esse lamento diante do Senhor, a respeito do grande e monstruoso mal daquele "cão Doegue", como Trapp sutilmente o chama. O poeta, como o pregador, poderá perceber que será benéfico para ele "começar de baixo", pois então terá mais espaço para "subir"; o salmo seguinte está uma oitava acima deste pesaroso hino. Sempre que formos maltratados, poderá nos consolar vermos que não estamos sozinhos na nossa infelicidade: nós estamos viajando por uma estrada em que Davi deixou suas pegadas.

2. *"Senhor, livra a minha alma dos lábios mentirosos."* É necessário que haja o poder divino para salvar um homem desses instrumentos mortais. Os lábios são macios, mas quando estão *mentindo*, eles sugam a vida do caráter e são tão assassinos como lâminas. Os lábios jamais devem estar vermelhos com o sangue da reputação de homens honestos, nem aliviados com perversas falsidades. Davi diz: "Livra a minha alma"; a alma, a vida do homem, corre perigo, devido a lábios mentirosos; as cobras não são mais venenosas, nem os próprios demônios mais desapiedados. Alguns parecem mentir por mentir, é o seu esporte e seu estímulo: seus lábios merecem ser beijados com um ferro aquecido; mas não cabe aos amigos de Jesus tratar os homens conforme seu merecimento. Oh, é melhor uma geração muda, do que uma geração mentirosa! A faculdade da fala se torna uma maldição, quando é degradada e se converte em mera arma para ferir os homens pelas costas. Nós precisamos ser livrados da difamação pela restrição do Senhor sobre as línguas ímpias ou ser livrados dela, tendo o nosso bom nome limpo da calúnia do mentiroso.

"E da língua enganadora." Isso é ainda pior do que a falsidade direta. Aqueles que bajulam e adulam, e enquanto isso sentem inimizade em seus corações, são seres horríveis; eles são a semente do demônio, e este opera neles, segundo a sua própria natureza enganadora. É melhor se deparar com feras selvagens e serpentes do que com enganadores: eles são um tipo de monstro, que nasceu embaixo e cujo fim será muito mais abaixo. Os mentirosos e enganadores deveriam perceber um aviso, quando veem que todos os homens bons oram contra eles, e que até mesmo homens maus têm medo deles. Aqui, o crente tem bons motivos para a oração. "Livra-nos do mal" pode ser usado com ênfase a respeito deste assunto: dos mexericos, de bisbilhoteiros, de pessoas que escrevem cartas anônimas, de pessoas que forjam parágrafos para os jornais e todos os tipos de boateiros, bom Senhor, livra-nos!

3. *"Que te dará?"* Qual é a recompensa esperada pela calúnia? Deve ser algo grandioso, para que valha a pena trabalhar em uma atmosfera tão cruel e arruinar a alma de alguém. Será que mil mundos seriam uma recompensa suficiente para tão infames obras? O mentiroso não terá recompensas bem-vindas; ele receberá o que merece; mas o que ele merece? Que punição pode se equiparar ao seu crime? O salmista parece perdido, para sugerir uma punição apropriada. É a pior das transgressões — essa difamação e calúnia. O juízo vigoroso e esmagador será distribuído quando os homens forem visitados por causa das suas transgressões. Mas que punição será suficientemente pesada? Que forma deverá ter a punição? Ó, mentiroso, *"o que se te dará?"*

"Ou que te acrescentará a língua enganadora?" Como serás visitada? A lei da retaliação dificilmente poderá ser apropriada para o caso, uma vez que ninguém pode caluniar o caluniador, ele é perverso demais para sofrer perversidades; e nenhum de nós poderia lhe causar perversidade. Ser malévolo! Ele luta com armas que os homens fiéis não podem tocar. Como um tipo de lula, ele se cerca com uma escuridão em que os homens honestos não podem penetrar. Como o repugnante gambá, ele emite um odor de falsidade que os sinceros não podem suportar; e

por isso ele escapa frequentemente, intocado por aqueles aos quais mais ofendeu e prejudicou. O seu crime, de certa forma, torna-se seu escudo; os homens não se interessam em encontrar um adversário tão vil. Mas o que Deus fará, com as línguas mentirosas? Ele proferiu suas mais terríveis ameaças contra elas, e Ele as executará, terrivelmente, no devido tempo.

4. *"Flechas agudas do valente."* Rápido, certeiro e agudo será o juízo. As suas palavras eram como flechas, e assim também será a sua punição. Deus se certificará de que a sua punição seja comparável a uma flecha afiada, que será atirada com a mesma força com que um homem forte a atira de seu arco de aço — *"flechas agudas do valente"*. Não haverá uma única forma de juízo que seja suficiente para vingar esse pecado complicado. O difamador sentirá angústias comparáveis a *brasas vivas de zimbro*, que são rápidas em arder, com chamas violentas e lentas em queimar. Ele sentirá flechas afiadas e fogos ainda mais penetrantes. Que destino terrível! Todos os mentirosos têm a sua porção no lago que arde com fogo e enxofre. O seu mal não morre e o seu fogo não é apagado. As chamas de zimbro conservam seu calor por muito tempo, mas o inferno arde para sempre, e a língua enganadora não pode se iludir com a esperança de escapar do fogo que acendeu. Que crime é esse, ao qual aquEle que é a fonte da misericórdia destina uma maldição tão terrível! Devemos odiá-lo, com ódio perfeito. É melhor ser vítima da difamação do que ser seu autor. Os dardos da calúnia podem errar o alvo, mas as flechas de Deus, não: as brasas da perversidade irão esfriar, mas não o fogo da justiça. Evite a calúnia como você evitaria o inferno.

5. *"Ai de mim, que peregrino em Meseque, e habito nas tendas de Quedar."* Os homens piedosos se irritam com o modo de vida dos ímpios. O nosso poeta se sentia pouco à vontade entre vizinhos mentirosos, como se vivesse entre selvagens e canibais. Os traidores ao seu redor eram perversos. Ele clama: *"Ai de mim"*. O pecado deles o chocava, a inimizade deles o atormentava. Ele tinha alguma esperança, pelo fato de que era apenas um peregrino em Meseque, mas à medida que passavam os anos, o tempo arrastava-se pesadamente e Davi temia que pudesse vir a ser um morador de Quedar. As tribos errantes a que ele se refere estavam constantemente em guerra, uma com a outra; era seu costume viajarem armadas até os dentes; eles eram um tipo de ciganos saqueadores, com sua mão contra todo homem, e a mão de todo homem contra eles; e a eles, o salmista comparava os falsos, que tinham atacado seu caráter. Aqueles que difamam os justos são piores do que os canibais; pois os selvagens apenas comem os homens depois de mortos, mas estes infelizes os comem vivos.

"Ai de mim, que em Meseque sou
peregrino há tanto tempo;
Que habito em tendas
que pertencem a Quedar.

A minha alma tem estado há muito tempo
com aquele que odeia a paz;
pacífico sou; mas quando falo,
eles se entusiasmam pela batalha.

A minha alma distraída lamenta e se esforça
por alcançar esta costa pacífica,
onde todos os cansados descansam,
e os problemas não mais atormentam".

6. *"A minha alma bastante tempo habitou com os que detestam a paz."* Muito tempo, tempo suficiente, tempo excessivo Davi tinha estado em exílio entre tais bárbaros. Um pacificador é uma bênção, mas alguém que detesta a paz é uma

maldição. Hospedar-se entre pessoas assim, por uma noite, é perigoso, mas habitar no meio delas é horrível. O versículo pode se aplicar a qualquer dos caluniadores do salmista: Davi tinha visto o suficiente deles, e desejava deixar sua companhia. Talvez o doce cantor não detectasse, a princípio, a natureza do homem, pois o tal era um enganador; e quando o percebeu, se viu incapaz de se livrar dele, e obrigado a permanecer com ele. Pensamentos sobre Doegue, Saul, Aitofel e os filhos de Zeruia nos vêm à mente — estes últimos, não como inimigos, mas como soldados inflamados que eram, comumente, fortes demais para Davi. Que mudança para o homem de Deus, da quietude do rebanho para o redemoinho da corte e o tumulto do combate! Como ele deve ter ansiado por deixar de lado o seu cetro e retomar seu cajado de pastor. Ele sentia que o tempo em que habitava com espíritos beligerantes era longo, longo demais; e somente o suportava porque, como diz a versão do Livro de Orações, foi *obrigado* a permanecer ali.

7. *"Pacífico sou."* Mais apropriadamente, "Eu sou a paz"; desejoso de paz, pacífico, tolerante — na verdade, a própria paz. *"Mas em eu falando, já eles estão em guerra"*. As minhas palavras mais gentis parecem provocá-los, e sacam suas adagas imediatamente. Nada os agrada; se fico em silêncio, eles me consideram carrancudo, e se abro minha boca, eles criticam e discutem. Que aqueles que habitam em companhia tão beligerante se consolem com a lembrança de que tanto Davi, quanto o Senhor de Davi, suportaram a mesma provação. É o destino dos santos encontrarem adversários até mesmo em suas próprias casas. Outros, além de Davi, habitaram em meio a dragões. Outros, além de Daniel, foram lançados em uma cova de leões. Enquanto isso, que aqueles que estão em tranquilos repousos e habitações pacíficas sejam enormemente agradecidos por tal bonança. *Deus nobis haec otia fecit:* Deus nos deu esta tranquilidade. Que jamais causemos aos outros aquilo de que nós mesmos fomos poupados.

NOTAS EXPLICATIVAS E OBSERVAÇÕES SINGULARES

Título: "Cântico dos Degraus". Um cântico excelente, é a tradução de Tremélio. E, realmente, o é, e também o são os quatorze que se seguem, tanto em conteúdo como na forma ou maneira de expressão, que é, de maneira impressionante, breve e doce, como os epigramas do próprio Espírito Santo, em que cada versículo pode significar um oráculo. E, neste sentido, *adam hammahalah* ou um homem de degraus, significa um homem eminente ou excelente (1 Cr 17.17). Outros têm uma interpretação diferente; aqui eles têm uma boa razão para abundar em seu próprio senso; um erro aqui não é perigoso. — *John Trapp*

Todo o Salmo: Na interpretação destes salmos, aqui se vê os "degraus" das virtudes cristãs. Este salmo descreve apropriadamente o primeiro destes passos — a renúncia do mal e da vaidade do mundo. Ele se divide, assim, em duas partes. 1. O salmista, na pessoa de alguém que está iniciando os graus da virtude, encontra muitos oponentes, na forma de caluniadores e maus conselheiros. 2. Ele lamenta a combinação do mal — "Ai de mim". — *H. T. Armfield*

Todo o Salmo: É uma lição dolorosa, porém útil, a que é ensinada por este primeiro dos Salmos de Peregrinação — a de que todos os que manifestam uma resolução de obedecer aos mandamentos e buscar a benevolência de Deus podem esperar encontrar oposição e reprovação neste caminho... Essa verdade descobriu estes adoradores de antigamente, quando se preparavam para buscar o Senhor no seu Templo. Eles eram vigiados, nos seus preparativos, por olhos malignos; eles eram seguidos à casa de oração pelo desprezo e pelas insinuações das línguas amargas. Mas o seu refúgio está naquEle ao qual adoram; e, firmemente convencidos de que Ele jamais poderá abandonar os seus servos, eles olham, através da nuvem dos insultos, para o seu trono e imploram o socorro que sabem que os seus filhos sempre encontrarão ali. "Ó Senhor, livra a minha alma nesta aflição". — *Robert Nisbet*

Todo o Salmo: Os peregrinos estavam deixando suas casas; e é comum que lábios mentirosos ataquem os ausentes. Eles estavam prestes a se unir à caravana de peregrinos, e, na excitação do relacionamento social, seus próprios lábios poderiam facilmente se desviar da verdade. Além disso, o Salmo transmite um intenso desejo de paz; e neste mundo de luta e confusão, onde é inapropriado esse desejo? É alguma maravilha que um hebreu, com um profundo desejo espiritual de paz, clamasse, quando partia para o Templo: "Deixa-me sair de tudo *isto*, pelo menos por algum tempo. Deixa-me deixar esta febre e esta tensão, livre da vã turbulência e dos ruídos conflitantes do mundo. Deixa-me descansar e me alegrar um pouco no sagrado asilo e santuário do Deus da paz. Deus de paz, conceda-me a tua paz, quando eu adorar na tua presença; e faça com que eu encontre um mundo melhor, quando voltar para o meu dia a dia ou pelo menos que eu traga um coração melhorado e mais paciente em relação aos seus deveres e lutas". — *Samuel Cox*

v. 1: "Na minha angústia clamei ao Senhor". Veja o maravilhoso benefício da aflição — o fato de que nos leva a clamar a Deus. E novamente, veja a maravilhosa prontidão da misericórdia, de modo que quando clamamos, Ele nos ouve! Muito bem-aventurados são aqueles que choram quando estão empreendendo a longa subida da Galileia dos gentios deste mundo inferior para a Jerusalém celestial, a elevada e santa cidade dos remidos de Deus. — *J. W. Burgon, em "A Plain Commentary"*

v. 1: "Na minha angústia". A ajuda de Deus é oportuna; ela vem quando precisamos. Cristo é um bem oportuno... pois, que a alma esteja obscura, e que Cristo a ilumine, que a alma esteja morta, e que Cristo a vivifique, que a alma esteja em dúvida, e que Cristo a esclareça, e que a alma esteja aflita e que Cristo a alivie, isso não é oportuno? Que uma alma esteja endurecida, e que Cristo a suavize, que uma alma seja soberba, e que Cristo a humilhe, que uma alma seja tentada e que Cristo a socorra, e que uma alma esteja ferida e que Cristo a cure? Isso não é oportuno? — *R. Mayhew, 1679*

v. 1: "Clamei... Ouviu". Os verbos estão no passado, mas não se referem meramente a uma ocasião no passado. A experiência passada e presente estão combinadas aqui. Do passado, ele encontra encorajamento para o presente. — *J. J. Stewart Perowne*

v. 1: "E ele me ouviu". A oração fervorosa e eficaz de um justo é muito útil (Tg 5.16). Aquele que ora fervorosamente, certamente será bem sucedido (Sl 90.15); e a infalível resposta à oração deve ser cuidadosamente observada e aproveitada com muita gratidão (Sl 66.20). — *John Trapp*

v. 2: "Senhor, livra a minha alma dos lábios mentirosos". Uma língua sem rédeas é *vehiculum Diaboli*, o carro do Diabo, em que ele anda em triunfo. O Sr. Greenham descreve a língua de modo apropriado, usando contrastes ou diversidades: "É um pequeno pedaço de carne, pequeno em quantidade, mas poderoso em qualidade; é macia, mas escorregadia; segue suavemente, mas cai pesadamente; ela ataca levemente, mas fere amargamente; vai rapidamente, mas queima veementemente; perfura profundamente, e por isso, não cura rapidamente; ela tem liberdade e facilidade de sair, mas não encontra com facilidade os meios para retornar; e uma vez inflamada com o fole de Satanás, é como o fogo do inferno". O caminho de uma língua descontrolada é ir de mal a pior, começar com tolices e prosseguir com amarguras, e terminar com enganos e loucuras (Veja Ec 10.13). A conferência dos judeus com o nosso Salvador começou com argumentos: "Somos descendência de Abraão", dizem eles, mas prosseguiram com blasfêmias: "Não dizemos nós bem que és samaritano e que tens demônio?", e terminaram com crueldade: "Então, pegaram em pedras para lhe atirarem" (Jo 8.33, 48, 59). Esta também pode ser a vil disposição de uma língua perversa que detesta aqueles a quem aflige (Pv 26.28).

O engano da língua também pode se tornar manifesto por meio da graça de ser livrado desse ardil, pois, 1. Assim Deus prometeu (Jó 5.15, 21). "[Deus] ao necessitado livra da espada da sua boca, e da mão do forte", e "Do açoite da língua estarás abrigado" ou ainda "serás poupado de ser difamado", como alguns traduzem, isto é, de estar, de certa forma, ferido e açoitado pela língua dos outros. "Tu os esconderás, no secreto da tua presença, das intrigas dos homens; ocultá-los-ás, em um pavilhão, da contenda das línguas" (Sl 31.20); isto é, de todas as calúnias, difamações, palavras más, de todos os tipos. Deus irá preservar o bom nome do seu povo, das manchas e sujeiras dos homens maldosos, da mesma maneira como reis protegem os seus favoritos contra os que caluniam e os que vociferam. 2. Assim os santos oraram, pedindo esta bênção, como Davi: "Senhor, livra a minha alma dos lábios mentirosos e da língua enganadora". — *Edward Reyner*

v. 2: "Senhor, livra a minha alma dos lábios mentirosos". Na gota de veneno que é destilada do ferrão do menor inseto ou no espinho da folha de urtiga, está concentrada a quintessência de um veneno tão sutil que o microscópio não consegue distingui-lo, e, apesar disto, tão virulento que pode inflamar o sangue, irritar toda a constituição e converter dia e noite em incessante desgraça; é assim, às vezes, com as palavras do caluniador. — *Frederick William Robertson*

v. 2: "Lábios mentirosos" deram falso testemunho contra o salmista ou com uma *"língua enganadora"* tentaram atraí-lo a ciladas e extrair dele algo em que pudessem fundamentar uma acusação. — *George Horne*

v. 3: "Que te dará, ou que te acrescentará a língua enganadora?" "O que esperas, *língua enganadora"*, ao defender uma má causa? Que pagamento ou recompensa tens, para seres um acusador em vez de um defensor? O que lucras (como lemos à margem); o que ganhas com a tua língua enganadora? Ou (como, novamente, lemos em algumas anotações de margem), *"Que te dará a língua enganadora"*, para que continues caluniando teu irmão e destruindo o seu bom nome? A sua língua enganadora tem casas ou terras para lhe dar? Tem algum tesouro de ouro e prata para lhe conceder? Certamente, da maneira como ela é, poderá dar somente *"Flechas agudas do valente, com brasas vivas de zimbro"*, como sugere o versículo seguinte... A língua, realmente, falará nestes casos *grátis*, isto é, sem pagamento, mas nunca sem perigo e danos para o orador. Assim como esses oradores atiram flechas, como as flechas do valente e assim como espalham brasas como as brasas de zimbro, também usualmente ganham uma flecha em seus próprios lados e não somente queimam seus dedos como amontoam brasas sobre suas próprias cabeças. Os homens ímpios farão mal a outros homens puramente pelo mal que há em si mesmos, porém agindo assim, ele prova ser mais prejudicial a quem o fez; e embora os homens considerem o pesar de seus irmãos um lucro, embora jamais estejam em situação melhor, em um curto espaço de tempo eles se sentirão e se encontrarão em situação muito pior. — *Joseph Caryl*

vv. 3 e 4: "Que te dará?", sugerindo que o seu inimigo esperava alguma grande recompensa da sua maldade contra Davi, mas, como diz o salmista, ele terá *"Flechas agudas do valente, com brasas vivas de zimbro", é* como se ele tivesse dito: "Qualquer que seja a recompensa que ele terá dos homens, esta será a sua recompensa, por parte de Deus". — *John Jackson, na obra "The Morning Exercises", 1661*

vv. 3 e 4: A vítima da difamação, nestas pesadas queixas que o salmista acaba de pronunciar, pode ser indulgente em excesso, sendo os seus piedosos amigos representados como reprovados, ao lembrá-lo de quão pouco um verdadeiro servo de Deus pode vir a ser realmente prejudicado pela calúnia. Consequentemente, como na margem das nossas Bíblias, o salmo assume a forma dramática, e descreve estes adoradores perguntando ao que se queixa: O que, ó servo de Deus, *te pode dar a falsa língua? Ó* favorito da Onipotência, *o que ela pode te fazer?...* A resposta da natureza sofredora e da paz que é alcançada por meio do sangue ainda retorna: *"Flechas agudas do valente, com brasas vivas de zimbro"*. Uma flecha do arco de um valente guerreiro que voa invisível e sem suspeitas, até o seu alvo, e cuja presença só é conhecida quando ela penetra no coração da vítima, representa, de forma apropriada, o voo silencioso e mortal da calúnia; enquanto o fogo que o peregrino do deserto acende na areia, com as raízes secas do zimbro, uma madeira que, entre todas as que são conhecidas dele, emana o mais violento e continuado calor, não é menos poderosamente descritivo da intensa dor e dos duradouros danos de uma língua falsa e maldosa. — *Robert Nisbet*

vv. 3 e 4: "Brasas de zimbro", isto "te será dado". Como se ele tivesse dito, terás as mais quentes brasas, brasas que manterão o calor por mais tempo, sugerindo que a mais acalorada e mais duradoura seria a ira de Deus, seria o destino deles. Alguns naturalistas dizem que brasas de zimbro encontradas em meio às cinzas conservam o fogo durante um ano inteiro; mas eu não confirmo isso. — *Joseph Caryl*

v. 4: "Flechas agudas do valente, com brasas vivas de zimbro". O pecado do mundo é a própria punição do mundo. Observa-se, comumente, uma correspondência entre a transgressão e a retribuição... Essa lei da correspondência parece estar indicada aqui. Exemplos similares são empregados para expressar a transgressão e a punição dos ímpios. *"Estendem a língua, como se fosse o seu arco para a mentira". "Os quais afiaram a sua língua como espadas; e armaram, por suas flechas, palavras amargas, para de lugares ocultos atirarem sobre o que é reto".* Mas que o caluniador esteja vigilante. Há outro arco além daquele que está em seu poder. As flechas são afiadas e ardentes, e quando são enviadas do arco pelo braço do Onipotente, nada poderá resistir à sua força e em agonia mortal, os seus inimigos caem por terra. "[Deus] já tem armado o seu arco e está aparelhado; e já para Ele preparou armas mortais; e porá em ação as suas setas inflamadas contra os perseguidores". "Mas Deus disparará sobre eles uma seta, e de repente ficarão feridos. Assim, eles farão com que a sua língua se volte contra si mesmos". Essa linha de pensamento também é seguida, no exemplo do fogo. Tiago compara a língua do caluniador com o fogo: "A língua também é um fogo; como mundo de iniquidade, a língua está posta entre os nossos membros, e contamina todo o corpo, e inflama o curso da natureza, e é inflamada pelo inferno". Tal é a língua, e aqui está a punição: *"brasas vivas de zimbro"*, notáveis pela sua longa retenção de calor. E, ao mesmo tempo, que frágil exemplo da ira de Deus, que desce e queima até o mais inferior inferno! "Os seus lábios estão cheios de indignação, e a sua língua é como um fogo consumidor". Os mentirosos estão excluídos do céu, por uma promulgação especial do Soberano: e todos eles terão "a sua parte será no lago que arde com fogo e enxofre, o que é a segunda morte". "Quem dentre nós habitará com o fogo consumidor? Quem dentre nós habitará com as labaredas eternas?" Com que solene respeito e assombro não clamaremos ao Senhor, "Não colhas a minha alma com a dos pecadores, nem a minha vida com a dos homens sanguinolentos". — *N. McMichael, em "The Pilgrim Psalms", 1860*

v. 4: "Flechas agudas do valente". Ele compara a doutrina dos ímpios com uma *flecha* que não é sem corte, mas *afiada*; e, além disto, é lançada, não por aquele que é fraco e frágil, mas por aquele que é forte e *valente*; de modo que há perigo dos dois lados, da flecha, que é aguda e pode perfurar, e também daquele que com grande violência fere da mesma maneira. — *Marinho Lutero*

v. 4: "Flechas... Brasas vivas de zimbro". Quando a *língua* é comparada às *"flechas"*, há uma referência (de acordo com o Midrash) à irrevogabilidade da obra realizada pela língua. É possível fazer parar até mesmo a espada erguida, mas a flecha atirada não. O ponto especial a ser observado, na menção às "brasas vivas de *zimbro*", é a qualidade inextinguível de tal combustível. Há uma história maravilhosa no Midrash, que exemplifica muito bem isso. Dois homens no deserto se sentaram debaixo de um zimbro, e juntaram gravetos com os quais cozinharam sua comida. Depois de um ano, passaram pelo mesmo lugar, onde a terra cobria os restos do que eles tinham queimado; e observando que fazia agora doze meses desde que tinham feito o fogo, caminharam destemidamente sobre o solo, e seus pés se queimaram pelas "brasas vivas" que estavam sob a terra, e ainda não extintas. — *H. T. Armfield*

v. 4: "Brasas vivas de zimbro". O fogo do *rothem* arde por muito tempo, coberto por suas cinzas; como a calúnia maledicente! Mas a malignidade secreta se torna a sua própria terrível punição. — *William Kay*

v. 4: "Brasas vivas de zimbro". Aqui, [no Uádi Kinnah] encontramos vários beduínos, atarefados, coletando arbustos, que queimavam e convertiam em carvão, para o mercado do Cairo; para este propósito, eles preferem as espessas raízes do arbusto Retham, *Genista raetam* de Forskal, que neste lugar cresce em abundância. — *Johann Lodwig Burckhardt, 1784-1817*

v. 4: "Brasas vivas de zimbro". Nesta ocasião, nós falamos de quatro "barcos no deserto", que rumavam para o Cairo, carregados com *"brasas vivas de zimbro"* ou, em outras palavras, de carvão feito com as raízes, ou ramos do *ratam*, ou arbusto branco do deserto, idêntico ao arbusto mencionado pelo autor sagrado. — *John Wilson, em "The Lands of the Bible visited and described", 1847*

v. 4: Por "brasas vivas de zimbro", entendemos as flechas feitas desta madeira, que quando aquecida, possui a propriedade de reter o calor por muito tempo; e, consequentemente, as flechas deste tipo, depois de terem sido colocadas no fogo, fariam uma terrível execução pela mão do guerreiro.

Algumas pessoas pensam que este versículo não deve ser interpretado como uma descrição figurada da calúnia, mas da punição que Deus irá infligir sobre o caluniador. Por esta razão, consideram isso como uma resposta à pergunta do versículo anterior: *"Que te dará?"*. — *George Phillips*

v. 5: "Ai de mim, que peregrino em Meseque, e habito nas tendas de Quedar". Meseque era filho de Jafé, e o nome aqui representa os seus descendentes, os mosques, que ocuparam aquela região montanhosa que está entre o mar Cáspio e Mar Negro... Quedar, era filho de Ismael, e aqui o seu nome representa os seus descendentes, as tribos errantes, cuja "mão será contra todos, e a mão de todos, contra ele". Não há uma conexão entre as duas nações, pois a primeira estava no norte da Palestina e a segunda, no sul. A conexão é moral. Elas são mencionadas juntas, porque eram bárbaras, violentas e guerreiras. Davi nunca tinha vivido nas costas no Mar Cáspio nem nos desertos árabes, e tudo o que ele quer dizer é que as pessoas com quem lidava agora eram tão selvagens e beligerantes como Meseque e Quedar. De maneira similar, chamados os turcos, os tártaros e os hotentotes de rudes e problemáticos. Davi exclama: Eu sou tão infeliz entre estes que detestam a paz, como se tivesse estabelecido minha morada com aquelas tribos selvagens e traiçoeiras! — *N. McMichael*

v. 5: "Ai de mim, que peregrino em Meseque". Davi exclama: *Ai de mim!* Porque, habitando entre falsos irmãos e uma raça bastarda de Abraão, ele era injustamente molestado e atormentado por eles, embora tivesse se comportado para com eles com uma boa consciência. Desde então, na atualidade, na igreja de Roma, a religião é desonrada por todo tipo de imputações deploráveis, a fé é dilacerada, a luz se converte em trevas e a majestade de Deus está exposta às mais grosseiras zombarias. Certamente, será impossível que aqueles que têm qualquer sentimento de verdadeira piedade dentro de si estejam em meio a tais contaminações sem experimentar grande angústia de espírito. — *João Calvino*

v. 5: O nosso Senhor esteve com os animais selvagens no deserto. Não são poucos os que prefeririam enfrentar esses animais aos espíritos irados que, aí, ainda podem ser encontrados até mesmo nas igrejas cristãs. — *Wesleyan Methodist Magazine, 1879*

vv. 6 e 7: Que prazer santo e gentil está associado com o nome da *paz!* A paz que descansa em nosso peito e suaviza todas as suas preocupações: a paz que descansa em nossas casas e envolve todos os membros em um amoroso abraço; a paz que descansa sobre a nossa nação e derrama abundância de sua taça dourada; a paz que descansa sobre todas as nações e as une com o cordão triplo de uma humanidade comum, um interesse comum e uma religião comum! O homem que detesta a paz é uma desonra para a raça, um inimigo de seu irmão, e um traidor do seu Deus. Ele detesta Cristo, que é o Príncipe da paz. Ele detesta os cristãos, que são homens de paz. — *N. McMichael v. 7:* "Pacífico sou". Jesus foi um homem pacífico; Ele veio ao nosso mundo e foi adorado no seu nascimento como o Príncipe da paz; houve paz universal, por todo o mundo, no momento do seu nascimento; Ele viveu para fazer a paz "pelo sangue da sua cruz"; Ele morreu para fazer isso. Quando estava deixando este mundo, Jesus falou aos seus discípulos: "Deixo-vos a paz, a minha paz vos dou; não vo-la dou como o mundo a dá. Não se turbe o vosso coração, nem se atemorize" (Jo 14.27). Quando ressuscitou dos mortos, e fez a sua primeira aparição aos seus discípulos, Ele lhes disse: "Paz seja convosco". Ele é o pacificador; o Espírito Santo é o pacificador, o seu Evangelho é o Evangelho da paz, ele contém a paz de Deus, que excede todo o entendimento. *"Pacífico sou, mas, em eu falando, já eles estão em guerra".* Toda a nação judaica abominava Cristo, eles desejaram levá-lo à morte; como vingança, o Senhor trouxe o exército romano contra eles, e muitos deles foram completamente destruídos. Assim Davi era literalmente favorável à paz com Saul, mas quando houve oportunidades para negociações, logo se descobriu que Saul era favorável à guerra.

Que possamos ver como este, que é o salmo introdutório dos quatorze seguintes, chamados *Cânticos dos Degraus,* diz respeito ao nosso Senhor Jesus Cristo; e que Davi, o filho de Jessé, era, em muitos casos, um tipo de Cristo, e vários de seus inimigos, angústias e tristezas, eram precursores do que aconteceria e sobreviria ao Messias. Amém. — *Samuel Eyles Pierce*

v. 7: "Pacífico sou". Os homens bons amam a paz, oram pedindo a paz, e a buscam, darão qualquer coisa por ela, exceto uma boa consciência. Compare Mateus 5.9; Hebreus 12.14 — *W. S. Plumer.* "Há um sinal que está na vida de um homem piedoso: Ele faz tudo o que depender dele para que haja paz" — *Amésio.* "Eu não daria uma hora de amor fraterno por toda uma eternidade de contendas". — *Dr. Ruffner*

v. 7: "Em eu falando, já eles estão em guerra". Davi falou com todo respeito e gentileza que poderia haver; propôs métodos de conciliação; falou com razão, falou com amor; mas eles sequer o ouviram pacientemente; mas clamaram: às armas! Às armas! Por serem tão violentos e implacáveis, e tão propensos ao engano. Assim eram os inimigos de Cristo: pelo seu amor, eles eram seus adversários; e pelas suas boas obras e boas palavras, eles o apedrejaram; e se nos depararmos com tais inimigos, não devemos julgar estranho, nem amar menos a paz, por buscá-la em vão. "Não se deixe dominar pelo mal", não, não um mal como este, "mas", mesmo quando assim posto à prova, ainda tente "dominar o mal pelo bem". — *Matthew Henry*

SUGESTÕES AOS PREGADORES

v. 1. Uma reminiscência. I. É tripla; aflição, oração, libertação. II. Tem uma tripla influência: estimula minha esperança, incita minhas súplicas, e desperta a minha gratidão.

v. 1. I. Problema especial: "Na minha angústia". II. Oração especial: "Clamei ao Senhor". III. Benevolência especial: "Ele me ouviu". — *G. R.*

v. 2. Os que são caluniados injustamente têm, além da majestade vingadora do seu Deus, para protegê-los, muitas outras consolações, como: 1) A consciência da inocência para sustentá-los. 2) A promessa da benevolência divina, para sustentá-los. "Do açoite da língua estarás abrigado". 3) Há uma consideração que suaviza os momentos mais difíceis: "Bem-aventurados sois vós quando vos injuriarem, e perseguirem". 4) A mentira não tem, normalmente, uma vida longa. 5) Finalmente, há, para a consolação, a influência reparadora do tempo. — *R. Nisbet*

v. 2. *Uma oração contra a calúnia.* Nós somos propensos a ela; ela nos causa grande dano, e grande dor; mas ninguém, exceto o Senhor, pode nos proteger ou libertar dela.

v. 3. *As recompensas da calúnia.* Quais podem ser? Quais devem ser? Quais foram?

v. 3. I. O que o caluniador faz aos outros. II. O que ele faz a si mesmo. III. O que Deus fará com ele.

v. 4. A natureza da calúnia, e a punição da calúnia.

v. 4. I. A língua é mais afiada do que uma flecha. 1) Ela é disparada em particular. 2) Ela tem veneno na sua ponta. 3) Ela é polida com aparente bondade. 4) Ela tem como alvo a parte mais sensível. II. A língua é mais destrutiva do que o fogo. Seus escândalos se espalham com maior rapidez. Eles consomem aquilo que outros fogos não conseguem, e se extinguem com menos facilidade. "A língua", diz o apóstolo Tiago (3.6), "é um fogo... e inflama o curso da natureza, e é inflamada pelo inferno" Um dardo perverso dos ímpios. — *G. R.*

v. 5. *Mau alojamento.* Somente o ímpio pode se sentir em casa com o ímpio. A nossa permanência com eles é uma provação; mas, no entanto, pode ser útil, (1) a eles, (2) a nós; ela testa a graça que está em nossa vida, revela o nosso caráter, abate o nosso orgulho, leva-nos à oração, e faz com que estejamos ansiosos por chegarmos ao nosso próprio lar.

v. 5. I. Ninguém, exceto o ímpio, desfruta da companhia do ímpio. II. Ninguém, exceto o mundo, desfruta da companhia dos mundanos. III. Ninguém, exceto o justo, desfruta da companhia dos justos. — *G. R.*

v. 6. I. Companhia irritante. II. Comportamento admirável. III. Consequências indesejáveis: "Em eu falando, já eles estão em guerra".

v. 7. *O caráter do homem de Deus.* Ele está em paz. Ele é pacífico. Ele é paz. Ele terá a paz.

v. 7. I. A piedade e a paz estão unidas. II. Assim também estão a iniquidade e a guerra. — *G. R.*

SALMO 121

TÍTULO

Este salmo não traz outro título, além de "Cântico de Degraus". Ele está vários degraus à frente de seu antecessor, pois fala da paz da casa de Deus, e do cuidado guardião do Senhor, ao passo que o salmo 120 lamenta que a paz tenha deixado a morada do homem bom, e a sua exposição aos ataques venenosos de línguas caluniadoras. No primeiro caso, seus olhos olhavam ao redor com angústia, mas aqui olham para o alto, com esperança. Com a constante repetição da palavra guardar somos levados a chamar este cântico de "Salmo para o que guarda Israel"... Se não estivesse situado entre os Salmos de Peregrinação, nós o consideraríamos como um hino marcial, apropriado para a oração vespertina de alguém que dormia no campo, entre as tendas. É o cântico de um soldado, e também o hino de um viajante. Há uma subida no próprio Salmo, que ascende à maior altura da confiança tranqüila.

EXPOSIÇÃO

1 *Elevo os olhos para os montes: de onde me virá o socorro?*
2 *O meu socorro vem do* SENHOR, *que fez o céu e a terra.*
3 *Não deixará vacilar o teu pé; aquele que te guarda não tosquenejará.*
4 *Eis que não tosquenejará nem dormirá o guarda de Israel.*
5 *O* SENHOR *é quem te guarda; o* SENHOR *é a tua sombra à tua direita.*
6 *O sol não te molestará de dia, nem a lua, de noite.*
7 *O* SENHOR *te guardará de todo mal; ele guardará a tua alma.*
8 *O* SENHOR *guardará a tua entrada e a tua saída, desde agora e para sempre.*

1. *"Elevo os olhos para os montes: de onde me virá o socorro?"* É prudente procurar os fortes, em busca de força. Os que moram nos vales estão sujeitos a muitos distúrbios para os quais não há cura, exceto uma permanência nas terras altas, e é bom quando eles se livram da sua letargia e resolvem subir. Abaixo, eles são presa para os saqueadores, e para escapar deles o método mais seguro

é fugir para as fortalezas, sobre os montes. Freqüentemente, antes da subida, as pessoas doentes e roubadas olhavam para os montes e desejavam estar sobre os seus cumes. O homem santo que aqui canta um excelente soneto desviou os olhos dos caluniadores, pelos quais foi atormentado, e os dirigiu ao Senhor, que tudo via dos seus lugares altos, e estava pronto a enviar socorro ao seu servo ofendido. A ajuda vem aos santos apenas do alto, eles a procuram inutilmente em outros lugares: devemos levantar nossos olhos com esperança, expectativa, desejo e confiança. Satanás irá se esforçar para conservar os nossos olhos sobre as nossas tristezas, para que possamos nos sentir inquietos e desencorajados; que a nossa firme resolução seja olhar para cima, pois ali há ânimo para os olhos, e aqueles que erguerem seus olhos para os montes eternos logo terão também seus corações elevados. Os propósitos de Deus; os atributos divinos; as promessas imutáveis; o concerto, ordenado em todas as coisas, e assegurado; a providência, a predestinação e a fidelidade comprovada do Senhor – estes são os montes aos quais devemos elevar os nossos olhos, pois deles virá a nossa ajuda. A nossa resolução é de que não seremos vendados mas ergueremos nossos olhos.

Ou o texto está na forma interrogativa? Ele pergunta, "Elevo os olhos para os montes?" Ele sente que os lugares altos da terra não podem mais lhe propiciar refúgio? Ou ele renuncia à idéia dos recrutas, correndo para a sua bandeira, a dos fortes alpinistas? Conseqüentemente, ele pergunta outra vez, "de onde me virá o socorro?" Se for assim, o versículo seguinte responde à pergunta, e mostra de onde deverá vir toda a ajuda.

2. *"O meu socorro vem do Senhor, que fez o céu e a terra"*. O que necessitamos é ajuda – ajuda poderosa, eficiente, constante; nós precisamos de um socorro bem presente, na angústia. Que misericórdia o fato de que o temos, em nosso Deus. A nossa esperança está no Senhor, pois o nosso socorro vem dele. O socorro está a caminho, e não deixará de nos alcançar no devido tempo, pois nunca se soube que aquele que o envia a nós estivesse atrasado. O Senhor, que criou todas as coisas, está à altura de cada emergência; o céu e a terra estão à disposição daquele que os criou, por isto devemos nos sentir muito exultantes no nosso infinito Ajudador. Ele destruirá os céus e a terra antes de permitir que o seu povo seja destruído, e os montes perpétuos se curvarão antes que caia aquele cujos caminhos são eternos. Nós devemos olhar além dos céus e da terra, àquele que os criou; é inútil confiar em criaturas; é sábio confiar no Criador.

3. *"Não deixará vacilar o teu pé"*. Embora os caminhos da vida sejam perigosos e difíceis, ainda assim resistiremos, pois o Senhor não permitirá que o nosso pé vacile; e se Ele não o permitir, isto não irá acontecer conosco. Se o nosso pé for assim mantido, podemos ter certeza de que nossa cabeça e o nosso coração também serão preservados. No original, as palavras expressam um desejo ou uma oração – "Que ele não permita que o teu pé vacile". A preservação prometida deve ser assunto de oração perpétua; e podemos orar com fé, pois aqueles que têm Deus como seu protetor estarão a salvo de todos os perigos do caminho. Entre os montes e as ravinas da Palestina é uma grande misericórdia a preservação literal dos pés, mas no caminho escorregadio de uma vida atribulada e aflita, a bênção do sustento tem valor inestimável, pois um único passo em falso poderá nos levar a uma terrível queda, de extremo perigo. Ficarmos em pé e seguirmos o nosso caminho é uma bênção que somente Deus pode nos dar; é uma bênção que somente a mão divina pode conceder. Por ela devemos expressar ao precioso e bendito Senhor uma gratidão eterna. Os nossos pés progridem, e não serão levados à derrota.

"Aquele que te guarda não tosquenejará" – ou "teu guardador não adormecerá". Não resistiríamos nem um momento sequer, se aquele que nos guarda adormecesse; nós precisamos dele, de dia e à noite; nem um só passo pode ser dado em segurança, exceto sob o seu olho vigilante e protetor. Esta é uma excelente estrofe, em um cântico de peregrinos. Deus é a escolta e o guarda-costas de seus santos. Quando os perigos estão despertos ao nosso redor, nós estamos a salvo, pois o nosso

Preservador também está desperto e não permitirá que sejamos pegos desavisados. Nenhuma fadiga ou exaustão pode levar o nosso Deus a dormir; os seus olhos vigilantes jamais se fecham.

4. *"Eis que não tosquenejará nem dormirá o guarda de Israel"*. A verdade consoladora deve ser repetida: ela é rica demais para ser expressa em uma única linha. Seria bom se nós imitássemos sempre o doce cantor, e nos prolongássemos um pouco em uma doutrina excelente, sugando o seu mel. Que glorioso título é este em hebraico – *"O guarda de Israel"* e que delicioso é pensar que nenhuma forma de inconsciência jamais se apodera dele, nem o sono profundo nem o sono mais leve. Ele jamais permitirá que a casa seja invadida pelo ladrão silencioso; Ele estará sempre vigilante, e rapidamente perceberá cada invasor. Isto é motivo para admiração e assombro, tema para atenta consideração, por isto a palavra *"Eis"* é colocada como um marco. Israel adormeceu, mas o seu Deus estava acordado. Jacó não tinha muros, nem cortinas, nem guarda-costas, mas o Senhor estava naquele lugar, embora Jacó não soubesse disto, e por isto o homem indefeso estava a salvo, como em um castelo. Posteriormente, ele mencionou Deus, com este nome cativante – "o Deus que me sustentou, desde que eu nasci até este dia"; talvez Davi se refira a esta passagem, nesta expressão. A palavra *"guarda"* é também cheia de significado: Ele nos guarda como um homem rico guarda os seus tesouros, como um capitão guarda uma cidade com uma guarnição, como um destacamento real guarda a cabeça do seu monarca. Se o versículo anterior era, em termos exatos, uma oração, este é a resposta àquela oração; e assim afirma a questão, "Eis que não tosquenejará nem dormirá o guarda de Israel". Também é importante mencionar que no versículo 3, o Senhor é descrito como o protetor pessoal de um indivíduo, e aqui, de todos os que estão na sua nação escolhida, descrita como Israel: a misericórdia para um santo é o sinal da bênção a todos eles. Felizes são os peregrinos para os quais este salmo é um salvo-conduto; eles podem viajar sem temor ao longo de todo o caminho para a cidade celestial.

5. *"O Senhor é quem te guarda"*. Aqui aquele que preserva, que foi descrito com pronomes nos dois versículos anteriores, é mencionado pelo nome – o Senhor [Jeová] é quem te guarda. Há aqui uma enormidade de significados: a sentença é uma barra de ouro, e quando cunhada e gravada com o nome do rei, ela sustentará todas as nossas despesas entre o nosso nascimento, na terra, e o nosso descanso no céu. Aqui está uma pessoa gloriosa – *o Senhor* [*Jeová*], assumindo uma função de graça e cumprindo-a pessoalmente: o Senhor [Jeová] é quem te *guarda*, como um indivíduo favorecido – *tu*. E esta é uma firme certeza da revelação de que é assim, até este momento – o Senhor *é* quem te guarda. Podemos nos apropriar da declaração divina? Se pudermos, poderemos prosseguir viagem rumo a Jerusalém sem conhecer nenhum temor; sim, poderemos seguir pelo vale da sombra da morte sem temer mal algum.

"O Senhor é a tua sombra à tua direita". Uma sombra dá proteção do calor escaldante e da luz que ofusca. Não podemos suportar bênçãos excessivas; até mesmo a bondade divina, que é uma dispensação da mão direita, deve ser suavizada e camuflada, para se adequar à nossa fraqueza, e isto o Senhor fará por nós. Ele colocará um escudo diante de nós, e protegerá o braço direito com que combatemos o adversário. Aquele membro que dedica mais esforço e trabalho deve ter o máximo da proteção. Quando um sol escaldante derramar seus raios ardentes sobre nossas cabeças, o próprio Senhor [Jeová] se interporá, para nos dar sombra, e isto da maneira mais honrada, agindo como nosso braço direito, e nos colocando em consolo e segurança. "O Senhor, à tua direita, ferirá os reis". Que diferente isto, da porção dos ímpios, que têm Satanás à sua direita, e daqueles sobre os quais Moisés disse "retirou-se deles o seu amparo". Deus está tão próximo de nós como a nossa sombra, e nós estamos tão seguros como anjos.

6. *"O sol não te molestará de dia, nem a lua, de noite"*. Ninguém, exceto o Senhor, pode nos abrigar e proteger destas tremendas forças. Estas duas grandes

luzes governam o dia e a noite, e sob a soberania de ambas trabalhamos ou descansamos com igual segurança. Sem dúvida, há perigos na luz e no escuro, mas em ambos, e de ambos, seremos preservados – literalmente, do calor excessivo e do frio destruidor; misticamente, de quaisquer efeitos danosos que possam resultar da doutrina, seja ela brilhante ou obscura; espiritualmente, dos males da prosperidade e da adversidade; eternamente, da tensão da glória opressiva e da pressão de eventos terríveis, tais como o juízo e o incêndio do mundo. O dia e a noite interagem o tempo todo; do mesmo modo, a proteção sempre presente jamais cessa. Todo o mal pode ser categorizado como sob o sol ou a lua, e se nenhum deles pode nos ferir, estamos, realmente, seguros e protegidos. Deus não fez um novo sol ou uma nova lua para os seus escolhidos, eles existem sob as mesmas circunstâncias externas que os outros, mas o poder de *ferir*, no caso dos escolhidos, é removido dos agentes temporais; os santos estão enriquecidos e não ofendidos pelas forças que governam a condição da terra; a eles, o Senhor deu "as mais excelentes novidades do sol, e as mais excelentes produções da lua" enquanto, ao mesmo tempo, removeu deles todo o sofrimento e a maldição do calor ou da umidade, da claridade ou do frio.

7. *"O Senhor te guardará de todo mal"* ou te *protegerá* de todo o mal. É uma grande pena que a nossa admirável tradução não conserve a palavra *guardar* por todo o salmo, pois todo o tempo é a mesma palavra. Deus não apenas guarda os seus, em todos os momentos difíceis, mas também de todas as más influências e operações, dos próprios males. Esta é uma palavra de grande abrangência: ela inclui tudo, e não exclui nada. As asas do Senhor guardam amplamente os seus dos males, grandes e pequenos, temporários e eternos. Há uma dupla personalidade absolutamente deliciosa neste versículo: o Senhor guarda o crente, não pelo agente, mas por Si mesmo, e a pessoa protegida é definitivamente apontada pela palavra *te* – não é a nossa propriedade ou o nosso nome que é guardado, mas o nosso ser propriamente dito. Para tornar isto ainda mais intensamente real e pessoal, outra sentença é acrescentada, *"O Senhor te guardará de todo o mal; ele guardará a tua alma"* – ou o Senhor [Jeová] guardará a tua alma. Guardar a alma é *a alma* [a essência] do ato de guardar. Se a alma for guardada, tudo será guardado. A preservação do maior inclui a do menor, até o ponto em que isto for essencial para o objetivo principal: o âmago será preservado, e para isto, também a casca também será preservada. Deus é o único que guarda a alma. A nossa alma é guardada do domínio do pecado, da infecção do erro, do peso do desânimo, do inchaço do orgulho; guardada do mundo, da carne e do mal; guardada para coisas mais santas e maiores; guardada no amor de Deus; guardada para o reino e a glória eternos. Que poderá fazer mal a uma alma que é guardada pelo Senhor?

8. *"O Senhor guardará a tua entrada e a tua saída, desde agora e para sempre"* Quando sairmos pela manhã, para trabalhar, e voltarmos para casa ao entardecer, para descansar, o Senhor nos guardará. Quando sairmos, quando jovens, para começar a vida, e voltarmos, no seu final, para morrer, vivenciaremos a mesma proteção. As nossas saídas e as nossas entradas estão sob a mesma proteção. Três vezes, lemos a expressão, "o Senhor guardará", como se a santa Trindade assim selasse a promessa, para assegurá-la; não devem, todos os nossos temores, ser eliminados por este triplo lançar de flechas? Que ansiedade poderá superar esta tripla promessa? Este guardar é eterno; a partir de agora, continuamente, para todo o sempre. Toda a igreja é assim assegurada de proteção eterna: a perseverança final dos santos é assim assegurada, e a imortalidade gloriosa dos crentes é garantida. Sob a proteção de tal promessa, podemos seguir na peregrinação sem temer, e nos aventurar na batalha sem tremer. Ninguém está tão protegido, como aqueles a quem Deus guarda; ninguém está tão em perigo, como os autoconfiantes. Entrar e sair têm seus perigos peculiares, uma vez que cada mudança de posição se converte em um terreno novo para o adversário, e é para estes pontos fracos que uma segurança especial é proporcionada; o Senhor [Jeová] guardará a porta, quando ela se abrir

e fechar, e isto Ele continuará, perseverante, a fazer enquanto houver um único homem que confie nele, enquanto houver perigo e, na verdade, enquanto o tempo existir. Glória seja ao Guardador de Israel, que amamos, sob este título, uma vez que a nossa percepção crescente de fraqueza nos faz sentir, mais profundamente do que nunca, a nossa necessidade de sermos guardados. Sobre o leitor, devemos pronunciar uma bênção, velada nos versos de Keble.

"Deus te guarda, a salvo do mal e do pecado,
Guarda o teu espírito; o Senhor vigia
as tuas entradas, as tuas saídas,
desde agora, e para sempre".

NOTAS EXPLICATIVAS E DECLARAÇÕES SINGULARES

Título, "Cântico de degraus" (ou "Cântico dos que sobem" – NTLH): De modo engenhoso, já foi ressaltado que estes *"degraus"* ou *"passos"* consistem na reiteração de uma palavra ou um pensamento que aparece em uma sentença, um versículo ou uma estrofe, que é usado no versículo ou na estrofe seguinte, de certa forma, como um *degrau* pelo qual se sobe a uma nova verdade, mais elevada. Assim, no nosso Salmo, a idéia de *"meu socorro"*, expressa no versículo 1, é repetida no versículo 2. Isto agora se tornou um degrau, pelo qual, no versículo 3, alcançamos a verdade mais elevada, ou a explicação de *"meu socorro"* como: *"aquele que te guarda não tosquenejará"*, sendo esta mesma idéia incorporada também no versículo 4, com ligeiras modificações. Outro "degrau" é, então, alcançado no versículo 5, quando "aquele que não *tosquenejará"* é designado como *o Senhor*, sendo, a mesma idéia, novamente detalhada (a palavra aparecendo duas vezes no versículo 5) no versículo 6. O último e mais elevado degrau deste cântico é alcançado no versículo 7, quando a verdade sugerida na palavra *Senhor* se revela na sua aplicação para a nossa *preservação,* o que, com novo detalhamento, é mais uma vez repetido no versículo 8. *Talvez* pudéssemos investigar alguma conexão interna entre todos os quinze Salmos de Degraus. De qualquer forma, não será difícil examinar a mesma estrutura em cada um dos "Salmos dos Degraus", permitindo ocasionais devoções e modificações. – *Alfred Edersheim, The Golden Diary", 1877*

O salmo: De acordo com o versículo 1, este Salmo devia ser entoado diante dos montes de Jerusalém e é evidentemente um cântico para o entardecer, para o grupo sagrado de peregrinos, que devia ser entoado na última vigília da noite, sendo as suas imagens peculiarmente apropriadas para um cântico de peregrinos; e com o Salmo 122, que, segundo o que é dito expressamente na introdução, era entoado quando os peregrinos tivessem chegado às portas de Jerusalém e tivessem parado com o propósito de formar uma procissão solene para o santuário (Sl 124)...

É muito provável a idéia de que o salmo era o cântico vespertino do grupo de peregrinos, entoado quando se retirassem para descansar na última tarde, quando a tão esperada conclusão da sua peregrinação, os montes de Jerusalém, já estivessem, à distância, ao alcance da visão. Disto, obtemos uma conexão apropriada com o salmo seguinte, que seria entoado *um* passo adiante, quando os peregrinos estivessem às portas de Jerusalém. Neste caso, encontramos uma explicação do fato de que, no ponto central do salmo, o Senhor aparece como aquele que *"guarda"* Israel, com referência à declaração "Eu te guardarei", que foi dirigida ao patriarca, quando ele dormia, na sua peregrinação: e, neste caso também "não tosquenejará nem dormirá" é visto com o seu verdadeiro significado. – *E. W. Hengstenberg*

Já foi dito que o Sr. Romaine lia este salmo todos os dias, e é certo que cada palavra dele foi cuidadosamente calculada para incentivar e fortalecer a nossa fé e a nossa esperança em Deus. – *Samuel Eyles Pierce v. 1:* "Elevo os olhos", etc. Uma vez que nós, sobrecarregados com os efeitos dos prazeres do mundo e também com outras preocupações não podemos, de maneira nenhuma, subir até ti, que estás no topo de tão alto monte, acompanhado por tantas legiões de anjos que ainda te servem, não temos remédio senão com o teu profeta Davi agora elevar os olhos de nossos corações e mentes em tua direção, e clamar pedindo que o socorro venha, de ti até nós, teus pobres e infelizes servos. – *Sir Anthony Cope, "Meditations on Twenty Select Psalms", 1547*

v. 1: "Elevo os olhos", etc. Na tua agonia que é causada por uma consciência perturbada, olha sempre para o alto, para um Deus gracioso, para conservar firme a tua alma; pois olhando para baixo, para ti mesmo, não encontrarás nada, senão o que irá aumentar o teu medo, teus infinitos pecados, poucas e imperfeitas boas obras; não é na tua fé, mas na fidelidade de Deus, que deves confiar; dirigir os teus olhos para baixo, para ti mesmo, para contemplar a grande distância entre o que mereces e o que desejas, é suficiente para atordoar, te fazer cambalear, e vacilar em desespero. Sempre, portanto, *eleva teus olhos para os montes, de onde vem o teu socorro,* jamais contemplando o vale profundo da tua própria indignidade, mas humilhando o teu orgulho, quando tentado à soberba. – *Thomas Fuller (1608-1661), em "The cause and Cure of a Wounded Conscience"*

v. 1: "Os montes". Não pode haver dúvida de que na Palestina estamos nas "Terras altas" da Ásia. Isto era ainda mais notável em relação aos israelitas, porque eles eram a única nação civilizada existente, naquela época, no mundo, que habitava em uma região montanhosa... o povo hebreu foi criado acima das outras nações antigas, nas suas circunstâncias morais e também nas físicas. Desde o deserto da Arábia até Hebrom é uma subida contínua, e desta subida não há uma descida de nenhuma importância, exceto para as planícies do Jordão, Esdraelom, e a costa. De um santuário no monte, podemos dizer, Israel contemplava o mundo... Era para os "montes" de Israel que o exilado erguia seus olhos, como o lugar *de onde viria o seu socorro.* – *Arthur Penrhyn Stanley*

v. 1: "Os montes: de onde me virá o socorro". Não veja nenhuma riqueza, exceto na graça, nenhuma saúde exceto na piedade, nenhuma beleza exceto na santidade, nenhum tesouro exceto no céu, nenhum prazer senão "nas coisas do alto". – *Anthony Farindon*

v. 1: "De onde me virá o socorro". Os nativos da Índia costumavam dizer que quando Sir Henry Lawrence olhava duas vezes para o céu e então para a terra, ele sabia o que fazer.

Para o Céu ergo meus olhos,
Para o Céu, para o trono do Senhor,
Pois ali meu Salvador se assenta, no alto,
e dali virão a força e a ajuda
a todos os que Ele chama de seus.

Ele não irá fraquejar, nem falhar,
nem fará vacilar os teus pés,
pois a Ele não atacam horas de cansaço,
nem as trevas da tarde estendem seu véu
sobre o seu dia eterno.

Abaixo desta luz divina
você se move com segurança;
o sol brilhará com raios mais suaves
e a rainha da noite inclinará a sua lâmpada
benigna do alto.

Pois Ele, teu Deus e Amigo,
guardará a tua alma do mal,

em cada triste situação de dúvida, estará presente
e guiará a tua vida, e abençoará o teu fim,
com seu braço poderoso.
– *John Bowdler, 1814*

vv. 1 e 2: Fraca, no final da jornada da vida, uma peregrina cristã repetia a frase: "Ele não enviará o seu socorro?"

Ela repetiu a frase várias vezes, tentando relembrar o cântico em que ela aparece, e pediu que o hino familiar, do qual ela lembrava uma parte, pudesse vir novamente à sua mente; e ela ficou enormemente aliviada e confortada, quando nós lemos, ao lado de sua cama, a paráfrase inspirada de Charles Wesley, que começa...

"Aos montes elevo os meus olhos,
aos montes eternos;
A minha alma sente que o Espírito
jorra de lá, em suprimentos renovados.

Ele não enviará o seu socorro?
A ajuda, ainda enquanto eu peço, é dada:
Deus desce; o Deus e Senhor
que criou o céu e a terra".
– *Edward Jewitt Robinson, na obra "The Caravan and the Temple", 1878*

vv. 1 a 3:
Olhemos para Jesus,
desviando o olhar de tudo!
Então não iremos tropeçar,
não iremos cair.
De cada armadilha,
adversário ou ilusão amarga,
a segurança é assegurada,
olhemos para Ele!
– *Frances Ridley Havergal*

v. 2: "O meu socorro vem do Senhor". Eu preciso me lembrar de que *o meu socorro vem do Senhor*, não apenas quando, aparentemente, não há outro socorro *externo* dos homens ou de outro lugar, mas também, e particularmente, quando tudo parece ir bem comigo – quando houver abundância de amigos e de ajuda. Pois então, certamente, eu estarei correndo o maior perigo de confiar em um braço de carne, e desta maneira colher a sua maldição; ou de dizer à minha alma "Fique tranqüila", e encontrar a destruição que acompanha esta tolice. – *Alfred Edersheim*

v. 2: "Que fez o céu e a terra" e por isto, tem poder para ajudar. – *James G. Murphy*

v. 3: "Não deixará vacilar o teu pé". O vacilar do pé é uma freqüente descrição da desgraça, por exemplo, em Sl 38.16; 66.9; e muito natural, na montanhosa Canaã, quando um simples deslizar do pé freqüentemente era acompanhado de grande perigo. Aqui a linguagem, naturalmente, se refere à desgraça completa e eterna. – *E. W. Hengstenberg*

v. 3: "Não deixará vacilar o teu pé". Um homem não pode andar, sem mover seu pé, e não pode ficar em pé um homem cujos pés vacilam. O pé representa, por *sinédoque*, todo o corpo, e o corpo, toda a condição exterior; de modo que *"não deixará vacilar o teu pé"* significa, Ele não permitirá que você ou os seus vacilem ou sejam violentamente destruídos. O poder dos seus opositores não prevalecerá sobre você, que é sustentado pelo poder de Deus. Muitos estão já atacando os seus calcanhares, mas não conseguirão fazê-lo, enquanto Deus estiver segurando você no alto. Se a vontade dos seus inimigos prevalecer, você irá cair rapidamente; mas Deus *"não deixará vacilar o teu pé". – Joseph Caryl*

vv. 3 a 8: Há algo muito assombroso na certeza de que o Senhor não permitirá que o pé, nem mesmo do mais fraco e cansado, vacile. Os montes eternos estão firmes e nos parece que, como o Monte Sião, eles não podem vacilar para sempre; mas o passo do homem – como é frágil em si mesmo, como é propenso a tropeçar até mesmo em algum pedregulho no caminho! Mas este pé é tão firme e imóvel, na proteção de Deus, como os próprios montes. Esta é uma das suas mais doces promessas, a de que Ele dará aos seus anjos o cuidado sobre cada filho seu, para que ele não sofra nenhum dano pelo caminho. Mas, oh, quão incomensuravelmente além das asas incansáveis dos anjos está o amor prometido aqui, este amor que se dedica a proteger de todos os perigos, como uma galinha reúne seus pintinhos debaixo de suas asas. Nas horas de agitação e ocupação, nos conflitos e perigos do dia, no desamparo do sono, na claridade e no calor do meio dia, em meio à umidade e ao orvalho da noite, aquele olho que não tosqueneja está sobre cada filho, para o seu bem. O homem, realmente, sai para o seu trabalho, até a noite; mas da mesma maneira, enquanto ele sai pela manhã, e retorna à noite, o Senhor ainda o sustenta, em todas as suas saídas e entradas; nenhum tipo de mal lhe sobrevirá. E, oh, que doce acréscimo é isto, à promessa. "Ele guardará a *tua alma".* É o mesmo argumento do apóstolo, e ele chega à mesma conclusão, "os olhos do Senhor estão sobre os justos, e os seus ouvidos, atentos às suas orações" – "não tosquenejará nem dormirá" – e, a seguir, ele pergunta, "E qual é aquele que vos fará mal, se fordes zelosos do bem?" Desde o amanhecer da vida até o seu final, para todo o sempre, "Ele te guardará de todo mal; ele guardará a tua alma" – *Barton Bouchier*

vv. 3, 4 e 5: Uma grande dificuldade prática é encontrar um *"guarda" que permaneça* acordado durante a noite inteira. O cansaço daqueles que fazem uma fiel vigília, e o seu anseio pelo dia, durante as tediosas e solitárias horas de escuridão, é lembrado em uma imagem vívida e bela do salmista:

"A minha alma anseia pelo Senhor
mais do que os guardas pelo romper da manhã;
sim, mais do que aqueles que esperam pela manhã".

O método usual, adotado para assegurar a devida vigilância, é exigir que o homem diga algo em voz alta, ou assobie, a cada quarto de hora... mas, apesar de todas as precauções, tão logo o sono cai sobre o acampamento cansado, freqüentemente acontece que o guarda contratado se deita no chão, se envolve em seu espesso *abaiyeh*, ou manto, e, sem se preocupar com a sua incumbência, ou dominado pelo cansaço, se rende à sua propensão e adormece.

Em vista destes fatos, quão cheia de condescendência e incentivo é a certeza do cuidado sempre incessante de Deus:

"Aquele que te guarda não tosquenejará.
Eis que não tosquenejará
nem dormirá o guarda de Israel.
O Senhor é quem te guarda".

Embora os serviços do guarda constituam, em todos os tempos, uma singular característica da vida na Palestina, são, talvez, mais necessários quando se viaja pela região do que em qualquer outra ocasião. Quando o acampamento se fixa, à noite, em campos estranhos, é absolutamente necessário recorrer às autoridades mais próximas, em busca de um protetor noturno, antes que os viajantes possam se deitar para descansar em segurança. Este Salmo 121, sendo um dos "Cânticos dos Degraus" provavelmente foi composto para ser entoado no caminho para Jerusalém, como um hino de peregrinos, quando os israelitas subiam anualmente para observar as três grandes festas. Sendo um salmo de viagem, ele teria, portanto, peculiar significado na sua alusão àquele *que guarda à noite*. – *James Neil, Palestine Explored*, 1882.

vv. 3 e 4: Quando alguém perguntou a Alexandre como ele podia dormir tão profundamente e seguro, em meio ao perigo, Alexandre respondeu que Parmênion estava vigilante. Oh, como podemos dormir em segurança, quando *aquele* que não adormece nem tosqueneja está vigilante! – de *The Dictionary of Illustrations*, 1873.

vv. 3 e 4: Uma mulher pobre, conforme diz a história oriental, procurou o Sultão certo dia, e pediu compensação pela perda de alguma propriedade. "Como você a perdeu?", perguntou o monarca. "Eu adormeci", foi a resposta, "e um ladrão entrou na minha casa". "Por que você adormeceu?" "Eu adormeci, porque acreditava que você estivesse acordado". O sultão ficou tão encantado com a resposta da mulher que ordenou que a sua perda fosse compensada. Mas, o que é verdade somente na ficção, sobre o governo humano, que ele jamais dorme, é verdade, no sentido mais absoluto, com referência ao governo divino. Nós podemos dormir em segurança, porque o nosso Deus está sempre desperto. Nós estamos em segurança, porque Ele nunca adormece. Jacó teve um belo retrato do incessante cuidado da Providência Divina na noite em que saiu da casa de seu pai. "O viajante solitário dormiu no chão, tendo as pedras como travesseiro e o céu como teto. Ele teve uma visão maravilhosa, de uma escada que se estendia da terra aos céus, e pela qual os anjos de Deus subiam e desciam. Ele ouviu o Senhor, que lhe dizia: Eis que estou contigo, e te guardarei, em todos os lugares onde fores". – *N. McMichael*

v. 4: É necessário, observa Bernardo, que "aquele que guarda Israel não tosqueneje nem adormeça", pois aquele que ataca Israel não tosqueneja nem adormece. E assim como aquele está ansioso para cuidar de nós, o outro também, para nos matar e destruir. O destruidor tem uma única preocupação: que aquele que já foi desviado jamais possa retornar. – *Neale e Littledale*

v. 4: "Tosquenejará... Dormirá". Não há clímax nestas palavras, como supuseram alguns. Etimologicamente, a primeira palavra é a mais forte, e aparece em Sl 76.5 [6] sobre o sono da morte. Neste caso não há uma diferença real entre as duas. Possivelmente, poderia haver uma alusão ao acampamento noturno, e aos vigias da caravana. – *J. J. Stewart Perowne*

v. 4: "Não tosquenejará nem dormirá". Esta forma de expressão, *não tosquenejará nem dormirá*, seria imprópria em outros idiomas, de acordo com a expressão, que talvez fosse melhor, *Ele não dormirá, nem mesmo tosquenejará* mas quando os hebreus invertem esta ordem, argumentam que o fazem, do maior para o menor. O sentido, então, é que Deus não dorme, nem no menor grau; por esta razão, não precisamos temer que algum dano nos aconteça, pois Ele jamais estará adormecido. – *João Calvino*

v. 4: "O guarda de Israel". Com uma referência a Jacó, que dormiu em Betel e a quem a promessa de Deus assumiu esta forma, "E eis que estou contigo, e te *guardarei* por onde quer que fores" (Gn 28.15). – *Aben Ezra, citado por H. T. Armfield*

v. 4: "Não tosquenejará nem dormirá". O homem dorme; uma sentinela *pode* adormecer no seu posto, por desatenção, por muitas horas de vigília, ou pelo cansaço; um piloto *pode* dormir no leme; até mesmo uma mãe *pode* adormecer ao lado do filho doente; mas Deus nunca está exausto, nunca está cansado, nunca está desatento. Ele nunca fecha os seus olhos para a condição do seu povo, para as necessidades do mundo. – *Albert Barnes*

v. 4: Há vários anos, o Capitão D. comandava viagens de barco de Liverpool a Nova York, e em uma viagem, toda a sua família estava com ele, a bordo.

Certa noite, quando todos dormiam tranqüilamente, houve um súbito golpe de vento, que varreu as águas até atingir o barco, e instantaneamente o jogou para um lado derrubando e quebrando tudo o que era móvel, e despertando os passageiros a uma consciência de que estavam em perigo iminente.

Todos no barco ficaram alarmados e intranqüilos, e alguns deixaram suas cabinas e começaram a se vestir, para que pudessem estar preparados para o pior.

O Capitão D. tinha uma filhinha a bordo, de apenas oito anos de idade, que, naturalmente, despertou com os demais.

"Qual é o problema?", perguntou a menina, assustada.

Eles lhe disseram que um forte vento tinha atingido o barco.

"Papai está no convés?", perguntou ela.

"Sim, papai está no convés".

A menina se recostou novamente em seu travesseiro, sem medo, e em alguns momentos estava dormindo suavemente, apesar dos ventos e das ondas.

Não tema os violentos ventos das tempestades,
eles não destruirão o teu barco;
deite-se e durma, ó criança indefesa!
O teu Pai está no convés.
– *"The Biblical Treasury", 1873*

vv. 4 e 5: Aquele que é o protetor da igreja, de modo geral, está engajado na preservação de cada crente, em particular; a mesma sabedoria, o mesmo poder, as mesmas promessas. *"O guarda de Israel"* (v. 4), *"é quem te guarda"* (v. 5). O Pastor do rebanho é o Pastor de cada ovelha, e Ele cuidará para que nenhuma, nem mesmo as pequeninas, pereça. – *Matthew Henry*

v. 5: "O Senhor é quem te guarda". Dois importantes aspectos são declarados nestas palavras. 1. O Senhor, e apenas o Senhor, o Deus onipotente e de existência própria, é o Guarda e Preservador do seu povo. 2. O povo de Deus é guardado em todos os tempos e em todas as circunstâncias, pelo seu poder, até a salvação eterna; eles são preservados "para todo o sempre". No primeiro aspecto, a divindade do grande Guardador é declarada; e, no segundo, a eterna segurança do seu povo, devido à sua onipotência e fidelidade. Este era o Evangelho do salmista. Ele o pregava aos outros, e ele mesmo o sentia. Ele não especulava sobre o que não entendia; mas ele tinha uma clara evidência, e uma doce percepção destas duas gloriosas doutrinas, que ele transmitia ao povo... Este caráter, sob o nome de Senhor [Jeová] é o caráter de Cristo. Assim como Ele, é Jesus, o Pastor de Israel. Ele diz, sobre Si mesmo, ao Pai, "Tenho *guardado* aqueles que tu me deste, e *nenhum deles se perdeu*, senão o filho da perdição, para que a Escritura se cumprisse"... Do que foi dito, parece evidente que aquele que guarda os fiéis não é outro, senão o Senhor. Isto o salmista provou. Parece igualmente evidente que Cristo é o seu Guarda e Preservador. Isto, Ele mesmo declarou, e os seus apóstolos declararam repetidas vezes, sobre Ele. Conseqüentemente, Cristo é verdadeiramente e essencialmente o Senhor. Todos os sofismas do mundo não podem evitar esta conclusão, nem todos os hereges do mundo podem destruir as premissas. E, se Cristo é o Senhor, Ele é todo aquele Ser supremo, eterno e onipotente, que Arianos, Socinianos e outros negam que Ele seja. – *Ambrósio Serle, Horae Sotitariae", 1815*

v. 5: "Guarda... Sombra". Os títulos de Deus são, praticamente, promessas – quando Ele é chamado de sol, escudo, torre forte, refúgio, porção. Os títulos de Cristo, luz do mundo, pão da vida, o caminho, a verdade e a vida; os títulos do Espírito, o Espírito da verdade, da santidade, da glória, de graça, de súplica, o Espírito que confirma e que testemunha; a fé pode concluir muitas destas características das promessas. O Senhor é um sol? Então Ele irá me influenciar etc. Cristo é vida? Então Ele irá me vivificar etc. – *David Clarkson, 1621-1686*

v. 5: "A tua sombra à tua direita". Isto é, sempre presente contigo; ou, como o árabe judeu traduz: "Mais próximo do que a tua sombra, ou à tua mão direita". – *Thomas Fenton, "Annotations on the Book of Job and the Psalms", 1732*

v. 5: "Tua sombra". Nas nações orientais, os raios do sol freqüentemente são flechas que infligem uma morte prematura; e quando o salmista fala do Senhor como um abrigo sombreado para os justos, esta imagem sugere a idéia de "coup de soleil", ou insolação, como o mal evitado. – *J. F., The Baptist Magazine", 1831*

v. 5: "Sombra". A palavra hebraica é צֵל (*tsēl*), uma "sombra", e conseqüentemente se supõe que as palavras "a tua sombra à tua direita" são uma expressão figurada, que se refere à proteção propiciada pela sombra de uma árvore contra os escaldantes raios do sol, ou ao costume predominante, em climas tropicais, particularmente, de proteger-se do intenso calor do sol por alguma tela portátil, como um guarda-chuva ou uma sombrinha. A palavra freqüentemente significa *defesa*, ou proteção, de modo geral. Compare Nm 14.9; Is 30.2; Jr 48.45. – *James Anderson*

vv. 5 a 8: Que grande tratado de proteção é concedido aqui! Nenhum momento será danoso, nem *"dia, nem noite"*, o que inclui todos os momentos. Nada ferirá, nem *sol, nem lua*, nem calor, nem frio. Isto inclui todos os outros aborrecimentos. Nada será ferido, *"a tua alma está guardada, as tuas entradas e as tuas saídas serão guardadas"*. Isto inclui todo o ser do homem, em todos os seus justos assuntos e atos. Nada do homem estará seguro sem um guarda, e nada do homem que é assim guardado deixará de estar seguro. Devem ser guardados os que podem dizer, "o Senhor é nosso guarda"; e não podem ser guardados, nem por legiões de anjos, os que não têm o Senhor como seu guarda. Ninguém pode nos guardar, senão Ele, e Ele prometeu nos guardar "para sempre". – *Joseph Caryl*

v. 6: "O sol não te molestará". הִכָּה do sol significa ferir nocivamente (Is 49.10), as plantas, de modo que sequem (Sl 102.5), e a cabeça (Jn 4.8), de modo que apareçam sintomas de insolação (2 Rs 4.19; Judite 8.2 seq.). A transferência da palavra para a lua não é zeugmática. Até mesmo os raios da luz podem se tornar insuportáveis, podem afetar os olhos de maneira danosa, e, mais particularmente nas regiões equatoriais, produzir uma inflamação fatal no cérebro. A partir das influências danosas da natureza que o rodeiam, a promessa se estende, nos versículos 7 e 8 em todas as direções. O Senhor, diz o poeta para si mesmo, te guardará de todo o mal, qualquer que possa ser ele, e de onde quer que possa ameaçar; Ele guardará a tua alma, e posteriormente a tua vida, interiormente e externamente; Ele guardará as tuas entradas e saídas, *isto é,* todas as tuas atividades e relações na vida... em todos os lugares, e em todos os tempos; desde agora e para sempre. – *Franz Delitzsch*

v. 6: "O sol não te molestará de dia", etc. A promessa feita com referência e aplicação àquele cuidado que Deus teve com o seu povo, quando os tirou do Egito pelo deserto, quando os protegeu do calor do sol com uma nuvem, durante o dia, e do frio e da umidade da noite e da lua por uma coluna de fogo, à noite. – *David Dickson*

v. 6: "Nem a lua, de noite".

A lua, que governa as marés
Pálida em sua ira, lava todo o ar,
Em que abundam doenças reumáticas.
– *William Shakespeare (1564-1616), em "The Midsummer Nights Dream"*

v. 6: Joseph Hart, em um de seus hinos, fala de alguns que "viajam muito durante a noite". Para eles, esta promessa é preciosa. – *"Biblical Treasury"*

v. 6: "Nem a lua, de noite". O efeito do luar nos olhos, nesta região, é singularmente danoso... A lua, aqui, realmente atinge e afeta a visão, quando se dorme exposto a ela, muito mais do que o sol, um fato de que tive uma prova muito desagradável, certa noite, e tomei cuidado para me proteger contra isto, posteriormente; na verdade, a visão de uma pessoa que dorme com seu rosto exposto à noite logo ficará completamente prejudicada ou destruída. – *John Came, Letters from the East", 1826*

v. 6: "Nem a lua, de noite". No céu sem nuvens do Oriente, onde a luz brilha com tão excessiva claridade, descobriu-se que os seus efeitos sobre a estrutura humana são extremamente danosos. Os habitantes destas nações são extremamente cuidadosos, e tomam medidas de precaução antes de se expor à sua influência. Como dormem muito ao ar livre, têm o cuidado de cobrir suas cabeças e seus rostos. Ficou provado, sem sombra de dúvida, que a lua é prejudicial, tanto quanto o sol, causando cegueira temporária e até mesmo distorção dos traços.

Os marinheiros conhecem bem este fato, e um oficial naval relata que freqüentemente, quando navegando entre os trópicos, viu os comandantes de embarcações despertando jovens que tinham adormecido à luz da lua. Na verdade, ele testemunhou, mais de uma vez, os efeitos do excesso de exposição ao luar, quando a boca era torcida para um lado, e a vista, prejudicada durante algum tempo. Ele tem opinião de que, com a longa exposição, a mente poderia se tornar seriamente afetada. Supõe-se que pacientes que sofrem de febre e outras doenças são seriamente afetados por este corpo celeste, e os nativos da Índia constantemente afirmam que irão melhorar ou piorar, de acordo com as mudanças da lua. – *C. W. em "The Biblical Treasury"*

v. 7: "O Senhor te guardará de todo mal". Quando redigem importantes documentos, os advogados freqüentemente concluem com algumas disposições genéricas que atendam a alguma emergência que possa ocorrer. Eles fazem isto considerando o princípio de que aquilo que não está incluído pode dar a impressão de ter sido intencionalmente deixado de fora. Para se precaver contra esta dedução, eles não se satisfazem em inserir alguns casos particulares, mas concluem com uma declaração geral, que inclui tudo, expresso ou não. Uma fórmula similar é inserida aqui. É de grande importância o fato de que os pés dos viajantes sejam impedidos de vacilar ou escorregar, à medida que eles prosseguem em sua jornada. É de grande importância que eles sejam preservados do calor, durante o dia, e do frio, à noite. Mas outros perigos os esperam, dos quais pedem proteção; e para que não seja alimentada a suspeita de que não foi feita provisão para estes perigos que se acumulam, eles são todos incluídos na cláusula salvadora e abrangente. Não importa qual possa ser o seu caráter, não importa de onde possam aparecer, não importa quando possam vir, e não importa quanto tempo possam durar, a declaração abrange todos estes perigos. A graça divina modifica a natureza de tudo o que ela toca, e transforma tudo o que toca em ouro. As aflições são eliminadas para sempre; e as virtudes da vida cristã se desenvolvem com esplendor incomum. *"O Senhor te guardará de todo mal"* – *N. McMichael*

v. 7: "O Senhor te guardará de todo mal", etc. É uma promessa absoluta, não há condições anexas; honra a Deus o fato de que nós simplesmente creiamos nela, e confiemos no Senhor para o seu cumprimento. No nosso ponto de vista, o que temos a temer? A boca de Deus falou; a sua palavra é imutável. Jesus preserva corpo e alma, Ele é o Salvador do corpo, bem como da alma. – *Samuel Eyles Pierce*

vv. 7 e 8: A expressão repetida três vezes, *"te* guardará, guardará... *a tua alma... a tua entrada* e *a tua saída"* marca a perfeição da proteção assegurada, que se estende a tudo o que o homem é e faz. – *J. J. Stewart Perowne*

vv. 7 e 8: É importante enfatizar a razão pela qual o profeta repete tão freqüentemente o que tinha expressado tão brevemente, em uma palavra, com suficiente clareza. Esta repetição parece, à primeira vista, supérflua; mas quando consideramos como é difícil corrigir a nossa desconfiança e incredulidade, perceberemos, facilmente, que não é inadequado que ele se estenda sobre a recomendação da divina providência. Serão encontrados poucos que rendem a Deus a honra de ser um *"guarda"*, de modo que a sua existência tenha assegurada a sua segurança, e sejam levados a invocá-lo em meio a seus perigos! Ao contrário, mesmo quando parecemos ter vivenciado enormemente o que significa esta proteção de Deus, instantaneamente trememos com o ruído de uma folha que cai de uma árvore, como se Deus nos tivesse esquecido completamente. Assim envolvidos em tantas preocupações mundanas, e tão inclinados à incredulidade, somos ensinados, pela passagem, que se uma sentença com poucas palavras não nos for suficiente, devemos reunir o que puder ser encontrado, porque todas as passagens das Escrituras, a respeito da providência de Deus, até esta doutrina – "que Deus sempre estará vigilante por nós" – precisam estar profundamente enraizadas em nossos corações; de modo que, confiando somente na sua proteção, possamos nos despedir de todas as vãs confianças do mundo. – *João Calvino*

v. 8: "O Senhor guardará". A palavra *shamar* indica uma preservação muito terna; dela vem *shemuroth*, que significa pálpebras, porque elas protegem os olhos, assim como o Senhor é chamado, no versículo anterior, – *shomer Ishrael, "o que guarda Israel".* Se as pálpebras se abrem, é para permitir que olho veja; se elas se fecham, é para permitir que ele descanse, ou pelo menos, para defendê-lo; todos os seus movimentos são para o bem do olho. Oh, que consolação há aqui! O Senhor chama a sua igreja de "menina do seu olho"; "aquele que tocar em vós toca na menina do seu olho". A igreja é a menina do olho de Deus, e o Senhor é o que a cobre. Oh, quão bem são guardados aqueles que o guarda de Israel guarda! O Senhor era um escudo para Abraão, nenhum de seus inimigos podia prejudicá-lo, pois o seu escudo o protegia completamente. O Senhor foi uma cerca para Jó; o próprio Satanás confessou que não conseguia atravessá-la, embora muitas vezes tentasse, para fazer mal a Jó...

Mas vendo que esta mesma promessa de preservação foi feita antes (pois desde o terceiro versículo até o fim do salmo, seis vezes a promessa de preservação é repetida) por que é feita outra vez? Não sem motivo, pois esta duplicação serve, em primeiro lugar, como remédio para a nossa ignorância. Os homens, se estiverem em boa condição, estarão dispostos a "fazer sacrifícios em benefício da sua própria rede", ou a "fazer com que a sua boca beije a sua própria mão", como se a sua própria mão os tivesse auxiliado: deste modo, eles estarão atribuindo a sua "libertação" ao seu "bezerro" e por isto se repete freqüentemente a expressão "o Senhor", "o Senhor". A sua situação melhorou? Foi o Senhor que fez isto. Você foi preservado em meio a perigos desesperadores? Olhe para o Senhor, a sua ajuda veio do alto, e a Ele o louvor deve retornar. Em segundo lugar, é como remédio para a nossa falta de confiança natural: a palavra do Senhor, por si só, é tão certa, quando é falada, como quando é jurada; tão certa quando dita uma vez, como quando é freqüentemente repetida; o Senhor não se satisfaz em falar, apenas, mas também em jurar; não em falar uma vez, mas freqüentemente repetir a mesma coisa. A razão nos é mostrada pelo apóstolo: para que desta maneira Ele possa "mostrar a imutabilidade do seu conselho aos herdeiros da promessa" (Hb 6.17; Gn 21.32). Como José falou, sobre Faraó: a visão "foi duplicada duas vezes a Faraó... porque esta coisa é determinada de Deus, e Deus se apressa a fazê-la"; assim, cada palavra do Senhor, quando é repetida é porque é determinada e Deus se apressa a fazê-la. – *De um sermão proferido pelo Bispo Cowper, intitulado "His Majesties Comming in", 1623*

v. 8: "O Senhor guardará a tua entrada e a tua saída". Todas as ações estão compreendidas em uma destas situações: *"saída"* para os assuntos mais públicos, e *"entrada"* para os mais particulares; ou, novamente, *"saída"* para começar e *"entrada"* no final da obra. Mas com esta expressão o significado talvez possa ser, mais particularmente, que Deus iria proteger Davi, até o fim dos seus dias, tanto nas ocasiões em que ele saísse com seus exércitos, como para trazê-los de volta para casa. – *Thomas Fenton*

v. 8: "Desde agora e para sempre". Ele não me conduziu, com tanta ternura, até agora, para me abandonar às portas do céu. – *Adoniram Judson*

SUGESTÕES AOS PREGADORES

v. 1. A janela aberta para Jerusalém.
I. Os montes para os quais olhamos.
II. O socorro que procuramos.

III. Os olhos com que olhamos.

v. 1. "De onde me virá o socorro?" Uma pergunta muito séria: pois,

I. Eu preciso dele, enormemente, em variadas formas, constantemente e agora.

II. São poucas as direções em que posso procurá-lo, pois os homens são frágeis, mutáveis, hostis etc.

III. Eu devo buscar no alto. Na Providência, na Graça, no meu Deus.

v. 2. O Criador, o socorro da criatura.

v. 2. I. Deus é o "socorro" do seu povo.

II. Ele os socorre, sempre que eles sentem a necessidade da sua ajuda.

III. A sua ajuda nunca é em vão. "O meu socorro" não vem meramente da terra nem dos céus, mas "do Senhor, que fez o céu e a terra" (Is 40.26-31). – *G. R.*

v. 3 (primeira parte). A preservação do caráter santo, o cuidado do Criador.

Versículo 3: O consolo para um peregrino, ao longo do *mauvais pas* da vida. Nós temos um Guia onisciente, onipotente, que não dorme, e que não muda.

v. 3. "Aquele que te guarda não tosquenejará".

I. O cuidado do Senhor é pessoal nos seus objetivos. O que guarda Israel é quem guarda o indivíduo. Deus lida conosco individualmente.

1. Isto é indicado no seu cuidado pela igreja, que é composta de indivíduos.
2. Isto está envolvido na natureza da nossa religião, que é algo pessoal.
3. Está afirmado das Escrituras. Exemplos: promessas; experiências. "Ele *me amou"*, etc.
4. É confirmado pela experiência.

II. O cuidado do Senhor não se desgasta, no seu exercício: "Não dormirá".

1. Ele nunca deixa de estar familiarizado com a nossa condição.
2. Ele jamais é indiferente a ela.
3. Ele jamais se cansa de nos socorrer. Às vezes, nós pensamos que Ele está adormecido, mas isto é tolice nossa. – *Frederick Benskin, 1882*

v. 4. I. A suspeita de que Deus dorme.

II. A negação.

III. A sugestão do oposto – Ele está sempre vigilante, para abençoar.

v. 4. Ele guarda Israel,

1. Como seu principal tesouro, de maneira extremamente vigilante.
2. Como sua esposa amada, de maneira extremamente terna.
3. Como a menina do seu olho, de maneira extremamente cautelosa. – *Daniel Featly, 1582-1645*

v. 5. O Senhor guarda.

I. Bênçãos incluídas neste título.

II. Necessidades que o exigem.

III. Funções que o indicam – Pastor, Rei, Marido, Pai, etc.

IV. O comportamento sugerido por Ele.

v. 5 (última parte). Deus tão perto de nós, e tão inseparável de nós como a nossa sombra.

v. 5. "O Senhor é quem te guarda", não os anjos.

I. Ele é *capaz* de te guardar. Ele tem infinito poder, conhecimento, etc.

II. Ele se *engajou* em te guardar.

III. Ele *tem* te guardado.

IV. Ele *irá* te guardar. No seu amor; no seu concerto etc. Ele irá nos guardar como suas ovelhas, seus filhos, seus tesouros, como a menina do seu olho etc. – *F. J. B.*

v. 5. "O Senhor é quem te guarda".

I. Desperto: "Não dormirá".

II. Universal: "A tua entrada e a tua saída", "de todo mal".

III. Perpétuo: "Dia", "noite", "para sempre".

IV. Especial: "Te": "Israel". – *W. J.*

v. 6. Os mais elevados poderes, subjugados por Deus, impedidos de molestar os crentes e até mesmo levados a servi-los.

v. 6. O nosso "horóscopo".

I. Os temores supersticiosos são removidos.
II. As sagradas certezas que são propiciadas.
v. 7. I. Ato pessoal de Deus na providência.
II. Consideração pessoal da providência ao indivíduo favorecido.
III. Cuidado especial com o centro da personalidade – “tua alma”.

v. 8. Quem? “O Senhor”. O que? “Te guardará”. Quando? “a tua entrada e a tua saída, desde agora”. Por quanto tempo? “Para sempre”. E então, o que acontecerá? “Elevo os olhos”.

v. 8. I. Mutável – saída e entrada.
II. Imutável – “O Senhor guardará”, etc.

SALMO 122

TÍTULO E TEMA

Este salmo curto, mas inspirado, tem o título "Canção de Peregrinos, de Davi", e desta maneira temos a informação quanto ao seu autor e à ocasião para a qual era designado; Davi o escreveu para que as pessoas o entoassem quando subiam para as festas santas em Jerusalém. Ele é o terceiro desta série, e parece ser apropriado para ser entoado quando as pessoas tivessem entrado pelas portas, e seus pés já estivessem dentro da cidade. Era muito natural que cantassem sobre a própria Jerusalém e invocassem paz e prosperidade sobre a Cidade Santa, pois ela era o centro da sua adoração e o lugar onde o Senhor se revelou, sobre o propiciatório. Possivelmente a cidade não estava toda edificada nos dias de Davi, mas ele escreveu sob o espírito da profecia e falou sobre ela como se estivesse na época de Salomão: um poeta tem a liberdade de falar de coisas, não apenas como elas são, mas também como serão, quando concluídas. A palavra Jerusalém, ou Lugar de Paz, é usada como a palavra chave deste Salmo, em que temos, no original, muitas e felizes referências a salém, ou paz, que eles imploravam para Jerusalém. Quando estivessem dentro dos muros triplos da cidade, todas as coisas ao redor dos peregrinos ajudariam a explicar as palavras que eles entoaram no interior de suas muralhas protetoras. Uma voz liderava o salmo, com seu "eu" pessoal, mas dez mil irmãos e companheiros se uniam ao primeiro músico e engrossavam o coro.

EXPOSIÇÃO

1 *Alegrei-me quando me disseram: Vamos à Casa do Senhor!*
2 *Os nossos pés estão dentro das tuas portas, ó Jerusalém.*
3 *Jerusalém está edificada como uma cidade bem sólida,*
4 *aonde sobem as tribos, as tribos do Senhor, como testemunho de Israel, para darem graças ao nome do Senhor,*
5 *pois ali estão os tronos do juízo, os tronos da casa de Davi.*
6 *Orai pela paz de Jerusalém! Prosperarão aqueles que te amam.*

7 *Haja paz dentro de teus muros e prosperidade dentro dos* teus *palácios.*
8 *Por causa dos meus irmãos e amigos, direi: haja paz em ti!*
9 *Por causa da Casa do Senhor, nosso Deus, buscarei o teu bem.*

1. *"Alegrei-me quando me disseram: Vamos à Casa do Senhor!"* Os bons filhos se alegram de ir para casa, e se alegram ao ouvir seus irmãos e irmãs, que os chamam para lá. Davi estava totalmente dedicado à adoração de Deus, e ele se alegrava quando percebia que outros o convidavam a ir para onde seus desejos já tinham ido; é benéfico e útil para o fervor dos mais fervorosos ouvir que outros os convidam a um santo dever. A palavra não foi "vá", mas "vamos"; por isto o ouvido do salmista encontrou nela uma dupla alegria. Ele ficou feliz *por causa dos outros*; feliz porque eles desejavam ir, feliz porque eles tinham a coragem e liberdade de convidar outras pessoas. Ele sabia que isto seria bom para eles; nada melhor pode acontecer aos homens e a seus amigos, do que amar o lugar onde habita a honra de Deus. Que dia glorioso será aquele em que muitas pessoas irão e dirão: "Vinde, subamos ao monte do Senhor, à casa do Deus de Jacó, para que nos ensine o que concerne aos seus caminhos, e andemos nas suas veredas". Mas Davi estava feliz *por sua própria causa:* ele apreciou o convite para o lugar santo, e se alegrou em ser convidado a subir para adorar com o grupo, e, além disto, ele se alegrou porque as pessoas de bem o consideravam o suficiente para estender o convite a ele. Alguns homens teriam se ofendido, e teriam dito, "Cuide da sua vida. Deixe a minha religião em paz", mas não o rei Davi, embora tivesse mais dignidade do que qualquer um de nós, e menos necessidade de ser lembrado do seu dever. Ele não se sentia provocado, mas feliz, por ser convidado a acompanhar as santas reuniões de adoração. Ele estava feliz por ir à casa do Senhor, feliz por estar em um grupo santo, feliz por encontrar homens e mulheres de bem, dispostos a aceitá-lo em seu meio. Ele poderia ter estado triste antes, mas esta feliz sugestão o alegrou: ele aguçou os ouvidos, como diz o provérbio, com a menção da casa de seu Pai. É assim conosco? Nós ficamos felizes quando outros nos convidam para a adoração pública ou a comunhão da igreja? Então ficaremos felizes quando formos chamados à casa do Senhor, que não foi feita por mãos, e que é eterna, nos céus.

"Ouça! Eles sussurram: os anjos dizem,
Venha, espírito irmão".

Se ficarmos felizes por sermos convidados por outros para irmos à casa do nosso Pai, muito mais felizes ficaremos por realmente irmos até lá. Nós amamos o nosso Senhor, e por isto amamos a sua casa, e sentimos um desejo forte de que possamos alcançar logo a eterna morada da sua glória. Uma santa idosa, quando estava à morte, se alegrou com esta evidência de graça, pois clamou, "Eu amei o lugar da tua casa, e o lugar onde habita a tua honra", e por isto implorou que pudesse se unir à santa congregação daqueles que contemplam para sempre o Rei, no seu esplendor. A nossa alegria, com o mero pensamento de estar na casa de Deus, exibe o nosso caráter e profetiza que um dia seremos felizes na casa do Pai, nas alturas. Que doce salmo sabático é este! Com a perspectiva do dia do Senhor, e todas as suas associações santificadas, a nossa alma se alegra. De que excelente maneira também ele pode se referir à igreja! Nós ficamos felizes quando vemos numerosos grupos prontos a se reunir com o povo de Deus. O pastor fica particularmente feliz quando muitos se apresentam e lhe pedem ajuda para entrar em comunhão com a igreja. Nenhuma linguagem é mais prazerosa para ele do que o humilde pedido, "Vamos à Casa do Senhor".

2. *"Os nossos pés estão dentro das tuas portas, ó Jerusalém",* ou melhor, "os nossos pés já estão". As palavras sugerem que já estão, presentes e felizes, dentro das muralhas do lugar de paz; ou, talvez os peregrinos se sentissem tão certos de chegar até lá que já antecipavam a alegria, e falavam como se já estivessem lá,

embora ainda estivessem a caminho. Se nós estamos dentro da igreja, podemos triunfar com este fato. Enquanto nossos pés estão em Jerusalém os nossos lábios podem estar cantando. Fora das portas, tudo é perigo, e um dia tudo será destruição; mas dentro das portas tudo é segurança, retiro, serenidade, salvação e glória. As portas são abertas para que possamos entrar, e somente são fechadas para que nossos inimigos não possam nos seguir. O Senhor ama as portas de Sião e também nós, quando estamos do lado de dentro delas. Que benevolência excelente, ser um cidadão da Nova Jerusalém! Por que *nós* somos tão enormemente beneficiados? Muitos pés correm pela estrada descendente, ou lutam para viver, ou estão presos por ciladas, ou escorregando para uma terrível queda; mas os nossos pés, pela graça divina, "estão" [pisando] – uma postura honrosa "dentro das tuas portas, ó Jerusalém" – uma posição honrosa, e ali estarão para sempre – um honroso futuro.

3. *"Jerusalém está edificada como uma cidade bem sólida."* Davi teve uma visão da cidade edificada; não mais um vazio ou um mero agrupamento de tendas, ou uma cidade esboçada no papel, começada, mas não concluída. A misericórdia de Deus para com a nação israelita permitiu paz e abundância, suficiente para a edificação e conclusão da sua capital; a cidade floresceu e prosperou em tempos felizes, e a cidade apenas é edificada quando todo o povo de Deus está prosperando. Graças a Deus, Jerusalém está edificada: o Senhor, por sua gloriosa aparição, edificou Sião. Além disto, ela não está edificada como um grupo de tendas ou um conglomerado de cabanas, mas como uma cidade, substancial, arquitetônica, projetada, organizada e protegida. A igreja é uma instituição permanente e importante, fundada sobre a rocha, construída com arte e arranjada com sabedoria. A cidade de Deus tinha esta peculiaridade, não era uma rua longa e irregular, nem uma cidade de extensões magníficas (como eram alguns lugares, meramente estruturados), mas o espaço estava preenchido, os edifícios eram um bloco sólido, uma unidade maciça: isto impressionava os que moravam em vilas e lhes dava a ideia de uma vizinhança próxima, de uma posição firme e uma forte defesa. Nenhum distrito poderia ser surpreendido e saqueado sem que outros distritos da cidade desconhecessem o ataque; as fortalezas cercavam todas as partes da metrópole, que era singularmente una e indivisível. Não havia nenhuma falha neste diamante do mundo, esta pérola das cidades. Em uma igreja, uma das mais maravilhosas condições é a firmeza da unidade: "um só Senhor, uma só fé, um só batismo". Uma igreja deve ser uma só em crença, e uma só em coração, uma só em testemunho e uma só em culto, uma só em aspiração e uma só em um relacionamento cortês entre os seus membros. Prejudicam imensamente a nossa Jerusalém os que desejam construir muros dentro dela; ela precisa de unidade, e não divisão. Não há alegria em crescer em uma igreja que está rasgada pela dissensão interna: a alegria dos santos é despertada pela união do amor, a unidade da vida; seria triste se eles vissem a igreja se tornar uma casa dividida contra si mesma. Alguns grupos de cristãos parecem sofrer explosões periódicas que os fragmentam, e nenhum homem piedoso ficará feliz por estar no caminho quando ocorrerem estas explosões: para lá, as tribos não sobem, pois divisão e luta não são atraentes.

4. *"Aonde sobem as tribos, as tribos do Senhor."* Onde há unidade interna, haverá afluxo de multidões de fora; as tribos sobem para um centro unido. Observe que Israel era um povo, mas estava, de certa forma, dividido pela mera distinção superficial das tribos; e isto pode ser uma lição para nós, de que toda a cristandade é basicamente uma só, embora, por vários motivos, estejamos divididos em tribos. Devemos, tanto quanto possível, fazer afundar a individualidade tribal na unidade nacional, de modo que a igreja possa ser muitas ondas, mas um único mar; muitos ramos, mas uma única árvore; muitos membros, mas um único corpo. Observe que as tribos eram, todas elas, do Senhor; fosse Judá ou Benjamim, Manassés ou Efraim, eram todas do Senhor. Oh, que todos os regimentos do exército cristão possam ser, todos, e igualmente, do Senhor, igualmente escolhidos, redimidos, aceitos e sustentados pelo Senhor.

"Como testemunho de Israel." Eles subiram para a cidade santa para ouvir e dar testemunho. Tudo no templo era um testemunho do Senhor, e as viagens anuais das tribos para o santuário tinham o mesmo caráter de testemunho, pois estas viagens eram a confissão aberta de Israel de que o Senhor era o seu Deus e de que Ele era o único Deus vivo e verdadeiro. Quando nós nos congregamos aos domingos, que é o nosso dia de repouso e adoração ao Senhor, uma grande parte de nossas atividades é dar e receber testemunho: nós somos testemunhas de Deus; todas as tribos da igreja de Jesus Cristo dão testemunho do Senhor.

"Para darem graças ao nome do Senhor." Outra parte de nosso agradável dever é louvar ao Senhor. O louvor sagrado é um dos principais objetivos de nos congregarmos. Todo Israel tinha sido alimentado pelos frutos do campo, e eles subiram para dar graças ao nome do seu grande Lavrador; nós, também, temos incontáveis graças, e nos convém, unidos, nas nossas solenes colheitas, exaltar o nome do nosso Senhor amoroso. O testemunho deve ser mesclado com o agradecimento, e o agradecimento com o testemunho, pois na combinação ambos bendizem a Deus e ao homem e tendem a se espalhar pelos corações de nossos companheiros, que, vendo nossa alegre gratidão, se sentem mais inclinados a dar ouvidos ao nosso testemunho.

Aqui, então, estava parte do motivo da alegria do israelita piedoso, quando recebeu o convite para se unir à caravana que estava subindo para Sião. Ali, ele se encontraria com representantes de todos os clãs da sua nação, e os ajudaria no duplo objetivo de suas santas congregações, que seriam o testemunho e a ação de graças. A própria antecipação de tão agradáveis atividades o enchia de abundante alegria sagrada.

5. *"Pois ali estão os tronos do juízo."* Se estivessem descontentes com os juízos mesquinhos dos que governavam suas aldeias, o povo poderia trazer suas questões perante o trono real, e o seu amado rei certamente decidiria corretamente; pois os tronos do juízo eram *"os tronos da casa de Davi"*. Nós, que comparecemos à igreja e à sua adoração pública, somos bem-vindos diante do trono de Deus, e do trono do Salvador reinante.

"Ele reina! Vós, santos, elevai os vossos cânticos:
O vosso Deus é Rei, o vosso Pai reina:
e Ele está ao lado do Pai,
o Homem do amor, o Crucificado."

Para um santo fiel, o trono nunca é mais amistoso, do que na sua capacidade judicial: os justos amam o juízo, e se alegram se o correto for recompensado e a iniquidade for punida. Ver Deus reinando, no Filho de Davi, e para sempre defendendo a justa causa é algo que é bom para olhos que choram, e animador para corações desconsolados. Eles cantavam, antigamente, quando subiam em direção ao trono, e nós devemos fazer o mesmo. "O Senhor reina. Regozije-se a terra". O trono do juízo não se move, mas está firmemente "*estabelecido*" e ali permanecerá, até que a obra da justiça se cumpra, e a verdade e o direito se estabeleçam no trono com o seu Rei. Felizes as pessoas sob um governante tão glorioso.

6. *"Orai pela paz de Jerusalém!"* Paz era o seu nome; que a sua condição comprove o seu título. Lugar de Paz, que a paz esteja contigo. Aqui havia motivos suficientes para alegria, com a ideia da subida à casa do Senhor, uma vez que este santuário ficava no centro de uma área de paz: Israel bem poderia orar para que uma paz tão grande continuasse. Em uma igreja, a paz deve ser desejada, esperada, promovida e desfrutada. Se não pudermos dizer "Paz, a qualquer preço", certamente poderemos clamar, "Paz, pelo mais alto preço". Aqueles que se agitam diariamente por rudes alarmes são convidados a alcançar seu descanso em santa comunhão, e ali permanecer. Em uma igreja, um dos principais ingredientes do sucesso é a paz interna: a contenda, a suspeita, o espírito de grupos, a divisão – são coisas mortais. Os que rompem a paz da igreja merecem sofrer, e os que a sustentam,

devem conquistar uma grande bênção. A paz na igreja deve ser a nossa oração diária, e ao orar assim traremos paz para nós mesmos; pois o salmista prossegue dizendo, *"Prosperarão aqueles que te amam"*. Quer consideremos a passagem como uma promessa ou como uma oração, isto não importa, pois a oração suplica a promessa, e a promessa é a base para a oração. Já desfrutam da prosperidade da alma aqueles que têm um profundo interesse na igreja e na causa de Deus: são homens de paz, e encontram paz nos seus santos esforços; o povo de Deus ora por eles, e o próprio Deus se alegra com eles. A prosperidade da condição no mundo frequentemente vem aos que amam a igreja, se eles estiverem preparados para recebê-la: muitas vezes, a casa de Obede-Edom foi abençoada, por causa da Arca do Senhor. Como as parteiras egípcias temiam ao Senhor, Ele, que é sempre bom, lhes estabeleceu casas. Nenhum homem perderá permanentemente, por se dedicar à casa do Senhor: somente com a paz de coração, ainda que com nada mais, poderemos encontrar recompensa suficiente para tudo o que pudermos fazer, na promoção dos interesses de Sião.

7. *"Haja paz dentro de teus muros."* Veja como o poeta personifica a igreja, e fala com ela; o seu coração está com Sião e por isto as suas palavras vão nesta direção. Uma segunda vez é a doce benevolência da paz sinceramente buscada: "Não há outra semelhante; dá-ma". Muros eram necessários para manter fora o adversário, mas eles pediam ao Senhor que estes muros provassem ser suficientes para a segurança da cidade. Que as munições de rocha possam defender a cidade de Deus com tal segurança que nenhum invasor possa entrar no que elas cercam. Que suas fortalezas repousem em segurança. Três muros a cercavam, e assim ela tinha uma trindade de segurança.

"E prosperidade dentro dos teus palácios", ou "repouso dentro dos teus palácios". A paz é prosperidade; não pode haver prosperidade que não esteja baseada em paz, nem pode haver paz por muito tempo se a prosperidade não durar, pois o declínio da graça gera a decadência do amor. Desejamos para a igreja – repouso da dissensão interna e do ataque externo: a guerra não é o seu elemento, mas lemos, sobre os tempos antigos, "Assim, pois, as igrejas... tinham paz e se multiplicavam, andando no temor do Senhor e na consolação do Espírito Santo". A ave do paraíso não é um petrel, que semeia brigas e discussões; o seu elemento não é o furacão do debate, mas a calma da comunhão.

Observe que a nossa Jerusalém é uma cidade de palácios: reis habitam dentro de seus muros, e o próprio Deus está ali. A menor igreja merece uma honra maior do que as mais grandiosas confederações de nobres. A ordem da Nova Jerusalém tem mais reputação no céu do que os Cavaleiros do Velo de Ouro. Para o bem de todos os espíritos santos que habitam a cidade de Deus, podemos suplicar, para ela, as dádivas da paz duradoura e prosperidade abundante.

8. *"Por causa dos meus irmãos e amigos, direi: haja paz em ti."* É para o bem de todo Israel que deve haver paz em Jerusalém.. É para o bem de todo cristão, sim, de todos os homens, que haja paz e prosperidade na igreja. Aqui, a nossa humanidade e a nossa filantropia comum auxiliam a nossa oração. Com uma igreja próspera, os nossos filhos, vizinhos e compatriotas provavelmente serão abençoados. Além disto, não podemos deixar de orar por uma causa com que os nossos mais amados parentes e mais excelentes amigos estão associados: se eles se esforçam por isto, devemos e iremos orar por isto. Aqui, a paz é mencionada pela terceira vez. Não são estes "três", tão frequentes, uma indicação da Trindade? Seria difícil crer que a forma tripla de tantas partes do Antigo Testamento seja meramente acidental. Pelo menos a repetição do desejo exibe a alta consideração do autor pela bênção mencionada; ele não teria invocado a paz por várias vezes se não tivesse percebido que ela era extremamente desejável.

9. *"Por causa da Casa do Senhor, nosso Deus, buscarei o teu bem."* Ele ora por Jerusalém por causa de Sião. Como a igreja influencia todos os que estão ao seu redor. A presença do Senhor, nosso Deus, nos atrai a cada lugar onde Ele revele

a sua glória. Que possamos procurar o seu bem dentro dos muros da habitação de Deus, sim, daquele que é o único que pode ser chamado de bom. Nós devemos viver pela causa de Deus, e estar prontos a morrer por ela. Primeiramente, nós a amamos (v. 6), e então nos esforçamos por ela, como nesta passagem: nós vemos o seu bem, e então buscamos o seu bem. Ainda que não possamos fazer nada mais, podemos interceder por ela. A nossa relação de concerto com o Senhor como nosso Deus, nos leva a orar pelo seu povo – eles são "a casa do Senhor, nosso Deus". Se honrarmos o nosso Deus, desejaremos a prosperidade da igreja que Ele escolheu como sua morada.

Assim o poeta está feliz pelo convite de se unir aos outros, no serviço ao Senhor. Ele vai com eles, e se alegra, e então converte o seu prazer em devoção, e intercede pela cidade do grande Rei. Ó, igreja do Deus vivo, nós saudamos as tuas assembleias, e de joelhos oramos para que possas ter paz e felicidade. Que o nosso Senhor assim o faça. Amém!

NOTAS EXPLICATIVAS E DECLARAÇÕES SINGULARES

O salmo: Foxe, em sua obra "Acts and Monuments", fala sobre Wolfgang Schuch, o mártir de Lothareng, na Alemanha, que, depois de ouvir proferida a sentença de que deveria ser queimado, começou a cantar o Salmo 122, *Laetus sum in his quae dicta sunt mihi*, etc.

O salmo: Uma introdução de dois versículos, em lugar de um *Título*, anuncia o objetivo do Salmo. O salmo anterior devia ser entoado ao avistar Jerusalém, e este, às portas da cidade, onde o grupo de peregrinos tivesse parado, com o propósito de organizar a procissão solene para a entrada no santuário. – *E. W. Hengstenberg*

v. 1: "Alegrei-me quando me disseram", etc. Gregório de Nazianzo escreve sobre o seu pai, que foi um homem pagão; ele recebia frequentes pedidos de sua esposa (a mãe de Gregório), para que se tornasse um cristão. Este versículo lhe foi sugerido em um sonho, e a partir de então o influenciou muito. – *John Trapp*

v. 1: "Alegrei-me quando me disseram", etc. Estas palavras parecem ser muito simples, e não abranger grande conteúdo; mas se as examinarmos com olhos espirituais, aparecerá nelas uma grande e maravilhosa majestade; mas os papistas, não conseguindo vê-la, oram, leem e entoam este salmo, e outros, de uma maneira tão fria e negligente, que alguém poderia pensar que não haveria nada tão tolo ou vão, que eles não recitassem ou ouvissem com mais coragem e alegria. Estas palavras, portanto, devem ser desdobradas e apresentadas diante dos olhos dos fiéis: pois, quando ele diz, "Vamos à Casa do Senhor", será que poderemos ver alguma coisa notável nestas palavras, se apenas contemplarmos as pedras, a madeira, o ouro e outros ornamentos do templo material? Mas ir à casa do Senhor significa outro tipo de coisa; especificamente, nos reunirmos onde possamos ter Deus presente conosco, ouvir a sua palavra, invocar o seu santo nome, e receber ajuda e socorro em nossas necessidades. Portanto, é uma falsa definição do templo a que fazem os papistas; de que é uma casa edificada com pedras e madeira para a honra de Deus. O que é este templo, eles mesmos não o sabem; pois o templo de Salomão não era belo porque era adornado com ouro e prata e outros ornamentos preciosos; mas a verdadeira beleza do templo consistia no fato de que naquele lugar o povo ouvia a palavra do Senhor, invocava o seu nome, e o via misericordioso, concedendo paz e remissão dos pecados, etc. Isto é contemplar verdadeiramente o templo, e não como os bispos mascarados contemplam o seu templo idólatra, quando o consagram. – *Martinho Lutero*

v. 1: "Alegrei-me quando me disseram, Vamos" (ou Iremos), etc. Temos aqui,

I. A alegria de Davi.

II. O motivo desta alegria.

Neste objetivo, há circunstâncias suficientes para elevar a sua alegria à mais alta nota. Em primeiro lugar, *Um grupo*, seja uma tribo, ou muitos do povo, ou todo o povo: "Me disseram". Como, em outra passagem, ele diz "íamos com a multidão à Casa de Deus" (Sl 55.14). Uma visão gloriosa, uma representação do próprio céu, de todos os anjos, cantando em voz alta, dos serafins aos querubins, e os querubins ecoando de volta aos serafins, "Santo, santo, santo, é o Senhor Deus dos exércitos". Em segundo lugar, *A sua determinação de* servir ao Senhor: *Dixerunt*, "Disseram" e "dizer", nas Escrituras, significa decidir. "Vamos", é uma posição ou uma resolução. Em terceiro lugar, *A sua concordância* e consentimento unânime: "Nós" [um termo que está oculto, na versão em português]. Esta palavra funciona como um círculo, e abrange a todos. Se houver alguma pessoa dissidente ou relutante, não estará contida nesta circunferência, não fará parte do "nós". Um turco, um judeu e um cristão não podem dizer "Vamos servir o Senhor"; e o cismático ou separatista se exclui da casa do Senhor. "Nós" é um elo de paz, que nos conserva em unidade e faz de muitos, um só. Em quarto lugar, *A sua alegria* e o seu entusiasmo. Eles falam como homens que saem de uma masmorra para a luz, como aqueles que tinham estado, por muito tempo, afastados daquilo que amavam, e agora se aproximavam dele, com esperanças de desfrutar do que desejavam muito fervorosamente: "Vamos"; vamos nos apressar, e não mais nos retardar. *Ipsa festinatio tarda est*, "A própria rapidez agora parece lenta demais". Ainda que cheguemos rapidamente, não será rápido o suficiente. Em quinto lugar, e finalmente: *O lugar onde irão servir a Deus:* não é nenhum lugar de sua própria escolha; não são os bosques, nem os montes, nem os lugares altos; não é um oratório que a soberba, ou a maldade, ou a facção tenha erigido; mas é um lugar indicado e consagrado pelo próprio Deus. *Servient Domino in domo sua:* "Servirão ao Senhor na sua própria casa". [Eles] me disseram, "Vamos à Casa do Senhor". – *Anthony Farindon*

v. 1: "Vamos à Casa do Senhor". *"Vamos"*, dito por cem homens, em qualquer cidade, àqueles sobre os quais tivessem influência, motivaria uma gigantesca reunião... Mas quem, entre aqueles que assim destacam as classes trabalhadoras, foi até eles, e disse, "Vamos – vamos juntos à casa do Senhor"? O conselheiro religioso, a alguma distância da multidão, aconselhou, e advertiu, e pediu, dizendo, "Vão, ou não escaparão à perdição"; "Por que não vão?" O visitante cristão, de igual maneira, usou este tipo de influência; mas quão poucos tomaram o trabalhador pela mão e disseram "Vamos juntos"? Você pode *trazer* multidões que jamais poderá enviar. Muitos que jamais teriam vindo sozinhos teriam vindo com muita disposição e boa vontade, com a sombra da sua companhia. Então, irmãos, digam aos seus vizinhos que não vêm, "Vamos"; aos membros relutantes da sua própria família, digam, "Vamos"; àqueles que foram uma vez à casa de Deus, na sua companhia, mas que recuaram da adoração, digam, "Vamos"; a todos aqueles cujos ouvidos, e mente, e coração, você pode influenciar para tal propósito, diga, "Vamos – vamos juntos à casa do Senhor". – *Samuel Martin* (1817-1878), *em um sermão intitulado "Gladness in the Prospect of Public Worship"*

v. 1: "Alegrei-me quando me disseram", etc. Similar em tipo, mas em grau muito maior, é a alegria que a alma piedosa sente quando é chamada de lá; quando descem anjos e dizem a ela: O teu esforço e a tua angústia estão no fim, e a hora da tua expansão é chegada; despe-te da mortalidade e da infelicidade, imediatamente; deixa a tua casa de servidão, e a terra do teu cativeiro; corre, e "vamos juntos à casa do Senhor, não feita por mãos, eterna, nos céus". – *George Horne*

vv. 1 e 2: Esta é uma exortação mútua. Os membros da igreja convidam, uns aos outros: "Vamos à casa do Senhor". Não é suficiente dizer, Vá você à igreja, e eu vou ficar em casa. Isto jamais adiantará. Nós devemos convidar pelo exemplo, além do preceito. Perceba as formas plurais: "Vamos [*nós*] à casa de Deus. Os *nossos* pés estão dentro das tuas portas, ó Jerusalém". Nós devemos falar como Moisés falou com Hobabe, seu cunhado: "Vai conosco, e te faremos bem; porque o Senhor falou bem sobre Israel". O mesmo dever se impõe a nós, com relação àqueles que não professam a religião, e cujos pés nunca estão na casa de Deus. Zacarias, em um retrato animado das futuras glórias da igreja, descreve o recém-nascido zelo dos convertidos, como seguindo nesta direção. Eles não conseguem deixar de falar do que viram e ouviram, e os outros devem compartilhar da sua alegria. "E os habitantes de uma cidade irão à outra, dizendo: Vamos depressa suplicar o favor do Senhor e buscar o Senhor dos Exércitos: eu também irei". – *N. McMichael*

v. 2: Com que esperança abençoada eles, enquanto estão aqui, nesta vida mortal, levantam seus interesses, desejos e pensamentos ao reino celestial, porque são capazes de dizer, com o profeta, *"Os nossos pés estão dentro das tuas portas, ó Jerusalém"*. Como aqueles que se apressam a qualquer lugar, eles são descritos como sempre pensando, como se já estivessem ali, e, na realidade, ali estão em pensamento, ainda que não em corpo, e conseguem consolar enormemente a outros. Que maravilha, se um homem justo, desejando consolar outros, assim dissesse, *"Os nossos pés estão"*, isto é, os nossos desejos, a nossa contemplação, estarão fixos e estáveis em teus átrios, ó Jerusalém; *isto é*, nas mansões do reino celestial, de modo que a nossa vida estará no céu, e todas as nossas obras serão feitas visando a vida eterna, pela qual ansiamos com o desejo mais intenso. Não é aquela Jerusalém que matou os profetas e apedrejou os que foram enviados a ela, mas aquela onde reina a perfeita visão de paz. – *Paulus Palanterius*

v. 2: "Os nossos pés estão dentro das tuas portas, ó, Jerusalém". O Dr. Clarke, em suas viagens, falando sobre os grupos que viajavam do Oriente a Jerusalém, descreve a procissão como muito longa, e, depois de subir as extensas cadeias de montanhas que delimitavam o caminho, alguns dos primeiros, por fim, alcançavam o topo da última colina, e, levantando as suas mãos com gestos de alegria, clamavam, "A Cidade Santa! A Cidade Santa!" – e caíam ao chão, e adoravam; enquanto os outros, que estavam atrás, se apressavam para ver. Assim o cristão à morte, quando chega ao último cume da vida, e força sua visão para captar um vislumbre da cidade celestial, pode clamar sobre as suas glórias, e incitar os que estão atrás, para que se apressem em direção à visão. – *Edward Payson, 1783-1827*

v. 2: "Ó Jerusalém". A cidade celestial está completa, na minha visão. As suas glórias me iluminam, as suas brisas sopram sobre mim, seus aromas são trazidos até mim, os seus sons atingem meus ouvidos, e o seu espírito é soprado em meu coração. Nada me separa dela, exceto o rio da morte, que agora parece apenas um insignificante riacho, que pode ser cruzado com um único passo, se Deus nos der permissão. O Sol da Justiça gradualmente foi se aproximando cada vez mais, parecendo maior e mais brilhante à medida que se aproximava, e agora preenche todo o hemisfério; derramando um jorro de glória, em que eu pareço flutuar, como um inseto, nos raios do sol; exultando, mas quase tremendo, enquanto contemplo este excessivo brilho, e me pergunto, com assombro inexprimível, por que Deus se permitiria brilhar sobre um verme pecador. – *Experiência de morte, de Edward Payson*

v. 2: "Ó Jerusalém".

Eis que as torres de Jerusalém saúdam os olhos
Mil dedos que apontam contam a história;
"Jerusalém!" clamam mil vozes,
"Viva, Jerusalém!" montes, encostas e vales
captem os alegres sons, e gritem "Viva Jerusalém".
– *Torquato Tasso, 1544-1595*

v. 3: "Jerusalém está edificada como uma cidade bem sólida". As profundas depressões que protegiam a cidade devem sempre ter funcionado como sua defesa natural. Mas também determinavam suas fronteiras naturais. A cidade, de qualquer maneira que se espalhasse, não poderia jamais passar sobre o vale de Cedrom ou o de Hinom; e estes dois fossos, de certa forma, foram muito apropriados, como no caso análogo das antigas cidades de Etruria, a Necrópole de Jerusalém... A compressão entre estes vales provavelmente ocasionou as palavras do salmista:

"Jerusalém está edificada como uma cidade em unidade consigo mesma". Esta é uma expressão que pode ser aplicável até mesmo à cidade moderna, vista do oriente. Mas ainda era mais apropriada para a cidade original, se, como parece provável, o vale de Tyropoeon formasse, em tempos antigos, um fosso dentro de um fosso, encerrando Sião e Moriá em uma massa compacta com menos de oitocentos metros de largura. – *Arthur Penrhyn Stanley (1815-1881), em "Sinai and Palestine"*

v. 3: "Jerusalém". Não importa quão profano ou degradado um local possa ter sido em tempos anteriores, quando é santificado para o uso e serviço de Deus, ele se torna honorável. Jerusalém antigamente tinha sido Jebus – um local onde os jebuseus cometiam suas abominações, e onde estavam todas as desgraças daqueles que buscavam outro deus. Mas agora, dedicada ao serviço de Deus, é uma cidade – *"sólida", "alegria de toda a terra".* – *William S. Plumer*

v. 3: "Sólida". Jerusalém era uma construção sólida; cada extensão de terreno, cada metro de fachada, era valioso; uma casa estava pegada à outra; os que tinham jardins, os tinham além dos muros da cidade, entre os "paraísos" do vale de Josafá. – *Samuel Cox*

v. 3: "Bem sólida". Eu penso que Filadélfia, o nome de um dos sete castiçais de ouro (Ap 1) é um nome muito apropriado para uma igreja, pois significa amor fraternal; e cada congregação deve ser, no bom sentido, a família do amor. Brechas e divisões, distrações e rancores, podem acontecer em outros reinos que estão sem Deus no mundo, e são estranhos ao concerto da graça; mas que Jerusalém, a igreja de Deus, seja sempre como uma cidade que está em unidade consigo mesma. – *John Pigot, 1643*

v. 3: "Como uma cidade bem sólida". Podemos dizer, sobre a grande igreja universal, por todo o mundo, o que os peregrinos disseram de Jerusalém quando contemplaram o seu esplendor, dos montes vizinhos, que é edificada *"como uma cidade bem sólida"?* Uma cidade imponente, entronizada sobre uma base de rocha, suas ruas espaçosas e seus nobres edifícios, belos por si só, com esplendor adicionado pelo gosto e pela regularidade de sua disposição, parece, tanto para o descrente zombeteiro quanto para o cristão angustiado, um emblema singularmente inapropriado da igreja dividida e confusa, dissonante e beligerante. Se a igreja puder ser comparada a uma cidade, com respeito à magnitude, será uma em que cada um edifica de acordo com o seu próprio plano; em que os vários grupos que deveriam embelezar e sustentar, uns aos outros, são cuidadosamente mantidos separados, sugerindo menos a ideia de uma capital sólida e unida do que a de fortes separados e isolados, mantidos por pessoas que se conservavam zelosamente isoladas, uma das outras, salvo quando o ódio mútuo e o rancor os reunir em conflito. Há um pouco de verdade neste quadro; ai dos edificadores soberbos e tolos, que trouxeram a oportunidade para isto, e que, em vez de orar pela paz de Jerusalém, e em vez de buscá-la, se alegram em exibir, perpetuar e fomentar a contenda! Mas, bendito seja Deus, há mais falsidade do que verdade nisto. Com todas as nossas divisões, a Jerusalém cristã *é bem sólida.* O que ocupa os corações e as línguas das miríades de adoradores que se congregam semanalmente nos santuários da nossa amada terra, e dos milhões que se reúnem além das ondas do Atlântico, senão o glorioso Evangelho da graça de Deus? Deixemos fora do cálculo o sacerdote, com seu missal, o frio Sociniano sem o seu Salvador, e o professor ortodoxo iludido e equivocado, que procura sustentar a verdade em meio à injustiça; e mais além, e mais além, e ainda mais além, quaisquer que sejam seus nomes, seus lugares ou sua adoração externa, estão miríades de corações fiéis, que têm a mesma pulsação, que olham com uma mesma esperança, possuídos de uma mesma convicção, e orando e se dirigindo a uma mesma casa abençoada. – *Robert Nisbet*

vv. 3 e 4: Ele elogia Jerusalém, a figura da igreja de Deus e do grupo de pessoas que forma o seu povo. Em primeiro lugar, como uma cidade para uma comunidade. Em segundo lugar, como o lugar das assembleias públicas para adoração religiosa a Deus. Em terceiro lugar, como o lugar da judicatura pública, para o governo do povo do Senhor sob Davi, o tipo de Cristo. Disto, perceba, 1. A igreja de Deus não é sem causa, comparada a uma cidade, e particularmente a Jerusalém, por causa da união, concórdia, comunidade de leis, bens mútuos e conjunção de forças que deve haver entre o povo de Deus: *"Jerusalém está edificada como uma cidade bem sólida"*. 2. Aquilo que elogia um lugar e o recomenda acima de qualquer outro é o estabelecimento, nele, da bandeira de amor do Senhor, e que o torna um lugar para que o seu povo se congregue para a sua adoração: *"Jerusalém é uma cidade aonde sobem as tribos"*. 3. Quaisquer que sejam as distinções civis entre os filhos de Deus, e a maneira como vivem espalhados em várias partes da terra, ainda assim, como são o povo do Senhor, devem fomentar uma comunhão entre eles mesmos, como membros de uma única igreja universal, como indicava o fato de que as pessoas se encontrassem três vezes por ano em Jerusalém: *"aonde sobem as tribos, as tribos do Senhor"*. 4. Como as tribos, também todas as igrejas em particular, por mais espalhadas que estejam, têm um único Senhor, um único concerto, uma única lei e um único conjunto de Escrituras da parte de Deus, o que é indicado pelas tribos subindo para *"o testemunho de Israel"*, ou para se reunirem perante a Arca do Concerto, ou para o local onde o testemunho e todas as ordenanças de Deus deveriam ser colocados em prática. 5. O objetivo das ordenanças de Deus, do santo concerto e comunhão e da união na adoração pública, é reconhecer a graça e a bondade de Deus, e glorificá-lo; pois as tribos subiam *"para darem graças ao nome do Senhor"*. – *David Dickson*

v. 4: "As tribos" são "as tribos do Senhor", que guardam os seus mandamentos. – *H. T. Armfield*

v. 4: "Como testemunho de Israel, para darem graças ao nome do Senhor". Estas duas coisas nada significam, além do fato de que em Jerusalém estava o lugar apontado onde a Palavra deveria ser ensinada, e orações oferecidas. Mas elas deveriam ser escritas em letras douradas, porque Davi não diz nada sobre os outros serviços, exceto sobre estes dois. Ele não diz que o Templo fosse divinamente apontado, para que ali as vítimas fossem sacrificadas; para que ali fosse ofertado incenso; ali oblações e sacrifícios seriam feitos; para que cada um, pelas suas dádivas, mostrasse sua gratidão. Ele nada diz sobre estas coisas, embora apenas no Templo elas fossem ordenadas. Ele faz menção apenas à oração e à ação de graças. – *Martinho Lutero*

v. 4: "O testemunho de Israel". O que é representado no Salmo, como tendo poder de atrair a todos os corações e exigir o pronto comparecimento das tribos, é "*o testemunho de Israel*", a revelação, em outras palavras, que Deus fez ao povo sobre o seu caráter, sentimentos, e propósitos, como extremamente santo, pronto a perdoar, um Deus justo e o Salvador. Esta revelação da natureza daquele grande Ser perante o qual todos devemos comparecer é, com razão, considerada como motivo de alegria. – *Robert Nisbet*

vv. 4 e 5: Observe que bela visão era ver *"o testemunho de Israel"* e os *"tronos do juízo"*, como vizinhos tão próximos; e eles eram bons vizinhos, que podiam ser grandes amigos, uns dos outros. Que *"o testemunho de Israel"* dirija os *"tronos do juízo"* e os *"tronos do juízo"* protejam o *"testemunho de Israel"*. – *Matthew Henry*

v. 5: "Tronos do juízo". Sobre um trono de marfim, trazido da África ou da Índia, o trono de muitas lendas árabes, os reis de Judá se assentavam solenemente, no dia de sua ascensão ao trono. Deste assento eminente, e sob aquela alta porta, Salomão e seus sucessores, depois dele, realizavam seus solenes juízos. Este "pórtico" ou "porta de justiça" ainda conservava viva a semelhança do antigo costume dos patriarcas, de realizar o juízo à porta; exatamente como a Porta da Justiça ainda nos lembra de Granada, e a "Sublime Porta" – a "porta sublime" de Constantinopla. Ele se assentava sobre um touro dourado, cuja cabeça se voltava para o ombro, provavelmente o touro de Efraim; sob seus pés, de cada lado dos degraus, havia seis leões, provavelmente os leões de Judá. Este era "o trono do juízo". Este era o trono da casa de Davi. – *Arthur Penrhyn Stanley, Lectures on the History of the Jewish Church"*

v. 5: Foi uma recomendação merecida a que Davi proferiu, em louvor a Jerusalém quando disse, *"Ali estão os tronos do juízo"*; esta indicação daquele trono para o juízo justificava que eles amavam a justiça. E, em primeiro lugar, o lugar onde ele estava instalado nos assegura disto, pois estava instalado à porta, por onde os homens podiam passar para chegar ao trono do juízo, e voltar dele. Em segundo lugar, a maneira de instalar o trono à porta, ou seja, de modo que os juízes deviam forçosamente se sentar com seus rostos voltados para onde nasce o sol, como sinal de que então o juízo seria tão puro da corrupção quanto o sol era puro e limpo no seu maior brilho. Ó, feliz casa de Davi, cujo trono se situava de maneira tão conveniente, cujas causas eram ouvidas de maneira tão atenta, e cujas questões eram julgadas com tanta justiça! – *Henry Smith, 1560-1591*

v. 6: "Orai pela paz de Jerusalém". Orar pela paz de Jerusalém significa, aqui, os momentos de serenidade em que o povo de Deus poderia desfrutar da pura adoração sem ser perturbado. A igreja sempre teve suas vicissitudes, algumas vezes bom tempo, outras vezes não; mas o seu inverno normalmente era mais longo do que o seu verão; sim, ao mesmo tempo em que o Sol da paz traz o dia a uma parte da igreja, outra parte está envolvida na noite da perseguição. A paz universal em todas as igrejas é uma grande raridade. – *William Gurnall*

v. 6: "Orai pela paz de Jerusalém". Quando os metodistas seguidores de Wesley abriram uma capela em Painswick, perto da sua própria congregação, o grande Cornélio Winter, agora já falecido, orou três vezes, publicamente, no sábado anterior, pelo seu incentivo e sucesso. Quando o Sr. Hoskins, de Bristol, o ministro independente de Castlegreen, abriu uma congregação em Temple Street; o que fez o incomparável Easterbroke, que era o responsável por aquela igreja? Na manhã da inauguração, ele quase foi o primeiro a entrar. Ele se sentou perto do púlpito. Ao terminar o culto, ele se encontrou com o pregador ao pé das escadas, e cumprimentando-o com as duas mãos, disse, em voz alta: "Eu lhe agradeço, meu caro irmão, por vir em meu socorro – aqui há espaço suficiente para nós dois; e trabalho suficiente para nós dois; e muito mais do que nós dois podemos realizar: e eu espero que o Senhor abençoe a nossa cooperação nesta boa causa". – *William Jay*

v. 6: "Orai (com este profeta principesco) pela paz de Jerusalém". Eu gostaria de poder expressar a incomparável doçura deste pequeno *hemistichium.* Eu imagino que o Espírito Santo ficou satisfeito por permitir que o salmista aqui falasse como um poeta: os Salmos são poesias santas. As palavras originais têm tal elegância aqui, de modo que, em minha opinião, nenhuma das passagens das Escrituras pode se comparar a este versículo. É difícil expressar a riqueza destas palavras em Inglês. Somente no ponto em questão, ele nos pede que oremos pela paz de *Jerusalém. Paz* é o nome de *Jerusalém,* 'é a verdadeira origem da palavra, que significa *visão de paz.* Com o uso deste termo, Davi se refere de maneira extremamente doce ao nome da cidade, mas esconde a sua inteligência; que não poderia ter estado mais declarada: ele disse שַׁאֲלוּ שְׁלוֹם שָׁלֵם, *"Orai pela paz de Salém".* Pois também assim ela era chamada, assim foi chamada anteriormente, ainda é chamada (Sl 76); "E em Salém, está o seu tabernáculo". Esta palavra simplesmente soa como *paz*; Deus desejava que a sua igreja fosse a casa da paz; e o seu templo ali, Davi não podia edificar, porque era um guerreiro; mas Salomão, seu filho, que tinha o seu nome derivado de paz, deveria edificá-lo. Cristo, a quem pertence a igreja (ela é sua esposa), não teria nascido no reinado de Júlio César; ele também era um guerreiro: Cristo teria nascido no reinado de Augusto, que reinou em paz. E esta também pode ser uma razão, se você pensar bem, pela qual Davi pede que oremos apenas pela paz, uma bênção terrena. Esta palavra era extremamente apropriada à sua arte aqui, e soava muito bem. Mas sob esta palavra, por *sinédoque* poética, ele armazenava todas as bênçãos celestiais. – *Richard Clerke, 1634*

v. 6: "Orai", etc. A nossa oração pela igreja nos dá uma participação em todas as orações da igreja; nós participamos de cada "barco de oração" que faz uma viagem para o céu, se nossos corações estiverem dispostos a orar pela igreja; e, se não, não participamos deles.

Que o homem não se engane: aqueles que *não oram* pela igreja de Deus, *não amam* a igreja de Deus. *"Prosperarão aqueles que te amam",* isto é, que *oram* por ti – uma coisa é a contrapartida da outra. Se não a amarmos, não oraremos por ela; e se não oramos por ela, significa que não a amamos. Assim, se não orarmos pela igreja, *perderemos* a nossa cota nas orações da igreja. Você poderá dizer que o homem que tem uma participação em cada barco no mar tem uma grande propriedade; mas participar de todas as orações que são dirigidas ao céu é melhor do que possuir o mundo todo. Todas as orações da igreja são feitas a favor de todos os membros vivos dela, ou seja – as bênçãos estarão com eles, para que o homem participe de cada "barco de oração", de todas as igrejas, por todo o mundo. De minha parte, eu não deixaria a minha cota, nem por todas as riquezas do mundo; e não terá uma cota nesta bênção o homem que não fizer uma oração pela igreja. – *John Stoughton, 1640*

v. 6: "Prosperarão aqueles que te amam". A palavra *"prosperar"* transmite uma ideia que não está no idioma original. A palavra hebraica significa *estar seguro, tranquilo, em repouso*, referindo-se particularmente a alguém que desfruta de tranquila prosperidade (Jó 3.26; 12.6). A ideia essencial é a de tranquilidade ou repouso; e o significado aqui é de que aqueles que amam Sião *terão* paz; ou que a tendência deste amor é produzir paz (veja Rm 5.1). A oração era pela "paz"; a ideia conectada a ela era, naturalmente, a de que aqueles que amavam Sião *teriam* paz. Realmente é verdade, de modo geral, que os que amam Sião, ou que servem a Deus *"prosperarão"*; mas esta não é a verdade aqui ensinada. A ideia é de que terão *paz* – paz com Deus; paz em suas próprias consciências; paz na perspectiva da morte, e do mundo futuro; paz em meio às tempestades da vida; paz na morte, na sepultura, e para sempre. – *Albert Barnes*

v. 6: "Prosperarão aqueles que te amam". Vendo que prosperam os homens que amam e sentem afeto por Jerusalém, que os homens aprendam a mostrar boa vontade para com a igreja de Cristo, ainda que não sejam acadêmicos na escola de Cristo – ainda que não cheguem à perfeição, que expressem um bom sentimento. Uma boa vontade e inclinação, onde falha a força, são aceitas, e uma boa disposição não é rejeitada: ainda que vocês ainda não sejam santos, amem os santos. Se você gosta e ama o que deseja ser, você será, no futuro, aquilo que você ainda não é. A pequena ave, antes de voar, agita suas asas no ninho: o filho engatinha antes de andar: assim também a religião começa com o afeto, e a devoção se origina do desejo. O homem deve amar antes o que deseja ser, antes que possa ser o que ama. É um bom sinal, quando o homem é capaz de influenciar aquilo que ele espera, e quando é capaz de beneficiar aquilo que lhe favorece mais plenamente. Aquele que ama Sião irá prosperar; aquele que ama a virtude irá crescer e prosperar nela. O dia das pequenas coisas não será desprezado (Zc 4.10), nem se apagará o morrão que fumega (Mt 12.20); mas a fumaça trará fogo, e o fogo irromperá em uma chama. – *Andrew Willett* (1562-1621), *em "Certaine Fruitfull Meditations upon the* 122. *Psalme"*

v. 6: "Prosperarão aqueles que te amam". O inverso também é verdade. "Ninguém jamais tirou uma pedra do Templo, sem que o pó tenha voado em seus olhos". – *Provérbio judeu.*

vv. 6 a 9: Nesta cordial e apaixonada invocação, é curioso encontrar um daqueles trocadilhos, ou jogos com palavras, que são característicos da poesia hebraica. As palavras principais da estrofe são *"paz"* e *"prosperidade"*. A palavra hebraica para *"paz"* é *shâlom,* e a palavra hebraica para *"prosperidade"* é *shalvah,* ao passo que a forma hebraica "Jerusalém", que significa "Lugar de Paz", é Yeru-*shalaim.* De modo que, na verdade, o poeta deseja *shâlom* e *shalvah* em *shalaim* – "paz" e "prosperidade" no "Lugar de Paz". Este uso de palavras pode não nos impressionar como indicando um senso de humor muito sutil ou profundo, ou qualquer característica artística notável. Mas sempre devemos nos lembrar de que é sempre difícil que uma raça aprecie o humor ou a sutileza de outra raça. Também devemos nos lembrar de que este tipo de jogo de palavras e de jogo com o som das palavras – uma arte de que estamos ficando cansados – era uma grande novidade e algo surpreendente para os homens que não estavam saturados por ele (como nós estamos), e que eram, eles mesmos, incapazes, na sua maioria, de se expressar com clareza até mesmo através da linguagem mais simples e fácil. – *Samuel Cox*

v. 7: "Haja paz dentro de teus muros". A igreja é uma cidade de guerra, e uma cidade murada, situada entre inimigos, e não pode confiar nos que estão fora dela, mas deve estar sempre vigilante, assim como o seu tipo, Jerusalém, com seus muros e suas torres, já mostrava. – *David Dickson*

v. 7: "Dentro de teus muros". Ou, *Ao teu muro exterior.* Josefo nos diz (Livro V.) que em Jerusalém havia três fileiras de muros. O sentido, aqui, é, que o inimigo não se aproxime tanto das tuas fortificações externas, para te perturbar. – *Thomas Fenton*

v. 8: "Por causa dos meus irmãos e amigos". Porque ali eles moram, ou porque vão aí para adorar; ou porque eles te amam, e aí encontram a sua felicidade; ou porque não se converteram, e toda a esperança que tenho da salvação deles se origina de ti – da igreja, da influência da religião. – *Albert Barnes*

v. 8: "Meus irmãos". Em certa ocasião, um índio mais velho, antigamente um canibal, dirigindo-se aos membros da igreja, disse, "Irmãos!", e, fazendo uma pausa por um momento, continuou, "Ah! esta é uma palavra nova; nós não conhecíamos o verdadeiro significado desta palavra, no nosso paganismo. Foi o 'Evangelia a Jesu' que nos ensinou o significado de 'irmãos'". – *William Gill, Gems from the Coral Islands", 1869*

v. 9: "Por causa da Casa do Senhor". A cidade que era o cenário de tão imensas congregações tinha necessariamente um caráter peculiar e todo próprio. Ela existia por elas, ela vivia por elas. Ali os sacerdotes eram necessários para conduzir a adoração, vinte e quatro ordens deles, e vinte mil homens. Havia levitas, os seus servos, em quantidades imensas, necessários para vigiar, manter, limpar o templo – fazer o serviço mais humilde necessário para o seu serviço detalhado e minucioso, e estupendos atos de adoração. Havia escribas necessários para a interpretação da lei, homens com conhecimento das Escrituras e da tradição, com nomes como Gamaliel, tão famoso pela sabedoria quanto por atrair jovens como Saulo, da distante Tarso, ou Apolo, da rica Alexandria. Havia sinagogas, 480 delas, no mínimo, onde os rabinos liam e o povo ouvia a palavra que Deus tinha dito, em tempos passados, aos pais, pelos profetas. A cidade era realmente, de certa forma, a religião de Israel, incorporada e localizada, e o homem que amava uma das sinagogas voltava seu rosto diariamente para a outra, dizendo, "A minha alma está anelante e desfalece pelos átrios do Senhor". – *A. M. Fairbairn, Studies in the Life of Christ", 1881*

v. 9: "Buscarei o teu bem". Não é um desejo frio; não é uma busca descuidada, esta frase no meu texto – *"Buscarei o teu bem".* Não é uma busca descuidada, quase tão indiferente como quando uma mulher procura um alfinete que deixou cair, não, não; está envolvido esforço. *"Buscarei",* colocarei nisto minhas energias; minhas forças, minhas faculdades, meus bens, meu tempo, minha influência, meus relacionamentos, minha família, minha casa, tudo o que tenho, sob o meu comando, enquanto eu tiver o poder de comandar, e enquanto Deus me der a capacidade de dedicar tudo isto neste uso, será empregado em um esforço para promover os interesses de Sião. – *Joseph Irons, 1786-1852*

SUGESTÕES AOS PREGADORES

O salmo. Observe, I. A alegria com que eles subiam a Jerusalém (vv. 1,2).
II. A grande estima que tinham por Jerusalém (vv. 3-5).
III. O grande interesse que tinham por Jerusalém e as orações que deviam fazer, pelo bem dela. – *M. Henry*

v. 1. I. Davi ficou feliz em ir à casa do Senhor. Era a casa do Senhor, por isto ele desejava ir. Ele a preferia, à sua própria casa.
II. Ele ficou feliz, quando os outros lhe disseram, "Vamos". A distância podia ser grande, o tempo podia ser inóspito, mas, ainda assim, "Vamos".
III. Ele ficou feliz, por dizer aos outros, "Vamos", e por persuadir outros a acompanhá-lo. – *G. R.*

v. 1. I. Alegria, na perspectiva da adoração religiosa.
1. Por causa da instrução que recebemos.
2. Por causa dos exercícios devocionais em que nos envolvemos.
3. Por causa da sociedade em que nos envolvemos.
4. Por causa dos sagrados interesses que promovemos.

II. Alegria, com o convite à adoração religiosa.
1. Porque ele mostra que outros estão interessados na adoração a Deus.
2. Porque ele mostra o interesse deles em nós.
3. Porque ele promove os interesses de Sião. – *F. J. B.*

v. 1. A alegria pela casa de Deus. Você se alegra "quando", etc.? Por que se alegra?
1. Porque tenho uma casa do Senhor, à qual posso ir.
II. Porque alguém sentiu um interesse suficiente em mim, para dizer, "Vamos", etc.
3. Porque eu sou capaz de ir à casa de Deus.
IV. Porque estou disposto a ir . – *J. G. Butler, The Preacher's Monthly", 1882*

v. 1. "Alegrei-me", etc. Isto diz, I. O adorador devoto, *que se alegra por ser convidado a ir à casa terrena de Deus.* É a sua casa, a sua escola, o seu hospital, o seu banco.
II. *O cristão avivado, que se alegra por ser convidado à casa espiritual de Deus.* A igreja é edificada quando se congrega, etc. Ali ele encontraria um descanso estável. Ele não se solidariza com "ciganos religiosos", nem com pessoas que não pertençam à igreja. 3. *O santo moribundo, que está feliz por ser convidado à casa celestial de Deus.* Simeão – Estêvão – Pedro – Paulo. – *W. J.*

v. 1. 1. O dever de comparecer aos cultos na casa de Deus.
2. O dever de convidar e incentivar outras pessoas a ir.
3. O benefício de ser convidado e incentivado. – *F. J. B.*

v. 2. Aqui temos, I. Comparecimento pessoal: *"Meus* pés esta", etc.
II. Segurança pessoal: "Meus pés *estão".*
III. Comunhão pessoal: "Ó Jerusalém". – *G. R.*

v. 2. O interior da igreja. A honra, o privilégio, a alegria e a comunhão de estar ali.

v. 3. I. Um tipo da Nova Jerusalém.
1. Igualmente escolhida por Deus.
2. Igualmente fundada sobre uma rocha. 3. Igualmente tirada de um inimigo.

II. Um tipo da sua prosperidade: "Edificada como uma cidade".
III. Um tipo da sua perfeição: "Bem sólida". – *G. R.*

v. 3. A unidade da igreja.
1. Implicada em todas as tratativas de concerto.
2. Sugerida por todas as metáforas das Escrituras.
3. Pedida em oração, pelo nosso Senhor.
4. Promovida pelos dons do Espírito.
5. A ser mantida por todos nós.

vv. 3 e 4. A igreja unida, a igreja em crescimento.

v. 4. I. O dever da adoração pública.
1. Em um lugar: *"Aonde* sobem as tribos".
2. Em um grupo, embora de muitas tribos: "Aonde sobem *as tribos*".

II. O desígnio. 1. Para instrução: *"Como testemunho de Israel"*.
2. Para o louvor: *"Para darem graças ao nome do Senhor"*. – *G. R.*
v. 5: I. Há tronos de juízo no santuário, ali são julgados os homens.
1. Pela lei.
2. Pelas suas próprias consciências.
3. Pelo Evangelho.
II. Há tronos de graça: "Da casa de Davi". 1. Do Filho de Davi, no coração do seu povo.
2. Do seu povo, no Filho de Davi. – *G. R.*
v. 6. I. A oração.
1. "Por Jerusalém", não por nós mesmos, nem pelo mundo, mas pela igreja. Pelos bebês em graça, pelos jovens, e pelos pais. Pelos pastores, com os diáconos e anciãos.
2. Pela "paz" de Jerusalém. A paz interior e exterior.
II. A promessa. 1. A quem é feita: "Aqueles que te amam".
2. A promessa propriamente dita: "Prosperarão" – individualmente e coletivamente.
Ou,
I. O amor por Jerusalém é o resultado da verdadeira piedade.
II. A oração por Jerusalém é o resultado deste amor.
III. A paz de Jerusalém é o resultado desta oração; e,
IV. A prosperidade de Jerusalém é o resultado desta paz. – *G. R.*
v. 6. Deus conectou dar com receber, fragmentar e aumentar, semear e colher, orar e prosperar.
I. O que devemos fazer, se desejarmos prosperar. – "orar pela paz de Jerusalém". 1. De maneira abrangente: "Paz" – espiritual, social, eclesiástica, nacional.
2. De maneira suprema: "preferir Jerusalém acima de", etc.
3. De modo prático: "A paz domine em vossos corações". "Procura a paz e segue-a".
II. O que ganharemos, se assim orarmos – "Prosperidade".
1. A prosperidade temporal pode vir assim. Deus virou o cativeiro de Jó, quando orava pelos seus amigos.
2. A prosperidade espiritual pode vir assim. Questões da alma – exercícios santos e serviços devocionais.
3. A prosperidade numérica assim virá. "Multiplicar-lhes-ei os homens, como a um rebanho". – *W. J.*
vv. 6 a 9. I. As bênçãos desejadas para a igreja.
1. Paz.
2. Prosperidade. Observe a ordem e a conexão entre as duas.
II. A maneira de assegurá-las.
1. Oração: "Orai pela paz de Jerusalém".
2. Prazer no serviço a Deus: "Alegrei-me", etc.
3. Esforço prático: "Buscarei o teu bem".
III. Razões para buscá-las.
1. Pelo nosso próprio bem: "Prosperarão", etc.
2. Pelo bem dos nossos companheiros.
3. Pelo bem da "casa do Senhor". – *F. J. B.*
v. 7. I. Onde a paz é mais desejável: "Dentro de teus muros". Dentro de muros da cidade, muros da casa, mas principalmente dentro dos muros do templo.
II. Onde a prosperidade é mais desejável.
1. Em particular.
2. Na igreja. Estes são os palácios do Grande Rei: "Os palácios de marfim de onde te alegram". – *G. R.*
v. 7. A conexão entre paz e prosperidade.
v. 7. "Teus muros".
1. Investigue por que a igreja precisa de muros.
2. Investigue quais são os muros de uma igreja.
3. Investigue de que lado dos muros nós estamos.

v. 7. A igreja, um palácio.
1. Destinado ao grande Rei.
2. Habitado pela família real.
3. Adornado com régio esplendor.
4. Guardado por especial poder.
5. Conhecido como a corte do bendito e único soberano.

vv. 8 a 9. Dois grandes princípios são aqui estabelecidos, por que deveríamos orar pela igreja.

I. Amor pelos irmãos: "Por causa dos meus irmãos e amigos".

II. Amor por Deus: "Por causa da Casa do Senhor, nosso Deus, buscarei o teu bem". – *N. M' Michael*

v. 9. "Buscarei o teu bem". 1. Por meio da oração pela igreja.
2. Servindo na igreja.
3. Levando os outros a comparecer.
4. Guardando a paz.
5. Vivendo de modo a recomendar a religião.

SALMO 123

TÍTULO

Cântico dos Degraus. Estamos subindo. O primeiro passo (Sl 120) nos viu, lamentando nossas circunstâncias problemáticas; o passo seguinte, nos viu elevando os olhos para os montes e descansando em tranquilidade; deste versículo, nós subimos para o prazer na casa do Senhor; mas aqui, nós olhamos para o próprio Senhor, e esta é a maior subida de todas, por muitos degraus. Os olhos agora olham acima dos montes, e acima do escabelo do Senhor na terra, para o seu trono, nos céus. Vamos chamá-lo de "Salmo dos olhos". Os autores antigos o chamam de Oculus Sperans, ou o olho da esperança. É um salmo curto, escrito com singular talento, e que contém um único pensamento e o expressa de uma maneira extremamente arrebatadora. Sem dúvida, deve ter sido um cântico favorito, entre o povo de Deus. Conjeturou-se que este curto cântico, ou melhor, este suspiro, pode ter sido ouvido, pela primeira vez, nos dias de Neemias, ou sob as perseguições de Antíoco. Isto pode ser verdade, mas não há evidência disto; e nos parece igualmente provável que os aflitos, de todos os períodos, depois dos dias de Davi, considerassem este salmo apropriado para a sua situação. Se ele parece descrever dias distantes de Davi, é ainda mais evidente que o salmista também era um profeta, e cantou o que viu, em visão.

1 *Para ti, que habitas nos céus, levanto os meus olhos.*
2 *Eis que, como os olhos dos servos atentam para as mãos do seu senhor, e os olhos da serva, para as mãos de sua senhora, assim os nossos olhos atentam para o Senhor, nosso Deus, até que tenha piedade de nós.*
3 *Tem piedade de nós, ó Senhor, tem piedade de nós, pois estamos assaz fartos de desprezo.*
4 *A nossa alma está sobremodo farta da zombaria daqueles que estão à sua vontade e do desprezo dos soberbos.*

EXPOSIÇÃO

1. *"Para ti... levanto os meus olhos."* É bom ter alguém a quem levantar os olhos. O salmista olhou tão alto, que não poderia olhar

mais alto. Ele olhou não para os montes, mas para o Deus dos montes. Ele cria em um Deus pessoal, e nada conhecia daquele panteísmo moderno, que nada mais é do que o ateísmo usando um disfarce. Os olhos levantados, naturalmente e instintivamente, descrevem a condição do coração que fixa seu desejo, esperança, confiança e expectativa no Senhor. Deus está em toda parte, e, apesar disto, é muito natural pensar nele como estando acima de nós, naquela terra de glória que está além dos céus.

"Para ti, que habitas nos céus." Esta expressão simplesmente apresenta a noção nada sofisticada de um filho de Deus em aflição; Deus é, Deus está nos céus, Deus habita em um lugar e Deus é, para sempre, o mesmo, por isto eu confio nele. Quando não podemos confiar em nenhum ajudador, no mesmo nível em que estamos, é enormemente sábio procurar acima de nós; na verdade, mesmo que tenhamos mil ajudadores, os nossos olhos ainda devem se dirigir ao Senhor. Quanto mais alto o Senhor está, melhor é para a nossa fé, uma vez que a altura representa poder, glória e excelência, e tudo isto estará engajado para o nosso bem. Nós devemos ser muito gratos pelos olhos espirituais; os cegos deste mundo, ainda que possuam grande quantidade de conhecimento humano, não podem contemplar o nosso Deus, pois em questões celestiais, não têm visão. Mas nós devemos usar os nossos olhos com resolução, pois eles não se dirigem para o alto, para o Senhor, mas são propensos a olhar para baixo, ou para dentro, ou para qualquer lugar, exceto o Senhor; que seja a nossa firme determinação que não nos falte o olhar voltado para o céu. Se não podemos ver Deus, que pelo menos olhemos em sua direção. Deus está no céu como um rei em seu palácio; Ele é ali revelado, adorado e glorificado; dali, Ele olha para o mundo, que está abaixo, e envia socorro aos seus santos, conforme a sua necessidade exigir; para lá, para cima, nós devemos olhar, quando as nossas angústias forem tão grandes, que nada mais podemos fazer. É uma abençoada condescendência, por parte de Deus, que Ele nos permita elevar os olhos para o seu glorioso trono; sim, e ainda mais, que Ele nos convide, e até mesmo nos ordene, que façamos isto. Quando nós estamos olhando para o Senhor, com esperança, é bom dizer isto a Ele, em oração; o salmista usa a sua voz, além dos seus olhos. Nós não precisamos falar em oração – um olhar fará isto, pois,

> "A oração é o peso de um suspiro,
> o cair de uma lágrima,
> um olho voltado para cima,
> quando ninguém, exceto Deus, está perto".

Mas, além disto, é útil que o coração use a língua, e fazemos bem em nos dirigir, com palavras e sentenças, ao Deus que ouve o seu povo. Não é uma pequena alegria o fato de que o nosso Deus esteja sempre em casa: Ele não está viajando, como Baal, mas habita nos céus. Não devemos julgar inoportuna nenhuma hora do dia, para esperar no Senhor, nenhuma vigília da noite é escura demais, para que confiemos nele.

2. *"Eis"* – pois é digno de consideração, entre os homens, e que a Majestade do céu também o note, e rapidamente envie a misericórdia que os nossos espíritos buscam e esperam. Vê, ó Senhor, como confiamos em ti, e na tua misericórdia, olha para nós. Este *Eis* tem, contudo, um chamado, para que observemos e consideremos. Sempre que os santos de Deus confiaram no Senhor, o seu exemplo foi merecedor da mais sincera consideração. A santificação é um milagre da graça; por isto, devemos contemplá-la. Pois o fato de Deus ter colocado nos homens o espírito de servir, é um grande prodígio; assim sendo, que todos os homens se voltem, e vejam esta grande visão.

"Como os olhos dos servos (ou escravos) *atentam para as mãos do seu senhor."* Eles estão no canto da sala, com suas mãos cruzadas, observando os movimentos

de seu senhor. Os orientais falam menos do que nós, e preferem comandar seus escravos por meio dos movimentos de suas mãos; consequentemente, o servo deve fixar seus olhos no seu senhor, ou poderá deixar de ver um sinal, e assim, deixar de obedecer; desta maneira, o homem santificado levanta os seus olhos para Deus, e se esforça para descobrir a vontade divina através de cada um dos sinais que o Senhor tiver prazer em usar. Criação, providência, graça: todas são movimentos da mão do Senhor, e de cada uma delas devemos apreender uma porção do nosso dever; por isto devemos estudá-los cuidadosamente, para descobrir a vontade divina.

"E os olhos da serva, para as mãos de sua senhora." Esta segunda comparação pode ser usada, porque as mulheres orientais são ainda mais meticulosas do que os homens, no treinamento de suas servas. Normalmente, se acredita que as mulheres deem mais ordens, e sejam mais sensíveis à desobediência do que os homens. Entre as matronas de Roma, as escravas tiveram um triste exemplo disto, e sem dúvida a situação era a mesma entre as senhoras orientais, de um modo geral.

"Assim os nossos olhos atentam para o Senhor, nosso Deus." Os crentes desejam estar atentos a cada uma e a todas as ordens do Senhor; mesmo aquelas que, aparentemente, dizem respeito a coisas pequenas, não são pequenas para nós, pois sabemos que até mesmo por palavras ociosas teremos que prestar contas, e somos ansiosos para nos justificar com alegria, e não com pesar. Os santos fiéis, como servos obedientes, olham para o Senhor, seu Deus, *com reverência*; eles têm um santo respeito e um temor interior ao Deus grande e glorioso. Eles vigiam, *obedientes*, cumprindo os seus mandamentos, guiados pelo seu olho. O seu olhar está constantemente e *atentamente* fixo em tudo o que vem ao Altíssimo; eles prestam atenção sincera e receiam deixar escapar alguma coisa, por inadvertência ou sonolência. Eles olham *continuamente*, pois nunca há um momento em que não estejam em serviço; em todos os momentos, sentem prazer, em servir, em todas as coisas. No Senhor fixam seus olhos, *com expectativa*, procurando suprimentos, socorro, e segurança nas suas mãos, esperando que Ele tenha misericórdia deles. A Ele, eles olham *e unicamente a Ele*; não têm outro em quem confiar, e aprendem a olhar *com submissão*, esperando pacientemente no Senhor, procurando, em atividade e sofrimento, glorificar o seu precioso e bendito nome. Quando são feridos com a vara, eles desviam os olhos, *implorando* à mão que castiga, esperando que a misericórdia logo suavize o rigor da aflição. Há muito mais na imagem do que podemos exibir neste breve comentário; talvez fosse mais lucrativo sugerir a pergunta: Será que nós estamos treinados desta maneira para servir? Embora sejamos filhos, será que aprendemos a obediência total dos servos? Nós renunciamos a nós mesmos e curvamos a nossa vontade diante da Majestade celestial? Nós desejamos, em todas as coisas, estar à disposição de Deus? Se a resposta for afirmativa, somos felizes e bem-aventurados. Embora sejamos co-herdeiros com Cristo, no presente nós somos pouco diferentes de servos, e podemos ficar satisfeitos em tê-los como nosso modelo.

Observe o nome de concerto, *"o Senhor, nosso Deus"*; é doce confiar em um Deus de concerto. Por causa deste concerto, Ele exibirá misericórdia para conosco; mas nós teremos que esperar por ela. *"Até que tenha piedade de nós"*; Deus tem seu tempo e sua oportunidade, e nós devemos esperar até que o seu tempo chegue. Para a prova da nossa fé, o nosso bendito Senhor pode se atrasar um pouco, mas no final, a visão será cumprida. Misericórdia é aquilo de que precisamos, aquilo que esperamos, aquilo que o nosso Deus irá manifestar a nós. Mesmo aqueles que confiam no Senhor, com aquele olhar santo que é aqui descrito, precisam de misericórdia, e como não podem reivindicá-la por direito, esperam por ela, até que a graça soberana decida concedê-la. Bem aventurados são estes servos aos quais o Senhor assim encontrar, fazendo isto. Confiar no Senhor é uma postura apropriada, tanto para a terra como para os céus: ela é, na verdade, a condição correta, apropriada, em todos os lugares, para um servo do Senhor. Nós não podemos deixar esta postura, enquanto formos, pela graça, habitantes do campo de misericórdia. É uma grande misericórdia, ser capacitado a esperar a misericórdia.

3. *"Tem piedade de nós, ó Senhor, tem piedade de nós."* Ele se detém na palavra "piedade", e a incorpora em uma veemente oração: a própria palavra parece retê-lo, e ele se fixa nela. É bom que oremos sobre tudo, e convertamos tudo em oração; e particularmente, quando somos lembrados de uma grande necessidade, devemos usá-la como o tom segundo o qual afinamos nossa melodia. A reduplicação da oração pretende expressar a sinceridade do espírito do salmista e a sua urgente necessidade: ele importa de maneira importuna o que necessita rapidamente. Observe que ele alterou, a primeira pessoa do singular pelo plural. Todos os santos precisam de piedade: todos a buscam, todos a terão, por isto oramos – "tem piedade de *nós*". Um escravo, quando punido, olha para a mão de seu senhor, para que a punição possa cessar, e da mesma maneira nós olhamos para o Senhor, pedindo piedade, e a imploramos com todo o nosso coração. Os nossos desdenhosos oponentes não terão piedade de nós; não devemos pedir piedade das mãos deles, mas devemos nos voltar para o Deus de misericórdia, e buscar apenas a sua ajuda.

"*Pois estamos assaz fartos de desprezo*" e este é um ácido que corrói a alma. Observe as palavras enfáticas. *Desprezo* é amargura misturada com tristeza ou rancor; aquele que o sente bem pode implorar piedade ao seu Deus. *Fartos* de desprezo, como se fossem um copo de vinho amargo, cheio até a boca. Este tinha se tornado o principal pensamento em suas mentes, a angústia peculiar de seus corações. Excluindo todos os outros sentimentos, um sentimento de escárnio monopolizava a alma e a tornava indescritivelmente infeliz. Outra palavra é acrescentada, adverbialmente – *assaz* fartos. Cheios até transbordar. Um pouco de desprezo, eles podiam suportar, mas agora estavam fartos e cansados dele. Nós nos admiramos com a tripla menção à piedade, quando este mau senhor estava em ascendência? Nada fere mais, causa maior amargura, maior exasperação, do que o desprezo. Quando os nossos companheiros fazem pouco de nós, nós somos muito capazes de fazer pouco de nós mesmos, e dos consolos preparados para nós. Ó, que possamos estar cheios de comunhão, e então nos esvaziaremos do desprezo, que jamais será capaz de nos encher com seu mordaz vinagre.

4. *"A nossa alma está sobremodo farta da zombaria daqueles que estão à sua vontade."* Não tendo nenhum problema, os que estão à vontade se tornam cruéis e afastam as pessoas do Senhor. Tendo já secreto desprezo pelos piedosos, agora eles o demonstram, zombando abertamente deles. Observe aqueles que fazem isto: não são os pobres, os humildes, os que estão em dificuldades, mas aqueles que têm uma boa vida e são satisfeitos consigo mesmos. Eles estão em circunstâncias agradáveis e tranquilas; têm o coração tranquilo, embora uma consciência amortizada, e assim facilmente zombam da santidade; eles estão tranquilos, por não precisar de nada, e por não ter que realizar nenhum trabalho duro; eles estão tranquilos quanto a qualquer ansiedade de melhorar, pois o convencimento de têm de si mesmos é ilimitado. Estes indivíduos são tranquilos e inconsequentes, e por isto zombam da santa atenção daqueles que têm os seus olhos voltados à mão do Senhor. Eles dizem: Quem é o Senhor para que obedeçamos à sua voz? E então se viram, com um olhar desdenhoso e zombam daqueles que temem o Senhor. Ai daqueles que estão tranquilos em Sião; o seu desprezo pelos piedosos irá apressar e aumentar a sua desgraça. O resultado prejudicial da falta de aflição é singularmente evidente aqui. Deixe uma pessoa perfeitamente à vontade, e ela zombará dos piedosos que sofrem, e se tornará soberba, tanto em coração como em sua conduta.

"E do desprezo dos soberbos." Os soberbos se têm em tão alto conceito, que necessariamente pensam muito menos sobre aqueles que são, de fato, melhores do que eles. A soberba é, ao mesmo tempo, desprezível e desdenhosa. O desprezo dos grandes da terra frequentemente é peculiarmente amargo: alguns deles, como um estadista bastante conhecido, são "mestres de sarcasmo e escárnio e zombaria", e jamais parecem tão à vontade, em sua acrimônia, como quando um servo do Senhor é a vítima de seu veneno. É bastante fácil escrever sobre este assunto, mas ser escolhido como o alvo do desprezo é uma questão completamente diferente.

Corações excelentes foram quebrantados, e espíritos corajosos desfaleceram sob o poder maldito da falsidade e da horrível praga do desprezo. Para nossa consolação, podemos nos lembrar de que o nosso divino Senhor foi desprezado e rejeitado pelos homens, mas Ele não cessou o seu serviço perfeito, até que foi exaltado para habitar nos céus. Devemos suportar a nossa cota deste mal que ainda se enfurece sob o sol, e crer, firmemente, que o desprezo dos ímpios se converterá em nossa honra, no mundo que há de vir; mesmo agora, ele serve como um certificado de que não somos deste mundo, pois se fôssemos, o mundo nos amaria, como seus.

NOTAS EXPLICATIVAS E DECLARAÇÕES SINGULARES

O salmo: Este salmo (como você pode ver) é curto, e por isto é um exemplo apropriado que mostra que a força da oração não consiste em muitas palavras, mas em fervor de espírito. Pois questões importantes podem estar contidas em poucas palavras, se vierem do espírito e dos inexprimíveis gemidos do coração, particularmente quando a nossa necessidade for tal que não permitirá nenhuma longa oração. Cada oração é longa o suficiente, se for fervorosa e sincera, e vier de um coração que compreende a necessidade dos santos. – *Martinho Lutero*

O salmo: A mudança de intérpretes neste salmo é muito evidente; o pronome, no primeiro versículo, é o de primeira pessoa do *singular* e no resto do salmo é usada a primeira pessoa do *plural.* – *Stephen Street*

O salmo: Este salmo tem uma distinção que "dificilmente" será encontrada em "qualquer outra passagem do Antigo Testamento". No idioma hebraico, tem muitas rimas. Mas estas rimas são puramente acidentais. Elas resultam simplesmente do fato de que nele são usadas muitas palavras com as mesmas inflexões, e por isto, com as mesmas terminações, ou similares. Rimas regularmente recorrentes e intencionais não são uma característica da poesia hebraica, não mais do que na poesia grega ou latina. – *Samuel Cox*

v. 1: "Para ti, levanto os meus olhos". Aquele que elevou anteriormente seus olhos para os montes, agora levanta os olhos do seu coração para o próprio Senhor. – *The Venerable Bede* (672-735), *em Neale e Littledale*

v. 1. "Para ti, levanto os meus olhos", etc. Este é o suspiro do peregrino que sobe e ama, e sobe porque ama. Ele sobe da terra ao céu, e, enquanto sobe, a quem levantará seus olhos, senão àquele que habita nos céus? Nós subimos aos céus todas as vezes em que pensamos em Deus. Nesta subida, está toda a bondade: se desejarmos nos arrepender, não devemos olhar para nós mesmos, mas para Ele: se desejarmos ser humildes, não devemos olhar para nós mesmos, mas para Ele: se desejarmos verdadeiramente o amor, não devemos olhar para nós mesmos, mas para aquele que habita nos céus. Se desejarmos que Ele desvie os seus olhos dos nossos pecados, devemos voltar nossos olhos para a sua misericórdia e verdade. – *"Plain Commentary"*

v. 1: "Para ti, levanto os meus olhos". Orando por meio dos olhares, e não por meio de palavras; as minhas aflições incharam o meu coração, são grandes demais para a minha boca. – *John Trapp*

v. 1: "Para ti [eu] levanto os meus olhos". Você pode sentir a excelência do contraste que estas palavras sugerem. Terra e céu, pó e divindade; os pobres filhos da mortalidade, chorosos e pecadores, o Deus santo, bendito e eterno; quão amplo é o intervalo de separação entre eles! Mas sobre o terrível vazio (que se pensava ser mais amplo do que o oceano), o amor e a sabedoria (na pessoa de Jesus Cristo) lançaram uma ponte, pela qual o mais pecador dos homens pode comparecer, sem medo, à sua presença, e trocar a vergonha e o medo da culpa pela paz do perdão e da esperança, que está repleta de imortalidade. – *Robert Nisbet*

v. 1: Há muitos testemunhos no *levantar dos olhos aos céus.* 1. É o testemunho de um coração humilde e *crente.* A *Infidelidade* jamais conduzirá um homem acima da terra. A *soberba* também não conseguirá levar ninguém mais alto do que a terra. 2. É o testemunho de um coração *obediente*. Um homem que levanta seus olhos para Deus, reconhece, desta maneira – Senhor, sou teu servo. 3. É o testemunho de um coração *agradecido*; reconhecimento de que cada bênção, cada dádiva perfeita, vem das mãos de Deus. 4. É o testemunho de um coração *celestial*. Aquele que levanta os seus olhos para os céus reconhece que está cansado da terra; o seu coração não é daqui; a sua esperança e o seu desejo estão no alto. 5. É o testemunho de um coração *devoto*; não há parte do corpo, além da língua, que seja um agente tão excelente na oração, como o *olho*. – *Condensado de Richard Holdswoth*

v. 1: "Para ti, que habitas nos céus". "Que te assentas". O Senhor é aqui contemplado como entronizado nos céus, onde administra as questões do universo, executa juízos e ouve orações. – *James G. Murphy*

vv. 1 e 2: O levantar dos olhos sugere fé e confiante convicção de que Deus está disposto e desejoso em nos ajudar. O levantar dos olhos do corpo para o céu é uma expressão desta confiança interior: assim Davi diz, na verdade, De ti, Senhor, espero o alívio e o cumprimento das tuas promessas. De modo que há fé nisto, a fé que é a evidência das coisas invisíveis. Por maior que possa ser a escuridão das nossas calamidades, embora as nuvens das dificuldades atuais se escureçam sobre nós, e esconda o cuidado e a benignidade do Senhor de nós, ainda assim a fé atravessará tudo e olhará para o seu poder e a constância da verdade e do amor. O olho da fé é um olho claro, penetrante: Moisés "ficou firme, como vendo o invisível" (Hb 11.27)... A fé vê à distância aquilo que está contido nas promessas (Hb 11.13), sim, a uma distância maior do que o olho natural pode alcançar. Seja pelos olhos do corpo, seja pelos olhos da mente, a fé obterá consolo, não somente do que é invisível, mas também do que é futuro, e também invisível; o seu sustento está no outro mundo, e nas coisas que ainda hão de vir. – *Thomas Manton*

vv. 1 e 2: Na primeira estrofe, o poeta se coloca diante de nós como diante da presença da Majestade dos Céus, com seus olhos fixos nas mãos de Deus, absorto em vigilante expectativa de algum sinal ou gesto, por mais ligeiro que seja, que possa indicar a vontade divina. Ele está como um servo, em silêncio, mas alerta, na presença do "senhor" oriental, com as mãos cruzadas sobre o peito e olhos fixos em seu senhor, procurando ler e, se possível, antecipar, cada desejo dele. Ele é como uma criada que serve à sua senhora, ansiosamente procurando ler a sua mente na sua aparência, descobrir e administrar ao seu estado de espírito e às suas necessidades. Os sérios e reservados orientais, como sabemos, raramente falam com seus criados, pelo menos em público. Eles indicam seus desejos e suas ordens com um aceno da mão, um olhar, leves movimentos e gestos que poderiam passar despercebidos se os servos não vigiassem com ansiosa atenção. Os seus servos *"atentam"* a seus rostos; *"fixam"* seus olhos nos olhos de seu senhor; eles vigiam e obedecem a cada aceno da mão, a cada movimento do seu dedo. Assim, o salmista se considera esperando em Deus, olhando apenas para Ele, vigiando para captar e obedecer ao mais ligeiro sinal. – *Samuel Cox*

v. 2: "Eis". Uma palavra comum, mas aqui tem uma posição extraordinária. Normalmente, é um termo de *atenção*, usado para o despertamento do homem, para incitar a sua admiração e audiência; mas aqui é uma palavra que não apenas tenciona o estímulo dos homens, mas do próprio Deus. Davi está falando com Deus, em suas meditações. "Eis", diz ele. Assim como a interpretamos com respeito a Deus, também é uma partícula de *súplica*: ele pede que Deus olhe *para baixo*, para ele, enquanto ele olha *para cima*, para Deus: Olha para nós, como nós olhamos para ti; *"Eis que, como os olhos dos servos"*, etc. Se interpretarmos isto com respeito ao *homem*, também é uma partícula de *exemplo*, para incentivá-los a fazer a mesma coisa. *"Eis"* o que fazemos, e vocês devem fazer a mesma coisa; que os seus olhos sejam como os nossos. "Eis que, como os olhos dos servos atentam para as mãos do seu senhor... assim os nossos olhos atentam para o Senhor, nosso Deus". Que os seus olhos também se fixem assim. Assim, é uma palavra que leva todos os olhos à imitação. – *Richard Holdsworth*

v. 2: "Eis que, como os olhos dos servos atentam", etc. Para orientação, defesa, manutenção, misericórdia em tempo de correção, ajuda quando o serviço for muito difícil, etc., *"assim os nossos olhos atentam para o Senhor, nosso Deus"*, ou seja, para orientação e bênção. – *John Trapp*

v. 2: "Olhos dos servos atentam para as mãos", etc. Os nossos olhos devem estar fixos nas mãos do Senhor, nosso Deus: – Em primeiro lugar, para que possamos admirar as suas obras. Em segundo lugar, para que possamos mostrar que o nosso serviço é agradável para nós; e para mostrar a nossa confiança e dependência em uma mão tão benigna, poderosa e generosa. Em terceiro lugar, para que possamos evidenciar a Ele o nosso amor e a nossa devotada disposição de fazer todas as coisas que Ele ordenar pelo mais sutil movimento de um dedo. Em quarto lugar, para que dele possamos receber alimento e todas as coisas necessárias para a subsistência. Em quinto lugar, para que Ele possa ser uma proteção para nós, contra os inimigos que nos perturbam, seja ferindo-os com a espada ou com o disparar de flechas; ou repelindo outros, pelo mover de um dedo; ou, pelo menos, protegendo-nos com o escudo da sua boa vontade. Em sexto lugar, e finalmente, para que, tomado por misericórdia, Ele cesse a punição. – *Condensado de LeBlanc*

v. 2: "Como os olhos dos servos atentam para as mãos do seu senhor", etc. Diz um viajante: "Eu vi um bom exemplo desta passagem na casa de um nobre em Damasco. O povo do oriente não fala tanto, nem tão depressa, como os do ocidente, e um sinal da mão frequentemente representa as únicas instruções dadas aos servos vigilantes. Tão logo fomos apresentados e nos sentamos no divã, um aceno da mão do senhor indicava que devia ser servido o sorvete. Outro aceno trouxe café e cachimbos; outro trouxe balas e caramelos. Depois de outro sinal, anunciaram que o jantar estava servido. Os servos vigiavam os olhos e a mão de seu senhor, para conhecer a sua vontade e obedecer a ela instantaneamente". Esta é a atenção com que devemos vigiar o Senhor, ansiosos para realizar o seu santo prazer – o nosso desejo deve ser "Senhor, que queres que faça?" Um exemplo igualmente incisivo e mais caseiro pode ser visto em qualquer dia, no nosso próprio rio Tâmisa, ou em qualquer das nossas grandes cidades portuárias, onde o mensageiro vigia atentamente a mão do capitão do barco, e transmite a sua vontade aos homens da casa de máquinas. – *"The Sunday at Home"*

v. 2: "Como os olhos dos servos", vigiam ansiosamente o menor movimento, o mais leve sinal da vontade de seu senhor. A imagem expressa uma dependência completa e absoluta. Savary (em sua obra *Letters on Egypt*, p. 135), diz: "Os servos [ou os escravos] ficam em silêncio, no fundo das salas, com seus braços cruzados sobre os seus peitos. *Com seus olhos fixos em seu senhor,* eles procuram antecipar cada um de seus desejos"... No salmo, o olho dirigido à mão de Deus é o *oculus sperans*, o olho que espera, e tem esperança, e é paciente, esperando ajuda somente dele, e de ninguém mais. – *J. J. Stewart Perowne*

v. 2: "Como os olhos dos servos", etc. A verdadeira explicação, que eu apreendo, é esta: assim como um escravo ou servo, ordenado por um senhor ou uma senhora, ao castigo por um erro, volta seus olhos suplicantes para este superior, até que apareça o movimento de mão que coloca um fim na amargura que ele sente, também os nossos olhos estão levantados para ti, nosso Deus, até que a tua mão dê o sinal que porá um fim em nossas angústias; pois os nossos inimigos, ó Senhor, nós percebemos, estão apenas executando as tuas ordens e nos castigando de acordo com a tua vontade. – *Thomas Harmer*

v. 2: "Servos". Observe com que humildade os fiéis pensam a respeito de si mesmos, aos olhos de Deus. Eles são chamados e escolhidos para esta dignidade, de serem os herdeiros e filhos de Deus, e são exaltados acima dos anjos, e, apesar disto, não se consideram, aos olhos de Deus, melhores do que *"servos"*. Eles não dizem, Eis que como os filhos olham para a mão de seus pais, mas "como servos", atentam para a mão de seus senhores. Esta é a humildade e modéstia daqueles que servem ao precioso e bendito Senhor, e é tão grande que com ela eles parecem perder a dignidade de filhos de Deus, para a qual são chamados; porém, com isto, ela lhes é ainda mais assegurada. – *Martinho Lutero*

v. 2: Da conduta diária dos servos domésticos, deveríamos aprender o nosso dever para com Deus. Não foi sem motivos que o nosso Salvador tomou suas parábolas de coisas comuns e cotidianas, de campos, vinhas, árvores, casamentos, etc., para que assim pudéssemos ter bons lembretes, em toda parte. – *Martin Geier*

v. 2: "Servos". "Serva". Considere que há dois tipos de servos especificados aqui; servos e servas: e com isto sabemos que os dois sexos podem ter confiança em Deus. Não apenas os homens podem ter confiança no poder de Deus, mas também as mulheres, que são mais frágeis e franzinas. As mulheres podem, não apenas se queixar com Deus pelas injustiças que lhes são feitas, e se arrepender pelos seus pecados, mas também podem ter confiança em Deus. E, portanto, veja, naquela multidão de crentes e testemunhas, que não apenas a fé dos homens é observada e comentada pelo Espírito de Deus, mas também a das mulheres: e entre os juízes, Débora, Jael, etc., são elogiadas como dignas e corajosas em Deus. E as mulheres também no Novo Testamento são notadas na sua maneira de seguir a Cristo – mesmo quando todos fugiam dele, então elas o seguiam. – *De um sermão proferido por Alexander Henderson, 1583-1646*

v. 2: "Servos". "Serva". Nós conhecemos a maneira vergonhosa como os servos eram tratados nos tempos antigos, e as censuras que lhes eram feitas, embora eles não movessem um dedo sequer para repelir a ofensa. Como estavam, portanto, privados de todos os meios para se defender, a única coisa que lhes restava fazer era, o que é aqui declarado, ansiar pela proteção de seus senhores. A mesma explicação é igualmente aplicável ao caso das *servas*. A sua condição era realmente vergonhosa e degradante; mas não há motivo para nos sentirmos envergonhados ou ofendidos, se formos comparados a servos, pois Deus é nosso defensor e toma nossas vidas sob a sua proteção; Deus, eu digo, que propositadamente nos desarma e nos priva de toda ajuda terrena, que possamos aprender a confiar na tua graça, e a nos satisfazer e contentar exclusivamente com ela. Sendo, antigamente, um crime passível da pena de morte que escravos andassem armados com espada ou qualquer outra arma, e como eles se encontravam expostos às ofensas de todos os tipos, os seus senhores estavam acostumados a defendê-los com ainda mais disposição quando alguém lhes fazia alguma violência, sem motivo. Não se pode duvidar que Deus, quando nos vê depositando uma dependência exclusiva na sua proteção, e renunciando a toda confiança nos nossos próprios recursos, irá, como nosso defensor, nos encontrar e abrigar de toda perturbação que nos possa ser lançada. – *João Calvino*

v. 2: "Mão". Com a *mão* podemos exigir, prometer, chamar, despedir, ameaçar, convidar, suplicar, negar, recusar, interrogar, admirar, calcular, confessar, arrepender; expressar temor, expressar vergonha, expressar dúvida; instruir, ordenar, unir, encorajar, jurar, testificar, acusar, condenar, absolver, insultar, desprezar, desafiar, desdenhar, adular, aplaudir, abençoar, humilhar, ridicularizar, reconciliar, recomendar, exaltar, alegrar, contentar, reclamar, afligir, causar desconforto, desencorajar, assombrar; exclamar, indicar silêncio, e quantas outras coisas? com uma variedade e multiplicação que acompanha a língua. – *Michael de Montaigne, 1533-1592*

v. 2: "Servos". Sobre George Herbert, um poeta de Deus, foi dito que, para satisfazer a sua independência de todos os outros, e para vivificar a sua diligência no serviço de Deus, em suas palavras usuais, quando fazia menção ao bendito nome de Jesus, ele costumava usar "meu Mestre". E, sem nenhuma dúvida, se os homens tivessem esta mesma disposição, os seus respeitos seriam mais dedicados ao mandamento de Cristo, à vontade de Cristo, ao prazer de Cristo. – *De Spencer, "Things New and Old"*

v. 2: "Os nossos olhos esperam". No texto em inglês, aqui o salmista usa outra palavra: o olho *espera*. Qual é a razão da segunda palavra? Agora ele abandona a similaridade da primeira linha, pois na primeira linha, temos, "como os olhos dos servos *atentam* para as mãos do seu senhor", mas aqui o olho *espera* [no texto em inglês]. Há uma boa razão para isto: *esperar* é mais do que *olhar. Esperar* é olhar constantemente, com paciência e submissão, sujeitando nossos sentimentos e vontades e desejos à vontade de Deus; isto é *esperar.* Na segunda parte, na segunda linha, Davi usa uma palavra *melhor*; ele aprimora o seu texto. Aí está o dever de um cristão, aprimorar o seu exemplo; os olhos dos servos *olham, atentam*, os olhos de Davi vão *esperar: "assim os nossos olhos esperam"*. É verdade que esta palavra não está no texto original; por isto você pode observá-la em letra pequena nas bíblias em inglês. É importante observar que se trata de uma palavra necessária, acrescentada para dar o sentido, porque o Espírito Santo não deixou nada imperfeito, mas tudo da forma mais perfeita, até mesmo aquilo que Ele decidiu não inserir como um verbo; porque cabe ao coração de cada homem inserir um verbo para a sua própria consolação, e não é possível inserir um verbo melhor do que este. E o fato de que esta palavra deve ser entendida, fica evidente pelas palavras seguintes: *"até que tenha piedade de nós"*. Olhar até que Ele tenha piedade de nós, isto é *esperar*; assim, há uma boa razão pela qual esta palavra é acrescentada nas versões em inglês. Se considerarmos o que estamos implorando – *"piedade"* – é algo tão precioso, que podemos *esperar por isto.* Ele mencionou "servos", e o dever deles é *atender* aos seus senhores; eles atendem estes glutões à mesa; eles os atendem quando vão dormir e quando despertam; eles os atendem em todos os lugares; por isto, como ele tinha mencionado a primeira palavra, ele assume o dever apropriado; não há nada mais adequado para os servos do que esperar, e se nós somos servos de Deus, devemos *esperar.* Há um bom motivo com respeito a isto, porque é uma palavra tão significativa, e por isto o Espírito de Deus traz esta variação; ele não segue exatamente a linha "assim os nossos olhos *atentam*", mas diz "assim os nossos olhos *esperam"*. – *Richard Holdsworth*

v. 3: "Tem piedade de nós, ó Senhor, tem piedade de nós". Veja como fala um homem piedoso. Ele não diz, *"Tem piedade de mim, ó Senhor, tem piedade de mim,* porque estou aflito", mas *"Tem piedade de nós, ó Senhor, pois estamos assaz fartos de desprezo"*. O homem piedoso não se angustia apenas pelo seu próprio e individual desprezo como pelo desprezo geral pelos bons e fiéis. Há uma harmonia entre os piedosos, não somente na cruz, mas também nos gemidos, e na invocação da graça divina. – *Wolfgang Musculus*

v. 3: "Pois estamos assaz fartos". A palavra hebraica aqui usada significa *"estar saturado"*, ter o apetite plenamente satisfeito – como se aplica a alguém que está faminto ou sedento. Vem a significar estar completamente cheio, e a ideia aqui é de que foi atirado sobre eles tanto desprezo quanto era possível, eles não podiam sentir mais do que isto. – *Albert Barnes*

v. 3: "Estamos assaz fartos de desprezo". Os homens do mundo consideram os Peregrinos do Templo e a sua religião com o silencioso sorriso de desdém, imaginando que aqueles que têm tanta coisa em que se engajar na vida atual devem ser suficientemente fracos para se preocupar com estruturas e sentimentos, com um Deus invisível, e uma eternidade desconhecida; e esta é uma prova que eles julgam difícil de suportar. *A alma deles, também, está excessivamente cheia do desprezo daqueles que estão à vontade e em uma situação tranquila.* Os prósperos, entre seus vizinhos, declaram que consideram o mundo um cenário generoso e feliz a todos os que merecem os seus dons. A pobreza e a tristeza, eles atribuem unicamente à falta de merecimento. "Que se esforcem", é o clamor insensível; "que se incentivem e se apressem, em vez de orar, e como eles, como também conosco, tudo estará bem", e estas palavras de dura e insensível ignorância são como veneno para as feridas de um coração que sangra. Eles têm também *"o desprezo dos soberbos"* para lamentar; dos que expressam seu violento desdém, atacando-os com palavras insolentes, e os que procuram provocá-los, com censuras, tanto de paz como de piedade. Estas ainda são as tentações dos adoradores de Sião, desprezo silencioso, interpretação errônea declarada, feroz oposição. A religião, que é o seu último consolo, é desprezada; a paz, que é o seu primeiro desejo, lhes é negada. Ansiosos por se dedicarem no espírito de humilde e fervorosa piedade aos deveres da esfera que lhes é apontada, eles encontram inimigos declarados contra si. Mas Deus é o seu refúgio, e para Ele eles vão. – *Robert Nisbet*

vv. 3 e 4: A segunda estrofe usa a expressão "tem piedade de nós" como se fosse um eco. Ela começa com um *Kyrie eleison*, que é confirmado em um *crescendo*, na forma de degraus. – *Franz Delitszch*

v. 4: "Assaz fartos", ou talvez "há muito tempo fartos" (compare 120.6). Esta expressão, juntamente com o fervor e a sinceridade da oração repetida, "Deus tenha misericórdia de nós", mostra que o "escárnio" e o "desprezo" vinham sendo impostos há muito tempo ao povo, e a sua fé, consequentemente, vinha sendo exposta a uma severa provação. O mais notável é a total ausência de algo como impaciência, no linguajar do salmo. – *J. J. Stewart Perowne*

v. 4: "A zombaria daqueles que estão à sua vontade". Quando os homens vivem prosperamente, são propensos, injustamente, a perturbar outros, e a gritar para eles, em sua infelicidade, e desprezar a pessoa e a causa do povo de Deus. Este é o resultado garantido da grande arrogância e da soberba. Eles pensam que podem fazer o que quiserem; não há neles nenhuma mudança, e tampouco temem a Deus, mas puseram suas mãos nos que tinham paz com eles (Sl 55.19, 20); enquanto prosseguem em prosperidade e sem serem perturbados, não conseguem se abster da violência e da opressão. Isto certamente é soberba, pois é um levantar do coração acima de Deus e contra Deus e sem Deus. Eles não consideram a sua providência, que, alternadamente estimula e desanima; pois a adversidade não pode existir sem um estímulo, nem a prosperidade sem um freio. Quando os homens se veem bem estabelecidos e à vontade, são propensos à insolência e ao escárnio. As riquezas e as grandezas do mundo tornam os homens insolentes e desdenhosos, e despreocupados das cargas que impõem aos outros; eles estão protegidos dentro de uma massa de riqueza e poder e grandeza, e assim pensam que ninguém pode pedir que eles se justifiquem. – *Thomas Manton*

v. 4: "Aqueles que estão à sua vontade". A palavra sempre quer dizer aqueles que estão incessantemente tranquilos, que são *descuidados*, como aqueles a quem Isaías diz, "Levantai-vos, tremei, turbai-vos", pois "daqui a um ano e dias vireis a ser turbadas" (Is 32.9-11). É esta luxúria e esta tranquilidade que tornam a alma sensual, e que a tornam tola, entorpecida, e endurecida. – *Edward Bouuerie Pusey* (1800-), *em "The Minor Prophets"*

v. 4: "Aqueles que estão à sua vontade", que não se interessam pelos problemas dos outros, e não esperam nenhum problema para si mesmos. – *James G. Murphy*

SUGESTÕES AOS PREGADORES

O salmo. Aqui temos, I. A oração de *dependência,* v. 2.

II. A oração de *apreensão:* "Para *ti"*, etc.

III. O espírito de *obediência:* "como os olhos dos servos", etc.

IV. A *paciência* dos santos: *"Até que* tenha piedade de nós". – *Nisbet.*

O salmo. Olhos, e nenhum olho. I. Olhos. 1. *Para o alto,* em confiança, em oração, em pensamento. 2. *"Para"*, em reverência, vigilância, obediência. 3. *Para dentro,* produzindo um clamor por piedade.

II. Nenhum olho.

1. Nenhuma visão da excelência dos piedosos.
2. Nenhuma percepção do seu próprio perigo: "à sua vontade".
3. Nenhuma humildade diante de Deus: "soberbos".
4. Nenhum olho levantado em esperança, oração, expectativa.

v. 1. Olhos de fé. I. Precisam ser elevados.
II. Vêm melhor quando voltados para o alto.
III. Têm sempre algo a ver no alto.
IV. Devemos olhar para o alto, e assim desviar os nossos olhos da introspecção e da retrospecção excessivas.
v. 1. I. A linguagem da Adoração: "Para ti, que habitas nos céus".
II. A linguagem da Confissão.
1. De necessidade.
2. De desamparo.
III. A linguagem da Súplica: "Para ti", etc.
IV. A linguagem da Expectativa: como vimos no versículo 2. – *R.* G.
v. 2. (compare o Salmo 121.4 com este versículo) Dois "eis que".
I. O olho vigilante de Deus sobre nós.
II. O olho vigilante dos santos sobre Deus.
v. 2. "Os nossos olhos atentam para o Senhor, nosso Deus".
I. O que é esperar com o olho.
II. Qual aspecto peculiar do Senhor sugere esta espera: "o Senhor nosso Deus". O Deus de concerto é o Deus em que confiamos.
III. O que vem de tal espera – "piedade".
v. 2. A mão que guia.
I. Uma mão que acena – para aproximar-se.
II. Uma mão que guia – ir para aqui ou ali.
III. Uma mão imóvel – permanecer onde estamos. – *G. R.*
v. 2. Metáforas caseiras, ou o que pode ser aprendido de servas e suas senhoras.
v. 3 (primeira parte). A litania do pecador. O convite do santo.
v. 3 (segunda parte). O desprezo do mundo, a abundância dele, a razão dele, a sua amargura, a consolação sob este desprezo.
vv. 3 e 4. I. O motivo da oração: o desprezo dos homens. Isto é, frequentemente, o mais difícil de suportar.
1. Porque é mais irracional. Por que ridicularizar os homens por ceder às suas convicções quanto ao que é certo?
2. Mais imerecido. A religião verdadeira não ofende nenhum homem, mas busca o bem de todos.
3. Muito profana. Censurar o povo de Deus porque é o seu povo é censurar o próprio Deus.
II. O assunto da oração. 1. A oração: não é pela justiça, que poderia ser desejada, mas por misericórdia.
2. A alegação: "pois estamos", etc. As censuras dos homens são um encorajamento, para procurar ajuda especial de Deus. A harpa pendurada entre os salgueiros emite os seus mais doces sons. Quanto menos está em mãos humanas, mais livremente é tocada pelo Espírito de Deus. – *G. R.*
v. 4. "Aqueles que estão à sua vontade".
I. Explicar a sua condição: "à sua vontade".
II. Mostrar o seu estado de espírito normal: "soberbos".
III. Denunciar o seu pecado frequente: a zombaria dos piedosos.
IV. Exibir o seu terrível perigo.

SALMO 124

TÍTULO

Cântico dos Degraus, de Davi. Naturalmente, os críticos mais detalhistas atacaram este título, considerando-o inexato, mas nós nos sentimos à vontade para crer ou não nas suas declarações, como quisermos. Eles declaram que há certos ornamentos de linguagem nesta pequena ode que eram desconhecidos no período de Davi. Isto pode ser verdade: mas na sua sabedoria superlativa, eles se aventuraram em tantos outros temas questionáveis, que não somos obrigados a aceitar esta avaliação. Certamente, o estilo do cântico é muito parecido ao de Davi, e não conseguimos ver por que ele deveria ser excluído da autoria. Quer seja de sua autoria ou não, este salmo transmite o mesmo espírito que anima os cânticos indiscutíveis do compositor real.

DIVISÃO

Este curto salmo contém um reconhecimento de uma benevolência, recebida em forma de uma libertação especial (vv. 1-5), a seguir um ato agradecido de adoração, bendizendo o Senhor (vv. 6,7) e finalmente uma declaração de confiança no Senhor, para todos os momentos futuros de tentações. Que a nossa experiência nos conduza à mesma conclusão que a dos santos da época de Davi. Que possamos ser resgatados de toda confiança no homem, por meio de uma santa confiança no nosso Deus.

EXPOSIÇÃO

1 *Se não fora o Senhor, que esteve ao nosso lado, ora, diga Israel:*
2 *Se não fora o Senhor, que esteve ao nosso lado, quando os homens se levantaram contra nós,*
3 *eles, então, nos teriam engolido vivos, quando a sua ira se acendeu contra nós;*
4 *então, as águas teriam trasbordado sobre nós, e a corrente teria passado sobre a nossa alma;*
5 *então, as águas altivas teriam passado sobre a nossa alma.*

1. *"Se não fora o Senhor, que esteve ao nosso lado, ora, diga Israel."* A sentença inicial é abrupta, e permanece um fragmento. Com este começo, se despertava a atenção, e também se expressava um sentimento; e este é sempre o caminho do fogo poético – irromper em uma chama incontrolável. As muitas palavras em itálico na nossa versão autorizada, em Inglês, mostrarão ao leitor que os tradutores fizeram o melhor que podiam para expor a passagem. Alguns pensam que talvez tivesse sido melhor deixá-la na sua grandeza fragmentada, e então ela seria assim:

"Se não fora o Senhor! Ele esteve ao nosso lado, oh diga Israel!
Se não fora o Senhor! Ele, que esteve ao nosso lado, quando os homens se levantaram contra nós".

O glorioso Senhor se tornou nosso aliado; Ele ficou do nosso lado, e fez um tratado conosco. Se o Senhor não fosse nosso protetor, onde estaríamos? Nada, exceto o seu poder e sabedoria, poderiam ter nos protegido da astúcia e perversidade de nossos adversários; por isto, que todo o seu povo o diga, e abertamente lhe dê a honra da sua bondade preservadora. Aqui há duas palavras "se", mas não há "se" no assunto. O Senhor estava do nosso lado, e ainda é nosso Defensor, e o será, de agora em diante, por todo o sempre. Que nós, com santa confiança, exultemos neste alegre fato. Nós somos lentos demais ao declarar a nossa gratidão, daí a exclamação que deveria ser traduzida, "Oh, que Israel diga". Nós murmuramos, sem precisar de estímulo para isto, mas os nossos agradecimentos precisam de um incentivo, e é bom quando algum amigo afetuoso nos sugere que digamos o que sentimos. Imagine o que teria acontecido se o Senhor nos tivesse deixado, e então veja o que aconteceu, porque Ele foi fiel a nós. Não estão todos os "materiais" de um cântico espalhados diante de nós? Então cantemos ao Senhor.

2. *"Se não fora o Senhor, que esteve ao nosso lado, quando os homens se levantaram contra nós."* Quando todos os homens combinados, e toda a raça humana pareciam dispostos a eliminar a casa de Israel, o que teria acontecido, se o concerto do Senhor não tivesse se interposto? Quando eles se agitaram e combinaram atacar a nossa quietude e segurança, o que nós teríamos feitos, por ocasião do seu ataque, se o Senhor também não tivesse se levantado? Ninguém que pudesse ou desejasse ajudar estava por perto, mas o braço do Senhor foi suficiente para preservar os seus contra todos os exércitos de adversários em aliança. Não há dúvida quanto ao nosso Libertador, não podemos atribuir a nossa salvação a nenhuma segunda causa, pois nenhuma teria correspondido à emergência; nada menos do que a Onipotência e a Onisciência poderiam ter operado o nosso resgate. Nós colocamos cada reclamante de um lado, e nos alegramos porque o Senhor está do nosso lado.

3. *"Eles, então, nos teriam engolido vivos, quando a sua ira se acendeu contra nós."* Eles estavam tão ansiosos pela nossa destruição, que teriam nos engolido em um único bocado, vivos, e inteiros, em um só instante. A fúria dos inimigos da igreja se levanta ao nível mais alto, nada irá contentá-los, exceto a aniquilação total dos escolhidos de Deus. A sua ira é como um fogo que é aceso, e se apoderou do combustível de tal maneira que não há como apagá-lo. A ira nunca é mais violenta do que quando o povo de Deus é o seu alvo. Fagulhas se tornam chamas, e o forno é sete vezes mais aquecido, quando os eleitos de Deus devem ser jogados nas labaredas. O mundo cruel se encarregaria de dar um fim completo à semente dos devotos, não fosse pelo Senhor, que bloqueia o caminho dos iníquos. Quando o Senhor se manifesta, a garganta cruel não consegue engolir, e o fogo consumidor não pode destruir. Ah, não fosse pelo Senhor, e a nossa ajuda nos viesse de todas as criaturas unidas, não haveria como escaparmos: é somente porque o Senhor vive que o seu povo está vivo.

4. *"Então, as águas teriam trasbordado sobre nós."* Erguendo-se irresistivelmente, como o Nilo, a correnteza da oposição logo teria passado sobre nossas cabeças. Nós poderíamos ter lançado um olhar ansioso através da poderosa destruição das

águas, mas seria em vão buscar uma maneira de escapar. O lema de uma casa real é, "Revolto e agitado, mas não submerso"; nós teríamos precisado de um epitáfio em lugar de uma epigrama, pois teríamos sido levados pela torrente, e teríamos afundado, para jamais voltar à tona outra vez.

"A corrente teria passado sobre a nossa alma." A corrente teria afogado a nossa alma, a nossa esperança, a nossa vida. As imagens parecem ser a da inundação que subia e a correnteza violenta e veloz. Quem pode resistir a duas forças tão poderosas? Tudo é destruído por estas forças invencíveis, seja submergindo ou sendo destruído e arrasado. Quando a inimizade do mundo obtém vazão, ela sobe, cresce e se precipita, ela enfurece e corre e nada poupa. Nas grandes inundações da perseguição e da aflição, quem pode socorrer, senão o Senhor? Mas onde Ele gostaria que estivéssemos neste momento? Nós passamos por situações em que as forças combinadas da terra e do inferno teriam nos destruído, se a graça onipotente não tivesse interferido em nosso socorro.

5. *"Então, as águas altivas teriam passado sobre a nossa alma."* A imagem representa as águas como altivas, e assim parecem ser, quando passam por cima de um frágil barco e ameaçam afundá-lo a cada momento. A oposição dos homens normalmente é exacerbada por uma zombaria arrogante que ridiculariza todos os nossos bons esforços, considerando-os mero fanatismo ou obstinada ignorância. Em todas as perseguições da igreja, um cruel desprezo sempre esteve enormemente mesclado com a opressão, e isto é esmagador para a alma. Se o nosso Deus não estivesse conosco, os nossos desdenhosos inimigos teriam nos reduzido a nada, e teriam se precipitado sobre nós, como uma enxurrada que desce uma montanha varre e destrói a encosta, levando tudo o que está à sua frente. Não apenas os nossos bens e as nossas possessões teriam sido levados, mas a nossa alma, a nossa coragem, a nossa esperança, teriam sido levadas pelo impetuoso ataque, e enterrados sob os insultos de nossos antagonistas. Façamos aqui uma pausa, e enquanto imaginamos o que poderia ter acontecido, adoremos o poder protetor que nos guardou e protegeu na inundação, e acima dela. Nas nossas horas de perigo, teríamos necessariamente perecido, se o nosso Protetor não tivesse prevalecido, para que estivéssemos a salvo.

6 *Bendito seja o Senhor, que não nos deu por presa aos seus dentes.*
7 *A nossa alma escapou, como um pássaro do laço dos passarinheiros; o laço quebrou-se, e nós escapamos.*

6. *"Bendito seja o Senhor, que não nos deu por presa aos seus dentes."* Deixando a metáfora de uma inundação, ele compara os adversários de Israel a animais selvagens, que desejavam fazer dos piedosos sua presa. Seus dentes estão preparados para rasgar, e eles consideram os piedosos como suas vítimas. O Senhor é entusiasticamente louvado, por não permitir que os seus servos fossem devorados, quando estavam entre as mandíbulas dos inimigos enlouquecidos. Isto implica que ninguém pode nos fazer mal, a menos que o Senhor o permita: nós não podemos ser suas presas, a menos que o Senhor nos entregue a eles, e isto, o nosso amoroso Senhor nunca fará. Até aqui, Ele recusou a permissão para que qualquer adversário nos destrua; bendito seja o seu nome. Quanto mais iminente o perigo, mais eminente a misericórdia que não permitirá que a alma pereça neste perigo. Bendito seja Deus para sempre, por nos manter a salvo da maldição. Que o Senhor seja louvado, por reprimir a fúria do adversário e salvar os seus. O versículo parece uma mera bênção negativa, mas nenhuma poderia ser mais positivamente preciosa. Ele nos entregou ao seu Filho Jesus, e Ele jamais nos entregará aos nossos inimigos.

7. *"A nossa alma escapou, como um pássaro do laço dos passarinheiros."* A nossa alma é como um pássaro, por muitos motivos; mas, neste caso, o ponto de semelhança é a fraqueza, a tolice e a facilidade com que se é atraído ao laço. Os passarinheiros têm vários métodos para capturar pássaros pequenos, e Satanás tem

muitos métodos para capturar almas. Alguns são atraídos por más companhias, outros pelo amor às guloseimas, a fome leva muitos à armadilha, e o medo obriga muitos a correr para a rede. Os passarinheiros conhecem seus pássaros, e sabem como aprisioná-los; mas os pássaros não veem a armadilha para evitá-la, e não conseguem rompê-la, para escapar dela. Feliz é o pássaro que tem um salvador, forte e poderoso, e a postos no momento do perigo; mais feliz ainda é a alma à qual o Senhor vigia, dia e noite, para tirar seus pés da rede. Que alegria há no cântico, "a nossa alma escapou". Como canta o emancipado, como canta e voa, e voa e canta novamente. Bendito seja Deus, porque muitos de nós podemos cantar músicas alegres com estas notas, "a nossa alma escapou". Escapou da nossa escravidão natural; escapou da culpa, da degradação, do hábito, do domínio do pecado; escapou dos vãos enganos e das fascinações de Satanás; escapou de tudo o que pode destruir; nós realmente sentimos prazer. Que maravilha de graça é esta! Que maravilhosa fuga, o fato de que a nós, que somos tão facilmente desorientados, não nos seja permitido morrer pela mão do terrível passarinheiro. O Senhor ouviu a oração que Ele nos ensinou a orar, e nos livrou do mal.

"O laço quebrou-se, e nós escapamos." O cântico merece ser repetido; é bom se demorar sobre tão grande misericórdia. O laço pode ser a falsa doutrina, a soberba, a luxúria, ou uma tentação de indulgência na vigília, ou de desesperar, ou de ser arrogante; que grande benevolência é vê-lo quebrado, diante de nossos olhos, de modo que ele não tem mais poder sobre nós. Nós não vemos a piedade, enquanto estamos no laço; talvez nós sejamos tão tolos, a ponto de deplorar a quebra do encanto satânico; a gratidão vem quando vemos que escapamos, e quando percebemos de que escapamos, e qual mão nos livrou. Então o nosso Senhor recebe um cântico de nossas bocas e nossos corações, quando fazemos céus e terra cantar com as notas, "o laço quebrou-se, e nós escapamos". Nós somos tentados, mas não somos tomados; abatidos, mas não destruídos; perplexos, mas não desanimados; postos à morte, frequentemente, mas ainda estamos vivos; bendito seja o Senhor!

Este cântico poderia ter servido à nossa nação na época da Armada Espanhola, à nossa igreja nos dias dos jesuítas, e a cada crente entre nós, em períodos de forte tentação pessoal.

8 *O nosso socorro está em o nome do Senhor, que fez o céu e a terra.*

8. *"O nosso socorro"*, a nossa esperança para o futuro, a nossa base para confiança em todas as provações, presentes e futuras, *"está em o nome do Senhor"*. O caráter revelado do Senhor é a nossa base para confiança, a sua pessoa é nossa fundação segura de força.

"Que fez o céu e a terra." O nosso Criador é quem nos guarda e preserva. Ele é imensamente grande, na sua obra criativa; Ele não criou apenas algumas poucas coisas, mas todo o céu e toda a terra são obras das suas mãos. Quando adoramos o Criador, temos a nossa confiança no nosso Consolador aumentada. Ele criou tudo o que vemos, e não poderá nos preservar dos males que não podemos ver? Bendito seja o seu nome, aquele que nos criou também tomará conta de nós; sim, Ele fez isto, e nos deu ajuda no momento de perigo. Ele é o nosso socorro, e o nosso escudo, somente Ele. Até o fim, Ele quebrará cada laço. Ele criou o céu para nós, e nos guardará para o céu; Ele criou a terra, e nos socorrerá sobre ela, até que chegue a hora da nossa partida. Cada obra da sua mão nos manifesta o dever e o prazer de confiar somente nele. Toda a natureza clama, "Confiai no Senhor perpetuamente; porque o Senhor Deus é uma rocha eterna". "Portanto, consolai-vos uns aos outros com estas palavras".

A seguinte versificação do sentido, em lugar das palavras deste salmo, é apresentada ao leitor, com muita modéstia:

Se não fosse o Senhor, minha alma poderia clamar,
Se o Senhor não estivesse do meu lado,

Se Ele não tivesse trazido a libertação.
Então a minha alma indefesa teria morrido.

Se o Senhor não estivesse do meu lado,
A minha alma teria sido morta por Satanás;
E Tofete, que se abre amplo,
não teria se aberto em vão para mim.

Eis que inundações de ira, e inundações do inferno,
correm em ferozes e impetuosas correntezas;
Se o Senhor não a tivesse protegido bem,
as águas teriam destruído a minha alma.

Como quando o laço do passarinheiro é quebrado,
o pássaro escapa em suas asas alegres;
A minha alma, livrada do jugo de Satanás,
com alegria exclama e canta,

Ela canta o louvor do Senhor, seu Salvador,
canta o seu louvor com alegria e júbilo;
A Ele, no céu, ela erguerá o seu cântico.
A Ele, que criou o céu e a terra.

NOTAS EXPLICATIVAS E DECLARAÇÕES SINGULARES

Título. O título nos informa que este cântico sagrado foi composto pelo rei Davi; e nós aprendemos, muito claramente, pelo assunto, que a progressão mencionada era o retorno triunfante do rei e do seu leal exército a Jerusalém, depois da derrota da perigosa rebelião à qual a grande massa da população tinha sido incitada por Absalão e seu poderoso bando de aliados. – *John Mason Good*

O salmo: Este salmo é atribuído a Davi. Nenhuma referência é feita a nenhum perigo específico ou libertação. Há uma deliciosa universalidade na linguagem, que se adequa admiravelmente como um hino dos redimidos, de todas as gerações e em cada região. O povo de Deus ainda vive em um território hostil. Há traidores no acampamento, e há inúmeros adversários do lado de fora. E a igreja logo seria exterminada, se a maldade e o poder de seus adversários não fossem reprimidos e derrotados por um poder superior. Daí, esta ode de louvor jamais se torna obsoleta. Quão frequentemente estas melodias de gratidão e adoração flutuaram na brisa! Que terra há, em que a sua explosão de alegria não tenha sido ouvida! Ela foi entoada nas margens do Jordão, e do Nilo, do Eufrates e do Tigre. Ela foi entoada nas margens do Tiber e do Reno, do Tâmisa e do Forth. Foi entoada nas margens do Ganges e do Indo, do Mississippi e do Irrawady. E nós prevemos um período em que a igreja, superando todas as suas dificuldades e com a vitória ondulando sobre suas bandeiras, cantará este salmo de louvor em cada ilha e continente do nosso globo. O ano dos redimidos de Deus deverá chegar. A salvação de Cristo se estenderá às mais distantes extremidades da terra. E quando esta libertação final ocorrer, as nações clamarão de alegria, e louvarão o seu Libertador com salmos, e hinos, e cânticos espirituais. – *N. McMichael*

O salmo: Em 1582, este salmo foi entoado em uma notável ocasião, em Edimburgo. John Durie, um ministro que estava aprisionado, tinha sido libertado, e duzentos de seus amigos foram encontrá-lo e dar-lhe as boas vindas na entrada da cidade. O número cresceu, até que ele se encontrou em meio a um grupo de duas mil pessoas, que começaram a cantar, enquanto percorriam a longa High Street, *"Diga agora, Israel"*, etc. Eles cantaram em quatro partes, com profunda solenidade, todos acompanhando a tão conhecida melodia e o salmo. Eles ficaram muito comovidos, e assim também ficaram todos os que ouviram, e dizem que um dos principais perseguidores ficou mais alarmado, com esta visão e este cântico, do que com qualquer outra coisa que ele já tinha visto na Escócia. – *Andrew A. Bonar, Christ and His Church in the Book of Psalms", 1859*

v. 1: "O Senhor... ao nosso lado". O Senhor está ao lado do seu povo, em um sentido espiritual, ou eles estariam em má situação. Deus Pai está ao seu lado; o seu amor e relacionamento com eles faz com que Ele aja assim; consequentemente, todas as boas coisas lhes são propiciadas e concedidas; e Ele não permitirá que ninguém lhes faça nenhum mal, pois eles são tão preciosos para Ele como a menina dos seus olhos; consequentemente, Ele lhes concede a sua graciosa presença, Ele os sustenta em todas as suas provações e exercícios de fé, e supre todas as suas necessidades, e os guarda pelo seu poder, e os preserva de todos os seus inimigos; de modo que eles não têm nada a temer de nenhum lugar. Cristo está ao lado deles, Ele é a certeza deles, o seu Salvador; Ele assumiu a parte deles, contra todos os seus inimigos espirituais, o pecado, Satanás, o mundo e a morte; e os combateu, e os conquistou; Ele é o capitão da sua salvação, o seu Rei, que os lidera, que os protege e defende aqui, e que é seu amigo, na corte do céu; o seu Defensor e Sumo Sacerdote, que faz intercessão no céu, que defende a sua causa contra Satanás, e lhes concede todas as bênçãos. O Espírito do Senhor está do lado deles, para realizar a sua obra neles; para ajudá-los em suas orações e súplicas; para protegê-los das tentações de Satanás; para estabelecer um padrão para eles, quando o inimigo vier como uma inundação sobre eles; e para consolá-los, quando estiverem desanimados; e para prepará-los e levá-los a salvo para o céu; mas se não fosse este o caso, o que seria deles? – John Gill

v. 1: "Israel". O *"Israel"* mencionado neste salmo pode ser o Israel da casa de Labão, em cuja pessoa o Midrash Tehillim imagina que o salmo é pronunciado. Há algumas das suas frases que adquirem um significado apropriado se interpretadas com esta conexão. – H. T. Armfield

vv. 1 a 4: Estas expressões abruptas e inacabadas no início do salmo indicam uma grande alegria e exultação, que não permite que o orador conclua suas sentenças. – Robert Bellarmine

vv. 1 e 2: A tradução, de certa maneira parafrástica, destes versículos (com a desnecessária interpolação das palavras em itálico que é feita na Versão Autorizada em Inglês) enfraquece grandemente a sua força e obscurece o seu significado. Há muito mais dito e expresso, do que simplesmente que Deus deu aos israelitas a vitória sobre os seus inimigos. O salmo é típico-profético. Ele apresenta a condição da igreja neste mundo, cercada por inimigos, implacáveis em seu ódio, enlouquecidos pela ira, e desejosos da destruição dela. Ele dá a certeza da preservação da igreja, e seu contínuo triunfo, porque o Senhor é seu Deus. Ele prediz a destruição, futura, completa e final de todos os seus inimigos. Ele repete a canção entoada nas margens do Mar Vermelho. Nele são ouvidas as notas do Novo Cântico, diante do grande trono branco. O louvor e os agradecimentos são para יְהוָה, o אֱלֹהִים revelado, cujo *"eterno poder como a sua divindade, se entendem e claramente se veem pelas coisas que estão criadas":* para יְהוָה, o אֵל שַׁדַּי revelado, ao qual os pais conheciam como o Todo-Poderoso, das grandes coisas que Ele fez por eles; – para יְהוָה, o Deus que fez um concerto com o seu povo, o Redentor. É יִשְׂרָאֵל, o povo escolhido de Deus, a santa nação, o seu tesouro peculiar acima de todos os povos, e assim se torna, como dizem os rabinos, *"Odium generis humani"*, contra o qual אָדָם (não os *homens*, mas o *homem,* coletivamente) se levantou, e procurou destruir. É יִשְׂרָאֵל, os escolhidos de Deus, o povo do concerto, que com "o prazer total de um 'meu' pessoal", se alegra em Deus e entoa, *"Se não fora o Senhor* לָנוּ, nosso". Fria e tímida é a tradução *"ao nosso lado"*. O Senhor era deles: *e* a sua segurança; *e* a sua bem-aventurança; *e* a sua alegria. – *Edward Thomas Gibson, 1818-1880*

vv. 1 e 2: 1. Deus estava do nosso lado; Ele tomou o nosso caso, e o adotou, e se manifestou a nosso favor. Ele foi nosso ajudador, e uma ajuda muito presente, uma ajuda do nosso lado, próxima, à mão. Ele estava conosco; não somente a nosso favor, mas entre nós, e como comandante dos nossos exércitos. 2. Este Deus era o Senhor; aqui está a ênfase. "Se não fosse o próprio Senhor, um Deus de infinito poder e perfeição, que tivesse empreendido a nossa libertação, os nossos inimigos nos teriam derrotado". Feliz é o povo, portanto, cujo Deus é o Senhor, um Deus auto-suficiente. Que Israel diga isto em sua honra, e se decida a jamais abandoná-lo. – *Matthew Henry*

vv. 1, 2 e 8: Estas três coisas trarei no meu coração, ó Senhor: "O Senhor *esteve* ao nosso lado", no *passado;* "o laço quebrou-se", no *presente;* "o nosso socorro está em o nome do Senhor", no *futuro.* Eu não posso me acovardar, e não o farei, seja em meu combate contra Satanás, no meu relacionamento com o mundo ou nos anseios do meu coração ímpio, enquanto eu tiver este "triplo cordão" na minha mão, ou melhor, enquanto for sustentado por ele. – *Alfred Edersheim*

v. 2: "Se não fora o Senhor", etc. Esta repetição não é inútil. Pois enquanto estamos em perigo, o nosso temor é desmedido; mas uma vez passado o perigo, nós imaginamos que ele foi menor do que realmente foi. E esta é a ilusão de Satanás, para diminuir e obscurecer a graça de Deus. Portanto, com esta repetição, Davi incita o povo a ter mais gratidão com Deus pela sua graciosa libertação, e amplia os perigos que eles tinham passado. Com isto, aprendemos como pensar nos nossos problemas e aflições passados, para que o sentimento da graça de Deus não desapareça de nossas mentes. – *Martinho Lutero*

v. 2: "Os homens se levantaram contra nós". Pode parecer estranho que estes inimigos, ímpios e infames, monstros, mais do que homens, devam ser mencionados desta maneira moderada, e não lhes seja atribuído outro nome, além de *homens,* que, de todos os outros, é o que menos merecem, não tendo em si mesmos nada de homens, exceto a aparência e a forma externas, sendo, na verdade, mais animais, sim, demônios sob a forma de homens, do que homens. Mas com isto a igreja deseja mostrar que ela deixou as censuras e reprovações deles a cargo de Deus, seu justo Juiz; e isto também aumenta a sua iniquidade, pois, sendo homens, em seus desejos e disposições revelam uma falta de humanidade pior do que a dos animais. – *Daniel Dyke* (-1614?) *em "Comfortable Sermons upon the cxxiiii. Psalme", 1617*

v. 3: "Eles, então, nos teriam engolido vivos". A metáfora pode ser extraída de animais selvagens e famintos que atacam e devoram homens (comp. V. 5); ou a referência pode ser ao caso do homem que foi enterrado vivo em um sepulcro (Pv 1.12) e deixado ali, para perecer, ou (Nm 16.30) engolido por um terremoto. – *Daniel Cresswell*

v. 3: "Eles, então, nos teriam engolido vivos". A palavra indica comer com insaciável apetite; o homem que come também deve engolir; mas um glutão mais engole do que come. Ele joga seu alimento garganta abaixo, e come (poderíamos dizer) sem mastigar. A vara de Moisés, convertida em uma serpente, "engoliu" as varas dos encantadores egípcios. A palavra é frequentemente aplicada para expressar opressão (Sl 35.25, ARA): "Não digam eles em seu coração: Ainda bem! cumpriu-se o nosso desejo; Não digam eles: Nós o devoramos". Isto é, nós nos livramos completamente dele, ele se foi, para sempre. O ódio furioso do adversário é descrito nestas palavras. – *Joseph Caryl*

v. 3: "Vivos". Não um advérbio, *"rapidamente",* mas um adjetivo, *vivos.* Como monstros avarentos, da terra e do mar, às vezes engolem seu alimento antes que a vida o tenha deixado, também os inimigos da igreja desejariam vê-la destruída em um momento, mas por interposição divina. – *William S. Plumer*

v. 3: Objeção. Mas qual pode ser a razão disto? Poderá um homem dizer que os piedosos sempre prevalecerão, e jamais serão derrotados por seus inimigos, mas os derrotarão? A experiência nos ensina que eles estão em menor número do que os ímpios, que são mais fracos em força e resistência, que são mais símplices em inteligência e administração, e que são mais descuidados em diligência e vigilância do que são seus adversários: como, então, pode acontecer que eles possam ter o domínio?

Resposta. O texto do profeta nos declara, no capítulo 8 de sua profecia, e no versículo 10 deste capítulo, em poucas palavras, "porque o Senhor está com eles e do lado deles".

Pois, em primeiro lugar, Ele é mais forte do que todos, é capaz de resistir a todo o poder que é planejado contra Ele e contra os seus, e fará tudo o que desejar, tanto no céu como na terra.

2. Ele é mais sábio do que todos, sabe como impedi-los, em todos os seus caminhos e também como fazer com que as coisas aconteçam para o bem do seu povo.

3. Ele é mais diligente do que todos, e fica, de certa forma, de vigília, e aproveita a sua vantagem quando lhe é oferecida, pois "não tosquenejará nem dormirá o guarda de Israel".

4. Finalmente, Ele é mais feliz do que todos, sendo bem sucedido em todas as suas empreitadas, pois Ele ainda é bem sucedido em todas as coisas que decide fazer e ninguém pode resistir a um pensamento seu; sim, a própria "palavra que sai da sua boca realiza o que Ele deseja, e prospera naquilo para o que Ele a envia". Na guerra, todas estas quatro coisas são respeitadas em um capitão que ainda irá vencer: em primeiro lugar, que ele é forte; em segundo lugar, que é sábio; em terceiro lugar, que é diligente; e, finalmente, que seja afortunado; pois a vitória nem sempre está com o forte, nem sempre com o sábio, nem sempre com o diligente, nem sempre com o afortunado, mas às vezes com um deles, e às vezes com outro; mas, veja, quando todos os quatro coincidem, há sempre a vitória, e por isto, vendo que todos eles estão em Deus, não é de admirar que aqueles cujas batalhas Ele luta, sempre vençam e obtenham a vitória. – *Thomas Stint,* 1621

vv. 4 e 5: Uma figura familiar, mas extremamente apropriada e muito significativa. Horrível é a visão de um terrível incêndio; mas muito mais destrutivo é um rio que transborda e invade suas margens violentamente; pois não é possível reprimi-lo, por nenhuma força nem poder. Ele diz, então, assim como um rio se arrasta com grande impetuosidade, e leva consigo e destrói tudo o que encontra, no seu curso, também assim é a fúria dos inimigos da igreja, que não será resistida pela força humana. Consequentemente, nós devemos aprender a nos beneficiar da proteção e da ajuda de Deus. Pois o que mais é a igreja, senão um pequeno barco, amarrado à margem, que é levado pela força das águas? Ou um arbusto que cresce à margem, que, sem esforço, a enchente arranca? Assim era o povo de Israel nos dias de Davi, em comparação com as nações vizinhas. Assim é, nos dias atuais, a igreja, em comparação com os seus inimigos. Assim é cada um de nós, em comparação com o poder do espírito maligno. Nós somos como o pequeno arbusto, que acaba de crescer e ainda não está firmemente enraizado; mas ele é como o Elba, transbordante e que com grande força inunda todas as coisas. Nós somos como uma folha seca, que se prende ligeiramente à árvore; eles são como o vento norte, que com grande força arranca e atira ao chão as árvores. Como, então, podemos resistir ou nos defender, pelo nosso próprio poder? – Martinho Lutero

vv. 4 e 5: Primeiramente, as *"águas"*, depois *"a corrente"* ou *torrente*; e a seguir, *"as águas altivas"*, erguendo as suas cabeças. Primeiro, as águas nos subjugam, depois a torrente passa sobre a nossa alma, e então as águas altivas passam sobre a nossa alma. Que poder pode resistir às rápidas enxurradas das águas, quando elas ampliam seus limites e inundam uma região? A partir de então, elas varrem tudo, com força irresistível, e os homens e o gado, e colheitas e casas, são destruídos. Que sejam liberadas as águas impetuosas, e, em poucos minutos, o cenário da vida, e do trabalho, e da felicidade, se converte em um cenário de desolação e lamentação.

Talvez haja aqui uma referência à destruição dos egípcios no Mar Vermelho. As águas caíram sobre eles, as profundezas os cobriram e eles afundaram, sim, chegaram ao fundo como uma pedra. Se Deus não tivesse estendido a sua mão para resgatar os israelitas, os seus inimigos os teriam destruído. Felizes são aqueles que, em ocasiões de perigo, têm o Senhor como seu refúgio. – *N. McMichael*

v. 5: "Então, as águas altivas teriam passado sobre a nossa alma". Novamente, a mesma coisa, para indicar a grandeza, tanto do perigo como do salvamento. E pode nos ensinar a não receber negligentemente as grandes bênçãos de Deus, mas a tirar o maior proveito delas. – *John Trapp*

v. 5:

"Quando os ventos e os mares se enfurecem,
e ameaçam me destruir,
Tu suavizas a sua ira,
se eu apenas te invocar.

Esta noite, uma vigorosa tempestade
procurou engolir a minha alma,
Mas com uma fresta de luz,
seguiu-se uma gentil calmaria.

Que necessidade tenho, então, de me desesperar,
ainda que o mal esteja ao meu redor,
uma vez que os danos sequer ousarão
ladrar ou morder, se tu não o permitires?
– *Robert Herrick, 1591-1674*

vv. 6 e 7: Duas imagens são outra vez empregadas, para mostrar como era iminente a destruição, não fosse pela interposição divina. A primeira é a de um animal selvagem, que já foi usada anteriormente. Mas é feito um acréscimo, para descrever a urgência do perigo. A fera selvagem não estava simplesmente à espera deles, não estava meramente pronta para pular sobre a sua presa, mas já tinha pulado! Ela já tinha aprisionado a sua presa, que agora estava entre seus dentes. Que descrição impressionante! Um momento de atraso, e todo socorro teria sido em vão. Mas o Senhor aparece na cena. Ele vai até o animal selvagem, e tira a presa trêmula de suas mandíbulas ensanguentadas. O perigo é iminente; mas nada é difícil demais para o Senhor. "A minha alma está entre leões". "No dia em que eu temer, hei de confiar em ti". "Ele dos céus enviará seu auxílio e me salvará do desprezo daquele que procurava devorar-me". A segunda imagem é a do passarinheiro. O passarinheiro preparou a sua armadilha de maneira habilidosa. O pássaro entra na armadilha, inconsciente do perigo: a rede é jogada sobre ele; e em um instante a sua liberdade é perdida. Aí está ele, o pobre pássaro, seu pequeno coração acelerado, e suas pequenas asas batendo inutilmente contra a rede. Ele está completamente à mercê do passarinheiro, e escapar é impossível. Mas outra vez aparece o Senhor, e a sua presença é segurança. Ele vai até a rede, levanta-a do chão: a ave sai voando, pousa em uma árvore próxima e canta, em meio aos ramos. "Ele te livrará do laço do passarinheiro". Deus resgata o seu povo da astúcia e sutileza de seus inimigos, da mesma maneira como os resgata da violência declarada. – *N. McMichael.*

vv. 6 e 7: Nós somos resgatados, 1. Como um *cordeiro* das mandíbulas de um animal predador: Deus *"não nos deu por presa aos seus dentes"*, o que sugere que eles não tinham poder contra o povo de Deus, mas este poder lhes era dado do alto. Eles não podiam ser uma presa para os seus dentes, a menos que Deus os entregasse aos inimigos, e eles foram resgatados porque Deus não permitiu que eles fossem destruídos. 2. Como um *pássaro, um pequeno* pássaro, a palavra significa um pardal, *"do laço dos passarinheiros"*. Os inimigos são muito sutis e vingativos, eles armam laços para o povo de Deus, a fim de levá-los ao pecado e aos problemas, e ali mantê-los. Algumas vezes, eles parecem prevalecer e alcançar o seu objetivo, os filhos de Deus são apreendidos no laço e são tão incapazes de se livrar como qualquer pássaro tolo e fraco; e então é o momento em que Deus aparece, para seu alívio; quando todos os outros amigos falham, então Deus quebra o laço, e transtorna o conselho dos inimigos: *"O laço quebrou-se, e nós escapamos"*. – *Matthew Henry*

v. 7: "A nossa alma escapou, como um pássaro do laço dos passarinheiros", etc. Há várias ciladas colocadas para pássaros, armadilhas, adesivo para pássaros, balas, etc.: quem pode enumerar todos os perigos que correm os piedosos, ameaçados por Satanás e pelo mundo? (Sl 91.3; 3; Os 5.1). – *"Nós escapamos"*, não pelo nosso próprio talento ou astúcia, mas pela graça e poder de Deus, exclusivamente; de modo que cada estratagema é inútil, e a liberdade é preservada. – *Martin Geier.*

v. 7: "A nossa alma escapou, como um pássaro do laço dos passarinheiros", etc. Eu tenho grande certeza de que não há um dia sequer, em nossas vidas, em que Satanás não arme algum laço para as nossas almas, extremamente perigoso, porque é invisível; e se ele preparar algum laço visível, a razão talvez seja que o tal laço esteja sendo desprezado, e não lhe seja dada atenção. E disto, também, estou igualmente certo, de que se alguém traz consigo, à noite, uma consciência vazia de ofensas contra Deus e contra os homens, não é por força ou resistência sua, e que se o Senhor não tivesse sido seu guia e preservador, ele teria sido entregue, ou melhor, teria se entregado como presa aos dentes do devorador. Eu acredito que há poucos, mesmo entre os santos de Deus, que não tiveram esta oportunidade, em algum momento de amarga tentação, quando Satanás liberou toda a sua perversidade e o seu poder, e derramou sugestão após sugestão, e tentação após tentação, como fez com Jó, e eles tiveram prontos a desfalecer, ou a cair pelo caminho – então, talvez, em um momento em que não esperavam, Satanás partiu, frustrado e desconcertado tendo esta presa arrancada de suas mãos, e eles também tiveram que reconhecer, agradecidamente, *"A nossa alma escapou, como um pássaro do laço dos passarinheiros; o laço quebrou-se, e nós escapamos"*. Sim, eu confio nisto, nossa melhor e única esperança *"está em o nome do Senhor, que fez o céu e a terra"*. – *Barton Bouchier*

v. 7: "A nossa alma escapou, como um pássaro". O laço do passarinheiro são as varas de visco deste mundo; a nossa alma estava aprisionada ali pelas penas, junto com os nossos interesses; agora, verdadeiramente, escapamos; mas foi o Senhor que nos libertou. – *Thomas Adams*

v. 7: "Como um pássaro do laço dos passarinheiros". A alma está cercada por muitos perigos. 1. *Ela é presa na armadilha pelo materialismo.* O materialismo é um dos mais gigantescos perigos contra o qual o povo de Deus deve estar particularmente vigilante – um inimigo a toda a espiritualidade de pensamento e sentimento. 2. *Ela está presa pelo egoísmo* – um adversário a toda caridade sincera, a toda generosidade expansiva e a toda filantropia cristã. 3. *Ela está presa pela incredulidade* – inimiga da oração, da confiança ingênua, de todo esforço cristão pessoal. Estes perigos não são imaginários. Nós os encontramos na vida cotidiana. Eles nos ameaçam a todo instante, e frequentemente precisamos lamentar o caos que provocam em nossos corações. – *George Barlow,* na obra *"Homiletic Commentary on the Book of Psalms", 1879*

v. 7: "O laço quebrou-se". É tão fácil para Deus resgatar o seu povo das mãos dos seus inimigos, mesmo quando estes têm os fiéis sob seu poder, como é quebrar uma rede de cordas, com que são aprisionados os pássaros. – *David Dickson*

v. 7: "O laço quebrou-se, e nós escapamos". A nossa vida está sempre exposta às armadilhas de Satanás, e nós, como pássaros ingênuos, podemos ser levados a cada momento; entretanto, o Senhor cria uma saída para que escapemos; sim, quando Satanás parece ter mais certeza de nos ter aprisionado, é pelo poder de Deus que os laços são quebrados e nós somos libertados. Nós temos experiência disto na vida daqueles que estão afligidos interiormente e com o espírito angustiosamente oprimido, pois temos visto que quando eles parecem estar em total desespero e prontos já, como diríamos, a perecer, mesmo no último suspiro e na situação mais extrema vem o doce consolo do Espírito Santo de Deus, e os ergue outra vez. Quando nós estamos mais prontos a perecer, então Deus está mais pronto a ajudar. "Se o Senhor não fora em meu auxílio", diz Davi, "já a minha alma habitaria no lugar do silêncio". E isto outra vez nós ressaltamos, para a consolação da consciência fraca. Satanás normalmente inquieta a muitos usando, com sutileza, o fato de que, pelo fato da corrupção carnal estar dentro deles, ele pode, portanto, tê-los em sua mão, insinuando que eles não são de Cristo. Nisto ele age como enganador; ele nos tenta através de um exagero, o da santificação perfeita; esta só deve ser atribuída aos membros de Cristo triunfantes no céu, e não aos que são militantes na terra. O pecado que permanece em mim não prova, portanto, que eu não estou em Cristo, pois, se assim fosse, Cristo não teria membros sobre a terra; mas a graça opera esta nova disposição que a natureza nunca poderia realizar, e assim prova, indubitavelmente, que nós estamos em Cristo Jesus. – *Thomas Stint*

v. 8: "O nosso socorro está em o nome do Senhor, que fez o céu e a terra". Ele fez *a terra* onde está o laço, de modo que Ele pode destruir o laço que é armado ilicitamente no seu domínio; Ele fez o *céu*, a verdadeira esfera das asas que levantam voo, daquelas almas às quais Ele livrou, de modo que elas podem voar da sua antiga prisão para o alto, em júbilo. Ele desceu pessoalmente à terra, na pessoa do Senhor Jesus, em cujo nome está o nosso socorro, para que pudesse quebrar o laço; Ele retornou ao céu, para que pudéssemos voar "como pombas, às suas janelas" (Is 60.8), em direção ao lugar para o qual Ele mostrou o *caminho*. – *Richard Rolle, de Hampole* (1340), *Neale e Littledale*

v. 8: "O nosso socorro está em o nome do Senhor". Os mais excelentes frutos da nossa experiência passada nos levam a glorificar a Deus, pela confiança nele, para o tempo que há de vir, como aqui. – *David Dickson*

v. 8: "O Senhor, que fez o céu e a terra". Como se o salmista tivesse dito, Enquanto eu puder ver o céu e a terra, nunca perderei a confiança. Eu tenho confiança naquele Deus que fez todas estas coisas do nada; e por isto, enquanto eu puder ver estes dois grandiosos e imponentes monumentos do seu poder diante de mim, o céu e a terra, jamais me sentirei desencorajado. Assim também o apóstolo: "Encomendem-lhe a sua alma, como ao fiel Criador, fazendo o bem" (1 Pe 4.19). Ó, cristão, lembre-se de que quando você confia em Deus, você confia em um poderoso Criador, que é capaz de socorrer, Alguém para quem o seu caso jamais será tão desesperador. Deus pôde criar quando não tinha nada *sobre o que* trabalhar, o que fez com que todos se assombrassem; e Ele pôde criar quando não tinha nada *com que* trabalhar, o que é outra maravilha. O que aconteceu com os instrumentos que Ele usou para criar o mundo? Onde está a "colher de pedreiro" que Ele usou para arquear o céu? E a pá com que Ele escavou o mar? O que tinha Deus com que trabalhar, quando criou o mundo? Ele o criou a partir do nada. Agora devemos entregar a nossa alma ao mesmo Criador fiel. – *Thomas Manton*

v. 8: Os romanos, em grande angústia, estavam em tão grande dificuldade, que de bom grado tomaram as armas dos templos dos seus deuses para lutar com elas; e assim venceram. E esta deve ser a conduta de cada bom cristão, em ocasiões de angústia pública: correr para as armas da igreja, as orações e as lágrimas. Os muros de Esparta eram suas lanças, os muros dos cristãos são as suas orações. O seu socorro está em o nome do Senhor que fez o céu e a terra. – *Edmund Calamy*

v. 8: Os protestantes franceses sempre começam a sua adoração pública com o último versículo deste salmo, e não há pensamento mais encorajador e mais consolador. – *Job Orton, 1717-1783*

v. 8: "O nosso socorro está em o nome do Senhor", etc. Estas são as palavras de uma fé triunfante e vitoriosa, *"O nosso socorro está em o nome do Senhor, que fez o céu e a terra"*; como se ele dissesse, o Criador do céu e da terra é meu Deus e meu ajudador. Veja para onde ele foge, na sua grande aflição. Ele não se desespera, mas clama ao Senhor, como quem espera confiantemente encontrar alívio e consolação. Descanse também você nesta esperança, e faça como ele. Davi não foi tentado até o fim para se desesperar; não pense, portanto, que as tentações pelas quais Deus permite que você passe são envidas para que você seja engolido pela tristeza e pelo desespero; ainda que você seja levado às próprias portas do inferno, creia que o Senhor certamente irá exaltar você outra vez. Se você estiver ferido e quebrantado, saiba que é o Senhor que irá ajudar você outra vez. Se o seu coração estiver cheio de angústia e desânimo, procure a consolação naquele que disse que um espírito quebrantado é um sacrifício para Ele (Sl 51.17). Desta maneira, o salmista coloca o Deus eterno, o Criador do céu e da terra, contra todos os problemas e perigos, contra as inundações e correntezas de todas as tentações, e engolindo, de certa forma, de uma só vez, toda a fúria de todo o mundo e do próprio inferno, da mesma maneira como uma pequena gota de água é engolida por um fogo ardente; e o que é o mundo, com toda a sua força e poder, em comparação com aquele que fez o céu e a terra! – *Thomas Stint*

SUGESTÕES AOS PREGADORES

v. 1. "O Senhor que esteve ao nosso lado". Quem é Ele? Por que, ao nosso lado? Como Ele pode provar isto? O que nos cabe fazer?

vv. 1 a 3. Considere o texto, I. Da vida de Jacó, ou Israel.

II. Da história da nação.

III. Dos anais da igreja.

IV. Da nossa biografia pessoal.

vv. 1 a 5. I. O que poderia ter acontecido.

II. Por que não aconteceu.

vv. 1 a 5. I. O que teria sido de nós, o povo de Deus, se Ele não estivesse ao nosso lado.

1. O que seria se tivesse sido deixado à mercê dos seus inimigos (vv. 2,3)? Israel é entregue a Faraó e seus exércitos, nos tempos de Moisés; entregue aos cananeus, nos tempos de Josué; aos midianitas, nos tempos de Gideão; Judá, aos assírios, nos tempos de Ezequias; "eles, então, nos teriam engolido vivos", etc.

2. O que seria se tivesse sido deixado por si mesmo? "A corrente teria passado sobre a nossa alma"; vv. 4,5.

II. O que o povo de Deus é, com o Senhor ao seu lado.

1. Todos os desígnios dos seus inimigos contra eles são frustrados.

2. A sua angústia interior se converte em alegria.

3. Tanto as suas perturbações internas como as externas operam juntas para o bem. – *G. R.*

vv. 2 e 3. I. Engolir-nos vivos – é o desejo de nossos irados inimigos.

II. Salvar-nos com vida – a obra do nosso fiel Deus.

vv. 4 e 5. Perigos das águas: várias conclusões podem ser obtidas da semelhança entre as aflições e as correntezas.

v. 6. I. O Cordeiro.

II. O Leão.

III. O Senhor.

v. 6. I. Eles nos devorariam alegremente.

II. Eles não podem nos devorar, a menos que o Senhor o permita.

III. Deus deve ser louvado, pois Ele não permite que eles nos façam mal.

v. 6. I. A má vontade dos homens contra os justos.

1. Para saqueá-los.

2. Para destruí-los: "por presa aos seus dentes".

II. A boa vontade de Deus. "Bendito seja o Senhor", etc.

1. O que ela pressupõe – que os homens bons, em certa medida e durante algum tempo, possam ser entregues às mãos dos ímpios.

2. O que ela afirma – que eles não são inteiramente entregues às suas mãos. – *G. R.*

v. 7. I. A alma presa no laço.

1. Por quem? Os ímpios são passarinheiros. Por Satanás.

"Satanás, o passarinheiro, que trai as almas desavisadas de mil maneiras".

2. Como? Pelas tentações – à soberba, ao materialismo, à embriaguez, ao erro ou à luxúria, de acordo com os gostos e hábitos de cada indivíduo.

II. A alma escapou: "a nossa alma escapou", etc. "O laço quebrou-se", não por nós mesmos, mas pela mão de Deus. – *G. R.*

v. 7. I. Um pássaro.

II. Um laço.

III. Uma captura.

IV. Uma libertação.

v. 8. Nosso Criador, nosso Ajudador. Consolação especial deve ser obtida da criação, quanto a isto.

v. 8. I. O Ajudador: "O Senhor, que fez o céu e a terra", que, nas suas obras, deu amplas provas do que pode fazer.

II. Os ajudados. "O nosso socorro" é,

1. Prometido no seu nome.

2. Buscado no seu nome; isto o torna nosso. – *G. R.*

v. 8. I. Nós temos socorro. Como pecadores perturbados, como estudantes pouco inteligentes, como professores trêmulos, como viajantes inexperientes, como frágeis trabalhadores.

II. Nós temos o socorro no nome de Deus. Nas suas perfeições – "porão o meu nome sobre os filhos de Israel". No seu Evangelho – "um vaso escolhido para levar o meu nome". Na sua autoridade – "Em nome de Jesus Cristo... levanta-te", etc.

III. Por isto, nós nos empenhamos. – *W. J.*

SALMO 125

TÍTULO

Cântico dos Degraus. Outro passo é dado na subida, e eles alcançam outra parada na peregrinação: certamente, uma elevação no sentido é perceptível aqui, uma vez que a plena certeza a respeito dos anos futuros é uma forma de fé superior à atribuição, ao Senhor, de livramentos anteriores. A fé louvou ao Senhor pelos livramentos passados, e aqui ela ascende a uma confiante alegria na segurança, presente e futura, dos crentes. Ela afirma que estarão a salvo para sempre aqueles que, confiantes, se entregarem ao Senhor. Nós podemos imaginar os peregrinos entoando este cântico, enquanto caminhavam pelos muros da cidade.

Nós não afirmamos que Davi tenha escrito este Salmo, mas temos tanta base para fazê-lo como os outros têm para declarar que ele foi escrito depois do cativeiro. Parece provável que todos os salmos de peregrinação tenham sido compostos, ou pelo menos compilados pelo mesmo autor, e como alguns deles certamente são de autoria de Davi, não há razão conclusiva para negar-lhe a autoria dos demais.

DIVISÃO

Em primeiro lugar, temos um cântico de santa confiança (vv. 1,2); a seguir, uma promessa (v. 3); seguida por uma oração (v. 4); e uma nota de advertência.

EXPOSIÇÃO

1 *Os que confiam no Senhor serão como o monte Sião, que não se abala, mas permanece para sempre.*
2 *Como estão os montes à roda de Jerusalém, assim o Senhor está em volta do seu povo, desde agora e para sempre.*
3 *Porque o cetro da impiedade não permanecerá sobre a sorte dos justos, para que o justo não estenda as mãos à iniquidade.*
4 *Faze bem, ó Senhor, aos bons e aos que são retos de coração.*

5 *Quanto àqueles que se desviam para os seus caminhos tortuosos, levá-los-á o Senhor com os que praticam a maldade; paz haverá sobre Israel.*

1. *"Os que confiam no Senhor serão como o monte Sião."* A ênfase está no objeto da sua confiança, especificamente, Jeová, o Senhor. Que privilégio é poder descansar em Deus! Quão condescendente é o Senhor, para se tornar a confiança do seu povo! Confiar em qualquer outra coisa é vaidade; e quanto mais implícita for uma confiança mal colocada, mais amargo será o desapontamento resultante; mas confiar no Deus vivo é um bom senso santificado, que não precisa de desculpa, pois o seu resultado será a sua melhor justificativa. Não há razão imaginável pela qual não devamos confiar no Senhor, e há todos os argumentos possíveis para fazê-lo; mas, independentemente de qualquer argumento, o fim provará a sabedoria da confiança. O resultado da fé não é ocasional ou acidental; a sua bênção vem, não para alguns que confiam, mas para todos os que confiam no Senhor. Os que confiam no Senhor serão tão estáveis, firmes e inabaláveis como o monte onde Davi habitava, e onde estava a arca. Mover o monte Sião era impossível, a mera suposição era absurda.

"Que não se abala, mas permanece para sempre." Sião era a imagem da estabilidade e firmeza eterna – este monte que, de acordo com o hebraico, "permanece para sempre", sem se curvar ou se mover de um lado a outro. Desta maneira o adorador confiante do Senhor desfruta de um repouso que é o espelho da tranquilidade; e isto não é sem causa, pois a sua esperança é certa, e da sua confiança ele nunca deverá se envergonhar. Assim como o Senhor permanece Rei para sempre, também o seu povo, quando a sua confiança nele é firme, está entronizado em perfeita paz. Esta é, e deve ser a nossa porção; nós somos, fomos, e seremos tão firmes como o monte de Deus. Sião não pode ser movido, e não se move; assim também o povo de Deus não pode ser movido, nem passivamente nem ativamente, por forças externas ou por inconstâncias internas. A fé em Deus é uma virtude que fixa e estabelece. Aquele que com a sua força firmou os montes, por este mesmo poder firma os corações daqueles que confiam nele. Esta estabilidade irá durar "para sempre" e nós podemos ter certeza, portanto, de que nenhum crente irá perecer, seja na vida ou na morte, no tempo ou na eternidade. Nós confiamos em um Deus eterno, e a nossa segurança será eterna.

2. *"Como estão os montes à roda de Jerusalém, assim o Senhor está em volta do seu povo, desde agora e para sempre."* O monte de Sião é o tipo da constância do crente, e os montes ao redor são emblemas da presença do Senhor, que envolve tudo. Os montes ao redor da cidade santa, embora não formem um muro circular, são, ainda assim, colocados como sentinelas, para proteger suas portas. Deus não confina o seu povo dentro de fortalezas e castelos, fazendo com que a sua cidade seja como uma prisão; mas Ele ordena os arranjos da sua providência de tal maneira que os seus santos estejam tão seguros e a salvo como se habitassem atrás das mais seguras fortificações. Que dupla segurança os dois versículos apresentam diante de nós! Em primeiro lugar, nós somos estabelecidos, e a seguir, protegidos; estabelecidos, e então guardados; tornados como um monte, e então protegidos, como por montes. Isto não é uma questão de poesia, pois é assim, de fato; e não é uma questão de privilégio temporário, mas assim será para sempre. Qualquer que seja a data que escolhamos, "desde agora" o Senhor está em volta do seu povo; consideremos até quando desejemos, pois a proteção se estende "para sempre". Observe que não está escrito que o poder ou a sabedoria do Senhor defendem os crentes, mas que Ele mesmo está em volta deles; eles têm o próprio Deus como a sua proteção, e a sua divindade como a sua guarda. Nós somos ensinados que o povo do Senhor são aqueles que confiam nele, pois assim são descritos nos primeiros versículos; a linhagem da fé é a linhagem da graça, pois aqueles que confiam no Senhor são os escolhidos do Senhor. Os dois versículos juntos provam a eterna segurança dos santos; eles devem permanecer onde Deus os colocou, e Deus irá,

para sempre, protegê-los de todo o mal. Seria difícil imaginar maior segurança do que é apresentada aqui.

3. *"Porque o cetro da impiedade não permanecerá sobre a sorte dos justos."* O povo de Deus não deve esperar imunidade das tentações, pelo fato do Senhor estar em volta deles, pois podem sentir o poder e a perseguição dos ímpios. Isaque, mesmo na família de Abraão, foi ridicularizado por Ismael. A Assíria impôs o seu cetro sobre Sião. Os que não têm graça frequentemente governam e brandem a vara; e quando o fazem, eles se certificam de fazer com que ela caia pesadamente sobre o povo crente do Senhor, de modo que os piedosos clamem, por causa de seus opressores. A vara do Egito era extremamente pesada sobre Israel, mas chegou o momento de ser quebrada. Deus estabeleceu um limite para os lamentos de seus escolhidos; a vara pode pousar sobre a porção deles, mas não *descansará* sobre ela. Os justos têm um destino que ninguém pode tirar deles, pois Deus os nomeou como seus herdeiros, por uma graciosa transmissão: sobre este destino pode cair a vara dos ímpios, mas não permanecerá por muito tempo. Os santos permanecem para sempre, mas não as suas angústias. Aqui está um bom argumento na oração, por todos os justos que estão nas mãos dos ímpios.

"Para que o justo não estenda as mãos à iniquidade." A tendência da opressão é levar os melhores homens a alguma obra precipitada de auto-salvamento ou vingança. Se a tortura for infringida da por muito tempo, o paciente sofredor poderá, por fim, ceder; e por isto, o Senhor estabelece um limite para a tirania dos ímpios. Ele ordenou que um israelita que merecesse punição não fosse espancado sem medida; quarenta açoites, menos, um, era o limite indicado. Podemos, portanto, esperar que Ele irá estabelecer um limite para o sofrimento dos inocentes, e não permitirá que eles sejam levados até o limite extremo. Especialmente em termos de tempo, Ele irá limitar a dominação do perseguidor, pois a extensão acresce força à opressão, e a torna intolerável; por isto, o próprio Senhor disse, sobre determinada tribulação: "E, se aqueles dias não fossem abreviados, nenhuma carne se salvaria; mas, por causa dos escolhidos, serão abreviados aqueles dias".

Parece que até mesmo os justos correm risco de pecar, nos maus dias, e não é a vontade do Senhor que eles cedam à tensão dos tempos, para escapar do sofrimento. O poder e a influência dos ímpios, quando estes são predominantes, são usados para desviar os justos; mas os piedosos não devem aceitar isto como uma desculpa, e ceder à pressão do mal; eles devem resistir ao máximo, com todas as suas forças, até que Deus se agrade em deter a violência do perseguidor e dar repouso aos seus filhos. Isto o Senhor promete fazer no devido tempo.

4. *"Faze bem, ó Senhor, aos bons e aos que são retos de coração."* Para que os homens sejam bons, eles devem ser bons no coração. Aqueles que confiam no Senhor são bons; pois a fé é a raiz da justiça, e evidência de retidão. A fé em Deus é uma coisa boa e reta, e a sua influência torna o resto do homem bom e justo. A eles, Deus fará o bem: a oração do texto é apenas outra forma de promessa, pois aquilo que o Senhor nos motiva a pedir, Ele praticamente promete nos dar. O Senhor tirará o mal do seu povo, e em lugar disto, Ele os enriquecerá com todo tipo de bem. Quando a vara dos ímpios tiver sido retirada, a sua própria vara e cajado irão nos consolar. Enquanto isto, nós devemos orar para que tudo esteja bem com todos os justos que estão agora entre os homens. Deus os abençoe, e lhes faça o bem, de todas as formas possíveis. Nós desejamos o bem àqueles que fazem o bem. Nós somos tão atormentados pelos desonestos e trapaceiros, que devemos orar para que Deus derrame bênçãos sobre os justos.

5. *"Quanto àqueles que se desviam para os seus caminhos tortuosos, levá-los-á o Senhor com os que praticam a maldade."* Dois tipos de homens sempre serão encontrados, os justos e os homens de caminhos tortuosos. Ai, há alguns que passam de uma classe a outra, não por uma feliz conversão, afastando-se dos caminhos tortuosos do engano e entrando na estrada da verdade, mas por uma infeliz decadência, deixando a estrada principal da honestidade e da santidade e

escolhendo os atalhos da iniquidade. Estes apóstatas são vistos em todas as gerações, e Davi os conhecia bem; ele jamais poderia esquecer Saul e Aitofel, dentre outros. Como é triste, que os homens que já andaram no caminho correto se afastem dele! Observe o caminho dos hipócritas: em primeiro lugar, eles procuram os caminhos tortuosos; a seguir, os escolhem, e fazem deles os *"seus"* caminhos tortuosos; e então eles se desviam para eles. Eles jamais tencionam retornar à perdição, mas somente fazer uma curva e voltar ao caminho correto outra vez. Entretanto o caminho reto se torna um pouco difícil, e por isto eles tomam um atalho. Durante o tempo todo eles têm a intenção de que tudo dê certo, mesmo que a perfeição não seja alcançada. Estas pessoas não são retas no coração, nem boas, nem confiam no Senhor, e por isto o Senhor lidará com elas de maneira diferente daquela como Ele lida com o seu povo; quando chegar o dia da execução, estes hipócritas e os que servem aos interesses da sua época serão conduzidos à mesma forca daqueles que são abertamente ímpios. Todo o pecado será um dia expulso do universo, da mesma maneira como os criminosos condenados à morte são conduzidos para fora da cidade; então os traidores secretos se encontrarão expulsos juntamente com os rebeldes declarados. A verdade divina irá revelar os seus interesses ocultos, e os conduzirá, e para a surpresa de muitos, eles serão colocados na mesma categoria que aqueles que praticavam iniquidade abertamente.

Mas *"paz haverá sobre Israel"*. Na verdade, a execução dos enganadores tenderá a trazer a paz ao verdadeiro Israel, que é o Israel fiel. Quando Deus está ferindo os infiéis, nem um golpe cai sobre os fiéis. Os eleitos do Senhor não somente serão como Salém, mas terão salém, ou paz. Como um príncipe, Israel prevaleceu com Deus e por isto não precisa temer a face do homem; as suas lutas estão terminadas, a bênção da paz foi proferida sobre ele. Aquele que tem paz com Deus pode desfrutar da paz a respeito de todas as coisas. Juntemos o primeiro e o último versículo; Israel confia no Senhor (v. 1) e Israel tem paz (v. 5).

NOTAS EXPLICATIVAS E DECLARAÇÕES SINGULARES

O salmo: Nos degraus da virtude cristã, este salmo representa o sexto passo – a confiança que o cristão deposita no Senhor. "Ele nos ensina, enquanto subimos e elevamos nossas mentes ao Senhor, nosso Deus, em amorosa caridade e piedade, a não fixarmos nosso olhar sobre os homens que prosperam no mundo com uma falsa felicidade".* – *H. T. Armfield, The Gradual Psalms", 1874*

O salmo: Este curto salmo pode ser resumido nas palavras do profeta (Is 3.10,11): "Dizei aos justos que bem lhes irá. Ai do ímpio! Mal lhe irá". Assim a vida e a morte, a bênção e a maldição são apresentadas diante de nós, frequentemente, nos salmos, assim como na Lei e nos *profetas. – Matthew Henry, 1662-1714*

v. 1: "Os que confiam no Senhor". Observe como ele não ordena aqui que seja feita alguma obra, mas somente fala em confiança. No papismo, em tempos de aflição, os homens eram ensinados a adotar alguma prática religiosa, como, por exemplo, jejuar de uma forma que não estivesse de acordo com os ensinos de Deus, fazer peregrinações, e fazer outras obras tolas de devoção, que eles consideravam como um grande serviço para Deus, e com isto imaginavam propiciar uma satisfação condigna para o pecado e merecer a vida eterna. Mas aqui o salmista lidera o caminho reto para Deus, pronunciando que esta é a principal âncora da nossa salvação – somente ter esperança e confiar no Senhor, e declarando que o maior serviço que podemos realizar para Deus é confiar nele. Pois esta é a natureza de Deus – criar todas as coisas do nada. Portanto, Ele cria e apresenta na morte, a vida; nas trevas, a luz. Crer nisto é a natureza essencial e a mais especial propriedade

* Agostinho.

da fé. Quando Deus vê alguém que está de acordo com a sua própria natureza, isto é, que crê encontrar ajuda no perigo, riquezas na pobreza, justiça no pecado, e isto por causa apenas da misericórdia do próprio Deus em Cristo, a esta pessoa Deus não pode odiar nem abandonar. – *Martinho Lutero,* (1483-1546), *na obra "A Commentary on the Psalms of Degrees"*

v. 1: "Os que confiam no Senhor". Todos aqueles que se relacionam com Deus devem fazê-lo com confiança, e Ele dará a consolação somente àqueles que lhe derem crédito, e mostrarem que o fazem abandonando outras confianças, e se arriscando ao máximo por Deus. Quanto mais as nossas expectativas estiverem confinadas a Deus, mais alto elas poderão ser levantadas. – *Matthew Henry*

v. 1: "Os que confiam", etc. Confiem, portanto, no Senhor, *sempre, completamente, e em todas as coisas.* – *Robert Nisbet, The Songs of the Temple Pilgrims, 1863*

v. 1: "Serão como o monte Sião". Algumas pessoas são como a areia – sempre móveis e traiçoeiras (veja Mt 7.26). Algumas são como o mar – inquietas e agitadas (veja Is 57.20; Tg 1.6). Outras são como o vento – incertas e inconstantes (veja Ef 4.14). Os crentes são como um monte – firmes, estáveis e inabaláveis. Para cada alma que confia nele, o Senhor diz: "Tu és Pedro". – *W. H. J. Page, 1883*

v. 1: "Como o monte Sião", etc. – Grande é a estabilidade da felicidade de um crente. – *John Trapp, 1601-1669*

v. 1: "Monte Sião, que não se abala", etc. O Tenente Conder, revisando a importante investigação de Maudslay, diz, "É particularmente valiosa, por mostrar que, ainda que a construção possa ter sido destruída e perdida, podemos esperar encontrar indicações do antigo encrave *nas escarpas rochosas que são imperecíveis".* Isto é absolutamente verdadeiro; pois embora o homem possa destruir o que o homem fez, os montes eternos sorriem da sua fúria. Mas quem pode ouvir falar disto sem perceber a força e a sublimidade da gloriosa descrição da imobilidade dos crentes.

"Os que confiam no Senhor são como o monte Sião,
que não se abala, mas permanece para sempre".
– James Neil, Palestine Explored", 1882

v. 1: "Não se abala", etc. Eles nunca poderão ser abalados ou removidos do Senhor, embora possam ser removidos de sua casa e de suas ordenanças (como aconteceu algumas vezes com Davi), e da sua piedosa presença, e da comunhão perceptível com Ele, e deste mundo, pela morte; mas nunca do amor do seu coração, nem do concerto da sua graça, que é assegurado e eterno, nem da sua família, em que foram recebidos; nem do Senhor Jesus Cristo, nem das suas mãos e dos seus braços, nem do seu coração; nem dele, como a fundação sobre a qual estão; nem de um estado de graça, seja de regeneração ou de justificação; mas eles permanecem no amor de Deus, no concerto da sua graça, nas mãos do seu Filho, na graça em que estão, e na casa de Deus, para sempre. – *John Gill, 1697-1771*

v. 1: "Permanece para sempre". Tão certamente como *o "Monte Sião"* não se *"abala",* com igual certeza a igreja de Deus será preservada. Não é estranho que as forças ímpias e idólatras não tenham se unido, escavado por baixo deste monte e levado o monte para o mar, para que pudessem anular uma promessa na qual exulta o povo de Deus? Até que vocês consigam levar o Monte Sião para o mar Mediterrâneo, a igreja de Cristo crescerá e prevalecerá. Ouçam isto, vocês, muçulmanos assassinos! – *Adam Clarke, 1760-1832*

v. 1: "Permanece". Literalmente, *está;* com referência a um monte, que "fica" ou que "se situa", mas aqui com a expressão *"para sempre"* usada em um sentido ainda mais forte. – *J. J. Stewart Perowne, 1868*

vv. 1 e 2: O que é aqui prometido aos santos é a sua preservação perpétua, na condição em que estão. Tanto por parte de Deus, que "está em volta do seu povo, desde agora e para sempre", como por parte deles, *"não se abalam"* – isto é, da condição de aceitação com Deus em que deveriam estar – mas permanecerão para sempre, e continuarão firmes e inabaláveis, até o fim. Esta é uma promessa clara da continuidade do povo de Deus na condição em que está, com sua segurança a partir de então, e não uma promessa de alguma outra coisa boa, desde que continuem nesta condição. O fato de que sejam comparados a montes, e a sua estabilidade, que consiste do fato de que sejam e continuem assim, não admite outro sentido. Assim como o monte Sião permanece na sua condição, eles também permanecerão; e assim como os montes ao redor de Jerusalém permanecem, também o Senhor continua presente no meio deles.

Esta expressão que é usada no versículo 2 é vigorosa e cheia de propósito, *"o Senhor está em volta do seu povo, desde agora e para sempre"*. O que pode ser dito de um modo mais abrangente e mais patético? Pode alguma expressão dos homens demonstrar a segurança dos santos? O Senhor está em volta deles, não para salvá-los desta ou daquela incursão, mas de todas; não de um ou dois males, mas de cada um deles que os assalte ou que os possa assaltar. Ele está com eles, e em volta deles, por todos os lados, para que nenhum mal se aproxime deles. É uma expressão muito abrangente de preservação universal, ou do fato de que Deus guarda os seus santos no seu amor e na sua benevolência, em todos os aspectos; e isto não apenas durante uma época, mas *desde agora*, deste que Ele fez esta promessa, às suas almas em particular, e desde que eles a receberam, por todas as gerações, *para sempre*. – *John Owen, 1616-1683*

v. 2: "Como estão os montes à roda de Jerusalém". Esta imagem não é compreendida, como a maioria das pessoas familiarizadas com o nosso cenário europeu desejaria e esperaria que fosse compreendida. Jerusalém não está literalmente encerrada entre montes, exceto no lado oriental, onde se pode dizer que ela está entre os braços do monte das Oliveiras, com suas cadeias mais afastadas nos lados nordeste e sudoeste. Quem olhar para Jerusalém do oeste, do norte ou do sul, sempre verá a cidade mais alta do que as colinas mais próximas, as suas torres e muros destacados contra o céu, e não contra qualquer fundo elevado, como aquele que abriga as cidades e vilas montanhosas em nossos vales de Cumberland ou Westmoreland. Nem é a planície em que ela se encontra que está abrigada por um círculo contínuo, ainda que distante, de montes, como o que confere um encanto peculiar a Atenas e Innsbruck. Os montes nas proximidades de Jerusalém têm altura desigual, e somente em dois ou três casos – Neby-Samwil, Er-Rain, e Tuleil el-Ful atingem uma altura considerável. Mesmo o monte das Oliveiras tem apenas 55 metros a mais do que o Monte Sião. Mas ainda assim, eles funcionam como um abrigo: eles precisam ser ultrapassados, antes que o viajante possa ver, ou o invasor atacar a Cidade Santa; e a linha distante de Moabe sempre parece se elevar como um muro contra os invasores do oriente remoto. São estas montanhas, incluindo expressamente as que estão além do Jordão, que são mencionadas como "à roda de Jerusalém", em um sentido mais terrível, quando, na noite do ataque a Jerusalém pelos exércitos romanos, eles "reverberaram" os gritos dos habitantes da cidade capturadas, e os clamores vitoriosos dos soldados de Tito.* – *Arthur Penrhyn Stanley (1815-1881), em "Sinai and Palestine"*

v. 2: "Como estão os montes à roda de Jerusalém". Jerusalém está situada no centro de uma região montanhosa, cujos vales se estendem em todas as direções, em uma perfeita rede de profundos vales, cujos muros perpendiculares constituem um sistema de proteção muito eficiente. – *William M. Thomson, The Land and the Book", 1881*

v. 2: "Como estão os montes à roda de Jerusalém", etc. Os montes estão, muito enfaticamente, *"à volta de Jerusalém"*, e desta maneira devem tê-la protegido enormemente nos tempos antigos. Nós sabemos, especialmente, que quando Tito cercou a cidade, ele julgou impossível tomar posse dela completamente,

* Josefo Bell. Jud. vi. 5. I.

até que tivesse edificado um muro ao redor dos lados destes montes, com cerca de 8 quilômetros de extensão, com treze pontos espaçados em que ele colocou guarnições, o que acrescentou outros 2 quilômetros a estas vastas obras. "Todo o conjunto foi concluído", diz o historiador judeu, "em três dias; de modo que o fato de aquilo que exigiria alguns meses tenha sido feito em um intervalo de tempo tão curto é incrível".§ Os ataques à cidade, mesmo então, somente podiam ser feitos de maneira efetiva pela sua extremidade noroeste, de onde cada avanço hostil necessariamente se dirigia em todos os seus vários cercos. Aos familiarizados com estes fatos, maravilhosamente arrojada, vívida e poderosa é a imagem do salmista sobre a segurança do povo do Senhor:

"Estão os montes à roda de Jerusalém;
E o Senhor está em volta do seu povo.
Desde agora, e para sempre".
Josefo. *Wars of the Jews*. Livro v. cap xii. seção 2

Estas palavras devem ter sido tão sublimes para os ouvidos dos hebreus quanto eram consoladoras, e, quando entoadas nas alturas do monte Sião, inspiradoras ao extremo. – *James Neil*

v. 2: "O Senhor está em volta do seu povo". Não é suficiente que estejamos cercados por muros abrasadores, isto é, com a custódia assegurada, a vigília constante e a guarda dos anjos; mas o próprio Senhor é nosso muro; de modo que de todos os lados, somos defendidos pelo Senhor, contra todos os perigos. Acima de nós está o seu céu, dos dois lados Ele é como um muro, debaixo de nós Ele é como uma rocha firme sobre a qual estamos, de modo que estamos seguros e a salvo de todos os lados. Se Satanás enviar seus dardos contra nós, através destas proteções, acontecerá que, necessariamente, o próprio Senhor será ferido antes de nós. Grande é a nossa incredulidade, se ouvimos todas estas coisas em vão. – *Martinho Lutero*

v. 2: "Desde agora e para sempre". Esta ampliação da promessa em termos de tempo ou duração deve ser cuidadosamente observada; pois ela mostra que as promessas feitas ao povo de Israel pertencem, de modo geral, à igreja, em cada era, e não expirarão com esta administração. É expressamente declarado que a igreja irá perdurar continuamente nesta vida; o que é uma consolação extremamente doce para as mentes piedosas, particularmente em meio a grandes perigos e calamidades públicas, quando tudo parece ameaçar com ruína e destruição. – *D. H. Mollerus, 1639*

v. 3: "O cetro da impiedade". Isto é, "o cetro dos ímpios" (NTLH), feito para eles. Se Deus pune os seus filhos um pouco com este cetro, Ele apenas o toma emprestado do uso imediato e natural para o qual foi feito; o cetro deles, o juízo deles. Assim, é chamado de seu copo: "eis a porção" e o conteúdo "do seu copo" (Sl 11.6). – *Thomas Adams, An Exposition of the Second Epistle of Peter", 1633*

v. 3: "Porque o cetro da impiedade", etc. De acordo com Gussétio, isto deve ser interpretado como uma régua métrica, não aplicável a pessoas, mas a terras e propriedades; e bem se aplica à sorte, e herança e a propriedade dos justos; e pode significar que embora os ímpios cerquem injustamente e retenham as fazendas, posses e propriedades de homens bons, como se elas lhes fossem designadas pela régua métrica, eles não as reterão por muito tempo, nem sempre. – *John Gill*

v. 3: "Porque o cetro da impiedade não permanecerá sobre a sorte dos justos". Nenhuma tirania, ainda que pareça firme e estável, é de longa duração, pois Deus não abre mão do cetro. Isto é manifesto no exemplo de Faraó, de Saul, de Senaqueribe, de Herodes e outros. Com razão, portanto, diz Atanásio a respeito de Juliano, o apóstata: "Aquela pequena nuvem rapidamente passou". E o salmo 37 declara de modo abrangente a rapidez, além de toda expectativa humana, com que as fundações dos ímpios são derrubadas. *Solomon Gesner, 1559-1605 v. 3:* "Não permanecerá", o que equivale a dizer, "pesará", de modo opressivo, como em Is 25.10, com um sentido adicional de *continuidade* da opressão. – *J. J. Stewart Perowne*

v. 3: "Não permanecerá", etc. A ira do homem, como água derramada sobre um moinho, voltará sobre eles com força suficiente para cumprir os graciosos propósitos de Deus sobre as suas almas: o restante, por mais ameaçador que possa ser o seu poder, será forçado a passar por uma barragem aberta. Mas a aflição será suficiente para testar cada homem e por à prova a verdade e a dimensão da sua integridade. – *Charles Simeon (1759-1836) em "Horae Homileticae"*

v. 3: "A sorte dos justos". Há uma sorte quádrupla, que pertence aos fiéis. 1. A sorte dos santos é o sofrimento. "Todos os que piamente querem viver em Cristo Jesus padecerão perseguições" (2 Tm 3.12). 2. A sorte dos santos é também aquela luz e felicidade que eles têm neste mundo. A sorte cae-me "em lugares deliciosos; sim, coube-me uma formosa herança" (Sl 16.6). Quando Davi apascentava ovelhas, que era a sua sorte, assim ele se preparava para o reino de Israel que lhe foi dado por sorte, por Deus. 3. Mas, mais especialmente, a fé, a graça e a santificação, que lhes dão justo direito à herança da glória. O céu é deles, agora; embora não em possessão, mas em sucessão. Eles têm o penhor disto – então que cresçam em estatura e perfeição, e o recebam. 4. Por fim, eles têm a sorte do céu. O inferno é a sorte dos ímpios: "Ao anoitecer, eis que há pavor, e, antes que amanheça o dia, já não existem. Este é o quinhão daqueles que nos despojam e a sorte daqueles que nos saqueiam" (Is 17.14, ARA). Por isto, está escrito, sobre Judas, que ele foi "para o seu próprio lugar" (At 1.25). "Sobre os ímpios fará chover laços, fogo, enxofre e vento tempestuoso; eis a porção do seu copo" (Sl. 11.6). Mas a sorte dos justos é a fé, e o objetivo da sua fé é a salvação de suas almas. Deus nos dá o céu, não por algum merecimento previsto de nossa parte como recebedores, pois nenhum merecimento nosso pode nos tornar herdeiros do nosso pai; mas pela sua própria misericórdia e benevolência em Cristo, preparando o céu para nós, e preparando-nos para o céu. De modo que pelo seu decreto, o céu nos é designado; e só perderíamos o céu se o céu perdesse a Deus.

Aqui, então, considere como a sorte de Canaã é, para nós, uma sombra daquela abençoada terra da promessa de que a outra era um tipo. – *Thomas Adams*

v. 3: "Para que o justo não estenda as mãos à iniquidade". Para que, dominados pela impaciência, ou desviados pelas *seduções* ou pelos *terrores* do mundo, eles não se rendam e cedam aos desejos dos ímpios, ou procurem se livrar de aflições com práticas sinistras. Crisóstomo diz que Deus age como um tocador de alaúde, que não permite que as cordas do seu instrumento estejam frouxas demais, para que não prejudique a música, e nem permite que elas estejam retesadas demais, para que não se rompam. – *John Trapp, 1601-1669*

v. 3: "Para que o justo não estenda as mãos", etc. A tentação deve provar a fé, e não colocá-la em perigo, por uma pressão excessiva; para que não aconteça que, subjugados por esta pressão, até mesmo os fiéis não estendam a mão (como em Gn 3.22) para o prazer proibido, ou (como em Êx 22.8) para a contaminação; isto também acontece pelo costume, que gradualmente persuade à tolerância ao pecado, ou pela perda de esperança do bem, como o salmista (veja Sl 37 e 73) descreve alguns, no seu tempo, que testemunharam a prosperidade dos ímpios. – *The Speaker's Commentary, 1871-1881*

v. 4: "Faze bem, ó Senhor, aos bons". Aqui o Midrash nos lembra de uma charada talmúdica: – Veio um homem bom (Moisés, Êx 2.2), que recebeu uma coisa boa (a Torá, ou a Lei, Pv 4.2) do Bom (Deus, Sl 145.9) para os bons (Israel , Sl 125.4). – *Franz Delitzsch, 1871*

v. 4: "Faze bem, ó Senhor, aos bons". Um pensamento favorito em Neemias. Veja Nm 2.8, 18; 5.19; 13.14, 31: "Lembra-te de mim, Deus meu, para o *bem*", as palavras de conclusão do seu livro. – *Christopher Wordsworth, 1872 v. 4:* "Faze bem, ó Senhor, aos bons". Aqueles que fazem quanto bem lhes é possível fazer, procuram o seu próprio bem. Eu posso dizer estas três coisas sobre *os que fazem o bem* (e o que é servir a Deus, senão fazer o bem? ou o que é fazer o bem, senão servir a Deus?): Em primeiro lugar, eles receberão um bem verdadeiro. Em segundo lugar, eles conservarão para sempre o melhor bem, o bem principal; eles não passarão apenas os seus dias e anos no bem, mas quando os seus dias e anos estiverem concluídos, eles terão o bem, e um bem maior do que já tiveram, enquanto passavam os dias e anos desta vida. Eles terão o bem na morte, eles irão a um prazer mais pleno em Deus, *o bem principal,* depois que tiverem deixado e abandonado a possessão de todos os bens materiais. Em terceiro lugar, aqueles que fazem o bem encontrarão todas as coisas cooperando juntas, para o seu bem; se sofrerem uma perda, receberão o bem por ela; se carregarem uma cruz, esta cruz lhes trará o bem. – *Joseph Caryl, 1602-1673*

v. 4: "Faze bem, ó Senhor, aos bons", etc. Talvez não seja inútil indagar, com algum detalhe, quem são as pessoas para quem a oração é apresentada, e quem tem um interesse nas promessas divinas. Estes indivíduos nos são apresentados sob diferentes denominações. No primeiro versículo, eles são descritos como confiando no Senhor; no segundo versículo, eles são descritos como o povo do Senhor; no terceiro versículo, são chamados de justos; no quarto versículo, são chamados de bons e retos de coração; e no quinto versículo são chamados de Israel. Vamos reunir estes termos e nos esforçar para deduzir, a partir deles, qual é a verdadeira condição e o verdadeiro caráter destas pessoas, para cuja segurança são prometidas as perfeições divinas. E enquanto fazemos um rápido esboço, que cada um de nós sussurre a silenciosa oração: "Sonda-me, ó Deus, e conhece o meu coração; prova-me e conhece os meus pensamentos. E vê se há em mim algum caminho mau e guia-me pelo caminho eterno". – *N. M' Michael, The Pilgrim Psalms", 1860*

v. 4: "Faze bem, ó Senhor, aos bons". Os crentes são descritos como "*bons*". O nome é explicado pelo Espírito como indicando a morada do Espírito Santo e da fé; ele é prova de que os seus corações não abrigam nenhum engano. A oração é feita para que Deus os visite com bondade. Esta oração, escrita pelo Espírito, corresponde a uma promessa celestial de que eles irão receber tal honra. – *Henry Law, Family Devotion", 1878*

v. 4: "Aos bons". Oh, irmãos, o bem em nós é Deus, em nós. A interioridade cria a exterioridade, a santidade cria a beleza. É indiscutível que é Cristo, em nós, que constitui todo o nosso cristianismo. Oh, cristãos que não têm Cristo em si – estes cristãos são pobres, são imitações baratas, e simulações vazias – e Cristo, com infinita impaciência, até mesmo infinito amor, os arremessará para longe. – *Charles Stanford, em um sermão proferido diante da Baptist Union, 1876*

v. 4: "Retos de coração". Toda a verdadeira excelência tem seu lugar aqui. Não é a boa ação que faz o homem bom: é o homem bom que faz a boa ação. O mérito de uma ação depende inteiramente dos motivos que motivaram a sua realização; e, testadas por este simples teste, quantas obras, que têm atraído do mundo a sua admiração e a sua glória, poderiam ser descritas em velhas palavras, como nada melhor do que esplêndidos pecados. Quando o coração está errado, tudo está errado. Quando o coração é correto, tudo é reto. – *N. M' Michael*

v. 4: "Retos". O significado literal é, realmente, *reto,* direto, em oposição a toda e qualquer obliquidade moral. – *Joseph Addison Alexander (1809-1860), The Psalms Translated and Explained*

v. 5: "Quanto àqueles que se desviam para os seus caminhos tortuosos". Esta é a ansiedade do pastor, neste cântico de peregrinos. O pastor deseja impedir que suas ovelhas se extraviem. A sua aflição está no fato de que nem todos, em Israel são verdadeiros israelitas. Dois tipos de pessoas, descritos pelo poeta, sempre estiveram na igreja. O segundo tipo, em vez de se preocupar com "resistir no dia mau", irá "estender as mãos à iniquidade". Em lugar de sentir o cetro da iniquidade, eles o seguirão. Eles "se desviarão para os seus caminhos tortuosos" antes de arriscar os interesses temporais e materiais. – *Edward Jewitt Robinson, The Caravan and the Temple", 1878*

v. 5: "Quanto àqueles que se desviam para os seus caminhos tortuosos". Todos os caminhos de pecado são chamados de *"caminhos tortuosos"*, e são os nossos próprios caminhos. O salmista os chama de "*seus* caminhos tortuosos"; isto é, os caminhos criados por eles mesmos; ao passo que o caminho da santidade é o caminho do Senhor. Exceder, ou fazer mais; ser deficiente, ou fazer menos, do que Deus exige, as duas coisas são *"caminhos tortuosos"*. O caminho do Senhor é reto e está bem à nossa frente. "O que anda sinceramente salvar-se-á, mas o perverso (ou *tortuoso*) em seus caminhos cairá logo" (Pv 28.18). O movimento de um homem piedoso é como o das vacas que levavam a arca: que "se encaminharam direitamente pelo caminho de Bete-Semes e seguiam um mesmo caminho, andando e berrando, sem se desviarem nem para a direita nem para a esquerda" (1 Sm 6.12). – *Joseph Caryl*

v. 5: "Caminhos tortuosos". Os caminhos dos pecadores são *"tortuosos"*; eles mudam de um interesse a outro, e se voltam de um lado a outro, para enganar; eles dão mil voltas, para ocultar suas infames intenções, para realizar seus projetos de iniquidade, ou para escapar à punição pelos seus crimes; mas o desapontamento, a revelação de seus crimes, a confusão e a desgraça, são a sua inevitável porção. – *Thomas Scott, 1747-1821*

v. 5: "Levá-los-á o Senhor com os que praticam a maldade". Eles andam de acordo com o príncipe das potestades do ar, e irão onde este estiver. Deus os trará de seus esconderijos. Embora eles andem em meio ao rebanho dos seus filhos, em procissão, se andarem também pelos atalhos do pecado, Deus os classificará no último dia, neste mundo, com os que praticam iniquidades. Eles seguem os que praticam maldade aqui, em lugar de seguir a Deus, e Deus deixará claro isto, antes de acabar com eles. A razão, meus irmãos, pela qual eles deverão ser contados entre os que praticam a maldade, e andando entre eles, embora eles se diferenciem deles com respeito ao modo de vida exterior, é porque eles estão de acordo, no mesmo princípio interno do pecado. Eles andam em suas luxúrias; cada homem que não se regenera faz isto. Você pode refiná-lo ou purificá-lo, como quiser, porém, certamente, no seu coração, ele segue por *"caminhos tortuosos"*. – *Thomas Goodwin, 1600-1679*

v. 5: Às vezes, Deus remove um professante estéril, permitindo que ele caia em uma profanação aberta. Esta pessoa é alguém que iniciou uma profissão do digno nome do Senhor Jesus Cristo, mas esta profissão é apenas um disfarce; secretamente, ela pratica maldade; este indivíduo é um glutão, ou um ébrio, ou é cobiçoso, ou é impuro. Bem, diz Deus, eu vou soltar as rédeas deste professante, Eu vou entregá-lo aos seus vis interesses. Eu vou soltar as rédeas dos seus pecados diante dele, ele se envolverá com seus desejos imundos e repugnantes, ele será subjugado pelas companhias profanas. Assim, àqueles que se desviam para os seus caminhos tortuosos, *"levá-los-á o Senhor com os que praticam a maldade"*. – *John Bunyan, 1628-1688*

v. 5: "Paz haverá sobre Israel". Você pergunta: O que é a paz sobre Israel? Eu respondo: Em primeiro lugar, a paz de Israel, isto é, de uma alma crente e santa, é *do alto*, e mais alta do que todos os distúrbios do mundo; ela repousa sobre ele, e o torna calmo e pacífico, e o levanta acima do mundo: pois sobre ele está o Espírito Santo, que é o Consolador, que é amor essencial, que é a paz não criada. Em segundo lugar, a paz de uma alma crente e santa é *interior*; pois é enviada do céu sobre a sua cabeça, flui para o seu coração e ali permanece e acalma todas as agitações da mente. Em terceiro lugar, a paz de uma alma crente e santa é algo *exterior*. É uma fonte do Paraíso que rega toda a face da terra (Gn 2.6); é possível vê-la no rosto e na vida do homem. Em quarto lugar, a paz de uma alma crente e santa é *divina*: pois, principalmente, mantém a paz com Deus. Em quinto lugar, a paz de uma alma crente e santa é *universal:* isto é, com o próximo, com o próprio Deus: no corpo, nos olhos, nos ouvidos, no paladar, no olfato, nos sentimentos, em todos os membros e em todos os apetites. A paz não é perturbada pelos demônios, pelo mundo e pela carne que apresentam suas honras, suas riquezas, seus prazeres. Em sexto lugar, a paz de uma alma crente e santa é a paz *eterna* e jamais interrompida; pois flui de uma fonte eterna e inesgotável, o próprio Deus. – *Condensado de Le Blanc, 1599-1669*

v. 5: "Israel". Os israelitas obtiveram as suas designações das duas principais partes da religião: israelitas, de Israel, cuja oração era a sua "força" (Os 12.3) e judeus, de Judá, cujo nome significa "louvor". – *George Seaton Bowes, Illustrative Gatherings", 1869*

SUGESTÕES AOS PREGADORES

O salmo. I. O sinal do concerto: "Os que confiam".

II. A segurança do concerto (vv. 1,2).

III. O cetro do concerto (v. 3).

IV. O teor do concerto (v. 4).

V. O espírito do concerto – "paz".

v. 1. Veja "Spurgeon's Sermons", n. 1.450: "The Immortality of the Believer".

vv. 1 e 2. I. A singularidade do crente: ele confia no Senhor.

II. A estabilidade do crente: "permanece para sempre".

III. A segurança do crente: "como estão os montes", etc.

v. 2. A presença envolvente do Senhor, a glória, a segurança e a bem-aventurança eterna do seu povo. Mas isto, para o ímpio, seria o inferno.

v. 2. Veja "Spurgeon's Sermons", n. 161-2: "The Security of the Church".

v. 2. A duração da misericórdia: "desde agora e para sempre".

v. 2. Os santos rodeados por amor infinito.

I. *A cidade e o cinturão,* ou *os símbolos separados.*

1. Jerusalém refletindo o povo de Deus. Escolhidos desde a antiguidade; singularmente honrados; muito amados; o santuário de Deus.

2. O cinturão montanhoso representa o Senhor; força; por todos os lados; vigilante dia e noite.

II. *A cidade dentro do cinturão,* ou *os símbolos relacionados.*

1. Deliciosa confusão. A visão das janelas! (o Senhor "em volta"). Mesmo estando perdido, é preciso *passar por Deus*! Sono tranquilo e trabalho seguro.

2. Circunvalação onipotente, que sugere – a determinação de Deus; o desânimo de Satanás. Este anel montanhesco é imutável. – *W. B. Haynes*

v. 3. Observe, I. A permissão implícita. O cetro da impiedade pode vir sobre a sorte dos justos. Por quê?

1. Para que a iniquidade possa ser livre para se manifestar.

2. Para que os justos possam ser levados a odiar o pecado.

3. Para que a justiça da retribuição de Deus possa ser vista.

4. Para que as consolações dos justos sejam abundantes (2 Co 1.5).

II. A permanência negada: "O cetro... *não permanecerá",* etc. Exemplificado pela história de Jó, José, Davi, Daniel, Cristo, dos mártires, etc.

III. A honestidade testada e preservada: "Para que o justo não estenda", etc., pela rebelião, tolerância ao pecado, etc.

1. Deus o testará, para provar o seu valor, a sua beleza, etc.

2. Mas não testará mais do que o suficiente. – *John Field*

vv. 3 e 4. I. Os bons definidos: "Os retos de coração"; os que não se "desviam" e não "praticam a maldade".

II. Os bons afligidos, pelo "cetro da impiedade".

III. Os bons resgatados: "faze bem"; cumpre a tua promessa (v. 3). – *W. H. J. Page*

v. 4. I. O que é ser bom.

II. O que é, para Deus, fazer-nos o bem.

v. 5. Professantes temporários.

I. O teste crucial: "Eles se desviam".

II. A administração deturpada: eles fazem dos caminhos tortuosos os seus próprios caminhos.

III. A condenação esmagadora: "Levá-los-á... com os que praticam a maldade".

v. 5. Hipócritas. I. Os seus caminhos: "tortuosos".

1. Como uma corrente tortuosa, que busca o nível bom, ou a vertente cômoda.

2. Como o curso de um barco à vela, que habilmente aproveita cada brisa para seguir adiante.

3. Caminhos construídos sobre nenhum princípio, exceto o do puro egoísmo.

II. A sua conduta sob tentação. Eles "se desviam".

1. Da sua profissão religiosa.

2. De suas antigas companhias.

3. Para se tornar os piores escarnecedores as coisas espirituais e os mais violentos caluniadores dos homens voltados para o espiritual.

III. A sua condenação: "Levá-los-á o Senhor", etc.

1. No juízo, eles serão classificados com os mais flagrantes pecadores; "com os que praticam a maldade".

2. Eles serão revelados por um poder irresistível: "Levá-los-á o Senhor".

3. Eles se encontrarão com terrível execução, com os ímpios no inferno. – *J. Field*

v. 5 (última parte). A quem pertence a paz. A "Israel", o escolhido, o que antes lutou, e agora é um príncipe que prevalece. Considere a vida de Jacó depois que ele obteve o nome de "Israel"; observe as suas tentações, e a sua segurança nestas situações, como exemplo deste texto. Então interprete o texto como uma promessa garantida.

v. 5 (última parte). Investigue,

I. Quem é Israel?

1. Os participantes do concerto.

2. Os circuncidados no coração.

3. Os adoradores fiéis.

II. O que é a paz?

1. Paz de consciência.

2. Comunhão com Deus.

3. De um coração estabelecido e satisfeito.

4. De eterna glória, na reversão.

III. Por que a certeza ("haverá")?

1. Cristo fez a paz para eles.

2. O Espírito Santo lhes traz a paz.

3. Eles andam no caminho da paz. – *J. Field*

SALMO 126

TÍTULO

Cântico dos Degraus. Este é o sétimo degrau, e por isto podemos esperar encontrar nele alguma perfeição especial de alegria; não esperaremos em vão. Aqui veremos não apenas que Sião permanece, mas que a sua alegria retorna depois da angústia. Permanecer não é suficiente, a fertilidade é adicionada. Os peregrinos passaram de bênção a bênção na sua salmodia, à medida que prosseguiam no seu santo caminho. Pessoas felizes, para quem cada subida era um cântico, cada parada, um hino. Aqui, o que confia se torna um semeador: a fé opera através do amor, obtém uma bênção presente, e assegura uma colheita deleitosa.

Não há nada neste salmo que nos ajude a decidir a sua data, além do fato de que é um cântico, depois de uma grande libertação da opressão. O "retorno do cativeiro" não requer, de maneira alguma, um real banimento, para satisfazer a ideia; o resgate de qualquer aflição terrível ou tirania esmagadora seria apropriadamente descrito como "volta do cativeiro". Na verdade, esta passagem não se aplica aos cativos na Babilônia, pois é a própria Sião que está em cativeiro, e não uma parte de seus cidadãos: a cidade santa estava em angústia e aflição; embora ela não pudesse ser removida, a prosperidade poderia diminuir. Alguma nuvem escura baixava sobre a amada capital, e os seus cidadãos oravam, "Faze-nos regressar outra vez do cativeiro, Senhor".

Este salmo está no seu lugar adequado, e muito apropriadamente segue o seu antecessor, pois, como no Salmo 125, nós lemos que o cetro da impiedade não permanecerá sobre a sorte dos justos, nós aqui o vemos removido deles, para sua grande alegria. A palavra "regressar" parece ser a nota principal do cântico; é um Salmo de conversão – conversão do cativeiro; e bem pode ser usado para expressar o arrebatamento de uma alma perdoada, quando a ira do Senhor se afasta dela. Nós o chamaremos de "levando cativo o cativeiro".

O salmo é dividido em uma narrativa (vv. 1,2), um cântico (v. 3), uma oração (v. 4) e uma promessa (vv. 5,6).

EXPOSIÇÃO

1 *Quando o Senhor trouxe do cativeiro os que voltaram a Sião, estávamos como os que sonham.*
2 *Então, a nossa boca se encheu de riso, e a nossa língua, de cânticos; então, se dizia entre as nações: Grandes coisas fez o Senhor a estes.*
3 *Grandes coisas fez o Senhor por nós, e, por isso, estamos alegres.*
4 *Faze-nos regressar outra vez do cativeiro, Senhor, como as correntes do Sul.*
5 *Os que semeiam em lágrimas segarão com alegria.*
6 *Aquele que leva a preciosa semente, andando e chorando, voltará, sem dúvida, com alegria, trazendo consigo os seus molhos.*

1. *"Quando o Senhor trouxe do cativeiro os que voltaram a Sião, estávamos como os que sonham."* Quando em meio a aflições, os piedosos peregrinos se lembram, para sua consolação, de períodos de lamentação nacional que foram sucedidos por notáveis livramentos. Então a angústia se esvaiu como um sonho, e a alegria que se seguiu foi tão grande que parecia algo bom demais para ser verdade, e eles temeram que fosse a visão de uma mente ociosa. Tão repentina e esmagadora foi a sua alegria que eles se sentiram fora de si mesmos, em êxtase ou em um transe. O cativeiro tinha sido grande, e grande era a libertação; pois o próprio grande Deus a tinha realizado; realmente, parecia bom demais para ser verdade: cada homem disse consigo mesmo:

"Isto é um sonho? Oh, se for um sonho,
Deixe-me continuar dormindo, e não me desperte ainda".

Não havia sido a liberdade de um indivíduo que o Senhor, em misericórdia, tinha operado, mas a de toda Sião, de toda a nação, e isto era razão suficiente para abundante euforia. Nós não precisamos exemplificar as histórias que ilustram este versículo em conexão com o Israel literal; mas é bom lembrar o quão frequentemente isto foi verdade, com relação a nós mesmos. Examinemos as prisões de que fomos libertados. Ah, como estivemos cativos! Na nossa primeira conversão, que retorno do cativeiro nós vivenciamos. Jamais esta hora será esquecida. Alegria! Alegria! Alegria! Desde então, de múltiplas aflições, da depressão de espírito, de desvios infelizes, de angustiosa dúvida, nós fomos emancipados, e não é possível descrever a bênção que se seguiu a cada emancipação.

"Quando Deus revelou o seu gracioso nome
E transformou a nossa lastimável condição,
O nosso arrebatamento pareceu um sonho agradável.
A graça pareceu ser tão excelente".

Este versículo será mais plenamente cumprido no dia da derrota final dos poderes das trevas, quando o Senhor virá para a salvação e glorificação dos seus remidos. Então, em um sentido mais pleno do que até mesmo no dia de Pentecostes, os nossos antigos terão visões, e os nossos jovens sonharão sonhos, e todas as coisas serão tão maravilhosas, tão além de todas as expectativas, que aqueles que os contemplarem se perguntarão se não será tudo um sonho. O passado é sempre um prognóstico assegurado do futuro; o que aconteceu é o que acontecerá: nós nos encontraremos, ainda, repetidas vezes, assombrados com a maravilhosa bondade do Senhor. Que os nossos corações se lembrem, com muita gratidão, da benignidade anterior do Senhor; nós estávamos tristemente humilhados, amargamente afligidos, e completamente sem esperanças, mas quando o Senhor apareceu, Ele não se limitou a nos erguer do desânimo, Ele nos levantou para uma felicidade indescritível. O Senhor, que é o único que nos traz de volta do cativeiro, nada faz pela metade:

àqueles aos quais Ele salva do inferno, Ele conduz ao céu. Ele converte o exílio em êxtase, e o banimento em bênção.

2. *"Então, a nossa boca se encheu de riso, e a nossa língua, de cânticos."* Tão cheios eles estavam de alegria, que não podiam se conter. Eles deviam expressar a sua alegria e, no entanto, não conseguiam encontrar expressão para ela. Uma felicidade irreprimível não poderia produzir nada além do riso, pois o falar era algo excessivamente insípido para ela. A misericórdia foi tão inesperada, tão impressionante, tão singular, que eles não podiam fazer nada senão rir; e riram muito, tanto, que a sua boca se encheu de riso, e isto porque seus corações também estavam cheios de riso. Quando, por fim, a língua pôde se mover articuladamente, não pôde se contentar simplesmente em falar, mas precisou cantar; e cantar sinceramente também, pois estava cheia de cânticos. Sem dúvida, a dor anterior aumentou a intensidade do prazer; o cativeiro deu um novo sentido à emancipação. As pessoas se lembraram desta inundação de alegria muitos anos depois, e aqui está o registro desta ocasião, convertido em cântico. Observe as palavras *quando* e *então*. O *quando* de Deus é o nosso *então*. No momento em que Ele nos traz de volta do cativeiro, o coração retorna da sua angústia; quando Ele nos enche de graça, nós nos enchemos de gratidão. Nós nos tornamos como aqueles que sonham, mas nós rimos e cantamos no nosso sono. Nós estamos completamente despertos, agora, e embora mal consigamos perceber a bênção, ainda assim nos alegramos intensamente nela.

"Então, se dizia entre as nações: Grandes coisas fez o Senhor a estes." As nações ouviram os cânticos de Israel e os melhores, entre eles, logo perceberam o motivo da alegria. O Senhor era conhecido como sendo o Deus deles, e a Ele as outras nações atribuíram a emancipação do seu povo, imaginando que não era algo pequeno o que o Senhor tinha feito; pois aqueles que entusiasmavam as nações nunca, em nenhuma outra situação, restauraram um povo ao seu antigo local de morada. Estes estrangeiros não eram sonhadores; embora fossem apenas expectadores, e não participassem da misericórdia surpreendente, eles viram claramente o que tinha sido feito, e com razão o atribuíram àquele que dá todo o bem. É uma bênção quando os santos percebem pecadores falando sobre a benignidade do Senhor, e é igualmente uma bênção quando os santos que estão escondidos no mundo ouvem o que o Senhor fez pela sua igreja, e decidem sair do seu cativeiro e se unir ao povo do Senhor. Ah, querido leitor, o Senhor realmente fez coisas maravilhosas pelos seus eleitos, e estas "grandes coisas" serão temas de eterno louvor entre todas as criaturas inteligentes.

3. *"Grandes coisas fez o Senhor por nós, e, por isso, estamos alegres."* Eles não negaram a declaração que refletia tanta glória sobre o Senhor; com exultação, eles admitiram e repetiram a declaração das notáveis atitudes do Senhor para com eles. Eles se apropriaram da feliz declaração, dizendo: "Grandes coisas fez o Senhor *por nós*", e declararam a sua felicidade com o fato. É uma má modéstia a que se envergonha de reconhecer a sua alegria no Senhor. É melhor chamar isto de um roubo a Deus. Há tão pouca felicidade por aí, que se possuímos uma cota completa dela, não devemos esconder a nossa luz debaixo de um cesto, mas deixar que ela brilhe sobre todos os que estão na casa. Devemos expressar a nossa alegria, declarando "por isto", além do fato. Ninguém é tão feliz como aqueles que desfrutam os momentos iniciais de sua libertação do cativeiro; ninguém pode, mais prontamente e satisfatoriamente, apresentar uma razão para a alegria que há neles. O próprio Senhor nos abençoou, e nos abençoou enormemente, nos abençoou individualmente, nos abençoou com certeza; e por causa disto, nós cantamos ao seu nome. Eu ouvi alguém dizer, outro dia, em oração, "por isto desejamos estar alegres". Estranha diluição e profanação da linguagem escritural! Certamente, se Deus fez grandes coisas por nós, nós estamos alegres, e não pode ser de outra maneira. Sem dúvida, esta linguagem pretende ser humilde, mas na verdade é vergonhosa.

4. *"Faze-nos regressar outra vez do cativeiro, Senhor."* Lembrando-se da alegria anterior por uma libertação passada, eles clamam ao Senhor, pedindo uma repetição.

Quando nós oramos para retornar do nosso cativeiro, é prudente recordar ocorrências anteriores desta mesma graça: nada reforça a fé de maneira mais eficaz do que a lembrança de uma experiência anterior. "O Senhor fez" harmoniza bem com a oração "Faze outra vez". O texto nos mostra como é sábio recorrer novamente ao Senhor que, em ocasiões anteriores, foi tão bom para nós. Onde mais deveríamos ir, senão àquele que fez tão grandes coisas por nós? Quem pode nos fazer voltar do cativeiro, senão aquele que nos fez voltar antes?

"Como as correntes do sul." Da mesma maneira como o Senhor envia inundações para os leitos secos de cursos d'água no sul, depois de longos períodos de seca, também Ele pode encher nossos espíritos cansados e esgotados com dilúvios de santo prazer. Isto o Senhor pode fazer, por qualquer um de nós, e Ele pode fazer isto imediatamente, pois nada é difícil demais para o Senhor. É bom que nós oremos assim, e apresentemos nosso caso diante daquele que é capaz de nos abençoar de maneira extremamente abundante. Não devemos nos esquecer do passado, mas, na presença da nossa dificuldade atual, devemos recorrer ao Senhor, e implorar que Ele faça por nós aquilo que não podemos fazer por nós mesmos – aquilo que nenhum outro poder pode realizar por nós. Israel retornou do cativeiro da Babilônia e foi como se um dilúvio de pessoas se precipitasse para Sião. Repentinamente e abundantemente, o povo encheu outra vez os átrios do templo. Em correntes, eles também retornarão, nos últimos dias, à sua própria terra, e a povoarão outra vez. Como fortes correntezas, todas as nações afluirão ao Senhor no dia da sua graça. Que o Senhor possa apressar isto, no seu próprio tempo.

5. *"Os que semeiam em lágrimas segarão com alegria."* Consequentemente, a aflição atual não deve ser considerada como se fosse durar para sempre: não é o fim, de maneira alguma, mas apenas um meio para alcançar o fim. Angustiado é o nosso semear, alegre será o nosso colher. Se não houvesse semear em lágrimas, não haveria colheita com alegria. Se nós jamais tivéssemos sido cativos, jamais poderíamos levar cativo o nosso cativeiro. A nossa boca jamais teria se enchido de santo riso, se não tivesse antes sido cheia da amargura da angústia. Nós devemos semear: nós podemos ter que semear no clima úmido da angústia; mas vamos colher, e colher na estação ensolarada e brilhante da alegria. Realizemos o trabalho desta época de semeadura, e encontremos forças na promessa que aqui nos é feita, de maneira tão positiva. Aqui está algo que o precioso e bendito Senhor deseja fazer e faz com toda a certeza: esta promessa é feita livremente aos que trabalham, aos que esperam, e aos que choram, e eles podem ter a certeza de que ela não falhará: "no devido tempo *segarão*".

Esta sentença posse ser considerada na igreja como um provérbio inspirado. Não é todo semear que é assim protegido contra todos os perigos, e que tem assegurada uma colheita; mas a promessa pertence particularmente aos que semeiam *em lágrimas*. Quando o coração do homem está tão comovido que ele chora pelos pecados dos outros, ele é escolhido para servir. Os que conquistam almas são, antes de mais nada, os que lamentam pelas almas. Da mesma maneira como não existe nascimento sem as dores do parto, também não existe colheita espiritual sem o doloroso trabalho na terra. Quando os nossos corações estão quebrantados de angústia pela transgressão do homem, nós quebrantamos os corações de outros homens. As lágrimas sinceras geram lágrimas de arrependimento: "aquilo que é profundo invoca aquilo que é mais profundo ainda".

6. *"Aquele."* A promessa geral é aplicada a cada um, em particular. O que é dito no plural, no versículo anterior – "eles", ou "os", é aqui repetido no singular – "aquele". *"Aquele que leva a preciosa semente, andando e chorando, voltará, sem dúvida, com alegria, trazendo consigo os seus molhos"*. Ele deixa o seu repouso para sair ao ar frio e arar o solo pesado; e enquanto o faz, ele chora, por causa de fracassos passados, ou porque o solo é tão estéril, ou o clima é tão inoportuno, ou a sua produção tão escassa e os seus inimigos tão abundantes e tão ansiosos em roubar-lhe a sua recompensa. Ele deixa cair uma semente e uma lágrima, uma

semente e uma lágrima, e assim por todo o seu caminho. No seu cesto, ele tem as sementes que são preciosas para ele, pois tem poucas, e elas são a sua esperança para o próximo ano. Cada grão deixa a sua mão com uma ansiosa oração, para que não se perca; ele não se importa consigo mesmo, mas se preocupa muito com a sua semente, e fervorosamente pergunta, "Irá prosperar? Será que receberei uma recompensa pelo meu esforço?" Sim, bom lavrador, *sem dúvida* você trará os molhos da sua semeadura. Como o Senhor escreveu a expressão *sem dúvida*, tome cuidado para não duvidar. Não pode haver razão para dúvida, depois que o Senhor falou. Você retornará a este campo – não para semear, mas para colher; não para chorar, mas para se alegrar; e depois de algum tempo, você voltará para casa com um passo mais leve do que hoje, embora com uma carga mais pesada, pois terá os molhos para levar consigo. O seu lote será tão grandemente multiplicado, que muitos molhos se originarão dele; e você terá o prazer de colhê-los e levá-los para casa, para o lugar de onde você saiu chorando.

Esta é uma descrição figurativa do que foi descrito, em linhas gerais, nos três primeiros versículos. É o retorno do trabalhador do cativeiro, quando, em vez da semente enterrada debaixo da terra, ele vê as colheitas ondulantes que o convidam para uma ceifa dourada.

É, de certa forma, singular encontrar esta promessa de produtividade em íntimo contato com o retorno do cativeiro; e assim é, na nossa própria experiência, pois quando a nossa própria alma revive, as almas dos outros são abençoadas através dos nossos esforços. Se algum de nós, já tendo estado cativo solitário por muito tempo, agora retorna ao lar, e se torna semeador ansioso e esforçado, que o Senhor, que já nos libertou, possa nos transformar em colhedores de coração alegre, e a Ele seja o louvor, para todo o sempre. Amém.

NOTAS EXPLICATIVAS E DECLARAÇÕES SINGULARES

Título: Agostinho interpreta o título, "Um cântico de degraus, isto é, um cântico de subida", da subida para a Jerusalém celestial. Isto é certo, na medida em que a libertação do cativeiro do pecado e da morte deveria, cada vez mais, incitar os sentimentos de gratidão que Israel deveria ter sentido ao ser libertado do seu cativeiro físico; neste sentido, novamente, a história da teocracia aparente é um tipo da história da igreja. – *Augustus F. Tholuck, 1856*

O salmo: No seu aspecto cristão, o salmo representa o sétimo dos "degraus" na nossa subida para a Jerusalém que está no alto. A exultação do cristão na sua libertação do cativeiro espiritual do pecado. – *H. T. Armfield*

O salmo: Em minha opinião, estão próximos do sentido e do verdadeiro significado do salmo aqueles que o associam àquele grande cativeiro geral da humanidade sob o pecado, a morte e o diabo, e à redenção comprada pela morte e pelo derramamento do sangue de Cristo, e divulgada no Evangelho. Para este tipo de discurso que o profeta emprega aqui, é de grande importância que ele possa ser aplicado apenas a cativeiros particulares judeus. Pois que grande questão era, para este povo dos judeus, que era, de certa forma, uma minoria, ser libertado do cativeiro temporal, em comparação com a libertação extrema e incomparável pela qual a humanidade foi libertada do poder de seus inimigos, não temporais, mas eternos, e da morte, de Satanás e do próprio inferno? Consequentemente, concluímos que este salmo é uma profecia da redenção que vem através de Jesus Cristo, e da divulgação do Evangelho, pelo qual o reino de Cristo aumenta cada vez mais. A morte e o diabo, com todas as forças das trevas, são extintos. – *Thomas Stint, em An Exposition on Psalms cxxiv-cxxvi, 1621*

O salmo: Eu creio que este salmo deve ser entoado uma vez mais com uma melodia ainda mais alegre: uma vez mais, as boas novas da restauração de Israel chegam a suas tribos dispersas, como a sombra irreal de um sonho; uma vez mais os habitantes das várias terras de onde eles vêm exclamam em assombro e adoração, "Grandes coisas fez o Senhor por nós", quando virem israelita após israelita, e judeu após judeu, como naquela espantosa noite no Egito, com cinturões em seus lombos, e sapatos em seus pés, e seu cajado em sua mão, apressando-se para obedecer a convocação que os chama de volta à sua própria terra amada. – *Barton Bouchier (1794-1865), em – "Manna in the Heart"*

O salmo:

Quando, redimindo seus filhos dos grilhões,
Deus liderou o caminho para Sião,
Estávamos como os que sonham;
Estes eram pensamentos de bênçãos brilhantes demais para que permanecêssemos onde estávamos.

Cheios de riso, ficamos olhando,
e nossas línguas cantaram em voz alta, em arrebatamento,
Rapidamente, com as notícias assombrosas,
Todas as nações maravilhadas disseram,

"Vejam as obras de glória do Senhor!
Observem que amor por eles Ele teve!"
"Sim, POR NÓS! Vão contar a história.
Isto Ele fez, e estamos alegres".

Senhor! completando a tua obra de graça,
restaura todos os nossos exércitos exilados,
como, em canais sedentos,
derrama as refrescantes correntes do sul.

Aqueles que agora choram em angústia
semeando lágrimas e sementes combinadas,
logo, colhendo a plena ceifa,
brilharão com alegria.

Embora o coração do semeador esteja quebrantado,
levando as sementes para espalhar,
ele voltará, despertando os ecos,
carregado com os seus molhos.
– William Digby, The Hebrew Psalter. A New Metrical Translation", 1882

v. 1: "Quando o Senhor trouxe do cativeiro". Como por permissão do Senhor, eles foram levados em cativeiro, e por isto, apenas pelo seu poder, eles são colocados em liberdade. Depois que os israelitas tinham servido em uma terra estrangeira durante quatrocentos anos, não foi Moisés, mas o Senhor, que os tirou da terra do Egito, e da casa da servidão. De igual maneira, foi Ele, e não Débora, que os libertou de Jabim, depois que tinham estado durante vinte anos sujeitos aos cananeus. Foi Ele, e não Gideão, que os tirou das mãos dos midianitas depois de sete anos de servidão. Foi Ele, e não Jefté, que os libertou dos filisteus e amorreus depois de dezoito anos de opressão. Embora, em todos estes casos, Ele empregasse Moisés e Débora, Gideão e Jefté como instrumentos da sua libertação, da mesma maneira, não foi a coragem de Ciro, mas o poder do Senhor; não foi a sua política, mas a sabedoria de Deus que, derrotando os inimigos, deu a Ciro a vitória, e colocou em seu coração o desejo de libertar o seu povo; pois Ele segura a mão dos seus enviados para abater nações. Ele solta os lombos dos reis, e diante do seu escolhido abre as portas, e vai adiante dele, e endireita os caminhos tortos; e Ele quebra as portas de bronze e despedaça os ferrolhos de ferro (Is 45.1,2). – *John Hume, The Jewes Deliverance", 1628 v. 1:* "O Senhor trouxe... os que voltaram a Sião". O significado é de retornar, ou encontrar os que retornavam, de certa forma, na metade do caminho. O substantivo hebraico indica *conversão*, no sentido espiritual, e o verbo, a piedosa condescendência de Deus, em aceitar ou responder a ela. – *Joseph Addison Alexander*

v. 1: "O cativeiro... de Sião". Eu pergunto, em primeiro lugar, Por que de *Sião?* Por que não o cativeiro de Jerusalém, Judá, Israel? Jerusalém, Judá, e Israel foram levadas cativas, não menos do que Sião. Elas, maiores e mais gerais; por que não o *cativeiro* delas, mas o de *Sião?* Parece que há algo mais no cativeiro de Sião do que no cativeiro das demais, pois ela é escolhida antes das demais. Por que? O que havia em Sião? Nós sabemos que era apenas uma colina em Jerusalém, no lado norte. Por que esta colina é tão honrada? Nenhuma razão no mundo, exceto esta: sobre ela foi edificado o Templo; e assim, o fato de que Sião seja tão mencionada e considerada, é unicamente por causa do Templo. Por causa dela (pela sua igreja) é que o "Senhor ama as portas de Sião mais do que todas as habitações de Jacó" (Sl 87.2); Ele a ama mais, e assim o seu cativeiro a aproxima dele, e a sua libertação o agrada mais do que tudo o que diz respeito a Jacó. Isto faz com que o cativeiro de *Sião* seja mencionado em primeiro lugar, como mais considerado por Deus, e como devendo assim ser considerado pelo seu povo. Como vemos que aconteceu, quando eles se assentaram junto aos rios da Babilônia o que os fez chorar foi o fato de se "lembrarem de Sião"; aquela foi a sua maior tristeza. Aquela foi a sua maior tristeza, e, esta, a sua maior alegria; *Laetati sumus, quando vieram as novas* – não, diz o salmo, *in domos nostras,* cada um irá à sua própria casa, mas, *in domum Domini ibimus,* "*Nós* iremos à casa do Senhor, compareceremos diante do Deus dos deuses, em Sião". – *Lancelot Andrewes, 1555-1626*

v. 1: "Estávamos como os que sonham". Isto é, eles pensavam que era apenas mera fantasia e imaginação. – *Sydrach Simpson, 1658*

v. 1: "Estávamos como os que sonham". Aqui você pode observar que Deus frequentemente envia socorro e libertação aos piedosos no momento da sua aflição, angústia e adversidade; que muitas vezes eles mesmos duvidam da verdade disto, e pensam que, na verdade, não são libertados, mas que apenas sonharam com isto. Pedro, aprisionado por Herodes, quando foi libertado por um anjo, por toda a luz que resplandeceu na prisão, embora o anjo o ferisse do lado e o levantasse, embora ele fizesse com que as cadeias lhe caíssem das mãos, embora ele falasse com ele três vezes, *Surge, cinge, circunda*; "Levanta-te depressa! Cinge-te e ata as tuas sandálias. Lança às costas a tua capa"; embora ele o conduzisse em segurança pelos guardas, e embora fizesse com que as portas de ferro se abrissem por si mesmas, ainda assim, diante de tudo isto, Pedro estava como aqueles que sonham, pois "não sabia que era real o que estava sendo feito pelo anjo, mas cuidava que via alguma visão" (At 12.9). Quando o velho Jacó ouviu de seus filhos que seu filho José estava vivo, seu coração falhou, e ele não acreditou neles, mas depois de ter ouvido tudo o que José tinha dito, e quando viu os carros que José lhes tinha enviado, então, de certa forma, como que desperto de um sono e de um sonho, seu espírito reviveu, e, alegrando-se, clamou em voz alta, "Basta; ainda vive meu filho José".

Lorinus parece justificar esta sua desconfiança, dizendo que estavam tão dominados pela alegria que duvidaram e se equivocaram quanto à verdadeira causa da sua alegria; como os apóstolos, que tendo Cristo, depois da sua ressurreição, em pé diante deles, ficaram tão extremamente felizes, que, alegrando-se, imaginaram e duvidaram; e como as duas Marias, quando o anjo lhes falou da ressurreição de Cristo, nosso Salvador, elas retornaram do sepulcro, alegres, e, no entanto, com temor. Pode ser que elas temessem a verdade de tão alegres novidades, e duvidassem, temendo ser enganadas por alguma aparição. – *John Hume*

v. 1: "Estávamos como os que sonham". Nós pensamos que estávamos sonhando; mal podíamos crer nos nossos olhos, quando, com a ordem de Ciro, rei dos persas, retornamos à nossa própria terra. A mesma coisa aconteceu com os gregos, quando ouviram que a sua nação, que tinha sido conquistada pelos romanos, fora libertada pelo cônsul romano, P. Quíncio Flaminino. Lívio diz que quando o arauto tinha terminado, havia mais boas novas do que o povo conseguia receber, de uma vez. Eles mal podiam crer que tinham ouvido corretamente. Eles se olhavam, uns aos outros, admirados, como adormecidos em um sonho vazio. – *John Le Clerc [Clericus], 1657-1736*

v. 1: "Estávamos como os que sonham", etc. No lapso de setenta anos, a esperança de restauração à sua terra, tão adiada, tinha se esvaído em desespero, em grande parte, exceto o que se baseava (em algumas mentes) na sua fé na promessa de Deus. A política destas grandes potências no oriente já tinha se estabelecido há muito tempo, ou seja, separar as velhas tribos e os reinos da Ásia ocidental; levar as pessoas a nações orientais distantes, e *jamais permitir que retornem.* Nenhuma nação conhecida na história, com exceção da dos judeus, jamais retornou para reconstruir suas antigas cidades e lares. Daí esta alegre surpresa. – *Henry Cowles, The Psalms; with Notes", 1872*

v. 1: "Como os que sonham". Não foi sonho; foi o sonho de Jacó, que se tornou realidade. Foi a promessa, "Eu te farei tornar a esta terra" (Gn 28.15), cumprida, além de tudo o que eles esperavam. – *William Kay, The Psalms, with Notes, chiefly exegetical", 1871*

v. 1: "Estávamos como os que sonham". As palavras deveriam, na verdade, ser traduzidas como *"Estávamos como aqueles que são restaurados à saúde".* A palavra hebraica significa recuperar, ou ser restaurado à saúde. E assim a mesma palavra é traduzida em Is 38, quando Ezequias se recuperou, ele compôs um salmo de louvor, e disse, "Senhor, com estas coisas se vive, e em todas elas está a vida do meu espírito; portanto, cura-me e faze-me viver". É a mesma palavra que é usada aqui. Assim Cajetan, Shindler, e outros a teriam traduzido aqui; e ela é mais adequada com as seguintes palavras, "Então, a nossa boca se encheu de riso, e a nossa língua, de cânticos". Quando um homem está em um sonho bom, sua boca não se enche de riso, nem sua língua de cânticos; se ele está em um sonho mau, a sua boca não se enche de riso, nem a sua língua de cânticos; mas quando um homem é restaurado à saúde, depois de uma grande enfermidade, é assim. – *William Bridge, 1600-1670*

v. 2: "Então, a nossa boca se encheu de riso", etc. Nós devemos sinceramente nos esforçar para aprender esta prática, ou pelo menos, obter algum conhecimento dela. E devemos nos incentivar com esta consideração – de que o Evangelho não é nada além de riso e alegria. Esta alegria pertence, na verdade, aos cativos, isto é, àqueles que sentem o cativeiro do pecado e da morte; para os corações ternos e de carne, aterrorizados com o sentimento da ira e do juízo de Deus. Estes são os discípulos em cujos corações devem ser plantados o riso e a alegria, e isto pela autoridade do Espírito Santo, que este versículo estabelece. Este povo estava em Sião, e, depois da demonstração externa do reino e do sacerdócio, prosperou vigorosamente; mas se um homem os considera de acordo com o espírito, verá que estão em um miserável cativeiro, e que a sua língua está cheia de pesar e lamentação, porque o seu coração está aterrorizado com a sensação do pecado e da morte. Esta é a língua de Moisés, ou a boca de Moisés, cheia de males e amargura de morte, com que ele não deseja matar a ninguém, exceto os que são espertos demais e cheios de uma segurança própria que vem de um ego inflado. Mas aqueles que sentem o seu cativeiro terão as suas bocas cheias de riso e alegria: isto é, a redenção e libertação do pecado e da morte serão pregadas a eles. Este é o significado transmitido pelo Espírito Santo, de que a boca deles estará cheia de riso, isto é, a sua boca não mostrará nada além de grande alegria pelas inestimáveis consolações do Evangelho, com vozes de triunfo e vitória por Cristo, derrotando Satanás, destruindo a morte e removendo os pecados. Isto foi dito, pela primeira vez, aos judeus; pois este riso foi oferecido, em primeiro lugar, a este povo, que então tinha as promessas. Agora ele se volta aos gentios, que são convidados a participar deste riso. – *Martinho Lutero*

v. 2: "Então, a nossa boca se encheu de riso", etc. Foi assim no vale de Elá, onde Golias caiu, e os filisteus fugiram. Foi assim em Baal-Perazim. Foi assim quando uma manhã, depois de muitas noites sombrias, Jerusalém despertou com o amanhecer do dia, e encontrou os milhares de Senaqueribe em um campo de mortos. Esta tem sido, o tempo todo, a maneira pela qual o Senhor nosso Deus trabalha.

"O Senhor operou poderosamente em tudo o que fez por nós. E por isso nós ficamos felizes". Faze sempre isto, até que o conflito esteja terminado! Exatamente como fazes com as correntes do sul, ano após ano, faze também conosco – com todos, com cada um de nós. E temos confiança de que o farás; temos certeza de que não nos vangloriamos em vão quando entoamos este salmo, como uma descrição da experiência de todos os teus peregrinos e adoradores. – *Andrew A. Bonar, Christ and his Church in the Book of Psalms", 1859*

v. 2: "Então, a nossa boca se encheu de riso". Os que eram alvo de riso, agora riam, e um novo cântico foi posto em suas bocas. Era um riso de alegria em Deus e não a zombaria dos seus inimigos. – *Matthew Henry*

v. 2: "Boca... língua". Lorinus, o jesuíta, observou que o salmista menciona a *boca* e a *língua* no singular, e não fala em *bocas* e *línguas* no plural, porque todos os fiéis e toda a congregação dos judeus *univoce*, com uma só voz, todos de acordo, e, como se fosse com uma só boca, louvaram e glorificaram ao Senhor. – *John Hume*

v. 2: "E a nossa língua, de cânticos". Da abundância do coração, fala a boca: e se o coração estiver alegre, a língua será loquaz. A alegria não pode ser suprimida no coração, mas deve ser expressa com a língua. – *John Hume*

v. 2: "Então, se dizia entre as nações". E o que é que era dito? Era algo muito relevante. Neste caso (como em muitos outros) aquilo que os pagãos dizem não pode ser alterado. Eles dizem o seguinte: 1. Que estas coisas não eram cotidianas ou comuns, mas *"grandes"*. 2. A seguir, eles não atribuem estas grandes coisas ao *acaso*; elas não *aconteciam,* mas eram *"feitas"*. 3. A seguir, "feitas" *pelo próprio Deus*: eles veem a Deus nestas coisas. 4. A seguir, não feitas por Deus, ao acaso, sem nenhum objetivo particular, mas eram *propositadamente* feitas *para eles.* 5. E ainda há mais, em *magnificavit facere* (se examinarmos bem). Pois *magna fecit* teria servido a tudo isto; mas ao dizer *magnificavit facere,* eles dizem *magnifecit illps, ut magna faceret pro illis.* Ele as ampliou, ou as organizou grandemente para eles, aos quais faria que acontecesse tão grande obra. Isto era dito entre as "nações".

E é uma pena que as *"nações"* dissessem isto, e que os judeus não tivessem dito estas palavras antes delas. Mas agora, vendo que as *"nações"* disseram isto, e vendo que tudo o que disseram era verdade, os judeus, necessariamente, se veem obrigados a dizer pelo menos isto; e mais do que isto não poderiam dizer; pois mais do que isto não poderia ser dito. Era preciso dizer, então, tanto quanto as nações disseram, e nada menos. E isto intensifica o *dicebant* – o fato de que o seu som era tão grande entre as *nações* que provocou um *eco* entre os próprios judeus. – *Lancelot Andrews*

v. 2: "Grandes coisas fez o Senhor". El*e se multiplicou para fazer grandes coisas*; assim a versão dos caldeus, a siríaca e a árabe traduzem a sentença; e a história desta libertação o confirma. – *Thomas Hodges, em um sermão intitulado "Sion's Hallelujah", 1660*

vv. 2 e 3: Há esta grande diferença entre o louvor que os pagãos são forçados a dar a Deus, e o que o povo de Deus lhe oferece sinceramente: o pagão se expressa como não tendo interesse nem participação na graça; o povo de Deus, como aqueles a quem se destina a graça, na qual eles participam com os outros; *"Grandes coisas fez o Senhor a eles",* dizem os pagãos: mas *"Grandes coisas fez o Senhor por nós",* diz o povo do Senhor. – *David Dickson, 1583-1662*

v. 3: "Grandes coisas fez o Senhor por nós", etc. Este versículo é a essência de todo o Salmo, ocasionado pelo retorno do povo de Deus do cativeiro de Babel para a sua própria terra. A sua libertação foi tão grande e inacreditável que quando Deus a realizou, eles estavam *como os que sonham,* pensando que era um sonho, e uma vã imaginação, e não a verdade real. 1. Porque era uma libertação tão grande, de uma escravidão tão grande e duradoura, parecia algo bom demais para ser verdade. 2. Foi repentina e inesperada, quando eles mal pensavam nela ou esperavam por ela... 3. Todas as coisas pareciam desesperadoras, nada era mais improvável, ou melhor, impossível. 4. A forma da ocorrência foi tão admirável (sem o conselho, a ajuda ou a força do homem: na verdade, estava além de todos os meios humanos, e contra todos eles); que eles duvidaram que estas coisas não fossem os sonhos de homens que estão despertos. – *Thomas Taylor (1576-1632) na obra "A Mappe of Rome"*

v. 3: "Por nós". O que éramos nós, Sião poderia dizer (que estávamos satisfeitos a ponto de estarmos dispostos a lamber o pó dos pés dos nossos inimigos), que o Senhor dos céus e da terra olhasse tão misericordiosamente para nós? A insignificância do receptor justifica a magnificência do doador. "E de onde me provém isso a mim, que venha visitar-me a mãe do meu Senhor?" Esta foi uma saudação fiel e piedosa da devota Isabel. Os melhores homens são apenas filhos do pó, e netos do nada. E ainda o Senhor faz *"grandes coisas"* por nós! Isto *engrandece* estas *"grandes coisas"*. Foi porque *nós éramos a sua igreja?* Foi sua graça extremamente abundante que nos escolheu e separou dos outros, como se fosse a nossa maior falta de graça, acima de todos os outros, de modo a provocá-lo, e forçá-lo a nos lançar no cativeiro. Ou foi porque a *nossa humilhação* naquela condição desconsolada o comoveu a tão grande compaixão? Ai! Havia uma seleção de nações às quais Ele poderia ter tomado no nosso lugar, que poderiam ter provado ser mais fiéis do que nós fomos, pela metade das benevolências que nós recebemos.

Ou foi *por causa do seu concerto* com nossos antepassados? Ai! Nós já o tínhamos perdido desde então, repetidas vezes, e nem sabemos quantas. Portanto, quando nos lembramos, não podemos deixar de considerar um agravante das *"grandes coisas"* de Deus o fato de que Ele as fizesse *por nós*, POR NÓS, TÃO extremamente indignos e imerecedores. – *Malachiah [ou Matthew] Harris, em um sermão intitulado "Brittaines Hallelujah", 1639*

v. 4: "Faze-nos regressar outra vez do cativeiro, Senhor". Uma oração para que a sua libertação fosse concluída. Que aqueles que retornaram à sua própria terra possam ser aliviados das cargas sob as quais gemem. Que aqueles que permanecem na Babilônia tenham seus corações estimulados, como foram os nossos, para aproveitar o benefício da liberdade concedida. Os princípios da misericórdia são incentivos para que oremos pela sua conclusão. Enquanto estamos aqui neste mundo, ainda haverá motivos para oração, mesmo tendo muitos motivos para louvar ao precioso e bendito Senhor. Quando nós estivermos livres, e em prosperidade, não deveremos ignorar ou negligenciar os nossos irmãos que estiverem em dificuldades e reprimidos. – *Matthew Henry*

v. 4: "Faze-nos regressar outra vez do cativeiro". Da mesma maneira como o antigo Israel orou, para que o Senhor trouxesse todos os seus irmãos dispersos em outras terras, no cativeiro, de volta para a sua própria terra, em uma correnteza, com uma multidão alegre, poderosa, como as águas do Nilo ou do Eufrates, que se derramavam sobre os campos áridos do sul no verão quente e seco, também agora os membros da igreja de Cristo devem orar "para que todos os que professam e se dizem cristãos possam ser conduzidos no caminho da verdade, e manter a fé, em unidade de espírito, no vínculo da paz e na justiça da vida". – *J. W. Burgon, A Plain Commentary", 1859*

v. 4: O salmista clama:

"Faze-nos regressar outra vez do cativeiro, Senhor,
como aquedutos no Neguebe".

Esta Neguebe, ou região Sul, a região que se estende abaixo de Hebrom, sendo comparativamente seca e sem água, era, sem dúvida, irrigada por um sistema de pequenos canais artificiais. As palavras do salmista sugerem que é tão fácil que

Deus faça Israel regressar da servidão na Babilônia para a sua própria terra, como é para o horticultor direcionar as águas da nascente para qualquer parte da terra que ele escolher, pelos canais dos aquedutos. – *James Neil*

v. 4: "Como as correntes do sul". Então o nosso cativeiro será perfeitamente modificado, da mesma maneira como os *rios* ou as *águas do sul,* que, pela mão poderosa de Deus, foram secas e completamente consumidas. Se aqui a referência é ao mar Vermelho, ou ao rio Jordão, não é muito importante. A similitude é esta: Da mesma maneira como, pela tua mão poderosa, tu fizeste, milagrosamente, com que as águas se secassem e fossem consumidas, também seca, ó Senhor, e reduz a nada o nosso cativeiro. Alguns interpretam de outra maneira este versículo; isto é: Faze-nos regressar outra vez do cativeiro, Senhor, como os rios do Sul, que se secam no verão, nos lugares desertos, pelo calor do sol, mas no inverno se enchem outra vez com abundância de água. – *Martinho Lutero*

v. 4: "Correntes". A palavra hebraica para *"correntes"* significa estritamente o leito de um rio, o canal que retém a água quando há água ali, mas frequentemente está seco. Naturalmente, há alegria pelos agricultores quando estes leitos se enchem novamente com água corrente. De modo que a oração é esta: que o teu povo retorne alegremente à sua terra pátria. – *Henry Cowles*

v. 4: "Como as correntes do sul". Alguns traduzem: *Como as poderosas águas no sul.* Por que eles desejam retornar do cativeiro como aquelas poderosas inundações no sul? A razão é esta: porque o sul é uma região seca, onde há poucas nascentes, poucas fontes que possam ser encontradas em uma região inteiramente deserta. O que, então, são as águas que eles têm no sul, naquelas regiões áridas? São estas fortes correntes que são causadas pelas chuvas do céu: assim, o significado desta oração no salmo é que Deus os faça voltar repentinamente do cativeiro. Os rios vêm repentinamente no sul: onde não há nascente, nem sinal de um rio, mas em uma hora a água sobe e a corrente transborda. Como quando Elias enviou o seu servo em direção ao mar, na época de Acabe, o moço subiu e olhou e disse, "não há nada", isto é, não há sinal de chuva, nem a menor nuvem pode ser vista; mas imediatamente as nuvens se enegreceram, e veio uma grande chuva (1 Rs 18.44). Assim, que nós retornemos do cativeiro, rapidamente e repentinamente, ainda que não haja aparência de salvação, não mais do que há de uma nascente no deserto arenoso, ou de chuva no mais claro dos céus, mas que nos venha a salvação. Nós costumávamos dizer, sobre as coisas além do nosso alcance, Nós temos um sinal delas? ou podemos obtê-las das nuvens? Embora não apareça nenhum solo de onde fluam estes rios, que a nossa salvação seja como os rios no sul, como rios que vieram das nuvens, e caíram em um instante, imediatamente, dos céus. – *Joseph Caryl, 1602-1673*

vv. 4, 5 e 6: Os santos frequentemente alimentam as suas esperanças com as carcaças dos seus temores mortos. A ocasião que Deus escolheu e os instrumentos que Ele usou para dar aos judeus cativos a sua libertação do cárcere e a liberdade para voltar para casa foram tão inacreditáveis para eles, quando na sua concretização (como Pedro, que o anjo tinha tirado da prisão, At 12), que se passou algum tempo antes que eles pudessem cair em si e decidir se era a realidade ou apenas um sonho agradável. Veja, que efeito este estranho desapontamento dos seus temores teve sobre a sua esperança pelo futuro. Ele os enviou ao trono da graça, para a realização do que havia começado tão maravilhosamente. "Grandes coisas fez o Senhor por nós, e, por isso, estamos alegres. Faze-nos regressar outra vez do cativeiro, Senhor" (vv. 3,4). Eles tiveram grandes benefícios experimentando o poder e a misericórdia de Deus, e não o deixarão até que consigam mais; sim, a sua esperança chega a tal nível de confiança, que eles chegam a uma conclusão geral desta experiência particular para a consolação de si mesmos, ou de outros, em qualquer aflição futura: "Os que semeiam em lágrimas segarão com alegria", etc., vv. 5,6. – *William Gurnall, 1617-1679*

v. 5: "Os que semeiam em lágrimas". Eu nunca vi pessoas semeando em lágrimas, exatamente, mas já soube que o fazem com temor e aflição suficiente para fazer jorrar lágrimas de qualquer olho. Em épocas de grande escassez, os pobres camponeses se separam angustiados de cada medida da preciosa semente lançada ao solo. É como tirar o pão da boca de seus filhos; e nestas ocasiões, muitas lágrimas amargas são derramadas sobre a semente. A aflição é frequentemente tão grande que o governo é forçado a fornecer as sementes, ou nada será semeado. Ibrahim Pasha fez isto, mais de uma vez, até onde eu me lembro, copiando talvez o exemplo de seu grande predecessor no Egito quando a fome de sete anos terminou.

As ideias deste salmo podem, de igual maneira, ter sido sugeridas pelo extremo perigo que frequentemente acompanha o agricultor no seu arar e semear. A calamidade que caiu sobre os lavradores de Jó, quando os bois estavam arando, e as jumentas comiam ao lado deles, e os sabeus caíram sobre eles e os levaram, e mataram os servos com o fio da espada (Jó 1.14, 15) é frequentemente repetida nos nossos tempos. Para compreender isto, você precisa se lembrar do que eu acabei de lhe dizer, sobre a situação das terras cultiváveis no campo; e aqui, novamente, nós encontramos esta exatidão verbal: o semeador *"sai"* (ARA) – isto é, da aldeia. O povo de Ibel e Khiem, em Merj' Aiyun, por exemplo, têm os seus campos mais produtivos em 'Ard Huleh, entre nove e treze quilômetros de seus lares, e muito mais próximos da fronteira sem lei do deserto. Quando uma nação é perturbada, ou o governo é fraco, eles não podem semear estas terras, a menos que seja com risco de suas vidas. Na verdade, eles sempre *saem* em grandes grupos, e completamente armados, prontos a deixar cair o arado e apanhar o mosquete em um momento; e ainda assim, com todo este cuidado, muitas calamidades tristes e fatais acometem os homens que devem assim semear em lágrimas. E outra origem pode ser encontrada para as ideias do salmo, na extrema dificuldade do próprio trabalho, em muitos lugares. O solo é rochoso, impraticável, coberto de espinhos pontiagudos; e é necessário um esforço muito doloroso para quebrar e extrair a rocha, cortar e queimar os cardos, e subjugar o solo obstinado, particularmente com seus bois frágeis e seus arados insignificantes. Junte todas estas coisas, e o sentimento é forçosamente salientado: aquele que trabalha arduamente, no frio e na chuva, no perigo e no medo, na pobreza e na necessidade, lançando a sua preciosa semente ao solo, certamente voltará, na hora da colheita, com alegria, e trazendo os seus molhos consigo. – *W. M. Thomson*

v. 5: "Os que semeiam em lágrimas segarão com alegria", etc. Esta promessa é transmitida com imagens tomadas emprestadas das cenas instrutivas da agricultura. No suor da sua testa o agricultor trabalha a sua terra, e lança a semente ao solo, onde, durante algum tempo, ali ficará, morta e enterrada. Segue-se um longo e terrível inverno, e tudo parece estar perdido; mas com a volta da primavera, a natureza revive universalmente, e os campos, antes desolados, são cobertos com o trigo que, quando maduro pelo calor do sol, é cortado pelos alegres ceifeiros, e levado para casa com triunfantes brados de alegria. Aqui, ó discípulo de Jesus, contemple um emblema do teu trabalho atual e da tua recompensa futura! Tu "semeias", talvez, em "lágrimas"; fizeste o teu dever, em meio à perseguição, e aflição, doença, dor e angústia; trabalhaste na igreja, e nenhuma consideração há pelos teus esforços, nenhum benefício parece provável resultar deles. Na verdade, tu deves descer ao pó da terra, e todas as tempestades do inverno devem passar por ti, até que a tua forma pereça, e vejas a corrupção. Mas se aproxima o dia em que "segarás com alegria", e abundante será a tua colheita. Pois assim o teu bendito Senhor saiu "andando e chorando", um homem de angústias e familiarizado com o pesar, sim, experimentado no trabalho, "levando a preciosa semente", e semeando-a ao seu redor, até que, por fim, o seu próprio corpo fosse sepultado, como um grão de trigo, no sulco do sepulcro. Mas Ele ressuscitou e agora está no céu, de onde "voltará, sem dúvida, com alegria", com a voz do arcanjo e a trombeta de Deus, "trazendo consigo os seus molhos". Então cada homem receberá o fruto das suas obras e terá o louvor de Deus. – *George Horne (1730-1792), em "A Commentary on the Psalms"*

v. 5: "Os que semeiam em lágrimas segarão com alegria". Eles semeiam *com fé*; e Deus irá abençoar esta semente: ela crescerá até o céu, pois é semeada em nome de Jesus Cristo, que está no céu. "Quem crê em Deus", esta é a semente, "tem a vida eterna" (Jo 5.24); esta é a colheita. *Qui credit quod non videt, videbit quod credit* - aquele que crê no que não vê; esta é a semente; um dia ele verá aquilo em que creu; esta é a colheita.

Eles semeiam *em obediência:* esta também é uma semente abençoada, que não deixará de prosperar onde quer que seja lançada. "Se guardardes os meus mandamentos", esta é a semente; "permanecereis no meu amor" (Jo 15.10); esta é a colheita (Rm 6.22), "feitos servos de Deus, tendes o vosso fruto para santificação"; esta é a semeadura; "e por fim a vida eterna", esta é a ceifa. *Obedientia in terris, regnabit in ceelis* – aquele que serve a Deus sobre a terra e semeia a semente da obediência, no céu colherá a ceifa de um reino.

Eles semeiam *em arrependimento*; e esta semente necessariamente crescerá e alcançará a bem-aventurança... Muitos santos que semearam sua semente em lágrimas já colheram a sua ceifa no céu. Davi, Maria Madalena, Pedro; como se tivessem comprovado o provérbio, "Não se chega ao céu com os olhos secos". Desta maneira, a natureza e Deus diferem em seus modos de proceder. Para ter uma boa colheita na terra, nós desejamos um período bom para semear; mas aqui um período úmido de semeadura trará a melhor colheita no celeiro do céu. "Bem-aventurados os que choram", esta é a semente; "porque eles serão consolados" (Mt 5.4), esta é a colheita.

Eles semeiam *em renúncia ao mundo* e em adesão a Cristo – e colhem uma excelente ceifa. "Eis que", diz Pedro a Cristo, "nós deixamos tudo e te seguimos" (Mt 19.27); esta é a semente. "Que receberemos?" O que? "Também vos assentareis sobre doze tronos, para julgar as doze tribos de Israel" (vv. 28,29); tudo o que perdestes, vos será devolvido, multiplicado por cem; "e herdará a vida eterna"; esta é a colheita. "Semeai para vós em justiça, ceifai segundo a misericórdia", Os 10.12.

Eles semeiam *em caridade*. Aquele que semeia esta semente terá assegurada uma abundante colheita. "E qualquer que tiver dado só que seja um copo de água fria" - apenas um alívio - "a um destes pequenos, em nome de discípulo, em verdade vos digo que de modo algum perderá o seu galardão" (Mt 10.42). Portanto, se aquele que dá um pouco será assim recompensado, então "o que semeia em abundância em abundância também ceifará" (2 Co 9.6). Portanto, espalhe com a mão cheia, como um semeador em um campo amplo, sem temor. Alguém pensa que perderá alguma coisa com a sua caridade? Nenhum materialista, quando semeia a sua semente, pensa que a está perdendo, ele espera que ela se multiplique, na colheita. Você ousa confiar no solo, e não em Deus? Certamente Deus é melhor pagador do que a terra: a graça fornece uma recompensa maior do que a natureza. Aqui embaixo, você pode receber quarenta grãos por um; mas no céu (pela promessa de Cristo), cem por um: uma "medida, recalcada, sacudida e transbordando". "Bem-aventurado é aquele que atende ao pobre"; esta é a semente; "o Senhor o livrará no dia do mal" (Sl 41.1); esta é a colheita. – *Thomas Adams*

v. 5: "Os que semeiam em lágrimas", etc. Aqui, observe duas coisas. I. Que as aflições do povo de Deus são como semear em lágrimas. 1. No semear, sabemos que há grandes sofrimentos. A terra deve ser, antes de mais nada, arada e preparada; e há o esforço de lançar a semente ao solo; e então é necessário um grande cuidado, durante o ano inteiro, antes que a produção chegue ao celeiro. 2. São necessários grandes gastos, também, e por isto a semente é chamada "preciosa". Pois você sabe que a semente é preciosa. 3. Também há grandes riscos, pois o grão, depois de semeado, está sujeito a muitos perigos. E assim é com os filhos de Deus em uma boa causa. II. Então, depois da semeadura, vem a colheita, e vem com alegria. Há três estágios para a felicidade dos filhos de Deus na colheita dos frutos. 1. Nas primícias. Mesmo quando eles estão suportando alguma coisa pelo Evangelho de Cristo, ele traz consigo contentamento e frutos. 2. Depois das primícias, então, vêm os molhos, para dar novo vigor ao agricultor, e para lhe assegurar que se aproxima a colheita abundante. O Senhor, agora e então, dá testemunho de uma libertação completa para o seu povo, especialmente da libertação de Sião, e permite que eles provem dos molhos que colheram. 3. E, por fim, eles obtêm a colheita abundante e completa, e isto é obtido no grande e último dia. Então nós obtemos paz sem distúrbio, alegria sem angústia, lucro sem perda, prazer sem dor; e então temos uma visão completa da face de *Deus. – Alexander Henderson*

v. 5: "Os que semeiam em lágrimas segarão com alegria". As lágrimas do Evangelho não são perdidas, elas são lágrimas de consolação; enquanto o penitente derrama lágrimas, Deus derrama alegria. Se você deseja ser alegre, diz Crisóstomo, seja triste. O objetivo da unção de Cristo e da sua vinda ao mundo era que Ele pudesse consolar os que choram (Is 61.3). Cristo teve o óleo da alegria derramado sobre Si, como diz Crisóstomo, para que Ele pudesse derramá-lo sobre os que sofrem; assim, o apóstolo pode muito bem mencionar neste assunto "a tristeza segundo Deus", que "opera arrependimento para a salvação, da qual ninguém se arrepende" (2 Co 7.10)... Aqui é obtido um fruto doce de uma matéria amarga: Cristo fez com que as talhas de pedra fossem enchidas de água e então converteu a água em vinho (Jo 2.9). Assim, quando o olho, este recipiente de barro, estiver cheio de água até a boca, então Cristo converterá a água de lágrimas no vinho da alegria. O santo pesar, diz Basil, é a semente da qual a cresce a flor da alegria eterna. – *Thomas Watson (-1690?), em "The Beatitudes"*

v. 5: "Os que semeiam em lágrimas segarão". Nós devemos prestar atenção nos que segam: "Segarão". Quem são *eles?* Os que semearam. E eles segarão; ninguém mais, somente eles. Eles segarão; e com boa razão, porque foram eles que semearam. E embora alguns que semearam em lágrimas se queixem porque a colheita é tardia ou escassa, que não segaram em alegria, como aqui é prometido, eles sabem que alguns solos são mais tardios do que outros, e em alguns anos a colheita é mais tardia do que em outros, e que Deus, que é o Senhor da colheita, no seu bom tempo dará o amadurecimento da alegria, e assim segarão: e, enquanto isto, se nós examinarmos isto cuidadosamente, encontraremos a causa em nós mesmos, tanto pelo atraso da nossa alegria porque tardamos em derramar as nossas lágrimas, como pela escassez da nossa alegria, porque semeamos com poucas lágrimas. E se depois de semearmos com lágrimas não encontrarmos, de modo algum, uma colheita com alegria, poderemos ter a certeza de que a nossa semente não era boa, ou que lhe aconteceu algum dos infortúnios que aconteceram à semente que não deu fruto, em Mt 13. – *Walter Balcanqual, em "a Sermon preached at St. Maries Spittle" 1623*

v. 5: "Os que semeiam em lágrimas", etc. Certa vez, na época da semeadura, eu vi um agricultor arando em um dia muito chuvoso. Tendo perguntado a ele por que razão ele não interrompia este trabalho em um clima tão inóspito, a sua resposta me veio em seu ritmo local:

"Semeie feijões na lama,
e eles crescerão como uma árvore".

Isto apenas me lembrou da expressão de Davi, *"Os que semeiam em lágrimas segarão com alegria"*, etc. – *Thomas Fuller (1608-1661), em "Good Thoughts in Worse Times"*

v. 5: "Semeiam em lágrimas". Há lágrimas que são, elas mesmas, as sementes que devemos semear; lágrimas de tristeza pelo pecado, pelo nosso e pelo dos outros; lágrimas de solidariedade com a igreja afligida; e lágrimas de ternura na oração e sob a palavra. – *Matthew Henry*

v. 5: "Segarão em alegria". A colheita espiritual, de maneira similar, não vem logo, não mais do que a outra colheita, que é exterior. Mas aqui está a consolação – quem quer que tenha tido uma semeadura de graça sobre a sua alma terá também a sua colheita de alegria; Deus se comprometeu com esta lei tão fortemente como com a outra, que "Enquanto a terra durar, sementeira e sega não cessarão" (Gn 8.22); na verdade, ainda mais fortemente; pois aquela era para o mundo, em geral, não para cada nação, cidade ou campo em particular, pois alguns deles podiam desejar uma colheita em particular; porém, ainda assim, Deus pode manter a sua palavra. Mas Deus não pode cumprir a sua promessa se algum santo, em particular, prosseguir eternamente sem o seu momento de colheita. E por isto vocês que pensam de maneira tão infame sobre o Evangelho e sobre os que o professam, porque a paz e consolação ainda não vieram para eles, devem saber que elas estão a caminho, e que virão para estar eternamente com eles; ao passo que a paz que vocês têm está deixando vocês, a cada momento, e certamente deixará vocês, sem qualquer esperança de retornar. Não olhe como o cristão começa, mas como termina. O Espírito de Deus, pelas suas convicções, entra na alma com alguns terrores, mas conclui a sua obra com paz e alegria. Como dizemos sobre o mês de março – começa como um leão, mas se vai como um cordeiro. "Nota o homem sincero e considera o que é reto, porque o futuro desse homem será de paz" (Sl 37.37). – *William Gurnall*

vv. 5 e 6: Na minha interpretação limitada e pouca experiência, descobri que o trigo semeado em anos de preços altos e períodos de escassez produziu muito mais colheita do que em outras épocas; de modo que imediatamente após grande falta, seguiu-se grande abundância de grãos, além das expectativas. – *Humphrey Hardwick, em um sermão intitulado "The Difficulty of Sion's Deliverance and Reformation", 1644*

vv. 5 e 6: Que possamos nos preocupar com a certeza indubitável da nossa colheita, verificada por várias declarações no texto, absolutas e positivas: *"segarão"; "voltará"; "trazendo consigo os seus molhos"*. Não há contingência ou possibilidade, mas são todas afirmações absolutas: e você sabe que o céu e a terra passarão, mas nem um jota da palavra de Deus falhará. Nada impedirá a colheita de um trabalhador na vinha de Sião. – *Humphrey Hardwick*

vv. 5 e 6: Em um sentido mais abrangente e profundo, o que semeia em lágrimas é o próprio Homem de dores. Os crentes assim o conhecem. Ele cumpriu, no amargo sofrimento da sua alma, a semeadura de aflição que deverá produzir a sua colheita satisfatória quando Ele reaparecer, como o ceifador do seu próprio galardão. Ele encherá o seu seio com molhos neste dia de alegria. O armazém da sua alegria estará transbordante. Da mesma maneira como a sua aflição superou a medida natural de angústia humana, quando Ele se submeteu, por nós, às terríveis realidades da morte e do juízo; também a plenitude do seu puro prazer, como aquele que eternamente abençoa o seu povo, supera a alegria deles (que medida, também, há aí!) cuja soma de bênçãos é estar para sempre com o Senhor. – *Arthur Pridham, Notes and Reflections on the Psalms", 1869*

v. 6: "Aquele que leva a preciosa semente, andando e chorando", etc. Isto é muito expressivo sobre a vida de um ministro do Evangelho; ele sai com o Evangelho eterno, ao qual prega; ele semeia o Evangelho, como uma preciosa semente, na igreja de Deus; ele o rega com lágrimas e orações; a bênção do Senhor o acompanha; o Senhor coroa os seus esforços com sucesso; Ele confirma o seu ministério; e, no último dia, sem dúvida ele voltará, sem dúvida, com alegria, do sepulcro da morte, *"trazendo consigo os seus molhos*; e na nova Jerusalém o seu Senhor lhe dirá: "Bem está, servo bom e fiel. Entra no gozo do teu senhor". – *Samuel Eyles Pierce (1746-1829?), em "The Book of Psalms, an Epitome of the Old Testament Scripture"*

v. 6: Ele pode sair, pode andar, e chorar, levando (a sua) carga de sementes. Ele voltará, voltará com cânticos, trazendo molhos. A combinação enfática do tempo finito com o infinitivo é completamente estranha ao nosso idioma, e representada de maneira muito imperfeita, nas versões antigas e em algumas modernas, pelo particípio ativo (*venientes venient,* vindo, eles virão), o que não transmite nem a forma peculiar, nem o sentido preciso da expressão hebraica. A melhor aproximação à força do texto original é a repetição, por Lutero, do tempo finito, *virá, virá,* porque, em todos os casos semelhantes, o infinitivo é, na realidade, definido ou determinado pela palavra que o segue, e, neste sentido, embora não em forma, é assimilado a ela. – *Joseph Addison Alexander*

v. 6:

"Embora ele vá, embora ele vá, e esteja chorando,
enquanto leva alguns punhados de sementes,
virá, virá com cânticos excelentes,
enquanto traz consigo seus abundantes molhos".
– *Ben-Tehillim, The Book of Psalms, in English Blank Verse", 1883*

v. 6: "Leva". A igreja não deve apenas guardar esta semente no depósito, para os que venham a perguntar por ela, mas deve enviar os seus semeadores para lançá-la entre os que ignoram o seu valor, ou são indiferentes demais para pedi-las. A igreja não deve ficar chorando porque os homens não a buscam, mas deve sair e levar a preciosa semente para os relutantes, os descuidados, os preconceituosos, e os corruptos. – *Edwin Sidney, The Pulpit", 1840*

v. 6: O choro não deve impedir o semear; mesmo quando sofremos o mal, devemos fazer o bem. – *Matthew Henry*

v. 6: "Preciosa semente". A semente do trigo é sempre preciosa; mesmo que outro grão seja precioso para nós, esta semente continuará sendo muito preciosa. Assim, é necessário entender que, mesmo que uma semente não seja tão preciosa quanto outra, o agricultor decide que precisa ter ambas. Desta forma, ele privará o seu próprio ventre de determinado alimento, como também a sua esposa e os seus filhos, e o semeará, levando-o, e *chorando*. Também há grandes riscos; pois o trigo, depois de semeado, está sujeito a muitos perigos. E assim é, na verdade, com os filhos de Deus, em uma boa causa. Vocês devem decidir enfrentar os riscos também, na vida, nas terras, nos bens móveis, ou qualquer outra coisa que tenham, neste mundo; é melhor arriscar todas estas coisas, antes que a religião, ou as suas próprias almas, corra riscos. – *Alexander Henderson*

v. 6: "Preciosa semente". Aben Ezra, pelas palavras traduzidas como *preciosa semente* ou, como podem ser traduzidas *um punhado de sementes,* entende o recipiente em que o semeador leva as suas sementes, a cesta de sementes, de onde ele tira as sementes e as espalha; veja Am 9.13: assim também a Targum, "levando uma bandeja de trigo para semear". – *John Gill*

v. 6: "Preciosa semente". A fé é chamada de *"preciosa semente"; quod rarum est charum est.* A semente era considerada preciosa, quando todas as nações foram ao Egito para comprar trigo de José, e, na verdade, a fé deve ser necessariamente considerada preciosa, tendo em vista que, quando Cristo vier, dificilmente "achará fé na terra" (Lc 18.8). A necessidade da fé é tão grande que ela deve ser considerada preciosa; pois como a semente material, é o único meio instrumental de preservar a vida do homem, pois todas as especiarias, o mel, a mirra, as nozes e amêndoas, o ouro e a prata, que havia em Canaã, não eram suficientes para o sustento de Jacó e seus filhos, mas eles foram forçados a ir ao Egito, em busca de grãos, para que pudessem viver, e não morrer. Do mesmo modo, sem fé a alma passa fome; a fé é o seu alimento, pois "o justo viverá da fé" (Gl 3.11). – *John Hume*

v. 6: "Molhos". O salmo que começa com "sonho" e termina com "molhos" nos convida a pensar em José; José, "em quem", segundo a bela explicação de Ambrósio, "foi revelada a futura ressurreição do Senhor Jesus, a quem os seus onze discípulos obedeceram, quando o viram indo à Galileia, e a quem todos os santos obedecerão, na sua ressurreição, produzindo o fruto das boas obras, como está escrito, "voltará, sem dúvida, com alegria, trazendo consigo os seus molhos". – *H. T. Armfield*

SUGESTÕES AOS PREGADORES

v. 1. I. Lembranças alegres do que o Senhor fez, "trouxe do cativeiro os que voltaram", etc.

II. Impressões singulares – nós não podíamos acreditar que era verdade.

III. Descobertas especiais – isto foi verdadeiro, permanente, etc.

v. 1. Uma comparação e um contraste.

I. Os que foram salvos, como os que sonham.

1. Na estranheza da sua experiência.

2. No êxtase da sua alegria.

II. Os que foram salvos, diferentes dos que sonham.

1. Na realidade da sua experiência. Os sonhos são coisas não substanciais, mas o "Senhor trouxe" – um fato real.

2. Na sua liberdade do desapontamento. Sem um despertar, para perceber que foi "apenas um sonho"; veja Is 29.8.

3. Na duração da sua alegria. A alegria dos sonhos logo é esquecida, mas isto é "gozo eterno". – *W. H. J. P.*

v. 2. Riso santo. O que o cria, e como ele é justificado.

v. 2. Receita para o riso santo.

1. Fique na prisão por algumas semanas.

2. Ouça o Senhor girando a chave na fechadura.

3. Siga-o pelo caminho.

4. O seu céu arderá com o brilho do sol, e o seu coração irromperá em cânticos e risos.

5. Se esta receita for julgada cara demais, tente conservar-se no caminho correto. – *W. B. H.*

vv. 2 e 3. I. Relatos das obras de Deus.

II. A experiência das obras de Deus.

vv. 2 e 3. I. O Senhor faz grandes coisas por seu povo.

II. Estas grandes coisas comandam a atenção do mundo.

III. Elas inspiram a alegre devoção dos santos. – *W. H. J. P.*

v. 3. "Grandes coisas fez o Senhor por nós". Neste reconhecimento e confissão, há três motivos de gratidão particularmente dignos de nota.

I. Pelo fato de que foram *"grandes coisas"* as que foram feitas.

II. Quem foi que as fez: *"o Senhor"*.

III. Pelo fato de que elas não são feitas *contra* nós, mas *"por* nós". – *Alexander Henderson, 1583-1646*

v. 4. Os crentes, alegrando-se pela sua libertação, pedem que um dilúvio de prosperidade transborde sobre a igreja. Veja a conexão, vv. 1-3. Observe,

1. Os que duvidam e se desanimam se preocupam excessivamente consigo mesmos, e estão ocupados demais buscando consolação para ter interesse ou energia de sobra para dedicar ao bem estar da igreja; mas o coração jubiloso está livre para desejar o bem da igreja.

II. Os crentes jubilosos, nas mesmas circunstâncias, conhecem mais o poder restritivo do amor de Cristo, que os deixa ansiosos pela sua glória e pelo sucesso da sua causa.

III. Os alegres podem apreciar mais plenamente o contraste entre a sua condição e a dos que não foram libertados, e por causa disto não podem deixar de se sentir ansiosos pela igreja, por cujo ministério tem lugar esta libertação.

IV. Os alegres são, de modo geral, os que mais creem e os mais úteis; a sua expectativa de sucesso os leva à oração e os impele ao esforço. – *J. F.*

v. 4. I. O cristão esgotado.

II. A sua condição infeliz.

III. A sua única esperança.

IV. O resultado, quando acontece.

v. 5. O agricultor cristão. I. Exemplifica a metáfora. O agricultor tem uma grande variedade de trabalho diante de si; cada estação e cada dia trazem a sua própria atividade. Assim também o cristão tem deveres particulares, na família, na igreja, no mundo, etc.

II. Por que muitos cristãos semeiam em lágrimas.

1. Pode ser devido ao fato de que o solo é ruim.
2. A inclemência da estação.
3. A maldade e a oposição dos inimigos.
4. Desapontamentos passados.

III. Que conexão existe entre semear em lágrimas e colher com alegria.

1. A alegre colheita, com a bênção de Deus, é a consequência natural de uma semeadura com lágrimas.
2. Deus, que não mente, prometeu isto.

IV. Quando a feliz colheita pode ser esperada. Ela não deve ser esperada neste nosso mundo invernal, pois aqui não há sol suficiente para amadurecê-la. O céu é o verão do cristão. Quando você vier a colher os frutos das suas provações atuais, você irá bendizer a Deus, que fez com que você semeasse em lágrimas. *A melhoria.*

1. Quão grandemente culpados devem ser aqueles que, nesta ocasião atarefada, ficam ociosos todo o dia!
2. Quão grandemente os cristãos estão em vantagem com relação ao resto do mundo. Que a esperança e a perspectiva desta jubilosa colheita nos sustentem em meio a todas as angústias e aflições deste vale de lágrimas. – *Esboço de um sermão, por Samuel Lavington, 1726-1807*

v. 5. Duas imagens. O conector "segar" *no futuro.*

v. 5. I. É preciso semear antes de colher.

II. O que os homens semeiam, colherão. Se eles semearem semente preciosa, colherão semente preciosa.

III. Eles colherão na proporção ao que semearam. "O que semeia pouco", etc.

IV. O semear pode ser com tristeza, mas o colher será com alegria.

V. Proporcional à angústia do semear, será a alegria da colheita. – *G. R.*

v. 6. Nas duas partes deste versículo, podemos contemplar uma tripla antítese, ou oposição; no *progresso.*

1. Uma permanência: "Aquele que leva".
2. Uma tristeza: "chorando".
3. Um semear: "leva a preciosa semente". No *retorno,* há três opostos a estes.

1. Retorno: "voltará, sem dúvida".
2. Uma alegria: "com alegria".
3. Uma colheita: "trazendo consigo os seus molhos". – *John Hume*

v. 6. *"Sem dúvida".* Ou as razões pelas quais o nosso esforço não pode ser vão, no Senhor.

v. 6. *"Trazendo consigo os seus molhos".* O retorno do fiel semeador ao seu Senhor. Bem sucedido, e sabendo disto, honrado pessoalmente, abundantemente recompensado.

v. 6. Veja "Spurgeon's Sermon", n. 867: "Tearful Sowing and Joyful Reaping".

v. 6. I. O semeador angustiado.

1. A sua atividade – "andando".
2. A sua humildade – "chorando".
3. A sua fidelidade – "leva a preciosa semente".

II. O segador alegre.

1. A sua colheita assegurada – "voltará, sem dúvida".
2. A sua abundante alegria – "com alegria".
3. A sua rica recompensa – "trazendo consigo os seus molhos". – *W. H. J. P.*

SALMO 127

TÍTULO

Um Cântico de Degraus de Salomão. Era apropriado que o edificador da casa santa fosse lembrado pelos peregrinos que se dirigiam ao seu santuário. O título provavelmente indica que Davi o escreveu para o seu sábio filho, em quem tão grandemente se alegrava, e cujo nome, Jedidias, ou "amado pelo Senhor", é apresentado no versículo 2. O espírito do seu nome, "Salomão, ou pacífico", respira por todo este cântico encantador. Se o próprio Salomão foi o seu autor, ele vem apropriadamente daquele que edificou a casa do Senhor. Observe como em cada um destes cânticos o coração está fixo somente no Senhor. Leia os primeiros versículos destes salmos, a partir do Salmo 120 e até o salmo atual, e a sequência é a seguinte: "Clamei ao Senhor", "Elevo os olhos para os montes", "Vamos à Casa do Senhor", "Para ti, levanto os meus olhos", "Se não fora o Senhor", "Os que confiam no Senhor", "Quando o Senhor trouxe do cativeiro os que voltaram". O Senhor, e somente o Senhor, é assim enaltecido em cada passo destes cânticos da subida. Oh, quem nos dera ter uma vida tal que cada parada sugira um novo cântico ao Senhor!

TEMA

A bênção de Deus ao seu povo, como a sua grande necessidade e privilégio, é aqui mencionada. Aqui somos ensinados que os que edificam casas e cidades, sistemas e fortunas, impérios e igrejas, todos trabalham em vão, sem o Senhor; mas sob a benevolência divina, desfrutam do descanso perfeito. Os filhos, que, em hebraico, são chamados "edificadores" são descritos como edificando famílias sob a mesma bênção divina, para grande honra e felicidade de seus pais. É o Salmo do Edificador. "Cada casa é edificada por algum homem, mas aquele que edifica todas as coisas é Deus", e Deus seja louvado.

EXPOSIÇÃO

1 *Se o Senhor não edificar a casa, em vão trabalham os que edificam; se o Senhor não guardar a cidade, em vão vigia a sentinela.*

2 *Inútil vos será levantar de madrugada, repousar tarde, comer o pão de dores,*
pois assim dá ele aos seus amados o sono.
3 *Eis que os filhos são herança do Senhor, e o fruto do ventre, o seu galardão.*
4 *Como flechas na mão do valente, assim são os filhos da mocidade.*
5 *Bem-aventurado o homem que enche deles a sua aljava; não serão confundidos,*
quando falarem com os seus inimigos à porta.

1. *"Se o Senhor não edificar a casa, em vão trabalham os que edificam."* A expressão *em vão* é a essência aqui, e nós a ouvimos claramente três vezes. Os homens que desejam edificar sabem que devem se esforçar, e, consequentemente, exibem todo o seu talento e toda a sua força; mas eles devem se lembrar de que, se o Senhor não estiver com eles, os seus desejos fracassarão. Assim foi com os que edificaram Babel: eles disseram, "Eia, edifiquemos nós uma cidade e uma torre"; e o Senhor devolveu as suas palavras para eles mesmos, dizendo: "Eia, desçamos e confundamos ali a sua língua". Em vão eles se esforçaram, pois a face do Senhor estava contra eles. Quando Salomão decidiu edificar uma casa para o Senhor, as coisas foram muito diferentes, pois todas as coisas se uniram sob Deus, para auxiliá-lo na sua grande empreitada; até mesmo os pagãos estiveram ao seu dispor para que ele pudesse erigir um templo para o Senhor, seu Deus. Da mesma maneira, Deus o abençoou na edificação do seu próprio palácio; pois este versículo evidentemente se refere a todos os tipos de edificações de casas. Sem Deus, não somos nada. Grandes casas foram erigidas por homens ambiciosos; mas como o tecido infundado de uma visão, elas desapareceram, e mal sobra uma pedra para contar onde elas estavam situadas. Se o rico edificador de um palácio diferente pudesse examinar o brilho da lua, ficaria perplexo ao encontrar um resíduo do seu antigo orgulho: ele se esforçou em vão, pois o local a que dedicou o seu esforço não conhece sequer um traço do trabalho das suas mãos. A mesma coisa pode ser dita sobre os que edificam castelos e abadias: quando o modo de vida indicado por estas colunas deixou de ser tolerado pelo Senhor, as maciças paredes de antigos arquitetos desmoronaram em ruínas e o seu esforço derreteu como uma onda de vaidade. Não apenas nós gastamos toda a nossa força por nada, sem o Senhor, como todos os que se esforçaram, sem Ele, estão na mesma situação. A colher de pedreiro e o martelo, a serra e a plaina, são instrumentos inúteis, a menos que o Senhor seja o Mestre de obras.

"Se o Senhor não guardar a cidade, em vão vigia a sentinela." Por todo o muro, as sentinelas andam com passos em ritmo constante; mas a cidade é traída, a menos que o vigilante que nunca dorme esteja com eles. Nós não estamos a salvo, graças ao vigia, se o Senhor se recusar a vigiar-nos. Mesmo se os guardas estiverem vigilantes e fizerem o seu dever, ainda assim o lugar poderá ser surpreendido, se Deus não estiver ali. "Eu, o Senhor, a guardo" é melhor do que um exército de guardas insones. Observe que o salmista não pede que o edificador deixe de trabalhar, nem sugere que os vigias negligenciem o seu dever, nem que os homens mostrem a sua confiança em Deus, sem fazer nada; na verdade, ele supõe que eles farão tudo o que puderem fazer, e então ele proíbe que eles depositem sua confiança no que fizeram, e lhes assegura que todo o esforço das criaturas será em vão, a menos que o Criador exiba o seu poder, para tornar eficazes as segundas causas. As Sagradas Escrituras endossam a ordem de Cromwell: "Confiem em Deus, e conservem seca a sua pólvora"; somente aqui o sentido é diferente, e sabemos que a pólvora seca não obterá a vitória, a menos que confiemos em Deus. Feliz é o homem que chega ao caminho dourado trabalhando tanto, de modo a crer em Deus, e crendo em Deus de modo a trabalhar sem temor.

Na frase escritural, uma dispensação ou sistema é chamado de casa. Moisés foi fiel como um servo em toda a sua casa; e enquanto o Senhor esteve com aquela casa, ela permaneceu e prosperou; mas quando Ele a deixou, os seus edificadores se tornaram tolos, e o seu esforço foi perdido. Eles procuraram manter os muros do judaísmo, mas em vão: eles vigiaram cada cerimônia ou tradição, mas seus cuidados foram inúteis. Sobre cada igreja, e cada sistema de pensamento religioso, isto é igualmente verdade: a menos que o Senhor esteja ali, e seja honrado por isto, toda a estrutura, cedo ou tarde, estará em irrecuperável ruína. Muito pode ser feito pelo homem; ele pode trabalhar e vigiar, mas sem o Senhor, ele não terá realizado nada, e a sua vigilância não terá impedido o mal.

2. *"Inútil vos será levantar de madrugada, repousar tarde, comer o pão de dores."* Como devemos, principalmente, descansar no Senhor, todo o cuidado é mera vaidade e aflição de espírito. Nós devemos ser diligentes, pois o Senhor abençoa quem age assim; não devemos ser ansiosos, pois isto desonra o Senhor e não pode nunca assegurar a sua benevolência. Alguns negam a si mesmos o descanso necessário; a manhã vê que eles se levantam antes de estar descansados, a noite vê que eles trabalham muito tempo depois que o toque de recolher soou, despedindo o dia. Eles ameaçam entrar no sono da morte, negligenciando o sono que renova a vida. A sua falta de sono não é o único indicador do seu esforço diário; eles se restringem em suas refeições, consumindo o alimento mais comum, e a menor quantidade possível, e o que eles engolem desce com as lágrimas salgadas da angústia, pois temem que o pão cotidiano lhes faltará. Eles trabalham arduamente para ganhar seu alimento, escasso e racionado, e ainda mais escassamente adoçado, mas perpetuamente marcado pela angústia; e tudo porque não têm fé em Deus, e não encontram alegria, exceto em acumular ouro, que é a única coisa em que confiam. Não é assim, realmente, que o Senhor deseja que seus filhos vivam. Ele deseja que eles, como príncipes, como homens de sangue real, tenham uma vida feliz e descansada. Que eles tenham uma boa dose de descanso e uma boa porção de alimento, pois é para a sua saúde. Naturalmente, o crente fiel jamais será preguiçoso nem extravagante; se for, sofrerá por isto; mas ele não julgará necessário nem correto ser preocupado e infeliz. A fé traz consigo a calma, e expulsa os distúrbios que dia e noite assassinam a paz.

"Pois assim dá ele aos seus amados o sono." Pela fé, o Senhor faz com que os seus eleitos descansem nele, em uma feliz liberdade das preocupações. O texto pode querer dizer que Deus dá bênçãos aos seus amados durante o sono, como deu a Salomão o desejo de seu coração, enquanto ele dormia. O significado é praticamente o mesmo; aqueles a quem o Senhor ama são libertados dos desgastes, da irritação, e da fúria da vida, e desfrutam um doce repouso no seio de seu Senhor. Ele os faz descansar; e os abençoa enquanto descansam; e os abençoa ainda mais no descanso do que a outros, em seu trabalho duro. Deus se certifica de dar as melhores coisas aos seus amados, e vemos aqui que Ele lhes dá o sono – isto é, a preocupação deixada de lado, o esquecimento da necessidade, e tranquila entrega dos problemas a Deus; este tipo de sono é melhor do que riquezas e honra. Veja como Jesus dormiu em meio à agitação de uma tempestade no mar. Ele sabia que estava nas mãos de seu Pai, e por isto estava tão tranquilo em espírito que as ondas embalaram o seu sono: as coisas conosco seriam muito mais frequentemente assim, se nós fôssemos mais frequentemente como Ele.

Deve-se esperar que aqueles que edificaram o templo de Salomão tenham podido trabalhar nele, constantemente e alegremente. Certamente, uma casa como esta não foi edificada por trabalhadores relutantes. Seria de se esperar que os trabalhadores não tivessem que começar mais cedo pela manhã nem estender seus esforços noite adentro; mas nós acreditaríamos, de bom grado, que eles continuassem com constância, descansando devidamente e comendo seu pão com alegria. Assim, pelo menos, o templo espiritual deve ser erigido, embora, na verdade, os que trabalham em seus muros são propensos a se sentir sobrecarregados com o servir, prontos a se esquecer do seu Senhor, e a sonhar que a edificação é feita somente por eles. Muito mais felizes seríamos, se apenas confiássemos a casa do Senhor ao Senhor da casa! O que seria muito mais importante, e muito melhor, seria a nossa edificação e a nossa vigilância, se apenas confiássemos no Senhor, que edifica e guarda a sua própria igreja!

3. *"Eis que os filhos são herança do Senhor."* Isto aponta para outro modo de edificar uma casa, ou seja, deixando descendentes que mantenham o nosso nome e a nossa família vivos sobre a terra. Sem isto, qual é o propósito do homem em acumular riquezas? Com que propósito ele edifica uma casa, se não tem ninguém, na sua família, que conserve a casa, depois dele? De que adianta possuir amplos acres, se o homem não tem herdeiro? Mas neste aspecto, o homem é impotente, sem o Senhor. O grande Napoleão, com todos os seus pecaminosos interesses neste aspecto, não conseguiu criar uma dinastia. Centenas de pessoas ricas dariam metade de suas propriedades, se pudessem ouvir o choro de um bebê, nascido de seus próprios corpos. Os filhos são uma herança que o próprio Senhor deve dar, ou o homem morrerá sem filhos, e assim a sua casa acabará.

"E o fruto do ventre, o seu galardão", um galardão de Deus. Ele dá os filhos, não como punição ou como carga, mas como uma benevolência. Eles são um sinal eterno, se os homens souberem como recebê-los, e educá-los. Eles só serão "bênçãos duvidosas" para aqueles que forem pessoas duvidosas. Onde a sociedade é organizada corretamente, os filhos são considerados não como um estorvo, mas como uma herança; e são recebidos, não com arrependimento ou lamentos, mas como uma recompensa. Se nós estamos com excesso de população na Inglaterra, e parecemos estar envergonhados com um crescimento tão grande, devemos nos lembrar de que o Senhor não nos ordenou que permanecêssemos nesta estreita ilha, mas desejaria que nós preenchêssemos as regiões sem fronteiras que esperam pelo machado e pelo arado. Mesmo aqui, com todas as dificuldades das rendas limitadas, as nossas melhores possessões são os nossos amados descendentes, pelos quais bendizemos a Deus todos os dias.

4. *"Como flechas na mão do valente, assim são os filhos da mocidade."* Os filhos que nascem aos homens em seus dias de mocidade, pela bênção de Deus se tornam a consolação de seus anos maduros. Um guerreiro se alegra com armas que possam voar, quando ele não consegue fazê-lo; os bons filhos são as flechas de seus pais, apressando-se para atingir o alvo para o qual miraram.

Que maravilhas um homem bom pode realizar, se tiver filhos afetuosos que apoiem seus desejos, e se prestem a auxiliá-los! Com esta finalidade, devemos ter nossos filhos presentes e próximos enquanto são crianças, ou jamais o serão, depois de crescidos; e devemos tentar dirigi-los e endireitá-los, de modo a fazer deles flechas na sua mocidade, para que não se mostrem tortuosos e inúteis mais adiante. Que o Senhor nos beneficie com uma descendência leal, obediente e afetuosa, e que possamos encontrar neles nossos melhores auxiliares. Nós os veremos bem direcionados na vida, para nosso consolo e prazer, se tomarmos cuidado, desde o início, para que sejam orientados corretamente.

5. *"Bem-aventurado o homem que enche deles a sua aljava."* Aqueles que não têm filhos lamentam este fato; aqueles que têm poucos filhos, logo se veem sem eles, quando partem, e a casa fica silenciosa, e a vida perde seu encanto; aqueles que têm muitos filhos piedosos são os mais felizes. Naturalmente, um grande número de filhos significa um grande número de provações; mas quando nós as enfrentarmos com fé no Senhor, isto também significa uma grande massa de amor e uma imensidão de alegrias. O autor deste comentário observou que via as mais frequentes infelicidades em casamentos que são infrutíferos; que ele mesmo era muito agradecido por ter dois dos melhores filhos; mas quando eles cresceram e ele ficou sem filhos em casa, ponderou em seu coração, desejando que tivesse outras circunstâncias, sentindo que teria sido uma bênção ter tido uma família mais numerosa; portanto, ele concorda sinceramente com o veredicto que o salmista aqui expressa. Ele conheceu uma família em que havia cerca de doze filhas e três filhos, e jamais esperou testemunhar maior felicidade doméstica do que tinha sido a sorte dos pais, que se regozijavam em todos os seus filhos, da mesma maneira como os filhos também se regozijavam em seus pais e entre si. Quando os filhos e filhas são flechas, é bom ter uma aljava cheia deles; mas se são apenas gravetos,

nodosos e inúteis, quanto menos, melhor. Embora sejam bem-aventurados aqueles cuja aljava está cheia, não há razão para duvidar de que muitos que não têm aljava também sejam bem-aventurados; pois uma vida tranquila pode não necessitar de uma arma tão hostil. Além disto, uma aljava pode ser pequena e ainda estar cheia; e então a bênção é obtida. De qualquer forma, nós podemos ter certeza de que a vida de um homem não consiste na abundância de filhos que ele possui.

"Não serão confundidos, quando falarem com os seus inimigos à porta." Eles podem encontrar inimigos na lei e nas batalhas. Ninguém irá brigar com um homem que consegue reunir um clã de filhos valentes à sua volta. Fala propositadamente aquele cujos filhos tornam suas palavras enfáticas, pela determinação de realizar os desejos do seu pai. Esta é a bênção de Abraão, a antiga bênção do concerto: "A tua semente possuirá a porta dos seus inimigos"; e é assegurada a todos os amados do Senhor, de uma maneira ou de outra. O Senhor não triunfa, assim, na sua semente? Se interpretada literalmente, esta benevolência vem do Senhor: sem a sua vontade, não haveria filhos para edificar a casa, e sem a sua graça não haveria bons filhos que fossem a força de seus pais. Se isto deve permanecer com o Senhor, então deixemos todas as outras coisas nas mesmas mãos. Ele se empenhará por nós e fará prosperar os nossos esforços confiáveis, e nós desfrutaremos uma vida tranquila, e provaremos que somos os amados do Senhor pela calma e tranquilidade do nosso espírito. Não precisamos duvidar de que, se Deus nos dá filhos como recompensa, Ele também nos enviará o alimento e as vestes que Ele sabe serem necessários para eles.

Aquele que é o pai de um exército de filhos espirituais está inquestionavelmente feliz. Ele pode responder a todos os oponentes, apontando para as almas que foram salvas pelo precioso e bendito Senhor, através dos seus esforços. Os convertidos são enfaticamente a herança do Senhor, e a recompensa do esforço da alma do pregador. Por eles, sob o poder do Espírito Santo, a cidade da igreja é edificada e vigiada, e o Senhor, e só o Senhor é glorificado por isto.

NOTAS EXPLICATIVAS E DECLARAÇÕES SINGULARES

Título: "Cântico de Degraus. De Salomão". Este salmo tem o nome de Salomão afixado ao título, com o objetivo de que o próprio edificador do templo possa nos ensinar que ele não serviria para edificar nada, sem a ajuda do Senhor. – *The Venerable Bede (672-3-735), em Neale e Littledale*

O salmo: Considerado como um dos "degraus" na virtude cristã, o nono, o salmo é dirigido contra a auto-suficiência. – *H. T. Armfield*

O salmo: Os passos, ou degraus neste salmo, embora distintamente marcados, não são tão regulares como em outros salmos.

A expressão *"em vão"*, que aparece duas vezes no versículo 1, pode ser considerada como o lema ou "degrau" para o versículo 2. A correspondência entre as duas sentenças no versículo 1 é também assombrosa. É como se, ao obter algum entendimento espiritual, ou mesmo ao referir-se à condição atual das coisas, o salmista declarou como *em vão* qualquer outra interposição ou ajuda que não a do Senhor. E deste *"em vão"* é bom que nos lembremos constantemente, particularmente em ocasiões de atividade e em momentos de paz; pois é nestas ocasiões que estaremos mais propensos a cair no laço desta *vaidade*.

O "degrau" seguinte é o do sucesso e prosperidade (vv. 3,4), que é atribuído ao mesmo Senhor, cuja ajuda e proteção constituíam o início e a continuidade, como agora a perfeição do nosso bem estar. Também o versículo 5 não vai além disto, mas contempla o mais elevado símbolo da plena segurança, influência e poder, no linguajar figurado do Antigo Testamento, a que Agostinho se refere como "filhos espirituais, lançados como flechas a todo o mundo". – *Alfred Edersheim, na obra The Golden Diary of Heart Converse with Jesus in the Book of Psalms", 1877*

O salmo: Salomão, o mais rico e mais sábio dos reis, depois de ter provado, por experiência e por cuidadosa observação, que não havia nada além de vaidade na vida e nos esforços do homem, chega a esta conclusão, de que não há nada melhor, para um homem, nesta vida, do que o fato de que ele deve moderar suas preocupações e seus esforços, desfrutar do que tem e temer e guardar os mandamentos do Senhor: com esta finalidade ele orienta tudo o que é discutido no livro de Eclesiastes. Muito similares são os argumentos e a intenção do salmo, cuja autoria é atribuída a Salomão na inscrição, da qual não há razão para duvidar. Não seria seguro duvidar de qualquer inscrição sem uma razão urgente, nem atribuir qualquer outro sentido à letra ל senão o de *autoria*, a menos que se queira dizer que todas as inscrições são duvidosas. Novamente, se os indivíduos que formaram a coletânea dos salmos tivessem adicionado *títulos* segundo a sua própria opinião e juízo, não haveria razão pela qual eles teriam deixado tantos salmos sem nenhum título. Este salmo, portanto, é de autoria de *Salomão*, com cuja engenhosidade e condição está plenamente de acordo, como fica claro com base em *Eclesiastes*, com que ele pode ser comparado, e com base em muitos *provérbios* sobre o mesmo assunto... A intenção é afastar os homens dos esforços excessivos e das preocupações angustiantes; e despertar a santidade e incentivar a fé no Senhor. Esta é a tendência manifesta deste salmo, pois uma vez que os homens, desejosos da felicidade e estabilidade de suas casas, são incapazes de assegurar estas coisas por seus próprios esforços, mas precisam da bênção de Deus, que dá prosperidade com muito menos esforço àqueles que o temem, é dever dos homens estabelecer o limite para seus esforços e preocupações, e buscar a benevolência de Deus, fazendo com que a sua vida e o seu comportamento estejam em conformidade com a sua vontade, e confiando nele – *Herman Venema, 1697-1787.*

v. 1: "Se o Senhor não edificar". É um fato que בֵּן (*bēn*), *um filho,* e בַּת (*bat*), *uma filha,* e בַּיִת (*bayit*), *uma casa,* se originam da mesma raiz, בָּנָה (*bānâ*), *edificar*; porque os filhos e filhas edificam uma casa ou constituem uma *família*, da mesma maneira como pedras e madeira constituem uma *edificação*. É verdade que, a menos que a boa mão de Deus esteja sobre nós, não conseguiremos ser bem sucedidos na edificação de um local de adoração para o seu nome. A menos que tenhamos a sua bênção, uma morada não poderá ser confortavelmente erigida. E se a sua bênção não estiver nos nossos filhos, a casa (a família) poderá ser edificada, mas, em lugar de ser a casa de Deus, será a sinagoga de Satanás. Todos os casamentos que não estão sob a bênção de Deus serão uma maldição particular e pública. – *Adam Clarke*

v. 1: "Se o Senhor não edificar a casa", etc. Ele não diz, A menos que o Senhor consinta e deseje que a casa seja edificada e a cidade, guardada: mas, "Se o Senhor não *edificar*... se o Senhor não *guardar*". Consequentemente, para que possamos ser bem sucedidos e prósperos ao edificar e guardar, é necessário não apenas o consentimento de Deus, mas também a sua obra é necessária: esta é a obra sem a qual nada que os homens tentem poderá ser realizado. Ele não diz, Se o Senhor não ajudar, mas Se o Senhor não edificar, se o Senhor não guardar; isto é, a menos que Ele mesmo faça isto. Ele não diz, em vão trabalham os que edificam e vigiam, mas em vão trabalham os que edificam e os que vigiam. Portanto, toda a eficácia do trabalho e da preocupação depende da operação e da providência de Deus; e toda a força, preocupação e empenho humanos serão em vão.

Deve-se observar que ele não diz, Como o Senhor edifica a casa, trabalha em vão aquele que a edifica, e como o Senhor guarda a cidade, a sentinela vigia em vão; mas, Se o Senhor não edificar a casa, e se Ele não guardar a cidade; trabalha em vão o que edifica a casa, em vão vigia o que guarda a cidade. Ele está longe de pensar que a preocupação e o trabalho humano, que são empregados na edificação de casas e na guarda de cidades sejam considerados inúteis, porque o Senhor edifica e guarda; uma vez que eles são muito especialmente úteis e eficazes quando o próprio Senhor é o edificador e o guarda. O Espírito Santo não é o patrono de homens preguiçosos e inertes; mas orienta as mentes daqueles que trabalham para a providência e o poder de Deus. – *Wolfgang Musculus, 1497-1563*

v. 1: "Se o Senhor não edificar a casa". Na verga da porta de muitas casas inglesas antigas, ainda podemos ler as palavras *Nisi Dominus frustra* – a versão em latim das palavras iniciais do salmo. Devemos também confiar nele, e inscrever estas palavras acima da porta da "casa da nossa peregrinação" (ARA); e sem nenhuma dúvida, tudo *estará* bem conosco, tanto neste mundo como no que há de vir. – *Samuel Cox, The Pilgrim Psalms", 1874*

v. 1: "Se o Senhor não edificar a casa", etc. No início da disputa com a Grã-Bretanha, quando percebíamos o perigo, orávamos diariamente, nesta sala, pela proteção divina. As nossas orações foram ouvidas e piedosamente atendidas. Todos os que estavam engajados na batalha devem ter observado frequentes exemplos de uma Providência supervisora em nosso favor. À esta bondosa Providência devemos esta feliz oportunidade de discutir em paz os meios para estabelecer a nossa futura felicidade nacional. E agora nos esquecemos deste poderoso Amigo? ou imaginamos que não mais precisamos da sua ajuda? Eu já vivi muito tempo [81 anos]; e quanto mais vivo, mais convincentes provas eu vejo desta verdade, de que Deus governa as questões do homem. E se não cai sequer um pardal ao chão, sem que Ele o perceba, é provável que um império possa surgir sem a sua ajuda? Nos textos sagrados nos é assegurado que "Se o Senhor não edificar a casa, em vão trabalham os que edificam". Eu creio firmemente nisto; e eu também creio que sem o seu auxílio colaborador, o nosso resultado na edificação não será diferente da dos edificadores de Babel; nós seremos divididos pelos nossos interesses, pequenos, parciais, locais; as nossas perspectivas serão confundidas; e nós mesmos nos tornaremos uma vergonha e um provérbio para as gerações futuras. E, o que é pior, a humanidade poderá, a partir de agora, por esta circunstância infeliz, perder a esperança de estabelecer o governo pela sabedoria humana, e deixar isto ao acaso, à guerra ou à conquista. Por isto, eu imploro permissão para que, a partir de agora, orações implorando a ajuda do Céu e suas bênçãos em nossas deliberações sejam conduzidas nesta assembleia, todas as manhãs, antes que passemos às nossas atividades, e que um ou mais elementos do clero desta cidade sejam requisitados para oficiar neste serviço. – *Benjamin Franklin: Discurso em convenção para a formação de uma Constituição para os Estados Unidos da América, 1787*

v. 1: Observe como ele coloca, em primeiro lugar, a edificação da casa, e então acrescenta a observação sobre a guarda da cidade. Ele passa da parte para o todo; pois a cidade consiste de casas. – *Wolfgang Musculus*

v. 1: "Se o Senhor não guardar a cidade", etc. Pode haver incêndios, apesar dos vigias; uma tempestade pode destruir a cidade; bandos de homens armados podem atacá-la; ou a peste pode repentinamente se abater sobre ela, e espalhar desolação, pelas moradias. – *Albert Barnes (1798-1870), em "Notes on the Psalms"*

v. 1: Uma importante lição que Madame Guyon aprendeu, com suas tentações e tolices, foi a da sua total dependência da graça Divina. "Eu me tornei", diz ela, "profundamente convencida do que o profeta disse, *'Se o Senhor não guardar a cidade, em vão vigia a sentinela'.* Quando confiei em ti, ó meu Senhor, foste o meu fiel guardador; continuamente defendeste o meu coração de todos os tipos de inimigos. Mas, ai! Quando deixada sozinha, eu era apenas fraqueza. Com que facilidade meus inimigos prevaleceram sobre mim! Que os outros atribuam as suas vitórias à sua própria fidelidade; quanto a mim, nunca as atribuirei a nada, senão ao teu cuidado paterno. Com frequência pude perceber o que eu seria sem ti. Assim, não tive qualquer confiança de que algum êxito seria alcançado através de minha sabedoria ou esforço pessoal. É a ti, ó Deus, meu Libertador, que eu devo tudo! E é uma fonte de infinita satisfação que eu tenha esta dívida contigo". – *Da vida de Jeanne Bouvier de la Mothe Guyon, 1648-1717*

v. 1:

Se Deus não edificar a casa, e não estabelecer
com segurança a fundação – quem quer que edifique,
a obra não resistirá a um dia de tempestade.
Se Deus não for o escudo da cidade,
se Ele não for suas proteções e muros,
em vão ela terá as suas torres de vigília, os seus vigias, e todo o resto.

Embora, então, estejas desperto, quando os outros descansam,
Embora impeças o sol de nascer,
Embora com poucos cuidados tu festejes diariamente,
O teu trabalho estará perdido, e tu, destruído;
Mas Deus irá alimentar e guardar o seu filho,
e fechará as cortinas para o seu sono.
– Phineas Fletcher, 1584-1650

v. 2: "Inútil vos será levantar de madrugada, repousar tarde", etc. O salmista nos exorta para que desistamos do trabalho indevido e ansioso para cumprir os nossos desígnios. As expressões no texto em hebraico são "preparar-se para levantar cedo", e "preparar-se para descansar tarde". Isto significa o prolongamento artificial do dia. A lei do trabalho está na nossa natureza. As limitações do esforço são exibidas na natureza. Para que possa ser realizado pela raça humana tudo o que é necessário que seja feito para o progresso humano, todos os homens devem trabalhar. Mas ninguém deve trabalhar além de sua capacidade física e intelectual, nem além das horas que a natureza designa para isto. Nenhum resultado sobre o bem do indivíduo nem da raça virá de qualquer prolongamento artificial do dia com qualquer propósito.

Levantar-se cedo, tomar o seu café da manhã à luz de velas, e fazer vigílias prolongadas, o "óleo da meia-noite" do acadêmico, são uma ilusão e uma armadilha. Trabalhe durante o dia. Quando chegar a noite, descanse. Os animais fazem isto, e, como raças, vivem tão bem quanto esta ansiosa raça humana.

"O pão de dores" significa o pão do trabalho, do esforço esgotante. Faça o que você deve fazer, e o Senhor cuidará do que você não pode fazer. Compare Pv 10.22: "A bênção do Senhor é que enriquece, e ele não acrescenta dores", o que quer dizer, "A bênção do Senhor dá riquezas, e o trabalho não acrescenta nada a isto". Compare também Mt 6.25: "Não andeis cuidadosos quanto à vossa vida", etc.

"Pois assim dá ele aos seus amados o sono". A palavra *"pois"* não está no original. "Assim" significa "com exatamente o mesmo resultado", ou "apesar de tudo" ou "sem mais dificuldades". Este é o significado da palavra hebraica nesta ocorrência. Os *"seus amados"* podem trabalhar e dormir, e o que for necessário será suprido, com a mesma certeza como se eles trabalhassem exageradamente, com ansiedade. Houve sugestões de que a tradução deveria ser *"no sono"*. Enquanto eles estão dormindo, o Pai Celestial está levando adiante o seu trabalho por eles. Ou, enquanto eles estão despertos e trabalhando, o Senhor lhes dá, e também o faz quando eles descansam e dormem. – *Charles F. Deems, na obra "The Study", 1879*

v. 2: O templo do Senhor foi edificado sem nenhuma dependência do homem; toda sabedoria e confiança humana foram integralmente rejeitadas; o plano foi dado pelo próprio Senhor Deus; o seu modelo estava em posse de Salomão; nada foi deixado a cargo da inteligência ou da sabedoria dos homens; não havia motivo para levantar-se cedo, para repousar tarde, para comer o pão de dores, enquanto se estivesse engajado no bom trabalho; não, eu imagino que seria uma época de graça para aqueles que estavam empregados na edificação; mais ou menos como acontece com você e comigo, quando estamos engajados nas santas ordenanças de Deus. Eu imagino as mentes dos trabalhadores em perfeita paz, o seu modo de vida muito de acordo com o grande tema do templo e a sua intenção, em referência ao glorioso Messias, o seu grande e glorioso antítipo. Eu imagino as suas mentes completamente livres de todas as preocupações. Eles não se levantavam cedo sem terem o corpo e a mente descansados e revigorados; eles não repousavam tarde por desejarem que fosse assim; eles não se preocupavam sobre como proveriam para suas famílias; eles estavam, como amados do Senhor, perfeitamente satisfeitos; eles desfrutavam de um sono doce, que os revigorava, isto lhes era dado pelo Senhor; Ele dá aos seus amados o sono. – *Samuel Eyles Pierce*

v. 2: "Inútil", etc. Alguns interpretam este ponto com um sentido mais particular e restrito, como se Davi sugerisse que todas as agitações da oposição ao reino de Salomão, embora respaldadas com muito cuidado e empenho, seriam infrutíferas; embora Absalão e Adonias fossem torturados com as preocupações de seus próprios desejos ambiciosos, ainda assim Deus daria a Jedidias, ou seus amados, o descanso; isto é, o reino seria devolvido em segurança a Salomão, que não teve que se esforçar com tanto sofrimento para cortejar o povo, e que subiu no conceito deles como Absalão e Adonias. O significado é: embora os homens mundanos vivam com muita dificuldade, esforcem seus cérebros, cansem o seu espírito, e torturem as suas consciências, muitas vezes isto é inútil; Deus não lhes dá uma propriedade, ou o conforto dela. Mas os seus amados, sem nenhuma destas torturantes preocupações, sentem satisfação; se não têm o mundo, têm sono e descanso; com silêncio, se submetem à vontade de Deus, e com tranquilidade, esperam a bênção de Deus. Reconheça, então, a providência, para que possa estar sob a sua bênção: o trabalho *sem Deus* não pode prosperar; *contra Deus* e contra a sua vontade, na sua palavra, certamente este trabalho fracassará. – *Thomas Manton, 1620-1677*

v. 2: "Inútil vos será levantar de madrugada, repousar tarde, comer o pão de dores, pois assim dá ele aos seus amados o sono". Não há oração sem trabalho, não há trabalho sem oração.

Com preocupações e irritação,
com agonia e medo,
não se obtém nada de Deus
mas a oração Ele ouvirá.
– De J. P. Lange, Commentary on James, 1862

v. 2: "Comer o pão de dores". Viver uma vida de infelicidade e esforços, irritar-se com os seus próprios desapontamentos, devorado pela inveja por causa dos progressos dos outros, aflitos excessivamente por perdas e injustiças. Os seus esforços não têm fim. Alguns morreram por isto, outros foram distraídos e confundidos em sua inteligência; de modo que você provavelmente nunca verá bons dias, enquanto valorizar o amor do mundo, mas ainda está sob a preocupação torturante e a perturbação de espírito, pela qual o homem fere a sua própria carne. – *Thomas Manton*

v. 2: "Assim dá ele aos seus amados o sono". כֵּן יִתֵּן לִידִידוֹ שֵׁנָא. Estas últimas palavras são traduzidas de várias formas, e de maneira suficientemente obscura, porque todos interpretam כֵּן como uma partícula de comparação, que não parece estar no lugar certo aqui: alguns até mesmo a omitem, completamente. Mas כֵּן também significa *"bem"*, *"corretamente"* (2 Rs 7.9; Nm 27.7). Também podemos traduzir aqui, *"Ele dá aos seus amados o bem dormir"*, isto é, enquanto aqueles que, sem confiar em Deus, atribuem todas as coisas ao seu próprio esforço, não dormem bem; pois verdadeiramente *"levantam de madrugada, e repousam tarde"*; Ele dá aos seus amados esta graça, de modo que, repousando no seu cuidado e na sua bondade paternos, eles aproveitem plenamente o seu sono, como aqueles que sabem que este ansioso trabalho não é necessário para eles; ou *"verdadeiramente, ele dá aos seus amados o sono"*; pois כֵּן pode ser a mesma coisa que אָכֵן. Mas שֵׁנָא pode ser interpretado como בְּשֵׁנָא, e traduzido como: *"Verdadeiramente, ele dá aos seus amados no sono"*, isto é, para que eles sejam revigorados desta maneira. – *Louis De Dieu, 1590-1642*

v. 2 (última parte): A sentença pode ser interpretada como *assim dá ele aos seus amados o sono* ou *assim dá ele aos seus amados durante o sono;* isto é, Ele lhes dará aquelas coisas que os incrédulos se esforçam para adquirir, com o seu próprio esforço. A partícula כֵּן (*kēn*), *assim,* é incluída para expressar certeza; pois com o objetivo de produzir uma persuasão mais indubitável da verdade – de que Deus dá o alimento ao seu povo sem grande preocupação por parte deles – aquilo que parece incrível e uma ficção, Salomão aponta com o dedo, por assim dizer. Ele realmente fala como se Deus alimentasse a ociosidade dos seus servos com o seu bondoso tratamento; mas, como sabemos que os homens foram criados com o propósito de se ocupar, e como, no salmo subsequente, veremos que os servos de Deus são considerados felizes quando comem o trabalho de suas mãos, é certo que a palavra *sono* não deve ser interpretada como implicando preguiça ou ociosidade, mas um trabalho plácido, ao qual os crentes fiéis se sujeitam pela obediência da fé. A consequência é este tão grande ardor nos incrédulos, pelo fato de não moverem sequer um dedo sem que façam um tumulto que demonstre uma grande afobação; ou, em outras palavras, sem se atormentarem com cuidados superficiais, pois não atribuem nada à providência de Deus! Os fiéis, por outro lado, ainda que levem uma vida árdua e de trabalho, seguem suas vocações com o espírito calmo e tranquilo. Assim, suas mãos não estão ociosas, mas suas mentes repousam na tranquilidade da fé, como se estivessem dormindo. – *João Calvino, 1509-1564*

v. 2: "Dá ele aos seus amados o sono". É um *descanso peculiar,* é um descanso peculiar aos filhos, aos santos, aos herdeiros, aos amados. "Assim dá ele aos *seus amados* o sono", ou, como a versão hebraica diz, aos queridos, tranquilo repouso, sem preocupações ou angústias. A palavra hebraica שֵׁנָא (*shēnā'*) é escrita com א, uma letra muda, que não é usual, para indicar ainda mais tranquilidade e repouso. Este descanso é uma coroa que Deus coloca sobre a cabeça dos santos; é uma corrente de ouro que Ele coloca apenas nos pescoços dos seus filhos; é uma joia que Ele coloca apenas nos seios de seus amados; é uma flor que Ele somente prende ao peito de seus queridos. Este descanso é uma árvore de vida, que é própria e peculiar aos habitantes desta nação celestial; é o pão dos filhos, e jamais será lançado aos cães. – *Thomas Brooks, 1608-1680*

v. 2 (última parte): Assim como o Senhor *deu* um dom precioso ao seu *amado,* o primeiro Adão, enquanto ele *dormia,* tirando uma costela do seu lado, e *formando* daí uma mulher, Eva, sua esposa, a mãe de todos os seres humanos; também, enquanto Cristo, o Segundo Adão, o verdadeiro Jedidias, o Bem-amado Filho de Deus, estava dormindo na morte na cruz, Deus formou por Ele, na sua morte, e pela sua morte – e pelas correntes vivificadoras do seu próprio lado precioso – a igreja, a Eva espiritual, a Mãe de todos os seres humanos; e a entregou a Ele como sua esposa. Assim Ele *edificou* para Ele, no seu *sono,* o templo espiritual da sua igreja. – *Christopher Wordsworth*

v. 2: O sono tranquilo é um dom de Deus, e é o amor de Deus que dá bom sono.

1. *É dom de Deus* quando o temos: o sono tranquilo revive a natureza assim como o orvalho ou a garoa refresca a erva. Assim como diz o profeta (Jr 14.22), "Haverá, porventura, entre as vaidades dos gentios, alguma que faça chover? Ou podem os céus dar chuvas?", também pode ser dito, Há alguma das criaturas, da terra ou do céu, que possa dar sono? É este Deus que dá chuvas que nos dá horas de descanso: o repouso pacífico é um *dom* peculiar de Deus.

2. *É o amor de Deus* quando Ele dá, *"pois assim dá ele aos seus amados o sono",* isto é, o dormir com tranquilidade: sim, a palavra hebraica, *shena,* formando com *aleph* uma letra de pausa, diferentemente do usual, significa maior tranquilidade no momento do sono. E enquanto alguns aplicam a paz somente a Salomão, que era chamado de Jedidias, o amado do Senhor, a quem Deus dá o sono, a Septuaginta aplica a palavra hebraica no plural, *"assim dá ele aos seus amados o sono",* aos seus santos, de modo geral, Deus dá sono tranquilo, como símbolo do seu amor; sim, nos momentos de maior perigo. Assim, veja quão profundamente Pedro, na prisão,

dormia quando estava acorrentado, guardado por soldados e contado para morrer no dia seguinte (At 12.6, 7): "Nessa mesma noite, estava Pedro dormindo entre dois soldados, ligado com duas cadeias, e os guardas diante da porta guardavam a prisão", mas Pedro dormia, até que o anjo o tocou no lado e o fez levantar: assim Deus "dá aos seus amados o sono", e permite que os seus amados lhe honrem; e também *com isto Deus atende a nossa oração;* sim, *com isto Deus cumpre a sua promessa.*

A *nossa oração* não é para que Deus impeça o medo, e permita o sono revigorador? e não é a resposta de Deus, quando, no sono, Ele nos sustenta? "Com a minha voz clamei ao Senhor; ele ouviu-me desde o seu santo monte. Eu me deitei e dormi; acordei, porque o Senhor me sustentou" (Sl 3.4, 5).

A *promessa de Deus* não é assegurar o sono livre de temores? "Quando te deitares, não temerás; sim, tu te deitarás, e o teu sono será suave" (Pv 3.24). Assim os servos de Deus, enquanto estão no deserto e nos bosques deste mundo, dormem em segurança, e nem os demônios nem os animais selvagens podem lhes fazer mal (Ez 34.25). Nós temos, pela bênção de Deus, este benefício; demos então abundantes louvores e vivamos uma vida de louvores a Deus por isto. Sim, ao Senhor pertencem grandes louvores por propiciar um sono tranquilo para homens de todos os tipos. *– Philip Goodwin, The Mystery of Dreams", 1658.*

v. 2: "Assim dá ele aos seus amados o sono". O mundo daria aos seus favoritos poder, riquezas, distinção, mas Deus dá *"sono".* Ele poderia dar alguma coisa melhor? Dar sono quando a tempestade está enfurecida; dar sono quando a consciência forma um longo catálogo de pecados; dar sono quando os anjos iníquos tentam destruir a nossa confiança em Cristo; dar sono quando a morte se aproxima, quando o juízo está próximo, ó, que dom seria mais apropriado? Qual seria mais digno de Deus? Ou qual seria mais precioso à alma?

Mas nós não pretendemos nos alongar nos vários sentidos que poderiam ser atribuídos a este dom. Vocês verão, com seus próprios olhos, que o sono, que denota repouso e revigoração, pode ser considerado como simbolizando "o descanso que permanece para os justos", que é uma dádiva de Deus para os seus eleitos. "Assim dá ele aos seus amados o sono" pode ser interpretado como paralelo ao que é prometido em Isaías: "Tu conservarás em paz aquele cuja mente está firme em ti". O que você puder entender com a palavra "paz" em um caso, também poderá entender com *"sono"* no outro. Mas ao longo de todo o Antigo Testamento e também do Novo, e particularmente neste último, sono, como você sabe, frequentemente significa a morte. "Dormiu com seus pais" é uma expressão comum nas Escrituras judaicas. "Dormir em Jesus" é uma maneira comum de falar daqueles que morrem na fé do Redentor.

Suponhamos, então, que interpretamos a palavra *"sono"* no nosso texto como indicando morte, e limitamos o nosso discurso a um exemplo da passagem sob este ponto de vista. *"Assim dá ele aos seus amados o sono".* Que aspecto isto irá conferir à morte – considerá-la como dádiva de Cristo – uma dádiva que Ele assegura àqueles aos quais ama!

Não é "Ele *envia* aos seus amados o sono", o que poderia ser verdade, enquanto o próprio permanecesse à distância; mas é "Ele *dá* aos seus amados o sono", como se o próprio Deus trouxesse o sono, e o colocasse sobre os olhos do guerreiro cristão exausto. E se o próprio Deus tem algo a ver com a dissolução, não podemos confiar em que Ele irá afrouxar gentilmente o cordão de prata e usar toda a bondade e ternura para "desfazer a casa terrestre deste tabernáculo"? Eu não conheço palavras mais consoladoras do que as do nosso texto, seja para serem proferidas no quarto de doente dos justos, ou pronunciadas sobre os seus túmulos. Elas quase podem retirar a dor da doença, como certamente fazem com a desonra da morte. O que é concedido por Deus como uma "dádiva para os seus amados" certamente ocupará os seus cuidados, a sua vigília, a sua solicitude; e eu concluo, portanto, que Ele está presente, de alguma maneira especial e extraordinária, quando os justos estão à beira da morte; e que Ele coloca o seu selo e a sua guarda onde os justos repousam mortos. “Onde está, ó morte, o teu aguilhão? Onde está, ó inferno, a tua vitória?” Que o santo seja constante na profissão da santidade, e as suas últimas horas serão momentos em que a própria Divindade estará quase visível ao seu lado, e o seu último local de repouso será um local que Ele protegerá com suas asas. A doença pode prostrar e afligir; “do pó ao pó, das cinzas às cinzas”, pode ser queixosamente suspirado sobre o morto inconsciente; mas nada nesta longa luta, nada nesta aparente derrota pode ferir o homem justo – nada pode ser senão para o seu bem atual e para a sua glória eterna, vendo que a morte, com todos os seus acompanhamentos, é apenas gozo – a dádiva de Deus aos seus amados. Enxugue as suas lágrimas, você que está ao lado da cama de um crente moribundo, o momento da despedida se aproxima – a testa está úmida e fria – o olho está fixo – o pulso frágil demais para sentir – você está assombrado com este espetáculo? Não, deixe que a fé faça a sua parte! O quarto está cheio de formas gloriosas; há anjos que estão esperando para cuidar da alma que deixa o corpo; uma mão mais bondosa do que qualquer mão humana está fechando os seus olhos; e uma voz mais doce do que qualquer voz humana está sussurrando – *“Assim dá ele aos seus amados o sono”. – Henry Melvill (1798-1871), em um sermão intitulado “Death the Gift of God”*

v. 2: “Pois assim dá ele aos seus amados o sono”. Certa noite, eu não consegui dormir, e nas várias divagações de meus pensamentos encontrei este texto, e conversei com ele: *“Pois assim dá ele aos seus amados o sono”.* No meu devaneio, quando eu estava à beira da terra dos sonhos, eu pensava estar em um castelo. Ao redor de suas maciças muralhas, havia um profundo fosso. Vigias andavam pelos muros, dia e noite. Era uma antiga fortaleza, que desafiava o adversário, mas eu não estava feliz nela. Eu pensei estar em um sofá, mas mal tinha fechado meus olhos, eis que uma trombeta soou, “Às armas! Às armas!” e depois de passado o perigo, eu me vi deitado outra vez. “Às armas! Às armas!” soou mais uma vez, e outra vez me levantei. Nunca pude descansar. Eu acreditava que tinha vestido minha armadura, e me movia perpetuamente vestido com a malha, correndo a cada hora para o topo do castelo, incitado por algum novo alarme. Em determinado momento, um adversário vinha do oeste; em outro momento, do leste; eu pensei que tinha um tesouro, em alguma parte profunda do castelo, e toda a minha preocupação era guardá-lo. Eu temi e tremi, desejando que ele não me fosse tirado. Eu despertei, e pensei que não desejaria viver em uma torre como aquela, mesmo diante de toda a sua grandeza. Era o castelo do descontente, o castelo da ambição, em que o homem jamais descansa. É sempre “Às armas! Às armas!” Há um adversário ali, ou um adversário aqui. O seu amado tesouro deve ser guardado. O sono jamais cruzou a ponte levadiça do castelo do descontente. Então eu pensei que o suplementaria por outra divagação. Eu estava em um casebre. Era o que os poetas chamam de um lugar belo e agradável, mas eu não me preocupava com isto, eu não tinha nenhum tesouro no mundo, exceto uma joia brilhante em meu peito; e eu acreditei que coloquei a mão nela, e fui dormir, e não acordei até o amanhecer. Este tesouro era uma consciência tranquila e o amor de Deus – “a paz que excede todo o entendimento”. Eu dormi, porque dormi na casa do contente, satisfeito com o que tinha. Vão, avarentos! Vão, homens ambiciosos! Eu não invejo a sua vida de inquietude. O sono dos estadistas é frequentemente interrompido; o sonho do avarento é sempre mau; o sono do homem que ama o ganho nunca é saudável, mas Deus *“dá”*, pelo contentamento, *“aos seus amados o sono”. – C. H. S.*

v. 2: “Dá ele aos seus amados o sono”.

De todos os pensamentos de Deus que
nascem em almas distantes,
juntamente com a música profunda do salmista,
diga-me, se há algum que
por dádiva ou graça supere este:
“Dá ele aos seus amados o sono”.
– Elizabeth Barrett Browning, 1809-1861

v. 3: "Eis que os filhos são herança do Senhor". Não há razão, portanto, pela qual você deva ficar apreensivo sobre a sua família e a sua nação; não há razão pela qual você deva se cansar com tão grande e incessante trabalho. Deus estará com você e os seus filhos, uma vez que eles são a sua herança. – *Thomas Le Blanc*

v. 3: "Eis que os filhos são herança do Senhor". Isto é, a muitos Deus dá filhos, no lugar de bens temporais. A muitos outros, Ele dá casas, terras muito ouro e prata, e a estes o ventre não gera; e estas coisas são a sua herança. O homem pobre recebe de Deus vários filhos, sem terras ou dinheiro; eles são a sua herança; e Deus se mostra seu pai, alimentando-os e sustentando-os, por uma cadeia de milagrosas providências. Onde está o *pobre* que abriria mão de seus *seis filhos* com a perspectiva de ter *mais* dos *milhares* ou *milhões* daquele que é o *centro* da sua *própria existência,* e não tem *raiz* nem *ramo,* senão o seu ser solitário e infeliz sobre a face da terra? Que a família frutífera, ainda que pobre, saiba disto, sinceramente, *"os filhos são herança do Senhor, e o fruto do ventre, o seu galardão".* E aquele que os dá irá alimentá-los; pois é um fato, e a *máxima* baseada nisto jamais falhou, "Onde Deus envia bocas, envia alimento". "Não se queixe", disse um árabe a seu amigo, "porque a sua família é grande; saiba que é *por causa dela* que Deus alimenta *você". – Adam Clarke*

v. 3: "Os filhos são herança do Senhor". O texto hebraico parece implicar que os filhos são uma herança que pertence ao Senhor, e não uma herança dada pelo Senhor, como a maioria dos leitores ingleses parece interpretar. O Targum, de igual modo, confirma isto. – *H. T. Armfield*

v. 3: "Os filhos são herança do Senhor", etc. O salmista fala do que os filhos são para pais piedosos e santos, pois somente a estes pais qualquer bênção é dada por Deus como uma recompensa, e o salmista fala expressamente de bênçãos que Deus dá aos seus amados, e esta bênção de filhos Ele faz com que seja a última e mais excelente. Também é tão certo que ele fala dos filhos como supostamente santos e piedosos; pois, de outra maneira, não seriam uma recompensa, mas uma maldição e uma tristeza para aquele que os gerou. O salmo foi escrito, como o seu título evidencia, *"por"* ou *"para"* Salomão, e por isto, como é mais do que provável, foi escrito, como outro salmo, o Salmo 72, que traz o mesmo título, por Davi, o pai, para Salomão, seu filho, que foi, por causa de seu pai, "o amado de Deus" (2 Sm 12.24,25), e a quem o concerto e as graças de Davi foram transmitidas juntamente com o seu reino. E o que está escrito neste salmo, no versículo anterior, está perfeitamente adequado com ele, pois ele deveria edificar a casa de Deus, e guardar e preservar Jerusalém, a cidade, e o reino em paz, e ter descanso, ou, como o salmista diz (v. 3) sono tranquilo, dado por Deus, descanso de todos os seus inimigos à sua volta. E com relação a isto, compare a profecia sobre ele (1 Cr 22.9,10), com as instruções que aqui lhe são dadas nos três primeiros versículos deste salmo, e verá quão adequadamente este salmo diz respeito a ele. – *Thomas Goodwin*

v. 3: "Os filhos são herança do Senhor". Perceba, é uma das maiores bênçãos ter uma família cheia de filhos obedientes e respeitosos. Ter muitos filhos é a bênção seguinte a ter muita graça. Ter muitos filhos ao nosso redor é melhor do que ter muita riqueza ao nosso redor. Ter plantas de oliveira (como o salmista as chama) ao redor da nossa mesa é melhor do que ter azeite e vinho sobre a nossa mesa. Nós conhecemos a importância dos tesouros mortos, ou melhor, sem vida, mas quem conhece a importância dos tesouros vivos? Nem todo homem que tem filhos tem neles uma bênção, mas os filhos são uma bênção, e alguns têm muitas bênçãos em um único filho. Os filhos são principalmente uma bênção para os filhos de Deus. *"Eis que os filhos são herança do Senhor, e o fruto do ventre, o seu galardão".* Mas não são as casas e as terras, o ouro e a prata, uma herança concedida pelo Senhor ao seu povo? Sem dúvida, são, pois a terra é dele, e também a plenitude dela, e Ele a dá aos filhos dos homens, mas embora todas as coisas sejam de Deus, não são todas igualmente dele: os filhos são mais de Deus do que as casas e as terras. – *Joseph Caryl v. 3:* Filhos! – alguém poderia dizer, tão logo a palavra foi proferida – deixei os meus na minha casa distante, na pobreza, com suas necessidades crescendo em diversidade e também em quantidade, pois os meios para prover o seu conforto diminuem diariamente. Mesmo que a minha vida fosse prolongada, eles seriam filhos da necessidade, mas com a doença e os sinais da morte sobre mim, logo serão órfãos desamparados e sem amigos. Sim, mas Deus será negligente com a sua própria herança? Ele converterá uma dádiva em uma tristeza? Por mais pobre que você seja, não se aflija com o número dos seus filhos. Ainda que falte o necessário aos leões, a você não faltará nada se buscar a Deus; e saiba que pode ser por causa de seus filhos que Ele lhe alimenta. Se você não se afasta de um deles, por ouro e prata, creia que aquele que é a fonte de toda ternura os considera com amor ainda mais profundo, e fará deles agora, no momento em que você está na sua hora de provação, um meio, para fazer com que você dependa e confie dele ainda mais, e logo eles serão o seu sustento e orgulho.

Filhos! – poderá outro dizer, quando o salmo se refere a eles – na sua promessa inicial o sopro do destruidor foi derramado. Eles seguem visivelmente para a sepultura, e o seu sorriso e carinho fazem com que o meu coração ferido sangre novamente. Sim, pranteador; mas, *herança de Deus*! Ele não reivindicará os seus? Eles estão bem guardados e a salvo, quando protegidos por Ele, e logo lhe serão restaurados na terra melhor, onde a morte fará com que eles sirvam ao precioso e bendito Senhor com os anjos, diante do seu trono; na verdade, eles serão os primeiros a lhe dar as boas vindas à glória, a amar e adorar com você por toda a eternidade. Filhos! Esta palavra, para alguns, ainda mais tristes e mais ansiosos, pode parecer como uma adaga em seus corações. Os seus filhos abandonaram o Deus de seu pai. Os seus colegas eram os vaidosos e maldosos; os seus prazeres eram os prazeres da loucura e da vergonha; as suas vidas, estéreis em relação a todas as promessas, as suas almas, destituídas de todo o propósito, e roubadas de toda aprovação. É verdade, mas *ainda são herança do Senhor.* Você, pai entristecido, pediu a Deus sabedoria para conservar este filho para Ele? Foram dedicados os devidos pensamentos, oração, vida vigilante e santa a esta herança de Deus? Sem plantar, não há colheita no solo; sem oração, não há bênção da alma. "Instrui o menino no caminho em que deve andar, e, até quando envelhecer, não se desviará dele" é uma promessa que algumas vezes, ainda que raras, deixou de ser cumprida. Tragam os filhos a Jesus, e, inalterado na sua bondade, Ele ainda imporá suas mãos sobre eles, e os abençoará. – *Robert Nisbet*

v. 3: "E o fruto do ventre, o seu galardão". A filha de John Howard Hinton disse a ele, quando se ajoelhou ao lado do seu leito de morte: – "Não há maior bênção para os filhos do que ter pais devotos". "E a seguinte", disse o pai, moribundo, com um lampejo de gratidão, "é que os pais tenham filhos devotos". – *Lembrete, em manual Batista, 1875*

v. 4: "Como flechas". Bem faz Davi, ao chamar os filhos de *"flechas"*; pois, se bem criados, atirarão contra os inimigos dos seus pais; e, se mal criados, atirarão contra os seus pais. – *Henry Smith, 1560-1591*

v. 4: "Como flechas". Os filhos são comparados a *"flechas"*. Nós sabemos que gravetos não são, por natureza, flechas; eles não crescem assim, mas são convertidos em flechas; por natureza, eles são nodosos e ásperos, mas com arte são suavizados e embelezados. Assim também os filhos, por natureza, são ásperos e desobedientes, mas com a educação são refinados e reformados, e tornados dóceis à vontade e ao prazer divino. – *George Swinnock, 1627-1673*

v. 4: "Como flechas". "Os nossos filhos são o que nós fazemos deles. Eles são descritos *'como flechas na mão do valente'*, e as *flechas* vão para onde as disparamos".

v. 4: "Como flechas". Em uma coletânea da obra *Chinese Proverbs and Apophthegms,* [Provérbios e Apotegmas Chineses], anexa a *Hau Kiou Choaan,* ou *The Pleasing History,* [A História Agradável], eu encontrei a citação de um provérbio de *Du Halde,* que parece adequado ao nosso propósito. É o seguinte: "Quando um filho nasce em uma família, um arco e uma flecha são pendurados diante da porta". E a isto é acrescida a seguinte observação: "Como nenhum costume deste tipo parece ser literalmente observado, esta deve ser uma expressão metafórica, significando que um novo protetor foi acrescentado à família", equivalente à expressão dos salmos – *"como flechas"*, etc. – *James Merrick (1720-1769), em "Annotations on the Psalms"*

v. 4: "Os filhos da mocidade" são "flechas na mão", que, com prudência, podem ser dirigidas diretamente ao alvo, à glória de Deus, e ao serviço da sua geração; mas posteriormente, quando saem para o mundo, são flechas fora da mão; então é tarde demais para moldá-los. Entretanto, estas *"flechas na mão"* muitas vezes provam ser flechas no coração, uma constante tristeza para seus pais piedosos, cujos cabelos grisalhos descem com tristeza à sepultura. – *Matthew Henry*

v. 4: "Os filhos da mocidade". Filhos da mocidade, isto é, nascidos quando seus pais ainda são jovens. Veja Gn 37.2; Is 54.6. A referência não é somente ao seu vigor (Gn 49.3), mas à importância da sua ajuda aos pais na idade avançada. – *Joseph Addison Alexander*

v. 4: "Os filhos da mocidade". Se a interpretação correta for comumente dada a esta frase, este salmo encoraja enormemente os casamentos na mocidade. É um mal crescente dos tempos modernos o fato de que os casamentos são tão frequentemente adiados até que seja altamente improvável que, no curso da natureza, os pais possam viver para moldar os seus descendentes em hábitos de honra e virtude. – *William Swan Plumer (1802-1880), em "Studies in the Book of Psalms"*

v. 5: "Bem-aventurado o homem que enche deles a sua aljava". O Dr. Guthrie costumava dizer, "Eu não sou rico em nada, apenas em filhos". Ele tinha onze filhos.

v. 5: "Enche a aljava". Muitos filhos fazem muitas orações, e muitas orações trazem muitas bênçãos. – *Provérbio alemão*

v. 5: O Rev. Moses Browne teve doze filhos. Quando alguém lhe disse, "O senhor tem tantos filhos quanto Jacó", ele respondeu, "Sim, e tenho o Deus de Jacó para prover por eles". – *G. S. Bowes*

v. 5: Eu me lembro de um grande homem que veio à minha casa, em Waltham, e vendo todos os meus filhos em pé, enfileirados de acordo com a sua idade e estatura, ele disse, "São estes que tornam pobres os homens ricos". Mas imediatamente recebeu esta resposta, "Não, meu senhor, são estes que tornam rico um homem pobre, pois não há nenhum deles dos quais nós nos separaríamos, nem por toda a sua riqueza". É fácil observar que ninguém é tão opressivo como os que não têm filhos; ao passo que aqueles que, para a manutenção de grandes famílias, estão acostumados a frequentes gastos, encontram tal experiência na providência divina, na fiel administração de suas questões, à medida que dão sentindo mais alegria do que quando recebem. A sua preocupação diminui, tendo em vista que Deus a remove deles para Si mesmo, e se não lhes faltar a fé, ela lhes dará facilidade para lançar a sua carga sobre Ele, que tem mais poder e mais direito a ela, uma vez que os seus filhos são mais seus do que nossos. Será que aquele que alimenta os filhos dos corvos poderá falhar para com as melhores de suas criaturas? – *Joseph Hall, 1574-1656*

v. 5: "Não será envergonhado" (ARA), etc. Ele será suficientemente capaz de se defender, e de manter distância de todas as ofensas, sendo fortificado pelos seus filhos; e se acontecer que ele tenha uma causa à porta e que seja julgado diante dos juízes, terá o apoio dos seus filhos e não sofrerá, no seu apelo, por falta de defensores; os seus filhos se levantarão, em uma justa causa, por ele. – *William Nicholson* (-1671), *na obra "David's Harp Strung and Tuned"*

v. 5: "Quando falarem". "Quando destruírem" é a versão à margem, e é aqui muito mais enfática do que a tradução *"falarem"*. Com relação a este sentido, veja 2 Cr 22.10. Outros associam isto a litígio, quando defendem, de maneira bem sucedida, a causa de seus pais. Mas eu não vejo como o seu número ou vigor poderia reforçar a sua evidência em uma causa judicial, e por isto prefiro o sentido dado aqui. – *Benjamin Boothroyd, 1768-1836*

v. 5: "Com os seus inimigos à porta". Provavelmente, o salmista aqui se refere à defesa de uma cidade cercada; a porta era, muito comumente, o ponto de ataque, e a sua tomada facilitaria a conquista do lugar; compare com Gn 22.17; 24.60. – *Daniel Cresswell (1776-1844), em "The Psalms... with Critical and Explanatory Notes", 1843*

v. 5:

Este é o orgulho, a glória de um homem:
educar filhos obedientes na sua casa,
pronto a se vingar das astúcias de seus inimigos,
e com o zelo do pai na mais alta honra,
sustentando os seus amigos.
– *Sófocles, "Antígone". Tradução de R. Potter*

SUGESTÕES AOS PREGADORES

v. 1. I. A mão humana sem a mão de Deus é inútil.
II. O olho humano, sem o olho de Deus, é inútil. Ou,
I. Deus deve ser reconhecido em todas as nossas obras.
1. Buscando a sua orientação antes de realizar qualquer coisa.
2. Dependendo da sua ajuda antes de realizar qualquer coisa.
3. Dando a Ele a glória por todas as coisas.
II. Em todas as nossas preocupações.
I. Reconhecendo a nossa curta visão.
2. Confiando na sua previsão. – *G. R.*

v. 1 (primeira parte). Exemplificando os princípios:
I. Na edificação do caráter.
II. Na construção de planos de vida e de trabalho.
III. Na idealização de esquemas de felicidade.
IV. Na criação de uma esperança de vida eterna.
V. Na criação e ampliação da igreja. – *J. F.*

vv. 1 e 2. I. O que não podemos esperar: especificamente, que Deus opere sem que haja a nossa edificação, a nossa vigilância, etc.
II. O que podemos esperar: O fracasso, se estivermos sem Deus.
III. O que não devemos fazer: Nos irritar, nos preocupar, etc.
IV. O que podemos fazer: Confiar, a ponto de descansar em paz.

v. 2 (com Sl 126.2). – O trabalho da lei, em contraste com o riso do Evangelho.

v. 2. "O pão de dores". I. Quando Deus o envia, é bom comê-lo.
II. Quando nós mesmos o assamos, é inútil comê-lo.
III. Quando o diabo o traz, é alimento mortal.

v. 2 (última parte). Bênçãos que nos vêm no sono.
1. Saúde renovada e vigor do corpo.
2. Repouso mental e revigoração.
3. Pensamentos mais doces e propósitos mais santos.
4. Dádivas da providência. A chuva cai, os frutos da terra crescem e amadurecem, a roda do moinho gira, o barco segue viagem, etc., enquanto estamos dormindo. Frequentemente, quando não estamos fazendo nada, Deus está fazendo muitas coisas. – *W. H. J. P.*

v. 2 (última parte). Veja "Spurgeon's Sermons", n. 12: "The Peculiar Sleep of the Beloved".

v. 3. Sermão proferido por Thomas Manton. Works: vol. xviii. pp. 84-95. [Edição Nichol.]

vv. 3 a 5. Filhos. Considere: I. Os resultados de recebê-los como herança do Senhor.

1. Os pais confiarão no Senhor para a provisão e segurança dos filhos.

2. Os pais os considerarão como uma custódia sagrada do Senhor, de cujo cuidado devem prestar contas.

3. Irão educá-los no temor do Senhor.

4. Irão consultar a Deus frequentemente a respeito deles.

5. Irão entregá-los sem queixas, quando o Senhor os chamar para Si, pela morte.

II. Os resultados da sua educação correta.

1. Eles se tornam a alegria dos pais.

2. O registro permanente da sabedoria dos pais.

3. O sustento e o consolo da velhice dos pais.

4. Os transmissores das virtudes dos pais a outra geração; pois filhos bem educados se tornam, por sua vez, pais sábios. – *J. F.*

v. 4. A utilidade espiritual dos filhos.

I. Quando eles morrem na infância, despertando os pais.

II. Quando vão para casa, vindo da escola dominical, levando consigo santas influências.

III. Quando se convertem.

IV. Quando crescem e se tornam homens e mulheres úteis.

vv. 4 e 5. I. A dependência que os filhos têm dos pais.

1. Para sua segurança. Eles estão na sua aljava.

2. Para sua orientação. São enviados por eles.

3. Para seu sustento. Estão nas mãos do valente.

II. A dependência que os pais têm dos filhos.

1. Para defesa: Quem ouvirá alguém falando contra seu próprio pai?

2. Para felicidade: "O filho sábio", etc. Os filhos despertam algumas das mais nobres e ternas emoções da natureza humana. Feliz é o ministro cristão que, com a aljava cheia, pode dizer, "Aqui estou, e os filhos que tu me deste". – *G. R.*

v. 6. "The Reward of Well-doing Sure". Sermão de Henry Melvill, em "The Pulpit", 1856.

SALMO 128

TÍTULO

Cântico de Degraus. Há uma subida evidente do último salmo: aquele apenas indicava a maneira como uma casa pode ser edificada, mas este dá uma imagem da casa edificada, e adornada com alegria doméstica, por intermédio da bênção do próprio Senhor. Há, claramente, um avanço na era, pois aqui passamos de filhos para filhos dos filhos; e também um progresso em felicidade, pois os filhos que no último salmo eram flechas aqui são plantas de oliveira, e em vez de falar "com os seus inimigos à porta", nós concluímos com "paz sobre Israel". Assim subimos, passo a passo, e cantamos, enquanto subimos.

ASSUNTO

É um hino familiar – um cântico para um casamento, ou um nascimento, ou qualquer dia em que uma família feliz se reúna para louvar ao Senhor. Como todos os cânticos de degraus, ele se refere a Sião e Jerusalém, que são expressamente mencionadas, e o salmo é concluído como os salmos 125, 130 e 131, com uma alusão a Israel. É um salmo curto, mas extremamente abrangente e sugestivo. A sua poesia é do melhor tipo. Talvez em nenhuma região ele seja mais bem compreendido do que na nossa, pois nós, acima de todas as nações, nos alegramos em cantar, "Lar, doce lar".

EXPOSIÇÃO

1 *Bem-aventurado aquele que teme ao Senhor e anda nos seus caminhos!*
2 *Pois comerás do trabalho das tuas mãos, feliz serás, e te irá bem.*
3 *A tua mulher será como a videira frutífera aos lados da tua casa; os teus filhos, como plantas de oliveira, à roda da tua mesa.*
4 *Eis que assim será abençoado o homem que teme ao Senhor!*
5 *O Senhor te abençoará desde Sião, e tu verás o bem de Jerusalém em todos os dias da tua vida.*
6 *E verás os filhos de teus filhos e a paz sobre Israel.*

1. *"Bem-aventurado aquele que teme ao Senhor."* O último salmo terminou com uma bênção – pois a palavra ali traduzida como "Bem-aventurado" ["feliz"] é a mesma que aqui recebe a mesma tradução ["bendito"], desta maneira os dois cânticos são unidos por uma palavra cativante. Há também neles uma íntima proximidade de assunto. O temor a Deus é a pedra fundamental de toda a bem-aventurança. Nós devemos reverenciar o bendito Deus antes que possamos ser abençoados. Alguns pensam que esta vida é um mal, uma punição, algo em que há uma maldição; mas não é verdade; o homem que teme a Deus tem uma bênção presente que repousa sobre ele. Não é verdade que seria melhor que "ele não existisse". Ele é feliz agora, pois é filho do feliz Deus, o eterno e sempre vivo Senhor, e ele é aqui um co-herdeiro de Jesus Cristo, cuja herança não é a infelicidade, mas a alegria. Isto é verdade para cada um dos que temem a Deus, de todos os níveis e condições, e em todas as gerações: cada um deles é bem-aventurado. A sua bem-aventurança nem sempre pode ser vista, por motivos carnais, mas é sempre um fato, pois o próprio Deus declara que isto é verdade; e nós sabemos que aqueles aos quais Ele abençoa são verdadeiramente bem-aventurados. Devemos cultivar o santo temor filial do Senhor que é a essência de toda a verdadeira religião – o temor reverente, o terror de ofender, a ansiedade em agradar, e a total submissão e obediência. Este temor do Senhor é a fonte adequada do modo de vida santo. É inútil buscar santidade sem ele: ninguém, exceto aqueles que temem ao Senhor, andarão nos seus caminhos.

"E anda nos seus caminhos." A vida religiosa, que Deus declara bem-aventurada, deve ser prática, além de emocional. É inútil falar sobre o temor ao Senhor se nós agimos como aqueles que não se preocupam com o fato de existir ou não um Deus. Os caminhos de Deus serão os nossos caminhos se nós tivermos uma sincera reverência por Ele: se o coração está unido a Deus, os pés o seguirão. O coração de um homem pode ser visto no seu andar, e a bem-aventurança virá quando o coração e o andar estiverem, ambos, com Deus. Observe que o primeiro salmo conecta a bênção com o andar, de uma maneira negativa, "Bem-aventurado o varão que *não* anda", etc.; mas aqui nós a encontramos com a forma positiva do nosso modo de vida. Para desfrutar da bênção divina, nós devemos ser ativos, e andar; nós devemos ser metódicos, e andar de determinadas maneiras; e devemos ser piedosos, e andar nos caminhos do Senhor. Os caminhos de Deus são caminhos abençoados; eles foram preparados pelo Bendito, foram pisados por aquele em quem nós somos abençoados, eles são frequentados pelos bem-aventurados, são fornecidos com o propósito de abençoar, são pavimentados com as bênçãos atuais, e conduzem a bênçãos eternas: quem não desejaria andar neles?

2. *"Pois comerás do trabalho das tuas mãos."* A doutrina geral do primeiro versículo recebe aqui uma aplicação pessoal: observe a mudança para a segunda pessoa: "[*tu*] comerás", etc. Esta é a porção dos santos de Deus – trabalhar, e encontrar uma recompensa por fazer isto – Deus é o Deus daqueles que trabalham. Nós não devemos deixar de realizar nossas tarefas terrenas porque o Senhor nos chamou pela graça: nós não temos a promessa de uma bênção pela ociosidade romântica ou pelos sonhos irracionais, mas pelo trabalho árduo e honesto. Embora estejamos nas mãos de Deus, devemos nos sustentar pelas nossas próprias mãos. Ele nos dará o pão de cada dia, mas este pão deverá ser nosso através do nosso próprio trabalho. Todos os tipos de trabalho estão incluídos aqui; pois se alguém trabalha com o suor do seu rosto, e outra pessoa com o esforço do seu cérebro, não há diferença na bênção, mas em geral é mais saudável trabalhar com o corpo do que apenas com a mente. Sem Deus, será inútil trabalhar, mas quando trabalhamos com Deus, uma promessa é colocada diante de nós. A promessa é a de que o esforço será frutífero, e de que aquele que o realiza desfrutará da recompensa por ele. É um terrível mal que um homem escravize a sua vida e não receba justa remuneração pelo seu trabalho; como regra, os servos de Deus se levantam desta servidão e reivindicam a sua remuneração, e a recebem; de qualquer forma, este versículo pode encorajá-los a fazer isto. "Digno é o obreiro de seu salário". Na teocracia, o povo

escolhido pode ver esta promessa literalmente cumprida; mas quando governantes perversos os oprimiram, o seu salário ficou retido por avarentos, e suas colheitas foram roubadas por saqueadores. Se andassem no temor do Senhor jamais teriam conhecido tão grandes males. Alguns homens nunca desfrutam de seu trabalho, pois não se dão nenhum tempo para descansar. A ânsia por conseguir algo lhes rouba a capacidade de desfrutar. Certamente, se vale a pena trabalhar, vale a pena comer do fruto deste trabalho.

"Feliz serás", ou *Oh, a tua felicidade*. Felicidades acumuladas (no plural) pertencem ao homem que teme ao Senhor. Ele é feliz, e será feliz de mil maneiras. O contexto nos leva a esperar a felicidade familiar. O nosso Deus é o Deus da nossa casa e família. Os romanos tiveram seus Lares e Penates, mas nós temos muito mais do que eles, no único Deus vivo e verdadeiro.

"E te irá bem", ou tudo *será bom para ti*. Sim, o bem é para os bons, e tudo irá bem para aqueles que fazem o bem.

"Que palavras animadoras são estas!
Quem pode descrever a sua doçura?
Com o passar do tempo e até os dias eternos,
Tudo irá bem com os justos".

Se nós temermos a Deus, podemos descartar todos os outros temores. Ao andar nos caminhos de Deus, estaremos sob a sua proteção, provisão e aprovação; o perigo e a destruição estarão distantes de nós; todas as coisas irão cooperar para o nosso bem. Conforme a visão de Deus, para nós não seria bom viver sem esforço, nem comer o pão da dependência sem ter "suado" para obtê-lo; a condição mais feliz na terra é aquela em que temos algo para fazer, forças para fazê-lo e uma retribuição justa pelo que fizemos. Isto, com a bênção divina, é tudo o que devemos desejar, e é suficiente para qualquer homem que teme ao Senhor e abomina a cobiça. "Tendo sustento e com que nos vestir, estejamos contentes" (1 Tm 6.8, ARA).

3. *"A tua mulher."* Para alcançar a plenitude da felicidade terrena, o homem não deve estar sozinho. Uma companheira foi necessária no Paraíso e certamente, ela não é menos necessária fora do Paraíso. O que acha uma mulher acha uma coisa boa (Pv 18.22). Não são todos os homens que temem ao Senhor que têm uma esposa, mas se tiver, ela compartilhará da sua bênção, e a aumentará.

"Será como a videira frutífera." Para completar a bem-aventurança doméstica, são enviados os filhos. Eles vêm como o fruto lícito do casamento, assim como aparecem cachos nas videiras. A videira foi plantada para as uvas; a esposa foi concedida para os filhos. Em geral, qualquer criatura fica bem quando cumpre o seu propósito; e melhor ainda no caso das pessoas casadas, quando o grande desígnio da sua união é alcançado. Eles não devem considerar a fertilidade como uma carga, mas como uma bênção. As boas esposas são também frutíferas em bondade, em economia, eu auxílio e afeto; se não geram filhos, não são, de maneira alguma, estéreis, se nos produzem o vinho da consolação e os cachos da consolação. Verdadeiramente abençoado é o homem cuja esposa é frutífera nas boas obras que são adequadas à sua posição de proximidade e carinho.

"Aos lados da tua casa." Ela fica em casa, é uma ave doméstica. Alguns imaginam que ela é como uma videira que está presa à parede da casa, mas na Palestina não era este o costume, nem é agradável pensar em uma mulher crescendo junto a uma parede, e presa aos tijolos e à alvenaria da morada de seu esposo. Não, ela é uma videira frutífera e uma fiel governanta; se você desejar encontrá-la, ela estará dentro da casa: ela será encontrada dentro e fora do lar, mas a sua principal fertilidade está no lado interior da morada, que ela adorna. As casas orientais normalmente têm um pátio aberto no centro, e os vários cômodos são dispostos nas laterais – ali a esposa é encontrada, ocupada em um cômodo ou outro, conforme exija a hora do dia. Ela fica em casa, e guarda a casa. É a casa do esposo, e ela é do seu esposo;

como diz o texto – "tua mulher" e "tua casa"; mas pelo seu carinho e cuidado, o seu esposo fica tão feliz, que se alegra em reconhecê-la como co-proprietária, pois ele é dela, e a casa também é dela.

"Os teus filhos, como plantas de oliveira, à roda da tua mesa." Centenas de vezes eu vi as jovens oliveiras brotando ao redor do caule principal, e isto sempre me fez pensar neste versículo. O salmista jamais pretendeu sugerir a ideia de oliveiras ao redor de uma mesa, mas de jovens "brotando" ao redor de seus pais, como as oliveiras ao redor da árvore já enraizada. A imagem é surpreendente, e certamente está presente na mente de cada observador na região das oliveiras. Como é bonito ver a oliveira nodosa e torcida, que ainda produz frutos abundantes, rodeada por um pequeno grupo de robustas sucessoras, das quais alguma é capaz de assumir o seu lugar, se a oliveira central for abatida ou removida de qualquer outra maneira. A imagem de uma mesa em um jardim pode ser apropriada a um inglês, para uma xícara de chá ao ar livre, mas jamais ocorreria a um poeta oriental; não são as oliveiras, mas os filhos que estão à volta da mesa. Além disto, observe que não são *ramos* de oliveiras, mas *plantas*, algo muito diferente. Os nossos filhos se colocam ao redor da nossa mesa para serem alimentados, e isto envolve custos. Isto é muito melhor do que vê-los sobre camas, doentes, incapazes de vir para as refeições! Que bênção é ter o suficiente para colocar sobre a mesa! Devemos, por este benefício, louvar a benignidade do Senhor. A esposa está atarefada por toda a casa, mas os mais jovens estão ainda mais ocupados na hora das refeições; e se a bênção do Senhor estiver sobre a família, nenhuma visão poderá ser mais prazerosa. Aqui temos a videira mesclada com a oliveira – a alegria pela esposa fértil, e a sólida consolação pela família que cresce; estes são os mais excelentes produtos que a terra pode nos dar; as nossas famílias são jardins do Senhor. Poderá nos ajudar a valorizar os privilégios da nossa casa, se considerarmos onde estaríamos, se eles nos fossem retirados. E se a amada companheira da nossa vida fosse removida dos lados da nossa casa, para o recesso do sepulcro? O que é o problema dos filhos, em comparação com a tristeza da sua perda? Pense, caro pai, qual seria a sua angústia, se você tivesse que clamar, como Jó, "Ah! Quem me dera ser como eu fui nos meses passados, como nos dias em que Deus me guardava!... E os meus meninos [estavam] ao meu redor" (Jó 29.2-5).

4. *"Eis que assim será abençoado o homem que teme ao Senhor."* Observe isto. Coloque uma *Nota Bene* junto a esta observação, que é digna de nota. Não se deve deduzir que todos os homens abençoados são casados e que são pais; mas que esta é a maneira como o Senhor beneficia as pessoas piedosas que estão colocadas na vida doméstica. Ele torna os seus relacionamentos felizes e lucrativos. Desta maneira, o Senhor abençoa as famílias tementes a Deus, pois Ele é o Deus de todas as famílias de Israel. Nós vimos esta bênção dezenas de vezes, e jamais deixamos de admirar, na paz doméstica, a doçura da felicidade humana. A bem-aventurança familiar vem do Senhor, e é uma parte do seu plano para a preservação de uma raça piedosa, e para a manutenção da sua adoração sobre a terra. Somente no Senhor devemos procurá-la. A possessão de riquezas não a assegura; a escolha de uma esposa saudável e bela não a assegura; o nascimento de vários filhos belos não a assegura; é preciso que haja a bênção de Deus, a influência da piedade, o resultado da vida santa.

5. *"O Senhor te abençoará desde Sião."* Uma bênção espiritual será recebida pelo homem piedoso, e irá coroar todas as suas graças temporais. Ele é um, entre os muitos, que constituem a herança de Deus; a sua tenda é parte do arraial ao redor do tabernáculo; portanto, quando a bênção for pronunciada no centro, chegará até ele, no seu lugar. A bênção da casa de Deus estará sobre a sua casa. A bênção sacerdotal que está registrada em Nm 6.24-26 diz o seguinte: "O Senhor te abençoe e te guarde; o Senhor faça resplandecer o seu rosto sobre ti e tenha misericórdia de ti; o Senhor sobre ti levante o seu rosto e te dê a paz". Isto é o que virá sobre a cabeça do homem que teme a Deus. Sião era o centro da bênção, e para lá o povo se

dirigia, quando procurava misericórdia; do altar do sacrifício, do trono propiciatório, da luz da Shekiná, sim, do próprio Senhor, a bênção virá, a cada um dos indivíduos do seu santo povo.

"E tu verás o bem de Jerusalém em todos os dias da tua vida." Ele terá a alegria de um patriota, bem como a paz de um patriarca. Deus lhe permitirá ver a sua nação prosperar, e a sua cidade metropolitana florescer. Quando graças nas tendas são seguidas por graças no templo, e estas são acompanhadas por graças nacionais, o homem, o adorador, o patriota é triplamente favorecido pelo Senhor. Esta benevolência será permanente, por toda a vida do homem bom, e esta vida será longa, pois ele verá os filhos dos seus filhos. Muitas vezes, a verdadeira religião traz tais bênçãos aos homens, e quando estas boas coisas lhes são negadas, eles têm uma recompensa mais excelente, como compensação.

6. *"E verás os filhos de teus filhos."* Este é um grande prazer. Os homens vivem suas jovens vidas novamente, em seus netos. Salomão não disse que "Coroa dos velhos são os filhos dos filhos"? E realmente, isto é verdade. O homem bom se alegra porque uma descendência piedosa provavelmente terá continuidade; ele se alegra na crença de que outras casas, tão felizes como a sua, serão edificadas, em que altares para a glória de Deus arderão com o sacrifício da manhã e da tarde. Esta promessa sugere vida longa, e esta vida será feliz, com uma continuidade na nossa descendência. É um sinal da imortalidade do homem o fato de que ele se alegra pela extensão da sua vida através da vida dos seus descendentes.

"E a paz sobre Israel." Com estas doces palavras, o salmo 125 foi concluído. Esta é uma fórmula favorita. Que a herança de Deus esteja em paz, e nós estaremos satisfeitos com isto. Nós consideramos como nossa própria prosperidade que os escolhidos do Senhor encontrem repouso e tranquilidade. A vida de Jacó foi extremamente agitada e conheceu pouca paz; mas o Senhor o libertou de todas as suas tribulações, e o trouxe a um local de descanso, em Gósen, por algum tempo, e posteriormente, o levou para dormir com seus pais na cova de Macpela. A gloriosa Semente de Deus foi terrivelmente afligida e, por fim, crucificada; mas Ele ressuscitou para a paz eterna, e na sua paz habitamos. Os descendentes espirituais de Israel ainda compartilham das suas condições angustiantes, mas resta um repouso também para eles, e eles terão paz, do Deus da paz. Israel foi um suplicante nas suas orações nos dias da sua aflição, mas se tornou um príncipe vitorioso, e nisto a sua alma encontrou paz. Sim, é verdade – "Paz sobre Israel! Paz sobre Israel!"

NOTAS EXPLICATIVAS E DECLARAÇÕES SINGULARES

O salmo: O Salmo 128 segue o Salmo 127, pela mesma razão que o Salmo 2 segue o Salmo 1. Nos dois casos, são salmos colocados juntos, dos quais um começa com *'ashrê* (Bem-aventurado, muito bem-aventurado) e o outro termina com *'ashrê*. Em outros aspectos, os salmos 127 e 128 complementam um ao outro. Eles se relacionam, entre si, da mesma maneira como as parábolas do Novo Testamento, do tesouro do campo e da pérola, estão relacionadas. Aquilo que torna o homem bem-aventurado é representado, no Salmo 127, como uma dádiva, que vem como uma bênção, e no salmo 128, como uma recompensa, que vem como uma bênção, o que é brevemente indicado pela palavra שָׂכָר (*śākār*), *recompensa*, em 127.3 aqui expandida e desdobrada. Ela aparece ali como uma dádiva de graça, em contraste com a atividade do homem, estranha a Deus; aqui, como um fruto do *ora et labora*. – *Franz Delitzsch*

O salmo: Deve-se observar que aqui todos os homens são mencionados como casados, porque esta é a condição normal, da maioria das pessoas. Veja 1 Co 7.1,2. Mesmo hoje, um judeu deve se casar aos dezoito anos de idade, ou antes dos vinte, caso contrário será considerado como alguém que vive em pecado. – *John Trapp*

O salmo: Este salmo é um ἐπιθαλάμιος λόγος, escrito para elogio, instrução e consolação daqueles que já estão casados ou estão prestes a entrar neste tipo de vida. Ele enumera, portanto, no início, como é usual em cânticos deste tipo, todas as coisas que são consideradas como cargas na vida de casado, como os esforços para procurar prover para toda a família; a esposa é este elo do casamento que, de certa forma prende um homem e parece fazer dele um escravo, como aquele personagem diz, na comédia, "eu consegui uma esposa, e vendi a minha liberdade"; e, por fim, a educação dos filhos, que certamente é o que mais exige esforço, e requer os maiores gastos. Para aliviar o peso de todas estas coisas, a cada uma é adicionada uma bênção, ou promessa, de modo que possam parecer leves. E, no final, o salmo acrescenta, de modo geral, uma promessa espiritual, que facilmente alivia todos os esforços e inquietações da vida de casado, ainda que eles tivessem sido dos mais pesados. A bênção vem de Sião, ou da igreja: pois não há nada tão incômodo e difícil, exceto o que pode ser facilmente suportado por aqueles que são membros da igreja verdadeira e conhecem as fontes da verdadeira consolação. – *D. H. Mollerus*

v. 1: "Bem-aventurado aquele que teme ao Senhor", etc. Aqui temos a fonte viva da bênção, que paira sobre a condição conjugal e doméstica. Quando a prudência terrena tenta escolher uma esposa e formar uma família, uma casa, ela pode estender a sua mão somente à obra que se apoia sobre a terra, que é visível aos olhos dos sentidos. Ela edifica, por assim dizer, o primeiro e o segundo andares, acrescenta a cornija e o frontão, e o resultado apresenta uma aparência agradável – mas não tem fundação. Onde você vir a casa de um casal, unido pelo casamento, continuar a desafiar cada tempestade, você poderá ter a certeza de que ela se apoia sobre uma fundação segura, muito além do alcance dos sentidos humanos, e que esta fundação é o *temor ao Senhor*. Para o temor do Senhor, portanto, o santo salmista sabiamente atribuiu um lugar à frente deste belo salmo, que comemora a bênção que desce sobre a vida conjugal e doméstica. – *Augustus F. Tholuck, Hours of Christian Devotion", 1870*

v. 1: "Bem-aventurado aquele que teme ao Senhor". Há um temor do Senhor que traz terror consigo, e não bem-aventurança. A apreensão com que um rebelde beligerante considera seu soberano triunfante e ofendido, ou os sentimentos de um falido fraudulento com relação a um credor rude, ou um criminoso com uma crise de consciência diante de um justo juiz, são frequentemente tipos dos sentimentos dos homens com relação a Deus. Este, evidentemente, não pode ser o temor que o *"bem-aventurado"* deste salmo sente. Nem pode o temor deles, por outro lado, ser o temor torturador da auto-recriminação.

O temor deles é aquele que é produzido pela crença nas revelações que são feitas a respeito dele, na sua Palavra. É o temor que um filho sente com relação a um pai honrado – um temor de ofender: é aquele que os que foram resgatados da destruição sentem com relação ao benfeitor que nobremente, e com grande sacrifício, intercedeu pela sua segurança – um temor de agir de maneira indigna com relação à sua bondade; é aquilo que enche o peito de um rebelde perdoado e agradecido na presença de um soberano venerado, diante de cujo trono ele tem permissão de ficar, com honra – um temor de se esquecer da bondade do soberano e dar-lhe motivo para se arrepender. Tal é o temor do cristão, agora: um temor que é inspirado pela reverência à majestade, pela gratidão pelas misericórdias, pelo terror do desprazer, pelo desejo de aprovação, e pelo anseio pela comunhão do céu; o mesmo temor que os anjos têm do Filho bendito; o temor, não da tristeza, mas do amor, que recua, instintivamente, para não fazer nada que leve à angústia, ou negar algo que conduza à honra. A religião é a grande e única sabedoria; e uma vez que o início, o meio e o fim da religião é o temor do Senhor, bem-aventurado é cada homem que é governado por ela. – *Robert Nisbet, The Songs of the Temple Pilgrims", 1863*

v. 1: "Bem-aventurado aquele que teme ao Senhor". Tomemos um pouco do caráter do homem bem-aventurado. Quem é que é destemido? *"Aquele que teme ao Senhor"*. O temor parece contrário à bem-aventurança; tem um ar de infelicidade;

mas tudo depende daquele a quem se teme. Aquele que teme *ao Senhor*, este toque o converte em ouro. Aquele que assim teme, não teme; não terá medo; todos os medos insignificantes são engolidos neste grande temor; e este grande temor é tão doce e agradável como os pequenos temores provocam ansiedade e irritação. Seguro de outras coisas, ele pode dizer: "Se o meu Deus se agradar, não importa quem se desagrade; não importa quem me despreze, se Ele me considerar seu. Ainda que todos me abandonem, ainda que os meus amigos mais queridos se afastem, Ele não poderá me rejeitar; este será o meu único temor. Por isto não estou perplexo, eu sei que Ele não me rejeitará". Um crente não tem temor, exceto o de que o desprazer do céu, ou a ira de Deus, caiam sobre ele; ele considera isto terrível; mas ele não teme, não receia que isto lhe aconteça, pois está completamente persuadido da bondade de Deus. Assim este temor é unido à confiança: – "Eis que os olhos do Senhor estão sobre os que o temem, sobre os que esperam na sua misericórdia", Sl 33.18. – *Robert Leighton, 1611-1684*

v. 1: "Bem-aventurado aquele", etc. Há uma ênfase na palavra *"aquele"*, isto é, *todos*, ensinando que nenhuma disparidade de sexo ou condição, de classe ou riqueza, afeta o grau de felicidade assegurado por Deus a cada um dos seus servos fiéis, em suas várias condições. Deve-se observar, além disto, que sempre que o temor do Senhor é mencionado nas Sagradas Escrituras, ele jamais é mencionado isoladamente, como se fosse suficiente para a consumação da nossa fé, mas sempre tem algo acrescentado, com que se avalia a sua devida proporção de perfeição, conforme declara Salomão, no livro de Provérbios (2.3-5). – *J. M. Neale e R. F. Littledale, A Commentary on the Psalms from Primitive and Mediseval Writers", 1860*

v. 1: "Bem-aventurado aquele", etc. É uma promessa preciosa, mas talvez você esteja tentado a dizer, no seu coração, não destinada a todos. Você falará contra o Senhor? Ouça-o falar, no cântico. Ele diz, *"aquele"*. *"Bem-aventurado aquele que teme ao Senhor"*. Ninguém é excluído, exceto aqueles que não andam nos seus caminhos. – *Edward Jewitt Robinson*

v. 1: "Bem-aventurado", etc. O adágio, "Para alguns, é melhor não nascer, ou morrer assim que possível", certamente há muito tempo é recebido unanimemente por praticamente todos os homens. A razão carnal julga que toda a humanidade, sem exceção, é infeliz, ou que a sorte é mais favorável aos ímpios e profanos do que aos bons. Esta razão carnal tem uma completa aversão ao sentimento de que os que temem ao Senhor são bem-aventurados. Por isto é ainda mais importante que nos demoremos na consideração desta verdade. Além disto, como esta bem-aventurança não é aparente aos olhos, é importante, para que sejamos capazes de apreendê-la, em primeiro lugar prestar atenção à sua definição que será dada, de modo geral: e, em segundo lugar, é importante saber que ela depende principalmente da proteção de Deus. Ainda que reunamos todas as circunstâncias que parecem contribuir para uma vida feliz, certamente nada será considerado mais desejável do que se manter abrigado sob a proteção de Deus. Se esta bênção, na nossa avaliação, for preferida, como merece, a todas as outras boas coisas, quem quer que seja persuadido de que o cuidado de Deus é exercido no mundo e nas questões humanas, irá, simultaneamente, reconhecer de modo inquestionável, que o que é apresentado aqui é o ponto principal da felicidade. – *João Calvino*

v. 1: "Que teme ao Senhor, e anda nos seus caminhos". O temor do Senhor é um princípio interno; mas, a menos que haja uma expressão correspondente na vida exterior, que razão há para supor que ele exista?

Observe, também, que não se anda nos caminhos do Senhor, a menos que o seu temor se estabeleça no coração. Não pode haver moralidade genuína, independentemente do temor a Deus. Como um homem pode obedecer a Deus, enquanto estiver alienado dos interesses do precioso e bendito Senhor? – *N. M' Michael*

v. 1: "Que anda nos seus caminhos". Deus torna bem-aventurados aqueles que andam nos seus caminhos, porque Ele mesmo anda com eles. Isto é dito, a respeito de Davi, e se explica como esta comunhão o abençoou (2 Sm 5.10): "E Davi se ia cada vez mais aumentando e crescendo, *porque* o Senhor, Deus dos Exércitos, era com ele". O fato de que Deus realmente se une àqueles que andam nos seus caminhos como companheiro e líder, vemos em 2 Cr 17.3,4: "E o Senhor foi com Josafá, porque andou nos primeiros caminhos de Davi, seu pai, e não buscou baalins. Antes, buscou ao Deus de seu pai". – *Thomas Le Blanc*

v. 2: "Pois comerás do trabalho das tuas mãos", etc. Aqui há um quádruplo sentido literal: Viverás pelo trabalho honesto e pacífico, não pela pilhagem e violência sobre o que é produzido pelo trabalho dos outros, nem indolentemente e suntuosamente; *"comerás"* e não limitarás, a ti mesmo e aos outros, à miséria; as tuas safras não serão destruídas, mas produzirão abundantemente; e nenhum inimigo destruirá ou roubará a tua colheita. E estas duas últimas interpretações estão mais de acordo com as punições contrárias, ameaçadas por Moisés aos desobedientes. *"Comerás do trabalho das tuas mãos"*. Mas aquele que odeia o trabalho não come dele, nem pode dizer: "A minha comida é fazer a vontade daquele que me enviou e realizar a sua obra" (Jo 4.34). Por outro lado, aquele para quem este trabalho é um prazer, não se limita a olhar à frente, com esperança dos futuros frutos ou recompensas do trabalho, mas aqui e agora encontra sustento e prazer em trabalhar para Deus; de modo que *"lhe irá bem"* neste mundo, mesmo em meio a todas as suas preocupações e dificuldades, e ele *"será feliz"* no que há de vir, a ocasião em que a tristeza será banida para sempre, como está escrito no Evangelho: "Bem-aventurado o que comer pão no Reino de Deus" (Lc 14.15). – *Neale e Littledale*

v. 2: "Comerás do trabalho das tuas mãos", etc. Os que são casados também devem aprender que devem trabalhar. Pois a lei da natureza exige que o esposo sustente e alimente sua esposa e seus filhos. Pois depois que o homem e a esposa sabem que devem temer a Deus, seu Criador, que não apenas os criou, mas deu a sua bênção também às suas criaturas, devem saber, em segundo lugar, que devem fazer alguma coisa para não consumir seus dias em ociosidade. Hesíodo, o poeta, dá seu conselho, dizendo que primeiro você deve conseguir uma casa, a seguir uma esposa, e também um boi para arar o solo... pois embora a nossa diligência, o nosso cuidado e esforço não sejam capazes de sustentar a nossa família, Deus usa isto como um meio pelo qual nos irá abençoar. – *Martinho Lutero*

v. 2: "Comerás do trabalho das tuas mãos". Os homens tiveram sonhos fascinantes, sobre a remoção das incapacidades e limitações do mundo e dos males da vida, sem angústia. Os poetas pintaram paraísos terrestres, onde a vida seria uma longa festa.

"Ilhas do Éden no verão, repousando nas esferas púrpura do mar".

Mas tais sonhos e anseios são inúteis. Eles têm origem humana, não divina, e nascem de uma raiz de egoísmo, e não de santidade. Eles não podem ser concretizados em um mundo caído, cheio de angústia porque é cheio do pecado. Todas as bênçãos, no modo de vida de um homem, vêm de dores. A felicidade é a flor que cresce de um espinho de tristeza, transformado pelo cultivo do homem. O belo mito que colocou as maçãs douradas das Hespérides em um jardim guardado por dragões é uma alegoria que ilustra o grande fato humano, de que até que tenhamos destruído os dragões do egoísmo e da preguiça, não poderemos obter nenhum dos sucessos dourados da vida. Supondo que fosse possível obter os objetos do nosso desejo sem qualquer esforço ou dificuldade, não os aproveitaríamos. Para que eles realmente nos beneficiem, devem ser o resultado da nossa renúncia a nós mesmos e dos nossos esforços. E esta é a grande lição que os milagres do nosso Senhor, operados da maneira como foram, nos revelaram. Eles nos ensinam que, tanto em coisas temporais como espirituais, não devemos nos lançar na providência ou graça de Deus, de modo a negligenciar o papel que devemos desempenhar – que Deus coroa cada esforço honesto e fiel do homem com o sucesso: *"Bem-aventurado aquele que teme ao Senhor e anda nos seus caminhos. Pois comerás do trabalho das tuas mãos, feliz serás, e te irá bem". – Hugh Macmillan, The Ministry of Nature" 1871*

v. 2 (primeira parte):

Trabalho, o símbolo da punição do homem,
Trabalho, o segredo da felicidade do homem.
– James Montgomery, 1771-1854

v. 2: "Feliz serás". Oh, confie no Senhor, para ter felicidade, e também obter ajuda! Todas as fontes de felicidades estão nele. Confie naquele que "abundantemente nos dá todas as coisas para delas gozarmos"; e que, da sua própria misericórdia, rica e gratuita, as estende para nós, na sua própria mão, de modo que, recebendo-as como suas dádivas, e como penhores do seu amor, possamos desfrutar tudo o que possuímos. O seu amor dá o sabor a tudo o que provamos, coloca vida e doçura em tudo, ao passo que toda criação nos conduz ao grande Criador, e toda a terra é uma escada para o céu. Ele transfere as alegrias que estão na sua mão direita a tudo o que Ele concede a seus agradecidos filhos, que, tendo comunhão com o Pai e seu Filho, Jesus Cristo, desfrutam dele, em tudo, e acima de *tudo*. *– John Wesley, 1703-1791*

v. 2: "Feliz serás". O Sr. Disraeli coloca estas notáveis palavras na boca de um de seus personagens: "A mocidade é um erro estúpido; a idade adulta, uma luta; a velhice, um arrependimento". Que triste e desanimada visão do progresso da vida! Isto pode ser verdade, até certo ponto, a respeito de uma vida separada da piedade; certamente, não é verdade, sobre uma vida aliada à piedade. Deve haver "vida e piedade", e então a mocidade não será um erro estúpido, mas um propósito sábio e uma ardente esperança; a idade adulta não é apenas uma luta, mas uma conquista e uma alegria; a velhice não é um arrependimento, mas uma rica lembrança e uma gloriosa perspectiva. – *R. P. Macmaster, The Baptist Magazine", 1878*

v. 3: "A tua mulher será como a videira frutífera", etc. A comparação talvez fosse apresentada de maneira mais clara, organizando o versículo da seguinte maneira:

"A tua mulher estará no interior da tua casa
Como uma videira frutífera;
Os teus filhos ao redor da tua mesa,
Como os galhos da oliveira".

No interior, literalmente, *"os lados da tua casa"*, como em Am 6.10, isto é, o espaço da esposa, assinalando a esfera da esposa engajada em seus deveres domésticos, e também, até certo ponto, a sua reclusão, embora isto acontecesse muito menos entre os judeus do que entre outros orientais.

A *"videira"* é um emblema, principalmente, da *fertilidade*, mas talvez também de dependência, como necessitando apoio; a *"oliveira"*, de vida vigorosa, saudável, alegre. A mesma imagem é empregada por Eurípides, *Herc. Fur.*, 839. *Med.* 1098. *– J. J. Stewart Perowne*

v. 3: "A tua mulher será como a videira frutífera", etc. Nós não nos lembramos de ter encontrado um único exemplo, no oriente, de videiras *contra os muros de uma casa*, ou de oliveiras próximas ou ao redor de uma casa. Nem lemos sobre tais exemplos. A passagem, sem dúvida, obtém as suas imagens da fertilidade da videira e da aparência da oliveira, ou da ordem em que as oliveiras são plantadas. A construção, então, seria: "A tua mulher, nos lados (no interior) da tua casa, será como a videira frutífera, e os teus filhos estarão ao redor da tua mesa, como plantas de oliveira". *– John Kitto (1804-1854), em "The Pictorial Bible"*

v. 3: "A tua mulher será como a videira frutífera aos lados da tua casa". A esposa é comparada, não a espinhos ou cardos, nem mesmo a carvalhos ou a outros frutos ou árvores, mas à videira; e também a uma videira, não em uma vinha ou em um jardim, mas junto aos muros de uma casa; também não estéril, mas fértil e frutífera. Isto admoesta os maridos, além das esposas, sobre os seus deveres. Pois assim como os muros sustentam a videira, e a defendem da força dos ventos e tempestades, também devem os maridos, dentro de sua capacidade, defender suas esposas, pelo seu modo de vida devoto e pelos seus ensinamentos e instituições íntegros contra o vento pestilento da velha serpente; também contra as ofensas de homens de má índole. "Quem ama a sua mulher ama-se a si mesmo. Porque nunca ninguém aborreceu a sua própria carne; antes, a alimenta e sustenta, como também o Senhor à igreja" (Ef 5.28, 29).

Além disto, a videira é uma madeira extremamente frágil, e não é apropriada para qualquer trabalho (Ez 15.4). Os esposos, portanto, devem se lembrar de que devem se comportar com paciência e prudência com relação a suas esposas, tendo-as como o vaso mais fraco; não tendo em mente a fragilidade da madeira, mas a abundância e a doçura do fruto. Se os maridos observarem isto, com eles acontecerá o que as Escrituras dizem, a respeito da época pacífica de Salomão, "Judá e Israel habitavam seguros, cada um debaixo da sua videira e debaixo da sua figueira" (1 Rs 4.25). Esta era a vida no casamento de Abraão com Sara, de Isaque com Rebeca, de Jacó com Leia e Raquel. – *Solomon Gesner*

v. 3: "A videira frutífera aos lados da tua casa". Não está escrito *sobre* os lados da casa, mas *aos* lados. A passagem provavelmente se refere aos jardins cobertos que frequentemente conduzem às casas, e são cobertos com videiras, tendo as uvas penduradas acima das cabeças das pessoas. Sentar-se nestes jardins é como sentar-se debaixo das nossas próprias videiras (Mq 4.4). Em Constantinopla, eu vi uvas penduradas acima das cabeças das pessoas, nas ruas principais, nas videiras que estavam entrelaçadas de um lado da rua até o outro. – *John Gadsby, My Wanderings", 1860*

v. 3: "Aos lados da tua casa". Não no teto, nem no chão; uma posição é alta demais, e assim não convém, pois não se trata de um governo; a outra é baixa demais, e assim não convém, pois não se trata de uma escrava; mas nos lados, em um lugar igual, entre ambos. – *Thomas Adams*

v. 3: "Aos lados da tua casa". A casa é o lugar apropriado para ela; pois ela é "a beleza da casa"; ali estão as suas atividades, ali ela está segura. Os antigos, que as pintavam com um caracol debaixo de seus pés, e os egípcios negando sapatos às suas mulheres, e os citas, queimando o carro da esposa à sua porta, quando ela era levada à casa do esposo, e o anjo, perguntando a Abraão onde estava Sara (embora soubesse bem onde ela estava), para que pudesse ser observado que ela estava "na tenda", tudo isto indica que, pela lei da natureza, e pelas leis da religião, a esposa deve permanecer em casa, a menos que alguma necessidade urgente exija a sua saída. – *Richard Steele (-1692), na obra "The Morning Exercises"*

v. 3: Assim como é evidente que os filhos do homem bom são *"como plantas de oliveira, à roda da sua mesa",* isto não significa que aqui se trate literalmente de oliveiras que cresçam ao redor da mesa de um homem. Suponho que a ideia do Bispo Patrick não será defendida por muitos: ele pensa que o salmista se refira a uma mesa em uma área composta por jovens oliveiras. Porém não encontramos estas árvores no Levante, nem a árvore é apropriada para tal propósito; também, de igual maneira, a primeira sentença deve significar, a tua mulher *estará aos lados* ou nos aposentos privativos *da tua casa, frutífera, como uma videira próspera.* O lugar aqui mencionado (os lados da casa) se refere à esposa, e não à videira; assim como a outra ilustração (a mesa) se refere aos filhos, e não às oliveiras. Este não é um conceito novo, é uma observação que fizeram Musculus e outros intérpretes.

A palavra hebraica traduzida como *lados*, como se sabe, significa *os aposentos mais privativos* de uma casa, como vários estudiosos já observaram; e aquele que lê a descrição que o Dr. Shaw faz de uma casa oriental, deve imediatamente ver a adequação de chamar os aposentos privativos de *seus lados*. Esta casa consiste de um átrio quadrado, que como o doutor observa, é chamado de *meio* da casa: e os aposentos privativos estão ao seu redor, e podem, com a mesma adequação, ser chamados de *seus lados*, consequentemente; neste meio da casa, ou este quadrilátero, nos diz o Dr. Shaw, às vezes eram recebidos os visitantes, ao passo que *outros autores* nos dizem que ali suas *esposas* permaneciam escondidas, nestas ocasiões. – *Thomas Harmer, 1719-1788*

v. 3: "Os teus filhos, como plantas de oliveira", etc. Venha comigo ao bosque, e eu lhe mostrarei o que pode ter sugerido a comparação. Aqui, chegamos a uma bela ilustração. Esta árvore, velha e decaída, está rodeada, como você pode ver, por vários brotos, jovens e viçosos, que brotam da raiz da mãe venerável. Eles parecem sustentá-la, protegê-la e abraçá-la, e podemos até imaginar que agora eles produzem a carga de frutos que, em outra ocasião, seria exigida da frágil mãe. Assim fazem os filhos bons e afetuosos, reunindo-se ao redor da mesa do justo. Cada um contribui para a saúde e o bem estar comum do todo – uma bela visão, com que Deus refresca os olhos de cada amigo meu. – *W. M. Thomson*

v. 3: O homem, pela natureza, sem a influência da graça, é "uma oliveira", e o objeto de muitos pais é meramente cultivar esta oliveira. Que ansiedade existe a respeito de realizações que, por mais atraentes que pareçam, são apenas as flores murchas desta oliveira! – *Richard Cecil, 1748-1810*

v. 3: Embora o mundo seja arrastado por desejos irregulares de variados objetos, entre os quais ele está perpetuamente flutuando em suas escolhas, Deus nos dá, neste salmo, uma descrição daquilo que Ele considera como uma bênção além de todas as riquezas, e por isto devemos tê-lo em grande estima. Se um homem tem uma esposa de modos afáveis como a companheira da sua vida, que ele não veja menos valor nesta bênção do que Salomão, que, em Pv 19.14, afirma que apenas Deus dá uma boa esposa. De igual maneira, se um homem for o pai de uma numerosa descendência, que receba esta piedosa bênção com um coração agradecido. – *João Calvino*

v. 3: Antes da queda, o Paraíso era a casa do homem; desde a queda, a sua casa tem sido o seu Paraíso. – *Augustus William Hare (1792-1834), e Julius Charles Hare (1795-1855), em "Guesses at Truth"*

v. 4: Assim como Hamã ordenou que fosse proclamado (Et 6.9), "Assim se fará ao homem de cuja honra o rei se agrada!", também aqui, *"Eis que assim será abençoado o homem que teme ao Senhor"*. Ele será abençoado por ter a sua esposa, e abençoado por ter os seus filhos; tão abençoado ele será que o salmista chama a todos, para que vejam, como uma visão rara, bela e, sim, maravilhosa; *"Eis que assim será abençoado o homem"*. E o homem que teme a Deus será mais abençoado do que *isto*: a sua bênção virá da melhor maneira (v. 5): *"O Senhor te abençoará desde Sião"*; as suas graças temporais virão de uma maneira espiritual, ele terá bênçãos espirituais: *"O Senhor te abençoará desde Sião"*; e ele terá bênçãos além dos seus próprios muros: *"e tu verás o bem de Jerusalém em todos os dias da tua vida. E verás os filhos de teus filhos e a paz sobre Israel"*. Às vezes, um homem bom não tem alegria nas graças da sua família, por causa das aflições da igreja; ele "prefere Jerusalém à sua maior alegria" (Sl 137.6), e enquanto ela se lamenta, ele não pode deixar de se angustiar, ainda que a sua própria casa esteja cheia de alegria. Às vezes, a família do homem é tão afligida, e sua casa está tão cheia de tristeza, que ele não pode deixar de lamentar, mesmo quando Jerusalém se alegra e Sião está contente. Mas quando o homem bom olha para a sua própria casa e vê ali o bem, quando ele olha para Jerusalém e vê o bem também ali, quão grande é a sua alegria! Quão completa é a sua bem-aventurança! *"Eis que assim será abençoado o homem que teme ao Senhor"*. – *Joseph Caryl*

v. 4: "Eis que assim será abençoado o homem", etc. A declaração é feita com uma nota que exige atenção: *vejam isto,* pela fé na promessa; *vejam isto,* observando o cumprimento da promessa; *vejam isto,* com a certeza de que assim será, pois Deus é fiel; e com admiração porque assim será, pois nós não merecemos nenhuma benevolência, nenhuma bênção dele. – *Matthew Henry*

v. 5: "Tu verás o bem de Jerusalém", etc. O que é acrescentado, a respeito do *"bem de Jerusalém"* deve ser considerado como impondo sobre o piedoso o dever, não apenas de buscar o seu próprio bem-estar individual, ou de estar devotado aos seus próprios interesses particulares, mas de ter, como seu principal objetivo, ver a igreja de Deus em uma condição próspera. Seria muito irracional se cada membro desejasse o que pudesse ser benéfico para si mesmo, enquanto, ao mesmo tempo, o corpo fosse negligenciado. Com base na nossa extrema propensão em errar neste sentido, o profeta, com razão, recomenda solicitude com relação ao bem-estar público: e ele mescla as bênçãos domésticas e os benefícios comuns da igreja, de maneira que nos mostra que são coisas unidas e que é ilícito separá-las. – *João Calvino*

v. 6: Senhor, que a tua bênção assim acompanhe os meus esforços, que todos os meus filhos possam ser Benaia, edificação do Senhor, e então todos serão Abner, a luz de seu pai; e que todas as minhas filhas possam ser Bitia, filhas do Senhor, e então todas serão Abigail, a alegria de seu pai. – *George Swinnock*

v. 6: A religião é tão favorável para a vida longa como para a felicidade. Ela promete a vida longa, destruindo aqueles males cuja tendência é limitar a duração da existência humana. A guerra varre milhões para uma sepultura prematura. Os homens vivem mais nas nações cristãs do que nas outras. E vivem mais em nações protestantes do que nas católicas romanas. O resultado direto da religião verdadeira é a ampliação da duração da vida humana. "Aumento de dias há na sua mão direita". – *N. M' Michael*

v. 6: Conectando este salmo ao seguinte, encontramos o seguinte, de um famoso clérigo escocês: "*'Paz sobre Israel'*. A grande bênção da paz, que o Senhor prometeu ao seu povo já nesta vida (pois quando o Senhor concede misericórdia a alguém, Ele também concede paz; a paz e a graça são inseparáveis), esta paz, eu digo, não consiste no fato de que o povo de Deus não tenha inimigos; não, pois existe uma inimizade imortal e incessante contra eles. Nem a sua paz consiste no fato de que os seus inimigos não os atacarão, nem consiste no fato de que os seus inimigos não os perturbarão nem afligirão. Nós apenas nos enganamos se, enquanto estivermos nesta nossa peregrinação, e na nossa batalha aqui, nos prometermos uma paz deste tipo; pois enquanto nós vivermos neste mundo, ainda teremos inimigos, e estes inimigos irão nos atacar, perseguir e afligir". – *Alexander Henderson*

SUGESTÕES AOS PREGADORES

v. 1. A universalidade da bem-aventurança dos homens que temem a Deus. As circunstâncias, pessoais ou relativas, não podem alterar a bênção; nem a idade, nem a opinião pública, nem mesmo a sua própria percepção da indignidade podem fazê-lo.

v. 1. Considere: I. A união de um temor correto com um andar correto.

1. Há um temor errado, porque é escravizante; ele jamais poderá conduzir à obediência genuína, que deve ser voluntária e alegre.

2. Mas o temor, a reverência, e o amor filial certamente levarão os pés aos caminhos de Deus, e os manterão firmes e os dotarão de velocidade.

II. A bem-aventurança daquele em quem eles estão unidos.

1. É a bem-aventurança da vida; pois é próspera.

2. É a bem-aventurança da felicidade doméstica; pois onde o chefe da família é santo, a família será um lar de paz.

3. É a bem-aventurança de uma santa influência em cada esfera da sua atividade.

4. É a bem-aventurança profundamente sentida, no andar com Deus.

5. E tudo isto é apenas um prelúdio à eterna bem-aventurança do céu. – *J. F.*

v. 2. As bem-aventuranças dos justos são, em primeiro lugar, generalizadas, e depois particularizadas. Aqui, elas são divididas em três categorias.

I. O fruto dos trabalhos passados.
II. O gozo atual.
III. O bem-estar futuro: "e te irá bem". Bem no tempo; bem na morte; bem no juízo final; bem para sempre. – *G. R.*

v. 2. I. O trabalho, uma bênção para aquele que teme ao Senhor.
II. Os frutos do trabalho, o resultado da bênção de Deus.
III. O gozo dos frutos do trabalho, uma bênção adicional de Deus. – *W. H. J. P.*

v. 2 (primeira parte). Sucesso na vida.
I. A sua origem – a bênção de Deus.
II. O seu canal – o nosso próprio trabalho.
III. A medida em que é prometido – tanto quanto pudermos comer. O excedente estará além da promessa.
IV. O Desfrute. Nós temos permissão de comer ou de desfrutar do fruto do nosso trabalho.

v. 2 (segunda parte). Felicidade piedosa.
I. Segue a bênção de Deus.
II. Cresce a partir do caráter; "temer ao Senhor".
III. Segue o trabalho: veja sentença anterior.
IV. É sustentada pelo bem-estar: veja sentença seguinte.

v. 2 (última parte). I. E te irá bem, enquanto viveres.
II. Tudo irá melhor para ti, quando morreres.
III. Irá ainda melhor para ti, na eternidade. – *Adaptado de Matthew Henry*

v. 3. A bênção dos filhos. I. Eles estão ao redor da nossa mesa – despesas, ansiedade, responsabilidade, prazer.
II. São como plantas de oliveira – fortes, plantados em ordem, vindos para nos suceder, frutíferos para Deus – como a oliveira fornece azeite para a lâmpada.

v. 3. Uma imagem familiar completa. Aqui estão o esposo, a esposa, os filhos, a casa, os cômodos ao lado, a mesa. Nós devemos pedir uma bênção sobre cada um, bendizer a Deus por cada um, e usar cada um de uma maneira abençoada.

v. 4. A felicidade doméstica, a bênção peculiar da piedade. Mostre como é produzida e mantida.

v. 5. A bênção desde Sião. Veja Nm 6.24-26.

v. 5. Duas graças inestimáveis. I. A casa de Deus, uma bênção para a nossa casa. Está conectada com a nossa própria salvação, edificação, consolação, etc. É a nossa esperança pela conversão de nossos filhos e servos, etc. É o lugar da educação deles, e para a formação de amizades proveitosas, etc.
II. A nossa casa é uma bênção para a casa de Deus. Interesse pessoal na igreja, hospitalidade, generosidade, serviço, etc. Filhos auxiliando o trabalho santo. Esposa proficua, etc.

v. 6. Velhice abençoada, quando,
I. A vida foi vivida no temor de Deus.
II. Quando é rodeada, até o seu final, pelo afeto humano.
III. Quando mantém o seu interesse na causa de Deus. – *W. H. J. P.*

v. 6 (última sentença). Paz da igreja – a sua excelência, os seus inimigos, os seus amigos, os seus frutos.

SALMO 129

TÍTULO

Cântico de Degraus. Eu não vejo este como um passo além do salmo anterior; mas é claramente o cântico de um indivíduo mais velho e mais experimentado, que examina uma vida de aflição em que ele sofreu todo o tempo, desde a sua mocidade. Na medida em que a paciência é uma graça mais elevada, ou pelo menos, mais difícil, do que o amor doméstico, a subida, ou o progresso pode, talvez, ser vista nesta direção. Provavelmente, se conhecêssemos mais detalhes sobre as estações no caminho para o templo, nós veríamos uma razão para a ordem destes salmos; mas como esta informação não pode ser obtida, devemos interpretar os cânticos como os encontramos, e devemos nos lembrar de que, como agora não seguimos em peregrinações para Sião, é a nossa curiosidade, e não a nossa necessidade, que perde, por não conhecermos a causa do arranjo dos cânticos neste Saltério de Peregrinação.

AUTOR

Não nos parece necessário atribuir este Salmo a um período posterior ao do cativeiro; na verdade, ele é mais adequado a um período em que o inimigo ainda não tinha prevalecido a ponto de levar o povo para uma terra distante. É um hino de tristeza mesclado com uma forte determinação. Embora gravemente ferido, o coração do aflito está intacto e se recusa a ceder, ainda que no mínimo, ao inimigo. O poeta canta as aflições de Israel, vv. 1-3; a interposição do Senhor, v. 4; e a condição dos inimigos de Israel, sem a bênção, vv. 5-8. É um cântico rude, cheio de alusões à agricultura, e nos lembra dos livros de Rute e Amós.

EXPOSIÇÃO

1 *Muitas vezes me angustiaram desde a minha mocidade, diga agora Israel.*
2 *Muitas vezes me angustiaram desde a minha mocidade; todavia, não prevaleceram contra mim.*

3 *Os lavradores araram sobre as minhas costas; compridos fizeram os seus sulcos.*
4 *O Senhor é justo; cortou as cordas dos ímpios.*
5 *Sejam confundidos e tornem atrás todos os que aborrecem a Sião!*
6 *Sejam como a erva dos telhados, que se seca antes que a arranquem,*
7 *com a qual o segador não enche a mão, nem o que ata os feixes enche o braço,*
8 *nem tampouco os que passam dizem: A bênção do Senhor seja sobre vós! Nós vos abençoamos em nome do Senhor!*

1. *"Muitas vezes me angustiaram desde a minha mocidade, diga agora Israel."* Na sua atual hora de aflição, Israel podia se lembrar de suas aflições anteriores e falar delas, para sua consolação, extraindo delas a segurança de que aquele que tinha estado com ele por tanto tempo não o abandonaria no final. O cântico começa abruptamente. O poeta esteve refletindo, e o fogo irrompe, por isto ele fala, com sua boca: ele não consegue evitar, sentindo que deve falar, e por isto, "diz agora" o que tem a dizer. As aflições da igreja se repetiram várias vezes, vezes sem conta; as mesmas aflições são cumpridas em nós, como em nossos pais. Jacó, antigamente, teve seus dias cheios de problemas; cada israelita é frequentemente molestado; e Israel como um todo seguia, de tribulação em tribulação. "Muitas vezes", Israel diz, porque ele não poderia dizer quantas vezes. Ele fala dos que o atacavam como "eles" porque seria impossível escrever ou até mesmo conhecer os nomes de todos. Eles o tinham incomodado, perturbado e combatido, desde os primeiros dias da sua história – desde a sua mocidade, e tinham continuado com seus ataques, sem cessar. A perseguição é a relíquia de família da igreja, e a insígnia dos eleitos. Israel era peculiar entre as nações, e esta peculiaridade trouxe contra ela muitos adversários incansáveis, que jamais poderiam estar felizes e à vontade, a menos que estivessem guerreando contra o povo de Deus. Quando em Canaã, a princípio, a casa escolhida era frequentemente posta à prova severamente; no Egito ela foi gravemente oprimida; no deserto, foi violentamente atacada; e na terra prometida, estava frequentemente cercada por inimigos mortais. Era significativo que a nação afligida sobrevivesse para *dizer:* "Muitas vezes me angustiaram". A aflição começou cedo – "desde a minha mocidade", e continuou por muito tempo. Os primeiros anos de Israel e da igreja de Deus foram passados em aflição. Os bebês na graça são ninados na oposição. Tão logo a criança nasce, o dragão já começa a persegui-la. No entanto, "Bom é para o homem suportar o jugo na sua mocidade", e ele verá que isto é verdade, quando, posteriormente, contar esta história.

2. *"Muitas vezes me angustiaram desde a minha mocidade."* Israel repete a sua declaração sobre as suas repetidas aflições. O fato era o mais insistente nos seus pensamentos, e ele não podia evitar, de tempos em tempos, falar consigo mesmo sobre ele. Estas repetições são feitas sob forma poética: assim Israel cria um soneto com as suas angústias, faz música de sua infelicidade.

"Todavia, não prevaleceram contra mim." Nós parecemos ouvir aqui o bater dos pequenos pandeiros e o soar dos címbalos: o adversário é ridicularizado, a sua perversidade falhou. A palavra *"todavia"* aparece, como o soar de trombetas ou de tambores. "Abatido, mas não destruído", é o grito de um vitorioso. Israel lutou, e venceu a luta. Quem pode se admirar disto? Se Israel lutou com o anjo do concerto, que homem ou demônio poderá vencê-lo? A luta foi frequentemente renovada, e prolongada por muito tempo, o vencedor sentiu duramente o conflito, e algumas vezes chegou a temer o resultado; mas, no final, ele toma fôlego e clama, "Todavia, não prevaleceram contra mim". "Muitas vezes"; sim, "muitas vezes", o inimigo teve a sua oportunidade e a sua vantagem, mas nem mesmo uma vez conquistou a vitória.

3. *"Os lavradores araram sobre as minhas costas."* Os flageladores rasgaram-lhe a carne, como os lavradores aram um campo. O povo era maltratado como um criminoso entregue ao lictor com seus cruéis açoites; as costas da nação estavam rasgadas e aradas pela opressão. É uma imagem forte, condensada em poucas palavras. Um autor diz que a metáfora é confusa, mas ele está enganado, há várias

imagens, como em uma situação complicada, mas não há confusão. A nação afligida era, de certa forma, açoitada pelos seus adversários, de maneira tão cruel, que cada golpe deixava uma longa marca vermelha, ou talvez uma ferida sangrenta, sobre suas costas e seus ombros, o que é comparado a um sulco que rasga o solo de uma ponta a outra do campo. Muitos corações já estiveram em situações semelhantes, feridos severamente por aqueles que usam o açoite da língua, tão feridos que todo o seu caráter foi cortado e rasgado pela calúnia. A igreja fiel, em cada época, comungou com o seu Senhor sob suas cruéis flagelações, os seus sofrimentos eram uma profecia do que ela teria que suportar no futuro, e a previsão se cumpriu. Sião foi, neste sentido, arada como um campo.

"Compridos fizeram os seus sulcos"; como se eles se deleitassem na sua crueldade. Eles não perdiam sequer um centímetro, mas percorriam o campo de uma extremidade a outra, pretendendo fazer um trabalho completo na sua atividade. Aqueles que usavam o açoite o faziam com uma minúcia que mostrava o quão sincero era o seu ódio. Certamente, os inimigos da igreja de Cristo jamais pouparam esforços para infligir o máximo sofrimento: eles não faziam o trabalho do mal de maneira enganosa, nem afastavam sua mão do sangue. Eles ferem como se arassem sobre o homem; eles aram a carne trêmula como se fossem torrões de terra; eles fazem sulcos profundos e longos, incontáveis; até que não deixam nem uma porção da igreja sem ser flagelada ou atacada. Ai de mim! Bem diz Latimer, que nunca houve um lavrador mais atarefado, em todo o mundo, do que o diabo; ainda que alguém faça sulcos curtos, não é o caso dele. Ainda que alguém recue e se esquive, ele é meticuloso em tudo o que faz. Ainda que alguém pare de trabalhar ao pôr-do-sol, ele jamais faz isto. Ele e seus filhos aram como lavradores experientes; mas preferem continuar com o seu trabalho pernicioso sobre os santos, às suas costas, pois são tão covardes quanto cruéis.

4. *"O Senhor é justo."* O que quer que possam ser os homens, o Senhor permanece justo, e por isto conservará o concerto com o seu povo, e distribuirá justiça aos seus opressores. Aqui está a condição: isto representa o ponto crucial da aflição de Israel. O Senhor tem paciência com os longos sulcos do arado dos ímpios, mas certamente os fará deixar o arado antes de fazer a justiça contra eles.

"Cortou as cordas dos ímpios." A corda que prende os bois ao arado foi cortada; a corda que prendia a vítima foi cortada; o elo que mantinha os inimigos em cruel unidade foi rompido. Como no salmo 124.7, lemos, "o laço quebrou-se, e nós escapamos", também aqui, o rompimento do instrumento de opressão dos inimigos é a libertação de Israel. Mais cedo, ou mais tarde, um Deus justo irá se interpor, e quando o fizer, os seus atos serão extremamente eficazes; Ele não afrouxa, mas corta totalmente os arreios que os ímpios usam na sua atividade de ódio. Deus jamais usou uma nação para castigar o seu Israel sem destruir esta nação, quando a punição chegasse ao fim; Ele detesta aqueles que ferem o seu povo, embora permita que o ódio deles triunfe durante algum tempo, para cumprir os seus próprios propósitos. Se alguém deseja ter cortados os seus arreios, que comece a arar um dos campos do Senhor com o arado da perseguição. O caminho mais curto para a destruição é se intrometer com um santo: o aviso divino é, "aquele que tocar em vós toca na menina do seu olho".

5. *"Sejam confundidos e tornem atrás todos os que aborrecem a Sião."* E isto dizemos sinceramente: e neste caso, *vox populi* é *vox Dei*, pois assim será. Se esta for uma maldição, que seja, pois o nosso coração diz "Amém" a ela. É apenas justiça que aqueles que odeiam, molestam e ferem os santos sejam reduzidos a nada. Aqueles que confundem certo e errado serão confundidos, e aqueles que voltam as costas para Deus tornarão atrás. Os súditos leais desejam o mal a todos os que tramam contra o seu rei.

"Confundir a sua maneira de agir,
Frustrar os seus truques enganosos"...

... é apenas um desejo apropriado, e não contém nenhum sinal de má vontade pessoal. Nós desejamos o seu bem-estar como homens, mas a sua queda como traidores. Que a sua conspiração seja confundida, e as suas atitudes retornem sobre eles mesmos. Como podemos desejar prosperidade àqueles que desejam destruir o que é mais precioso aos nossos corações? Esta era atual é tão irreverente que se alguém ama o Salvador, logo é considerado fanático, e se odeia os poderes do mal é considerado intolerante. Quanto a nós, apesar de todas as objeções, nós nos unimos, fervorosamente, a esta denúncia: e poderíamos reviver em nosso coração o antigo costume de Ebal e Gerizim, onde eram abençoados os que abençoam a Deus, e eram amaldiçoados os que representavam uma maldição para os justos. Nós ouvimos os homens desejando mil vezes que a forca fosse a recompensa dos assassinos que mataram dois homens inocentes em Dublin e jamais poderíamos censurar este desejo; pois a justiça deve ser feita aos maus, bem como aos bons. Além disto a igreja de Deus é tão útil, tão bela, não inocente e inofensiva, tão cheia do bem, que aqueles que lhe fazem mal estão fazendo mal a toda a humanidade, e merecem ser tratados como inimigos da raça humana. Estude um capítulo do "Book of Martyrs" [Livro dos Mártires], e veja se você não se sente inclinado a ler um salmo de maldição sobre o Bispo Bonner e Maria, a Sanguinária; pode ser que algum sentimentalista desprezível do século XIX lhe repreenda: se isto acontecer, leia outro Salmo como este *sobre ele.*

6. *"Sejam como a erva dos telhados, que se seca antes que a arranquem."* A erva no telhado cresce e morre rapidamente. Ela brota no calor, encontra nutrição suficiente para erguer uma lâmina verde, e logo morre, antes de alcançar a maturidade, porque não tem nem terra nem umidade suficiente para o seu desenvolvimento adequado. Antes de crescer, morre; ela não precisa ser arrancada, pois ela mesma se apressa em decair. Este é, e este será, o destino dos inimigos do povo de Deus. A sua prosperidade é apenas temporária; rápida é a sua destruição. A altura da sua posição, da mesma maneira como acelera o seu progresso, também apressa a sua queda. Se estivessem em posição inferior, talvez pudessem existir por mais tempo. "Amadureceu depressa, depressa apodrece", é um antigo provérbio. Tramou depressa, logo apodrece, é a versão do antigo adágio que é apropriado neste ponto. Nós vemos erva sobre os telhados rústicos de nossas casas de campo, que servem como exemplo do que aparece tão rapidamente nos telhados e cúpulas das moradas orientais. A ideia é – com a mesma rapidez com que progridem, se extinguem. Os perseguidores são som e fúria, raio e chama; mas se extinguem rapidamente – mais rapidamente do que é comum aos homens. A erva no campo seca, mas não tão rapidamente quanto a erva nos telhados. Sem um cortador de grama, os tufos de grama perecem nos telhados, e assim também os opositores perecem, através de mortes diferentes das que acometem os homens comuns; eles morrem, e ninguém estará em uma situação pior do que a deles. Ainda que a sua falta seja percebida, a sua ausência jamais é lamentada. A erva nos telhados não é nada para o mundo: a casa não fica empobrecida quando a última lâmina seca; e assim também os opositores a Cristo desaparecem, morrem, e ninguém os lamenta. Um dos patriarcas da igreja disse, sobre Juliano, o imperador apóstata: "Esta pequena nuvem logo passará"; e assim aconteceu. Cada sistema cético de filosofia tem praticamente a mesma história; e a mesma coisa pode ser dita sobre cada heresia. Coisas pequenas, pobres e sem raízes, existem e deixam de existir; vêm e vão, mesmo que ninguém se erga contra elas. O mal traz dentro de si as sementes da dissolução. Que assim seja.

7. *"Com a qual o segador não enche a mão, nem o que ata os feixes enche o braço."* Quando, com sua foice, o lavrador desejou cortar as moitas, não encontrou nada para tomar; a erva prometia ser suficientemente boa, mas não cumpriu, não havia nada para cortar ou levar, nada que a mão pudesse pegar, nada que o braço pudesse juntar. Os orientais carregam seu trigo com os braços, mas neste caso não havia nada para levar para casa. Desta mesma maneira, os ímpios são reduzidos a nada. Pela justa indicação de Deus, eles provam ser um desapontamento. O seu

fogo acaba em fumaça - a sua erva se converte em inutilidade; o seu florescer é apenas uma forma de murchar. Ninguém se beneficia com eles, e menos ainda eles são benéficos a si mesmos. A sua meta é má, a sua obra é pior, e o seu fim, o pior de todos.

8. *"Nem tampouco os que passam dizem: A bênção do Senhor seja sobre vós: Nós vos abençoamos em nome do Senhor."* Nos tempos de colheita, os homens se abençoam, uns aos outros, em nome do Senhor. Mas não há nada, no comportamento dos homens ímpios, que sugira que deem ou recebam uma bênção. Com um exame da vida do pecador, desde o início até o fim, nós nos sentimos mais inclinados a chorar do que regozijar, e nos sentimos propensos a desejar-lhe o fracasso, e não o sucesso. Nós não ousamos usar expressões piedosas como meros cumprimentos, e por isto não ousamos desejar boa sorte aos perversos, a menos que participemos de suas obras malignas. Quando os perseguidores estão atormentando os santos, não podemos dizer, "A bênção do Senhor esteja sobre vós". Quando eles caluniam os piedosos e se opõem à doutrina da cruz, não ousamos abençoá-los em nome do Senhor. Seria infame comprometer o nome do justo Senhor pronunciando a sua bênção sobre obras de injustiça.

Veja como os homens piedosos são cruelmente feridos e arados pelos seus adversários, e ainda assim isto produz uma colheita que resiste e produz bênçãos; ao passo que os ímpios, embora floresçam e prosperem durante algum tempo, e desfrutem de total imunidade, habitando, na sua opinião, muito acima do alcance do mal, depois de pouco tempo vemos que seguiram seu caminho e não deixaram rastro. Senhor, conta-me entre os teus santos. Permite que eu compartilhe da sua angústia, se eu puder também compartilhar da sua glória. Assim eu desejo tornar meu este salmo, e exaltar o teu nome, porque os teus aflitos são abatidos, mas não destruídos; perseguidos, mas não desamparados.

NOTAS EXPLICATIVAS E DECLARAÇÕES SINGULARES

O salmo: Nos "degraus" da virtude cristã, este salmo corresponde ao décimo passo, que é a paciência na adversidade. - *H. T. Armfield*

O salmo: O seguinte incidente, com relação ao glorioso retorno dos Vaudois sob Henri Arnaud é relatado na obra "Israel of the Alps", de Muston: "Depois destes sucessos, os galantes patriotas fizeram um juramento de fidelidade, uns aos outros, e celebraram o culto divino em uma das igrejas da cidade, pela primeira vez, depois da sua expulsão. O entusiasmo do momento era irreprimível, eles entoaram o salmo 74 batendo palmas, e Henri Arnaud, subindo ao púlpito com uma espada em uma das mãos e uma Bíblia na outra, pregou o Salmo 129, e uma vez mais declarou, diante do céu, que jamais concluiria o seu trabalho pastoral em paciência e paz, até que testemunhasse a restauração de seus irmãos a seus assentamentos, antigos e de direito".

v. 1: "Muitas vezes me angustiaram desde a minha mocidade". 1. Como são *antigas* estas aflições: *"Desde a minha mocidade"*. Ai, desde a minha infância, nascimento e concepção. 2. A *frequência* e a *iteração* destas aflições. Elas eram *frequentes* e *muitas*; *"muitas vezes"*. 3. A *seriedade e gravidade* destas aflições, expressas por uma comparação. "Os lavradores araram sobre as minhas costas; compridos fizeram os seus sulcos". Assim eram estas *antigas* aflições - *desde a sua mocidade*. Foram *muitas vezes*; mais vezes do que é possível contar. E eram *graves*, como arados de ferro, formando sulcos profundos e longos nas suas costas. - *Alexander Henderson*

v. 1: "Muitas vezes me angustiaram", etc. Deus teve um Filho, e apenas um Filho, sem pecado; mas nunca teve nenhum sem angústia. Nós podemos ser filhos de Deus, e ainda estar sujeitos a perseguição; podemos ser o seu Israel e ainda assim afligidos desde a nossa mocidade. Nós podemos sentir a mão de Deus, como Pai, sobre nós, quando Ele nos castiga e também quando Ele nos acaricia. Quando

Ele nos acaricia, é para que não desfaleçamos sob a sua mão; e quando Ele nos castiga, é para que conheçamos a sua mão. – *Abraham (1611-1690), em "A Practical Commentary Upon the Psalms"*

v. 1: "Eles" (um termo oculto, subentendido). Os perseguidores não merecem nome. O nome do rico não é mencionado (como é o de Lázaro), porque não merece sê-lo (Lc 16). "Serão escritos sobre a terra" (Jr 17.13). – *John Trapp*

v. 1: "Eles" (um termo oculto, subentendido). Ao falar sobre os inimigos de Israel simplesmente usando o pronome *"eles"*, sem ser mais específico, o salmista agrava a gravidade do mal, mais do que se tivesse mencionado especificamente os assírios ou os egípcios. Ao não especificar nenhuma classe particular de adversários, ele sugere, tacitamente, que o mundo está cheio de grupos incontáveis de inimigos, a quem Satanás facilmente dota de armas para a destruição dos homens bons, sendo o seu objetivo que novas guerras possam irromper continuamente, em todos os lugares. A história certamente fornece amplos testemunhos de que o povo de Deus não teve que lidar com poucos inimigos, mas foi atacado por praticamente o mundo inteiro; e, além disto, que foi perturbado, não somente por adversários externos, mas também por aqueles de um tipo interno, pelos que professavam pertencer à igreja. – *João Calvino*

v. 1: "Me angustiaram". Por que há estas aflições sobre os justos? Como aquele que entregou o seu Filho à morte, por eles, lhes negaria bênçãos terrenas? Por que a fé lamenta tão frequentemente aqui, e com toda aquela heroica firmeza no seu aspecto e a esperança de glória nos seus olhos, por que ela precisa ser pintada com uma angústia tão profunda na sua fisionomia, e os traços de contínuas lágrimas no seu rosto? Em primeiro lugar, respondemos que *para a sua própria segurança.* Coloque a religião fora do alcance da angústia, e logo ela irá se consumir e perecer. Deus escolhe o seu povo na fornalha, porque frequentemente eles o escolhem ali.

É sempre da cruz que vêm os mais fervorosos "meu Deus", e tão logo o clamor é ouvido, já se apressa aquele que já esteve suspenso ali, para sustentar, consolar e salvar.

Assim como frequentemente é somente na aflição que Deus é *buscado,* também, para muitos, é somente na aflição que Deus é *conhecido.* Isto descobriu um dos reis destes adoradores do Templo. "Angustiado... reconheceu Manassés que o Senhor é Deus" (2 Cr 33.12,13).

Mas, além disto, é somente pela aflição *que nós mesmos somos conhecidos.* Qual é a origem desta indiferença profunda e obstinada para com a verdade divina, que prevalece entre os homens do mundo, com a exceção da orgulhosa convicção de que podemos muito bem passar sem ela? É somente quando eles são esmagados, como vermes, que sentem que o pó é a sua origem; somente quando os suportes terrenos forem retirados eles se agarrarão àquele braço onipotente que Jesus oferece, e que Ele ofereceu, por tanto tempo, em vão.

Embora os homens pensem que conhecem a si mesmos, eles só *conhecem (ou reconhecem) o seu pecado* na hora da aflição. Qual é o curso natural e a experiência dos descrentes da humanidade? Transgressão, remorso, e depois esquecimento; nova transgressão, nova angústia, e, novamente, esquecimento. Como se pode quebrar este descuido? Como convencê-los de que precisam de um Salvador, como a primeira e mais profunda necessidade da sua existência, e de que somente poderão assegurar a libertação da ira eterna por uma pronta e urgente súplica a Ele? De nenhuma maneira, tão eficazmente, como pela aflição. Os filhos de Deus, que o tinham esquecido, se levantam e vão ao seu Pai, quando assim feridos pelo açoite da angústia; e tão logo as penitentes palavras *"Pai, pequei"* são proferidas, eles são abraçados pelos seus braços, e ficam felizes e a salvo no seu amor.

É ainda pela aflição que o *mundo* é conhecido dos filhos de Deus. O grande rival de Deus é o mundo. A concupiscência da carne (o prazer); a concupiscência dos olhos (o desejo); a soberba da vida (o desejo de ser considerado superior pelos que estão ao nosso redor) – tudo isto abrange tudo aquilo que o homem cobiça naturalmente.

Dá-nos tranquilidade, honra, distinção, e toda a boa vontade da vida parece obtida. *Mas o que você fará, quando Ele julgar você?* Esta é uma pergunta que deve alarmar os mais felizes filhos da prosperidade.

O que mostra tão frequentemente e eficazmente a necessidade de piedade, como os agudos ensinamentos da aflição? Eles mostram o que os moralistas e pregadores jamais poderiam mostrar, que as riquezas não nos beneficiam no dia da morte, que os prazeres mais plenamente aproveitados não aplacam os terrores que a proximidade da eternidade nos apresenta, e que os amigos, por mais afetuosos que possam ser, não podem interceder por nós e nos salvar no tribunal de Deus. "Consoladores molestos" são todos eles, e é com este propósito de inspirar esta convicção, juntamente com a crença de que somente Jesus pode nos consolar no momento de necessidade, que a aflição é enviada aos filhos de Deus. – *Robert Nisbet*

v. 1: "Desde a minha mocidade". O primeiro, de todos os tempos, que morreu, morreu pela religião; tão cedo veio o martírio ao mundo. – *John Trapp*

vv. 1 e 2: 1. A igreja visível, desde o princípio do mundo, é um só corpo e, de certa forma, um só homem, que cresce desde a infância à idade madura; assim diz a igreja aqui: *"Muitas vezes me angustiaram desde a minha mocidade"*. 2. Os ímpios inimigos da igreja também são um só corpo, um exército adversário, que desde o início do mundo está em guerra contínua contra a igreja: *"Muitas vezes me angustiaram desde a minha mocidade"*. 3. Da mesma maneira que as ofensas anteriores feitas à igreja são reconhecidas pela igreja, nas eras futuras, como feitas contra o mesmo corpo, também a perseguição de inimigos anteriores é somada à contagem dos perseguidores atuais: *"Muitas vezes me angustiaram desde a minha mocidade, diga agora Israel"*. 4. Novas experiências de perseguição, quando nos trazem à mente o exercício da igreja em eras anteriores, serve, em grande parte, para o encorajamento e a consolação em meio a dificuldades: *"Muitas vezes me angustiaram desde a minha mocidade, diga agora Israel"*. 5. Embora tenha sido o intuito e esforço dos ímpios, em todas as gerações, destruir a igreja, ainda assim Deus a preservou, de geração em geração: *"todavia, não prevaleceram"*. – *David Dickson*

vv. 1 e 2: Quando o profeta diz, duas vezes, *"me angustiaram"*, *"me angustiaram"*, a repetição não é supérflua, mas pretende nos ensinar que o povo de Deus não tinha apenas uma ou duas vezes estado em conflito, mas que a sua paciência tinha sido posta à prova por contínuos exercícios. – *João Calvino*

v. 2: "Muitas vezes", etc. A igreja cristã pode adotar a linguagem da igreja dos hebreus: "Muitas vezes me angustiaram desde a minha mocidade: todavia, não prevaleceram contra mim". Que aflições suportou a igreja cristã, desde a sua mocidade! Quão frágil era esta mocidade! Como era pequeno o número dos apóstolos aos quais o nosso Senhor deu o seu Evangelho como incumbência! Quão destituídos eles estavam, de ensinamento humano, de influência no mundo, de poder secular! Para concretizar a sua destruição e frustrar o seu objetivo – a glória de Deus e a salvação dos homens – a masmorra e os ataques, a tortura e a calúnia, tudo isto foi sucessivamente empregado. Os lavradores araram suas costas e ali fizeram longos sulcos. As suas propriedades foram confiscadas; eles foram aprisionados; os seus direitos civis lhes foram negados; as suas cabeças rolaram no cadafalso; os seus corpos se consumiram, queimados vivos; eles foram lançados, em meio aos gritos da multidão, aos animais selvagens no anfiteatro. No entanto, apesar de toda a oposição, a nossa santa religião firmou raízes e cresceu ereta. Nem toda a fúria de dezenas de perseguições conseguiu exterminá-la da terra. Os dentes dos animais selvagens não puderam reduzi-la a pó; o fogo não pôde extingui-la; as águas não conseguiram afogá-la; a masmorra não pôde confiná-la. A verdade é eterna, como o grande Deus, de cujo seio ela nasce, e por isto, não pode ser destruída. E como o cristianismo é a verdade, e não uma mentira, os seus inimigos jamais conseguiram prevalecer contra ele. – *M. M'Michael*

v. 2: "Todavia, não prevaleceram contra mim". As palavras são as mesmas de Gn 32.28. A bênção conquistada por Jacó, quando lutou com o anjo, permaneceu sobre os seus descendentes. Durante a longa noite do cativeiro, os fiéis tinham lutado, em constante oração; agora a manhã surgiu, e a nação de Israel foi exaltada a um nível de privilégios mais elevado. – *W. Kay*

v. 2: "Todavia, não prevaleceram contra mim". Israel prevaleceu com Deus, lutando com Ele, e por isto prevalece também com os homens. Se nós lutarmos com Deus por uma bênção, e prevalecermos com Ele, não precisaremos temer, mas também lutaremos com os inimigos por ela. Se nós formos o povo de Deus e persistirmos em lutar contra os seus inimigos, não precisamos temer, seremos vitoriosos. – *Alexander Henderson*

v. 3: "Os lavradores araram", etc. Aqui não parece haver nenhuma necessidade de procurar uma interpretação disto no açoitamento ou qualquer outra imposição física de dor; parece ser um "modo figurado de expressar uma severa opressão". Roberts nos informa que quando, no oriente, um homem está em meio a muita aflição, devido aos seus opressores, diz, "Como me araram e me reviraram". – *Ingram Cobbin, 1839*

v. 3: "Os lavradores araram", etc. O grande Lavrador a quem pertence este arado (ou, pelo menos, por cuja permissão o arado é usado) é Deus. Deus não apenas faz com que os nossos arados comuns se reúnam em grupos, e assim envia o Evangelho a uma terra, mas é Ele que também dispõe e governa este mesmo arado de perseguição. Pois sem a sua permissão o arado não seria preso ao jugo, e, se preso ao jugo, não poderia ir para o campo, até que Ele assim ordenasse; e Ele abranda os ferros, de modo que não podem penetrar nem um centímetro a mais do que Ele julga adequado. Quando Ele pensar que é o momento de deixar de trabalhar, imediatamente Ele corta as cordas, de modo que eles não possam seguir depois que Ele julgar que é o momento de deixar o trabalho. Ainda que, quando arando, eles decidam revolver toda a terra, Ele não os deixará arar mais do que Ele mesmo julgar adequado. Quanto aos condutores deste arado, são Satanás e os anjos maus; eles levam o arado, e levam os aguilhões; e prendem os bois ao arado, e os conduzem, com seus aguilhões; e também têm um tipo de música, que assobiam ao ouvido dos bois, para fazer com que vão mais depressa; e estas são as atrações e provocações do mundo. E quanto aos bois que puxam este arado, podem ser príncipes, quando se tornam perseguidores da igreja; podem ser prelados; podem ser políticos no mundo; estes são os bois, incitados por Satanás e os espíritos malignos para que sigam no curso por eles desejado. Então, considere aqui que o arado e os condutores do arado e os bois trabalhem como Deus julga adequado; mas o que é que estão fazendo, enquanto isto? Nada, exceto preparar o solo para as sementes, e assim o Senhor os emprega, para preparar o seu povo para receber melhor a semente da sua palavra e do seu Espírito. – *Alexander Henderson*

v. 3: Deus não deixa de semear bênçãos nos sulcos, que os lavradores aram sobre as costas da igreja. – *Jeremy Taylor, 1613-1667*

v. 3: "Os lavradores araram sobre as minhas costas; compridos fizeram os seus sulcos". Quando o Senhor Jesus Cristo estava em sua condição de sofrimento, e durante a sua paixão, estas palavras aqui preditas, sobre Ele, foram muito expressamente realizadas. Enquanto Ele estava nas mãos dos soldados romanos, estes o despiram de suas vestes, e o ataram com cordas a uma coluna, e o açoitaram. Isto foi feito por eles, de tal maneira, que produziram sulcos em suas costas e lados; rasgaram pele e carne, e o desnudaram até os ossos, de modo que o seu corpo ficou como um campo arado; os cortes eram como sulcos feitos em um campo arado; estes estavam nas suas costas. *"Os lavradores araram sobre as minhas costas, compridos fizeram os seus sulcos".* Embora cada parte dos sofrimentos e das angústias do nosso Senhor esteja minuciosamente apresentada nos hinos sagrados, salmos e cânticos, contidos no que chamados de livro dos Salmos, nós jamais compreenderemos o que o nosso tão bendito Senhor, em todas as áreas da sua vida e na sua paixão e morte enfrentou por nós: que o Senhor, o Espírito, grave esta expressão viva, usada sobre este tema, eficazmente sobre nós. As palavras do nosso Senhor expressam intensamente a violência daqueles que o atormentavam e a sua ira contra Ele, e os ferimentos e tormentos que lhe infligiram.

Quais devem ter sido os sentimentos do nosso Senhor, quando fizeram tais sulcos sobre as suas costas, que ficaram sulcadas e marcadas com tão longas feridas, mais semelhantes a um campo arado do que a qualquer outra coisa!? Bendigamos a Ele, pela sua graça e paciência, pois "pelas suas pisaduras, fomos sarados". – *Samuel Eyles Pierce*

v. 3: "Compridos fizeram os seus sulcos". A aparente dureza desta imagem irá desaparecer, se considerarmos que ela se refere a severos açoitamentos públicos. Àqueles que estavam extremamente infelizes por testemunhar açoitamentos deste tipo, esta alusão pareceria muito expressiva. Os longos ferimentos que o açoite deixa, a cada golpe, podem ser comparados, com muita propriedade, a *sulcos* ou (como o original admite) às *marcas entre os sulcos.* Os *sulcos* feitos pelo arado no Oriente são muito superficiais, e (embora retos), normalmente acabam tendo um grande comprimento; os campos não ficam delimitados, como neste país. – *John Kitto, The Pictorial Bible"*

v. 4: "O Senhor é justo: cortou as cordas dos ímpios", isto é, Ele trouxe um fim ao seu domínio e tirania sobre nós. Na palavra hebraica que é traduzida como *"cordas"*, há uma referência aos *arreios com que os bois eram presos ao arado;* e assim às *maquinações* e *crueldades* do inimigo. A palavra hebraica, na verdade, indica *cordas torcidas e espessas,* de modo figurado, iniquidade entrelaçada (Mq 7.3). *"As cordas dos ímpios"*, portanto, significam o seu *poder, domínio, tirania,* iniquidade e violência. Está escrito que Deus *"cortou"* estas cordas, de modo que *Ele pudesse ter trazido o fim*; e, portanto, *"cortou" para sempre,* de modo que jamais fossem unidas outra vez. – *Hermann Venema*

v. 4: "Cortou as cordas dos ímpios". O poder dos inimigos foi rompido; *Deus cortou as cordas dos ímpios*, Ele cortou suas engrenagens, seus arreios, e assim arruinou o seu cultivo; cortou seus açoites, e assim limitou o poder que tinham para flagelar; cortou os elos de união, pelos quais eram combinados, juntos; cortou as cordas do cativeiro, em que mantinham o povo de Deus. Deus tem várias formas de incapacitar os ímpios para que jamais possam fazer o mal que desejam contra a sua igreja; o precioso e bendito Senhor é que pode envergonhar os conselhos deles. – *Matthew Henry*

v. 4: "Cortou as cordas dos ímpios". Ele repete o mesmo louvor a Deus, libertando a sua igreja da opressão do inimigo, sob a similitude de cortar as cordas do arado, que ara o campo de outro homem. Perceba, 1. Os inimigos da igreja não a consideram mais do que à terra sob seus pés, e procuram obter vantagens sobre ela, como fazem os usurpadores, tomando posse e trabalhando no campo de outros homens. *"Os lavradores araram sobre as minhas costas".*

2. O Senhor permite que os seus inimigos rompam o terreno dos corações orgulhosos e soberbos do seu povo com o arado da perseguição, e que façam profundos e longos sulcos neles; *"compridos fizeram os seus sulcos".*

3. O que os inimigos fazem contra a igreja, o Senhor usa para adubar a igreja, que é o seu campo; embora eles não pretendam o bem da igreja de Deus, servem à sabedoria de Deus para preparar o povo do Senhor para receber a semente da palavra de Deus; pois a similaridade fala do arar da igreja, mas não do semear, pois isto é reservado para o próprio Senhor, que é o dono do campo.

4. Quando os ímpios têm realizado o preparo do campo de Deus, conforme Ele julga adequado permitir que o façam, então Ele interrompe os seus desígnios, e solta o seu arado. *"Cortou as cordas dos ímpios".* – *David Dickson*

v. 5: Se alguém desejar aceitar estas palavras – *"Sejam confundidos e tornem atrás"* – da maneira como soam, a maldição será piedosamente explicada. Isto quer dizer: pode ser uma maldição que traga uma boa confusão, que conduza ao arrependimento e faça com que a pessoa se afaste do pecado, voltando-se para Deus. Esta é a opinião de Bellarmine. Há uma confusão que traz graça, glória, e afasta do mau caminho. Assim, alguns inimigos e perseguidores dos cristãos foram piedosamente confundidos e convertidos à fé em Cristo; como o apóstolo Paulo, que, cheio de furor e respirando ameaças e mortes, estava indo a Damasco, para que pudesse afligir os crentes, mas foi piedosamente confundido na estrada. – *Thomas Le Blanc*

v. 5: "Sejam confundidos". O Sr. Emerson disse certa vez, em uma convenção de racionalistas nesta cidade, que a moralidade do Novo Testamento é científica e perfeita. Mas a moralidade do Novo Testamento é a do Antigo. "Sim", você dirá, "mas o que dizer dos salmos de maldição?" Um renomado professor, que, como pensa a Alemanha, fez mais pela nova teologia da Inglaterra do que qualquer outro homem, desde Jonathan Edwards, estava certa vez andando por esta cidade com um clérigo de fé radical, que objetava à doutrina de que a Bíblia é inspirada, e o fazia com base nos salmos de maldição. Houve as respostas usuais, e se supôs que Davi expressava o propósito Divino, ao orar para que os seus inimigos pudessem ser destruídos, e que ele expressava apenas a indignação natural e justa da consciência contra a iniquidade indescritível. Mas o que duvidava não se satisfez. Os dois chegaram, por fim, a um boletim de jornal, em que estavam escritas as seguintes palavras: "Baltimore deverá ser bombardeada às doze horas". "Eu estou satisfeito com isto", disse o pregador radical; "estou satisfeito". "E eu, também", disse seu companheiro, "mas eu não ouso dizer isto, por temer que você diga que eu estou proferindo um salmo de maldição". – *Joseph Cook, em Boston Monday Lectures. "Transcendentalism"*

v. 5: "E tornem atrás" deixando de buscar realizar os seus desejos; como o monarca assírio, que teve um anzol posto no seu nariz, e um freio em seus lábios, e foi feito voltar pelo caminho por onde tinha vindo (Is 37.29). – *John Gill*

v. 5: "Todos os que aborrecem a Sião". Perceba que ele não diz, Todos os que *me* aborrecem, mas *"todos os que aborrecem a Sião"*. Assim os santos não são levados a orar assim pelo desejo de vingança, mas pelo zelo que têm pelo povo de Deus, de modo que oram pela confusão e repressão dos ímpios. – *Wolfgang Musculus*

v. 6: "Sejam como a erva dos telhados". Eles são, apropriadamente, comparados à *"erva dos telhados"*, pois o Espírito Santo não poderia falar deles com mais desprezo. Pois esta erva é tal, que logo seca, antes que a foice chegue até ela. Nenhum homem considera que vale a pena cortá-la, nenhum homem a considera; todo homem tolera que ela se exiba por algum tempo, e se mostre aos homens dos telhados como se fosse alguma coisa, quando não é nada. Assim os ímpios perseguidores no mundo, que são considerados poderosos e terríveis, de acordo com o que mostram externamente, são, de todos os homens, os mais desprezíveis. Pois os cristãos não pensam, nem uma vez, sequer, em arrancá-los nem cortá-los; eles não os perseguem, não vingam suas próprias ofensas, mas permitem que cresçam, que se vangloriem e se gloriem tanto quanto desejarem, pois sabem que eles não podem resistir à violência de um vento veemente. Embora tudo esteja em quietude, assim como a erva nos telhados, pouco a pouco se seca devido ao calor do sol, também as tiranias, em pequenas ocasiões, perecem e logo desaparecem. Os fiéis, então, ao sofrer, prevalecem e vencem; mas aqueles que praticam obras ímpias são derrotados, e perecem miseravelmente, como testemunham claramente todas as histórias, de todos os tempos e eras. – *Martinho Lutero*

v. 6: "Como a erva dos telhados". Os telhados planos das casas orientais "são cobertos com uma composição de argamassa, alcatrão, cinzas e areia", em cujas fendas a erva frequentemente surge. As casas dos pobres, no campo, eram formadas por uma combinação de barro e palha, onde a erva cresceria ainda mais livremente: como todas as imagens são tomadas da vida do campo, sem dúvida é a moradias do campo que o poeta se refere. – *J. J. Stewart Perowne v. 6:* "Como a erva dos telhados". Os inimigos de Sião podem ter uma posição elevada na nação; podem parecer prometer crescimento, mas não tendo raiz em si mesmos, como os ouvintes que recebem a semente sobre pedregais, não dão uma promessa de frutos. A sua profissão de fé morre e não deixa benefícios à igreja, assim como não reivindica bênçãos da parte dos outros. – *William Witson (1783-1873), em "The Book of Psalms, with an Exposition"*

v. 6: "Erva dos telhados". Pela manhã, o dono da casa trazia uma quantidade de terra, que era carregada para cima, e espalhada uniformemente no topo da casa, que é plano. Todo o telhado é assim formado de terra, espalhada pelo telhado. No todo de cada casa há um grande rolo de pedra, que tem o propósito de endurecer e achatar esta camada de terra, de modo que a chuva não penetre, mas sobre esta superfície, como se pode supor, a erva e as ervas daninhas crescem livremente, mas nunca chegam à maturidade. É a esta erva que o salmista se refere, como sendo inútil e ruim. – *William Jowett, Christian Researches in Syria and the Holy Land", 1825*

v. 7: "O segador não enche a mão", etc. O grão era mais arrancado do que cortado, e à medida que cada punhado era tomado, o segador o colocava, com um balanço, em seu colo. – *Sra. Finn, Home in the Holy Land", 1866*

v. 7: "O que ata os feixes enche o braço". Nos climas quentes, prevalece um costume, de enviar pessoas aos bosques e outros lugares para coletar a erva, que de outra maneira seria desperdiçada, e não é incomum, ao entardecer, ver grupos de cortadores de erva no mercado, esperando para se desfazer de seus feixes, que tão frequentemente são tão grandes que se poderia imaginar como poderiam ter sido trazidos dos bosques sobre os ombros de um único homem. – *Maria Calcott, A Scripture Herbal", 1842*

v. 8: As últimas expressões são, em árabe, muito revigorantes. Nada é mais natural para eles, quando passando por uma árvore frutífera ou um campo carregado com uma rica safra, do que exclamar, *"Barak Allah!"* Deus te abençoe! Nós te abençoamos, em nome do Senhor! – *W. M. Thomson*

SUGESTÕES AOS PREGADORES

v. 1. A aflição que acomete os santos, vinda dos homens do mundo.

I. A razão para que isto aconteça – inimizade da semente da serpente.

II. Os modos da sua exibição – perseguição, ridicularização, calúnia, desdém, etc.

III. Consolação sob a aflição. Assim foram perseguidos os profetas; assim, foi perseguido o Mestre. É a sua natureza. Eles não podem matar a alma. É apenas por algum tempo, etc.

vv. 1 e 2. I. Até que ponto pode ir a perseguição por causa da justiça.

1. Ela pode ser grande: "angustiaram", "angustiaram".
2. Pode ser frequente: "muitas vezes".
3. Pode começar desde cedo: "Desde a minha mocidade".

II. Até onde não consegue ir.

1. Pode até parecer prevalecer.
2. Pode prevalecer até certo ponto.
3. Não pode prevalecer, em última instância.
4. Isto fará com que aquilo a que se opõe prevaleça cada vez mais. – *G. R.*

vv. 1 a 4. Israel perseguido, mas não desamparado. Perseguição.

I. De onde veio: "eles".

II. Como veio: "Muitas vezes", "desde a minha mocidade", gravemente: "angustiaram", "araram".

III. Por que veio. Ódio humano e satânico, e a permissão divina.

IV. O que resultou dela. "Não prevaleceram" – para destruir, para levar ao desespero, para levar ao pecado. A justiça de Deus manifestada no sustento ao seu povo, na frustração dos seus inimigos, etc.

vv. 1 a 4. Os inimigos da igreja de Deus.
I. A sua violência: "Os lavradores araram", etc.
II. A sua persistência: "muitas vezes... desde a minha mocidade".
III. O seu fracasso: "todavia, não prevaleceram".
IV. O seu grande oponente: "O Senhor... cortou". – *J. F.*

v. 3. I. Literalmente cumprido.
1. Em Cristo. Mt 27.26; 20.19; Mc 15.15; Lc 18.33; Jo 19.1.
2. Em seus seguidores. Mt 10.17; At 16.23; 2 Co 6.5; 11.23,24; Hb 11.36. E frequentemente em perseguições subsequentes.

II. Figurativamente. Em calúnias secretas, tanto a respeito de Cristo, como dos seus seguidores. – *G. R.*

v. 4. O cântico de triunfo de Israel.
I. O Senhor é justo ao permitir que estas aflições venham sobre o seu povo.
II. Ele é justo ao cumprir a sua promessa de libertação do seu povo.
III. Ele é justo ao visitar com juízo os inimigos do seu povo. – *W. H. J. P.*

v. 5. I. Um ódio injustificável é descrito: "aborrecem a Sião", a igreja e a causa de Deus. Pois,
1. O seu povo é justo.
2. A sua fé é um Evangelho.
3. A sua missão é a paz.
4. A sua própria existência é a preservação do mundo.

II. Uma iniquidade inveterada é indicada: "Os que aborrecem a Sião". Pois, a despeito de quaisquer virtudes morais de que possam se vangloriar, eles são,
1. Inimigos da raça humana.
2. Em desafiadora oposição a Deus.
3. Perversamente cegos, como Saul, ou radicalmente vis.
4. Demoníacos.

III. Um sentimento instintivo de um homem bom, expresso: "Sejam todos", etc. Motivados por, 1. Seu amor a Deus.
2. Amor pelos homens.
3. Amor pela justiça. Consequentemente, a sua existência é, por si só, um penhor que o Deus justo irá respeitar e manter. – *J. F.*

vv. 5 a 8. I. Os personagens descritos.
1. Eles não amam a Sião. Eles não dizem, "Senhor, eu tenho amado a habitação da tua casa", etc.
2. Eles odeiam a Sião – tanto o seu Rei como os seus súditos.

II. A sua prosperidade: "Como a erva", etc.
III. O seu fim.
1. Vergonha: "Sejam confundidos".
2. Perda: "Tornem atrás".
3. Desapontamento. Sem podar, sem colher.
4. Desonra. Não abençoados pelos outros, nem abençoados em si mesmos. – *G. R.*

vv. 6 a 8. Os ímpios prosperam e perecem.
I. Eminentes em posição.
II. Invejados em prosperidade.
III. Evanescentes em duração.
IV. Vazios quanto à solidez.
V. Excetuados da bênção.

SALMO 130

TÍTULO

Cântico de Degraus. Seria difícil ver algum degrau ascendente, do salmo anterior para este, e por isto é possível que os degraus, ou a subida, estejam no próprio cântico: certamente, ele ascende rapidamente das profundezas da angústia até as alturas da segurança. Ele segue apropriadamente o Salmo 129; quando vencemos as aflições que são próprias do homem, estamos mais bem preparados para enfrentar as tristezas mais agudas que surgem das nossas questões com relação a Deus. Aquele que suportou os açoites dos ímpios é treinado, com toda paciência, a esperar as atitudes do Santo Senhor. Nós chamamos este salmo de De profundis Psalm: "O Salmo das profundezas"; pois esta é a sua palavra chave: das profundezas nós clamamos, esperamos, vigiamos, e temos esperança. Neste Salmo, nós ouvimos sobre a pérola da redenção, vv. 7,8: Talvez o doce cantor jamais tivesse encontrado esta coisa tão preciosa, se não tivesse sido lançada às profundezas. "As pérolas estão nas profundezas".

DIVISÃO

Os dois primeiros versículos revelam um intenso desejo, e os dois seguintes são uma humilde confissão de arrependimento e fé, vv. 3,4. Nos versículos 5 e 6, é apresentada a declaração e resolução de vigiar e esperar, e nos dois últimos versículos, é expressa a alegre expectativa, tanto por si mesmo quanto por todo Israel.

EXPOSIÇÃO

1 *Das profundezas a ti clamo, ó Senhor!*
2 *Senhor, escuta a minha voz! Sejam os teus ouvidos atentos à voz das minhas súplicas.*
3 *Se tu, Senhor, observares as iniquidades, Senhor, quem subsistirá?*
4 *Mas contigo está o perdão, para que sejas temido.*
5 *Aguardo o Senhor; a minha alma o aguarda, e espero na sua palavra.*

6 *A minha alma anseia pelo Senhor mais do que os guardas pelo romper da manhã;*
sim, mais do que aqueles que esperam pela manhã.
7 *Espere Israel no* SENHOR, *porque no* SENHOR *há misericórdia, e nele há abundante*
redenção,
8 *e ele remirá a Israel de todas as suas iniquidades.*

1. *"Das profundezas a ti clamo, ó Senhor."* Esta é a declaração e também a súplica do salmista: ele jamais tinha deixado de orar, mesmo quando trazido à condição mais humilde. As profundezas normalmente silenciam tudo o que engolem, mas não puderam fechar a boca deste servo do Senhor; ao contrário, foi no próprio abismo que ele clamou ao Senhor. Abaixo das correntezas, a oração vivia e lutava; acima do rugir das ondas subia o clamor da fé. Pouco importará onde estivermos desde que possamos orar; mas a oração nunca é mais real e aceitável do que quando emerge dos piores lugares. Os lugares profundos geram profunda devoção. As profundezas da sinceridade são despertadas pelas profundezas da tribulação. Os diamantes brilham mais em meio às trevas. A oração *de profundis* dá a Deus *gloria in excelsis.* Quanto mais afligidos estamos, mais excelente é a fé que confia corajosamente no Senhor, e por isto apela a Ele, e somente a Ele. Os homens bons podem estar nas profundezas das perturbações temporais e espirituais; mas os homens tementes a Deus, nestes casos, confiam apenas no seu Deus, e se encorajam para serem mais dedicados e sinceros na oração do que em outras ocasiões. As profundezas da sua aflição incitam as profundezas da sua existência; e do fundo de seus corações emerge um clamor extremamente grande e amargo ao único Deus vivo e verdadeiro. Davi frequentemente tinha estado nas profundezas, e com a mesma frequência tinha implorado ao Senhor, seu Deus, em cujas mãos estão todos os lugares profundos. Ele orou e se lembrou de que tinha orado, e alegou que tinha orado; esperando que não tardasse muito para receber uma resposta. Seria terrível examinar as aflições passadas e sentir-se forçado a reconhecer que não clamamos ao Senhor quando elas nos afligiam; mas é muito consolador saber que, não importando o que não fizemos, ou não pudemos fazer, ainda assim nós oramos, até mesmo nos piores momentos de nossa vida. Aquele que orar nas profundezas jamais naufragará nas suas profundezas. Aquele que clamar das profundezas logo cantará nas alturas.

2. *"Senhor, escuta a minha voz."* Isto é tudo o que pedimos; mas nada menos do que isto nos irá satisfazer. Se o Senhor apenas nos ouvir, nós deixaremos à sua sabedoria superior a decisão, se irá nos responder ou não. É melhor que a nossa oração seja ouvida do que atendida. Se o precioso e bendito Senhor fizesse uma promessa absoluta e atendesse a todos os nossos pedidos, isto poderia ser mais uma maldição do que uma bênção, pois isto seria lançar a responsabilidade da nossa vida sobre nós mesmos, e assim seríamos colocados em uma posição de muita ansiedade; entretanto, o Senhor ouve os nossos desejos, e isto é suficiente. Nós apenas desejamos que Ele os satisfaça, se a sua infinita sabedoria julgar que isto será para o nosso bem e para a sua glória. Observe que o salmista falou audivelmente, em oração; isto não é, de maneira alguma, necessário, mas é extremamente útil, pois o uso da voz auxilia os pensamentos. Há uma voz que se manifesta em silenciosa súplica, uma voz no nosso chorar, uma voz naquela tristeza que não consegue encontrar palavras: a voz que o Senhor irá ouvir se o seu clamor for destinado aos seus ouvidos.

"Sejam os teus ouvidos atentos à voz das minhas súplicas." O clamor do salmista é uma súplica de alguém que implora; ele implora que o grande Rei e Senhor lhe dê ouvidos. Ele suplicou muitas vezes, mas sempre com a mesma voz, ou com o mesmo propósito; e ele implora para ser notado na questão com que insiste de maneira tão importuna. Ele desejava que o Rei ouvisse, considerasse, se lembrasse e avaliasse o seu pedido. Ele está confuso, e a sua oração pode, portanto, estar interrompida e ser difícil de compreender; ele pede, portanto, que o seu Senhor dedique a mais sincera e piedosa atenção à voz dos seus muitos e dolorosos apelos. Depois que já tivermos orado pelas nossas dificuldades, é bom orar pelas nossas

orações. Se não pudermos encontrar mais palavras, devemos convidar o Senhor a ouvir aquelas súplicas que já apresentamos. Se nós tivermos obedecido fielmente o preceito, orando sem cessar, podemos ter confiança de que o Senhor irá cumprir fielmente a promessa, ajudando-nos, sem falhar. Embora o salmista estivesse sob uma dolorosa percepção de pecado, e esta fosse uma sensação profunda e intensa, a sua fé suplicava, apesar da sua consciente indignidade: pois ele bem sabia que o cumprimento da promessa, por parte do Senhor, depende do seu próprio caráter, e não do de suas criaturas errantes.

3. *"Se tu, Senhor, observares as iniquidades, Senhor, quem subsistirá?"* Se JAH (ou Jeová), que tudo vê, com rígida justiça convocasse cada homem a prestar contas por cada falta de conformidade com a justiça, onde estaria cada um de nós? É verdade, Ele não registra todas as nossas transgressões; mas Ele também não age de acordo com os registros, mas os deixa de lado, até outro dia. Se os homens tivessem que ser julgados, com base em nenhum outro sistema, senão o das obras, quem, entre nós, poderia responder por si mesmo no tribunal do Senhor, e esperar ser inocentado e aceito? Este versículo mostra que o salmista se encontrava sob uma sensação de pecado, e sentia que era imperativo que ele não apenas clamasse, como um suplicante, mas confessasse como um pecador. Aqui, ele reconhece que não pode comparecer diante do grande Rei na sua própria justiça, e ele é tão atingido pelo sentimento da santidade de Deus, e a retidão da lei, que está convencido de que nenhum homem, da raça mortal, pode responder por si mesmo, diante de um Juiz tão perfeito, a respeito de uma lei tão divina. Por isto ele clama, "Senhor, quem subsistirá?" Ninguém pode fazer isto: não há quem faça o bem, não há sequer um. As iniquidades são questões que não estão em conformidade com a equidade; que multidão delas nós temos praticado! Jeová, que tudo vê, e que também é o nosso *Adonai*, ou Senhor, certamente nos levará a juízo a respeito daqueles pensamentos, palavras e obras que não estão em exata conformidade com a sua lei. Não fosse pelo Senhor Jesus, poderíamos ter a esperança de subsistir? Ousaríamos comparecer diante dele no terrível dia da prestação de contas, com base na lei e na justiça? Que misericórdia é o fato de que não precisamos fazer isto, pois o versículo seguinte apresenta outra maneira de aceitação, para a qual corremos.

4. *"Mas contigo está o perdão."* Bendito *mas*. O perdão gratuito, pleno, soberano, *está* na mão do grande Rei: é sua prerrogativa perdoar, e Ele se alegra em exercê-la. Como a sua natureza é misericórdia, e como Ele proporcionou um sacrifício pelo pecado, por isto o perdão está com Ele, para todos aqueles que vierem até Ele, confessando os seus pecados. O poder do perdão reside permanentemente com Deus: Ele tem o perdão pronto, na sua mão, neste instante.

"Para que sejas temido." Esta é a raiz frutífera da piedade. Ninguém teme ao Senhor como aqueles que sentiram o seu amor misericordioso. A gratidão pelo perdão produz muito mais temor e reverência por Deus do que todo o terror que é inspirado pela punição. Se o Senhor fosse executar justiça sobre todos, não sobraria ninguém para temê-lo; se todos estivessem sob a sensação da sua merecida ira, o desespero os endureceria, impedindo que o temessem: é a graça que conduz a uma santa consideração por Deus, e um temor de entristecê-lo.

5. *"Aguardo o Senhor; a minha alma o aguarda."* Esperando que Ele venha a mim, com amor; tranquilamente espero a sua aparição; Eu espero *nele* servindo-o, e espero *por* Ele com fé. Por Deus espero, e apenas por Ele; se Ele se manifestar, não terei nada mais que esperar; mas até que Ele apareça em meu socorro, devo continuar esperando, até mesmo nas profundezas. Esta minha espera não é um ato meramente formal, a minha própria alma está nele – "a minha alma o aguarda". Aguardo e espero – perceba a repetição! "A minha alma aguarda" e então, novamente, "a minha alma anseia"; para certificar-se da espera. É bom tratar com o Senhor intensamente. Estas repetições são o oposto de repetições vãs. Se o Senhor Jeová nos faz esperar, devemos fazê-lo com todo o nosso coração, pois bem-aventurados todos os que nele esperam. Vale a pena esperar por Ele. A própria espera é benéfica

para nós: ela testa a fé, exercita a paciência, treina a submissão e valoriza a bênção, quando ela vem. O povo do Senhor sempre foi um povo que espera; eles esperaram pelo Primeiro Advento, e agora esperam pelo Segundo. Eles esperaram pelo sentimento de perdão e agora esperam pela perfeita santificação. Esperaram nas profundezas, e agora não se cansam com a espera em uma condição mais feliz. Eles clamaram e esperam; provavelmente as suas orações passadas sustentam a sua paciência atual.

"E espero na sua palavra". Esta é a origem, e força e a doçura da espera. Os que não têm esperança não conseguem esperar; mas se tivermos esperança do que não vemos, então, com paciência, esperaremos por isto. A palavra de Deus é uma palavra fiel, mas às vezes, demora; se a nossa fé for fiel, ela esperará o tempo do Senhor. Uma palavra do Senhor é como pão para a alma do crente; e, desta maneira revigorada, ela resiste, durante a noite da angústia, esperando a manhã da libertação e do prazer. Esperando, nós estudamos a Palavra, cremos na Palavra, temos esperança na Palavra, e vivemos de acordo com a Palavra; e tudo porque é a *"sua* palavra" – a Palavra daquele que jamais fala em vão. A Palavra do Senhor é um terreno firme sobre o qual uma alma que espera pode descansar.

6. *"A minha alma anseia pelo Senhor mais do que os guardas pelo romper da manhã."* Os homens que guardam uma cidade, e as mulheres que esperam ao lado dos doentes, anseiam pela luz da manhã. Os adoradores esperam para oferecerem o sacrifício da manhã, o acender do incenso e das luzes, mesclando fervorosas orações com suas santas vigílias, e anseiam pela hora em que o cordeiro arderá sobre o altar. Davi, no entanto, esperou mais do que eles, esperou por mais tempo, esperou com mais ansiedade, esperou com mais expectativa. Ele não tinha medo do grande Adonai, diante de cuja presença ninguém pode comparecer com sua própria justiça, pois ele tinha vestido a justiça da fé, e por isto ansiava pela graciosa audiência com o Santo. Deus não era mais temido por ele do que a luz é temida por aqueles que estão envolvidos em uma vocação lícita. Ele anelava pelo Senhor seu Deus.

"Sim, mais do que aqueles que esperam pela manhã." A imagem não era suficientemente forte, embora dificilmente alguém pudesse pensar em qualquer coisa mais vigorosa: ele sentia que a sua própria ânsia era exclusiva e inigualável. Oh, que tenhamos esta mesma fome e sede de Deus! A nossa versão suaviza a brusquidão da linguagem: o original diz – "A minha alma espera mais pelo Senhor do que os que esperam pela manhã – esperam pela manhã". Esta é uma elegante repetição poética. Nós ansiamos pela benevolência do Senhor mais do que as sentinelas, cansadas, esperam pela luz da manhã, que irá dispensá-las de sua entediante vigília. Isto é realmente verdade. Aquele que já se alegrou na comunhão com Deus é amargamente posto à prova pelo esconder do seu rosto e enfraquece com forte desejo pela manifestação do Senhor.

"Quando virás a mim, Senhor?
Até que apareças,
contarei cada momento do dia,
cada minuto do ano".

7. *"Espere Israel no Senhor."* Ou, "Tem esperança, Israel, em Jeová". Jeová, o Senhor, é o Deus de Israel. Por isto, que Israel tenha esperança nele. O que um israelita faz, ele deseja que todo Israel faça. Aquele que dá o exemplo tem o justo direito de exortar os outros. Israel há muito tempo esperava no Senhor, e lutava durante a noite toda, e, por fim, foi socorrido pela Esperança de Israel: coisa semelhante irá acontecer a toda a sua semente. Deus criou coisas e as armazenou para o seu povo; eles devem ter grandes expectativas.

"Porque no Senhor há misericórdia." Isto está na sua própria natureza, e pela luz da natureza, pode ser visto. Mas também temos a luz da graça, e por isto veremos ainda mais a sua misericórdia. Conosco há o pecado; mas temos esperança porque "no Senhor há misericórdia". A nossa consolação não está no que está conosco,

mas no que está com o nosso Deus. Vamos olhar a partir do nosso ser e da nossa pobreza, para o Senhor e para as suas riquezas de misericórdia.

"E nele há abundante redenção." Ele pode, e irá redimir todo o seu povo, das suas muitas e grandes tribulações; na verdade, a sua redenção já foi realizada e está guardada com Ele, de modo que Ele pode, a qualquer momento, dar aos seus, que esperam, o pleno benefício da redenção. Os atributos da misericórdia, e o fato da redenção, são duas razões muito suficientes para esperar no Senhor; e o fato de que não há misericórdia ou libertação em outra parte deve eficazmente afastar a alma de toda idolatria. Não são estas coisas profundas de Deus uma grande consolação para aqueles que clamam das profundezas? Não é melhor estar nas profundezas com Davi, esperando na misericórdia de Deus, do que sobre os cumes dos montes, vangloriando-nos da nossa própria justiça imaginária?

8. *"E ele remirá a Israel de todas as suas iniquidades."* As nossas iniquidades são nossos piores perigos: se salvos delas, seremos completamente salvos; mas não há como ser salvo delas, exceto pela redenção. Que bênção, que isto seja aqui prometido, em termos da sua remoção do quadro: o Senhor certamente redimirá o seu povo crente de todos os seus pecados. Bem pode a redenção ser abundante, uma vez que diz respeito a todo Israel e todas as iniquidades! Verdadeiramente, o nosso salmo chegou a uma grande altitude neste versículo: não é um clamor das profundezas, mas um coral nas alturas. A redenção é o topo das bênçãos do concerto. Quando ela for vivenciada por todo Israel a glória do último dia terá chegado e o povo do Senhor dirá, "Agora, Senhor, que esperamos?" Não é esta uma clara profecia da vinda do nosso Senhor, pela primeira vez? E não podemos considerá-la, agora, como uma promessa da sua segunda e mais gloriosa vinda para a redenção do corpo? Por isto, espera a nossa alma, sim, o nosso coração e a nossa carne clamam por isto, com alegre expectativa.

NOTAS EXPLICATIVAS E DECLARAÇÕES SINGULARES

O salmo: Este salmo é o décimo primeiro, na ordem dos salmos dos degraus, e trata do décimo primeiro degrau na subida espiritual, que é a oração penitente. – *H. T. Armfield*

O salmo: Dos salmos que são chamados de "Penitenciais", este é o principal. Mas, como é o mais excelente, também foi pervertido e utilizado da maneira mais desgraçadamente deturpada pelo papado, *por exemplo,* ao declarar que ele deve ser murmurado na voz mais baixa, nas entranhas, nas vigílias sepulcrais, para que pudessem alcançar a liberação das almas do purgatório: como se Davi aqui estivesse tratando dos mortos, quando, na verdade, ele não tinha dito nada a respeito deles; mas ele diz que ele mesmo, um homem vivo, estava invocando a Deus; e exorta os israelitas, homens vivos, também, a fazerem a mesma coisa. Mas deixando as palhaçadas dos papistas, iremos considerar o verdadeiro significado e uso do Salmo. Ele contém a mais ardente oração de um homem terrivelmente afligido por uma sensação da ira divina contra o pecado: fervorosamente voltando-se para Deus e para a penitência, ele está buscando o perdão para as suas iniquidades. – *Solomon Gesner*

O salmo: O Espírito Santo estabelece aqui duas paixões opostas, de maneira extremamente clara – *temor*, com respeito aos pecados que merecem o mal, e a *esperança*, com relação a misericórdias imerecidas. – *Alexander Roberts, 1610*

O salmo: A sinceridade apaixonada do salmo é enfatizada pela repetição do nome divino, oito vezes. – *The Speaker's Commentary, 1873*

O salmo: Este salmo, talvez mais do que qualquer outro, é marcado pelos seus suportes: profundeza; oração; convicção; luz; esperança; espera; vigília; anseio; confiança; certeza; felicidade e alegria universal... Da mesma maneira como o barômetro marca a subida da pressão atmosférica, também este salmo, sentença após sentença, registra o progresso da alma. E você também pode se testar com o salmo, como por uma regra ou medida, e se perguntar, a cada linha, "Eu alcancei isto? Eu alcancei isto?" e assim fazer dele a sua medida espiritual. – *James Vaughan, Steps to Heaven", 1878*

O salmo: Quem quer que tenha escrito este salmo, menciona e repete a oração que fez ao seu Deus, no momento de seu grande perigo, e isto ele faz até o versículo 5; e descobrindo, em experiência, uma resposta consoladora, e que coisa boa era orar a Deus e esperar nele, o autor professa que, assim como anteriormente tinha esperado nele, também no tempo que ainda havia de vir esperaria nele, e isto ele faz, até o versículo 7. Na terceira e última parte, ele se volta para Israel, para a igreja, e os exorta a esperar em Deus, como ele tinha feito, assegurando-lhes misericórdia e redenção de todas as suas iniquidades, se esperassem nele. – *Robert Rollock, 1555-1599*

O salmo: Quando lhe perguntaram, certa vez, quais eram os melhores salmos, Lutero respondeu: *Psalmi Paulini*; e quando seus companheiros à mesa insistiram que ele dissesse quais eram estes salmos, ele respondeu: os salmos 32, 51, 130 e 143. – *Franz Delitzsch*

O salmo: Lutero, depois de ser golpeado pelo mal em Goburg e em grande aflição, disse aos que estavam com ele, *Venite, in contemplum Diaboli, Psalmum, De Profundis, quatuor vocibus cantemus;* "Venham, cantemos este salmo, 'Das Profundezas' etc., para zombarmos do mal". – *John Trapp*

Todo o salmo: As circunstâncias de que se originou a obra do Dr. John Owen *Exposition of Psalm cxxx* [Exposição do Salmo 130] são particularmente interessantes. O próprio Dr. Owen, em uma declaração feita ao Sr. Richard Davis, que acabou se tornando pastor de uma igreja em Rowel, Northamptonshire, explica a ocasião que o levou a um exame muito cuidadoso do quarto versículo do salmo. O Sr. Davis, sob impressões religiosas, tinha buscado um encontro com Owen. Durante a conversa, o Dr. Owen propôs a pergunta, "Meu jovem, diga-me, de que maneira você pensa ir até Deus?" "Por intermédio do Mediador", respondeu o Sr. Davis. "Isto é fácil de dizer", respondeu o Dr. Owen, "mas eu lhe asseguro que ir até Deus por intermédio do Mediador é uma coisa diferente do que têm consciência muitos dos que usam esta expressão; eu mesmo preguei Cristo", continuou ele, "durante alguns anos, quando tinha muito pouco, se é que tinha algum, conhecimento experimental do acesso a Deus por intermédio de Cristo; até que o Senhor se agradou em me visitar com amarga aflição, com que eu fui levado às portas da sepultura, e sob a qual a minha alma foi oprimida com horror e trevas; mas Deus piedosamente aliviou o meu espírito, com uma poderosa aplicação do versículo 4 do Salmo 130: *'Mas contigo está o perdão, para que sejas temido'*, de onde eu recebi instrução especial, paz e consolação, aproximando-me de Deus por intermédio do Mediador, e preguei sobre isto imediatamente após a minha recuperação". – *William H. Goold, editor de Collected Works, de Owen, 1851*

v. 1: "Das profundezas a ti clamo, ó Senhor". Não há uma profundeza do pecado, e uma profundeza de infelicidade, por causa do pecado, e uma profundeza de angústia, por causa da infelicidade? Em todas elas esteve Davi, e eu, Deus me ajude, estou profundamente submerso; e estas profundezas não são suficientes para delas clamar? E, talvez, nenhuma destas profundezas seja o que Davi quer dizer; mas há profundezas de perigo – um perigo de corpo e um perigo de alma, e é delas que Davi parece clamar; pois o perigo do seu corpo era tão profundo que o tinha levado às portas da morte, e o perigo da sua alma era tão profundo que quase o tinha levado às portas do desespero; e ele não tinha motivo suficiente para dizer, então, *"Das profundezas a ti clamo, ó Senhor"*? E ainda há uma profundeza, além destas, que deve nos ajudar a sair delas – uma profundeza de devoção, sem cuja profundeza o nosso clamor, das outras profundezas, nunca será ouvido. Pois a devoção é um fogo que aquece o nosso clamor, e o eleva até *cesium empyraeum*, o céu de fogo, onde o próprio Deus está. E agora una todas estas profundezas – a profundeza do pecado, da infelicidade, da angústia, a profundeza do perigo, e a profundeza da devoção – e então, diga-me se Davi não tinha, se eu não tenho, uma causa tão justa quanto Jonas teve, para dizer, "Das profundezas a ti clamo, ó Deus". Na verdade, clamar das profundezas oferece consideráveis circunstâncias para levar Deus a ouvir: isto reconhece o seu infinito poder, quando nenhuma distância pode impedir o seu socorro; apresenta a nossa própria fé, quando nenhuma situação extrema pode enfraquecer a nossa esperança; exalta a bondade de Deus, quando Ele, o Altíssimo, considera os mais humildes e abatidos; expressa a nossa própria sinceridade, pois o clamor das profundezas é, necessariamente, um clamor profundo; e se cada uma destas circunstâncias isoladamente, e por si, for motivo suficiente para levar Deus a ouvir, quão fortes devem ser os motivos, quando todos unidos? E unidos eles estão, no clamor das profundezas; e por isto, agora que eu clamo a ti das profundezas, comove-te, ó Deus, em tua grande misericórdia, e *"escuta a minha voz"*.

É causa suficiente que Deus não ouça a alguns, porque eles não clamam – causa suficiente para que Ele não ouça a alguns que clamam, porque não clamam das profundezas; mas quando o clamor e as profundezas estão unidos, nunca se soube que Deus, alguma vez, se recusasse a ouvir; portanto, agora que eu clamo a ti, das profundezas, compraze-te, ó Deus, em tua grande misericórdia, em ouvir a minha voz. – *Sir Richard Baker, Meditations and Disquisitions upon the Three last Psalmes of David", 1639*

v. 1: "Das profundezas". Profundezas (um termo que está de acordo com todos os escritores antigos) significam os locais profundos das aflições, e os lugares profundos do coração que se sente perturbado pelo pecado. As aflições são comparadas a águas profundas: "Tirou-me das muitas águas". "Livra-me, ó Deus, pois as águas entraram até à minha alma" (Sl 18.16; 69.1). E certamente os filhos de Deus são frequentemente lançados em casos muito desesperadores, e mergulhados em profundas infelicidades e desgraças, com a finalidade de que possam enviar, de um coração sensível e contrito, orações que possam se elevar e perfurar os céus. Quando estamos em prosperidade, as nossas orações vêm de nossos lábios; e por isto o Senhor é forçado a nos abater, para que as nossas orações possam vir de nossos corações, e para que os nossos sentidos possam ser despertados da segurança em que se encontram. Embora o trono de Deus esteja muito elevado, ainda assim Ele se alegra ao ouvir a súplica de corações que estão muito humilhados, que foram ainda mais abatidos pela visão do pecado. Não há aflição, nenhum local tão baixo (sim, tão baixo como o ventre da baleia onde estava Jonas) que possa nos separar do amor do Senhor, ou impedir que as nossas orações cheguem diante dele. Aqueles que foram lançados para mais longe, não estão mais distantes de Deus, pelo contrário, estão mais próximos dele. Deus está próximo de um coração contrito, e é o lugar apropriado, onde habita o seu Espírito (Is 66.2). E assim Deus lida conosco, como os homens lidam com as casas que se preocupam em edificar de maneira suntuosa e em lugares elevados; pois eles escavam profundamente os terrenos para estabelecerem os seus alicerces. Foi assim que Deus agiu, com o propósito de fazer uma boa apresentação de Daniel e dos três jovens, na Babilônia; de José, no Egito; de Davi, em Israel: antes de mais nada, Ele permitiu que eles fossem lançados nas águas profundas da aflição. Daniel é lançado na cova dos leões; os três jovens são lançados na fornalha de fogo ardente; José é aprisionado, e Davi, exilado. Mas a todos eles Ele exaltou, e fez deles gloriosos templos para Si mesmo. Veja, com isto, a estupidez da nossa natureza, que é tal, que Deus é forçado a usar de amargos remédios para nos despertar. Jonas estava dormindo no barco, quando a tempestade da ira de Deus o perseguia; por isto Deus o atirou ao ventre da baleia, e ao fundo das profundezas, para que destas profundezas ele pudesse clamar a Ele.

Quando, portanto, estivermos perturbados por uma grave enfermidade, ou pobreza, ou oprimidos pela tirania dos homens, devemos aproveitar e fazer uso disto, considerando que Deus lançou os seus melhores filhos em tais perigos para benefício deles; e que é melhor estar em profundos perigos, orando, do que em altos montes de vaidade, brincando. – *Archibald Symson, A Sacred Septenarie", 1638*

v. 1: "Das profundezas". "Profundezas!" Oh! A que "*profundezas*" os homens podem chegar! Tão longe da felicidade, glória e bondade os homens podem cair.

Existe a profundeza da *pobreza*. Um homem pode ficar completamente privado de todas as possessões terrenas e amigos terrenos! Às vezes, nós encontramos um homem, ainda vivo, mas em tão abjetas circunstâncias, que nos choca e assombra que um ser humano possa afundar mais baixo do que os animais do campo.

A seguir, existe a profundeza da *angústia*. As ondas, uma após outra, quebram sobre o homem; um amigo após outro se afasta dele, o amante e amigo é lançado às trevas. Todas as fontes da sua natureza são quebradas. Ele é como um barco cheio de água, afundando do topo das ondas ao fundo do mar. Frequentemente em tais profundezas, e às vezes como Jonas no ventre da baleia, o monstro o leva para baixo, cada vez mais baixo, para as trevas.

Há profundezas após profundezas de *escuridão mental*, quando a alma se torna mais e mais angustiada, até se chegar à própria profundeza que está lado a lado com o *desespero*. A terra oca, o céu vazio, o ar pesado, cada forma uma deformidade, todos os sons dissonantes, o passado sombrio, o presente um enigma, o futuro um horror. Um passo mais para baixo, e o homem estará na câmara do desespero, cujo fundo ferve de calor, ao passo que o ar é de um frio cortante, como a atmosfera polar. A que profundezas pode cair o espírito de um homem!

Mas a profundeza mais horrível a que a alma de um homem pode descer é o *pecado*. Às vezes, nós começamos em declives graduais, e escorregamos tão rapidamente que logo atingimos grandes profundezas; profundezas em que há horrores, que não são pobreza, nem angústia, nem depressão mental. É o pecado, é uma ofensa, contra Deus e contra nós mesmos. Nós sentimos que não há fundo. Cada profundeza revela uma profundidade ainda maior. Este é, realmente, o abismo sem fundo, com eternos acúmulos de velocidade e perpétuos ferimentos, à medida que descemos. Oh, profundezas abaixo de profundezas! Oh, quedas, da luz às trevas, das trevas à escuridão! Oh, o inferno do pecado!

Que podemos fazer? Nós podemos simplesmente *clamar*, clamar, CLAMAR! Mas devemos clamar a Deus. Todos os outros clamores são ofensivos e inúteis. São meras expressões de impotência, ou protestos contra um destino imaginário. Mas o clamor do espírito para o Altíssimo é um clamor corajoso. Das profundezas de toda a pobreza, toda a angústia, toda a depressão mental, todo o pecado, *clamem a Deus!* – de *The Study and the Pulpit, 1877*

v. 1: "Das profundezas clamo".

Das profundezas, ó Deus, clamo a ti!
Ouve a oração da minha alma, ouve a sua litania,
Ó, tu, que dizes, "Vem, peregrino, vem a mim".

Das profundezas da angústia,
onde há segredos escuros, escondidos do olho impiedoso da terra.
As minhas orações, como anjos do céu, voam para Deus.

Do seio sepulcral, quando, em tranquilidade
o Espírito Santo de Deus reina com maior poder,
então cada pensamento irá gerar a branca flor da oração.

Não da superfície da vida, onde as águas dormem,
um pântano onde se insinuam vapores estagnantes,
mas a voz profunda como o oceano, que clama desde as profundezas.

Assim como antigamente o rei Davi clamou a ti,
assim clama o coração da pobre humanidade,
"*Clamavi, Domine, exaudi me!*"
– C. S. Fenner

v. 1: Quando ele clama das profundezas, ele se ergue das profundezas, e o seu clamor permite que ele não mais esteja no fundo. *– Agostinho*

v. 1: Foi apropriadamente dito que este versículo coloca diante de nós seis condições da verdadeira oração: ela é humilde, *"das profundezas"*; fervorosa, *"clamo"*; dirigida ao próprio Deus, *"a ti"*; reverente, *"ó Senhor"*; respeitosa, *"Senhor"*, um título solene, é usado outra vez; é uma oração pessoal, "escuta *a minha voz"*. *– Neale e Littledale*

v. 1: "Clamo". Há muitos tipos e graus de oração no mundo, desde a forma mais fria até a mais intensa agonia. Todos oram; mas muito poucos "clamam". Mas entre os que realmente "clamam a Deus", a maioria diz, *"eu devo isto às profundezas,* ali eu aprendi. Eu orei frequentemente, antes, mas nunca – até ter sido carregado às profundezas extremas – realmente *clamei"*. "Das profundezas a ti clamo, ó Senhor". Vale a pena descer a qualquer "profundeza" para ser ensinado a "clamar".

Não é exagero dizer que não sabemos qual será a nossa oração, até que tenhamos *"clamado"*. E raramente erguemos este clamor, até que tenhamos descido às profundezas. "Estou morrendo! Estou perecendo! Estou perdido! Socorro, Senhor! Socorre-me! Salva-me agora! Faze isto *agora*, Senhor, ou estarei perdido. Ó Senhor, ouve-me! Ó, Senhor, perdoa! Ó, Senhor, ouve e age; não tardes, pelo meu bem, ó meu Deus!"

Ao meio dia, se você for tirado do ambiente brilhante e ensolarado e descer ao fundo de uma cova, você verá as estrelas, que lhe estavam invisíveis na superfície. E quantos podem dizer que as coisas que não conhecem ao meio-dia da vida, encontraram na meia-noite da vida, e que devem seus lampejos de glória e suas melhores correntes de pensamento, e a importunidade da oração, e as vitórias da fé, a ocasiões em que estiveram em lugares muito escuros. *"Das profundezas* a ti clamo, ó Senhor". *– James Vaughan*

v. 1: "A ti clamo, ó Senhor" (ou "Das profundezas clamo a ti, Jeová", NTLH). Deus manifestou o nome 'Jeová' ao seu povo, para confirmar a fé que possuíam na estabilidade das suas promessas (Êx 3). Aquele que é a própria Existência certamente dará existência e subsistência às suas promessas. Tratando com Deus sobre as promessas da graça, o salmista faz a sua súplica a Ele, sob este nome: *"Clamo a ti, Jeová"*, NTLH. *– John Owen, A Practical Exposition Upon Psalm cxxx*

v. 2: "Senhor, escuta a minha voz", etc. Cada oração deve ter a sua reverente invocação, como cada templo deve ter seu pórtico. As mais excelentes orações do Antigo Testamento – a oração de Salomão e a oração de Daniel – ambas têm a invocação, de maneira muito enfática. E é uma parte muito distinta do nosso próprio modelo perfeito: "Pai nosso, que estás nos céus, santificado seja o teu nome". De nossa parte, é sinal de deferência, e coloca a mente na sua forma adequada, ao mesmo tempo em que coloca o grande Deus, a quem a oração se dirige, onde Ele deve estar – na reverência da sua glória; na magnitude do seu poder; no âmbito infinito da sua sabedoria e amor.

Nunca despreze esta parte da sua oração, nunca omita nem passe rapidamente sobre a abertura. Não entre na sua presença sem uma pausa ou alguma declaração devota. *"Senhor, escuta a minha voz! Sejam os teus ouvidos atentos à voz das minhas súplicas"*. É verdade, Ele está sempre ouvindo e esperando o "clamor" de seus filhos – muito mais preparado para responder, do que nós, para pedir. E o próprio fato de que estamos orando é uma prova da sua atenção – pois quem, senão Ele, coloca em nossos corações a vontade de fazer esta oração? Apesar disto, é uma honra para Ele, e conveniente que nós estabeleçamos, desde o início, o relacionamento correto entre a criatura e o seu Criador; entre um filho e seu Pai; "Senhor, escuta a minha voz! Sejam os teus ouvidos atentos à voz das minhas súplicas". *– James Vaughan* *v. 2:* "Senhor". Em hebraico, *Adonai.* Assim como *Jeová* caracteriza a sua imutável fidelidade quanto às suas promessas de libertação do seu povo, também *Adonai* caracteriza a sua *soberania* sobre todos os obstáculos no caminho da libertação que Ele lhes concede. – *Andrew Robert Fausset, A Commentary, Critical, Experimental and Practical", 1866*

v. 2: "Senhor, escuta a minha voz", etc. As expressões são metafóricas e tomadas emprestadas do comportamento de um pai com seu filho, e neste aspecto, a sua súplica é esta: Senhor, atente para mim quando eu orar, como um pai prestará atenção ao choro aflito de seu filho, quando estiver prestes a se ferir.

"Sejam os teus ouvidos atentos à voz das minhas súplicas", isto vai um pouco mais adiante; assim como um pai que sabe que um filho está em perigo, ouvirá e prestará atenção, para ver se consegue ouvi-lo chorar, e observará e ponderará sobre este choro, e o motivo pelo qual ele chora; também o salmista pede a Deus que esteja à espera e atento, para ver e ouvir se vem um clamor dele, e afetuosamente pondere e preste atenção quando o ouvir. – *George Hutcheson, - 1678*

v. 3: "Se tu, Senhor, observares as iniquidades", etc. Mas o Senhor não observa as iniquidades? Ele não observa cada pecado realizado por qualquer dos filhos dos homens, especialmente pelos seus próprios filhos? Por que, então, o salmista escreve um *se? "Se tu, Senhor, observares as iniquidades".* Isto é verdade, o Senhor observa todas as iniquidades, para conhecê-las, mas Ele não observa nenhuma iniquidade nos seus filhos, para condená-los por isto: este é o significado do salmo – que se o Senhor observasse o pecado com um olhar rígido e severo, como um juiz, para acusar dele a pessoa pecadora, nenhum homem poderia suportar.

A palavra traduzida como *observar* indica, em primeiro lugar, vigiar ou observar com a mais firme e rígida diligência, e está, por isto, no substantivo traduzido como *torre de vigília,* sobre a qual é colocado um homem que deverá observar todas as coisas que acontecem, e todas as pessoas que passam, ou se aproximam. Um vigia colocado sobre uma torre de vigília deve observar, de maneira persistente e crítica, todos os que passam e todos os lugares, tudo o que os seus olhos puderem alcançar. Isto diz o texto – se tu observares como um vigia, e examinares com rigor tudo o que acontece conosco, *"quem subsistirá?",* isto é, apresentará a sua causa, no dia do seu juízo diante de ti?

Em segundo lugar, a palavra significa ter em mente, armazenar, ter, de certa forma, um estoque, uma recordação ou registro de tais e tais coisas feitas por nós. Neste sentido, está escrito (Gn 37.11): "seus irmãos [de José], pois, o invejavam; seu pai, porém, guardava este negócio no seu coração", ele observava o que José dizia sobre os seus sonhos, e guardava estas informações e não permitia que se esvaíssem como um sonho ou uma visão da noite. Assim, com a expressão *"Se tu, Senhor, observares as iniquidades"* entendemos – se Ele guardar os nossos pecados na sua memória, e os conservar Consigo – *"quem subsistirá", quando julgado?* O Senhor, com graça, vê todas as coisas, e nos corrige frequentemente de uma forma branda e amorosa, quando agimos mal. – *Joseph Caryl*

v. 3: Que os teus ouvidos prestem atenção à voz da minha súplica, mas que os teus olhos não prestem atenção às manchas da minha pele, pois *"Se tu, Senhor, observares as iniquidades, Senhor, quem subsistirá?"* ou quem será capaz de resistir? Os anjos não caíram, quando observaste as tolices deles? Pode a carne, que é apenas pó, estar limpa diante de ti, quando as estrelas, que são feitas de uma substância muito mais pura, não estão? Pode alguma coisa estar limpa diante dos teus olhos, que não seja tão limpa como a tua visão? E pode alguma pureza ser igual à tua? Ai! Ó, Senhor, nós não somos anjos nem estrelas, e como poderemos subsistir, sabendo que eles caíram? Como poderemos estar puros, quando até mesmo estes são impuros? Se tu observares o que é feito de errado, haverá trabalho de observação suficiente para ti, enquanto o mundo existir; pois que ação do homem está livre da mancha do pecado, ou de deficiência de justiça? Por isto, não observes em mim, ó Deus, alguma coisa que eu tenha feito, mas observa em mim somente o que tu mesmo fizeste. Observa em mim a tua própria imagem; e então poderás me observar e ainda dizer, como já disseste antes, *Et erant omnia valde bona* ["Tudo era bom"] – *Sir Richard Baker*

v. 3 (todo o versículo): Nós somos apresentados, de uma vez, a todas as solenidades de um tribunal criminal. O juiz está sentado, o acusado está em pé, junto ao banco dos réus, acusado de um crime passível de pena de morte; as testemunhas estão fornecendo provas contra ele. O juiz ouve atentamente a tudo o que é dito; e para auxiliar a sua memória, ele toma nota das partes mais importantes. Se o Senhor fosse nos julgar desta maneira, qual seria o resultado? Suponha que Ele está sentado no seu trono de inflexível justiça, com uma caneta em sua mão, tomando notas das transgressões que são provadas contra nós. Nada é omitido. Cada pecado é anotado com suas consequências peculiares. Não há possibilidade de escapar da merecida condenação. As evidências contra nós são claras, e copiosas, e esmagadoras. Uma milésima parte delas é suficiente para determinar nossa condenação. O juiz não tem outra alternativa, senão proferir a terrível sentença. Nós devemos morrer a morte de um criminoso. *"Se tu, Senhor, observares as iniquidades, Senhor, quem subsistirá?"* – *N. M' Michael*

v. 3: "Se tu, Senhor, observares". Se investigares e examinares detalhadamente, e então retiveres e acusares: (pois a palavra hebraica significa tudo isto), se investigares, encontrarás um pouco de iniquidade no mais justo dos homens: e quando tiveres encontrado, se a retiveres e chamares este homem para explicá-la, ele não poderá, de maneira alguma, se livrar da acusação nem expiar o crime. Se investigares, facilmente encontrarás iniquidade; mas o pecador, pela mais diligente investigação, não será capaz de descobrir um resgate, e por isto será incapaz de subsistir, não terá lugar onde se apoiar, mas cairá pelo irresistível juízo da tua lei, e a sentença da tua justiça. – *Robert Leighton*

v. 3: "Se tu, Senhor". Aqui ele se fixa em outro nome de Deus, que é JAH (ou Jeová): um nome, derivado da mesma raiz que o anterior, mas raramente usado, exceto para indicar e expressar a terrível majestade de Deus: "Aquele que vai sobre os céus, pois o seu nome é Jeová (Jah)" (Sl 68.4, veja NTLH). Agora, ele deve lidar com Deus sobre a culpa do pecado: e Deus é descrito para a alma como grandioso e terrível, para que ela possa saber o que esperar e procurar, se a questão for julgada de acordo com aquilo que o pecado merece. – *John Owen*

v. 3: "Se tu, Senhor... Senhor". Observe aqui que neste terceiro versículo, o autor menciona duas vezes Deus com o uso de *Senhor* (como também no versículo 9), mostrando-nos, desta maneira, o seu fervoroso desejo de se apoderar de Deus com as duas mãos. Ele não menciona apenas *Adonai* mas também *Jah* (os dois nomes indicando a sua natureza e o seu poder); todas as qualidades de Deus devem se associar e contribuir juntas, por nós; embora Ele seja *Adonai*, se não for também *Jah*, estaremos perdidos. – *Archibald Symson*

v. 3: "Senhor... Senhor". Se Deus se mostrasse como *Jah*, nenhuma criatura seria capaz de permanecer diante dele, que é *Adonai*, e por isto pode executar a sua vontade ou propósito judicial. – *Franz Delitzsch*

v. 3: "Iniquidades". O significado literal da palavra *"iniquidade"* é "algo que não é igual", ou "não é justo". O que quer que infrinja um mandamento de Deus "não é igual", não está de acordo com o que este homem é, nem com o que Deus é. Não está de acordo com o elevado nível da lei. É completamente desproporcional com relação a tudo o que Deus fez. Destrói a harmonia da criação. Não chega sequer ao nível da consciência. E ainda mais, deteriora e cria uma falha na administração divina. Por isto, o pecado é uma coisa desigual, que não é adequada a nada, que desarranja tudo. E *não é justo.* Não é justo com aquele Deus a cujo império transgride. Não é justo com as outras criaturas, às quais esta pode ser uma grande ofensa. Não é justo com você mesmo, pois a sua felicidade está na obediência. Por isto nós chamamos o pecado de *"iniquidade"*. Ou, como a versão do Livro de Orações expressa a mesma ideia, "uma coisa errada", que perde o seu próprio alvo. "Se fores extremo ao observar o que foi *feito de errado"*. – *James Vaughan*

v. 3: "Senhor, quem subsistirá?" Tão logo Deus manifeste sinais de ira, até mesmo os que parecem ser os mais santos adotam este linguajar. Se Deus se determinar a lidar com eles de acordo com a justiça, e os convocar ao seu tribunal, ninguém poderá subsistir; mas será levado a fugir, em busca de refúgio, até a misericórdia de Deus. Veja as confissões de Moisés, Jó, Davi, Neemias, Isaías, Daniel, Paulo e outros apóstolos. Ouça Cristo ensinando os seus discípulos a clamar ao Pai que está nos céus, *"Perdoa-nos as nossas dívidas"*. Se, diante de Deus, os patriarcas, profetas e apóstolos, ainda que possuindo uma santidade incomum, caíram, e, como suplicantes, oraram pedindo perdão, o que será feito com aqueles que pecam voluntariamente e continuamente? – *D. H. Mollerus*

vv. 3 e 4: Estes dois versículos contêm o resumo de todas as Escrituras. No versículo 3 está a fórmula de arrependimento, e no versículo 4, as misericórdias do Senhor. São os dois montes, Gerizim e Ebal, mencionados em Dt 27.12,13. São as colunas no templo de Salomão (1 Rs 7.21), chamadas Jaquim e Boaz. Nós devemos, como Paulo, nos persuadir de que viemos do Monte Sinai ao Monte Sião, onde está a misericórdia, embora devamos comer algumas uvas verdes ao longo do caminho. Jeremias, em sua visão, provou primeiramente um figo amargo, de um cesto, e depois um figo doce, do outro cesto. Nos dias de Moisés, as águas foram amargas a princípio, e depois adocicadas pelo lenho. E Eliseu lançou sal nas águas dos filhos dos profetas, e então as águas ficaram sãs. – *Archibald Symson*

vv. 3 e 4: Quando eu estava assim, em meditação e em meus estudos, considerando como amar ao Senhor, e expressar o meu amor a Ele, estas palavras me ocorreram: *"Se tu, Senhor, observares as iniquidades, Senhor, quem subsistirá? Mas contigo está o perdão, para que sejas temido"*. Estas foram boas palavras para mim, particularmente a sua última parte; isto é, "contigo está o perdão, para que sejas temido", ou seja, como eu interpretei, para que Ele possa ser amado e considerado com reverência; pois assim o entendi, que o grande Deus atribuía tão elevada estima ao amor das suas pobres criaturas, que em lugar de ficar sem o amor delas, Ele prefere perdoar as suas transgressões. – *John Bunyan*

v. 4: "Mas contigo está o perdão, para que sejas temido". Poderíamos pensar que a punição conquista o temor, e o perdão conquista o amor, mas *nemo majus diligit, quam qui maxime veretur offendere – ninguém ama mais verdadeiramente a Deus do que aquele que mais teme ofendê-lo.* "A tua benignidade se eleva acima dos céus, e a tua verdade ultrapassa as mais altas nuvens", isto é, acima de toda sublimidade. Deus é glorioso em todas as suas obras, mas mais glorioso nas suas obras de misericórdia; e esta pode ser uma razão pela qual o apostolo Paulo chama o Evangelho de Cristo de "Evangelho da glória" (1 Tm 1.11). Salomão nos diz, "sua glória [do homem] é passar sobre a transgressão". Nisto Deus é mais glorioso, pois Ele passa sobre todas as transgressões dos seus filhos. Senhor, quem pode te conhecer e não te amar, te conhecer e não te temer? Nós te tememos pela tua justiça, e te amamos pela tua misericórdia; sim, te tememos pela tua misericórdia, e te amamos pela tua justiça, pois tu és infinitamente bom em ambas. – *Thomas Adams*

v. 4: "Mas contigo está o perdão, para que sejas temido". Será que não é um equívoco de Davi, dizer que há misericórdia com Deus para que Ele possa ser temido? Isto não equivale a dizer, com Ele está a severidade, para que Ele possa ser amado? Pois se não pudermos amar alguém por ser severo, como poderíamos temê-lo por ser misericordioso? Não deveria, portanto, ser dito: Contigo está a justiça, para que possas ser temido? Vendo que é a justiça que desperta o temor e conserva a reverência e o temor, a misericórdia gera uma coragem, e a coragem não pode conviver o temor, assim como o temor não pode conviver com a misericórdia. Mas não há, por assim dizer, um temor ativo, para não ofendê-lo, bem como um temor passivo de tê-lo ofendido?

E com a misericórdia de Deus poderia subsistir o temor ativo, e embora não tão bem, talvez, o temor passivo, que é adequadamente ligado à sua justiça.

Há um erro comum no mundo, que é pensar que nós podemos ser mais ousados no pecado porque Deus é misericordioso; mas, ó, minha alma, tome cuidado com este erro, pois a misericórdia de Deus não tem tal propósito; não pretende nos tornar ousados, mas nos fazer temer; quanto maior a sua misericórdia, maior deve ser o nosso temor, pois com Ele está a misericórdia, para que Ele possa ser temido. A menos que temamos, Ele pode decidir se será misericordioso, ou não; ou melhor, podemos ter a certeza de que Ele não será misericordioso, vendo que não convém ter misericórdia exceto por aqueles que o temem; e há uma razão maior para isto, pois a quem a misericórdia deveria ser exibida, exceto àqueles que dela necessitam? E se nós pensarmos que necessitamos dela, certamente temeremos. Portanto, ó Deus tão gracioso, faze-me temer-te; pois da mesma maneira como não terás misericórdia de mim, a menos que eu te tema, também não posso te temer, a menos que sejas misericordioso comigo. – *Sir Richard Baker*

v. 4: "Mas contigo está o perdão, para que sejas temido". Até mesmo o próprio Saulo levantará a sua voz e chorará, quando vir um claro testemunho do amor e da bondade imerecida de Davi. Você já contemplou um prisioneiro condenado dissolvendo-se em lágrimas com a inesperada e imerecida concessão de um perdão, alguém que todo o tempo estava tão duro e insensível como uma rocha? O martelo da lei pode quebrar o coração gélido de um homem com terrores e horrores, e ainda assim ele pode continuar gélido e imutável, mas quando o fogo do amor gentilmente derrete este gelo, ele se dissolve em água – há não é mais gelo, mas tem outra natureza. – *George Swinnock*

v. 4: "Mas contigo está o perdão, para que sejas temido". A doutrina evangélica do perdão gratuito aos pecados não gera, por si só, negligência ou indiferença, como alegam falsamente os papistas; mas, na verdade, gera um temor verdadeiro e genuíno a Deus; o salmista aqui mostra que esta é a causa e o efeito final da doutrina. – *Solomon Gesner*

v. 4: "Mas contigo está o perdão", etc. Os seus juízos e a sua ira podem nos tornar atônitos e estupefatos, mas, se não houver algo mais, eles jamais poderão nos fazer ir até Deus. Então, se isto não é suficiente, o que mais é necessário? Uma visão da misericórdia do Senhor, pois é o que é mais forçosamente atrai, como diz aqui o profeta, e como a igreja de Deus diz (Ct 1.3), "como unguento derramado é o teu nome; por isso, as virgens te amam". Só isto irá, forçosamente, atrair o pecador: pois todos os juízos de Deus, e as maldições da lei, jamais o atrairão. Qual foi o motivo principal que levou o filho pródigo a voltar para a casa de seu pai? Foi principalmente a aflição, a desgraça e a pobreza com que estava sobrecarregado, ou a fome que quase o fez desfalecer? Não, o motivo principal foi este: ele se lembrou de que tinha um pai amoroso. Isto fez com que ele decidisse, com uma humilde confissão, voltar para casa (Lc 15). Também assim é o pecador: não são os terrores e ameaças que o motivam a vir para Deus, mas a consideração de suas múltiplas e excelentes misericórdias. – *Robert Rollock*

v. 4: "Mas". Como é significativa esta palavra *"mas"*! Como se você ouvisse a justiça clamando, "Que morra o pecador", e o diabo no inferno uivando, "Joguem-no ao fogo', e a consciência gritando "Que pereça", e a própria natureza gemendo debaixo do seu peso, a terra cansada de sustentá-lo, e o sol cansado de brilhar sobre o traidor, estando o próprio ar cansado de levar o fôlego para alguém que só o gasta na desobediência a Deus. O homem está prestes a ser destruído, ser engolido rapidamente, quando repentinamente vem este três vezes abençoado *"mas"* que interrompe o curso impiedoso da destruição, estende o seu forte braço, que traz um escudo dourado, entre o pecado e a destruição, e pronuncia estas palavras, *"Mas com Deus está o perdão, para que Ele seja temido"*. – *C. H. S.*

v. 4: "Contigo está a propiciação", esta é a interpretação de alguns; Jesus Cristo é a grande propiciação, o resgate que Deus encontrou; Ele está sempre com Deus, como nosso defensor, e por seu intermédio esperamos obter perdão. – *Matthew Henry*

v. 4: "Perdão". E, hebraico, *selichah*, uma palavra usada apenas aqui, e uma vez por Daniel (9.9) e por Neemias (9.17) – *Christopher Wordsworth*

v. 4: "Para que sejas temido". Este perdão, este sorriso de Deus, prende a alma a Deus com um belo temor. O temor de perder um lampejo de amor. Temor de perder uma palavra bondosa. Temor de ser afastado do céu da sua presença por uma corrente insidiosa de materialismo. Temor de cochilar. Temor de errar. Temor de não agradá-lo o suficiente. O nosso dever, então, é beber intensamente do amor misericordioso de Deus. Estar cheio deste amor é estar cheio de pureza, fervor e fé. Os nossos pecados têm que esconder suas cabeças diminutas, e fugir, esgueirando-se por brechas, quando o perdão – quando Cristo – entra na alma. – *George Bowen, Daily Meditations", 1873*

vv. 4, 5, 7 e 8: Davi remove da sua alma todo o temor de que Deus adote este procedimento [a avaliação rígida] com as pobres almas penitentes, apresentando esta consoladora conclusão como uma verdade indubitável: *"Mas contigo está o perdão, para que sejas temido".* Isto é, na tua natureza está o perdão, tu tens um coração misericordioso no teu seio, sim, há perdão na tua promessa; o teu coração misericordioso não apenas te inclina a pensamentos de perdão, mas a tua fiel promessa te leva a apresentar a mesma misericórdia a todos os que humildemente e oportunamente a solicitam. Estabelecida esta fundação, veja que superestrutura este homem santo edifica (v. 5): *"Aguardo o Senhor; a minha alma o aguarda, e espero na sua palavra".* Como se ele tivesse dito, Senhor, eu creio na tua palavra, e estou decidido, pela tua graça, a esperar à porta da tua promessa, e a jamais me afastar dali, até que tenha a dádiva prometida (o perdão dos meus pecados) enviada a mim. E este é um bocado tão doce, que ele não quer comê-lo sozinho, e por isto ele passa o prato, até a outra extremidade da mesa, para que cada pessoa piedosa possa desfrutar do bocado com ele (vv. 7,8): *"Espere Israel no Senhor, porque no Senhor há misericórdia, e nele há abundante redenção, e ele remirá a Israel, de todas as suas iniquidades".* Como se ele tivesse dito: Isto, que é um motivo de esperança para mim, apesar do clamor dos meus pecados, permite uma base igualmente sólida e firme para qualquer israelita fiel ou alma sincera no mundo, se ele apenas entender a mente de Deus, na sua promessa. Sim, eu tenho uma fé tão forte por eles quanto pela minha própria alma, e eu corajosamente empenho a eternidade da minha felicidade neste princípio – de que Deus remirá cada israelita sincero, de todas as suas iniquidades. – *William Gurnall*

v. 5: "Aguardo o Senhor", etc. Nós consideramos que esta é uma postura muito abençoada do crente. Ela vai contra tudo o que é natural e, portanto, é uma graça ainda mais sobrenatural da alma piedosa. Em primeiro lugar, é a *postura da fé.* Aqui, a alma piedosa depende, em fé, de Deus, em Cristo Jesus; na veracidade de Deus, para cumprir a sua promessa, no poder de Deus em auxiliá-la nas dificuldades, na sabedoria de Deus em aconselhá-la na perplexidade, na onisciência de Deus em orientá-la com seus olhos, e na onipresença e Deus em alegrá-la com a sua presença, em todas as ocasiões e em todos os lugares, o seu sol e seu escudo. Oh, tenha fé em Deus.

É também uma postura *devota.* A alma que espera *por* Deus, é uma alma que espera *em* Deus. O Senhor frequentemente nos prende nesta espera pela sua interposição por nós, para que possa nos conservar esperando e vigiando ao pé da sua cruz, em sincera, crente e importuna oração. Oh, é a espera *pelo* Senhor que conserva a alma esperando *no* Senhor!

É também a *postura de uma paciente espera* pelo Senhor. Não há uma graça do caráter cristão que mais honre a Deus do que a *paciência* – uma espera paciente no Senhor e pelo Senhor. É esta graça cristã, o fruto do Espírito, que irá capacitar você a suportar com dignidade, tranquilidade e submissão as atitudes aflitivas do nosso Pai Celestial, a censura do mundo e as feridas dos santos.

É a *postura de descanso.* Uma alma que espera pelo Senhor é uma alma que descansa no Senhor. Esperar e descansar! Cansado de percorrer em vão o amplo círculo dos expedientes humanos, chegando ao fim de toda a sua sabedoria, força e dos seus recursos, o seu espírito inquieto e esgotado é trazido a esta postura de descanso, de espera no Senhor e de espera pelo Senhor; e assim dobra as suas asas caídas sobre o próprio seio de Deus. Oh, quão real e imediato é o descanso encontrado em Jesus! Descansar nele, por mais profunda que seja a profundeza da alma, por mais escuras que sejam as nuvens que a escondem, ou emergentes as águas que a inundam, tudo é sol e serenidade no interior. – *Condensado de "Soul-Depths and soul-heights", de Octavius Winslow, 1874*

v. 5: "Aguardo o Senhor". *Esperar* é uma grande parte da disciplina da vida, e por isto Deus frequentemente exerce a graça da espera. *Esperar* tem quatro objetivos. Ela põe em pratica a paciência da fé. Dá tempo para a preparação para a dádiva que virá. Torna a bênção mais doce, quando ela chega. E mostra a soberania de Deus – dar exatamente *quando* e exatamente *como* Ele quiser. Pode ser difícil definir exatamente o que o salmista tinha em mente, quando disse, *"Aguardo o Senhor; a minha alma o aguarda, e espero na sua palavra.* A minha alma anseia pelo Senhor mais do que os guardas pelo romper da manhã". Podia ter sido o Messias, cuja vinda era algo próximo na mente dos antigos judeus, assim como o Segundo Advento está próximo para nós.

Podia ter sido alguma interposição especial da Providência divina. Mas, mais provavelmente, considerando o lugar que isto ocupa, e todo o teor do salmo, e a sua linha de pensamento, "O Senhor" que ele aguardava tão intensamente era aquele sentimento abrangente de paz, segurança e amor que a presença de Deus proporciona e que, na verdade, nada mais é do que a vinda do Senhor, de maneira mais sensível e palpável, a um coração ansioso.

A imagem do *homem que espera* é impressionante. É como alguém no topo de uma jornada, olhando à frente, no seu caminho, sobre as pontas dos pés, e por isto precisando de algo em que se apoiar, que o sustente. *"Aguardo o Senhor"* – espiritualmente, com meus mais profundos pensamentos – no próprio centro do meu ser – *"aguardo o Senhor, a minha alma o aguarda"*. E eu descanso, eu repouso no que tu, ó Senhor, disseste, "a minha alma o aguarda, e espero *na sua palavra*".

Em todas as suas *esperas,* lembre-se de duas coisas: Não é pelo evento que você deve esperar, mas pelo Senhor *do* evento; o Senhor *no* evento. E tome cuidado, porque você tem uma promessa em sua vida. – "Espero na sua palavra" – caso contrário, a "espera" será demais para você, e no final poderá ser em vão. – *James Vaughan*

v. 5: "Aguardo... espero". Aguardar e ter esperança frequentemente são a mesma coisa. Ninguém irá aguardar aquilo de que não tem esperança, e aquele que tem esperança sempre irá aguardar. Ele não desiste de esperar, até que desista de ter esperanças. O objeto da esperança é algum bem futuro, mas o ato de ter esperança é um bem presente, e é o pagamento atual para suportar a nossa espera. A palavra indica, ao mesmo tempo, uma espera paciente e uma confiança esperançosa. Assim Cristo o explica (Mt 12.21), interpretando o que o profeta diz (Is 42.4), "as ilhas aguardarão a sua doutrina" desta maneira "no seu nome, os gentios esperarão". – *Joseph Caryl*

vv. 5 e 6: Nestes dois versículos, ele menciona quatro vezes a sua esperança, e a sua espera em Deus e na sua palavra, para permitir que nós vejamos quão fortemente devemos nos agarrar a Deus, e quantas tentações atacam a nossa fé, quando não vemos razão para esta espera e esta esperança. Nada nos sustentará, exceto a esperança. *Spero meliora.* O que encoraja os lavradores e marinheiros contra as tempestades e as ondas do mar, e o mau tempo, senão a esperança de tempos melhores? O que conforta um enfermo em momentos de doença, senão a esperança da saúde? Ou um pobre na sua aflição, senão a esperança de riquezas? Ou um prisioneiro, senão a esperança da liberdade? Ou um homem banido, senão a esperança de voltar para casa? Todas estas esperanças podem falhar, e frequentemente precisam de uma garantia. Embora um médico possa encorajar um enfermo com suas boas palavras, não poderá dar-lhe uma certeza da sua recuperação, pois a sua saúde depende de Deus; os amigos podem prometer alívio para o pobre homem, mas todos os homens mentem; somente Deus, que prometeu, é fiel. Por isto, devemos firmar a nossa fé em Deus, e a nossa esperança em Deus; pois Ele irá cumprir a sua promessa. Ninguém jamais teve esperança nele em vão, nem jamais foi desapontado na sua esperança. – *Archibald Symson*

vv. 5 e 7: A fé, em última análise, se concentra na Divindade. O próprio Deus, na sua natureza gloriosa, é o objeto supremo ao qual se destina a nossa fé. A promessa, considerada simplesmente, não é o objeto de confiança, mas Deus, na promessa; e nesta consideração, nós ascendemos à divindade, e aí lançamos nossa âncora. "Esperar na palavra" é o primeiro ato, mas seguido pela esperança no Senhor: *"espero na sua palavra"*; isto não é tudo; mas *"Espere Israel no Senhor"*. Este é o objeto supremo da fé, de que consiste a essência da nossa felicidade, que é Deus. O próprio Deus é a porção, plena e verdadeira, da alma. – *Stephen Charnock, 1628-1680*

v. 6: "A minha alma anseia pelo Senhor". E agora, alma minha, para que vivo, senão para esperar no Senhor, e ansiar por Deus? Esperar nele, servi-lo, ansiar por Ele, ser capacitado a servi-lo melhor; esperar nele, como sendo o Senhor de tudo e de todos, e ansiar por Ele, como sendo aquele que recompensa tudo; esperar nele, pois servi-lo é melhor do que qualquer outro mandamento, e ansiar por Ele é uma expectativa melhor do que qualquer outra posse. Que outros, portanto, esperem no mundo, anseiem pelo mundo; eu, ó Deus, esperarei em ti, e ansiarei por ti, vendo que encontro um contentamento muito mais verdadeiro nesta espera do que todo o mundo pode me dar; como posso duvidar de receber recompensa pela minha espera por ti, quando a minha espera por ti é, em si mesma, a recompensa da minha espera em ti? E por isto, minha alma anseia, pois se não ansiar, de que vale a minha espera? Não mais do que valeria eu mesmo, se não tivesse uma alma; mas a minha alma dá vida à minha espera, e faz com que ela se torne um sacrifício vivo. Ai, o meu corpo frágil é muito inadequado para alguém que espera; ele precisa, mais ainda, ser esperado; ele precisa de muito descanso, frequentemente precisa ser dispensado de esperar, de modo que se Deus não tiver outros que esperem, senão corpos, frequentemente Ele mesmo esperará; mas a minha alma é *Divinae particula aurae* [uma porção do sopro divino], dotada de todas as qualidades apropriadas para alguém que espera; e ela não recebeu as suas habilidades, ó Deus, de ti? E, por isto, a minha alma espera, e é tão direcionada no serviço que espera *"mais do que os guardas pelo romper da manhã"*. – *Sir Richard Baker*

v. 6: Hammond traduz este versículo assim: "A minha alma corre para o Senhor, como os guardas na manhã, como os guardas na manhã".

v. 6: "Mais do que aqueles que esperam pela manhã". Veja, da mesma maneira como a cansada sentinela que está molhada e rígida pelo frio e os orvalhos da noite, ou como os porteiros que vigiavam no Templo, os levitas, esperavam pela luz do dia, assim "mais do que aqueles que esperam pela manhã" o salmista esperava algum sinal da benevolência de Deus. Embora Ele não nos livre imediatamente da nossa dor, nem gratifique os nossos desejos, ainda assim devemos ansiar por Ele. Com o tempo, teremos uma boa resposta. As demoras de Deus não são negações. O dia virá, por fim, ainda que a cansada sentinela considere longa a espera; assim também Deus virá, por fim; Ele não estará à nossa disposição. Nós não merecemos nada, mas devemos esperar por Ele, no uso diligente dos meios; como os servos de Ben-Hadade esperaram que a palavra "irmão", ou algum sinal de bondade viesse do rei de Israel. – *Thomas Manton*

v. 6: "Mais do que aqueles que esperam pela manhã". Quantos, nos recintos vazios do Templo, se voltaram com olhos ansiosos para o oriente, para o primeiro raio avermelhado sobre os montes de Moabe que desse a indicação da aproximação do dia; mas não era pela libertação que eles esperavam, mas pela hora costumeira quando o sacrifício da manhã poderia ser oferecido, e a alma poderia expressar livremente e aliviada o seu sentimento de gratidão, entoando o hino de ação de graças; assim ela se sentiria livre do peso de suas angústias e pecados através da oração, e poderia obter, do relacionamento renovado com o céu, aquela força que a capacitaria, neste mundo, a respirar o espírito e a se envolver nas obras beneficentes e santas de um mundo melhor. – *Robert Nisbet*

v. 6: "Sim, mais do que aqueles que esperam pela manhã", pois não deve haver uma proporção entre a causa e o efeito? Se a minha causa para vigiar for maior do que a deles, eu não deveria ser mais vigilante do que eles? Aqueles que esperam pela manhã têm uma boa causa, sem dúvida, para esperar por aquela que pode lhes trazer a luz do dia; mas não tenho eu mais motivos para vigiar, eu, que espero pela luz que ilumina a todos os que vêm ao mundo? Aqueles que esperam pela manhã esperam apenas que o nascer do sol os liberte da escuridão, que impede a sua visão; mas eu espero que o nascer do Sol da justiça dissipe os horrores da escuridão que amedronta a minha alma. Eles esperam pela manhã, para que tenham luz para andar; mas eu espero pela Alva, do Alto, para dar luz àqueles que estão nas trevas e na sombra da morte, e guiar os nossos pés pelo caminho da paz. Mas embora a intenção da nossa espera possa ser questionada, não pode haver dúvida quanto à extensão desta espera, pois aqueles que esperam pela manhã esperam, no máximo, durante uma parte da noite; mas eu tenho esperado dias e noites inteiros, e não posso então, dizer, com razão, que espero *mais* do que aqueles que esperam pela manhã? – *Sir Richard Baker*

v. 6: Os homens santos, como Simeão, e os sacerdotes devotos, como Zacarias, estavam no meio deste povo em ebulição que, preocupados, ansiosos, à espera, cantavam consigo mesmos, noite e dia, as palavras do salmista, *"A minha alma anseia pelo Senhor mais do que os guardas pelo romper da manhã"*. Como os amantes que anseiam pela vinda combinada e se sobressaltam com o tremer de uma folha, o voo de um pássaro ou o zumbir de uma abelha, e se cansam da tensa espera, assim os judeus esperavam pelo seu libertador. É uma das visões mais dignas de piedade da história, particularmente quando refletimos que Ele veio – e não o conheceram. – *Henry Ward Beecher, em sua obra, "Life of Jesus the Christ"*

v. 6: "Esperam". Nós fazemos injustiça a esta boa e feliz palavra, *"esperar"* quando a interpretamos como vigiar, no sentido de prevenção contra algo; contra um perigo; contra um mal vindouro. A palavra admite esta interpretação, mas é algo muito superior, e melhor, e mais filial esperar *por* um bem que se aproxima do que vigiar *contra* um mal que se aproxima.

Assim, *"esperando"* nós enviamos nossas flechas de oração, e então olhamos, confiantemente, para ver onde elas caem. Assim, *"esperando"* nós ouvimos, em silêncio, a voz familiar que amamos. Assim, *"esperando"*, nós esperamos o Esposo!

Tome cuidado, como alguém sempre à beira – não do perigo, mas da felicidade – para que a sua *"espera"* seja a *"espera"* do amor, e da confiança, e da esperança alegre. – *James Vaughan*

v. 6: Em 1830, na noite anterior a 1° de agosto, no dia em que os escravos das nossas colônias na Índia Ocidental obteriam a liberdade que lhes tinha sido prometida, nós ficamos sabendo que muitos deles sequer foram dormir. Milhares, e dezenas de milhares deles, se reuniram em seus lugares de adoração, envolvidos em atos de devoção, e entoando louvores a Deus, esperando pelo primeiro raio de luz da manhã daquele dia em que seriam libertados. Alguns foram enviados aos montes, de onde poderiam obter a primeira visão do dia vindouro, e, com um sinal, indicaram a seus irmãos no vale o amanhecer do dia que os tornaria homens, e não mais, como tinham sido até então, meros bens – homens com almas, que Deus tinha criado para viver para sempre. Quão ansiosos estes homens devem ter esperado pela manhã. – *T. W. Aveling, The Biblical Museum", 1872*

v. 7: "Espere Israel no Senhor". Este título é aplicado a todo o povo do Senhor; ele exibe a sua *dignidade* – eles são príncipes; ele se refere à sua *experiência* – eles lutam com Deus, em oração, e prevalecem. O desânimo não convém a um príncipe, e muito menos a um cristão. O nosso Deus é "o Deus da esperança", e devemos ter esperança nele. Israel deve ter esperança na sua misericórdia, na sua paciência, na sua provisão, na sua abundante redenção. Eles devem esperar pela luz, na escuridão; pela força, na fraqueza; pela orientação, na perplexidade; pela libertação, no perigo; pela vitória no conflito; e pelo triunfo, na morte.

Eles devem esperar em Deus com confiança, porque Ele prometeu; devotadamente, porque Ele se apraz em ouvir-nos; obedientemente, pois os seus preceitos devem ser observados por nós; e constantemente, pois Ele é sempre o mesmo. – *James Smith* (1802-1862), *em "The Believer's Daily Remembrancer"*

v. 7: "Espere Israel no Senhor". Embora, em todos os versículos anteriores do salmo, os pensamentos, as tristezas, a oração, a penitência, a reverência, a espera, a vigília, fossem todos pessoais e limitados ao próprio salmista, aqui ocorre uma grande mudança, e não mais é *"eu"*, mas *"Israel"*; todo Israel. "Espere *Israel* no Senhor: porque no Senhor há misericórdia, e nele há abundante redenção, e ele remirá a *Israel* de todas as suas iniquidades". É como sempre deve ser... É o espírito da nossa religião, voltar-se para multidões. – *James Vaughan*

v. 7: "Porque no Senhor há misericórdia". Misericórdia nos foi demonstrada, mas ela habita em Deus. É uma das suas perfeições. O exercício da misericórdia é seu prazer. No Senhor há misericórdia, em toda a sua *plenitude*; Ele jamais foi mais misericordioso do que agora, nem jamais será. No Senhor há misericórdia em toda a sua *ternura*, Ele é cheio de compaixão, as suas entranhas se perturbam por nós, as suas graças estão sobre nós. Há misericórdia nele em toda a sua *variedade*, ela é adequada a cada caso.

Aqui há misericórdia que recebe pecadores, misericórdia que restaura apóstatas, misericórdia que conserva crentes. Aqui há misericórdia que perdoa o pecado, que introduz ao aproveitamento de todos os privilégios do Evangelho, e que abençoa a alma que ora, muito além das suas expectativas. No Senhor há misericórdia, e Ele se apraz em exibi-la, Ele está pronto a distribuí-la, Ele está determinado a exaltá-la e glorificá-la.

No Senhor há misericórdia, isto deve encorajar os infelizes, a se aproximar dele; isto informa os temerosos de que não precisam trazer nada, para induzi-lo a abençoá-los; isto convoca os apóstatas para que retornem a Ele; e isto tenciona animar o cristão cansado, sob todas as suas dificuldades e aflições. Lembre-se, a misericórdia é como Deus, é infinita e eterna. A misericórdia está sempre no trono. A misericórdia pode ser obtida por qualquer pecador. – *James Smith*

v. 7: "Nele há abundante redenção". Esta abundante redenção não deixa para trás mais vestígios de pecado do que os cascos [ou pegadas] de animais que Moisés deixou atrás de si no Egito. Ela redime, não apenas do erro, mas da punição; não somente *a tanto*, mas *a toto* [não somente destes, mas de todo pecado e punição]; não somente da sensação, mas do temor da dor; e no erro, não somente da culpa, mas da mancha; não somente de ser censurado, mas de ser questionado. Ou uma abundante redenção significa que não somente Ele leva cativo o cativeiro, mas dá dons aos homens? Pois que bem existe em um prisioneiro ter o seu perdão, se ainda for mantido na prisão por não pagar os seus impostos? Mas se o príncipe, juntamente com o perdão, também enviar um donativo que poderá sustentá-lo quando for colocado em liberdade, esta, sim, será uma abundante redenção; e esta é a redenção que a misericórdia de Deus conquista para nós. Ela não somente nos liberta de uma masmorra, mas nos dá a posse de um palácio; não somente nos liberta de comermos pão com o suor de nossos rostos, mas nos leva ao paraíso, onde todos os frutos crescem por sua própria iniciativa; não somente nos livra de sermos cativos, mas nos convida a sermos filhos; e não somente filhos, mas herdeiros; e não somente herdeiros, mas co-herdeiros com Cristo; e quem pode negar que esta é uma abundante redenção? Ou ela é descrita como uma abundante redenção levando em conta o preço que foi pago para nos redimir? Pois nós fomos redimidos por um preço, não de ouro ou pedras preciosas, mas com o precioso sangue de Cristo, morto antes da fundação do mundo. Pois Deus amou tanto o mundo que entregou o seu único Filho para que fosse um resgate por nós; e esta, eu tenho certeza, é uma abundante redenção. – *Sir Richard Baker*

v. 7: "Abundante redenção", ou mais literalmente, "redenção, abundantemente". Ele a chama de abundante, como diz Lutero, porque tal é a aflição do nosso coração, a debilidade das nossas esperanças, a fraqueza da nossa fé, que excede muito toda a nossa capacidade, todas as nossas súplicas e todos os nossos desejos. – *J. J. Stewart Perowne*

vv. 7 e 8: Este salmo contém uma evidente profecia do Messias; exibindo a sua abundante redenção, e que Ele irá redimir Israel, isto é, a Igreja, de todos os seus pecados. As suas palavras, no seu pleno sentido, foram usadas por um anjo, quando contou a José que o nome da criança deveria ser Jesus, "porque ele salvará o seu povo dos seus pecados" (Mt 1.21). – *Sir John Hayward (1560-1627), em "David's Tears", 1623*

v. 8: "Ele remirá". Aqui temos um Ele enfático, somente Ele, pois ninguém mais pode fazê-lo. – *J. J. Stewart Perowne*

v. 8: "De todas as suas iniquidades". Não somente da punição (conforme Ewald e Hupfeld). A redenção inclui o perdão dos pecados, o rompimento do poder e domínio do pecado e a libertação de todas as consequências do pecado. – *J. J. Stewart Perowne*

v. 8: "Iniquidades". Iniquidades dos *olhos*. – a consciência não tem voz aqui? A iniquidade não foi praticada pelos seus olhos? Que fale a consciência. A iniquidade do *ouvido* – não há iniquidade que entre no seu coração através do ouvido? Você não pode ouvir uma conversa na rua sem que a iniquidade entre no seu coração, através do que Bunyan chama de "porta do ouvido". Iniquidades dos *lábios* – você sempre mantém a sua língua como se estivesse com um freio? Os seus lábios jamais deixam sair nada inconveniente ao Evangelho? Não há neles nenhuma conversa carnal, nenhuma palavra irada, nenhuma expressão que você não gostaria que os santos de Deus ouvissem? Os seus lábios sempre foram mantidos de maneira tão rígida, que jamais saiu deles nenhuma única expressão que você se envergonharia de proferir diante de uma assembleia do povo de Deus? Iniquidade de *pensamento* – se os seus olhos, ouvidos e lábios estão limpos, não há iniquidade de pensamento? Nesta sua oficina interna, não há sugestões pecaminosas, não há maquinações perversas? Oh, quão ignorantes devemos ser, sobre nós mesmos, se sentimos que não temos iniquidade de pensamento! Iniquidade de *imaginação* – às vezes, a fantasia não traz diante de você cenas de sensualidade em que a natureza carnal é suficientemente vil para se revelar? Iniquidade de *memória* – às vezes, a memória não traz de volta pecados que você cometeu anteriormente, e a sua natureza perversa não é, talvez, suficientemente desprezível para desejar que eles tivessem sido maiores? Iniquidade de *sentimento* – nenhuma inimizade contra o povo de Deus? Nenhuma soberba de coração? Nenhuma cobiça? Nenhuma hipocrisia? Nenhum sentimento de superioridade moral? Nenhuma sensualidade? Nenhum pensamento desprezível que você não consegue revelar nem mesmo ao seu melhor amigo? Mas aqui está a bendita promessa – uma promessa adequada apenas a Israel: pois todos, menos Israel perdem de vista as suas iniquidades, e se justificam na falsa moral. Ninguém exceto Israel sente e confessa as suas iniquidades, e por isto a Israel é limitada a promessa da redenção: "Remirá a *Israel* de todas as suas iniquidades". *Todas?* Sim. Não ficará *nenhuma*? Não, nem um sinal, nem uma sombra, nem um vestígio de uma sombra; todas enterradas, todas desaparecidas, todas engolidas, todas apagadas, todas gratuitamente perdoadas, todas lançadas para trás de Deus. – *Joseph C. Philpot, 1802-1869*

v. 8: Que agradecida e apropriada conclusão deste salmo, abrangente e instrutivo! Como o sol, ele amanhece encoberto em nuvens, e se põe, banhado em esplendor; ele começa com a alma nas profundezas, e termina com a alma nas alturas. Redenção de toda iniquidade! Isto frustra a linguagem mais descritiva, e afasta a mais elevada medida. A mais vívida imaginação fracassa, ao imaginar isto, a mais brilhante imagem fracassa, ao retratar isto, e a fé inclina sua asa, no corajoso esforço de escalar o seu cume. *"Remirá a Israel de todas as suas iniquidades"*. O versículo é um retrato verbal do homem restaurado, e do Paraíso reconquistado. – *Octavius Winslow*

SUGESTÕES AOS PREGADORES

v. 1. A afirmação de um crente experiente.

I. Clamo – isto é, tenho fervorosamente, constantemente, fielmente orado.

II. Clamo somente a ti. Nada poderia me levar a outras confianças, ou a perder a esperança em ti.

III. Clamo em aflição. Na minha pior situação, temporalmente ou espiritualmente, clamo das profundezas.

IV. Por isto deduzo – que sou teu filho, não sou hipócrita, nem apóstata; e que tu me ouviste e que me ouvirás, para sempre.

v. 1. I. Como devemos interpretar "as profundezas". Grande infelicidade e aflição.

II. Como os homens chegam às "profundezas". Pelo pecado e pela descrença.

III. O que fazem as almas piedosas, quando estão "nas profundezas". Clamam ao Senhor.

IV. Como o Senhor ergue as almas suplicantes das "profundezas": "Remirá", etc., v. 8 – *W. H. J. P.*

v. 1. I. Na cova.

II. A estrela da manhã é vista: "A ti, ó Senhor".

III. As orações emergem das "profundezas". – *W. B. H.*

vv. 1 e 2. I. As profundezas das quais a oração pode subir.

1. Da aflição.
2. Da condenação.
3. Da deserção.

II. A altura a que pode subir.

1. Até o ouvido de Deus.
2. A um ouvido paciente. "Escuta a minha voz".
3. A um ouvido atento.

Ou, I. Nós devemos orar, em todos os momentos.

II. Nós devemos orar, para que nossas orações possam ser ouvidas.

III. Nós devemos orar, até saber que somos ouvidos.

IV. Nós devemos orar com fé de que, quando ouvidos, receberemos aquilo que pedimos. "O que me pediste acerca de Senaqueribe, rei da Assíria, eu o ouvi". Deus tinha ouvido. Isto era suficiente. Era a morte de Senaqueribe e a derrota do seu exército. – *G. R.*

vv. 1 e 2. Considere, I. A condição do salmista, à luz de uma advertência. Evidentemente, pelo pecado, ele desceu às profundezas; veja os versículos 3 e 4. Perceba,

1. A necessidade de vigilância por parte de todos.
2. A apostasia traz, mais cedo ou mais tarde, grande perturbação à alma.

II. A sua continuidade ocasional nesta condição, à luz de um juízo divino: "Clamo". Certamente, o seu primeiro clamor não lhe havia trazido a libertação.

1. A concretização do perdão é uma obra divina, que depende da vontade de Deus (Sl 85.8).
2. Mas nem sempre, nem frequentemente, Ele falará de perdão ao primeiro pedido, pois Ele fará com que o seu povo reverencie a sua santidade, sinta a amargura do pecado, aprenda a ter cautela etc.

III. A sua conduta, enquanto nesta condição, à luz de uma orientação. Ele,

1. Busca a libertação que só vem de Deus.
2. É intensamente fervoroso na sua súplica: "Clamo".

3. É importuno no seu apelo: "Escuta a minha voz", etc. – *J. F.*

v. 2. A atenção de Deus para conosco – como obtê-la.

I. Devemos implorar utilizando o Nome que recebe toda a atenção.

II. Devemos prestar atenção à Palavra de Deus.

III. Devemos prestar sincera atenção ao que pedimos, e à maneira como pedimos.

IV. Devemos esperar atentamente uma resposta.

v. 2. "Senhor, escuta a minha voz". I. Embora ela seja fraca, por causa da distância – escuta-a.

II. Embora ela seja quebrantada, por causa da minha aflição – escuta-a.

III. Embora ela seja indigna, por causa das minhas iniquidades – escuta-a. – *W. H. J. P.*

v. 3. I. A suposição: "Se tu, Senhor, observares as iniquidades".

1. É escritural.

2. É razoável. Se Deus não é indiferente aos homens, Ele deve observar os pecados deles. Se Ele é santo, deve manifestar indignação contra o pecado. Se Ele é o Criador da consciência, certamente confirmará o seu veredicto contra o pecado. Se Ele não está, de modo algum, do lado do pecado, como pode deixar de vingar os enganos e as infelicidades que o pecado causou?

II. A pergunta que ele sugere: "Quem subsistirá?" Uma pergunta,

1. Que não é difícil de responder.

2. De solene importância para todos.

3. Que deve ser assunto de séria ponderação, sem demora.

III. A possibilidade que atinge a todos. "Se tu, Senhor". Este "se" indica a possibilidade de que Deus pode não observar o pecado. A possibilidade,

1. É razoável, desde que isto aconteça sem prejuízo à justiça de Deus; pois o Criador e Preservador dos homens não pode se alegrar em condenar e punir.

2. É uma realidade que honra a Deus, pelo sangue de Cristo (Rm 3.21-26).

3. E se torna uma gloriosa certeza na experiência das almas penitentes e crentes. – *J. F.*

vv. 3 e 4. I. A confissão. Ele não pôde subsistir.

II. A confiança. "Está o perdão".

III. A consequência. "Para que sejas temido".

vv. 3 e 4. I. A temerosa suposição.

II. A solene pergunta.

III. A consolação divina. – *W. J.*

v. 4. O perdão em Deus. I. As provas dele.

1. Declarações divinas.

2. Convites e promessas (Is 1.18).

3. A concessão do perdão, tão eficazmente, de modo a transmitir certeza e alegria (2 Sm 12.13; Sl 32.5; Lc 7.47-8; 1 Jo 2.12).

II. A razão para isto.

1. Na natureza de Deus está o desejo de perdoar; a dádiva de Cristo é uma evidência suficiente disto.

2. Mas o texto não fala tanto de um desejo, mas declara a existência de um perdão, que está "com" Deus, e, portanto, pronto para ser distribuído. O sangue de Cristo é a razão (Cl 1.14); por ele, a disposição de perdoar se manifesta, com justiça, no ato de perdoar (Rm 3.25, 26).

3. Consequentemente, o perdão de todos os que creem é assegurado (Rm 3.25; 1 Jo 2.1,2).

III. O resultado da sua realização: "Para que sejas temido"; com um temor reverente, e adoração espiritual.

1. A possibilidade do perdão gera verdadeira penitência em uma alma ansiosa, em oposição ao terror e ao desespero.

2. A esperança de receber o perdão gera busca fervorosa e oração.

3. A recepção, com fé, do perdão traz paz e descanso, e, incitando o amor agradecido, conduz à adoração espiritual e ao serviço filial. – *J. F.*

v. 4. "Está o perdão". I. Ele é necessário.
II. Somente Deus pode concedê-lo.
III. Ele pode ser obtido.
IV. Nós podemos saber que o temos.
v. 4. I. Um anúncio muito animador: "Contigo está o perdão".
1. Um fato assegurado.
2. Um fato no presente.
3. Um fato que emerge do próprio Deus.
4. Um fato declarado em termos gerais.
5. Um fato sobre o qual se deve meditar com prazer.
II. Um objetivo muito admirável: "Para que sejas temido".
1. De maneira muito contrária ao uso indevido por parte de rebeldes, zombadores e procrastinadores.
2. De maneira muito diferente dos supostos temores dos legalistas.
3. Nenhum perdão, nenhum temor a Deus – demônios, perversos.
4. Sem perdão, ninguém sobrevive para temer a Ele.
5. Mas os meios do perdão encorajam a fé, o arrependimento, a oração; e a recepção do perdão cria amor, sugere obediência, inflama o zelo.
v. 4. Veja "Spurgeon's Sermons", n. 351: "Plenteous Redemption".
v. 4. Luz branda. I. O anjo junto ao trono: "Contigo está o perdão".
II. A sombra que enfatiza a sua doce majestade: "Se", "mas".
III. A admiração resultante do seu ministério; universal, do mais nobre ao mais humilde. – *W. B. H.*
vv. 5 e 6. Três posturas: Espera, Esperança, Vigília.
vv. 5 e 6.
1. O pecador que busca.
2. O cristão pesaroso.
3. O intercessor amoroso.
4. O trabalhador espiritual.
5. O crente moribundo. – *W. J.*
vv. 5 e 6. I. Nós devemos esperar em Deus.
1. Pela fé: "espero na sua palavra".
2. Pela oração. A oração pode esperar, quando tem uma promessa na qual confiar.
II. Nós devemos esperar por Deus: "aguardo o Senhor". "A minha alma anseia pelo Senhor mais", etc.
1. Porque Ele tem o seu próprio tempo para dar.
2. Porque o que Ele dá vale a pena esperar. – *G. R.*
v. 6. "Mais do que aqueles". I. Pela tristeza mais sombria que a sua ausência causa.
II. Pelo esplendor mais rico que a sua vinda certamente trará.
III. Pelo maior poder do amor que temos em nosso interior. – *W. B. H.*
v. 6. I. Uma noite longa e escura: o Senhor ausente.
II. Um vigia ansioso e esperançoso: esperando o retorno do Senhor.
III. Uma manhã brilhante e abençoada: o momento da aparição do Senhor. – *W. H. J. P.*
v. 7. Graça redentora, a única esperança daqueles que buscam a santificação. – *W. B. H.*
v. 7. I. Uma exortação divina: "Espere Israel no Senhor".
II. Uma razão espiritual: "Porque no Senhor há misericórdia", etc.
III. Uma promessa de graça: "Remirá a Israel de todas as suas iniquidades". – *J. C. Philpot*
vv. 7 e 8. É sábio lidar pessoalmente com Deus.
I. O primeiro exercício da fé deve ser voltado ao próprio Senhor. Esta é a ordem natural, a ordem necessária, a mais fácil, a mais sábia, e a mais benéfica. Comece onde tudo começa.

II. Os exercícios de fé sobre outras coisas devem ainda ter conexão com o Senhor. Misericórdia – "com o Senhor". Abundante redenção "nele".

III. Os exercícios de fé, qualquer que seja o seu objetivo, devem, *todos*, se firmar nele. "Remirá", etc.

v. 8. I. A redenção: "de todas as iniquidades".

II. O Redentor: "o Senhor" (veja Tt 2.14).

III. Os remidos: "Israel" – *W. H. J. P.*

SALMO 131

TÍTULO

Cântico de Degraus, de Davi. É escrito por Davi e fala sobre Davi: ele é o autor e o assunto do salmo, e muitos incidentes da sua vida podem ter sido empregados para ilustrá-lo. Comparando todos os salmos a pedras preciosas, este seria assemelhado a uma pérola: quão elegantemente ele adorna o pescoço da paciência. É um dos salmos mais curtos, para se ler, mas é um dos mais longos, para aprender. Ele fala de uma criança, mas contém a experiência de um homem em Cristo. A humildade é aqui vista em conexão com um coração santificado, uma vontade submetida à vontade de Deus, e uma esperança que confia apenas no Senhor. Feliz é o homem que pode, sem falsidade, usar estas palavras, como suas; pois ele se veste da semelhança do seu Senhor, que disse: "Sou manso e humilde de coração". O salmo está à frente de todos os cânticos de degraus que o precederam; pois a humildade é uma das realizações mais elevadas na vida com Deus. Também há degraus neste cântico de degraus; é uma escada curta, se contarmos as palavras, mas ainda assim ela sobe a uma grande altura, estendendo-se da profunda humildade a uma confiança firme. Le Blanc acredita que este é um cântico entoado pelos israelitas que retornaram da Babilônia com corações humildes, desmamados de seus ídolos. De qualquer forma, depois de qualquer cativeiro espiritual, que esta seja a expressão de nossos corações.

EXPOSIÇÃO

1 *SENHOR, o meu coração não se elevou, nem os meus olhos se levantaram; não me exercito em grandes assuntos, nem em coisas muito elevadas para mim.*
2 *Decerto, fiz calar e sossegar a minha alma; qual criança desmamada para com sua mãe, tal é a minha alma para comigo.*
3 *Espere Israel no SENHOR, desde agora e para sempre.*

1. *"Senhor, o meu coração não se elevou."* O Salmo lida com o Senhor, e é uma conversa solitária com Ele, não um discurso

diante dos homens. Nós temos público suficiente quando falamos com o Senhor, e podemos dizer a Ele muitas coisas que não seriam apropriadas para os ouvidos dos homens. O homem santo faz seu apelo ao Senhor, o único que conhece o coração; o homem deve ser cauteloso para orar dessa maneira, pois não se deve brincar com o Senhor; e quando alguém se aventura neste apelo, deve estar certo do seu caso. O salmista começa com o seu coração, pois este é o centro da nossa natureza, e se houver soberba, ela profanará tudo; assim como o lodo na fonte leva lama a todas as correntezas. É uma grande coisa que um homem conheça o seu próprio coração, de modo a ser capaz de falar sobre ele diante do Senhor. Enganoso é o coração, mais do que todas as coisas, e perverso; quem o conhecerá? Quem pode conhecê-lo, a menos que seja ensinado pelo Espírito de Deus? É, ainda, uma grande coisa, se, depois de se investigar rigorosamente, o homem puder solenemente declarar ao Onisciente que o seu coração não é soberbo: isto equivale a dizer que ele não se sente orgulhoso da sua opinião sobre si mesmo, desdenhando os outros, nem se mostra fanático diante do Senhor; ele não está se vangloriando do passado, não se mostra orgulhoso do presente, nem é ambicioso sobre o futuro.

"Nem os meus olhos se levantaram." O que o coração deseja, os olhos procuram. Os olhares normalmente seguem os desejos. Este homem santo sentia que não procurava os lugares altos onde poderia gratificar a sua auto-estima, nem considerava os outros como sendo seus inferiores. O Senhor detesta um olhar soberbo; e nisto, todos os homens estão de acordo com Ele; sim, até mesmo os próprios soberbos detestam a soberba nos gestos dos outros. Os olhos levantados são, em geral, tão odiosos, que os homens soberbos são conhecidos por evitar as maneiras naturais dos orgulhosos, para escapar à má vontade de seus companheiros. O orgulho que imita humildade sempre toma cuidado em baixar os olhos, uma vez que a consciência de cada homem lhe diz que os olhares desdenhosos são os sinais assegurados de um espírito de vanglória. No salmo 121 Davi elevou os seus olhos para os montes; mas aqui ele declara que os seus olhos não estavam levantados de nenhuma outra maneira. Quando o coração é reto, e os olhos são retos, todo o homem está no caminho para uma condição saudável e feliz. Devemos tomar cuidado para não usar a linguagem deste salmo, a menos, realmente, que ela seja verdadeira a nosso respeito, pois não há pior soberba do que a que declara humildade quando não a possui.

"Não me exercito em grandes assuntos." Como um homem em particular, ele não usurpou o poder do rei nem tramou contra ele; ele cuidava da sua própria vida, e deixava que os outros cuidassem da deles. Como um homem cuidadoso, ele não se intrometia em assuntos não revelados, não era especulativo, presunçoso nem obstinado. Como uma pessoa secular, ele não se lançou no sacerdócio, como Saul tinha feito antes dele, e como Uzias, depois dele. É bom que nos exercitemos na santidade, para que conheçamos a nossa verdadeira esfera e a mantenhamos com diligência. Muitos, com o desejo de ser grandiosos, falharam e não conseguiram ser bons: não se contentaram em adornar as posições humildes que o Senhor lhes indicou, e procuraram grandeza e poder, e encontraram destruição onde procuravam honra.

"Nem em coisas muito elevadas para mim." As coisas elevadas podem ser adequadas a outros que têm maior estatura, e podem ser bastante inapropriadas para nós. Um homem faz bem em conhecer "o seu próprio tamanho". Averiguando a sua própria capacidade, ele será tolo, se buscar o que está além do seu alcance, esticando-se e assim se ferindo. Tal é a vaidade de muitos homens, que se uma obra estiver ao seu alcance, eles a desprezam, julgando que ela esteja em um nível inferior ao deles; o único serviço a que estão dispostos a se dedicar é aquele para o qual nunca foram chamados, e para o qual não estão, de maneira alguma, qualificados. Que coração soberbo deve ter aquele que não deseja servir a Deus, de maneira nenhuma, a menos que lhe sejam confiados cinco talentos, pelo menos! Tem aspecto realmente soberbo aquele que desdenha ser uma luz entre os seus amigos e vizinhos pobres, aqui abaixo, mas exige ser criado como uma estrela de primeira grandeza, para brilhar

entre as mais altas esferas, e ser admirado por multidões. É justo, por parte de Deus, que aqueles que desejam ser tudo acabem sendo nada. É uma justa retribuição de Deus, quando todos os assuntos acabam sendo grandes demais para o homem que deseja lidar apenas com grandes assuntos, e tudo se mostra elevado demais para o homem que se exercita em coisas elevadas demais para ele. Senhor, faze-nos humildes, conserva-nos humildes, firma-nos para sempre na humildade. Ajuda-nos a estar em tal condição que a confissão deste versículo possa sair de nossos lábios como uma declaração confiável, que ousamos fazer diante do Juiz de toda a terra.

2. *"Decerto, fiz calar e sossegar a minha alma."* O original assume, de certa maneira, a forma de um juramento, e por isto os nossos tradutores exibiram grande discernimento ao introduzir a palavra "decerto"; não é uma versão literal, mas fornece corretamente o significado. O salmista tinha se comportado da melhor maneira que podia, e tinha suavizado a aspereza da sua própria obstinação; por santo esforço, ele tinha dominado o seu próprio espírito, de modo que, com relação a Deus, ele não era rebelde, da mesma maneira como com relação aos homens, ele não era soberbo. Não é fácil sossegar a si mesmo; o homem poderá acalmar o homem, ou controlar o vento, ou domar um tigre, antes de sossegar a si mesmo. Nós somos exigentes, intranquilos, petulantes, e nada, senão a graça, poderá nos sossegar sob aflições, irritações e desapontamentos.

"Qual criança desmamada para com sua mãe." Ele tinha se tornado tão subjugado e satisfeito como uma criança cujo desmame foi completamente realizado. Os orientais adiam o momento do desmame muito mais do que nós, e podemos concluir que o processo não fica nem um pouco mais fácil, por ser adiado. Por fim, o período da amamentação deve chegar ao fim, então tem início uma batalha: à criança é negado o seu consolo, e ela se irrita e se inquieta, e busca afagos ou fica mal-humorada. Ela está enfrentando a sua primeira grande angústia, e está em amarga aflição. Mas o tempo não apenas traz alívio, mas o fim do conflito; logo, o menino fica muito satisfeito em encontrar seu alimento à mesa, com seus irmãos, e não anseia mais em retornar àquelas fontes das quais anteriormente vinha o sustento para a sua vida. Ele não está mais zangado com a sua mãe, mas enterra sua cabeça naquele mesmo seio pelo qual ansiava tão dolorosamente; e é desmamado *em* sua mãe, e não *dela*.

"A minha alma descansa como criança desmamada,
então paro de chorar;
O colo de minha mãe, embora seu peito tenha secado,
me embala, para que eu adormeça".

Para a criança desmamada, a sua mãe é sua consolação, ainda que lhe tenha negado consolação. É um sinal abençoado de estar crescendo, saindo da infância espiritual, quando podemos nos abster das alegrias que antes pareciam essenciais, e podemos encontrar nosso alívio naquele que as nega a nós: então nós nos comportamos como homens, e cada queixa infantil é silenciada. Se o Senhor remove o nosso mais precioso prazer, nós nos curvamos à sua vontade, sem um pensamento de queixa; na verdade, nós encontramos prazer em abrir mão do nosso prazer. Este não é um fruto espontâneo da natureza, mas um produto bem cuidado da graça divina: e se origina da humildade, e é o caule no qual a paz floresce como uma bela flor.

"Tal é a minha alma para comigo"; ou isto pode ser interpretado, "como uma criança desmamada, é a minha alma em mim", como se a sua alma se apoiasse sobre ele, em silenciosa submissão, jamais se vangloriando nem se queixando. Não são todos os filhos de Deus que chegam a este desmame de maneira exitosa. Alguns ainda estão sugando quando já deveriam ser pais; outros têm dificuldade para desmamar, e choram, e lutam e se enfurecem contra a disciplina celestial de seus pais. Quando nós pensamos que passamos pelo desmame e que estamos a salvo, tristemente descobrimos que os antigos desejos estão apenas feridos, e não mortos, e começamos a chorar novamente, pedindo os seios de que tínhamos desistido antes.

É fácil começar a gritar antes de conseguir sair do bosque, e sem dúvida centenas de pessoas entoaram este salmo muito antes de poder entendê-lo. Benditas são aquelas aflições que subjugam nossos interesses, que nos desmamam da auto-suficiência, que nos educam na coragem cristã, que nos ensinam a amar a Deus, não apenas quando Ele nos consola, mas até mesmo quando Ele nos prova. Bem pode o sagrado poeta repetir a sua imagem da criança desmamada; ela é merecedora de admiração e imitação; sem dúvida, é desejável e difícil de alcançar. Este desmame de si mesmo nasce da gentil humildade, declarada no versículo anterior, e parcialmente explica a sua existência. Desaparecida a soberba, certamente se seguirá a submissão; e, por outro lado, para que a soberba seja eliminada, também o ego deve ser extinto.

3. *"Espere Israel no Senhor, desde agora e para sempre."* Veja a maneira amorosa como o homem é desmamado de seus pensamentos egocêntricos e outros! Davi pensa no seu povo, e, na sua preocupação com Israel, se esquece de si mesmo. Como ele valoriza a graça da esperança! Ele abriu mão das coisas visíveis e por isto valoriza os tesouros que são invisíveis, exceto pelos olhos da esperança. Há lugar para a maior esperança quando o ego desaparece, base para a esperança eterna quando as coisas temporárias não mais dominam os nossos espíritos. Este versículo é a lição da experiência: um homem de Deus que aprendeu a renunciar ao mundo e a confiar somente no Senhor, aqui exorta todos os seus amigos e companheiros, para que façam o mesmo. Ele considera uma coisa abençoada viver pela esperança, e por isto deseja que todos os seus parentes façam a mesma coisa. Que toda a nação tenha esperança, que toda a sua esperança esteja no Senhor, que imediatamente comecem a ter esperança, "desde agora" e continuem a ter esperança "para sempre". O desmame tira a criança de uma condição temporária e a conduz a um estado em que permanecerá, pelo resto da sua vida; exaltar-se acima do mundo é entrar em uma existência celestial que jamais terminará. Quando nós deixamos de ansiar pelo mundo, começamos a ter esperança no Senhor. Ó Senhor, assim como uma mãe desmama uma criança, também desmama-me, e então fixarei toda a minha esperança somente em ti.

NOTAS EXPLICATIVAS E DECLARAÇÕES SINGULARES

O salmo: Este pequeno cântico traz a inscrição לְדָוִד porque é como um eco da resposta (2 Sm 6.21ss.) com que Davi repeliu a observação zombeteira de Mical, na ocasião em que ele dançou diante da Arca em um éfode de linho, e portanto, não em uma veste real, mas na veste comum dos sacerdotes. *"Ainda mais do que isto me envilecerei e me humilharei aos meus olhos".* Em geral, Davi é o modelo do estado de espírito que o poeta aqui expressa. Ele não se adiantou, mas permitiu que fosse removido da reclusão. Ele não tomou posse do trono com violência, mas depois que Samuel o ungiu, voluntariamente e pacientemente ele percorreu o longo e espinhoso caminho da profunda humilhação, até que recebeu da mão de Deus aquilo que a promessa de Deus lhe tinha assegurado. A perseguição de Saul durou cerca de dez anos, e o seu reinado em Hebrom, que a princípio era apenas incipiente, durou sete anos e meio. Ele deixou inteiramente a cargo de Deus a remoção de Saul e Isbosete. Ele deixou Simei amaldiçoar. Deixou Jerusalém diante de Absalão. A submissão à orientação de Deus, a resignação às suas dispensações, a satisfação com aquilo que lhe era designado, são as características marcantes do seu nobre caráter. – *Franz Delitzsch*

O salmo: O Salmo 130 é um Cântico de Perdão; o Salmo 131 é um Cântico de Humildade; o primeiro comemora a bem-aventurança do homem cujas transgressões são perdoadas; o segundo comemora a bem-aventurança do homem que tem um espírito manso e humilde. O perdão *deve* nos humilhar. O perdão indica pecado; e o pecador não deveria se revestir de humildade? E quando não por seu merecimento, mas simplesmente pela graça gratuita do Céu, os seus pecados são perdoados, ele não deve se envolver ainda mais apertadamente com as vestes da humildade? O homem que tem natureza sincera e, ao mesmo tempo, doce, se sentirá muito mais humilde pela sensação de um perdão imerecido do que pela lembrança dos pecados dos quais foi purificado. Portanto, é muito apropriado que o salmo da humildade siga o salmo que canta a benignidade e a graça divinas. – *Samuel Cox*

O salmo: Este salmo, que registra o espírito manso e humilde daqueles que são os verdadeiros adoradores do Templo sem dúvida pertence, como anuncia o seu título, aos tempos de Davi. Isto está no espírito deste humilde agradecimento feito por ele, depois da revelação divina feita por Natã, sobre as bênçãos futuras para a sua descendência (1 Cr 22.9-11); e forma uma introdução apropriada para o salmo seguinte, cujo tema é, evidentemente, a dedicação do Templo. – *John Jebb*

v. 1: "Senhor, o meu coração não se elevou". Pela verdade da sua súplica, ele apela a Deus; e de todos os que estão aflitos como Davi, Deus irá aceitar o apelo.

Em primeiro lugar, ele pode, com sinceridade de coração, apelar a Deus: *"Senhor, o meu coração não se elevou"*. Ele apela àquele que conhece todas as coisas. "Senhor, de quem nada pode se esconder, tu sabes que esta é a disposição da minha alma. Se eu tenho alguma coisa, isto vem de ti; foi a tua providência que me trouxe, quando era jovem, de após as ovelhas pejadas, para apascentar e governar o teu povo". Um homem tão santo não invocaria a Deus precipitadamente nem tomaria o seu santo nome em vão; mas conhecendo a sua integridade, invoca a Deus como testemunha. Os santos costumam fazer isto, em ocasiões similares; como Pedro (Jo 21.17): "Senhor, tu sabes tudo; tu sabes que eu te amo". Eles sabem que têm um Deus que não será enganado com quaisquer exibições, e que Ele os conhece e os aprova da maneira como vê que eles são.

Em segundo lugar, Deus irá aceitar o apelo daqueles que estão afligidos como Davi; pois por causa de Deus nós somos o que sinceramente desejamos ser, e nos esforçamos para ser, e temos aquele que é o curso geral e o teor da nossa vida, embora possa haver em nós algum fracasso entrelaçado. Davi disse, *"Senhor, o meu coração não se elevou"*, e ainda assim, ele não estava completamente livre da soberba. A sua profissão de fé respeita o seu propósito sincero e o seu esforço constante, e a disposição predominante da sua alma. O próprio Deus confirma estes apelos, pelo seu próprio testemunho (1 Rs 15.5): "Davi tinha feito o que era reto aos olhos do Senhor e não se tinha desviado de tudo o que lhe ordenara em todos os dias da sua vida, senão só no caso de Urias, o heteu..." Com tudo isto, é demonstrado que a alegação de sinceridade é aceita por Deus, embora houvesse alguma mistura de falhas e fraquezas.

Em terceiro lugar, este vangloriar não é como o do fariseu? (Lc 18.11): "Ó Deus, graças te dou, porque não sou como os demais homens". Se Davi era tão humilde, por que fala sobre isto? Ele não é culpado de soberba, embora pareça falar contra ela?

Isto é dito como (1) Uma justificativa e defesa necessária, ou (2) Uma instrução necessária. 1. Como uma defesa necessária das censuras e calúnias dos seus adversários. Os cortesãos de Saul o acusavam de buscar o reino; sim, seu próprio irmão o repreendeu por soberba, quando ele saiu pela primeira vez para o campo de batalha: "Bem conheço a tua presunção e a maldade do teu coração, que desceste para ver a peleja" (1 Sm 17.28). Se o seu irmão podia caluniar os seus atos, muito mais poderiam os outros. É a honra de Deus que os seus filhos, da mesma maneira como não devem cometer uma transgressão, também não devem estar sob a suspeita de tê-lo feito; por isto, Davi apela a Deus. 2. Uma instrução necessária; pois o que quer que Davi tenha dito ou escrito aqui, ele o disse ou escreveu pela inspiração do Espírito Santo, para que Israel pudesse aprender como ter esperança em Deus. Desta maneira, Davi é um padrão notável de dever, tanto com os superiores como os inferiores. – *Thomas Manton*

v. 1: "O meu coração não se elevou". Ainda que a soberba seja um problema comum, que acompanha cada homem vaidoso, em cada grau de excelência, e seu suposto valor, a graça de Deus é capaz de conservar humilde um homem sábio, rico e poderoso, sim, conservar humilde um rei e um conquistador; pois não é ninguém menos que Davi que diz aqui, *"Senhor, o meu coração não se elevou"*. – *David Dickson*

v. 1: "Nem os meus olhos se levantaram". A soberba tem seu lugar no coração; mas a sua principal expressão está nos olhos. O olho é o espelho da alma; e dele podem ser deduzidas algumas características mentais e morais, com grau considerável de precisão. Que mundo de significados às vezes se concentra em um único olhar! Mas de todas as paixões, a soberba é mais claramente revelada nos olhos. Dificilmente poderá haver um engano aqui. Nós somos familiarizados com uma classe de expressões, que andam aos pares. Nós falamos de pecado e desgraça; santidade e felicidade; paz e prosperidade; guerra e desolação. Entre estas expressões podem ser incluídas, o coração soberbo e o olhar altivo. "Há uma geração cujos olhos são altivos e cujas pálpebras são levantadas para cima". "Aquele que tem olhar altivo e coração soberbo, não o suportarei..." Um olhar altivo é uma das sete coisas que são uma abominação para o Senhor. Está escrito: "E o povo aflito livras, mas teus olhos são contra os altivos, e tu os abaterás". E por isto Davi reconhece: Senhor, tu conheces todas as coisas; tu sabes que não existe soberba em meu coração. Sabes que nenhum orgulho brilha nos meus olhos. – *N. M' Michael*

v. 1: "Nem os meus olhos se levantaram". Ele não tinha um olhar zombeteiro nem ambicioso. *"Nem os meus olhos se levantaram'*, seja para olhar com inveja para os que estão acima de mim, ou para olhar com desdém para os que estão abaixo de mim. Onde há um coração altivo, normalmente há um olhar altivo (Pv 6.17); mas o publicano humilde sequer erguerá seus olhos. – *Matthew Henry*

v. 1: "Não me exercito", etc. Nunca é demais admirar a oração de Anselmo, um clérigo intenso do nosso próprio país, no século XI: "Eu não busco, ó Senhor, penetrar nas tuas profundezas. De maneira alguma penso que o meu intelecto seja condizente com elas; mas anseio por entender, até certo ponto, a tua verdade, que o meu coração ama e em que ele crê. Pois não busco entender para que possa crer; mas creio, para que possa entender". – *N. M' Michael*

v. 1: "Grandes assuntos... coisas muito elevadas para mim". As coisas grandes e maravilhosas aqui mencionadas são os propósitos secretos de Deus, e os meios soberanos para a sua concretização, em que o homem não é chamado para cooperar, mas para aquiescer. Da mesma maneira como Davi praticava a sua tolerância, pela paciente expectativa do reino, tanto antes como depois da morte de Saul, também aqui ele a descreve como uma característica do povo escolhido. – *Joseph Addison Alexander*

vv. 1 e 2: O nosso Pai é superior a nós, é adequado, portanto, que nos resignemos à sua vontade. "Honra a teu pai e a tua mãe" (Êx 20.12); muito mais ao nosso Pai celestial! (Hb 12.9). Veja o espírito de Davi neste caso: *"Senhor, o meu coração não se elevou"* (Sl 131.1,2). Como se ele tivesse dito: "Eu me manterei na minha própria esfera; não me estenderei para ultrapassar a linha, prescrevendo a Deus; mas me submeterei à sua vontade, *'qual criança desmamada'* e tirada dos preciosos seios"; indicando que ele desejava se desmamar do que Deus tinha removido dele. Quão pacientemente Isaque se permitiu ser amarrado e sacrificado por Abraão (Gn 22.9). Ele tinha idade e forças suficientes para ter lutado pela sua vida, pois tinha 25 anos de idade, mas este homem santo abominava a ideia de lutar contra seu pai. E não nos resignaremos ao nosso Deus e Pai em Cristo Jesus? – *John Singleton (-1706), The Morning Exercises*

vv. 1 e 2: O meu objetivo e a minha oração sempre foram: eu não tenho nenhum plano a meu respeito; seguro que estou de que o lugar onde o Senhor julgar adequado colocar-me é o melhor lugar para mim. – *Robert Murray M'Cheyne, 1813-1843*

v. 2: "Decerto, fiz calar e sossegar a minha alma", etc. Oh, quão insípida e seca a palavra cresce na alma que está se adequando para o céu! "O mundo está crucificado para mim e eu, para o mundo" (Gl 6.14). Em vão esta meretriz pensa me seduzir com as suas atrações que estão voltadas ao lucro e ao prazer. "Decerto, fiz calar e sossegar a minha alma; qual criança desmamada para com sua mãe, tal é a minha alma para comigo". Não há mais sabor nestas coisas pomposas para o meu paladar, do que na clara de um ovo; tudo se torna um peso para mim, exceto o meu dever de seguir a minha chamada e ser grato por tudo aquilo que me agrada. Parece que tenho minha esposa, meu esposo e parentes queridos, como se não tivesse nenhum; Eu choro pelas perdas externas, como se não chorasse; eu me alegro nas consolações desta terra, como se não me alegrasse (1 Co 7.29, 30); meus pensamentos são tomados por outros assuntos. Os homens do mundo me desprezam, muitos parecem estar cansados de mim, e eu estou igualmente cansado deles. Não é a nenhuma destas coisas terrenas que meu coração se dedica; a minha alma se interessa pelas coisas do alto, o meu tesouro está no céu, e ali desejo ter também meu coração; enviei todos os meus bens, antes de mim, a outro lugar, e em breve irei partir; e quando olho ao meu redor, vejo uma casa nua e vazia, e estou prestes a dizer com Mônica, O que estou fazendo aqui? Meu pai, esposo, mãe (a Jerusalém do alto), meus irmãos, irmãs, os melhores amigos, estão no céu. Parece que eu dou de má vontade ao mundo alguma parte do meu coração, e não creio que estas coisas temporais e visíveis valham um olhar meu, em comparação com as coisas invisíveis e eternas (2 Co 4.18). – *Oliver Heywood, 1629-1702*

v. 2 (primeira parte): "Se eu não tivesse reprimido" ou aquietado, e obrigado ao silêncio, *"a minha alma"*. É uma expressão hebraica de declaração e de juramento: como se ele dissesse: eu impus silêncio completo à minha alma, para que esteja tranquila e suporte pacientemente a cruz divinamente imposta. Assim como no salmo seguinte nós ouvimos uma forma semelhante de afirmação: "Certamente, que não entrarei na tenda em que habito". – *Solomon Gesner*

v. 2: "Fiz calar e sossegar a minha alma; qual criança desmamada para com sua mãe". Desmamada de que? Autossuficiência, obstinação, egoísmo. Das criaturas e das coisas do mundo – não, na verdade, quanto ao seu uso, mas quanto a qualquer dependência destas criaturas e coisas para a sua felicidade e porção... Mas esta experiência não é fácil de alcançar. A própria forma de expressão: "fiz calar e sossegar a *minha alma*" nos lembra de algumas revoltas que foram subjugadas com dificuldade. Há uma diferença aqui, entre Cristo e os cristãos. Nele, o exercício da graça não encontrou princípios adversos; mas neles encontra constante oposição. A carne cobiça contra o espírito; e quando nós desejamos fazer o bem, o mal está presente em nós; daí, a guerra interior. Assim é com "a criança desmamada". A tarefa para a mãe é difícil e angustiante. A criança chora, e parece que o próprio coração chora. Ela pensa que é muito difícil para ela, e não sabe o que a mãe quer dizer com a sua aparente crueldade, e o carinho da mãe lhe dá toda a firmeza necessária para sustentá-la no processo; e, algumas vezes, a mãe também chora pela importunidade dos ternos olhares da criança, e suas grandes lágrimas e mãos estendidas. Mas isto deve ser feito, e, portanto, ainda que se apiede, a mãe persevera, e depois de algum tempo, a criança se acalma e fica satisfeita, se esquece do peito e não sente mais sequer um anseio pelo seu antigo prazer. Mas como se realiza o desmame da criança? Fazendo com que o seio seja amargo para os seus lábios; removendo o seio, com a ausência e refúgio da mãe; com a substituição por outro alimento; com a influência do tempo. Assim é conosco. Nós amamos o mundo e ele nos engana. Nós confiamos nas criaturas e elas falham conosco, e nos perfuram com muitas angústias. Nós enveredamos por caminhos proibidos e seguimos nossos amantes; e o nosso caminho está cercado de espinhos; e então dizemos: "Volta, minha alma, a teu repouso; Agora, pois, Senhor, que espero eu? A minha esperança está em ti". O gozo de um bem maior subjuga o gosto de um menor. Quais são as indulgências do pecado ou as dissipações do mundo para alguém que está abundantemente satisfeito com a bondade da casa de Deus e bebe do rio dos seus prazeres? – *William Jay (1769-1853), Evening Exercises for the Closet*

v. 2: "Qual criança desmamada para com sua mãe". Embora a criança desmamada não tenha o que deseja ter ou o que mais naturalmente deseja, o leite do seio – ainda assim ela se satisfaz com o que a sua mãe lhe dá – ela descansa no seu amor e na sua provisão. Assim também devemos nos satisfazer com o que a providência nos permite: "Sejam vossos costumes sem avareza, contentando-vos com o que tendes" (Hb 13.5), e, "Já aprendi a contentar-me com o que tenho" (Fp 4.11). O que quer que agrade ao nosso Pai celestial deve nos agradar. A criança que é tirada do seio para uma dieta mais consistente fica, no final, satisfeita. A criança não determina o que irá comer, beber ou vestir. As crianças não se preocupam em aumentar suas posses, acumular riquezas, desejar dignidades e honras; mas mansamente aceitam o que lhes é fornecido. A criança, depois de ter sido privada do alimento que a natureza lhe propiciou, não fica ansiosa, mas se submete inteiramente à mãe, depende da mãe. Assim, para tudo, devemos depender de Deus, nos submeter a Deus e esperar dele todas as coisas: "Ó minha alma, espera somente em Deus, porque dele vem a minha esperança" (Sl 62.5). Com tal simplicidade de submissão nós devemos descansar e depender de Deus. Devemos tomar cuidado para não ser excessivamente prudentes e providentes por nós mesmos, mas confiar no nosso Pai, que está no céu, e nos submeter ao seu sábio e santo governo. – *Thomas Manton*

v. 2: "Qual criança desmamada para com sua mãe". Desmamado do mundo, das riquezas, das honras, dos prazeres e lucros do mundo; bem como da natureza, do ego, da sua própria justiça e toda a dependência dela; e da mesma maneira como uma criança que é desmamada depende inteiramente de sua mãe ou babá para o seu sustento, também o salmista dependia inteiramente de Deus, da sua providência, graça e força; e quanto ao reino, ele não tinha desejos mais cobiçosos do reino do que uma criança desmamada tem do seio, e estava muito disposto a esperar o devido tempo para desfrutar dele. O Targum diz, "como alguém desmamado de sua mãe, estou fortalecido na lei". Isto não deve ser interpretado como se referindo a uma criança no processo do desmame, quando ela normalmente fica mal humorada, irritada e rebelde, mas depois de desmamada, quando ela fica tranquila nos braços da sua mãe, sem o seio. – *John Gill*

v. 2: "A minha alma; qual criança desmamada". Na sua *natureza*, o desmame da alma difere essencialmente daquele desgosto com o mundo, ao qual a avareza e o mau uso às vezes dão vazão. Uma coisa é zangar-se com o mundo, ou envergonhar-se dele; e é outra coisa ser desmamado dele. Altere o mundo, enobreça-o, e muitas mentes soberbas que agora o desprezam o cortejarão. É diferente também do cansaço de espírito que geralmente segue uma indulgência nos prazeres terrenos. Existe algo que é como um desgaste dos sentimentos. Salomão parece ter se sentido assim, em um período da sua vida. "Não me sobra nem um desejo", disse um famoso sensualista da nossa própria nação, que tinha bebido tão profundamente como podia do cálice do mundo. "Se tudo o que a terra contém for espalhado diante de mim, eu não conheço uma coisa sequer que me faria estender a mão para alcançar".

Este desmame da alma pressupõe uma força na alma, para amar e desejar. Não é a destruição do seu apetite, mas o seu controle e a sua modificação. Uma criança desmamada ainda sente fome, mas não mais do alimento que antes lhe dava prazer; ela fica tranquila, sem ele; ela pode se alimentar de outras coisas; assim também uma alma desmamada do mundo ainda anseia como sempre por alimento e felicidade, mas não mais os busca nas coisas terrenas, ou deseja fazê-lo. Não há nada no mundo que a alma julgue necessário para a sua felicidade. A alma ama e valoriza o que há no mundo, mas sabe que pode viver sem tais coisas, e está pronta a viver sem elas, se Deus assim desejar.

Vamos investigar agora *as origens deste estado de espírito* – como podemos obtê-lo. Uma coisa é certa – não é obra nossa. Nós não conseguimos fazer isto. Nenhuma criança desmama a si mesma. A verdade é que é Deus que deve nos desmamar do mundo. Nós jamais o deixaríamos por nossa iniciativa. É a mão direita de Deus que deve nos afastar dele. E como? A imagem no texto nos diz, parcialmente. 1. *Tornando o mundo amargo para nós.* 2. Em outras ocasiões, *o Senhor remove de nós o que nós amamos.* 3. Mas Ele nos desmama principalmente da terra, *dando-*

nos alimento melhor. – condensado de um sermão de Charles Bradley, intitulado "Weanedness of Soul", 1836

v. 2: "Qual criança desmamada". Isto é, mansa, modesta, humilde, submissa, simples, etc. Veja Mt 18.1,2,3,4. – *Henry Ainsworth, -1622*

v. 2: Aqui está o retrato que Davi faz de si mesmo... Observe que a *"criança"* – que devemos copiar – é *"desmamada":* o processo é completo; a criança já foi disciplinada; a lição foi aprendida; e agora ela descansa no seu "desmame". Toda a imagem expressa um repouso que se segue a uma luta. *"Decerto, fiz calar e sossegar a minha alma; qual criança desmamada para com sua mãe"*; ou, mais literalmente, *"na* sua mãe"; agora satisfeito por estar tranquilo no mesmo lugar da sua privação – "qual criança desmamada para com sua mãe".

Esta obediência seria algo sem valor e enfadonho, o que não é o resultado de um controle tranquilo. Um estado apático é o oposto da obediência que pode ser assim chamada. Mas este é o ponto da similaridade – houve uma aflição, e uma batalha, e uma vitória pessoal; e agora a vontade tranquilizada é levada à submissão e ao contentamento; pronta a abrir mão do que mais gostava, e a receber apenas o que lhe é dado – *"criança desmamada".*

Eu não acredito que tenha sido a intenção de Deus que qualquer homem assim mesclasse a sua própria vontade com a Divina, e assim a perdesse, que ele não tivesse uma vontade própria. Houve muitos que tentaram alcançar esta aniquilação da vontade; e fizeram disto o maior objetivo e propósito da vida. Mas o caráter da dispensação não permite isto. Eu não acredito que isto seja possível; e se fosse possível, eu não acredito que seria de acordo com a vontade de Deus. Este não é o relacionamento atual do homem com o seu Criador. Nenhum dos santos na Bíblia fez mais do que se submeter a uma vontade mais forte. O próprio Senhor Jesus Cristo não fez nada mais do que isto. "Que direi eu? Pai, salva-me desta hora; mas para isso vim a esta hora. Pai, glorifica o teu nome. Não se faça a minha vontade, mas a tua". Evidentemente, duas coisas – "minha vontade", "tua vontade". Uma vontade instantaneamente e perfeitamente subjugada – mas ainda assim, uma vontade.

E é isto o que é exigido de nós; e o que a natureza da nossa humanidade e as provisões da nossa religião têm que empreender. Uma vontade, decididamente uma vontade; quanto mais decidida for a vontade, mais forte será o caráter, e melhor será o homem. A nossa vontade precisa ser dominada; ela deve ser uma vontade que é sempre submissa à vontade do Deus precioso e bendito, separada, conformada, sim, tornando-se constantemente e cada vez mais conforme a vontade do Senhor. A união das duas vontades é o céu. – *Condensado de um sermão de James Vaughan*

v. 3: "Espere Israel no Senhor". Espere Israel no Senhor segundo o exemplo, portanto, do rei de Israel, que assim se humilhou nas suas aflições, humilde, satisfeito e resignado, depositando toda a sua preocupação no Pai, que cuidava dele, e pacientemente esperando a sua hora de libertação e salvação; segundo este exemplo e padrão, que o seu povo fiel espere e confie, não em si mesmo, na sua sabedoria ou no seu poder, mas apenas no Senhor, que não falhará em exaltá-los, como já exaltou o seu Redentor, se apenas seguirem os seus passos. – *George Horne*

v. 3: "Espere Israel no Senhor". Embora Davi pudesse esperar pacientemente e tranquilamente pela coroa que lhe fora designada, talvez a nação de Israel, que o queria muito bem, estivesse disposta a tentar algo, em favor dele, antes da hora; por isto ele se esforça para tranquilizá-los também, e lhes pede, *"espere no Senhor"*, para que *eles* vissem uma feliz mudança na situação, no devido tempo. Assim, "bom é ter esperança e aguardar em silêncio a salvação do Senhor". – *Matthew Henry*

v. 3: "Espere Israel no Senhor", etc. Lembre-se de que Ele é o *Senhor.* 1. Sábio para planejar. 2. De bons propósitos. 3. Forte para executar, e Ele não negará bem algum aos que andam na retidão. 4. Confie *"desde agora".* Se você ainda não começou, comece agora. 5. E não se canse; confie *"para sempre".* O seu caso nunca estará fora do alcance do poder e da misericórdia de Deus. – *Adam Clarke*

SUGESTÕES AOS PREGADORES

v. 1. Humildade. I. Uma característica que deve ser encontrada na vida de cada filho de Deus.

II. Uma característica que, apesar disto, muitos filhos de Deus não podem demonstrar com sinceridade. Aponte a predominância da soberba e da ambição, até mesmo na igreja.

III. Uma qualidade que só pode ser alcançada por aqueles que têm o Espírito de Cristo (Mt 11.29, 30; 18.1-5). – *C. A. D.*

v. 2. A alma é como uma criança desmamada:

I. Na conversão.

II. Na santificação, que é um contínuo desmame do mundo e do pecado.

III. Na privação.

IV. Na aflição de todos os tipos.

V. Na morte. – *G. R.*

v. 2. I. A alma tem que ser desmamada, bem como o corpo.

1. Primeiramente, ela é alimentada por outros.

2. Posteriormente, ela busca seus próprios recursos.

II. A alma é desmamada de uma coisa, dando atenção a outra.

1. Das coisas mundanas, às celestiais.

2. Da justiça própria, à justiça de outra pessoa.

3. Do pecado, à santidade.

4. Do mundo, a Cristo.

5. Do ego, a Deus. – *G. R.*

v. 2. I. Uma condição desejável: "Qual criança desmamada".

II. Uma tarefa difícil – subjugar e sossegar a si mesmo.

III. Um resultado prazeroso: "Deveras... a minha alma; qual criança desmamada". – *W. H. J. P.*

v. 2. I. Irritabilidade da alma: fraca, desonrada, rebelde.

II. Governo da alma: trono, frequentemente abdicado; Deus dá a cada um o cetro do governo próprio; é necessário para que se tenha uma vida bem sucedida.

III. Tranquilidade da alma: a sua doçura; o seu poder. Vem, Espírito Santo, sopra sobre nós! – *W. B. H.*

v. 2. Veja "Spurgeon's Sermons", n. 1.210: "The Weaned Child".

vv. 2 e 3. A criança desmamada esperando no Senhor:

I. O primeiro desmame da alma, um grande evento na história de um homem.

II. A alegria no Senhor, que nasce em cada alma desmamada: "A minha alma; qual criança desmamada... espere Israel no Senhor, desde agora e para sempre".

III. O desmame diário da alma, durante a vida.

IV. Os fervorosos desejos e o trabalho frutífero de cada alma desmamada. – *A. Moody Stuart*

v. 3. I. O encorajamento da esperança em Deus.

1. Como um Deus de concerto, "o Deus de Israel".

2. Como um Deus que guarda o concerto: "Desde agora", etc.

II. O resultado desta esperança.

1. A humildade e a dependência no primeiro versículo.

2. O contentamento e o desmame, no segundo versículo. Israel seria assim humilde e obediente como uma criancinha? "Espere Israel", etc. – *G. R.*

v. 3. *A voz da esperança ouvida na calma.*

I. As almas tranquilizadas apreciam a Deus. A quietude favorece a contemplação. A majestade, a perfeição e o louvor a Deus, assim revelados.

II. As almas tranquilizadas confiam em Deus; considerado digno de confiança.

III. Almas tranquilizadas olham sem temor para a eternidade; "desde agora e para sempre". – *W. B. H.*

v. 3. *Tenha esperança, continue tendo esperança, para sempre.*

I. Pois o passado justifica esta confiança.
II. Pois o presente exige esta confiança.
III. Pois o futuro irá justificar esta confiança. – *W. H. J. P.*

SALMO 132

TÍTULO

Cântico de Degraus. Um cântico alegre, realmente: que todos os peregrinos que vão a Jerusalém o entoem sempre. Os degraus, ou a subida, são muito visíveis; o tema ascende, passo a passo, de "aflições" a uma "coroa", de "Lembra-te, Senhor, de Davi" a "Ali farei brotar a força de Davi". A segunda parte é como o céu que se curva sobre "o campo do bosque" (ou "o campo de Jaar"), que é encontrado nas resoluções e orações da parte anterior.

DIVISÃO

Os nossos tradutores dividiram este salmo de maneira correta. Ele contém uma declaração do ansioso cuidado de Davi em edificar uma casa para o Senhor (vv. 1-7); uma oração por ocasião da remoção da arca (vv. 8-10); e um apelo ao mandamento divino e às suas promessas (vv. 11-18).

EXPOSIÇÃO

1 *Lembra-te, Senhor, de Davi e de todas as suas aflições.*
2 *Como jurou ao Senhor e fez votos ao Poderoso de Jacó, dizendo:*
3 *Certamente, que não entrarei na tenda em que habito, nem subirei ao leito em que durmo;*
4 *não darei sono aos meus olhos, nem repouso às minhas pálpebras,*
5 *enquanto não achar lugar para o Senhor, uma morada para o Poderoso de Jacó.*
6 *Eis que ouvimos falar da arca em Efrata e a achamos no campo do bosque.*
7 *Entraremos nos seus tabernáculos; prostrar-nos-emos ante o escabelo de seus pés.*

1. *"Lembra-te, Senhor, de Davi e de todas as suas aflições."* Com Davi foi feito o concerto, e por isto o nome é usado no apelo por seus descendentes, e o povo que seria abençoado pela sua

dinastia. O Senhor, que não muda, jamais se esquecerá de um de seus servos, nem deixará de guardar o seu concerto; e por isto, devemos suplicar a Ele. Aquilo que nós asseguramos que o Senhor irá fazer deve, ainda assim, ser motivo de oração. O pedido é para que o Senhor se *lembre*, e esta é uma palavra cheia de misericórdia. Nós sabemos que o Senhor se lembrou de Noé, e acalmou o dilúvio; Ele se lembrou de Abraão, e tirou Ló de Sodoma; Ele se lembrou de Raquel e Ana, e lhes deu filhos. Ele se lembrou da sua misericórdia para com a casa de Israel, e livrou o seu povo. Este é um cântico excelente, em que cantamos, "Ele *se lembrou* da nossa humilhação; porque a sua benignidade é para sempre"; e esta é uma notável oração, "Lembra-te de mim, Senhor". O apelo para que Deus abençoe a família de Davi é urgente por causa do seu progenitor; muito mais forte é o nosso argumento principal na oração para que Deus lide bem conosco, por causa de Jesus! Davi não tinha méritos pessoais; o apelo é baseado no concerto que foi misericordiosamente feito com ele; mas Jesus tem merecimentos próprios, e méritos ilimitados – estes podemos apresentar, sem hesitação. Quando o Senhor estava irado com o príncipe reinante, o povo clamou, "Senhor, lembra-te de Davi"; e quando eles precisaram de alguma bênção especial, novamente cantaram, "Senhor, lembra-te de Davi". Esta foi uma boa súplica, mas não tão boa como a nossa, que diz "Senhor, lembra-te de *Jesus* e todas as suas aflições".

As *aflições* de Davi aqui designadas eram aquelas que lhe sobrevieram como um homem piedoso nos seus esforços para manter a adoração ao Senhor decente e adequada, e cuidar da sua celebração. Sempre houve um grupo profano na nação, e estas pessoas nunca eram lentas para caluniar, impedir e molestar o servo do Senhor. Quaisquer que fossem as falhas de Davi, ele se manteve fiel ao Deus único, vivo e verdadeiro; e por isto ele foi uma ave rara entre os monarcas. Como ele se alegrava, zelosamente, na adoração do Senhor, seu Deus, ele foi desprezado e ridicularizado por aqueles que não conseguiam compreender o seu entusiasmo. Deus nunca se esquecerá do que o seu povo sofreu por sua causa. Sem dúvida, inúmeras bênçãos descenderão sobre as famílias e nações através das vidas piedosas e dos pacientes sofrimentos dos santos. Nós não podemos ser salvos pelos merecimentos dos outros, mas sem dúvida somos beneficiados pelas suas virtudes. Paulo disse, "Deus não é injusto para se esquecer da vossa obra e do trabalho da caridade que, para com o seu nome, mostrastes". Sob a dispensação do Novo Testamento, bem como a do Antigo Testamento, há uma abundante recompensa para os justos. Esta recompensa frequentemente vem aos seus descendentes, e não a eles mesmos: eles semeiam, e seus sucessores colhem. Nós podemos orar hoje: Senhor, lembra-te dos mártires e confessores da nossa raça, que sofreram por causa do teu nome, e abençoa o nosso povo e nação com a graça do Evangelho, por causa dos nossos pais.

2. *"Como jurou ao Senhor e fez votos ao Poderoso de Jacó."* Movido por intensa devoção, Davi expressou a sua resolução na forma de um voto solene que foi selado com um juramento. Quanto menos votos como este, melhor, sob uma dispensação cujo grande Representante disse, "de maneira nenhuma, jureis". Talvez até mesmo neste caso tivesse sido mais sábio ter deixado a piedosa resolução nas mãos de Deus, na forma de uma oração; pois o voto não foi, na verdade, cumprido como era tencionado, uma vez que o Senhor proibiu Davi de edificar-lhe um templo. Será melhor que não juremos fazer nada antes de conhecermos a vontade do Senhor a este respeito, e então não teremos necessidade de jurar. O exemplo do voto de Davi mostra que os votos são permitidos, mas não prova que sejam desejáveis. Provavelmente Davi tenha ido longe demais nas suas palavras, e foi bom que o Senhor não o prendesse literalmente às palavras que pronunciou, mas que tenha aceitado a vontade que ele expressou como já sendo uma obra realizada. O Senhor deve ter aceitado o significado da sua promessa, em lugar do seu sentido literal. Davi imitou Jacó, o grande "fazedor de votos" em Betel, e nele descansava a bênção proferida sobre Jacó por Isaque, "O Deus Todo-poderoso te abençoe" (Gn 28.3), de que o patriarca se lembrou no seu leito de morte, quando falou do "Poderoso

de Jacó". Deus é poderoso para nos ouvir e nos ajudar a cumprir o nosso voto. Nós devemos estar cheios de temor à ideia de fazer qualquer promessa ao Deus Poderoso: ousar brincar com Ele seria realmente terrível. Deve-se observar que a aflição levou tanto Davi como Jacó a tratativas de concerto com o Senhor: muitos votos são feitos em angústia de alma. Também podemos observar que, se o Senhor se lembrar das obrigações do voto de Davi, muito mais deverão ser lembrados os compromissos de garantia do Senhor Jesus, perante a vontade do grande Senhor, a quem a nossa alma se dirige na hora da nossa aflição.

Observe, neste versículo, que o Senhor é o Deus de Jacó, o mesmo Deus, para sempre; que Ele tem, como seu atributo, o fato de ser poderoso – poderoso para socorrer os seus "Jacós" que nele depositam a sua confiança, embora as suas aflições possam ser muitas. Além disto, Ele é particularmente *o Poderoso* do seu povo; Ele é o Deus de Jacó, no sentido de que não é o Deus dos incrédulos. De modo que aqui temos três pontos, a respeito do nosso Deus: – *nome*, Jeová [Senhor]; *atributo*, poderoso; *relacionamento especial*, "poderoso de Jacó". É a Ele que é pedido que se lembre de Davi e suas aflições, e há uma súplica por esta bênção, em cada um destes três pontos.

3. *"Certamente, que não entrarei na tenda em que habito, nem subirei ao leito em que durmo."* Os nossos tradutores fornecem o significado, embora não a forma literal, do voto de Davi, que diz "Se entro... se subo", etc. Esta era uma forma elíptica de imprecação, sugerindo mais do que está expresso, tendo, portanto, um mistério ao seu redor que a tornava ainda mais solene. Davi não teria a sua tranquilidade na sua casa, nem o seu descanso na sua cama, até que tivesse decidido a respeito de um lugar para a adoração do Senhor. A arca tinha sido negligenciada, o Tabernáculo tinha caído em desrespeito; ele desejava encontrar a arca e edificar, para ela, uma casa apropriada; ele sentia que não poderia ter prazer no seu próprio palácio até que tivesse feito isto. Davi tinha boas intenções, mas falou mais do que poderia realizar. A sua linguagem era hiperbólica e o Senhor sabia o que ele queria dizer; o zelo nem sempre mede seus termos, pois não considera a crítica dos homens, mas é arrebatado pelo amor ao Senhor, que lê os corações do seu povo. Davi não se julgaria alojado, até que tivesse edificado uma casa para o Senhor, nem se consideraria descansado até que tivesse dito, "Levanta-te, Senhor, no teu repouso". Ai, há muitos ao nosso redor que nunca poderão levar tão longe o seu cuidado pela adoração ao Senhor! Não tema que eles sejam imprudentes! Eles estão alojados e repousados, e, quanto ao Senhor, o seu povo pode se congregar em um celeiro, ou não se congregar nunca, será a mesma coisa, no que diz respeito a eles. Observe que Jacó, no seu voto, falou sobre a pedra como sendo a casa de Deus; e o voto de Davi também está relacionado à edificação de uma casa para Deus.

4. *"Não darei sono aos meus olhos, nem repouso às minhas pálpebras."* Ele não podia desfrutar do sono, até que tivesse feito o melhor de si, para providenciar um lugar para a arca. É uma expressão forte, e não deve ser comentada por nós com frieza. Lembre-se de que o homem estava inflamado, e também estava escrevendo poesia, e por isto o seu linguajar não é o que nós empregaríamos friamente. Todos podem ver o que ele quer dizer, e quão intensamente ele o expressa. Oh, que muitos mais fossem acometidos de insônia, porque a casa do Senhor está deserta! Eles conseguem dormir de maneira suficientemente profunda e nem mesmo se perturbar com um sonho sequer, embora a causa de Deus seja trazida a uma situação extremamente ruim por causa da cobiça deles. O que irá acontecer com aqueles que não se preocupam com as coisas divinas e nunca dedicam sequer um pensamento às declarações do Senhor seu Deus?

5. *"Enquanto não achar lugar para o Senhor, uma morada para o Poderoso de Jacó."* Ele decidiu encontrar um lugar onde o Senhor permitisse que a sua adoração fosse celebrada, uma casa onde Deus fixaria o símbolo da sua presença, e teria comunhão com o seu povo. Naquela época, em toda a terra de Davi, não havia um lugar apropriado para aquela arca, onde o Senhor tinha colocado o propiciatório,

onde pudessem ser oferecidas orações e onde a glória manifestada brilhasse. Todas as coisas tinham caído em decadência e as formas externas de adoração pública eram muito desconsideradas; consequentemente, o rei decide, antes de mais nada, estabelecer uma ordem melhor para as coisas.

Mas não podemos deixar de nos lembrar de que a santa resolução de Davi dava a um lugar e a uma casa muito mais importância do que o próprio Senhor atribuía a tais questões. Isto é indicado na mensagem do Senhor através de Natã, ao rei: "Vai e dize a meu servo, a Davi: Assim diz o Senhor: Edificar-me-ias tu casa para minha habitação? Porque em casa nenhuma habitei desde o dia em que fiz subir os filhos de Israel do Egito até ao dia de hoje; mas andei em tenda e em tabernáculo. E, em todo lugar em que andei com todos os filhos de Israel, falei porventura alguma palavra com qualquer das tribos de Israel, a quem mandei apascentar o meu povo Israel , dizendo: Por que me não edificais uma casa de cedros?" Estêvão, nas suas palavras inspiradas, explica claramente a questão: "Salomão lhe edificou casa; mas o Altíssimo não habita em templos feitos por mãos de homens". É um fato assombroso que a verdadeira religião nunca tenha prosperado mais em Israel do que antes que o templo fosse edificado, e que a partir do dia em que foi erigida a casa magnífica, o espírito de santificação tenha declinado na vida do povo. Os homens bons têm, em seus corações, questões que lhes parecem de fundamental importância, e pode ser aceitável para Deus que eles busquem tratar de tais assuntos; e na sua infinita sabedoria Ele pode julgar que é melhor impedir que eles realizem os seus desígnios. Deus não avalia os atos do seu povo pela sua sabedoria ou falta de sabedoria, mas pelo sincero desejo da sua glória que conduz a vida de cada um deles. A resolução de Davi, embora ele não tivesse permissão para concretizá-la, trouxe uma bênção para ele; o Senhor prometeu edificar a casa de Davi, porque ele tinha desejado edificar a casa do Senhor. Além disto, o rei teve permissão de preparar o tesouro para a edificação do glorioso edifício que seria construído por seu filho e sucessor. O Senhor mostra a aceitação do que nós desejamos fazer, permitindo-nos fazer algo diferente, que a sua mente infinita julga ser mais adequado para nós, e mais honroso para Ele mesmo.

6. Enquanto isto, onde se situava a habitação de Deus entre os homens? Ele estava acostumado a brilhar entre os querubins, mas onde estava a arca? Ela era como uma coisa oculta, uma estrangeira na sua própria terra. *"Eis que ouvimos falar da arca em Efrata."* Havia boatos de que ela estava em algum lugar na terra de Efraim, alojada temporariamente; era mais um objeto de terror do que de prazer. Não é assombroso que um tão conhecido símbolo da presença do Senhor estivesse, por tanto tempo, negligenciado – uma negligência tão grande, que era notável que se ouvisse falar do seu paradeiro? Quando um homem começa a pensar em Deus e no seu serviço, é consolador que se ouça falar do Evangelho. Considerando a oposição que o Evangelho encontra, é assombroso que se ouça falar dele, e que isto aconteça em um lugar afastado da cidade principal; mas nós nos angustiamos porque é apenas em conexão com algum lugar pobre e desprezado que ouvimos falar dele. O que é Efrata? Quem, hoje em dia, sabe onde se localizava? Como a arca pôde ter permanecido ali por tanto tempo?

Davi instituiu uma busca pela arca. Ela tinha que ser procurada, de alto a baixo; e, por fim, em Quiriate-Jearim, a cidade-bosque, ele a encontrou. Com que frequência as almas encontram a Cristo e à sua salvação em lugares incomuns! Que importa onde o encontramos, desde que o contemplemos e encontremos a vida nele? Este é um abençoado "eureka" que está embutido no nosso texto – *"nós a encontramos"*. A questão teve início com o ouvir de boatos, que levaram a uma busca, e foi concluída no alegre achado.

"E a achamos no campo do bosque." Infelizmente, não deve haver espaço para o Senhor nos palácios dos reis, de modo que Ele necessariamente deve seguir para os bosques. Se Cristo estiver em um bosque, Ele será encontrado por aqueles que o buscam. Ele está tão próximo da casa rústica, encoberto entre as árvores, como

nas ruas da cidade; sim, Ele irá atender à oração oferecida do coração da floresta negra, onde o viajante solitário parece perder a esperança de ser ouvido. O texto nos apresenta um exemplo de alguém cujo coração estava dedicado a encontrar um lugar onde Deus se encontraria com ele; isto tornava atentos os seus ouvidos, e assim as boas novas logo o alcançaram. As notícias renovaram o seu ardor, e o levaram a não se deixar deter por nenhuma dificuldade na sua busca; e aconteceu que, quando ele mal poderia esperar, encontrou o tesouro que tanto prezava.

7. *"Entraremos nos seus tabernáculos."* Tendo encontrado o lugar onde Ele habita, para lá nos apressaremos a ir. Ele tem muitas habitações, nos vários átrios da sua casa, e cada uma delas deve receber a reverência devida: em cada uma delas o sacerdote oferecerá, por nós, o serviço indicado; e os nossos corações irão onde nossos corpos não podem entrar. Davi não está sozinho, ele é descrito como tendo buscado a arca com outros, pois é isto o que indica o sujeito *"nós"* (oculto); e agora eles se alegravam de acompanhá-lo na sua peregrinação para o excelente santuário, dizendo, *"nós* a achamos, *nós* entraremos". Porque são os átrios do Senhor, nós recorreremos a eles.

"Prostrar-nos-emos ante o escabelo de seus pés." A casa terrena mais bem arrumada não será mais do que o escabelo dos pés de um Rei tão grande. A sua arca somente pode revelar as glórias dos seus pés, de acordo com a sua promessa, de que Ele tornará glorioso o lugar dos seus pés: e para lá nós nos apressaremos com alegria, em feliz comunhão, e ali o adoraremos. Onde estiver o Senhor, ali Ele deverá ser adorado. É bom não apenas ir à casa do Senhor, mas também *adorar* ali; nós apenas profanamos os seus tabernáculos, se entrarmos neles com qualquer outro propósito.

Antes de deixar este versículo, devemos observar a ascensão neste salmo de degraus: "ouvimos... achamos... entraremos... prostrar-nos-emos".

8 *Levanta-te, Senhor, no teu repouso, tu e a arca da tua força.*
9 *Vistam-se os teus sacerdotes de justiça, e alegrem-se os teus santos.*
10 *Por amor de Davi, teu servo, não faças virar o rosto do teu ungido.*

8. Nestes três versículos, vemos aqueles que encontraram a arca, removendo-a para o seu lugar indicado, usando uma fórmula semelhante à que usou Moisés, quando disse, "Levanta-te, Senhor", e, novamente, "Volta, ó Senhor, para os muitos milhares de Israel". A arca tinha estado em movimento por muito tempo, e nenhum lugar adequado tinha sido encontrado para ela em Canaã; mas agora, homens devotos prepararam um templo, e cantaram: *"Levanta-te, Senhor, no teu repouso, tu e a arca da tua força"*. Eles esperavam que agora o símbolo do concerto tivesse encontrado uma morada permanente – um repouso, e eles confiavam que o Senhor agora permaneceria nela para sempre. Seria inútil que a arca fosse estabelecida, se o Senhor não continuasse com ela, e perpetuamente brilhasse entre os querubins. A menos que o Senhor repouse conosco, não há repouso para nós; a menos que a arca da sua força habite conosco, nós mesmos não teremos forças. A arca do concerto é aqui mencionada por um nome bastante merecido; pois no seu cativeiro, ela feriu os seus captores, e quebrou seus deuses, e quando foi trazida de volta, ela guardou a sua própria honra com a morte dos que ousaram tratá-la com desrespeito. A força de Deus assim estava conectada com a arca sagrada. Reverentemente, portanto, Salomão orou a respeito dela, quando suplicou que o Deus vivo consagrasse o templo, com a sua presença. É o Senhor e o concerto, ou melhor, o Senhor do concerto, cuja presença nós desejamos em nossas congregações, e esta presença é a força do seu povo. Oh, que o Senhor realmente habite em todas as igrejas, e faça com que o seu poder seja revelado em Sião.

9. *"Vistam-se os teus sacerdotes de justiça."* Nenhuma veste é tão resplandecente como a de um santo caráter. Com esta túnica gloriosa o nosso grande Sumo Sacerdote

está vestido para sempre, e Ele deseja que todo o seu povo esteja adornado da mesma maneira. Os sacerdotes somente estarão aptos para comparecer diante do Senhor, e para servir, para o bem do povo, quando suas vidas forem dignificadas com bondade. Eles devem se lembrar, para sempre, de que são sacerdotes de Deus, e por isto devem usar a veste característica do seu Senhor, que é a santidade; não somente devem ter santidade, mas devem estar vestidos com ela, de modo que sobre cada parte deles a justiça seja visível e evidente. Quem quer que olhe para os servos de Deus deverá ver santidade, mesmo que não veja nada além disto. Esta justiça dos ministros do templo é pedida em oração, em conexão com a presença do Senhor; e isto nos instrui, de que a santidade só será encontrada entre os que têm comunhão com Deus, e só vem a eles pela visitação divina ao seu espírito. Deus irá habitar entre um povo santo: e, por outro lado, onde Deus está, o povo se torna santo.

"E alegrem-se os teus santos." A santidade e a felicidade andam justas; onde uma é encontrada, a outra nunca estará longe. As pessoas santas têm o direito a uma alegria, grande e expansiva; elas podem gritar com esta alegria. Uma vez que são santos, e teus santos, e tu vieste para habitar com eles, ó Senhor, tu lhes deste o dever de se alegrar, e de permitir que outros saibam da sua alegria. A sentença, embora possa ser interpretada como uma permissão, é também um preceito; os santos recebem a ordem de se alegrar no Senhor. Feliz a religião que faz do alegrar-se um dever! Onde a justiça é a veste, a alegria pode muito bem ser a ocupação.

10. *"Por amor de Davi, teu servo, não faças virar o rosto do teu ungido."* O rei Salomão estava orando, e aqui o povo ora por ele, para que o seu rosto não seja virado, ou para que não lhe seja recusada uma audiência. É algo terrível ter nosso rosto virado e afastado de Deus, ou ter o seu rosto afastado de nós. Se nós formos ungidos pelo Espírito, o Senhor nos olhará com benevolência. Isto é particularmente verdadeiro a respeito daquele que nos representa, e que é o *Cristo* que age a nosso favor – o verdadeiro Ungido do Senhor. Jesus Cristo é o nosso Davi e também o Ungido de Deus; nele é encontrado, em abundância, o que Davi recebeu até certo ponto. Por causa dele, todos os que são ungidos nele são aceitos. Deus abençoou Salomão e os reis que o sucederam, por causa de Davi; e Ele nos abençoará, por causa de Jesus. Quão condescendente foi o Filho do Altíssimo, em assumir a forma de *servo*, em ser ungido por nós, e a comparecer diante do propiciatório, para implorar em nosso nome! O salmo canta sobre a arca, e pode nos lembrar da entrada do sacerdote ungido no interior do véu: tudo dependia da sua aceitação, e por isto o povo ora muito bem ao dizer, "Não faças virar o rosto do teu ungido".

Assim, nestes três versículos, temos uma oração pelo templo, pela arca, pelos sacerdotes, pelos levitas, pelo povo e pelo rei: em cada súplica, há uma plenitude de significado que merece uma reflexão cuidadosa. Não é possível haver excessivos detalhes nos nossos apelos; a falha de muitas orações é a sua indefinição. Na casa de Deus e na adoração a Deus tudo precisa de uma bênção, e cada pessoa conectada com isto precisa continuamente desta bênção. Assim como Davi fez um voto e jurou, quando tencionava alojar a arca, agora a oração é continuada, quando o templo é consagrado e o Senhor condescende em enchê-lo com a sua glória. Jamais chegará o momento em que deixaremos de orar pelo fato das nossas necessidades terem se acabado.

11 *O Senhor jurou a Davi com verdade e não se desviará dela: Do fruto do teu ventre porei sobre o teu trono.*
12 *Se os teus filhos guardarem o meu concerto e os meus testemunhos, que eu lhes hei de ensinar, também os seus filhos se assentarão perpetuamente no teu trono.*
13 *Porque o Senhor elegeu a Sião; desejou-a para sua habitação, dizendo:*
14 *Este é o meu repouso para sempre; aqui habitarei, pois o desejei.*
15 *Abençoarei abundantemente o seu mantimento; fartarei de pão os seus necessitados.*
16 *Vestirei de salvação os seus sacerdotes, e os seus santos rejubilarão.*

17 *Ali farei brotar a força de Davi; preparei uma lâmpada para o meu ungido.*
18 *Vestirei os seus inimigos de confusão; mas sobre ele florescerá a sua coroa.*

11. Aqui chegamos a uma grande súplica de concerto, do tipo que sempre prevalece com o Senhor. *"O Senhor jurou a Davi com verdade."* Não podemos argumentar nada com Deus que se iguale à sua própria palavra e ao seu juramento. O Senhor jura para que a nossa fé possa ter plena confiança: Ele não se nega em juramento. Ele jura *com verdade*, pois Ele é fiel a cada palavra que pronuncia; os homens podem cometer perjúrio, mas ninguém será tão profano a ponto de imaginar isto do Deus da verdade. Por meio de Natã, este concerto do Senhor foi transmitido a Davi, e não houve nenhum engano nisto.

"E não se desviará dela." O Senhor não é um ser mutável. Ele jamais se desvia do seu propósito, muito menos da sua promessa, solenemente ratificada por juramento. Ele jamais muda. Ele não é homem, para que minta; nem filho de homem, para que se arrependa. Em que rocha preciosa se apoiam aqueles que têm um juramento imutável de Deus como sua fundação! Nós sabemos que este concerto foi, na realidade, feito com Cristo, a semente espiritual de Davi, pois Pedro o cita no Pentecostes, dizendo: "Varões irmãos, seja-me lícito dizer-vos livremente acerca do patriarca Davi que ele morreu e foi sepultado, e entre nós está até hoje a sua sepultura. Sendo, pois, ele profeta e sabendo que Deus lhe havia prometido com juramento que do fruto de seus lombos, segundo a carne, levantaria o Cristo, para o assentar sobre o seu trono, nesta previsão, disse da ressurreição de Cristo". Cristo, portanto, se assenta em um trono confiável e garantido, para todo o sempre, tendo em vista que cumpriu o concerto e por Ele a bênção vem a Sião, cujos pobres são bem-aventurados nele.

"Do fruto do teu ventre porei sobre o teu trono." Jesus veio da semente de Davi, como os evangelistas cuidadosamente registram; Ele era "da casa e família de Davi"; hoje Ele é o Rei dos judeus, e o Senhor também lhe deu os pagãos por sua herança. Ele reinará, e o seu reino não terá fim. O próprio Deus o colocou no trono, e nenhuma rebelião de homens ou demônios pode abalar o seu domínio. A honra do Senhor diz respeito ao seu reino, e por isto nunca está em perigo; pois o Senhor não permitirá que o seu juramento seja desonrado.

12. *"Se os teus filhos guardarem o meu concerto e os meus testemunhos, que eu lhes hei de ensinar."* Há uma condição para o concerto, na medida em que diz respeito aos reis da família de Davi, antes da vinda da Semente verdadeira; mas *ele* cumpriu esta condição, e tornou o concerto irrevogável, a partir de então, e para sempre, para Si mesmo e para a semente espiritual nele. Considerando-a como relativa às coisas temporais, não era uma bênção pequena para a dinastia de Davi, que o trono lhe fosse assegurado, mediante a condição de terem um bom comportamento. Estes monarcas conservaram as suas coroas, que Deus lhes entregou, nos termos da lealdade ao seu Soberano superior, o Senhor que os tinha elevado à sua alta posição. Eles deviam ser fiéis ao concerto, pela obediência à lei divina, e pela fé na verdade divina. Eles deviam aceitar Jeová como seu Senhor e seu Mestre, considerando-o, em ambas as relações, como em concerto com Ele. Que condescendência, por parte de Deus, ser o mestre deles! Quão satisfeitos eles deviam lhe prestar obediência inteligente! Que apropriado, justo e necessário foi que Deus lhes estipulasse que deviam ser fiéis a Ele, quando a recompensa era a promessa, *"também os seus filhos se assentarão perpetuamente no teu trono"*. Se eles se assentarem aos seus pés, Deus fará com que se assentem sobre um trono; se eles guardarem o concerto, guardarão a coroa, de geração em geração.

O reino de Judá poderia ter resistido até a atualidade, se seus reis tivessem sido fiéis ao Senhor. Nenhuma revolta interna ou ataque externo poderia ter derrubado a casa real de Davi: ela caiu pelo seu próprio pecado, e por nenhuma outra razão. O Senhor foi continuamente provocado, mas Ele foi assombrosamente tolerante, pois muito tempo depois que o rebelde Israel tinha sido levado em cativeiro, Judá ainda subsistia. Milagres de misericórdia lhe foram exibidos. A paciência divina excedeu todos os limites, pois a consideração do Senhor por Davi era extremamente grande. Os príncipes da casa de Davi pareciam determinados em se destruir, e nada poderia salvá-los; a justiça esperou muito tempo, mas foi obrigada, por fim, a desembainhar a espada e ferir. Mas se o rompimento da promessa do homem fez com que o concerto fracassasse, em espírito e essência o Senhor foi fiel a ele, pois Jesus reina, e conserva o trono para sempre. A semente de Davi ainda é real, pois ele foi o progenitor, segundo a carne, daquele que é o Rei dos reis e o Senhor dos senhores.

Este versículo nos mostra a necessidade da piedade na família. Os pais devem cuidar para que seus filhos conheçam o temor do Senhor, e devem implorar que o próprio Senhor lhes ensine a sua verdade. Nós não temos direito hereditário à benevolência divina: o Senhor conserva a sua comunhão com as famílias, de geração em geração, pois Ele detesta abandonar os descendentes dos seus servos, e jamais o faz, exceto sob angustiosa e contínua provocação. Como crentes, todos nós estamos, de alguma maneira, sob algum concerto como o de Davi: alguns de nós olham para trás, para quatro gerações de ancestrais santos, e agora ficaríamos satisfeitos por olharmos à frente, para vermos os nossos filhos, e os filhos dos nossos filhos, andando na verdade. Mas nós sabemos que a graça não corre no sangue, e nos enchemos de santo temor de que em algum elemento da nossa semente haja um coração mau e infiel, que possa chegar a se apartar do Deus vivo.

13. *"Porque o Senhor elegeu a Sião."* Sião não era nada mais do que uma cidade cananeia, como qualquer outra, até que Deus a escolheu, Davi a capturou, Salomão a edificou e o Senhor habitou nela. Assim a igreja foi uma mera fortaleza de jebuseus, até que a graça a escolheu, conquistou, reconstruiu e habitou nela. O Senhor escolheu o seu povo e por isto eles são o seu povo. Ele escolheu a igreja, e por isto ela é o que é. Assim, no concerto, Davi e Sião, Cristo e o seu povo, andam juntos. Davi é para Sião, e Sião, para Davi: os interesses de Cristo e do seu povo são mútuos.

"Desejou-a para sua habitação." A pergunta de Davi é respondida. O Senhor falou: o lugar do templo é fixado; o local da manifestação divina é determinado. A habitação segue a eleição, e se origina dela: Sião é escolhida, escolhida como habitação de Deus. O desejo de Deus de habitar entre o povo que Ele tinha escolhido para Si é muito piedoso e muito natural: o seu amor não descansará separado daqueles em quem Ele o colocou. Deus deseja habitar com aqueles a quem Ele amou, com amor eterno; e não é de admirar que seja assim, pois nós também desejamos a companhia de nossos entes amados. É uma dupla maravilha, que o Senhor escolha e deseje pobres criaturas, como nós; a habitação do Espírito Santo entre os crentes é uma maravilha da graça, paralela à encarnação do Filho de Deus. Deus na igreja é a maravilha do céu, o milagre da eternidade, a glória do amor infinito.

14. *"Este é o meu repouso para sempre."* Ó, gloriosas palavras! É o próprio Deus quem fala aqui. Pense no repouso de Deus! Um sábado para o Eterno e um lugar de habitação para o Infinito. Ele chama Sião de *meu repouso*. Aqui, o seu amor permanece e se exibe com prazer. "Ele descansará no seu amor" (Sf 3.17, NTLH). E isto *para sempre*. Ele não buscará outro lugar de repouso, nem se cansará dos seus santos. Em Cristo o coração da Divindade se enche de contentamento, e por causa dele, Ele se satisfaz com o seu povo, e assim será, até o fim do mundo. Estas nobres palavras declaram uma escolha singular – *este* e não outro; uma escolha segura – *este* que é bem conhecido por mim; uma escolha atual – *este* que está aqui, neste momento. Deus fez a sua escolha há muito tempo, Ele não a modificou, e jamais irá se arrepender dela; a sua igreja foi o seu repouso, e ainda *é* o seu repouso. Da mesma maneira como Ele não se desviará do seu juramento, também nunca se desviará da sua escolha. Oh, que possamos entrar no *seu* repouso, possamos ser parte da sua igreja, e produzir, pela nossa fé amorosa, um prazer para a mente daquele que se alegra naqueles que o temem, naqueles que esperam na sua misericórdia.

"Aqui habitarei, pois o desejei." Novamente, nós nos enchemos com assombro, por saber que aquele que é maior do que tudo e todos habite em Sião – habite na sua igreja. Deus não visita os seus escolhidos de má vontade; Ele deseja habitar entre eles; Ele os deseja. Ele já está em Sião, pois diz, *aqui*, como quem já está no local. Não somente Ele virá ocasionalmente à sua igreja, como habitará nela, como sua habitação fixa. Ele não se importava com a magnificência do templo de Salomão, mas determinou que no propiciatório Ele seria encontrado pelos suplicantes, e que dali Ele brilharia, em esplendor de graça, entre a nação favorecida. Tudo isto, no entanto, era apenas um tipo da casa espiritual da qual Jesus é a fundação e a pedra fundamental, sobre a qual são edificadas todas as pedras vivas, juntas, para uma habitação de Deus por intermédio do Espírito. Oh, a doçura do pensamento de que Deus *deseja* habitar com o seu povo e repousar entre eles! Certamente, se este for o seu desejo, Ele fará que seja cumprido. Se o desejo do justo será concedido, muito mais o desejo do Deus justo será realizado. Esta é a alegria das nossas almas, pois certamente teremos o nosso repouso em Deus, e certamente o nosso desejo é habitar nele. Este também é o fim dos nossos temores pela igreja de Deus; pois se o Senhor habitar nela, ela não será eliminada; se o Senhor a desejar, o diabo não poderá destruí-la.

15. *"Abençoarei abundantemente o seu mantimento."* Assim deve ser. Como podemos não ser abençoados, quando o Senhor está entre nós? Nós vivemos na sua palavra, somos vestidos pela sua caridade, somos armados pelo seu poder; todos os tipos de mantimento estão nele, e como poderíamos não ser abençoados? O mantimento será *abençoado abundantemente*; então ele será abundante e abençoado. Uma provisão diária, provisão real, provisão satisfatória, abundante e alegre, a igreja receberá; e a benção divina fará com que nós a recebamos com fé, que nos alimentemos dela por experiência, que cresçamos nela por santificação, que sejamos fortalecidos nela pelo trabalho, que sejamos incentivados por ela na paciência, e edificados por ela para a perfeição.

"Fartarei de pão os seus necessitados." Os cidadãos de Sião são pobres em si mesmos, pobres de espírito e frequentemente pobres financeiramente, mas seus corações e almas habitarão em tal abundância que nunca necessitarão algo mais, nem desejarão algo mais. A satisfação é a coroa da experiência. Onde Deus repousa, o seu povo está satisfeito. Eles serão satisfeitos com o que o próprio Senhor chama de *"pão"*, e podemos ter certeza de que Ele sabe o que é, verdadeiramente, pão para as almas. Ele não nos dará uma pedra. Os pobres do Senhor terão "o pão que lhes [for] necessário" (Pv 30.8, ARA); alimento que será adequado ao seu paladar, removerá a sua fome, saciará o seu desejo, edificará a sua estrutura e aperfeiçoará o seu crescimento. O pão da terra é o "pão que perece", mas o pão de Deus dura para sempre, até a vida eterna. Na igreja onde Deus habita e descansa, o seu povo não passará fome; o Senhor jamais descansaria, se isto acontecesse; Ele não descansou durante seis dias, até que tivesse preparado o mundo para que nele vivesse o primeiro homem; Ele não deteve a sua mão, até que todas as coisas estivessem preparadas; por isto, podemos ter certeza de que, se o Senhor repousou é porque as coisas "estavam acabadas", e o Senhor as preparou, com a sua bondade, para os pobres. Onde Deus encontra o seu desejo, o seu povo também encontrará o seu; se Ele estiver satisfeito, eles também estarão.

Considerando juntas as duas cláusulas, vemos que nada, exceto uma abundante bênção para a igreja, irá satisfazer o povo pobre de Deus: até que esta bênção venha, eles estão nus, e infelizes. Toda a provisão que o próprio Salomão poderia fazer não teria satisfeito os santos da sua época: eles olhavam mais para cima, e ansiavam pela bênção ilimitada do próprio Senhor, e tinham fome do pão que desce do céu. Bendito seja o Senhor, eles tinham neste versículo dois dos "futuros" de determinação de Deus, nos quais podiam repousar, e nada poderia ser melhor sustento para a sua fé.

16. É prometido mais do que foi pedido em oração. Veja como o versículo 9 pede que os sacerdotes estejam vestidos de justiça, e a resposta é, *"Vestirei de salvação os*

seus sacerdotes". Deus está acostumado a fazer tudo muito mais abundantemente além daquilo que pedimos ou pensamos. A justiça é apenas uma característica da bênção, a salvação é o seu todo. Que tecido de ouro é este! Que veste mais do que régia! Vestes de salvação! Nós sabemos quem as teceu, quem as tingiu, e quem as deu ao seu povo. Estas são as melhores vestes, para sacerdotes e pregadores, para príncipes e para o povo; não há outra semelhante; dá-ma. Nem todos os sacerdotes se vestirão assim, mas somente os *seus* sacerdotes, os sacerdotes que realmente pertencem a Sião, pela fé em Jesus Cristo, que os fez sacerdotes de Deus. Eles são vestidos pelo próprio Senhor, e ninguém pode vestir como Ele. Se até mesmo a erva do campo é vestida pelo Criador, de modo a superar Salomão em toda a sua glória, como devem se vestir os seus próprios filhos? Verdadeiramente, o Senhor será admirado nos seus santos; as vestes dos seus servos serão a maravilha do céu.

"E os seus santos rejubilarão." Novamente, temos uma resposta de ouro para uma oração de prata. O salmista deseja que "alegrem-se os teus santos". "Os seus santos rejubilarão", diz o Senhor, e em voz alta; eles estarão extremamente cheios de alegria; os seus cânticos e gritos serão tão sinceros que soarão como o ruído de muitas águas e como grandes trovões. Estes jubilosos não são, no entanto, os santos imitadores da superstição, mas os *seus* santos, os santos do Altíssimo, "santificados em Cristo Jesus". Eles serão tão abundantemente abençoados e tão satisfeitos, e tão adornados que não podem fazer outra coisa, senão gritar o seu assombro, o seu triunfo, a sua gratidão, a sua exultação, o seu entusiasmo, a sua alegria no Senhor. Sião não tem santos mudos. A visão de Deus em repouso entre os seus eleitos é suficiente para fazer gritar os mais silenciosos. Se as estrelas da manhã cantaram juntas quando a terra e os céus foram criados, muito mais todos os filhos de Deus irão gritar de alegria, quando os novos céus e a nova terra estiverem concluídos, e a Nova Jerusalém descer do céu, de Deus, adereçada como uma esposa, ataviada para o seu marido. Enquanto isto, mesmo agora a habitação de Deus entre nós é uma fonte perene de prazer cintilante para todas as mentes santas. Este clamor de alegria é assegurado aos santos de Sião: Deus diz que eles *rejubilarão*, e podemos confiar que o farão: quem os impedirá de se gloriar desta maneira? O Senhor disse, pelo seu Espírito, "clamem", e então prometeu que "rejubilarão" (ou, "gritarão de alegria", NTLH): quem é que os fará silenciar? Podem, porventura, os filhos das bodas jejuar, enquanto está com eles o esposo? Não, verdadeiramente, nós nos alegramos, e nos alegraremos.

17. *"Ali farei brotar a força de Davi."* Em Sião, a dinastia de Davi irá desenvolver poder e glória. Nas nossas observações de outros autores, incluímos uma descrição do crescimento dos chifres dos veados, que é o fato natural do qual imaginamos que a expressão do texto é tomada emprestada. Assim como o veado se torna nobre e forte pelo desenvolvimento de seus chifres, também a casa de Davi avançará de força em força. Isto se faria pela obra do Senhor – "ali farei", e por isto será um crescimento certo e sólido. Quando Deus nos faz brotar, ninguém pode nos fazer murchar. Quando os descendentes de Davi deixaram o Senhor e a adoração da sua casa, declinaram em todos os aspectos, pois era somente através do Senhor e em conexão com a sua adoração que os seus chifres iriam brotar.

"Preparei uma lâmpada para o meu ungido." O nome de Davi deveria ser famoso e brilhante, como uma lâmpada; ele deveria continuar brilhando como uma lâmpada no santuário; assim, seria uma consolação para o povo, e um esclarecimento para as nações. Deus não permitiria que a luz de Davi se extinguisse pela extinção da sua semente; as suas santas ordenanças tinham decretado que a casa do seu servo permaneceria em meio a Israel. Que lâmpada é o nosso Senhor Jesus! Uma luz para iluminar os gentios, e a glória do seu povo, Israel. Como o ungido – o verdadeiro Cristo, Ele é a própria luz do céu. Oh, que graça é recebermos a nossa iluminação e a nossa consolação somente de Jesus Cristo.

18. *"Vestirei os seus inimigos de confusão."* Eles serão completamente derrotados, odiarão os seus maus desígnios, serão desprezados por terem odiado àquele que é

Sempre Bendito. Serão incapazes de esconder a sua vergonha; ela os cobrirá; Deus os vestirá com ela para sempre, e esta será a sua veste por toda a eternidade.

"Mas sobre ele florescerá a sua coroa." Verdes serão os louros da sua vitória. Ele vencerá e usará a coroa da honra, e o seu diadema herdado crescerá, em esplendor. Não é assim agora com Jesus? O seu reino não falhará, as suas glórias imperiais jamais desaparecerão. É a *Ele mesmo* que nos alegramos por honrar; é a Ele mesmo que toda a honra deve ser dirigida, e é nele que ela floresce. Se os outros tentarem agarrar a sua coroa, os objetivos traiçoeiros que os impulsionam serão derrotados; mas Ele, na sua própria pessoa, reinará com um esplendor cada vez maior.

"Coroai-o, coroai-o,
as coroas se tornam parte da fronte do vencedor".

NOTAS EXPLICATIVAS E DECLARAÇÕES SINGULARES

O salmo: Lightfoot atribui este salmo a Davi, e acredita que ele tenha sido escrito na segunda remoção da arca da casa de Obede-Edom (1 Cr 15.4, etc). Mas a menção ao nome de Davi, no versículo 10, na terceira pessoa, e os termos ali empregados, combatem a ideia de que ele seja o autor. Outros o atribuem a Salomão, que, segundo pensam, o escreveu retratando o período da remoção da arca para o Templo que ele tinha construído para ela (2 Cr 5.2 etc). Outros opinam que ele foi escrito por Salomão para os cultos solenes que foram celebrados na consagração do Templo. – *Nota de James Anderson para Calvino, in loc.*

O salmo: O salmo é dividido em quatro estrofes de dez linhas, cada uma delas contendo o nome de Deus. A primeira parte começa falando do voto de Davi ao Senhor; a terceira, com a promessa do Senhor a Davi. – *William Kay*

Todo o salmo: Os paralelismos devem ser traçados com algum cuidado. Os versículos 1, 2, 3, 4, 5, 6 são respondidos pelo versículo 12; o versículo 7, pelo versículo 13; o versículo 8, pelo versículo 14; o versículo 9, pelos versículos 15, 16; o versículo 10, pelos versículos 17, 18.

Uma atenção a estes paralelismos é frequentemente necessária para revelar o significado das Escrituras. – *Joseph Angus, The Bible Handbook", 1862*

v. 1: "Lembra-te, Senhor". É um gracioso privilégio ter a permissão para lembrar ao Senhor de algo. A fé é encorajada a lembrá-lo do seu concerto e das suas preciosas promessas. Não há, realmente, nenhum esquecimento com Ele. O passado, bem como o futuro, é uma página presente diante dos seus olhos. Mas com este exercício nós gravamos em nossas mentes lições inestimáveis. – *Henry Law*

v. 1: "Lembra-te de Davi e de todas as suas aflições". Salomão era um homem sábio, mas não alega nenhum mérito próprio; – não deves fazer isto por mim, pois não sou digno, mas *"Lembra-te, Senhor, de Davi"*, com quem fizeste o concerto; como Moisés orou (Êx 32.13), *"Lembra-te de Abraão"*, o primeiro consignatário do concerto; lembra-te *"de todas as suas aflições"*, todas as dificuldades da sua vida, motivadas por ter sido ungido; ou o seu cuidado e a sua zelosa busca pela arca, e a inquietude que representou para ele o fato de que a arca estivesse dentro de cortinas (2 Sm 7.2). *Lembra-te de toda a sua humildade e fraqueza,* assim interpretam alguns; toda a piedosa e devota afeição com que ele tinha feito o voto expresso a seguir. – *Matthew Henry*

v. 1: "Lembra-te... todas as suas aflições". Os sofrimentos dos crentes pela causa da verdade não são meritórios, mas tampouco são em vão; eles jamais são esquecidos por Deus (Mt 5.11,12). – *Christopher Starke, 1740*

v. 1: "Aflições". A palavra hebraica para *"aflições"* é semelhante à palavra para "opressão", em 1 Cr 22.14: "Eis que na minha *opressão* preparei para a Casa do Senhor cem mil talentos de ouro". – *H. T. Armfield*

vv. 1 e 2: Se os judeus puderam pedir fervorosamente que Deus mostrasse misericórdia à sua igreja e nação, por amor àquele jovem pastor através do qual Ele tinha feito progredir o seu reino, muito mais poderemos defender a nossa causa em nome do Filho de Davi (chamado *Davi* quatro vezes, nos profetas) e de *todas as suas aflições*, de todas as angústias do seu nascimento e infância, do seu ministério e da sua paixão e morte, que Ele suportou como uma consequência da sua dedicação à vontade do seu Pai, quando o seu sacerdócio, pré-ordenado por toda a eternidade, foi confirmado com um juramento: "Certamente aqueles [levitas], sem juramento, foram feitos sacerdotes, mas este, com juramento, por aquele que lhe disse: Jurou o Senhor e não se arrependerá: Tu és sacerdote eternamente, segundo a ordem de Melquisedeque" (Hb 7.20; Sl 110.4). – *Teodorico e Cassiodoro, em Neale e Littledale*

v. 2: "E fez votos". A história não registra o momento nem a ocasião deste voto; mas a história registra como isto estava sempre nos pensamentos e no coração de Davi. Davi, na verdade, no primeiro versículo, pede que Deus se lembre das suas aflições, e então registra o seu voto; e você poderá, talvez, pensar que o voto tenha sido feito de uma forma condicional, e que o seu cumprimento dependia da sua libertação... é muito mais consistente com o caráter de Davi considerar a aflição à qual ele se refere como resultante do fato de que o Senhor não lhe permitiu cumprir o seu propósito de edificar uma habitação terrena para o Deus do céu, considerando que ele tinha derramado sangue em abundância. E se, como é mais do que provável, em meio ao sangue que ele tinha derramado, a consciência de Davi recordasse o sangue de Urias, de maneira excessiva, não poderia deixar de se sentir profundamente afligido, mesmo reconhecendo a justiça da sentença.

Mas embora não tendo a permissão de Deus para executar o seu propósito, não podemos deixar de sentir e reconhecer que foi uma nobre decisão a que Davi tomou aqui. Mesmo sendo registrada com todos os detalhes das descrições orientais, ela expressa a santa determinação do salmista em renunciar a qualquer ocupação e busca, não permitindo que se passasse um só dia até que ele tivesse, pelo menos, definido o lugar do futuro templo. – *Barton Bouchier*

v. 2: "Fez votos". Aquele que estiver pronto a fazer votos em cada ocasião, sem dúvida estará pronto para quebrar o seu voto em cada ocasião. Há uma regra necessária para todos nós, e que consiste em "nos poupar de fazer votos o quanto pudermos", tendo em vista que muitas e grandes inconveniências acompanham os frequentes e múltiplos votos. Deve-se observar que as Escrituras mencionam pouquíssimos exemplos de votos, em comparação com os muitos exemplos de grandes e maravilhosas providências; como se ela nos desse alguns exemplos, para que pudéssemos saber o que temos que fazer, e, no entanto, nos desse apenas alguns poucos, para que pudéssemos saber que não devemos fazê-los tão frequentemente. Você lê que Jacó viveu cento e quarenta e sete anos (Gn 47.28); mas você lê, creio, sobre um único voto que ele fez. As nossas exigências extraordinárias não são muitas, e, digo eu, os nossos votos não deveriam ser mais numerosos do que elas. Que isto, então, seja o primeiro ingrediente necessário para um voto bem formulado: Que ele não seja feito mais frequentemente do que a grandeza opressora de um mal a ser removido, ou a excelência sedutora de uma bênção extraordinária a ser obtida, será uma boa justificativa. A intenção de Jefté de fazer um voto foi extremamente correta: ele teve um motivo justo, havia um perigo urgente a ser removido, e havia uma bênção excelente a ser obtida; o perigo era que a nação de Israel fosse escravizada; a bênção era a vitória sobre os seus inimigos. Isto justificava o seu voto, embora a sua precipitação e imprudência o tenham estragado. Foi em meio às aflições que Davi jurou e fez um voto ao Altíssimo; e Jacó se absteve de fazer um voto, até que o seu caso, mais do que comum, levou-o a fazer o voto, e o justificou ao fazê-lo (Gn 28.20). Façamos como ele fez – evitemos fazer nossos votos, até que um caso como este nos obrigue a fazê-los. – *Henry Hurst (1629?-1690), na obra "The Morning Exercises" v. 2:* "Fez votos ao Poderoso de Jacó". O primeiro santo que fez votos do qual nós lemos foi Jacó, mencionado neste texto, que é, por isto, chamado de pai dos votos: e por isto, alguns pensam que Davi menciona Deus aqui sob o título de *"Poderoso de Jacó"*, em lugar de qualquer outro título, por causa do seu voto. – *Abraham Wright*

v. 2: "O Poderoso de Jacó". O título *Poderoso de Jacó*, pelo qual Deus é aqui designado, usado, em primeiro lugar, pelo próprio Jacó (Gn 49.24), e a partir dali usado de maneira mais genérica, como fica claro em Is 1.24, 49.26, e outras passagens, aqui apresenta Deus tanto como o *poderoso*, que é capaz de punir severamente o perjúrio, e com quem ninguém pode ousar contender, e também como o *defensor* e poderoso justificador de Israel, como tinha sido comprovado por Jacó e todos os seus descendentes, e Davi, em particular, que frequentemente se alegrava e se gloriava neste poderoso e defensor. Este poderoso de Jacó merecia ter um templo edificado para Si, e era tão excelente que não admitiria um perjúrio. – *Hermann Venema*

v. 2: Onde os intérpretes traduziram, no texto em português, *"o Deus de Jacó"* o hebraico diz *"o poderoso* em Jacó". Este nome é, às vezes, atribuído aos anjos, e às vezes é também aplicado a outras coisas que têm grande força e coragem; como um leão, um boi e semelhantes. Mas aqui está uma palavra singular de fé, que significa que Deus é o poder e a força do seu povo; pois somente a fé atribui estas qualidades a Deus. A razão e a carne atribuem mais às riquezas e outros recursos terrenos que o homem vê e conhece. Todos estes recursos carnais são verdadeiros ídolos, que enganam os homens e os atraem à perdição; mas esta é a força e a coragem do povo – ter Deus presente com eles... Assim dizem as Escrituras em outra passagem: "Uns confiam em carros, e outros, em cavalos, mas nós faremos menção do nome do Senhor". Da mesma maneira, Paulo disse: "Fortalecei-vos no Senhor e na força do seu poder". Este poder é eterno e não engana. Todos os outros poderes não são apenas enganosos, mas transitórios, e duram apenas um momento. – *Martinho Lutero*

v. 3: "Certamente, que não entrarei na tenda em que habito", etc. Para evitar o absurdo de pensar que Davi tivesse feito um voto precipitado e injustificado, como este pode parecer – dizendo que até que tivesse o seu desejo satisfeito, no que é posteriormente expresso, ele habitaria ao ar livre, e jamais entraria em sua tenda, nem mesmo para repousar, durante o dia ou à noite – alguns dizem que Davi disse isto com referência ao seu propósito de tomar o forte de Sião dos jebuseus (2 Sm 5.6), onde, por revelação, ele soube que Deus desejava que a arca fosse estabelecida, o que, provavelmente, ele pensava que se cumpriria dentro de pouco tempo. E então outros dizem que ele se referia somente àquela imponente casa de cedros, que recentemente tinha edificado para si mesmo, em Jerusalém (2 Sm 7.1,2), ou seja, que ele não entraria nesta casa; e também ele não subiria à sua cama, nem (v. 4) daria nenhum sono aos seus olhos, nem repouso às suas pálpebras, isto é, naquela casa. Mas nenhuma destas explicações me proporciona qualquer satisfação. Eu prefiro interpretar estas frases como expressões hiperbólicas do grande, contínuo, e extremo cuidado com que ele se sentia perplexo, desejando proporcionar um lugar fixo para o repouso da arca, como em Pv 6.4, 5: "Não dês sono aos teus olhos, nem repouso às tuas pálpebras; livra-te, como a gazela, da mão do caçador", etc. Nada é mais eficaz do que se ele tivesse dito: Jamais deixarei de lado esta preocupação para passar a me preocupar com qualquer outra coisa: jamais, com qualquer contentamento, habitarei na minha própria casa, nem com qualquer tranquilidade repousarei em minha cama, até que..., etc. – *Arthur Jackson, 1593-1666*

v. 3: "Certamente, que não entrarei na tenda em que habito", etc. Depois de ter edificado para si mesmo um palácio (1 Cr 15.1), parece, pelo contexto, que ele não o *abençoaria* (16.43), nem, consequentemente, viveria neste palácio (pois ele não poderia fazer isto até que ele fosse abençoado), sem que, antes, tivesse preparado um lugar e tivesse trazido a arca até este lugar. – *Henry Hammond*

v. 3: "Certamente, que não entrarei", etc. A tradução deste versículo para o idioma inglês é justificada por Aben Ezra, que observa que אִם aqui deve ser traduzido não com o seu sentido usual, de "se" – "se entrar" – mas como introduzindo um voto, "não entrarei". Podemos observar que esta expressão é, de certa forma, perdida na nossa tradução de Hb 4.5: 5: "E outra vez neste lugar: Não entrarão no meu repouso" – uma tradução que é ainda mais curiosa pelo fato de que a expressão, neste salmo, está de acordo, com exatidão, com o que diz o capítulo anterior: "Assim, jurei na minha ira que não entrarão no meu repouso" (Hb 3.11). – *H. T. Armfield*

v. 3: "Não entrarei na tenda em que habito". O que indica esta forma singular de expressão? Será "um exemplo da maneira como as associações da antiga vida patriarcal, de habitação em tendas, se fixaram na linguagem do povo", como sugere Perowne? Ou Davi deliberadamente seleciona este exemplo para sugerir que até mesmo o seu palácio é apenas uma tenda, quando comparado com a casa que ele irá edificar para Deus? – *Samuel Cox*

v. 3: "Nem subirei ao leito". Pela expressão do salmista, poderia parecer que um leito imponente era não apenas um luxo necessário, mas um sinal de que o seu dono pertencia a uma classe superior. Esta ideia era muito predominante no período da renovação das artes na Europa Continental, onde a cama imponente, frequentemente com 1,80 m de altura, ficava sempre sobre um estrado em uma alcova, separada do quarto por ricas cortinas. No Oriente, o costume ainda é o mesmo, e um versículo do Corão declara que um dos prazeres dos fiéis no paraíso, é o fato de que "repousarão em leitos suntuosos" (Cap. 56, "The Inevitable"). Frequentemente, estes leitos suntuosos eram constituídos dos mais custosos e magníficos materiais. O profeta Amós fala de camas de marfim (Am 6.4); Nero tinha uma cama de ouro; a de Mogul Aurungzeebe era coberta de joias; e, finalmente, nos gastos particulares do nosso próprio esbanjador, Charles II, lemos sobre um "estrado para a cama, de prata para a Sra. Gwynn". E até hoje, os estrados das camas no palácio do vice-rei no Cairo são feitos do mesmo metal, e se supõe que custaram até três mil libras, cada um. – *De "The Biblical Museum", 1879*

vv. 3 a 5: "Certamente, que não entrarei", etc. Estes eram tipos e figuras de Cristo, o verdadeiro Davi, que, no seu desejo de edificar um templo vivo, e um tabernáculo eterno para Deus, passou noites inteiras em oração, e, verdadeiramente, nunca entrou na sua casa, nem subiu à sua cama, nem deu sono aos seus olhos nem repouso às suas pálpebras, e apresentou a Si mesmo "uma igreja gloriosa, sem mácula, nem ruga, nem coisa semelhante", uma igreja não edificada "com coisas corruptíveis, como prata ou ouro", mas com o seu próprio suor precioso e o seu sangue, ainda mais precioso; foi com estes materiais que Ele edificou aquela cidade no céu que foi vista pelo apóstolo João no Apocalipse, "adornada com ouro e pedras preciosas". Assim podemos todos compreender os cuidados, custos e esforços que necessitamos ter para erigir um templo apropriado para Deus em nossos corações. – *Robert Bellarmine (1542-1621), em "A Commentary on the Book of Psalms"*

vv. 3 a 5: Este admirável zelo deste rei piedoso condena a indiferença daqueles que deixam os lugares sagrados que dependem de seus cuidados em uma condição de vergonhosa negligência, enquanto desperdiçam todos os seus cuidados para fazerem casas suntuosas para si mesmos. – *Pasquier Quesnel (1634-1719), em "Les Pseaumes, avec des Reflexions"*

v. 5: "Uma morada para o Poderoso de Jacó". Jacó "fez votos", quando declarou "... esta... Casa de Deus" (Gn 28.20-22). Davi, consequentemente, preservou uma reminiscência do fato, quando fez votos em conexão com um objetivo similar. – *H. T. Armfield*

v. 6: "Eis que ouvimos falar da arca em Efrata". Normalmente se entende que se trata de Belém, pois este lugar tinha este nome. Mas a arca nunca esteve em Belém, pelo menos não lemos nada sobre isto. Havia um distrito que tinha este nome, ou um nome muito parecido com este, onde Elcana, o pai de Samuel, vivia, e de onde veio Jeroboão, sendo ambos chamados efratitas (1 Sm 1.1; 1 Rs 11.26). Pertencia à tribo de Efraim, e provavelmente é o lugar a que se refere o salmista. A arca tinha estado por muitos anos em Siló, que se situa em Efraim, quando foi tirada para estar presente na batalha com os filisteus, em que Hofni e Fineias, os filhos de Eli, foram mortos, e quando trinta mil israelitas perderam suas vidas, além da arca ter sido capturada. O terrível relato desta calamidade foi trazido a Eli, e causou a sua morte instantânea. Este parece ser o evento a que se referem as palavras *"ouvimos falar da arca em Efrata"*; e era um relato angustiante, que provavelmente não seria esquecido logo.

"E a achamos no campo do bosque". Depois que a arca tinha estado por algum tempo na terra dos filisteus, eles a enviaram e ela veio a Bete-Semes, na tribo de Judá (1 Sm 6.12). Na vizinhança próxima estava também Quiriate-Jearim, a cidade de Jaar, para onde a arca foi levada; pois os habitantes de Bete-Semes tiveram medo de conservá-la ali, uma vez que muitos deles tinham perdido a vida devido à violação da santidade da arca, ao olharem para dentro dela. Como estas mortes ocorreram nas proximidades, se não exatamente no campo do bosque (ou "campo de Jaar"), o salmista, com referência a isto, diz, *"E a achamos no campo do bosque"*. Tendo examinado estes dois eventos aflitivos e memoráveis, o salmista prossegue com o seu desígnio direto de encorajar o povo a dedicar a honra devida à arca e ao templo, em contraste com as tristes ocorrências que haviam sofrido (mesmo tendo sido previamente advertidos) em meio à sua alegria e prosperidade. – *William Walford, The Book of Psalms. A New Translation, with Notes", 1837*

v. 6: "Ouvimos falar da arca em Efrata", etc. Isto se refere à arca sobre a qual Davi e outros tinham ouvido, que anteriormente estava em Siló (Js 18.1), aqui chamada Efrata, como pensam alguns, e por isto os efraimitas são chamados efratitas (Jz 12.5); e Elcana de Ramataim-Zofim, do monte Efraim, é descrito como efratita (1 Sm 1.1); mas o Senhor não escolheu esta tribo, porém escolheu a tribo de Judá, como sua habitação; e rejeitou o tabernáculo de Siló, e o tirou dali (Sl 78.60,67,68). *"E a achamos no campo do bosque"*; em Quiriate-Jearim, que significa *cidade do bosque*; sendo edificada em meio a bosques, e rodeada por eles; aqui a arca esteve durante vinte anos, e aqui Davi a encontrou; e dali ele a trouxe à casa de Obede-Edom, e dali, a Sião.

Cristo foi *achado nos campos do bosque*; em uma condição humilde, inferior, abjeta, que é o significado desta expressão (Ez 16.5). Os pastores o encontraram rejeitado, não hospedado na estalagem, pois não havia lugar para Ele, mas deitado em uma manjedoura (Lc 2.7, 16); os anjos o encontraram no deserto, entre os animais selvagens do campo (Mc 1.13); Ele não teve as conveniências das raposas e das aves, Ele não teve habitação nem lugar onde pousar a sua cabeça (Mt 8.20). E Ele será encontrado no campo das Escrituras, onde este rico tesouro, esta pérola de grande valor está escondida (Mt 13.44). – *John Gill*

v. 6: "Ouvimos falar da arca em Efrata". A única explicação, que está de acordo igualmente com o uso e o contexto, é a que declara Efrata como o nome antigo de Belém (Gn 48.7), aqui mencionada como o lugar onde Davi passou sua mocidade, e onde costumava ouvir falar sobre a arca, embora nunca a tivesse visto, até muito tempo depois, quando a encontrou no campo do bosque, na vizinhança de *Quiriate-Jearim*, cujo nome significa cidade do bosque. Compare 1 Sm 7.1 com 2 Sm 6.3,4. – *Joseph Addison Alexander*

v. 6: "Ouvimos falar da arca em Efrata", etc. Tendo preparado um suntuoso tabernáculo, ou tenda, para a arca, no monte Sião, na "cidade de Davi", uma grande assembleia nacional foi convocada, à qual todas as tribos foram convidadas para acompanhar a sua remoção a este novo santuário. Uma excitação se espalhou sobre todo Israel. "Ouvimos homens falar da arca em Efrata [Belém], no sul da terra, e os ouvimos repetir, no bosque do Líbano", canta o autor do salmo 132, de acordo com a tradução de Ewald. "Entraremos nos seus tabernáculos; prostrar-nos-emos ante o escabelo de seus pés". As mesmas palavras da convocação foram adequadas para despertar os mais profundos sentimentos da nação, pois eles deviam se reunir em

Baalá, de Judá, outro nome para Quiriate-Jearim, para "levarem dali" para o monte "a arca de Deus, sobre a qual se invoca o Nome, o nome do Senhor dos Exércitos, que se assenta entre os querubins" (2 Sm 6.2). Eles "não a buscaram nos dias de Saul", mas, quando restaurada, a nação teria, novamente em seu meio, sua grande proteção, e poderia "cada um deles em Sião aparecer perante Deus", e eles seriam instruídos a fim de saber o caminho que deveriam seguir. – *Cunningham Geikie, Hours with the Bible", 1881*

v. 6: "Efrata". O salmista diz que o próprio Davi, quando moço, em Belém-Efrata, ouviu sobre a permanência da arca em Quiriate-Jearim, e que era um sonho terno da mocidade de Davi que pudesse ter permissão de trazer a arca a alguma habitação fixa, que ele desejava *encontrar* (v. 5). – *Christopher Wordsworth*

v. 6: "Achamos". A igreja não pode ficar escondida por muito tempo. O sol sempre reaparece depois de um curto eclipse. – *Henry Law*

v. 6: Deus não é sempre encontrado no local em que o buscamos pela primeira vez. *"Ouvimos* falar da arca em Efrata: e a *achamos* no campo do bosque". Não devemos ser governados por rumores e boatos na nossa busca por Deus em Cristo; mas devemos buscá-lo com o nosso próprio esforço até o encontrarmos. Não é em toda casa de oração que Deus, em Cristo, pode ser encontrado; depois de buscá-lo em templos magníficos, podemos encontrá-lo "no campo do bosque". "Se alguém vos disser: Eis que o Cristo está aqui ou ali, não lhe deis crédito"; vós mesmos deveis buscá-lo. – *George Rogers, 1883*

v. 7: "Entraremos... prostrar-nos-emos". Observe o seu acordo e consentimento, que é visível no pronome *"nós": "Entraremos". "Nós"* (um pronome oculto, porém subentendido), toma toda uma nação, todo um povo, todo o mundo, e os torna um só. O termo *"nós"* faz uma comunidade; e *"nós"* também faz uma igreja. Nós subimos juntos até a casa do Senhor, e esperamos ir para o céu juntos. Observe a sua vivacidade e alegria na subida. A sua longa ausência tornava o objeto mais glorioso. Pois podemos dizer que aquilo que amamos e desejamos se torna cada vez mais amado e desejado à medida que o buscamos. Quando Ezequias, tendo adoecido de uma "enfermidade mortal", teve a promessa de que desfrutaria uma vida longa, fez a seguinte pergunta: "Qual será o sinal", não *de que eu viverei,* mas "de que hei de subir à Casa do Senhor?" (Is 38.1-22). O amor está em movimento, alegre por encontrar seu objeto; sim, ele o alcança à distância, e se une a ele, enquanto está distante... *"Entraremos".* Nós ansiamos por estar ali. Nós apressamos o nosso passo. Nós atravessaremos todas as dificuldades no caminho. – *Condensado da obra de Anthony Farindon*

v. 7 (primeira parte): "Tabernáculos" são mencionados no plural, e isto pode ser (embora nós possamos duvidar que o salmista fizesse tão minuciosas distinções) porque havia no Templo um santuário interior, um cômodo intermediário, e então o átrio. É mais importante prestar atenção ao epíteto que se segue, onde o salmista chama a Arca do Concerto de *escabelo dos pés de Deus,* para indicar que o santuário nunca poderia conter a imensidão da essência de Deus, como os homens eram propensos a imaginar, de maneira absurda. Uma vez que o mero Templo externo, mesmo com toda a sua majestade, não era mais do que o escabelo para os seus pés, o povo de Deus deveria olhar para os céus e fixar os seus olhos, com a devida reverência, no próprio Deus. – *João Calvino*

v. 7: O *"escabelo dos pés"* do Senhor, aqui mencionado, era *a própria arca do Testemunho,* ou, pelo menos, o lugar onde ela estava, chamado *Debir,* ou o *Santo dos Santos,* e voltados para este lugar os judeus costumavam adorar, no seu Templo. As palavras seguintes declaram isto: *"Levanta-te, Senhor, no teu repouso, tu e a arca da tua força",* e isto fica claro com base em 1 Cr 28.2, onde Davi diz, a respeito do seu propósito de edificar uma casa para Deus: "Em meu coração, propus eu edificar uma casa de repouso para a arca do concerto do Senhor e para o *escabelo dos pés* do nosso Deus", onde a conjunção *e* é exegética, e a mesma coisa acontece com *isto é.* De acordo com esta expressão, também o profeta Jeremias, no início da segunda de suas Lamentações, lamenta que o Senhor "derribou do céu à terra a glória de Israel" (isto é, o seu glorioso Templo), "e não se lembrou do *escabelo de seus pés*" (isto é, a arca do concerto), "no dia da sua ira"; como Is 60.7 e 64.11; Sl 96.6.

O fato de que este é o significado verdadeiro e genuíno desta expressão de *se prostrar ante o escabelo dos pés do Senhor,* além do costume confessado da época, é evidentemente confirmado por uma expressão paralela desta postura de adoração (Sl 28.2): "Ouve a voz das minhas súplicas, quando a ti clamar, quando levantar as minhas mãos אֶל־דְּבִיר קָדְשֶׁךָ para o oráculo do teu *santuário*", isto é, para o lugar Santíssimo onde ficava a arca, e de onde Deus dava as suas respostas. Pois esta דְּבִיר (*D^e^bîr*), que aqui é traduzida como *"santuário"*, era o *Sanctum Sanctorum,* ou Lugar Santíssimo, o que fica claro com base nos capítulos 6 e 8 de 1 Reis; no capítulo 6, lemos (v. 19) que Salomão "preparou o *oráculo* ou *Debir,* para pôr ali a arca do concerto do Senhor"; no capítulo 8 (v. 6) lemos que "trouxeram os sacerdotes a arca do concerto do Senhor ao seu lugar, ao oráculo da casa, ao Lugar Santíssimo, até debaixo das asas dos querubins". Desta maneira, os autores da tradução usada em nossa liturgia traduziram assim esta passagem do salmo: "Quando eu levanto minhas mãos para o propiciatório do teu santo templo", ou seja, tendo respeito pelo seu significado. Assim, vemos que um dos dois deve ser este *scabellum pedum,* ou *"escabelo"* de Deus, ou a *arca* ou o próprio *propiciatório* ou o *adytum Templi,* o Lugar Santíssimo, onde ela ficava. Pois não se trata do Templo como um todo (embora assim ele pudesse ser chamado), mas de alguma coisa, ou parte das coisas que estão dentro dele, que as primeiras palavras do meu texto mencionam (*"Entraremos nos seus tabernáculos"*). Se é a *arca* (cuja *cobertura* era o que chamamos de *propiciatório*), ela parece ter sido assim chamada com respeito ao assento de Deus no meio dos querubins, sob o qual se situava a arca, como se fosse o escabelo para os seus pés; por isto, às vezes vemos a descrição, "a arca do concerto do Senhor dos Exércitos, que habita entre os querubins" (1 Sm 4.4). Se a *arca* com a sua *cobertura* (*o propiciatório*) for considerada como o *trono* de Deus, então pode não ser inadequado chamar o seu lugar, *Debir,* de *"escabelo dos seus pés".* Ou, finalmente, se considerarmos o céu como sendo o trono de Deus, como na realidade é, então qualquer lugar ou monumento relacionado à sua presença que Ele tenha aqui na terra é, na estimativa verdadeira, nada mais que *"escabelo de seus pés". – Joseph Mede, 1586-1638*

v. 8: "Levanta-te, Senhor, no teu repouso, tu e a arca da tua força". Sempre que o acampamento devesse avançar, Moisés usava a linguagem encontrada na primeira parte deste versículo. *"Levanta-te* (ou ergue-te)*, ó Jeová". – William Swan Plumer*

v. 8: "Tu e a arca da tua força". "Tanto o que santifica como os que são santificados" (Hb 2.11, ARA). Agora Cristo, o nosso Grande Sumo Sacerdote, subiu para o santo repouso. Sobre Ele, é dito: "Levanta-te"; pois Ele se levantou dos mortos e subiu ao céu. E para a sua *"arca"*, a igreja, é dito: "Levanta-te", porque Ele vive, e tudo nele vive também. – *Edward Simms, A Spiritual Commentary on the Book of Psalms", 1882*

v. 8: "A arca da tua força". Os registros históricos da arca são inúmeros, e profundamente interessantes. Milagres frequentemente eram realizados na sua presença. Na travessia do Jordão, tão logo os pés dos sacerdotes que carregavam este santo utensílio se molharam na borda das águas, as águas levantaram-se num montão, e o povo de Deus passou sobre terra seca – "pelo Jordão" (Js 3.14-17). No cerco de Jericó a arca ocupou uma posição proeminente na caminhada diária das tribos ao redor da cidade condenada... Ela foi, no entanto, capturada pelos filisteus, e Hofni e Fineias, os ímpios filhos de Eli, a cujos cuidados ela tinha sido confiada, foram mortos. Desta maneira, o Senhor "deu a sua força ao cativeiro, e a sua glória, à mão do inimigo" (Sl 78.61). – *Frank H. White, Christ in the Tabernacle", 1877*

v. 9 (primeira parte): A principal característica do ministro do Senhor é a verdadeira doutrina da justificação e da obediência da fé, em um santo modo de vida: *"Vistam-se os teus sacerdotes de justiça" – David Dickson*

v. 9: "Vistam-se os teus sacerdotes de justiça".

Santidade sobre a cabeça,
Luz e perfeições sobre o seio,
Harmoniosos sinos abaixo, erguendo os mortos,
Para conduzi-los à vida e ao repouso.
Assim se vestem os homens como *Arão,* etc.
– George Herbert, 1593-1633

v. 9: "Santos". Se os próprios nomes dados pelos profetas de Deus ao seu povo são nomes como *santos, piedosos, misericordiosos,* certamente o seu povo professante deve se certificar de que não seja cruel, pouco terno ou *profano. – William Swan Plumer*

vv. 9 e 16: Devemos observar a oração (v. 9), juntamente com a resposta, (v. 16): A oração pede, em nome dos sacerdotes, *"justiça"*; a resposta é, "Vestirei de *salvação* os seus sacerdotes", isto é, com o que exibe o *caráter misericordioso de Deus.* Cuidando do interesse de Deus, o adorador percebe que o seu próprio interesse também é plenamente cuidado. E agora, depois de apresentar a palavra de promessa do Senhor (vv. 11,12) diante dele, o adorador ouve o próprio Senhor anunciar a resposta, *q.d.,* "tudo quanto me pedires te farei". *– A. A. Bonar*

v. 10: "Por amor de Davi, teu servo". O apelo de Salomão para que a bênção divina repousasse sobre ele, como rei, *"Por amor de Davi, teu servo"* foi justificado, no seu uso, por Deus (Is 37.35). Ela não admite a ideia da intercessão, por parte dos santos falecidos, pois não é uma oração a Davi, mas uma súplica a Deus, por amor de Davi. Nem apoia a ideia de obras de justificação, por parte de Davi; ela somente indica um prazer divino em Davi, e por causa deste prazer Deus se alegrou em honrar o nome de Davi durante as gerações posteriores; e se o próprio prazer é pura graça, a sua expressão, de qualquer maneira, deve ser graça. Ela também não admite a ideia de que a graça de Deus, que converte e salva, possa ser esperada em algum homem, porque os seus pais ou antepassados trouxeram prazer a Deus; pois uma súplica deste tipo está, nas Escrituras, rigidamente confinada a dois casos, Abraão e Davi, pois com ambos foi celebrado um concerto especial, incluindo os seus descendentes, e era exatamente este concerto que autorizava o uso da súplica por aqueles que se interessassem particularmente pela promessa, e por mais ninguém, e com os propósitos contemplados no concerto: mas ela prenunciava a grande súplica cristã, "por amor de Cristo Jesus", da mesma maneira como a escolha que Deus fez de determinados homens e os tornou centros de revelação e religião, antigamente, prenunciou "o homem Cristo Jesus", como o centro e a base da religião para todos os tempos. Desta maneira, na súplica, "por amor de Cristo", foram abolidas as antigas súplicas mencionadas, da mesma maneira como foi abolido o ritual judaico. Cristo nos pede que usemos o seu nome (Jo 14.13,14; 14.26, etc). Crer nas falsas noções acima mencionadas, ou confiar em qualquer outro nome, para alcançar benevolência divina e piedosa, é desonrar o nome de Cristo. A expressão "Por amor de Cristo" é eficaz, por causa do grande concerto, por causa do mérito de Cristo e da sua posição no céu. *– John Field, 1883*

v. 10: "Por amor de Davi, teu servo". A frequência com que Deus é solicitado a ouvir e atender orações *por amor de Davi* (1 Rs 11.12,13; 15.4; 2 Rs 8.19, etc.) não deve ser explicada fazendo com que *Davi* signifique a promessa feita a Davi, nem pela benevolência pessoal dirigida a ele, mas pela sua posição histórica como o grande modelo teocrático, em quem agradou a Deus que a antiga administração alcançasse o seu ponto culminante, e que é sempre considerado como tipo e representante do Messias, de modo que todos os reis intervenientes são meros elos de conexão, e os seus reinos meras repetições e continuações do reino de Davi, com alguma semelhança, maior ou menor, conforme eles fossem bons ou maus. Daí, a frequência com que o seu nome aparece nas Escrituras posteriores, comparado, até mesmo, com o último dos seus sucessores, e a inexplicável, não fosse por isto, transferência deste nome ao próprio Messias. – *Joseph Addison Alexander*

v. 10: "Por amor de Davi, teu servo". Quando o exército de Senaqueribe se colocou ao redor de Jerusalém, sitiando-a, Deus realizou a libertação de Israel, em parte, por consideração à oração do devoto Ezequias, mas também, em parte, pelo respeito à piedosa lembrança de Davi, o rei-herói, o homem segundo o coração de Deus. A mensagem que Isaías enviou ao rei assim foi concluída: "Portanto, assim diz o Senhor acerca do rei da Assíria: Não entrará nesta cidade, nem lançará nela flecha alguma; nem tampouco virá perante ela com escudo, nem levantará contra ela tranqueira alguma. Pelo caminho por onde vier, por ele voltará; porém nesta cidade não entrará, diz o Senhor. Porque eu ampararei a esta cidade, para a livrar, por amor de mim e por amor do meu servo Davi" (2 Rs 19.32-34). Que respeito é exibido pelo nome de Davi, que é colocado, assim, bem próximo a Deus! *Por amor de mim e por amor do meu servo Davi. – Alexander Balmain Bruce, The Galilean Gospel, 1882*

v. 10: "Não faças virar o rosto", etc. Como por desprazer, ou esquecimento. – *Albert Barnes*

v. 10: "O teu ungido". Qual é o significado de *"teu ungido"*? Este ungido é o próprio Davi, ou algum rei definido, entre os seus descendentes meramente humanos; ou se aplica a cada um deles, conforme assumissem o cargo, para suportar as responsabilidades desta linhagem de reis ungidos? Eu me inclino a esta última interpretação, segundo a qual a súplica é aplicável a qualquer ou a todos os sucessores ungidos de Davi. Por amor de Davi, que cada um deles seja aceito em livre audiência diante de ti, e a sua oração seja sempre benéfica. O contexto contempla uma longa linhagem de reis descendentes de Davi. Era pertinente tornar todos eles os sujeitos desta oração. – *Henry Cowles*

v. 11: "O Senhor jurou". A mais potente arma a usar com Deus é a sua própria palavra. Nós o lembramos, portanto, como Etã, em Sl 89.20, etc., das solenes palavras que Ele tinha dito, por intermédio de Natã, e que ainda deveriam estar frescas, naquela época, na lembrança de todos. Também Salomão fez menção a estas gloriosas palavras de consolação na sua oração, na consagração do templo. – *Augustus F. Tholuck*

vv. 11 e 12: Este salmo é um dos quinze que são chamados Salmos de (ou dos) Degraus; para este título, pode ser apresentada qualquer razão, com relação aos demais. Certamente, se considerarmos o argumento deste, isto poderá contribuir com a excelência deles. E por que? Ele nada mais é do que uma emulação sagrada, em que disputam Deus e um rei; o rei, em piedade, e Deus em generosidade. O rei se declara como um padrão eminente de zelo, e o próprio Deus como um magnífico recompensador dos seus servos. O rei se priva de toda a satisfação terrena, enquanto está ocupado, procurando satisfazer a Deus; e Deus, que enche o céu e a terra, promete residir naquele lugar que foi providenciado pelo rei. O rei apresenta a sua súplica, não apenas por si mesmo, mas também pelos que estão sob a sua responsabilidade, os seus sacerdotes, o seu povo; e Deus não limita a sua bênção ao rei, mas também, pelo seu pedido, a estende à igreja e à comunidade. Finalmente, o rei se compromete a cumprir o seu dever, com um voto, e Deus confirma, com um juramento, o que prometera, tanto ao rei como ao reino: ao reino, nas palavras que se seguem; mas ao rei, nas que acabamos de ler agora.

Estas palavras, então, são dirigidas ao rei, a Davi; mas elas contêm uma bênção que redunda no seu resultado, *"o fruto do teu ventre"*. Esta bênção não é outra coisa, senão a sucessão real no trono de Davi: os filhos de Davi a herdarão, mas é Deus que os nomeia nela. Eles se assentarão no trono, mas *Eu os porei* ali, e de tal maneira que nunca irão cair; e se assentarão para sempre; a sucessão será perpétua. E até aqui, a promessa é absoluta: ela é qualificada, no que se segue.

O rei estava ocupado, procurando edificar a casa de Deus; e veja como Deus lhe responde, prometendo a edificação da casa do rei! Deus retribui uma edificação, com outra edificação. Há uma referência muito apropriada na palavra, com a qual o filho de Siraque também brinca, quando diz, que os filhos e a edificação de uma cidade tornam perpétuo um nome; não será muito mais, se os filhos forem uma descendência real, destinada a se assentar sobre um torno? E Deus promete a Davi filhos, para a finalidade honrosa de se assentar *"sobre o seu trono"*. – *Arthur Lake, -1626*

v. 12: "Se os teus filhos guardarem o meu concerto", etc. Para que os filhos de Davi, se deixados sem lei, não vivam sem preocupações, eles devem saber que a sucessão será perpétua; mas a promessa é condicional; se os filhos de Davi estiverem em conformidade com Deus: *"se guardarem o meu concerto"*, do qual não podem fingir ignorância. E eles têm um registro autêntico: o registro, *"os meus testemunhos"*; autêntico, *"eu lhes hei de ensinar"*. Vemos que a bênção de Deus é excelente; mas para que a sua promessa não pareça "boa demais para ser verdade", Deus assegura ao rei uma garantia imutável. A garantia é o seu juramento, *"O Senhor jurou"*; e esta garantia é: 1. Imutável, porque é sincera; Ele jurou em verdade. 2. Estável, *Ele não se desviará dela.* E o que o rei Davi podia desejar mais para a sua própria casa, do que uma promessa de tal bênção, e tal garantia desta promessa? Sim, ele podia, e sem dúvida, realmente desejou [mais]; e Deus também destinou a ele mais do que esta promessa expressava literalmente, o cumprimento da verdade de que esta promessa era apenas um tipo. E o que foi isto? O estabelecimento do reino de Jesus Cristo. – *Arthur Lake*

v. 12: "Que eu lhes hei de ensinar". Aqui devemos observar que o Senhor acrescenta, *"Que eu lhes hei de ensinar"*; pois Ele será o professor e será ouvido. Ele não deseja que os conselhos da igreja sejam ouvidos, nem que ensinem o que Ele não ensinou... Deus não deu autoridade ao homem acima da Palavra. Pois desta maneira Ele colocaria o homem, ou seja, pó e esterco, acima de Si mesmo, pois o que é a Palavra, senão o próprio Deus? Os que honram, e guardam esta Palavra, e a obedecem, são realmente a verdadeira igreja, ainda que sejam desprezíveis no mundo; mas os que não honram, e guardam esta Palavra e nem obedecem a ela são a igreja de Satanás, e são malditos por Deus. E esta é a causa que é expressamente exposta no texto, *"os meus testemunhos, que eu lhes hei de ensinar"*. Pois assim Deus irá usar o ministério de professores e pastores da igreja, e ainda assim será o seu Pastor principal, e todos os outros ministros e pastores, ou seja, a própria igreja, serão governados pela Palavra. – *Martinho Lutero*

v. 12: "Também os seus filhos se assentarão perpetuamente no teu trono". Como se Ele tivesse dito: esta promessa, que diz respeito a Cristo, Eu cumprirei, e sem dúvida, estabelecei o trono ao meu servo Davi; mas vocês não devem, enquanto se assentam sobre este trono e governam este reino, se vangloriar da promessa e pensar que não poderão errar, ou que Eu ignorarei os seus erros e não os condenarei e punirei com severidade. Por isto, governem o seu reino de acordo com a minha Palavra, caso contrário Eu os arrancarei e destruirei para sempre. Esta promessa Ele amplia agora, e apresenta de maneira mais detalhada. – *Martinho Lutero*

v. 13: "Porque o Senhor elegeu a Sião", etc. O fato do Senhor escolher qualquer lugar para ali habitar não se deve ao merecimento do lugar, ou das pessoas, mas apenas ao prazer de Deus. O Senhor, depois de escolher a sua igreja, descansa no seu amor por ela; Ele sente o bom cheiro de Cristo, e isto torna firme o seu assento entre o seu povo. – *David Dickson*

v. 13: "Porque o Senhor elegeu a Sião". Aqui, com um propósito singular, ele usa a mesma palavra que Moisés usou (Dt 16.6): "no lugar que escolher o Senhor, teu Deus, para fazer habitar o seu nome". Pois no início, não havia lugar indicado, onde devesse estar o tabernáculo; ele peregrinava, não somente de um lugar a outro, mas também de uma tribo a outra, como Efraim, Manassés, Dã, etc.

Além disto, com a palavra *"elegeu"*, ele derrotava todos os tipos de adoração e religião inventadas e escolhidas pelos próprios homens, das quais havia um número infinito entre os judeus. A eleição ou a escolha não pertence a nós; mas nós devemos obediência à voz do Senhor. Caso contrário, acontecerá conosco aquilo que Jeremias ameaçou: "Rejeitarei toda a semente de Israel, por tudo quanto fizeram". Estas coisas destroem e confundem as invenções, os esquemas e as devoções, as religiões falsas, como se vê no papado... Deus não é servido, exceto quando o que Ele ordenou é feito. Portanto, a escolha ou a eleição não nos pertence, de modo que aquilo que Deus ordenou é exatamente aquilo que devemos fazer. – *Martinho Lutero*

v. 14: "Este é o meu repouso para sempre". Podemos afirmar, com absoluta certeza, sobre a igreja cristã, que ela é *o repouso de Deus para sempre:* depois desta dispensação da sua vontade, jamais haverá outra; o cristianismo conclui e completa a comunicação Divina de Deus ao homem; nada maior, nada melhor poderá ou será entregue a ele, deste lado da eternidade; e mesmo no próprio céu, por uma duração eterna, estaremos dedicados à contemplação e à adoração das riquezas desta graça, da qual as maiores glórias foram realizadas nas consumações do Calvário, na ascensão do Messias, no romper de toda peculiaridade nacional e na dádiva e missão do Espírito Divino. Que o argumento do apóstolo aos hebreus seja levado em consideração, e a conclusão de cada mente será que Deus removeu "as coisas móveis, como coisas feitas, para que as imóveis permaneçam" (Hb 12.27). – *John Morison, An Exposition of the Book of Psalms", 1829*

v. 14: "Este é o meu repouso para sempre". O coração dos santos é a habitação de Deus. Ele repousa naqueles que descansam nele. Ele repousa quando nos faz repousar. – *Pasquier Quesnel*

v. 14: "Habitarei". A palavra traduzida como *"habitarei"* significa, originalmente, *assentar-se*, e particularmente, no trono, de modo que esta ideia seria necessariamente sugerida com a outra, para um leitor hebreu. – *Joseph Addison Alexander*

vv. 14 a 18: Agora que ele pode, aparentemente, ver o quanto o Senhor está próximo de todos os que o invocam com fidelidade e verdade, ele não espera muito tempo por uma resposta, mas a leva com ele, antes de partir. Pois para a súplica de Davi, "*Levanta-te, Senhor, no teu repouso, tu e a arca da tua força"*, a resposta de Deus é esta: "Este é o meu repouso para sempre; aqui habitarei, pois o desejei. Abençoarei abundantemente o seu mantimento; fartarei de pão os seus necessitados". Para a súplica de Davi, *"Vistam-se os teus sacerdotes de justiça, e alegrem-se os teus santos"*, a resposta de Deus é esta: "Vestirei de salvação os seus sacerdotes, e os seus santos rejubilarão". Por fim, para a súplica de Davi, *"Por amor de Davi, teu servo, não faças virar o rosto do teu ungido"*, a resposta de Deus é esta: "Ali farei brotar a força de Davi; preparei uma lâmpada para o meu ungido. "Vestirei os seus inimigos de confusão; mas sobre ele florescerá a sua coroa". Como se Ele tivesse dito: Desviar o rosto do Meu ungido? Isto Eu nunca farei; na verdade, Eu desviarei o rosto dos inimigos do Meu ungido; os seus rostos estarão cobertos de confusão, e revestidos de vergonha. Mas, ao contrário, Eu ordenei uma luz para o Meu ungido. Ele terá uma luz no seu rosto e uma coroa sobre a sua cabeça. "Vestirei os seus inimigos de confusão; mas sobre ele florescerá a sua coroa". – *Thomas Playfere, 1633*

v. 15: "Abençoarei abundantemente o seu mantimento", etc. A *provisão* de Sião, a igreja de Deus, a palavra e as ordenanças, de que Cristo é a soma e a essência; o Evangelho é leite para os bebês, e alimento para homens fortes; as ordenanças são um banquete de gordura; a carne de Cristo é realmente alimento, e o seu sangue é realmente bebida; todo o alimento é espiritual, saboroso, salutar, fortalecedor, satisfatório, e nutritivo, quando o Senhor o abençoa; da mesma maneira como Ele faz com os que têm fome e sede de alimento, e se alimentam pela fé, de modo que as suas almas crescerão, e se tornarão gordas e prósperas; a graça aumenta neles, e eles são frutíferos em toda boa obra; e isto o Senhor promete fazer *abundantemente,* de uma maneira muito ampla; ou *certamente,* pois no texto original, "abençoarei em bênçãos", isto é, certamente abençoarei, que é como esta frase é traduzida, às vezes.

"Fartarei de pão os seus necessitados." Sião tem os seus pobres; as pessoas podem ser pobres e ainda pertencer a Sião, ou pertencer a Sião e ainda ser pobres; há pobres em todas as igrejas de Cristo; o nosso Senhor disse aos seus discípulos que eles tinham os pobres, e poderiam esperar tê-los sempre com eles, e são fornecidas instruções particulares para cuidar dos pobres de Sião sob a dispensação do Evangelho, para que não lhes falte pão, em um sentido literal. Embora, como *pobres* sejam principalmente designados os afligidos e angustiados do Senhor; ou aqueles que, em um sentido espiritual, são pobres, sensíveis à sua pobreza espiritual, e que buscam verdadeiras riquezas; ou são pobres de espírito, aos quais o reino do céu pertence; a estes o Senhor promete satisfazer, enchê-los e fartá-los com o pão do Evangelho, feito do melhor trigo, do qual há suficiente e de sobra na sua casa; e com Cristo, o pão da vida, pois quem dele come jamais morrerá, mas viverá para sempre. – *John Gill*

v. 15: "O seu alimento abençoarei, abençoarei". A repetição do verbo pode expressar certeza ou abundância. *Certamente abençoarei,* ou *Abençoarei abundantemente. – Joseph Addison Alexander*

v. 15: "Abençoarei abundantemente o seu mantimento". Acredite, um santo tem uma alimentação rara, nobre ânimo e uma dieta rica, e tudo isto gratuitamente. Ele se banqueteia o dia inteiro; ele é levado frequentemente à sala do banquete, e tem a mais rara, mais cara e mais benéfica dieta, a que é mais saudável e a que mais fortalece, a que é mais saborosa e agradável, e da maior variedade, e nada falta que possa tornar feliz a sua condição, exceto um completo desfrute da própria glória. O Senhor lhe dá, à sua igreja, todas as experiências do seu poder e da sua bondade ocorridas em épocas passadas, para alimentar as suas esperanças; na verdade, muitas excelentes providências, muitas respostas a orações, muitas antecipações da glória, muitas ordenanças, especialmente a tão excelente ordenança da Ceia do Senhor, em que Cristo e todos os seus benefícios são servidos em uma refeição real, para revigorar e banquetear a fé, a esperança e o amor dos santos. E o que adoça tudo isto – o salvo sabe que isto é apenas um pouco, em comparação com o que, em pouco tempo, ele desfrutará, quando chegar ao banquete das bodas; então ele estará sempre banqueteado, e jamais saciado. E, além de tudo isto, ele tem os doces e revigorantes confortos do Espírito, que o enchem de um prazer tão verdadeiro, que ele pode, facilmente, deixar de lado o mais suntuoso banquete, a mais nobre refeição e os mais sublimes prazeres do mundo, por serem infinitamente distantes de uma hora de tratamento na câmara do seu Amigo. E, se esta for a sua diversão na hospedaria, o que ele terá na corte? Se este maná celestial é seu alimento no deserto, como ele irá viver quando chegar a Canaã? Se este é o alimento do caminho, qual será o da nação? – *John Janeway, aproximadamente 1670*

v. 15: "Fartarei de pão os seus necessitados". Cristo é um bem que satisfaz. Um pão de madeira, um pão de prata, um pão de ouro não satisfarão um homem faminto; ele precisa ter pão. Os manjares e dignidades do mundo, a grandeza e glória do mundo, a abundância e prosperidade do mundo, e a popularidade do mundo não satisfará uma alma que passa pelas portas do inferno e clama das profundezas; é do Cristo que precisamos. "Filhos, ou morro", era o clamor da mulher; um Cristo, ou morro – um Cristo, ou estou perdido, é o doloroso canto e o doloroso clamor de uma alma em desespero ou desânimo. "O que amar o dinheiro nunca se fartará de dinheiro; e quem amar a abundância nunca se fartará da renda" (Ec 5.10). É uma boa observação a de que o mundo é redondo, mas o coração do homem é triangular. Todo o globo do mundo não preencherá o coração triangular do homem. O que pode dar tranquilidade, do mundo e no mundo, quando Cristo, o Sol da Justiça, desce sobre a alma? O coração é triangular; assim, nada, senão uma trindade em unidade, e uma unidade em trindade, irá satisfazê-lo. Nem riquezas, nem relacionamentos, nem celeiros, nem bolsas de dinheiro, irão satisfazer uma alma convencida e abandonada. Esta pessoa pode dizer, a respeito de suas bolsas, como uma pessoa excelente sobre um leito de enfermidade, senão sobre um leito de morte, disse a respeito das suas bolsas: Vão embora para sempre. Embora haja muitas bolsas, elas são completamente insignificantes, na hora da morte; estas bolsas são apenas cifras à frente de um número. Este é o clamor das almas em desespero e desânimo: "Sacia-nos de madrugada com a tua benignidade, para que nos regozijemos e nos alegremos todos os nossos dias" (Sl 90.14). – *Richard Mayhew, 1679*

v. 15: "Fartarei de pão os seus necessitados". Manjares, não lhe prometo; prometo o que é *suficiente*, mas não o que é *supérfluo*; vocês podem ser pobres, mas não desamparados; terão pão, da *abundância de Deus*, como dizem; o suficiente para conduzi-los à casa de seu Pai, onde há "abundância de pão". Portanto, que o israelita pobre não tema trazer as suas ofertas, nem o fato de não ter o suficiente para a adoração a Deus, etc. – *John Trapp*

v. 16: "Vestirei de salvação os seus sacerdotes". A sua salvação será evidente e visível, como uma veste. – *Aben-Ezra*

v. 16: A presença de Deus é um penhor de todo o bem; pois tudo isto se segue à promessa, "aqui habitarei". Com isto, Ele dá alimento aos famintos, e consolação aos pobres, até mesmo o Pão da Vida à alma que crê e se arrepende; com isto, Ele mesmo é a santificação dos seus sacerdotes, e a sua justiça e salvação é a sua mais gloriosa veste; e com a sua presença, Ele deixa os seus eleitos satisfeitos e alegres, enchendo seus corações com alegria e suas bocas com cânticos. – *J. W. Burgon*

v. 16: "E os seus santos rejubilarão". Um estrangeiro europeu ficaria assombrado e se divertiria ao ouvir o canto destes nativos. Eles não têm a menor ideia de harmonia ou melodia; ruído é o que eles entendem melhor, e aquele que canta mais alto é considerado o que canta melhor. Em algumas ocasiões, eu os admoestei sobre este assunto, mas a resposta que recebi uma vez me silenciou sobre este tema para sempre. "Cante baixinho, irmão", eu disse a um dos principais membros. "Cantar baixinho!" respondeu ele "é você, nosso pai, que nos diz que cantemos baixinho? Você nos ouviu, outrora, cantar os louvores dos nossos deuses hindus? Como nós jogávamos nossas cabeças para trás e com todas as nossas forças gritávamos os louvores dos que não são deuses! E agora você nos diz para *sussurrar* os louvores de Jesus? Não, senhor, não podemos – nós precisamos expressar em altas vozes a nossa gratidão àquele que nos amou e morreu por nós!" E assim continuaram a cantar, com todas as suas forças, e sem novas admoestações. – *G. Gogerly, The Pioneers: a Narrative of the Bengal Mission", 1870*

v. 17: "Ali farei brotar a força de Davi", etc. Uma metáfora extraída daquelas grandes criaturas, como veados e outros animais semelhantes, cuja principal beleza e força consiste em seus chifres, particularmente quando brotam e se ramificam. – *Thomas Playfere*

v. 17: "A força de Davi". Esta imagem de um chifre é frequente no Antigo Testamento... A explicação não é encontrada nas pontas do altar, em que os criminosos buscavam se agarrar, nem nos chifres com que eles ornamentavam os seus capacetes; a imagem é tomada dos chifres de um touro, em que reside a força deste animal. É uma imagem natural, entre um povo agrícola.

Assim como a força do animal está concentrada no seu chifre, também todo o poder concedido à família de Davi, para o benefício do povo, estará concentrado no Messias. – *F. Godet, "A Commentary on the Gospel of St. Luke", 1875*

v. 17: "Farei brotar a força de Davi". No início do mês de março, o veado comum, ou vermelho, está escondido em pontos isolados da sua floresta, tão inofensivo como seu companheiro e igualmente temeroso. Logo um par de pontos proeminentes aparece em sua fronte, coberto por uma pele aveludada. Em poucos dias, estas pequenas proeminências alcançam alguma extensão, e dão a primeira indicação da sua verdadeira forma. Se agarrarmos uma delas com a mão, veremos que é muito quente ao toque, pois o sangue corre velozmente pela pele aveludada, depositando, em cada toque, uma porção diminuta de material ósseo. Cada vez mais depressa crescem os chifres, as artérias carótidas se alargando, para proporcionar uma nutrição suficiente, e no curto intervalo de dez semanas a enorme massa de material ósseo terá sido concluída. Este processo é quase, se não inteiramente, sem paralelos na história do reino animal. – J. G. *Wood, The Illustrated Natural History", 1861*

v. 17: "A força". Meu amigo, o Sr. Graham, de Damasco, diz, a respeito dos chifres usados por mulheres orientais, "Este adorno é de massa, estanho, prata ou ouro, de acordo com a situação financeira das diferentes classes. A classe também é indicada pelo seu comprimento. Quanto mais nobre a mulher, mais longo o chifre. Alguns deles medem mais do que uma jarda inglesa [que tem aproximadamente 90 centímetros]". Eu adquiri, em Damasco, uma pedra antiga, que representa um *homem* usando o chifre. Nos dias atuais, o seu uso é reservado às mulheres. – *John Wilson, The Lands of the Bible", 1847*

v. 17: "Preparei uma lâmpada para o meu ungido". Esta sentença contém uma referência à lei, que não é possível preservar em nenhuma versão. A palavra traduzida como *"lâmpada"* é usada para designar os vários queimadores dos candelabros de ouro (Êx 25.37; 35.14; 37.23; 39.37), e o verbo aqui relacionado com ela é o verbo aplicado à ordenação ou supervisão das lâmpadas sagradas pelos sacerdotes (Êx 27.21; Lv 27.3). O significado do versículo, como um todo, é que a promessa antigamente feita a Davi e a Sião ainda se cumpriria, por mais obscuras e pouco auspiciosas que fossem as circunstâncias. – *Joseph Addison Alexander*

v. 17: "Preparei uma lâmpada para o meu ungido". Aqui ressaltamos,

1. A designação dada a Cristo por Deus, seu Pai; Ele é *"Meu Ungido"*. Embora seja desprezado e rejeitado pelos homens; embora um mundo descrente não veja formosura nem beleza nele, pela qual Ele deva ser desejado, ainda assim Eu o reconheço, e o convido como Meu Ungido, o Profeta, Sacerdote e Rei da Minha Igreja. "Achei a Davi, meu servo; com o meu santo óleo o ungi; com ele, a minha mão ficará firme, e o meu braço o fortalecerá" (Sl 89.20,21).

2. O grande meio usado por Deus para manifestar a glória de Cristo a um mundo perdido: Ele propiciou *"uma lâmpada"* para seu Ungido. A finalidade de uma lâmpada é dar luz ao povo, na escuridão da noite; assim, a Palavra de Deus, particularmente o Evangelho, é uma luz que brilha em um lugar escuro, até que amanheça o dia da glória, quando o Senhor e o Cordeiro serão a luz dos redimidos, para sempre.

3. A autoridade pela qual esta lâmpada é acesa e levada por este mundo escuro; ela é *"preparada"* por Deus; e pelo seu mandamento é que pregamos e espalhamos a luz do Evangelho (Mc 16.15, 20). – *Ebenezer Erskine, 1680-*

v. 17: "Preparei uma lâmpada para o meu ungido". Isto é, preparei prosperidade e bênçãos para Ele; bênçãos sobre a sua pessoa, e especialmente bênçãos sobre a posteridade. Os filhos são como uma *lâmpada* ou *vela* na casa de seus pais, tornando visível o nome de seus ancestrais; consequentemente, nas Escrituras, um filho que é capaz de suceder o seu pai é chamado de *lâmpada.* Quando Deus, por intermédio de Aías, o profeta, disse a Jeroboão que tiraria o reino da mão do filho de Salomão e o daria a ele, sim, dez tribos, Ele ainda acrescenta (1 Rs 11.36): "E a seu filho darei uma tribo, para que Davi, meu servo, sempre tenha uma lâmpada (ou *vela*) diante de mim em Jerusalém, a cidade que elegi para pôr ali o meu nome". E, outra vez (1 Rs 15.4), quando Abias, filho de Roboão, provou ser ímpio, o texto diz: "Mas, por amor de Davi, o Senhor lhe deu uma *lâmpada* (ou *vela*) em Jerusalém, levantando seu filho depois dele e confirmando Jerusalém". – *Joseph Caryl*

vv. 17 e 18: Tendo Deus escolhido a família de Davi, aqui Ele promete também abençoá-la com bênçãos apropriadas.

1. Poder crescente: *"Ali* (em Sião) *farei brotar a força de Davi"*. A dignidade real cresceria cada vez mais, e constantes adições seriam feitas, para seu esplendor. Cristo é a "força da salvação", indicando uma abundante e poderosa salvação, que Deus levantou e fez brotar "na casa de Davi, seu servo". Davi tinha prometido usar o seu poder, para a glória de Deus, para quebrantar as forças dos ímpios, e exaltar as forças dos justos (Sl 75.10); e, como recompensa, Deus aqui promete fazer brotar a sua força; pois aos que têm poder e o usam bem, mais lhes será dado.

2. Honra eterna: *"Preparei uma lâmpada para o meu ungido"*. Tu "acenderás a minha candeia" (Sl 18.28): esta luz que Deus ordena provavelmente irá brilhar intensamente. Uma lâmpada é um sucessor, pois quando uma lâmpada está quase se apagando, outra pode ser acesa com ela, isto é uma sucessão; pois desta maneira a Davi não faltará um homem que compareça diante de Deus. Cristo é a lâmpada e a luz do mundo.

3. Vitória completa. *"Os seus inimigos"*, que tramaram contra ele, *"serão vestidos de confusão"* quando virem seus desígnios frustrados. Que os inimigos de todos os bons governantes esperem ser vestidos de vergonha e confusão, particularmente os inimigos do Senhor Jesus e seu governo, que se levantarão no último dia "para vergonha e desprezo eterno".

4. Prosperidade universal: *"Mas sobre ele florescerá a sua coroa"*, isto é, o seu governo terá honra cada vez maior. Isto deverá ser plenamente cumprido em Cristo Jesus, cuja coroa de honra e poder jamais desaparecerá, nem as flores dessa coroa irão secar. As coroas dos príncipes terrenos "não duram para sempre" (Pv 27.24); mas a coroa de Cristo durará por toda a eternidade, e as coroas reservadas para os seus súditos fiéis são do tipo que "não murcham". – *Matthew Henry*

v. 18: "Vestirei os seus inimigos de confusão". Isto é, a *vergonha* os cobrirá, de maneira tão inseparável, como o fato de que onde quer que um homem vá, leva suas roupas consigo; onde quer que eles vão, levarão a sua *vergonha* consigo. E o mais estranho de tudo, é que os que estão confusos e envergonhados costumam vestir ou cobrir a sua vergonha, e então pensam que estão bem; mas os inimigos de Davi estariam tão envergonhados e confusos, que o próprio fato de cobrirem a sua vergonha a iria revelar; e o vestir ou cobrir a sua ignomínia não será nada mais que cingi-la de maneira mais forte e mais inseparável deles. – *Thomas Playfere*

v. 18: "Mas sobre ele florescerá a sua coroa". Esta ideia parece ser derivada da natureza das antigas coroas concedidas aos conquistadores. Desde os mais antigos períodos da história, o louro, a oliveira, a hera, etc., forneciam coroas para adornar as cabeças dos heróis que tinham vencido no campo de batalha, conquistado o prêmio na corrida ou realizado algum outro serviço de importância para o público. Estas eram as recompensas preciosas das mais heroicas façanhas da antiguidade. Isto deixa clara a propriedade da expressão. A ideia de uma coroa de ouro e joias, florescendo, é, pelo menos, pouco natural, ao passo que florescer é natural a loureiros, carvalhos, etc. Estas coroas eram colocadas nas cabeças dos vitoriosos em pleno frescor, e o seu mérito parecia fazê-las florescer sobre suas cabeças, em um verde ainda mais fresco. A coroa literal que Jesus usou era também do tipo vegetal, e o espinho da angústia nunca floresceu com tanto vigor como sobre a sua cabeça. Ele tem agora a coroa da vida, que jamais irá murchar, como o verde perecível das coroas de outros heróis. Ela irá florescer para sempre, com todo o vigor da imortalidade, e produzir todos os frutos de paz para o seu povo. Os seus ramos se espalharão e fornecerão coroas para todos os vitoriosos na batalha espiritual. – *Alexander Pirie, -1804*

SUGESTÕES AOS PREGADORES

v. 1. I. O Senhor se lembra de Jesus, o nosso Davi: Ele o ama, Ele se alegra com Ele, Ele está com Ele.

II. Nesta lembrança, as suas angústias têm um papel predominante – "todas as suas aflições".

III. Mas o Senhor será lembrado pelo seu povo.

vv. 1 e 2. A respeito do seu povo,

I. O Senhor se lembra,

1. De suas pessoas.
2. De suas aflições.
3. De seus votos.

II. O Senhor se lembra deles,

1. Para aceitá-los.
2. Para compadecer-se deles.
3. Para socorrê-los.

vv. 1 e 2. I. Deus se lembra do seu povo, de cada um deles: "Lembra-te, Senhor, de Davi". O Espírito faz intercessão dentro de nós, de acordo com a vontade de Deus.

II. Ele se lembra de suas aflições: "Davi e todas as suas aflições". "Eu sei as tuas obras, e tribulação".

III. Ele se lembra dos seus votos, especialmente,

1. Os que estão relacionados com o seu serviço.
2. Os que são feitos solenemente.
3. Os que são cumpridos fielmente. – *G. R.*

vv. 1 a 5. Observe, I. Quão dolorosamente Davi sentia o que ele considerava ser uma desonra a Deus, que ele pensava ser capaz de remediar. Considere as "suas aflições" – porque a arca habitava atrás de cortinas, ao passo que ele mesmo habitava em uma casa de cedros (2 Sm 7.2). Considere,

1. A sua singularidade. Muitos encontram aflição em perdas pessoais; muito poucos sofrem por uma causa como esta.

2. A pouca simpatia que tal sentimento encontra, por parte de muitos homens. "Se Deus deseja converter os pagãos, Ele pode fazer isto sem você, meu jovem", foi dito ao Dr., então Sr. Carey, quando o paganismo era uma aflição para ele.

3. A sua adequabilidade para um homem realmente temente a Deus.

4. A sua qualidade: ser agradável a Deus (1 Sm 2.30).

II. Quão fervorosamente ele se propunha a remediar o mal que deplorava: "Jurou", etc. Não pode haver a menor dúvida de que ele teria se privado de prazeres temporais, até que tivesse realizado a tão importante obra para o seu coração, se tivesse tido permissão de Deus. Observe, 1. Há pouco zelo pela honra de Deus quando a renúncia a si mesmo não é exercida pelo bem da sua causa.

2. Se um zelo fosse exibido, de modo geral, pelo povo de Deus, haveria mais doadores e mais dádivas liberais; haveria mais trabalhadores, e o trabalho seria feito mais sinceramente e de maneira melhor.

3. Seria bom alguém causar um grande espanto ao mundo, e merecer os elogios dos justos, por se tornar um entusiasta da honra de Deus. – *J. F.*

vv. 3 a 5. I. Nós devemos desejar uma habitação para Deus, mais do que para nós mesmos. Deus deverá ter o melhor de todas as coisas. "Eis que moro em casa de cedros, mas a arca do concerto do Senhor está debaixo de cortinas".

II. Nós devemos ser guiados pela casa de Deus, na busca de uma casa para nós mesmos: "Certamente, que não entrarei", etc.

III. Nós devemos trabalhar pela prosperidade da casa de Deus mais do que pela nossa própria prosperidade. Nada deve tornar o sono mais doce para nós do que quando a igreja de Deus prospera; nada deve nos deixar mais despertos do que quando ela declina; "não darei sono', etc. (v. 4); "É para vós tempo de habitardes nas vossas casas estucadas, e esta casa há de ficar deserta?" – *G. R.*

v. 5. Um motivo para viver – encontrar novas habitações para Deus.

I. A condescendência implicada: Deus *conosco.*

II. Os distritos explorados: corações, casas, "lugares escuros da terra".

III. A realeza da obra. Ela deixa o rei Davi ocupado, e é um trabalho digno de um rei. – *W. B. H.*

v. 5. "Um lugar para o Senhor". No coração, na casa, na assembleia, na vida. Em todos os lugares devemos encontrar ou fazer um lugar para o Senhor.

v. 5. "O poderoso de Jacó". I. Poderoso, e por isto Ele uniu céu e terra em Betel.
II. Poderoso, e por isto trouxe Jacó de volta da Mesopotâmia.
III. Poderoso, e ainda assim lutou com ele no Jaboque.
IV. Poderoso, e ainda assim permitiu que ele fosse afligido.
V. Poderoso, e por isto lhe deu total libertação.

vv. 6 e 7. Usemos isto com propósitos práticos. Uma alma anseia por se encontrar com Deus. Deus indicou o local do encontro.

I. *Nós sabemos qual é.* Um propiciatório, um trono de graça, um lugar de glória revelada. Dentro dele, a lei preservada. Alimento celestial – um pote de maná. O governo santo – a vara de Arão.

II. *Nós desejamos encontrá-lo.* Intensamente. Imediatamente. Reverentemente. Ansiando por recebê-lo.

III. *Nós ouvimos falar dele.* Nos nossos dias de mocidade. Nós quase esquecemos onde. De ministros, de homens santos, daqueles que nos amavam.

IV. *Nós o encontramos.* Onde menos o esperávamos. Em um lugar desprezado. Em um lugar isolado. Onde nos perdemos. Muito perto de nós – onde nos escondemos, como Adão, entre as árvores.

V. *Nós iremos.* Para Deus em Cristo. Por tudo o que Ele dá. Para habitar com Ele. Para aprender com Ele.

VI. *Nós adoraremos.* Humildemente. Solenemente. Agradecidamente. Em preparação para o céu.

v. 7. I. O lugar: "Os seus tabernáculos".
1. Edificados para Deus.
2. Aceitos por Deus: presente em todos os lugares, Ele está particularmente presente aqui.

II. O comparecimento: "Entraremos", etc. Ali Deus está presente, para nos encontrar, e ali devemos estar presentes para encontrá-lo.

III. O desígnio:
1. Para adoração.
2. Para auto-consagração: "prostrar-nos-emos ante o escabelo de seus pés". – *G. R.*

vv. 8 e 9. I. A presença de Deus é desejada,
1. Para que possa ser perceptivelmente manifesta: "Levanta-te" e entra.
2. Para que possa demonstrar a graça divina: "tu e a arca" – para que Ele possa estar presente no propiciatório.
3. Para que possa ser sentida: acompanhada com poder, "a arca da tua força".
4. Para que possa permanente: "Levanta-te no teu repouso".

II. As razões para este desejo.
1. Com respeito aos sacerdotes ou ministros: "Vistam-se os teus sacerdotes", etc.: não na sua própria justiça, mas como uma veste: que falem de "vestes de salvação" e de "mantos de justiça".
2. Com respeito aos adoradores: "alegrem-se os teus santos", etc. Que os ministros preguem a dádiva da justiça; não aquela que se origina da natureza do homem, mas aquela que existe "para todos e sobre todos os que creem", e os santos rejubilarão. – *G. R.*

v. 9. Considere, I. A importância de um ministério justo na igreja.
II. A conexão entre este ministério e um povo alegre.
III. A dependência de ambos na obra piedosa de Deus. – *J. F.*

v. 9 (segunda parte). I. Santos.
II. Clamando.
III. Explicação – "de alegria".
IV. Encorajamento – "Alegrem-se os seus santos".

v. 9 (segunda parte). A conexão entre santidade e alegria.

vv. 9 e 16. O vestuário espiritual.
I. As vestes:

1. Justiça, para a qual a mais cara estola é um substituto inadequado.
2. Salvação: aprendizado, oratória, etc., têm pouca importância, em comparação.
II. A obtenção das vestes:
1. Elas devem vir de Deus.
2. A oração sincera deve emergir constantemente de todos os santos.
III. O ato de vestir-se:
1. Pela própria mão de Deus.
2. A beleza e o poder de quem é assim vestido.
3. As pessoas são "teus sacerdotes". – *W. B. H.*
vv. 9 e 16. I. Sacerdotes e santos.
II. Vestes.
III. "Hinos antigos e modernos".
IV. A presença real: Deus dando as vestes e a alegria.
v. 10. I. Uma iniquidade que deve ser reprovada: "não faças virar o rosto" – de modo que ele não te possa ver, nem ser visto por ti, nem aceito, e nem tenha permitida a esperança.
II. Uma súplica a ser empregada, "por amor de Davi, teu servo" – o teu concerto com ele, o seu zelo, a sua consagração, o seu serviço. A boa súplica do Evangelho, do tipo que pode ser usada em muitas ocasiões.
v. 11. I. O juramento divino.
II. A sua eterna estabilidade.
III. A eterna Realeza.
v. 11 (parte central). A nossa confiança: "Não se desviará dela". Ele não é um Deus que muda. Ele conhecia e conhece todas as coisas previamente. Ele é capaz de realizar o seu propósito. A sua honra está empenhada nele. O seu juramento nunca poderá ser quebrado.
v. 12. A benevolência para com a família pode ser perpétua, mas as condições devem ser observadas.
v. 13. I. Escolha soberana.
II. Habitação condescendente.
III. Repouso eterno.
IV. A razão graciosa – "pois o desejei".
v. 14. I. *Deus encontrando repouso na sua igreja.*
1. As três pessoas honradas.
2. A natureza divina exercida.
3. Propósitos eternos cumpridos.
4. Energias poderosas recompensadas.
5. Tremendos sacrifícios relembrados.
6. Gloriosos atributos enaltecidos.
7. Os mais preciosos relacionamentos favorecidos.
II. *Este repouso dura para sempre.*
1. Sempre haverá uma igreja.
2. Esta igreja sempre será tal que Deus possa repousar nela.
3. Esta igreja, portanto, estará segura sobre a terra.
4. Esta igreja será glorificada eternamente no céu.
v. 15. I. O alimento abençoado.
II. O povo satisfeito – "fartarei os seus necessitados".
III. Deus glorificado – "Eu o farei".
IV. Lugar feliz – Sião.
vv. 16 e 18. Duas formas de vestir: salvação e confusão, preparadas para os seus sacerdotes e os seus inimigos. Qual delas você usará?
v. 17. Uma lâmpada preparada para o Ungido de Deus. É o assunto de dois sermões de Ebenezer Erskine. [*Works*, Vol. 3, p. 3-41.]
vv. 17 e 18. I. O broto do poder crescente.
II. A lâmpada perpétua de brilho constante.

III. A sórdida fila de inimigos derrotados.

IV. A coroa – incorruptível – da soberania gloriosa.

v. 18. I. *Os seus inimigos vestidos.*

1. Quem são eles? Os declaradamente profanos. Os que têm moral mas não religião. Os fanáticos. Os hipócritas.

2. Como, vestidos com confusão? Em arrependimento, em desapontamento, em remorso, em destruição. O pecado detectado. Derrotado. As esperanças destruídas.

3. Quem os veste? O Senhor. Ele os confundirá completamente.

II. *Ele mesmo, coroado.* 1. A sua coroa: o seu domínio e a sua glória.

2. O seu florescimento. A glória que se estende. Súditos que se multiplicam. Riqueza que cresce. Adversários em temor, etc.

v. 18 (última parte). O próprio Senhor Jesus, a fonte, o sustento e o centro da prosperidade do seu reino.

SALMO 133

TÍTULO

Cântico de Degraus, de Davi. Nós não vemos razão para privar Davi da autoria deste brilhante soneto. Ele conhecia, por experiência, a amargura ocasionada por divisões em famílias, e estava bem preparado para celebrar, em excelente salmodia, a bênção da unidade pela qual suspirava. Entre os "cânticos de degraus", este hino certamente alcançou um ótimo nível, e mesmo na literatura comum é frequentemente citado, pelo seu perfume e frescor. Neste salmo não há nenhuma palavra amarga, tudo é "doçura e luz" – um notável progresso desde o salmo 120, com que os peregrinos partiram. Aquele estava cheio de guerra e lamentação, mas este canta a paz e o prazer. Os visitantes de Sião estavam prestes a retornar, e este pode ter sido o seu hino de alegria, por terem visto tanta união entre as tribos que se tinham reunido diante do altar comum. O salmo anterior, que canta sobre o concerto, também tinha revelado o centro da unidade de Israel no Ungido do Senhor, e as promessas feitas a ele. Não é de admirar que os irmãos habitem em unidade quando Deus habita entre eles, e encontra o seu repouso neles. Os nossos tradutores deram a este Salmo um admirável cabeçalho explicativo, "O benefício da comunhão dos santos". Estes bons homens frequentemente descrevem com exatidão o significado de uma passagem, com poucas palavras.

EXPOSIÇÃO

1 *Oh! Quão bom e quão suave é que os irmãos vivam em união!*
2 *É como o óleo precioso sobre a cabeça, que desce sobre a barba,*
a barba de Arão, e que desce à orla das suas vestes.
3 *Como o orvalho do Hermom, que desce sobre os montes de Sião;*
porque ali o Senhor ordena a bênção e a vida para sempre.

1. *"Oh!"* [No texto em inglês temos o termo "Veja!"]. É uma maravilha raramente vista, por isto vejam! Ela pode ser vista, pois é a característica de santos verdadeiros – por isto não deixem

de examiná-la! Ela é digna de admiração; façam uma pausa e observem! Isto irá motivá-los à imitação, por isto observem bem! Deus olha para isto com aprovação, por isto considerem com atenção.

"Quão bom e quão suave é que os irmãos vivam em união!" Ninguém pode expressar o caráter extremamente excelente de tal condição; e assim o salmista usa a palavra "quão" duas vezes – Quão bom! Quão suave! Ele não tenta avaliar nem o bem nem o prazer, mas nos convida a contemplá-los pessoalmente. A combinação dos dois adjetivos "bom" e "suave" é mais notável do que a conjunção de dois astros de primeira grandeza: pois que uma coisa seja "boa", é bom; mas que também seja suave, é melhor. Todos os homens amam as coisas suaves, ou agradáveis, mas frequentemente acontece que o prazer é maligno; mas aqui a condição é tão boa quanto é agradável, tão agradável quanto é boa, pois o mesmo "*quão*" é colocado antes de cada adjetivo.

Nem sempre é prudente que *irmãos* segundo a carne habitem juntos, pois a experiência ensina que é melhor que vivam um pouco separados, pois é vergonhoso que habitem juntos em desunião. É muito melhor que vivam separados e em paz, como Abraão e Ló, do que habitem juntos, com inveja, como os irmãos de José. Quando os irmãos conseguem e realmente vivem juntos *em união*, a sua comunhão é digna de ser contemplada e cantada em santo salmo. Estas visões devem frequentemente ser vistas entre os que são parentes próximos, pois são irmãos, e por isto devem estar unidos, em coração e objetivo; eles habitam juntos e é para seu mútuo conforto que não haja disputa; no entanto, quantas famílias são dilaceradas por violentas contendas, e exibem um espetáculo que não é nem bom nem suave!

Como irmãos em espírito, eles devem habitar juntos na comunhão da igreja e nesta comunhão uma questão essencial é a união. Nós podemos dispensar a uniformidade se tivermos união. Unidade de vida, verdade e caminho; unidade em Cristo Jesus. Unidade de objeto e espírito – nós devemos ter estas coisas, ou as nossas congregações serão sinagogas de contendas e não igrejas de Cristo. Quanto mais íntima a união, melhor, pois haverá mais do que é bom e suave. Uma vez que somos seres imperfeitos, um pouco do que é mau e desagradável sempre irá invadir; mas isto será prontamente neutralizado e facilmente rejeitado pelo verdadeiro amor dos santos, se este realmente existir. A união cristã é boa em si mesma, boa para nós mesmos, boa para os irmãos, boa para os novos convertidos, boa para o mundo exterior; e certamente é agradável; pois um coração amoroso deverá ter prazer e dar prazer, ao se associar com outros de semelhante natureza. Uma igreja unida durante anos, em fervoroso serviço ao Senhor, é um poço de bondade e alegria para todos aqueles que habitam ao seu redor.

2. *"É como o óleo precioso sobre a cabeça."* Para que possamos contemplar melhor a união fraterna, Davi nos fornece uma comparação, de modo que possamos perceber a sua bem-aventurança, como em um cristal. Ela tem um *óleo precioso,* um perfume suave, comparável àquele precioso óleo com que o primeiro Sumo Sacerdote foi ungido, na sua ordenação. É *uma coisa santa* e, por isto, novamente, é como o óleo da consagração que só deveria ser usado no serviço ao Senhor. Que coisa sagrada deve ser o amor fraterno, quando pode ser comparado com um óleo que jamais deve ser derramado sobre qualquer homem, mas somente sobre o sumo sacerdote do Senhor! É uma coisa *difusora*: sendo derramado sobre a sua cabeça, este óleo fragrante descia sobre a cabeça de Arão e dali descia pelas suas vestes até que as bordas desta estivessem cobertas de óleo; e assim o amor fraterno estende o seu poder benigno e abençoa a todos os que estão sob a sua influência. A concordância sincera traz uma bênção sobre todos os envolvidos; a sua bondade e o seu prazer são compartilhados pelos mais humildes membros da casa; mesmo os servos são melhores e mais felizes, por causa da amorosa união entre os membros da família. *Ela tem uma utilidade especial,* pois assim como, pelo óleo de unção, Arão foi consagrado para o serviço especial do Senhor, também aqueles que vivem em amor são mais adequados e capacitados para glorificar a Deus na sua igreja. O

Senhor provavelmente não usará para sua glória os que são vazios de amor, pois lhes falta a unção necessária para fazer deles sacerdotes para o Senhor.

"Que desce sobre a barba, a barba de Arão." Este é um ponto principal de comparação; assim como o óleo não ficava limitado ao lugar onde caía, mas fluía pela cabeça do Sumo Sacerdote e umedecia também a sua barba, também assim o amor fraterno, descendo da cabeça, destila e desce, ungindo enquanto desce e perfumando tudo por onde passa.

"E que desce à orla das suas vestes." Uma vez em movimento, ele não deixa de fluir. Pode parecer como se fosse melhor não manchar as suas vestes com óleo, mas o óleo sagrado não podia ser reprimido, ele fluía sobre as suas vestes sagradas; assim o amor fraterno não somente flui sobre os corações, sobre os quais foi derramado, e desce àqueles que são uma parte inferior do corpo místico de Cristo, mas corre onde não é buscado, não pedindo permissão nem licença para progredir. O afeto cristão não conhece limites, de comunidade, nação, seita nem idade. O homem é um crente em Cristo? Então ele está em um só corpo, e eu devo dedicar-lhe um amor permanente. Ele é um dos mais pobres, ou um dos menos espirituais, ou um dos menos amáveis? Então, ele é como as bordas da veste, e o amor do meu coração deve fluir sobre ele também. O amor fraterno vem desde a cabeça, mas desce até os pés. O seu caminho é de cima para baixo. Ele "desce"; o amor pelos irmãos é condescendente com os homens de poucos bens; ele não é inchado, mas é humilde e manso. Isto não é uma parte pequena da sua excelência; o óleo não poderia ungir, se não descesse, nem o amor fraterno difundiria a sua bênção se não descesse.

3. *"Como o orvalho do Hermom, que desce sobre os montes de Sião."* Dos montes mais elevados, a umidade parece ser levada pelo vento, até as colinas mais baixas; o orvalho de Hermom cai sobre Sião. O Líbano alpino serve à elevação menor da cidade de Davi; e assim também o amor fraterno desce, do mais elevado ao menos elevado, revigorando e vivificando no seu percurso. A santa concordância é como o orvalho, misteriosamente abençoada, cheia de vida e crescimento para todas as plantas da graça. Ela traz tanta bênção consigo, que é como um orvalho que não é comum, mas como o de Hermom, que é particularmente copioso e de longo alcance. A tradução apropriada é, "Como o orvalho de Hermom que descia sobre os montes de Sião", e está de acordo com a imagem que já foi usada; e apresenta, com uma segunda comparação, a doce propagação descendente da união fraterna.

"Porque ali o Senhor ordena a bênção e a vida para sempre." Isto é, em Sião, ou melhor, no lugar onde o amor fraterno é abundante. Onde reina o amor, ali Deus reina. Onde o amor deseja bênção, ali Deus ordena a bênção. Deus só precisa ordenar, e o que Ele ordena é feito. Ele se alegra tanto em ver os seus amados filhos felizes, uns nos outros, que não deixa de torná-los felizes em Si mesmo. Ele dá particularmente a sua melhor bênção, de vida eterna, pois amor é vida; vivendo juntos em amor, nós começamos a ter os prazeres da eternidade, e eles não serão tirados de nós. Que amemos para sempre, e viveremos para sempre. Isto torna a fraternidade cristã extremamente boa e suave; ela tem a bênção do Senhor sobre ela, e não pode deixar de ser sagrada como o "óleo precioso", e celestial como "o orvalho de Hermom".

Ó, quem nos dera ter mais desta rara virtude! Não um amor que vem e vai, mas aquele que permanece; não aquele espírito que separa e isola, mas o que permanece junto; não aquela mente que se dedica ao debate e às diferenças, mas aquela que habita em união. Nunca conheceremos o pleno poder da unção, até que tenhamos um só coração e um só espírito; nunca descerá o orvalho sagrado do espírito em toda a sua plenitude, até que estejamos perfeitamente unidos com a mesma mente; a bênção do concerto, que é ordenada, não virá do Senhor, nosso Deus, até que, uma vez mais, tenhamos "um só Senhor, uma só fé, um só batismo". Querido e bendito Senhor, conduza-nos nesta união espiritual tão preciosa, por amor do teu Filho amado. Amém.

NOTAS EXPLICATIVAS E DECLARAÇÕES SINGULARES

O salmo: Este salmo é a efusão de uma alegria santa, motivada pela visão da congregação de Israel como uma grande família, nas festas anuais... De igual modo, poderia ser uma alusão às invejas e alienações anteriores, na família de Israel, que pareceram ser substituídas pela concordância e pelo afeto mútuo, por ocasião da ascensão de Davi ao trono de toda a nação. – *Joseph Addison Alexander*

v. 1: "Oh! Quão bom e quão suave é", etc. Há três coisas em que é muito agradável contemplar o povo de Deus unido em um só.

1. Quando eles concordam, ou são de *uma só opinião* e juízo, quando todos pensam a mesma coisa e têm um mesmo modo de pensar na verdade.

2. Quando eles se unem e são *um só em afeto,* quando têm um só coração, ainda que possivelmente não tenham o mesmo modo de pensar; ou, quando se unem em afeto, embora não em opinião. Quando Davi falou com admiração sobre esta visão divina, ele fez uma declaração a respeito de quão boa ela é (v. 2): *"É como o óleo precioso sobre a cabeça".* E realmente é assim, em primeiro lugar, pela sua doçura; é assim, em segundo lugar, pela sua propagação (que está descrita a seguir), *"que desce sobre a barba, a barba de Arão, e que desce à orla das suas vestes".*

3. É uma benção vê-los *unidos em dever,* independentemente de como o dever é considerado – em primeiro lugar, *fazendo o que é bom*; ou, quando, como diz o apóstolo (2 Co 6.1), eles "cooperam", entre si, em toda boa obra: nós dizemos (para completar o texto) "cooperam com Deus". É realmente uma abençoada visão quando nos unimos a Deus e Deus se une a nós, na sua obra. É também uma visão abençoada, quando todos os ministros de Jesus Cristo e muitos membros de Jesus Cristo, se unem em alguma boa obra, particularmente para suplicar aquilo que nos ajudará a não recebermos "a graça de Deus em vão". Em segundo lugar, *ao se afastar do mal,* e colocar a iniquidade longe deles; ao orar pelo perdão do pecado, e se reconciliar com Deus. É uma boa obra afastar-se do mal, especialmente quando todos os que estão interessados nisto, se unem para fazê-lo... Quanto à união em pecado, e ser irmãos em iniquidade, esta é a pior das uniões, verdadeiramente, uma combinação contra Deus; assim como a união como irmãos, lamentando o pecado e nos arrependendo de nossas iniquidades é uma união abençoada, e altamente agradável a Deus. – *Joseph Caryl*

v. 1: "Quão bom e quão suave é", etc. Os termos deste louvor e elogio, ou os detalhes de que consistem, são tomados de uma dupla qualificação.

1. A concordância fraterna e o seu aprimoramento em todas as expressões ocasionais é um bem muito grande. Isto é, e demonstrará ser assim, nas mais diversas considerações.

Como, *em primeiro lugar,* com relação ao seu *Autor* e *possuidor,* que é o *próprio Deus,* que o reivindica. Por isto, nas Escrituras, nós O vemos, a partir de agora, denominado e intitulado. "Deus não é Deus de confusão [ou inquietude], senão de paz" (1 Co 14.33), "o Deus de amor e de paz" (2 Co 13.11). A paz é chamada de "a paz de Deus" (Fp 4.7). E Deus é chamado de "o Deus de paz". Assim, cada uma destas expressões se refere a Ele, converge a Ele, e é desta maneira que a paz alcança mais e mais pessoas. Veja, então, o quanto o próprio Deus é descrito como sendo bom, o quanto este viver em união é também bom, pois é ordenado e reconhecido por Ele. E não poderia ser de outro modo.

Em segundo lugar. É bom, na sua *natureza*; é bom, como qualquer graça é boa. É moralmente bom. O amor é um dos "gomos" do fruto do Espírito (Gl 5.22). E assim, viver em amor e união, uns com os outros, é uma bondade que é demonstrada deste modo. É bom, espiritualmente; não somente é bom, como o que é ensinado pela filosofia moral, e praticado pelos alunos desta disciplina, mas como algo que é ensinado pelo *próprio Espírito Santo,* e que é uma parte da obra da regeneração e da nova criação em nós, especialmente se a considerarmos em toda a sua extensão, como nos convém fazer.

Em terceiro lugar, é bom, nos seus *resultados* e *consequências* e *acompanhamentos*: e contém muito bem. É *bonum utile.* Uma grande quantidade de benefícios resulta do fato de que os irmãos vivam juntos, em união, especialmente *benefícios espirituais,* e benefícios relacionados a fazer e receber o bem.

2. A segunda qualificação é a doçura de se viver em união, porque é *"suave"*: não é apenas *bonum utile* e *bonum honestum,* mas é também *bonum jucundum;* e contém uma grande dose de prazer. O prazer é um tipo de benevolência, especialmente para determinados tipos de pessoas, que quase não se preocupam com o que terão que fazer ou de que terão que se separar para obtê-lo. E todas as outras benevolências não serão nada para eles, se não puderem ter este prazer. Por isto, para nos recomendar ainda mais esta união fraterna, também deve ser considerado o fato de que é *"suave".* Esta bendita união é suave para todos os tipos de pessoas que se tornam sensíveis a ela.

Em primeiro lugar, é *agradável a Deus,* é muito aceitável a Ele; é algo em que Ele se alegra muito, onde quer que o observe; sendo um Deus de Paz, Ele se alegra muito com cristãos pacíficos, e com os que se relacionam com Ele. Oh, quanto os pais se alegram com a concordância de seus filhos, vendo-os amorosos e amigos e gentis e educados, uns com os outros, oh, isto os agrada e alegra no fundo do coração! E é da mesma maneira com Deus, com relação aos que verdadeiramente são seus.

Em segundo lugar, esta união fraterna é também *agradável para nós,* que teremos ainda maior prazer nela, e dela.

Em terceiro lugar, é também *agradável a outras pessoas,* e, na verdade, a todos os homens que a assistem e observam. *"Quão bom e quão suave é",* etc. É agradável a todos os que a observam: "Quem nisto serve a Cristo agradável é a Deus e aceito aos homens", diz o apóstolo (Rm 14.18). – *Thomas Horton, -1673*

v. 1: "Suave". É agradável para os santos e o povo de Deus, que estejam de acordo; pois a mesma palavra que é aqui usada com o significado de *"suave"* é usada também no texto em hebraico, com respeito a uma harmonia de música, como quando se chega às notas mais altas da viola, quando as cordas são todas arranjadas para constituir uma harmonia; isto é tão agradável como o prazer que há na concordância dos santos. A mesma palavra é também usada no texto em hebraico, com respeito ao prazer que resulta de um campo de trigo. Quando um campo está coberto de trigo, ainda que ele seja cortado, ainda assim é muito agradável, oh, como é agradável; e assim também é a concordância dos santos. A mesma palavra, usada pelo salmista, também é usada sobre a doçura do mel, e de coisas doces, em contraste com coisas amargas. E assim vemos o prazer da união, sendo comparado à harmonia da música, ao campo de trigo, à doçura do mel, à preciosa unção que desceu pela barba de Arão, e ao orvalho que caía sobre o Hermom e os montes de Sião; e tudo isto para descobrir o prazer, o benefício e a doçura da concordância dos santos. É agradável contemplar o sol, mas é muito mais agradável contemplar a concordância e a união dos santos, uns com os outros. – *William Bridge*

v. 1: "Irmãos". Abraão fez desta palavra, *"irmãos",* uma mediadora, para conservar a paz entre si mesmo e Ló: "Irmãos somos", diz Abraão. Como se ele dissesse: Será que os irmãos devem brigar por bobagens, como os infiéis? Isto foi suficiente para pacificar Ló, para que Abraão o lembrasse de que eram irmãos. Quando ele ouviu a palavra "irmãos", seu coração se rendeu imediatamente e a contenda terminou. Assim esta palavra deve ser o advogado que encerre as contendas entre os cristãos, que lhes traga à mente o fato de que são irmãos. E aqueles que gastaram todos os seus recursos nos tribunais, pagando as custas das ações judiciais, desejarão que tivessem tido este advogado, para pensarem, com Ló, se seria apropriado que irmãos lutassem como inimigos. – *Henry Smith*

v. 1: "Irmãos". Alguns críticos observam que a palavra hebraica que significa *irmão* se refere a irmandade ou aliança, com duas outras palavras, das quais a primeira significa *um* e a outra *semelhante,* ou *em conjunto,* para mostrar que *"irmãos"* devem ser como *um* e *semelhantes* ou viver *em conjunto;* posteriormente, elas são unidas através de uma elegante *paranomásia*: "Oh! Quão bom e quão suave é que *os irmãos vivam em união!*" Ou, como vemos à margem, *"habitem juntos"*. Assim, então, a mesma palavra que expressa *"irmãos"* indica que deve haver uma *proximidade*, uma *similitude*, uma *unicidade* (se é que posso assim dizer) entre eles, em seus interesses e atos. – *Joseph Caryl*

v. 1: Viver é uma palavra que indica residência, e morada, e continuação. Com respeito ao amor e à concordância dos irmãos, há uma perseverança e uma persistência, não apenas para estar juntos, ou se encontrarem por algum tempo determinado, mas para *viver* juntos em união – como nos é aqui tão exortado e recomendado. Parece não ser tão grande coisa, nem representar tão grande dificuldade, que os homens se obriguem a algumas expressões de paz e amizade por um curto espaço de tempo (embora haja muitos, em algumas ocasiões, que dificilmente são capazes de fazer isto), mas resistir e continuar nesta situação por muito tempo, nesta resistência, é praticamente impossível para eles. Mas é isto o que é exigido deles, como *cristãos*, e como *"irmãos"*, uns dos outros, inclusive *"viver em união"*; para que haja paz, e amor, e concordância e harmonia, não somente em algumas reuniões ocasionais, mas durante todo o curso de suas vidas, enquanto convivem e vivem juntos. – *Thomas Horton*

v. 1: "Vivam em união". Se há apenas um Deus, pois Deus é um só, que aqueles que o servem sejam um só. Isto é o Cristo pediu tão fervorosamente em oração: "que todos sejam um" (Jo 17.21). Os cristãos devem ser um só, 1. *Em juízo.* O apóstolo exorta que sejam todos do mesmo parecer (1 Co 1.10). Como é triste ver a religião usando uma túnica de diversas cores; ver os cristãos com tantas opiniões, e seguindo por tantos caminhos diferentes! É Satanás que semeia estas ervas de divisão (Mt 13.39). Primeiramente, ele separa os homens de Deus, e depois separa os homens, uns dos outros. 2. Um só *em sentimento.* Devem ter um só coração. "E era um o coração e a alma da multidão dos que criam" (At 4.32). Como na música, embora uma viola tenha várias cordas, todas produzem uma doce harmonia; assim também, embora haja diversos cristãos, deve haver uma doce harmonia de sentimentos entre eles. Existe apenas um Deus, e aqueles que o servem devem ser como um só. Não há nada que torne mais adorável a verdadeira religião, ou que lhe consiga mais prosélitos, do que ver os que a professam unidos pelas cordas do amor. Se Deus é um, que todos os que o professam tenham o mesmo parecer, e um só coração, e, desta maneira, atendam à oração de Cristo, "que todos sejam um". – *Thomas Watson*

v. 2: "Óleo precioso sobre a cabeça". Embora cada sacerdote fosse ungido, somente o sumo sacerdote era ungido sobre a *cabeça*, e há uma tradição de que este rito foi omitido depois do cativeiro, para que houvesse uma ênfase especial no nome de Arão. – *Neale e Littledale*

v. 2: "Óleo precioso... que desce sobre a barba... e que desce à orla das suas vestes". A magnificência, que os ignorantes consideram extravagância e desperdício, é o atributo invariável de todo amor verdadeiro. Davi reconheceu esta verdade, quando escolheu a generosa unção de Arão com o óleo da consagração, na sua consagração ao cargo de sumo sacerdote, como um emblema apropriado do amor fraterno. Havia desperdício naquela unção também, assim como na que teve lugar em Betânia. Pois o óleo não foi *espargido* sobre a cabeça de Arão, embora isto pudesse ter sido suficiente para o propósito de uma mera cerimônia. O recipiente foi esvaziado sobre a pessoa do sumo sacerdote, de modo que o seu conteúdo correu, da cabeça para a barba e até mesmo para as bordas das vestes sacerdotais. Neste aparente desperdício está a semelhança, para Davi. Era uma característica que muito provavelmente o impressionou, pois pode-se dizer que ele também era um homem pródigo, à sua maneira. Ele tinha amado a Deus de uma maneira que o deixou vulnerável à acusação de extravagância. Ele tinha dançado diante do Senhor, por exemplo, quando a arca foi trazida da casa de Obede-Edom até Jerusalém, esquecendo-se da sua dignidade, excedendo os limites do decoro, e, aparentemente, sem justificativas, pois uma demonstração muito menos fervorosa teria servido ao propósito de uma solenidade religiosa. – *Alexander Balmain Bruce, The Training of the Twelve", 1877*

v. 2: "Óleo precioso... que desce". Dos perfumes hebreus, uma imensa quantidade era produzida e consumida anualmente, fato de que temos uma significativa indicação no fato de que o óleo santo para unção do tabernáculo e templo nunca foi produzido em quantidades menores que 750 onças [23 quilos] de sólidos, combinados com 4,7 litros de óleo, e era empregado tão abundantemente que, quando aplicado sobre a cabeça de Arão, desceu pela sua barba e pelo seu peito, até a borda de suas vestes. – *Hugh Macmillan, The Ministry of Nature" 1871*

v. 2: "Que desce... que desce", etc. A graça de Cristo se difunde com tanta facilidade que nos transmite santidade, "que corre da cabeça às bordas das vestes", a todos os seus membros. Ele não apenas foi Ungido, como nos unge. Por isto, é chamado de "óleo da alegria", porque alegra nossos corações, dando-nos satisfação espiritual e paz de consciência. – *Thomas Adams*

v. 2: "Que desce sobre a barba, a barba de Arão, e que desce à orla das suas vestes". Não à extremidade delas, como a nossa versão parece indicar; pois não foi derramada sobre ele uma quantidade tão grande de óleo, nem teria sido decente ter as suas vestes tão azeitadas, de alto a baixo; mas a parte superior da sua veste, o topo de seu colarinho, onde estava a barba, segundo Zarchi, ou a gola ou o colarinho, segundo Kimchi e Ben Melech; a abertura pela qual passa a cabeça, ao vestir-se, ao redor da qual havia uma borda para que não se rompesse (Êx 28.32 e 39.23); onde a Septuaginta usa a mesma palavra que aqui. – *John Gill*

vv. 2 e 3: Nesta oração e cântico sobre a união da igreja, é digna de nota a maneira como, começando com a noção fundamental de *"irmãos"*, nós ascendemos à percepção do Irmão Mais Velho, que é o nosso Sumo Sacerdote Ungido. É o elo do seu sacerdócio que nos une, como irmãos. É a unção comum que desce até as orlas das vestes do nosso Sumo Sacerdote que assinala o fato de que somos irmãos. Quer habitemos nos norte ou no sul, se nos encontramos em Sião e compartilhamos as bênçãos daquele eterno Sacerdócio de Cristo, formamos, na realidade, e diante do nosso Pai, uma única família – "toda a família nos céus e na terra". O nosso verdadeiro elo de união consiste na "descida", da bênção comum, que assinala os passos neste Salmo de Degraus (vv. 2,3). E se "o orvalho do Hermom" desceu sobre "os montes de Sião", muito depois que o sol nasceu, aparecerão frutos agradáveis – vinte, ou trinta, e até cem. – *Alfred Edersheim*

v. 3: "Como o orvalho do Hermom", etc. "O que lemos, no Salmo 133, sobre o orvalho do Hermom descendo sobre os montes de Sião", diz Ven de Velde em sua obra "Travels" (Bd. i. S. 97), "agora ficou bastante claro para mim. Aqui, ao pé do Hermom, eu compreendi como as gotas de água, que sobem das suas alturas, cobertas de bosques, e das mais altas ravinas, que durante o ano inteiro estão preenchidas com neve, depois que os raios do sol as enfraquecem e umedecem com elas a atmosfera, descem, ao entardecer, como um pesado orvalho sobre os montes mais baixos, que estão à sua volta como suas esporas. Teríamos que ver o Hermom, com sua coroa branca e dourada, cintilando, no alto, contra o céu azul, para poder compreender corretamente a imagem. Em nenhum outro lugar, de toda a nação, é perceptível um orvalho tão pesado, como nos distritos próximos ao Hermom". A este orvalho, o poeta assemelha o amor fraterno. Isto é *"como o orvalho de Hermom"*: de igual frescor imaculado, e por isto revigorante; de igual poder imaculado, e por isto vivificador, igualmente originado no alto (110.3), e, na verdade, semelhante ao orvalho do Hermom, que desce sobre os montes de Sião – uma característica, na imagem, que é extraída da realidade natural; pois um orvalho abundante, quando precedido por dias quentes, poderia ter sido desviado a Jerusalém pela operação da fria corrente de ar que passa sobre o Hermom, procedente do norte. Na verdade, nós sabemos, a partir da nossa própria experiência, a grande distância em que uma corrente de ar frio vinda dos Alpes é perceptível e até onde ela produz os seus resultados. A imagem do poeta é, portanto, tão fiel à natureza quanto bela. Quando irmãos unidos em amor também se congregam em um mesmo lugar, e, na verdade, quando irmãos do norte se unem aos irmãos no sul, em Jerusalém, a cidade que é a mãe de todos, nas grandes Festas, é como quando o orvalho do Monte Hermom (que está coberto com uma neve profunda e quase eterna) desce sobre os montes infrutíferos – e que, portanto, anseiam por tal vivificação – ao redor de Sião. Em Jerusalém devem se encontrar o amor, e tudo o que é bom. – *Franz Delitzsch*

v. 3: "Como o orvalho do Hermom", etc. A respeito desta similitude, eu creio que o profeta usou a maneira comum de falar, pois embora os montes, frequentemente, pareçam distantes para aqueles que os contemplam, estendendo-se até o céu, o orvalho que vem do céu parece cair dos altos montes até as colinas que estão abaixo deles. Por isto, ele diz que o orvalho desce do Hermom ao monte Sião, porque assim parece para os que contemplam, à distância. – *Martinho Lutero*

v. 3: "Como o orvalho do Hermom". Os orvalhos na neblina que subia das ravinas cheias de água, ou das nuvens que se apoiavam sobre o pico do Hermom, eram testemunhas perpétuas do frescor – aparentemente, fonte de toda a umidade, que era, para a terra da Palestina, o que o óleo precioso era para as vestes do sumo sacerdote: que influência tem o amor fraternal sobre toda a comunidade. – *Arthur Penrhyn Stanley (1815-1881), em "Sinai and Palestine"*

v. 3: "Orvalho do Hermom". Nós tivemos provas perceptíveis, em Rasheiya, de como é copioso o *"orvalho do Hermom"*, mencionado em Sl 133.3, onde "Sião" é apenas outro nome para o mesmo monte. Diferentemente da maioria dos outros montes, que se elevam gradualmente a partir de planícies elevadas, e frequentemente a alguma distância do mar, o Hermom já atinge uma altura de aproximadamente três mil metros a partir de uma plataforma que está situada pouco acima do nível do mar. Esta plataforma, também – o vale do Alto Jordão, e as terras baixas de Merom – é, na sua maior parte, um pântano impenetrável, de profundidade desconhecida, de onde o vapor, sob os raios de um sol quase tropical, constantemente ascende à atmosfera superior, durante o dia. O vapor, entrando em contato com os lados cobertos de neve do monte, rapidamente é congelado, e se precipita, ao entardecer, sob a forma de orvalho, o mais copioso que já observamos. Ele penetra em todas as partes, e satura tudo. O piso de nossa tenda ficou encharcado, e a nossa cama foi coberta por ele, nossas armas pingavam e o orvalho gotejava praticamente de tudo. Não é de admirar que o pé do Hermom esteja coberto de jardins de tal maravilhosa fertilidade, nesta terra de secas. – *Henry Baker Tristram, 1867*

v. 3: "Como o orvalho do Hermom, que desce sobre os montes de Sião".

Assim, os orvalhos do monte Hermom,
que as nuvens de verão gotejam,
flutuam para o sul, à noite,
e são como pérolas à luz de Sião.
– *William Digby Seymour*

v. 3: "Ali o Senhor ordena a bênção". Deus ordena a sua bênção onde a paz é cultivada; o significado disto é que Ele testifica o quanto está satisfeito com a concordância entre os homens, derramando bênçãos sobre eles. O mesmo sentimento é expresso por Paulo em outras palavras (2 Co 13.11; Fp 4.9): "Vivei em paz; e o Deus de amor e de paz será convosco". – *João Calvino*

v. 3: "O Senhor ordena a bênção". Com uma palavra de ordem, Ele abençoa: *"ali o Senhor ordena a bênção"*, a bênção das bênçãos, *"e a vida para sempre"*; assim como está escrito, "pois mandou, e logo foram criados" (Sl 148.5), também Ele manda, e eles são abençoados. – *Thomas Goodwin*

v. 3: "O Senhor ordena a bênção". Esta é uma referência, possivelmente a pessoas de posição elevada, como um general ou imperador: "Onde estiver a palavra de um rei, ali haverá poder". O centurião disse: "Digo a este: vai; e ele vai; e a outro: vem; e ele vem; e ao meu servo: faze isto; e ele o faz". Assim, Deus fala a uma ordenança: "Vai e edifica este santo", e ela vai; Ele diz a outra ordenança, "Vem, e traz para casa um pecador", e ela faz isto; As palavras e as obras de Deus andam juntas. Os homens não podem capacitar outros, nem dar-lhes poder para obedecer a eles; eles podem mandar que um coxo ande, ou que um cego veja, mas não podem capacitá-los a andar ou a ver; Deus, com a sua palavra, dá forças para fazermos o que foi mandado. Há uma nova criação que ocorre de uma forma semelhante à antiga: "Falou, e tudo se fez; mandou, e logo tudo apareceu" (Sl 33.9). Mas ali o Senhor ordena a sua bênção, *"vida para sempre"*. A corrente da regeneração, ou uma vida espiritual, que jamais cessará, mas seguirá adiante e crescerá, até que seja engolida no oceano da vida eterna, *"a vida para sempre"*. – *George Swinnock*

SUGESTÕES AOS PREGADORES

v. 1. União cristã.
I. As suas admiráveis excelências.
II. Os sinais da sua existência.
III. As causas do seu enfraquecimento.
IV. Os meios da sua renovação.
v. 1. Os santos são aqui contemplados,
I. Na sua fraternidade.
II. Na sua concordância.
III. Na sua felicidade. – *W. J.*
vv. 1 a 3. Seis bênçãos que habitam com a união.
1. Bondade.
2. Prazer.
3. Unção.
4. Orvalho.
5. A bênção de Deus.
6. A vida eterna.
vv. 1 a 3. I. A contemplação: irmãos vivendo juntos, em união.
1. Em uma família.
2. Em uma igreja cristã.
3. Irmãos da mesma denominação.
4. De diferentes denominações.
II. O seu elogio.
1. Literalmente: "bom e suave".
2. Figurativamente: de odor agradável, como a unção sacerdotal; frutífera, como o orvalho no Hermom.
3. Espiritualmente, tem uma bênção de Deus, que dá a vida, e permanece para sempre! – *G. R.*

vv. 1 a 3. Sobre cristãos que vivem juntos, em união, como uma igreja.

I. *A sua adequação,* por causa do relacionamento fraterno: *"que os irmãos"*. A fraternidade cristã é tão singular, sagrada e duradoura, que a falta de união é uma desgraça. Eles são irmãos,

1. Porque nasceram de Deus, que é o "Deus da paz". A sua reivindicação à fraternidade depende da semelhança com Ele (Mt 5.9).

2. Porque estão unidos a Cristo, que, como irmão mais velho, deseja a união (Jo 17.20,21). Não buscar a união é praticamente negá-lo.

3. Porque "todos nós fomos batizados em um Espírito, formando um corpo" (1 Co 12.13), em que a união deve ser mantida (Ef 4.3).

4. Porque somos destinados a "viver em união', para sempre, no céu; por isto, devemos almejar isto aqui.

II. *A sua excelência peculiar*; é algo ao mesmo tempo "bom e suave".

1. Bom, com respeito à obra e à influência da igreja; à mútua edificação e crescimento na graça (2 Co 13.11); ao sucesso da oração (Mt 18.19); à recomendação do Evangelho a outros.

2. Suave, ou agradável, como algo que produz a felicidade; isto é suave para Deus.

III. *A sua promoção* e manutenção.

1. Buscar a glória de Deus une; em oposição à honra própria, que divide.

2. O amor por Cristo, como uma força restritiva, une uns aos outros, assim como une todos, intimamente, a Cristo.

3. A atividade de ministrar a outros, em lugar de desejar ser servido, une coração a coração. – *J. F.*

v. 2. Deve ter havido razões especiais pelas quais a unção sacerdotal foi escolhida para a comparação, e a unção de Arão, em lugar da de qualquer outro dos sumo sacerdotes. As razões são,

I. *O óleo era "santo"*, preparado de acordo com a prescrição divina (Êx 30.23-25). A união da igreja é sagrada. Ela deve se originar do amor ordenado por Deus; deve ser baseada nos princípios estabelecidos por Deus; e existir para as finalidades indicadas por Deus.

II. *A unção era uma obra de Deus, por intermédio de Moisés,* que agiu em nome de Deus nesta questão. A união da igreja é uma obra do Espírito Santo (1 Co 13.13), por intermédio de Jesus, como Mediador. Por isto, devemos pedi-la em oração, e reconhecê-la com gratidão.

III. *Pela unção, Arão foi consagrado,* e oficialmente qualificado para agir como sacerdote. Pela união, a igreja, como um todo, vive a sua vida de consagração, e serve eficazmente no sacerdócio a ela atribuído.

IV. *O óleo se espalhou*; ele não permaneceu sobre a cabeça de Arão, mas fluiu até as orlas das suas vestes. A união, com o tempo, progride, de alguns poucos, até o todo, especialmente dos líderes em uma igreja ao restante dos seus membros. Por isto é uma questão pessoal. Cada um deve perceber isto, e com amor e conduta prudente, espalhá-la e difundi-la. – *J. F.*

vv. 2 e 3. O amor cristão espalha a bênção de cima para baixo, "descendo".

I. De Deus aos seus santos.

II. De santo a santo.

III. De santo a pecador.

v. 3. O lugar escolhido para a bênção. Uma igreja; uma igreja unida, uma igreja dirigida pelo Espírito e imersa no Espírito. Que bênção, para o mundo, que haja um lugar ordenado para a bênção!

v. 3 (primeira parte). Isto deve ser traduzido "Como o orvalho do Hermom, que desce sobre os montes de Sião". Das neves sobre o alto Hermom, a umidade provocada pelo sol é levada sob a forma de vapor, pelos ventos, em direção aos montes mais baixos de Sião, sobre os quais cai como um copioso orvalho. Assim, a concordância cristã na comunhão da igreja,

I. Não despreza os pequenos, *isto é,* os humildes, pobres e menos dotados. Ela,

1. Reconhece que Deus é o Pai, e Cristo é o Redentor de todos os crentes, igualmente.

2. Reconhece a unidade da fé como a verdadeira base para a comunhão; não a riqueza, a posição social ou o talento.

3. Crê que o menor membro é essencial para a perfeição do corpo de Cristo.

4. Percebe que tudo o que torna uma pessoa, de alguma maneira, superior a outra, é o dom de Deus.

II. Distribui da sua abundância aos necessitados (At 4.32-37).

1. Dos ricos aos pobres (1 Jo 3.17).

2. Dos instruídos aos ignorantes.

3. Dos alegres aos angustiados.

4. Dos firmes aos hesitantes (Tg 5.19).

III. Exibe o seu valor mais pela generosidade amorosa, do que por uma exibição diante do mundo. Assim como o Hermom era mais valioso para Sião pelo seu orvalho do que pelo adorno da paisagem.

1. Uma generosa atividade exibe e requer mais graça verdadeira do que uma arquitetura extravagante ou um culto de adoração realizado com ostentação.

2. Por meio dela, a santidade prospera mais do que por meio de uma respeitabilidade louvada. Sião foi fertilizada pelo orvalho, e não pela grandeza do Hermom.

3. Por meio dela, o coração de Cristo é comovido e a sua recompensa é assegurada (Mc 9.40,42). – *J. F.*

v. 3. *Misericórdia ordenada.* Em outros locais, a bondade é concedida, mas em Sião é ordenada.

I. A misericórdia ordenada implica que necessariamente será concedida.

II. A misericórdia ordenada acompanha a unidade ordenada.

III. A misericórdia ordenada assegura mais abundantemente a vida, a "vida para sempre". – *W. B. H.*

SALMO 134

TÍTULO

Cântico de Degraus. Agora chegamos ao último dos Salmos de Degraus. Os peregrinos estão voltando para casa, e estão entoando o último cântico de seu saltério. Eles saem muito cedo, pela manhã, antes que o dia tenha começado plenamente, pois a jornada é longa para muitos deles. Ainda é noite quando iniciam a jornada. Tão logo estejam do lado de fora das portas, eles veem os guardas sobre o muro do Templo, e as lâmpadas brilhando pelas janelas das câmaras que estão ao redor do santuário; por isto, comovidos pela visão, eles entoam um adeus aos que servem perpetuamente no santuário. A sua exortação de despedida leva os sacerdotes a pronunciar, do santuário, uma bênção sobre eles: esta bênção está contida no versículo 3. Os sacerdotes praticamente dizem: "Vocês desejaram que nós bendisséssemos ao Senhor, e nós agora pedimos que o Senhor abençoe vocês".

O salmo nos ensina a orar por aqueles que estão continuamente servindo diante do Senhor, e convida todos os ministros a pronunciar bênçãos sobre o seu povo amoroso e misericordioso.

EXPOSIÇÃO

1 *Eis aqui, bendizei ao Senhor todos vós, servos do Senhor, que assistis na Casa do Senhor todas as noites.*
2 *Levantai as mãos no santuário e bendizei ao Senhor.*
3 *O Senhor, que fez o céu e a terra, te abençoe desde Sião!*

1. *"Eis."* Com este chamado, os peregrinos indicam a atenção dos vigias noturnos. Eles gritam a eles – Vejam! Os peregrinos que se retiram despertam a santa fraternidade daqueles que são encarregados de vigiar a casa do Senhor. Que eles olhem à sua volta, para o santuário, e em todas as partes "vejam" razões para sagrado louvor. Que olhem acima deles, à noite, e exaltem aquele que criou os céus e a terra, e iluminou os céus com estrelas e a terra com o seu amor. Que se certifiquem de que suas "aleluias"

nunca cheguem a um fim. Os seus irmãos de partida os despertam com o penetrante grito de "Eis!" – vejam, observem, vigiem, diligentemente cuidem do seu trabalho, e incessantemente adorem e bendigam o nome do Senhor.

"Bendizei ao Senhor todos vós." Pensem bem sobre o Senhor, e falem bem dele. Adorem-no com reverência, aproximem-se dele com amor, alegrem-se nele com exultação. Não se satisfaçam com o louvor, como o que todas as suas obras lhe trazem, mas, como os seus santos, certifiquem-se de "bendizer" ao Senhor. Ele abençoa vocês, por isto, sejam zelosos em bendizê-lo. A palavra "bendizer" ou "abençoar" é a palavra característica deste salmo. Os dois primeiros versículos nos incitam a bendizer ao Senhor, e no último versículo, a bênção do Senhor é invocada sobre o povo. Oh, que abundância de bênção! Que *bendito* e *bênção* possam ser as duas palavras que descrevem a nossa vida. Que os outros adulem seus companheiros, ou bendigam as estrelas, ou louvem a si mesmos; quanto a nós, bendiremos ao Senhor, de quem fluem todas as bênçãos.

"Todos vós, servos do Senhor." É sua função, bendizê-lo; certifiquem-se de que dar o exemplo. Os servos devem falar bem de seus senhores. Nenhum de vocês deve servi-lo como por compulsão, mas todos devem bendizê-lo enquanto o servem; sim, bendizê-lo por permitir que vocês o sirvam, por capacitá-los a servi-lo e por aceitar os seus serviços. Ser servo do Senhor é uma honra incalculável, uma honra além de qualquer estimativa. Ser um servo no seu templo, um empregado na sua casa, é um prazer e uma glória ainda maior: se aqueles que estão sempre com o Senhor e habitam no seu templo não bendisserem ao Senhor, quem o fará?

"Que assistis na Casa do Senhor todas as noites." Nós podemos compreender como os santos peregrinos invejavam os homens consagrados que guardavam o templo e realizavam o serviço necessário durante a noite. Ao silêncio e à solenidade da noite foi acrescentada a terrível glória do lugar onde o Senhor tinha ordenado que a sua adoração fosse feita; abençoados eram os sacerdotes e os levitas que foram ordenados a um serviço tão sublime. Era muito apropriado que eles bendissessem ao Senhor durante as suas vigílias noturnas; o povo desejava que eles fizessem isto, e nunca falhassem no dever. Eles não deviam se mover continuamente, como muitas máquinas, mas dedicar seus corações a todos os seus deveres, e adorar espiritualmente em todo o seu dever. Seria bom vigiar, mas ainda melhor "vigiar com oração" e louvar.

Quando a noite cai sobre uma igreja, o Senhor tem seus vigias e santos ainda guardando a sua verdade, e eles não devem ser desencorajados, mas devem bendizer ao Senhor, mesmo quando se aproximam as horas mais escuras. Devemos entusiasmá-los, e impor-lhes esta incumbência – bendizer ao Senhor em todos os momentos, e deixar que o louvor a Ele esteja continuamente em seus lábios.

2. *"Levantai as mãos no santuário."* No santuário, eles devem estar ocupados, cheios de energia, completamente despertos e motivados com santo ardor. Mãos, coração e todas as outras partes da sua humanidade devem estar estimuladas, elevadas, e consagradas ao serviço de adoração ao Senhor. Assim como os anjos louvam a Deus eternamente, também os anjos das igrejas devem estar presentes, em todos os momentos.

"E bendizei ao Senhor." Esta deve ser a sua principal ocupação. Eles devem bendizer aos homens pelos seus ensinamentos, mas devem bendizer muito mais ao Senhor, com a sua adoração. É muito frequente que os homens considerem a adoração pública somente no aspecto da sua utilidade para o povo, mas o outro aspecto tem ainda maior importância: nós devemos nos certificar de que o Senhor Deus seja adorado, exaltado e considerado com reverência. Pela segunda vez, é usada a palavra "bendizei" e aplicada ao Senhor. Bendize, ó minha alma, ao Senhor, e que todas as outras almas o bendigam. Não haverá sonolência na devoção da meia-noite, se o coração estiver devotado a bendizer a Deus em Cristo Jesus, que é a tradução do Evangelho de Deus no santuário.

3. Este último versículo é a resposta do templo aos peregrinos que se preparam para partir ao romper do dia. É a antiga bênção do sumo sacerdote, condensada, e derramada sobre cada peregrino, individualmente.

"O Senhor, que fez o céu e a terra, te abençoe desde Sião." Vocês vão se dispersar e ir para suas casas, um a um; que a bênção possa estar sobre vocês, um por um. Vocês subiram à cidade do Senhor e ao seu templo, obedecendo à sua ordem; retornem, cada um de vocês, com uma bênção que somente Ele pode dar – divina, infinita, efetiva, eterna. Vocês não vão se afastar das obras ou das glórias do Senhor, pois Ele fez o céu acima de vocês, e a terra em que vocês habitam. Ele é o seu Criador, e Ele pode abençoar vocês com misericórdias inexprimíveis; Ele pode criar alegria e paz nos corações, e criar, para você, um novo céu e uma nova terra. Que o Criador de todas as coisas possa tornar você abundante em bênçãos.

A bênção vem da Cidade do Grande Rei, de seus ministros nomeados, em virtude do seu concerto, e por isto é descrita como "desde Sião". Até hoje, o Senhor abençoa a cada um dos que constituem o seu povo, por intermédio da sua igreja, do seu Evangelho, e das ordenanças da sua casa. É na comunhão com os santos que nós recebemos bênçãos tremendas. Que cada um de nós possa obter ainda mais das bênçãos que vêm apenas do Senhor. Sião não pode nos abençoar; os mais santos ministros podem apenas nos desejar uma bênção; mas o Senhor pode e irá abençoar a cada um dos que constituem o seu povo que espera. Que assim seja, nesta hora. Nós desejamos isto? Que então bendigamos também ao Senhor. Que façamos isto uma segunda vez. Então poderemos ter esperanças confiantemente, de que na terceira vez em que pensarmos em bênçãos, nos consideraremos recebedores conscientes do Sempre Bendito. Amém.

NOTAS EXPLICATIVAS E DECLARAÇÕES SINGULARES

O salmo: Esta é uma bela e pequena ode, igualmente cheia de sublimidade e simplicidade. Normalmente é considerado como sendo obra de Davi. Com que admiração nós devemos considerar o homem cujo zelo na causa da religião o impeliu a abraçar cada oportunidade que lhe pudesse ocorrer, entre as classes inferiores e também as superiores da vida, para promover o louvor e a glória do seu Criador; fosse compondo hinos penitentes para a sua própria câmara; fosse conduzindo o serviço do templo em elogios nacionais, do mais elevado grau, ao qual a linguagem humana pode chegar; fosse descendo à classe do vigia e sentinela do templo e da cidade, e preparando os lábios deles para pronunciar, com reverência, o nome e o serviço de Deus! – *John Mason Good (1764-1827), An Historical Outline of the Book of Psalms*

O salmo: Este Salmo consiste de uma saudação (vv. 1,2), e a resposta a ela. A saudação é dirigida àqueles sacerdotes e levitas que têm a responsabilidade pela vigília noturna do Templo; e esta antífona é propositadamente colocada no final da coletânea de Cânticos de Degraus, para assumir o lugar de uma última beracha.* Neste sentido, Lutero considera o Salmo *epiphonema superiorum.*† Ele é, também em outros aspectos, um final apropriado. – *Franz Delitzsch*

O salmo: A última nuvem de fumaça do sacrifício da tarde se misturava com o céu azul, a última nota do hino da tarde morreu no ar. A vigília está sendo preparada para a noite. Os vinte e quatro levitas, os três sacerdotes e o capitão da guarda, cujo dever era manter a vigília desde o pôr-do-sol até o nascer do sol sobre as santas instalações, já estão em suas posições, e a multidão está se retirando pelas portas, que logo serão fechadas, e para muitos deles não mais se abrirão. Mas eles não podem partir sem uma última expressão da piedade que enche seus corações; e voltando-se para os vigias sobre a fortaleza, eles lhes dirigem um santo cântico, que era, ao mesmo tempo, uma admoestação fraterna e uma tocante oração: *"Eis*

* Bênção.

† "Eu considero este salmo como uma conclusão daquelas coisas que foram mencionadas anteriormente". – *Lutero*

aqui, bendizei ao Senhor todos vós, servos do Senhor, que assistis na Casa do Senhor todas as noites. Levantai as mãos no santuário e bendizei ao Senhor". Os guardas piedosos não estão despreparados para o apelo, e da altura em que se encontram, em palavras que flutuam sobre a cidade povoada e descem até o tranquilo vale de Cedrom, como a melodia dos anjos, respondem a cada adorador que se dirigiu a eles, com uma bênção de adeus: *"O Senhor, que fez o céu e a terra, te abençoe desde Sião"*. – *Robert Nisbet*

O salmo: O tabernáculo e o templo eram servidos por sacerdotes durante a *noite*, bem como durante o dia. Estes sacerdotes renovavam o fogo do altar, alimentavam as lâmpadas e guardavam a estrutura sagrada de invasões e de roubos. O salmo diante de nós foi preparado para os sacerdotes que serviam no lugar sagrado à noite. Eles corriam o perigo de adormecer, e de ociosos devaneios. Oh, quanto tempo é desperdiçado em meros devaneios – em deixar o pensamento vagar, e vagar, e vagar! Os sacerdotes corriam perigo de adormecer, de ociosos devaneios, de vãos pensamentos, de inúteis meditações e de conversas improdutivas; e por isto está escrito – *"Eis aqui, bendizei ao Senhor todos vós, servos do Senhor, que assistis na Casa do Senhor todas as noites"*. É seu dever passar a noite em vigília? Então passe a noite em adoração. Não permita que as horas de vigília sejam um tempo ocioso e desperdiçado; mas quando os outros estiverem adormecidos, e você necessariamente vigilante, sustente os louvores da casa de Deus; que haja louvor em Sião – louvor à noite e também durante o dia! *"Levantai as mãos no santuário e bendizei ao Senhor"*.

Podemos supor que estas palavras sejam dirigidas aos sagrados sentinelas, pelo líder da sua ordem, ou pelo capitão da guarda, ou mesmo pelo sumo sacerdote. Podemos imaginar o capitão da guarda aparecendo durante as vigílias noturnas, e dizendo aos sacerdotes que estavam guardando o tempo, *"Eis aqui, bendizei ao Senhor todos vós, servos do Senhor, que assistis na Casa do Senhor todas as noites"*. Ou poderíamos imaginar os sumo sacerdotes, quando a vigília se iniciava para a primeira parte da noite, dirigindo-se aos sacerdotes que estavam sob as suas ordens e proferindo-lhes as mesmas palavras animadoras para a alma. O nosso texto é a resposta destes santos sentinelas. Ao ouvir o capitão da guarda, ou o sumo sacerdote, dizendo-lhes que adorassem durante a noite nos átrios do Senhor – que levantassem as suas mãos no santuário e bendissessem ao Senhor – eles respondiam: *"O Senhor, que fez o céu e a terra, te abençoe desde Sião"*. De modo que aqui você tem o interessante e instrutivo assunto da bênção mútua – os santos, se bendizendo, uns aos outros. – *Samuel Martin, 1817-1878*

v. 1: O Targum explica o primeiro versículo da vigília do Templo. "O costume, no segundo Templo, parece ter sito este. Depois da meia-noite, o chefe dos porteiros pegava a chave do Templo interior, e passava, com alguns dos sacerdotes, pela pequena passagem da Porta do Fogo. No átrio interior, esta vigília se dividia em dois grupos, cada um deles levando uma tocha ardente, um deles se dirigia para o leste, e o outro, para o oeste, e assim envolviam o átrio, para verificar que todos estivessem em prontidão para o serviço do Templo na manhã seguinte. Na casa onde era assada a *Mincha* ('oferta de manjares') do sumo sacerdote, eles se encontravam com o clamor: 'Tudo está bem'. Enquanto isto, os demais sacerdotes se levantavam, se banhavam e vestiam os seus trajes. Então, eles entravam na câmara de pedra (a metade da qual era a sala de reuniões do Sinédrio), e ali, sob a superintendência do oficial que dizia o "slogan", e um do Sinédrio, rodeados pelos sacerdotes vestidos com as vestes do seu cargo, recebiam as suas incumbências para o dia seguinte, por sortes (Lc 1.9)". – *J. J. Stewart Perowne*

v. 1: "Eis". O salmo começa com o advérbio demonstrativo, *Eis*, apresentando o seu dever diante dos seus olhos, pois eles deviam ser estimulados na devoção, olhando constantemente para o Templo. Nós devemos notar a intenção do salmista, em incentivar neles o dever da oração, tão fervorosamente. Muitos dos levitas, pela tendência que há em todos os homens de interpretar mal as cerimônias, consideravam que nada mais era necessário, além de permanecer ociosos no Templo e desta maneira negligenciavam a principal parte de seu dever. O salmista deseja mostrar que apenas manter a vigília noturna do Templo, acender as lâmpadas, e supervisionar os sacrifícios, não era importante, a menos que servissem espiritualmente a Deus, e buscassem em todas as cerimônias exteriores aquilo que deveria ser considerado o sacrifício principal – a celebração dos louvores a Deus. Você pode pensar que o salmista estivesse dizendo que este era um serviço muito cansativo, ficar em vigília no Templo, enquanto os outros dormiam em suas próprias casas; mas a adoração que Deus exige (e merece) é algo mais excelente do que isto, e exige que você cante os seus louvores diante de todo o povo. – *João Calvino*

v. 1: "Eis". A primeira palavra deste versículo, *"Eis"* parece apontar para as razões pelas quais os sacerdotes no Templo tinham que bendizer ao Senhor; como se ele tivesse dito: Vejam, a casa de Deus está edificada, os serviços santos estão designados, e o Senhor lhes deu descanso de todos os seus inimigos, para que vocês possam servi-lo de maneira aceitável; façam isto, portanto, com gratidão e entusiasmo. Nós lemos (1 Cr 9.33) que os cantores levitas "de dia e de noite se empregavam naquela obra", com a finalidade, sem dúvida, de que o santuário terreno pudesse trazer alguma semelhança com o do alto, onde o apóstolo João nos diz que os redimidos "estão diante do trono de Deus e o servem de dia e de noite no seu templo" (Ap 7.15). – *George Horne*

v. 1: "Eis aqui, bendizei ao Senhor todos vós, servos do Senhor". Da exortação aos ministros do Senhor, aprenda que a adoração pública a Deus deve ser cuidadosamente guardada, e todos os homens, mas particularmente os ministros, tinham a necessidade de ser incentivados a prestarem atenção a si mesmos, e à obra da adoração pública a Deus, quando a realizassem; pois é este o significado deste *"eis"*, neste ponto. – *David Dickson*

v. 1: "Todas as noites". Mesmo à noite o Senhor deve ser lembrado e os seus louvores devem ser repetidos. – *Martin Geier, 1614-1681*

v. 1: "Que assistis na Casa do Senhor". Os rabinos dizem que somente o sumo sacerdote se sentava no santuário (como Eli, 1 Sm 1.9); os demais ficavam em pé, como prontos para o seu trabalho. – *John Trapp*

v. 1: "Que assistis na Casa do Senhor". Vocês que agora têm uma casa permanente, e não mais têm que habitar em tendas, como peregrinos. – *Robert Bellarmine*

v. 1: "Que assistis na Casa do Senhor". Que a sua presença frequente diante da sua presença não gere desprezo em você, como diz o ditado: "Muita familiaridade gera desprezo", mas bendiga-o sempre, reconheça-o e com reverência louve a sua excelência. – *John Mayer, 1653*

v. 2: "Levantai as mãos", etc. O levantar das mãos era um gesto na oração, era uma indicação da expectativa dos suplicantes de receber bênçãos do Senhor, e era também um reconhecimento de que as tinham recebido. – *Samuel Eyles Pierce*

v. 2: "No santuário". A palavra hebraica significa *santidade*, além de *lugar sagrado*, e pode aqui ser interpretada com o primeiro sentido, sendo o segundo suficientemente expresso (v. 1) por "casa do Senhor"... Os sacerdotes (com quem se fala aqui), antes de oficiar, o que é aqui descrito como *levantar* suas *mãos*, deviam lavar suas mãos. – *Henry Hammond*

v. 3: "O Senhor, que fez o céu e a terra, te abençoe desde Sião". Ele não diz, o Senhor, que fez a terra, te abençoe desde o céu, nem, o Senhor que fez o céu, te abençoe desde o céu; mas *"te abençoe desde Sião"*. Como se ele desejasse nos ensinar que todas as bênçãos vêm, tanto imediatamente e primariamente do céu, como também secundariamente e intermediadas, de *Sião,* onde o Templo se situava. Se, portanto, nós desejarmos ter as bênçãos externas, internas, privadas, públicas, seculares, espirituais, se desejarmos ter bênçãos na nossa propriedade, bênçãos na nossa terra, bênçãos em nossas almas, devemos pedi-las, em oração, e orar aqui, em *Sião*, na casa de Deus: pois da piedade ali exercida fluem todas as bênçãos, como de uma fonte que jamais pode se esgotar. – *Abraham Wright*

v. 3: "O Senhor, que fez o céu e a terra", etc. A bênção sacerdotal nos apresenta Deus com um duplo caráter. Ele é descrito, em primeiro lugar, como o Criador do universo. Ele é descrito, em segundo lugar, como habitando "em Sião". No primeiro aspecto, Ele é representado como o Deus da natureza; no segundo, como o Deus da graça. Quando eu o considero como o Criador do universo, há provas abundantes de que Ele *pode* me abençoar. Quando eu o considero como habitando na igreja, há provas abundantes de que Ele *irá* me abençoar. Estes dois elementos são essenciais para a nossa fé. – *N. M'Michael*

v. 3: "O Senhor, que fez o céu e a terra", etc. Assim como os sacerdotes deviam bendizer a Deus, em nome do povo, também aqui abençoam o povo, em nome de Deus. Entre os versículos, podemos supor que a exigência anterior foi cumprida. Os sacerdotes, tendo bendito a Deus, se voltam e abençoam o povo. A óbvia referência à bênção sacerdotal (Nm 6.23-27) favorece a interpretação optativa deste versículo, que, na verdade, inclui uma predição – o Senhor te abençoe. – *Joseph Addison Alexander*

v. 3: "O Senhor te abençoe". Todos os homens estão sob a maldição, até que Deus os traga à comunhão da sua igreja e os pronuncie abençoados pela sua palavra, que é o significado de *"o Senhor te abençoe"*. – *David Dickson*

v. 3: "O Senhor te abençoe desde Sião". A igreja é a protetora da revelação divina, a igreja oferece a verdadeira adoração na terra; ela consiste de um grupo de sacerdotes, um sacerdócio real, e parte da sua missão é oferecer "sacrifícios espirituais, agradáveis a Deus, por Jesus Cristo". A igreja é a herdeira dos concertos. Os concertos de Deus são feitos com a sua igreja e as suas promessas são dirigidas principalmente à sua igreja. A igreja é o cenário das ministrações divinas e especiais; Deus se mostra à sua igreja de uma maneira como não faz àquilo que é chamado de mundo. A igreja também é o cenário de influências celestiais especiais: e, em um sentido próximo àquele em que Deus é mencionado como habitando no céu, a igreja é a habitação do Altíssimo. O que significa ser *abençoado desde Sião?* Certamente, significa ser abençoado com bênçãos de Sião e ter dádivas de Sião convertidas em fontes de benefícios para nós. – *Samuel Martin*

v. 3: "Te abençoe". A forma singular, em vez da plural *vos* abençoe, porque as palavras são tomadas da fórmula usada pelo sumo sacerdote, ao abençoar o povo (Nm 6.24). – *J. J. Stewart Perowne*

v. 3: "Te abençoe". Isto é dirigido à igreja, como uma pessoa, e a cada indivíduo desta igreja unida, como uma unidade. – *Franz Delitzsch*

SUGESTÕES AOS PREGADORES

O salmo. Há duas coisas neste salmo.

I. Nós, bendizendo a Deus (vv. 1,2).

1. Como? Por gratidão, por amor, por obediência, por oração, por louvor.
2. Onde? "Na casa do Senhor", "no santuário".
3. Quando? Não apenas durante o dia, mas também à noite. Alguns passavam a noite toda, outros, parte da noite, no templo, louvando a Deus. Como Cristo passou noites inteiras em oração pelo seu povo, eles não devem julgar algo excessivo passar, ocasionalmente, noites inteiras em louvor a Ele. Os cultos da tarde não devem ser negligenciados no sábado, nem em outros dias da semana.

II. Deus nos abençoado (v. 3).

1. As pessoas abençoadas: "te abençoe" – a cada pessoa que o bendiz.
2. A condição: "desde Sião". No cumprimento dos deveres religiosos, não na negligência a eles.
3. A bênção propriamente dita: do Senhor. São abençoados aqueles aos quais Ele abençoa. – *G. R.*

O salmo. I. Deus – o Senhor – a fonte da bênção.

II. Os céus e a terra, evidência da capacidade divina de abençoar.
III. A igreja, um canal de bênçãos.
IV. Os santos, os meios de transmissão da bênção, pelo espírito de bênção.
V. As riquezas envolvidas da bênção divina. – *Samuel Martin*

O salmo. I. Serviço singular: a vigília no templo, vigilância noturna.
II. Sociedade sublime: as coisas impressionantes do santuário.
III. Santo levantar: mãos, corações, olhos.
IV. Louvor, nas trevas, ouvido à distância, na luz.
V. Resposta das estrelas, cumprindo a oração: "O Senhor Criador *te* abençoe". – *W. B. H.*

v. 1. I. A noite cai sobre o lugar santo: períodos obscuros da história da igreja.
II. Mas Deus tem seus guardas: Wycliffe e seu grupo, vigilantes pela Reforma; Waldenses, etc. Nunca houve uma noite tão escura, a ponto de Deus não ter sido louvado e nem servido.
III. Seja noite ou dia, que os levitas cumpram seus turnos. – *W. B. H.*

v. 1. Os servos do Senhor são exortados a,

1. Serem devotos e alegres no seu serviço. Cantarem no seu trabalho, ainda que seja no escuro.
2. Serem zelosos para desempenhar corretamente cada etapa do serviço. "Todas as noites", bem como durante o dia, "bendizei ao Senhor".
3. Serem cuidadosos, para evitar todos os obstáculos à devoção no seu serviço. Quando tentados à indolência e à sonolência, digam:

"Desperta, e levanta-te, meu coração,
e faz a tua parte com os anjos,
que a noite inteira, sem se cansar, cantam
altos louvores ao Rei Eterno".
– *W. H. J. P.*

v. 1. Orientações para a adoração,
I. Ela deve ser feita com grande cuidado: "Eis".
II. Com agradecida alegria: "Bendizei ao Senhor".
III. Unânime: "todos vós".
IV. Com santa reverência, como feita por "servos do Senhor".
V. Com perseverante constância: "assistir... todas as noites".

v. 1. "Todos vós... que assistis... todas as noites". O vigilante noturno da casa do Senhor, a sua importância, a sua obscuridade, o seu perigo de dormir, a sua consolação, a sua dignidade, a sua recompensa.

v. 2. Ingredientes da adoração.
I. Mãos levantadas. Energia, coragem, oração; aspiração.
II. Corações levantados. Agradeça, louve, adore e ame ao Senhor.

v. 3. A bênção divina. I. Do Criador: ampla, nova, variada, ilimitada, eterna – todas ilustradas pela sua criação do céu e da terra.

II. Do Redentor: as bênçãos mais necessárias, ricas, eficazes, permanentes – todas ilustradas e garantidas pela sua habitação entre os homens, comprando uma igreja, edificando uma habitação, revelando a sua glória, reinando no seu trono.

SALMO 135

TÍTULO

Este salmo não tem título: ele é constituído, principalmente, de seleções de outras passagens das Escrituras. Ele já foi chamado de um mosaico, e comparado a um pavimento em mosaicos. No início, os seus dois primeiros versículos são tomados do salmo 134, ao passo que a última parte do versículo 2 e o princípio do versículo 3 nos trazem à mente Sl 116.19; e o versículo 4 sugere Dt 7.6. O versículo 5 não nos lembra de Sl 95.3? Quanto ao versículo 7, é quase idêntico a Jr 10.13, que pode ter sido extraído daqui. A passagem contida no versículo 13 é encontrada em Êx 3.15 e o versículo 14 em Dt 32.36; Os versículos finais, 8 a 12, estão no salmo 136. Do versículo 15 até o final, há uma repetição do Salmo 115. Este processo de identificar as expressões em outras fontes deve ser continuado, sem deformar as citações; todo o salmo é um composto de muitos extratos excelentes, e apesar disto ele contém toda a continuidade e o frescor de um poema original. O Espírito Santo ocasionalmente se repete; não porque lhe faltem pensamentos ou palavras, mas porque é útil para nós que ouçamos as mesmas coisas, da mesma forma. Quando o nosso grande Mestre usa a repetição, normalmente é com variações instrutivas, que merecem nossa cuidadosa atenção.

DIVISÃO

Os catorze primeiros versículos contêm uma exortação para o louvor ao Senhor, pela sua bondade (v. 3), pelo seu amor que escolhe (v. 4), a sua grandeza (vv. 5-7), os seus juízos (vv. 8-12), o seu caráter imutável (13), e o seu amor pelo seu povo. Isto é seguido por uma denúncia dos ídolos (vv. 15-18) e uma nova exortação para bendizer o nome do Senhor. É um cântico cheio de vida, vigor, variedade e devoção.

EXPOSIÇÃO

1 *Louvai ao Senhor! Louvai o nome do Senhor; louvai-o, servos do Senhor.*

2 *Vós que assistis na Casa do Senhor, nos átrios da Casa do nosso Deus.*
3 *Louvai ao Senhor, porque o Senhor é bom; cantai louvores ao seu nome, porque*
é agradável.
4 *Porque o Senhor escolheu para si a Jacó e a Israel, para seu tesouro peculiar.*
5 *Porque eu conheço que o Senhor é grande e que o nosso Deus está acima de*
todos os deuses.
6 *Tudo o que o Senhor quis, ele o fez, nos céus e na terra, nos mares e em todos*
os abismos.
7 *Faz subir os vapores das extremidades da terra; faz os relâmpagos para a*
chuva; tira os ventos dos seus tesouros.
8 *Foi ele que feriu os primogênitos do Egito, desde os homens até aos animais;*
9 *que operou sinais e prodígios no meio de ti, ó Egito, contra Faraó e contra os*
seus servos;
10 *que feriu muitas nações e deu morte a poderosos reis:*
11 *a Seom, rei dos amorreus, e a Ogue, rei de Basã, e a todos os reinos de Canaã,*
12 *e deu a sua terra em herança, em herança a Israel, seu povo.*
13 *O teu nome, ó Senhor, permanece perpetuamente; e a tua memória, ó Senhor,*
de geração em geração.
14 *Pois o Senhor julgará o seu povo e se arrependerá em atenção aos seus servos.*

1. *"Louvai ao Senhor"*, ou *Aleluia.* Que aqueles que estão cheios de santo louvor se esforcem para incitar um espírito semelhante nos outros. Não é suficiente que nós louvemos a Deus, nós somos muito insuficientes para esta obra, devemos chamar todos os nossos amigos e vizinhos, e se eles estiverem sendo negligentes neste serviço, devemos incitá-los com exortações amorosas.

"Louvai o nome do Senhor." Que o seu caráter seja exaltado por você, e que tudo o que Ele revelou a respeito de Si mesmo seja o assunto do seu cântico; pois este verdadeiramente é o seu *nome.* Especialmente que o seu nome, santo e incomunicável, "Senhor", seja o objeto da nossa adoração. Com este nome, Ele exibe a sua auto-existência, e a sua imutabilidade; que estas características despertem os nossos louvores à sua divindade. Pense nele com amor, admire-o com sinceridade, e então exalte-o com fervor. Não apenas exalte o Senhor porque Ele é Deus, mas estude o seu caráter e as suas obras, e lhe dedique louvor inteligente e apreciativo.

"Louvai-o, servos do Senhor." Se os outros estão em silêncio, vocês não devem fazê-lo; vocês devem ser os primeiros a celebrar os seus louvores. Vocês são "servos" e isto faz parte do seu serviço; o seu "nome" é dado a vocês, por isto celebrem o seu nome com louvores; vocês têm conhecimento de que Mestre abençoado Ele é, por isto, falem bem dele. Aqueles que se recusam a servi-lo e cultuá-lo certamente negligenciam o seu louvor; mas da mesma maneira como a graça fez de vocês os seus servos pessoais, que os seus corações façam de vocês os seus músicos. Aqui vemos o servo do Senhor incitando seus servos, três vezes, convocando-os ao louvor. Seremos nós, então, tão lentos em tão doce tarefa? Ou será que quando fizermos o máximo que pudermos, isto ainda será pouco para tal Senhor? Ambas as coisas são verdade. Nós não louvamos o suficiente; nós não conseguimos louvar demais. Nós devemos estar sempre dedicados a isto; respondendo à ordem aqui dada – louvai, louvai, louvai. Que aquele que é Três em Um receba os louvores do nosso espírito, da nossa alma, e do nosso corpo. Pelo passado, pelo presente e pelo futuro, vamos dar aleluias triplos.

2. *"Vós que assistis na Casa do Senhor, nos átrios da Casa do nosso Deus."* Vocês são altamente favorecidos: vocês são os servos do palácio, mais próximos do Pai da família celestial, privilegiados por encontrar o seu lar na sua casa; por isto vocês devem, além de todos os outros, ser abundantes em agradecimentos. Vocês "assistem" ou permanecem no templo; vocês são os constantes ocupantes de seus vários átrios; e por isto, de vocês, espera-se incessante louvor. Os ministros não devem ser celebrados, por celebrarem os louvores do Senhor? Os funcionários da

igreja e os membros da igreja superam os outros na excelente tarefa da adoração? Não devem todos, de todos os níveis, que esperam nos seus átrios externos, se unir, na adoração ao Senhor? Não devem os mais humildes e mais frágeis do seu povo proclamar os seus louvores, em companhia daqueles que vivem mais próximos dele? Não é apropriado lembrá-los de suas obrigações? O salmista não é prudente quando faz isto, neste caso e em muitos outros? Aqueles que podem chamar o Senhor de *"nosso* Deus" são altamente abençoados, e por isto são abundantes na obra de bendizê-lo. Talvez esta seja a mais doce palavra destes dois versículos: "Este Deus é o nosso Deus para sempre". A expressão "Nosso Deus" significa posse, comunhão em posse, segurança de posse, prazer na posse. Oh, a inexprimível alegria de chamar Deus de "nosso"!

3. *"Louvai ao Senhor."* Façam isto outra vez; continuem a fazer isto; façam-no melhor e mais sinceramente; façam isto cada vez em maior número; façam isto de uma vez. Há bons motivos para louvar ao Senhor, e entre os primeiros está o seguinte – *"porque o Senhor é bom"*. Ele é tão bom que não existe ninguém, bom da mesma maneira ou no mesmo nível. Ele é tão bom, que todo o bem é encontrado nele, flui dele e é recompensado por Ele. A palavra Deus é curta demais para descrever todo o bem que Ele representa; e, verdadeiramente, Deus é a essência da bondade. Não deveríamos falar bem da sua bondade? Sim, devemos glorificar o seu nome com os nossos melhores pensamentos, palavras e hinos.

"Cantai louvores ao seu nome; porque é agradável." O adjetivo pode se aplicar ao canto e ao nome – ambos são agradáveis. A expressão vocal de louvor por meio de cânticos sagrados é um dos nossos maiores prazeres. Nós fomos criados com este propósito, e consequentemente, isto é uma alegria para nós. É um dever encantador, louvar o nome adorável do nosso Deus. Todo o prazer deve ser encontrado na alegre adoração do Senhor; todas as alegrias estão no seu nome sagrado, assim como perfumes estão adormecidos em um jardim de flores. A mente se expande, a alma é exaltada, o coração se aquece, todo o ser se enche de deleite quando nós estamos engajados em entoar os altos louvores do nosso Pai, Redentor, Consolador. Quando, em alguma ocupação, a bondade e o prazer se unem, nós fazemos bem em segui-la sem restrição; mas há uma situação a ser temida: que poucos de nós cantem ao Senhor na mesma proporção em que falamos com os homens.

4. *"Porque o Senhor escolheu para si a Jacó."* O Senhor escolheu Jacó. Os filhos de Jacó não deveriam louvar aquele que os tinha beneficiado de maneira tão singular? A Eleição é um dos mais vigorosos argumentos em favor do amor que se expressa através da adoração. Escolheu! Escolheu para si! – quem pode ser suficientemente grato por ser participante deste privilégio? "Amei Jacó", disse o Senhor, e Ele não apresentou nenhuma razão para o seu amor, exceto o fato de que Ele escolheu amar. Jacó não tinha, então, feito nenhum bem e nenhum mal, mas assim o Senhor determinou, e assim Ele falou. Se for dito que a escolha foi feita com base na previsão do caráter de Jacó isto é, talvez, ainda mais notável; pois havia realmente muito pouca coisa, a respeito de Jacó, que pudesse merecer uma escolha especial. Por natureza, Jacó não era, de maneira alguma, o mais adorável dos homens. Não. Foi a graça soberana que ditou a escolha. Mas, perceba, não foi uma escolha cujo principal resultado foi o bem-estar pessoal da semente de Jacó: a nação foi escolhida por Deus *para si* para atender aos objetivos e propósitos divinos, abençoando toda a humanidade. A raça de Jacó foi escolhida para ser do Senhor, para que a eles fosse confiada a sua verdade, para que fossem os mantenedores da sua adoração, os espelhos da sua misericórdia. Escolhidos, eles foram; mas principalmente com este objetivo: para que pudessem ser um povo peculiar, consagrado para o serviço do Deus verdadeiro.

"E Israel, para seu tesouro peculiar." A escolha de Deus exalta, pois aqui o nome é mudado, de Jacó, o substituto, para Israel, o príncipe. O amor de Deus dá um novo nome, e confere uma nova importância; pois a comparação com um tesouro real é extremamente honrosa. Assim como os reis têm distintivos especiais, e podem

escolher as joias mais raras, também o Senhor se alegra por considerar a sua nação escolhida como sua riqueza, seu prazer, sua glória. Que honra, para o Israel espiritual, que eles sejam tudo isto para o Senhor, seu Deus! Nós somos um povo próximo dele, e amado por Ele, precioso e honrado aos seus olhos. Como podemos nos recusar a oferecer a Ele a nossa música mais alta, mais sincera, mais doce? Se *nós* não o exaltássemos, as pedras nas ruas clamariam contra nós.

5. *"Porque eu conheço que o Senhor é grande e que o nosso Deus está acima de todos os deuses."* A grandeza de Deus é uma razão para adoração, tanto quanto a sua bondade, quando nos reconciliamos com Ele. Deus é grande positivamente, grande comparativamente, e grande superlativamente – "acima de todos os deuses". Disto, o salmista tinha uma persuasão pessoal garantida. Ele diz, positivamente, "Eu conheço". É um conhecimento que vale a pena ter. Ele conhecia por observação, inspiração e percepção; ele não era agnóstico, ele tinha absoluta certeza quanto ao assunto. Ele não apenas conhece a grandeza do Senhor, mas sabe que o Adonai, ou Governante, o "nosso Senhor", é infinitamente superior a todas as divindades imaginárias dos pagãos, e a todos os outros ídolos.

"Que ouçam os príncipes, que saibam os anjos,
quão desprezíveis são as suas naturezas;
Aqueles que se consideram deuses no alto, ou deuses abaixo,
Jamais poderão se comparar a Ele".

Muitos pensaram em adorar ao Senhor e outros deuses com Ele; mas este homem santo não tolerou tal noção. Outros pensaram em combinar a sua religião com a obediência às leis injustas de príncipes tiranos; isto também, o doce cantor de Israel denunciou, pois ele considerava o Deus vivo como completamente acima de todos os homens, que, sendo magistrados e príncipes, eram chamados de deuses. Observe, aqui, a quarta das cinco palavras "porque". Os versículos 3, 4, 5 e 14 contêm razões para louvor, cada uma delas iniciada com a palavra "porque". Isto poderia sugerir uma meditação frutífera.

6. *"Tudo o que o Senhor quis, ele o fez, nos céus e na terra, nos mares e em todos os abismos."* A sua vontade é realizada, em todos os lugares. A autoridade do Rei está em cada porção do universo. Os pagãos dividiram o grande domínio, mas Júpiter não governa no céu, nem Netuno no mar, nem Plutão o submundo; o Senhor governa tudo. Os seus decretos não são derrotados, o seu propósito não é frustrado: o seu prazer não é deixado de lado, em nenhum ponto. A palavra "tudo" tem a maior abrangência e inclui todas as coisas, e as quatro palavras de lugar que são mencionadas compreendem todos os lugares; por isto a declaração do texto não conhece limites nem exceção. O Senhor realiza a sua vontade: Ele se alegra em fazê-la, e realiza a obra. Ninguém consegue deter a sua mão. Como Ele é diferente dos deuses aos quais os pagãos imaginavam que pudessem estar sujeitos, juntamente com todos os desapontamentos, fracassos e paixões dos homens! Como é contrário, até mesmo àquelas concepções, assim chamadas cristãs, a respeito de Deus, que o subordinam à vontade do homem, e fazem dos seus eternos propósitos a bola que pode ser controlada e chutada pelos caprichos humanos. A nossa teologia não nos ensina noções degradantes a respeito do Eterno, como aquela que tenta dizer que Ele pode ser frustrado pelo homem. "O seu conselho será firme, e fará toda a sua vontade". Nenhuma região é alta demais, nenhum abismo é profundo demais, nenhuma terra é distante demais, nenhum mar é grande demais para a sua onipotência: o seu prazer divino viaja sobre todo o campo da natureza, e as suas ordens são obedecidas.

7. *"Faz subir os vapores das extremidades da terra."* Aqui nos é ensinado o poder de Deus, na criação. O processo da evaporação passa despercebido por muitos, porque eles o veem acontecendo ao seu redor; o usual deixa de ser maravilhoso para os desatentos, mas continua sendo uma maravilha para os instruídos.

Quando consideramos a imensa evaporação que continuamente acontece, e quão necessária ela é para a existência de toda a vida, bem podemos admirar a sabedoria e o poder que nela são exibidos. Ao nosso redor, de cada ponto do horizonte, o vapor sobe, e se condensa em nuvens e no final desce como chuva. De onde subiram originalmente os vapores de que são formadas as nossas chuvas, é algo impossível de dizer; muito provavelmente, a maior parte deles vem de regiões tropicais, e outros lugares distantes, das "extremidades da terra". É o Senhor que faz com que subam, e não uma mera lei. O que é a lei, sem uma força que a respalde?

"Faz os relâmpagos para a chuva." Há uma íntima conexão entre relâmpago e chuva, e isto parece ser mais aparente na Palestina do que no nosso meio; pois nós lemos constantemente sobre relâmpagos e trovões que acompanham pesadas chuvas. O relâmpago não deve ser considerado como uma força sem lei, mas como parte daquele maravilhoso maquinário pelo qual a terra é conservada de maneira apropriada: uma força tão sob o controle de Deus como qualquer outra, uma força extremamente essencial para a nossa existência. As águas, as chuvas, os ventos e as correntes elétricas circulam como se fossem o sangue da vida e os espíritos vitais do universo.

"Tira os ventos dos seus tesouros." Esta grande força, que parece entregue à sua própria vontade indomada, está, na verdade, sob o supremo e cuidadoso controle do Senhor. Assim como um monarca é particularmente senhor do conteúdo do seu próprio tesouro, também o nosso Deus é o Senhor da tempestade e do furacão; e assim como os príncipes não gastam o seu tesouro sem examiná-lo e contá-lo, também o Senhor não permite que o vento seja desperdiçado ou gasto sem propósito. Tudo, no mundo material, está sob a imediata administração e controle do Senhor de tudo. Observe como o salmista nos apresenta a ação pessoal do Senhor: "Ele faz", "Ele traz". Em todas as partes, o Senhor opera todas as coisas, e não há poder que escape à sua supremacia. É bom para nós que assim seja, pois uma força criminosa vagando pelos domínios do Senhor, desafiando o seu controle, lançaria temor e tremor sobre todos os campos da providência. Devemos louvar ao Senhor pelo poder e sabedoria com que Ele governa as nuvens, e os relâmpagos, e os ventos, e todos os outros instrumentos poderosos e misteriosos.

8. *"Foi ele que feriu os primogênitos do Egito, desde os homens até aos animais."* Assim sendo, o Senhor deve ser louvado; pois esta ferida mortal foi um ato de justiça contra o Egito, e de amor por Israel. Mas que golpe foi este! Todos os primogênitos, mortos, em um momento! Como isto deve ter horrorizado a nação, e atemorizado os mais ousados inimigos de Israel! Os animais sofrem, de muitas maneiras, com o homem, por causa do seu relacionamento, como animais domésticos. O primogênito dos animais morreu, bem como o primogênito de seus proprietários, pois o golpe visava assombrar e impressionar, e cumpriu o seu propósito. O primogênito de Deus (Israel) havia sido amargamente ferido, mas foi livrado pelo Senhor. O Todo-Poderoso dispensou aos opressores o mesmo tratamento que haviam dado ao seu povo.

9. *"Que operou sinais e prodígios no meio de ti, ó Egito, contra Faraó e contra os seus servos."* O Senhor ainda é visto pelo salmista como enviando juízos sobre os homens rebeldes; ele conserva diante de nós o ato pessoal de Deus, "que operou sinais", etc. Quanto mais distintamente Deus é visto, melhor. Mesmo nas pragas, Ele será visto, tão verdadeiramente como nas graças. As pragas não eram apenas terríveis prodígios que assombraram os homens, mas sinais eficazes na instrução dos homens. Sem dúvida, as pragas eram destinadas às várias divindades dos egípcios, e eram uma grande denúncia da sua impotência; cada uma tinha o seu próprio significado especial. Os juízos do Senhor não eram golpes desviados, eles atingiram a nação no coração; Ele enviou seus disparos "no meio de ti, ó Egito!" Estes sinais aconteceram no centro da orgulhosa e exclusiva nação do Egito, que se julgava muito superior às outras terras; e muitas destas pragas tocaram a nação em pontos de que ela se orgulhava. O salmista se dirige àquela soberba nação, dizendo, "ó Egito", como se estivesse lembrando-a das lições que lhe tinham sido ensinadas pela mão

direita do Senhor. O imperioso Faraó tinha sido o líder desafiador do Senhor, e foi ferido pessoalmente por isto; nem os seus cortesãos aduladores escaparam – sobre cada um deles o açoite caiu pesadamente. Os servos de Deus estão muito melhor do que os servos de Faraó: aqueles que estão na corte do Senhor são livrados, mas os cortesãos de Faraó são feridos, todos eles, pois todos participam de suas más obras. O Senhor deve ser louvado por resgatar, desta maneira, o seu povo, e fazer com que os seus cruéis adversários caiam por terra. Que nenhum verdadeiro israelita se esqueça do cântico do mar Vermelho, mas novamente, ouçamos uma voz que nos convoca ao louvor exultante: "Cantai ao Senhor, porque sumamente se exaltou".

10. *"Que feriu muitas nações e deu morte a poderosos reis."* As nações de Canaã se uniram na desesperada resistência, oferecida pelos seus monarcas, e assim foram feridas; e os seus reis, os líderes da batalha, foram mortos. Aqueles que resistirem aos propósitos divinos considerarão impossível lutar contra eles, pois é muito difícil recalcitrar contra os aguilhões. A grandeza das nações e o poder dos reis de nada servem, contra o Senhor. Ele está preparado para desferir vingança contra os que se opõem aos seus desígnios; os que sonham que Ele é terno demais para ir à batalha se equivocam com o Deus de Israel. Ele pretendia abençoar o mundo, por intermédio do seu povo escolhido, e não seria desviado do seu propósito: custe o que custar, Ele preservará a vela da verdade que Ele tem acendido, ainda que o sangue de nações seja derramado para defendê-la. As guerras contra as raças dos cananeus foram o preço pago pelo estabelecimento de uma nação que deveria preservar, para o mundo inteiro, os oráculos vivos de Deus.

11. *"A Seom, rei dos amorreus, e a Ogue, rei de Basã."* Estes dois reis foram os primeiros a se opor, e estavam entre os adversários mais formidáveis: o fato de serem abatidos é um motivo de júbilo e de cânticos para todos os israelitas fiéis. A inimizade destes dois reis era gratuita e injustificada; Israel não os provocara. Assim sendo, a sua derrota era muito bem vinda para o povo de Israel. Seom havia sido vitorioso em sua guerra contra Moabe, e pensou que a peleja contra Israel não seria trabalhosa; porém ele foi rapidamente derrotado. Ogue descendia dos gigantes, e pela sua elevada estatura e porte inspirava terror às tribos. Porém elas foram encorajadas pela vitória que tiveram sobre Seom, e assim o gigante foi rapidamente derrotado pela espada delas.

"E a todos os reinos de Canaã." Havia muitos principados menores. Alguns deles eram populosos e valentes; porém todos caíram sob a mão conquistadora de Josué, pois o precioso e bendito Senhor estava com Ele. Da mesma maneira, todos os adversários do povo crente do Senhor nestes dias serão derrotados: Satanás e o mundo serão vencidos e todas as hostes do pecado serão destruídas, pois o nosso grande Josué lidera os nossos exércitos, saindo vitorioso e para vencer.

Observe que neste versículo nós temos os detalhes de questões que foram mencionadas na estrofe anterior: é bom quando cantamos as graças, de modo geral, quando as consideramos uma a uma, e damos a cada bênção individual um espaço no nosso cântico. É bom preservar abundantes lembranças da libertação do Senhor, de modo que não somente cantemos a respeito de poderosos reis, como uma classe, mas também de "Seom, rei dos amorreus, e a Ogue, rei de Basã", como pessoas distintas.

12. *"E deu a sua terra em herança, em herança a Israel, seu povo."* Jeová é o Senhor Supremo, e permite que os homens conservem as suas terras como se fossem inquilinos ou arrendatários, e Ele pode encerrar este relacionamento quando desejar. As nações de Canaã tinham se tornado odiosas por terem praticado maldades abomináveis, e foram condenadas pelo grande Juiz de toda a terra, a serem extirpadas da face da nação que profanaram. As doze tribos foram incumbidas de agir como executoras, e como seu pagamento receberiam a posse de Canaã. Desde antigamente, o Senhor tinha dado esta terra a Abraão e à sua semente, por um concerto de sal, mas permitiu que os amorreus e outras tribos permanecessem nela até que a medida da sua iniquidade estivesse completa, e então ordenou que o

seu povo viesse e tomasse o que era seu das mãos deles. Canaã era a sua herança, porque eles eram a herança do Senhor, e Ele a deu a eles, realmente, porque há muito tempo Ele a tinha dado a eles, por promessa.

Os eleitos do Senhor ainda têm uma herança da qual ninguém pode afastá-los. Bênçãos de concerto de inestimável valor lhes são asseguradas; e, tão certamente como Deus tem um povo, o seu povo terá uma herança. Esta herança lhes vem como uma dádiva, embora eles tenham que lutar por ela. Frequentemente acontecia que, quando eles extinguiam um pecado ou venciam uma dificuldade, se enriqueciam com o espólio: para eles, até o mal contribuía para o bem, e as provações resultavam em triunfos. Nenhum inimigo prevalecerá para poder realmente feri-los, pois eles encontrarão uma herança onde anteriormente foram antagonizados por "todos os reinos de Canaã".

13. *"O teu nome, ó Senhor, permanece perpetuamente."* O nome de Deus é eterno, e jamais mudará. O seu caráter é imutável; a sua fama e honra também permanecem por toda a eternidade. Sempre haverá vida no nome de Jesus, e também doçura e consolação. Aqueles que recebem o nome do Senhor em verdade serão preservados por ele, e protegidos de todo o mal por todo o sempre. Jeová é um nome que sobreviverá aos tempos, e conservará a plenitude da sua glória e poder para sempre.

"E a tua memória, ó Senhor, de geração em geração." Nunca os homens te esquecerão, ó Senhor. As ordenanças da tua casa te conservarão na lembrança dos homens, e o teu eterno Evangelho e a graça que o acompanha serão recordações permanentes de ti. Os corações agradecidos para sempre palpitarão em teu louvor, e as mentes esclarecidas continuarão a se maravilhar com as tuas magníficas obras. As memórias dos homens decaem, mas a memória do Senhor permanece para sempre. Que consolação para as mentes desanimadas, que tremem pela arca do Senhor! Não, ó precioso nome, jamais perecerás! Ó fama do Eterno, jamais diminuirás!

Este versículo deve ser interpretado nesta conexão, e nos ensina que a honra e glória conquistadas pelo Senhor na derrota de poderosos reis jamais se extinguirão. Durante muito tempo Israel colheu o benefício do *prestígio* que as vitórias divinas tinham trazido à nação. Além disto, o Senhor, ao manter o concerto que fez com Abraão, quando prometeu dar a terra à sua semente, estava deixando claro que a sua memória contida nas promessas e no concerto jamais estará fora da sua vista. O seu nome permanece em toda a sua honestidade, pois os que ocuparam a terra de Israel foram expulsos para que os verdadeiros herdeiros pudessem habitar ali em paz.

14. *"Pois o Senhor julgará o seu povo."* Ele exercerá a disciplina pessoal sobre eles, e não permitirá que os seus adversários os maltratem, ao seu bel prazer. Quando a correção for concluída, Ele se levantará e os defenderá dos seus opressores, que durante algum tempo foram usados, por Ele, como sua vara. Ele pode parecer se esquecer do seu povo, mas não é assim, Ele se incumbirá da sua causa, e os libertará. Os juízes de Israel eram também os seus libertadores, e assim também é o Senhor dos exércitos: neste sentido – governando, preservando e libertando os seus escolhidos – o Senhor julgará o seu povo.

"E se arrependerá em atenção aos seus servos." Depois que os feriu, e eles se abateram debaixo dele, Ele se compadeceu deles, como um pai se compadece de seus filhos, pois Ele não aflige de bom grado. O salmo se expressa como os homens: a mais próxima descrição que as palavras podem fornecer dos sentimentos do Senhor com respeito aos seus servos sofredores é a de que Ele se arrepende do mal que lhes infligiu. Ele age como se tivesse mudado de ideia, e se arrependesse de tê-los ferido. Fere o coração de Deus ver os seus amados oprimidos por seus inimigos: embora eles mereçam tudo o que sofrem, e mais punições do que todos, o Senhor não consegue vê-los feridos sem que sofra. É notável que as nações por meio das quais Deus afligiu Israel tenham sido todas destruídas, como se o terno Pai odiasse os instrumentos da punição dos seus filhos. A nação escolhida é aqui chamada, em primeiro lugar, de "seu povo" e depois de "seus servos": como seu

povo, Ele os julga, como seus servos, Ele encontra consolação neles, pois assim a palavra pode ser interpretada. Ele é mais terno com eles quando vê o seu serviço, por isto as Escrituras dizem: "Poupá-los-ei como um homem poupa a seu filho que o serve". Os "servos" de Deus não devem louvá-lo? Ele enviou pragas sobre os servos de Faraó, mas quanto aos seus, Ele tem misericórdia deles, e lhes envia amor, depois que, com o mais verdadeiro afeto, os ferie pelas suas iniquidades. "Louvai-o, servos do Senhor".

Agora chegamos à denúncia que o salmista faz dos ídolos, que muito naturalmente segue a sua celebração do único Deus vivo e verdadeiro.

15 *Os ídolos das nações são prata e ouro, obra das mãos dos homens.*
16 *Têm boca, mas não falam; têm olhos, e não veem;*
17 *têm ouvidos, mas não ouvem, nem há respiro algum na sua boca.*
18 *Semelhantes a eles se tornem os que os fazem, e todos os que confiam neles.*

15. *"Os ídolos das nações são prata e ouro, obra das mãos dos homens."* O seu material essencial é metal morto, os seus atributos são as qualidades de substâncias sem sentidos, e a forma que exibem, eles obtém do talento e do esforço daqueles que os adoram. É o máximo da insanidade adorar objetos metálicos. Embora o ouro e a prata nos sejam úteis, quando os empregamos corretamente, não há nada neles que possa lhes dar o direito de serem reverenciados e adorados. Se não soubéssemos que o lamentável fato é indiscutível, poderia parecer impossível que seres inteligentes se curvassem diante de substâncias que eles mesmos têm que refinar, a partir do minério, e dar-lhe uma forma. Poderíamos pensar que é menos absurdo adorar as próprias mãos do que adorar aquilo que estas mãos produziram. Que grandes obras podem estas falsas divindades realizar pelo homem, quando elas mesmas são obras do homem? Os ídolos são mais adequados para serem usados em brincadeiras, como bonecas com que brincam as crianças, do que adorados por adultos. As mãos são mais bem empregadas para quebrar do que para criar objetos que possam ser dedicados a um uso tão tolo. Mas os pagãos amam mais as suas abomináveis divindades do que o ouro e a prata: seria bom se pudéssemos dizer que alguns dos que professam crer no Senhor têm o mesmo amor por *Ele*.

16. *"Têm boca."* Os ídolos têm bocas, pois os seus criadores os fazem à sua própria semelhança. É feita uma abertura onde a boca deveria estar, mas, no entanto, não é uma boca, pois eles não comem, e *não falam*. Eles não conseguem se comunicar com os seus adoradores; são mudos como a morte. Se não podem sequer falar, são menos dignos da nossa adoração do que os nossos filhos pequenos, que estão em idade escolar. O Senhor fala, e o que Ele fala é feito; mas estas imagens nunca proferem sequer uma palavra. Certamente, se pudessem falar, repreenderiam seus adoradores. O seu silêncio não é uma repreensão ainda mais poderosa? Quando nossos professores filosóficos negam que Deus tenha feito qualquer revelação verbal de Si mesmo, eles também confessam que o seu deus é mudo.

"Têm olhos, e não veem." Quem adoraria um homem cego? Como podem os pagãos ser tão insensatos, a ponto de se prostrar diante de uma imagem cega? Os olhos dos ídolos frequentemente foram muito custosos; diamantes eram usados para este propósito; mas de que vale a despesa, se eles nada veem? Se eles nem mesmo podem nos ver, como podem saber das nossas necessidades, apreciar os nossos sacrifícios, ou enxergar os meios do socorro a nosso favor? Que infelicidade que um homem que vê se prostre diante de uma imagem que é cega! O adorador certamente é mais avançado, fisicamente, do que o seu deus, mas mentalmente eles estão no mesmo nível; pois certamente o seu coração insensato está obscurecido, caso contrário não faria este papel de bobo, agindo de maneira tão absurda.

17. *"Têm ouvidos"*, e muito grandes, se nos lembramos de alguns dos ídolos hindus. *"Mas não ouvem"*. Seus ouvidos são inúteis; na verdade, são meros enganos e falsificações. Os ouvidos feitos pelos homens sempre são surdos; o segredo da

audição está envolvido com o mistério da vida, e ambos estão na mente inescrutável do Senhor. Parece que estes deuses pagãos são mudos, e cegos, e surdos – uma grande quantidade de fraquezas para serem encontradas em uma divindade!

"Nem há respiro algum na sua boca"; eles estão mortos, não se percebe nenhum sinal de vida; e a respiração, que é a essência da vida animal, eles jamais conhecerão. Deve um homem gastar o seu fôlego, clamando a um ídolo que não respira? Deve a vida oferecer súplicas à morte? Na verdade, isto é inverter as coisas.

18. *"Semelhantes a eles se tornem os que os fazem":* eles são tão tolos, tão estúpidos e insensatos quanto os deuses que fizeram; e, como eles, são objetos da abominação divina, e se quebrarão em pedaços, no devido tempo.

"E todos os que confiam neles." Os adoradores de ídolos são tão maus quanto os que fazem os ídolos, pois se não houvesse ninguém a quem adorar, não haveria mercado para esta fabricação degradante. Os idólatras são espiritualmente mortos, são meras imagens de homens, o melhor deles se foi, e eles não são o que parecem. As suas bocas, na realidade, não oram; os seus olhos não veem a verdade; os seus ouvidos não ouvem a voz do Senhor; e a vida de Deus não está neles. Aqueles que creem nas suas próprias invenções religiosas revelam uma grande tolice, e uma completa ausência do Espírito vivificador em sua vida. Os homens piedosos conseguem ver o absurdo que é abandonar o Deus verdadeiro e colocar rivais no seu lugar; mas aqueles que cometem este crime não pensam assim: ao contrário, eles se orgulham da sua grande sabedoria, e se vangloriam de "pensamento progressista" e "cultura moderna". Há outros que creem em uma regeneração que ocorre através do batismo, e que não renova a natureza; assim, estes se tornam um tipo de membros de Cristo e filhos de Deus que não têm nada do Espírito de Cristo, nem os sinais da adoção. Que possamos ser salvos de tal imitação de obra divina, para que não nos tornemos, também, como os ídolos que assediam a nossa vida.

19 *Casa de Israel, bendizei ao Senhor! Casa de Arão, bendizei ao Senhor!*
20 *Casa de Levi, bendizei ao Senhor! Vós, os que temeis ao Senhor, louvai ao Senhor!*
21 *Bendito seja, desde Sião, o Senhor, que habita em Jerusalém. Louvai ao Senhor!*

19. *"Casa de Israel, bendizei ao Senhor."* Todos vós, em todas as vossas tribos, louvai ao único Senhor. Cada tribo, de Rúben a Benjamim, tem o seu próprio motivo especial para bendizer ao Senhor, e a nação como um todo tem razões substanciais para oferecer milhares de ações de graças ao seu precioso e bendito nome. Aqueles a quem Deus chamou de "casa de Israel", uma família de príncipes vitoriosos, devem mostrar a sua lealdade, prostrando-se com muita gratidão diante do seu Senhor soberano.

"Casa de Arão, bendizei ao Senhor!" Eles foram escolhidos para a função de sumo sacerdotes, e tinham permissão de estar muito próximos da presença divina; por isto eles, mais do que todos os outros, eram obrigados a bendizer ao Senhor. Os que são favorecidos para serem líderes na igreja devem ser os primeiros na adoração. Na casa de Deus, a casa de Arão deveria se sentir obrigada a bendizer o seu precioso e bendito nome diante de toda a casa de Israel.

20. *"Casa de Levi, bendizei ao Senhor!"* Estes ajudavam os sacerdotes em outras tarefas, que os ajudem nisto, também. A casa de Israel abrange toda a semente escolhida; a seguir, descemos para o círculo menor, porém mais essencial, da casa de Arão, e agora o ampliamos para toda a tribo de Levi. Que a reverência e a adoração se espalhem, de um homem a outro, até que toda a humanidade esteja nivelada. A casa de Levi tinha razões excelentes para bendizer a Deus: leia a história dos levitas, e verá. Lembre-se de que o grupo dos levitas era separado para o santo serviço, e sustentado pelas tribos conforme a ordem do Senhor; por isto eles eram obrigados, pela honra, acima de todos os demais, a adorar ao Senhor com alegria.

"Vós, os que temeis ao Senhor, louvai ao Senhor!" Eles são os mais excelentes, aqueles que são verdadeiramente espirituais; eles não pertencem ao Senhor apenas

no nome, mas de coração e espírito. O Pai busca pessoas que o adorem. Se tanto Arão como Levi se esquecem e falham, estes não falharão. Pode ser que este versículo pretendesse apresentar homens tementes a Deus que não estavam incluídos nas casas de Israel, Arão, e Levi. Eram prosélitos gentios, e este versículo abre a porta e os convida a entrar. Os que temem a Deus não precisam esperar nenhuma outra qualificação para o serviço sagrado; o temor piedoso prova que estamos no concerto com Israel, no sacerdócio com Arão, e no serviço do Senhor com Levi. O temor filial, como o que os santos sentem pelo Senhor, não impede o seu louvor; na verdade, é a principal fonte desta adoração.

21. *"Bendito seja, desde Sião, o Senhor, que habita em Jerusalém."* Que Ele seja mais louvado em casa. Que Ele seja mais bendito onde mais abençoa. Que o amado monte de Sião, e a cidade escolhida de Jerusalém ecoem os seus louvores. Ele permanece entre o seu povo: Ele é a habitação deles, e eles são a sua habitação; que esta íntima comunhão assegure intensa gratidão por parte dos seus eleitos. O templo de santas solenidades, que é Cristo, e a cidade do grande Rei, que é a igreja, podem ser considerados, apropriadamente, como o quartel general dos louvores do Senhor, o Deus de Israel. *"Louvai ao Senhor"*. Aleluia. Amém, e Amém.

NOTAS EXPLICATIVAS E DECLARAÇÕES SINGULARES

O salmo: Este glorioso salmo de louvor universal, inserido no final dos "Cânticos dos que Sobem", que são concluídos nele, e encontram nele a sua resposta, pode ser assemelhado a um grande e belo lago, em que os rios deságuam e se perdem na sua calma amplidão. – *Chr. Wordsworth*

O salmo: Este salmo é diferente dos anteriores. A sua intenção é não somente despertar os sacerdotes e levitas, como era o caso do anterior, ao seu dever de louvar a Deus, mas também *o povo*: e isto, 1. Porque os argumentos que o autor aqui apresenta para incentivar este dever, diziam respeito tanto aos sacerdotes quanto ao povo; e, 2. Porque esta sentença, que aqui é adicionada, *"nos átrios da Casa do nosso Deus"* pode ser estendida ao povo, além dos sacerdotes, pois havia alguns átrios no templo que eram destinados para que o povo ali adorasse a Deus. – *Arthur Jackson*

O salmo: Este é um cântico de louvor ao Senhor pela sua bondade, como Senhor da criação, em sete versículos; pela sua graça como libertador do seu povo, em sete outros versículos; e pela sua unidade, como o único Deus vivo e verdadeiro, em mais sete versículos. – *James G. Murphy*

O salmo: Este parece ter sido o hino matinal, que os levitas tinham que cantar por ocasião da abertura das portas do Templo; e, como pensam alguns, o salmo anterior era usado quando as portas eram fechadas, à noite. – *John Kitto, "The Pictorial Bible"*

v. 1: Este versículo e o seguinte correspondem com exatidão ao primeiro versículo do último salmo, e agora são repetidos, com o objetivo de acompanhar o louvor que começou ali. – *Robert Bellarmine*

v. 1: "Louvai ao Senhor". *Aleluia* é a palavra hebraica. Ela significa *"Louvai ao Senhor"*. Desta maneira, os fiéis provocam, uns aos outros, a dar graças a Deus, e alegram o seu coração e ajustam o seu espírito para que possam cumprir este dever da melhor maneira, fazendo este prefácio para isto.

A verdadeira alegria do Espírito Santo não suportará ser guardada e presa no peito e no seio de um único homem, mas procurará obter companheiros, para neles se derramar e distribuir, afim de que eles possam ser cheios e revigorados por esta fonte de alegria; como também para que ela seja aumentada e inflamada pela alegria de muitos corações juntos, para que sejam batizados em um só espírito, e desta maneira capacitados para inflamar e edificar, uns aos outros. – *Thomas Brightman (1557-1607), em "The Revelation of St John Illustrated" v. 1:* "Louvai o nome do Senhor". Isto é, o próprio Senhor, e as perfeições da sua natureza: a sua grandeza, bondade, graça e misericórdia; a sua santidade, justiça, poder, verdade e fidelidade. Também a sua palavra, pela qual Ele se dá a conhecer: esta é uma distinta bênção para o seu povo, pela qual Ele deve ser louvado (veja Sl 48.1; e Sl 147.19,20). – *John Gill*

v. 1: "O nome do Senhor". A primeira revelação do nome Eu sou, que significa a eternidade, bem como a imutabilidade divina, foi feita para a consolação dos israelitas oprimidos no Egito (Êx 3.14, 15). O nome, então, foi divulgado, do lugar secreto do Todo-Poderoso, como o único estímulo forte para revigorá-los. Ele não perdeu e nunca perderá a sua virtude em consequência de alguma das desgraças que já ocorreram à igreja, ou ocorrem sucessivamente. Ele é tão durável como o Deus de quem é o nome: Ele ainda é Eu sou e é o mesmo para a igreja que Ele era, então, ao seu Israel. O seu Israel espiritual tem mais direito às glórias do nome do que o Israel carnal pôde ter. Nenhuma opressão pode ser maior do que a deles; o que era uma consolação apropriada àquela aflição tem a mesma adequabilidade a qualquer outra opressão. Não era um nome temporário, mas um nome para sempre, a sua "memória de geração em geração" (v. 13) e se estende até a igreja dos gentios, com quem Ele trata como o Deus do Abraão, retificando o concerto pelo Messias, o concerto que Ele fez com Abraão, o pai dos fiéis. – *Stephen Charnock*

v. 1: "O nome do Senhor". Jeová é chamado *"o nome"* porque é muito superior a todos os outros nomes, e só é peculiar e próprio ao Deus verdadeiro. Outras coisas são, às vezes, chamadas de deuses, mas nada é e nem pode ser chamado de Senhor, excetuando-se apenas o Todo-Poderoso, que é o Criador do mundo. "Para que saibam", diz Davi, "que tu, a quem só pertence o nome de Jeová, és o Altíssimo sobre toda a terra" (Sl 83.18). Do fato de que Ele se chama Jeová, o Senhor, podemos facilmente reunir o tipo de pensamento que Ele deseja que nós, suas criaturas, alimentemos em nossas mentes a seu respeito. Quando pensarmos nele, devemos elevar nossos pensamentos acima de todas as outras coisas, e pensar nele como o Ser Universal do mundo, que dá essência e existência a todas as coisas que nele há: como Jeová, o Ser em quem nós particularmente, bem como outras coisas, vivemos e nos movemos, e existimos: como Jeová, o Senhor supremo, acima de todo o mundo, ao qual todos os anjos e arcanjos do céu, com todos os reis e reinos sobre a terra, estão inteiramente sujeitos: como Jeová, em quem todas as perfeições se unem tão perfeitamente que são apenas uma única e infinita perfeição; como Jeová, o próprio conhecimento, sempre conhecendo realmente todas as coisas que foram, ou são, ou serão, ou podem ser, conhecidas; como Jeová, a própria sabedoria, sempre planejando, ordenando e dispondo todos, e tudo, na melhor ordem, da melhor maneira e para o melhor propósito possível: como Jeová, o próprio poder e onipotência, continuamente fazendo o que Ele deseja, somente por desejar que seja feito, e sempre trabalhando, com ou sem meios, conforme julgar conveniente; como Jeová, a própria luz e glória, brilhando em tudo, e por tudo, e através de tudo o que é feito, em todo o mundo; como Jeová, a própria santidade, pureza, simplicidade, grandeza, majestade, eminência, super-eminência, infinitamente exaltado, acima de todas as outras coisas, que existem em Si mesmo e de Si mesmo, e tendo todas as coisas continuamente subsistindo a partir dele; como Jeová, a própria bondade, fazendo e corrigindo todas as coisas, desta maneira transmitindo a sua bondade a todas as suas criaturas, como a única fonte de toda a bondade que há em cada um deles; como Jeová, a própria justiça e retidão, dando a todos o que lhes é devido, e não exigindo de cada homem mais do que lhe é absolutamente devido; como Jeová, a própria misericórdia, perdoando todos os pecados que a humanidade comete contra Ele, tão logo eles se arrependam e se voltem para Ele: como Jeová, a própria paciência e tolerância, suportando por muito tempo aqueles que continuam em suas rebeliões contra Ele, esperando que eles se deem conta da sua tolice e loucura, para que Ele possa ser gracioso e misericordioso para com eles; como Jeová, o próprio amor, bondade e benignidade, distribuindo gratuitamente as suas bênçãos entre todas as suas criaturas, as boas e as más, justas e injustas, as que o amam e as que não o amam; como Jeová, a própria verdade e fidelidade, sempre cumprindo o que promete ao seu povo; como Jeová, a própria infinidade e imensidão, em todas as coisas, para todas as coisas, além de todas as coisas, em todos os lugares, integralmente, essencialmente, continuamente presente; como Jeová, a própria constância, imutabilidade, eternidade, sem nenhuma mudança ou sombra de variação; ontem, hoje, e sempre, o mesmo. Em uma palavra, quando pensamos no Deus Altíssimo, Pai, Filho e Espírito Santo, devemos pensar nele como Jeová, Unidade em Trindade, Trindade em Unidade, Três Pessoas, Um Ser, Uma Essência, Um Senhor, Um Jeová, bendito para sempre. Este é aquele ser glorioso, aquele ser Todo-Poderoso, a que o salmista aqui se refere quando diz, *"Louvai o nome do Senhor"*. – *William Beveridge, 1636-1708*

v. 1: "Louvai-o, servos do Senhor". Pois não vocês não farão nada errado, louvando ao seu Senhor *como servos*. E ainda que vocês devam ser sempre apenas servos, devem louvar ao Senhor; quanto mais devem louvar o Senhor estes servos que obtiveram o privilégio de filhos? – *Agostinho*

v. 1: "Louvai", "louvai", "louvai". Quando os deveres são assim inculcados, isto indica a necessidade e a excelência destes deveres, mesmo perante a nossa estupidez e hesitação para cumpri-los. – *John Trapp*

vv. 1, 2 e 21: "Louvai". Para evitar qualquer sentimento de cansaço que possa emergir da frequente repetição desta exortação para louvar a Deus, é apenas necessário recordar que não há nenhum sacrifício em que Ele mais se alegre do que na expressão de louvor. Assim, "Oferece a Deus sacrifício de louvor e paga ao Altíssimo os teus votos" (Sl 50.14), e "Que darei eu ao Senhor por todos os benefícios que me tem feito? Tomarei o cálice da salvação e invocarei o nome do Senhor" (Sl 116.12,13). Devemos prestar particular atenção às passagens das Escrituras que falam com tão elevados termos daquela adoração a Deus que é espiritual; caso contrário, podemos ser levados, no exercício de um zelo mal orientado, a desperdiçar nosso esforço em brincadeiras, e neste aspecto imitar o exemplo de muitos que se cansaram com ridículas tentativas para inventar acréscimos para o serviço a Deus, enquanto negligenciavam o que é, entre todas as outras coisas, o mais importante. Esta é a razão pela qual o Espírito Santo tão repetidamente inculca o dever do louvor; para que não venhamos a sub-valorizar este exercício devocional, nem nos descuidemos dele. Isto implica também uma censura indireta à nossa lentidão para cumprirmos o dever; pois ele não repetiria a advertência se nós estivéssemos dispostos e ativos, direcionados ao cumprimento do dever. – *João Calvino*

vv. 1, 2 e 3: Quando *Gotthold* passava, certo dia, pela casa de um comerciante, ouviu as notas de um salmo, com que a família concluía a sua refeição matinal. Ele ficou profundamente afetado, e, de pleno coração, disse a si mesmo: Ó, meu Deus, quão agradável aos meus ouvidos é o som do teu louvor, e quão consolador para a minha alma é o pensamento de que ainda há alguns que te bendizem pela tua bondade. Ai, a maior parte da humanidade se tornou brutalizada, e se assemelha aos porcos, que, na colheita, juntam e engordam com os frutos do carvalho, mas não mostram à árvore que lhes deu estes frutos nenhum agradecimento, além de raspar a sua casca e rasgar a terra ao seu redor. Antigamente, em certos mosteiros a lei era que o cântico de louvor a Deus não conhecesse nenhuma interrupção, e que coros de monges deveriam se revezar em intervalos determinados, na santa tarefa. Para a superstição e confiança nas obras humanas, das quais pode ter havido aqui uma mistura, com razão atribuímos um lugar entre a madeira, o feno e a palha (1 Co 3.12). Ao mesmo tempo, é indiscutivelmente certo que o louvor a Deus não deve nunca cessar; e se os homens se calassem, as próprias pedras clamariam. Nós devemos começar a vida eterna aqui, não somente na nossa consciência, mas também com o nosso louvor. A nossa alma deve ser como uma flor, não apenas recebendo a gentil influência do céu, mas, por sua vez, e como em gratidão, exalando também um doce e agradável perfume. Deve ser nosso desejo, como foi o de um homem piedoso, que os nossos corações se derretam e dissolvam como incenso, no fogo do amor, e exalem a doce fragrância do louvor; ou devemos ser como o santo mártir que se professou disposto a ser consumido, se das suas cinzas uma pequena flor pudesse brotar para a glória de Deus. Nós devemos estar prontos a dar o nosso próprio sangue para fertilizar o jardim da igreja, e a fazer com que ele produza mais do fruto do louvor.

Então, meu Deus, eu te louvarei e exaltarei com coração e boca, até o máximo das minhas forças. Oh, que sem as interrupções que são necessárias para comer, e beber, e dormir, eu pudesse me aplicar a este chamado celestial! Cada golpe de ar que eu inspiro está misturado com a bondade que preserva a minha vida; que cada suspiro que eu exalo seja mesclado, ao menos, com um sincero desejo pela tua honra e louvor.

Aleluia! Vocês, santos anjos, vocês, filhos dos homens, e todas as criaturas, louvem ao Senhor comigo, e que exaltemos juntos o seu nome. – *Christian Scriver [Gotthold], 1629-1693*

v. 3: "Louvai ao Senhor". *Aleluia* (louvor a Jeová!) *pois o Senhor é bom. Façamos música para o seu nome, pois Ele é adorável.* As últimas palavras também podem ser traduzidas *Ele é adorável*, isto é, alguém digno de supremo apego. – *Joseph Addison Alexander*

v. 3: "Louvai ao Senhor; porque o Senhor é bom". Isto é, originalmente transcendentemente, eficazmente; Ele é bom, e faz o bem (Sl 119.68), e, portanto, deve ser louvado com a mente, com os lábios, e na prática. – *John Trapp*

v. 3: "Cantai louvores ao seu nome, porque é agradável". A obra de louvar a Deus tem um tipo de recompensa que a acompanha. Quando louvamos a Deus, nós obtemos benefícios, por fazê-lo; é tão conveniente, em si mesmo, tão agradável a Deus e benéfico à pessoa que oferece louvores, tão apropriado para animar o seu espírito e fortalecer a sua fé em Deus, cujos louvores são os pilares da confiança e da consolação do crente, que o homem deve ser atraído a isto: *"Cantai louvores ao seu nome, porque é agradável"*, e este é o segundo motivo ou razão para louvar a Deus [sendo o primeiro "porque o Senhor é bom"]. – *David Dickson*

v. 4: "Porque o Senhor escolheu", etc. A graça característica de Deus faz com que os seus eleitos elevem a Ele muitos corações humildes, alegres e agradecidos. – *John Trapp*

v. 4: "Jacó... Israel". Louvem ao Senhor, por incluir vocês neste grupo. Para que se apressem nesta obra de louvor, considerem o que vocês eram; vocês não eram um povo, Deus levantou vocês da masmorra para este privilégio; lembrem-se da sua condição passada. Veja, assim como o velho Jacó considerava o que ele tinha sido, quando Deus o preferiu (Gn 32.10): "Com meu cajado passei este Jordão e, agora, me tornei em dois bandos", também você diga, eu sou uma criatura sem valor, foi Deus que me levou à sua graça, louvado seja o Senhor que me escolheu. Então considere quantos são deixados para perecer neste mundo tão amplo. Alguns sobrevivem no seio da igreja sem terem ouvido a pregação que precisavam ouvir a respeito de Cristo, e muitos outros têm apenas uma forma geral e pouco rígida de cristianismo. Oh! Bendito seja Deus, que me escolheu para fazer parte do seu povo peculiar. Está escrito (Zc 13.8): "E acontecerá em toda a terra, diz o Senhor, que as duas partes dela serão extirpadas e expirarão; mas a terceira parte restará nela". Nós passamos por muitas peneiras, antes que viéssemos a ser o povo peculiar de Deus, assim como o trigo é moído, peneirado e examinado antes que chegue à fina farinha. Muitos não têm o conhecimento de Deus, e outros vivem na igreja mas são carnais; e que eu seja um elemento do seu peculiar povo, um membro do corpo místico de Deus, oh! Que privilégio é este! E o que o levou a tudo isto? Nada, exceto a sua própria graça gratuita. Por isto, louvai ao Senhor. – *Thomas Manton*

v. 4: "seu tesouro peculiar". A palavra hebraica *segullah* significa as joias especiais de Deus, as joias próprias ou secretas de Deus, as que Ele guarda para Si mesmo, e para o seu serviço e uso especial. Os príncipes trancam com suas próprias mãos, em segredo, as suas joias mais preciosas e caras; e Deus também faz isto, com as suas; *"Porque o Senhor escolheu para si a Jacó e a Israel, para seu tesouro peculiar"* ou para seu proveito particular. – *Thomas Brooks*

v. 4: "seu tesouro peculiar". Um homem que não é imperfeito na sua prudência protegerá as suas joias? "E eles serão meus, diz o Senhor dos Exércitos, naquele dia que farei, serão para mim particular tesouro; poupá-los-ei como um homem poupa a seu filho que o serve" (Ml 3.17). Se uma casa está em chamas, o seu proprietário primeiramente cuidará de sua esposa e de seus filhos, depois de suas joias e, por último, de suas coisas menos valiosas. Cristo protege, primeiramente, o seu povo, pois eles são as suas joias; o mundo é apenas um amontoado de coisas inúteis. – *Richard Mayhem*

v. 5: "Porque eu conheço". A palavra *"eu"* é enfatizada no original. Qualquer que seja o caso dos outros, eu tive experiências pessoais e preciosas da grandeza do poder do Senhor, e da sua infinita supremacia, acima de todos os outros deuses. O autor do salmo pode falar em nome de todo Israel como uma unidade, ou pode ter organizado o seu cântico de modo que cada adorador possa dizê-lo por si mesmo, como seu próprio testemunho. – *Henry Cowles*

v. 5: "Porque eu conheço que o Senhor é grande", etc. Quão firme é a fundação sobre a qual o salmista apoia seu pé – *"Eu conheço"*. Nós apreciamos ouvir os homens de Deus falando com esta confiança calma, indubitável e garantida, quer seja sobre a bondade do Senhor ou sobre a grandeza do Senhor. Você poderá, talvez, dizer, que não era necessária uma grande extensão de fé ou conhecimento, ou qualquer quantidade de coragem, para declarar que Deus era grande e excelente; mas eu penso que não foram muitos sábios ou poderosos que, nos dias do salmista, chegaram a este conhecimento ou fizeram esta confissão, de que Jeová, o Deus de Israel, estava *"acima de todos os deuses"*. Baal, Quemos, Milcom e Dagom mostraram a feiura das nações à sua volta; e Davi, na corte de Aquis, teria julgado a sua declaração como palavras que não eram bem vindas, como também a teria rejeitado por ser falsa. Certa vez, Moisés levou uma mensagem do Senhor para o rei do Egito, e a resposta deste foi: "Quem é o Senhor, cuja voz eu ouvirei? Não conheço o Senhor". Um outro fato a observar é que nem todos aqueles que eram do povo de Israel, faziam parte do tesouro peculiar do Senhor.

Há um conhecimento que não atinge o âmago, como um relâmpago sobre o cume de um monte, e que não deixa um rastro atrás de si; mas há um conhecimento que, como a corrente fertilizadora, penetra nos recessos do coração e resulta em todos os frutos da santidade, do amor, da paz, e da alegria, para sempre. – *Barton Bouchier*

v. 6: "Tudo o que o Senhor quis, ele o fez", etc. Ele não foi forçado a fazer tudo o que fez, mas *tudo o que Ele quis, Ele o fez.* A sua vontade foi a causa de todas as coisas que Ele fez. Você faz uma casa, porque se não a fizesse, não teria uma habitação; a necessidade, e não a vontade livre e espontânea lhe obriga a fazer uma casa. Você faz uma veste, porque andaria por aí nu, se não a fizesse; portanto, você é levado a fazer uma veste pela necessidade, e não por livre e espontânea vontade. Você planta um monte com vinhas, você semeia, porque se não o fizer, não terá alimento; todas estas coisas, você faz por necessidade. Deus fez todas as coisas pela sua bondade. Ele não precisava de nada do que criou; e, por isto, Ele fez tudo o que quis.

Ele fez tudo o que quis, no céu e na terra; você faz tudo o que quer, no seu próprio campo? Você deseja muitas coisas, mas não consegue fazer tudo o que quer na sua própria casa. A sua esposa, talvez, se oponha a você, os seus filhos contrariam você, às vezes até mesmo o seu servo, de maneira contumaz, contraria você, e você não faz tudo o que deseja. Mas você diz, Eu faço o que quero, porque puno quem me desobedece e contraria. Porém nem mesmo isto, você faz quando quer. – *Agostinho v. 6:* "Tudo o que o Senhor quis, ele o fez", etc. A vontade de Deus obtém e tem a supremacia em todas as partes. Abaixo o homem, abaixo o papa, abaixo o diabo; vocês devem se render; as coisas não serão como vocês desejam, mas como Deus deseja! Nós bem podemos dizer: "Quem resiste à sua vontade?" (Rm 9.19). Muitos, na verdade, desobedecem, e pecam contra a sua vontade, que está expressa no seu preceito; mas ninguém jamais frustrou ou obstruiu, nem frustrará ou obstruirá a sua vontade ou os seus propósitos; pois Ele fará o que quiser, e os montes que estiverem no seu caminho se tornarão uma planície. – *William Slater (-1704), em "The Morning Exercises"*

v. 6: Segundo o plano de Armínio (se é que o absurdo pode merecer o nome de plano), a gloriosa obra da salvação de Deus e a eterna redenção de Jesus Cristo não estão completas, a menos que um mortal moribundo empreste o seu braço, isto é, a menos que ele, que por si só nada pode fazer, concorde em começar e realizar aquilo que todos os anjos do céu não podem fazer, isto é, converter a alma de Satanás para Deus. Quão contrário tudo isto é para a linguagem das Escrituras – quão repugnante para os oráculos da verdade! "Tudo o que o Senhor quis, ele o fez, nos céus e na terra". – *Ambrose Serle (-1815), em "Horae Solitariae"*

v. 6: "Nos céus e na terra", etc. O seu poder é infinito. Ele pode fazer o que desejar, em todos os lugares; todos os lugares são aqui mencionados, exceto o purgatório; talvez Ele não possa fazer nada ali, mas deixe todo este trabalho para o Papa. – *Thomas Adams*

v. 6: "Nos mares, e em todos os abismos". Ele fez maravilhas nas águas poderosas: por mais de uma vez Ele converteu o mar turbulento em calmaria, e andou sobre a sua superfície. No passado, Ele liberou as águas das fontes mais profundas, e afogou o mundo; e em outra ocasião secou o mar, e conduziu o seu povo através das profundezas como se fossem um deserto. Assim também, no futuro, Ele prenderá a velha serpente, o diabo, e o lançará no abismo, na grande profundeza, no abismo sem fundo, onde permanecerá durante os mil anos do reinado que Cristo terá com os seus santos. – *John Gill*

v. 6: A palavra *"quis"* limita a observação geral ou a partícula *"tudo"* a todas as obras que são boas em si mesmas, ou servem para bom uso, e por isto são agradáveis ao Senhor por causa do uso. O salmista não diz que o Senhor faz todas as coisas que são feitas, mas todas as coisas que Ele quer, isto é, Ele não faz os homens pecadores e ímpios, nem opera a rebelião nos homens, pois estas coisas são desagradáveis a Ele; mas Ele faz o que é agradável, isto é, todas as coisas que são agradáveis à sua natureza. E o que estiver de acordo com a sua vontade e o seu prazer, isto Ele faz, pois ninguém pode impedi-lo. Este é o verdadeiro significado das palavras. – *George Walker, God made visible in his Works", 1641*

v. 6: "Tudo o que o Senhor quis, ele o fez", etc. Com referência ao governo da Providência, sobre Deus está escrito que, "segundo a sua vontade, ele opera com o exército do céu e os moradores da terra". Até mesmo a matéria insensível está sob o seu controle. O fogo e o granizo, a neve e o vapor, e o vento tempestuoso, obedecem à sua palavra; e com referência a agentes inteligentes, lemos que Ele faz com que o mais rebelde, até mesmo a ira do homem, o louve, e reprime o remanescente da ira. Toda a Bíblia exibe o Senhor ordenando os assuntos dos indivíduos e das nações, de modo a assegurar o grande propósito que Ele tinha em vista, quando criou o mundo – ou seja, a promoção da sua própria glória, na salvação de uma multidão que os homens não conseguem contar, de todos os povos, multidões, nações, e línguas. Uma das mais proeminentes distinções entre a revelação divina e a história comum é o fato de que, quando os mesmos eventos gerais são narrados, esta última exibe – (é sua atribuição fazer isto – ela não é capaz, na verdade, de fazer mais do que isto) a ação do homem, e a primeira, a ação de Deus. A história profana exibe os instrumentos pelos quais o Senhor Jeová opera; o dedo da revelação divina aponta para a mão invisível, mas poderosa, que empunha e guia o instrumento, fazendo com que até mesmo Herodes e Pôncio Pilatos, juntamente com os judeus e o povo de Israel, façam o que a mão e o conselho de Deus determinaram anteriormente que fosse feito. – *George Payne, "Lectures on Christian Theology", 1850*

v. 7: "Faz subir os vapores", etc. O Dr. Halley fez vários experimentos em Sta. Helena, quanto à quantidade de água que evapora diariamente do mar, e descobriu que dez polegadas quadradas da superfície do oceano produziam uma polegada cúbica de água em doze horas – uma milha quadrada, portanto, produz 401.448.960 polegadas cúbicas, ou seja, 6.914 toneladas de água. Da superfície do Mar Mediterrâneo, durante um dia de verão, subiriam, em vapor invisível, cinco bilhões de toneladas de água. Sendo esta quantidade relativa a um único dia, a quantidade evaporada em um ano seria 365 vezes maior, e em dois mil anos somaria quatro trilhões de toneladas, uma evaporação que, com o tempo, esvaziaria o mar Mediterrâneo, mas nós temos boas razões para crer que há tanta água ali agora como havia no tempo dos romanos, de maneira que o equilíbrio é mantido pelas chuvas, pela afluência dos rios, e pelas correntes do Atlântico.

Vamos considerar agora a quantidade de energia necessária para toda esta evaporação. O Sr. Joule, cujos experimentos deram ao mundo informações altamente valiosas, diz que, se tivéssemos um tanque de água de uma milha quadrada de superfície e seis polegadas de profundidade, a evaporar por calor artificial, seria necessária a combustão de 30 mil toneladas de carvão para realizar esta tarefa; por isto, para evaporar toda a água que sobe da terra seriam necessárias seis bilhões de toneladas, ou mais do que todo o carvão que pudesse ser queimado em meia dúzia de mundos como este; no entanto, silenciosamente e certamente, o processo de evaporação vem acontecendo continuamente por milhões de anos. – *Samuel Kinns, na obra "Moses and Geology", 1882*

v. 7: "Faz subir os vapores", etc. Não é fisicamente necessário que o ponto de ebulição da água ocorra a 212 graus da escala Fahrenheit, ou 100 graus da escala Celsius. Até onde sabemos, poderia ter sido a mesma coisa com os pontos de ebulição do óleo de terebintina, o álcool ou o éter. Nós podemos ver a benevolência do ajuste atual, observando algumas das consequências que se seguirão, se houver alguma modificação.

A quantidade de vapor dissipada, em temperaturas normais, por algum líquido, depende da temperatura em que este líquido ferve. Se o ponto da ebulição da água fosse o mesmo que o do álcool, o vapor dissipado do oceano seria duas vezes e meia maior do que é. Este excesso de vapor aquoso produziria chuvas e inundações contínuas, e tornaria o ar úmido demais para a vida animal, e nublado demais para a vegetal. Se a água fervesse à mesma temperatura que o éter, o vapor que sobe do oceano seria mais de vinte e cinco vezes superior ao que é. Nesta situação, nenhum homem conseguiria ver o sol, por causa da quantidade de nuvens; a chuva seria tão excessiva que rasgaria o solo e arrastaria as plantas; haveria constantes inundações, e a navegação em água doce seria impossível nas correntezas que tomariam o lugar dos nossos rios. No inverno, a neve de um dia enterraria as casas. Se, por outro lado, a água fervesse à mesma temperatura que o óleo de terebintina, o vapor dissipado pelo oceano seria menos de uma quarta parte da quantidade atual. Neste caso, a chuva seria uma raridade, como um eclipse do sol, a aridez do deserto do Saara seria igualada em uma grande parte do globo, que, portanto, seria despida da vegetação, e incapaz de sustentar a vida animal. As plantas seriam queimadas pelo sol sem nuvens, fontes e regatos secariam, e a navegação em água doce cessaria; pois praticamente toda a chuva seria absorvida pela terra porosa.

Vemos, então, que o ponto da ebulição da água foi ajustado a vários fatores. Ele é ajustado à capacidade do espaço de conter vapor aquoso em um estado transparente; se o ponto de ebulição fosse superior a 100, a terra seria queimada por um sol sem nuvens; se fosse inferior, ela mergulharia em sombras contínuas. Ele é adequado às necessidades que as plantas têm de água; se fosse superior, elas sofreriam pela seca; se fosse inferior, elas seriam despedaçadas pelas enchentes. Ele está em harmonia com a textura do solo; se fosse superior, a terra absorveria toda a chuva que cai; se fosse inferior, a terra seria frequentemente arrastada pelas correntezas da superfície, depois de uma chuva. Ele é adaptado à elevação dos continentes, acima do nível do mar; se fosse superior, os rios, com a sua presente inclinação, seriam tão rasos, a ponto de estar frequentemente secos; se fosse inferior, muito rios seriam tão profundos que se tornariam correntes, ao passo que a terra seria coberta com enchentes. – *Professor Hemholtz*

v. 7: "Subir... das extremidades da terra". As chuvas na Inglaterra frequentemente são introduzidas por um vento sudeste. "O vapor que nos é trazido por este vento deve ter sido gerado em países ao sul e leste da nossa ilha. É, portanto, nos extensos vales irrigados pelo Meuse, o Moselle e o Reno, se não do mais distante Elbe, com o Oder e o Weser, que a água sobe, com o brilho do sol, que logo depois forma as *nossas* nuvens e derrama *nossas* tempestades". "A seca e o brilho do sol, em uma parte da Europa podem ser necessários para a produção de uma estação molhada em outra".* – *William Whewell* (1195-1866), *em "The Bridgwater Treatise" [Astronomy and General Physics], 1839*

v. 7: "Faz subir os vapores das extremidades da terra". Toda a descrição é elegantemente exata e pitoresca. Não "os confins", nem mesmo "os cumes" ou "montes extremos", pois o original está na forma singular (קָצֵה), mas de toda a *camada extrema*, as *extremidades* ou *a superfície* da terra; de cada ponto da terra, o grande processo de exalação continua, perpetuamente, para suprir o firmamento com nuvens revigorantes e frutíferas. – *John Mason Good*

v. 7: "Faz os relâmpagos para a chuva". Quando as nuvens elétricas estão muito agitadas, em geral a chuva cai pesadamente, e se a agitação é excessiva, o resultado é granizo. Quando a eletricidade é dissipada pelas frequentes descargas, a nuvem condensa e gera uma chuva repentina e pesada; mas quanto maior o acúmulo de eletricidade, por mais tempo a chuva é retardada. Ainda que os fenômenos elétricos da atmosfera estejam conectados com as nuvens, com o vapor e com a chuva, quão forçosamente somos impressionados por estas palavras apropriadas das Escrituras. – *Edwin Sidney, Conversations on the Bible and Science", 1866*

v. 7: "Faz os relâmpagos para a chuva". O Dr. Russell, na sua descrição do clima em Aleppo, em setembro, nos diz que raramente passa uma noite sem muitos *relâmpagos* na área noroeste, mas eles não são acompanhados de *trovões*; e que quando estes *relâmpagos* ocorrem nos pontos oeste ou sudoeste, é um *sinal garantido* da chuva próxima, que é *frequentemente seguida* de trovões. A última sentença, que não está perfeitamente clara, é, posteriormente, explicada no seu relato mais detalhado sobre o clima do ano 1746, quando ele nos diz que, embora tivesse começado a estar nublado em 4 de setembro, e assim continuasse durante alguns dias, e *mesmo com trovões*, ainda assim nenhuma chuva caiu até o dia 11, o que mostra que o que ele queria dizer era, que os *relâmpagos* nos pontos oeste ou sudoeste, que são frequentemente seguidos de trovões, são um sinal garantido da aproximação de chuva. Eu mencionei anteriormente que uma ventania forte e que nuvens de poeira são os precursores das primeiras chuvas. Muitas destas coisas são observadas em Sl 135.7; Jr 10.13 e 51.16; que servem para exemplificá-las. O relato de Russell determina, creio eu, que o Nesiim, que os nossos tradutores traduzem como *vapores* deve significar, como é traduzido em outras passagens, *nuvens*. Isto mostra que Deus *"faz os relâmpagos para a chuva"* nos pontos oeste e sudoeste, sendo em Aleppo os *prognósticos* garantidos da chuva. As fortes ventanias trazem as chuvas refrescantes, e são, portanto, "coisas preciosas" dos "tesouros" de Deus. – *Thomas Harmer*

v. 7: "Faz os relâmpagos para a chuva". O salmista menciona o fato de que *os relâmpagos se misturem com a chuva* (coisas bastante opostas entre si pela sua

*Howard, comentando o clima de Londres.

natureza), como uma circunstância adicional que exige o nosso assombro. Se o costume não nos tivesse familiarizado com o espetáculo, nós consideraríamos esta mistura de fogo e água como um fenômeno completamente inacreditável. A mesma coisa pode ser dita sobre o fenômeno dos ventos. Causas naturais lhes podem ser atribuídas, e os filósofos as destacaram, mas os ventos, com suas várias correntes, são uma obra maravilhosa de Deus. Ele não apenas declara o poder de Deus, devemos observar, no sentido em que os próprios filósofos o concedem, mas sustenta que nem uma gota de chuva cai do céu sem uma comissão ou dispensação divina com este objetivo. Todos admitem prontamente que Deus é o autor da chuva, do trovão e do vento, na medida em que Ele estabeleceu, originalmente, a ordem das coisas na natureza; mas o salmista vai mais longe, sustentando que, quando chove, não é por um instinto cego da natureza, mas é a consequência do decreto de Deus, que se alegra, em um momento, em escurecer o céu com nuvens, e em outro, em limpá-lo novamente com o brilho do sol. – *João Calvino*

v. 7: "Faz os relâmpagos para a chuva". É um grande exemplo da sabedoria e da bondade divinas, que o relâmpago seja acompanhado pela chuva, para amortecer a sua fúria, e evitar os seus malévolos efeitos. Assim, no meio do juízo, Deus se lembra da misericórdia. As ameaças na sua palavra contra os pecadores são como relâmpagos; eles nos queimariam, não fosse pela sua promessa, feita na mesma palavra aos penitentes que, como uma chuva piedosa, desvia a sua fúria, aliviando e consolando os nossos assustados espíritos. – *George Horne*

v. 7: "Tira os ventos dos seus tesouros". Isto é, dizem alguns, das cavernas e lugares ocos da terra; mas eu prefiro imaginar que como o vento surge muitas vezes de repente, e como disse o nosso Salvador (Jo 3.8), "não sabes donde vem", por isto aqui está escrito que Deus o traz, como se Ele o tivesse guardado, em prontidão, em algum tesouro ou armazém secreto e escondido. – *Arthur Jackson*

v. 7: "Tira os ventos". Os ventos têm grande beleza, e são representados como acumulados por Ele, em uma tesouraria. Na verdade, poucos versículos expressam melhor o controle criativo do que aqueles em que os ventos, que se divertem com os esforços do homem e desafiam o seu poder, são representados como prontos para irromper ao mandamento de Deus dos lugares onde dormem tranquilamente. A ocasião surge, os pensamentos do Senhor encontram expressão na sua providência, e os seus servos prontos saltam subitamente à frente: *"Tira os ventos dos seus tesouros"*. Mas não apenas com propósitos físicos; também para grandes objetivos morais e espirituais. Veja um exemplo, entre muitos. O seu povo estava à beira da mais profunda e ignorante idolatria. Eles estavam prestes a cair em uma forma extremamente degradada de adoração a ídolos, quando Ele lhes ofereceu o coração sempre saudoso do amor paterno: "Assim diz o Senhor: Não aprendais o caminho das nações". O Deus deles é apenas "madeiro cortado do bosque", coberto de prata ou de ouro; "como a palmeira, obra torneada, mas não pode falar... ensino de vaidades é o madeiro... Mas o Senhor Deus é a verdade... faz os relâmpagos para a chuva; tira os ventos dos seus tesouros" (Jr 10.2-16). Assim, também, as palavras de Agur a Itiel e Ucal: "Encerrou os ventos nos seus punhos" (Pv 30.4). – *John Duns, Science and Christian Thought" 1868*

v. 8: "Foi ele que feriu os primogênitos do Egito". Somente os primogênitos foram feridos; eles foram identificados, em cada família, com precisão inequívoca, mas as casas dos israelitas, onde o sangue do cordeiro foi espargido sobre as vergas, foram poupadas. A morte de todos estes milhares, tanto primogênitos de animais como de homens, ocorreu no mesmo instante – "à meia-noite".

É Deus injusto, então, ao se vingar? Não; este é um ato de punição merecida. Os egípcios tinham matado os filhos dos israelitas, lançando suas crianças ao rio. Agora a aflição se voltava contra eles; o prazer dos seus olhos é tirado deles; todos os seus primogênitos foram mortos, desde o primogênito de Faraó que se assentava sobre o seu trono, até o primogênito do cativo que estava na masmorra. – *Thomas S. Millington, Signs and Wonders in the Land of Ham" 1873*

v. 8: "Animais". Os egípcios adoravam muitos animais; e quando os primogênitos dos animais sagrados morreram, a circunstância tornou a praga ainda mais impressionante, como um ataque aos deuses do Egito. – *C. H. S. Sugerido por Otto Von Gerlach*

vv. 8 a 12: Digno é o Senhor de ser louvado, pois Ele é o Redentor que tirou o seu povo do Egito. Ele é digno de ser louvado, pois é o Conquistador da Terra da Promessa. –*Franz Delitzsch*

v. 9: "Que operou sinais e prodígios". *"Sinais"*, isto é, pistas ou evidências do poder Divino. *"Maravilhas"*, coisas apropriadas para impressionar e assombrar a mente; coisas fora do curso normal dos eventos; coisas não produzidas por leis naturais, mas pelo poder direto de Deus. A referência aqui é, naturalmente, às pragas do Egito, registradas no livro do Êxodo. – *Albert Barnes*

v. 10: "Que feriu muitas nações", etc. É melhor que os ímpios sejam destruídos cem vezes e não tentem aqueles que são inocentes para aderir à sua companhia. Devemos apenas pensar qual poderia ter sido o nosso destino, e o destino de todas as outras nações sob o céu, se a espada dos israelitas tivesse realizado o seu trabalho com mais parcimônia; desta maneira, as pequenas porções dos cananeus que sobraram, e as nações ao seu redor, tentaram tanto os israelitas com suas práticas idólatras que nós lemos continuamente sobre todo o povo de Deus se afastando do seu serviço. Mas se os pagãos viviam na terra em igual quantidade e, além disto, se muitos deles tinham se casado com israelitas, como era possível, humanamente falando, que alguma fagulha da luz da verdade de Deus tivesse sobrevivido para a vinda de Cristo? Os israelitas não teriam perdido todo o seu caráter peculiar? E se tivessem conservado o nome do Senhor como seu Deus, não teriam formado noções indignas dos seus atributos, e não o teriam adorado com uma adoração tão abominável como a que os moabitas dedicavam a Quemos, ou os filisteus a Dagom?

Mas não era para ser assim, e por isto as nações de Canaã deviam ser extirpadas completamente. As espadas dos israelitas, nas suas mais sangrentas execuções, realizavam uma obra de misericórdia por todas as nações da terra, até o fim do mundo. Parecem ter muito pouca importância para nós agora, estas disputas perpétuas com os cananeus, e os midianitas, e os filisteus, de que os livros de Josué e dos Juízes e Samuel estão praticamente cheios. Nós quase podemos imaginar que Deus tivesse interferido nestas disputas, ou alterado o curso da natureza, para dar a uma das nações da Palestina a vitória sobre outra. Mas nestas disputas, a felicidade da raça humana dependia do destino de uma destas nações da Palestina. Os israelitas não lutaram por si mesmos, apenas, mas por nós. Poderia ser que eles fossem considerados inimigos de toda a humanidade, poderia ser que fossem tentados, pela sua própria distinção, a desprezar outras nações, mas ainda assim fizeram a obra de Deus – preservaram incólume a semente da vida eterna, e foram os ministros da bênção a todas as outras nações, embora eles mesmos não tenham conseguido desfrutá-la. – *Thomas Arnold, 1795-1842*

v. 10: "Que feriu muitas nações", etc. Não devemos temer quaisquer inimigos que se ergam contra nós e conspirem para impedir a paz da igreja, e interromper a passagem do Evangelho; quando Deus começa a tomar na sua própria mão a causa do seu povo, e fere algum dos seus inimigos no queixo, os demais são reservados para destruição semelhante. Pois por que Deus pune os seus adversários e inicia o juízo deles? Por que Ele os visita e os golpeia com a sua mão direita? É apenas para se vingar e mostrar a sua justiça na confusão deles? Não, isto serve para a consolação dos seus servos, para que saibam que por mais que Deus seja paciente, no final os inimigos não escaparão. – *William Attersoll, 1618*

v. 11: "Seom, rei dos amorreus, e a Ogue". Dois reis são destacados, Seom e Ogue, não por serem mais poderosos do que os demais, mas porque fechando a entrada à terra eles foram os mais formidáveis inimigos encontrados, e o povo, além disto, não estava habituado à guerra. – *João Calvino*

v. 11: "Seom, rei dos amorreus". Quando Israel chegou à fronteira da Terra prometida, encontrou Seom (Nm 21.21.) Evidentemente, ele era um homem muito corajoso e audaz. Pouco antes da chegada de Israel, ele tinha expulsado os moabitas de um esplêndido território, levando-os para o sul do limite natural das forças de Arnom com grandes matanças e a perda de inúmeros cativos (Nm 21.26-29). Quando o exército israelita aparece, ele não hesita nem contemporiza, como Balaque, mas imediatamente reúne o seu povo e os ataca. Mas esta batalha foi a sua última. Ele e todo o seu exército foram destruídos, e as suas terras, desde o Arnom até o Jaboque, se tornaram imediatamente possessão do conquistador.

Josefo (Ant. iv. 5, § 2) preservou alguns detalhes singulares da batalha, que não sobreviveram no texto da versão dos Hebreus nem da LXX. Ele descreve o exército amorreu como contendo todos os homens da nação que pudessem carregar armas. Ele afirma que eles foram incapazes de lutar quando afastados do refúgio das suas cidades, e particularmente atormentados pelas fundas e flechas dos hebreus, e, por fim, sofrendo gravemente pela sede, correram até a corrente e os recessos da ravina do Arnom. Nestes recessos foram perseguidos pelo seu inimigo ativo, e mortos em grande número.

Quer aceitemos ou não estes detalhes, está claro, pela maneira como o nome de Seom se fixa na mente nacional, e o espaço que a sua imagem ocupa nos registros oficiais, e na poesia posterior de Israel, que ele foi um capitão verdadeiramente formidável. – *George Grove, em Smith's Dictionary of the Bible, 1863*

v. 11: Seom, embora conquistador de Moabe, e muito mais formidável do que os cananeus que Israel tinha temido em Cades, caiu facilmente, porque Israel lutou com fé. Não há adversário que possa realmente oferecer uma oposição eficaz ao progresso da nossa marcha, se atacado, pela força de Cristo, com uma alegre coragem.

Ogue, rei de Basã era ainda mais formidável do que *Seom*, mas parece ter caído ainda mais facilmente, a julgar pela breve notícia da conquista. Assim, depois de termos superado uma dificuldade ou vencido um mau hábito pela força da fé, outras conquistas se abrem diante de nós, de forma tão pronta e natural, que não teríamos ousado contemplar antes. É verdade, na religião, que "nada é tão bem sucedido como o sucesso". – *R. Winterbotham, The Pulpit Commentary", 1881*

v. 11: "Ogue, rei de Basã". A tarefa não era fácil, pois Edrei –*"a forte"* – capital de Ogue, era, em circunstâncias normais, praticamente inexpugnável, uma vez que tinha sido, estranhamente, edificada sobre uma depressão escavada artificialmente no topo de um monte, que a profunda garganta do Hieromax isola da região. As suas ruas ainda podem ser vistas, correndo em todas as direções, debaixo da atual cidade de Adraha. Mas Quenate, no distrito chamado Argobe – *"pedregoso"* – era ainda mais forte, pois foi edificada nas fendas de uma grande ilha de lava que se dividiu, ao esfriar, em incontáveis fissuras, por cujo labirinto nenhum inimigo poderia penetrar com segurança. Aí havia suas ruas e casas, algumas das quais, posteriores, com portas de pedra que giram em dobradiças de pedra, permanecem até a atualidade... Mas estas não eram as únicas fortalezas. Nada menos do que sessenta cidades "fortificadas com altos muros, portas e ferrolhos" (Dt 3.5) tiveram que ser tomadas; mas todas caíram, mais cedo ou mais tarde, diante dos vigorosos ataques dos invasores, e, muito tempo depois, ali foi visto, na capital de seus aliados, os amonitas, um dos troféus da campanha – o gigantesco estrado de cama, feito de ferro, do rei Ogue, ou, como pensam alguns, o enorme sarcófago que ele tinha preparado para si mesmo, como era o costume dos reis cananeus. – *Cunningham Geikie, Hours with the Bible", 1881*

v. 12: "A sua terra em herança". A terra lhes foi dada, para ser transmitida, de pai para filho, por direito hereditário e sucessão. – *Joseph Addison Alexander v. 13:* "O teu nome, ó Senhor, permanece perpetuamente", etc. A imutabilidade é uma glória que pertence a todos os atributos de Deus. Não é uma perfeição isolada da natureza divina, nem se limita a objetivos particulares, dispostos desta ou daquela maneira. A misericórdia e a justiça têm seus objetivos distintos e seus atos distintos: a misericórdia trata de um penitente, a justiça, de um pecador obstinado. As perfeições de Deus são diferentes das concepções que temos delas. A sabedoria de Deus não é o seu poder, nem o seu poder é a sua santidade; mas a imutabilidade é o centro onde todos os seus atributos se unem. Toda e qualquer perfeição, que seja considerada, é de fato imutável; nenhuma delas parecerá tão gloriosa perto deste raio de luz, o sol da imutabilidade, que as torna altamente excelentes, sem a menor sombra de imperfeição. Quão opaca seria a sua bem-aventurança, se fosse mutável; quão obscura a sua sabedoria, se pudesse ser obscurecida; quão débil o seu poder, se pudesse se tornar doentio e melancólico; quanto brilho a misericórdia perderia, se pudesse se converter em ira, e quanto terror perderia a justiça, se pudesse se converter em misericórdia? O que dizer se o objeto da justiça permanecer inadequado para a misericórdia, e se quem precisa da misericórdia só continuar adequado para sofrer a fúria divina? Mas a imutabilidade é o fio que percorre toda a teia; ele é o esmalte de todo o resto; nenhum deles, sem ele, poderia ter um aspecto triunfante. – *Stephen Charnock*

v. 13: "O teu nome, ó Senhor, permanece perpetuamente". Deus é, e sempre será, o mesmo para a sua igreja, um Deus piedoso, fiel, e que opera maravilhas; e a sua igreja é, e sempre será, a mesma para Ele, um povo agradecido e que o louva; e assim o seu nome *permanece para sempre*. – *Matthew Henry*

v. 13: "A tua memória, ó Senhor, de geração em geração", ou a recordação deles, de geração em geração; em todas as eras. O amor de Cristo é lembrado pelo seu povo em todas as eras, à medida que desfrutam as bênçãos da sua graça na redenção, justificação, perdão, etc. Ele não poderá ser esquecido enquanto o Evangelho for pregado, as ordenanças do Batismo e da Ceia do Senhor administradas, e o Senhor tiver um povo no mundo; tudo isto permanecerá enquanto houver sol e lua, e, portanto, permanecerá sempre como uma lembrança dele. – *John Gill*

v. 14: "Pois o Senhor julgará o seu povo", etc. É verdade que toda a providência é para o bem da igreja? Isto é uma consolação, na condição inferior da igreja, em todas as ocasiões. Os olhos de Deus estão sobre o seu povo, mesmo quando Ele parece tê-los esquecido. Se Ele parece ter se afastado, isto acontece apenas em alguma parte da terra, para mostrar-se forte para eles; onde os seus olhos estiverem fixos, em qualquer parte do mundo, a sua igreja tem fixo o seu coração, e o alívio da sua igreja é o seu objetivo. Embora a igreja possa, muitas vezes, estar em meio a um ambiente sujo e hostil, haverá um momento de ressurreição, quando Deus a restaurará à sua verdadeira glória, e a tornará tão branca como uma pomba com as suas asas cobertas de prata (Sl 68.13). O sol não está sempre obscurecido por uma nuvem espessa, mas estará livre da sua escuridão. *"Deus julgará o seu povo e se arrependerá em atenção aos seus servos"* [sendo o original, *Se consolará*]. Para Deus, é um consolo libertar o seu povo, e Ele fará isto no momento mais adequado à sua glória, e confortável para o coração do seu povo. – *Stephen Charnock*

v. 14: "E se arrependerá". A expressão original, *"e se arrependerá"* tem aqui um significado muito abrangente, que não pode ser expresso por nenhuma tradução ao idioma inglês. Ela envolve ter compaixão deles, com a intenção de que sejam consolados no futuro e que se vinguem dos seus opressores. Estes são os vários significados em que a palavra é usada. A linguagem não consegue expressar a mente de Deus com relação ao seu povo fiel. Que pensamentos preciosos os seus conselhos e a consideração de todos os seus caminhos devem ser para nós! Esta reflexão era continuamente incentivada e exigida da nação de Israel, pois eram extremamente propensos a se desviarem, naufragando na idolatria. – *W. Wilson v. 15:* "Os ídolos das nações". Os santuários nos topos dos montes eram muito rudes, áreas fechadas, formadas por muros ásperos de pedra, que continham deuses maltrapilhos – pedaços de madeira, maltratados pelo clima, blocos de pedras gastas e montes de ferro oxidado. Os deuses esculpidos em madeira estavam em pior situação, pelo clima, de modo que os seus traços, se é que tinham algum, estavam completamente desfigurados. Um deles, que não era constituído de uma única peça, como os demais, mas montado através de um trabalho de carpintaria, estava em muito pior estado do que os seus vizinhos mais humildes. Os seus braços tinham sido perdidos, e o seu peito, coração e estômago, haviam decaído; estranhamente, permanecia a sua cabeça; e era até mesmo engraçado ver este olhar vazio de zombaria dirigido a você, por um rosto solene. As imagens em pedra estavam tristemente gastas, por estarem caídas entre o lixo; e os deuses feitos de metal, na sua maioria, tinham tido suas cabeças arrancadas e colocadas cuidadosamente outra vez, para que ali ficassem até que a próxima tempestade as fizesse rolar. Assim, a glória que deveria ser dirigida a Deus não é apenas roubada no vale, mas os homens subiriam tão próximo ao céu quanto pudessem, tentando insultá-lo, se fosse possível, face a face. – *James Gilmour, Among the Mongols", 1883*

v. 15: "Os ídolos", etc. Heródoto nos diz que Amasis tinha uma grande bacia de ouro, em que ele e seus convidados costumavam lavar seus pés. Ele quebrou este recipiente e fez deste ouro um deus, que os egípcios devotamente adoravam. E semelhante mania de ídolos pode ser encontrada, atualmente, entre os papistas, seja qual for a distinção que eles façam entre um *ídolo* e uma *imagem*, que, na realidade (da maneira como eles os usam) são uma coisa só. – *John Trapp*

v. 15: "Prata e ouro". Escolhendo estes metais, os metais mais preciosos de que os ídolos eram formados, e derramando desprezo até mesmo sobre estas imagens caras, o salmista engrandece o escárnio que designa a eles, como se fossem de preço inferior, e que não tinham nenhum elemento de grandeza em seu favor. E quando nos lembrarmos dos apóstolos, dizendo que a cobiça é idolatria, seremos advertidos de que nós, também, podemos precisar desta lição contra a adoração à prata e ao ouro, ou à sabedoria terrena e eloquência ilusória que podem ser comparados a estes metais. – *Neale e Littledale*

v. 15: "Obra das mãos dos homens". Por isto, os ídolos deveriam, se possível, adorar o homem, como seu criador e senhor, e não ser adorados por eles. – *Matthew Pool, 1624-1679*

vv. 15, 16 e 17: Certo dia, o reverendo John Thomas, missionário na Índia, viajava sozinho pelo país, quando viu um grande número de pessoas, esperando, perto de um templo de um ídolo. Ele foi até eles, e tão logo as portas se abriram, ele entrou no templo. Vendo um ídolo erguido acima do povo, corajosamente foi até ele, levantou sua mão e pediu silêncio. Colocou, então, os seus dedos sobre os olhos do ídolo, e disse, "Tem olhos, e não vê! Tem ouvidos, mas não ouve! Tem nariz, mas não sente cheiro! Tem mãos, mas não pode pegar nada! Tem uma boca, mas não pode falar! Nem há nele nenhum fôlego!" Em vez de fazer-lhe algum mal, por afrontar o seu deus, e também a eles mesmos, os nativos ficaram surpresos; e um velho brâmane ficou tão convencido da sua loucura, pelo que o Sr. Thomas disse, que também clamou, "Tem pés, mas não pode correr!" As pessoas gritaram, e envergonhadas da sua estupidez, deixaram o templo, e foram para as suas casas. – *De "The New Cyclopaedia of Illustrative Anecdote", 1875*

vv. 16 e 17: "Boca", "olhos", "ouvidos". O número de membros que têm as imagens, servindo para representar perfeições atribuídas a elas, é o mesmo número das mentiras. – *David Dickson*

vv. 16 e 17: Eles não podem *falar* em resposta às suas orações e perguntas, nem *ver* o que você faz ou deseja, nem *ouvir* as suas súplicas, nem *cheirar* o seu incenso e os seus sacrifícios, nem usar as suas *mãos* para tirar alguma coisa de você, ou para dar alguma coisa a você; nem mesmo *murmurar*, nem dar o menor sinal de apreender as suas condições ou preocupações. – *Matthew Pool*

vv. 16 e 17: "Têm boca, mas não falam... ouvidos, mas não ouvem".

Uma fantasia acalorada ou imaginação
Pode ser confundida com inspiração.
É verdade; mas é justo chegar à conclusão
de que é toda errada a inspiração?
Um pedregulho não é um diamante; é verdade;
Mas um diamante é também um pedregulho?
Reconhecer um Deus que não fala com os homens,
é, primeiro, reconhecê-lo, e, depois, negá-lo outra vez;
De toda a idolatria, a soma total é que
estes deuses são surdos e mudos.
– John Byrom, 1691-1763

v. 18: "Semelhantes a eles se tornem os que os fazem, e todos os que confiam neles". Se o significado fosse, simplesmente, aqueles que os fazem *são* como eles, o costume hebreu teria exigido que o verbo fosse omitido. A sua inserção, portanto, na forma futura (יִהְיוּ) exige que seja traduzido rigorosamente como *tornem*, isto é, em destino, bem como em caráter. Os idólatras perecerão, com seus ídolos perecíveis. Veja Is 1.31. – *Joseph Addison Alexander*

v. 18: As pessoas nunca ascendem acima do nível dos seus deuses, que são, para elas, o melhor em termos de natureza. – *Andrew Robert Faussett*

v. 18: "Semelhantes a eles se tornem os que os fazem". A idolatria é um pecado que entorpece, privando o idólatra do uso apropriado dos seus sentidos. – *David Dickson*

v. 18: "Os que os fazem", etc. Isto nos ensina que o ídolo, os que fazem os ídolos, e também os que servem aos ídolos, não são apenas rudes e tolos diante dos homens, mas, diante de Deus, no devido tempo, acabarão em vergonha e confusão. – *Thomas Wilcocks, 1549-1608*

v. 18: "Semelhantes a eles". Um fenômeno singular, conhecido como o espectro de Brocken, é visto, em certo monte, na Alemanha. O viajante que, ao amanhecer, se coloca no mais alto penhasco, contempla um espectro colossal e sombrio. Mas, na verdade, é apenas a sua própria sombra, projetada na névoa da manhã pelo sol que nasce; e que imita, naturalmente, cada movimento do seu criador. Assim as nações pagãs confundiram a sua própria imagem com a Divindade. Os seus deuses exibem fraquezas e paixões humanas, e virtudes escassas, projetadas e ampliadas sobre os céus, assim como as pequenas figuras em um slide são projetadas em um projetor, ampliadas e iluminadas, sobre uma tela branca. – *De Elan Foster, New Cyclopaedia of Illustrations, 1870*

v. 18: "Semelhantes a eles". Quantos são como imagens de ídolos, quando têm olhos, ouvidos e bocas, como senão tivessem; isto é, quando não os usam quando e como deveriam. – *Christoph Starke*

v. 19: "Bendizei ao Senhor". Bendizer a Deus é ter bons sentimentos em relação a Deus, e falar bem de Deus. Esta atitude se origina no fato de se ter uma boa vontade para com o próprio Deus, e de um senso da sua bondade para conosco. Deus ama as palavras boas que proferimos a seu respeito; isto é, Ele gosta que nós o enalteçamos. Ele se alegra nos bons desejos que demonstramos em relação a Ele, e ouve as nossas palavras com alegria em sua glória independente e inacessível. Embora Deus tenha um infinito oceano de toda bem-aventurança, ao qual nada podemos acrescentar, e por isto Ele é chamado, com eminência, "O Bendito" (Mc 14.61), um título que é apropriado e peculiar somente a Ele, ainda assim Ele se alegra em ouvir o *Amém* dos santos, suas criaturas, ressoando também; Ele se alegra por nos ouvir proferir o nosso "assim seja". – *Thomas Goodwin v. 19:* "Bendizei ao Senhor". E não um ídolo (Is 66.3) como os filisteus fizeram com seu Dagom, e como os papistas ainda fazem com seus santos e santas. – *John Trapp*

v. 20: "Casa de Levi, bendizei ao Senhor". No Salmo 115, a exortação feita é de *confiar* ou *esperar* no Senhor; aqui, de *bendizer* ao Senhor. Os *levitas* são mencionados além da casa de Arão; estas são duas ordens de sacerdotes. Todo o resto, nos dois salmos, é igual, exceto pelo fato de que, no último versículo, aqui o salmista acompanha o resto do povo do Senhor, bendizendo a *Deus*. – *Franz Delitzsch*

v. 20: "Vós, os que temeis ao Senhor, bendizei ao Senhor". Eles são distintos dos israelitas, sacerdotes e levitas, e designam os prosélitos entre eles, de outras nações, que temiam realmente a Deus, como observa Jarqui: e todas as pessoas deste tipo, quem quer que sejam, e onde quer que estejam, têm motivos para bendizer ao Senhor pelo temor que têm dele, que não é da natureza, mas que se origina da graça; e pela benevolência exibida para com eles, as bênçãos concedidas sobre eles, as boas coisas acumuladas para eles, e a proteção que está ao redor deles, que as Escrituras declaram abundantemente, e que a experiência confirma. – *John Gill*

v. 20: "Vós, os que temeis ao Senhor, bendizei ao Senhor". Nas Escrituras, é muito comum encontrar este *"temor"* com o significado da própria santidade, ou do resumo da verdadeira religião. Não é, portanto, um temor como o que dominou os corações dos nossos primeiros pais, quando, ouvindo a voz do Senhor Deus, se esconderam entre as árvores do jardim; nem como o que extinguiu repentinamente o ruído da festividade real, na noite da derrotada da Babilônia; nem como o que, em um dia futuro, levará os pecadores ao inútil abrigo dos montes e das rochas. Não é o temor da falta de confiança culpada, ou do ódio, ou da escravidão – o temor que atormenta, e que o amor perfeito expulsa; mas é um temor compatível com os mais elevados privilégios, realizações e esperanças da vida cristã. É o temor da profunda humildade e reverência, e submissão filial, e gratidão mesclada com adoração; o temor que "bendiz ao Senhor", dizendo, *"A sua benignidade é para sempre"*. – *John Lillie (1812-1867), Lectures on the Epistles of Peter*

v. 21: A conclusão (v. 21) se refere à conclusão do salmo anterior. Ali, o Senhor te abençoa desde Sião; aqui, que Ele seja bendito, de Sião. O louvor procede do mesmo lugar de que vem a bênção. Pois Sião é o lugar onde a comunidade habita com Deus. – *E. W. Hengstenberg*

v. 21: "Louvai ao Senhor". Mesmo quando o cântico de louvor é entoado para Deus, a obra do seu louvor não está concluída, mas deve ser continuada, renovada, e ter o seu prosseguimento: *"Louvai ao Senhor"*. – *David Dickson*

v. 21: "Bendito seja", "Louvai". Nós não devemos apenas bendizer a Deus, mas louvá-lo: "Todas as tuas obras te louvarão, ó Senhor, e os teus santos te bendirão". A bênção diz respeito aos seus benefícios; e o louvor, às suas excelências. Nós o bendizemos pelo que Ele é para nós; e o louvamos pelo que Ele é, em Si mesmo. Quer o bendigamos, quer o louvemos, fazemos isto para que aumente o nosso amor por Ele, e nos alegremos nele; pois Deus não é afetado pela bajulação de louvores vazios, e este é um dever especial, que é útil para você, como o são todos os outros deveres. É bom que você o considere como um Ser infinito e eterno, e de majestade gloriosa e incompreensível. Isto é agradável e benéfico para nós. – *Thomas Manton*

SUGESTÕES AOS PREGADORES

vv. 1 a 4. I. A aplicação. Louvor, três vezes sugerido, e em três aspectos.

1. Com respeito a Deus: não meramente as suas obras, mas Ele mesmo.
2. Com respeito a nós mesmos: é agradável e benéfico.
3. Com respeito aos outros: recomenda melhor a nossa religião a todos os que o ouvem. Todas as outras são religiões de temor, a nossa é de alegria e louvor.

II. As pessoas: servos, que trabalham na sua casa, que para lá foram nomeados, prontos para ouvir, prontos para obedecer.

III. Os motivos.

1. Em geral. É devido a Deus, porque Ele é bom, e é agradável a nós (v. 3).

2. Em particular. Aqueles que são particularmente privilegiados por Deus devem louvá-lo especialmente (v. 4). "Esse povo que formei para mim, para que me desse louvor". – *G. R.*

v. 1. "Louvai ao Senhor".

I. O Senhor deve ser louvado.

II. Ele deve ser louvado *por você.*

III. Ele deve ser louvado *agora;* devemos nos lembrar das suas benevolências atuais.

IV. Ele deve ser louvado em tudo, para sempre.

v. 1. "Louvai-o, servos do Senhor". I. Louvá-lo pelo privilégio de servi-lo.

II. Louvá-lo por podermos servi-lo.

III. Louvá-lo pela aceitação do nosso serviço.

IV. Louvá-lo, considerando esse ato como a principal parte do seu serviço.

V. Louvá-lo para que outros possam ser induzidos a se envolver no seu serviço. – *W. H. J. P.*

v. 2. O que é, hoje em dia, a "casa do Senhor"? Quem podemos dizer que permanece nela? Que razões especiais temos para louvá-lo?

v. 2. Quanto mais próximos estivermos de Deus, mais preciosos seremos para Deus; e quanto melhor for o nosso lugar, mais doce será o nosso louvor. – *W. B. H.*

vv. 2 a 5. "Nosso Deus", "nosso Senhor". Doce assunto. Veja nossa Explicação.

v. 3. Louvar ao Senhor,

I. Pela excelência da sua natureza.

II. Pela revelação do seu nome.

III. Pelo prazer da sua adoração.

v. 4. É um cântico de louvor, e por isto a escolha é mencionada, porque é um motivo para o cântico.

I. *A escolha* – "O Senhor escolheu". Divina. Soberana. Piedosa. Imutável.

II. *A consagração* – "Escolheu para si a Jacó". Para que o conhecesse. Para que preservasse a sua verdade. Para que mantivesse a sua adoração. Para que manifestasse a sua graça. Para que mantivesse viva a esperança daquele que viria.

III. *A separação* – indicada na escolha especial. Sendo aceito em concerto: Abraão e a sua semente. Recebendo a herança do concerto: Canaã. Pela redenção. Pelo poder e pelo sangue, saindo do Egito. A separação no deserto. Estabelecimento na sua própria terra.

IV. *A elevação.* Em nome – de Jacó a Israel. Em valor – de insignificante a precioso. Em propósito e uso – joias da coroa. Em preservação – guardadas como tesouros. Em prazer – Deus se alegra no seu povo, como sua herança.

v. 5. "Eu conheço que o Senhor é grande".

I. Observando a natureza e a providência.

II. Lendo a sua palavra.

III. Pela minha própria conversão, consolação e regeneração.

IV. Como consequência da minha experiência.

V. Pela minha poderosa comunhão com Ele.

v. 5. Dogmatismo precioso. "Eu conheço", etc.

I. O que eu conheço.

1. O Senhor.

2. Que Ele é grande.

3. Que Ele está acima de tudo.

II. Por que eu sei disto.

1. Porque Ele é "nosso Senhor".

2. Pelas suas operações na natureza, providência, e graça (vv. 6-13).

III. A minha incorrigível obstinação, neste aspecto, é prova contra os adoradores de todos os outros deuses: sim, dos deuses que são efeminados; sem soberania; nenhum deus, ou um deus qualquer. – *W. B. H.*

v. 6. "Tudo o que o Senhor quis, ele o fez". O prazer de Deus na obra da graça. Este prazer *não* está na morte do ímpio (Ez 33.11); mas na escolha do seu povo (1 Sm 12.22); na imposição do sofrimento ao substituto (Is 53.10); na provisão de toda plenitude para o seu povo, em Cristo (Cl 1.19); na concessão da salvação pela fé em Cristo (Jo 6.39); na instituição da pregação como o meio de salvação (1 Co 1.21); na adoção dos crentes como seus filhos (Ef 1.5); na sua santificação (1 Ts 4.3); no seu triunfo e reinado definitivos (Lc 12.32). – *C. A. D.*

v. 6 (últimas palavras). O poder de Deus em locais de dificuldades, mudanças e perigo – *mares*; e em condições de pecado, fraqueza, desespero, perplexidade em todos os *abismos.*

vv. 6 a 12. O prazer irresistível do Senhor.

I. Veja como ele é exemplificado aqui:

1. Governando toda a natureza.
2. Derrotando uma nação rebelde.
3. Divertindo-se com reis e coroas.
4. Colocando uma nação fértil aos pés dos escolhidos.

II. Seja sábio, em vista disto.

1. Submeta-se a este prazer; Ele varre os mares e toma o céu e a terra em suas mãos.
2. Não tente se esconder dele; as "extremidades da terra" e "todos os abismos" estão abertos para Ele; o precioso e bendito Senhor é mais rápido do que os seus próprios relâmpagos.
3. Tenha reverência pela sua majestade: o caminho de Deus está cheio de coroas e ossos de reis.
4. Busque a sua proteção: os seus esforços mais poderosos defendem aqueles aos quais Ele favorece.
5. Que o povo do Senhor não tenha medo, pois tem um Deus tão grande, que é dono de um exército incansável. – *W. B. H.*

v. 13. "O teu nome, ó Senhor, permanece perpetuamente".

I. Como *a personificação da perfeição:* os atributos e a glória de Deus.

II. Como *o objeto de veneração:* "santo e tremendo é o seu nome".

III. Como *causa de salvação:* "por causa do meu nome", etc.

IV. Como *o centro de atração:* "no seu nome, os gentios esperarão". "No teu nome e na tua memória está o desejo da nossa alma". "Onde estiverem dois ou três reunidos em meu nome", etc.

V. Como *uma súplica:* "Por amor do teu nome, perdoa", etc. "Até agora, nada pedistes em meu nome".

VI. Como *uma permissão para ação:* "Quanto fizerdes... fazei tudo em nome", etc.

VII. Como *um refúgio na tribulação:* "Torre forte é o nome do Senhor; para ela correrá o justo e estará em alto retiro". "[Eu] guardava-os em teu nome".

VIII. Como *sinal de glorificação:* "Escreverei sobre ele o nome do meu Deus".

IX. Como *um terror para os transgressores:* "o meu nome será tremendo entre as nações". – *W. J.*

v. 14. "O Senhor julgará o seu povo". Outros gostariam de fazê-lo, mas não podem. O mundo tem sete dias de juízos a cada semana, mas não será capaz de condenar os santos. Ele mesmo irá julgar. Como Ele os julgará?

1. Cada pessoa; se está ou não em Cristo.
2. Os seus princípios; se são genuínos ou artificiais.
3. As suas orações; se são úteis ou inúteis.
4. A sua profissão de fé; se é verdadeira ou falsa.
5. Os seus procedimentos; se são bons ou maus. – *W. J.*

v. 14. I. A posição dos crentes – "seu povo", "seus servos".

II. A disciplina da família de Deus.

III. A ternura do Senhor por eles.
IV. A segurança dos crentes: eles ainda são do Senhor.
v. 15. "Prata e ouro". Estes são ídolos na nossa própria terra, entre os materialistas, e entre alguns dos que professam. Mostre a tolice e a iniquidade de amar as riquezas, e os males que se originam disto.
v. 16 e 17. O retrato de muitos.
I. "*Têm boca, mas não falam*". Nada de oração, louvor, confissão.
II. *"Têm olhos e não veem"*. Não discernem, não compreendem, não percebem as advertências; não olham para Cristo.
III. *"Têm ouvidos, mas não ouvem"*. Não comparecem ao ministério, ou estão presentes mas não se influenciam; não ouvem a Deus.
IV. *"Nem há respiro algum na sua boca"*. Não há vida, não há sinais de vida, não há louvor nem oração, que são o respiro da vida espiritual.
v. 18. I. Os homens fazem ídolos como eles mesmos.
II. Os ídolos fazem com que os seus criadores sejam como eles mesmos. Descreva os dois processos.
v. 19. "Casa de Israel". A grande bondade do Senhor para com todo o seu povo, percebida e proclamada, e o Senhor sendo louvado por isto.
v. 19. "Casa de Arão". A bênção de Deus sobre a casa de Arão, típica da sua graça para com aqueles que são sacerdotes de Deus.
vv. 19 a 21. I. A exortação.
1. Para bendizer ao Senhor.
2. Para bendizê-lo na sua própria casa.
II. A quem ela é dirigida.
1. À casa de Israel, ou toda a igreja.
2. À casa de Arão, ou aos ministros do santuário.
3. À casa de Levi, ou aos cooperadores dos ministros nos cultos.
4. A todos os que temem a Deus, onde quer que possam estar. Aqueles que temem a Deus são convidados a louvá-lo, o que é um sinal seguro de que Ele se alegra por conceder misericórdia. – *G. R.*
v. 20. Os levitas, a sua história, os seus deveres, recompensas e obrigações de bendizer a Deus.
v. 20 (segunda sentença). I. O temor a Deus inclui toda a religião.
II. O temor ao Senhor sugere louvor.
III. O temor ao Senhor torna o louvor aceitável.
v. 21. I. O fato duplo.
1. Louvores que ascendem perpetuamente de Sião a Deus.
2. Deus perpetuamente abençoando o seu povo, ao habitar com eles em Sião.
II. A razão dupla para o louvor, que é encontrada no fato duplo, e que diz respeito a cada membro da igreja.

SALMO 136

TÍTULO

Não sabemos quem escreveu este Salmo, mas sabemos que ele era entoado no templo de Salomão (2 Cr 7.3,6), e pelos exércitos de Josafá, quando celebraram a vitória no deserto de Tecoa. Com base na assombrosa forma do salmo, poderíamos deduzir que era um hino popular, entre o antigo povo do Senhor. Muitos hinos, que têm um coro sólido e simples se tornam favoritos das congregações, e este certamente deve ter sido um dos mais amados. Ele não contém nada, além de louvor. Ele está dirigido ao arrebatamento, e somente poderá ser completamente desfrutado por um coração devotamente agradecido.

Ele começa com um triplo louvor ao Senhor Trino (vv. 1-3), a seguir nos dá seis notas de louvor ao Criador (vv. 4-9), outras seis sobre a libertação do Egito (vv. 10-15), e sete sobre a peregrinação pelo deserto e a entrada em Canaã. A seguir, temos dois alegres versículos de gratidão pessoal pela misericórdia atual (vv. 23,24), um (v. 25) que fala da providência universal do Senhor, e um versículo final, para incitar ao louvor incessante.

EXPOSIÇÃO

1 *Louvai ao Senhor, porque ele é bom; porque a sua benignidade é para sempre.*

2 *Louvai ao Deus dos deuses; porque a sua benignidade é para sempre.*

3 *Louvai ao Senhor dos senhores; porque a sua benignidade é para sempre.*

1. *"Louvai ao Senhor"* (ou, *"Rendei graças ao Senhor"*, ARA). A exortação é intensamente fervorosa. Agradecimento é o mínimo que podemos oferecer, e devemos fazê-lo gratuitamente. O autor inspirado nos convida a louvar ao Senhor por toda a sua bondade para conosco, e toda a grandeza do seu poder, ao abençoar os seus escolhidos. Nós agradecemos aos nossos pais, devemos louvar ao nosso Pai celestial; nós somos gratos aos nossos benfeitores, devemos dar graças àquele que nos dá todo o bem.

"Porque ele é bom." Essencialmente, Ele é a própria bondade; na prática, tudo o que Ele faz é bom; e Ele é sempre bom para as suas criaturas. Devemos dar graças e louvar a Deus, porque vimos, provamos e sentimos que Ele é bom. Ele é bom, além de todos os outros; na verdade, somente Ele é bom, no mais elevado sentido; Ele é a fonte do bem, o bem de todo o bem, que sustenta o bem, que aperfeiçoa o bem, e que recompensa o bem. Por isto, Ele merece a constante gratidão e louvor do seu povo.

"Porque a sua benignidade é para sempre." Isto será repetido em cada versículo deste hino, mas nem uma vez sequer a repetição será excessiva. Este é o mais doce verso que um homem pode cantar. Que alegria é o fato de que existe benignidade, benignidade com o Senhor, benignidade duradoura, benignidade para sempre. Nós estamos sempre precisando dela, experimentando-a, orando por ela, recebendo-a: Por isto, devemos sempre cantar sobre ela.

"Quando todo o resto está mudando, por todos os lados, interiormente e exteriormente...

Saiba-se que, em Deus, e na sua benignidade, nenhuma mudança poderá ser encontrada".

2. *"Louvai ao Deus dos deuses."* Se há poderes no céu ou na terra dignos do nome de deuses, Ele é o Deus de tais poderes; pois dele vem o seu domínio, a sua autoridade deriva dele, e a sua própria existência depende da sua vontade. Além disto, supondo, por um momento, que as divindades dos pagãos fossem deuses, nenhum deles poderia ser comparado com o nosso Elohim, que é infinitamente superior ao que eles imaginam ser. Jeová é o nosso Deus, que deve ser adorado, e é digno da nossa reverência máxima. Se os pagãos cultivam com zelo a adoração dos seus deuses, muito mais intensamente nós deveríamos buscar a glória do Deus dos deuses – o único Deus real e verdadeiro. Pessoas tolas deduziram, deste versículo, que os israelitas acreditavam na existência de muitos deuses, crendo, ao mesmo tempo, que o seu Jeová era o principal deles; mas esta é uma dedução absurda, uma vez que deuses que tenham um Deus superior a eles não podem ser deuses. As palavras devem ser interpretadas da maneira usual como se interpreta o discurso humano, em que frequentemente são ditas coisas, não como realmente são, mas como professam ser. Deus, como Deus, é merecedor dos nossos mais acalorados agradecimentos, *"porque a sua benignidade é para sempre"*. Imagine a Divindade suprema sem a benignidade eterna! Ela teria sido, então, uma fonte de terror tão frutífera como é agora uma fonte de agradecimentos. Que o Altíssimo seja louvado da maneira mais elevada, pois a sua natureza e os seus atos merecem a gratidão de todas as suas criaturas.

Louvem o seu Deus com boa vontade.
Pois o seu amor é eterno.

3. *"Louvai ao Senhor dos senhores."* Há muitos senhores, mas Jeová é o Senhor de todos eles. Toda a autoridade é conferida pelo Eterno. Ele faz e administra a lei, Ele governa a mente e a matéria, Ele possui, em si mesmo, toda a soberania e todo o poder. Todos os senhores, no plural, são somados e resumidos neste Senhor, no singular: Ele tem mais autoridade do que todos os imperadores e reis, condensados em uma só pessoa. Por isto podemos ser agradecidos, pois sabemos que o Soberano superior irá retificar os abusos dos subalternos que agora governam a humanidade. Ele chamará estes senhores ao seu tribunal, e ajustará contas com eles, por cada opressão e injustiça. Ele é tão verdadeiramente o Senhor dos senhores como é Senhor sobre o mais humilde da terra, e governa com total imparcialidade, pelo que cada homem justo deve expressar a mais sincera gratidão.

"Porque a sua benignidade é para sempre." Sim, Ele mescla benignidade com a sua justiça, e reina para o benefício dos seus súditos. Ele se compadece do angustiado,

protege os desamparados, supre o necessitado e perdoa o culpado; e isto Ele faz, de geração em geração, nunca se cansando da sua graça, "porque [Ele] tem prazer na benignidade". Vamos louvar o nosso glorioso Senhor! Uma terceira vez, devemos dar graças e louvar a Ele, que é o nosso Jeová, o nosso Deus e o nosso Senhor; e que esta única razão nos seja suficiente para três agradecimentos, ou três mil.

Porque a sua benignidade é para sempre.
Ela é sempre fiel, e sempre assegurada.

4 *Àquele que só faz maravilhas; porque a sua benignidade é para sempre.*
5 *Àquele que com entendimento fez os céus; porque a sua benignidade é para sempre.*
6 *Àquele que estendeu a terra sobre as águas; porque a sua benignidade é para sempre.*
7 *Àquele que fez os grandes luminares; porque a sua benignidade é para sempre.*
8 *O sol para governar de dia; porque a sua benignidade é para sempre.*
9 *A lua e as estrelas para presidirem a noite; porque a sua benignidade é para sempre.*

4. *"Àquele que só faz maravilhas."* O Senhor é o grande Realizador de milagres, ao qual ninguém pode se comparar. Ninguém pode se assemelhar a Ele; Ele está sozinho na questão dos milagres; Ele é o Criador e o Realizador de verdadeiros milagres, em comparação com os quais todas as outras coisas notáveis são como brincadeiras de criança. As suas obras são todas grandes em milagres, mesmo quando não são grandes em tamanho; na verdade, nos minúsculos objetos que podemos ver no microscópio, contemplamos maravilhas tão grandes quanto aquelas que o telescópio pode revelar. Todas as obras da sua habilidade incomparável são realizadas por Ele, sozinho e sem auxílio, e para Ele; portanto, tudo deve ser dedicado à sua honra que jamais poderá ser dividida. Nenhum dos deuses ou senhores ajudou o Senhor na criação ou na redenção do seu povo; a sua própria mão direita e o seu santo braço realizaram para Ele estas grandes obras. O que fizeram os deuses dos pagãos? Se a questão tiver que ser estabelecida pelas obras, o Senhor está realmente "sozinho". É extremamente admirável que os homens adorem deuses que não podem fazer nada, e se esqueçam do Senhor que é o único que faz grandes maravilhas. Mesmo quando o Senhor usa os homens como seus instrumentos, a maravilha da obra é somente sua; portanto não devemos confiar nos homens, nem idolatrá-los, ou tremer diante deles. Louvor deve ser dado ao Senhor, *"porque a sua benignidade é para sempre"*. A benignidade do milagre é o milagre da benignidade; e a natureza eterna desta benignidade é o principal milagre deste milagre. O Senhor frequentemente faz com que fiquemos assombrados ao ver o que a sua benignidade operou e preparou para nós: "As maravilhas da graça a Deus pertencem", sim, grandes maravilhas e incompreensíveis. Oh, profundidade! Glória ao seu nome, para sempre!

Fazendo, sozinho, obras maravilhosas,
a benignidade se assenta sobre o seu trono.

5. *"Àquele que com entendimento fez os céus."* A sua bondade aparece na criação das regiões superiores. Ele dedica a sua sabedoria à tarefa de formar um firmamento, ou uma atmosfera apropriada para um mundo em que os homens mortais deveriam habitar. Que grande sabedoria está escondida neste único ato criador! As descobertas dos nossos observadores mais atentos e perspicazes jamais exploraram todas as evidências estruturais e de projetos que se amontoam nesta obra das mãos de Deus. As vidas das plantas, dos animais e dos homens dependem da formação dos nossos céus: se os céus tivessem sido outros, não estaríamos aqui para louvar a Deus. A presciência divina planejou o ar e as nuvens, para o bem da raça humana.

"Porque a sua benignidade é para sempre." Os detalhes que o salmista apresenta da benignidade começam nas regiões mais elevadas, e gradualmente descem dos céus à nossa "humilhação" (v. 23); e isto representa uma ascensão, pois a benignidade se torna cada vez maior à medida que os seus objetos se tornam menos dignos. A benignidade tem longo alcance, longa duração, e abrange tudo. Nada está alto demais para o seu alcance, assim como nada está abaixo do quanto ela pode se curvar.

Elevada como o céu reina a sua sabedoria,
A benignidade permanece no trono.

6. *"Àquele que estendeu a terra sobre as águas."* Ele estendeu a terra sobre as águas erguendo-a da massa mesclada, do pântano úmido, o lamaçal sem fundo, de terra misturada com mar – e assim a adequou para ser a morada do homem. Quem senão o Senhor poderia ter operado esta maravilha? Poucos pensam na sabedoria e no poder divino que realizaram tudo isto, há muito tempo; se for provado que um continente subiu ou desceu uma polegada na memória histórica, o fato é registrado nas "transações" de sociedades eruditas, e discutido em cada reunião de filósofos.

"Porque a sua benignidade é para sempre", como é vista na sublevação e posição perpétua da terra habitável, de modo que nenhum dilúvio afogue a raça. Com a sua força, Ele prende os montes e consolida a terra sobre a qual peregrinamos.

Do dilúvio, Ele levanta a terra:
Firmes permanecerão as suas benignidades, para sempre.

7. *"Àquele que fez os grandes luminares."* Este também é um milagre da criação, digno dos nossos mais altos agradecimentos e louvores. O que os homens poderiam ter feito, sem a luz? Embora eles tivessem os céus acima deles, e a terra seca sobre a qual poderiam se mover, o que poderiam ver e para onde iriam, sem a luz? Graças ao Senhor, que não os confinou às trevas. Com grande misericórdia e benignidade, Ele não nos deixou a uma luz incerta, indistinta, flutuando irregularmente, e sem ordem; mas concentrou a luz sobre dois grandes corpos luminosos, que, no que nos diz respeito, são "grandes luminares" para nós. O salmista está compondo um cântico para as pessoas comuns, não para aqueles que se consideram os mais sábios – e assim ele canta sobre o sol e a luz, da forma como aparecem para nós – as mais excelentes das luzes, que o Senhor criou no princípio; e para a atual geração dos homens, Ele os fez ou constituiu como portador de luz para o mundo.

"Porque a sua benignidade é para sempre." A benignidade brilha em cada raio de luz, e é mais claramente vista no arranjo pelo qual ela é distribuída com ordem e regularidade pelo sol e pela lua.

Acendeu lâmpadas nas alturas dos céus,
pois se deleita na benignidade.

8. *"O sol para governar de dia."* Jamais conseguimos ser específicos demais nos nossos louvores; depois de mencionar grandes luzes, podemos cantar sobre cada uma delas, e ainda assim não esgotar o nosso tema. São demasiadas as influências do sol para que nós as enumeremos; benefícios incontáveis vêm a todos os tipos de seres, pela sua luz, pelo seu calor e outras operações. Sempre que nos sentarmos sob o sol, a nossa gratidão deverá se inflamar. O sol é um grande governante, e o seu governo é pura beneficência, porque, pela misericórdia de Deus, ele é moderado, e respeita a nossa fragilidade. Que todos os que governam aprendam lições com o sol, que governa para abençoar. Durante o dia podemos dar graças, pois Deus dá ânimo e alegria. O sol governa porque Deus governa; não é o sol que devemos adorar (como fazem alguns), mas ao Criador do sol, como fez aquele que escreveu este cântico sagrado.

"Porque a sua benignidade é para sempre." Cada dia se expressa a respeito da benignidade do Senhor; cada raio de sol é uma benignidade, pois cai sobre pecadores indignos que, não fosse por isto, estariam em tristes trevas, e considerariam a terra um inferno. Milton bem o expressa:

Ele fez com que o sol dourado
percorresse durante o dia o seu caminho;
Porque a sua benignidade é para sempre...
Sempre fiel, sempre assegurada.

9. *"A lua e as estrelas para presidirem a noite."* Nenhuma hora fica sem governo. Bendito seja Deus, pois Ele jamais nos deixa expostos ou vulneráveis à perdição da anarquia. A lei é de luz e bênção. A luz, com suas encantadoras variações, e as estrelas, em suas esferas fixas, alegram a noite. Quando a estação for escura e assustadora, por causa da ausência do sol, apresentam-se os muitos consolos menores. O sol é suficiente, sozinho; mas se ele estiver ausente, nada será suficiente para apresentar mais do que uma humilde imitação da sua radiação. Jesus, o Sol da Justiça, sozinho, pode fazer mais por nós do que todos os seus servos reunidos. Ele faz o nosso dia. Quando Ele se esconde, é noite, e continua noite, para que os nossos consolos humanos brilhem ao máximo. Que misericórdia vemos nas lâmpadas do céu alegrando a nossa paisagem à noite! Que misericórdia, igual em todas as influências da luz sobre as marés, os quase dilúvios da terra! O Senhor é o Criador de cada astro, quaisquer que eles sejam: Ele os chama, a todos, pelos seus nomes, e à sua ordem cada mensageiro, com sua tocha, ilumina as nossas trevas.

"Porque a sua benignidade é para sempre." Que os nossos agradecimentos sejam tão numerosos quanto as estrelas, e que as nossas vidas reflitam a bondade do Senhor assim como a lua reflete a luz do sol. Os guias que iluminam os homens à noite, sobre a terra e no mar, não são para uma ou outra ocasião, mas para todo o tempo. Eles brilharam sobre Adão, e brilham sobre nós. Assim são sinais e penhores da graça eterna para os homens; e podemos cantar com nossos amigos escoceses:

Pois certamente
As suas benignidades duram,
firmes e seguras,
Eternamente.

10 *Que feriu o Egito nos seus primogênitos; porque a sua benignidade é para sempre.*
11 *E tirou a Israel do meio deles; porque a sua benignidade é para sempre.*
12 *Com mão forte, e com braço estendido; porque a sua benignidade é para sempre.*
13 *Àquele que dividiu o mar Vermelho em duas partes; porque a sua benignidade é para sempre.*
14 *E fez passar Israel pelo meio dele; porque a sua benignidade é para sempre.*
15 *Mas derribou a Faraó com o seu exército no mar Vermelho; porque a sua benignidade é para sempre.*

10. Nós ouvimos sobre a glória da criação do mundo, agora devemos louvar ao Senhor pela criação da sua nação favorecida, pelo seu Êxodo do Egito. Pelo fato do monarca do Egito ter ficado no caminho dos propósitos piedosos do Senhor, tornou-se necessário que o Senhor lidasse com ele, em justiça; mas o grande desígnio era a benignidade para Israel, e através de Israel, a benignidade para as gerações futuras, a todo o mundo.

"[Àquele] que feriu o Egito nos seus primogênitos." A última e maior das pragas atingiu todo o Egito no coração. Dificilmente seria possível exagerar a angústia e o terror que ela causou em toda a nação. De rei a escravo, todos foram feridos no seu ponto mais terno. A alegria e a esperança de cada família foram destruídas em

um momento e cada família teve a sua própria lamentação. Os primeiros golpes tinham errado o seu alvo, em comparação com este último; mas este "feriu o Egito". Os primogênitos do Senhor tinham sido oprimidos pelo Egito, e por fim o Senhor cumpriu a sua ameaça, "eis que eu matarei a teu filho, o teu primogênito". A justiça tarda, mas por fim, acerta o golpe.

"Porque a sua benignidade é para sempre." A benignidade do Senhor para com o seu povo durou até um ponto extremo: Ele fez a vingança sobre uma nação inteira. Ele é tardio em irar-se, e o juízo é uma das suas obras, que às vezes nos parece um tanto estranha. Mas quando a benignidade para com os homens exigir severas punições, Ele não reprimirá a sua mão em relação à operação necessária. O que eram todos os primogênitos do Egito em comparação com aqueles propósitos divinos de benignidade para com todas as gerações de homens, que foram beneficiadas pela libertação do povo eleito? Até mesmo quando o Senhor envia os seus juízos sobre a terra, devemos continuar a cantar a sua graça infalível.

Para sempre durará o seu amor;
Eternamente seguro, eternamente rápido.

11. *"E tirou a Israel do meio deles."* Espalhadas como estavam as tribos, por toda a nação, e aparentemente mantidas sob um domínio que não relaxava nunca, o Senhor operou a sua libertação, e as separou de seus capatazes idólatras; nenhuma delas permaneceu em servidão. O Senhor os tirou, sim, e os tirou no instante em que a sua promessa deveria ser cumprida; Ele os tirou, tirou a todos, apesar do fato de que tinham se misturado entre os egípcios; Ele os tirou para que nunca retornassem. Devemos dar graças ao seu nome, por esta prova adicional da sua benevolência para com os eleitos, *"porque a sua benignidade é para sempre"*. Certa vez, os israelitas não se interessaram por sair, mas preferiram suportar os males que tinham, ao invés de se arriscarem com os que não conheciam; mas a benignidade do Senhor suportou também este teste, e não deixou de agitar o ninho até que os pássaros se alegrassem em usar as suas asas. Ele converteu a terra de abundância em uma casa de servidão, e a nação perseguida ficou feliz em escapar dela. A infalível benignidade do Senhor é gloriosamente vista na separação que Ele faz, entre os seus eleitos e o mundo. Ele tira os seus redimidos, e a partir de então eles são um povo que exprime o seu louvor.

Pois Deus prova ser
o nosso amigo constante.
O seu amor ilimitado
jamais cessará.

12. *"Com mão forte, e com braço estendido."* Não apenas o tema dos poderosos atos do Senhor, mas também a sua forma deve ser motivo para o nosso louvor. Nós devemos bendizer ao Senhor pelos advérbios, além dos adjetivos. No Êxodo, foram vistos o grande poder e a glória do Senhor. Ele esmagou o inimigo com a sua mão direita. Ele tirou o seu povo de uma maneira que não era desprezível ou clandestina. "A eles, os fez sair com prata e ouro, e entre as suas tribos não houve um só enfermo". O Egito se alegrou, quando eles saíram. Deus trabalhou com grande exibição de forças, e com extrema majestade; Ele estendeu o seu braço, como um trabalhador atento ao seu trabalho, e ergueu a sua mão como alguém que não tem vergonha de ser visto. Assim foi, na libertação de cada um de nós do cativeiro do pecado; "segundo a operação da força do seu poder, que manifestou em Cristo, ressuscitando-o dos mortos e pondo-o à sua direita nos céus".

"Porque a sua benignidade é para sempre." Por isto, o seu poder se manifesta no resgate dos que são seus. Se uma praga não os liberta, haverá dez pragas, mas eles serão livres na hora indicada; nem um israelita permanecerá sob o poder de Faraó.

Deus não apenas irá usar a sua mão, mas o seu braço – o seu poder extraordinário será posto para trabalhar para que o seu propósito de benignidade não falhe.

Veja, Ele levanta a sua poderosa mão direita,
pois as suas firmes benignidades permanecem.

13. *"Àquele que dividiu o Mar Vermelho em duas partes."* Ele criou uma estrada no fundo do mar, fazendo com que as águas divididas ficassem como muros, de cada lado. Os homens negam os milagres; mas, admitindo que existe um Deus, eles acreditam facilmente. Uma vez que é necessário que eu seja ateu, para poder rejeitar os milagres com lógica, eu prefiro a dificuldade muito menor de crer no poder infinito de Deus. Aquele que faz com que as águas do mar permaneçam como uma massa, normalmente, pode, com igual prontidão, dividi-las. Aquele que pode atirar uma pedra em uma direção pode, com a mesma força, atirá-la para outro lado; o Senhor pode fazer exatamente o que desejar, e Ele deseja fazer qualquer coisa que se destine à libertação do seu povo.

"Porque a sua benignidade é para sempre", e, portanto é duradoura, tanto no mar, como sobre a terra seca. Ele fará algo novo para cumprir a sua antiga promessa. O seu caminho é pelo mar, e Ele abrirá um caminho para o seu povo até mesmo nessa região intransitável.

Eis que Ele divide o Mar Vermelho.
Pois a sua benignidade permanece para sempre.

14. *"E fez passar Israel pelo meio dele."* Ele deu ao povo a coragem de seguir pela trilha predestinada, através do abismo aberto, que poderia ter aterrorizado um exército veterano. Não foi pequena a liderança necessária para conduzir um grupo tão vasto e diversificado por um caminho tão novo, desconhecido e aparentemente tão perigoso. Ele fez com que eles passassem pela estrada que nunca tinha sido pisada; Ele os fez descer para o fundo e subir na outra margem, em perfeita ordem, mantendo seus inimigos à distância pela espessa escuridão da coluna de nuvem. Nisto se exibiu a glória do Senhor, da mesma maneira como todo o seu povo a vê, na sua própria libertação do pecado. Pela fé, nós também desistimos de toda confiança que depositamos nas obras, e nos entregamos para passarmos por um caminho que não conhecemos, pela confiança no sangue da expiação: desta maneira, somos realmente separados do Egito da nossa condição anterior, e os nossos pecados são afogados. O povo marchou com os pés secos pelo coração do mar. Aleluia!

"Porque a sua benignidade é para sempre." A benignidade limpou o caminho, a benignidade alegrou e animou o exército, a benignidade os conduziu para o fundo e a benignidade os trouxe para cima outra vez. Até o fundo do mar alcança a benignidade – ela não tem fim, não há obstáculo no seu caminho, nenhum perigo para os que creem nela, enquanto o Senhor está por todas as partes. "Adiante!" deve ser o *nosso* lema, como foi o de Israel antigamente, pois a benignidade nos envolve a todos.

Através do fogo ou do mar,
a benignidade dele ainda te protege.

15. *"Mas derribou a Faraó com o seu exército no Mar Vermelho."* Aqui vem a confusão. Embora nós os ouçamos soando como um trovão após outro, os juízos do Senhor eram apenas benignidades que gritavam e produziam confusão ao adversário, para que os eleitos não mais tremessem diante dele. Os carros foram virados, os cavalos foram derrubados. O rei e seus guerreiros foram, igualmente, derrotados; eles foram arremessados de seus carros como os gafanhotos são levados de um lado a outro pelo vento. O poder foi quebrado e conquistada foi a soberba do Egito. O Senhor

tinha extinguido o inimigo. "Não és tu aquele que cortou em pedaços a Raabe e feriu o dragão?" Ninguém é tão grande que o Senhor não o subjugue, nem alto demais para que o Senhor não o rebaixe. O inimigo, na sua fúria, seguiu Israel dentro do mar, mas ali a sua ira encontrou uma terrível recompensa, debaixo das ondas.

"Porque a sua benignidade é para sempre." Sim, a benignidade continuava a proteger os seus filhos, e por isto invocou a ajuda da justiça, para cumprir a sentença de morte dos seus adversários. Pegos em flagrante, no próprio ato de rebelião contra o seu Senhor soberano, os audazes adversários encontraram o destino a que tinham, eles mesmos, se convidado. Aquele que desce ao meio do mar pede para ser afogado. O pecado é auto-destruição. O pecador desce, por sua própria escolha, e descobre, tarde demais, que não pode retornar, não estará o seu sangue sobre a sua própria cabeça? Os finalmente impenitentes, por mais terrível que seja a sua condenação, não serão testemunhas contra a benignidade; mas, na verdade, o fato de que prosseguiram desafiando a benignidade, e não se renderam àquele cuja benignidade é para sempre, agravará a sua desgraça. Aos israelitas, enquanto cantavam este cântico, o seu único pensamento seria o do resgate dos seus pais do violento opressor. Tirado como um cordeiro de entre os dentes do leão, Israel, com razão, louva o seu libertador, e canta em voz alta:

Para sempre, o seu amor reinará;
Faraó e o seu exército estão mortos.

16 *Àquele que guiou o seu povo pelo deserto; porque a sua benignidade é para sempre.*
17 *Àquele que feriu os grandes reis; porque a sua benignidade é para sempre.*
18 *E deu morte a reis famosos; porque a sua benignidade é para sempre.*
19 *Seom, rei dos amorreus; porque a sua benignidade é para sempre.*
20 *E Ogue, rei de Basã; porque a sua benignidade é para sempre.*
21 *E deu a terra deles em herança; porque a sua benignidade é para sempre.*
22 *Sim, em herança a Israel, seu servo; porque a sua benignidade é para sempre.*

16. *"Àquele que guiou o seu povo pelo deserto."* Ele os guiou, para dentro do deserto, e por isto se comprometeu a guiá-los através dele. Eles eram o "seu povo", mas apesar disto deviam entrar no deserto, e o deserto devia permanecer tão estéril como sempre tinha sido; mas, no final, eles sairiam do deserto para entrar na terra prometida. As atitudes de Deus são misteriosas, mas são sempre corretas, simplesmente porque são suas. O povo não conhecia o caminho, mas foi guiado; eles eram um grande exército, mas todos foram guiados; não havia estradas nem trilhas, mas guiados pela sabedoria infalível eles jamais se perderam. Aquele que os tirou do Egito também os guiou através do deserto. Por intermédio de Moisés, e Arão, e Jetro, e da coluna de nuvem, Ele os guiou. Que multidão de misericórdias envolveu a condução de um tão numeroso exército por uma região onde não havia provisões nem mesmo para viajantes solitários; no entanto, o Senhor, pelo seu infinito poder e sabedoria, conduziu uma nação inteira, durante quarenta anos, por uma terra deserta, e os seus pés não incharam, nem suas vestes envelheceram durante toda a jornada.

"Porque a sua benignidade é para sempre." A condução do povo pelo deserto pôs à prova mais severamente a benignidade de Deus, mas ela suportou o teste; muitas vezes, Ele os perdoou, e embora os ferisse pelas suas transgressões, esperou para ser misericordioso e rapidamente se voltou para eles, com compaixão. A fidelidade *deles* logo falhou, mas a *sua*, não: as colunas de nuvem e de fogo, que jamais deixaram de liderar a caravana, eram a prova visível do seu amor imutável.

Pois a sua misericórdia, que nunca muda,
ainda permanece, segura, para sempre.

17. *"Àquele que feriu os grandes reis."* Tendo a sua herança ao alcance da visão, Israel teve que enfrentar poderosos inimigos. Reis considerados grandiosos, por causa dos exércitos que os respaldavam, bloquearam a passagem de Israel. Esta dificuldade logo desapareceu, pois o Senhor feriu os adversários, e um único golpe foi suficiente para a sua destruição. Aquele que tinha subjugado o governante do Egito, que realmente era poderoso, não teve muito trabalho com estes insignificantes soberanos, por mais grandiosos que parecessem na opinião dos príncipes vizinhos.

"Porque a sua benignidade é para sempre." A benignidade, que tinha trazido as tribos escolhidas tão longe, não seria frustrada pela oposição de adversários prepotentes. O Senhor que feriu Faraó, no início da peregrinação pelo deserto, feriu Seom e Ogue, no final. Como estes reis puderam esperar ter sucesso, quando até mesmo a própria benignidade estava contra eles.

Para sempre permanece a sua benignidade,
salvando das mãos dos adversários.

18. *"E deu morte a reis famosos."* Que bem lhes trazia a sua fama? Quando se opuseram a Deus se tornaram infames, ao invés de famosos. As suas mortes fizeram crescer a fama do Senhor entre as nações, enquanto a fama deles terminava em derrota e desgraça.

"Porque a sua benignidade é para sempre." Os patriotas israelitas sentiram que esta música nunca os cansaria; Deus tinha protegido a sua nação, e eles entoaram os seus louvores com incansável iteração.

Ele feriu reis, apesar da sua fama,
pois a sua benignidade ainda é a mesma.

19. *"Seom, rei dos amorreus."* Que o nome seja mencionado, para que a benignidade seja lembrada ainda mais. Seom feriu Moabe, mas não pôde ferir Israel, pois o Senhor *o* feriu. Ele era valente e poderoso, de modo que era igualmente grandioso e famoso, mas, como voluntariamente se recusou a propiciar uma passagem pacífica para os israelitas, e lutou perversamente contra eles, não houve escolha senão permitir que ele rumasse para a destruição que ele cortejava. A sua queda foi rápida e definitiva, e o povo escolhido ficou tão impressionado com ela que cantou sobre a derrota de Seom em seus cânticos nacionais.

"Porque a sua benignidade é para sempre." A sua benignidade não faz acepção de pessoas, e nem a grandeza nem a fama de Seom puderam protegê-lo depois que ele tinha ousado atacar Israel. O Senhor não abandonará o seu povo porque Seom ameaça.

Aconteça o que acontecer,
à noite ou durante o dia,
Certamente,
o seu amor durará.

20. *"E Ogue, rei de Basã."* Ele pertencia à raça dos gigantes, mas foi derrotado como um pigmeu, quando entrou em luta contra o Deus de Israel. O povo do Senhor teve que lutar contra ele, mas foi Deus que obteve a vitória. As fortificações de Basã não representaram defesa contra o Senhor. Ogue logo foi expulso da sua fortaleza quando o capitão do exército do Senhor liderou a guerra contra ele. Ele teve que trocar o pedestal de ferro da sua cama por uma cama na terra, pois caiu no campo de batalha. Glória ao divino conquistador, *"porque a sua benignidade é para sempre"*.

Reis gigantes se rendem diante dele,
a misericórdia vence a batalha.

Se Seom não pôde desviar o Senhor do seu propósito, podemos ter certeza de que Ogue também não pôde. Aquele que nos liberta de uma dificuldade irá nos resgatar de outra, e cumprirá todo o prazer da sua graça em nós.

21. *"E deu a terra deles em herança."* Como Senhor de toda a terra, Ele transferia a sua propriedade, de um arrendatário a outro. A terra não se tornou propriedade dos israelitas pela sua própria espada ou pelo seu arco, mas por uma concessão do trono. Este era o grande objetivo, que tinha sido buscado, todo o tempo, desde o Egito até o Jordão. Aquele que fez sair o seu povo também o fará entrar. Aquele que tinha prometido a terra à semente de Abraão também cuidou para que a escritura não se tornasse um documento inválido. As nossas propriedades, tanto as temporais quanto as espirituais, nos veem por concessão divina. Aquilo que Deus nos dá é nosso, por meio do melhor dos títulos. A herança que é recebida por uma dádiva de Deus é um título de posse que nem mesmo Satanás pode contestar.

"Porque a sua benignidade é para sempre." O amor fiel tem uma resistência sem fim, e assegura o seu próprio objetivo. "Tu os introduzirás", disse o profeta poeta; e aqui vemos a obra concluída.

Até que eles cheguem à terra prometida,
A benignidade continuará a mesma.

22. *"Sim, em herança a Israel, seu servo."* As repetições são eficazes na poesia, e ainda mais, se houver pouca variação entre uma e outra, ressaltando algum ponto que, não fosse por isto, não teria sido percebido. *As terras dos reis pagãos foram dadas a* "Israel", o nome pelo qual a semente escolhida é aqui mencionada, pela terceira vez no salmo, com o acréscimo das palavras "seu servo". O arrendamento de Canaã a Israel segundo a carne, foi feito mediante o compromisso de prestação de serviços ao Senhor da propriedade, que concedia este arrendamento. Era uma região merecedora de cânticos, que ricamente justificava os dois versos dedicados a ela. A divisão da nação por sorte e as leis pelas quais as porções da terra foram reservadas aos proprietários e seus descendentes, por herança perpétua, eram assuntos apropriados para cânticos. Se outras nações tivessem desfrutado de leis de propriedade, que assegurassem a cada família um pedaço de terra para cultivo, grande parte do presente descontentamento jamais teria ocorrido, a mendicância logo teria se tornado incomum e a própria pobreza teria sido rara.

"Porque a sua benignidade é para sempre." Sim, a benignidade luta pela terra, a benignidade divide o despojo entre os seus favorecidos, e a benignidade assegura a cada homem a sua herança. Glória a Deus, o fiel.

Pois a sua benignidade, ampla e gratuita,
nos conquista a plena felicidade.

23 *Que se lembrou da nossa humilhação; porque a sua benignidade é para sempre.*
24 *E nos remiu dos nossos inimigos; porque a sua benignidade é para sempre.*

23. *"Que se lembrou da nossa humilhação."* As graças pessoais despertam o mais doce cântico – "Ele se lembrou de *nós*". A nossa oração é "Senhor, lembra-te de mim", e este é o nosso incentivo: Ele se lembrou de nós. Pois o fato de que o Senhor pense em nós é uma grande benignidade. A nossa situação era lamentável – uma condição de ruína e mendicância. Israel descansou na sua herança, mas nós ainda estávamos em servidão, gemendo no cativeiro: o Senhor parecia ter se esquecido de nós, entregando-nos à nossa angústia; mas isto não durou muito tempo: Ele se voltou na sua compaixão, lembrando-se dos seus filhos aflitos. A nossa condição já foi tão baixa como a boca do inferno; desde então, já foi humilde, em pobreza, privação, desânimo, doença, e angústia, e infelizmente, receio, também, pecaminosamente baixa em fé, e amor, e todas as outras graças; e ainda assim o

Senhor não se esqueceu de nós, como algo morto tirado de sua mente; mas ainda se lembrou de nós com ternura. Nós nos julgamos pequenos e insignificantes demais para que a sua memória se sobrecarregasse por nossa causa, porém ainda assim Ele se lembrou de nós.

"Porque a sua benignidade é para sempre." Sim, esta é uma das melhores provas da imutabilidade da sua benignidade, pois se Ele pudesse ter mudado com relação a alguém, certamente teria sido em relação a nós, que nos rebaixamos e nos conservamos nesta condição, e nos preparamos para nos rebaixar ainda mais. É uma graça memorável, lembrar-se de nós na nossa humilhação: nas nossas mais elevadas alegrias, nós exaltamos o nome do Senhor, uma vez que disto temos certeza: Ele não nos irá abandonar.

Pois a sua benignidade, ampla e gratuita,
Dura até a eternidade.

24. *"E nos remiu dos nossos inimigos."* Os inimigos de Israel humilharam o povo; mas o Senhor interveio, e inverteu a situação, por uma grande redenção. Esta expressão indica que eles tinham se tornado como escravos, e não seriam libertados sem algum custo e poder; eles precisavam ser *"remidos"*. No nosso caso, a redenção que está em Cristo Jesus é uma razão eminente para que demos graças ao Senhor. O pecado é nosso inimigo, e nós somos remidos dele pelo sangue da expiação; Satanás é nosso inimigo e nós somos remidos dele, pelo poder do Redentor; o mundo é nosso inimigo, e nós somos remidos dele pelo Espírito Santo. Nós somos resgatados, desfrutemos da nossa liberdade; Cristo operou a nossa redenção, louvemos o seu nome.

"Porque a sua benignidade é para sempre." A benignidade divina se estendeu até a redenção, pela morte do seu Filho. O que mais podemos desejar? O que mais podemos imaginar? As muitas águas não puderam apagar esse amor, nem os rios afogá-lo.

Até mesmo diante da morte sobre o madeiro,
A benignidade dura, fielmente.

25 *Que dá mantimento a toda a carne; porque a sua benignidade é para sempre.*

25. *"Que dá mantimento a toda a carne."* A providência comum, que cuida de todas as coisas vivas, merece os nossos mais devotos agradecimentos. Se nós pensarmos no alimento celestial, que nutre todos os santos, os nossos louvores sobem ainda mais alto; mas, enquanto isto, a bondade universal de Deus, ao alimentar todas as suas criaturas, é tão merecedora de louvor como a sua benevolência especial com a nação eleita. O Senhor alimenta toda a vida; por isto, esperamos que Ele tenha um cuidado especial com a sua própria família.

"Porque a sua benignidade é para sempre." Chegando até mesmo aos animais e répteis, ela é, verdadeiramente, uma benignidade que não conhece limites, por causa da humildade do seu objeto.

Ele alimenta todas as coisas vivas
A sua mão supre a sua necessidade;
Porque a sua benignidade é para sempre,
Sempre fiel, sempre assegurada.

26 *Louvai ao Deus dos céus; porque a sua benignidade é para sempre.*

26. *"Louvai ao Deus dos céus."* O título está repleto de honra. O Senhor é Deus, nos mais elevados domínios, e entre os seres celestiais. O seu trono é estabelecido em glória, acima de tudo, fora do alcance de adversários, no local de supervisão universal. Aquele que alimenta corvos e pardais é o Deus glorioso, dos mais elevados domínios.

Os anjos consideram como sua glória proclamar a glória dele, em cada rua celestial. Veja aqui a grandeza da sua natureza, a profundidade da sua condescendência, e a dimensão do seu amor. Perceba a única causa da sua generosidade: *"Porque a sua benignidade é para sempre"*. Ele fez todas as coisas por este motivo; e como a sua benignidade nunca cessa, Ele continuará a multiplicar obras de amor, por todo o sempre. Demos graças, com todas as forças do nosso coração e da nossa língua, ao santo nome do Senhor, para todo o sempre.

Mudanças e decadências vejo ao redor...
Ó, tu que não mudas, permaneça comigo.

NOTAS EXPLICATIVAS E DECLARAÇÕES SINGULARES

O salmo: Muito provavelmente, este salmo foi composto por Davi, e dado aos levitas, para que o cantassem todos os dias (1 Cr 16.41). Salomão, seu filho, seguiu o seu exemplo, e fez uso dele, ao cantar na consagração do Templo (2 Cr 7.3-6); como também Josafá parece ter feito, quando saiu para guerrear contra seus inimigos (2 Cr 20.21). – *John Gill*

Todo o salmo: A grande peculiaridade de forma neste salmo... é a sua repetição regular, no encerramento de cada versículo, de um estribilho ou *refrão*... Uma ideia favorita, entre os intérpretes, tem sido a de que estas repetições necessariamente sugerem coros alternados ou de resposta. Mas as outras indicações deste costume no saltério são extremamente duvidosas, e cada condição exegética pode ser satisfeita, com a simples suposição de que os cantores, em alguns casos, respondiam suas próprias perguntas, e, em outros, como neste que está diante de nós, o povo acompanhava o refrão, como estavam acostumados a fazer ao dizerem "Amém". – *Joseph Addison Alexander*

O salmo: O salmo é chamado de *Polyeleos,* pela igreja grega, pela sua contínua menção à benignidade de Deus. – *Neale e Littledale*

O salmo: Na linguagem litúrgica, este salmo é chamado de grande Hallel *par excellence* pois, segundo a sua mais ampla abrangência, o grande Hallel compreende os salmos 120 a 136, ao passo que o Hallel que é assim chamado se estende do salmo 113 ao 118. – *Franz Delitzsch*

O salmo: "Louvai [הודו] ao Senhor", não como em Sl 135.1, "Aleluia", mas variando as palavras, – "Sejam *Judás* para o Senhor!"

Louvem-no pelo que Ele é (vv. 1-3).
Louvem-no pelo que Ele é capaz de fazer (v. 4).
Louvem-no pelo que Ele fez na Criação (vv. 5-9).
Louvem-no pelo que Ele fez, redimindo Israel da escravidão (vv. 10-15).
Louvem-no pelo que Ele fez na sua providência para com eles (vv. 16-22).
Louvem-no pela sua graça em tempos de calamidade (vv. 23,24).
Louvem-no pela sua graça, de modo geral, para o mundo (v. 25).
Louvem-no, lembrando que este Deus é o Deus do céu (v. 26). – *Andrew A. Bonar*

O salmo: Quando, na época do Imperador Constantino, Santo Atanásio foi atacado à noite, na sua igreja, em Alexandria, por Siriano e seus exércitos, e muitos foram feridos e mortos, o Bispo de Alexandria se sentou em sua cadeira e ordenou que o diácono iniciasse este salmo, e o povo respondia, alternando, *"Porque a sua benignidade é para sempre"*. – *Christopher Wordsworth*

v. 1: "Louvai ao Senhor". Depois que louvarmos a Deus pelas razões que nos foram oferecidas, em um salmo, devemos começar outra vez e louvá-lo por outros motivos; e mesmo quando tivermos feito isto, não concluímos a nossa tarefa, o dever ainda está à nossa porta, para que o realizemos novamente, como mostra este salmo. – *David Dickson v. 1:* "Porque ele é bom". Observe o que é que devemos agradecer: não como o fariseu que fazia com que todos os seus agradecimentos terminassem na sua própria bondade – "Ó Deus, graças te dou" porque sou isto e aquilo – mas dirigindo todos eles à glória de Deus: *"porque ele é bom"*. – *Matthew Henry*

v. 1: "A sua benignidade é para sempre". Esta expressão aparece quatro vezes, em Sl 118.1-4. Esta sentença mostra como Moisés esteve maravilhado: aqui se vê a soma da revelação e a esperança do homem. – *James G. Murphy*

v. 1: "sua benignidade". Muitas coisas doces estão na palavra de Deus, mas a benignidade é a mais doce palavra em todas as passagens das Escrituras, o que fez com que Davi a tocasse vinte e seis vezes neste salmo: *"Porque a sua benignidade é para sempre"*. Foi uma nota tão alegre em seus ouvidos, quando ele falou em benignidade, que, como um pássaro que é ensinado a piar, depois de cantá-la, ele a cantou novamente, e depois de cantá-la novamente, ele a gravou outra vez, e fez dela o refrão do seu cântico: *"Porque a sua benignidade é para sempre"*. Como um rouxinol que, quando está com boa disposição, canta e salta várias vezes, a mesma coisa fez Davi sobre a sua benignidade: *"Porque a sua benignidade é para sempre"*. – *Henry Smith*

v. 1: "Benignidade". Por *"benignidade"*, entendemos a disposição do Senhor de se compadecer e aliviar aqueles aos quais o pecado tornou infelizes e vis; a sua prontidão em perdoar e se reconciliar com os mais provocadores dos transgressores, e conceder todas as bênçãos a eles; juntamente com toda a provisão que Ele fez para a honra do seu nome, na redenção dos pecadores por Jesus Cristo. – *Thomas Scott*

v. 1: "A sua benignidade é para sempre". É eterna. A duração eterna, ou eternidade, é a perfeita posse, de uma só vez, de uma vida sem fim (disse Boétio). A benignidade eterna, então, é a benignidade perfeita, que expulsa todas as imperfeições do tempo, começo, fim, sucessão, e assim é a benignidade de Deus. Em primeiro lugar, a sua *benignidade essencial* é a própria eternidade; pois é Ele mesmo, e Deus não tem, mas *é,* coisas. Ele é o começo, o fim, a existência; e o que é dele mesmo, e Ele mesmo, é a própria eternidade. Em segundo lugar, a sua *benignidade relativa* que nos respeita e nos impressiona é eterna, também, até certo ponto; pois as criaturas, uma vez que obtiveram a existência através dele, ou de suas causas naturais, sempre precisaram e sempre precisarão de benignidade, seja preservadora ou conservadora. A benignidade preventiva, ou continuada, no primeiro sentido, é *incessante, negativamente,* isto é, incapaz de terminar, porque é ilimitada: no segundo sentido, é *incessante privativamente*, jamais terminará realmente, ainda que em si mesma possa ser, e de certa forma seja, limitada; a primeira está incluída na segunda, mas o significado aqui é principalmente o segundo; e por isto a questão é esta – *a benignidade de Deus (principalmente para com a sua igreja) é uma benignidade incessante*; ela não conhece fim, não sofre interrupção. As razões disto, na palavra, são as seguintes (pois, como testemunho tocando, este salmo será a nossa segurança): em primeiro lugar, da *natureza de Deus, "ele é bom"*. A benignidade o agrada. Não é nenhum problema para Ele, exercer benignidade. É o seu prazer; nós não nos cansamos nunca de receber, por que Ele não se cansa de dá-la; pois é mais bem-aventurado dar do que receber; assim Deus se alegra mais em dar do que em receber. – *Robert Harris, 1578-1658*

v. 1: "A sua benignidade é para sempre". A bondade de Deus é uma fonte; ela nunca seca. Assim como a graça é desde o princípio do mundo (Sl 25.6), também é até o fim do mundo, *a seculo in seculum,* de uma geração a outra. A salvação não é uma graça cativa, ela não se prende aos tempos; Noé, bem como Abel, Moisés, bem como Jacó, Jeremias, bem como Davi, Paulo, bem como Simeão, participam nesta salvação. O propósito piedoso de Deus não foi afogado pelo Dilúvio; a fumaça do Sinai não se apagou; o Cativeiro não terminou; os confins do mundo (como os chama o apóstolo Paulo) não foram determinados. Pois Cristo, por quem existe a graça, foi morto, desde a fundação do mundo – como diz o apóstolo João. Ele existia antes de Abraão, Ele mesmo diz isto. E *Clemente de Alexandria* [tom. v.

página 233] foi injusto com Marcion, embora, em outro aspecto, herege, ao culpá-lo por sustentar que Cristo salvou também aqueles que creram nele antes da sua encarnação. O sangue de animais, segundo a lei era um tipo do seu. E as cicatrizes dos seus ferimentos ainda aparecem, e aparecerão para sempre, até que Ele venha para o juízo. O apóstolo conclui a questão: Ele é *heri* e *hodi* e *semper idem:* Cristo é o mesmo ontem, e hoje, e para sempre. – *Richard Gierke, -1634*

vv. 1 a 3: Os três primeiros versículos deste salmo contêm os três diferentes nomes da Divindade, que normalmente são traduzidos como *Jeová, Deus* e *Senhor,* respectivamente, o primeiro com referência à sua essência como *de existência própria,* e sendo o seu próprio nome; o segundo, designando-o sob o caráter de um *juiz* ou um ser Todo-Poderoso, se Aleim for derivado de *Al*; e o *terceiro, Adonai,* que o representa como *exercendo a lei.* – *Daniel Cresswell*

vv. 1 a 3: "Louvai".

Dê graças a Deus, por tudo,
aconteça o que acontecer.
A despeito do que as nuvens escuras possam trazer?
Sim, dê graças a Deus, por tudo;
Pois em segurança, Ele conduz você pela mão,
à sua abençoada pátria.

Agradeça a Ele, pelo caminho solitário
que Ele lhe deu.
Pelo caminho que, dia a dia,
parece cada vez mais distante do céu?
Sim, agradeça a Ele, pois Ele segura a sua mão
e conduz você à sua pátria.

Ele protege você intimamente de todo o mal;
e se a estrada for difícil,
você sabe que o seu braço eterno
conserva você em segurança,
embora você não consiga entender
as curvas que levam à sua pátria.

Que bênção, você pensa,
que Ele, que conhece o bem e o mal,
reterá, se for boa para você,
enquanto você sobe o monte?
Então, confie nele e segure firmemente a sua mão,
Ele lhe conduz à sua pátria.

– *B. S., "The Christian Treasury", 1865*

vv. 1 a 9: Como o salmo anterior, este salmo se alia ao livro de Deuteronômio. As primeiras frases dos versículos 2 e 3 (*"Deus dos deuses"* e *"Senhor dos senhores"*) são extraídas de Dt 10.17; o versículo 12, primeira parte (*"Com mão forte, e com braço estendido"*), de Dt 4.34 e 5.15. O versículo 16, primeira parte, é como Dt 8.15 (cf. Jr 2.6). – *Franz Delitzsch*

vv. 1 a 26: As repetições não são todas em vão, nem a extensão na oração deve ser considerada tagarelice. Pois as repetições podem ser usadas,

1. Quando expressam *fervor* e *zelo*: e assim lemos que Cristo fez a mesma oração três vezes: "Meu Pai, se é possível, passa de mim este cálice" (Mt 26.44). E outro evangelista mostra que Ele fez isto com especial fervor de espírito: "E, posto em agonia, orava mais intensamente" (Lc 22.44).

2. A repetição não deve ser desaprovada quando há uma *ênfase especial* e uma especial elegância, como em Salmos 136.1-26, onde vemos a frase *"porque a sua benignidade é para sempre"*, repetida vinte e seis vezes porque há um motivo especial para isto, sendo o propósito do salmista mostrar as riquezas incansáveis e inesgotáveis da graça gratuita de Deus; apesar de todas as experiências anteriores que eles tinham tido, Deus está onde estava no princípio. Nós gastamos os nossos recursos ao darmos algo a alguém; os nossos recursos logo se esgotam; mas Deus não se gasta ao conceder, mas tem a mesma benignidade para fazer o bem a todas as suas criaturas, como antes. Embora Ele tivesse feito todas estas maravilhas por eles, a sua benignidade ainda estava igualmente disposta a fazer-lhes o bem. Todo o tempo, Deus salvou e abençoou o seu povo, *"porque a sua benignidade é para sempre"*. – *Thomas Manton*

v. 2: "Deus dos deuses". *"Deus dos deuses"* é um superlativo em hebraico, porque Ele está muito acima de todos os deuses, sejam eles famosos ou subordinados. – *Robert Harris*

v. 2: "Deus dos deuses". Deus, sendo o Criador, é infinitamente superior a todos os outros, sim, às suas criaturas, que em algum momento foram consideradas como se fossem deuses. – *French e Skinner, 1842*

vv. 2 e 3: Antes de continuar a recitar as obras de Deus, o salmista declara a sua suprema divindade, e domínio: isto não significa que esta linguagem comparativa indique que há algo próximo à divindade, sem ser Ele, mas há uma disposição nos homens, sempre que veem exibida alguma parte da sua glória, de conceber um Deus separado dele, e, desta maneira, impiamente dividindo a Divindade em partes, e chegando ao ponto de fazer deuses de madeira e pedra. Há uma tendência depravada em todos os que se deleitam em uma multiplicidade de deuses. Por esta razão, aparentemente, o salmista usa o plural, não apenas na palavra *Elohim*, mas na palavra *Adonim*, de modo que o significado é, literalmente, *Louvai ao Senhor dos senhores*: ele deseja indicar que a plena perfeição de todo o domínio só é encontrada no único Deus. – *João Calvino*

v. 3: "Senhor dos senhores". O significado do título *"Senhor"*, diferentemente de "Jeová" e "Deus" é "Governador". E em vista disto, Ele também tem o direito ao louvor e aos agradecimentos, pois o seu governo do mundo também é eminentemente marcado pela *"benignidade"* e *"bondade"*; não apenas a exibição de poder, mas do poder declarado, principalmente, ao mostrar benignidade e piedade: como, novamente, testemunham todos os que estão sujeitos a este governo. Assim é Deus *em Si mesmo*. Não é sem intenção que a doxologia é tripla, indicando, sem dúvida, como a tripla invocação do Nome do Senhor, na bênção do seu povo (Nm 6.24-26) – Deus na Trindade – "Pai, Filho e Espírito Santo", é agora plenamente revelada. – *William De Burgh*

v. 4: "Ao único que opera grandes maravilhas" (ARA). Deus preservou para Si mesmo o poder dos milagres como sua prerrogativa, pois o diabo não faz verdadeiros milagres; o diabo e os seus instrumentos apenas agem apressando a natureza ou como obstáculos a ela, antecipando a natureza ou postergando a natureza, fazendo com que as coisas aconteçam antes do tempo, ou retardando-as; e independentemente da maneira como pretendam se opor à natureza, ainda assim é apenas sobre a natureza e por meios naturais, que eles operam. Somente Deus rompe a estrutura da natureza, e o faz em um milagre, como se não houvesse nenhuma criação realizada e nenhum curso de natureza estabelecido. *Facit mirabilia magna solus,* diz Davi aqui. Há *mirabilia parva*, algumas maravilhas menores, que o diabo e seus instrumentos, os feiticeiros de Faraó, podem fazer; mas quando o assunto é *mirabilia magna*, grandes maravilhas, tão grandes que assumem a natureza de um milagre, *facit solus*, Deus, e somente Deus, as realiza. – *Abraham Wright v. 4:* "O único que opera grandes maravilhas" (ARA). Ele é o *"único"* que opera grandes maravilhas? Isto significa, Ele as faz sozinho, sem ajuda, sem precisar de nada dos outros, sem pedir nenhum auxílio às suas criaturas. Assim como o Nilo, desde a Núbia até o Mediterrâneo, corre por 1.300 milhas em solitária grandeza, sem receber nenhum afluente, mas sozinho, distribuindo fertilidade e abundância por onde passa, também o nosso Deus "só" faz maravilhas. (Veja Dt 32.12; Sl 72.18, etc.). Sem alguém que o incite ou ajude; espontaneamente, Ele sai para o trabalho, e tudo o que Ele faz é digno de Deus. Então, não precisamos de ninguém mais; nós somos independentes de todos os outros; todas as nossas fontes estão nele. – *Andrew A. Bonar*

v. 4: "Que opera grandes maravilhas" (ARA). Aqui são declaradas três coisas a respeito de Deus; que Ele faz *maravilhas*, que as maravilhas que Ele faz são *grandes*; que Ele *é* o *"único"* que as faz. – *Agostinho, em Neale e Littledale*

v. 4: "Que opera grandes maravilhas". Quaisquer que sejam os instrumentos que o Senhor se alegra em usar em alguma das suas maravilhosas obras, somente Ele as realiza, e não dividirá a glória da obra com nenhuma criatura. – *David Dickson*

v. 4: Convém ao grande Deus fazer grandes coisas. *"O único que opera grandes maravilhas"* (ARA). Quando você pede grandes coisas, você pede aquelas que convém a Deus dar, pois a "benignidade" dele "se eleva acima dos céus". Nada debaixo dos céus pode ser grande demais, que Ele não possa dar. Quanto mais excelentes as coisas que Ele concede, maior glória redunda ao seu precioso e bendito nome. – *David Clarkson, 1622-1686*

v. 4: Os cristãos não devem se envergonhar dos mistérios e *milagres* da sua religião. Em algumas ocasiões, nos últimos anos, manifestou-se uma disposição para recuar da defesa do sobrenatural na religião. Este é um grande engano. Se abrirmos mão de tudo o que é milagroso na verdadeira religião, não sobrará poder suficiente para comover nenhum coração à adoração; e sem adoração não há piedade. – *William Swan Plumer*

v. 4: Quanto mais eu vivo, ó meu Deus, mais eu me maravilho com todas as obras das tuas mãos. Eu vejo estratagemas tão admiráveis nas mais inferiores e desprezíveis de todas as tuas criaturas, que a cada dia assombram mais e mais a minha observação. Eu não preciso procurar no céu motivos para maravilhas, embora ali tu sejas infinitamente glorioso. Enquanto eu tiver apenas uma aranha na minha janela, ou uma abelha no meu jardim, ou um verme sob meus pés, cada uma destas criaturas me subjuga com justo assombro; no entanto, eu não consigo ver além do seu exterior; eu não consigo perceber a sua forma interior, que lhes dá a existência e as operações. Quanto menos eu conhecer, ó Senhor, que eu mais me admire; e quanto menos eu conseguir me satisfazer, maravilhando-me com as tuas obras, que eu mais adore a tua majestade e onipotência, pois tu as fizeste. – *Joseph Hall*

v. 5: "Àquele que com entendimento fez os céus". Nós aprendemos que Deus edificou os céus com entendimento, para declarar a sua glória e exibir a sua habilidade. Não há trilhos, com barras e pinos, para segurar os planetas em suas órbitas. Eles se movem, livremente, no espaço, sempre mudando, mas nunca mudados; equilibrados e equilibrando-se; influenciados e influenciando; perturbando e perturbados, eles prosseguem com seu voo, completando, com segurança infalível, seus importantes ciclos. Todo o sistema forma uma grande e complicada peça do maquinário celestial; círculo dentro de círculo, roda dentro de roda, ciclo dentro de ciclo; revoluções tão rápidas que se completam em poucas horas; movimentos tão lentos, que seus ciclos são contados em milhões de anos. – *De "The Orbs of Heaven", 1859*

v. 5: "Àquele que com entendimento fez os céus". Não apenas o firmamento, mas também o terceiro céu, onde tudo é felicidade, onde está o trono da glória. Então, eu deduzo que, se a *benignidade* que visita a terra vem do mesmo Jeová que fez o céu e o encheu com glória, deve haver, na sua *benignidade* um pouco do mesmo *"entendimento"* ou *"sabedoria"*. É uma benignidade sábia, prudente; ela não é exibida precipitadamente; e é a benignidade daquele cujo amor encheu aquele céu com bênçãos. O mesmo arquiteto, o mesmo talento, o mesmo amor! – *Andrew A. Bonar*

v. 6: "Estendeu a terra sobre as águas". As águas do grande abismo (Gn 7.11) são o significado pretendido; acima delas a crosta da terra se estende. Em Pv 8.27, o grande abismo envolve a terra. – *"Speaker's Commentary"*

v. 7: "Grandes luminares". As luzes do céu são bênçãos indescritíveis para os filhos dos homens. O sol, na grandeza da sua força, mede o dia dos astros e exerce uma influência sobre a vida animal e vegetal que cerca os homens de incontáveis consolações; e a lua e as estrelas, deslocando-se em seu resplendor, dão orientações aos homens nas horas escuras da noite, e tanto por terra como por mar proclamam a sabedoria, a benignidade, e o grandioso arranjo do adorável Criador. Com estes astros iluminados, noite e dia, calor e frio, verão e inverno, são continuamente regulados; de modo que o concerto de Deus com a terra é mantido por meio deles. Quão verdadeiramente, então, podemos exclamar, "A sua benignidade é para sempre!" – *John Morison*

v. 7: "Àquele que fez os grandes luminares". A luz é a vida e a alma do universo, o mais nobre emblema do poder e da glória de Deus, que, à noite, não fica sem testemunha, mas nos dá uma parte daquela luz refletida, que durante o dia nós contemplamos, fluindo, da sua grande fonte no céu. A tua igreja e os teus santos, ó Senhor, "são a luz e as estrelas" que, pela comunicação da doutrina e pelo esplendor do exemplo, guia nossos pés enquanto viajamos na noite que se abateu sobre nós, esperando o amanhecer do dia eterno. Então nós contemplaremos a tua glória, para ver-te como és. – *George Horne*

v. 8: "O sol para governar de dia". Este versículo mostra que o sol brilha durante o dia, segundo a ordem que Deus estipulou, e não por qualquer causa natural, apenas, como alguns imaginam e conjeturam. – *Thomas Wilcocks*

v. 8: "O sol". A *lanterna do mundo* (*lucerna Mundi*), como Copérnico chama o sol, entronizado no centro – de acordo com Theon, de Esmirna, o *coração do universo,* vivificador e pulsante, é a fonte principal de luz e de calor, e o gerador de numerosos processos eletromagnéticos na terra, e, na verdade, da maior parte da atividade orgânica vital sobre o nosso planeta, mais especialmente a do reino vegetal. Ao considerar a expressão da força solar, na sua mais ampla generalidade, vemos que ela suscita alterações na superfície da terra – parcialmente, pela atração da gravidade – como no caso da maré do oceano (se excetuarmos a participação que a atração lunar tem no fenômeno), parcialmente pela luz e calor, gerando vibrações oblíquas de éter, como na mistura frutificadora das envoltórias de ar e água do nosso planeta, pelo contato da atmosfera com o elemento fluido vaporizador, em mares, lagos e rios. A ação do sol atua, além disto, por diferenças de calor, estimulando correntes atmosféricas e oceânicas; estas últimas continuam por milhares de anos (embora a um grau não considerável) a acumular ou gastar estratos aluviais, desta maneira alteram a superfície da terra inundada; isto opera na geração e manutenção da atividade eletromagnética da crosta terrestre e do oxigênio contido na atmosfera; em um momento, produzindo forças calmas e gentis de atração química e determinando, de maneira variada, a vida orgânica na endosmose das membranas das células e no tecido das fibras musculares e nervosas; em outro, evocando processos de luz na atmosfera, tais como os brilhos coloridos da luz polar, trovões e relâmpagos, furacões e tempestades.

O nosso objetivo, tentando comprimir em uma imagem as *influências da ação solar,* até o ponto em que são independentes da órbita e da posição do eixo do nosso globo, foi claramente o de demonstrar, expondo a conexão que existe entre fenômenos grandiosos e, à primeira vista, heterogêneos, como a natureza física pode ser retratada na *História do Cosmos* como um todo, movida e animada por forças internas que frequentemente se auto-ajustam. Mas as ondas de luz não somente exercem uma ação de decomposição e combinação sobre o mundo corpóreo, não somente fazem germinar as plantas, geram a matéria verde (clorofila) dentro da folha, e dão cor à fragrante flor – não apenas produzem miríades de imagens refletidas do Sol, no gracioso jogo das ondas, bem como no movimento da erva no campo – mas os raios de luz celestial, nas variadas graduações de sua intensidade e duração, também estão misteriosamente conectados com a vida interior do homem, as suas suscetibilidades intelectuais, e o tom melancólico ou animado de seus sentimentos. A isto, Plínio, o Velho, se referiu com as palavras *"Ceeli tristraih diseutit sol, el humani nubila animi serenat"*. ["O sol expulsa a tristeza do céu, e dissipa as nuvens que obscurecem o coração humano"]. – *F. H. Alexander Von Humboldt (1769-1859), em "Cosmos"*

v. 8: "O Sol".

Ó, sol! O que torna tão brilhantes os teus raios?
A palavra que disse, "Haja luz".
– *James Montgomery*

v. 9: "A lua e as estrelas para presidirem a noite". Enquanto a aparente revolução do sol delimita o ano e o curso das estações, a revolução da lua pelos céus delimita os nossos meses; e mudando regularmente a sua imagem, nas quatro quartas partes do seu curso, subdivide o mês em dois períodos de semanas, e exibe, assim, a todas as nações da terra, uma "luz de vigia", ou sinal, que a cada sete dias apresenta uma nova forma, assinalando os períodos mais curtos de tempo. Pela sua proximidade com a terra, e consequente aumento da sua força gravitacional, ela produz correntes na atmosfera que orientam o curso dos ventos e purificam o ar de exalações nocivas; ela ergue as águas dos oceanos e perpetua os retornos regulares de maré cheia e baixa, pelos quais o elemento líquido é preservado da sujeira e putrefação. Ela estende a sua influência até mesmo sobre o homem, e a nossa saúde e nossos distúrbios se devem, às vezes, parcialmente à sua influência. Nem mesmo os seus eclipses, e os eclipses do sol que ela produz, são inúteis. Eles tendem a despertar a humanidade ao estudo da astronomia, e das maravilhas do firmamento; eles servem para confirmar as deduções da cronologia, orientar o navegador e definir a posição geográfica de cidades e países; eles auxiliam o astrônomo em suas investigações celestes e exibem uma agradável variedade de fenômenos no cenário dos céus. Em resumo, há cenas terrestres que se apresentam ao luar, que, em termos de solenidade, grandeza e beleza pitoresca, ultrapassam, e muito, em interesse, para uma imaginação poética, todo o brilho e esplendor do dia. Por isto, em todos os tempos, uma cena ao luar foi associada, por todos os tipos de homens, com sentimentos de alegria e admiração. A seguinte descrição, feita por Homero e traduzida para o idioma inglês por Pope, é considerada uma das mais belas obras sobre a noite, em poesia:

"Eis que a lua, lâmpada refulgente da noite,
sobre o claro azul do Céu espalha a sua sagrada luz,
quando nem um suspiro perturba a profunda serenidade
e nem uma nuvem nubla a cena solene;
ao redor do seu trono, giram os vívidos planetas,
e as estrelas incontáveis envolvem o brilhante pólo,
sobre as árvores escuras, ela lança um verdor amarelado,
e cobre de prata o cume de cada monte;
Então brilham os vales; as rochas se erguem, em perspectiva;
um dilúvio de glória irrompe de todos os céus;
os amantes conscientes, deleitando-se com a visão
olham para a abóbada azul e bendizem a tão útil luz".

Sem a luz da lua, os habitantes de regiões polares ficariam, por semanas e meses, imersos em trevas. Mas a lua como um gentil visitante, retorna em intervalos curtos, na ausência do sol e os alegra com seus raios, durante vários dias e semanas. De modo que, nesta iluminação noturna, como em todos os outros arranjos da natureza, contemplamos uma exibição do cuidado paterno e da beneficência daquele Ser Todo-Poderoso que ordenou "a lua e as estrelas para presidirem a noite" como evidência da sua superabundante bondade e da "sua benignidade, que é para *sempre*". – *Thomas Dick, (1774-1857), Celestial Scenery*

v. 9: "Estrelas para presidirem a noite". Sendo o propósito da sagrada narrativa descrever a adaptação da terra para o uso do homem, ela não considera a natureza das estrelas, como sóis ou planetas, mas meramente como sinais nos céus. – *"Speaker's Commentary"*

v. 9: "Estrelas". As estrelas não apenas adornam o teto da nossa mansão sublunar, mas também, em muitos aspectos, são *úteis* aos homens. A sua influência é plácida e gentil. Os seus raios, dispersos por espaços tão vastos e imensos, são inteiramente destituídos de calor quando chegam à nossa morada; de modo que desfrutamos de uma numerosa assembleia de globos luminosos, sem nenhum perigo de que destruam a frieza da noite ou a tranquilidade do nosso repouso. Elas servem para guiar o viajante por terra e também por mar; elas dirigem um navegador, dirigindo o seu curso, de um continente a outro, pelo oceano sem trilha. Elas servem "para sinais e para tempos determinados e para dias e anos". Elas orientam os trabalhos do agricultor e determinam o retorno e a conclusão das estações. Elas servem como um magnífico "relógio" para determinar a verdadeira extensão do dia e do ano, e marcar com exatidão todas as suas divisões subordinadas. Elas nos auxiliam no nosso comércio e no esforço de propagar a religião entre as nações, mostrando-nos o nosso caminho para cada região da terra. Elas nos capacitam a medir a circunferência do globo, a determinar a *densidade* dos materiais de que ele é composto e a definir a exata posição de todos os lugares, sobre a sua superfície. Elas alegram as longas noites de diversos meses, nas regiões polares, que, não fosse por elas, seriam cobertos com impenetrável escuridão. Acima de tudo, elas abrem uma perspectiva às regiões de outros mundos e tendem a ampliar as nossas visões do Ser Todo-Poderoso, que as fez existir pelo seu poder, "cujo reino domina sobre tudo". Nestes arranjos das estrelas, em referência ao nosso globo, a sabedoria e bondade divinas podem ser claramente percebidas. Nós desfrutamos de todas as vantagens às quais nos referimos, como se as estrelas tivessem sido criadas exclusivamente para o uso do nosso mundo, embora, ao mesmo tempo, elas sirvam para diversificar o céu noturno de outros planetas e difundir a sua luz e influência sobre dez mil outros mundos com que estão mais imediatamente conectadas, de modo que, neste aspecto, bem como em qualquer outro, o Todo-Poderoso produz os mais sublimes e diversificados efeitos pelos mais simples e econômicos meios, tornando cada parte do universo subserviente a outra, e para o bem do conjunto. – *Thomas Dick*

v. 9: "Estrelas". Quando o primeiro Cônsul atravessou o Mediterrâneo em sua expedição egípcia, levou consigo uma coorte de *savans*, que, em última análise, fizeram um bom serviço de várias maneiras. Entre eles, no entanto, como se poderia esperar naquela época, havia alguns filósofos da escola de Voltaire-Diderot. Napoleão, para sua própria instrução e divertimento a bordo do barco, encorajou discussões entre estes senhores; e em certa ocasião, eles tentaram demonstrar e, na sua própria opinião, *realmente* demonstraram, por infalível lógica e metafísica, que Deus não existe. Bonaparte, que odiava todos os ideólogos, pensadores abstratos e demonstradores lógicos, independentemente do que estivessem demonstrando, não se isolou destes sutis dialéticos, mas os fez subir imediatamente ao convés, e apontando para as estrelas no céu claro, respondeu, como um contra-argumento: "Muito bem, senhores, mas quem criou todas elas?" – *George Wilson, Religio Chemici", 1862*

v. 10: "Que feriu o Egito nos seus primogênitos". Os egípcios são apropriadamente descritos como tendo sido feridos em seus primogênitos, porque continuavam na sua ultrajante obstinação mesmo sob outras pragas (embora ocasionalmente aterrorizados por elas), mas foram quebrantados e subjugados por esta última praga, e se renderam. – *João Calvino*

v. 10: "Que feriu o Egito nos seus primogênitos; porque a sua benignidade", etc. Lembre-se da sua graça soberana, quando a justiça se mostrar sobre os culpados. Houve misericórdia, mesmo então, para Israel – gotas daquela misericórdia que é para sempre – no mesmo instante em que o juízo caiu sobre outros. Isto não deveria dar ênfase aos nossos louvores? O cenário escuro faz com que as imagens no primeiro plano sejam mais proeminentes. – *Andrew A. Bonar*

v. 11: "E tirou a Israel do meio deles". Uma emigração como esta, o mundo jamais viu. No cálculo mais pessimista, toda a multidão deve ter sido superior a dois milhões de pessoas, e com toda probabilidade, este número excedeu três milhões. A magnitude deste movimento é normalmente apreendida? Nós pensamos sobre a emigração dos israelitas, ao deixar o Egito, como a emigração de um número de famílias, duas vezes mais numerosas do que a população do principado de Gales, ou consideravelmente superior a toda a população da Metrópole Britânica (em 1841), com todos os seus bens e o seu gado? A reunião de uma multidão tão imensa – o arranjo da ordem da sua marcha – a provisão do alimento necessário para alguns poucos dias, deve, sob as circunstâncias, ter sido praticamente impossível, a menos que uma Providência muito especial e dominadora tivesse graciosamente interferido, para eliminar as dificuldades deste caso. Para o observador mais superficial, deve ser evidente que nenhum homem nem grupo de homens, não tendo nada senão recursos humanos, poderia ter se aventurado a empreender esta jornada. Dificilmente alguma maravilha, operada pelo poder Divino no Egito, parece maior do que esta emigração de uma nação, quando considerada plenamente. – *George Smith, Sacred Annals", 1850*

v. 12: "Com braço estendido". A imagem de um *braço estendido* é apropriada, pois nós estendemos o braço quando é necessário um grande esforço; de modo que isto indica que Deus apresentou uma exibição extraordinária, e não comum ou ligeira, do seu poder, na redenção do seu povo. – *João Calvino*

v. 13: "Dividiu o Mar Vermelho em duas partes". Todo o espaço entre os montes de Ataka e Abon Deradj ficou seco. No primeiro ponto, o golfo tem quase 8 milhas de largura, no final mais do dobro desta distância. As águas que enchiam este largo e profundo abismo se ergueram em dois enormes montes, à direita e à esquerda. A luz de Deus brilhava sobre a multidão atônita. A ordem foi dada, eles avançaram, lado a lado, assombrados, mas tranquilos e confiantes... "E os egípcios seguiram-nos, e entraram atrás deles todos os cavalos de Faraó, os seus carros e os seus cavaleiros, até ao meio do mar" (Êx 14.23). – *William Osburn, Israel in Egypt", 1856*

v. 14: "E fez passar Israel pelo meio dele", etc. Voluntariamente, sem relutância; com grande ânimo e coragem, sem temer o perigo e com a máxima segurança, de modo que não se perdeu ninguém na travessia (veja Sl 78.53); e assim o Senhor torna o seu povo desejoso e disposto a passar por aflições, estando com eles, sustentando-os, colocando-os debaixo dos braços eternos, mesmo no vale da sombra da morte. Ele os conduz em segurança através das aflições, de modo que elas não os ferem; as águas não os submergem, nem as chamas ardem neles; nem é permitido que eles se percam, mas todos chegarão à terra em segurança. – *John Gill*

v. 14: "E fez passar Israel pelo meio dele". Dar ao seu povo a graça para usar um meio oferecido de libertação, é uma obra de menor misericórdia e poder do que a de preparar a libertação para eles; mas a constância da misericórdia de Deus não somente proporciona os meios como também dá ao seu povo a graça para usá-los, em todas as gerações. – *David Dickson*

v. 14: "E fez passar Israel pelo meio dele". Muitas vezes há *bênçãos* para os santos, enquanto os ímpios *sofrem*. Do monte, Abraão viu Sodoma em chamas. – *John Trapp*

v. 15: "Mas derribou a Faraó", etc. Assim caiu Sethos II. Foi o seu terrível destino deixar para a posteridade o mais forte exemplo de ousada iniquidade e louca impiedade da sua vida, e da vingança de Deus, na sua morte, que já foi encenado sobre a terra. Jamais um juízo como este recaiu sobre qualquer nação, sim, como o que abateu o reinado do Egito. Por isto, a lembrança deste terrível evento jamais se afastou de entre os homens. O golfo em que ele pereceu é chamado Bahr-Kolzoum, "mar de destruição", até hoje.

A lembrança e o nome de Sethos II se tornaram infames no Egito. O seu túmulo foi profanado e o seu sarcófago foi quebrado publicamente e judicialmente. A sua câmara mortuária parece ter sido usada como cemitério de escravos. O título distintivo do seu nome, *Sethos*, foi mutilado em todos os monumentos do Egito. No Baixo Egito, a mutilação se estendeu ao mesmo título nos círculos do seu bisavô (Sethos I), tal a profunda abominação em que o nome tinha caído, depois que este ímpio rei o carregou. Este é o único caso, em toda a série de reis do Egito, em que houve esta infâmia pública. – *William Osburn*

v. 15: "Mas derribou a Faraó", etc. À margem, como no texto em hebraico, *sacudiu*. A palavra é aplicável a uma árvore que se despe de suas folhas (Is 33.9). A mesma palavra é usada em Êx 14.27: "e o Senhor derribou os (à margem, *sacudiu*) egípcios no meio do mar". Ele se livrou deles como se não mais os desejasse proteger. Ele os deixou para que perecessem. – *Albert Barnes*

v. 15: "Mas sacudiu a Faraó". Esta tradução fornece uma imagem de gafanhotos. Eles caíram no mar como um enxame de gafanhotos. – *Zachary Mudge, -1769*

v. 15: "Mas derribou a Faraó", etc. Eu sei que o Evangelho é um livro de misericórdia; eu também sei que nos livros dos profetas há muitas expressões de misericórdia; além disto, eu sei que, nos Dez Mandamentos, que são a ministração da morte, é feita uma menção expressa à misericórdia, "faço misericórdia em milhares": mas, apesar disto, se cada folha e cada linha e cada palavra na Bíblia não fossem nada, senão misericórdia, isto de nada serviria ao pecador presunçoso. O nosso Deus não é um Deus impotente, que possui apenas um braço; mas da mesma maneira como Ele é tardio em irar-se, também é grande em poder. Portanto, embora neste salmo não haja nada senão *"a sua benignidade é para sempre"*, vinte e seis vezes, em vinte e seis versículos, veja que estrondo há neste versículo. Quando nos dirigirmos, portanto, a Deus, devemos considerá-lo como um Deus justo, além de misericordioso e benigno; e não perder a esperança da sua benignidade, nem abusar dela. – *Abraham Wright*

v. 16: "Guiou o seu povo pelo deserto".
Quando Israel, amado do Senhor,
saiu da terra da escravidão,
O Deus do seu pai se moveu diante dele,
Um guia impressionante, em fumaça e chama.
De dia, pelas terras atônitas,
a coluna de nuvem deslizava lentamente;
À noite, as areias avermelhadas da Arábia
refletiam o brilho da coluna ardente.
– *Sir Walter Scott, 1711-1832*

v. 16: "Guiou o seu povo pelo deserto". Foi um assombroso milagre que Deus sustentasse tantas centenas de milhares de pessoas em um deserto totalmente privado de tudo o que é necessário para a vida do homem, e durante um período de quarenta anos. – *Adam Clarke v. 16:* "Guiou o seu povo pelo deserto", etc. É uma verdade muito doce a que é enunciada neste versículo, e eu penso que nós precisamos muito nos dar conta dela. O seu próprio povo, o seu povo peculiar, os seus eleitos, amados e favorecidos, a quem Ele considerava como a menina do seu olho, que estavam inscritos nas palmas das suas mãos, e eram amados com um amor eterno, a estes Ele guiou pelo deserto; e isto, *porque* "a sua benignidade é para sempre". Em outro salmo, está escrito, "Deitar-me faz em verdes pastos, guia-me mansamente a águas tranquilas"; mas o deserto estéril não tem verdes pastos, o deserto árido não tem águas tranquilas. E "águas arrebentarão no deserto, e ribeiros, no ermo... e ali haverá um alto caminho... E os resgatados do Senhor voltarão e virão a Sião com júbilo; e alegria eterna haverá sobre a sua cabeça". "Quem é esta que sobe do deserto e vem encostada tão aprazivelmente ao seu amado?" É uma das doces verdades do Senhor que desconcertam tanto aos que estão do lado de fora, mas que são tão cheias de consolação para os seus próprios filhos, o fato de que o deserto e a benignidade estejam conectados em Deus, em indissolúvel união. "Eis que eu a atrairei", diz o Senhor, "e a levarei para o deserto, e lhe falarei ao coração". – *Barton Bouchier*

v. 16: "Àquele que guiou o seu povo". Observe que no que antecede este versículo, neste próprio versículo, e no que vem a seguir, as três maneiras de Deus guiar o seu povo são exibidas. Ele guia *para fora*, Ele guia *através* e guia *para dentro*; para fora do pecado, através do mundo, para dentro do céu; para fora, pela fé; através, pela esperança; para dentro, pelo amor. – *Michael Ayguan (1416), em Neale e Littledale*

v. 17: "Grandes reis". *Grandes,* como aqueles tempos os consideravam, quando praticamente todas as cidades pequenas tinham seus reis. Canaã tinha mais de trinta deles. *Grandes* também, considerando a sua estatura e força, pois eles pertenciam à raça dos gigantes (Dt 3; Am 2). – *John Trapp*

vv. 18 e 20: Os profanos da nossa época podem aprender a prestar atenção na maneira como prejudicam os fiéis. Deus é "sábio de coração, poderoso em forças" (Jó 9.4). Quem é que, alguma vez, foi cruel e violento com o seu povo e prosperou? Por causa deles, Ele destruiu grandes e famosos reis, *"Seom, rei dos amorreus, e Ogue, rei de Basã".* Ele pode arrancar as rodas dos teus carros, pode te ferir em partes ocultas, pode fazer com que o teu coração te falhe, por temor; e em um momento pode tomar de ti a tua alma; seria melhor se tivesses um peso amarrado ao teu pescoço, e que fosses lançado ao fundo do mar, e não ofendesses o menor destes fiéis; eles são preciosos aos seus olhos, ternos para Ele, como a menina dos seus olhos. – *John Barlow, 1632*

v. 19: "Seom" ocupava todo o distrito entre o Arnom e o Jaboque, por onde se dava a aproximação ao Jordão. Ele a tinha arrancado do antecessor de Balaque, e tinha se estabelecido, não na antiga capital de Moab-Ar, mas na cidade que o viajante moderno ainda pode ver, da sua ampla perspectiva e do seu conjunto de rochas – Hesbom. A lembrança da sua vitória sobreviveu em um selvagem cântico de guerra, que passou para a posteridade em um tipo de provérbio:

"Venha para casa, para Hesbom;
Que a cidade de Seom seja edificada e preparada,
pois saiu uma chama de Hesbom,
uma chama da cidade de Seom.
Ela consumiu Ar de Moabe,
e os senhores dos lugares altos de Arnom:
Ai de ti, Moabe, você está destruído, povo de Quemos!
Ele entregou os seus filhos e as suas filhas que escaparam em cativeiro
ao rei dos amorreus, Seom".*

---

* Nm 21.27-29, repetido, como sabemos, em Jr 48.45, 46.

A batalha decisiva entre Seom e os seus novos adversários teve lugar em Jaza, provavelmente nos ricos pastos de Moabe, e no deserto de onde os israelitas emergiram. Foi a primeira situação em que se confrontaram com os futuros inimigos da sua nação. Os lançadores de funda e os arqueiros de Israel, posteriormente tão famosos, agora mostravam a sua habilidade pela primeira vez! Seom caiu; o exército fugiu[†] (segundo a tradição posterior) e foi dizimado pela sede, como os atenienses, no Assinaro, quando fugiam da Siracusa, foram mortos no leito de um dos cursos d'água dos montes. A lembrança desta batalha era comemorada com melodias triunfantes, em que, depois de recitar, com amarga ironia, o cântico citado sobre o triunfo dos amorreus, os israelitas irrompiam em exultante contraste, cantando sobre a grandeza passada do capitão derrotado e a sua atual queda:

Nós os asseteamos [derribamos]; estão destruídos desde Hesbom até Dibom; e os assolamos até Nofa e com fogo, até Medeba.*

– *Arthur Penrhyn Stanley, "The History of the Jewish Church"*

v. 20: "Ogue, rei de Basã". A vitória é continuada. O segundo obstáculo desaparece depois do primeiro. *"Ogue, rei de Basã,* do resto dos gigantes" (Dt 3.11), não teve melhor sorte, com toda a sua força, do que *Seom.* Não foi alguma fraqueza peculiar de Seom que o derrubou. Todos os inimigos de Deus, por mais diferentes que possam parecer, em termos de recursos, quando se comparam entre si, são semelhantes àqueles que marcham na força de Deus. O poder pelo qual o cristão conquista um adversário irá capacitá-lo a conquistar todos. E porque *Ogue* realmente *parecia* mais formidável do que Seom, Deus deu ao seu povo um encorajamento especial para enfrentá-lo (Nm 21.34). Deus se lembra de que até mesmo o mais fiel e fervoroso entre o seu povo não pode estar completamente acima dos enganos das aparências externas. – *Pulpit Commentary*

v. 20: Quando *"Ogue, rei de Basã"* tomou o campo – um gigante, um adversário novo e mais aterrorizante – ele também caiu. E a *benignidade* que assim lidou com inimigos tão grandes, tão fortes, um após o outro, *"é para sempre".* Quando o Anticristo levantar seus exércitos, nos últimos dias, um após o outro – quando os grandes, os famosos, os poderosos, os nobres, os gigantes, sucessivamente atacarem a igreja, perecerão: "Pois a sua *benignidade* é para sempre". – *Andrew A. Bonar*

v. 22: "Israel, seu servo". Ele fala de todo aquele povo como se fosse um homem, porque estavam unidos em um único corpo, na adoração do mesmo e único Deus. Por isto, Deus os chama, a todos, de seu "primogênito" (Êx 4.22). – *Matthew Pool*

v. 23: "Que se lembrou da nossa humilhação". Nós devemos ecoar, na nossa gratidão, a primeira indicação que Deus dá, na sua providência, de uma benignidade próxima. Se você apenas ouvir, quando o rei estiver na sua estrada, em direção à sua cidade, você tocará seus sinos, para saudá-lo, e não fará cessar os sinos até que ele tenha entrado. Os pássaros se levantam pela manhã e cumprimentam o sol nascente com suas doces notas. Desta maneira devemos tocar nossas harpas, louvando a Deus, à primeira manifestação da sua benignidade. – *William Gurnall*

v. 23: "Que se lembrou da nossa humilhação". A palavra *"lembrou"* é uma palavra fértil, ela tem seis sentidos, e igual número de benignidades.

1. *Lembrar-se* significa pensar sobre, em oposição ao esquecimento. Nós podemos estar nos pensamentos dos homens e isto pode não nos trazer benefício, mas não podemos estar nos pensamentos de Deus sem ter benefício por isto.

[†] Josefo, Ant. iv. 5, § 2.

* Nm 21.30, na versão ARA.

2. Lembrar-se (como o segundo estágio da benignidade) significa prestar atenção a alguma coisa, em oposição à negligência; assim o termo é usado em Êx 20.8: *"Lembra-te* do dia do sábado, para o santificar"; preste atenção, isto é, não o negligencie, "lembre-se" de santificar o sábado. Assim Deus *"se lembra"* de nós, na nossa humilhação: como? Ora, Ele não meramente pensa em nós, mas nos observa e presta atenção em nós, e considera qual é a nossa situação. Mas,

3. Significa (como o terceiro estágio da benignidade) comover-se, apiedar-se e sentir misericórdia das pessoas nesta situação. Que benefício tenho, por alguém pensar em mim, se não presta atenção em mim a ponto de sentir piedade na minha humilhação? Deus faz isto, como em Jr 31.20.

4. *Lembrar-se* significa ainda mais (como o quarto estágio da benignidade), estar satisfeito com uma pessoa nesta condição, aceitar uma pessoa nesta condição; este é o uso da palavra em Sl 20.3: "O Senhor *lembre-se* de todas as tuas ofertas e aceite os teus holocaustos"; lembrar-se, isto é, aceitar.

5. *Lembrar-se* significa (como o quinto estágio da benignidade) ouvir um pedido e concedê-lo; assim a palavra é usada em 1 Sm 1.19, 20,27: "O Senhor *se lembrou* dela [Ana]", e a seguir lemos que "o Senhor lhe concedeu a sua petição".

6. *Lembrar-se* significa (como o sexto estágio da benignidade) auxiliar e socorrer, ou redimir e livrar daquilo que nos foi indicado, na humilhação; e este é o significado em Gl 2.10: "Recomendando-nos somente que *nos lembrássemos* dos pobres". Lembrar-se dos pobres não é meramente um pensamento, mas um pensamento de alívio; por isto, diz o salmista, no versículo seguinte, "e nos remiu dos nossos inimigos"; esta era a *lembrança* de Deus, a *redenção* dos inimigos.

Eu posso extrair considerações [para agradecimentos] do *Autor* da benignidade, *Deus;* um Deus que foi ofendido por nós, um Deus que não precisa de nós e um Deus que não se beneficia conosco; mas ainda assim, este Deus se lembrou de nós, na nossa humilhação; isto deve nos motivar. Eu também posso extrair obrigações dos *objetos*, ou seja, *nós*, que não apenas não merecemos o bem, mas merecemos o mal, e não somos um povo que retribui o bem que recebe. Eu posso obter argumentos da própria *benignidade* – que Deus *se lembrou de nós...* e posso obter argumentos da *ocasião*, "na nossa humilhação", e da *excelência do dever de* dar graças; isto é algo belo, e nos torna como os anjos, cuja atividade e liturgia é dar graças a Deus. E com isto, eu também posso ampliar as descobertas da obrigação, pois *"a sua benignidade é* para sempre".

"Porque a sua benignidade é para sempre." Não há razão para a graça, senão a graça; não há razão para a misericórdia, exceto a misericórdia; quem se lembrou de nós: *"porque a sua benignidade é para sempre". – Ralph Venning (1620-1673), Mercies Memorial*

v. 24: "E". Se o fim de uma benignidade não fosse o início de outra, estaríamos perdidos. – *Philip Henry, 1631-1696*

v. 24: "E nos remiu". Ou *nos separou*, nos puxou, como com violência; pois eles jamais nos teriam libertado de outra maneira. – *John Trapp*

v. 25: "Que dá mantimento a toda a carne", etc. O próprio ar que respiramos, o pão que comemos, as nossas bênçãos comuns, ainda que sejam pequenas, nós as recebemos todas pela graça, e da gentil benignidade do Senhor. Aqui (Sl 136.25), temos a história dos notáveis resultados da benignidade de Deus, e o salmista conclui assim: *"Que dá mantimento a toda a carne; porque a sua benignidade é para sempre".* Veja, o salmista não apenas atribui estas poderosas vitórias, estes gloriosos exemplos do seu amor e poder à sua imutável benignidade, mas atribui o nosso pão cotidiano à mesma fonte. Nas eminentes libertações da igreja, nós reconheceremos a benignidade; é verdade, mas devemos fazê-lo em cada pedaço de alimento que comemos; pois o mesmo motivo é apresentado, todo o tempo. Por que motivo o seu povo feriu Seom, rei dos amorreus, e Ogue, rei de Basã, e foi resgatado com tanta frequência do perigo? "Porque a sua benignidade é para sempre". E por que motivo Ele dá mantimento a toda a carne? "Porque a sua benignidade é para sempre". A benignidade não somente nos dá Cristo, e a salvação por Cristo, e todas aquelas gloriosas libertações e triunfos sobre os inimigos da igreja, mas é também a benignidade que enche nossas mesas, é a benignidade que provamos com nossas bocas e que cobre nossas costas. É notável, o nosso Senhor Jesus, quando havia apenas cinco pães de cevada e dois peixes (Jo 6.11), "tomou os pães e, havendo dado graças, repartiu-os". Ainda que a nossa provisão seja escassa e desprezível, a graça e a benignidade e Deus devem ser reconhecidas. – *Thomas Manton*

v. 25: "Que dá mantimento a toda a carne". Nós podemos imaginar que aqueles que têm muitos motivos para cantar, sobre si mesmos, tantas coisas feitas para as suas próprias almas, têm pouca preocupação com os outros. Nós podemos temer que eles fossem considerados egoístas. Mas não é assim: o amor por Deus, sentido por um homem, faz com que este homem se sinta como Deus se sente com relação aos homens; e assim como o amor de Deus está sempre sendo exibido pelos outros, também assim está o coração do homem de Deus. Nós vemos como é com o patriotismo – os mais intensos sentimentos patrióticos de um homem não necessariamente o tornam indiferente ao bem de outras nações, mas, na verdade, fazem com que ele deseje que todas as nações sejam como a sua; assim é, muito certamente e verdadeiramente, com o povo de Deus, ao aproveitarem a bênção. O seu coração se expande em relação aos outros; de bom grado, desejaria que todos os homens compartilhassem do seu benefício. Portanto, eles não podem concluir o seu cântico sem ter esta outra sentença – Louvai àquele que dá *"o mantimento a toda a carne".* Não a Israel somente, Ele dá bênçãos. Israel tinha o seu maná, mas, ao mesmo tempo, toda a terra tem o seu alimento. Assim é também nas coisas espirituais. O Deus de Israel é aquele que dá a Si mesmo como o Pão da Vida para o mundo. Talvez neste ponto, os olhos do salmista, supostamente, vejam a *terra no seu estado de bem-aventurança*, depois que Israel, pela última vez, é remida de todos os inimigos e se torna "vida a partir dos mortos" para o mundo – sim, quando Cristo reinar e conceder o pão da vida para a Nova Terra, tão amplamente como dá o alimento comum – "a todos os povos uma festa com animais gordos" (Is 25.6); pois a sua benignidade não descansará até que isto esteja cumprido. – *Andrew A. Bonar*

v. 25: "Que dá mantimento a toda a carne". No encerramento, o salmista fala da providência paterna de Deus que se estende, não apenas a toda a humanidade, mas a toda criatura viva, sugerindo que não temos razão para nos surpreender porque Ele mantém o caráter de um pai gentil e providente para com o seu próprio povo, quando condescende em cuidar do gado e dos jumentos do campo, e dos corvos e dos pardais! Os homens são muito melhores do que os animais, e há uma grande diferença entre os homens e outras criaturas, embora não em mérito, mas com relação ao privilégio da adoção divina; e o salmista deve ser considerado como argumentando, do inferior para o superior, e enfatizando a benignidade incomparavelmente superior que Deus exibe para com os seus próprios filhos. – *João Calvino*

v. 25: "Que dá mantimento a toda a carne". Sobre Edward Taylor, mais conhecido como "Reverendo Taylor", o Marinheiro Pregador de Boston, diz-se que as suas orações eram mais semelhantes às expressões de um oriental, abundantes em imagens e comparações, do que de um filho destes climas ocidentais, mais frios. No domingo anterior à sua ida à Europa, ele pedia que o Senhor cuidasse da sua igreja, durante a sua ausência. De repente, parou e exclamou, "O que foi que eu fiz? Desconfiei da providência do céu! Um Deus que dá uma tonelada de arenques a uma baleia, para o seu café da manhã, não cuidará dos meus filhos?" E assim ele continuou, encerrando a sua oração em um tom mais confiante. – *C. H. Spurgeon, na obra "Eccentric Preachers", 1880*

v. 26: "O Deus dos céus". A expressão *"Deus dos céus"* não é encontrada nas passagens mais antigas das Escrituras. Nós não a encontramos em nenhuma outra parte, nos salmos; mas a encontramos em 2 Cr 26.23; Es 1.2; 5.11,12; 6.9; 7.12,23; Ne 1.4; 2.4. Dn 2.18, 19, 44; Jn 1.9. A expressão é encontrada duas vezes no livro de Apocalipse (11.13, 16.11). É uma designação sublime e apropriada do Deus verdadeiro, que expressa a sua gloriosa elevação acima das paixões e perturbações da terra. A Ele, toda a carne deve dar graças, pois todos recebem a sua benignidade, em muitas formas e maneiras. As suas benevolências descem sobre geração após geração, e fluirão para o seu povo disposto e obediente, durante eras eternas. – *William Swan Plumer*

v. 26: Meus irmãos, as benignidades de Deus são desde a eternidade; e é um tesouro que nunca se esgotará, até a eternidade. Em Is 64.5, lemos "neles [nos caminhos] há eternidade". Se Deus apenas continuar a ter misericórdia para comigo, dirá uma pobre alma, eu terei o suficiente. Ora, diz Isaías, "neles há eternidade, para que sejamos salvos". Deus te perdoou, até agora? mas você pecou de novo? Ele poderá estender a sua bondade e benignidade um pouco mais? Ora, Ele as estenderá até a eternidade, para sempre; e se um *para sempre* não for suficiente, há vinte e seis "para sempre" neste único salmo. Em Is 54.8, "em grande ira, escondi a face de ti por um momento; mas com benignidade eterna me compadecerei de ti". – *Thomas Goodwin*

v. 26: "Louvai ao Deus dos céus". A sua benignidade, ao propiciar o céu para o seu povo, é superior a todas as outras coisas. – *John Trapp*

SUGESTÕES AOS PREGADORES

v. 1. I. Considere o seu nome – "Jeová", "o Senhor".
II. Desempenhe o seu dever alegremente: "Louvai".
III. Contemple as duas razões apresentadas – a bondade e a benignidade eterna.

v. 1. I. Muitos motivos para louvar.
1. Pela bondade de Deus: "Ele é bom" (v. 1).
2. Pela sua supremacia: "Deus dos deuses; Senhor dos senhores" (vv. 2,3).
3. Pelas suas obras, em geral (v. 4).
4. Pelas suas obras da criação, em particular (vv. 5-9).
5. Pelas suas obras de Providência (vv. 10-26).
II. O principal motivo para louvar: "Porque a sua benignidade é para sempre".
1. Pela benignidade. Esta é a principal necessidade do pecador.
2. Pela misericórdia que há em Deus. Esta é a necessidade do pecador, e é tão essencial, para Deus, como a justiça.
3. Pela benignidade divina, que é para sempre. Se aqueles que pecaram precisam de uma misericórdia que dure para sempre, quer dizer que eles deverão existir para sempre; isto significa que, sem a misericórdia do Senhor, a culpa deles existiria para sempre. – *G. R.*

v. 1. "O Senhor é bom". Deus é originalmente bom – bom em Si mesmo. Ele é infinitamente bom. Ele é perfeitamente bom, porque é infinitamente bom. Ele é imutavelmente bom. – *Charnock*

vv. 1 a 3. I. O trio de nomes: "Jeová" [o Senhor], "Deus dos deuses", "senhor dos senhores".
II. A tripla insistência: "Louvai".
III. O atributo e argumento irreprimível – "porque a sua benignidade", etc. – *W. B. H.*

vv. 1 a 26. "Porque a sua benignidade é para sempre". Veja "Spurgeon's Sermons", n. 787: "A Song, a Solace, a Sermon, and a Summons".

v. 4. I. O Senhor faz grandes maravilhas de benignidade.
II. Ele as faz, sem ajuda.
III. Ele as faz como ninguém mais pode fazer.
IV. Ele deve receber louvor exclusivo.

v. 4. O Único Grande Operador de maravilhas.
I. Deus estava sozinho, no maravilhoso trabalho da Criação (Gn 1).

II. Sozinho, na obra maravilhosa da redenção (Is 63.5).
III. Está sozinho na obra maravilhosa da Providência (Sl 104.27,28).
IV. Sozinho na obra maravilhosa da Santificação (1 Ts 5.23,24).
V. Estará sozinho na obra maravilhosa do triunfo universal (1 Co 15.25). – *C. A. D.*

v. 4. O misericordioso no maravilhoso. O maravilhoso no misericordioso.

v. 7. A benignidade que habita na criação e distribuição da luz.

vv. 7 a 9. I. A constância do governo.
II. A associação da luz com o governo.
III. A perpetuidade da benignidade, neste aspecto.

vv. 8 e 9. I. A glória do dia de alegria.
II. As consolações da noite de angústia.
III. A mão de Deus, nas duas coisas.

v. 10. Misericórdia e juízo. No golpe que encheu o Egito de angústia, houve misericórdia evidente.
I. Mesmo para o Egito; o agudo golpe deveria ter operado arrependimento. Assim Deus ainda opera com os homens.
II. Evidentemente, para Israel, sendo eles libertados: os seus primogênitos, salvos.
III. Enfaticamente, para todo o mundo: o poder dado a conhecer; a previsão a respeito de Cristo; a misericórdia e o juízo formam um elo importante na cadeia da redenção. – *W. B. H.*

v. 11. A remoção do povo de Deus da sua condição natural, da sua infelicidade e desgraça, e da associação com os ímpios, uma grande obra da benignidade eterna.

v. 11. Chamado eficaz; a intervenção, no momento determinado, da misericórdia das eras infinitas. – *W. B. H.*

v. 12. Exibições de poder divino na história dos santos, uma razão para cântico.

vv. 13 e 14. Deus seja louvado, não apenas.
I. Por limpar o nosso caminho; mas também,
II. Por nos dar fé para atravessá-lo. A segunda é uma benignidade tão grande como a primeira.

vv. 13 a 15. A misericórdia, a rainha do Êxodo.
I. Seu cetro, sobre o mar. O que o amor divino não pode conquistar pelos seus escolhidos?!
II. A sua bandeira, sobre a caravana. Para onde temerão os santos segui-la?
III. O seu olhar para os que a seguem; vida, para os amados, fatal para o adversário.
IV. Por causa dela, apresentemos os nossos louvores ao precioso e bendito Senhor. – *W. B. H.*

v. 15. Vitória final. I. Batalhões do mal aniquilados.
II. O amor, incólume, tornando-se imortal acima das ondas; "porque a sua benignidade é para sempre".
III. O céu ressoa com o cântico de Moisés e do Cordeiro, graças a Ele. –*W. B. H.*

v. 16. I. Cuidado pessoal: "Àquele que guiou".
II. Interesse peculiar: "O seu povo".
III. Bondade que persevera: "Pelo deserto".

v. 16. Guiou pelo deserto. I. O povo de Deus deve entrar no deserto para a provação, para o autoconhecimento, para o desenvolvimento de graças, para a preparação para Canaã.
II. Deus guia o seu povo enquanto estiverem no deserto. A sua rota, a sua provisão, a sua disciplina, a sua proteção.
III. Deus tirará o seu povo do deserto. – *C. A. D.*

vv. 17 a 22. Veja "Spurgeon's Sermons", n. 1285: "Sihon and Og; or, Mercies in Detail".

v. 21. I. A nossa porção, uma herança.
II. O nosso título de propriedade, uma concessão real: "E deu".
III. O nosso louvor, devido à benignidade eterna.

v. 23. A oração do ladrão moribundo, convertida em um cântico.

vv. 23 e 24. A graciosa lembrança e a gloriosa redenção. – *C. A. D.*

v. 24. Os nossos inimigos, a nossa redenção concretizada, o autor da redenção; e a sua razão para realizá-la.

v. 24. As redenções multiplicadas da vida cristã, e a sua fonte inesgotável. – *W. B. H.*

v. 25. Administração divina. I. O abastecimento real.

II. A sua contrapartida espiritual. A augusta provisão de Deus para a nossa natureza imortal.

III. A graça real que guarda as chaves: "Porque a sua benignidade", etc. – *W. B. H.*

v. 26. Considere, I. Como Ele governa no céu.

II. Como Ele governa a terra, a partir do céu.

III. Como a misericórdia é o elemento eterno deste governo; por isto, o precioso e bendito Senhor é aquele que é louvado eternamente.

SALMO 137

TÍTULO

Esta queixosa ode é uma das mais encantadoras composições em todo o livro dos Salmos, pelo seu vigor poético. Se ela não fosse inspirada, ainda assim ocuparia uma elevada posição na poesia, particularmente na sua primeira parte, que é extremamente terna e patriótica. Nos últimos versículos (7-9) temos expressões de ardente indignação contra os principais adversários de Israel – uma indignação tão justa quanto fervorosa. Que encontrem falha neste salmo aqueles que jamais viram seu templo queimado, sua cidade destruída, suas esposas violentadas e seus filhos, mortos; talvez eles não fossem tão críticos se tivessem sofrido desta maneira. Uma coisa é falar do amargo sentimento que acometia os israelitas cativos na Babilônia, outra coisa é que estejamos, nós mesmos, cativos, sob uma força selvagem e sem remorsos, que não sabe como exibir misericórdia, mas se alegra com barbaridades contra os indefesos. O cântico é tal que pode ser entoado no Muro de Lamentações dos judeus. Ele é um fruto do cativeiro na Babilônia, e frequentemente forneceu expressões para angústias que, não fosse por ele, teriam sido inexprimíveis. É um salmo opalino, em cujo brilho suave arde um fogo que assombra quem o contempla.

EXPOSIÇÃO

1 *Junto aos rios da Babilônia nos assentamos e choramos,*
lembrando-nos de Sião.
2 *Nos salgueiros, que há no meio dela, penduramos as nossas*
harpas.
3 *Porquanto aqueles que nos levaram cativos nos pediam uma*
canção; e os que nos destruíram, que os alegrássemos, dizendo:
Cantai-nos um dos cânticos de Sião.
4 *Mas como entoaremos o cântico do Senhor em terra estranha?*
5 *Se eu me esquecer de ti, ó Jerusalém, esqueça-se a minha*
destra da sua destreza.
6 *Apegue-se-me a língua ao paladar se me não lembrar de ti, se*
não preferir Jerusalém à minha maior alegria.

1. *"Junto aos rios da Babilônia, nos assentamos."* Cursos d'água eram abundantes na Babilônia, onde havia não apenas correntes naturais, mas canais artificiais; era um lugar de largos rios e correntezas. Felizes por estarem longe das ruas ruidosas, os cativos buscavam a margem do rio, onde o fluxo das águas parecia solidarizar-se com as suas lágrimas. Havia uma ligeira consolação em afastar-se da multidão e ter um pequeno espaço para respirar, e por isto eles se assentavam, como para descansar um pouco e se consolar na sua tristeza. Em pequenos grupos, eles se sentavam e lamentavam em conjunto, misturando suas lembranças e suas lágrimas. Os rios eram suficientemente bons, mas, ai, eram os rios da Babilônia, e o chão em que os filhos de Israel se sentavam era solo estrangeiro, e por isto, eles choravam. Aqueles que viessem interromper a sua quietude eram cidadãos da cidade destruidora, e a sua companhia não era desejada. Tudo lembrava a Israel da sua expulsão da cidade santa, a sua servidão sob a sombra do templo de Bel, o seu desamparo sob um inimigo cruel; e por isto seus filhos e filhas se assentavam com tristeza.

"E choramos, lembrando-nos de Sião." Nada mais poderia ter subjugado seus corajosos espíritos; mas a lembrança do templo do seu Deus, do palácio do seu rei e o centro da sua vida nacional, os fez sucumbir completamente. A destruição tinha acabado com todos os seus prazeres, e por isto, choraram – choraram os valentes, choraram os doces cantores! Eles não choraram quando se lembraram das crueldades da Babilônia; a lembrança da cruel opressão secou suas lágrimas e fez seus corações arderem com ira, mas quando a amada cidade de suas solenidades veio às suas mentes, não puderam refrear dilúvios de lágrimas. Da mesma maneira, os crentes fiéis lamentam, quando veem a igreja saqueada e se encontram incapazes de socorrê-la; nós podemos suportar qualquer coisa, mas não isto. Nestes nossos tempos, a Babilônia dos erros invade a cidade de Deus e os corações dos fiéis ficam gravemente feridos quando veem a verdade caída pelas ruas, e a descrença desenfreada entre os servos professantes do Senhor. Nós expressamos nossos protestos, mas eles parecem ser em vão; a multidão está enlouquecida por seus ídolos. Devemos chorar em segredo pela dor da nossa Sião: é o mínimo que podemos fazer; e assim o resultado poderá ser melhor do que aquele que poderíamos obter se agíssemos através de nossos próprios recursos. Devemos, também, nos sentar e considerar profundamente o que deve ser feito. Devemos, em todo caso, manter em nossa mente e em nosso coração a lembrança da igreja de Deus que nos é tão preciosa. Os frívolos podem se esquecer, mas Sião está gravada em nossos corações e a sua prosperidade é o nosso principal desejo.

2. *"Nos salgueiros, que há no meio dela, penduramos as nossas harpas."* Os ramos pendentes pareciam chorar, como nós, e por isto demos a eles os nossos instrumentos musicais; os salgueiros podiam produzir melodia, como nós, pois nós não tínhamos mente para a cantoria. No meio dos salgueiros, ou no meio dos rios, ou no meio da Babilônia, pouco importa onde, eles penduraram suas harpas, no alto – aquelas harpas que antes, pelos muros de Sião, espalharam o som da música. É melhor pendurá-las do que arremessá-las ao chão; melhor pendurá-las nos salgueiros do que profaná-las ao serviço de ídolos. É verdadeiramente triste quando o filho da angústia se cansa da sua harpa, sim, da qual, em dias melhores, pôde extrair doces consolações. A música tem encantos que trazem repouso aos espíritos inquietos; mas quando o coração está amargamente triste, somente zomba da tristeza que corre para ele. Os homens afastam seus instrumentos de alegria quando uma nuvem pesada escurece as suas almas.

3. *"Porquanto aqueles que nos levaram cativos nos pediam uma canção."* Não era bom ser um cantor, quando era necessário que este talento fosse escravizado à vontade de um opressor. É melhor ser mudo do que ser forçado a agradar um inimigo, com cânticos forçados. Que crueldade é fazer um povo suspirar, e depois exigir que cantem! Os homens serão removidos de casa, e de tudo o que é precioso para eles, e ainda deverão cantar alegremente para o prazer de seus captores insensíveis? Isto é tortura calculada; o ferro penetra na alma. É, realmente, um "ai do conquistador",

quando eles são forçados a cantar para aumentar o triunfo de seus conquistadores. A crueldade, nisto, atingia um refinamento raramente imaginado. É difícil até mesmo imaginar os cativos se sentando para chorar, quando eram insultados desta forma.

"E os que nos destruíram, que os alegrássemos." Os cativos não deviam apenas cantar, mas sorrir e acrescentar alegria à sua música. O cego Sansão, nos tempos antigos, deve ser apresentado para divertir os filisteus, e agora os babilônios provam que são como os demais. Roubados, feridos, algemados, levados ao cativeiro e à pobreza, ainda assim o povo devia cantar, como se estivessem todos se divertindo, e devessem se divertir, como se não sentissem nenhuma angústia. Isto era amargura e fel para os que verdadeiramente amavam a Deus e à sua terra escolhida.

"Dizendo: Cantai-nos um dos cânticos de Sião." Nada lhes serviria, exceto um hino sagrado, e uma melodia sagrada para a adoração do Senhor. Nada contentaria os escarnecedores da Babilônia, exceto um dos salmos de Israel, quando, em seus melhores dias, eles cantavam ao Senhor, cuja benignidade é para sempre; isto traria raro divertimento aos seus perseguidores, que zombavam da sua adoração e ridicularizavam a sua fé no Senhor. Nesta exigência, havia um insulto ao seu Deus, bem como uma zombaria de si mesmos, e isto tornava a situação mais intensamente cruel. Nada poderia ter sido mais maldoso, nada produziria mais angústia. Estes devassos perseguidores tinham seguido os cativos ao seu isolamento, e tinham observado a sua triste aparência, e "ali", naquele momento, ordenaram que os que lamentavam os alegrassem. Não podiam deixar em paz os que sofriam? Os exilados não podiam ter repouso? A filha da Babilônia parecia determinada a encher a sua medida de iniquidade, torturando o povo do Senhor. Os que tinham sido os mais ativos agentes da destruição de Israel necessariamente faziam com que as suas ferocidades fossem seguidas por zombarias. "As misericórdias dos ímpios são cruéis". Piores do que os egípcios, eles não pediam o trabalho que as suas vítimas poderiam ter realizado, mas exigiam alegria, que eles não podiam dar, e cânticos sacros, que eles não ousavam profanar para este propósito.

4. *"Mas como entoaremos o cântico do Senhor em terra estranha?"* Como poderão cantar? Cantar, em uma terra estranha? Cantar o cântico do Senhor, entre os incircuncisos? Não, isto não pode ser; e não irá acontecer. Em uníssono, eles se recusam, mas a recusa é expressa humildemente, sendo colocada na forma de uma pergunta. Se os homens da Babilônia eram suficientemente ímpios para sugerir a profanação das coisas santas, para a gratificação da curiosidade ou para a criação de diversão, os homens de Sião, por sua vez, não tinham endurecido seus corações a ponto de estarem dispostos a agradá-los, a um custo tão terrível. Há muitas coisas que os ímpios poderiam fazer, sem sentirem qualquer culpa ao fazê-las; porém os homens piedosos jamais poderiam fazer qualquer uma delas. A pergunta, "Como posso?" ou "Como poderemos?" se origina de uma consciência terna e indica uma incapacidade de pecar que deve ser grandemente cultivada.

5. *"Se eu me esquecer de ti, ó Jerusalém, esqueça-se a minha destra da sua destreza."* Entoar cânticos de Sião para o prazer dos adversários de Sião seria esquecer a Cidade Santa. Cada judeu declara, por si mesmo, que não fará isto; pois o pronome passa de "nós" para *"eu"*. Individualmente, os cativos prometem fidelidade a Jerusalém, e cada um deles declara que se esquecerá da arte de extrair música das cordas de suas harpas antes de usarem-nas para o prazer de Babel. É muito melhor que a mão direita se esqueça de seu talento usual e perca toda a sua destreza, a produzir música para rebeldes com os instrumentos do Senhor, ou que acompanhem com doce talento um santo salmo sendo profanado em um cântico comum, para que os tolos riam. Nenhum deles irá desonrar o Senhor para glorificar Belus e gratificar os seus admiradores. Eles juram solenemente que se vingarão de si mesmos, se forem tão falsos e tão incrédulos.

6. *"Apegue-se-me a língua ao paladar se me não lembrar de ti."* Assim, os cantores invocam um silêncio eterno às suas bocas, se eles se esquecerem de Jerusalém para

gratificar a Babilônia. Os que tocam instrumentos e os doces cantores têm a mesma opinião: os inimigos do Senhor não obterão nenhum cântico ou melodia alegre deles.

"Se não preferir Jerusalém à minha maior alegria." A cidade sagrada deve estar sempre em primeiro lugar, nos seus pensamentos, a rainha das suas almas; eles prefeririam ficar mudos a desonrar seus hinos sagrados, e dar oportunidade para que o opressor ridicularizasse a sua adoração. Se é tal a ligação de um judeu banido com a sua terra natal, quanto mais devemos amar a igreja de Deus, da qual somos filhos e cidadãos. Quão zelosos devemos ser da sua honra, quão zelosos da sua prosperidade. Que nunca encontremos brincadeiras nas palavras das Escrituras, nem brinquemos com coisas santas, para não sermos culpados de nos esquecermos do Senhor e da sua causa. É uma situação a temer, que muitas línguas tenham perdido todo o poder de encantar as congregações dos santos, porque se esqueceram do Evangelho, e Deus se esqueceu *deles.*

7 *Lembra-te, Senhor, dos filhos de Edom no dia de Jerusalém, porque diziam: Arrasai-a, arrasai-a, até aos seus alicerces.*
8 *Ah! Filha da Babilônia, que vais ser assolada! Feliz aquele que te retribuir consoante nos fizeste a nós!*
9 *Feliz aquele que pegar em teus filhos e der com eles nas pedras!*

7. *"Lembra-te, Senhor, dos filhos de Edom no dia de Jerusalém."* O caso é deixado nas mãos do Senhor. Ele é um Deus de recompensas, e distribuirá a justiça de maneira imparcial. Os edomitas deviam ter sido amistosos com os israelitas, por proximidade, mas havia um ódio profundo e um desprezo cruel exibido por eles. O mais velho não gosta de servir o mais jovem, e assim, quando chegou o dia da tribulação de Jacó, Esaú estava pronto a se aproveitar disto. Os israelitas cativos, sendo levados, pela tristeza, a depositar suas queixas junto a Deus, também acrescentaram uma oração, pedindo que Ele visitasse a nação que se aliasse aos seus inimigos, e até mesmo imploraram que os invasores recebessem mais do que a sua crueldade usual.

"Porque diziam: Arrasai-a, arrasai-a, até aos seus alicerces." Eles desejavam ver o fim de Jerusalém e do estado judeu; eles não desejavam que sobrasse pedra sobre pedra, desejavam ver completamente destruídos o templo, o palácio, os muros e as habitações. É horrível que vizinhos sejam inimigos; é pior que mostrem a sua inimizade, em épocas de grande aflição; mas o pior de tudo é que vizinhos instiguem outros para obras maldosas. São responsáveis pelos pecados dos outros homens aqueles que os usam como instrumentos da sua própria inimizade. É uma vergonha que os homens incitem os ímpios a obras que não são capazes de realizar pessoalmente. Os caldeus eram suficientemente violentos, mesmo sem serem incitados a maior fúria; mas o ódio de Edom era insaciável. Merecem ser lembrados pela vingança aqueles que, nos maus tempos, não se lembraram da misericórdia; muito mais os que se aproveitam das calamidades para se vingar dos sofredores. Quando chegar o dia de restauração de Jerusalém, Edom será lembrada e deixará de existir.

8. *"Ah! Filha da Babilônia, que vais ser assolada."* Ou destruidor – podemos aceitar a palavra de uma das duas maneiras, ou de ambas; o destruidor será destruído, e o salmista, em visão, o viu já destruído. É comum falar sobre uma cidade como de uma filha virgem. A Babilônia estava na sua maior formosura, mas já estava condenada pelos seus crimes.

"Feliz aquele que te retribuir consoante nos fizeste a nós." O vingador estará cumprindo uma missão honrosa, ao derrotar um poder tão brutal, tão desumano. Os exércitos assírios e caldeus tinham sido arrogantemente brutais em suas conquistas; era conveniente que a sua conduta retornasse, aos seus próprios seios. Nenhuma decisão de punição pode ser mais inquestionavelmente justa do que as que seguem rigidamente a *lex talionis* literalmente. A Babilônia deve cair, pois fez com que Jerusalém caísse; e o seu saque e a sua matança devem ser como os que

ela designou a outras cidades. O poeta patriota, sentado tristemente em seu exílio, encontra um consolo na perspectiva da derrubada da cidade imperatriz, que o conserva em escravidão, e considera Ciro feliz por ser ordenado a tão justa obra. Toda a terra abençoaria o conquistador, por livrar as nações de um tirano; as gerações futuras o considerariam abençoado, por permitir que os homens respirassem outra vez, e por, uma vez mais, tornar possível a liberdade sobre a terra.

Nós podemos ter certeza de que cada poder injusto está condenado à destruição, e que, do trono de Deus, a justiça será distribuída a todos aqueles cuja lei é a força, cujo governo é o egoísmo e cuja política é a opressão. Feliz é o homem que auxiliar na derrubada da Babilônia espiritual, que, apesar de suas riquezas e poder, deverá "ser assolada". Mais feliz será aquele que puder vê-la afundar como uma pedra na enchente, para jamais se erguer outra vez. Qual é esta Babilônia espiritual, não é necessário perguntar. Existe apenas uma cidade sobre a terra que pode responder por este nome.

9. *"Feliz aquele que pegar em teus filhos e der com eles nas pedras."* Ardente era o coração do judeu que tinha visto a sua amada cidade como cenário de tão terrível carnificina. O seu coração pronunciou sentença similar sobre a Babilônia. Ela deveria ser açoitada com o seu próprio açoite de arame. O desejo de justa retribuição está mais de acordo com o espírito da lei, do que com o do Evangelho; mas, em momentos de justa ira, o antigo fogo arderá; e enquanto a justiça sobreviver no peito humano, não lhe faltará combustível entre os vários tiranos que ainda sobreviverem. Nós seremos prudentes em considerar esta passagem como uma profecia. A história nos informa que isto se cumpriu, literalmente: o povo da Babilônia, em seu terror, concordou em destruir a sua própria descendência, e os homens se consideraram felizes quando assassinaram suas próprias esposas e filhos à espada. Por mais horrível que toda esta transação tenha sido, há algo pelo que podemos nos alegrar, se tivermos uma visão ampla do bem estar do mundo; pois a Babilônia, o ladrão gigante, tinha, por muitos anos, assassinado nações sem misericórdia, e a sua queda foi o levantar de muitos povos a uma condição mais livre e mais segura. O assassinato de crianças inocentes jamais poderá ser suficientemente lamentado, mas esta foi uma antiga prática de guerra que os babilônios não tinham omitido em seus massacres; por esta razão, eles não foram poupados de igual horror. As vinganças da providência podem ser lentas, mas são sempre seguras; não podem ser recebidas com arrependimento por aqueles que veem a mão justa de Deus agindo contra si mesmos. É terrível que uma nação precise de um executor; mas se os homens cometerem assassinatos, as lágrimas serão, mais apropriadamente, derramadas sobre as vítimas do que sobre os próprios assassinos. Um sentimento de amor universal é admirável, mas não deve estar separado de um profundo senso de justiça.

Os cativos na Babilônia não fizeram música, mas derramaram suas justas maldições e elas estavam muito mais em harmonia com o seu ambiente do que cânticos e risos poderiam ter estado. Os que zombam do povo do Senhor receberão mais do que desejam, para sua própria confusão e vergonha; eles terão pouco que lhes produza alegria, e mais do que suficiente para enchê-los de infelicidade. As execrações de homens bons são coisas terríveis, pois não são pronunciadas sem razão, e são ouvidas no céu. "A maldição sem causa não virá", mas não há uma causa? Os déspotas esmagarão a virtude debaixo de seu calcanhar de ferro, e não serão punidos nunca? O tempo mostrará.

NOTAS EXPLICATIVAS E DECLARAÇÕES SINGULARES

O salmo: Observe que este mesmo salmo, em que é feita a pergunta: "Como entoaremos?" é, em si mesmo, um cântico, um dos cânticos do Senhor. Nada pode ser mais triste, mais desanimador. Ele fala do choro, à lembrança de Sião; fala de harpas penduradas nos salgueiros por exilados que não têm coragem de usá-las; e o próprio falar sobre estas tristezas, desta incapacidade para o canto, é um canto.

Nós o entoamos agora, em nossas congregações, centenas e milhares de anos depois da sua composição, como uma das melodias da igreja, como um dos cânticos do Senhor. Isto nos dá um assombroso exemplo da variedade, da versatilidade da adoração, mesmo no departamento que deve parecer ser só alegria, só louvor. A própria recusa em cantar pode ser, em si mesma, um cântico. Qualquer expressão real de bons pensamentos, quer sejam pensamentos de alegria ou pensamentos de tristeza, podem ser um verdadeiro hino, uma verdadeira melodia para a congregação, embora não seja, em cada momento, o mesmo pensamento de todos os adoradores. – "Como entoaremos?" é, em si mesmo, um hino permanente, um cântico inspirado, para todas as igrejas. – *G. J. Vaughan*

O salmo: Este salmo se compõe de duas partes. A primeira é uma pesada queixa da igreja, até o versículo 7. A segunda é uma pesada maldição e uma denúncia profética contra os inimigos da igreja, até o final do salmo. – *Robert Rollock*

O salmo: Que maravilhosa mistura é o salmo, mistura de suave melancolia e ardente patriotismo! A mão que o escreveu deve ter sabido como ferir de forma penetrante com a espada, e também como afinar a harpa. As palavras são palavras ardentes, de um coração que respira amor interminável por sua nação, e ódio incessante por seu adversário. O poeta é, realmente...

"Dotado com o ódio ao ódio, com a zombaria à zombaria, e com o amor ao amor".
– *J. J. Stewart Perowne*

O salmo: Vários dos salmos obviamente se referem aos tempos do cativeiro na Babilônia... Os sentimentos pesarosos dos cativos, de pensativa melancolia e de anseio exaustivo, durante a sua longa e demorada continuidade, constituem o peso do salmo 137. Ele foi, provavelmente, escrito por algum talentoso levita cativo da época. Alguns supõem que ele tenha sido escrito por Jeremias, o profeta das lágrimas, e enviado aos seus compatriotas na terra do seu exílio, para despertar carinhosas lembranças do passado e sustentar uma esperança viva para o futuro; e certamente a ode é digna até mesmo da sua pena, pois é uma das mais doces, mais queixosas e extraordinariamente belas elegias, em qualquer língua. Ela está cheia de emoções que derretem o coração, que suscitam lágrimas. O lamento do cativo, o choro do exilado e o suspiro dos santos, são ouvidos em cada linha. – *W. Ormiston, The Study",1874*

O salmo: Aqui, I. Os cativos melancólicos não podem se divertir (vv. 1,2).
II. Não podem satisfazer a seus soberbos opressores (vv. 3,4).
III. Não conseguem se esquecer de Jerusalém (vv. 5,6).
IV. Não conseguem se esquecer de Edom e da Babilônia (vv. 7-9). – *Matthew Henry*

v. 1: "Junto aos rios da Babilônia". Os canais da própria Babilônia, provavelmente (compare com o versículo 2). – *William Kay*

v. 1: "Junto aos rios". Eufrates, Tigre, Chaboras, etc., e os canais que cortam o país. Os exilados naturalmente usavam as margens como locais sombreados, frescos e isolados, onde poderiam se permitir as suas tristes lembranças. Os profetas do exílio tiveram suas visões junto ao rio (Ez 1.1; Dn 8.2; 10.4). – *"Bibliotheca Sacra and Theological Review", 1848*

v. 1: "Junto aos rios". A margem de um rio, como a praia, é um local favorito para a permanência daqueles que a profunda tristeza expulsa da agitação dos homens e conduz ao isolamento. A borda do rio dá ao isolamento um respaldo seguro; o monótono salpicar das ondas nos conserva a melancólica e monótona alternância de pensamentos e sentimentos, e, ao mesmo tempo, a visão da água fresca exerce uma influência suavizante sobre a febre que consome o coração. – *Franz Delitzsch*

v. 1: "Junto aos rios". A razão peculiar para que os filhos de Israel sejam representados como sentados junto às correntezas é o *choro*. Uma referência interna, do choro às correntezas, deve, portanto, ter sido o que originou a descrição dos exilados sentados. Mas esta referência não é difícil de ser descoberta. Todas as linguagens falam de riachos ou correntezas de lágrimas, compare, nas Escrituras, Lm 2.18: "Corram as tuas lágrimas como um ribeiro, de dia e de noite"; 3.48; também Jó 28.11, onde, inversamente, o fluxo das correntezas é chamado de *choro* (Marg.). Os filhos de Israel se colocaram ao lado das correntezas de Babel porque viram nelas a imagem e o símbolo das correntezas das suas lágrimas. – *E. W. Hengstenberg*

v. 1: "Nos assentamos". Entre os poetas, sentar-se no chão é um sinal de desgraça ou cativeiro.

Multos ilia dies incomtis moesta capillis
Sederat. – *Propércio*
Com os cachos revoltos, pesarosa, por muitos dias
Ela se sentou.

O utinam ante tuos sedeam captiva penates. – *Propércio*
Ó, que eu possa sentar como um cativo às tuas portas!

Vemos a mesma postura em uma antiga moeda que celebra a vitória de Lucius Veros sobre os partos.

Vemos a Judeia, em várias moedas de Vespasiano e Tito, na posição que indica tristeza e cativeiro. – *Dialogues on Medals, de Joseph Addison*

v. 1: "Nos assentamos" significa que a explosão de angústia foi longa e também que foi considerada, pelos cativos, como relaxamento e repouso. – *Crisóstomo*

v. 1: "Choramos, lembrando-nos de Sião". Um homem piedoso sente profundamente as desgraças da igreja. Eu li sobre algumas árvores, cujas folhas, se cortadas ou tocadas, fazem com que as outras folhas se contraiam e encolham, e durante algum tempo fiquem como que de cabeça baixa; a mesma simpatia espiritual existe entre cristãos; quando outras partes da igreja de Deus sofrem, eles se sentem, de certa forma, atingidos. Ambrósio conta que quando Teodósio estava doente e às portas da morte, estava mais perturbado a respeito da igreja de Deus do que sobre a sua própria doença. Quando Eneias estava salvando a vida de Anchises, este disse: "Longe de mim desejar viver, quando Troia está enterrada em suas ruínas". Na música, há dois uníssonos; se você tocar um deles, perceberá que o outro é despertado, como se fosse afetado: quando o Senhor toca os outros, um coração piedoso é profundamente afetado: "Minhas entranhas soam por Moabe como harpa" (Is 16.11). Embora tudo esteja bem em sua vida e nos seus próprios assuntos particulares, por ser um filho de Deus, e habite em uma casa de cedro, ainda assim o salmista se angustia por ver os maus resultados na vida das outras pessoas. A rainha Ester obteve a benevolência do rei, e todos os prazeres da corte; mas quando uma autorização sangrenta foi assinada, para a morte dos judeus, ela lamenta e jejua, e arrisca a sua própria vida para salvar a deles. – *Thomas Watson*

v. 1: Por Sião, somente eles choraram, diferentemente de muitos que choraram com o choro e se alegraram com a alegria da Babilônia, porque todos os seus interesses estão presos nas coisas deste mundo. – *Agostinho*

v. 1: Devemos chorar, porque nesta vida somos forçados a nos sentar junto às águas da Babilônia, e somos estrangeiros, e, de certa forma, banidos e impedidos de ser satisfeitos com os prazeres daquele rio que alegra a cidade de Deus. Ai, se considerássemos que o nosso país é o céu, e compreendêssemos que este lugar, aqui abaixo, é a nossa prisão ou local de banimento, a menor ausência da nossa nação extrairia lágrimas dos nossos olhos e suspiros dos nossos corações, com Davi: "Ai de mim, que peregrino em Meseque, e habito nas tendas de Quedar" (Sl 120.5).

Você se lembra de como os judeus se comportaram na época do seu exílio e cativeiro, quando se sentaram junto aos rios e águas da Babilônia? Eles choraram, não puderam ser consolados; penduraram suas harpas e instrumentos. O que são as águas da Babilônia senão os prazeres e delícias do mundo, as águas da vergonha, que é o significado da palavra? Agora, quando o povo de Deus se senta junto a elas, isto significa que, não de maneira descuidada, mas deliberadamente, com uma firme consideração, eles veem as águas deslizando e passando, e as comparam com Sião, ou seja, com os rios indescritíveis de prazer que são permanentes na Jerusalém celestial; como eles podem decidir não chorar, quando se veem sentados ao lado de um e afastados da outra? E é digno de nota o fato de que, embora os judeus tivessem muitas causas para chorar (os caldeus lhes tinham roubado os seus bens, honras, nações, liberdade, pais, filhos, amigos), o principal motivo pelo qual eles lamentam é a falta que sentiam de Sião – *"choramos, lembrando-nos de Sião"*, e a falta que sentiam de Jerusalém. O que devemos, então, fazer, pela falta que sentimos de um outro tipo de Jerusalém? A sua Jerusalém era uma Jerusalém terrena, antiga, roubada, saqueada, queimada; a nossa, uma celestial e nova, em que nenhuma flecha pode ser disparada, nenhum ruído de tambores pode ser ouvido, nenhum som de trombeta, nenhuma convocação para a batalha: quem, então, não choraria por estar ausente deste lugar? – *Walter Balcanqual, A Sermon Preached at St. Maries Spittle, 1623*

v. 1: "Lembrando-nos de Sião". Isto implica, necessariamente, que tinham *se esquecido*; caso contrário, como poderiam se lembrar? Na sua paz e abundância, tinham pouca consideração por Sião. – *John Whincop, em um sermão intitulado, "Israel's Tears for Distressed Zion", 1645*

v. 1: Nada poderia apresentar um contraste mais assombroso com a sua região natal do que a região em que os hebreus agora se encontravam. Em lugar da sua cidade montanhosa, irregular e pitoresca, coroando os seus cumes desiguais, que contempla, abaixo, as suas profundas e íngremes ravinas, em uma das quais passa um escasso curso d'água, eles estavam na vasta e nivelada cidade da Babilônia, que ocupava os dois lados do largo Eufrates, enquanto por todos os lados se espalhavam imensas planícies, interceptadas por canais longos e retos, margeados por fileiras de salgueiros. Quão diferente do seu templo nacional – uma pequena estrutura, mas completamente acabada e ricamente adornada, erguida em meio aos seus pátios, à beira de um elevado precipício – é o colossal templo do Bel dos caldeus, que se eleva na planície, com seus oito estupendos pisos ou torres, uma sobre a outra, até a altura perpendicular de um estádio [aprox. 180 metros]! O palácio dos reis babilônios tinha um tamanho que era mais do que o dobro da sua cidade inteira; ele abrangia cerca de 8 milhas, com seus jardins suspensos construídos em terraços em arco, um acima do outro, e ricos em toda a abundância do cultivo artificial. Quão diferente dos rochedos ensolarados da sua própria terra, onde a oliveira e a vinha cresciam espontaneamente, com os vales frescos, sombreados e isolados, onde sempre podiam encontrar abrigo do calor escaldante do meio-dia! Não é de admirar, então, as patéticas palavras do seu próprio hino, *"Junto aos rios da Babilônia nos assentamos e choramos, lembrando-nos de Sião"*. Sobre a maneira como eram tratados, como cativos, temos poucas informações. O salmo acima citado parece indicar que os babilônios tinham gosto suficiente para apreciar o talento musical e poético dos exilados, e que estes eram convocados, ocasionalmente, para animar os banquetes de seus senhores, embora fosse muito contra a sua vontade que eles entoavam os cânticos de Sião em terra estranha. Em geral, parece que os exilados judeus tinham permissão para habitar juntos em agrupamentos consideráveis, não eram vendidos como escravos pessoais, prediais ou para famílias, pelo menos não aqueles da melhor ordem, de que o Cativeiro consistiu, principalmente. Eles eram mais colonos do que cativos, e gradualmente passaram a possuir consideráveis propriedades. Eles tinham seguido o conselho do profeta Jeremias (que não lhes tinha dado nenhuma esperança de um rápido retorno a seus lares); tinham construído casas, plantados jardins, tinham se casado e gerado e criado filhos, submetendo-se, como súditos pacíficos, às autoridades locais; tudo isto sugere uma relativa liberdade, um certo grau de prosperidade e conforto. Eles desfrutavam livremente da sua religião, pelo menos os que aderiram fielmente à sua crença no Senhor. Não temos notícia de nenhuma perseguição religiosa, seja particular ou geral. – *Henry Hart Milman (1791-1868), em "The History of the Jews".*

v. 1: Eles se sentaram em silêncio; e se lembraram em silêncio; choraram em silêncio. – *J. W. Burgon*

vv. 1 a 6: Israel era um povo típico. 1. Eles eram um tipo da igreja de Deus, em todas as eras do mundo. E, 2. Eram um tipo da alma de cada crente, individualmente.

Este salmo é escrito para Israel no seu cativeiro. Vamos examiná-lo, aceitando o seu significado típico.

I. *Quando um crente está em cativeiro, tem uma triste lembrança de Sião.* Assim foi com o povo antigo de Deus: "Junto aos rios da Babilônia nos assentamos e choramos, lembrando-nos de Sião" (v. 1). No último capítulo do segundo livro de Crônicas (14-20) encontramos a melancólica história do cativeiro de Judá. Muitos de seus amigos tinham sido mortos pela espada – a casa de Deus fora queimada – os muros de Jerusalém derrubados – e eles mesmos, encontravam-se cativos em uma terra estranha. Não é de admirar que se sentassem e chorassem, quando se lembravam de Sião.

Isto é frequente com o crente, quando levado cativo pelo pecado – ele se senta e chora quando se lembra de Sião. Sião é o lugar em que Deus se dá a conhecer. Quando um pobre pecador, depois de desperto, vem a conhecer o Salvador, e passa pelo véu rasgado entrando no Santo dos santos, ele passa a fazer parte do povo de Sião: "Vale mais um dia nos teus átrios do que, em outra parte, mil". Sião e o povo que ali habita, têm perdoada a sua iniquidade. Mas quando um crente cai em pecado, cai nas trevas – ele é levado cativo, tirado de Sião. Não pode mais entrar no interior do véu; não se alegra mais quando lhe dizem: "Vamos à Casa do Senhor". Ele se senta e chora, quando se lembra de Sião.

II. *O mundo zomba do crente no seu cativeiro.* Assim foi com o antigo Israel. Os caldeus eram cruéis conquistadores. Deus diz, pelo seu profeta: "Estando eu um pouco desgostoso, eles auxiliaram no mal". Não somente eles os afastaram do seu templo, da sua nação e de seus lares, como zombaram de suas angústias. Quando eles os viram sentados, derramando amargas lágrimas junto aos rios da Babilônia, exigiram alegria e um cântico, dizendo, "Cantai-nos um dos cânticos de Sião".

Assim é com o mundo e o cristão cativo. Há ocasiões em que o mundo não zomba do cristão. Frequentemente, o cristão está cheio de uma tão estranha alegria, que o mundo se maravilha em silêncio. Frequentemente há um espírito manso e tranquilo no cristão, que desarma a oposição. A resposta branda desvia o furor; e os seus inimigos são forçados a estar em paz com ele. Mas espere até que venha o dia da escuridão do cristão – até que o pecado e a descrença o tenham levado ao cativeiro – até que ele seja expulso de Sião, e levado para longe, e se sente e chore; então o mundo cruel irá auxiliá-lo no mal – então eles pedirão alegria e cânticos; e quando virem a lágrima amarga escorrendo pela face, perguntarão com selvagem zombaria: "Onde está o vosso canto de salmos, agora?" "Cantai-nos um dos cânticos de Sião". Mesmo Cristo sentiu esta amargura, quando estava suspenso na cruz.

III. *O cristão não consegue cantar em cativeiro.* Assim foi com este antigo Israel. Eles eram particularmente ligados aos doces cânticos de Sião. Estes cânticos os lembravam dos tempos de Davi e Salomão – quando o templo foi edificado, e Israel estava na sua mais excelente glória. Os cânticos os lembravam, acima de tudo, do seu Deus, do seu templo e dos serviços do seu santuário. Três vezes por ano, eles subiam em grupos do campo, cantando estes doces cânticos de Sião – levantando os olhos para os montes de onde vinha o seu socorro. Mas agora, quando estavam em cativeiro, penduraram suas harpas nos salgueiros; e quando seus cruéis saqueadores exigiram alegria e um cântico, eles disseram: "Mas como entoaremos o cântico do Senhor em terra estranha?" Isto acontece com o crente na escuridão. Ele pendura a sua harpa nos salgueiros e não consegue cantar o cântico do Senhor. Cada crente tem uma harpa. Cada coração que foi renovado é convertido em uma harpa de louvor. A boca se enche de riso – a língua, com a mais divina melodia. Cada verdadeiro cristão ama o louvor – os mais santos cristãos o amam ainda mais. Mas quando o crente cai no pecado e na escuridão, a sua harpa está sobre o salgueiro e ele não consegue cantar o cântico do Senhor, pois está em uma terra estranha.

1. *Ele perde toda a sensação de perdão.* É a sensação de perdão que dá os mais doces tons ao cântico do cristão. Mas quando um crente está no cativeiro, perde a sua doce sensação do perdão, e por isto, não consegue cantar.

2. *Ele perde toda a sensação da presença de Deus.* É a doce presença de Deus na alma que faz com que o crente cante. Mas quando esta presença está distante, a casa do Senhor é apenas um deserto imenso; e você dirá: "Como entoaremos o cântico do Senhor em terra estranha?"

3. *Ele perde a visão da Canaã celestial.* A visão dos montes eternos extrai da alma crente as melodias celestiais. Mas quando um crente peca, e é levado cativo, perde esta esperança da glória. Ele se senta e chora – pendura a sua harpa nos salgueiros, e não consegue cantar o cântico do Senhor, em terra estranha.

4. *O crente na escuridão ainda se lembra de Sião, e a prefere, à sua maior alegria.* Frequentemente ele percebe, depois de cair em pecado e no cativeiro, que caiu em meio aos prazeres do mundo e aos amigos mundanos. Mil prazeres o tentam para descansar aqui, mas se ele for um verdadeiro filho de Sião, jamais se acomodará em terra estranha. Ele examinará todos os prazeres do mundo e os prazeres do pecado, e dirá "vale mais um dia nos teus átrios do que, em outra parte, mil". – "Se eu me esquecer de ti, ó Jerusalém, esqueça-se a minha destra da sua destreza". – *Condensado de Robert Murray M' Chayne, 1813-1843*

vv. 1 e 2: O salmo é admirado universalmente. Na verdade, nada pode ser mais extraordinariamente belo. Ele está escrito em uma melodia de sensibilidade que comove toda alma que é capaz de ter sentimento. É admirável que o Dr. Watts, na sua excelente versificação, o tenha omitido. Na realidade, ele escreveu alguns versos sobre ele, em sua obra, Lyrics, e muitos outros escreveram sobre esta ode. Nós vimos mais de dez produções deste tipo, a última, e talvez a melhor delas, é a de Lord Byron. Mas quem se satisfaz com qualquer uma destas tentativas? Este é o começo: "Junto aos rios da Babilônia nos assentamos e choramos, lembrando-nos de Sião". Estes rios, provavelmente, eram alguns dos cursos d'água que se ramificavam do Eufrates e do Tigre. Normalmente, se supõe que estes judeus cativos tivessem sido instalados aqui pelos seus capatazes, para preservar ou reparar o sistema de distribuição de água. Mas é impróprio conjeturar que o salmista se refere ao fato de que eles estavam aqui, não constantemente, mas ocasionalmente, não por compulsão, mas por escolha? Para aqui, imagino que se retiraram, para descansar suas mentes oprimidas em isolamento. "Venha", diz um destes piedosos judeus a outro, "venha, vamos sair por um momento desta futilidade e vilania. Vamos nos reunir sob a sombra refrescante dos salgueiros, junto aos cursos d'água. E vamos levar conosco as nossas harpas, e nos consolar com alguns dos cânticos de Sião". Mas, tão logo chegam, e começam a tocar as cordas, as notas – tal é o poder de associação – despertam a lembrança de seus antigos privilégios e prazeres, e, dominados pela dor, se sentam sobre a relva. Eles choram, lembrando-se de Sião; os seus olhares deprimidos se desviam, uns dos outros, parecendo dizer, "Se eu me esquecer de ti, ó Jerusalém, esqueça-se a minha destra da sua destreza. Apegue-se-me a língua ao paladar se me não lembrar de ti; se não preferir Jerusalém à minha maior alegria". Mas o que eles fazem com suas harpas? A voz da alegria não mais é ouvida, e todas as filhas da música são humilhadas. A melodia não é oportuna para um espírito aflito. "Está alguém entre vós aflito? Ore. Está alguém contente? Cante louvores". "O que entoa canções junto ao coração aflito é como aquele que se despe num dia de frio e como vinagre sobre salitre".

No entanto, eles não quebram as harpas, nem as atiram à correnteza, mas as *penduram*, apenas. Eles esperavam que aquilo que não podiam usar naquele momento poderiam ser capazes de retomar, em algum período mais feliz. Estar abatido não significa estar destruído. A aflição não é sinônimo de desânimo, nem de derrota.

"Cuidado com os passos desesperados: o dia mais escuro
só viverá até amanhã; em breve, ele terá passado".

"Nos salgueiros, que há no meio dela, penduramos as nossas harpas". Passemos do judeu para o cristão, e examinemos o cristão, em suas Angústias Espirituais. Aquele que deseja pregar bem, diz Lutero, deve distinguir bem. É peculiarmente necessário discriminar, quando entramos neste assunto, pois nem todas as angústias do cristão são do mesmo tipo. Vamos considerar quatro fontes da sua tristeza moral.

I. A primeira será *física.*
II. A segunda será *criminosa.*
III. A terceira será *intelectual.*
IV. A quarta será *piedosa.* – *William Jay, The Christian Contemplated*

v. 2: "Nossas harpas". Muitos cantores foram levados cativos (Ed 2.41). Naturalmente, eles levaram seus instrumentos consigo, e foram insultados, como aconteceu aqui. Os seus cânticos eram sagrados e impróprios para serem cantados diante de idólatras. – *De "Anonymous Notes" em James Merrick's Annotations, 1768*

v. 2: "Salgueiros". Na planície, onde se situava a Babilônia, que, devido à grande quantidade de rios e canais que a cortavam, era, em muitos lugares, pantanosa, particularmente nas proximidades destes rios e canais, isto causava a abundância de *salgueiros*, e por isto é chamada, nas Escrituras, de "vale de salgueiros"; assim devem ser traduzidas as palavras de Is 15.7, que traduzimos como "ribeiro dos salgueiros". – *Humphrey Prideaux (1648-1724), em "The Old and New Testament Connected", etc.*

v. 2: "Salgueiros". O *salgueiro chorão* da Babilônia cresce e torna-se uma grande árvore; os seus galhos, sendo longos, finos e pendentes, tornam a planta propícia para as margens dos rios, lagos e outros cursos d'água; as folhas, também, são longas e estreitas; e quando cai qualquer névoa ou orvalho, pode-se ver uma gota d'água em suas extremidades, que, juntamente com seus ramos pendentes fornecem uma aparência lúgubre. Diz-se que as grinaldas dos apaixonados são feitas de uma espécie deste salgueiro, cujos ramos são muito delgados e flexíveis; e a própria planta sempre tem sido buscada para plantações ornamentais, seja para misturá-la com outras de crescimento semelhante nos terrenos mais amplos, seja para ser plantada isoladamente sobre fontes, ou em grandes terrenos abertos, pela peculiar variedade proporcionada pela sua aparência pesarosa. – *John Evelyn (1620-1706), em "Silva; or, A Discourse of Forest-Trees"*

v. 2: "Salgueiros". É um fato curioso, que durante o período da Comunidade Britânica (Commonwealth), quando Cromwell, como um sábio político permitiu que os judeus se fixassem em Londres e tivessem sinagogas, eles foram para lá em número suficiente para celebrar a festa dos Tabernáculos em tendas, entre os *salgueiros* às margens do Tâmisa. O seu conforto foi perturbado por inúmeros espectadores, principalmente novatos de Londres, o que exigiu proteção por parte dos magistrados locais. Não que qualquer insulto fosse oferecido às suas pessoas, mas uma curiosidade natural, incitada por um espetáculo tão novo e extraordinário, levou muitas pessoas a se aproximar excessivamente do seu acampamento, e talvez invadir a sua privacidade. – *Maria Callcott (1788-1842), em "A Scripture Herbal", 1842*

v. 2: "Salgueiros". Há uma interessante história sobre a maneira como o Salgueiro Chorão foi introduzido na Inglaterra.* Há muitos anos, o famoso poeta Alexander Pope, que residia em Twickenham, recebeu uma cesta de figos, como presente da Turquia. A cesta era feita dos ramos flexíveis do Salgueiro Chorão, a mesma

* Os dois fragmentos anteriores parecem provar que esta história não é verdadeira; pelo menos, o salgueiro de Evelyn é, evidentemente, o salgueiro chorão, e parece ser conhecido há muito tempo.

espécie sob a qual os judeus cativos se sentaram quando choraram, junto aos rios da Babilônia. *"Nos salgueiros penduramos as nossas harpas"*. O poeta apreciou imensamente os pequenos e delgados ramos, e desenrolou a cesta, e plantou um dos ramos no solo. Este ramo tinha alguns brotos, e Pope esperava poder cultivá-lo, uma vez que esta espécie de salgueiro não era conhecida na Inglaterra. Felizmente, o salgueiro é muito rápido em criar raízes e crescer. O pequeno ramo logo se tornou uma árvore, e se inclinou graciosamente sobre o rio, da mesma maneira como seus semelhantes tinham feito, sobre os rios da Babilônia. Daquele único ramo, descendem todos os salgueiros chorões da Inglaterra. – *Mary and Elizabeth Kirby, Chapters on Trees", 1813*

v. 2: "Que há no meio dela". Naturalmente, entende-se que a referência é à *cidade* da Babilônia; que era quase tão grande quanto Middlesex, e tinha parques e jardins no seu interior. – *William Kay*

v. 3: "Aqueles que nos levaram cativos nos pediam uma canção". Ou melhor, como deveria ser traduzido, *"as palavras* de uma canção". Eles não veem incoerência em uma religião que se mistura livremente com o mundo. Na sua ignorância, eles apenas exigiam *"as palavras* de uma canção"; porém jamais captaram a sua melodia celestial. "E os que *nos destruíram*, [pediam] que os alegrássemos". Lembre-se, é este elemento mundano que se desgasta ou se acumula, no que diz respeito aos nossos próprios corações ou à igreja de Deus. Mas, fiel aos seus instintos espirituais, o filho de Deus responde: "Mas como entoaremos o cântico do Senhor em terra estranha?" e, então, tão longe de ser completamente destruído ou dominado, se levanta, com ímpetos renovados de decisão, e na tensão de seu novo vigor, para proferir os votos dos versículos 5 e 6. Pois, depois de termos passado por tal conflito espiritual, saímos, não cansados, mas revigorados; não mais fracos, mas mais fortes. É uma das aparentes contradições do Evangelho, que a cura do cansaço e o alívio do peso que carregamos, esteja nisto: *tomar a nossa própria cruz*. Depois do conflito de Israel, de uma noite inteira, "*saiu-lhe o sol*, quando passou a Peniel" apesar do fato de que ele "manquejava da sua coxa". – *Alfred Edersheim*

v. 3: "Cantai-nos um dos cânticos de Sião". Isto normalmente é apresentado como uma simples curiosidade de ouvir alguma das famosas melodias do povo hebreu, ou um conselho para que os exilados se reconciliem com a sua situação inevitável, e retomem os seus hábitos anteriores em harmonia social com os habitantes da terra, ou, de modo mais geral, como uma nova agravação da sua infelicidade, exigindo que eles servissem de diversão para seus novos senhores. – *Genebrardus, Crisóstomo, e Cocceius, em Neale e Littledale*

v. 3: "Cantai-nos um dos cânticos de Sião". Nenhuma música servirá aos epicureus dos dias do profeta, senão a música do templo: "Inventais para vós instrumentos músicos, como Davi" (Am 6.5). Tão excelente como era Davi, no serviço do templo, também eles desejavam ser, em suas festas particulares. Os goles de Belsazar não tinham, em outros recipientes, a metade da doçura que tinham nos utensílios do templo: "Mandou trazer os utensílios de ouro e de prata que Nabucodonosor, seu pai, tinha tirado do templo" (Dn 5.2). Assim o espírito dos babilônios não ficará satisfeito com nada, senão *"um dos cânticos de Sião"*; não um cântico comum, mas "Cantai-nos *um dos cânticos de Sião"*. Nenhuma brincadeira combina tão bem com um espírito profano como quando as Escrituras são maltratadas, e levadas a servir à sua alegria. O homem fútil pensa que jamais conseguirá honrar o suficiente os seus prazeres, e zombar o suficiente de Deus e das coisas santas. – *Thomas Manton*

v. 3: "Cantai-nos um dos cânticos de Sião". A natureza insultante da exigência irá se tornar ainda mais evidente, se considerarmos que os objetos usuais destes cânticos eram a onipotência do Senhor e o seu amor pelo seu povo escolhido. – *William Keatinge Clay, 1839 v. 3:* Os babilônios lhes pediram, zombando, um dos cânticos de Sião. Eles carregaram de ridículo a religião pura e venerável, e, com a sua alegria e a sua indecência, agravaram os sofrimentos dos cansados e oprimidos exilados. Nós lamentamos dizer que a semelhança ainda existe, entre os judeus, em uma situação de cativeiro, e os cristãos, em seu estado de peregrinação. Nós também temos que suportar a zombaria dos profanos e insensatos. A ridicularização e o desdém são, frequentemente, o destino da piedade sincera neste mundo. A moda e a frivolidade e a falsa filosofia formam uma formidável combinação contra nós; e a mesma verdade, a mesma honestidade, a mesma integridade de princípio, que em qualquer outra causa seria apreciada como valente e respeitável, é alvo de desprezo e zombaria, quando conectada à causa do Evangelho e aos seus sublimes interesses. – *Thomas Chalmers*

vv. 3 e 4: João Crisóstomo observa o benefício que tal tribulação trouxe aos judeus, que anteriormente ridicularizaram, ou melhor, até mesmo mataram alguns dos profetas; mas agora, que eram cativos em terra estranha, não tentariam expor os seus hinos sagrados ao ridículo dos gentios. – *Robert Bellarmine*

v. 4: "Mas como entoaremos o cântico do Senhor em terra estranha?" Não é verdade que, em muitos aspectos, nós, como os exilados judeus, temos que cantar o cântico do Senhor em terra estranha? Se for uma terra estranha para *nós*, quanto mais estranha será para o cântico – *uma terra estranha, e alienada do cântico do Senhor.* A própria vida que vivemos aqui, no corpo, é uma vida de visão e sentimento. Naturalmente, nós andamos pela visão, e cantar o cântico do Senhor é possível somente para a fé. A fé é a visão da alma; fé é ver o invisível; ela não vem da natureza, e sem ela não podemos cantar o cântico do Senhor, porque estamos em uma terra estranha para ele.

Novamente, os sentimentos da vida atual são, frequentemente, adversos ao louvor. Os exilados na Babilônia não podiam cantar, porque se sentiam aflitos. A mão de Deus pesava sobre eles. Ele tinha uma contenda com eles, por causa do seu pecado. Os sentimentos de muitos de nós são, de igual maneira, contrários ao cântico do Senhor. Alguns de nós estão em grande angústia. Nós perdemos um amigo; estamos ansiosos por alguém que é tudo para nós; não sabemos onde buscar o pão de amanhã ou o consolo de hoje. Como entoaremos o cântico do Senhor?

E há outro tipo de tristeza, ainda mais fatal, se é que isto é possível, ao exercício vigoroso da adoração – o peso do pecado não perdoado. Cânticos podem ser ouvidos da cela de prisão de Filipos; cânticos podem ser ouvidos do tranquilo leito de morte, ou junto ao sepulcro aberto; mas cânticos não podem ser extraídos da alma sobre a qual paira o peso do desprazer de Deus, real ou imaginário, ou que ainda é importante para apreender a graça e a vida que há em Cristo Jesus para os pecadores. Nós imaginamos que esta fosse a dificuldade que pressionava o israelita exilado; esta certeza é um obstáculo agora, em muitas pessoas, para a explosão do louvor cristão. E, novamente, há uma terra ainda mais estranha e estrangeira ao cântico do Senhor do que a terra da culpa não perdoada – que é a terra do pecado não abandonado. – *Condensado de C. J. Vaughan*

v. 4: "O cântico do Senhor – em terra estranha". Era o contraste, a incoerência, que os desconcertava. Os cativos na Babilônia – aquela cidade gigantesca, pesada, incômoda, com seu templo do Bel caldeu erguendo-se soberbo sobre os seus oito pisos estupendos até a altura de um estádio [aprox. 200 metros] na direção do céu – os exilados israelitas, convidados para uma festa idólatra, para que pudessem divertir o grupo, cantando-lhes uma das tão famosas melodias hebraicas, para a gratificação da curiosidade ou para diversão do ouvido – como isto poderia ser feito? *O cântico do Senhor* – uma daquelas inspiradas composições de Moisés ou de Davi, em que a santa alma do rei ou do profeta se derramava em humilde e sublime adoração, diante do único Criador Divino, Redentor e Santificador – como *poderia* ser cantado, perguntam eles, em uma cena tão incoerente? As palavras se demoram na língua, as notas se recusarão a soar sobre a harpa abandonada. Este salmo requer o seu acompanhamento e a sua adaptação – se não nos átrios do templo de Sião, pelo menos na agradável brisa da Palestina, e na atmosfera de fé de Israel. – *C. J. Vaughan, The Family Prayer and Sermon Book"*

v. 4: "O cântico do Senhor". Para distingui-los dos cânticos dos pagãos, estes cânticos antigos eram chamados cânticos de Deus, cânticos do Senhor; porque Ele os ensinou, eles foram aprendidos dele, e Ele ordenou que fossem entoados em seu louvor. – *John Bunyan*

v. 4: Muitos eram os tristes pensamentos que a lembrança de Sião evocava: os privilégios que tinham tido ali; as solenes festas e felizes congregações de suas tribos, para ali adorar, diante do Senhor; o Templo – "a santa e gloriosa casa, em que te louvavam nossos pais" – agora está deserto.

Mas um pensamento de amargura, que tornava seus corações realmente deprimidos, silenciando suas vozes, e desencordoando as suas harpas, era a causa desta calamidade – o seu pecado. Paulo e Silas podiam cantar em uma cela, mas não foi o seu pecado que os levou para lá; e os santos, sofrendo pelo nome de Cristo, poderiam dizer "estou cheio de consolação e transbordante de gozo em todas as nossas tribulações". Não há uma tristeza real, em nenhuma das circunstâncias a que Deus nos conduz, ou para onde Ele nos guia e vai conosco; mas onde está o pecado, e onde se sente que há sofrimento – não perseguição, mas juízo – não há, e não pode haver alegria; as almas se recusam a ser consoladas. Israel não pode cantar junto aos rios da Babilônia. – *William De Burgh*

v. 4: Existe uma distinção entre nós e o antigo povo de Deus; pois naquela época, a adoração a Deus estava confinada a um só lugar; mas agora Ele tem o seu templo onde dois ou três se reunirem, em nome de Cristo, desde que estes estejam separados de toda profissão idólatra, e conservem a pureza da adoração Divina. – *João Calvino*

v. 4: Um dos momentos patéticos do cativeiro do rei John II, da França, na Inglaterra, ocorreu quando estava certa vez sentado para ver um grande torneio, realizado em sua honra, e olhava tristemente para tudo; quando os que estavam à sua volta insistiram para que ele se alegrasse e desfrutasse o esplêndido concurso, respondeu, com um sorriso pesaroso: *"Como entoaremos o cântico do Senhor em terra estranha?" – Polydore Virgil, -1555*

v. 5: "Se eu me esquecer de ti, ó Jerusalém". O Calvário, o Monte das Oliveiras, Siloé, quão fragrantes são estes nomes, junto com o Nome que está acima de todo nome! *"Se eu me esquecer de ti, ó Jerusalém"*! Como posso me esquecer de onde Ele andou tão freqüentemente, onde Ele falou tão graciosas palavras, onde Ele morreu? Posso me esquecer de que os seus pés estarão sobre aquele "monte das Oliveiras, que está defronte de Jerusalém para o oriente"? Posso me esquecer de que ali estava o Cenáculo, e de que ali caíram as bênçãos do Pentecostes? – *Andrew A. Bonar*

v. 5: "Esqueça-se a minha destra da sua destreza". Há um argumento assombroso e apropriado aqui, que foi negligenciado. Da mesma maneira como é costumeiro que as pessoas no oriente jurem pelas suas profissões, também alguém que não tem profissão – que é pobre e destituído, e nada tem de valor reconhecido no mundo – jura pela sua mão direita, que é o seu único esteio na sociedade, e pela *"destreza"* com que ganha o seu pão diário. Daí o provérbio árabe (que fornece Burckhardt) que reflete a mudança de atitude produzida pelas circunstâncias melhoradas – "Ele estava acostumado a jurar 'cortando a sua mão direita'. Agora, ele jura 'dando dinheiro aos pobres'". As palavras *"sua destreza"* são inseridas pelos tradutores, em cuja época *destreza* (da palavra do saxão *cannan, konnen* em alemão, "conhecer") significava "talento", e um homem destro era o que agora chamaríamos de homem talentoso, habilidoso. No caso atual, o talento indicado é, sem dúvida, o de tocar a harpa, e neste sentido aparece já em Prior:

> "Quando Pedro faz com que o alaúde obedeça,
> o instrumento segue a mão habilidosa do artista".

Os tradutores modernos substituem "destreza" por "habilidade"; mas talvez uma terminologia ainda mais geral fosse melhor – como, por exemplo, "Que a minha mão direita perca o seu poder". – *John Kitto, The Pictorial Bible"*

v. 5: "Esqueça-se a minha destra". O contexto deve fornecer alguma coisa... o toque no instrumento de cordas (v. 2), quer a mão direita fosse aplicada a este propósito ou não, era o ponto em questão. Então, a punição estará perfeitamente de acordo com a má obra, como em Jó 31.22; se eu, fazendo mau uso da minha mão direita para tocar as alegres melodias no meu instrumento, te esquecer, ó Jerusalém, que a minha mão direita, como punição, esqueça a sua nobre arte; e também o versículo 6 se encaixa admiravelmente ao que é dito antes: Que a minha mão mal empregada perca a sua capacidade de tocar, e a minha língua, mal empregada ao cantar alegres cânticos, perca a sua capacidade de cantar. – *E. W. Hengstenberg*

v. 6: "Se me não lembrar de ti". Ou as nossas camas são macias demais, ou os nossos corações são duros demais, se somos capazes de descansar enquanto a igreja está sem repouso; sim, se não sentirmos as duras cordas que cercam os nossos irmãos enquanto desfrutamos as nossas camas macias. – *John Trapp*

v. 6: "Se não preferir Jerusalém à minha maior alegria". Literalmente, *"se eu não promover Jerusalém acima da minha maior alegria"*. Se não colocar Jerusalém como um diadema na cabeça da minha alegria, e não coroar com ela toda a minha felicidade. – *Christopher Wordsworth*

v. 7: "Lembra-te, Senhor, dos filhos de Edom", etc. Os judeus eram seus irmãos (Ob 10; Am 1.11). Eles eram seus vizinhos, Idumeia e Judeia eram vizinhas (Mc 3.8). Eles eram aliados dos judeus (Jr 27.3; havia um embaixador edomita em Jerusalém), que, juntamente com os embaixadores dos outros reis mencionados nessa passagem, juntaram forças com Zedequias, contra Nabucodonosor (veja Ob 7). O fato de se vingarem dos judeus pelos males e injustiças que lhes foram causados por outros povos, e isto no dia da calamidade dos judeus, tornava o seu pecado extremamente agravado. – *William Greenhill, 1591-1677*

v. 7: "Lembra-te, Senhor, dos filhos de Edom", etc. De todos os tipos de males que se pode causar a um irmão, este pecado de Edom, de incitar um inimigo contra o irmão, no dia da sua angústia e aflição, este abrir a boca contra ele, insultá-lo na sua calamidade, é terrivelmente bárbaro e não cristão. Observe como a crueldade dos edomitas é agravada pelo tempo; este foi o período mais lamentável que Jerusalém já teve, e foi chamado, portanto, de *"o dia de Jerusalém"*. Quando todas as coisas conspiravam para completar a sua angústia, na explosão da sua doença mortal, então Edom armou seus olhos, sua língua, seu coração, suas mãos, e uniu tudo isto ao inimigo, contra seu irmão. Perceba que Deus observa não somente *o que* fazemos contra outras pessoas, mas também *quando* o fazemos, pois Ele apresentará estas coisas diante de nós; pois o Deus de misericórdia não pode tolerar a crueldade. – *Edward Marbury, 1649*

v. 7: "Lembra-te, Senhor, dos filhos de Edom". Edom será lembrada pelo conselho prejudicial que deu, e a filha de Babilônia será, para sempre, riscada da memória, por arrasar Jerusalém até os alicerces. E que todos os inimigos secretos ou declarados da igreja de Deus tomem cuidado com a maneira como empregam suas línguas e mãos contra os escolhidos de Deus; aqueles que ousam fazer isto podem ler aqui a sua condenação fatal, escrita na *poeira* de Edom, e nas *cinzas* da Babilônia. – *Daniel Featley (1582-1645), em "Clavis Mystica"*

v. 7: Em Herodes, o idumeu, o ódio de Edom encontrou a sua expressão mais concentrada. O *seu* objetivo era o de destruir àquele que Deus tinha colocado em Sião como a "fundação segura". – *William Kay*

v. 7: Podemos observar que os judeus, posteriormente, agiram da mesma maneira, com relação à igreja cristã, que os edomitas tinham agido, com relação a eles, incentivando e incitando os gentios a persegui-la e destruí-la, extirpando-a da face da terra. E Deus "lembrou-se" deles, por causa dos cristãos, da mesma maneira como eles pediram que Ele "se lembrasse de Edom" por causa deles. Portanto, perceba, que crime é que os cristãos auxiliem o inimigo comum, ou convoquem o inimigo comum para auxiliá-los contra seus irmãos. – *George Horne*

v. 7: Nós não devemos considerar as maldições deste salmo sob nenhuma outra luz, que não a profética. Elas se baseiam nas muitas profecias que já tinham sido divulgadas, sobre o assunto da destruição da Babilônia, se, como poderemos admitir, o salmo diante de nós tiver sido escrito depois da desolação de Jerusalém. Mas estas profecias ainda não foram cumpridas em todos os detalhes, e ainda deverão se cumprir na Babilônia mística, quando o domínio do Anticristo for removido para sempre, e a verdadeira igreja for introduzida na gloriosa liberdade dos filhos de Deus, na manifestação do seu Senhor e Salvador, Jesus Cristo, no seu próprio reino. – *William Wilson*

v. 7: O ódio de Edom era o ódio com que a mente carnal, na sua inimizade natural contra Deus, sempre considera qualquer que seja o objeto eleito da sua benevolência. Jerusalém era a cidade de *Deus.* "Arrasai-a, arrasai-a, até aos seus alicerces", é o perverso desejo de cada mente não regenerada, contra qualquer edificação que se apoie sobre a Pedra da Fundação Divina. Pois a escolha de Deus nunca agrada o homem, até que, pela graça, o seu próprio coração se torne um recebedor adorador daquela misericórdia de que, enquanto no seu estado natural, ele se ressentia amargamente, e à qual se recusava reconhecer, nos seus efeitos sobre outros homens. Desde Caim até o Anticristo, esta solene verdade continua verdadeira. – *Arthur Pridham*

vv. 7 a 9: Eu não sei se outros tiveram o mesmo sentimento, mas eu freqüentemente desejo que os últimos versículos deste salmo tivessem sido separados do seu doce e emocionante começo. Parece como se uma das cordas de suas bem afinadas harpas estivesse desafinada, como se atingisse uma nota gritante de discórdia. No entanto, eu sei que este sentimento é errado, pois não é nada mais do que o próprio Senhor tinha predito e declarado que seria a desolação final da soberba Babilônia; mas nós desejamos intensamente pela época em que as nações da terra aprenderão a não mais guerrear; e cada harpa e cada voz, mesmo as dos martirizados abaixo do mais doce altar de Deus, cantarão os cânticos do Senhor, o cântico de Moisés, e do Cordeiro, naquela terra agradável, onde não haverá suspiros nem lágrimas. – *Barton Bouchier*

v. 8: "Ah! Filha da Babilônia, que vais ser assolada". No início do quinto ano do governo de Dario, teve lugar a revolta dos babilônios, que lhe custou o incômodo de um tedioso cerco para reduzi-los... ele cercou a cidade com todos os seus exércitos... Tão logo os babilônios se viram cercados por um exército ao qual não poderiam resistir no campo, voltaram seus pensamentos inteiramente ao seu sustento durante o certo; com este objetivo, tomaram uma resolução, a mais desesperada e bárbara que qualquer nação já adotou. Pois, para fazer com que as suas provisões durassem mais tempo, concordaram em cortar todas as bocas desnecessárias do seu meio, e por isto, juntando todas as mulheres e crianças, estrangularam a todas, fossem esposas, irmãs, filhas ou crianças, inúteis para a guerra, com a única exceção de que cada homem teria a permissão de salvar uma de suas esposas, a que ele mais amasse, e uma serva, para fazer o trabalho da casa. – *Humphrey Prideaux*

v. 8: "Que vais ser assolada". A palavra הַשְּׁדוּדָה tem sido explicada de várias maneiras. Septuaginta: ἡ ταλαίπωρος; Vulgata: *misera;* outras, *destruidor, poderoso, violento,* ou *cruel.* Talvez esta expressão se encaixe melhor no contexto, considerando-o como expressando o que já foi realizado: é tão certo, na visão do salmista, que a destruição virá, que ele usa o passado, como se a obra já tivesse sido concluída. "Ah! filha da Babilônia, a destruída!" – *"Bibliotheca Sacra and Theological Review"*

v. 8: Quem semeia o mal, colherá o mal; quem semeia o mal do pecado, colherá o mal da punição. Assim Elifaz contou a Jó o que tinha visto (Jó 4.8): "Os que lavram iniquidade e semeiam o mal segam isso mesmo". E isto em tipo ou qualidade, proporção ou quantidade. Em tipo, a mesma coisa que ele tinha feito a outras pessoas, seria feito a ele; ou em proporção, uma medida correspondente. De modo que ele colherá o que semeou, em quantidade ou qualidade; em porção, a mesma coisa, ou em proporção, semelhante. O profeta que amaldiçoa Edom e Babel diz: "Ah! Filha de Sião, feliz aquele que te retribuir consoante nos fizeste a nós!" O original diz, "que te recompensar as obras que nos fizeste a nós"... Desta maneira, a iniquidade é recompensada *suo genere*, em espécie. Frequentemente o transgressor é contra o transgressor, o ladrão rouba ladrão, *proditoris proditor*; como em Roma muitos imperadores pagãos, e muitos papas cristãos, por sangue e traição obtiveram a soberania, e por sangue e traição a perderam. Os ímpios bebem o que produziram, são açoitados com a sua própria vara, são afogados no poço que cavaram para outros, como Hamã, foi enforcado na sua própria forca, e Perilo atormentado na sua própria máquina! – *Thomas Adams*

vv. 8 e 9: O assunto destes dois versículos é o mesmo que o de muitos capítulos dos livros de Isaías e Jeremias, ou seja, a vingança que o céu executou sobre a Babilônia por meio de Ciro, que foi levantado para ser rei dos medos e dos persas, que se uniram sob o seu comando, com este propósito. O significado das palavras, *"Feliz aquele"* é "Ele irá continuar e prosperar, pois o Senhor dos exércitos irá com ele, e lutará as suas batalhas contra o inimigo e opressor do seu povo, capacitando-o a retribuir aos caldeus pelas obras das suas mãos, e a recompensá-los de acordo com a maneira como agiram em relação a Israel. – *George Horne*

vv. 8 e 9: Não é necessário nenhum registro que nos diga que, no cerco e na destruição de Jerusalém, grandes atrocidades foram cometidas pelos conquistadores. Podemos ter certeza de que,

"Muitas mães grávidas
e muitos recém nascidos morreram".

pois as guerras do mundo antigo sempre eram acompanhadas por crueldades bárbaras deste tipo. A apóstrofe dos versículos 8, 9, consequentemente, meramente proclama a certeza de uma justa retribuição – a mesma retribuição que os profetas tinham predito (Is 13.16; 47; Jr 50; compare, "que vais a ser assolada", v. 8) e a felicidade daqueles que seriam seus ministros, que distribuiriam a ela o que ela tinha distribuído aos judeus conquistados. Foi o decreto do Céu que as suas "crianças" fossem "despedaçadas perante os seus olhos". O salmista simplesmente reconhece o decreto como justo e benéfico; ele pronuncia a terrível vingança merecida. Acusá-lo como vingativo, portanto, é impugnar a justiça e a misericórdia do Altíssimo. E não há nada que sustente a acusação, pois as suas palavras são meramente uma predição, como a do profeta: "Como tu fizeste, assim se fará contigo; a tua maldade cairá sobre a tua cabeça" (Ob 15). – *Joseph Hammond, The Expositor", 1876*

v. 9: "Feliz aquele que pegar", etc. Isto é, você foi tão opressivo a todos, sob a sua dominação, a ponto de se tornar universalmente odiado e detestado, de modo que aqueles que puderem decidir a sua destruição, e o total extermínio dos seus habitantes, serão considerados *"felizes"* – serão *celebrados* e *exaltados* como aqueles que livraram o mundo de uma maldição tão terrível. Estas declarações proféticas não contêm nenhum estímulo para que alguma pessoa (ou pessoas) cometa atos de crueldade e barbárie; mas simplesmente *declaram* o que ocorreria na ordem da providência de retribuição, e na justiça de Deus, e a opinião geral que, como consequência, seria expressa sobre o assunto; por isto, *orar pela destruição dos nossos inimigos* está totalmente fora de questão – *Adam Clarke*

v. 9: "Feliz aquele", etc. Com toda a força e velocidade possível, opondo-se aos primeiros estímulos para o coração pecar, pois estes são os brotos que produzem o fruto mais amargo; e se o pecado não for arrancado no próprio broto, é inimaginável a rapidez com que crescerá... Estes pecados, ainda que possam parecer pequenos em si mesmos, são extremamente perniciosos em seus resultados. Estas pequenas raposas destroem as uvas, tanto ou mais do que as maiores raposas, e por isto devem ser caçadas diligentemente, e mortas por nós, se desejarmos conservar frutíferos nossos corações. Nós devemos lidar com estas primeiras ramificações do pecado, como o salmista desejava que o povo de Deus lidasse com os fedelhos da Babilônia: *"Feliz aquele que pegar em teus filhos e der com eles nas pedras"*. E, sem dúvida, mais feliz e bem sucedido será, em seu bem-estar espiritual, aquele que não revestir de piedade nem mesmo as suas menores corrupções, mas matar as pequenas, bem como as grandes, e não apenas conquistar os seus inimigos, opondo-se à sua força atual, mas também extinguindo a sua raça futura. As menores crianças, se viverem, se tornarão homens crescidos, e os menores estímulos ao pecado, se não controlados, se espalharão em grandes, declaradas e audaciosas presunções. – *Robert South, 1633-1716*

v. 9: "Nas pedras". É indubitável que סֶלַע significa *uma pedra*, pelo testemunho coincidente de todos os melhores lexicógrafos de hebraico. Consequentemente, como não há rocha, nem monte, nem colina, na cidade nem na província da antiga Babilônia, a localidade contra a qual a maldição deste salmo é lançada não pode ser a metrópole do antigo império assírio, mas deve ser a Babilônia apocalíptica, ou a Roma papal, edificada sobre sete colinas, das quais uma é a famosa Rocha Tarpeia. Mas o versículo 8 declara, enfaticamente, que a justiça de retribuição de Deus visitará a Babilônia apocalíptica, com a mesma punição que a Babilônia assíria, e também a Roma pagã, infligiram sobre Jerusalém. Portanto, como Nabucodonosor (e Tito), "queimou a Casa do Senhor e a casa do rei, como também todas as casas de Jerusalém; todas as casas dos grandes igualmente queimou" (2 Rs 25.9), também "os dez chifres... aborrecerão a prostituta, e a porão desolada e nua, e comerão a sua carne, e a queimarão no fogo; e será queimada no fogo" (Ap 17.16; 18.8). Depois que os cananeus encheram a medida da sua iniquidade, Israel recebeu a comissão divina de exterminar a nação culpada. Quando a Roma papal tiver enchido a medida da sua iniquidade, então "um forte anjo [levantará] uma pedra como uma grande mó e a [lançará] no mar, dizendo: Com igual ímpeto será lançada Babilônia", "porque já os seus pecados se acumularam até ao céu, e Deus se lembrou das iniquidades dela. Tornai-lhe a dar como ela vos tem dado e retribuí-lhe em dobro conforme as suas obras; no cálice em que vos deu de beber, dai-lhe a ela em dobro" (Ap 18.5, 6). Então resulta a proclamação divina: "Alegra-te sobre ela, ó céu, e vós, santos apóstolos e profetas, porque já Deus julgou a vossa causa quanto a ela". (Ap 18.20). – *John Noble Coleman, The Book of Psalms, with Notes", 1863*

v. 9: "Aquele que pegar em teus filhos e der com eles nas pedras".

Meu herói morto, meu leito nupcial destruído,
minhas filhas violentadas, e minha cidade queimada,
meus filhos, ensanguentados, lançados ao chão,
tudo isto eu tenho que ver, e talvez ainda mais.
– Homero, Ilíada, tradução de Pope, Livro xxii. 89-91

SUGESTÕES AOS PREGADORES

v. 1. I. Um dever, que anteriormente já foi fonte de alegria: "Lembrar-se de Sião".

II. Circunstâncias que tornam tristes as lembranças.

III. Pessoas peculiares que sentem esta alegria ou tristeza: "nós".

v. 1. I. Sião, abandonada na prosperidade. Seus serviços, rejeitados; seus sacerdotes, desmoralizados; a adoração a Baal e Astarote preferida à adoração do Deus verdadeiro.

II. Sião, lembrada na adversidade. Na Babilônia, mais que em Jerusalém; nas margens do Eufrates, mais do que nas margens do Jordão; com lágrimas, quando poderiam tê-la lembrado com alegria. "Falei contigo da tua prosperidade, mas tu disseste: Não ouvirei". "Senhor, no aperto, te visitaram; vindo sobre eles a tua correção, derramaram a sua oração secreta". – *G. R.*

v. 2. I. Harpas – ou capacidade de louvor.

II. Harpas nos salgueiros, ou cânticos suspensos.

III. Harpas novamente afinadas, ou alegrias ainda por vir.

v. 2. I. Uma confissão de alegria que se converte em tristeza: "penduramos", etc. O lamento de suas harpas sobre os salgueiros chorões combinava melhor com os seus sentimentos do que quaisquer melodias que eles estivessem acostumados a tocar.

II. Uma esperança de que a tristeza se converta em alegria. Eles levaram consigo suas harpas ao cativeiro, e as penduraram, para uso futuro. – *G. R.*

v. 2. "Penduramos as nossas harpas", etc.

I. Como lembrança das alegrias perdidas. As suas harpas estavam associadas com um passado glorioso. Eles não podiam se dar ao luxo de se esquecer daquele passado. Eles mantiveram o bom e velho costume. Sempre haverá meios de se lembrar.

II. Na manifestação da angústia presente. Eles não podiam tocar, por causa de:

1. Sua iniquidade.
2. Suas circunstâncias.
3. Sua casa.

III. Como antecipação de bênçãos futuras. Eles não quebraram suas harpas. A duração do exílio é limitada. O retorno expressamente predito. Nós desejaremos nossas harpas nos bons tempos que hão de vir. Os pecadores tocam agora suas harpas, mas logo as deixarão de lado, para sempre. – *W. J.*

v. 3 (última parte). Tirada do seu contexto, esta é uma súplica muito agradável e digna de louvor. Por que desejamos este cântico?

1. Ele certamente é puro. 2. Certamente será incentivador.
3. Provavelmente será agradável.
4. Ele nos consolará e nos animará.
5. Ele nos ajudará a expressar nossa gratidão.

vv. 3 e 4. I. A cruel exigência.

1. Um cântico quando somos cativos.
2. Um cântico para agradar os nossos adversários.
3. Um cântico sagrado com propósitos profanos.

II. O motivo para isto. Às vezes, o mero ridículo; em outras ocasiões, uma bondade confundida, que busca, pela mordacidade, nos erguer do desânimo; frequentemente, mera leviandade.

III. A resposta para isto, "Como entoaremos?", etc.

vv. 3 e 4. I. Quando Deus pede que haja alegria, não devemos nos entristecer. Os cânticos de Sião devem ser entoados em Sião.

II. Quando Deus pede que haja tristeza, não devemos nos alegrar. "Como entoaremos?", etc. (Veja Is 5.12). – *G. R.*

vv. 3 e 4. I. O pedido irracional: "Cantai-nos um dos cânticos de Sião". Isto era,

1. Um assombroso testemunho do caráter alegre da adoração do Senhor. Até mesmo os pagãos tinham ouvido falar dos "cânticos de Sião".

2. Um severo teste à fidelidade do Israel cativo. Poderia ter sido benéfico para eles, naquela ocasião, ter atendido ao pedido.

3. Uma cruel zombaria da triste e desanimadora condição dos cativos.

II. A recusa indignada. "Mas como entoaremos o cântico do Senhor em terra estranha?" Este cântico não será cantado por israelitas fiéis,

1. Quando o coração está desafinado, como necessariamente estará, quando em "terra estranha".

2. Em uma sociedade incompatível – entre estranhos insensíveis.

3. Com propósitos não santificados – para alegrar os pagãos. Muitos concertos assim chamados sagrados causam sofrimentos a cristãos devotos, tanto quanto a exigência de cantar o cântico do Senhor causou sofrimento aos devotos israelitas. O cântico do Senhor deve ser entoado somente "para o Senhor". – *W. H. J. P.*

vv. 3 e 4. A ridicularização das coisas santas.
I. Os servos de Deus estão em um mundo insensível.
II. A ordem para que sejam divertidos e ofereçam entretenimento. Cânticos do templo, para passar uma hora ociosa! Esta é a exigência popular, hoje em dia. Os homens desejarão que nós zombemos da religião para diverti-los.
III. A resposta com justa indignação de todos os homens fiéis, "Como entoaremos?" Os trabalhadores cristãos têm questões mais sérias, ainda que menos populares, de que se ocupar. – *W. B. H.*
v. 5. A pessoa que se lembra; a coisa que é lembrada; a solene maldição.
v. 5. Nenhuma harpa, exceto para Jesus.
I. A harpa consagrada. Na conversão.
"Uma espada, pelo menos, teus direitos irá guardar;
Uma harpa fiel, irá te louvar".
II. A harpa em silêncio:
"Os teus cânticos foram feitos para os corajosos e livres, jamais soarão na servidão".
III. A harpa novamente tocada:
"E ouvi a voz de harpistas
tocando suas harpas".
– *W. B. H.*
vv. 5 e 6. I. Alegrar-se com o mundo é esquecer-se da igreja.
II. Para amar a igreja, devemos preferi-la, acima de tudo.
III. Para servir à igreja, devemos estar preparados para sofrer qualquer coisa.
v. 7. O ódio dos ímpios à religião verdadeira.
I. A sua causa.
II. A sua extensão. "Arrasai-a", etc.
III. A ocasião em que ele é exibido: "no dia de Jerusalém" – aflição, etc.
IV. A sua recompensa: "Lembra-te, Senhor".

SALMO 138

TÍTULO

Salmo de Davi. Este salmo está sabiamente posicionado. Quem quer que tenha editado e organizado estes poemas sagrados, teve como objetivo a aposição e o contraste, pois se no Salmo 137 vimos a necessidade do silêncio diante dos injuriadores, aqui vemos a excelência de uma corajosa confissão. Há um momento para ficar em silêncio, para que não lancemos pérolas aos porcos; e há um momento para falar abertamente, para que não sejamos culpados de uma covarde ausência de confissão. O salmo é de um caráter evidentemente davídico, e exibe toda a fidelidade, coragem e decisão daquele rei de Israel e príncipe dos salmistas. Naturalmente, os críticos tentaram remover a autoria de Davi, por causa da menção ao templo, embora em um dos salmos que é atribuído a Davi, apareça a mesma palavra. Muitos críticos modernos são, para a palavra de Deus, o que moscas varejeiras são para a comida do homem; não fazem nenhum bem, e a menos que sejam incansavelmente expulsos, provocam um grande mal.

DIVISÃO

Em total confiança, Davi está preparado para reconhecer o seu Deus na presença dos deuses dos pagãos, ou de anjos ou governantes (vv. 1-3); ele declara que irá instruir e converter reis e nações, até que em cada caminho os homens entoem os louvores do Senhor (vv. 4,5). Tendo dito isto, ele expressa a sua confiança pessoal no Senhor, que irá auxiliar este humilde servo e preservá-lo de toda a maldade dos irados inimigos.

EXPOSIÇÃO

1 *Eu te louvarei, Senhor, de todo o meu coração; na presença dos deuses a ti cantarei louvores.*

2 *Inclinar-me-ei para o teu santo templo e louvarei o teu nome, pela tua benignidade e pela sua verdade; pois engrandeceste a tua palavra acima de todo o teu nome.*

3 *No dia em que eu clamei, me escutaste; alentaste-me, fortalecendo a minha alma.*

1. *"Eu te louvarei, Senhor, de todo o meu coração."* A sua mente está tão concentrada em Deus que o salmista nem menciona o seu nome; para ele, não há outro Deus, e o Senhor é tão perfeitamente percebido e tão intimamente conhecido, que o salmista, ao se dirigir a Ele, não pensa em mencionar o seu nome, como nós também faríamos se estivéssemos falando com um pai ou um amigo. Ele vê a Deus com os olhos da sua mente, e simplesmente se dirige a Ele com o pronome "te". Ele está decidido a louvar ao Senhor, e a fazer isto com toda a força da sua vida, com todo o seu coração. Ele não se sujeitaria a agir como alguém controlado ou reprimido, por causa das opiniões dos outros; mas, na presença dos oponentes do Deus vivo, ele seria tão sincero e fervoroso na adoração como se todos fossem amigos e se unissem a ele alegremente. Se os outros não louvam ao Senhor, há ainda mais motivos por que nós devemos fazê-lo, e devemos fazê-lo com entusiasmado zelo. Nós precisamos de um coração quebrantado para lamentar os nossos próprios pecados, mas um coração perfeito para louvar as perfeições do Senhor. O nosso coração deve estar conscientizado, dedicado e integralmente ocupado com uma coisa só quando estivermos louvando ao Senhor.

"Na presença dos deuses a ti cantarei louvores." Por que estes ídolos roubariam o Senhor de seus louvores? Nem por um momento, o salmista irá suspender seus cânticos pelo fato de haver imagens diante dele, e seus tolos adoradores podem não aprovar a sua música. Eu creio que Davi se referia aos falsos deuses das nações vizinhas, e às divindades dos cananeus sobreviventes. Ele não se alegrava com o fato de que tais deuses estivessem estabelecidos, mas pretendia expressar, ao mesmo tempo, o seu desprezo por *eles*, e a sua própria dedicação à adoração ao Senhor vivo, continuando a cantar muito fervorosamente onde quer que pudesse estar. Seria prestar um excessivo respeito a estes ídolos mortos, deixar de cantar, porque eles estavam colocados no alto. Nestes dias em que novas religiões são diariamente inventadas, e novos deuses são estabelecidos, é bom saber como devemos agir. A amargura é proibida, e a contenda pode anunciar a heresia; o melhor método é prosseguir com a adoração pessoal ao Senhor, com zelo invariável, cantando com coração e voz os seus reais prazeres. Eles negam a divindade do nosso Senhor? Que nós o adoremos com mais fervor. Eles desprezam a expiação? Que nós a proclamemos mais constantemente. Se a metade do tempo gasto em conselhos e contendas tivesse sido dedicada ao louvor ao Senhor, a igreja teria se tornado muito mais sadia e forte do que é hoje em dia. A legião do Aleluia triunfará. Louvar e cantar são a nossa proteção contra as idolatrias da heresia, são a nossa consolação sob a depressão causada por insolentes ataques à verdade, e as nossas armas para a defesa do Evangelho. A fé, quando exibida em alegre coragem, contagia de modo sagrado quem está ao seu redor; os outros aprendem a crer no Altíssimo quando veem o seu servo,

"Calmo, em meio ao clamor confuso,
Confiante na vitória."

2. *"Inclinar-me-ei para o teu santo templo"*, ou o lugar da morada de Deus, onde estava a arca. Ele adoraria a Deus à maneira do próprio Deus. O Senhor tinha ordenado um centro de unidade, um lugar de sacrifício, uma casa para a sua morada; e Davi aceitou a maneira da adoração ordenada por revelação. Do mesmo modo, o crente sincero destes dias não deve cair na adoração da superstição, nem na adoração do ceticismo, mas adorar, reverentemente, como o próprio Senhor prescreve. Os deuses-ídolos tinham seus templos; mas Davi desvia deles seu olhar, e olha fervorosamente para o ponto escolhido pelo Senhor para o seu próprio santuário. Não somente devemos adorar ao Deus verdadeiro, mas fazer isto da maneira indicada por Ele; os judeus olhavam para o templo; nós devemos olhar para Jesus, o templo vivo da divindade.

"E louvarei o teu nome, pela tua benignidade e pela sua verdade." O louvor era a parte principal da adoração de Davi; o nome ou o caráter de Deus, o grande objeto do seu cântico; e o ponto especial do seu louvor, a benignidade e a verdade que brilhavam tão visivelmente neste nome. A pessoa de Jesus é o templo da divindade, e nela contemplamos a glória do Pai, "cheio de graça e de verdade". É nestes dois pontos que o nome do Senhor é atacado nestes tempos – a sua benignidade e a sua verdade. Ele é descrito como firme demais, terrível demais, e por isto o "pensamento moderno" desaloja o Deus de Abraão, Isaque e Jacó, e estabelece uma divindade efeminada, fruto de sua própria invenção. Quanto a nós, cremos firmemente que Deus é amor, e que na soma de todas as coisas, veremos que o próprio inferno não é incoerente com a beneficência do Senhor, mas é, na realidade, uma parte necessária do seu governo moral, agora que o pecado invadiu o universo. Os crentes fiéis ouvem os trovões da sua justiça; no entanto, não duvidam da sua benignidade. Eles se alegram de um modo especial pelo grande amor que Deus tem pelos seus eleitos, como Ele demonstrou a Israel como uma raça, e mais particularmente a Davi e à sua semente, quando entrou em concerto com ele. A respeito disto, há abundante motivo para louvor. Mas não apenas os homens atacam a benignidade de Deus, mas a verdade de Deus é, ao mesmo tempo, atacada por todos os lados; alguns duvidam da verdade do registro inspirado, quanto às suas histórias; outros desafiam as doutrinas; muitos zombam das profecias; na verdade, a palavra infalível do Senhor é, nestes tempos, como se fosse escrita por impostores, e somente digna de ser censurada. Os porcos estão pisando nas pérolas nestes tempos, e nada os impede; apesar disto, as pérolas ainda são pérolas, e ainda brilharão sobre a fronte do nosso Monarca. Nós cantamos a benignidade e a verdade do Deus do Antigo Testamento – "Ele será chamado o Deus de toda a terra". Diante dos falsos deuses, primeiramente Davi cantou, depois adorou, e então proclamou a benignidade e a verdade do Senhor; façamos o mesmo, diante dos ídolos da Nova Teologia.

"Pois engrandeceste a tua palavra acima de todo o teu nome". A palavra da promessa feita a Davi era, aos seus olhos, mais gloriosa do que tudo o que tinha visto da parte do Altíssimo. A revelação supera a criação, na clareza, definição e plenitude do seu ensinamento. O nome do Senhor na natureza é tão facilmente lido como nas Escrituras, que são uma revelação na linguagem humana, especialmente adaptadas à mente humana, que tratam da necessidade humana e de um Salvador que se manifestou, em natureza humana, para redimir a humanidade. O céu e a terra desaparecerão, mas a palavra divina não desaparecerá, e neste aspecto, particularmente, tem uma predominância acima de todas as outras formas de manifestação. Além disto, o Senhor coloca o seu próprio nome como um tributo à sua palavra; a sua sabedoria, poder, amor e todos os seus outros atributos se combinam para cumprir a sua palavra. É a sua palavra que cria, sustenta, vivifica, esclarece e consola. Como palavra de ordem ou comando, é suprema; e na pessoa do Verbo Encarnado, é colocada acima de todas as obras das mãos de Deus. A sentença no texto é maravilhosamente cheia de significado. Nós reunimos uma grande quantidade de literatura sobre ela, mas o espaço não nos permitirá inserir toda ela nas nossas observações. Adoremos ao Senhor que nos falou pela sua palavra, e por intermédio do seu Filho; e na presença de descrentes, louvemos o seu santo nome e exaltemos a sua santa palavra.

3. *"No dia em que eu clamei, me escutaste."* Nenhuma prova é tão convincente como a da experiência. Ninguém duvida do poder da oração, depois de ter recebido uma resposta de paz à sua súplica. É uma marca distinta do Deus vivo e verdadeiro o fato de que Ele ouve os apelos do seu povo, e os escuta; os deuses não ouvem e não respondem, mas o memorial do Senhor é – "o Deus que ouve as orações". Houve algum dia especial em que Davi clamou mais veementemente do que era usual; ele estava fraco, ferido, preocupado e seu coração estava cansado; então, como uma criança, ele "clamou" – clamou a seu Pai. Foi uma oração amarga, fervorosa, ansiosa, tão natural e tão queixosa como o choro de uma criança. O Senhor a escutou; mas

que resposta pode haver para um choro? – para um mero gemido inarticulado de angústia? O nosso Pai celestial é capaz de interpretar lágrimas, e choros, e responde ao seu sentido interior de uma maneira que satisfaz plenamente o caso. A resposta veio no mesmo dia em que o clamor ascendeu: esta é a rapidez com que a oração sobe ao céu, com que a misericórdia retorna à terra. A declaração contida nesta sentença é algo que todos os crentes podem dizer, e como podem substanciá-la com muitos fatos, devem, corajosamente, divulgá-la, pois é enormemente para a glória de Deus. Bem poderia o salmista dizer "Adorarei" quando se sentisse compelido a dizer "me escutaste". Bem poderia ele gloriar-se diante dos ídolos e os adoradores destes, quanto tinha respostas às orações para recordar. Esta também é a nossa defesa contra as heresias modernas; não podemos abandonar o Senhor, pois Ele ouviu e ouve as nossas orações.

"Alentaste-me, fortalecendo a minha alma." Esta foi uma verdadeira resposta à sua oração. Se o peso não foi removido, foi dada força, com a qual suportá-lo; e este é um método de ajuda igualmente eficaz. Pode não ser melhor para nós que a provação chegue a um fim; pode ser muito mais vantajoso para nós que, pela sua pressão, nós aprendamos a ter paciência. Doces são os usos da adversidade, e o nosso Pai prudente no céu não nos privará destes benefícios; a força transmitida à alma é um benefício inestimável; ela significa coragem, força, segurança, heroísmo. Pela sua palavra e Espírito, o Senhor pode tornar corajoso o que treme; saudável, o enfermo; animado, o cansado. Esta força da alma irá continuar; o homem, tendo sido fortalecido para uma emergência, permanece vigoroso por toda a vida, e está preparado para todos os futuros esforços e sofrimentos; a menos, na verdade, que deixe de lado a sua força, pela descrença, ou pela soberba ou algum outro pecado. Quando Deus fortalece; ninguém pode enfraquecer. Quando o precioso e bendito Senhor infunde força em nós, então a nossa alma se torna realmente forte.

4 *Todos os reis da terra te louvarão, ó SENHOR, quando ouvirem as palavras da tua boca;*
5 *e cantarão os caminhos do SENHOR, pois grande é a glória do SENHOR.*

4. *"Todos os reis da terra te louvarão, ó Senhor, quando ouvirem as palavras da tua boca."* Normalmente, os reis têm pouco interesse em ouvir à Palavra do Senhor; mas o rei Davi se sente seguro de que, se eles realmente a ouvirem, sentirão o seu poder. Um pouco de piedade ajuda muito nos tribunais, mas dias melhores virão, em que os governantes se tornarão ouvintes e adoradores – que possa ser apressado o advento destes felizes tempos. Que assembleia! – "todos os reis da terra!" Que propósito! Congregados, para ouvir as palavras da boca do Senhor. Que pregador! O próprio Davi repete as palavras do Senhor. Que louvor! Quando todos eles, em feliz união, erguem seus cânticos ao Senhor. Os reis são como deuses aqui embaixo; e será bom quando eles adorarem o Deus que está elevado acima de tudo e de todos. O caminho da conversão para os reis é o mesmo que para nós mesmos: a fé, para eles, também é pelo ouvir, e o ouvir pela palavra de Deus. Felizes são aqueles que podem fazer com que a palavra do Senhor penetre em palácios; pois os ocupantes de tronos normalmente são os últimos a conhecer os felizes sons do Evangelho. Davi, o rei, se preocupou com as almas dos reis, e seria prudente que cada homem cuidasse, primeiramente, daqueles que são da sua própria ordem. Ele empreendeu a sua obra de testemunho, com total certeza de sucesso: ele pretendia falar somente as palavras da boca do Senhor, e se sentia seguro de que os reis iriam ouvir e louvar ao Senhor.

5. *"E cantarão os caminhos do Senhor."* Aqui está uma dupla maravilha – os reis, nos caminhos de Deus, e cantando ali. Que um homem conheça os caminhos do Senhor, e ele encontrará ali abundantes motivos para cantar; mas a dificuldade está em trazer os grandes da terra a caminhos tão pouco atraentes para a mente carnal. Talvez, quando o Senhor nos envia um rei Davi para pregar, nós vejamos

monarcas convertidos, e ouçamos as suas vozes erguidas em devota adoração. *"Pois grande é a glória do Senhor"*. Esta glória irá ofuscar toda a grandeza e glória de todos os reis: eles serão incitados a obedecer e adorar, por uma visão desta glória. Ó, que a glória do Senhor fosse revelada, agora! Ó, que os olhos cegos dos homens pudessem contemplá-la, uma vez, então seus corações seriam subjugados à alegre reverência. Davi, sob uma sensação da glória do Senhor, exclamou, "Louvarei" (v. 1), e aqui descreve os reis, fazendo a mesma coisa.

6 *Ainda que o Senhor é excelso, atenta para o humilde; mas ao soberbo, conhece-o de longe.*
7 *Andando eu no meio da angústia, tu me revivificarás; estenderás a mão contra a ira dos meus inimigos, e a tua destra me salvará.*
8 *O Senhor aperfeiçoará o que me concerne; a tua benignidade, ó Senhor, é para sempre; não desampares as obras das tuas mãos.*

6. *"Ainda que o Senhor é excelso."* O Senhor é maior do que os maiores em grandeza, dignidade e poder. A sua natureza está acima da compreensão das suas criaturas, e a sua glória excede até mesmo os mais altos voos da imaginação.

"Atenta para o humilde." Ele os olha com prazer, pensa neles com carinho, ouve as suas orações e os protege do mal. Por terem uma opinião desfavorável a respeito de si mesmos, Ele tem uma boa opinião a respeito deles. Eles o reverenciam, e Ele os respeita. A sua auto-estima é baixa, mas Ele os eleva, na sua estima.

"Mas ao soberbo, conhece-o de longe." Ele não precisa se aproximar deles, para descobrir a sua total futilidade; um olhar à distância lhe revela o vazio e as ofensas deles. Ele não tem comunhão com eles, mas os contempla à distância; Ele não se engana, mas conhece a verdade a respeito deles, apesar das suas vanglórias; Ele não tem respeito por eles, mas os abomina completamente. Por um sacrifício de Caim, uma promessa de Faraó, uma ameaça de Rabsaqué e a oração de um fariseu, o Senhor não tem respeito. Nabucodonosor, quando distante de Deus, clamou: "Não é esta a grande Babilônia, que eu edifiquei para a casa real?" Mas o Senhor o conhecia, e o enviou para pastar, com o gado. Os soberbos se vangloriam em voz alta da sua cultura e da "liberdade de pensamento", e até mesmo ousam criticar o seu Criador; mas Ele os conhece de longe, e os manterá longe dele nesta vida, e os encerrará no inferno, na próxima.

7. *"Andando eu no meio da angústia, tu me revivificarás."* Se eu estiver andando ali agora, ou se estiver fazendo isto em anos futuros, não terei razão para temor; pois Deus está comigo, e me dará uma nova vida. O fato de estarmos, de alguma maneira, em dificuldades, já é suficientemente ruim, mas será pior penetrar no centro deste escuro continente e passar por ele; neste caso, o crente progride, pois anda; conserva um ritmo tranquilo, pois não faz nada além de andar; e ele não está sem a melhor das companhias, pois o seu Deus está próximo, para derramar nova vida nele. É uma feliz circunstância o fato de que, ainda que Deus pareça estar distante em alguma outra ocasião, Ele promete estar conosco nas nossas horas de provação: "Quando passares pelas águas, estarei contigo". Está em uma abençoada condição aquele que pode, confiantemente, usar a linguagem de Davi – "tu me revivificarás". Ele não se vangloriará de Deus em vão: ele será mantido vivo, e estará mais vivo do que nunca. Com que frequência o Senhor nos vivifica em meio às nossas angústias! Não é o seu meio mais rápido de incitar até a plenitude de energia a santa vida que habita em nós? Se nós recebemos revivificação, não precisamos lamentar a aflição. Quando Deus nos revivificar, as dificuldades jamais poderão nos prejudicar.

"Estenderás a mão contra a ira dos meus inimigos, e a tua destra me salvará." Era isto que iria revivificar o Davi que esmorecia. Os nossos adversários caem, quando o Senhor vem para lidar com eles; Ele não tem trabalho com os inimigos do seu povo – com uma mão, Ele os destrói. A sua ira logo extingue a ira deles; a sua mão paralisa a mão deles. Os adversários podem ser muitos, e perversos, e

poderosos; mas o nosso glorioso Defensor somente precisa estender a sua mão e os seus exércitos desaparecem. O doce cantor repete a sua certeza da salvação, e canta sobre ela, aos ouvidos do Senhor, dirigindo-se a Ele com esta linguagem confiante. Ele será salvo – salvo habilmente, decididamente, divinamente; ele não tem dúvidas sobre isto. A mão direita de Deus não pode esquecer a sua destreza; Jerusalém é a sua principal alegria, e Ele defenderá os seus eleitos.

8. *"O Senhor aperfeiçoará o que me concerne."* Todos os meus interesses estão a salvo, nas mãos do Senhor.

"A obra que a sua bondade começou,
o braço da sua força irá completar;
a sua promessa é sim e Amém,
E nunca foi perdida".

Deus se interessa por tudo o que interessa aos seus servos. Ele se certificará de que nenhuma das suas obras preciosas deixe de ser concluída; a vida de cada um deles, a sua força, as suas esperanças, as suas graças, a sua peregrinação, cada uma destas coisas, e todas elas, serão perfeitas. O próprio Senhor garantirá isto; e por isto, esta é uma certeza total.

"A tua benignidade, ó Senhor, é para sempre." O refrão do salmo anterior está em seus ouvidos, e o salmista o repete como sua convicção e consolação pessoal. A primeira sentença do versículo é a certeza da fé, e esta segunda sentença atinge a plena certeza do entendimento. A obra de Deus em nós permanecerá até a perfeição, porque a benignidade de Deus para conosco assim permanece.

"Não desampares as obras das tuas mãos." A nossa confiança não faz com que vivamos sem oração, mas nos encoraja a orar ainda mais. Uma vez que escrevemos, em nossos corações, que Deus irá aperfeiçoar a sua obra em nós, e também vemos escrito, nas Escrituras, que a sua benignidade não muda, com santo fervor pedimos para que não sejamos esquecidos. Se há alguma coisa boa em nós, é a obra das mãos de Deus; e Ele a abandonaria? Por que Ele operou tanta coisa em nós, se pretende desistir de nós? – isto seria um puro desperdício de esforço. Aquele que foi tão longe, certamente perseverará conosco até o fim. A nossa esperança de que o crente é capaz de perseverar até o fim se baseia no fato de que o Deus dos crentes permanece com cada um deles até o fim. Se o Senhor começar a edificar e não concluir a obra, ela não será para a sua honra. Ele terá um desejo voltado à obra das suas mãos, pois sabe o que isto já lhe custou, e não se desfará de um vaso no qual despendeu tanto esforço e habilidade. Por isto, nós o louvamos, com todo o nosso coração, até mesmo na presença daqueles que se afastam da sua Santa Palavra, e tentam pregar um outro deus e um outro evangelho; não se trata de outros, mas há alguns que nos perturbam.

NOTAS EXPLICATIVAS E DECLARAÇÕES SINGULARES

Salmos 137-145: Estes oito salmos estão escritos na *primeira* pessoa, e, muito felizmente, estão colocados depois dos quinze "Salmos de subida", e os três salmos de louvor proferidos pelo coro daqueles que *subiram* a Sião. Aqueles salmos foram as expressões de devoção natural, em união. Estes oito salmos são o manual de oração e louvor *particular* do israelita devoto. – *Christopher Wordsworth*

O salmo: Este é o primeiro de uma série de oito salmos (137-145), provavelmente o último composto por Davi, um tipo de comentário sobre a grande promessa messiânica em 2 Sm 7. Eles são encontrados nesta parte do saltério, como consequência de ter sido feita a base, ou melhor, o corpo de um sistema ou série (137-145) por um autor posterior. – *Joseph Addison Alexander*

O salmo: Se este salmo se refere à promessa em 2 Sm 7, não pode haver dúvida a respeito da exatidão do título, que atribui o salmo a Davi. Pois ele, a quem a promessa foi conferida, se levanta como orador. Outra prova da autoria de Davi é encontrada na união, tão característica de Davi, entre ousada coragem (veja especialmente o versículo 3) e profunda humildade (veja versículo 6). E como prova aparece, finalmente, a íntima relação que tem com os outros salmos de Davi, particularmente aqueles que, de igual maneira, se referem à promessa do reino eterno; e com o agradecimento de Davi, em 2 Sm 7, cuja conclusão está notavelmente de acordo com a conclusão do nosso salmo: "Tu, ó Senhor Jeová, o disseste; e com a tua bênção será sempre bendita a casa de teu servo". – *E. W. Hengstenberg*

v. 1: "Eu te louvarei, Senhor, de todo o meu coração". Uma parte dos nossos agradecimentos deve levar o nosso coração a louvar a Deus no futuro, uma vez que consideramos que todos os agradecimentos que podemos oferecer no presente não correspondem ao nosso dever ou desejo de louvá-lo: *"Eu te louvarei"*, diz Davi. Algumas vezes, o crente encontrará o seu coração adorando a Deus com absoluta liberdade; em outras, ele o encontrará em amarras; então, ele deverá aproveitar a oportunidade de um coração dilatado, para trilhar o caminho do serviço a Deus, como Davi faz aqui: *"Eu te louvarei de todo o meu coração"*. – *David Dickson*

v. 1: "Eu te louvarei". Levante, querida alma! Embora antes você se queixasse, como Israel, do seu cativeiro na Babilônia (Sl 137.1), agora cante, uma vez mais, um cântico de alegria ao Senhor. Você foi pressionada como um cacho de uvas; então agora produza o seu suco. – *Christoph Starke*

v. 1: "Eu te louvarei". Ai, por aquele crime capital do povo do Senhor – a esterilidade em relação aos louvores! Oh, quão plenamente persuadido estou de que uma linha de louvores vale tanto quanto uma folha de orações, e uma hora de louvores vale tanto quanto um dia de jejum e lamentações! *John Livingstone, 1603-1672*

v. 1: "De todo o meu coração". Esta expressão, como em Sl 9.1, aponta para a extrema excelência do benefício recebido, que enchia todo o coração com gratidão, e não se originava, por assim dizer, de algum canto particular dele. Corresponde, também, à excelência da generosidade, na expressão *"na presença dos deuses"* – exigindo deles, que verificassem a sua divindade, apontando para alguma generosidade semelhante, concedida por eles a seus servos. O benefício que pudesse permitir tal demonstração, e dar oportunidade e base para escárnio, deveria ter sido um benefício extremamente excelente. – *E. W. Hengstenberg*

v. 1: "Na presença dos deuses". Há grande diversidade no significado atribuído a *"deuses"* neste versículo. Esta palavra pode ter um significado literal, em um país idólatra, nos templos dos falsos deuses, uma vez que muitos mártires cristãos deram testemunho da fé. A Septuaginta, a Vulgata, a versão Etíope e a Árabe traduzem esta palavra como *anjos*. A versão dos caldeus diz *juízes*; a Síria, *reis*; e a dos patriarcas gregos explica esta palavra como uma referência aos coros de *sacerdotes e levitas*, no templo. – *Zigabenus, em Neale e Littledale*

v. 1: "Na presença dos deuses". Alguns (a Septuaginta, Lutero, Calvino, etc.) interpretam estas palavras como se referindo a anjos, e comparam com Sl 29.1; mas há dúvidas quanto a se a palavra hebraica Elohim, usada simplesmente e sem nenhuma explicação, pode ter este significado: além disto, aparentemente, é inútil, nesta conexão; outros (rabinos, Flamim, Delitzsch, etc.) interpretam como "os grandes da terra", e comparam o versículo 4, abaixo, com Sl 82.1; 119.46, etc.; mas também esta interpretação parece não conferir força especial à passagem. Provavelmente (Aq., Symm., Jer., etc.) o significado é "Perante, ou na presença dos deuses dos pagãos, isto é, zombando dos ídolos, diante deles, que nada podem fazer, louvarei ao Senhor, que realiza milagres por mim e pelo seu povo". Para uma expressão similar, veja Sl 23.5; Hebreus; veja também Sl 95.3; 96.5, passagens em que a palavra hebraica *"deuses"* é, provavelmente, usada com o significado de ídolos. – *Speaker's Commentary*

v. 1: "Na presença dos deuses", etc. A Vulgata diz *in conspeclu angelorum,* "na presença dos anjos"; a sua presença deveria assombrar homens e mulheres, e conservá-los afastados de toda desonestidade, más palavras, atos, gestos, desejos secretos, todos os descontentamentos e destemperos. Pois assim como eles se alegram em discernir uma boa disposição de espírito em você, em ver que você guarda a ordem que Deus estabeleceu na igreja e no estado, que você anda como cristão, para a honra de Deus, também se angustiam por ver o contrário, e você deve responder pelos seus pecados diante destas grandes autoridades, na grande família do céu e da terra. – *William Greenhill*

v. 2: "Inclinar-me-ei para o teu santo templo". O santo templo era um tipo e figura do Senhor Jesus Cristo. Por isto, vemos Daniel abrindo suas janelas em direção ao templo, onde orava três vezes por dia: e vemos Jonas, dizendo, "tornarei a ver o templo da tua santidade". Olhando para Jesus, Ele é o nosso templo. Não há adoração aceitável, exceto por intermédio dele, mas podemos oferecer sacrifícios espirituais, aceitáveis a Deus, por intermédio de Jesus Cristo. Então coloque o Senhor Jesus Cristo diante dos seus olhos, para que você possa adorar a Deus e aproximar-se do escabelo da misericórdia, por intermédio dele, para que possa oferecer um sacrifício aceitável e louvar o seu nome, pela sua benignidade e pela sua verdade. – *Joseph C. Philpot, 1802-1869*

v. 2: "O teu santo templo". Este salmo tem o título "Salmo de Davi", e Calvino considera que a autoria de Davi está de acordo com o título; mas a menção ao "templo", neste versículo, parece tornar duvidosa esta opinião. Se, no entanto, traduzirmos esta palavra como "mansão", que é a tradução apropriada do original – *"a sua santa mansão"* – esta objeção à autoria da composição por Davi cai por terra. – *Nota de James Anderson a Calvino, in loc.*

v. 2: "Louvarei o teu nome, pela tua benignidade". Há duas belas ideias introduzidas aqui; uma é "a condescendência de Deus, em pensamento"; a outra, "a sua ternura em ação". Ambas estão incluídas na *"benignidade"*. E ambas são exibidas por Deus para o seu próprio povo. Ele se curva para contemplar aquilo que está relacionado aos filhos dos homens; Ele condescende com os homens humildes. Sobre o bendito Jesus, está escrito que "sendo rico, por amor de vós se fez pobre, para que, pela sua pobreza, enriquecêsseis" (2 Co 8.9). Quem é capaz de conhecer as profundezas às quais Deus chega em seu pensamento amoroso? Nós lemos que os próprios cabelos de nossa cabeça estão todos contados; e se os cabelos da nossa cabeça estão contados, então certamente todo o resto também está. Deus, sendo o Pai celestial, se interessa em tudo a respeito do seu povo; Ele se interessa em questões que eles pensam estar abaixo da sua observação, ou cuja importância não conhecem, por ignorância. A mãe pode obter grandes quantidades de consolação percebendo a consideração condescendente de Deus. Ele se interessará no/pelo seu bebê; se ela se comprometer com Ele, aquele que criou o universo irá, com sua mente infinita, pensar no berço e na criatura indefesa que ali é embalada para dormir. O enfermo pode obter grandes doses de consolação da mesma fonte, pois pode crer naquele por quem de um modo terrível e tão maravilhoso o corpo foi formado. O precioso e bendito Senhor pensará nos sofrimentos daquele corpo, e os aliviará ou dará forças para que eles sejam suportados, se isto tiver que acontecer. A condescendência de pensamento é uma das marcas de todas as atitudes de Deus para com o seu povo. E seguindo-a, vem a *ternura em ação*. Esta "ternura em ação" é uma grande parte da benignidade de Deus; é apropriado que uma mente atenta e uma mão terna andem juntas na perfeição do amor. Deus não é apenas enérgico, mas também é terno ao agir; Ele é o Deus das gotas de orvalho, e também o Deus das tempestades; o Deus da tenra relva, como também o do carvalho da montanha. Nós lemos sobre grandes máquinas que são capazes de esmagar barras de ferro, mas que também podem tocar tão gentilmente a ponto de não quebrarem a casca do menor ovo; da mesma maneira é a mão do Altíssimo; Ele pode esmagar um mundo, e curar um ferimento. E que grande necessidade temos de ternura, na nossa humilhação! Uma coisa pequena pode nos esmagar; nós temos almas tão frágeis e facilmente feridas que, a menos que tivéssemos aquele que nos trata com ternura, logo seríamos destruídos. – *Philip Bennett Power, The 'I Wills' of the Psalms", 1861*

v. 2: "Engrandeceste a tua palavra acima de todo o teu nome". A sua *"palavra"*, sendo aqui anexada à *"benignidade e verdade"* deve, necessariamente, ser aquela parte da sua palavra à qual estas duas coisas são aplicáveis, isto é, a sua promessa, cuja matéria é a *misericórdia* ou *benignidade*, e em cuja realização está a *verdade* ou *fidelidade.* E então, "engrandecer" esta "palavra" de promessa parece significar duas coisas: 1, o ato de fazer promessas muito grandes e excelentes, e 2, o cumprimento delas pontualmente; e engrandecer a palavra *acima de todo o seu nome* é prometer e conceder as misericórdias mais superlativas, acima de tudo o que se fala ou se crê a respeito de Deus. Então assim será; eu *me inclinarei*, etc., *e louvarei o teu nome acima da tua benignidade e acima da tua verdade,* isto é, será uma denominação muito humilde e pouco insuficiente, chamar-te de misericordioso ou verdadeiro, ou qualificar-te por qualquer outro dos teus atributos; tu és tudo isto, e mais do que isto, *"engrandeceste a tua palavra"*, fazendo e cumprindo as mais gloriosas promessas, *"acima do teu nome"*, acima de tudo o que os homens apreenderam ou falaram sobre ti.

Este versículo e este salmo podem ser facilmente interpretados como sendo as misericórdias de Deus em Cristo, que estão muito acima do que se poderia dizer, ou crer, ou apreender a respeito dele. – *Condensado de H. Hammond*

v. 2: "Engrandeceste a tua palavra acima de todo o teu nome". Além de qualquer dúvida, há manifestações mais elevadas e mais claras dele mesmo, do seu ser, da sua perfeição, dos seus propósitos no volume da revelação, do que qualquer das suas obras revelou ou poderá revelar. Há muitos pontos em relação a Deus, do maior interesse para a humanidade, sobre os quais as revelações da ciência não lançaram nenhuma luz; é desejável que o homem conheça muitas coisas que não podem ser aprendidas nas escolas de filosofia; há consolações que o homem necessita, em um mundo de dificuldades, que não podem ser encontradas na natureza; há, especialmente, um conhecimento do método pelo qual o pecado pode ser perdoado, e a alma, salva, que nunca poderá ser revelado pelo tubo de solda, pelo telescópio ou pelo microscópio. Para que estas coisas sejam aprendidas, isto deverá ser feito a partir da revelação, e elas têm mais importância para o homem, como um viajante para outro mundo, do que todo o aprendizado que pode ser adquirido nas escolas de filosofia – por mais valioso que este aprendizado possa ser. – *Albert Barnes*

v. 2: "Pois engrandeceste a tua palavra acima de todo o teu nome", etc. É uma sentença escura, à primeira vista, mas como observa um criterioso intérprete, as palavras podem ser assim interpretadas, e estarão de acordo com o texto em hebraico: *"Tu engrandeceste o teu nome, acima de todas as coisas, na tua palavra"*, isto é, cumprindo a tua palavra, exaltaste o teu nome acima de todas as coisas, e nisto cumpriste a tua palavra. O que prometeste gratuitamente, cumpriste fielmente; o que disseste com a tua boca, cumpriste com a tua mão; por isto, o teu nome deve ser maravilhosamente engrandecido. – *James Nalton,* 1664

v. 2: "Engrandeceste a tua palavra acima de todo o teu nome". Toda criatura traz o nome de Deus; mas na sua palavra e verdade ali contidas, ele está escrito detalhadamente, e por isto o Senhor é mais engrandecido nisto do que em todas as suas outras obras; Ele não se preocupa muito com o que acontecerá com o mundo e tudo o que está nele, contanto que guarde a sua palavra e mantenha a sua verdade a salvo. Logo veremos o mundo em chamas; os céus e a terra desaparecerão, "mas a palavra do Senhor permanece para sempre". Se Deus desejar, poderá fazer mais mundos como este; mas não poderá fazer outra verdade, e por isto não perderá sequer um til ou um jota dela. Sabendo disto, Satanás coloca todas as suas artimanhas em ação para desfigurar esta doutrina, na tentativa de torná-la corrompida. A palavra é o espelho em que vemos Deus, e vendo-o, somos transformados, na mesma imagem, como pelo Espírito do Senhor. Se este espelho for quebrado, então as concepções que temos de Deus o deturparão para nós; ao passo que a palavra, na sua clareza natural, o apresenta diante de nossos olhos em toda a sua glória. – *William Gurnall*

v. 2: "Engrandeceste a tua palavra acima de todo o teu nome". Tu concedeste a promessa da perpetuidade à minha casa e ao meu reino. O Senhor se levanta em grandeza e bondade acima de todas as suas manifestações passadas, que estiveram relacionadas a Si mesmo, por amor ao seu povo (2 Sm 7.10,12,13,15,16,21,22,24-26,29; v. 21, especialmente: "Por causa da tua *palavra*, fizeste toda esta *grandeza*"; v. 26: "E *engrandeça-se* o teu nome para sempre" – uma coincidência de linguagem não planejada entre a história e o salmo). Somente no Messias a grandeza da promessa encontra, e encontrará mais plenamente no futuro, o seu cumprimento, para Israel e todo o mundo. – *Andrew Robert Fausset*

v. 2: "Engrandeceste a tua palavra acima de todo o teu nome". Deus enviou a sua palavra para nós,

1. Como um *espelho* para refletir a sua glória. "Os céus manifestam a glória de Deus e o firmamento anuncia a obra das suas mãos"; neles possam o seu eterno poder e Divindade ser vistos claramente (Sl 19.1,3,4). Em suas atitudes providenciais, também, é exibida uma grande quantidade da sua sabedoria e bondade. Mas sobre as suas perfeições, de modo geral, não podemos formar nenhuma ideia; dos seus propósitos, nada sabemos. A condição dos pagãos claramente atesta isto; pois eles contemplam as maravilhas da Criação e Providência, como nós: "Sem linguagem, sem fala, ouvem-se as suas vozes em toda a extensão da terra, e as suas palavras, até ao fim do mundo" (Sl 19.3,4). Mas no volume sagrado, brilha toda a glória da Divindade: eles são admitidos, por assim dizer, à própria câmara do conselho do Altíssimo, para ouvirem o concerto celebrado entre o Pai e o Filho; o Pai, envolvendo-se na tarefa de dar ao Filho uma semente, que Ele teria como sua herança, se Ele, por sua vez, puser a sua alma "por expiação do pecado", e, na sua natureza, expiar a culpa das iniquidades dos pecadores. Nesta misteriosa transação, ocorrida na encarnação e morte do Senhor Jesus Cristo, nós contemplamos todas as perfeições de Deus, unidas e harmonizadas de uma maneira como nunca estiveram, nem poderiam, por nenhum outro meio: nós vemos a justiça mais inexorável, do que se ela tivesse executado vingança sobre toda a raça humana; e a misericórdia mais abundante, do que se ela tivesse poupado toda a raça humana sem nenhuma expiação. Ali, como bem se expressa, "A misericórdia e a verdade se encontraram; a justiça e a paz se beijaram" (Sl 85.10). Deste grande mistério não encontramos vestígios, em toda a criação, mas ele está refletido na Palavra, como em um espelho (2 Co 3.18); e brilha tanto, que os próprios anjos ao redor do trono se tornam mais sábios pela revelação dele, à igreja (Ef 3.10).

2. Como um *padrão,* que pode servir como referência para tudo. Sobre a vontade de Deus nada sabemos, exceto pela Palavra, pois não conhecemos nem o bem nem o mal de tudo o que está diante de nós. Nada na Criação nem na Providência pode nos informar o que Deus exige de nós,: o que Ele fará por nós, não podemos afirmar; como Ele irá lidar conosco, também não podemos afirmar. Mas, no volume sagrado, tudo está escrito como com um raio de sol. Não há nada que Deus espere que nós façamos por Ele, que não esteja ali explicitamente declarado: nada que Ele se determina a fazer por nós, que não forme o assunto de uma promessa distinta. Todo o seu procedimento no dia do juízo está declarado, as leis pelas quais nós seremos julgados; a maneira como o testemunho será produzido – seja contra nós, ou a nosso favor; as bases em que será proferida a sentença de condenação ou absolvição; o próprio estado a que cada pessoa, seja absolvida ou condenada, será entregue; tudo isto é tão claramente dado a conhecer, que cada pessoa, que julgue a si mesma com sinceridade, poderá certamente antecipar o seu destino. Não há nada deixado para conjeturas. Cada homem tem um padrão ao qual pode se referir, para a retificação do seu juízo em todos os detalhes; de modo que nada pode ser acrescentado para a instrução de nossas mentes, ou para a regulação de nossas expectativas futuras.

3. "Como *uma fonte*, de onde emanam todas as suas bênçãos. Grandes bênçãos, além de toda dúvida, nos descem, pelas obras da Criação e Providência Na verdade, elas administram incessantemente para o nosso bem-estar; pois Deus abre "a sua mão e satisfaz os desejos de todos os viventes". No entanto, os benefícios dela obtidos são apenas temporais, ao passo que aqueles que o volume inspirado distribui são espirituais e eternos; de onde derivamos todo o nosso conhecimento da verdade Divina e todas as nossas esperanças da salvação eterna. Não é apenas o conhecimento da verdade que obtemos, mas também a sua operação e eficácia sobre as nossas almas. Há, na verdade divina, quando aplicada pelo Espírito Santo, um poder de ferir, de santificar, de salvar (Sl 19.7-11). Quando ele vem para a alma com poder, o coração mais valente do universo treme; quando é derramado como um bálsamo, a mais aflita criatura sob o céu salta de alegria. Olhe pela face do globo, e veja quantos que já estiveram sob o irrestrito domínio do pecado, agora são transformados na imagem do seu Deus. E então sobem ao céu, e contemplam as miríades dos remidos ao redor do trono de Deus, unindo seus aleluias a Deus e ao Cordeiro; a este estado foram todos trazidos por esta bendita palavra, que é a única que pode prevalecer para tão grande obra. Assim Deus engrandeceu a sua palavra, e assim Ele *irá* engrandecê-la até o fim dos tempos; por toda a eternidade ela será reconhecida como a única fonte de todas as bênçãos que serão desfrutadas. – *Charles Simeon, em Horae Homileticae*

v. 2: "Pois engrandeceste a tua palavra acima de todo o teu nome". Esta é uma das expressões das Escrituras que parecem muito abrangentes e impressionantes. Na minha opinião, esta é uma das expressões mais notáveis em todo o livro de Deus. *"Engrandeceste a tua palavra acima de todo o teu nome"*. O *nome* de Deus inclui todas as perfeições de Deus; tudo o que Deus é, e que Deus revelou que tem – a sua justiça, majestade, santidade, grandeza e glória, e tudo o que Ele é, em Si mesmo, isto é o nome de Deus. E Ele *"engrandeceu"* alguma coisa *"acima do seu nome"* – a sua *palavra,* a sua *verdade.* Isto pode se referir ao Verbo Encarnado (ou, Palavra Encarnada), o Filho de Deus, que era chamado *"o Verbo"*. "Três são os que testificam no céu: o Pai, a *Palavra* e o Espírito Santo; e estes três são um" (1 Jo 5.7). "No princípio, era o *Verbo*, e o *Verbo* estava com Deus, e o Verbo era Deus" (Jo 1.1). Podemos entender que as palavras significam que Deus engrandeceu a sua Palavra, o seu Filho eterno – acima de todo o seu grande nome, isto é, Ele colocou Jesus no alto, acima de todas as outras perfeições da sua majestade; ou podemos interpretar como significando a sua palavra escrita, que está escrita nas Sagradas Escrituras. Assim, neste caso, não apenas o *Verbo* Encarnado, na pessoa de Jesus, mas também a Palavra escrita nas Escrituras da verdade. Ele a engrandeceu acima de todo o seu nome, no cumprimento dela: sendo a fidelidade de Deus tão preciosa aos seus olhos, Ele mesmo a exaltou acima de todas as suas outras perfeições. Nós vemos isto na natureza. Aqui está um homem tão confiável, tão fiel à sua palavra, que irá sacrificar qualquer coisa antes de se desviar dela; este homem abrirá mão da sua propriedade, ou da própria vida, antes de faltar com a sua palavra. Assim, Deus falou de engrandecer a sua palavra, acima de todo o seu nome. Ele permitiria que todas as suas outras perfeições perdessem o valor, antes de permitir que a sua fidelidade falhasse. Ele engrandeceu tanto a sua fidelidade, que o seu amor, a sua graça, falhariam antes que a sua fidelidade – a palavra da sua boca e o que Ele revelou nas Escrituras – falhasse. Que firme salvação, então, é a nossa, que se fundamenta na sua palavra, quando Deus engrandeceu esta palavra acima de todo o seu nome! Que volumes de bem-aventurança e verdade estão nela contidos! De modo que, se Deus revelou a sua palavra para a sua alma, e lhe deu fé para se ancorar na palavra da promessa, o precioso e bendito Senhor jamais permitirá que ela falhe, pois Ele engrandeceu a sua palavra acima de todo o seu nome. – *Joseph C. Philpot*

v. 2: "Engrandeceste a tua palavra acima de todo o teu nome". Deus *tem uma consideração* maior pelas palavras da sua boca do que pelas obras da sua mão;

o céu e a terra desaparecerão, mas nem um jota ou til do que Ele disse cairá por terra. Alguns entendem que isto se refira a Cristo, a Palavra essencial, que por ser Deus leva o seu nome; Deus Pai o exaltou tanto, que "lhe deu um nome que é sobre todo o nome". – *Ebenezer Erskine, 1680-1754*

v. 2: "Engrandeceste a tua palavra acima de todo o teu nome". Isto significa que a sua promessa ou palavra terá, e exercerá um tipo de soberania sobre todas as suas prerrogativas e atributos, sabedoria, justiça, poder, etc. De modo que os homens não precisam temer que algum deles, em alguma ocasião, ou em qualquer caso, se mova diante da menor contrariedade. – *John Goodwin, 1593-1665*

v. 2: "Engrandeceste a tua palavra acima de todo o teu nome". Pode ser, tendo em vista que há algumas obras extraordinárias de Deus no mundo, trovões e relâmpagos, etc., que nós estejamos prontos para ter medo; mas... ó, quão maravilhoso é o grande Deus que aparece nestas grandes obras! Se os nossos corações estivessem como deveriam estar, quando lêssemos a *Palavra*, nós iríamos tremer por isto, mais do que por qualquer manifestação de Deus, desde que o mundo teve o seu início como uma das suas obras; e se você não vê a glória de Deus mais na sua *palavra* do que nas suas obras, é porque você tem pouca luz. – *Jeremiah Burroughs, 1599-1646*

v. 2: "Engrandeceste a tua palavra acima de todo o teu nome". "Pela palavra do Senhor foram feitos os céus; e todo o exército deles, pelo espírito da sua boca". Mas muito mais poderosa é a palavra que redime um mundo perdido. Esta é a *"palavra"* que Ele *"engrandeceu acima de todo o seu nome"*, exibindo ao mesmo tempo a extrema excelência do seu poder, os recursos da sua múltipla sabedoria, e as glórias da santidade e do amor. – *John Lillie*

v. 2: Não é pela verdade, meramente imaginada, mas pela verdade expressa, que devemos nos interessar, não pela verdade, vista pelos nossos pregadores, ainda que inspirados, mas com a verdade que por eles nos é dita. Não é suficiente que o Espírito cuide para que os pregadores a entendam corretamente; não é suficiente, se Ele não cuidar para que eles também a transmitam corretamente. Um influxo puro na mente de um apóstolo não é garantia suficiente para a instrução do mundo, a menos que haja uma emanação pura, também; pois não é a doutrina que penetrou, mas a doutrina que foi transmitida, que é verdadeiramente tudo o que tem a ver conosco. Da mesma maneira, é à doutrina transmitida, isto é, à *palavra*, que devemos nos render. É a palavra que é uma lâmpada para os nossos pés e luz para o nosso caminho; foi a sua palavra, que Deus engrandeceu acima de todo o seu nome; foi a palavra que Ele estabeleceu no céu, e à qual conferiu uma estabilidade mais segura e mais duradoura do que às ordenanças da natureza. Nós podemos deixar de tomar conhecimento da doutrina que é transmitida do céu à terra, quando ela chega à mente de um apóstolo; e até que ela seja trazida a uma maior extensão de expressão, seja oralmente ou por escrito, ela não entrará em contato conosco. Em resumo, a nossa preocupação imediata não é com o que os apóstolos concebem internamente, mas o que eles expressam externamente, não com os esquemas ou sistemas que apreenderam, mas com os livros que escreveram. E se toda a força e efeito desta observação forem suficientemente estudados, nós nos sentiremos persuadidos de que os defensores de uma inspiração moderada não teriam separado, como aconteceu, a inspiração do sentimento da inspiração da linguagem. – *Thomas Chalmers*

v. 2: "Tua palavra" ou "tua promessa". As promessas de Deus são tão grandes, e tão fiel e completo é o seu cumprimento delas, a ponto de ultrapassar as expectativas que a grandeza do seu nome estimulou. – *Annotated Paragraph Bible*

v. 3: "No dia em que eu clamei", etc. Deus concedeu uma rápida resposta ao salmista, pois foi no mesmo dia em que ele clamou, que ele foi ouvido, e foi uma resposta espiritual: "ele foi *alentado, tendo a sua alma fortalecida"*. Você deseja ter sua alma fortalecida para a obra que tem em vista? então clame àquele que é a "força de Israel" para conseguir obter essa bênção; pois Ele "dá vigor ao cansado e multiplica as forças ao que não tem nenhum vigor". – *Ebenezer Erskine*

v. 3: "No dia em que eu clamei, me escutaste", etc. A parte de um exército que está em ação, no campo de batalha, certamente terá o seu pagamento, se os seus senhores tiverem dinheiro em suas bolsas, ou cuidarem deles. Sim, às vezes os companheiros que ficavam no acampamento tinham que esperar. Eu tenho certeza de que há mais ouro e prata (eu quero dizer, alegria espiritual e consolação) a serem encontrados no campo de Cristo, e entre os seus servos que sofrem, do que os seus irmãos que ficaram em casa, em paz e prosperidade, podem exibir. O que são as promessas, senão vasos de vinho revigorante, armazenado para uma hora de sofrimento, quando Deus normalmente lhes serve! Deus diz "Invoca-me no dia da angústia" (Sl 50.15). E não o faremos no dia de paz? Sim, mas Ele deseja que sejamos mais ousados com Ele no dia da angústia. Ninguém encontra mais rápida resposta no trono da graça do que os santos que sofrem. *"No dia em que eu clamei"*, diz Davi, *"me escutaste, alentaste-me, fortalecendo a minha alma"*. Agora o salmista estava em dificuldades, e Deus se apressou em vir até ele. Ainda que possamos deixar um bom amigo esperando, quando ele nos chama, sempre damos a um amigo doente a permissão para nos chamar à meia-noite. Em situações extremas, normalmente vamos com o mensageiro que vem nos buscar; e assim faz Deus, com a oração. Pedro bateu à porta dos que estavam reunidos para pedir a Deus por ele, quase ao mesmo tempo em que a oração deles por ele bateu à porta do céu. E, verdadeiramente, não é preciso mais nada, se considerarmos as tentações da nossa angustiosa condição; nós somos capazes, então, de suspeitar que os nossos melhores amigos se esquecem de nós, e de pensar que todos se demoram e nos negligenciam; por isto, Deus decide mostrar-se mais bondoso nesta ocasião. "Como as aflições de Cristo são abundantes em nós, assim também a nossa consolação sobeja por meio de Cristo" (2 Co 1.5). Assim como o homem produz problemas, Cristo produz consolação; as duas coisas crescem e diminuem juntas; quando a sua aflição esteve no auge, também a sua alegria. Nós aliviamos os pobres quando a sua necessidade aumenta; assim Cristo consola o seu povo quando suas dificuldades se multiplicam. E agora, cristão, diga-me, o teu amado Senhor não merece ver um espírito disposto em você, que enfrente qualquer sofrimento com Ele, por Ele, ou dele, sabendo que Ele oferece os seus consolos mais doces quando o seu povo é obrigado a suportar estas angústias mais terríveis? Possa o servo fazer o seu trabalho alegremente quando o seu senhor é tão cuidadoso com ele a ponto de, com as suas próprias mãos, trazer-lhe o seu café da manhã aos campos. O cristão não se detém, até que chegue ao céu em busca de toda a sua consolação. Haverá a ceia completa, mas há um café-da-manhã, cristão, de alegrias prévias, por assim dizer, que Cristo lhe trará ao campo de batalha, e que deverá ser desfrutado no lugar onde você suporta as suas angústias. – *William Gurnall*

v. 3: "[Tu] me escutaste; alentaste-me, fortalecendo a minha alma". Uma das maneiras piedosas de Deus atender as nossas orações consiste em conceder força espiritual às nossas almas; se Ele não nos dá as coisas que desejamos, ainda assim fortalece a nossa alma, e piedosamente atende as nossas orações. O que é esta força espiritual? Eu respondo, é uma obra do Espírito de Deus, que capacita o indivíduo a fazer e sofrer o que Deus lhe ordenar, sem desfalecer ou retroceder. – *James Nalton*

v. 3: "Alentaste-me, fortalecendo a minha alma". Outros senhores planejam o trabalho para os seus servos, mas não os auxiliam no trabalho, mas o nosso Mestre no céu não somente nos dá trabalho, mas forças para desempenhá-lo. Deus nos ordena que o sirvamos, e nos capacitará para servi-lo (Ez 36.27): "Farei que andeis nos meus estatutos". O Senhor não somente adéqua o trabalho para nós, mas nos adéqua para o nosso trabalho; com o seu comando, Ele nos fortalece. – *Thomas Watson v. 3:* "Tu encorajaste a minha alma, fortalecendo-a". A tradução normal desta sentença *("alentaste-me, fortalecendo a minha alma")* contém uma paronomásia que não está no original, onde o verbo e o substantivo não têm sequer uma letra em comum. Alguns traduzem o verbo como *me orgulhaste,* isto é, me exaltaste, não com uma soberba vã ou egoísta, mas com uma esperança sublime e estimulante. – *Joseph Addison Alexander*

v. 4: "Todos os reis da terra te louvarão". De uma maneira suficientemente impressionante, esta promessa se cumpriu para Davi, e para a nação de Israel, quando os monarcas vizinhos contemplaram as maravilhosas dispensações da providência divina que acompanhavam os seus passos (2 Sm 5.11; 8.10); mas no seu sentido mais amplo, ela será cumprida nas futuras conquistas do Messias, quando os príncipes e poderosos da terra receberem a sua palavra, e aprenderem, pela graça divina, a celebrar os gloriosos métodos do seu amor, e virem, à luz da fé, a grandeza da glória do Senhor, como o Deus da salvação. *"Todos os reis da terra"* louvarão ao Senhor, e correrão, com seus numerosos súditos, a saudar os triunfos da sua graça. – *John Morison*

v. 5: "E cantarão os caminhos do Senhor". Chegará o dia em que o louvor ao Senhor, que, de acordo com Sl 137.4 tinha que ser silenciado na presença de pagãos, será entoado pelos reis dos próprios pagãos. – *Franz Delitzsch*

v. 5: "E cantarão os caminhos do Senhor". O andar com Deus é um andar agradável: os caminhos da sabedoria são chamados "caminhos de delícias" (Pv 3.17). A luz não é agradável? "[O povo] andará, ó Senhor, na luz da tua face" (Sl 89.15). Andar com Deus é como andar em meio a jardins de especiarias que emanam uma fragrância agradável; é isto que traz paz: "[andar] no temor do Senhor e na consolação do Espírito Santo" (At 9.31). Quando andamos com Deus, que doce música a ave da consciência produz em nosso peito! *"Cantarão os caminhos do Senhor"*. – *Thomas Watson*

v. 6: "Ainda que o Senhor é excelso". Temos aqui a grandeza transcendente de Deus; Ele é o *Senhor supremo,* ou Jeová: Ele é o "Alto e o Sublime, que habita na eternidade e em um alto e santo lugar habita, onde ninguém pode se aproximar". Quem pode pensar ou falar da sua grandeza de uma maneira apropriada? Os olhos dos mortais pecadores ficam maravilhados ao contemplar "o lugar onde habita a sua honra". Oh, quão infinita é a distância entre Ele e nós! "Quem é semelhante ao Senhor entre os filhos dos poderosos?" "Eis que as nações são consideradas por ele como a gota de um balde e como o pó miúdo das balanças". Ele não apenas é *"excelso"* acima dos homens, mas acima dos anjos. Os querubins e serafins são os espíritos que o servem. Ele é *"excelso"* acima dos céus; pois "os céus e até os céus dos céus o não podem conter", e ele "se curva" para "ver o que está nos céus e na terra". Oh, senhores, procurem alimentar pensamentos de admiração e apreensões da gloriosa majestade de Deus, pois "glória e majestade estão ante a sua face; força e formosura, no seu santuário". – *Ebenezer Erskine*

v. 6: "O Senhor atenta para o humilde". Deus tem tal respeito pelos humildes, não como se esta situação da alma merecesse algum bem da sua mão, mas porque,

1. Esta é a disposição que melhor serve o grande desígnio de Deus de exaltar e glorificar a sua graça. Na sua opinião, qual era o desígnio de Deus, na escolha, na redenção, em toda a dispensação do Evangelho, e em todas as suas ordenanças? O seu grande desígnio em tudo isto era estabelecer um glorioso trono, de onde pudesse exibir as riquezas da sua graça livre e soberana; isto é o que Ele deseja exaltar, por toda a eternidade, acima de todo o seu nome. Esta humildade de espírito é muito adequada ao desígnio de Deus de exaltar a liberdade da sua graça. Não é o fariseu legalista ou orgulhoso, mas o pobre publicano humilde que bate no peito e clama: "Ó Deus, tem misericórdia de mim, pecador" que se submete à revelação da graça.

2. Deus tem tal respeito pela alma humilde, porque a humildade é um fruto do Espírito que habita na alma, e uma evidência da união da alma com o Senhor Jesus Cristo, pois somente nele somos aceitos.

3. Esta é uma disposição que torna a alma semelhante a Cristo; e quanto mais semelhante a Cristo a pessoa for, mais Deus a amará. Nós lemos que Cristo era "manso e humilde", "não contendia, nem clamava, nem alguém ouvia pelas ruas a sua voz"; embora Ele fosse o "esplendor da glória de seu Pai", ainda assim Ele se satisfez em se manifestar "tomando a forma de servo"; embora fosse rico, se satisfez em se tornar pobre, para que, pela sua pobreza, pudéssemos ser ricos. Se a alma humilde for a imagem de Cristo, que é a imagem expressa de seu Pai, Deus não pode deixar de ter consideração por ela. – *Ebenezer Erskine*

v. 6: "Atenta para o humilde". Dá-me este vaso simples de humildade, que Deus preserva, e encha-o com o vinho da sua graça, em lugar deste cálice envernizado de soberba, que Ele romperá em pedaços, como o vaso de um oleiro. Onde a humildade for a pedra fundamental, a glória será a pedra do topo. – *William Seeker, The Nonsuch Professor in his Meridian Splendour", 1660*

v. 6: "Ao soberbo, conhece-o de longe". Aquele que encontra um espetáculo ou uma pessoa à qual não suporta olhar, ele evita, ou se desvia dela, quando ainda está à distância, ao passo que, se a visão for prazerosa, ele se aproxima, e chega tão perto quanto puder. Quando, portanto, está escrito *ao soberbo, o Senhor conhece-o de longe*, isto mostra o desprezo que o Senhor sente pelo soberbo; Ele não suporta nem mesmo estar perto dele. Ele sabe bastante bem, quão vil a pessoa é, mesmo a uma grande distância. – *Joseph Caryl*

v. 6: "Ao soberbo, conhece-o de longe". Punindo a todos os soberbos no inferno. – *Richard Rolle, 1340*

v. 7: "Andando eu no meio da angústia, tu me revivificarás". Assim aos três jovens na fornalha de fogo ardente, seu perseguidor, Nabucodonosor, disse: "Eu, porém, vejo quatro homens soltos, que *andam passeando dentro do fogo*, e nada há de lesão neles; e o aspecto do quarto é semelhante ao filho dos deuses". – *Andrew Robert Fausset*

v. 7: "No meio da angústia, tu me revivificarás". A sabedoria de Deus é vista na ajuda nos casos desesperadores. Deus se apraz em exibir a sua sabedoria quando a ajuda e sabedoria humanas falham. Os advogados sutis se aprazem em lutar com os detalhes e as dificuldades da lei, para mostrar ainda mais o seu talento. A sabedoria de Deus nunca se confunde, mas quando as providências são mais obscuras, então aparece a estrela da manhã da libertação. Às vezes, Deus derrete o espírito dos seus inimigos (Js 2.24). Às vezes, Ele encontra outro trabalho para que eles façam, e faz com que lhes soe um toque de retirada, como fez com Saul, quando perseguia Davi. "Os filisteus, com ímpeto, entraram na terra". "No monte do Senhor se proverá". Quando a igreja parece estar sobre o altar, com a sua paz e liberdade prontas para serem sacrificadas, então vem o anjo. – *Thomas Watson*

v. 7: "Estenderás a mão", etc. Tu interporás a tua ajuda entre mim e eles, e me salvarás, incólume: assim como os poetas fingem que os seus deuses faziam àqueles que supostamente favoreciam. *Tu os ferirás com a tua mão esquerda e a tua destra me salvará,* é a interpretação de Tremélio. – *John Trapp*

v. 8: "O Senhor aperfeiçoará", etc. A obra de Deus é perfeita; a do homem é malfeita e incompleta. Deus não se afasta até ter terminado. Quando Ele descansa é porque, olhando para a sua obra, Ele vê que é boa. O seu sábado é o sábado de um objetivo alcançado, de um propósito cumprido. Os palácios que nós edificamos sempre são como aquele da história em que uma janela continua escura e sem adornos, quando todo o resto resplandece em formosura. Mas quando Deus edifica, ninguém pode dizer: "Ele não foi capaz de concluir". No seu grande palácio, Ele faz "janelas cristalinas" e *todos* os seus termos, "de pedras aprazíveis".

Eu suponho que, se o sonho medieval tivesse sido realizado, e o alquimista tivesse conseguido converter um grão de chumbo em ouro, ele poderia, com o tempo, ter transformado todo o chumbo do mundo, e com suficientes fornos e crisóis. O primeiro passo é toda a dificuldade e se você e eu fomos convertidos de inimigos em filhos, e tivermos apenas uma faísca de amor por Deus em nossos corações, esta será uma mudança muito mais vigorosa do que qualquer que ainda tenha que ser realizada, para nos tornar perfeitos. Um grão foi transformado, toda a massa também será, no devido tempo. – *Alexander Maclaren, Sermão na "Wesleyan Methodist Magazine", 1879*

v. 8: "Não desampares as obras das tuas mãos". Quando estamos sujeitos a tais aflições que ameaçam nos destruir, é razoável dizer ao Senhor que Ele nos criou. Davi fortalece a oração com este argumento: *"Não desampares as obras das tuas mãos"*. Todos os homens amam suas próprias obras, muitos as amam cegamente, e poderíamos pensar que Deus irá abandonar as suas? Veja como o povo de Deus suplica a Ele, em grande aflição: "Ó Senhor, tu és o nosso Pai; nós, o barro, e tu, o nosso oleiro; e todos nós, obra das tuas mãos. Não te enfureças tanto, ó Senhor" (Is 64.8-9). – *Joseph Cary*

v. 8: "Não desampares as obras das tuas mãos". Considere as feridas das tuas mãos, e não desampares as obras das tuas mãos, orava a rainha Elizabeth. E a oração usual de Lutero era, Confirma, ó Deus, em nós o que fizeste, e aperfeiçoa a obra que iniciaste em nós, para a tua glória. Que assim seja. – *John Trapp*

v. 8: "Não desampares as obras das tuas mãos". Contempla em mim a tua obra, que não é minha; pois se vires a minha, a condenarás; mas a tua, se a vires, a coroarás. Pois quaisquer obras boas que me possam ser atribuídas não são, na verdade, minhas; elas são as tuas obras em minha vida, e por isto são mais tuas do que minhas. Pois eu ouço o teu apóstolo dizendo: "Porque pela graça sois salvos, por meio da fé; e isso não vem de vós; é dom de Deus. Não vem das obras, para que ninguém se glorie. Porque somos feitura sua, criados em Cristo Jesus" (Ef 2.8-10). – *Agostinho*

v. 8: "Tuas mãos". As suas mãos criadoras formaram nossas almas no princípio; as suas mãos perfuradas as redimiram no Calvário; as suas mãos glorificadas segurarão as nossas almas e não permitirão que elas se percam para sempre. Em suas mãos entreguemos nossos espíritos, certos de que ainda que as boas obras das nossas mãos tenham anulado as obras das suas mãos, as suas mãos irão aperfeiçoar outra vez tudo o que as nossas mãos destruíram. – *J. W. Burgon*

SUGESTÕES AOS PREGADORES

vv. 1, 2 e 3. Davi se irritava com deuses rivais, como nós nos irritamos com evangelhos rivais. Como ele irá agir?

I. *Cantando com louvor sincero.*

1. Isto mostraria generosamente o seu desprezo pelos falsos deuses.
2. Evidenciaria a sua forte fé no verdadeiro.
3. Declararia o seu alegre zelo por Deus.
4. E o protegeria do mal dos que estavam ao seu redor.

II. *Adorando através da regra desprezada.*

1. Tranquilamente, ignorando toda a adoração má.
2. Olhando para a pessoa de Cristo, que estava tipificado no templo.
3. Confiando no sacrifício.
4. Compreendendo o próprio Deus, pois é a Deus que ele fala.

III. Louvando *os atributos questionados.*

1. A benignidade na sua universalidade, na sua especialidade. A graça em tudo.
2. Verdade. Exatidão histórica. Garantia de promessas. Exatidão de profecias. Assegurados do amor de Deus e da verdade da sua palavra, aproximemo-nos ainda mais deles.

IV. *Reverenciando a palavra honrada.* Ela está além de toda a revelação dada a conhecer pela criação e providência, pois é,

1. Mais clara.
2. Mais assegurada.
3. Mais soberana.
4. Mais completa e singular.
5. Mais duradoura.
6. E irá glorificar mais a Deus.

V. *Provando pela experiência.*
1. Oferecendo oração.
2. Narrando a resposta.
3. Exibindo o fortalecimento da alma, que lhe foi concedido em resposta à oração.

v. 2. A decisão de estar voltado a Cristo.

I. A adoração e o louvor devem se mesclar.

II. Devem ser apresentados com o nosso olhar voltado para Deus em Cristo, pois Ele é o templo: o lugar da habitação divina, do sacrifício, da intercessão, do sacerdócio, do oráculo e da manifestação.

v. 2 (primeira sentença). I. A mais nobre atitude da alma: "para o teu santo templo".

II. O mais nobre exercício da alma: "inclinar-me-ei", "louvarei". – *W. W.*

v. 2. I. *A contemplação do adorador.* O olhar fixo no Santo Templo. O templo material ainda não construído. Cristo, o santuário (Hb 8.2). Toda a adoração através dele. Os olhos dos adoradores fixos nele.

II. *O cântico dos adoradores.* Amor e verdade. Observe a combinação. A verdade por Moisés. A graça e a verdade por Jesus Cristo.

III. *O argumento do adorador.* Porque Cristo, "o Verbo" (ou, "a Palavra"), é a personificação e mais gloriosa manifestação de Deus (Hb 1.2,3). – *Archibald G. Brown*

v. 3. I. Oração atendida *no* mesmo dia.

II. Oração atendida, dando forças *para* o dia. Veja 2 Co 12.8, 9. – *A. G. B.*

v. 3. I. As respostas à oração devem ser notadas e reconhecidas: "[Tu] me escutaste".

II. As respostas rápidas devem receber louvor especial: "No dia em que eu clamei", etc.

III. Uma alma fortalecida é, às vezes, a melhor resposta à oração: "Fortalecendo a minha alma". – *J. F.*

v. 3. Admirável resposta à oração.

I. A oração: frágil, fervorosa, angustiada, inarticulada.

II. A resposta: pronta, divina, eficaz, assegurada.

III. O louvor merecido por esta graça. Veja versículos anteriores.

v. 3. I. Um dia especial.

II. Uma forma específica de louvor: "Clamei".

III. Um método especial de resposta. – *W. W.*

v. 4. I. Uma audiência real.

II. Uma orquestra real.

vv. 4 e 5. I. Os que ouvem as palavras de Deus conhecerão a Deus.

II. Os que conhecem a Deus irão louvá-lo, por mais exaltados que possam estar entre os homens: "Todos os reis", etc.

III. Os que louvam a Deus irão andar nos seus caminhos.

IV. Os que andam nos caminhos do Senhor irão glorificá-lo, e Ele será glorificado neles. – *G. R.*

v. 5. Veja "Spurgeon's Sermons", n. 1615: "Singing in the Ways of the Lord".

v. 5. Isto é dito a respeito dos reis, mas é verdade sobre os mais humildes peregrinos. O precioso e bendito Senhor considera e respeita os humildes, e os fará cantar.

I. *Eles cantarão nos caminhos* de Deus.
1. E se alegrarão neles.
2. Não sairão deles, para encontrar prazer.
3. Eles cantam conforme prosseguem no serviço, na adoração, na santidade, no sofrimento.

4. Eles têm motivo para cantar. Eles têm forças, segurança, orientação, provisão, consolação.

II. *Eles cantam sobre os caminhos do Senhor.*

1. Sobre os caminhos de Deus para eles.

2. Sobre o seu caminho em direção a Deus. Eles sabem de onde vieram. Eles sabem para onde vão. É um bom caminho; os profetas andaram nele, e também o Senhor dos profetas. Nele temos boa companhia, boa acomodação, boas perspectivas, boa luz do dia.

III. *Eles cantam sobre o Senhor do caminho.* A sua benignidade. A sua verdade. Suas respostas à oração. A sua condescendência. O fato dele nos revivificar nas dificuldades. O fato dele nos libertar. O fato dele nos aperfeiçoar. A sua misericórdia eterna.

IV. *Eles cantarão para o Senhor do caminho.*

1. À sua honra.

2. À extensão desta honra.

3. Como preparação para honrá-lo eternamente.

Versículo 6: Inversões divinas.

I. A humildade honrada, para sua grande surpresa.

II. A soberba ignorada, para sua eterna mortificação. – *W. B. H.*

v. 7 (primeira sentença). I. A triste excursão do salmista: andando "no meio da angústia"; ele não é um espectador, mas alguém atacado. Angústias – pessoais, sociais, eclesiásticas, nacionais.

II. A sua alegre antecipação – da renovação, da defesa, da libertação. – *W. J.*

v. 7. I. Os homens bons, às vezes, estão em meio a dificuldades: elas são muitas, e continuam por muito tempo.

II. Elas não interferem com o seu progresso. Eles "andam no meio" delas; fracos, mas seguem adiante; às vezes, correndo "com paciência", etc.

III. Eles têm consolação em meio a estas angústias: "Andando eu", etc., "tu me revivificarás".

IV. Eles são beneficiados por elas.

1. Os seus inimigos são derrotados.

2. A sua libertação é completa. – *G. R.*

v. 7. O filho de Deus frequentemente revivificado *na* angústia; muito frequentemente, *no* problema; não raramente, *através* do problema. Libertado da angústia, sustentado na angústia, santificado pela angústia. – *A. G. B.*

v. 7. Um incidente no caminho para a cidade.

I. O peregrino atacado por ladrões e abatido.

II. A chegada do Benevolente e a fuga do inimigo.

III. O bálsamo para os lábios: "tu me revivificarás". Um doce despertar, para conhecer a beleza da sua face e a força da sua mão. – *W. B. H.*

v. 7 (terceira sentença). A salvação que vem da sua destra.

I. Será operada por Deus.

II. Ele lançará a sua força à obra.

III. A sua máxima destreza será exibida.

v. 8 (primeira sentença). I. Um amplo assunto – "o que me concerne". Não necessariamente o que me preocupa.

II. Uma promessa abrangente: "O Senhor aperfeiçoará". – *A. G. B.*

v. 8 (primeira e última sentenças). A fé no propósito divino, não é obstáculo para a oração, mas na verdade, um encorajamento nela: "O Senhor aperfeiçoará"; "não desampares". – *A. G. B.*

v. 8. Veja "Spurgeon's Sermons", n. 231 e 1506: "Faith in Perfection", e "Choice Comfort for a Young Believer".

v. 8. A graça de Deus torna o homem ponderado, e o leva a pensar sobre si mesmo, a sua vida, o seu futuro e a perfeição da obra da graça. Isto pode nos levar a tristeza e desespero, mas o Senhor opera em nós com outros objetivos.

I. Deus *nos enche de certeza e confiança.*

1. De que Ele mesmo operará a nosso favor.

2. De que Ele concluirá a sua obra.

3. De que Ele fará isto como uma providência, se for algo que esteja relacionado à nossa vida.

4. De que Ele irá fazer isto dentro de nós. As nossas graças crescerão. A nossa alma irá se tornar como Cristo. Toda a nossa natureza perfeita.

5. De que Ele o fará juntamente com a obra que fazemos para Ele.

II. *Ele nos fará descansar na sua misericórdia.*

1. Tu perdoarás os meus pecados.

2. Tu tolerarás a minha natureza.

3. Tu me sustentarás em meio ao sofrimento.

4. Tu me suprirás, na necessidade.

5. Tu me socorrerás na morte.

III. *Ele coloca oração em nossos corações.*

1. Ele não nos irá desamparar.

2. Ele não deixará inacabada a sua própria obra em mim.

3. Nem a sua obra, feita por mim, inacabada. Por que Ele começou? Por que chegou até aqui? Por que não concluir?

v. 8. I. A plena certeza da fé: "O Senhor aperfeiçoará o que me concerne".

II. A firme fundação da fé: "a tua benignidade, ó Senhor, é para sempre".

III. A fervorosa oração da fé: "não desampares as obras das tuas mãos". – *W. H. J. P.*

SALMO 139

TÍTULO

Este é um dos mais notáveis dos hinos sagrados. Ele canta a onisciência e a onipresença de Deus, deduzindo delas a derrota das forças da iniquidade, uma vez que aquele que vê e ouve as abomináveis obras e palavras dos rebeldes certamente lidará com eles, de acordo com a sua justiça. O brilho deste salmo é como uma safira, ou o "terrível cristal" de Ezequiel; ele se inflama com tais faíscas de luz que convertem a noite em dia. Como um farol, este santo cântico lança uma luz clara até as partes mais extremas do mar, e nos adverte contra o ateísmo prático que, ignorando a presença de Deus, destrói a alma.

Ao mestre da música. A última vez que este título apareceu foi no salmo 109. Este cântico sagrado é digno do mais excelente dos cantores, e é, apropriadamente, dedicado ao líder da salmodia do Templo, para que ele lhe pusesse música, e se certificasse de que seria devotamente cantado na solene adoração do Altíssimo. Um Salmo de Davi. Ele traz a imagem e a inscrição do rei Davi, e não poderia ter vindo de nenhuma outra mente, que não a do filho de Jessé. Naturalmente, os críticos rejeitam a autoria desta composição por Davi, em virtude de certas expressões em aramaico que ele contém. Nós acreditamos que com base nos princípios da crítica agora em voga, seria extremamente fácil escrever que Milton não escreveu "Paraíso Perdido". Nós ainda temos que aprender que Davi não teria usado expressões pertencentes à "linguagem da casa ancestral patriarcal". Quem sabe quanto do antigo modo de falar pode ter sido propositadamente retido, entre aquelas mentes mais nobres, que se alegravam em recordar a origem da sua raça? Sabendo a que loucas deduções os críticos chegaram, em outros assuntos, nós perdemos quase toda a fé neles, e preferimos crer que Davi é o autor deste salmo, com base em evidências internas de estilo e assunto, em lugar de aceitar a determinação de homens cujos métodos de julgamento são manifestamente duvidosos.

EXPOSIÇÃO

1 *Senhor, tu me sondaste e me conheces.*
2 *Tu conheces o meu assentar e o meu levantar; de longe entendes o meu pensamento.*
3 *Cercas o meu andar e o meu deitar; e conheces todos os meus caminhos.*
4 *Sem que haja uma palavra na minha língua, eis que, ó Senhor, tudo conheces.*
5 *Tu me cercaste em volta e puseste sobre mim a tua mão.*
6 *Tal ciência é para mim maravilhosíssima; tão alta, que não a posso atingir.*

1. *"Senhor, tu me sondaste e me conhecer."* Em adoração, ele invoca ao Senhor, o Deus que tudo conhece, e continua adorando-o, proclamando um de seus atributos peculiares. Se desejarmos louvar corretamente a Deus, devemos extrair dele o tema do nosso louvor – "Senhor, tu fizeste". Nenhum deus falso conhece nada sobre nós; mas o Deus verdadeiro, o Senhor, nos compreende e está intimamente familiarizado com a nossa pessoa, natureza e caráter. Como é bom que nós conheçamos o Deus que nos conhece! O conhecimento divino é extremamente completo e investigativo; é como se Ele nos tivesse investigado, como as autoridades examinam um homem em busca de bens contrabandeados, ou como os ladrões examinam uma casa para roubá-la. Mas não devemos deixar que a imagem nos leve além da intenção original: o Senhor conhece todas as coisas, naturalmente e costumeiramente, e não por qualquer esforço de sua parte. Investigar ou examinar normalmente implica uma dose de ignorância que é removida pela observação; naturalmente, este não é o caso com o Senhor; mas o significado do salmista é que o Senhor nos conhece tão completamente como se nos tivesse examinado minuciosamente, e tivesse contemplado os recantos mais secretos do nosso ser. Este conhecimento infalível sempre existiu – "Tu me sondaste"; e continua até hoje, uma vez que Deus não pode se esquecer do que já conhece. Nunca houve um tempo em que nós fôssemos desconhecidos de Deus, e jamais haverá um momento em que estaremos além da sua observação. Observe como o salmista torna a sua doutrina pessoal: ele não diz, "ó Deus, tu conheces todas as coisas", mas "tu *me* conheces". É sempre prudente termos a verdade conosco. Como é maravilhoso o contraste entre o observador e o observado! O Senhor e eu! Mas esta conexão íntima existe, e aí está a nossa esperança. Que o leitor se assente durante alguns momentos e tente perceber os dois pólos desta declaração – o Senhor e o pobre homem insignificante – e terá muito de que se admirar e maravilhar.

2. *"Tu conheces o meu assentar e o meu levantar." A mim* tu conheces, e tudo o que vem de mim. Eu sou observado quando me sento tranquilamente, e marcado quando me levanto, decididamente. Os meus atos mais comuns e casuais, os meus movimentos mais necessários, são observados por ti, e tu conheces os pensamentos que os regulam. Quer eu afunde, em humilde renúncia a mim mesmo, ou me levante em orgulho, tu vês os movimentos da minha mente, e também os do meu corpo. Este é um fato a ser lembrado a cada momento: sentando-nos, para ponderar, ou levantando-nos para agir, ainda somos vistos, conhecidos e "lidos" por Jeová, nosso Senhor.

"De longe entendes o meu pensamento." Antes que seja meu pensamento, ele é conhecido previamente, e compreendido, por ti. Embora o meu pensamento seja invisível aos olhos, embora eu mesmo não conheça a forma que ele assume, tu o tens sob a tua consideração, e percebes a sua natureza, a sua origem, a sua tendência, o seu resultado. Tu nunca me julgas mal nem me interpretas equivocadamente; o meu pensamento mais íntimo é perfeitamente compreendido pela tua mente imparcial. Embora tu apenas olhes de relance o meu coração, e me vejas como alguém vê um meteoro que passa ao longe, tu podes, com este vislumbre, resumir todos os significados da minha alma, pois tudo é completamente transparente ao teu olhar perscrutador.

3. *"Cercas o meu andar e o meu deitar."* O meu caminho e a minha cama, o meu correr e o meu descansar, são semelhantes, no círculo da tua observação. Tu estás

ao meu redor, como o ar está continuamente ao redor de todas as criaturas vivas. Eu estou fechado dentro do muro da tua existência; cercado pelos limites do teu conhecimento. Andando ou dormindo, ainda sou observado por ti. Eu posso deixar o teu caminho, mas tu nunca deixas o meu. Eu posso dormir e me esquecer de ti, mas tu nunca adormeces nem te esqueces da tua criatura. O significado no original não é apenas cercar, mas distinguir. O Senhor julga a nossa vida ativa e a nossa vida tranquila; Ele discrimina os nossos atos e o nosso repouso, e observa neles aquilo que é bom e também o que é mau. Há palha no nosso trigo, e o Senhor os separa com inequívoca precisão.

"E conheces todos os meus caminhos." Estás familiarizado com tudo o que eu faço; nada é escondido de ti, nada é surpreendente para ti, nem mal interpretado por ti. Os nossos caminhos podem ser habituais ou acidentais, declarados ou secretos, mas com todos eles o Santíssimo está bastante familiarizado. Isto deve nos encher de assombro, para que não pequemos; de coragem, para que não tenhamos medo; de alegria, para que não lamentemos.

4. *"Sem que haja uma palavra na minha língua, eis que, ó Senhor, tudo conheces."* A palavra sem forma, que está na língua como uma semente no solo, certamente é completamente conhecida do Grande Sondador de corações. Uma expressão negativa é usada para deixar ainda mais forte a afirmação: Dizer que não há uma palavra que seja desconhecida é uma maneira de dizer que todas as palavras são bastante conhecidas. O conhecimento divino é perfeito, uma vez que nem uma única palavra é desconhecida, nem mesmo uma palavra que não é dita, e cada uma delas é "completamente" conhecida. Que esperança de segredo pode haver, quando as palavras com que muitos escondem seus pensamentos são transparentes para o Senhor? Ó, Senhor, como és grande! Se os teus olhos têm este poder, qual deve ser a força de toda a tua natureza!

5. *"Tu me cercaste em volta."* Como se estivéssemos presos em uma emboscada ou cercados por um exército que cercou completamente os muros da cidade, estamos cercados pelo Senhor. Foi Deus que nos colocou onde estamos, e nos cerca onde quer que estejamos. Atrás de nós, está Deus, registrando os nossos pecados, ou, com graça, apagando a lembrança deles; e diante de nós, está Deus, conhecendo antecipadamente todas as nossas obras, e suprindo todas as nossas necessidades. Não podemos nos virar para tentar escapar dele, pois Ele está atrás de nós; não podemos seguir em frente e deixá-lo para trás, pois Ele está à nossa frente. Ele não apenas nos contempla, mas nos cerca; e para que não pareça que há alguma chance de escapar, e para que não imaginemos que a presença que nos cerca está à distância, está acrescentado – *"E puseste sobre mim a tua mão"*. O prisioneiro marcha rodeado por uma guarda e agarrado por um soldado. Deus está muito próximo; nós estamos inteiramente em seu poder; deste poder, não há como escapar. Não está escrito que Deus *irá* nos cercar e aprisionar, mas isto é feito – "Tu me cercaste". E não alteraremos a figura, dizendo que o nosso Pai celestial passou os seus braços ao nosso redor, e nos acariciou com a sua mão? É assim com aqueles que, pela fé, são filhos do Altíssimo.

6. *"Tal ciência é para mim maravilhosíssima."* Eu não consigo compreendê-la. Eu mal consigo suportar o pensamento sobre ela. Este tema me domina. Eu estou assombrado e atônito com ela. Este conhecimento não somente supera a minha compreensão, mas também a minha imaginação.

"Tão alta, que não a posso atingir." Ainda que seja tão elevada, esta verdade é eminente demais para a minha mente. Ela parece estar sempre acima de mim, mesmo quando me ergo às regiões mais altas do pensamento espiritual. Não é assim com cada atributo de Deus? Podemos obter alguma ideia do seu poder, da sua sabedoria, da sua santidade? A nossa mente não tem com que comparar o infinito. Por isto, questionamos? Digamos que, na verdade, por isto cremos e adoramos. Não nos surpreende que o Deus mais glorioso, no seu conhecimento, esteja muito acima de todo o conhecimento que podemos obter: deve ser assim, necessariamente, uma

vez que nós somos pobres seres, estremamente limitados; e mesmo nas pontas dos pés, não conseguimos alcançar nem o mais baixo degrau do trono do Eterno.

7 *Para onde me irei do teu Espírito ou para onde fugirei da tua face?*
8 *Se subir ao céu, tu aí estás; se fizer no Seol a minha cama, eis que tu ali estás também;*
9 *se tomar as asas da alva, se habitar nas extremidades do mar,*
10 *até ali a tua mão me guiará e a tua destra me susterá.*
11 *Se disser: decerto que as trevas me encobrirão; então, a noite será luz à roda de mim.*
12 *Nem ainda as trevas me escondem de ti; mas a noite resplandece como o dia; as trevas e a luz são para ti a mesma coisa.*

Aqui a onipresença é o tema – uma verdade à qual a onisciência naturalmente conduz.

"Para onde me irei do teu Espírito?" Não que o salmista desejasse se afastar de Deus, ou evitar o poder da vida divina; mas ele faz esta pergunta para deixar claro o fato de que ninguém consegue escapar à existência que tudo sonda, e à observação, do Grande Espírito Invisível. Observe como o autor torna a questão pessoal para si mesmo – "Para onde me irei?" Seria bom se todos nós aplicássemos desta maneira a verdade aos nossos casos. Seria sábio e prudente que cada um dissesse: O Espírito do Senhor está sempre à *minha* volta; o Senhor é onipresente, também *para mim.*

"Ou para onde fugirei da tua face?" Se, cheio de temor, eu corresse para escapar desta proximidade de Deus que se tornou o meu terror, para onde poderia ir? "Para onde?" "Para onde?" Ele repete o seu clamor. Não lhe vem nenhuma resposta. A resposta à sua primeira pergunta "Para onde?" é o seu eco – um segundo "Para onde?" Dos olhos de Deus, ele não consegue se esconder, mas isto não é tudo – da presença de Deus, imediata, real e constante, ele não consegue sair. Nós devemos estar, quer o desejemos ou não, tão próximos de Deus como a nossa alma está próxima do nosso corpo. Isto faz com que o pecado seja uma obra terrível, pois com ele ofendemos o Todo-Poderoso e cometemos atos de traição aos pés do seu trono. *Sair* da sua presença, ou *fugir* dele, não podemos; nem por paciente viagem, nem por apressada fuga, conseguimos escapar da Divindade que tudo cerca. A sua mente está na mossa mente; Ele está dentro de nós. O seu Espírito está acima do nosso espírito; a nossa presença está sempre na sua presença.

8. *"Se subir ao céu, tu aí estás."* Enchendo a mais eminente região com sua presença ainda mais eminente, o Senhor está no lugar celestial, em casa, no seu trono. A subida, se fosse possível, seria inútil, para o propósito de fuga; na verdade, seria uma fuga para o centro do fogo, para evitar o calor. Ali ele seria imediatamente confrontado pela terrível personalidade de Deus. Observe as abruptas palavras – "Tu, aí".

"Se fizer no Seol a minha cama." Descendo às profundezas mais baixas que se pode imaginar, entre os mortos, ali encontraremos o Senhor. Tu!, diz o salmista, como se sentisse que Deus era a única grande Existência em todos os lugares. O que quer que o Seol possa ser, ou quem quer que possa estar ali, uma coisa é certa, *tu*, Senhor, tu ali estás também. Duas regiões, uma, da glória, e a outra, das trevas, são colocadas em contraste, e este fato é declarado, sobre ambas – "Tu estás ali". Quer nos levantemos ou nos deitemos, levantemos voo ou façamos nossa cama, encontraremos Deus perto de nós. Uma palavra *"eis"* é acrescentada à segunda sentença, uma vez que parece mais maravilhoso encontrar com Deus no inferno do que no céu, no Hades, e não no Paraíso. Naturalmente, a presença de Deus produz efeitos muito diferentes nestes lugares, mas é inquestionável, em cada um deles; a bênção de um, o terror do outro. Que pensamento terrível, de que alguns homens parecem determinados a fazer a sua morada para que passem a noite no inferno; porém esta será uma noite que não conhecerá a manhã.

9. *"Se tomar as asas da alva, se habitar nas extremidades do mar."* Se eu pudesse voar com toda a velocidade, e encontrar uma habitação cujas profundezas nenhum marinheiro sulcou, ainda assim eu não conseguiria alcançar os limites da presença divina. A luz voa com uma velocidade inimaginável, e chega muito além da percepção humana; ela ilumina o mar, grande e amplo, e faz com que suas ondas brilhem ao longe, mas a sua velocidade diminuiria completamente, se ela fosse usada para voar, afastando-se do Senhor. Se nós pudéssemos voar sobre as asas da brisa da manhã, e penetrar em oceanos desconhecidos dos mapas, ali veríamos que o Senhor já está presente. Aquele que salva ao máximo estaria conosco nas partes mais extremas do mar.

10. *"Até ali a tua mão me guiará."* Nós só podemos nos afastar de Deus pelo seu próprio poder. O Senhor estará nos guiando, protegendo, preservando e sustentando, mesmo quando estivermos fugindo dele.

"E a tua destra me susterá." Nas partes mais extremas do mar, a minha prisão será tão certa como em casa: a mão direita de Deus irá, mesmo ali, deter o fugitivo. Se nos fosse ordenada a missão mais distante, certamente dependeríamos da mão direita de Deus, sustentando-nos, com toda a misericórdia, sabedoria e poder. O missionário explorador em suas solitárias peregrinações é conduzido, e em sua solitária fragilidade é sustentado. As duas mãos de Deus estão com os seus servos, para sustentá-los, e contra os rebeldes, para derrotá-los; e neste aspecto não importa a quais campos eles recorram, pois a energia de Deus ainda está com eles.

11. *"Se disser: decerto que as trevas me encobrirão."* As densas trevas poderão me oprimir, mas não poderão me afastar de ti, nem te afastar de mim. Tu vês, tanto sem a luz como com ela, uma vez que não dependes da luz, que é tua própria criação, para o pleno exercício de tuas percepções. Além disto, tu estás presente comigo, qualquer que seja o momento; e estando presente, descobres tudo o que eu penso, ou sinto, ou faço. Os homens ainda são tolos a ponto de preferir a noite e as trevas para as suas perversas obras, mas é tão impossível que qualquer coisa se esconda do Senhor, que tais homens podiam igualmente transgredir à luz do dia.

As trevas e a luz nisto são similares,
ó Grande Deus: elas são iguais para ti.
A tua mão pode ferir os teus adversários tão depressa
em meio às sombras da meia-noite, como no escaldante meio-dia.

Um homem bom não desejará ser ocultado pelas trevas, um homem sábio não esperará isto. Se nós formos tão tolos a ponto de ter certeza de estar escondidos, porque o lugar está envolto em trevas, podemos igualmente perder a nossa segurança pelo fato de que, no que diz respeito a Deus, sempre habitamos na luz; pois até mesmo a própria noite brilha, com uma força reveladora – *"então, a noite será luz à roda de mim"*. Devemos pensar sobre isto se, alguma vez, estivermos tentados a nos aproveitar da escuridão – ela é luz ao nosso redor. Se as trevas são luz, quão grande é a luz em que habitamos! Observe como Davi conserva seu cântico na primeira pessoa; devemos nos lembrar disto, para fazer o mesmo, quando clamamos, como Agar: "Tu és Deus da vista... aquele que *me* vê".

12. O *"Sim"* de uma certeza, inegável. *"Nem ainda as trevas me escondem de ti"*; elas nada ocultam, não são o meio para esconder, de maneira alguma. Elas escondem dos homens, mas não de Deus.

"Mas a noite resplandece como o dia"; é apenas outra forma do dia, resplandece, revelando tudo; "resplandece como o dia" – tão claramente e distintamente, manifestando tudo o que é feito.

"As trevas e a luz são para ti a mesma coisa." Esta sentença parece resumir tudo o que foi dito antes, e enfaticamente rejeita a mais remota ideia de esconder algo sob a proteção da noite. Os homens se apegam a esta noção porque é mais fácil e mais barato se esconder nas trevas do que viajar a lugares remotos; e por isto

a ideia mais tola é aqui destruída por declarações que, em suas variadas formas, derrubam-na eficazmente. Mas os ímpios ainda estão ludibriados por suas noções humilhantes a respeito de Deus e perguntam: "Como Deus saberá?" Eles devem imaginar que Ele é tão limitado em seus poderes de observação como eles, e se apenas considerassem, por um momento, iriam concluir que aquele que não consegue ver nas trevas não poderia ser Deus, e que aquele que não está presente em todas as partes não poderia ser o Criador Todo-Poderoso. Certamente, Deus está em todos os lugares, e nada pode, de maneira nenhuma, ser mantido fora do alcance da sua mente, que tudo observa, que tudo abrange. O Grande Espírito abrange, em Si mesmo, todo o tempo e espaço, e, no entanto, é infinitamente maior do que eles, ou do que todo o resto que Ele criou.

13 *Pois possuíste o meu interior; entreteceste-me no ventre de minha mãe.*
14 *Eu te louvarei, porque de um modo terrível e tão maravilhoso fui formado; maravilhosas são as tuas obras, e a minha alma o sabe muito bem.*
15 *Os meus ossos não te foram encobertos, quando no oculto fui formado e entretecido como nas profundezas da terra.*
16 *Os teus olhos viram o meu corpo ainda informe, e no teu livro todas estas coisas foram escritas, as quais iam sendo dia a dia formadas, quando nem ainda uma delas havia.*
17 *E quão preciosos são para mim, ó Deus, os teus pensamentos! Quão grande é a soma deles!*
18 *Se os contasse, seriam em maior número do que a areia; quando acordo, ainda estou contigo.*

13. *"Pois possuíste o meu interior."* Tu possuis o meu interior e as minhas paixões, não és apenas o morador e observador, mas o senhor reconhecido e possuidor do meu "eu" mais secreto. A palavra "interior" significa os rins, que, de acordo com os hebreus, supostamente eram a sede de seus desejos e anseios; mas talvez indique aqui a parte mais oculta e vital do homem; Deus não apenas inspeciona e visita o mais interior do homem, isto também pertence a Ele; Ele está tão em casa aqui como um senhor em sua própria propriedade, ou um proprietário na sua própria casa.

"Entreteceste-me no ventre de minha mãe". Aqui eu estava escondido, protegido por ti. Antes que eu te conhecesse, ou a qualquer outra coisa, tu cuidaste de mim, e me escondeste, como um tesouro, até que julgasses adequado trazer-me à luz. Assim o salmista descreve a intimidade que Deus tinha com ele. Na sua parte mais secreta (o seu interior), e na sua mais secreta condição (ainda não nascido), ele estava sob o controle e a proteção de Deus.

14. *"Eu te louvarei":* uma boa resolução, que agora ele desempenhava. Os que louvam a Deus são os mesmos homens que *irão* louvá-lo. Os que desejam louvar têm assuntos para adoração à mão. Muito raramente nos lembramos da nossa criação, e de toda a habilidade e bondade que nos são concedidas; mas o doce cantor de Israel era mais bem instruído, e por isto prepara para o regente do coro um cântico a respeito do nosso nascimento e de tudo o que o precede. Nunca é cedo demais para começar a bendizer ao nosso Criador, que tão cedo começou a nos abençoar; mesmo no ato da criação, Ele criou razões para que louvemos o seu nome.

"Porque de um modo terrível e tão maravilhoso fui formado." Quem pode contemplar um modelo da nossa anatomia sem assombro e respeito? Quem pode dissecar uma porção da estrutura humana sem se maravilhar com a sua delicadeza e tremer pela sua fragilidade? O salmista mal tinha espiado pelo véu que esconde os nervos, tendões e vasos sanguíneos da inspeção comum; a anatomia era praticamente desconhecida para ele; no entanto, ele tinha visto o suficiente para despertar a sua admiração pela obra, e a sua reverência por aquele que a fez.

"Maravilhosas são as tuas obras." Estas partes da minha estrutura são todas obras *tuas*; e embora sejam obras caseiras, e estejam sob os meus próprios olhos,

são extremamente maravilhosas. São obras dentro do meu próprio ser, mas estão além do meu entendimento, e me parecem como tantos milagres de habilidade e poder. Nós não precisamos ir até os confins da terra em busca de maravilhas, nem mesmo cruzar a soleira da nossa própria porta; as maravilhas são abundantes, nos nossos próprios corpos.

"E a minha alma o sabe muito bem." Ele não era agnóstico – ele sabia; ele não duvidava – a sua alma sabia; ele não era ingênuo – a sua alma sabia muito bem. Realmente sabem a verdade os que, primeiramente, conhecem ao Senhor, e então conhecem todas as coisas nele. Foi-lhe dada a conhecer a maravilhosa natureza da obra de Deus, com certeza e exatidão, pois ele tinha descoberto, por experiência própria, que o Senhor é um maravilhoso trabalhador, que realiza milagres inimitáveis quando cumpre os seus bondosos desígnios. Se nós fomos tão maravilhosamente formados mesmo antes de nascer, o que poderemos dizer das ações do Senhor para conosco depois que saímos da sua oficina secreta, tendo-o na direção do nosso caminho na peregrinação da vida? O que não diremos deste novo nascimento, que é ainda mais misterioso do que o primeiro, e exibe ainda mais o amor e a sabedoria do Senhor!

15. *"Os meus ossos não te foram encobertos."* A parte substancial da minha existência estava diante do teu olho, que tudo vê; os ossos que constituem a minha estrutura foram colocados e montados pela tua mão. Os materiais essenciais do meu ser, antes de serem arranjados, estavam todos ao alcance dos teus olhos. Eu estava escondido de todo o conhecimento humano, mas não de ti; tu sempre me conheceste intimamente.

"Quando no oculto fui formado." De maneira muito casta e bela, a formação do nosso ser, antes do momento do nosso nascimento, é aqui descrita. Um grande artista frequentemente trabalhará sozinho no seu estúdio, e não permitirá que a sua obra seja vista até que tenha sido concluída; da mesma maneira o nosso Senhor nos formou quando nenhum olho nos contemplou, e o véu não foi erguido até que cada membro estivesse completo. Grande parte da formação do nosso homem interior ainda continua sendo feita, em segredo; consequentemente, quanto mais solidão e isolamento, melhor para nós. A igreja fiel também é formada em segredo, para que ninguém possa gritar, "Ei-la aqui!" ou "Ei-la ali!", como se aquilo que é visível fosse idêntico ao corpo invisível e crescente de Cristo.

"E entretecido como nas profundezas da terra." "Bordado com grande habilidade" é uma descrição poética bastante precisa da criação dos vasos, tendões, músculos, nervos, etc. Que obra de tapeçaria pode se igualar ao tecido humano? Esta obra é realizada tão privadamente como se tivesse sido realizada na sepultura, ou nas trevas do abismo. As expressões são poéticas, e vedam maravilhosamente, embora não escondam completamente o significado verdadeiro. O conhecimento íntimo que Deus tem de nós, desde o início, e mesmo antes disto, é aqui maravilhosamente apresentado. Aquele que nos criou tão maravilhosamente quando não existíamos, não poderá ainda continuar a sua obra de poder, até ter nos aperfeiçoado, ainda que nos sintamos incapazes de auxiliar no processo, e estejamos em grande tristeza e desprezo por nós mesmos, como lançados às partes inferiores da terra?

16. *"Os teus olhos viram o meu corpo ainda informe."* Enquanto o vaso estava na roda, o oleiro já o via todo. O Senhor conhece não apenas a nossa forma, mas a nossa substância; isto é, realmente, conhecimento substancial. A observação que o Senhor faz de nós é atenta e intencional – "Os teus olhos viram". Além disto, a mente divina discerne todas as coisas com a mesma clareza e certeza com que os olhos percebem, pela visão real. O seu conhecimento não é o que se obtém por rumores, mas o conhecimento que vem da visão.

"E no teu livro todas estas coisas foram escritas, as quais iam sendo dia a dia formadas, quando nem ainda uma delas havia." Um arquiteto desenha seus projetos e detalha suas especificações; da mesma maneira o grande Criador da nossa estrutura escreveu todos os nossos membros no livro dos seus propósitos.

O fato de que tenhamos olhos, e ouvidos, e mãos e pés, tudo se deve ao sábio e piedoso propósito do céu: assim foi ordenado no decreto secreto pelo qual todas as coisas são como são. Os propósitos de Deus dizem respeito aos nossos membros e às nossas faculdades. A sua forma e tudo a respeito deles foi indicado por Deus, muito tempo antes que existissem. Deus nos viu quando não podíamos ser vistos, e escreveu sobre nós quando não havia nada a escrever sobre nós. Quando não existia nenhum dos nossos membros, todos estes membros estavam diante dos olhos de Deus, no livro da sua presciência e predestinação.

Este versículo é de tradução extremamente difícil, mas nós não pensamos que nenhuma das correções propostas seja melhor do que a tradução que nos é propiciada pela Versão Autorizada, em inglês. O grande número de palavras em itálico adverte o leitor de que é difícil alcançar o sentido, e é difícil expressá-lo, e seria imprudente fundar qualquer doutrina sobre as palavras em *inglês*; felizmente, não há nenhuma tentação para fazer isto.

A grande verdade expressa nestas linhas foi, por muitos, atribuída à formação do corpo místico do nosso Senhor Jesus. Naturalmente, o que é verdadeiro sobre o homem, como homem, é enfaticamente verdadeiro sobre aquele que é o representante do homem. O grande Senhor conhece quem pertence a Cristo; os seus olhos percebem os membros escolhidos que se tornarão um só com a pessoa viva do Cristo místico. Aqueles, entre os eleitos, que são como que ainda não nascidos, ou não renovados, estão, apesar disto, inscritos no livro do Senhor. Assim como a forma de Eva cresceu em silêncio e em segredo, sob a mão formadora do Criador, também, nesta hora, a Esposa está sendo formada para o Senhor Jesus; ou, para mudar a comparação – um corpo está sendo preparado, em que a vida e a glória do Senhor que ali habita serão exibidas para sempre. O Senhor conhece aqueles que são seus: Ele tem um conhecimento especialmente familiar dos membros do corpo de Cristo; ele vê a sua substância, por mais imperfeita que seja.

17. *"E quão preciosos são para mim, ó Deus, os teus pensamentos!"* Ele não se alarma com o fato de que Deus conhece tudo sobre ele, ao contrário, ele é consolado e frequentemente se sente enriquecido, como com um cesto de joias preciosas. O fato de que Deus pense nele é o tesouro e o prazer do crente. Ele clama: "Quão preciosos e valiosos são os teus pensamentos, quão importante para mim é a tua perpétua atenção!" Ele pensa nos pensamentos de Deus com prazer; quanto mais pensamentos, mais prazer ele sente. É uma joia extremamente valiosa que o Senhor pense sobre nós, que somos tão pobres e necessitados; é uma joia que preenche toda a nossa natureza, pensar em Deus, retribuindo amor com amor, pensamento com pensamento, segundo a nossa pobre maneira.

"Quão grande é a soma deles!" Quando nos lembramos de que Deus pensou em nós desde a eternidade, continua a pensar em nós a cada momento, e pensará em nós quando não existir mais tempo, podemos exclamar: "Quão grande é a soma deles". Pensamentos naturais para o Criador, o Preservador, o Redentor, o Pai, o Amigo, fluem para sempre, do coração do Senhor. Pensamentos sobre o nosso perdão, renovação, sustento, provisão, educação, aperfeiçoamento e mil outros tipos, perpetuamente jorram da mente do Altíssimo. Deve nos encher de adoração e maravilha, e reverente surpresa, o fato de que a mente infinita de Deus dedique tantos pensamentos a nós, que somos tão insignificantes e tão indignos. Que contraste isto representa com a noção daqueles que negam a existência de um Deus pessoal e consciente! Imagine um mundo sem um Deus pessoal e pensante! Imagine uma amarga providência de maquinário! – uma paternidade de direito! Esta filosofia é dura e fria. Um homem poderia tentar procurar descanso em uma fantasia como esta; seria o mesmo que usar uma lâmina afiada como um travesseiro. Mas o Deus que sempre pensa em nós torna o mundo feliz, uma vida rica, e concede um futuro celestial.

18. *"Se os contasse, seriam em maior número do que a areia."* Esta comparação mostra que os pensamentos de Deus são completamente incontáveis; pois nada pode ultrapassar, em número, os grãos de areia que margeiam os grandes oceanos

e todos os mares menores. A tarefa de contar os pensamentos de amor de Deus seria uma tarefa interminável. Se fôssemos tentar contá-los, necessariamente falharíamos, pois o infinito não está ao alcance do nosso frágil intelecto. Mesmo se pudéssemos contar os grãos de areia na praia, não seríamos capazes de contar os pensamentos de Deus, pois eles "seriam em maior número do que a areia". Esta não é a hipérbole da poesia, mas o sólido fato de uma declaração inspirada: Deus pensa em nós infinitamente; há um limite para o ato da criação, mas não para o poder do amor divino.

"Quando acordo, ainda estou contigo." Os teus pensamentos de amor são tantos que a minha mente nunca escapa deles, eles estão ao meu redor em todos os momentos. Eu vou para a cama, e Deus é o meu último pensamento; e quando acordo, percebo que a minha mente ainda está sobre as portas do seu palácio; Deus está sempre comigo, e eu estou sempre com Ele. Isto realmente é vida. Se, durante o sono, a minha mente vaga em sonhos, ela somente vaga sobre terreno santo, e no momento em que acordo, meu coração está de volta ao seu Senhor. O salmista não diz, "Quando acordo, retorno para junto de ti", mas "ainda estou contigo": como se as suas meditações fossem contínuas e a sua comunhão não se rompesse. Logo nos deitaremos, para dormir pela última vez: Deus fará com que estejamos com Ele quando a trombeta do arcanjo nos despertar.

19 *Ó Deus! Tu matarás, decerto, o ímpio! Apartai-vos, portanto, de mim, homens de sangue.*
20 *Pois falam malvadamente contra ti; e os teus inimigos tomam o teu nome em vão.*
21 *Não aborreço eu, ó Senhor, aqueles que te aborrecem, e não me aflijo por causa dos que se levantam contra ti?*
22 *Aborreço-os com ódio completo; tenho-os por inimigos.*
23 *Sonda-me, ó Deus, e conhece o meu coração; prova-me e conhece os meus pensamentos.*
24 *E vê se há em mim algum caminho mau e guia-me pelo caminho eterno.*

19. *"Ó Deus! Tu matarás, decerto, o ímpio!"* Não pode haver dúvida nesta mente, pois tu viste todas as suas transgressões, que, na realidade, foram feitas na tua presença; e tu toleraste o suficiente as suas provocações, que foram tão abertamente manifestas diante de ti. Os crimes cometidos diante da face do Juiz provavelmente não ficarão impunes. Se os olhos de Deus se angustiam com a presença do mal, é apenas natural esperar que Ele remova o objeto da ofensa. Deus, que vê todo o mal, irá matar todo o mal. Com os soberanos terrenos, o mal pode ficar impune, por falta de provas, ou a lei pode deixar de ser executada por falta de vigor por parte do juiz; mas isto não pode acontecer no caso de Deus, do Deus vivo. Ele não empunha a espada em vão. Tal é o seu amor pela santidade, e o seu ódio pela injustiça, que Ele irá combater até a morte com aqueles cujos corações e vidas são ímpios. Deus não irá permitir sempre que a sua amada criação seja desfigurada e profanada pela presença da iniquidade; se há alguma coisa que é certa, é que Ele livrará a criação dos seus adversários.

"Apartai-vos, portanto, de mim, homens de sangue." Homens que se alegram com a crueldade e a guerra não são companheiros adequados para aqueles que andam com Deus. Davi expulsa da sua corte os homens de sangue, pois ele está cansado daqueles de quem Deus está cansado. Ele parece dizer: se Deus não irá permitir que vocês vivam com Ele, eu não permitirei que vocês vivam comigo. Vocês irão destruir outras pessoas, e por isto eu não quero ter vocês na minha sociedade. Vocês serão destruídos, eu não desejo vocês no meu serviço. Afastem-se de mim, pois vocês se afastaram de Deus. Da mesma maneira como nos alegramos porque o santo Deus está sempre perto de nós, também ansiosamente desejamos ter os ímpios removidos para o mais longe possível de nós. Nós trememos na companhia dos ímpios, para que a sua condenação não caia repentinamente sobre eles, e não os vejamos cair mortos

diante de nós. Nós não desejamos ver o lugar do nosso relacionamento convertido em patíbulos; então, que os condenados sejam removidos da nossa companhia.

20. *"Pois falam malvadamente contra ti."* Por que eu deveria suportar a companhia deles, quando a conversa deles me faz mal? Eles dão vazão às suas traições e blasfêmias quando querem, e o fazem sem a menor desculpa ou provocação; que se vão, portanto, para onde puderem encontrar uma companhia mais agradável do que eu posso ser. Quando os homens falam contra Deus, podem ter a certeza de que estão falando contra nós, se julgarem que isto lhes seja útil. Por isto, os homens ímpios não são feitos do mesmo material de que são feitos os verdadeiros amigos. Foi Deus que deu línguas a estes homens, e eles se voltam contra o seu Benfeitor, impiamente, por pura maldade e com grande perversidade.

"E os teus inimigos tomam o teu nome em vão." Esta é a sua diversão: insultar o glorioso nome do Senhor é seu passatempo. Blasfemar o nome do Senhor é uma iniquidade gratuita em que não pode haver prazer e da qual não pode haver benefício. Um sinal característico dos "inimigos" do Senhor é o fato de que têm a impudência de atacar a sua honra e tratar a sua glória com irreverência. Como Deus pode fazer outra coisa, exceto matá-los? Como podemos nós fazer outra coisa, exceto nos afastar de qualquer tipo de associação com eles? Como o pecado se mostra absolutamente vil através da atitude dos homens, de atacarem um Ser tão bom como o Senhor, nosso Deus! A impudência dos que falam impiamente é um fato singular, e é ainda mais singular quando refletimos que o Senhor, contra quem eles falam, está ao redor deles, e sente profundamente cada desonra que eles fazem ao seu santo nome. Não devemos nos admirar de que os homens nos caluniem e ridicularizem, pois fazem a mesma coisa com o Deus Altíssimo.

21. *"Não aborreço eu, ó Senhor, aqueles que te aborrecem?"* O salmista era bom na atividade de odiar, pois odiava apenas aos que odiavam o bem. Deste ódio, ele não se envergonha, mas o expõe como uma virtude da qual deseja que o Senhor dê testemunho. Amar todos os homens com benevolência é o nosso dever; mas amar a qualquer homem ímpio com complacência seria um crime. Odiar um homem por sua própria causa, ou por qualquer mal feito contra nós, seria errado, mas odiar um homem porque ele é adversário de toda a bondade e inimigo de toda justiça, não é nada mais nem menos do que uma obrigação. Quanto mais amamos a Deus, mais indignados nos sentiremos com aqueles que lhe recusam a sua afeição. "Se alguém não ama o Senhor Jesus Cristo, seja anátema; maranata". Verdadeiramente, "duro como a sepultura [é] o ciúme". O súdito leal não deve ser amistoso com o traidor.

"E não me aflijo por causa dos que se levantam contra ti?" Ele apela ao céu, dizendo que não tinha prazer naqueles que se rebelavam contra o Senhor; mas, ao contrário, era levado a lamentar por uma visão do seu mau comportamento. Uma vez que Deus está em todas as partes, Ele conhece os nossos sentimentos com relação aos profanos e ímpios, e sabe que longe de aprovarmos estas pessoas, a mera visão deles é angustiosa aos nossos olhos.

22. *"Aborreço-os com ódio completo."* Ele não ocupa uma posição neutra. O seu ódio pelos homens maus, perversos e blasfemos é intenso, completo, enérgico. Ele é tão sincero no seu ódio pela iniquidade como no seu amor pela bondade.

"Tenho-os por inimigos." Ele faz disto uma questão pessoal. Pode ser que eles não lhe tenham feito nenhum mal, mas se estão agindo com desprezo a Deus, às suas leis e aos grandes princípios da verdade e da justiça, Davi proclama guerra contra eles. A iniquidade leva os homens a desfrutarem os favores de espíritos injustos, mas os exclui da comunhão dos justos. Nós subimos a ponte levadiça e protegemos as muralhas quando um homem de Belial se aproxima do nosso castelo. O seu caráter é um *casus belli*, não podemos fazer outra coisa, senão contender com aqueles que contendem com Deus.

23. *"Sonda-me, ó Deus, e conhece o meu coração."* Davi não é cúmplice de traidores. Ele os renega firmemente e agora apela a Deus, mostrando que ele não alimenta nenhum traço de comunhão com eles. Ele deseja que Deus o sonde, e

o sonde completamente, até que cada ponto do seu ser seja conhecido, e lido, e entendido; pois ele está certo de que mesmo depois de tal investigação não será encontrada nele nenhuma cumplicidade com ímpios. Ele desafia a mais completa investigação; a busca mais íntima: é necessariamente um homem fiel o que se colocasse deliberadamente sob tal exame. Mas cada um de nós pode desejar esta investigação, pois seria uma terrível calamidade para nós se o pecado permanecesse em nossos corações, sem ser conhecido e descoberto.

"Prova-me e conhece os meus pensamentos." Realize todo e qualquer teste em mim. Que eu seja examinado pelo fogo e pela água. Não leia apenas os desejos do meu coração, mas os pensamentos fugitivos da minha cabeça. Conheça, com conhecimento penetrante, tudo o que há ou houve nas câmaras da minha mente. Que bênção é que exista um Ser que pode nos conhecer de modo perfeito! Ele é infinitamente íntimo conosco. Ele é graciosamente inclinado em nossa direção, e está disposto a curvar a sua onisciência para servir ao objetivo da nossa santificação. Oremos como Davi orou, e sejamos tão honestos quanto ele. Não podemos esconder o nosso pecado: a salvação está do outro lado, revelando completamente o mal, e afastando-se completamente dele.

24. *"E vê se há em mim algum caminho mau."* Veja se há em meu coração, ou em minha vida, algum mau hábito que eu desconheça. Se houver este mau caminho, remova-o de mim, remova-o de mim. Não importa o quão precioso o mal possa ter se tornado, ou quão profundamente preconceituoso eu possa ter sido, em seu favor, alegre-se, Senhor, em me livrar completamente dele, eficazmente e de uma vez, para que eu não tolere nada contrário à tua vontade. Assim como eu odeio os ímpios, no seu caminho, também desejo odiar cada caminho ímpio em mim. *"E guia-me pelo caminho eterno".* Se já me introduziste ao bom e velho caminho, alegra-te em me conservar nele, e conduzir-me por ele. É um caminho que estabeleceste há muito tempo, está baseado em princípios eternos e é o caminho em que os espíritos imortais correm para todo o sempre. Não haverá fim para ele, eternamente. Ele dura para sempre, e aqueles que nele estão permanecem para sempre. Conduze-me nele, ó Senhor, e conduze-me por toda a sua extensão. Pela tua providência, pela tua palavra, pela tua graça e pelo teu Espírito, conduze-me, para sempre.

NOTAS EXPLICATIVAS E DECLARAÇÕES SINGULARES

O salmo: Aben Ezra observa que este é o salmo mais glorioso e excelente de todo o livro: realmente, é muito excelente; mas é difícil dizer se é realmente o mais excelente. – *John Gill*

O salmo: Há um salmo que seria bom se os cristãos fizessem, com ele, como Pitágoras fazia com seus Preceitos de ouro – repeti-los todas as manhãs e todas as tardes. É o apelo de Davi a Deus, expondo uma boa consciência contra as suspeitas e calúnias dos homens, no Salmo 139. – *Samuel Annesley (1620-1696), em "The Morning Exercises"*

O salmo: Este salmo é uma das mais sublimes composições do mundo. Como pôde um pastor de ovelhas conceber um tema tão sublime, e escrevê-lo com tão sublime melodia? Os homens santos de Deus falaram inspirados pelo Espírito Santo. Que temas são mais sublimes do que os atributos divinos? E qual destes atributos é mais sublime do que a onipresença? A onisciência, a espiritualidade, o infinito, a imutabilidade e a eternidade, estão, necessariamente, incluídos nela. – *George Rogers*

O salmo: Que a sabedoria moderna, depois disto, considere os pastores honestos da Palestina como um grupo de *palhaços rudes e grosseiros;* que eles, se puderem, produzam, de autores profanos, pensamentos que são mais sublimes, mais delicados ou mais bem dirigidos; sem mencionar a sólida divindade e piedade que são aparentes sob estas expressões. – *Claude Fleury, 1640-1723*

O salmo: Aqui o poeta desvia o seu olhar, dos raios do sol aos estranhos átomos que compõem a sua própria estrutura. Ele treme à beira do seu próprio precipício.

Acima, está o Espírito que tudo abrange, de quem as asas da manhã não podem salvar; e abaixo, à distância, aparece, em meio ao bosque da sua estrutura animal, criado tão terrivelmente e maravilhosamente, o abismo da sua existência espiritual, como um lago escuro em uma posição central. Como, entre um mistério e outro, a sua mente, o seu assombro, a sua a razão, parecem oscilar como um pequeno barco, entre o mar e o céu. Mas ele rapidamente readquire a sua serenidade, quando se lança, com pressa e confiança infantis, aos braços do seu Espírito Paterno, e murmura no seu seio, "quão preciosos são para *mim*, ó Deus, os teus pensamentos; quão grande é a soma deles"; e olhando, por fim, para o seu rosto, clama – "Sonda-me, ó Senhor. Eu não posso te sondar; não posso sondar a mim mesmo; estou impressionado com estas terríveis profundezas, mas sonda-me, como somente tu podes fazer; vê se há em mim algum caminho mau e guia-me pelo caminho eterno". – *George Gilfillan (1813-1878), em "The Bards of the Bible"*

O salmo: O salmo tem um objetivo prático imediato, que é exposto já quase no final. Não se trata de uma descrição abstrata dos atributos divinos, com um mero propósito indireto em vista. Se Deus é tal Ser, se a sua atuação vital sobre toda a sua criação impregna todos os objetos, ilumina os mais profundos e escuros recantos, se o seu conhecimento não tem limites, penetrando nos misteriosos processos da criação, no menor e mais elementar germe da vida; se o seu olho pode discernir os mais sutis e recônditos processos da mente, abrangendo o conceito mal formado, o desejo germinante "à distância"; se, antes de toda a existência finita, foi divulgado o seu decreto pré-determinante, se, naqueles antigos registros da eternidade, estava inscrita a estrutura do homem, com todos os seus incontáveis elementos e órgãos, em todas as épocas da sua duração – então, pelo seu servo, seu adorador na terra, há duas consequências, práticas e importantes: *A primeira,* não ter nem sentir qualquer complacência pelos ímpios, qualquer simpatia pelos seus maus caminhos, qualquer comunhão com eles, nestas condições; e, *a segunda,* o fervoroso desejo de que Deus sonde a alma do salmista, para que em suas profundezas não sondadas não haja alguma iniquidade à espreita, além da atual jurisdição da sua consciência, algum campo obscuro que somente o olho onisciente poderia explorar. – *Bela B. Edwards (1802-1852), na obra de H. C. Fish, "Masterpieces of Pulpit Eloquence"*

O salmo:

Sondador de corações! Tu conheces
os mais íntimos segredos do meu peito;
em casa, fora, em meio a multidões, sozinho,
Tu observas o meu despertar e o meu descanso,
Os meus pensamentos distantes, através de cada perplexidade,
Fonte, corrente e resultado – todos os meus caminhos.

Como sairei da tua presença.
Ou para onde fugirei do teu Espírito;
uma vez que tudo existe, acima, ao redor, abaixo,
na tua imensidão?
Se para o céu eu tomo o meu caminho,
Te encontro no dia eterno.

Se no sepulcro fizer minha cama,
com vermes e poeira, eis que estás ali!
Se, sobre as asas da velocidade da manhã,
para além do oceano eu vou,
sinto a tua vontade, que tudo controla,
e a tua mão direita me sustenta.

Se eu disser, "Que a escuridão me esconda",
a escuridão não poderá, realmente, ser um esconderijo,
a noite resplandece como o dia;
as trevas e a luz são para ti a mesma coisa:
pois tu viste o meu embrião,
antes que a minha mãe conhecesse o seu próprio bebê.

Em mim o teu talento se exibiu,
eu sou um milagre do teu poder:
de um modo terrível e tão maravilhoso fui formado,
no oculto, pela tua mão;
Eu vivi, antes de ser trazido ao mundo,
no teu pensamento eterno.

Quão preciosos são os teus pensamentos de paz,
ó Deus, para mim! Quão grande é a soma deles!
Novos a cada manhã, nunca cessam;
eles existiram, eles existem, e existirão.
Em número e abrangência maior do que
as areias do oceano ou da praia do oceano.

Sonda-me, ó Deus! e conhece o meu coração,
prova-me, investiga o interior da minha alma,
e aconselha o teu servo a se afastar
de cada caminho mau e falso:
Assim a verdade será o meu guia
para a vida e a imortalidade.
– *James Montgomery*

O salmo: O salmo pode ser resumido da seguinte maneira. Versículo 1: *"Senhor, tu me sondaste e me conheces"*. Como se ele tivesse dito, "Senhor, tu és o Deus que sonda corações, que conheces perfeitamente todos os pensamentos, conselhos, estudos, esforços e ações de todos os homens, e, portanto, os meus. Versículo 2: *"Tu conheces o meu assentar e o meu levantar, de longe entendes o meu pensamento"*. Como se ele tivesse dito: "Tu conheces o meu descanso e o meu movimento, e os meus pensamentos em ambas as situações". Versículo 3: *"Cercas o meu andar e o meu deitar; e conheces todos os meus caminhos"*. – Como se tivesse dito: "Tu me sopras e me peneiras", isto é: "Tu discutes comigo e me provas ao máximo". Versículo 4: *"Sem que haja uma palavra na minha língua, eis que, ó Senhor, tudo conheces"*. – Como se tivesse dito: "Eu não consigo dizer sequer uma palavra, por mais secreta, obscura ou sutil que seja, sem que tu saibas qual é, e por que, e com que estado de espírito foi proferida". Versículo 5: *"Tu me cercaste em volta e puseste sobre mim a tua mão"*. – Como se ele tivesse dito: "Tu me conservas dentro dos limites do teu conhecimento, como um homem que não permitirá que o seu servo saia do alcance da sua vista. Eu não consigo me separar de ti". Versículo 6: *"Tal ciência é para mim maravilhosíssima; tão alta, que não a posso atingir"*. Como se tivesse dito: "O conhecimento da tua grande e gloriosa majestade e eternidade é completamente superior a toda compreensão humana". Versículo 7: *"Para onde me irei do teu Espírito ou para onde fugirei da tua face?"* – Como se ele tivesse dito: "Para onde poderei fugir de ti, cuja essência, presença e poder estão em todos os lugares?" Versículo 8: *"Se subir ao céu, tu aí estás; se fizer no Seol a minha cama, eis que tu ali estás também"*. – Como se ele tivesse dito: "Não há altitude acima de ti, não há profundeza abaixo de ti". Versículo 9: *"Se tomar as asas da alva, se habitar nas extremidades do mar"*. – Como se ele tivesse dito: "Se eu tivesse asas para voar tão velozmente como a luz da manhã, do oriente ao ocidente, para que, em um momento, pudesse chegar às partes mais extremas do mundo". Versículo 10: *"Até ali a tua mão me guiará e a tua destra me susterá"*. – Como se ele tivesse dito: "Dali, a tua mão me trará de volta, e me segurará, como a um fugitivo". Versículo 11: *"Se disser: decerto que as trevas me encobrirão; então, a noite será luz à roda de mim"*. – Como se tivesse dito: "Embora as trevas dificultem a visão do homem, não o fazem com a tua". Em uma palavra, para qualquer lado que olhes, não há esconderijo de Deus. "Os olhos de Deus estão sobre os caminhos de cada um, e Ele vê todos os seus passos. Não há trevas nem sombra de morte onde aqueles que praticam a iniquidade possam se esconder" (Jó 34.21,22). Portanto, cristãos, não façam nada, exceto o que desejam que Deus perceba; e julguem, internamente, se este não é o caminho para ter uma consciência boa e tranquila. – *Samuel Annesley*

O salmo: Neste salmo é cumprido aquilo que o salmo anterior diz, no seu versículo 6, ou seja: *"Ainda que o Senhor é excelso, atenta para o humilde; mas ao soberbo, conhece-o de longe"*. Este Salmo tem múltiplos pontos de contato com o seu predecessor. – *Franz Delitzsch*

"Ao regente do coro" (ou "Ao mestre da música"): Como um autor posterior não teria motivos para incluir um título como este, isto proporciona uma prova incidental de antiguidade e autenticidade. – *Joseph Addison Alexander*

"Salmo de Davi": Como algum crítico pode atribuir este salmo a qualquer outra pessoa, que não Davi, é algo que não consigo compreender. Cada linha, cada pensamento, cada expressão e transição, cada uma destas coisas é sua, e somente sua. Quanto aos argumentos extraídos dos dois caldaísmos que aparecem, isto é realmente sem valor. Estes caldaísmos consistem, meramente, na substituição de uma letra por outra, muito parecida em forma, e que seria facilmente confundida no momento da transcrição, particularmente por alguém que fosse acostumado ao idioma dos caldeus; mas o argumento moral, a favor da autoria de Davi, é tão forte que subjuga qualquer crítica verbal, ou melhor, *literal*, mesmo que as objeções fossem mais formidáveis do que realmente são. – *John Jebb*

v. 1: "Senhor, tu me sondaste e (me) conheces". Não há *"me"* com *"conheces"* no hebraico; por isto é melhor interpretar o objeto com um sentido mais amplo. A omissão é intencional, para que o coração crente de todos os que usam este salmo possam suprir a elipse. Tu conheceste e conheces *tudo o que diz respeito ao assunto em questão,* bem como quando eu e os meus somos culpados ou inocentes (Sl 44.21); também as minhas exatas circunstâncias, minhas necessidades, minhas angústias e o momento preciso de me aliviar. – *A. R. Fausset*

v. 1: "Senhor, tu me sondaste e me conheces". O homem temente e obediente ao Senhor pode, às vezes, estar tão sobrecarregado com calúnias e censuras a ponto de não conseguir encontrar uma maneira de se inocentar perante os homens, mas deve se contentar e consolar com o testemunho de uma boa consciência e com a aprovação, por parte de Deus, da sua integridade, como acontece com Davi, aqui. – *David Dickson*

v. 1: "Senhor, tu me sondaste e me conheces". Aqui, Davi apresenta a grande doutrina, de que Deus tem um conhecimento perfeito de nós. Em primeiro lugar, *dirigindo-se a Deus:* ele diz isto a Ele, atribui isto a Ele e lhe dá a glória por isto. As verdades divinas parecem plenas quando são assunto de oração, como também quando são assunto de pregação: e é muito melhor do que quando são assunto de contendas. Quando falamos a respeito de Deus com Ele mesmo, estamos interessados em falar com a maior sinceridade e reverência, que provavelmente provocarão impressões mais profundas. Em segundo lugar, ele a apresenta *como aplicação a si mesmo:* não somente tu conheces tudo, mas "*me* conheces"; isto é o que eu tenho interesse em crer, e que será mais benéfico para a minha consideração. Então, nós conhecemos coisas para o nosso bem, quando as conhecemos por experiência pessoal (Jó 5.27)... Davi era um rei, e "para o coração dos reis, não há investigação alguma" por parte dos seus súditos (Pv 25.3), mas não deixa de haver investigação por parte do seu soberano. – *Matthew Henry*

v. 1: "Senhor, tu me sondaste e me conheces". Eu desejo que você observe quão perfeitamente, no primeiro versículo, ele explica a verdade ao seu próprio coração e à sua própria consciência: "Senhor, tu me sondaste". Ele não passa sobre ela como uma verdade genérica, em que os números diziam que ele poderia ter a esperança de escapar ou de evitar este apelo solene, mas diz: "Tu *me* sondaste". – *Barton Bouchier*

v. 1: "Sondaste". A palavra hebraica significa, originalmente, *cavar* e é aplicada à busca de metais preciosos (Jó 28.3), mas metaforicamente, a uma investigação moral de culpa. – *Joseph Addison Alexander*

vv. 1 a 5: Deus sabe tudo o que acontece no mais íntimo de nossas almas melhor do que nós mesmos: Ele lê os nossos mais secretos pensamentos: todas as cogitações de nossos corações passam em revista diante dele; e Ele está tão perfeitamente e inteiramente empregado no escrutínio dos pensamentos e dos atos de um indivíduo como na regulação dos mais importantes interesses do universo. Isto é o que não conseguimos compreender; mas é o que, à luz da razão, deve ser verdade, e, segundo a revelação, é realmente verdade. Deus não pode fazer nada de maneira imperfeita; e podemos formar alguma ideia do seu conhecimento supervisor, imaginando qual é, realmente, a verdade, de que todos os poderes da Divindade são empregados, e unicamente empregados, na observação e no exame da conduta de um indivíduo. Eu quero dizer, este é realmente o caso, porque todos os poderes da Divindade são empregados sobre os menores interesses do universo, bem como sobre os maiores; e toda a mente e o poder do Criador são tão exclusivamente empregados na formação de uma larva como de um mundo. Deus conhece tudo perfeitamente, e Ele conhece tudo perfeitamente, imediatamente. Isto, para o entendimento humano, geraria confusão; mas não pode haver confusão no entendimento divino, porque a confusão é gerada pela imperfeição. Assim Deus, sem confusão, contempla as ações de cada homem tão distintamente como se este homem fosse o único ser criado, e a divindade fosse empregada unicamente na observação dele. Que este pensamento encha a sua mente com assombro e remorso. – *Henry Kirke White, 1785-1806*

vv. 1 a 12:

Ó, Senhor, em mim, não há nada,
mas a tua busca revela mentiras,
pois quando eu me sento
Tu o notas,
como notas quando me levanto;
Sim, o mais íntimo do meu pensamento
tem janelas abertas para os teus olhos.

Tu caminhas comigo quando eu ando.
Quando vou para minha cama, para descansar,
ali te encontro,
e em toda parte:
nem o menor pensamento cresce em mim,
nem uma palavra sequer eu pronuncio
que, ainda impronunciada, não conheças.

Se eu ando, tu vais à minha frente;
se retrocedo, tu vens atrás de mim;
assim, nem seguindo à frente nem voltando
perco a tua guarda;
Em mim, também, tua mão encontro.
Posso adorar a tua sabedoria,
mas nunca alcançá-la com a mente terrena.

Para evitar a tua observação, deixar o teu olho
para onde posso seguir?
Para a esfera das estrelas?
O teu trono está ali.
Para a desagradável morada dos mortos?
Ali está o teu andar, e estar ali, incógnito,
em vão eu tentaria.

Ó sol, com que nenhuma luz nem voo pode se equiparar!
Suponhamos que as tuas asas luminosas e velozes
me emprestasses,
e eu pudesse voar
para tão longe quanto a noite te leva:
até o ocidente ele me alcançaria,
para que eu não me escondesse em meio às coisas ocidentais.

Faze o melhor que puderes, ó noite secreta,
para me esconder, com negro véu,
o teu negro véu
cairá inutilmente:
Desmascarada como o dia, será a minha noite;
Pois a noite é dia, e as trevas, luz,
para ti, ó Pai de todas as luzes.
– *Sir Philip Sidney, 1554-1586*

v. 2: "Tu". Davi faz do pronome pessoal o frontispício do versículo, e assim diz, expressa e diretamente ao Senhor: *"Tu* conheces", desta maneira assinalando a diferença entre Deus e todos os outros, como se dissesse: "Tu, e somente tu, ó Deus, em todo o universo, conheces tudo o que se pode conhecer sobre mim, até mesmo o meu pensamento mais íntimo, e também os meus atos abertos". – *Martin Geier*

v. 2: "Tu conheces o meu assentar e o meu levantar". Deus se importa? *É* Ele nosso Amigo? Até mesmo em pequenas coisas como estas, Ele nos vigia, "para nos fazer o bem"?... Quando nos "assentamos", Ele vê; quando nos levantamos, Ele está ali. Nenhuma ação passa despercebida, nenhum pensamento é negligenciado. Não é de admirar que, quando estes pequenos milagres de cuidado são relatados por Davi, ele adicione as palavras, *"Tal ciência é para mim maravilhosíssima; tão alta, que não a posso atingir"*. Nós nos acostumamos à ideia de que Deus criou o sol e o céu, "a lua e as estrelas que [Ele] preparou" e nos curvamos ao fato de que são "obra dos seus dedos". Vamos adiante! A *"entrada"* e a *"saída"* do cristão são mencionadas várias vezes nas Escrituras, como se fossem muito importantes. Muitas coisas dependem destas pequenas palavras. "[Davi] saía e entrava diante do povo. E Davi se conduzia com prudência em todos os seus caminhos, e o Senhor era com ele" (1 Sm 18.13,14). "O Senhor guardará a tua entrada e a tua saída, desde agora e para sempre" (Sl 121.8). Davi recebia *preservação* e *sabedoria* em suas "entradas" e "saídas". Talvez a segunda fosse causa e também efeito da primeira. E isto era necessário, pois muitos olhos estavam sobre ele, e muitos olhos estão sobre nós: não estão? Talvez mais do que nós imaginamos. – *Lady Hope, Between Times", 1884*

v. 2: "Assentar e levantar". *"Levantar-se"* segue *"assentar-se"*, esta é a ordem da sequência correta; pois a ação deve seguir a meditação. Jacó viu os anjos ascendendo para Deus antes que eles descessem para servir entre os mortais. Por isto, somos ensinados a, em primeiro lugar, nos unir a Deus pela meditação, e posteriormente, sair em auxílio dos nossos companheiros. – *Thomas Le Blanc*

v. 2: "Levantar-se" pode referir-se ao levantar *da cama*, quando o Senhor sabe se o coração ainda está com Ele (v. 18); pode referir-se à percepção que o coração tem da proteção e do sustento divinos, e a gratidão que nele há pelas misericórdias da noite passada; pode referir-se a se a voz da oração e do louvor é dirigida a Ele pela manhã, como deveria ser (Sl 3.5; 5.3); ou pode ainda referir-se a levantar-se *da mesa*, pois o Senhor sabe se a mesa de um homem foi a sua armadilha, e com que gratidão pelos favores que recebeu ele se levanta dela. A interpretação dos Targum é de levantar-se para ir para a guerra; o que Davi fez, no nome e na força do Senhor, e por sua orientação. – *John Gill*

v. 2: "De longe entendes o meu pensamento". *"Meu pensamento"*, isto é, cada pensamento, embora incontáveis pensamentos passem por mim em um dia. O conhecimento divino alcança a origem e fonte dos nossos pensamentos, antes que sejam nossos pensamentos. Se o Senhor os conhece antes da sua existência, antes que possam ser apropriadamente chamados de nossos pensamentos, muito mais Ele os conhecerá quando realmente surgirem em nós; Ele conhece a tendência deles, sabe para onde o pássaro se dirige quando está voando; Ele os conhece com exatidão; por isto, é chamado de "discernidor" ou crítico do coração (Hb 4.12). – *Stephen Charnock*

v. 2: "De longe entendes o meu pensamento". Isto não significa que Deus está distante dos nossos pensamentos, mas que Ele os entende quando eles ainda estão longe de nós, do nosso conhecimento, embora sejam potenciais, da mesma maneira como os jardineiros sabem quais ervas determinado solo irá produzir, quando nada aparece. "Conheço a sua imaginação, o que eles fazem hoje, antes que os meta na terra que tenho jurado" (Dt 31.21). Deus conhecia os pensamentos do seu povo, antes que chegassem a Canaã, sabia quais eles seriam ali. E como pode ser isto, exceto pelo fato de que Deus conhece todos os nossos pensamentos, pois Ele criou o coração, que está na sua mão (Pv 21.1), pois "vivemos, e nos movemos, e existimos" em Deus (At 17.28); pois Ele é sobre todos, e por todos, e em todos (Ef 4.6). Examinem bem os seus corações, pensamentos, incentivos, tudo o que vier às suas mentes; não permitam que ali se alojem pecados secretos ou corrupções; não pensem em esconder qualquer coisa dos olhos de Deus. – *William Greenhill*

v. 2: "De longe entendes o meu pensamento". Embora os meus pensamentos nunca sejam tão estranhos e distantes um do outro, tu entendes a corrente de tais pensamentos, e consegues compreender a sua conexão, quando tantos deles escapam à minha observação, de maneira que eu não os entendo. – *Matthew Henry*

v. 2: "Meu pensamento". A palavra רֵעַ (*rēa'*), que traduzimos como *"pensamento"*, significa também um *amigo* ou *companheiro*, motivo pelo qual alguns interpretam – *Tu conheces o que está mais perto de mim, à distância,* um significado mais específico do que qualquer outro, se puder ser suportado pelo exemplo. A referência, então, seria muito apropriadamente, ao fato de que os mais distantes objetos são considerados próximos, por Deus. Alguns interpretam *"de longe"* como *de antemão,* significado que a palavra hebraica assume em outras passagens; como se ele tivesse dito, Ó Senhor, cada pensamento que eu concebo em meu coração já é conhecido por ti de antemão. – *João Calvino*

v. 2: "Pensamento". Em toda a aflição, em todas as atividades, a melhor consolação do homem é o fato de que tudo o que ele faz, e até mesmo tudo o que ele pensa, Deus conhece. Na Septuaginta, lemos διαλογισμούς, isto é, "raciocínio". Deus conhece todo o nosso raciocínio interior, todos os diálogos, todos os colóquios da alma consigo mesma. – *Thomas Le Blanc*

v. 2: "Entendes o meu pensamento". Diante dos homens, nós somos como colmeias opacas. Eles podem ver os pensamentos entrando e saindo de nós, mas a obra que eles produzem dentro de um homem, eles não conhecem. Diante de Deus, nós somos como colmeias de vidro transparente, e tudo o que os nossos pensamentos fazem dentro de nós, Ele vê e entende completamente. – *Henry Ward Beecher*

v. 2: "De longe entendes o meu pensamento".

"O homem pode não ver que você faz uma obra ímpia;
mas Deus pode ler o seu mais íntimo pensamento".

– *Plutarco*

v. 2: "De longe". Esta expressão, como em Sl 138.6, deve ser interpretada como contradizendo a ilusão (Jó 22.12-14) de que o fato de que Deus habita no céu impede que Ele observe os pensamentos mundanos. – *Lange, Commentary*

v. 2: "De longe". No espaço, não importando quão longe um homem possa procurar esconder os seus pensamentos de Deus, e também no tempo, pois na sua presciência eterna, Deus conhece o pensamento humano antes que o homem o conceba em seu coração. Os egípcios chamavam Deus de "olho do mundo". – *Thomas Le Blanc*

vv. 2 a 4: Não imagine que o seu comportamento, a sua postura, a sua veste ou o seu modo de agir não está sob a providência de Deus. Você se engana. Não pense que os seus pensamentos estão livres de inspeção. O Senhor os entende de longe. Não pense que as suas palavras são dissipadas no ar antes que Deus possa ouvi-las. Oh, não! Ele as conhece quando ainda estão em nossa língua. Não pense que os seus caminhos são tão privados e ocultos que não existe ninguém que os conheça ou censure. Você se equivoca. Deus conhece todos os seus caminhos. – *Johann David Frisch, 1731*

v. 3: "Cercas o meu andar e o meu deitar", etc. As palavras que acabo de ler para você parecem ser uma metáfora, extraída de soldados que cercam os caminhos com uma emboscada, ou colocam espiões em cada canto, para descobrir o inimigo na sua marcha; *"Cercas o meu andar"*: tu tens (por assim dizer) os teus espiões sobre mim, onde quer que eu vá. Por *"andar"* se entendem as ações externas e o seu modo de vida regular. Por *"deitar"* se entendem os atos privados e íntimos da sua vida; os que eram acompanhados somente pela escuridão e pela solidão. Em Sl 36.4, está escrito, sobre o ímpio, que ele "maquina o mal na sua cama", indicando não apenas a sua perversa diligência, mas também o seu segredo nisto; e está escrito que Deus "ocultará seus filhos em um pavilhão", de modo que estes lugares de descanso onde é possível deitar são destinados para a fuga e o segredo. Quando um homem se retira a seus aposentos, de certa maneira, durante algum tempo, ele se afasta do mundo. E é este o sentido da expressão *deitar* que aparece nas palavras *"conheces todos os meus caminhos"*, em que o salmista reúne em uma única palavra o que tinha dito antes, em duas; ou, isto pode resultar de dedução do anterior. Como se ele dissesse, tu sabes o que eu faço, na minha convivência normal com os homens, e também como eu me comporto quando me isolo deles; por isto, tu conheces *todos* os meus atos, uma vez que os atos do homem podem ser reduzidos ao seu comportamento, seja ele público ou privado. O significado da outra expressão de *"meus caminhos"* é, aqui, a totalidade do comportamento de um homem diante de Deus, seja em pensamentos, palavras ou obras, como é evidente pela comparação deste versículo com outros. – *Robert South*

v. 3: "Cercas o meu andar". Esta é uma metáfora, seja de caçadores que vigiam todos os movimentos e locais de espreita de animais selvagens, para que possam aprisioná-los; ou de soldados que sitiam seus inimigos em uma cidade, cercando-os. – *Matthew Pool*

v. 3: "Cercas", ou separas ou peneiras "meu andar"; isto é, examinas ou provas ao máximo, examinando os meus passos, que é o significado da palavra grega. Compare com Jó 31.4. – *Henry Ainsworth*

v. 3: "Conheces todos os meus caminhos". Deus observa cada passo que nós damos, cada passo correto e cada passo errado. Ele sabe por qual regra andamos, com que finalidade caminhamos à frente, com que grupo andamos. – *Religious Tract Society's Commentary*

v. 3: "Conheces", como por um relacionamento extremamente familiar, como se sempre tivesses vivido comigo [hebraico] e assim estivesses inteiramente familiarizado com os meus caminhos. – *Henry Cowles*

v. 3: O salmista menciona quatro tipos de existência humana; *stationis, sessionis, itionis, cubationis*; porque o homem nunca permanece por muito tempo em um destes tipos, entretanto em cada mudança, os olhos do Senhor nunca deixam de observá-lo. – *Geier*

v. 4: "Sem que haja uma palavra na minha língua", etc. As palavras admitem um duplo significado. Alguns entendem que elas indicam que Deus sabe o que estamos prestes a dizer, antes que as palavras se formem em nossa língua; outros, que, ainda que não pronunciemos sequer uma palavra, e tentemos, com o silêncio, esconder nossas intenções secretas, não podemos enganar a sua observação. Qualquer uma das traduções resulta na mesma coisa, e não é importante qual delas adotemos. A ideia que deve ser transmitida é a de que, embora a língua seja o indicador do pensamento do homem, sendo o seu grande meio de comunicação, Deus, que conhece o coração, não depende das palavras para nos compreender. E o uso da partícula demonstrativa *eis* indica enfaticamente que os mais íntimos recessos do nosso espírito estão patentes à sua visão. – *João Calvino*

v. 4: "Sem que haja uma palavra na minha língua", etc. Como é necessário colocar um vigia diante da porta da nossa boca, para refrear este nosso membro incontrolável, a língua, como que com um freio. Alguns de vocês sentem, às vezes, que mal conseguem dizer uma palavra, e que quanto menos disserem, melhor será. Bem, isto pode ser conveniente, pois os que falam muito certamente cometerão deslizes com a sua língua. Pode ser bom que você não fale muito, pois na multidão de palavras não falta transgressão. Onde quer que você vá, quantas conversas levianas, inúteis e tolas você ouve! Eu estou feliz por não ser atirado a circunstâncias onde eu possa ouvi-las. Mas com você, pode ser diferente. Você poderá frequentemente se arrepender de falar, mas raramente se arrependerá de ficar em silêncio. Com que rapidez as palavras são proferidas quando uma pessoa está irada! Com que rapidez as expressões tolas saem da boca! O Senhor sabe de tudo isto, presta atenção a tudo isto, e se nós realizássemos uma avaliação mais solene deste assunto, seríamos mais vigilantes do que somos. – *Joseph C. Philpot*

v. 4: "Quando não há palavra na minha língua, ó Senhor, tu já conheces tudo"; esta é a interpretação de alguns; pois, para Deus, os pensamentos são palavras. – *Matthew Henry*

v. 4: "Tudo conheces". Deus sabe o que acontece em nossas mentes, sem o auxílio de olhos, ouvidos ou línguas; sobre esta divina onisciência se fundamenta o sentimento dos homens de que, quando desejamos em silêncio, ou oferecemos uma oração por alguma coisa, podemos ter a certeza de que Deus nos ouve. – *Cícero*

v. 5: "Tu me cercaste em volta", etc. Aqui há uma imperceptível transição, da onisciência de Deus para a sua onipresença, de onde as Escrituras representam o seu surgimento. *"Em volta"*, por todos os lados. A ideia de *acima* e *abaixo* é sugerida pela última sentença. *"Cercaste"*, cercar, encerrar ou envolver. *"Tua mão"*, ou a palma da tua mão, que é o significado exato da palavra hebraica. – *Joseph Addison Alexander*

v. 5: "Tu me cercaste em volta". O que você diria se, para onde quer que se voltasse, o que quer que fizesse, o que quer que pensasse, em público ou em particular, com um amigo confidente, contando seus segredos ou sozinho, planejando-os – se tivesse um olho constantemente fixo em você, de cuja vigilância, por mais que você se desviasse, jamais conseguiria escapar... e que percebesse cada pensamento seu? A suposição é suficientemente impressionante. E este olho existe. – *De Vere*

v. 5: "Tu me cercaste em volta". Uma pessoa que encontra o caminho bloqueado retrocede, mas Davi se encontrou cercado *em volta*. – *João Calvino*

v. 5: "Puseste sobre mim a tua mão". Como por uma prisão, de modo que eu sou teu prisioneiro, e não posso me afastar de ti. – *John Trapp*

v. 5: "Puseste sobre mim a tua mão". Para tornar-me aceitável a ti. Para me controlar, me orientar, me sustentar, me proteger; para me restaurar; no meu crescimento, no meu andar, nas minhas falhas, na minha aflição, no meu desespero. – *Thomas Le Blanc*

v. 6: "Tal ciência é para mim maravilhosíssima", etc. Quando estamos prestes a considerar as perfeições de Deus, devemos observar as nossas próprias imperfeições, e desta maneira aprender a ser mais modestos na nossa busca pela perfeição insondável de Deus; *"Tal ciência"*, diz Davi, *"é para mim maravilhosíssima; tão alta, que não a posso atingir"*. Nós veremos uma grande parte de Deus quando o virmos incompreensível, e nos virmos, a nós mesmos, engolidos pelos pensamentos sobre as suas perfeições, e nos virmos forçados a cair em admiração por Deus, como aqui. *"Tal ciência é para mim maravilhosíssima; tão alta, que não a posso atingir"*. *– David Dickson*

v. 6: "Tal ciência é para mim maravilhosíssima". Em comparação com o nosso conhecimento escasso, quão maravilhoso é o conhecimento de Deus! Como Ele fez todas as coisas, Ele está intimamente familiarizado, não somente com as propriedades destas coisas, mas com a sua própria essência. O seu olho, no mesmo instante, investiga todas as obras da sua imensurável criação. Ele observa, não somente o complicado sistema do Universo, como também o mais leve movimento do mais microscópico inseto – não somente o mais sublime conceito de anjos, mas a mais ligeira propensão da mais insignificante das suas criaturas. Neste momento, Ele está ouvindo os louvores expressos por corações agradecidos em mundos distantes, e lendo cada pensamento humilhante que passa pelas mentes corrompidas da raça pecadora de Adão... Com um olhar, Ele examina o passado, o presente e o futuro. Não há desatenção que o impeça de observar; nenhuma falha de memória ou de juízo obscurece a sua compreensão. Na sua lembrança estão armazenadas não somente as transações deste mundo, mas as de todos os mundos do universo; não somente os eventos dos seis mil anos que se passaram desde que a terra foi criada, mas de uma duração sem princípio. Na verdade, as coisas que hão de vir, que se estendem a uma duração sem fim, também estão diante dele. Uma eternidade passada e uma eternidade futura estão, no mesmo momento, diante dos seus olhos; e com estes olhos eternos, Ele examina o infinito. Quão assombroso! Quão inconcebível! *– Henry Duncan (1774-1846), Sacred Philosophy of the Seasons*

v. 6: "Tal ciência é para mim maravilhosíssima". Há um mistério a respeito da Onipresença divina, que não aprendemos a solucionar, mesmo depois de anos de meditação. Como Deus é um espírito, sem dimensões, partes ou suscetibilidade de divisão, Ele está igualmente, isto é, plenamente presente, em todos os tempos, em todos os lugares. Ele não está, em algum momento, parcialmente presente aqui e parcialmente no extremo do mais distante sistema que gira ao redor do mais obscuro astro telescópico, como se, como uma galáxia de perfeição, Ele estendesse uma sublime magnificência pelo espaço universal, que admitisse separação e partição; mas Ele está presente, com a totalidade das suas gloriosas propriedades, em cada ponto do espaço. Isto resulta, sem dúvida, da espiritualidade daquele que é Grandioso e Supremo. Tudo o que Deus é, em um lugar, Ele é, em todos os lugares. Tudo o que há de Deus está em todos os lugares. Na verdade, a sua presença não depende de espaço ou matéria. O seu atributo de presença essencial seria o mesmo, se a matéria universal fosse apagada. Somente por uma comparação podemos dizer que Deus está no universo, pois Ele abrange o universo. Toda a glória ilimitada da Divindade está essencialmente presente, em cada ponto da sua criação, ainda que possam ser variadas as manifestações desta glória, em diferentes tempos e lugares.

Aqui temos um caso que deve instruir e tornar sóbrios àqueles que, em sua filosofia superficial, exigem uma religião sem mistério. Seria uma religião sem Deus; pois quem "alcançará os caminhos de Deus"? (Jó 11.7) *– James W. Alexander, "The [American] National Preacher", 1860*

v. 7: "Para onde me irei do teu Espírito?" Por "Espírito de Deus", não entendemos aqui, como em outras partes das Escrituras, meramente o seu poder, mas o seu entendimento e conhecimento. No homem, o espírito é a sede da inteligência, e assim é aqui, em referência a Deus, como fica claro pela segunda parte da sentença, onde, *"a face de Deus"* significa o seu conhecimento ou a sua inspeção. *– João Calvino*

v. 7: "Para onde me irei do teu Espírito?" Isto é, de ti, que és Espírito, e assim podes me perfurar e penetrar; estás tão verdadeiramente e essencialmente nas entranhas da minha alma, como a minha alma está intimamente e essencialmente no meu corpo; *"do teu Espírito"*, isto é, do teu conhecimento e do teu poder; o teu conhecimento em me detectar e observar, e o teu poder para me sustentar ou quebrantar. – *Ezekiel Hopkins, 1633-1690*

v. 7: Nós podemos escapar à vigilância de um inimigo humano, e nos colocar fora do seu alcance. Deus ocupa todo o espaço – não há um ponto sequer em que o seu olhar penetrante não esteja sobre nós, e a sua mão erguida não possa nos encontrar. O homem deve atacar logo, se realmente desejar atacar, pois as oportunidades desaparecem diante dele, e a sua vítima pode escapar à sua vingança pela morte. Deus não perde oportunidades, e é isto o que torna a sua tolerância algo tão solene. Deus pode esperar, pois Ele tem toda a eternidade diante de si, durante a qual Ele pode atacar. "Todas as coisas estão nuas e patentes aos olhos daquele com quem temos de tratar". – *Frederick William Robertson, 1816-1853*

v. 7: "Para onde me irei", etc. Certa vez, um filósofo pagão perguntou: "Onde está Deus?" O cristão respondeu: "Antes, deixe-me perguntar a você, Onde Ele não está?" – *John Arrowsmith, 1602-1659*

v. 7: "Para onde fugirei da tua face?" Seria estranho um exílio que pudesse nos separar de Deus. Eu não falo daquelas pobres e comuns consolações (o fato de que em todas as terras e costas é o seu sol que brilha, os seus elementos de terra ou água que nos sustentam, o seu ar que respiramos), mas aquele privilégio especial (o fato de que a sua graciosa presença está sempre conosco; o fato de que nenhum mar é tão amplo que possa nos separar da sua benevolência; de que onde quer que comamos, Ele é nosso anfitrião; onde quer que descansemos, as asas da sua abençoada providência se estendem sobre nós). Que a minha alma tenha certeza disto, ainda que o mundo inteiro se torne um traidor para mim. – *Thomas Adams*

v. 7: "Para onde fugirei?", etc. Certamente, não há onde se esconder da presença do Criador. Aqueles que tentam, fazem apenas como o peixe que nada uma distância igual ao comprimento da linha, tendo um anzol na sua boca. – *John Trapp*

v. 7: "Tua face". A presença da glória de Deus está no céu; a presença do seu poder está na terra; a presença da sua justiça está no inferno; e a presença da sua graça, com o seu povo. Se Ele nos negar a sua poderosa presença, nós nos tornamos nada; se Ele nos negar a sua graciosa presença, caímos em pecado; se nos negar a sua misericordiosa presença, caímos no inferno. – *John Mason*

v. 7: "Tua face". O famoso Lineu testificou, em seu modo de vida, seus escritos, e seus atos, a maior percepção da presença de Deus. Tão fortemente ele estava impressionado com a ideia, que escreveu sobre a porta da sua biblioteca: *"Innocue vioite, Numen adest – Viva inocentemente: Deus está presente". – George Seaton Bowes, Information and Illustration", 1884*

vv. 7 a 11: Você jamais será negligenciado pela Divindade, ainda que seja pequeno a ponto de afundar nas profundezas da terra, ou eminente, a ponto de voar para o céu; mas você sofrerá, dos deuses, a punição que lhe é devida, quer habite aqui, ou parta para o Hades, ou seja levado para um lugar ainda pior do que estes. – *Platão*

vv. 7 a 12: Este salmo não foi escrito por um panteísta. O salmista fala de Deus como uma Pessoa que está presente, em todas as partes, na criação, mas é distinto da criação. Nestes versículos, ele diz: *"Teu Espírito... tua* face... *tu* aí estás... *tua* mão... *tua* destra... nem ainda as trevas me escondem de *ti"*. Deus está em todas as partes, mas Ele não é tudo. – *William Jones, A Homiletic Commentary on the Book of Psalms", 1879*

v. 8: "Se fizer a minha cama". Mais apropriadamente "Se eu estender a minha cama". Se eu buscasse um lugar para deitar. – *Albert Barnes*

v. 8: "Seol", ou "inferno", em algumas passagens das Escrituras, significa as partes inferiores da terra, sem relação com punição; *"Se subir ao céu, tu aí estás; se fizer no Seol a minha cama, eis que tu ali estás também".* Por *"céu"*, ele quer dizer a região superior do mundo, sem nenhuma relação com o estado da bem-aventurança; e *"Seol"*, ou inferno, é o lugar mais oposto e remoto, em distância, sem relação com a infelicidade. Como se tivesse dito: A despeito de onde quer que eu vá, a tua presença me encontrará. – *Joseph Caryl*

v. 8: "Tu aí estás". Ou, de maneira mais enfática e impressionante no original: *"Tu!"* Isto é, o salmista se imagina no mais elevado céu, ou nas mais profundas moradas dos mortos – e eis que Deus também está ali; ele não se afastou *dele!* Ele ainda está na presença do mesmo Deus. – *Albert Barnes*

v. 8: "Tu aí estás". O significado aqui não é o seu conhecimento, pois sobre isto o salmista já tinha falado antes: "De longe entendes o meu pensamento; conheces todos os meus caminhos" (vv. 2,3). Além disto: *"Tu aí estás"*, não a tua sabedoria, mas *tu*, a tua essência, não somente a tua virtude. Pois tendo falado antes sobre a sua onisciência, o salmista prova que tal conhecimento não poderia estar em Deus, a menos que Ele estivesse presente, na sua essência, em todos os lugares, de modo a não ser excluído de nenhum. Ele enche as profundezas do inferno, a extensão da terra e as alturas dos céus. Quando as Escrituras mencionam apenas o poder de Deus, ele é expresso como mão ou braço; mas quando mencionam o espírito de Deus, e não se referem à terceira pessoa da Trindade, isto significa a natureza e a essência de Deus; e assim, aqui, quando ele diz, *"Para onde me irei do teu Espírito?"*, ele acrescenta, exegeticamente, *"para onde fugirei da tua face?"* e a face de Deus, nas Escrituras, significa a essência de Deus:, "Não poderás ver a minha face" e "a minha face não se verá" (Êx 33.20,23); os resultados do seu poder, sabedoria, providência, são vistos, e são as suas costas, mas não a sua face. Os efeitos do seu poder e da sua sabedoria são vistos no mundo, mas a sua essência é invisível, e isto o salmista expressa, elegantemente. – *Stephen Charnock*

v. 9: "As asas da alva" é uma elegante metáfora; e podemos conjeturar que o significado seja os raios do sol, chamados de *"asas"* por causa do seu movimento rápido, tornando a sua passagem tão repentina e instantânea, de modo a impedir a observação dos olhos; chamados de *"asas da alva"* porque o amanhecer vem voando sobre estas asas do sol e trazendo a luz consigo, e, pelo bater destas asas, rompe as trevas diante de si. "Agora", diz o salmista, "se eu pudesse arrancar estas asas da manhã, os raios de sol, se eu pudesse enxertá-las nos meus próprios ombros, eu voaria para tão longe e tão rapidamente como as luzes, em um instante, para as partes mais distantes do mar; se no meu voo, eu visse alguma rocha solitária, tão formidável e lúgubre como se pudéssemos quase questionar se alguma vez a Providência tinha estado ali, se eu pudesse pousar sobre o seu topo, onde jamais alguma coisa tinha feito a sua morada, exceto a frieza, os trovões e as tempestades, ali a tua mão me dirigiria, e a tua destra me sustentaria". – *Ezekiel Hopkins*

v. 9: "As asas da alva". Para um ocidental esta imagem não é nem um pouco obscura. De minha parte, eu não posso duvidar que devemos entender certas nuvens belas e leves assim descritas, poeticamente. Eu observei, invariavelmente, que no final da primavera, no verão e mais particularmente no outono, nuvens brancas são vistas na Palestina. Elas somente aparecem nas primeiras horas da manhã, pouco antes e durante o nascer do sol. É a total ausência de nuvens, em todos os outros momentos do dia, exceto durante o curto período das chuvas de inverno, que confere tão assombrosa solenidade e força às descrições do Segundo Advento, onde o nosso Senhor é descrito como vindo nas nuvens. Esta característica da sua majestade perde todo o seu significado, em terras como a nossa, em que as nuvens tão uma ocorrência tão comum, que raramente estão ausentes do céu. As nuvens nas manhãs do verão e do outono são sempre de um branco prateado brilhante, exceto nas ocasiões em que são tingidas com os delicados tons de opala do amanhecer. Elas se dependuram sobre os montes de Judá, e produzem efeitos de indescritível beleza, quando descem para flutuar sobre os vales, ou sobem para envolver o cume dos montes. Em quase todos os casos, aproximadamente às sete horas, o calor já dissipou estas nuvens parecidas com lã, e para a vívida imaginação oriental a manhã já estendeu suas asas abertas. – *James Neil*

v. 9: "Se tomar as asas da alva". O objeto de comparação parece ser a incalculável velocidade da luz. – *Joseph Addison Alexander*

vv. 9 e 10: Quando pensamos que fugimos de Deus, correndo de um lugar para outro, nós apenas corremos de um lado a outro; pois não há lugar em que Deus não esteja, e para onde quer que um pecador rebelde corra, a mão de Deus o encontrará, para repreendê-lo e impedir o seu sucesso esperado, ainda que ele profetize seguramente sobre si mesmo nesta jornada. O que! Jonas tinha ofendido os ventos ou as águas, para que eles lhe tivessem tanta inimizade? Os ventos e as águas, e todas as criaturas de Deus, estão acostumados a tomar o lado de Deus, contra Jonas ou contra qualquer pecador rebelde. Pois embora Deus, no princípio, tenha dado ao homem o poder sobre todas as outras criaturas, para governá-las, ainda assim, quando o homem peca, Deus dá poder e força às suas criaturas para governar e refrear o homem. Portanto, mesmo para aquele que agora dominava as águas, agora as águas o dominam. – *Henry Smith*

vv. 9 e 10:

Se o destino me ordenar ir ao limite mais distante
da verde terra, a climas bárbaros e distantes,
rios desconhecidos do cântico; onde o sol da manhã
doura os montes da Índia, ou os seus raios no crepúsculo
inflamam as ilhas do Atlântico; isto não é nada para mim:
Como Deus está sempre presente, sempre sentido,
nos lugares vazios, e também na cidade cheia;
E onde Ele sopra a vida, deve haver alegria,
quando, por fim, a hora solene chegar,
e levar o meu voo místico a mundos futuros,
alegremente obedecerei; com novos poderes,
novas maravilhas cantarão; eu não posso ir
onde o amor universal não sorrir ao meu redor,
sustentando todos aqueles astros e todos os seus filhos;
do mal aparente ainda extraindo o bem,
e o melhor, então, e ainda melhor,
em progressão infinita.
James Thomson, 1700-1748

v. 11: "Se disser: decerto que as trevas me encobrirão", etc. As mais repugnantes atrocidades da conduta humana sempre procuraram se encobrir com a mortalha da noite. O ladrão, o falsário, o assassino, o bandido, o homicida, e o sedutor, se sentem comparativamente a salvo na escuridão da meia-noite, porque nenhum olho humano pode examinar os seus atos. Mas e se acontecesse que esta noite escura, falando paradoxalmente, fosse um fotógrafo inequívoco! E se os homens ímpios, ao abrir seus olhos do sono da morte, em outro mundo, encontrassem o universo suspenso à sua volta, com fiéis retratos de suas atrocidades terrenas, que tinham, supostamente, perdido para sempre, no esquecimento da noite! Que cenas para que eles vejam para sempre! Eles podem agora, na realidade, sorrir com incredulidade diante de tal sugestão; mas as descobertas da química bem podem fazê-los tremer. A analogia entende que é uma probabilidade científica que cada ação do homem, por mais profunda que seja a escuridão em que ela foi realidade, imprime a sua imagem na natureza, e que pode haver testes que a trarão à luz do dia, e a tornarão permanente, enquanto durar o materialismo. – *Edward Hitchcock, The Religion of Geology", 1851 v. 12:* "Nem ainda as trevas me escondem de ti". Embora o lugar onde nós pecamos seja, para os homens, tão escuro como o Egito, para Deus é tão claro como Gósen. – *William Seeker*

v. 13: "Pois possuíste o meu interior". Pela sensibilidade à dor, esta parte do corpo era considerada, pelos hebreus, como a sede das sensações e dos sentimentos, como também de desejos e anseios (Sl 72.21; Jó 16.13; 19.27). Às vezes, ela significa a natureza interior, de maneira geral (Sl 16.7; Jr 20.12), e particularmente o juízo ou a direção da razão (Jr 11.20; 12.2). – *William Lindsay Alexander, em Cyclopsedia, de Kitto*

v. 13: "Pois possuíste o meu interior". O *interior*, ou os rins, são mencionados de maneira particularmente proeminente, para destacá-los, como a sede das mais ternas e secretas emoções, como a obra daquele que sonda o coração e o interior. – *Franz Delitzsch*

v. 13: "Entreteceste-me no ventre de minha mãe". A palavra *entretecer* é a tradução literal do original; tecer, entrelaçar; tricotar juntos, e o significado é que Deus uniu as suas partes, como alguém que tece um tecido, ou fabrica uma cesta. Esta é a tradução de De Wette e de Gesenius (*Lex.*). A palavra original tem também a ideia de proteção, como uma tenda ou cabana, entrelaçar ou tricotar – por exemplo, ramos e galhos. O primeiro significado é mais apropriado à conexão; e então o sentido seria, como Deus o tinha criado – como tinha formado os seus membros, e os tinha unido em uma estrutura corpórea, antes que ele nascesse – ele deve ser capaz de entender todos os seus pensamentos e sentimentos. Da mesma maneira como ele não se escondeu de Deus antes de ver a luz, também não poderia se ocultar? em outro lugar. – *Albert Barnes*

v. 14: "Eu te louvarei", etc. Todas as obras de Deus são admiráveis, e o homem é maravilhosamente maravilhoso. "Maravilhosas são as tuas obras, e a minha alma sabe muito bem". O que ele conclui, disto? Por isto, *"Eu te louvarei"*. Se nós não louvarmos àquele que nos criou, Ele não se arrependerá de nos ter criado? Oh, se nós soubéssemos o que os santos fazem no céu, e como a doçura disto supera todos os prazeres celestiais! Eles cantam honra e glória ao Senhor. Por que? Porque Ele criou todas as coisas (Ap 4.11). Quando contemplamos uma obra bonita, imediatamente perguntamos quem a fez, com o propósito de elogiar o seu talento; e não há maior desgraça para um artista do que, tendo realizado uma obra famosa, vê-la negligenciada, sem que ninguém se importe com ela, ou nem mesmo lance um olhar a ela. Todas as obras de Deus são consideráveis, e o homem deve contemplá-las. "Quando vejo os teus céus", etc., Eu digo, "Que é o homem?" (Sl 8.3,4). Ele admira os céus, mas a sua admiração se reflete sobre o homem. *Quis homo?* Não há nenhum trabalhador que não tenha os seus instrumentos usados, e usados para aquele propósito para o qual ele foi criado... O homem é colocado como um pequeno mundo em meio ao grande, para glorificar a Deus; este é o escopo e o fim da sua criação. – *Thomas Adams*

v. 14: "De um modo terrível e tão maravilhoso fui formado". A palavra *terrível* deve, às vezes, ser interpretada de maneira subjetiva, como no caso em que estamos possuídos pelo temor. Neste sentido, significa a mesma coisa que tímido. Assim, o profeta foi orientado a dizer àqueles que eram "turbados de coração: Esforçai-vos". Em outras ocasiões, ela é interpretada de maneira objetiva, como aquela propriedade, em um objeto cuja contemplação desperta o temor em quem o contempla. Assim, sobre Deus se diz que Ele é "terrível em louvores" e que "horrenda coisa é cair nas mãos do Deus vivo". Neste sentido, a palavra deve ser claramente entendida na passagem que estamos considerando. A estrutura humana é tão admiravelmente construída, tão delicadamente combinada, e está em tal perigo de ser dissolvida por incontáveis causas, que quanto mais pensamos sobre isto, mais trememos, e nos admiramos com a nossa continuada existência.

"Como é pobre, como é rico, como é abjeto, como é nobre,
como é complicado, como é maravilhoso o homem!

Que maravilha extrema aquele que o criou assim,
que mesclou na nossa criação tão estranhos extremos
de diferentes naturezas, maravilhosamente misturadas!
Imortal impotente, infinito inseto,
um verme, um deus – Eu tremo interiormente!"

Para fazer justiça ao assunto, seria necessário ter bons conhecimentos de anatomia. Eu não tenho dúvida de que um exame minucioso daquela "substância que Deus tinha feito curiosamente" (v. 15) forneceria abundante evidência da exatidão das palavras do salmista; mas até mesmo as coisas que são manifestas à observação comum podem ser suficientes para este propósito. De maneira geral, podemos observar que a estrutura humana tem muitas vias de acesso pelas quais podem entrar todas as coisas que conduzem à preservação e à consolação, e tudo o que pode despertar alarme. Talvez não haja nenhuma destas vias, mas o que pode se tornar uma entrada para a morte, nem uma das bênçãos da vida, mas o que pode ser o meio para realizar uma delas. Nós vivemos inalando o ar, mas também morremos assim. Doenças e morte, em incontáveis formas, são transmitidas pelo ar que nós respiramos. Deus nos deu o gosto por diversos alimentos, e os tornou necessários para a nossa subsistência: no entanto, se os consumirmos exageradamente ou indevidamente, que quantidade de desastres e mortes prematuras são encontradas entre os homens! E, mesmo quando o consumo é adequado, um único bocado delicioso pode, por maus desígnios ou mesmo por mero acidente, transmitir veneno pelas nossas veias, e em uma hora reduzir a forma mais atlética a um cadáver.

Os elementos do fogo e da água, sem os quais não poderíamos subsistir, contêm propriedades que, em poucos momentos, seriam capazes de nos destruir; nem a máxima circunspeção de todos os tempos nos pode preservar do seu poder destrutivo. Um único golpe na cabeça nos pode privar da razão ou da vida. Um ferimento na espinha pode instantaneamente privar as extremidades inferiores de todas as sensações. Se as partes vitais são feridas, de modo a suspender o desempenho de suas misteriosas funções, com que rapidez toda a constituição se debilita! Pela circulação do sangue, com que facilidade e rapidez podem ser transmitidas substâncias letais por toda a estrutura! A podridão de uma criatura doente pode ser transmitida à mesma mão que se estende para salvá-la. A flecha com veneno, o dente envenenado, a saliva com hidrofobia, daí derivam a sua terrível eficácia. Até mesmo os poros da pele, ainda que necessários para a vida, podem ser meios que trazem a morte. Não somente por eles penetram substâncias venenosas, mas, quando obstruídos por alguma umidade, os fluidos nocivos do corpo, em lugar de serem emitidos, são retidos no sistema, e produzem numerosas doenças, sempre aflitivas e algumas vezes fatais.

Em lugar de se admirar pelo número de mortes prematuras que constantemente se observam, há muito mais razões para se admirar que não haja mais, e que qualquer um de nós sobreviva até os setenta ou oitenta anos de idade.

"A nossa vida contém mil primaveras.
E morre se uma delas se for:
Estranho que uma harpa de mil cordas
permaneça afinada por tanto tempo".

Mas isto não é tudo. Se nós fomos *"formados de modo tão terrível"*, quanto à nossa estrutura animal, veremos que devemos ser muito mais considerados como seres morais e responsáveis. No que diz respeito à nossa natureza animal, em muitos aspectos nós somos construídos como os animais; mas, no que diz respeito a nós, como agentes morais, nós somos distintos de toda a criação inferior. Nós somos criados para a eternidade. A vida atual é apenas a parte introdutória da nossa existência. É ela, no entanto, que grava um caráter em tudo o que vem a seguir.

Como é terrível a nossa situação! A que incontáveis influências a mente está exposta, pelas tentações que nos cercam! A peste que anda na escuridão não é mais perigosa para o corpo do que essas tentações são para a alma. Tal é a construção da nossa natureza que a própria palavra da vida, se ouvida sem a devida consideração, se torna um cheio de morte para morte. Que consequências se seguem aos pequenos e aparentemente insignificantes princípios de males! Um pensamento ímpio pode resultar em um propósito ímpio, este propósito em uma ação ímpia, esta ação em um comportamento, este comportamento pode atrair ao seu redemoinho milhões de nossos companheiros, e terminar em perdição, tanto para nós mesmos quanto para eles. O conjunto deste processo foi exemplificado no caso de Jeroboão, filho de Nebate. Quando colocado sobre as dez tribos, ele disse, em seu coração: "Se este povo subir para fazer sacrifícios em Jerusalém, o coração deste povo se tornará a Roboão. Agora, tornará o reino à casa de Davi" (1 Rs 12.26-30). A este respeito, ele tomou conselho, e fez os bezerros de Dã e Betel. Isto o envolveu em um caminho de iniquidades, do qual nenhum protesto pôde demovê-lo. E isto não se limitou apenas a este homem, pois foi ele que "fez pecar a Israel". O resultado foi não apenas a destruição de Israel, como nação, mas, aparentemente, a eterna ruína dele próprio, e de grandes números de seus seguidores. Estes foram os frutos de um mau pensamento!

Oh, alma minha, treme! Treme diante da tua terrível situação; e entrega-te, imortal, às mãos daquele "que é capaz de impedir que caias e de te apresentar irrepreensível diante da presença da sua glória, com extrema alegria". – *Andrew Fuller*

v. 14: "De um modo terrível e tão maravilhoso fui formado". Nunca houve uma descrição tão concisa e expressiva, feita por algum ser humano, da conformação física do homem. De modo *"tão terrível"* fomos criados, que não há sequer uma ação ou um gesto de nossos corpos que, aparentemente, não coloque em risco algum músculo, ou veia, ou tendão, cuja ruptura poderia destruir a vida ou a saúde. Nós somos feitos de um modo *"tão maravilhoso"*, que a nossa organização supera, infinitamente, em talento, idealização, projeto e adaptação dos meios aos fins, a mais curiosa e complicada peça de mecanismo; e não apenas alguma já executada "pela arte e pela inteligência do homem", mas "já concebida pela imaginação do homem". – *Richard Warner, 1828*

v. 14: "De um modo tão maravilhoso fui formado". Observe a curiosa estrutura do corpo. Davi disse, *"De um modo tão maravilhoso fui formado"; acu pictus sum,* é a tradução da Vulgata, "pintado como com uma agulha", como uma veste bordada, de diversas cores, ricamente decorada com nervos e vasos. E o que diremos do olho, em que há um artesanato tão curioso, que muitos, ao estudá-lo pela primeira vez, foram levados a reconhecer Deus? E da mão, feita para abrir e fechar, e para servir aos trabalhos e ministérios da natureza, sem se desgastar e decair, por muitos anos? Se eles fossem feitos de mármore ou de ferro, com o uso constante a que são expostos logo se desgastariam; no entanto, são de carne, e podem durar o quanto a vida durar. Sobre a cabeça? Apropriadamente colocada para ser a sede dos sentidos, para comandar e orientar os demais membros. E quanto aos pulmões? Um frágil órgão de carne, mas em ação contínua, usado por muito tempo. Seria fácil que eu me estendesse sobre este tema, mas eu devo pregar um sermão, e não dar uma aula de anatomia. Em resumo, portanto, cada parte está colocada e estruturada de tal maneira, como se Deus tivesse empregado toda a sua sabedoria nela.

No entanto, nós estamos falando apenas do estojo onde está a joia. A alma, aquela divina fagulha de explosão, tão rápida, ágil, variada e infatigável em seus movimentos! Tão abrangente em sua capacidade! Como ela anima o corpo, e é como o próprio Deus, tudo, em todas as partes. Quem pode examinar os voos da razão? Que valor Deus concedeu à alma! Ele a criou segundo a sua imagem, Ele a redimiu com o sangue de Cristo. – *Thomas Manton*

v. 14: O que significa dizer que a alma está *no* corpo? Em que isto é diferente de dizer que um pensamento ou uma esperança está em uma pedra ou uma árvore?

Como ela está conectada ao corpo? O que faz com que ela seja uma com o corpo? O que a conserva no corpo? O que impede que ela, a qualquer momento, se separe do corpo? Quando vemos duas coisas que estão unidas, fica patente que elas são unidas por alguma conexão que podemos compreender. Uma corrente ou um cabo conserva um barco em seu lugar; nós lançamos a fundação de um edifício à terra, e o edifício resiste. Mas o que é que une a alma ao corpo? Como eles se conectam? Como eles se mantêm juntos? Como é que nós não vagamos até as estrelas ou às profundezas do mar, ou de um lado a outro, conforme o acaso nos conduzir, enquanto o nosso corpo permanece onde estava, na terra? Tão longe de ser maravilhoso que o corpo morra um dia, como é que ele vive, e se move? Como é que se impede que ele morra em determinado momento? Certamente, é completamente incompreensível como alma e corpo podem constituir um homem; e, a menos que nós tenhamos o exemplo diante de nossos olhos, nós pareceríamos estar usando palavras sem significado. Por exemplo, não seria extravagante e inútil falar sobre o tempo como profundo ou elevado, ou sobre o espaço como rápido ou lento? Não menos inútil, certamente, talvez seja para algumas "raças de espíritos" dizer que o pensamento e a mente têm um corpo, o que, no caso do homem, é verdade, segundo a vontade maravilhosa de Deus. – *John Henry Newman, em Parochial Sermons, 1839*

v. 14: Moisés descreve a criação do homem (Gn 2.7): "E formou o Senhor Deus o homem do pó da terra e soprou em seus narizes o fôlego da vida; e o homem foi feito alma vivente". Aquilo que Deus fez, então, imediatamente, Ele ainda faz. Não pense que Deus criou o homem no princípio, e que desde então os homens criaram, uns aos outros. Não (diz Jó), "Aquele que me formou no ventre não o fez também a ele?" (Jó 31.15). Davi nos dirá: *"de um modo terrível e tão maravilhoso fui formado; maravilhosas são as tuas obra"*, etc. Como se ele tivesse dito, Senhor, fui formado de um modo terrível e maravilhoso, e tu me criaste. Eu faço parte das tuas maravilhosas obras, sim, o compêndio de todas elas. A estrutura do corpo (muito mais a estrutura da alma, e, acima de tudo, a estrutura da nova criatura na alma) é obra de Deus, e é uma maravilhosa obra de Deus. E por isto Davi não podia se satisfazer na mera afirmação disto, mas ampliou a explicação nos versículos 15 e 16. Davi não deu atenção a pai ou mãe, mas atribuiu toda a sua própria eficiência a Deus. E, na realidade, Davi foi criado por Deus, tanto como Adão; e igualmente o é, cada filho de Adão. Embora nós sejamos gerados e nascidos de nossos pais terrenos, ainda assim Deus é o Pai e o único criador de todos nós. De que maneira graciosa falou Jacó a seu irmão Esaú, ao perguntar: "Quem são estes contigo? E ele disse: Os filhos que Deus graciosamente tem dado a teu servo" (Gn 33.5). Portanto, como adverte o Espírito de Deus, "Sabei que o Senhor é Deus; foi ele, e não nós, que nos fez povo seu" (Sl 100.3); da mesma maneira como isto é particularmente verdadeiro sobre a nossa criação espiritual, também o é sobre a natural. – *Joseph Caryl*

v. 14: Os que tinham conhecimentos de anatomia, entre os antigos, concluíram, com base na constituição interior e exterior de um corpo humano, que ele era a obra de um Ser transcendentalmente sábio e poderoso. À medida que o mundo ficou mais esclarecido nesta arte, as suas descobertas lhes proporcionaram novas oportunidades de admirar a conduta da Providência na formação de um corpo humano. Galeno foi convertido pelas suas dissecações, e não pôde deixar de reconhecer um Ser Supremo ao examinar a sua obra. Na realidade, há, no corpo humano, muitas partes das quais os antigos especialistas em anatomia não conheciam o uso correto; mas quando observaram que muitas partes que eles examinavam estavam adaptadas, com admirável arte e engenho, às suas várias funções, não questionaram que os usos que não conseguiam determinar tinham sido projetados com a mesma sabedoria para seus respectivos fins e propósitos. Desde que foi descoberta a circulação do sangue e muitas outras descobertas foram feitas por nossos anatomistas modernos, vemos novas maravilhas no corpo humano e discernimos vários usos importantes para essas partes, usos de que os antigos nada conheciam. Em resumo, o corpo de um homem é algo que resiste aos máximos exames. Embora ele pareça ser formado com a mais minuciosa sabedoria, quando submetido ao exame mais superficial, ainda se aprimora, com o exame, e produz em nós surpresa e assombro à medida que o examinamos. – *The Spectator*

vv. 14 a 16: O tema, do versículo 14 até o 16, inclusive, poderia ter sido exemplificado de maneira muito mais particular, mas nós aprendemos, com a peculiar delicadeza de expressão dos Textos Sagrados, a evitar, como neste caso, o detalhamento excessivo da *anatomia*. – *Adam Clarke*

v. 15: "Os meus ossos não te foram encobertos", etc. Que solidão é mais profunda, que estado de ocultação é mais completo, do que o do bebê que ainda não nasceu? No entanto, o salmista representa o Todo-poderoso presente, mesmo então. *"Os meus ossos não te foram encobertos, quando no oculto fui formado e entretecido como nas profundezas da terra"*. Toda a imagem e a linha de pensamento são de assombrosa beleza. Nós vemos a obra maravilhosa do corpo humano, com toda a sua complexa rede de ossos, e juntas, e nervos, e veias e artérias, crescendo e sendo formadas, como se fossem uma obra de rico e esmerado bordado, sob a mão do criador. Mas não é a obra, em si mesma, que agora devemos admirar. O tecido é realmente terrível e maravilhoso, mas muito mais, quando refletimos que o Artífice divino operou no escuro e estreito espaço do útero. Certamente, as trevas não são trevas para aquele que pode nelas trabalhar. Certamente, a noite mais escura, o recanto mais apertado e artificial, os mais sutis disfarces e hipocrisias, todos são percebidos e estão desnudos diante daquele cujos *"olhos viram o meu corpo ainda informe"*. A noite é tão clara como o dia; e os pecados secretos estão exibidos à luz da sua presença, tanto quanto os que são abertos e escandalosos, cometidos debaixo do sol ou no telhado. E se "no teu livro todas estas coisas foram escritas, as quais iam sendo dia a dia formadas, quando nem ainda uma delas havia", certamente as ações dessas coisas, desses membros, agora que estão crescidos, ou crescendo, para a maturidade, e devem exercer as funções para as quais foram criados, essas ações serão anotadas; e nenhuma pode ser planejada secretamente, mas quando os livros forem abertos, no último dia, estará escrita neles, para nos justificar ou nos condenar. Esta é a principal lição que o próprio Davi deseja nos ensinar neste Salmo – a *onipresença* e *onisciência* do Deus Todo-Poderoso. Meus irmãos, reflitamos um pouco sobre este profundo mistério; o fato de que Ele, "O Altíssimo e Supremo, que habita a eternidade" esteja junto ao nosso caminho e à nossa cama, e conheça todos os nossos caminhos; o fato de que, onde quer que estejamos, ali Ele está; o fato de que podemos dizer o que quisermos, não há uma só palavra na nossa língua que Ele não conheça completamente. A reflexão é, realmente, misteriosa, mas também é muito benéfica e proveitosa. – *Charles Wordsworth, Christian Boyhood", 1846*

v. 15: "Os meus ossos não te foram encobertos". Se algum artesão pretendesse começar uma obra, em alguma caverna escura, onde não houvesse luz para ajudá-lo, como poderia pôr mãos à obra? De que maneira poderia proceder? E que tipo de obra resultaria? Mas Deus realiza a mais perfeita obra, totalmente no escuro, pois Ele forma o homem no útero da mãe. – *João Calvino*

v. 15: "Quando no oculto fui formado", etc. O autor usa uma metáfora derivada da mais sutil arte do artesão frígio:

"Quando no oculto fui formado,
e entretecido como nas profundezas da terra".

Quem quer que observe isto (na verdade, não será capaz de observar isto, nas traduções comuns), e ao mesmo tempo reflita sobre o maravilhoso mecanismo do corpo humano, as várias implicações das veias, artérias, fibras e membranas, a "indescritível textura" de todo o conjunto – poderá, na realidade, sentir a beleza e a graça desta bem adaptada metáfora; mas deixará de captar grande parte da sua força e sublimidade, a menos que esteja ciente de que a arte do bordado era completamente dedicada ao uso do santuário, e, por um preceito direto da lei divina, principalmente empregada para o adorno de uma parte do hábito sacerdotal, e as cobertas para a entrada ao tabernáculo (Êx 28.39, 26.36, 27.16). Assim, o poeta compara a sabedoria do artífice divino com a mais valiosa das artes humanas – aquela arte que era dignificada, por ser completamente consagrada para o uso da religião; e essa obra era tão excelente, que até mesmo os textos sagrados parecem atribuí-lo a uma orientação sobrenatural. Veja Êx 35.30-35. – *Robert Lowth (1710-1787), em "Lectures on the Sacred Poetry of the Hebrews"*

v. 15: "Entretecido como nas profundezas da terra", isto é, no útero; como artesãos curiosos, quando têm alguma peça excelente em suas mãos, e a aperfeiçoam em particular, e então a apresentam, para que os homens a vejam. Que obra maravilhosa é a cabeça do homem (a obra prima de Deus, neste pequeno mundo), a sede da alma, aquela *cura Divini ingenii,* como Favorino a chama. Muitas travas e chaves revelam o valor da joia que guardam, e muitos papéis envolvendo o presente dentro deles, o preço do presente. As tábuas do testamento, em primeiro lugar, colocadas dentro da arca; em segundo lugar, a arca coberta de puro ouro; em terceiro lugar, protegida pelas asas dos querubins, acima dela; em quarto lugar, guardada dentro da coberta do tabernáculo; em quinto lugar, nos recintos do tabernáculo; em sexto lugar, com um átrio ao redor; em sétimo lugar, com cortinas triplas, feitas de peles de cabras, carneiros e texugos, por cima de tudo; estas realmente devem ser tábuas preciosas. Assim, quando o Todo-Poderoso criou a cabeça do homem (a sede da alma racional) e a cobriu com cabelo, pele e carne, como a tripla cobertura do tabernáculo, e a envolveu com um crânio e ossos, como painéis de cedro, e posteriormente, com diversas camadas de pele, como cortinas de seda; e, por fim, a envolveu com a pele amarela que cobre o cérebro (como o véu púrpura), sem dúvida Ele desejava que nós soubéssemos que isto foi feito para que um grande tesouro fosse armazenado nela. Como e quando a alma racional é colocada neste curioso gabinete, os filósofos discutem, mas ninguém pode afirmar nada com segurança. – *Abraham Wright*

v. 15: "Nas profundezas da terra". Desta notável expressão que, no original, e em outras partes em que é usada, indica a região dos mortos – Seol, ou Hades – parece que o salmista não contempla apenas a sua formação no útero, mas também, considerando a região dos mortos como o útero da vida ressurrecta, a remodelação do corpo no futuro, e o seu novo nascimento para a vida imortal. Esta será uma obra não menos "maravilhosa", mas, na realidade, ainda mais, do que a primeira formação dos "ossos" do homem. Confirmada pelas palavras do versículo 18 – "quando acordo, ainda estou contigo", a mesma linguagem antes empregada para expressar a esperança da ressurreição (Sl 17.15); quando haverá um novo exemplo do cuidado de Deus com os seus propósitos e "preciosos conselhos" com respeito aos seus redimidos, em cuja antecipação eles podem repetir este salmo com sentimentos renovados de assombro e admiração. – *William De Burgh*

vv. 15 e 16: As palavras usadas têm significados diferentes nestes versículos. No versículo 15, a palavra significa "minha força" ou "meus ossos"; no versículo 16, a palavra é traduzida, normalmente, como "embrião"; mas "novelo" (como uma vida ainda por desenrolar) encontra simpatia entre grandes estudiosos.

"Nas profundezas da terra" não indica um limbo ou oficina subterrânea, mas é um paralelo poético a "secreto".

Alguns entendem que a expressão *"As quais iam sendo dia a dia formadas"* pode ser melhorada. A anotação de margem, embora não tão rica, indica um bom caminho: *"quando nem ainda uma delas havia"*. – *David M'Laren, in "The Book of Psalms in Metre", 1883*

v. 16: "Os teus olhos viram o meu corpo ainda informe", etc. Com isto podemos aprender, em primeiro lugar, a não sentir muito orgulho do que somos; tudo é obra de Deus. Quão belo ou agradável, quão sábio ou santo você é, isto não se origina de você mesmo. O que tem qualquer homem, seja em termos naturais ou sobrenaturais, que não tenha recebido? Em segundo lugar, não despreze o que os outros têm ou não têm, ainda que não sejam peças exatas, ainda que não tenham recebido dotes tão excelentes quanto os seus, ainda assim são o que Deus os fez. Em terceiro lugar, não despreze o que você mesmo é. Muitos se envergonham por ver como Deus os criou; poucos se envergonham por ver o que o diabo fez deles. Muitos se perturbam com pequenos defeitos no seu exterior, poucos se perturbam com as deformidades maiores do interior; muitos compram beleza artificial para melhorar o natural; poucos, beleza espiritual, para diminuir os defeitos da beleza sobrenatural da alma. – *Abraham Wright*

v. 16: "O meu corpo ainda informe". Uma palavra do original, que significa qualquer coisa rolada como uma bola, e por isto se supõe que signifique aqui o feto ou embrião. Hupfeld, no entanto, prefere interpretá-la como a bola ou o novelo da vida, que consiste de vários fios ("os dias" do versículo 16 – veja a anotação de margem), que são, no princípio, uma massa compacta, e que então se desenrola, à medida que avança a vida. – *J. J. Stewart Perowne*

v. 16: Um arquiteto talentoso, antes de construir, faz um modelo, ou um desenho ou esquema da construção em seu caderno, ou sobre uma mesa; ali, ele mostra a você cada ambiente e dispositivo; no seu caderno, estão partes do edifício escrito, enquanto ainda não existe nenhuma delas, ou antes que qualquer delas seja estruturada e estabelecida. Com referência a arquitetos e outros artesãos, Davi fala sobre Deus, "No teu livro todas estas coisas foram escritas"; isto é, tu me fizeste como se tivesses desenhado meus vários membros e toda a minha proporção com uma pena ou um lápis, em um caderno, antes que te aventurasses a me formar. O Senhor não usa caderno, nem pena, para decifrar a sua obra. Ele teve a ideia perfeita de todas as coisas em Si mesmo, desde a eternidade; mas pode-se dizer que Ele trabalha segundo um padrão, sendo a sua obra o mais perfeito padrão. – *Joseph Caryl*

v. 17: "E quão preciosos são para mim, ó Deus, os teus pensamentos", etc. Longe de pensar que é um problema ser submetido a este escrutínio, o salmista o considera um privilégio valioso. Não importando como outros possam considerar esta verdade, "para mim", para a minha opinião e os meus sentimentos, "quão" valiosos "são os teus pensamentos", isto é, a tua perpétua atenção para comigo. – *Joseph Addison Alexander*

v. 17: "E quão preciosos são para mim, ó Deus, os teus pensamentos!" Quão frios e pobres são os nossos mais calorosos pensamentos com relação a Deus! Quão indescritivelmente amorosos e gloriosamente ricos são os seus pensamentos para conosco! Compare Ef 1.18: "as riquezas da glória da sua herança nos santos". – *A. R. Fausset*

v. 17: "Quão preciosos... quão grande é a soma deles!" As nossas consolações competem com o número das nossas tristezas, e vencem o jogo. As misericórdias de Deus concedidas em uma grande soma não geram admiração, mas considere-as em particular, e então a aritmética será uma arte muito tediosa para contá-las. Tantos grãos de areia quanto as mãos de um homem possa segurar, são apenas um punhado de muitos grãos de areia; mas conte-os, um por um, e excederão toda a numeração. Era apenas uma coroa que o rei Salomão usava, mas pese o ouro, conte as pedras preciosas, avalie a sua riqueza, e o que era ela, então? – *Thomas Adams*

vv. 17 e 18: Veja o amor de Davi por Deus; dormindo ou andando, a sua mente corre para Ele. Não são necessários argumentos para trazer à nossa mente aqueles a quem amamos. Nós negligenciamos a nós mesmos, para pensar neles. Um homem apaixonado desperdiça suas energias, perturba a sua mente, negligencia a sua alimentação, não considera os seus negócios, a sua mente se alimenta do que ele ama. Quando os homens amam o que não devem, há mais necessidade de um freio para impedi-los de pensar nisto, em lugar de incentivos para que continuem nisto. Teste o seu amor por Deus desta maneira. Se você não pensa frequentemente em Deus, você não o ama. Se você não consegue se satisfazer com benefícios, prazeres, amigos, e outros objetos terrenos, mas deixa outros assuntos em segundo plano, para que possa pensar diariamente em Deus, então você o ama. – *Francis Taylor, God's Glory in Man's Happiness", 1654*

vv. 17 e 18: As graças são ordinárias, comuns, ou extraordinárias – as nossas necessidades comuns ou os suprimentos notáveis que recebemos, por bondade, das mãos de Deus. Você deve louvá-lo não somente por alguma graça extraordinária, que vem com tal pompa e nitidez que todos os seus vizinhos a observem com você, como a graça que Zacarias e Isabel tiveram em seu filho, que trouxe temor sobre todos os vizinhos (Lc 1.65); mas também pelas graças comuns, diárias; pois, em primeiro lugar, nós somos indignos da menor benevolência (Gn 32.10), e por isto Deus é digno de louvor pela menor delas, porque até mesmo a menor delas já é uma bondade dele para conosco; o Senhor não nos deve nada. Em segundo lugar, estas benevolências comuns são muitas. Assim Davi destaca as benevolências deste tipo: "Ó Deus, quão grande é a soma deles! Se os contasse, seriam em maior número do que a areia; quando acordo, ainda estou contigo". Como se ele tivesse dito, Não há sequer um momento no tempo em que não me faças algum bem; tão logo eu abro os meus olhos, pela manhã, tenho um novo tema, em algumas benevolências novas, que me foram dadas desde que fechei os olhos durante a noite, tema este a empregar em minhas meditações de louvor. Muitos artigos pequenos, juntos, totalizam uma grande soma. O que é mais leve do que um grão de areia, e o que é mais pesado do que a areia da praia? Da mesma maneira como os pecados pequenos (como pensamentos vãos e palavras fúteis), por causa do seu grande número, totalizam uma grande culpa, e trarão uma longa conta, um pesado cálculo no final, também as benevolências comuns terão aquilo que lhes falta em tamanho, em comparação com outras grandes benevolências, compensadas pela sua grande quantidade. Quem não dirá que um homem mostra maior generosidade ao alimentar alguém à sua mesa com um alimento comum, durante todo o ano, do que ao recebê-lo com um grande banquete, duas ou três vezes, durante o mesmo período? – *William Gurnall*

v. 18: "Seriam em maior número do que a areia". Píndaro disse que a areia é muito numerosa (*Olymp. Ode* 2). O oráculo Píton disse, vangloriando-se, Eu conheço o número da areia, e a medida do mar (*Herodot. Clio.* 1. i. c. 47). É a isto que Lucano pode se referir, quando diz: não falta medida ao oceano, nem número à areia (*Pharsal.* 1. 5, v. 182). – *Samuel Burder*

v. 18: "Se os contasse, seriam em maior número do que a areia".

Se todas as suas gloriosas obras o meu cântico contasse,
as pedras não contadas da praia eu poderia também contar.
– *Píndaro, 518-442 a.C.*

v. 18: "Quando acordo, ainda estou contigo". Um dos grandes benefícios de um cristão, que ele tem, acima de outros homens, é o fato de que ele tem seus amigos ao seu redor e (se a culpa não for sua) nunca precisará se afastar deles. Na amizade e convivência do mundo, costumamos dizer, "os amigos sempre se separam", e os que têm prazer e satisfação no relacionamento devem se resignar em deixá-lo e ser removidos dele. Mas um dos privilégios de um crente que tem comunhão com Deus, é o fato de que lhe é possível estar sempre com Ele. Novamente, na convivência e na sociedade humanas, nós sabemos que é comum que amigos sonhem que estão juntos, um na companhia do outro; mas quando acordam, estão a uma grande distância, um do outro. Mas um cristão que convive com Deus, e que tem seus pensamentos fixos nele, quando acorda ainda está com Ele, o que nos é aqui exibido no exemplo do profeta Davi.

Uma alma piedosa dorme nos braços de Deus, assim como um filho no colo da mãe; ele é embalado para dormir com "cantigas de ninar". E tudo isto o torna ainda mais adequado para conviver com Deus no dia seguinte. Uma das felicidades de um cristão que se deita cuidadosamente com Deus, é o fato de que ele encontra o seu trabalho como o deixou, além do fato de que ele tem, ao se levantar, a mesma disposição que tinha à noite, ao se deitar para descansar. Como um homem que dá corda no seu relógio à noite, o encontra funcionando na manhã seguinte; a mesma coisa acontece, posso dizer, com um cristão que dá corda em seu coração. Esta é uma boa observação a recordar, especialmente na noite antes do sábado. – *Thomas Horton, -1673*

v. 18: "Quando acordo, ainda estou contigo". Não é um pequeno benefício para a vida de uma pessoa temente a Deus "começar o dia com Deus". Os santos estão acostumados a deixar seus corações com Ele durante a noite, para encontrá-lo com Ele na manhã seguinte. Antes que as coisas terrenas nos aconteçam e nós tenhamos impressões do exterior, é bom acondicionar o coração com pensamentos sobre Deus e consagrar as primeiras operações da mente enquanto ainda são virgens e não foram prostituídas por objetos vis. Se o mundo começa com a religião pela manhã, dificilmente consegue superar o dia inteiro, e assim o coração está habituado com a futilidade o dia todo. Mas quando nós começamos com Deus, nós o levamos conosco a todas as tarefas e consolações do dia, que, acondicionadas com o seu amor e temor, são mais doces e saborosas para nós. – *Thomas Case (1598-1682), na Epístola de dedicação de "The Morning Exercise"*

v. 18: "Quando acordo". Acostume-se a uma meditação séria todas as manhãs. Arejar as nossas almas no céu nos envolverá em um espírito mais puro e em pensamentos mais nobres. Um acondicionamento pela manhã nos protegerá por todo o dia. Embora outros pensamentos necessários sobre a nossa vocação devam aparecer, e realmente apareçam, nós devemos, depois de ter cuidado deles, nos dedicar ao nosso tema matinal, como nossa principal companhia. Como um homem que vai com outro, para cuidar de alguns negócios consideráveis, digamos, a Westminster, embora se encontre com vários amigos pelo caminho, e os cumprimente, e passe algum tempo com outros com quem tem alguns negócios, ele retorna rapidamente ao seu companheiro, e juntos vão ao seu destino.

Faça isto, no caso atual. As nossas mentes estão ativas e estarão fazendo alguma coisa, ainda que com pouco propósito; e se não estiverem fixas em algum objeto nobre, acabarão, como loucos e tolos, satisfeitas em brincar com canudinhos. Os pensamentos sobre Deus eram os primeiros visitantes que Davi tinha pela manhã. Deus e o seu coração se encontravam assim que ele acordava, e ficavam juntos o dia inteiro depois disto. – *Stephen Charnock*

v. 19: "Apartai-vos, portanto, de mim, homens de sangue". A expressão, *"homens de sangue"*, ou *"homens sanguinários"*, inclui não apenas homicidas, que derramam sangue humano, mas todos os outros ímpios e malfeitores, que ferem ou procuram ferir os outros, ou que matam suas próprias almas por meio do pecado, ou as almas dos outros por meio do escândalo; todos eles podem ser verdadeiramente chamados de homicidas; pois o ódio pode ser chamado de o manancial do homicídio, e assim, nos diz o apóstolo João: "Qualquer que aborrece a seu irmão é homicida". – *Robert Bellarmine*

v. 19: "Apartai-vos, portanto". Quando tivermos uma contenda com os ímpios, devemos tomar cuidado para que o rancor particular não nos domine, mas que somente o nosso interesse no problema de Deus com eles nos motive, como o salmista faz aqui. – *David Dickson*

v. 20: "Os teus inimigos tomam o teu nome em vão". Em cada ação, três coisas devem ser consideradas – a *finalidade,* o *agente*, a *obra*. Com estas três coisas devidamente avaliadas, logo veremos o que é tomar o nome de Deus em vão.

I. Aquilo que não tem uma finalidade proposta, ou é feito sem finalidade alguma, pode realmente ser considerado como sendo feito em vão. Como plantar as sementes sem colher os frutos, plantar uma vinha sem uma vindima, ou alimentar um rebanho sem beber o leite desses animais. Estes são trabalhos em vão. Assim, aquele que toma o nome de Deus sem uma finalidade, sem ser para a glória de Deus, nem para o bem público ou particular, o toma em vão. *Cui bono?* é uma pergunta em todas as empreitadas. Se não for para o bem, é melhor não fazer nada; se não tiver uma finalidade, é em vão. Se um homem tem pernas bem formadas, e se ele for coxo ou aleijado, *frustra pulchras habet tibia claudus,* o coxo tem as pernas em vão. A finalidade principal, portanto, em tomar o seu nome, deve ser,

1. A glória de Deus, caso contrário abriremos as nossas bocas em vão, como no caso de Jó. Deus deseja transmitir todas as suas bênçãos a nós, e não exige nada de nós, exceto a glória, que, se não devolvermos, Ele poderá dizer, como Davi disse sobre Nabal, a quem tinha feito muitas boas coisas, cuidando de seus pastores e rebanhos, etc.; e quando ele não desejou nada, exceto um pouco de comida para os jovens, Nabal a negou: Tudo o que fiz por ele foi em vão; na verdade, em vão tenho guardado tudo quanto este tem no deserto. Da mesma maneira, tendo Deus feito tanto por nós, sem esperar nada exceto a glória do seu nome, se nós formos falhos nisto, Ele poderá dizer que tudo o que fez por nós foi em vão.

2. Depois da glória de Deus, está o bem, o nosso bem e o de outras pessoas; e, assim, tomar o nome de Deus sem referência a esta finalidade, se não promovermos o nosso próprio bem, nem o bem dos outros, é em vão, *ex privatione finis,* porque não tem uma finalidade adequada; por isto, o apóstolo Paulo se alegrou, tendo, pela sua pregação, se esforçado pela salvação de almas, e disse, posso gloriar-me de não ter corrido nem trabalhado em vão.

II. No *agente,* o coração e a alma devem ser considerados, pois, na pessoa que age, são os principais motivadores. Se a alma for *Rachah,* vã e leviana, como quando tomamos o nome de Deus sem o devido conselho e reverência, ainda que nos proponhamos a um fim adequado, ainda assim tomamos o seu nome em vão. Por isto, o sábio aconselha: "Não te precipites com a tua boca" (Ec 5.2); e o salmista afirma que o seu coração estava preparado, quando louvava a Deus (Sl 57.7): o coração deve estar preparado e estabelecido, por uma devida consideração pela grandeza de Deus, quando falamos dele. Isto é oposto à precipitação, inconstância e leveza, como as que há na palha e na fumaça, que podem ser levadas por qualquer brisa, e as pessoas assim correm o risco de tomar o nome de Deus em vão.

III. Na *obra,* propriamente dita, pode haver uma dupla futilidade, que deve ser evitada. Em primeiro lugar, falsidade. Em segundo lugar, injustiça.

1. Se ela for *falsa,* então também é vã, como a obra em Isaías (28.15): "Fizemos concerto com a morte e com o inferno fizemos aliança; quando passar o dilúvio do açoite, não chegará a nós, porque pusemos a mentira por nosso refúgio e debaixo da falsidade nos escondemos". E isto é aquela *actio erroris,* obra de enganos, de que fala Jeremias. *Vanitas opponitur veritati,* a futilidade se opõe à verdade, à veracidade, por isto, uma coisa deve ser considerada vã, quando é falsa ou enganosa. "Vaidade são, obra de enganos", diz o profeta (Jr 10.15); e da mesma maneira como existe verdade em coisas naturais, também existe verdade em coisas morais, e se ela faltar, as nossas palavras são vãs.

2. Se for *injusta,* também é vã. "E, sendo eu ímpio, por que trabalharei em vão?", diz o santo Jó (9.29); "Morrendo o homem ímpio, perece a sua expectação", diz o sábio (Pv 11.7); e "Na verdade, todo homem anda como uma sombra; na verdade, em vão se inquietam" (Sl 39.6). Se faltar justiça em nossas ações, ou verdade em nossas declarações e promessas, elas serão vãs; e usar o nome de Deus, em qualquer uma delas, é tomar o seu nome em vão. Assim, se em nossas ações ou declarações e promessas, tomarmos o nome de Deus sem propósito, mas o fizermos de maneira banal, e o fizermos de maneira costumeira, até que se torne um hábito, sem nenhuma boa finalidade, ou se os nossos corações não forem estáveis ou preparados, mas leves e inconstantes, quando o fizermos, ou se o fizermos para disfarçar ou alimentar alguma falsidade ou ato injusto, então nós o tomaremos em vão, e infringiremos o mandamento. – *Lancelot Andrews*

v. 21: "Não aborreço eu, ó Senhor, aqueles que te aborrecem?" O futuro simples, na primeira sentença, abrange distintos significados. Não odeio, não posso odiar, não devo odiar os que te odeiam? Odeie-os, não como um homem odeia, mas como Deus odeia. – *Joseph Addison Alexander*

v. 21: "Não aborreço eu, ó Senhor, aqueles que te aborrecem?" Pode aquele que pensa que a boa fé é a coisa mais santa na vida, evitar ser um inimigo daquele que, como um questor, ousou despojar, abandonar, e trair? Pode aquele que deseja prestar as honras devidas aos deuses "imortais", de alguma maneira evitar ser um inimigo daquele homem que saqueou todos os seus templos? – *Cícero*

v. 21: "E não me aflijo por causa dos que se levantam contra ti?" Esta expressão – *"aflijo"* – explica o significado da palavra *"aborreço"* na primeira parte do versículo. Não se trata daquele ódio que é seguido pela malignidade ou más intenções, mas daquele que é acompanhado de tristeza, coração partido, pesar, angústia. Assim, o Salvador olhou para os homens: "E, olhando para eles em redor com *indignação, condoendo-se* da dureza do seu coração" (Mc 3.5). A palavra hebraica aqui usada, no entanto, contém *também* a ideia de estar desgostoso com algo, de odiar, de julgar repugnante. O sentimento em questão é ira – desgosto consciente – com tal comportamento; angústia, dor, tristeza, com o fato de que os homens demonstrem tais sentimentos pelo seu Criador. – *Albert Barnes*

v. 21: "Não me aflijo?", etc. Agindo com sentimentos misturados, de tristeza por eles, e odiando os seus maus costumes. Assim o nosso Senhor "olhou para eles em redor com *indignação, condoendo-se* da dureza do seu coração" (Mc 3.5). – *French e Skinner*

v. 21: Dizem que a coisa que Adam Smith mais detestava era a apatia moral – aquele embotamento de percepção moral – que impede que o homem não apenas veja com clareza mas sinta fortemente a ampla distinção entre virtude e maldade, e que, sob o pretexto de liberalidade, é indulgente até mesmo com os crimes mais terríveis.

Em uma festa, em Dalkeith Palace, onde o Sr. _____, em sua maneira piegas, encontrava desculpas para algumas transações desprezíveis, o médico esperou, em paciente silêncio, até que ele tivesse ido embora, e então exclamou, "Agora posso respirar com mais liberdade, e não consigo suportar esse homem; ele não tem, em si, nenhuma indignação".

vv. 21 e 22: Um servo fiel tem os mesmos interesses, os mesmos amigos, os mesmos inimigos, que o seu senhor, cuja causa e honra ele deve, em todas as ocasiões, apoiar e manter. Um homem bom odeia, como o próprio Deus odeia; ele não odeia as pessoas dos homens, mas os seus pecados; não o que Deus fez deles, mas o que eles fizeram de si mesmos. Nós não devemos odiar os homens por causa das maldades que praticam, nem amar as maldades, por causa dos homens que as praticam. Aquele que observa invariavelmente esta distinção, cumpre a lei perfeita da caridade, e tem, em si, o amor de Deus e o amor ao seu próximo. – *George Horne*

vv. 21 e 22: Em primeiro lugar, devemos odiar a companhia e a associação de pecadores manifestos e obstinados, que não serão recuperados. Em segundo lugar, devemos odiar todos os seus pecados, e não nos comunicar com qualquer homem em seu pecado. Não devemos ter comunhão com as obras infrutíferas das trevas (e nem com os que as realizam). Em terceiro lugar, devemos odiar todas as ocasiões e persuasões para estes pecados. Em quarto lugar, devemos odiar todas as aparências de iniquidade (1 Ts 5.22), isto é, aquilo que os homens de bom senso consideram iniquidade; e tudo isto deve se originar de uma boa base, de um bom coração que odeia completamente o pecado, isto é, todos os pecados, como Davi, *"Aborreço-os com ódio completo"*, e não como alguns, que podem odiar alguns pecados, mas se apegar a outros; como muitos podem odiar a soberba, mas amam a cobiça ou outro pecado favorito, mas nós devemos conservar o ódio por todos, antes que possamos vir a praticar este preceito [Jd 23]; além disto, todos os pecados são odiosos em *si mesmos*. – *William Perkins, 1558-1602*

vv. 21 e 24: A disposição de lamentar pelos pecados públicos, pelos pecados de outros, é a mais excelente nota de sinceridade. Quando todos os outros pecados de justiça podem ter suas exceções, esta disposição é o limite supremo, além do qual não podemos ir, em nosso autoexame. A perspectiva suprema que Davi tinha da sua sinceridade, quando a examinava com diligência, era a sua ira e a sua angústia pelo pecado dos outros. Depois de ter chegado a este ponto, ele assumiu uma posição, e não sabia o que mais deveria acrescentar: "Não me aflijo por causa dos que se levantam contra ti? Aborreço-os com ódio completo; tenho-os por inimigos. Sonda-me, ó Deus, e conhece o meu coração; prova-me e conhece os meus pensamentos. E vê se há em mim algum caminho mau e guia-me pelo caminho eterno". Se houver alguma coisa que possa evidenciar melhor a minha sinceridade do que isto, Senhor, dá-me a conhecer. "Conhece o meu coração", *isto é,* faze com que eu o conheça. Aquele cuja angústia é apenas para questões confinadas em seu próprio coração, ou é abundante na sua vida, muitas vezes tem motivos para questionar a sinceridade dela; mas quando um homem não consegue contemplar o pecado como pecado, em outra pessoa, sem uma tristeza sensata, isto é um sinal de que ele sentiu a amargura pelo pecado na sua própria alma. É uma posição elevada, e um crescimento, e uma concordância entre o Espírito de Deus e a alma de um cristão, quando ele pode lamentar os pecados nos outros pelos quais o Espírito foi entristecido, quando ele pode se alegrar com a alegria do Espírito, e lamentar com a tristeza do Espírito. Um claro testemunho de que não temos propósitos próprios na obra de Deus, de que não usamos a religião para servir a nossos propósitos, é o fato de que Deus é o nosso objetivo, e Cristo o nosso amado. – *Stephen Charnock*

v. 22: "Aborreço-os com ódio completo". O que significa *"com ódio completo"*? Eu odiei neles as suas iniquidades, eu amei a tua criação. Isto é odiar com ódio completo, ou seja, não odiar os homens por causa das maldades, nem amar as maldades por causa dos homens. Pois veja o que ele acrescenta, *"tenho-os por inimigos"*. Ele os descreve agora não apenas como inimigos de Deus, mas como os seus próprios inimigos. Como, então, ele satisfaz, ao mesmo tempo, a sua própria frase, *"Não aborreço eu, ó Senhor, aqueles que te aborrecem?"*, e o mandamento do Senhor, *"Amai a vossos inimigos"*? Como ele satisfará isto, exceto com aquele ódio completo, que faz com que ele odeie neles o fato de que são ímpios, e ame o fato de que são homens? Pois mesmo na época do Antigo Testamento, quando a pessoa carnal era restringida, por punições visíveis, como Moisés, o servo de Deus, que, por entendimento, pertencia ao Novo Testamento; como ele odiou os pecadores, quando orava por eles, ou como não os odiou quando os matou, salvo se *"os odiasse com um ódio completo"*? Pois com tal perfeição ele odiava a iniquidade que punia, e amava a humanidade pela qual orava. – *Agostinho*

v. 23: "Prova-me". A fé verdadeira é preciosa; é como ouro, suportará um teste. A presunção é apenas uma falsificação, e não suportará ser testada (1 Pe 1.7). Um crente verdadeiro não teme nenhuma prova. Ele deseja ser testado por Deus. Ele deseja ter a sua fé testada por outros, ele não rejeita a pedra de toque. Ele deseja testar a si mesmo. Ele não confiará em nada, especialmente naquilo que pertencer a tal momento. Ele está disposto a ouvir o pior, e também o melhor. A pregação que mais o agrada é a que é mais penetrante e criteriosa (Hb 4.12). Ele detesta ser iludido com esperanças vãs. Ele não será iludido ou lisonjeado a um falso conceito da sua condição espiritual. Quando aparecerem oportunidades de testes, ele concordará com o conselho do apóstolo (2 Co 13.5). – *David Clarkson*

v. 23: Que terrível dilema temos aqui? O Santíssimo não muda, quando visita um coração humano. Ele é o mesmo ali e no mais elevado céu. Ele não pode olhar para o pecado; e como pode um coração humano recebê-lo em suas câmaras secretas? Como pode o fogo abrasador receber a água que o extingue? É fácil trazer à lembrança a conveniente oração de um antigo penitente, *"Sonda-me, ó Deus, e conhece o meu coração; prova-me e conhece os meus pensamentos"*. As palavras mortas, desgastadas pelo uso frequente, podem cair livremente de lábios calejados e insensíveis, não deixando nenhuma sensação de reprovação na consciência; e, no entanto, embora sejam verdade de Deus, podem se converter em uma mentira, quando são proferidas. A oração não é verdadeira, embora seja tomada emprestada da Bíblia, se o suplicante convidar aquele que tudo vê a entrar, mas desejar dar mil mundos, se os tivesse, para mantê-lo fora para sempre.

Cristo declarou a dificuldade, e a solucionou: "Eu sou o caminho, e a verdade, e a vida. Ninguém vem ao Pai senão por mim". Depois que o Filho salvou o pecador, este está realmente livre. O filho amado, perdoado e reconciliado, ama e deseja a presença do Pai. Como? Será que não há nem mancha nem ruga no homem, de modo que ele ousa desafiar a inspeção do Onisciente, e oferece o seu coração, como morada de Jeová? Ele ainda não é totalmente puro; e sabe disto muito bem. O gemido arde no seu coração partido: "Miserável homem que eu sou! Quem me livrará do corpo desta morte?" Muitas manchas ainda o contaminam, mas ele as abomina agora, e deseja ser livre. A diferença entre um homem não convertido e um homem convertido não é o fato de que um deles tem pecados e o outro não tem nenhum, mas o fato de que um deles tenta se relacionar com o Deus que deve ser temido trazendo consigo os seus pecados de estimação; e o outro interage com um Deus reconciliado, deixando para trás os seus pecados odiados. Ele abandonou seus antigos amigos, e se voltou para seu antigo adversário. A conversão é uma mudança de direção, uma só, mas produz simultaneamente e necessariamente dois esforços distintos. Enquanto a sua face estava antes voltada contra Deus, e dirigida para os seus próprios pecados, agora ela se voltou contra os seus próprios pecados, e se dirige para Deus. Esta única mudança de direção, com seu resultado duplo, está em Cristo, o Mediador, e na obra do Espírito.

Enquanto Deus for meu inimigo, eu sou seu inimigo. Eu não tenho mais poder para modificar esta condição do que a superfície polida tem para deixar de refletir o brilho do sol que a ilumina. É o amor de Deus, da face de Jesus, iluminando meu coração escuro, que faz com que o meu coração se abra a Ele, e se alegre em ser a sua morada. Eu não posso suportar os olhos do justo Vingador neste local de pecado, mas os olhos do Médico misericordioso eu permitirei alegremente neste local de doença; pois Ele vem, do céu à terra, para que possa curar almas doentes pelo pecado, como a minha. Quando um discípulo deseja ser investigado pelo Deus vivo, ele não quer dizer, com isto, que não haja pecados a ser descobertos nele; ele indica, na verdade, que os seus inimigos são tantos, e tão vivazes, que nada pode subjugá-los, exceto a presença e o poder de Deus. – *William Arnot (-1875), Laws from Heaven for Life on Earth*

vv. 23 e 24: Há várias coisas dignas de nota, no apelo do salmista, nas palavras diante de nós. Em primeiro lugar, observe a *coragem do salmista*. Aqui está um homem determinado a examinar as profundezas do seu próprio coração. Bonaparte, Nelson, Wellington, algum deles se propôs a fazer isto? Se estivessem presentes todos os renomados e famosos heróis da antiguidade, eu lhes perguntaria se alguma vez tinham tido a coragem de entrar em seus próprios corações. Davi era um homem de coragem. Quando matou um leão no caminho, quando foi bem sucedido no encontro com um urso, quando saiu para enfrentar o gigante Golias, apresentou provas inequívocas de coragem; mas nunca exibiu tão evidente coragem como quando decidiu examinar o seu próprio coração. Se você tivesse alguma eminência, e visse todas as criaturas vorazes e venenosas que já viveram ajuntadas diante de você, não seria necessária tanta coragem para combatê-las como para combater o seu próprio coração. Cada pecado é um demônio, e cada um deles pode dizer, "Legião é o meu nome, porque somos muitos". Quem sabe o que é enfrentar a si mesmo? E, no entanto, se desejarmos ser salvos, isto deve ser feito.

Em segundo lugar, observe a *integridade do salmista*. Ele desejava conhecer todos os seus pecados, para que pudesse ser libertado deles. Uma vez que todo indivíduo deve conhecer os seus pecados, em algum momento, um homem sábio procurará conhecê-los agora, porque o presente é o único momento para glorificar a Deus, confessando os seus pecados, renunciando a eles, e vencendo-os. Um dos atributos do pecado é esconder o homem de si mesmo, ocultar a sua deformidade, impedir que ele forme um conceito justo da sua verdadeira condição. É um fato solene, o de que não há um preceito perverso no fundo do próprio demônio, que não exista no nosso, no atual momento, a menos que sejamos completamente renovados pelo poder do Espírito Santo. O fato de que estes maus princípios não se desenvolvam continuamente, em toda a sua odiosa deformidade, se deve inteiramente à misericórdia tolerante e restritiva de Deus.

Em terceiro lugar, observe a *sabedoria do salmista.* Ele apresenta a sua oração ao próprio Deus. Deus é o único Ser do universo que conhece a Si mesmo – que Se vê sob a sua própria luz. Sob esta mesma luz, Ele vê todos os outros seres humanos; e consequentemente acontece que, se os outros seres realmente virem a si mesmos, deve ser sob a luz de Deus. Se o sol fosse um ser inteligente, eu lhe perguntaria, "Como você vê a si mesmo? Sob a sua própria luz?" E ele responderia, "Sim". "E como você vê os planetas que estão continuamente orbitando ao seu redor?" "Também sob a minha própria luz, pois toda a luz que há neles é tomada emprestada de mim".

Você verá que o salmista começa com os seus princípios: o seu desejo é vê-los julgados por um juiz competente, e ter tudo o que é mau removido deles. Isto é uma evidência da sua sabedoria. O seu coração e os seus pensamentos devem estar corretos, antes que as ações da vida possam ser corretas. Aqueles que são mais eminentes para a piedade são os que mais convivem com Deus; e, por este motivo, eles passam a conviver mais consigo mesmos. Davi diz, em outra passagem: "Quem pode entender os próprios erros? Expurga-me tu dos que me são *ocultos*". E Jó diz: "Ainda que me lave com água de neve, e purifique as minhas mãos com sabão, mesmo assim me submergirás no fosso, e as minhas próprias vestes me abominarão". Quando estes homens santos se examinaram, sob a luz de Deus, viram seus pecados de omissão e comissão, e oraram fervorosamente para serem libertados de todos. – *William Howels, 1832*

vv. 23 e 24: O texto é uma oração, e indica, em nossa opinião, três grandes fatos com relação ao suplicante: o primeiro, que Davi desejava intensamente conhecer a si mesmo; o segundo, que ele tinha consciência de que Deus podia ver através de todos os seus disfarces; e o terceiro, que ele desejava descobrir, para que, com a ajuda divina, pudesse corrigir, o que houvesse de errado com a sua conduta.

A primeira conclusão a que chegamos, com o texto, quando considerado como indicando os sentimentos do suplicante, é que ele era completamente honesto, que era realmente o seu desejo estar familiarizado com o seu próprio coração. E há alguma coisa estranha ou notável nisto, em sua opinião? Na realidade, nós achamos que sim. Cremos que seria necessário um elevado grau de piedade para ser capaz de suportar, com sinceridade, as orações do nosso texto. Você me dirá que isto não acontece sempre, que mesmo enquanto os homens estão passando por um processo de autoexame, há um desejo secreto de continuar ignorando certos aspectos, um desejo de que não fique provado que estavam errados, quando o interesse e a inclinação combinam em exigir um veredicto oposto?... No seu exame interior, você sabe onde estão os pontos sensíveis, e estes pontos você poderá ser capaz de evitar, de modo a não entrar em sofrimento, nem tornar evidente o quanto precisa do cáustico e da faca. Na verdade, podemos ter certeza de que não declaramos nada exceto o que a experiência irá provar, quando declaramos que é uma grande realização na religião, estar preparados para saber o quanto somos maus... E evidentemente, o salmista tinha conseguido isto, pois ele apela a Deus com muito fervor, para que nenhuma parte do seu espírito ficasse sem ser examinada; ele traria o coração e todos os seus pensamentos, a vida e todos os seus caminhos a um completo exame, de modo que nenhuma forma e nenhum grau de perversidade deixassem de ser detectados. – *Henry Melvill*

vv. 23 e 24: O autoexame não é algo tão simples como pode parecer, à primeira vista. Nenhum cristão que realmente o praticou julgou-o fácil. Há algum exercício da alma que algum de nós tenha considerado ser tão insatisfatório, tão praticamente impossível, como o autoexame? O fato é que o coração é tão extremamente complicado e intrincado, e está tão perto do olho que tem que examiná-lo, e tanto o coração como o olho são tão inquietos e tão inconstantes, que a sua anatomia profunda frustra o nosso exame. Apenas algumas poucas coisas, aqui e ali, evidentes e declaradas, e que afloram à superfície, um homem consegue descobrir; mas há câmaras escondidas dentro de câmaras, na mais profunda de todas as coisas, o coração de um pecador, que nenhuma mera investigação humana jamais alcançará... é a prerrogativa exclusiva de Deus *"sondar"* o coração humano.

Para os filhos de Deus – os mais íntimos dele em toda a terra – eu não hesito em dizer – "há alguns pecados latentes neste momento em você dos quais você não faz ideia, mas é necessário apenas uma dimensão maior de esclarecimento espiritual para exibi-los. Você não faz ideia da iniquidade que existe agora em você". Mas enquanto eu digo isto, que cada cristão considere bem o custo, antes de se aventurar no corajoso ato de pedir que Deus o "sonde". Pois, esteja certo de que se você realmente e fervorosamente pedir que Deus *"sonde"* você, Ele o fará. E Ele sondará você completamente; e se você lhe pedir que o *"prove"*, Ele o fará – e não será uma pequena prova!

Eu estou persuadido de que nós frequentemente mal calculamos o que estamos fazendo – o que pedimos que Deus faça – quando imploramos que Ele nos dê alguma realização espiritual, algum crescimento em graça, algum aumento de santidade ou paz. Para todas estas coisas há uma condição, e esta condição está na disciplina, e esta disciplina, em geral, é proporcional à extensão e à dimensão do que pedimos.

Eu não sei qual pode ter sido a condição do salmista quando ele escreveu este Salmo, mas eu penso que ou uma das mais cruéis perseguições de Saul, ou a rebelião de seu filho Absalão, seguiu de perto os rastros desta oração, – *"Sonda-me, ó Deus, e conhece o meu coração; prova-me e conhece os meus pensamentos"*, etc.

Mas qualquer que sejam os resultados alcançados, cada filho de Deus irá desejar, qualquer que seja o sacrifício necessário, conhecer a sua exata situação perante Deus; pois, da mesma maneira como ele deseja, em todas as coisas, ter uma mente em conformidade com a mente de Deus, também ele é particularmente zeloso, para que, de maneira alguma adote uma visão ou estimativa da sua alma, diferente da maneira como Deus a vê. – *Condensado de James Vaughan*

vv. 23 e 24: A hipocrisia, na periferia da cidade, é muito diferente da hipocrisia no centro. O hipócrita da moda se esforça para parecer mais perverso do que realmente é; porém o outro tipo de hipócrita deseja parecer mais virtuoso do que realmente é. O primeiro tem medo de tudo o que exibe religião, e seria considerado engajado em muitas ousadias criminosas de que não é culpado. O segundo exibe uma aparência de santidade, e encobre uma multidão de maldade sob uma postura aparentemente religiosa.

Mas existe outro tipo de hipocrisia, que é diferente destes dois; eu me refiro àquela hipocrisia pela qual um homem não somente engana o mundo, como muito frequentemente a si mesmo; aquela hipocrisia que esconde dele o seu próprio coração, e faz com que ele creia ser mais virtuoso do que realmente é, e não preste atenção aos seus erros, ou os interprete como virtudes. É a sua hipocrisia fatal, e o engano de si mesmo, que é percebido nestas palavras, "Quem pode entender os próprios erros? Expurga-me tu dos que me são ocultos".

Estes dois tipos de hipocrisia, o de enganar o mundo e o de enganar a nós mesmos, são abordados, com maravilhosa beleza, no salmo 139. A tolice do primeiro tipo de hipocrisia é ali apresentada por reflexões sobre a onisciência e a onipresença de Deus, que são celebradas em poesia tão nobre como eu nunca mais encontrei, seja sagrada ou profana. O outro tipo de hipocrisia, pela qual o homem engana a si mesmo, é sugerida nos dois últimos versículos, onde o salmista se dirige ao grande Examinador de corações, naquele pedido enfático: "Sonda-me, ó Deus, e conhece o meu coração; prova-me e conhece os meus pensamentos. E vê se há em mim algum caminho mau e guia-me pelo caminho eterno". – *Joseph Addison (1672-1719), The Spectator*

vv. 23 e 24: Como é bela a humilhação de Davi! Ele não consegue falar dos ímpios, senão em termos de justa indignação; ele não consegue deixar de odiar os que odeiam o seu Deus, mas ele parece imediatamente se lembrar e repreender a si mesmo – "Sonda-me, ó Deus, e conhece o *meu* coração". Precisamente no mesmo espírito de humildade e ponderação interior, Abraão, quando suplicava diante de Deus pela Sodoma culpada e depravada, não deixa de falar de *si mesmo*, como sendo pó e cinzas (Gn 18.27). – *James Ford, 1871*

vv. 23 e 24: Por que Davi orou a Deus desta maneira, *"Sonda-me, ó Deus, e conhece o meu coração"*, tendo dito antes, no primeiro versículo, *"tu me sondaste e me conheces"?* Uma vez que Davi sabia que Deus o tinha sondado, por que ele precisava orar para que Deus o sondasse? Por que ele implora que Deus faça o que já tinha feito? A resposta é imediata. Davi era um diligente examinador de si mesmo, e por isto estava tão desejoso de ser sondado, ele se alegrava em ser sondado por Deus; e não (como dissemos) porque ele mesmo já tinha feito isto, mas também porque ele sabia que Deus poderia fazê-lo melhor. Ele sabia, pelo seu auto-exame, que não vivia em nenhum tipo de iniquidade contra o seu conhecimento, e, ainda assim, sabia que poderia haver nele algum tipo de iniquidade de que ele não tinha conhecimento. E por isto ele não apenas diz, *"Sonda-me, ó Deus, conhece os meus pensamentos"*, mas acrescenta, *"E vê se há em mim algum caminho mau* (ou *algum caminho de dor e tristeza*) – a mesma palavra significa as duas coisas, porque os caminhos maus levam, no final, a dor e tristeza – *"e guia-me pelo caminho eterno"*. Como se ele tivesse dito, Senhor, eu examinei a mim mesmo e não vejo nenhum caminho mau em mim, mas, Senhor, a tua visão é infinitamente mais clara que a minha, e se tu apenas me sondares, poderás ver em mim algum caminho mau que eu não pude ver, e se tu o fizeres eu alegremente verei e conhecerei o pior de mim, para que possa me corrigir e me aprimorar; por isto, Senhor, se houve algum caminho deste tipo em mim, faze-me sabê-lo. Ó, tira de mim este caminho, e tira-me deste caminho; *"guia-me pelo caminho eterno"*. Davi tinha provado a si mesmo, e desejava novamente ser posto à prova por Deus, de modo que, sendo posto à prova de maneira melhor, pudesse se tornar ainda melhor. Ele se considerou como o ouro, na sua própria prova; no entanto, temia que houvesse em si mesmo alguma escória que não tivesse encontrado; e agora ele desejava ser posto à prova novamente, para que pudesse ser considerado como o ouro puro. O ouro puro não teme a fornalha nem o fogo, nem o teste nem a pedra de toque; nem o ouro pesado teme a balança. Aquele que é pesado será pesado, não importando a frequência com que é pesado; aquele que é ouro será ouro, não importando a frequência com que é testado, e quanto mais frequentemente for testado, mais puro ouro será; o que ele é, ele será, e ele deseja ser melhor do que é. – *Joseph Caryl*

v. 24: "E vê se há em mim algum caminho mau". Esta é uma *oração* bela e impressionante para o início de cada dia. Ela é, também, um grande sentimento, que pode nos *admoestar* no princípio de cada dia.

Há o caminho da *incredulidade* interior, a que somos muito propensos. Há o caminho da *futilidade* e da soberba, a que frequentemente nos acostumamos. Há o caminho do *egoísmo*, em que frequentemente andamos. Há o caminho do *materialismo* que frequentemente buscamos – prazeres vazios, honras ilusórias, etc. Há o caminho da *preguiça*. Que apatia na oração, no exame e aplicação da Palavra de Deus nós manifestamos! Há o caminho da *autoconfiança*, com que frequentemente desonramos a Deus e prejudicamos a nós mesmos. Infelizmente, há o caminho da *desobediência*, em que frequentemente andamos. De qualquer maneira, a nossa obediência é fria, relutante, incerta – não simples, íntegra, fervente.

Como é necessário, então, ir até Deus imediatamente, e fervorosamente apresentar o pedido, *"Senhor, vê se há em mim algum caminho mau"*. Não permitas que nada que é errado, que se opõe ao teu caráter, que é repugnante à tua palavra ou ofensivo e degradante para nós mesmos, permaneça em nós, ou se refugie em nós. – *Condensed from T. Wallace, Homiletic Commentary"*

v. 24: "E vê se há em mim algum caminho mau". A que nível de santidade Davi deve ter chegado antes que pudesse necessitar, se é que podemos falar assim, o escrutínio divino, para ser informado de seus erros, defeitos e falhas! Há algum de nós que possa dizer que ele corrigiu a sua conduta até a medida do seu conhecimento, e que agora ele deve esperar obter mais informações antes que possa continuar aprimorando a sua vida? Eu não sei como definir um ponto mais elevado na realização religiosa do que supor que um homem é autorizado a oferecer a oração do nosso texto. Eu convido você a ser cuidadoso ao usar esta oração. É fácil zombar de Deus, pedindo-lhe que sonde você, enquanto você fez apenas um pequeno esforço para sondar a si mesmo, e talvez ainda menos esforço para agir de acordo com o resultado do escrutínio. – *Henry Melvill*

v. 24: "E vê se há em mim algum caminho mau", etc.

Pense e seja cuidadoso com o que você é interiormente,
Pois há pecado no desejo do pecado:
Pense e seja grato, em um caso diferente,
pois há graça no desejo de graça.
– *John Byrom, 1691-1763*

v. 24: "O caminho eterno". *O caminho da eternidade,* ou *da antiguidade, as veredas antigas,* conforme Jr 6.16, querendo dizer o caminho da fé e santidade, que Deus ensinou desde o princípio, e que continua para sempre; contrário ao "caminho dos ímpios", que perece (Sl 1.6). – *Henry Ainsworth*

SUGESTÕES AOS PREGADORES.

vv. 1 e 23. Um fato que se fez tema de oração.

v. 1. 1. Um pensamento animador para os pecadores. Se Deus não os conhecesse perfeitamente, como poderia ter preparado para eles uma salvação perfeita? 2. Uma verdade consoladora para os santos. "Vosso Pai celestial bem sabe que necessitais de todas essas coisas". – *G. R.*

vv. 1 a 5. Nestes versículos, temos a onisciência de Deus, I. Descrita. 1. Como observando ações minuciosas e comparativamente sem importância: "O meu assentar e o meu levantar". 2. Como observando os nossos pensamentos e os motivos por trás deles: "Entendes o meu pensamento". 3. Como investigando todos os nossos caminhos: "Cercas", etc.; outra possível tradução, "Provas o meu andar e o meu deitar", *isto é,* as minhas atividades e o meu descanso. 4. Avaliando com exatidão cada palavra, no instante em que é proferida. "Sem que haja uma palavra", etc. 5. Como estando "atrás" dos homens, lembrando o seu passado, e "diante" dos homens, familiarizada com o seu futuro: "Tu me cercaste em volta", etc. 6. Como mantendo os homens, a cada instante, sob vigilante escrutínio: "E puseste", etc. II. Pessoalmente realizada e ponderada: "Tu *me* sondaste". *Me* e *meu* estão presentes em todo o conjunto de declarações. Assim sentida e usada, a onisciência de Deus, 1. Gera reverência. 2. Inspira confiança. 3. Produz cautela no comportamento. – *J. F.*

vv. 2 a 4. O conhecimento de Deus se estende, I. Aos nossos movimentos, ao nosso "assentar e levantar" – quando nos sentamos para ler, escrever ou conversar, e quando nos levantamos para o serviço ativo. II. Aos nossos pensamentos: "de longe entendes o meu pensamento". Quais foram, quais são agora, quais serão, os nossos pensamentos, quais foram eles, sob todas as circunstâncias. Aquele que criou as mentes sabe quais serão os seus pensamentos em todas as ocasiões, ou não poderia predizer eventos futuros, nem governar o mundo. Ele pode conhecer os nossos pensamentos, sem ser o Autor deles. III. Aos nossos atos: versículo 3, cada passo que damos durante o dia, e todo o propósito que temos nas horas em que estamos despertos à noite; todos os nossos caminhos particulares, sociais e públicos são envoltos ou avaliados por Ele, de modo a distinguir o bem do mal, como o trigo da palha. IV. Às nossas palavras: versículo 4, Foi dito que as palavras de todos os homens e de todos os tempos estão registradas na atmosfera, e podem ser relembradas fielmente. Quer isto seja ou não verdade, elas estão fonografadas na mente de Deus. – *G. R.*

v. 2 (primeira sentença). A importância dos mais comuns atos da vida.

v. 2 (segunda sentença). A séria natureza dos pensamentos. Conhecidos por Deus; Ele vê através deles, percebe o seu objetivo; e dá atenção a eles, enquanto ainda estão distantes.

v. 3. A abrangente Presença, em nossas atividades, meditações, segredos e movimentos.

v. 4. I. Palavras na língua, primeiro *nela*, e nesse estágio, conhecidas por Deus. II. Palavras na língua, muito numerosas, porém todas conhecidas. III. Palavras na língua têm amplo significado, porém são "todas" conhecidas. Lição: Tome cuidado com as palavras que você ainda não proferiu.

v. 5. Uma alma capturada. Detida, dominada, aprisionada. O que ela fez? O que fará?

v. 6. I. Deus é imperfeitamente conhecido pelo homem. II. O homem é perfeitamente conhecido por Deus. Foi dito que os sábios nunca perguntam nada a si mesmos, que nunca têm dúvidas; porém, para nós, parece que isto lhes ocorre tempo todo. – *G. R.*

v. 6. Tema: os fatos da nossa religião, maravilhosos demais para que os compreendamos, são exatamente aqueles em que temos mais razões para alegria. I. Prove isto. 1. Os incompreensíveis atributos de Deus conferem indescritível valor às suas promessas. 2. A Encarnação é a mais completa e, ao mesmo tempo, a mais afetuosa manifestação de Deus que possuímos, e também a mais inexplicável. 3. A redenção, pela morte de Cristo, é a maior garantia de salvação que podemos conceber, mas quem pode explicá-la? 4. A inspiração torna a Bíblia a Palavra de Deus, embora ninguém possa explicar como ela opera nas mentes dos que são "movidos" pelo Espírito Santo.

5. A ressurreição do corpo e a sua glorificação satisfazem o mais profundo anseio da nossa alma (Rm 8.23; 2 Co 5.2-4); mas ninguém imagina como. II. Aplique as suas lições. 1. Não devemos tropeçar nas doutrinas simplesmente porque são misteriosas. 2. Sejamos gratos porque Deus não ocultou os grandes mistérios da nossa religião simplesmente porque alguns ficariam ofendidos com eles. 3. Recebamos prontamente toda a alegria que trazem os mistérios, e calmamente esperemos a luz do céu, que nos fará entender melhor. – *J. F.*

vv. 7 a 10. I. Deus está onde quer que eu esteja. Eu ocupo uma pequena parte do espaço; Ele preenche todo o espaço. II. Ele está onde quer que eu venha a estar. Ele não se move comigo, mas eu me movo nele. "Nele vivemos, e nos movemos", etc. III. Deus está onde eu poderia estar. "Se subir ao céu", etc. "Se fizer no Seol", etc. Se eu viajar com os raios do sol, até a parte mais distante da terra, ou dos céus, ou do mar, estarei na tua mão. Nenhuma menção é feita aqui à aniquilação, embora ela fosse possível; isto seria a única maneira de escapar à Presença Divina; pois Ele não é o Deus dos mortos, dos aniquilados, no significado do mundo segundo os saduceus, mas é o Deus dos vivos. O homem sempre está em algum lugar, e Deus sempre está em todos os lugares. – *G. R.*

v. 8. A glória do céu e o terror do inferno: "Tu".

vv. 9 e 10. I. A maior segurança e o maior incentivo a um pecador. 1. O lugar – as extremidades do mar, que devemos interpretar como o mais obscuro refúgio na criação. 2. O seu rápido voo, depois da comissão do pecado, a este suposto refúgio e santuário: "Se tomar as asas da alva". II. Estes supostos encorajamento e segurança são completamente destruídos (v. 10). – Veja *"Seaman's Preservative in Foreign Countries", de Flavel*

vv. 11 e 12. As trevas e a luz são semelhantes, para Deus. I. Naturalmente, "Eu formo a luz e crio as trevas". II. Providencialmente. As dispensações da Providência que são trevas para nós são luz para Ele. Nós mudamos, com respeito a Ele, e não Ele, com respeito a nós. III. Espiritualmente. "Quem anda nas trevas", etc. "Ainda que [eu] ande", etc. Ele seguia à frente ao seu povo, em uma coluna de nuvem, para guiá-los durante o dia, e uma coluna de fogo, para guiá-los durante a noite. Era o mesmo Deus, na nuvem do dia, e na luz da noite. – *G. R.*

v. 14. "De um modo terrível e tão maravilhoso fui formado". Isto é verdade para o homem, nos quatro aspectos de seu estado. I. Na sua integridade primitiva. II. Na sua depravação deplorável. III. Na sua regeneração. IV. No seu estado fixo, no inferno ou no céu. – *W. W.*

vv. 17 e 18. O salmo se estende sobre a onisciência de Deus. Não de maneira pesarosa, mas o oposto disto. I. *Os pensamentos de Deus sobre nós.* 1. Tão certos. 2. Tão numerosos. 3. Tão condescendentes. 4. Tão ternos. 5. Tão sábios. 6. Tão práticos. 7. Tão constante. II. *Os nossos pensamentos, sobre os seus pensamentos.* 1. Tão raros, e tão devidos ao assunto. 2. Tão prazerosos. 3. Tão consoladores. 4. Tão fortalecedores para a fé. 5. Tão estimulantes para o amor. III. *Os nossos pensamentos a respeito do próprio Deus.* 1. Eles nos aproximam de Deus. 2. Eles nos conservam perto de Deus. 3. Eles nos restauram a Ele. Nós estamos com Deus, quando despertamos do sono, da letargia, da morte.

vv. 17 e 18. I. O santo é precioso para Deus. O Senhor Deus pensa nele carinhosamente; de maneiras incontáveis; perpetuamente. II. Deus, precioso para os santos. Observando as amorosas benignidades de Deus, contando-as, novamente despertando para elas. III. A mescla destes amores: "ainda estou contigo" – *W. B. H.*

v. 18. "Quando acordo, ainda estou contigo". A palavra acordar é, algumas vezes, ou comumente, interpretada com o *significado natural,* da recuperação do sono físico. 2. *Moralmente,* a recuperação do pecado. 3. *Misticamente;* "quando acordo", isto é, do sono da morte. – *T. Horton.*

v. 18. "A Christian on Earth still in Heaven" [apêndice de "A Christian on the Mount; ou, A Treatise concerning Meditation"], de *Thomas Watson, 1660*

v. 18. "Ainda estou contigo". 1. Na forma de meditação. 2. Com respeito à comunhão. 3. Com respeito à ação, e às atividades que são feitas por nós. – *T. Horton*

v. 19. I. A doutrina da punição, o resultado necessário da onisciência. II. Juízo inevitável, um argumento em favor da separação dos pecadores. – *W. B. H.*

v. 20. Duas ofensas escandalosas contra Deus. I. Falar dele de maneira difamadora, malvadamente. II. Falar dele de maneira irreverente, tomando o seu nome em vão. Estes são cometidos apenas por seus inimigos.

vv. 21 e 22. I. Deste ódio, ninguém deve se envergonhar. II. Este ódio, devemos ser capazes de definir: "aflição". III. Este ódio, devemos nos esforçar para que seja correto, adequado. "Ódio completo" é uma forma de ódio consistente com todas as virtudes.

vv. 23 e 24. As palavras, I. De autoexame. 1. Como diante de Deus. 2. Com um desejo da ajuda de Deus: versículo 23. Examina-me completamente, e dize-me o que pensas de mim. II. De renúncia a si mesmo: "Vê se", etc. (v. 24); algum pecado que não foi perdoado, alguma má disposição não subjugada, algum mau hábito não contido, para que eu possa renunciar a ele. III. De autodedicação: "Guia-me", etc.: uma submissão completa à orientação divina no futuro. – *G. R.*

v. 24. I. O mau caminho. Naturalmente em nós; pode ser de tipos diferentes; deve ser removido; a remoção requer a ajuda divina. II. O caminho eterno. Há apenas um, nós precisamos prosseguir nele. São as boas veredas antigas, é um caminho que não chega ao fim; ele leva à bem-aventurança eterna.

v. 24 (última sentença). Veja "Spurgeon's Sermons", n. 903: "The Way Everlasting".

SALMO 140

TÍTULO

Este salmo está em seu lugar apropriado, e assim, segue, apropriadamente, o salmo 139, para que se possa quase continuar a leitura, sem fazer nenhuma interrupção entre os dois. Sérios danos seriam causados a todo o Livro de Salmos, se a ordem sofresse interferência de alguns propósitos de pessoas arrogantes. É O CLAMOR DE UMA ALMA PERSEGUIDA, a súplica de um crente incessantemente perseguido e cercado por astutos e ardilosos inimigos, que desejavam a sua destruição. Davi foi caçado, como uma perdiz nos montes, e raramente obteve um momento de descanso. Este é o seu comovente apelo a Jeová, pedindo proteção, um apelo que gradualmente se intensifica e se torna uma denúncia de seus amargos adversários. Com este sacrifício de oração, ele oferece o sal da fé; pois, de uma maneira muito enfática, ele expressa a sua confiança pessoal no Senhor, como o protetor dos oprimidos, e como o seu próprio Deus e Defensor. Poucos salmos curtos são tão ricos na joia da preciosa fé.

"Ao Regente do Coro" – O autor desejava que este hino experimental estivesse sob os cuidados do regente do coro, para que nunca deixasse de ser cantado, nem fosse cantado de uma maneira descuidada. Estas provações e estes resgates mereciam que as pessoas os tivessem na memória, mereciam estar entre as mais excelentes lembranças da bondade do Senhor. Nós também temos os nossos cânticos, que não são comuns, e devem ser entoados com os nossos melhores esforços, de coração e de língua. Nós os oferecemos ao Senhor, por meio da mão do "Regente do coro", e de nenhuma outra.

"Salmo de Davi" – A vida de Davi, quando ele entra em contato com Saul e Doegue, é a melhor explicação deste salmo; e certamente não há dúvida de que Davi o escreveu, e o escreveu na época de seu exílio, em que corria perigos. A tremenda explosão, no final, traz o calor, a cordialidade, que era tão natural a Davi, que nunca foi indiferente em nada; no entanto, devemos observar que, com respeito aos seus inimigos, ele era frequentemente inflamado em sua linguagem, devido à indignação, mas, no entanto, era frio em

ação, pois não era vingativo. Ele não sentia uma perversidade mesquinha, mas uma justa ira; ele previu, predisse, e até mesmo desejou a justa vingança de Deus sobre os soberbos e os ímpios, mas não se valeu de nenhuma oportunidade para se vingar dos que o tinham injustiçado. Pode ser que as suas súplicas ao grande Rei esfriassem a sua ira, e permitissem que ele deixasse suas injustiças sem reparação, por um ato pessoal de violência. "Minha é a vingança; eu recompensarei, diz o Senhor"; e Davi, quando mais ferido pela perseguição imerecida e pela ímpia falsidade, ficou satisfeito por deixar os seus assuntos diante do trono, onde estariam a salvo, seguros, com o Rei dos reis.

EXPOSIÇÃO

1 *Livra-me, ó Senhor, do homem mau; guarda-me do homem violento;*
2 *os quais pensam o mal no coração; continuamente se ajuntam para a guerra.*
3 *Aguçaram a língua como a serpente; o veneno das víboras está debaixo dos seus lábios. (Selá)*

1. *"Livra-me, ó Senhor, do homem mau."* Esta parece uma sentença da oração do Senhor, "Livra-nos do mal". Davi não pede tanto contra um indivíduo, mas contra a espécie que ele representa, ou seja, o ser cuja melhor descrição é – "o homem mau". Há muitos deles: na realidade, nós não encontraremos sequer um homem não regenerado, que, em algum sentido, não seja um homem mau, mas, no entanto, não são todos igualmente maus. É bom para nós que os nossos inimigos sejam maus: seria uma coisa horrível ter o bem contra nós. Quando "o homem mau" se incita contra os piedosos, ele é um ser tão terrível como um lobo, ou uma serpente, ou até mesmo um demônio. Feroz, implacável, impiedoso, infatigável, inescrupuloso, ele não se preocupa com nada, exceto a indulgência da sua maldade. O homem perseguido se volta para Deus, em oração; ele não poderia fazer nada mais sábio. Quem pode encontrar o homem mau e derrotá-lo, exceto o próprio Jeová, cuja bondade infinita é mais do que um páreo para todo o mal do universo? Não podemos, sozinhos, frustrar os ardis do inimigo, mas o Senhor sabe como livrar os seus santos. Ele pode nos manter fora do alcance do inimigo, Ele pode nos sustentar quando estamos sob o seu poder, Ele pode nos resgatar quando a nossa destruição parece certa, Ele pode nos dar a vitória quando a derrota parece garantida; e em qualquer caso, e em todo caso, se Ele não nos salvar do homem, Ele pode nos proteger do mal. Se neste momento estivermos oprimidos, de alguma maneira, por homens ímpios, será melhor deixar a nossa defesa com Deus do que tentar fazê-la nós mesmos.

"Guarda-me do homem violento." O mal no coração ferve, em maldade, e por fim irrompe em paixão. O mal é algo furioso, quando consegue a liberdade para se manifestar; e assim "o homem mau" logo evoluiu no "homem violento". Que vigilância, força ou coragem pode preservar o filho de Deus do engano e da violência? Há apenas um Preservador confiável, e é sensato que nos escondamos debaixo da sombra das suas asas. É comum que os homens bons sejam atacados por inimigos: Davi foi atacado por Saul, Doegue, Aitofel, Simei, e outros; até mesmo Mardoqueu, sentado humildemente à porta, teve seu Hamã; e o nosso Senhor, o Perfeito, estava rodeado por aqueles que tinham sede do seu sangue. Não podemos, portanto, ter esperança de passar pelo mundo sem inimigos, mas podemos ter esperança de ser livrados das suas mãos, e preservados do seu ódio, de modo que nenhum mal verdadeiro resulte da sua malignidade. Esta bênção é buscada pela oração, e esperada pela fé.

2. *"Os quais pensam o mal no coração."* Eles não podem ser felizes, a menos que estejam tramando e planejando, conspirando e idealizando. Eles parecem ter apenas um coração, pois estão de completo acordo em sua maldade; e com todo o seu coração, e toda a sua alma, perseguem a sua vítima. Uma perversidade não é suficiente para eles; eles trabalham no plural, e preparam muitas flechas para seus arcos. O que eles não podem realizar, ainda assim gostam de repensar, e ensaiar

no palco da sua cruel imaginação. É terrível ter uma doença de coração como esta. Quando a imaginação se deleita em fazer mal aos outros, é sinal de que toda a natureza da pessoa está avançada em iniquidade.

"Continuamente se ajuntam para a guerra." Eles são um comitê de oposição, em sessão permanente: eles nunca adiam, mas consideram perpetuamente a questão absorvente de como fazer o máximo mal contra o homem de Deus. Eles são um exército sempre pronto para a briga; não somente vão para a guerra, como habitam nela. Embora sejam a pior companhia, ainda assim eles se toleram, uns aos outros, e estão continuamente uns na companhia dos outros, unidos para a luta. Os inimigos de Davi eram tão violentos quanto eram maus, tão ardilosos quanto eram violentos, e tão persistentes quanto eram ardilosos. É difícil lidar com pessoas que só estão em seu elemento quando estão com as adagas desembainhadas contra você. Um caso como este requer oração, e a oração invoca a Deus.

3. *"Aguçaram a língua como a serpente."* O rápido movimento da língua de uma víbora nos dá a ideia de que ela a está afiando; assim também os maldosos movem suas línguas, de tal maneira, que poderíamos supor que estão em meio ao ato de desgastá-la até certo ponto, ou esfregá-las contra algo afiado. Era uma noção comum que as serpentes introduzem o seu veneno pelas suas línguas, e os poetas usaram a ideia como uma expressão poética, embora o correto seja que a serpente fere por seus dentes, e não pela sua língua. Não devemos supor que todos os autores que usaram esta linguagem estivessem equivocados em sua história natural, não mais do que um autor pode ser acusado de ignorância em astronomia, porque fala que o sol vai do leste para o oeste. De que outra maneira podem falar os profetas, se não de acordo com a aparência das coisas a um olhar imaginativo? O grande poeta do mundo assim escreve, em "Rei Lear":

> "Ela me feriu com sua língua,
> como uma serpente, no coração".

No caso dos caluniadores, eles ferem tão literalmente com suas línguas, que são tão ágeis em maldade, e tão penetrantes e cortantes, que não é, de maneira alguma, injusto se referir a elas como afiadas.

"O veneno das víboras está debaixo dos seus lábios." O mais mortal de todos os venenos é a calúnia dos inescrupulosos. Alguns homens não se importam com o que dizem, com a condição de que possam irritar e ferir. O nosso texto, no entanto, não se deve limitar, na sua referência, a alguns poucos indivíduos, pois a inspirada epístola aos Romanos é citada, pelo apóstolo, como sendo verdadeira a respeito de todos nós. Tão depravados nós somos, por natureza, que as criaturas mais venenosas são os nossos tipos adequados. A antiga serpente não apenas nos inoculou com seu veneno, como fez com que nós mesmos produzíssemos veneno semelhante: ele está debaixo dos nossos lábios, e, ai, ele é livremente usado, quando nos iramos, e desejamos nos vingar de quem quer que nos tenha provocado. As coisas severas são, às vezes, tão tristemente maravilhosas que até mesmo os homens bons dirão, quando provocados; mesmo os que se dizem "perfeitos", não são exatamente tão símplices como pombas, quando suas declarações de ausência de pecados são abertamente questionadas. Este veneno de más palavras nunca deveria sair de nossos lábios, não importando o quanto pudéssemos ser provocados, se não estivesse ali em outros momentos; mas, por natureza, nós temos um grande depósito de palavras venenosas, tão grande quanto o depósito de veneno de uma cobra. Ó, Senhor, remove as bolsas de veneno, e faze com que dos nossos lábios não goteje outra coisa, que não o mel.

"Selá." Esta é uma obra dura. Sobe, sobe, coração meu! Não te afundes. Não caias a tons menores. Levanta-te para Deus.

4 *Guarda-me, ó SENHOR, das mãos do ímpio e guarda-me do homem violento, os quais se propuseram desviar os meus passos.*

5 *Os soberbos armaram-me laços e cordas; estenderam a rede à beira do caminho; armaram-me laços corrediços. (Selá)*

4. *"Guarda-me, ó Senhor, das mãos do ímpio."* Cair em suas mãos seria, verdadeiramente, uma calamidade. Davi, no seu apuro mais digno de piedade, preferiu cair na mão de um Deus punitivo em lugar de ser deixado sob o poder dos homens. Nenhuma criatura entre os animais selvagens das matas é um inimigo tão terrível para o homem como o próprio homem, quando guiado pelo mal, e impulsionado pela violência. O Senhor, por providência e graça, pode nos manter fora do poder dos ímpios. Somente Ele pode fazer isto, pois nem a nossa própria vigilância, nem a fidelidade de amigos, podem nos proteger dos ataques repentinos e cruéis do adversário. Nós precisamos ser preservados tanto das mãos macias como das ásperas, dos ímpios, pois as suas adulações podem nos prejudicar, tanto quanto as suas calúnias. As mãos do seu exemplo podem nos contaminar, e assim nos fazem mais mal do que as mãos da sua opressão. Jeová deve ser o nosso protetor, ou as mãos perversas farão o que os corações perversos imaginaram, e os lábios perversos ameaçaram.

"Guarda-me do homem violento." A sua paixão intensa o torna terrivelmente perigoso. Ele atacará de qualquer maneira, usará qualquer arma, ferirá de qualquer lado; ele está tão furioso que não se importa com a sua própria vida, se puder realizar o seu detestável desígnio. Senhor, guarda-nos, pela tua onipotência, quando os homens nos atacarem com a sua violência. Esta oração é sábia e apropriada.

"Os quais se propuseram desviar os meus passos." Eles decidem afastar o homem bom de sua resolução, eles desejam derrotar os seus desígnios, ferir a sua integridade, e destruir o seu caráter. Os seus próprios movimentos são ímpios, e por isto, odeiam os movimentos dos justos, vendo que são uma censura permanente a eles. Este é um argumento convincente a usar na oração com Deus: Ele é o patrono da santidade, e quando as vidas puras do seu povo estão em perigo de ser destruídas, podemos esperar que Ele se interponha. Que os piedosos nunca se esqueçam de orar, pois esta é uma arma contra a qual nem o mais determinado inimigo conseguirá resistir.

5. *"Os soberbos armaram-me laços."* Soberbos como são, eles se rebaixam a esta ação mesquinha: eles usam um laço, e o escondem, para que a sua vítima possa ser capturada, como uma pobre lebre, que é morta sem aviso – morta no seu movimento usual, por um laço que ela não pode ver. Os inimigos de Davi desejavam aprisioná-lo no seu caminho de serviço, o caminho usual da sua vida. Saul instalou muitos laços para Davi, mas o Senhor o preservou. Ao nosso redor há laços de um tipo ou de outro, e estará bem protegido, ou melhor, divinamente protegido, aquele que nunca cair em nenhum deles.

"E cordas." Com estas, eles puxarão a rede, e com elas, prenderão seus cativos. Assim fazem os passarinheiros e os que capturam certos animais maiores. As cordas do amor são agradáveis, mas as do ódio são cruéis como a própria morte.

"Estenderam a rede à beira do caminho." Eles estendem a rede onde ela estará perto da sua presa; onde o menor desvio do caminho fará com que a presa caia na rede. Certamente, o caminho comum costuma ser seguro; os homens que saem do caminho podem ser pegos em uma rede, mas o caminho do dever é proverbialmente o caminho da segurança; mas nenhum lugar é seguro, quando há pessoas maldosas. Os pássaros são aprisionados em redes, e os homens são aprisionados pelo engano. Satanás instrui os seus filhos na arte de aprisionar, e estes aprendem rapidamente como estender suas redes; talvez eles já estejam fazendo isto contra nós; devemos fazer um apelo a Deus a respeito disto.

"Armaram-me laços corrediços." Um único instrumento de destruição não é suficiente; eles sentem tanto medo de perder a sua presa, que multiplicam suas armadilhas, usando aparatos diferentes, de modo que de uma ou outra maneira possam capturar a sua vítima. Os que evitam o laço e a rede podem ser presos em uma armadilha, e, por isto, armadilhas são instaladas em todos os lugares prováveis.

Se um homem piedoso puder ser lisonjeado, ou subornado, ou intimidado, ou irritado, os ímpios tentarão fazer isto. Eles estão prontos a distorcer as palavras do homem de bem, a mal interpretar as suas intenções, e julgar mal os seus esforços; prontos a adular, e mentir, e ser infames até o último estágio, de modo que possam realizar seus abomináveis propósitos. *"Selá."* A harpa precisa ser afinada, depois desta melodia, e o coração precisa ser elevado à presença de Deus.

6 *Eu disse ao SENHOR: tu és o meu Deus; ouve a voz das minhas súplicas, ó SENHOR.*
7 *Senhor Deus, fortaleza da minha salvação, tu cobriste a minha cabeça no dia da batalha.*
8 *Não cumpras, ó Senhor, ao ímpio os seus desejos; não deixes ir por diante o seu mau propósito, para que não se exalte. (Selá)*

6. *"Eu disse ao Senhor: tu és o meu Deus."* Aqui está o apoio e a esperança de Davi. Ele tinha certeza de que Jeová era o seu Deus, e expressou esta segurança, e o fez diante do próprio Jeová. Isto era uma boa e plena certeza que um homem ousa expressar diante do Senhor, que sonda os corações. O salmista, quando perseguido pelo homem, se dirige a Deus. Frequentemente ocorre que quanto menos dizemos aos nossos adversários, e quanto mais dizemos ao nosso melhor Amigo, melhor será o resultado para nós; se dissermos alguma coisa, que seja ao Senhor. Davi se alegrou no fato de que já tinha dito que Jeová era o seu Deus: ele estava satisfeito por ter se comprometido, e não tinha nenhum desejo de recuar. O Senhor era de Davi, por uma escolha deliberada, que ele novamente sela com deleite. O ímpio rejeita a Deus, mas o justo o recebe como seu; como seu tesouro, seu prazer, sua luz e seu deleite.

"Ouve a voz das minhas súplicas, ó Senhor." Como tu és meu, eu te peço: ouve as minhas súplicas. Não podemos pedir este favor ao deus de outro homem, mas podemos buscá-lo no nosso próprio Deus. As orações dos santos têm voz; elas são expressivas súplicas, mesmo quando parecem gemidos inexprimíveis. O Senhor pode discernir uma voz em nossas esperas, e Ele pode dar ouvidos a elas, e o fará. Como Ele é Deus, Ele pode nos ouvir; como Ele é o *nosso* Deus, Ele nos ouvirá. Enquanto o Senhor apenas nos ouvir, nós estamos satisfeitos: a resposta pode ser de acordo com a sua própria vontade, mas nós pedimos para ser ouvidos: uma alma aflita é grata a qualquer pessoa que seja gentil e paciente o suficiente para dar ouvidos à sua história, mas especialmente é grata por uma audiência com o Senhor Jeová. Quanto mais considero a sua grandeza e a nossa insignificância, a sua sabedoria e a nossa tolice, mais tenho a certeza de que estaremos cheios de louvor quando o Senhor der ouvidos ao nosso clamor.

7. *"Senhor Deus, fortaleza da minha salvação, tu cobriste a minha cabeça no dia da batalha."* Quando olhou para trás, para os perigos e resgates passados, o homem bom sentiu que teria perecido, se o Senhor não tivesse segurado uma proteção sobre a sua cabeça. No dia do choque de armas, ou de vestir uma armadura (como alguns entendem), o Senhor glorioso tinha sido o seu constante protetor. Golias tinha seu pajem de armas (ou, escudeiro), e também Saul, e cada um deles protegia o seu senhor; no entanto o gigante e o rei pereceram, ao passo que Davi, sem armadura nem escudo, matou o gigante e frustrou o tirano. O escudo do Eterno é melhor proteção do que um capacete de bronze. Quando as flechas voam em grande quantidade, e a lâmina da batalha ataca à esquerda e à direita, não há proteção para a cabeça como o poder do Todo-Poderoso. Veja como o filho da providência glorifica o seu Preservador! Ele o chama não apenas de sua salvação, mas de fortaleza da sua salvação, com cuja força sem igual ele tinha sido capacitado a superar a astúcia e crueldade de seus adversários. Ele tinha obtido um livramento em que a força do Onipotente podia ser vista claramente. Esta é uma grande declaração de louvor, um motivo gracioso para consolação, um argumento prevalecente na oração. Aquele que protegeu a nossa cabeça anteriormente não nos abandonará. Por isto, lutemos

uma boa luta, e não temamos nenhum ferimento mortal: o Senhor Deus é o nosso escudo, e o nosso grandíssimo galardão.

8. *"Não cumpras, ó Senhor, ao ímpio os seus desejos."* Até mesmo eles dependem de ti; eles não podem fazer nada além daquilo que tu permites. Tu os restringes; nem um cão pode mover a sua língua sem a tua permissão. Por isto, eu te peço, não deixes que eles consigam o que desejam. Embora eles ousem orar diante de ti, não ouças as suas orações contra homens inocentes. Certamente, o Senhor Jeová não será cúmplice dos malévolos; os seus desejos nunca serão os seus desejos; se eles têm sede de sangue, Ele não gratificará a sua crueldade.

"Não deixes ir por diante o seu mau propósito." Eles são tão unidos, que são como um único homem em seus desejos; mas não ouças as suas orações. Ainda que estejam de mãos dadas, e desejem, como um só homem, ainda assim não lhes emprestes o auxílio da tua providência. Não permitas que seus maldosos esquemas sejam bem sucedidos. O Senhor pode permitir que o sucesso acompanhe a política dos ímpios, durante algum tempo, por sábias razões, que nos são desconhecidas, mas nós podemos orar para que isto não aconteça. A súplica, "livra-nos do mal" inclui e permite este pedido.

"Para que não se exalte." Se bem-sucedidos, os ímpios certamente ficarão orgulhosos, e insultarão os justos, sobre os quais triunfaram, e este é um mal tão grande, e causa tanta desonra a Deus, que o salmista o usa na sua súplica, como um argumento contra o fato de que lhes tivesse sido permitido que fossem bem sucedidos. A glória do ímpio é oposta à glória de Deus. Se Deus parece beneficiá-los, eles crescem demais para este mundo e suas cabeças se chocam contra os céus. Oremos para que o Senhor não permita que isto aconteça. *"Selá."* Aqui exaltemos nossas línguas e louvores, sobre as cabeças dos pecadores que exaltam a si mesmos. Quanto mais sobem, em sua arrogância, mais alto devemos crescer, em confiança.

9 *Quanto aos que, cercando-me, levantam a cabeça, cubra-os a maldade dos seus lábios.*

10 *Caiam sobre eles brasas vivas, sejam lançados no fogo em covas profundas, para que se não tornem a levantar.*

11 *Não terá firmeza na terra o homem de má língua; o mal perseguirá o homem violento, até que seja desterrado.*

9. *"Quanto aos que, cercando-me, levantam a cabeça, cubra-os a maldade dos seus lábios."* Ao Senhor, que tinha coberto a sua cabeça, em meio ao ruído das armas, o salmista apela, contra os seus adversários, para que as suas cabeças possam ser cobertas, mas de outra maneira – cobertas com a recompensa da sua própria maldade. Os adversários de Davi eram tantos que o cercaram, como os caçadores cercam sua presa. Não é de admirar, que ele se volte para o Senhor, em sua terrível necessidade. O poeta representa os seus adversários tão unidos como se tivessem uma única cabeça; pois normalmente há uma unanimidade, entre os maus espíritos, que os faz mais fortes e terríveis para seus vis propósitos. A *lex talionis,* ou lei de retaliação, frequentemente traz sobre os homens violentos o mal que tinham planejado e ameaçado para os outros: as suas flechas caem sobre eles mesmos. Quando os lábios de um homem proferem maldições, elas provavelmente voltarão, como galinhas, para casa, sim, para o galo. Uma pedra arremessada para o ar pode cair sobre a cabeça de quem a atirou.

As palavras de Davi podem ser interpretadas como uma profecia no futuro; mas neste versículo, de qualquer maneira, não há necessidade de fazer isto para suavizar o seu tom. É tão justo que a maldade que os homens planejam e que a calúnia que eles espalham retorne sobre eles mesmos, que cada homem justo deve desejar isto: aquele que não deseja isto pode desejar ser considerado benevolente e semelhante a Cristo; mas é possível que ele tenha um acordo furtivo com o ímpio, ou tenha deficiência no discernimento humano entre o certo e o errado. Quando os maus caem em covas que eles mesmos cavaram para os inocentes, nós cremos que até mesmo os anjos ficam felizes; certamente o mais gentil e terno dos filantropos, por mais que se apiede dos sofredores, também deve aprovar a justiça que lhes causa o sofrimento. Nós suspeitamos que alguns dos nossos críticos, de fala excessivamente mansa, só precisam ser colocados no lugar de Davi para se tornarem muito mais amargos do que ele foi.

10. *"Caiam sobre eles brasas vivas."* Então saberão que espalhar brasas não é a diversão que pensavam ser. Quando pedras de granizo e brasas vivas descerem sobre eles, como escaparão? Até mesmo os céus sobre os ímpios podem distribuir a vingança a eles.

"Sejam lançados no fogo." Eles acenderam as chamas da disputa/contenda, e é justo que nelas sejam lançados. Eles aqueceram o forno da difamação, sete vezes mais quente do que costumava ser aquecido, e ali serão devorados. Quem teria tido piedade de Nabucodonosor, se ele tivesse sido atirado em seu próprio forno de fogo ardente?

"Em covas profundas, para que se não tornem a levantar." Eles prepararam estas covas ou fossos para os piedosos, e é apropriado que eles mesmos caiam nelas e nunca escapem. Quando um homem justo cai, ele se levanta novamente; mas quando o ímpio desce, "cai como Lúcifer, para nunca ter esperança outra vez". O salmista retrata vividamente, nesta passagem, a Sodoma do ímpio perseguidor: fogo cai do céu sobre ele; a cidade arde, e ele é lançado em meio à conflagração; o vale de Sidim está cheio de poços de betume, e aí ele é enterrado. Juízo extraordinário subjuga o transgressor extraordinário: acima, ao redor, abaixo, tudo é destruição. Ele desejava consumir os justos, e agora ele mesmo é consumido. Assim será, assim seja.

11. *"Não terá firmeza na terra o homem de má língua."* Esta seria uma praga estabelecida, uma maldição perpétua. Os homens de línguas falsas e cruéis têm o seu melhor uso quando vão nutrir o solo em que apodrecem, como cadáveres: enquanto estão vivos, são o terror dos bons e o tormento dos pobres. Deus não permitirá que os oradores enganosos da falsidade retenham o poder que obtêm temporariamente por meio de suas palavras ilusórias. Eles podem se tornar proeminentes, mas não podem se tornar permanentes. Eles serão privados de seus dons e desestabilizados, apesar de tudo o que puderem dizer em contrário. Todo o mal traz em si mesmo um elemento de decadência; pois o que é isto, se não corrupção? Assim, os poderes máximos da oratória são insuficientes para estabelecer, sobre uma base segura, a causa que traz em si uma mentira.

"O mal perseguirá o homem violento, até que seja desterrado." Ele perseguiu os bons, e agora o seu próprio mal o perseguirá. Ele tentou destruir as iniciativas dos justos, e agora a sua própria injustiça provará ser a sua destruição. Da mesma maneira como ele foi violento, também será violentamente atacado e caçado. O pecado é a sua punição; um homem violento não precisará de destino mais terrível do que colher o que ele mesmo plantou. É horrível que um caçador seja devorado por seus próprios cães de caça; no entanto, este é o destino garantido do perseguidor.

12 *Sei que o* SENHOR *sustentará a causa do oprimido e o direito do necessitado.*
13 *Assim, os justos louvarão o teu nome; os retos habitarão na tua presença.*

12. *"Sei que o Senhor sustentará a causa do oprimido e o direito do necessitado."* Por todo o salmo, o autor está corajosamente confiante, e fala de coisas sobre as quais não tinha nenhuma dúvida: na verdade, nenhum salmo pode ser mais excepcionalmente positivo do que este protesto contra a difamação. O santo caluniado sabia do cuidado de Jeová pelos aflitos, pois tinha recebido pessoalmente provas disto. "Eu a sustentarei" é o lema do grande Defensor dos direitos dos necessitados. Que confiança isto cria no seio dos perseguidos e abatidos pela pobreza! Os prósperos e ricos podem sustentar a sua própria causa, mas os que não o são verão que Deus ajuda os que não conseguem se ajudar. Muitos falam como se os pobres não tivessem

direitos dignos de nota, mas cedo ou tarde perceberão o seu engano, quando o Juiz de toda a terra começar a argumentar com eles.

13. *"Assim, os justos louvarão o teu nome."* O salmo anterior tinha o seu sentido de "certamente"; porém o sentido aqui é mais agradável. Tão certamente como Deus matará o ímpio, Ele salvará o oprimido, e encherá o seu coração e a sua boca com louvores. Qualquer outra pessoa poderá ficar em silêncio, o justo dará graças; e o que quer que ele possa sofrer, o problema terminará de modo que ele viva, em meio à provação, e exalte o Senhor, pela sua graça libertadora. Na terra, desde antes da eternidade, e no céu, para sempre, o coração puro cantará ao Senhor. Como serão doces e altos os cânticos dos remidos, na era milenar, quando os mansos herdarão a terra, e se alegrarão na abundância de paz!

"Os retos habitarão na tua presença." Assim darão graças da maneira mais sincera e plena. Este habitar na presença do Senhor lhe produzirá "cânticos sem palavras" e, portanto, será mais espiritual e fiel. O seu andar e habitar com o seu Deus será a sua forma prática de gratidão. Sentar-se-ão em santa paz, como filhos à mesa de seu pai; a sua aparência alegre e o seu linguajar traduzirão a sua elevada estima e o seu amor fervoroso por aquele que se tornou a sua morada. A que ponto elevado chegamos neste salmo – estávamos sendo perseguidos pelo homem mau, porém chegamos ao clímax de habitar na presença de Deus; assim a fé levanta o santo, das profundezas mais inferiores até as alturas do repouso pacífico. Bem poderia o cântico ser dotado com "Selá" ou exaltações.

NOTAS EXPLICATIVAS E DECLARAÇÕES SINGULARES

O salmo: Outro salmo *"de Davi"*, a ser entoado por todos os santos, da maneira como foi usado por seu líder, o Filho de Davi. Nele, temos (vv. 1-3) o *retrato dos ímpios*, com um *Selá* que nos obriga a fazer uma pausa pelo seu matiz sombrio. A seguir temos (vv. 4, 5) *uma visão das ciladas armadas pelos ímpios*, com outra pausa "Selá". Depois, vemos uma alma em *atitude de fé* (vv. 6-8). Eles estão instalando as ciladas, mas calma, como Eliseu contemplando o exército sírio (2 Rs 5.15), a alma canta:

"Eu disse ao Senhor: tu és o meu Deus"

e então, ele ora, inserindo uma *"Selá"* no final, para que possamos novamente fazer uma pausa e examinar a cena. – *Andrew A. Bonar*

O salmo: Não há dúvida de que este Salmo expressa os sentimentos de Davi sobre a estratégia do *novo* ataque de Saul, ao persegui-lo (comp. v. 2). E então, no salmo 141, temos a sua súplica à medida que este perigo se aproximava cada vez mais. Várias coisas são ditas neste salmo (de acordo com o texto em hebraico), principalmente sobre uma única pessoa (Saul): assim, *por exemplo,* vv. 1,4; e as numerosas línguas de que Davi se queixa (v. 3) são as línguas dos traidores que novamente informaram Saul sobre este novo local de residência, no deserto de En-Gedi, onde ele poderia ter imaginado estar a salvo. O armar de laços e ciladas (v. 5) está perfeitamente de acordo, em parte, com esta traição, e em parte com a busca que Saul, com seu numeroso exército, empreendeu de Davi, mencionada em 1 Sm 24.2. Da mesma maneira poderiam as brasas vivas, mencionadas no versículo 10, e também as covas profundas (em alemão, inundações) ali mencionadas, terem sido sugeridas muito naturalmente a Davi sobre as rochas de En-Gedi, onde ele tinha o Mar Morto bem à sua frente. O versículo 10 parece também fazer uma alusão aos eventos que tiveram lugar na noite anterior à destruição de Sodoma. – *T. C. Barth, The Bible Manual"*

O salmo: Como no Salmo 138, Davi apresenta diante da sua semente a promessa de Deus como a âncora da esperança (2 Sm 7); e, no Salmo 139, a onisciência de Deus como a nossa consolação no perigo, e motivo para expulsar o mal; assim, neste salmo, ele expõe o perigo de inimigos caluniadores, e a nossa única segurança em Jeová, a nossa fortaleza. – *Andrew Robert Fausset*

vv. 1, 4, 6 e 8: Os homens bons vivem pela oração. Aquele que chega ao trono da graça está coberto pela nuvem de glória, através da qual nenhum sol pode ferir durante o dia, nem a luz, à noite. – *William Swan Plumer*

vv. 1, 7 a 11: Na primeira leitura deste salmo, somos propensos a pensar que há certa hostilidade e amargura nele, que dificilmente seria consistente com o caráter de um filho de Deus, e, portanto, inconveniente, em Davi. E eu realmente penso que um exame um pouco mais detalhado da linguagem deste salmo nos levará a crer que estamos sendo injustos com Davi, ao atribuir um significado ou desejo de vingança às suas palavras.

Certamente, não conseguimos encontrar falha em alguém que leva suas injustiças em oração a Deus; que, como Ezequias, leva a lista de suas preocupações e tristezas e provações e as apresenta diante do Senhor. E isto é o que Davi faz, já no primeiro versículo: *"Livra-me, ó Senhor, do homem mau; guarda-me do homem violento"*. Eu não creio que uma pessoa que faz isto, que, ferida sob a sensação de ofensa e injustiça, vai imediatamente a Deus e abre o seu coração a Ele, possa estar errada; pois embora ele possa ter começado com um espírito, de certa forma, cruel, ainda assim a oração abre diante de nós uma visão e uma percepção da nossa própria culpa e dos nossos próprios males com relação a Deus. Deste modo, ela exerce uma influência humilhante, bem como curativa e calmante, sobre os nossos sentimentos com relação a outros; para que possamos ter quase a certeza total de que aquele cuja oração pode começar com uma veemente enumeração de suas próprias falhas, terminará com algo muito semelhante a um desejo de abençoar os que o amaldiçoam, e fazer o bem aos que o odeiam.

Você observará também como, do princípio ao fim, Davi deixa a sua causa nas mãos de Deus; ele não diz "confiarei no meu arco... a minha espada me salvará", ele os considerava coisas vãs para ajudar um homem; e, portanto, como tinha dito tão frequentemente em outros salmos; "o Senhor era o seu escudo e o seu auxílio", e da mesma maneira como Deus já tinha protegido a sua cabeça, no dia da batalha, também ele ora, pedindo a mesma proteção contra os seus inimigos agora. – *Barton Bouchier*

vv. 1 e 11: Três formas especiais de energia satânica são especificadas. O homem *mau*, ou ímpio, o homem *violento*, e o *homem de má língua*, são aqueles dos quais o suplicante que faz a oração de fé pede proteção. – *Arthur Pridham*

v. 2: "Continuamente se ajuntam para a guerra". Literalmente, esta sentença significa, *"que ajuntam guerras"* e assim alguns a interpretam. Mas sabemos que as preposições são frequentemente omitidas no idioma hebraico, e sem dúvida o autor queria dizer que eles provocavam inimizade geral por suas falsas informações, que agiam como uma trombeta chamando para a batalha. – *João Calvino*

vv. 2 e 3: O ímpio ataca o justo com três armas – com o coração, por conspiração; com a língua, pela mentira; e com a mão, pela violência. – *John Lorinus, 1569-1634*

v. 3: "Aguçaram a língua como a serpente". Aguçar ou afiar a língua indica o mais extremo e ágil tipo de conversa, muito mais aguçar a língua *"como a serpente"*. Naturalistas nos dizem que nenhuma criatura viva move a sua língua com tanta rapidez quanto uma serpente, e por isto se diz que as serpentes têm língua tripla, porque, movendo a sua língua com tanta rapidez, parecem ter três línguas. O salmista quer dizer que os ímpios falam muito e três vezes, ferem e me envenenam com suas línguas. – *Joseph Caryl*

v. 3: "Aguçaram a língua como a serpente". Esta é uma descrição exata da maneira como uma serpente arremessa a sua língua, antes de ferir. Veja-a: a cabeça está ereta, e seu olho penetrante está arregalado e ferozmente fixo no objeto; a língua aparece e desaparece rapidamente, como se por meio deste processo ela fosse afiada para a luta. Assim os inimigos de Davi estavam afiando suas línguas, para a sua destruição. – *Joseph Roberts, Oriental Illustrations of the Sacred Scriptures, 1835*

v. 3: "Aguçaram a língua como a serpente", etc. Não é um fato que há muitos homens cuja existência é, de certa forma, um veneno pernicioso? Eles arremessam a sua lívida língua como a língua de uma serpente: e o veneno da sua disposição corrói todo objeto em que eles se concentram; sempre caluniador e maligno, como a agourenta ave da noite. – *Plínio*

v. 3: "Aguçaram a língua como a serpente". Como a víbora habilmente se prepara para o seu trabalho de morte, também os infelizes filhos da calúnia e falsidade se preparam, com todos os esforços possíveis, para ferir as suas inofensivas vítimas. – *John Morison*

v. 3: Nos tempos do apóstolo Tiago, como agora, parece que havia homens e mulheres ociosos, que iam de casa em casa, proferindo calúnias e difamações em seu caminho, e ainda assim não era possível tomar essa calúnia e detectar a falsidade que houvesse nela. Não era possível evaporar a verdade no lento processo do crisol, e mostrar o resíduo da falsidade, brilhante e visível. Não era possível se fixar em uma palavra ou sentença, e dizer que era calúnia; pois, para constituir calúnia, não é necessário que a palavra dita seja falsa – meias verdades são frequentemente mais caluniosas do que o que é inteiramente falso. Não é sequer necessário que uma palavra seja proferida distintamente; um lábio aberto, uma sobrancelha arqueada, um ombro encolhido, um olhar significativo, uma expressão incrédula no rosto, ou melhor, até mesmo um silêncio enfático, pode realizar o trabalho; e quando a coisa leve e insignificante que fez o mal se vai, o veneno fica para trás, para operar e magoar, para inflamar corações, para provocar febre à existência humana, e envenenar a sociedade humana, nos mananciais de vida. Muito enfaticamente foi dito, por alguém cuja existência tinha sido ferida sob tal aflição, *"o veneno das víboras está debaixo dos seus lábios"*. – *Frederick Wiliam Robertson*

v. 3: A difamação e a calúnia sempre precedem e acompanham a perseguição, porque a maldade sozinha não consegue incitar as pessoas contra um bom homem; para fazer isto, ele deve ser descrito, antes de mais nada, como um homem mau. O que pode ser dito daqueles que se ocupam desta maneira, exceto que são uma "raça de víboras"; a prole da antiga "serpente"; aquele grande acusador e caluniador dos irmãos, tendo debaixo de seus lábios uma bolsa de "veneno" que provoca morte instantânea à reputação que atacam. Assim Davi foi caçado como um rebelde, Cristo foi crucificado como um blasfemo, e os cristãos primitivos foram torturados, como culpados de incesto e homicídio. – *George Horne*

v. 3: O homem é constituído de alma e corpo; o corpo é apenas a sombra, ou, na melhor das hipóteses, o que sustenta a alma; é a alma que traz a imagem de Deus; foi especialmente pela alma que Deus morreu. Da mesma maneira como a alma é mais preciosa do que o corpo, os socorros são mais excelentes do que o corpo, e os inimigos são mais perigosos do que o corpo em si. O corpo se alimenta de manjares, mas são manjares que perecem (1 Co 6.13); mas o alimento da alma é o maná celestial (Jo 6.27). Por outro lado, os inimigos são mais prejudiciais, pois aquilo que fere ou mata o corpo não toca a alma; mas o que fere ou mata a alma, mata o corpo com ela, e destrói todo o homem. A conclusão é que o veneno da alma é muito mais hediondo, horrível e odioso do que o do corpo; e desse veneno fala esta passagem das Escrituras: *"o veneno das víboras está debaixo dos seus lábios"*.

Um texto estranho, poderão dizer alguns, e é verdade; mas é o mais apropriado para estes tempos estranhos, em que o veneno, tanto da alma como do corpo, tanto prevalece. As palavras realmente descrevem, em parte, a natureza maligna e maldosa do homem não regenerado e pecador; e com este propósito são citadas, pelo apóstolo aos romanos (Rm 3.13). A *víbora* é uma criatura pequena, mas não é pouco venenosa. Uma criatura tão pequena tem o veneno e a morte para muitas pessoas; uma é suficiente para todos. A famosa Cleópatra, rainha do Egito, preferiu morrer pela picada de duas víboras, a ser carregada em triunfo em Roma por Augusto. O veneno atua da seguinte maneira – aquele que é picado pela víbora, cai imediatamente em um doce suor e em um doce sono, e a sua força e os seus fluidos vitais decaem e enfraquecem, pouco a pouco, até que ele morra; assim, a dor é pouca, mas o golpe é mortal. E como essas picadas são as línguas, e como espadas são as palavras dos ímpios. E não é de admirar, pois o que pode vir, senão palavras e ações venenosas daqueles cuja natureza interior é cheia de veneno!

O veneno da alma é apenas pecado, e é como veneno, em muitos aspectos. O veneno, onde quer que entre, não permanece ali, mas se difunde por todo o corpo, e nunca cessa até que tenha infectado tudo. Esta é a natureza do pecado; por onde quer que entre, ele passa de um membro do corpo para outro, e do corpo à alma, até infectar todo o homem, e então passa de um homem a outro, até infectar toda a família; e não fica ali, mas corre com um fogo selvagem, de uma família a outra, até ter envenenado toda a cidade, e toda a nação, e todo o reino. A triste experiência prova que isto é verdade através das opiniões papais, dos costumes vãos, e dos maus exemplos, de todos os tipos, que uma vez enraizados se transmitem por todo o corpo político da igreja e da comunidade, como uma gangrena ou uma lepra no corpo natural, ou como um veneno que se espalha por todo o sangue. O veneno, depois de ter entrado em alguma parte, procura rastejar imediatamente por todas as partes, e deseja especialmente dominar o coração; esta maldade e esta soberba estão na sua natureza maligna, que aspira chegar ao coração; e há nele tal habilidade, astúcia e esperteza, que, depois de entrar, se esgueira despercebido até chegar ao coração; mas tendo se apossado daquela parte soberana do homem, então, como um tirano, reina e se enfurece, e infectando, em primeiro lugar, o sangue vital e as partes nobres, se difunde por todas as partes, por cada uma delas. E tal é a natureza do pecado, o veneno espiritual da alma; ele entra onde desejar, mas é o coração que ele visa, e não sossegará, até que chegue ao coração. A verdade disto é tão clara que provas são desnecessárias; pois quem não sabe que os sentidos são apenas portas e janelas, mas o coração é o trono, e a alma é, ela mesma, a sede do pecado: consequentemente, Salomão aconselha: "Sobre tudo o que se deve guardar, guarda o teu coração" (Pv 4.23). – *William Crashaw, The Parable of Poyson", 1618*

v. 3: "O veneno das víboras está debaixo dos seus lábios". A palavra traduzida como *"víboras"*, עַכְשׁוּב (*'akshûb*), aparece apenas aqui; e talvez seja impossível determinar qual é a espécie que se pretende mencionar. Como a palavra, no seu significado usual, parece expressar enrolar, ou curvar-se para trás – algo comum à maioria das serpentes – o nome talvez não tenha uma referência determinada, ou pode talvez ser outro nome para a *pethen*, mencionada em Jó 20; esta parece também ter sido a opinião dos Setenta, uma vez que traduzem ambas as palavras como ἀσπίς e são acompanhados pela Vulgata (*aspis*).

Quanto ao *veneno*, veremos que nas serpentes venenosas há, debaixo do olho, uma glândula que secreta o veneno, que é transportado, por um pequeno tubo ou canal, até a extremidade de um canino, que está escondido no céu da boca. A serpente é capaz de mover este canino, e projetá-lo, quando está prestes a atacar um antagonista. A situação deste veneno que está, de certa forma, por trás do lábio superior, dá grande propriedade à expressão, *"o veneno das víboras está debaixo dos seus lábios"*. O uso da linguagem hebraica faz com que, de maneira alguma, seja improvável que o próprio canino seja chamado לָשׁוֹן (*lāshôn*), uma língua, neste texto, e uma serpente então poderia ser descrita como aguçando a sua língua, quando, em preparação para o ataque projeta seus caninos. Não vemos nenhuma explicação pela qual pudesse ser extraído um significado mais consistente para a expressão aqui empregada. – *John Kitto, na "Pictorial Bible"*

v. 3: Frequentemente, a língua da serpente é considerada como o local onde está o seu veneno. Isto é linguajar popular, e não científico. – *William Swan Plumer*

v. 3: "Víbora". A palavra *acshub* (pronunciada como ak-sub) somente aparece nesta passagem. Não se sabe ao certo qual é a espécie que se deseja representar com esta palavra. Buxtorf, no entanto, explica a palavra como cuspidor, "*illud genus quod venenum procul exspuit*". Se aceitarmos esta derivação, devemos interpretar a palavra *acshub* como sinônima de *pethen*. Nós já identificamos *pethen* com a naja haje, uma cobra que tem a capacidade de expelir o veneno a alguma distância, quando ela está fora do alcance do inimigo. Se a cobra realmente deseja ejetar o veneno, ou se ele meramente é arremessado dos caninos ocos, pela força do golpe repentinamente reprimido, não se sabe ao certo. O fato de que a cobra haje pode expelir o seu veneno é um fato conhecido, e os colonizadores holandeses do Cabo estavam tão familiarizados com este hábito que chamaram este réptil pelo nome Spuugh-Slange, ou cobra cuspidora, um nome que, se aceitarmos a etimologia de Buxtorf, é exatamente equivalente à palavra *acshub*. – *J.* G. *Wood*, "*Bible Animals*"

vv. 3, 5 e 8: "Selá". Aqui, encontramos *Selá* pela primeira vez, desde o Salmo 89. Nos salmos 90 a 140, *Selá* não aparece. Por que ela foi omitida nesses cinquenta salmos, não sabemos, como também não sabemos por que ela aparece tão frequentemente em outros salmos. No entanto, há apenas aproximadamente quarenta salmos em que ela é usada. – *Andrew A. Bonar*

v. 4: "Guarda-me", etc., de fazer o que eles fazem, ou o que eles querem que eu faça, ou o que prometem a si mesmos que eu farei. – *Matthew Henry*

v. 4: "Guarda-me do homem violento". A segunda sentença da primeira parte deste versículo é a mesma que a da segunda parte do versículo 1, que parece ser o peso do cântico. – *"Speaker's Commentary"*

v. 4: "Desviar os meus passos". Tirar os meus pés de debaixo de mim, destruir a base da fé, o poder do progresso em boas obras, para que possamos dar as costas para o caminho da salvação, ou cair dele, ou, de alguma maneira, percorrê-lo muito lentamente. – *Neale e Littledale*

v. 5: "Os soberbos armaram-me laços e cordas". A história a seguir exemplifica como *cordas* foram usadas por ladrões, até o ano 1822: "Dois habilidosos líderes de Dacoits, tendo arrebanhado cerca de quarenta seguidores, e distribuído entre eles dez mosquetes, dez espadas e vinte e cinco lanças, armaram uma cilada para um tesouro que ia da tesouraria do Coletor em Budrauna, para Goruckpone. O prêmio consistia de 1.200 libras, e era protegido por um Naik, ou oficial militar, com quatro soldados indianos e cinco cavaleiros. Ele tinha que passar por uma densa selva, e foi definido – disse um deles, em anos posteriores – 'que o ataque teria lugar ali; que nós deveríamos ter cordas resistentes, amarradas, atravessando a estrada e presas a árvores dos dois lados, e, a certa distância atrás, cordas similares presas a árvores de um lado, e prontas a serem presas do outro, tão logo a escolta de cavaleiros e soldados à pé estivesse bem no meio delas. Tendo concluído estes preparativos, a gangue ficou dos dois lados da estrada, esperando pacientemente a sua presa. 'Às cinco horas da manhã', continuou o narrador, 'ouvimos uma voz, como se invocasse o nome de Deus (Alá), e um do bando se levantou com o som, e disse "Aí vem o tesouro!" Colocamos cinco homens à frente, com seus mosquetes carregados – não com balas, mas chumbo, para que pudéssemos, se possível, evitar matar qualquer pessoa. Quando estavam no espaço desejado a cavalaria, a infantaria e o tesouro, fizemos com que as cordas ocultas atravessassem a estrada, e as prendemos às árvores do lado oposto, e abrimos fogo de todos os lados sobre o grupo. Os soldados de infantaria entraram na selva, dos lados da estrada, e os cavaleiros tentaram passar pelas cordas, mas foi em vão'. O oficial e um cavalo foram mortos; dois cavaleiros feridos, e o tesouro foi levado, apesar de uma acalorada perseguição". – *De James Hutton, Popular Account of the Thugs and Dacoits of India", 1857*

v. 5: "Os soberbos armaram-me laços e cordas". Havia "uma armadilha escondida para ele, com cordas", uma armadilha instalada em algum caminho frequentado, e sempre coberta com grama ou arbustos, e tendo longas cordas presas de cada lado, de modo que o caçador, observando a alguma distância, pudesse fechá-la, quando visse a caça pisando no ponto desejado. Mas a rede aberta para ele por seus inimigos se estendia ao próprio "lado do acampamento", o que indica que até mesmo entre os soldados que estavam ao seu lado havia alguns que tinham sido subornados e persuadidos a vigiá-lo e traí-lo. – *Benjamin Weiss, A New Translation of the Psalms, with Notes", 1858*

v. 5: "Laços... Rede... Cordas". Os vários usos a que os equipamentos indicados pelas palavras hebraicas aqui traduzidas eram respectivamente aplicados não parecem estar bem definidos. Em geral, o salmista se refere aos artifícios empregados para captura de pássaros ou animais. No entanto, é uma curiosa circunstância, como observou Thevenot, que os artifícios deste tipo sejam literalmente empregados contra homens, bem como outros animais, por alguns dos orientais. "Os mais astuciosos ladrões do mundo", diz ele, "estão nesta nação. Eles podem usar um laço corrediço, que lançam com tanta destreza ao redor do pescoço de um homem, quando ele está dentro do seu alcance, que nunca erram, de modo que o estrangulam imediatamente". – *Richard Mant*

v. 6: "A voz das minhas súplicas". A única segurança para as pessoas simples e não instruídas, quando atacadas pelos ardilosos argumentos de hereges e infiéis não é a contenda, mas a oração, uma arma que seus adversários dificilmente usam, e não conseguem compreender. – *Bruno de Aste, 1123*

v. 7: "Tu cobriste a minha cabeça no dia da batalha". Em hebraico, *com armadura*. Pois Davi nunca teve realmente nenhuma batalha com Saul, mas declinou disto, porém Saul frequentemente se armava contra ele; mas a providência de Deus protegia Davi como um escudo; mas a *cabeça* é mencionada apenas como representando todo o corpo, porque é ela que é visada pelo inimigo, como o local onde a vida está, principalmente. *John Meyer*

v. 7: "Tu cobriste a minha cabeça", etc. Isto é, eu não tinha outro capacete, nem armadura, exceto o teu poder Todo-poderoso no dia em que combati Golias (1 Sm 17.39,40,50). – *Thomas Fenton*

v. 7: "Tu cobriste a minha cabeça no dia da batalha". Um capitão ou príncipe sempre estava ao seu lado, na batalha, como um escudeiro, cujo dever era "cobrir a cabeça do seu senhor", isto é, desviar com o escudo os golpes que se destinavam à cabeça do seu senhor, e que, no calor da batalha, tivessem escapado à sua própria observação. – *Benjamin Weiss*

v. 8: "O seu mau propósito"; que é me destruir. *"Não se exalte"*; não apenas contra mim, mas também contra ti, como se pelo seu poder e política eles tivessem frustrado o teu desejo e a promessa que fizestes a mim. – *M. Pool*

v. 9: "Quanto aos que, cercando-me, levantam a cabeça", etc. Deus, disse ele, tinha coberto a sua cabeça no dia da batalha: por outro lado, ele mostra o que deveria cobrir a cabeça de seus inimigos, ou seja, isto viria a eles, pelo fato de que, com os seus lábios, tinham falado maldosamente contra ele; pois a tradução pode ser a seguinte: "A cabeça do que me cerca, que a maldade dos seus lábios a cubra", como maldição, que ele se cubra de maldição, como com um manto. – *John Mayer*

v. 9: "Quanto aos que, cercando-me". Para uma explicação desta expressão, devemos recomendar ao leitor *Tesouros de Davi*, vol I. [Salmo 22, seção Notas Explicativas, versículo 16], onde ele encontrará dois extratos muito pertinentes de autoria de J. Stevenson e Dr. Shaw.

v. 9: "A maldade dos seus lábios". A soberba e a arrogância dos judeus, no dia do nosso Senhor, trouxeram as armas dos romanos entre eles, e fizeram com que eles caíssem em ruína irremediável. Eles evocaram o seu próprio destino, expondo-se a uma invasão de Roma; mas eles o fizeram ainda mais naquele clamor terrível – "O seu sangue caia sobre nós e sobre nossos filhos" – *William Hill Tucker, The Psalms, with Notes, shewing their Prophetic and Christian Character", 1840*

vv. 9 e 10: Estas passagens admitem tradução no futuro, e são mais predições do que maldições. – *Ingram Cobbin, 1839*

vv. 9 a 11: O profeta, nestes três versículos predisse aqueles justos juízos que o céu realizará sobre os difamadores e perseguidores dos justos. Os seus lábios, que proferiram enganos contra outros, serão os meios usados para que se cubram, com confusão, quando forem julgados pelo que sai de suas bocas. As línguas que contribuíram para incendiar o mundo, serão atormentadas com as brasas ardentes de vingança eterna; e aqueles que, com tanto fervor e diligência, prepararam covas para a destruição de seus irmãos, serão lançados em um abismo do qual não mais subirão, nunca mais, para sempre. Os maledicentes e falsos acusadores não conseguem ser estabelecidos eternamente, mas a punição caçará o pecador em todos os seus jogos, e fará dele, por fim, a sua presa legal. Que estas grandes verdades estejam firmemente enraizadas em nossos corações, e elas nos manterão firmes, até mesmo no pior dos tempos. – *George Horne*

v. 10: "Caiam sobre eles brasas vivas", etc. Aqui, o salmista parece se referir à destruição dos sodomitas. Nestas imprecações, ele considerava os seus inimigos como os inimigos de Deus, e não seus próprios inimigos, e por isto os amaldiçoou, sabendo, na qualidade de um profeta, que o próprio Deus os tinha amaldiçoado: e por isto estes tipos de maldições não autorizam outras pessoas a amaldiçoar seus inimigos. – *Thomas Fenton*

v. 10: "Caiam sobre eles brasas vivas", etc. Uma maldição que (com a anterior e similar, Sl 9.6, etc.), é uma profecia; e é uma maldição que, embora não tivesse cumprimento no caso dos inimigos de Davi, ou de quaisquer perseguidores da igreja, em tempos passados, novamente nos traz vividamente à mente o terrível juízo da vinda do Senhor, e a terrível sentença já proferida contra "a besta e o falso profeta", os líderes da confederação dos reis da terra e seus exércitos, então "reunidos, para fazerem guerra àquele" – "foram lançados vivos no ardente lago de fogo e de enxofre" (Ap 19.19, 20). Da mesma maneira, anteriormente (Sl 40.15; 63.9). – *William De Burgh*

v. 11: "Não terá firmeza na terra o homem de má língua", etc. O homem dado a falar, o mentiroso, o adulador, o caluniador, o que xinga, o contencioso, *"não terá firmeza na terra"*, pois essas pessoas são abominadas pelos ímpios, e também pelos bons. – *Robert Bellarmine*

v. 11: "Não terá firmeza na terra o homem de má língua", etc. As posições definidas neste versículo encontrarão abundantes exemplos em todas as gerações da igreja. O *"homem de má língua"*, que se deleita em ferir a reputação de outras pessoas, raramente se estabelecerá ou prosperará na terra. A Providência combate esses infelizes. O *"homem violento"*, o ismaelita cuja mão está contra todos os homens, em geral é derrubado pelas mesmas armas que levanta contra os outros. – *John Morison*

v. 11: "O homem de má língua". Através da expressão "homem de má língua", como no original, os hebreus querem dizer um *caluniador* ou *bajulador*; alguém que dá à sua língua a liberdade de expressar o mal que desejar. Aqui, a versão dos Caldeus expressa um *delator* ou vil informante, com uma língua *tripla* ou *de três pontas*, porque este tipo de pessoa fere *três* ao mesmo tempo: o receptor, o sofredor, e a si mesmo. – *Thomas Fenton*

v. 11: "O mal perseguirá o homem violento, até que seja desterrado". Esta é uma alusão aos cães de caça, que têm um olfato apurado e perseguem a caça com prazer; eles não veem o veado nem a lebre, mas seguem o cheiro; e embora a caça tenha, às vezes, um cheiro frio e morto, ainda assim os cães a encontram. Assim *"o mal perseguirá o homem violento, até que seja desterrado"*; e embora às vezes ele esteja fora da visão do mal e se considere protegido, ainda assim estes males, como um grupo de cães de caça vorazes, os perseguirão até que o tenham dominado e destruído. – *Joseph Caryl v. 12:* "Sei". Pois isto me foi prometido, e esta promessa é infalível. – *John Trapp*

vv. 12 e 13: "Sei que o Senhor sustentará a causa", etc. Ora, como pode o salmista estar tão confiante? *"Assim, os justos louvarão o teu nome"*; como se ele tivesse dito: Tu tens o nome de um Deus benevolente e fiel na tua promessa, e nunca permitirás que esse nome seja manchado por não cumprires a tua palavra. Cristão, tu podes arriscar tudo o que és, na fé pública do céu: "As palavras do Senhor são palavras puras como prata refinada em forno de barro e purificada sete vezes". Aquele que não permitirá que um mentiroso ou um infrator ao concerto se estabeleça no seu santo monte, muito menos permitirá que qualquer pensamento de falsidade ou infidelidade entre no seu tão santo coração. – *William Gurnall*

v. 13: "Assim, os justos louvarão o teu nome", etc. Isto nos ensina duas coisas, em primeiro lugar, que convém que os justos se mostrem continuamente agradecidos, porque Deus é continuamente misericordioso com eles; e, em segundo lugar, qual é a condição excelente dos filhos de Deus que, embora ainda não seja aparente, no final resultará em abundância de glória. – *Thomas Wilcocks*

v. 13: "Os retos habitarão na tua presença". Estarão *"Sentados, na tua presença"* como teus amigos ou convidados ou servos favorecidos. Talvez isto possa significar *assentados* (*entronizados*) *diante de ti.* Compare Mt 19.28. Alguns entendem que o significado é *habitarão* (a terra) *diante de ti,* isto é, sob a tua proteção e inspeção. – *Joseph Addison Alexander*

SUGESTÕES AOS PREGADORES

vv. 1 a 5. I. A fonte particular da aflição de Davi: vinha dos homens. Neste aspecto, ele foi um tipo de Cristo. 1. A iniquidade deles: "o homem mau". 2. A sua violência: "o homem violento". 3. As suas intenções malignas: "os quais pensam o mal no coração". 4. A sua coalizão: "continuamente se ajuntam para a guerra". 5. As suas falsas acusações: "Aguçaram a língua como a serpente", etc. (v. 3). 6. As suas intenções declaradas: "os quais se propuseram desviar os meus passos" (v. 4). 7. As suas intrigas (v. 5). II. O seu remédio universal: "Guarda-me, ó Senhor"; "guarda-me" e socorre-me. A sua proteção está, 1. Em Deus. 2. Na oração a Deus. – *G. R.*

vv. 1 a 5. Na nossa posição, idade e nação, não corremos o mesmo risco de sofrer alguma violência por parte dos homens, como era o caso de Davi; ainda assim, ninguém está completamente a salvo do perigo. I. A menção em alguns casos não é impossível. 1. Um trabalhador cristão, como não pode seguir costumes injustos, desperta a animosidade de seus colegas de trabalho. Eles lhe farão mal, prejudicarão o seu trabalho, roubarão suas ferramentas, falarão mal dele, até que o empregador o dispense, para restaurar a paz na fábrica. 2. Um vendedor cristão, por ser a sua presença uma repreensão a seus colegas pecaminosos, pode ter laços e armadilhas preparadas para ele, etc. II. Conselhos úteis, caso surja este caso. 1. Recorra a Deus, com um "Guarda-me" e "preserva-me". 2. Conserve a integridade e a justiça. 3. Se os maldosos forem bem sucedidos, ainda assim, confie em Deus, que pode fazer com que a maldade deles leve a seu benefício, e pode fazer com que a sua bondade supere os artifícios dos maus. – *J. F.*

v. 3. A condição depravada do homem natural, quanto às suas palavras.

v. 4 (primeira parte). Uma sábia oração. Os ímpios irão caluniar, e oprimir, ou confundir, adular e profanar. Ninguém pode nos proteger, exceto o Senhor.

v. 5. Os perigos da sociedade. I. A característica secreta e furtiva dos ataques dos ímpios: "armaram-me laços". II. A variedade de suas armas: "e cordas". III. A ardilosa e astuta escolha da posição: "à beira do caminho". IV. O objeto de seus desígnios: "me" [eu]; eles desejam destruir o próprio homem.

v. 5. "O laço à beira do caminho", ou, as tentações encobertas; as tentações se aproximam, e são aplicáveis à vida diária.

v. 6. I. A linguagem da certeza. II. A súplica pela aceitação da oração.

vv. 6 e 7. Davi se consolou, 1. Devido ao seu interesse por Deus: "Eu disse... tu és o meu Deus". 2. Com o seu acesso a Deus: ele tinha permissão de falar com Ele, e podia esperar uma resposta de paz: "Ouve", etc. 3. Na certeza que ele tinha da ajuda de Deus, e na felicidade nele (v. 7). 4. Na experiência que tinha tido anteriormente, do cuidado de Deus para com ele: "cobriste a minha cabeça no dia da batalha". – *Matthew Henry*

vv. 6 a 8. Três argumentos a ser pedidos em uma oração por proteção.

1. O fato de que o crente é, por concerto, propriedade de Deus. "Eu disse... tu és o meu Deus". II. As misericórdias anteriores de Deus. "Cobriste", etc. III. A impropriedade dos ímpios encorajados em sua iniquidade (v. 8). – *J. F.*

vv. 6, 7 a 12. As consolações do crente em tempos de aflição. I. O que ele pode dizer. II. O que ele consegue recordar. III. De que ele tem certeza.

vv. 6, 7, 12 e 13. Tempos de ataque, calúnia e tentação devem ser ocasiões especiais de oração e fé. Aqui Davi torna proeminentes três coisas. I. *A posse declarada.* 1. A posse: "meu Deus". Em oposição aos ídolos. Amado por si mesmo. 2. A declaração divulgada. 3. O testemunho selecionado. Secreto. Sagrado. Buscado. 4. A ocasião escolhida. II. A petição apresentada. 1. As suas orações eram frequentes. 2. As suas orações eram cheias de significado. 3. As suas orações se destinavam a Deus. 4. As suas orações precisavam de atenção divina. III. *Preservação vivenciada.* 1. Deus tinha sido o seu escudeiro. 2. Deus tinha guardado a sua parte mais vital. 3. Deus o tinha salvado. 4. A força de Deus tinha sido exibida. IV. *Proteção esperada.* 1. Deus é um Juiz justo. 2. Deus é um Amigo misericordioso. 3. Deus é um conhecido Guardião. V. *Louvor predito.* 1. O louvor é assegurado pela gratidão. 2. O louvor é expresso em palavras. 3. O louvor é subtendido pela confiança. 4. O louvor praticado em comunhão.

v. 9. Como o pecado dos maledicentes se volta contra eles. – *W. B. H.*

v. 11 (primeira parte). I. Observe alguns tipos de maledicentes, 1. Mentirosos: o mentiroso comum, o que mente no comércio, o que mente no mercado de ações, o mentiroso político, etc. 2. Difamadores. 3. Blasfemos e praguejadores. 4. Libertinos e sedutores. 5. Céticos e inventores de novas teologias. II. A propriedade da oração. 1. Porque falar mal é intrinsecamente uma coisa má. 2. É algo extremamente ofensivo e prejudicial. 3. Aquele que deseja ter a confiança de Deus estabelecida deve necessariamente desejar que falhe a maledicência. III. A limitação da oração: "na terra". 1. É certo que um maledicente não pode ser estabelecido no céu, nem no inferno. 2. A terra é a única esfera da sua influência; mas, ai! – os homens na terra são muito propensos a ser influenciados por ele. 3. Então, torne-se justo e verdadeiro, pela fé no Justo e na "Verdade". – *J. F.*

v. 11 (segunda parte). O cruel caçador perseguido por seus próprios cães de caça.

v. 11 (segunda parte). Tema – Pecados cometidos, e de que não houve arrependimento, perseguem os homens até a sua ruína. I. Ilustração. 1. Eles podem gerar uma força de oposição dos homens. Tarquínio, Napoleão, etc. 2. Eles podem precipitar a ruína, como Hamã, que foi perseguido pelo seu próprio pecado até a forca. 3. Eles podem gerar remorso destrutivo, como no caso de Judas. 4. Certamente, levarão ao trono do juízo, e perseguirão a alma até o inferno. II. Aplicação. 1. Como pode ser terrível o pecado. 2. Como pode ser ainda mais terrível porque é criado pela própria pessoa. 3. Fuja dos vingativos, busque a Cristo, o único refúgio seguro. – *J. F.*

v. 11 (segunda parte). A caça e a perseguição do pecador violento. I. O progresso da perseguição. 1. A princípio, a vítima não tem conhecimento da perseguição. 2. Logo este pecador encontra as Escrituras, a consciência, Deus, a morte, nos seus calcanhares. 3. Os seus próprios pecados gritam atrás dele. II. O resultado da caça. Cercado, derrubado, perdido para sempre, a menos que ele se arrependa. III. Outro caçador. "O Filho do Homem veio buscar e salvar o que se havia perdido" – *W. B. H.*

v. 12. I. O fato conhecido. II. As razões para tanta certeza. III. A conduta que resulta do conhecimento.

v. 12. Alguma coisa digna de conhecer. I. Pelos aflitos e pobres que confiam no Senhor. II. Pelos opressores, que afligem e cometem injustiças. III. Por todos os homens, para que possam confiar no Senhor, e louvá-lo pela sua compaixão pelos necessitados, e pela sua justiça sempre distribuída. – *J. F.*

vv. 12 e 13. I. Confiança, sob todas as circunstâncias (v. 12). II. Gratidão por todas as coisas: "os justos louvarão o teu nome". III. Segurança em todas as ocasiões: "os retos habitarão na tua presença" – *G. R.*

v. 13. Uma das mais nobres formas de louvor – habitar na presença de Deus. Ou, reverente consideração à presença de Deus, santa comunhão com o Senhor, confiança nas atitudes de Deus, obediente cumprimento à vontade celestial – a melhor maneira de dar graças a Deus.

v. 13. Duas afirmações além de contradição. I. Os justos certamente dão graças a Deus, ainda que os outros sejam tão ingratos quanto quiserem. Pois, 1. Eles reconhecem que todo o seu bem vem de Deus. 2. Eles se consideram indignos do bem que recebem. 3. Eles estão ansiosos por fazer o bem, porque são justos; e isto envolve agradecimentos. 4. O agradecimento é uma parte da alegria derivada daquilo de que desfrutam. II. Os justos certamente habitam na presença de Deus. 1. No sentido de que o Senhor está diante deles. 2. No sentido de uma comunhão presente, permanente com Deus. 3. No sentido de desfrutar da aprovação de Deus. 4. No sentido de habitar no céu para sempre. – *J. F.*

SALMO 141

TÍTULO

Salmo de Davi. Sim, Davi sob suspeita, com certo receio de falar, para que não falasse inadvertidamente, enquanto tentava se inocentar; Davi caluniado e atacado por inimigos; Davi, censurado até mesmo por santos, e aceitando isto com bondade; Davi, deplorando a condição do grupo piedoso de quem ele era o líder reconhecido; Davi, confiando em Deus, com confiante expectativa. O salmo pertence a um grupo de quatro, e traz uma assombrosa similaridade com os outros três. O seu significado é muito profundo, em pontos extremamente obscuros, no entanto, mesmo a sua superfície tem pó de ouro. No seu início, o salmo recebe o brilho vespertino, quando o incenso sobe até o céu; a seguir, vem uma noite de linguagem cujo significado não conseguimos ver; e isto dá lugar à luz da manhã, em que os nossos olhos se fixam no Senhor.

DIVISÃO

O salmista clama pedindo aceitação na oração (vv. 1,2); a seguir, ele implora para ser guardado, quanto às suas palavras, preservado em seu coração e suas obras, e livrado de todo tipo de comunhão com os ímpios. Ele prefere ser censurado pelo gracioso a ser adulado pelo ímpio, e se consola com a confiante certeza de que, um dia, será compreendido pelo grupo dos piedosos, e se tornará uma consolação para eles (vv. 3-6). Nos últimos versículos, o santo caluniado representa a condição da igreja perseguida, contemplando Deus e suplicando por resgate de seus cruéis inimigos, e a punição de seus opressores.

EXPOSIÇÃO

1 *Senhor, a ti clamo! Escuta-me! Inclina os teus ouvidos à minha voz, quando a ti clamar.*

2 *Suba a minha oração perante a tua face como incenso, e seja o levantar das minhas mãos como o sacrifício da tarde.*

1. *"Senhor, a ti clamo."* Este é o meu último recurso: a oração nunca me falha. A minha oração é dolorosa e débil, e digna apenas de ser chamada de um clamor; mas é um clamor a Jeová, e isto a enobrece. A ti clamei, ainda clamo a ti, e sempre pretendo clamar a ti. A quem mais eu poderia ir? O que mais posso fazer? Outros confiam em si mesmos, mas eu clamo a ti. A oração é uma arma que todo crente pode sempre levar consigo, e usar em qualquer momento de necessidade.

"Escuta-me." O seu caso era urgente, e ele suplicou com esta urgência. O tempo de Deus é o melhor tempo, mas quando estamos amargamente pressionados podemos, com santa impertinência, apressar os movimentos de misericórdia. Em muitos casos, se a ajuda vier tarde, seria tarde demais; e nós temos permissão de orar contra tal calamidade.

"Inclina os teus ouvidos à minha voz, quando a ti clamar." Veja como, pela segunda vez, ele fala em clamar: a oração tinha se tornado seu exercício frequente, sim, constante: duas vezes, em meio a poucas palavras, ele diz, "clamo; clamo". Como ele anseia por ser ouvido, e por ser ouvido imediatamente! Há uma voz para o grande Pai, em cada clamor, e gemido, e lágrima, de seus filhos: Ele pode entender o que eles querem dizer, mesmo quando estão praticamente incapazes de expressá-lo. O espírito dos santos se perturba, quando eles temem que nenhum ouvido favorável se volte para seus tristes clamores: eles não conseguem descansar, até que seu "a ti" seja respondido por um "a mim". Quando a oração é o único refúgio de um homem, ele se aflige profundamente com a mera ideia de falhar na oração.

"Esta seria uma tristeza que eu não poderia suportar,
Que tu não ouvisses nem respondesses à oração;
mas ouvindo e respondendo a uma oração,
Deus me sustenta, sob cada carga".

2. *"Suba a minha oração perante a tua face como incenso."* Da mesma maneira como o incenso é cuidadosamente preparado, aceso com fogo santo e devotamente apresentado a Deus, que assim seja a minha oração. Não devemos considerar a oração como uma obra fácil, que não requer pensamento, ela precisa ser "apresentada"; além disto, ela deve ser apresentada "diante do Senhor", por um sentimento da sua presença e uma santa reverência pelo seu nome: também não podemos considerar toda súplica como certa da aceitação divina, ela precisa ser apresentada diante do Senhor "como incenso", sobre cuja oferta há regras a observar, caso contrário a oferta seria rejeitada por Deus.

"E seja o levantar das minhas mãos como o sacrifício da tarde." Qualquer que seja a forma que a oração do salmista pudesse assumir, o seu único desejo é que pudesse ser aceita por Deus. A oração é, às vezes, apresentada sem palavras, pelos próprios movimentos de nossos corpos: joelhos dobrados e mãos levantadas são os sinais de oração fervorosa e expectante. Certamente o trabalho, ou o levantar das mãos no trabalho, é oração, se feito com confiança em Deus e para a sua glória: há uma oração de mãos, além de uma oração de coração, e o nosso desejo é que ela possa ser doce para o Senhor, como o sacrifício da tarde. Santa esperança, o levantar de mãos que estão suspensas, também é um tipo de adoração: que ele possa ser sempre aceitável a Deus. O salmista faz um ousado pedido: ele desejava que os seus humildes clamores e orações fossem tão considerados pelo Senhor como os sacrifícios da manhã e da tarde do santuário. Mas a oração não é, de maneira alguma ousada demais, pois, afinal, o espiritual está na estima do Senhor, mais elevado do que o cerimonial, e os sacrifícios dos lábios são um sacrifício mais fiel e verdadeiro do que os bezerros do estábulo.

Até agora, temos uma oração a respeito da oração; temos uma súplica distinta nos dois versículos seguintes.

3 *Põe, ó Senhor, uma guarda à minha boca; guarda a porta dos meus lábios.*
4 *Não inclines o meu coração para o mal, nem para se ocupar de coisas más com aqueles que praticam a iniquidade; e não coma eu das suas delícias.*
5 *Fira-me o justo, será isso uma benignidade; e repreenda-me, será um excelente óleo, que a minha cabeça não rejeitará; porque continuarei a orar a despeito das maldades deles.*
6 *Quando os seus juízes forem arremessados da rocha, ouvirão as minhas palavras, pois são agradáveis.*

3. *"Põe, ó Senhor, uma guarda à minha boca."* Esta boca tinha sido usada em oração; seria uma pena que ela fosse profanada com inverdades, ou orgulho, ou ira; mas isto acontecerá, a menos que ela seja cuidadosamente vigiada, pois estes intrusos estão sempre espreitando à porta. Davi sente que, apesar de toda a sua própria vigilância ele pode ser surpreendido no pecado, e por isto implora que o próprio Senhor o guarde. Quando Jeová vigia, a cidade está bem guardada: quando o Senhor se torna a guarda da nossa boca, todo o homem está bem protegido.

"Guarda a porta dos meus lábios." Deus fez de nossos lábios a porta da boca, mas não podemos guardar sozinhos essa porta, por isto suplicamos que o Senhor assuma o controle dela. Oh, que o Senhor abra e feche os nossos lábios, pois não podemos fazer nem uma coisa nem outra corretamente, se o fizermos sozinhos. Em tempos de perseguição por parte dos homens ímpios, nós somos peculiarmente propensos a falar de maneira precipitada, ou evasiva, e por isto devemos estar especialmente ansiosos por ser preservados, nesta direção, de qualquer forma de pecado. Como o Senhor é condescendente! Nós somos dignificados, guardando as portas para Ele, e ainda assim Ele se digna a guardar as portas para nós.

4. *"Não inclines o meu coração para o mal."* Isto é equivalente à súplica: "Não nos induzas à tentação". Oh, que nada aconteça, na providência, que instigue nossos desejos para uma direção errada. Aqui o salmista está cuidando do seu coração. Aquele (ou aquilo) que controla o coração é o senhor do homem; mas se a língua e o coração estão sob os cuidados de Deus, tudo está a salvo. Devemos orar, para que Ele nunca nos deixe à mercê de nossas próprias inclinações, ou logo desistiremos do que é correto.

"Para se ocupar de coisas más com aqueles que praticam a iniqüidade." Para o lado que o coração se inclina, a vida logo tende: más coisas desejadas produzem a prática de coisas ímpias. A menos que a fonte da vida seja conservada pura, as águas da vida logo serão poluídas. Ai! Há um grande poder nas companhias: até mesmo homens bons podem ser influenciados por suas associações; daí o temor de que possamos praticar obras ímpias quando em companhia de pessoas que praticam coisas ímpias. Devemos nos esforçar para não estar com eles, para não pecar com eles. É ruim quando o coração segue sozinho pelo caminho errado, mas é pior quando a vida segue pela estrada má sozinha; mas a situação pode chegar a um estágio ainda maior de impiedade, quando o apóstata segue pelo caminho descendente com todo um exército de pecadores à sua volta. A nossa prática será a nossa perdição, se for má; é um agravamento do pecado, em lugar de uma desculpa para o mesmo, dizer que é nosso costume e nosso hábito. É costume de Deus punir todos os que fazem da iniquidade um costume. Os homens bons ficam horrorizados com o pensamento de pecar, como os outros; o temor do pecado faz com que eles se ponham de joelhos. A iniquidade que, sendo interpretada, é uma falta de equidade, é algo que deve ser repelido, da mesma maneira como devemos evitar uma doença infecciosa.

"E não coma eu das suas delícias." Se trabalharmos com eles, logo comeremos com eles. Eles apresentarão os seus bocados, e as suas delícias, esperando nos obrigar aos seus serviços, pelo nosso paladar. A isca da armadilha são delícias, para que possamos ser capturados e nos tornar alimento para a sua maldade. Se não

desejamos pecar, será melhor que não nos sentemos com eles; e se não desejamos compartilhar a sua iniquidade, não devemos compartilhar a sua companhia, nem as suas maneiras.

5. *"Fira-me o justo, será isso uma benignidade."* O salmista prefere a amargura na companhia de pessoas de bem, às delícias dos ímpios. Ele prefere ser ferido pelos justos a se banquetear com os ímpios. Ele permite a fiel admoestação, ele a convida: "fira-me o justo". Quando o ímpio nos sorri, a sua adulação é cruel; quando o justo nos fere, a sua fidelidade é bondosa. Às vezes, os homens piedosos nos golpeiam, não apenas atingem o mal, mas o espancam; e mesmo então, nós devemos receber os golpes com amor, e ser agradecidos à mão que fere de maneira tão dura. Os tolos se ressentem da repreensão; os sábios se esforçam para se beneficiar dela.

"E repreenda-me; será um excelente óleo, que a minha cabeça não rejeitará." O óleo não fará mal a nenhuma cabeça, e a repreensão não causa nenhum dano a nenhum homem; na realidade, da mesma maneira como o óleo refresca e perfuma, também a repreensão, quando apropriadamente interpretada e recebida, adoça e renova o coração. O meu amigo deve me amar muito, se ele me falar dos meus erros: há uma unção sobre ele, se ele for honesto o suficiente para apontar os meus erros. Muitos homens tiveram o seu coração partido nos banquetes dos ímpios, mas nenhum à mesa de um repreensor de coração sincero. O óleo da adulação não é excelente; o óleo tão extravagantemente usado no banquete do festejador não é excelente; corações partidos e dores de cabeça acompanham a unção dos rebeldes; mas acontece outra coisa com as mais severas censuras dos piedosos: elas nem sempre são doces, mas são sempre excelentes; elas podem ferir o coração momentaneamente, mas nunca o partem, nem ferem a cabeça.

"Porque continuarei a orar a despeito das maldades deles." Os homens de bem nunca se iram com os amigos sinceros, a ponto de alimentar algum mau sentimento contra eles; se fosse assim, quando os vissem em aflição, se voltariam contra eles, e os atormentariam com suas reprovações. Longe disto; estas almas sábias e gratas ficam muito atentas e preocupadas ao ver seus instrutores em dificuldades, e apresentam as suas melhores orações para seu auxílio. Elas não se limitam a orar por eles, mas são tão solidárias e sinceras que suas orações estão direcionadas às "maldades deles", sim, nas masmorras com eles. Tão verdadeira é a irmandade cristã que nós estamos com nossos amigos, na doença ou na perseguição, sofrendo com suas angústias; assim a oração do nosso coração está nas suas tristezas. Quando não podemos dar nada mais aos homens bons, devemos dar-lhes nossas orações, e devemos fazer isto duplamente aos que nos repreenderam.

6. Este é um versículo cujo significado parece longe demais para buscar. Ele se refere aos justos entre os israelitas? Nós cremos que sim. Davi certamente quer dizer que, quando os seus líderes caíssem para nunca mais se levantar de novo, eles se voltariam para ele e se alegrariam em ouvir à sua voz.

"Quando os seus juízes forem arremessados da rocha, ouvirão as minhas palavras, pois são agradáveis." E foi isto o que aconteceu: a morte de Saul fez com que a nação olhasse para o filho de Jessé como o ungido do Senhor; as suas palavras se tornaram doces para eles. Muitos dos homens bons que tinham falado severamente sobre a fuga de Davi da sua nação, e a sua ida aos filisteus, ainda assim foram fiéis e ternos para o coração dele; e ele lhes devolveu nada além de boa vontade, orações amorosas, e doces palavras, sabendo que com o tempo eles se esqueceriam de seus erros e o escolheriam para ser o seu líder. Eles o feriram quando ele errou, mas reconheceram as suas excelências. Por sua parte, ele não nutriu ressentimento, mas os amou por sua honestidade. Ele orou por eles, quando a sua terra sangrava aos pés de seus inimigos estrangeiros; ele veio em seu socorro, quando seus líderes anteriores foram mortos; e as suas palavras de esperança corajosa foram doces para seus ouvidos. Isto me parece ser um bom senso, consistente com o contexto. Ao mesmo tempo, outras interpretações, mais elaboradas, têm seus admiradores instruídos, e a eles nos referimos em nossas observações sobre outros autores.

7 *Como quando alguém lavra e sulca a terra, são os nossos ossos espalhados à boca da sepultura.*
8 *Mas os meus olhos te contemplam, ó Deus, Senhor; em ti confio; não desampares a minha alma.*
9 *Guarda-me dos laços que me armaram; e dos laços corrediços dos que praticam a iniquidade.*
10 *Caiam os ímpios nas suas próprias redes, até que eu tenha escapado inteiramente.*

7. O caso de Davi parecia desesperador: a causa de Deus em Israel era como uma coisa morta, como um esqueleto quebrado, e podre, e retirado da sepultura, para retornar, como pó, ao seu pó.

"São os nossos ossos espalhados à boca da sepultura." Parece não haver vida, nem coesão, nem forma, ordem ou liderança, entre o grupo piedoso em Israel: Saul o tinha demolido, e espalhado as suas partes, de modo que ele não existia em um conjunto organizado. O próprio Davi era como um desses ossos secos, e os outros piedosos estavam praticamente na mesma condição. Parecia não haver vitalidade nem união entre a santa semente; a sua causa está à porta da morte.

"Como quando alguém lavra e sulca a terra." Eles eram como madeira dividida e separada; não como uma única peça de madeira, nem mesmo como um feixe, mas toda cortada e completamente dividida. Deixando de fora a palavra "madeira", que é inserida por alguns tradutores, a imagem diz respeito ao lavrar da terra, que provavelmente significa arar, mas pode significar qualquer outra forma de partição e divisão, como derrubar árvores, dilacerar arbustos, ou qualquer outra coisa que cause confusão e divisão. Com que frequência os homens bons pensaram isto da causa de Deus! Para onde olhassem, a morte, a divisão e a destruição os esperavam. Cortados e separados, desesperadamente divididos! Dispersos, sim, espalhados à boca da sepultura! Divididos e separados para o fogo! Isto é o que parecia ser a causa de Deus e a verdade. "Na terra", a perspectiva era digna de piedade; o campo da igreja tinha sido arado, sulcado, e escarificado: ele tinha se tornado como a terra de um lenhador, onde tudo estava condenado a ser destruído. Nós já vimos igrejas nesta condição, e ficamos de coração partido. Que graça que sempre haja um lugar sobre a terra, para o qual podemos olhar! Ali vive aquele que ressuscitará a sua causa, e reunirá o seu povo dividido. Ele trará os ossos secos da boca da sepultura, e fará com que os ossos mortos vivam outra vez. Imitemos o salmista no versículo seguinte, e olhemos para o Deus vivo.

8. *"Mas os meus olhos te contemplam, ó Deus, Senhor."* Ele olhou para o alto, e manteve os seus olhos fixos ali. Ele considerava o dever mais do que as circunstâncias; ele considerava a promessa, mais do que a providência externa; e ele esperava de Deus, e não dos homens. Ele não fechou os seus olhos em indiferença ou desespero, nem os dirigiu à criatura em vã confiança, mas voltou os seus olhos ao seu Deus, e não viu nada a temer. Jeová, o seu Senhor, é também a sua esperança. Tomé chamou Jesus de Senhor e Deus, e aqui Davi fala de seu Deus e Senhor. Os santos se alegram em se estender nos nomes divinos, quando estão adorando ou suplicando.

"Em ti confio." Não apenas nos teus atributos ou nas tuas promessas, mas em ti mesmo. Outros podem confiar no que escolherem, mas Davi confiou no seu Deus; nele, ele confiava sempre, somente nele, confiantemente, e sem reservas.

"Não desampares a minha alma"; como aconteceria, se o Senhor não se lembrasse e não cumprisse a sua promessa. Estar desamparado em circunstâncias, é algo mau, mas ter a alma desamparada é muito pior. Ser abandonado pelos amigos é uma calamidade, mas ser abandonado por Deus seria a destruição. O desamparo de Deus é o desamparo com uma vingança. Uma consolação é o fato de Deus ter dito: "Não te deixarei, nem te desampararei".

9. *"Guarda-me dos laços que me armaram."* Ele tinha pedido antes, no versículo 3, que a porta da sua boca pudesse ser guardada; mas a sua oração agora cresce, para "Guarda-me". Ele parece mais perturbado com a tentação encoberta do que

com os ataques abertos. Os homens valentes não temem a batalha, mas odeiam tramas secretas. Nós não podemos suportar a ideia de ser aprisionados, como animais desprevenidos; portanto, clamamos ao Deus da sabedoria, pedindo proteção.

"E dos laços corrediços dos que praticam a iniqüidade." Estes que praticam a iniquidade procuravam flagrar Davi em suas palavras ou atos. Isto era, por si só, uma iniquidade, e, portanto, de acordo com o resto da conduta que praticavam. Eles eram maus, e desejavam tornar Davi como eles mesmos ou fazer com que ele parecesse mau. Se não pudessem aprisionar o homem bom de uma maneira, tentariam de outro; laços e laços corrediços se multiplicavam, pois, de alguma maneira, estavam determinados a realizar a sua ruína. Ninguém poderia guardar Davi, senão o Onisciente e Onipotente: Ele também nos guardará. É difícil evitar os laços que não conseguimos ver, e escapar aos laços que não descobrimos. Bem clamou o tão perseguido salmista: "Guarda-me".

10. *"Caiam os ímpios nas suas próprias redes, até que eu tenha escapado inteiramente."* Pode não ser uma oração cristã, mas é muito justa, e é preciso uma grande quantidade de graça para impedir que alguém clame Amém a ela; na realidade, a graça não faz com que nós desejemos outra coisa, a respeito dos inimigos dos santos. Não desejamos, todos nós, que os inocentes sejam livrados e os culpados colham o resultado da sua própria perversidade? É claro que sim, se formos homens justos. Não pode ser errado desejar que aconteça, no nosso caso, o que desejamos para todos os homens bons. No entanto, há um caminho mais excelente.

NOTAS EXPLICATIVAS E DECLARAÇÕES SINGULARES

O salmo: Este salmo, como o anterior, é caracterizado por uma pungente brevidade, e o uso de expressões raras, enquanto, ao mesmo tempo, está cheio de coincidências verbais e reais com os outros salmos de Davi. Estas indicações são tão claras e inegáveis, que um crítico cético, de grande eminência (De Wette), declara que este é um dos mais antigos salmos da coletânea. – *Joseph Addison Alexander*

O salmo: Poucos salmos, em tão poucas palavras, ajuntam tantas joias de preciosa e santa verdade. – *Barton Bouchier*

Todo o salmo: Muitos comentaristas estão fortemente convencidos de que este salmo foi escrito como uma recordação de uma cena muito interessante na vida de Davi, registrada em 1 Sm 24, com respeito ao generoso tratamento que ele tinha dispensado a Saul. Embora tivesse uma oportunidade de matar o seu cruel perseguidor, na caverna de En-Gedi, ainda assim poupou a sua vida, cortando apenas a borda de seu manto, e sem permitir que os seus seguidores o tocassem; e quando Saul saiu da caverna, Davi, indo atrás dele, falou com ele, à distância, de maneira muito gentil e respeitosa, com respeito à injustiça da conduta de Saul para com ele. Acredita-se que o versículo 6 contenha uma referência muito expressa a esta mesma ocorrência notável na história de Davi, de modo a deixar pouca dúvida de que esta foi a ocasião em que o salmo foi escrito. – *James Anderson, Note to Calvin, in loc.*

Todo o salmo: A imagem e as alusões do salmo têm referência a guardar; ou seja, o óleo que recentemente o tinha ungido; e a guarda diante da sua boca, etc., sugestão feita pela vigilância à entrada da caverna, embora, em última análise, uma referência ao culto no tabernáculo. – *John Jebb*

v. 1: "Senhor, a ti clamo". A descrença procura muitos caminhos para a libertação dos problemas, mas a fé tem apenas um caminho – ir até Deus, por meio da oração, pois isto é tudo o que é necessário. – *David Dickson*

v. 1: "Senhor, a ti clamo". Nenhuma aflição ou perigo, ainda que muito grande, desviará a minha fé ou deterá a minha boca, mas me tornará mais fervoroso, e as minhas orações, como fortes correntezas em desfiladeiros estreitos, derrubarão tudo o que estiver à sua frente. – *John Trapp v. 1:* "A ti... à minha". A nossa oração e a misericórdia de Deus são como dois baldes em um poço; quando um sobe, o outro desce. – *Ezekiel Hopkins*

v. 1: Observe que a diferença de tempo verbal, "clamo" (Heb., LXX, e Vulgata), seguida por "quando clamar" significa a sincera perseverança do santo em oração, nunca cessando, enquanto durar o problema. E o problema, na realidade, dura o período em que estamos no mundo, por isto o apóstolo nos ensina, "Orai sem cessar". – *Agostinho e Bruno, em Neale e Littledale*

vv. 1 a 5: O fato de que o salmista se encontrava agora em alguma aflição, da qual estava profundamente sensível, fica evidente com a veemência do seu espírito, que ele expressa na repetição de seu pedido ou súplica (v. 1); e pelo seu desejo de que "suba a minha oração perante a tua face como incenso, e seja o levantar das minhas mãos como o sacrifício da tarde" (v. 2). Os comentaristas judeus supõem que, nesta referência, o salmista se referia à sua atual exclusão dos santos cultos no tabernáculo, de que, em outras passagens, ele se queixa amargamente, e esta suposição não é improvável.

Pois a sua oração, neste princípio do salmo, diz respeito a ele mesmo e à sua conduta, na sua condição atual, que ele deseja que possa ser inofensiva e santa, apropriada a ele mesmo e útil aos outros. E embora ele estivesse, de duas maneiras, propenso a fracassar, em primeiro lugar, por uma exasperação de espírito contra os seus opressores e perseguidores; e, em segundo lugar, por uma cumplicidade fraudulenta e pusilânime com eles, em seus ímpios caminhos – que são os dois extremos a que os homens podem correr, quando em tais condições: ele ora, fervorosamente, para ser livrado das duas situações. À primeira, ele se referiu no versículo 3, "Põe, ó Senhor, uma guarda à minha boca; guarda a porta dos meus lábios", ou seja, para que ele, sob essas grandes provocações que lhe eram feitas, não irrompesse em um aparente descontrole em suas palavras contra seus injustos opressores, descontrole que, às vezes, as crueldades violentas e irracionais extrairão dos espíritos mais calmos e moderados. Mas era o desejo deste santo salmista, como em casos semelhantes deve ser o nosso, que o seu coração sempre fosse preservado, nesta situação, sob a condução do Espírito de Deus, de modo a não ser flagrado em uma expressão de paixão descontrolada, em nenhuma de suas palavras. A outra ele considerou na sua fervorosa súplica, em que pediu para ser livrado dela, no versículo 4: "Não inclines o meu coração para o mal, nem para se ocupar de coisas más com aqueles que praticam a iniqüidade; e não coma eu das suas delícias". Este pedido tem duas partes, com relação ao propósito desejado. 1. Que, pelo poder da graça de Deus, influenciando a sua mente e alma, o seu coração pudesse não estar inclinado a nenhuma comunhão ou sociedade com seus ímpios adversários, em sua iniquidade. 2. Que ele pudesse ser preservado, e não gostar dessas coisas, nem ansiar por essas coisas, que são as iscas e as seduções pelas quais os homens podem ser atraídos a associações e conspirações com os que praticam a iniquidade; "E não coma eu das suas delícias" (veja Pv 1.10-14). Note que ele aqui descreve a condição de homens que prosperam durante algum tempo, em um caminho de iniquidade; primeiramente, eles se entregam à prática da iniquidade, e então, se consolam na satisfação de seus desejos, com aquilo que o seu poder e interesse no mundo lhes proporcionará.

Estas são as "delícias", pelas quais um impotente anseio e desejo trai as mentes de pessoas instáveis, a uma cumplicidade com os caminhos do pecado e da tolice, pois eu considero essas "delícias" como abrangendo tudo aquilo que o desejo dos olhos, o desejo da carne, ou a soberba da vida puderem proporcionar. Davi ora, pedindo para ser livrado de qualquer inclinação, a todas estas coisas, especialmente quando elas são as seduções de um caminho de pecado. Ao saborear essas "delícias", é comum que os ímpios se tranquilizem e se encorajem, mutuamente, no caminho em que estão engajados. E isto completa aquela pobre felicidade a que muitos aspiram neste mundo, e que é a única coisa de que são capazes. Tudo isto é apenas uma associação em prazeres dos sentidos e perecíveis, sem controle, e com mútuos aplausos, de uns aos outros. Isto o salmista estava considerando particularmente, ao dirigir seus olhos a outra comunhão e sociedade, pela qual ele ansiava (v. 5). Ele não via delícias, mas censuras; ele discernia o que é oposto a estes aplausos mútuos e alegrias, de uns pelos outros, que é o sal e o cimento de todas as sociedades perversas, pois ele percebia reprovações e censuras pelos menores fracassos que se observam. Embora as delícias de que alguns desfrutam em um caminho de iniquidade próspera sejam as únicas coisas que parecem ter o que é desejável, e, por outro lado, reprovações e censuras sejam as únicas coisas que parecem ter alguma severidade ou desconforto na sociedade dos piedosos, Davi equilibra aquilo que parece ser mais severo em uma sociedade, com aquilo que parece ser mais doce na outra; e assim, sem considerar outros benefícios, prefere uma coisa à outra. Desta maneira, alguns entendem que as palavras "Fira-me o justo" significam "eu prefiro que o justo me fira, a comer das delícias dos ímpios". – *John Owen*

v. 2: "Suba a minha oração perante a tua face". Anotação de margem, dirigida. A palavra hebraica significa adequar, estabelecer, tornar firme. O salmista deseja que a sua oração não seja como aquilo que é débil, lânguido, que se dissipa facilmente; mas que ela seja como aquilo que é firme e seguro. – *Albert Barnes*

v. 2: "Suba a minha oração perante a tua face como incenso". Literalmente, Que a minha oração, meu incenso, seja apresentada em ordem, diante de ti – sugerindo que a oração era, na realidade, o que o incenso era, no símbolo... Passando para as Escrituras do Novo Testamento, embora ainda somente àquela parte que se refere aos tempos do Antigo Testamento, lemos sobre as pessoas engajadas em oração, do lado de fora, enquanto Zacarias oferecia incenso no santuário (Lc 1.10); eles acompanhavam, em espírito, o serviço do sacerdote. E no livro do Apocalipse, as orações dos santos são identificadas repetidas vezes com a oferta de incenso sobre o altar de ouro, diante do trono (Ap 5.8; 8.3,4). – *Patrick Fairbairn, "The Typology of Scripture".*

v. 2: "Perante". A oração é trabalho de conhecimento, trabalho de fé, trabalho de busca, trabalho de humilhação, e não vale nada, se o coração e a mão não se unirem nela. – *Thomas Adam, 1701-1784*

v. 2: "Perante a tua face como incenso", cuja fumaça aromática ainda sobe. Mas muitas vezes, na própria subida, enquanto tenta chegar cada vez mais alto, infimo phantasmate verberatur, diz Gregório, "é forçada a retornar, por imaginações terrenas que intervêm", e então é extenuada gradualmente, e se reduz a nada. Portanto, o profeta ora, ut dirigatur oratio, "para que a sua oração possa ser apresentada perante Deus", ut stabiliatur; assim alguns traduzem do hebraico, "para que possa ser estabelecida", que não evapore em si mesma nem seja soprada com o vento de imaginações vãs e contrárias, que vêm ab extrinseco [de fora], e podem corrompê-la. – *Anthony Farindon*

v. 2: "Como incenso". As Escrituras indicam expressamente o fato de que, de modo geral, incenso significa oração. E há uma semelhança em quatro aspectos, entre eles: 1. No fato de que ele era martelado antes de ser usado. Assim a oração aceitável procede de um coração partido e contrito (Sl 51.17). 2. Não tinha utilidade, até que se acendesse fogo debaixo dele, e ele fosse tirado do altar. Nem a oração tem qualquer virtude ou eficácia, se não for acesa pelo fogo do alto, o Santo Espírito de Deus, que temos no nosso altar, Cristo Jesus. 3. Ele subia naturalmente em direção ao céu, como todas as ofertas, em hebraico, são chamadas עלות, "ascensões", subidas. E este é o objetivo da oração, subir e se apresentar diante do trono de Deus: "[eu] me apresentarei a ti, e vigiarei", isto é, orarei (Sl 5.3). 4. Produzia um doce aroma: sendo este um dos seus propósitos, nos serviços do templo, em que havia grande quantidade de queima de carne e sangue. Assim também a oração produz um doce cheiro para Deus; um aroma de descanso, do qual Ele se agrada. – *John Owen*

v. 2: "Como incenso... como o sacrifício da tarde". Embora estas minhas palavras possam necessariamente deixar toda aquela solenidade, a preparação exigida no serviço do teu santo tabernáculo, a nuvem de incenso e perfume, etc., a minha oferta ou oblação feita da fina farinha, etc., ainda assim, permite que a pureza e o fervor do meu coração, e a inocência de minhas mãos, agora levantadas, nesta triste hora da minha aflição, sejam aceitas em lugar de tudo isto, e prevaleça para a libertação e um resgate seguro, meu e de meus companheiros. – *Charles Peters (-1777), A Critical Dissertation on the Book of Job, 1751*

v. 2: "Como o sacrifício da tarde". Este devia ser o nosso culto diário, semelhante àquele em que um cordeiro era oferecido pela manhã e à tarde, em sacrifício. Mas, ai! como são monótonas e sem vida as nossas devoções! Como os carros de Faraó, elas são pesadas. Alguns, como a jumenta de Balaão, nem chegam a abrir suas bocas duas vezes. – *Thomas Adams*

v. 2: "Minhas mãos". Estender as nossas mãos, em oração fervorosa e de fé, é a única maneira de alcançar a misericórdia. – *F. E., "The Saints Ebenezer", 1667*

v. 2: No elegante cerimonial de adoração dos hebreus, nenhum dos sentidos era excluído do culto... o sentido do olfato ocupava, talvez, o lugar mais proeminente: pois a aceitação da adoração era sempre indicada por um símbolo, tomado emprestado deste sentido: "o Senhor cheirou o suave cheiro". A oração do povo subia como incenso, e o levantar de suas mãos, como o sacrifício da tarde. A oferta do incenso formava uma parte essencial do culto religioso. O altar de incenso ocupava uma das mais evidentes e honrosas posições no tabernáculo e no templo... neste altar, um incensário, cheio de incenso, exalava suas nuvens fragrantes todas as manhãs e tardes: e todos os anos, quando chegava o dia da expiação, quando o sumo sacerdote entrava no santo dos santos, enchia um incensário com brasas vivas, do fogo sagrado do altar das ofertas de holocausto, e o levava ao santuário, onde atirava sobre as brasas vivas o "doce incenso moído", que tinha trazido na sua mão. Sem este incensário fumegante ele estava proibido, sob pena de morte, de entrar no temível santuário de Jeová. Apesar da lavagem da sua carne, e das vestes de linho em que estava vestido, ele não ousava entrar no Santo dos santos, com o sangue da expiação, a menos que pudesse se proteger pessoalmente sob uma nuvem de incenso.

Alguns autores supuseram que o incenso foi inventado com o propósito de ocultar ou neutralizar os odores repugnantes causados pelo número de animais que eram mortos todos os dias no santuário. Outros autores atribuíram ao incenso uma importância mística, crendo que era um símbolo do sopro do mundo, que subia em louvor ao Criador, e os quatro ingredientes de que ele se compunha representavam os quatro elementos. Um terceiro grupo, considerando o tabernáculo como o palácio de Deus, o teocrático Rei de Israel, e a arca do concerto como o seu trono, considerou o incenso meramente correspondente ao perfume tão generosamente empregado na pessoa e nas dependências de um monarca oriental. Sem dúvida, pode-se considerar que o incenso tinha o objetivo principal de servir a esses propósitos e transmitir esses significados, mas ele obteve a sua principal importância em conexão com as observâncias cerimoniais do ritual mosaico, do fato de ser o grande símbolo da oração. Ele era oferecido no momento em que as pessoas estavam em postura e ato de devoção; e supostamente as suas orações eram apresentadas a Deus pelo sacerdote, e subiam até Ele, por meio da fumaça e do aroma daquela oferta de cheiro suave. As Escrituras estão cheias de alusões ao incenso, interpretadas neste belo sentido simbólico. A oração aceitável e bem sucedida tinha cheiro suave para o Senhor; e a oração que era ilícita, ou hipócrita, ou improdutiva, era rejeitada com desgosto pelo órgão do olfato.

Sem dúvida, os judeus sentiam, quando viam as nuvens brancas da fumaça fragrante subindo lentamente do altar do incenso, como se a voz do sacerdote estivesse, de maneira silenciosa, mas eloquente, suplicando por eles, naquele emblema expressivo. A associação do som se perdia na do aroma, e os dois sentidos se mesclavam em um só. E, como observou o Dr. George Wilson, este modo simbólico de súplica tinha uma vantagem sobre a oração falada ou escrita, pois podia ser uma súplica dos que eram cegos e surdos, uma classe que normalmente era excluída da adoração social, por sua aflição. Os que não podiam ouvir as orações do sacerdote podiam se unir a exercícios de devoção simbolizados pelo incenso, pelo seu sentido do olfato; e as impressões santificadas proibidas por um meio eram admitidas à mente e ao coração por outro meio.

O altar do incenso estava na mais íntima conexão com o altar das ofertas de holocausto. O sangue da oferta de expiação era espargido nas pontas dos dois altares, no grande dia da expiação anual. Pela manhã e à tarde, depois de oferecido o sacrifício, o incensário tinha seu conteúdo aromático derramado, de modo que o incenso perpétuo no seu interior subia simultaneamente com a oferta de holocausto perpétua do exterior. Sem as brasas vivas do altar de sacrifício, o incenso sagrado não podia ser aceso; e sem que o incenso enchesse previamente o santuário, o sangue da expiação do altar de holocausto não podia ser espargido sobre o propiciatório. Belo e expressivo tipo do sacrifício perfeito e da intercessão de Jesus – da intercessão baseada na expiação, da expiação precedida e seguida pela intercessão! Belo e expressivo tipo também das orações dos crentes, acesas pelo fogo do sacrifício de Cristo no altar, e perfumado pelos seus méritos! – *Hugh Macmillan, The Ministry of Nature, 1871*

v. 3: "Põe, ó Senhor, uma guarda à minha boca", etc. 1. Um homem nunca usaria esta linguagem sem uma convicção da importância do assunto... Tudo é realizado pelas palavras, em questões naturais, civis e religiosas: quanto, portanto, depende do bom ou mau uso da língua! Que ardor de santo amor e amizade, ou de ira e perversidade, podem algumas poucas palavras converter em uma chama! A língua é o principal instrumento na causa de Deus: e é o principal maquinário do mal; dê-lhe isto, e ele não pedirá mais nada – não há maldade nem desgraça que ele não realize com ela. O uso da língua, a sua influência, portanto, é inexprimível; e as palavras nunca devem ser consideradas somente como efeitos, mas como causas, e a sua operação nunca pode ser completamente imaginada. Vamos supor um caso, que temo ser comum demais. Você deixa escapar, na irreflexão ou no descuido de uma conversa, ou pela argumentação, alguma expressão não religiosa ou cética – ela se armazena na memória de uma criança ou de um servo – ela se enraíza em um terreno favorável a esta semente – gradualmente brota, e produz frutos, na profanação do dia de repouso e adoração; na negligência aos meios da graça; na leitura de livros impróprios; na escolha de companhias perigosas – quem sabe onde isto irá parar? Mas há um Ser que sabe onde isto começou. Ficará evidente que alguns têm a capacidade, por causa de seu trabalho, seus talentos e sua influência, de provocar mais mal do que outros; mas nenhum é tão insignificante a ponto de ser inofensivo.

2. Uma pessoa nunca usaria esta linguagem sem a convicção de que está em perigo de transgressão. E se Davi estava consciente de uma propensão a pecar, nós teremos ilusão de nossa segurança? O nosso perigo resulta da depravação da nossa natureza. "Enganoso é o coração, mais do que todas as coisas, e perverso"; e "Quem do imundo tirará o puro?" O nosso perigo surge do contágio com o exemplo. Não há nada de que a humanidade seja mais universalmente culpada do que a confusão das palavras, e, no entanto, estamos constantemente rodeados de tal confusão; e a elas estamos acostumados desde a nossa infância impressionável. Nós estamos em perigo pela frequência das palavras. "Na multidão de palavras não falta transgressão".

Nós devemos, necessariamente, falar frequentemente, mas frequentemente falamos sem necessidade. O dever nos obriga a nos misturar frequentemente com nossos colegas de criação, mas nós ficamos muito pouco isolados, e muito tempo na multidão – e quando estamos em grupo, nos esquecemos da admoestação, "todo o homem seja pronto para ouvir, tardio para falar".

3. Uma pessoa nunca usaria esta linguagem sem uma convicção de incapacidade de se guardar. A Bíblia nos ensina esta verdade, não apenas doutrinariamente, mas historicamente. Os exemplos de homens bons, e eminentes em piedade e santidade, confirmam isto, no mesmo artigo diante de nós. Moisés, o homem mais

manso na terra, "falou imprudentemente com seus lábios". Você já ouviu falar da paciência de Jó, mas ele "amaldiçoou o seu dia"; e Jeremias, o profeta do Senhor, fez a mesma coisa. Pedro disse, "Ainda que todos se escandalizem em ti, eu nunca me escandalizarei. Ainda que me seja necessário morrer contigo, não te negarei". Mas como ele usou a sua língua, apenas algumas horas mais tarde? Então "começou ele a praguejar e a jurar, dizendo: Não conheço esse homem".

4. Uma pessoa nunca usaria esta linguagem sem a convicção da sabedoria de recorrer a Deus para o auxílio de que precisa. A oração é o resultado da nossa fraqueza, e a expressão da nossa dependência. Ela confessa a atividade de Deus. 1. Em primeiro lugar, Deus é igual à nossa preservação. 2. O seu socorro não será obtido sem oração. 3. A oração sempre traz o auxílio que ela implora. – *Condensado de W. Jay, Sermon on "The Regulation of the Tongue"*

v. 3: "Põe, ó Senhor, uma guarda à minha boca", etc. Guardar e orar sempre estão juntos. Nós estamos melhor guardados quando recomendados à mão de Deus. Aqui, eu observo, em primeiro lugar, que as palavras inadvertidas e inflamadas facilmente nos escapam em meio aos nossos problemas, particularmente em meio às nossas perseguições. Em segundo lugar, que um homem piedoso tem uma consciência muito aguçada em relação a isto, e também em relação a todo o mal. Aquele que deseja viver em comunhão com Deus no presente, e espera comparecer diante dele desfrutando a eterna consolação no futuro, é sensível às mínimas coisas que tendam a desagradar a Deus e a desonrar a Deus; este é o verdadeiro espírito de alguém que deseja ser reconhecido por Cristo no último dia. Em terceiro lugar, não há maneira de evitar a provocação à impaciência e à impulsividade no falar, ou qualquer mal, exceto mantendo uma vigilância e renovando as nossas obrigações para com Deus. Em quarto lugar, quem desejar manter a vigilância deve invocar a ajuda e assistência da graça de Deus: "Põe, ó Senhor, uma guarda à minha boca". – *Thomas Manton*

v. 3: "Põe, ó Senhor, uma guarda à minha boca", etc. Assim os homens santos realizaram as sessões em casa, e fizeram de seus corações o presidente do júri, e se interrogaram, da mesma maneira como nós interrogamos os outros. O temor do Senhor estava à porta de suas almas, para examinar cada pensamento, antes que ele entrasse, e à porta de seus lábios, para examinar cada palavra, antes que ela saísse, e com isto eles escaparam a mil pecados que nós cometemos, como se não tivéssemos uma outra obra. – *Henry Smith*

v. 3: "Põe, ó Senhor, uma guarda à minha boca". Como a natureza fez com que os meus lábios fossem uma porta para as minhas palavras, que a graça guarde essa porta, para que nenhuma palavra tenha permissão de sair se tender, de alguma maneira, a desonrar a Deus ou a prejudicar os outros. – *Matthew Henry*

v. 3: "Põe uma guarda", etc. Que fique na língua um selo para as palavras que não devem ser proferidas. Um guarda sobre as palavras é melhor do que sobre a riqueza. – *Luciano*

v. 3: "Guarda a porta dos meus lábios". Que eles não se movam rangendo e reclamando, como se tivessem dobradiças enferrujadas, por falta do óleo da alegria e satisfação. Davi teve que fazer algo com a sua língua, como vemos em Sl 39.1,3; e quando colocou a arca em um carro, ele falou de maneira inapropriada, como se a culpa fosse mais de Deus do que dele mesmo – Davi se queixou do Senhor ter aberto brecha em Uzá (1 Cr 13.12). Era apenas necessário orar. – *John Trapp*

v. 4: "Não inclines o meu coração para o mal", etc. O prazer momentâneo e a comodidade do pecado têm grande estima para o pecador, e são muito mais doces para ele do que aquilo de que ele pode desfrutar licitamente; os prazeres do pecado são suas delícias. Ninguém pode escapar de ser levado pelas seduções de um caminho pecaminoso, exceto se o Senhor o preservar: "não coma eu das suas delícias". Os homens mais santos das Escrituras percebiam muito bem a impotência do seu próprio livre arbítrio, e a sua incapacidade de resistir às tentações ou colocar em ação os princípios da graça; eram muito preocupados, muito dependentes de Deus, muito cuidadosos no uso dos meios e conscienciosos na obediência às ordenanças, como testemunham as suas orações: "Não inclines o meu coração para o mal", etc. – *David Dickson*

v. 4: "Não inclines o meu coração". Hebraico, Não se incline o meu coração. – *John Jebb*

v. 4: "Meu coração". Esse homem é como Esaú, que tinha uma herança, que tinha um coração, mas agora não possui nada que seja seu; por isto, dá a Deus o teu coração, para que Ele possa guardá-lo; e não uma parte do teu coração, não um espaço no teu coração, mas o teu coração. O coração dividido morre. Deus não é como aquela mãe que desejava ver o filho dividido, mas é como a mãe natural, que disse, "dai-lhe o menino vivo e por modo nenhum o mateis". Que o diabo fique com o coração inteiro, se aquele que o deu a ele não for digno dele. Deus não tem sócios, por isto Ele não participa de apostas, ou tudo ou nada; e por isto aquele que pede aqui o teu coração, em Dt 6.5, pede, "todo o teu coração, e toda a tua alma, e todo o teu poder"; três vezes, Ele pede tudo, para que não deixemos para trás nem sequer um pensamento. O teu coração será um coração vão, um coração estéril, um coração pecador, até que você o dê a Deus, e então ele passe a ser a esposa de Cristo, o templo do Espírito Santo, e a imagem de Deus; ele então é tão transformado, e formado, e refinado, que Deus o chama de um novo coração.

Há tanta disputa pelo coração como houve pelo corpo de Moisés. "Dá-me", diz o Senhor; "dá-me", diz o tentador; "dá-me", diz o papa; "dá-me", diz a riqueza; "dá-me", diz o prazer; como se você devesse necessariamente entregá-lo a alguém. Aqui está a escolha, você o dará a Deus ou ao diabo; será o coração de Deus ou o coração do diabo; de quem serás? – *Henry Smith*

v. 4: "Não coma eu das suas delícias". O pecado não é apenas um manjar, mas um doce manjar; não apenas pão, mas pão agradável, para um coração mau. Durante algumas semanas, Daniel não comeu manjar desejável; ele comeu pão, para manter a vida e a alma íntegras, mas não festejou nem se alegrou. O pecado é um banquete para um homem carnal, é o seu bom ânimo, é "delícias" para ele. Davi, falando sobre os ímpios, diz, "Não inclines o meu coração para o mal, nem para se ocupar de coisas más com aqueles que praticam a iniqüidade; e não coma eu das suas delícias". Estas "delícias" podem ser explicadas como a prosperidade que vem por meio de práticas ímpias (alguns, por meios ímpios, conseguem não apenas seu alimento comum, mas "delícias"); ou as "delícias" são o pecado propriamente dito; eles se banqueteavam fazendo o mal; "Senhor, não coma eu das suas delícias". Se este for o alimento deles, eu prefiro passar fome, a comer com eles. – *Joseph Caryl*

v. 4: "As suas delícias". Os inimigos de Davi eram lascivos e voltados aos prazeres dos sentidos; e teriam alegremente concordado com a sua presença em seus banquetes, se o caráter de Davi fosse semelhante aos seus. Ele pede para ser preservado da tentação de fazer isto. – *William Walford*

v. 5: "Fira-me o justo", etc. Este versículo é tão obscuro, a ponto de ser quase ininteligível. De acordo com as versões em Inglês, ele expressa a disposição de Davi em ser repreendido pelos homens bons, para seu próprio benefício. Mas este sentido não apenas é difícil de se obter das palavras, como é alheio ao contexto. Entre as muitas interpretações contraditórias que foram propostas, a mais provável é a que faz com que a sentença signifique que os sofrimentos suportados pelo homem bom, pela mão dos ímpios, são punições infligidas por um Deus justo, em justiça e com misericórdia; e, como tais, podem ser comparados a uma unção festiva, que a cabeça do sofredor não deve recusar, uma vez que ele ainda terá necessidade de consolação e oportunidade para invocar a Deus, em meio a tentações e a enganos que ainda vivenciará. – *Joseph Addison Alexander*

v. 5: "Fira-me o justo". A palavra הָלַם raramente é usada nas Escrituras, exceto para indicar um golpe severo que abala a pessoa ferida e a faz tremer (veja Pv

23.35; 1 Sm 14.16; Sl 74.6); e é usada com relação ao golpe do martelo sobre a bigorna, para moldar o ferro (Is 41.7). Portanto, a palavra חֶסֶד, que vem em seguida, pode ser interpretada adverbialmente, como um lenitivo da severidade que esta palavra transmite: "Fira-me, mas" leniter, benigne, miser icorditer, "gentilmente, bondosamente, amistosamente, misericordiosamente"; e assim, algumas traduções trazem as palavras "Fira-me o justo amistosamente, ou bondosamente". – *John Owen*

v. 5: "Fira-me o justo, será isso uma benignidade", etc. A graça ensinará um cristão a tomar essas poções que são saudáveis, ainda que não sejam deliciosas. A repreensão fiel é um sinal de amor, e por isto pode ser considerada uma benignidade. A ferida feita por um amigo é curativa, e por isto Davi bem poderia chamá-la de "um excelente óleo". E ele não apenas diz isso, que é fácil e comum, mas age de maneira correspondente. Ele não fez como os papistas, que elogiavam altamente a água santa, mas desviavam seus rostos, quando iam ser espargidos com ela. Quando, devido ao pecado e à persistência no pecado, ele tinha gangrenado a sua carne, e tinha se corrompido, a ponto de correr risco de morte, ele permitiu que as suas feridas fossem minuciosamente examinadas, sem se queixar. Natã foi o cirurgião que Deus empregou para investigar aquela ferida que tinha muitos pontos se inflamando na sua alma; e, na verdade, Natã não brincou com seu paciente, embora fosse um príncipe, mas fez penetrar profundamente seu instrumento; e a despeito de qualquer dor que isto lhe tivesse causado, Davi a suportou pacientemente, e tão longe estava de se irar com o profeta, que o fez membro do seu conselho particular. É sinal de que um homem tem uma natureza corrompida se, como uma serpente, ele for apenas tocado, e reunir veneno e vomitar esse veneno sobre quem o tocou. "Repreende o sábio, e amar-te-á" (Pv 9.8). – *George Swinnock*

v. 5: "Fira-me o justo", etc. Se o justo nos ferir com repreensões, isto deve ser interpretado como uma benignidade, e como um precioso bálsamo, que não fere a nossa cabeça, mas nos cura. Não devemos ser propensos a nos esconder diante de toda repreensão de cada homem que nos acuse, mas devemos estar mais dispostos a repreender a nós mesmos do que aos outros, e mais dispostos a confessar uma falta do que a esperar uma confissão de outros a quem reprovamos. A sinceridade e o arrependimento sério serão honrosos naquela pessoa que for mais cuidadosa para evitar o pecado, e estiver mais disposta, em penitência, a confessá-lo, quando for dominada, e verdadeiramente agradecida aos que a convidam ao arrependimento; mais desejosa de que Deus e as suas leis e religião tenham a glória pela sua santidade, do que ela mesma receber a glória indevida da inocência, e escapar à vergonha que é merecida devido ao pecado.

Uma das mais perigosas doenças dos professores, e um dos maiores escândalos da nossa época, é o fato que as pessoas consideradas eminentemente religiosas sejam mais impacientes com a reprovação e a dor, ainda que justa, do que muitos bêbados, praguejadores ou adúlteros; os tais, depois de terem passado horas ou dias, aparentemente confessando sinceramente o seu pecado, e lamentando diante de Deus e do homem por não conseguirem fazê-lo com mais tristeza e lágrimas, ainda assim consideram uma tremenda ofensa que outra pessoa diga contra elas a metade do que elas tinham dito. E assim consideram essa pessoa um maligno inimigo dos piedosos, pois as chamarão como chamam a si mesmas. – *Richard Baxter (1615-1691), em "The Morning Exercises"*

v. 5: "Fira-me o justo". Se um homem justo ou sábio ferir e reprovar, ele o fará, 1. Sine felle, sem amargura. 2. Sine publicatione, sem divulgá-lo ou contar o fato ao mundo. 3. Sine contumelia, sem desgraça – para causar uma mudança em seu amigo, não para trazer-lhe desgraça ou infelicidade. 4. Sine adulatione, sem adulação. 5. Non sine Deo, não sem Deus. – *John Gore, em um sermão intitulado "Unknowne Kindnesse", 1635*

v. 5: "O justo", etc. O ministro não pode pregar todo o tempo; duas ou três horas, talvez, em uma semana, ele passa em meio ao seu povo, no púlpito, segurando o cristal do Evangelho diante de seus rostos; mas as vidas dos professores, estas sim, pregam todo o tempo; se elas fossem pelo menos santas e exemplares, seriam como uma repetição do sermão do pregador às suas famílias e aos seus próximos, entre os quais convivem, e conservariam o som da sua doutrina continuamente soando em seus ouvidos. Isto daria aos cristãos uma vantagem agradável ao fazer o bem a seus próximos carnais, por meio de conselho e repreensão, o que agora raramente é feito, e quando é feito, prova ter pouco propósito, porque não é respaldado pelo seu próprio andar exemplar. "É necessário", diz Tertuliano, "que ele aconselhe ou reprove outra pessoa, que guarde as suas palavras com a autoridade que lhe compete, para que, pela falta disto, não aconteça que venha a se envergonhar do que diz". Nós não gostamos que uma pessoa de mau hálito se aproxime muito de nós; da mesma forma, estes precisam ter uma vida que exale um doce aroma.

As repreensões são um bom médico, mas têm uma recepção desagradável; é difícil que os homens não as devolvam àqueles que as fazem. Nada é mais poderoso para impedir que as repreensões sejam devolvidas desta maneira do que a santidade da pessoa que repreende. "Fira-me o justo" diz Davi, "será isso uma benignidade; e repreenda-me, será um excelente óleo, que a minha cabeça não rejeitará". Veja como isto é bem recebido de uma mão como esta, da autoridade que a santidade traz consigo. Ninguém, senão um ímpio infame, ferirá um justo, com alguma repreensão, por tê-lo ferido com uma repreensão, se esta repreensão tiver sido feita suavemente, e aplicada como óleo, e agir nele com compaixão e amor pela sua alma! Vemos, então, como deve ser influente o poder da santidade para os ímpios, e não deve ser menos influente para os nossos irmãos cristãos. O santo Davi professou que consideraria uma benignidade que o justo o ferisse; tão gentilmente como se quebrasse um vaso de excelente óleo sobre a sua cabeça, o que era, entre os judeus, uma suprema expressão de amor. – *William Gurnall*

v. 5: "Será isso uma benignidade". 1. É uma benignidade reducere erratum, para trazer de volta os errantes. 2. Sanare aegrotum, para recuperar os enfermos. 3. Suscitare lethargum, para despertar, para incitar, os letárgicos, os que estão dormindo. 4. Ligare insanum, para refrear um louco. 5. Liberare perdition, para salvar um homem perdido, que está em iminente perigo. – *John Gore*

v. 5: "Será um excelente óleo, que a minha cabeça não rejeitará". Algumas pessoas se orgulham de ser rudes e grosseiras, ou, como dizem, "honestas"; mas as pessoas muito rudes fazem pouco bem às outras, e recebem pouco amor. As Escrituras recomendam mansidão e bondade. A repreensão cairá como o orvalho, e não como uma precipitação de granizo. O "óleo" se insinua; a pedra fere e então ricocheteia. Os cristãos devem tomar cuidado para não apreciar a obra do "ricochetear". Estes "policiais espirituais" causam muito mal, sem tencionar fazê-lo. Eles são, em uma igreja, o que uma pessoa muito inteligente e sarcástica é na sociedade, ou uma pessoa caluniadora é, na escola; e estão muito próximos daquela classe de pessoas que o apóstolo chama de "o que se entremete em negócios alheios". O nosso comportamento deve ser terno e conquistador. O prego da repreensão, diz um antigo escritor, deve ser bem azeitado em bondade antes de ser pregado. Envolver-se com as falhas dos outros é como tentar mover uma pessoa que sofre de gota reumática: isto deve ser feito lentamente e ternamente, e não devemos nos assustar com um clamor ou dois. O importante é mostrar à pessoa que você realmente a ama; e se você manifestar isto, diante de Deus, Ele abençoará os seus esforços, e lhe dará benevolência, aos olhos de um irmão errante. – *Christian Treasury*

v. 5: "Será um excelente óleo". Certos óleos são considerados como tendo um efeito muito salutar na cabeça; por isto, em caso de febres, ou quaisquer outras queixas que afetem a cabeça, o médico sempre recomenda óleo. Eu conheci pessoas totalmente transtornadas, curadas em um período muito curto de tempo, por nada mais que a aplicação de um tipo peculiar de óleo na cabeça. Há, no entanto, outros tipos que, se acredita, quando aplicados, produzem delírios. Assim, as repreensões dos justos foram comparadas a um "excelente óleo" que produz um efeito muito salutar na cabeça. Tão comum é este costume de ungir a cabeça, que todos os que podem o fazem todas as semanas.

Mas, por mais estranho que possa parecer, a coroa de suas cabeças é o lugar selecionado para a punição; assim, em nossos dias, os donos de escravos, ou maridos, ou professores, batem nas cabeças dos transgressores, com os nós dos dedos. Se uma criança chega atrasada à escola, ou se esquece da sua lição, a pedagoga diz a alguns dos outros alunos, "Batam na cabeça dele", "Saia, menino, ou baterei na sua cabeça". Se um homem fosse castigado por um inferior, citaria o antigo provérbio: "Se alguém for bater na minha cabeça, que seja com os dedos que têm anéis", indicando um homem nobre. "Sim, sim: que um homem santo bata na minha cabeça! e daí? será um excelente óleo". "Meu senhor esteve batendo na minha cabeça, mas isto foi excelente óleo para mim". – *Joseph Roberts*

v. 5: "Óleo, que a minha cabeça não rejeitará". Quando li este texto pela primeira vez, esta me pareceu uma expressão muito estranha e grosseira. Se o salmista tivesse dito, Será uma pedra que a minha cabeça não rejeitará, etc., nós o teríamos compreendido facilmente; mas falar em um óleo, ou bálsamo, que sabemos que é um unguento tão suave, gentil, e que ele falasse na cabeça rejeitando o óleo, é estranho. Eu confesso que isto me perturbou por algum tempo, até que lentamente imaginei o que poderia ser dito de um modo contrário; como quando um médico dá a um paciente algum remédio e diz: Beba, isto não irá machucar você; o que ele quer dizer é que o remédio ajudará e lhe fará bem. Assim é este óleo que a minha cabeça não rejeitará; isto é, ele a curará, porque ela está enferma pela minha própria corrupção, pelas tentações de Satanás e pela má influência dos que me adulam em meus pecados. – *John Gore*

v. 5: Se Davi pôde dizer, sobre o seu inimigo que o amaldiçoou, "Deixai-o; que amaldiçoe, porque o Senhor lho disse", com muito mais segurança você poderá dizer, sobre o amigo que o repreende: "Deixai-o, que fira, porque o Senhor lho disse". E como o apóstolo diz, sobre os ministros, "como se Deus por nós rogasse"; assim deixem-se persuadir de que Deus repreende a vocês através deles. – *John Gore*

v. 5: Foram as palavras de um pagão, embora não fossem palavras pagãs: "Que aquele que deseja ser bom, tenha um amigo fiel para instruí-lo, ou um inimigo vigilante para corrigi-lo". Devemos assassinar um médico porque ele vem para nos curar; ou gostar menos dele, porque ele deseja nos fazer o melhor? A flamejante espada da repreensão deve apenas nos afastar do fruto proibido da transgressão. "Fira-me o justo, será isso uma benignidade: e repreenda-me, será um excelente óleo, que a minha cabeça não rejeitará". Fira-me como com um martelo, é este o significado da palavra. Um Boanerges é tão necessário como um Barnabé. – *William Seeker*

v. 5: "Porque continuarei a orar a despeito das maldades deles". Isto é, se os que me repreendem caírem em calamidade, ainda que eles possam pensar que me provocaram, ao me repreender, que perderam o meu amor e que se excluíram do alcance das minhas orações, ou que eu nunca mais falarei bem deles ou intercederei por eles, ainda assim continuarei a orar por eles, com todo o meu coração, conforme exigir a sua situação. Orarei por eles, quando mais tiverem necessidade de oração, "a despeito de suas maldades". Alguns enfatizam o sentido, da seguinte maneira: Quanto mais eles agudizam a sua repreensão, mais me considerarei obrigado a orar por eles. Isto mostra um espírito excelente: não ser impedido de fazer o bem pelos outros por alguma coisa que façam ou falem contra nós, nem as suas mais agudas (e talvez equivocadas) repreensões a nós. Era assim que aquele bom homem, Jó, "orava pelos seus amigos", que tinham falado tanto contra ele, e não somente o tinham repreendido sem causa, mas o tinham repreendido sem caridade. – *Joseph Caryl*

v. 6: "Quando os seus juízes forem arremessados", etc. Quando os juízos reservados para os líderes de meus inimigos vierem sobre eles, eles perceberão, tarde demais, como são razoáveis as minhas palavras, e desejarão que tivessem dado ouvidos a elas antes. – *Joseph Addison Alexander*

v. 6: "Arremessados". O verbo traduzido como "arremessados" é usado a respeito de Jezabel, em 2 Rs 9.33, "Lançai-a (ou "arremessai-a") de alto abaixo. E lançaram-na de alto abaixo". – *Speaker's Commentary*

v. 6: "Ouvirão as minhas palavras, pois são agradáveis". Isto é particularmente verdade sobre todas as palavras que Davi proferiu sob inspiração, ou que o Espírito de Deus falou a ele; particularmente, no seu livro de Salmos, a respeito do Messias, do concerto de graça, e das suas bênçãos; das ricas experiências de graça que ele teve, e das várias doutrinas do Evangelho declaradas por ele; que foram doces, deliciosas e agradáveis aos que tiverem ouvidos para ouvir tais coisas; ou aos ouvidos que estiverem abertos para ouvi-las, de modo a entendê-las e distingui-las, mas a outros ouvidos, não. – *John Gill*

v. 6: "Ouvirão as minhas palavras, pois são agradáveis". Os que desprezaram antes a Palavra de Deus, agora a saborearão, e ficarão felizes com ela, quando estiverem em aflição; pois ela abre o ouvido à instrução. Quando o mundo for amargo, a palavra será doce. A inocência oprimida não consegue ser ouvida por aqueles que vivem em pompa e prazer; mas quando eles mesmos forem derrubados, terão mais misericordiosos pensamentos sobre os aflitos. – *Matthew Henry*

v. 6: "Pois são agradáveis". Elas serão agradáveis, mansas, gentis, justas. Depois dos atos duros de Saul, depois de suportar os seus atos de tirania, o povo ficará feliz em me receber, e viver debaixo das leis de uma administração justa. A passagem, portanto, expressa a confiança de que Saul e os seus exércitos seriam derrubados, e de que o povo da terra alegremente saudaria a subida ao trono daquele que tinha sido ungido para reinar sobre eles. – *Albert Barnes*

vv. 6 e 7: O comportamento manso e dócil de Davi com relação a Saul e seus amigos é apresentado sob a forma de contraste, sob a luz mais forte, a partir dos exemplos de cada tipo aqui produzidos. O primeiro é a humanidade de Davi para com Saul, ao lhe poupar a vida em duas ocasiões diferentes, quando teve a oportunidade de destruí-lo como desejasse. "Quando os seus juízes forem arremessados da rocha, ouvirão as minhas palavras, pois são agradáveis", isto é, "Os seus príncipes foram libertados em segurança, quando eu tive vantagem sobre eles, nos desertos rochosos; e somente me ouviram falar com eles usando as palavras mais gentis".

O outro é, a crueldade e a barbárie de Saul para com Davi (ou seus amigos, o que é praticamente a mesma coisa), no horrendo massacre de Aimeleque e dos sacerdotes, pela mão de Doegue, o edomita, realizado de uma maneira tão selvagem que ele compara ao cortar da madeira; "Como quando alguém lavra e sulca a terra, são os nossos ossos espalhados na terra, sob a ordem de Saul", assim eu interpreto as palavras hebraicas, le-pi Saul, à boca, isto é, à ordem de Saul.

Se supusermos que esta passagem se refere à primeira vez em que Davi poupou a vida de Saul, ou seja, quando ele o teve em seu poder na caverna de En-Gedi (aqui chamada jedé saley; os lados da rocha, ou os locais rochosos), as palavras que ele proferiu nesta ocasião, quando falou com Saul, depois da sua partida (e que estão registradas em 1 Sm 24, vv. 8 a 16), podem ser chamadas de doces ou agradáveis. Pois elas apresentam a sua própria inocência e o comportamento injusto do rei para com ele, sob uma luz tão forte, e com toda aquela gentileza e mansidão, que nem mesmo este príncipe endurecido pôde deixar de se sentir muito afetado por isto na ocasião; e lemos (vv. 16,17) que "alçou a sua voz e chorou". – *Charles Peters*

v. 7: "São os nossos ossos espalhados à boca da sepultura", etc. A referência principal pode ser à matança dos sacerdotes, por ordem de Saul (1 Sm 22.16-19). A linguagem, no entanto, pode ilustrar os muitos massacres, como aquele, da véspera de São Bartolomeu, tão numerosos e espalhados pela face da terra, marcando a passagem de mártires piedosos, deste mundo para um melhor, e testemunhando, onde o sangue dos mortos será revelado para o juízo de seus assassinos. – *W. Wilson*

v. 7: "São os nossos ossos espalhados à boca da sepultura", etc. Supondo a situação mais extrema, é um olhar de esperança no futuro; se os seus ossos, e os ossos dos seus seguidores, estivessem espalhados à boca do Seol (cf. a imagem síria de Seol, "o pó no seu limiar, 'al-escûfteh", Deutsche Morgenländ. Zeitschrift xx. 513), as suas almas abaixo, os seus ossos acima – ainda assim seria apenas como quando alguém, ao arar, divide a terra, isto é, eles não ficam ali, para que possam continuar ali, mas para que possam ressuscitar renovados, como a semente que é semeada brota da terra revirada. – *Franz Delitzsch*

v. 7: "São os nossos ossos espalhados à boca da sepultura". Isto quer dizer, eu e meu companheiro estamos em condição moribunda, livres, entre os mortos; se tomados, seríamos submetidos às mais cruéis mortes, cortados em pedaços, e deixados insepultos, e os nossos corpos mortos mutilados por uma desumanidade bárbara, da mesma maneira como os que cortam madeira fazem os fragmentos voar de um lado a outro. Este é o caso perigoso em que estamos, eu e meu compatriota. – *John Trapp*

v. 7: "São os nossos ossos espalhados à boca da sepultura". Isto parece ser uma forte e quase figurada linguagem oriental; mas pode ser estritamente verdade, como demonstra o seguinte fragmento: "Às cinco horas, deixamos Garigana, seguindo a nossa jornada ainda do norte para o leste; e, às seis e quinze da noite, chegamos à aldeia desse nome, onde todos os habitantes haviam perecido de fome no ano anterior; seus ossos infelizes estavam insepultos, e espalhados na superfície do solo, onde antes ficava a aldeia. Nós acampamos entre os ossos dos mortos, uma vez que não havia espaço livre deles; e no dia 23, às seis horas da manhã, cheios de horror por este infeliz espetáculo, partimos para Teawa". – (James Bruce, Travels). Para os judeus, este espetáculo teria sido terrível, uma vez que a falta de sepultamento era considerada uma das maiores calamidades que lhes poderia acontecer. – *Burder, "Oriental Customs"*

v. 7: "Como quando alguém lavra e sulca a terra". Esta sentença pode ser explicada ao arar a terra, a que o primeiro verbo é aplicado, em árabe. Como quando alguém lavra e sulca (fazendo sulcos) a terra, não para revolver a sua superfície, mas para torná-la frutífera e produtiva, (assim) são os nossos ossos espalhados à boca da sepultura, como os meios necessários para uma gloriosa ressurreição. – *Joseph Addison Alexander*

v. 7: Quem pode acompanhar o escavar de uma sepultura, e observar as ruínas reveladas, sem exclamar, "Como quando alguém lavra e sulca a terra são os nossos ossos espalhados à boca da sepultura"? – *George Horne*

v. 8: "Mas os meus olhos te contemplam, ó Deus, Senhor". Se você deseja conservar a sua mente fixa em oração, conserve o seu olho fixo. Muita vaidade entra pelo olho. Quando os olhos vagam em oração, o coração vaga. Pensar em conservar o coração fixo em oração, e ainda permitir que os olhos vaguem, é como se alguém pensasse em conservar sua casa em segurança, mas deixasse as janelas abertas. – *Thomas Watson*

v. 8: "Não desampares a minha alma". O texto hebraico literal é, Não derrames a minha alma, mas deixa-a em teu cálice de salvação. – Agellius. [Compare Is 53.12: "porquanto derramou a sua alma na morte".]

v. 8: "Não desampares a minha alma", ou "Não expulses a minha alma", isto é, não arremesses a minha alma, como alguma água que não tenha importância, e que é lançada de um recipiente que a contenha. – *Daniel Cresswell*

v. 8: "Não desampares a minha alma". A sua alma sabia o que era estar "desamparada", ele tinha conhecido a desgraça da mendicância espiritual e da pobreza de alma. O caso com ele, não foi como a pobreza natural para o rico, uma questão de especulação, uma mera questão de teoria, mas uma questão de experiência pessoal e dolorosa... Está na margem, "Não deixes minha alma nua"; Não me dispas de toda esperança; não me deixes completamente despido; não me abandones à mendicância e à miséria da natureza; não me deixes descer à cova com todos os meus pecados sobre a minha cabeça; não deixes a minha alma privada de perdão e paz. – *Joseph C. Philpot*

vv. 8 a 10:

Não desampares a minha alma, eu peço.
Da armadilha escura, preserva o meu caminho,
Das câmaras da rede que embaraça,
que à beira do meu caminho os poderes do mal instalaram.
Veja-os aí, a equipe ímpia,
com os esforços que fizeram às escondidas,
enquanto isto, com coração alegre e olho vigilante,
espero a minha hora, para passar vitorioso.
– *John Keble*

vv. 9 e 10: "Laços", "laços corrediços", "redes". O método usual de capturar ou matar o leão na Palestina era por meio de armadilhas ou redes, e a ambas há muitas referências nas Escrituras. O método de caçar o leão com as redes era idêntico ao que é praticado atualmente na Índia. Depois de determinar o local exato onde está o leão, ao seu redor é instalado um muro circular de redes, ou, se somente for possível obter algumas poucas redes, elas são instaladas sob uma forma curva, com o lado côncavo voltado para onde está o leão. A seguir, são enviados cães ao bosque, e são arremessadas pedras e varetas à caverna, e se atiram flechas nela, e tochas ardentes, desta maneira irritando e alarmando o animal, que corre em direção às redes, e isto faz com que a rede caia e prenda o animal. Se as redes forem poucas, os incitadores vão para o lado oposto da cova, e induzem o leão a escapar na direção em que ele não vê adversários, mas onde certamente correrá em direção às traiçoeiras redes. Outros animais grandes e perigosos também eram capturados da mesma maneira. Outro método, ainda mais comum, por ser mais fácil e mais barato, era cavar um poço profundo, cobrir a sua boca com uma fina camada de gravetos e terra, e fazer com que o animal vá para o lugar traiçoeiro. É um método mais fácil do que o da rede, porque uma vez escavado o poço, a única dificuldade está em lançar a cobertura sobre a sua boca. Mas não é um método tão apropriado para capturar os animais vivos, uma vez que há grande probabilidade de que eles se machuquem, seja na queda no poço, ou pelos métodos usados para tirá-los de lá. Os animais, portanto, que são capturados em poços geralmente, ainda que não sempre, são mortos antes de ser tirados. A rede, por outro lado, envolve o animal de maneira tão perfeita, e o deixa tão impotente, que ele pode ser facilmente amarrado e levado. A rede para caça é muito cara, e para manipulá-la são necessários muitos homens, de modo que somente um homem rico pode usar a rede para a caça.

Além da rede, vários outros métodos de capturar aves eram usados pelos antigos judeus, da mesma maneira como atualmente. Os rapazes, por exemplo, que capturam aves para o seu próprio consumo, e não para comércio, podem fazê-lo usando várias armadilhas, muitas delas feitas com o princípio do nó corrediço, ou laço. Às vezes, um grande número de laços é instalado em locais aos quais as aves são atraídas, de modo que, ao saltar por ali, muitas delas serão certamente aprisionadas nos laços. Às vezes, o laço é engenhosamente suspendido em uma estreita passagem pela qual as aves provavelmente passarão, e às vezes é empregado um único mundéu. – *J. G. Wood*

v. 10: "Nas suas próprias redes". A palavra traduzida como "redes" aparece apenas nesta passagem, como a palavra intimamente correspondente, de Sl 140.10, que é traduzida como "covas profundas", e aparece somente naquela passagem. – *Speaker's Commentary*

SUGESTÕES AOS PREGADORES

v. 1. I. A perpetuidade da oração; "Clamo, clamo". II. A personalidade: "a ti", "à minha". III. A praticidade: "Escuta; inclina os teus ouvidos".

v. 1. Pressa santa. I. O santo apressando-se até Deus. II. O santo apressando Deus. III. A pressa assegurada de Deus, em socorro do que clama. – *W. B. H.*

vv. 1 e 2. I. A oração expressa: 1. Com urgência: "Escuta-me". 2. Com fervor: "Inclina os teus ouvidos", etc. II. A oração apresentada: "Suba a minha oração perante", etc. Quando se consegue a audiência, há compostura e ordem na oração. Quando o fogo é aceso, o incenso sobe. III. A oração exibida: "o levantar das minhas mãos como o sacrifício da tarde", como constante e aceito. – *G. R.*

v. 2. A oração fiel, aceitável como incenso e como o sacrifício da tarde. É espiritual, solene, ordenada por Deus, traz Cristo à mente.

v. 3. I. A boca é uma porta. II. É necessária uma sentinela. III. O Senhor satisfaz esta função.

v. 4. Total abstinência de maus desejos, maus costumes, e prazeres.

v. 4. Uma oração, I. Pela repressão de toda má tendência no coração: "Não inclines o meu coração", etc. II. Pela prevenção de qualquer associação com os ímpios em suas palavras pecaminosas: "Para se ocupar", etc. III. Por um santo desprezo pelo prazer ou benefício temporal colocado em nosso caminho pelo pecado dos outros: "Não coma eu", etc. Observe que muitos que não se envolvem em um ato ímpio não fazem objeção a participar de seus ganhos. – *J. F.*

v. 4. Condenação de, I. Desejos do diabo. II. Obras do diabo. III. Delícias do diabo. – *W. B. H.*

v. 5. Repreensões por parte dos homens bons. I. Convidadas. II. Apreciadas: "será isso uma benignidade". III. Utilizadas: "um excelente óleo". IV. Alegremente suportadas: "a minha cabeça não rejeitará". V. Recompensadas, pelas nossas orações por eles, na ocasião de aflição.

v. 5 (última parte). "Oração de intercessão". Veja "Spurgeon's Sermons", n. 1.049.

v. 6. I. Tempos de aflição virão aos imprudentes. II. Então eles estarão mais dispostos a ouvir o Evangelho. III. Então encontrarão doçura naquilo que recusaram anteriormente.

v. 6. Um oásis no deserto. I. O mundo é um lugar pedregoso, difícil, estéril. II. Frequentemente a soberba e a autoconfiança são derrotadas. III. Então as palavras de Deus, pelo seu servo enviado, constituem um oásis no deserto. – *W. B. H.*

vv. 7 e 8. Uma cena de cemitério. I. Ossos secos dos mortos, espalhados pela sepultura. II. Ossos desgastados de idosos e doentes, espalhados pela sepultura. III. Todos os ossos, da noite para o dia, preparados para a sepultura. IV. Ossos encontrando descanso em Deus: "os meus olhos te contemplam, ó Deus", etc.

v. 8. Expectativa, súplica.

v. 9. Os laços. Quem os dispôs? Por que? Por que tantos? Como escaparemos? "Guarda-me".

vv. 9 e 10. Davi ora, 1. Para que possa ver a Deus, na sua libertação de seus inimigos, e 2. Para que eles possam ver Deus, na frustração de seus desígnios. – *G. R.*

v. 10. Grandes esforços, para pouco propósito. I. A confecção de redes, etc. II. A captura dos antagonistas de Deus em suas próprias redes. III. A fuga invariável dos amigos de Deus. Lição: Nada pode fazer prosperar o pecado, nem ferir a santidade. – *W. B. H.*

SALMO 142

TÍTULO

Salmo de instrução de Davi. Este Salmo de instrução foi escrito para nossa instrução. Ele nos ensina, principalmente com base em exemplo, como ordenar a nossa oração, em épocas de aflição. Esta instrução é uma das mais necessárias, práticas e efetivas partes de nossa instrução espiritual. Aquele que aprendeu como orar aprendeu a mais útil de todas as artes e ciências. Os discípulos disseram ao Filho de Davi, "Senhor, ensina-nos a orar", e aqui Davi nos fornece uma lição valiosa, registrando a sua própria experiência quanto a suplicar debaixo de uma nuvem.

Uma oração quando ele estava na caverna. Ele estava em um de seus muitos esconderijos, En-Gedi, Adulão ou alguma outra caverna isolada em que pudesse se esconder de Saul e seus cães de caça. As cavernas são boas câmaras para oração, o seu isolamento e a sua pouca luz são úteis para o exercício da devoção. Se Davi tivesse orado tanto no seu palácio quanto orou nesta caverna, talvez nunca tivesse caído no ato que trouxe tanta infelicidade aos seus últimos dias.

ASSUNTO

Não pode haver dúvida de que este cântico data da época em que Saul estava perseguindo Davi intensamente, e o próprio Davi estava perturbado, provavelmente devido àquela fraqueza de fé que o levou a se associar a príncipes pagãos. A sua sorte estava, evidentemente, no limite mínimo, e, o que era ainda pior, a sua reputação tinha diminuído assustadoramente; no entanto, ele exibia uma verdadeira e fiel fé em Deus, a quem deu a conhecer as suas angústias. A escuridão da caverna está por todo o salmo, e no entanto, como se estivesse à sua entrada, o profeta e poeta vê uma luz brilhante.

EXPOSIÇÃO

1 *Com a minha voz clamei ao Senhor; com a minha voz ao Senhor supliquei.*

2 Derramei a minha queixa perante a sua face; expus-lhe a minha angústia.
3 Quando o meu espírito estava angustiado em mim, então, conheceste a minha vereda.
No caminho em que eu andava, ocultaram um laço.
4 Olhei para a minha direita e vi; mas não havia quem me conhecesse; refúgio me faltou; ninguém cuidou da minha alma.
5 A ti, ó Senhor, clamei; eu disse: tu és o meu refúgio e a minha porção na terra dos viventes.
6 Atende ao meu clamor, porque estou muito abatido; livra-me dos meus perseguidores, porque são mais fortes do que eu.
7 Tira a minha alma da prisão, para que louve o teu nome; os justos me rodearão, pois me fizeste bem.

1. *"Com a minha voz clamei ao Senhor."* Foi um clamor com tal angústia que ele se lembrava dele, muito tempo depois, e fez um registro dele. Na solidão da caverna, ele podia usar a sua voz como desejasse; e por isto fez com que a abóbada escura da caverna ecoasse os seus apelos para o céu. Quando não havia ninguém na caverna, buscando o seu sangue, Davi, com toda a sua alma, estava engajado em buscar o seu Deus. Ele sentiu um alívio em seu coração por usar a sua voz em suas súplicas a Jeová. Havia uma voz na sua oração, quando ele usou a sua voz para fazer uma oração: não era vox et praeterea nihil. Era uma oração vivo corde bem como viva voce.

"Com a minha voz ao Senhor supliquei." Ele se alonga sobre o fato de que clamou em voz alta em oração; evidentemente, isto estava bem gravado na sua lembrança, por isto ele duplica a informação e diz, "com a minha voz, com a minha voz". É bom quando as nossas súplicas são de tal modo que encontramos prazer em recordá-las. Aquele que é alegrado pela lembrança de suas orações orará outra vez. Veja como a súplica do homem bom era apenas para Jeová: ele não procurou os homens, mas foi diretamente a Jeová, o seu Deus. Que verdadeira sabedoria há aqui! Considere como a oração do salmista cresceu, à medida que ele prosseguia nela. Em primeiro lugar, ele derramou os seus anseios naturais – "Clamei", e a seguir reuniu toda a sua inteligência e organizou os seus pensamentos – "supliquei". As orações verdadeiras podem diferir em sua dicção, mas não em sua direção: um clamor improvisado, e uma súplica pré-concebida devem subir da mesma maneira para o único Deus, que ouve as orações, e Ele aceitará cada uma delas, com igual prontidão. A intensa personalidade da oração é digna de nota: sem dúvida, o salmista se alegrava com as orações dos outros, mas não se contentou em ficar em silêncio. Veja como tudo está na primeira pessoa – "Com a minha voz, clamei; com a minha voz supliquei". É bom orar no plural – "Pai nosso", mas em momentos de aflição, nós nos sentimos forçados a mudar o nosso tom, para "Passa de mim este cálice".

2. *"Derramei a minha queixa perante a sua face."* A sua meditação interior enchia a sua alma: a água de amargura subiu até a boca; o que devia ser feito? Ele precisava derramar a amargura, não podia conservá-la dentro de si; ele deixa que ela corra livremente, da melhor maneira que puder, para que o seu coração possa ser esvaziado da mistura que o agitava. Mas ele verificou onde derramava a sua queixa, para que não fizesse nenhuma maldade, nem recebesse uma má retribuição. Se ele a derramasse diante dos homens, poderia receber somente desprezo dos orgulhosos, insensibilidade dos indiferentes, ou falsa simpatia, dos falsos. E por isto, ele decidiu pelo derramamento, perante Deus, uma vez que somente Ele se apiedaria e traria socorro. A palavra mal pode ser entendida como uma "queixa", mas mesmo se este fosse o caso, podemos aprender, com este texto, que a nossa queixa nunca deverá ser de um tipo que não ousemos trazer diante de Deus. Nós podemos nos queixar a Deus, mas não de Deus. Quando nos queixamos, não devemos fazê-lo diante dos homens, mas somente diante de Deus.

"Expus-lhe a minha angústia." Ele exibiu as suas angústias àquele que poderia aliviá-las; ele não cometeu o engano de tantos, que divulgam suas tristezas aos que não podem ajudá-los. Este versículo é paralelo ao primeiro; antes de mais nada, Davi derrama a sua queixa, deixando que ela flua de uma maneira natural e espontânea, e depois faz uma exibição mais detalhada da sua aflição; da mesma maneira como no versículo anterior, ele começou clamando, e depois "suplicou". Os homens que oram, oram melhor quando o fazem de maneira gradual. Observe que nós não apresentamos os nossos problemas diante do Senhor, para que Ele possa vê-los, mas para que nós possamos vê-Lo. É para o nosso alívio, e não para a sua informação, que fazemos declarações a respeito dos nossos sofrimentos: nos faz muito bem organizar as nossas angústias, pois grande parte delas desaparece nesse processo, como um fantasma que não resiste à luz do dia; e o restante perde grande parte do seu terror, porque o véu de mistério é removido, pois meio de uma clara e deliberada declaração dos fatos da provação. Derrame os seus pensamentos, e você verá o que eles são; mostre a sua dificuldade, e a sua extensão lhe será dada a conhecer: deixe que tudo seja feito diante do Senhor, pois, em comparação com a sua grande majestade de amor, o problema parecerá como nada.

3. *"Quando o meu espírito estava angustiado em mim, então, conheceste a minha vereda."* O mais corajoso espírito às vezes é amargamente tentado. Uma pesada névoa se instala na mente, e o homem parece mergulhado e asfixiado nela; coberto com uma nuvem, esmagado por um peso, confuso com as dificuldades, e dominado pelas impossibilidades. Davi era um herói, e ainda assim, o seu espírito decaiu: ele podia ferir e derrubar um gigante, mas não conseguia se manter em pé. Ele não conseguia o seu próprio caminho, nem se sentia capaz de sustentar a sua própria carga. Observe a sua consolação: ele desviou os olhos da sua própria condição, dirigindo-os para o Deus que tudo observa, que tudo sabe, e se consolou com o fato de que o seu Amigo celestial sabia de tudo. Verdadeiramente, é bom que saibamos que Deus sabe o que não sabemos. Nós perdemos o equilíbrio, mas Deus nunca fecha os seus olhos: os nossos juízos perdem o seu equilíbrio, mas a mente eterna está sempre clara.

"No caminho em que eu andava, ocultaram um laço." Isto, o Senhor sabia, todo o tempo, e deu ao seu servo advertência sobre isto. Olhando para trás, o doce cantor se alegra porque tem um Guardião tão benevolente, que o guardava de perigos que não conseguia ver. Nada pode se esconder de Deus; nenhum laço secreto pode ferir o homem que habita no lugar secreto do Altíssimo, pois ele estará sob a sombra do Todo-Poderoso. O uso de laços escondidos é vergonhoso para os nossos inimigos, mas eles pouco se importam com os truques aos quais recorrem para seus malévolos propósitos. Os ímpios sempre encontrarão algum exercício para a sua maldade, e por isto, quando não ousam atacar abertamente, eles armam ciladas às escondidas. Eles observam o homem de bem, para ver onde está o seu ponto fraco, e ali instalam a sua armadilha; mas eles o fazem, com grande cautela, evitando toda observação, para que a sua vítima, prevenida, não escape às suas armadilhas. Esta é uma grande provação, mas o Senhor é ainda maior, e nos faz andar em segurança, em meio ao perigo, pois Ele nos conhece, e conhece os nossos inimigos, o nosso caminho, e a cilada que está armada nele. Bendito seja o seu nome.

4. *"Olhei para a minha direita e vi; mas não havia quem me conhecesse."* Ele não sentia falta de um amigo, que cuidasse dele. Certamente, algum ajudador seria encontrado no lugar de honra; alguém ficaria à sua direita, para exercer a sua defesa. Ele olhou firmemente, e viu tudo o que podia ser visto, pois "viu"; mas o seu olhar ansioso não encontrou um sorriso em resposta. É estranho dizer, todos eram estranhos para Davi. Ele tinha conhecido muitos, mas ninguém o conhecia. Quando uma pessoa está em dificuldades, é assombroso como se torna fraca a memória de seus antigos amigos: eles se esquecem, eles se recusam a tomar conhecimento da situação. Esta é uma terrível calamidade. É melhor ser antagonizado por adversários do que abandonado por amigos. Quando os amigos nos procuram, eles alegam nos

conhecer desde o nosso nascimento, mas quando nós procuramos os amigos, é assombroso o pouco que conseguimos fazer com que eles se lembrem: o fato é que em momentos de abandono, não é verdade que nenhum homem nos conhece, mas que nenhum homem deseja nos conhecer. A sua ignorância é voluntária. "Refúgio me faltou". Quando vivia dias mais felizes, encontrei um refúgio seguro, agora não encontro nenhum. O meu local de fuga fugiu, o meu refúgio me recusou. "Ninguém cuidou da minha alma". Se eu vivia ou morria, não importava a ninguém. Eu fui expulso, como um proscrito. Nenhuma alma se preocupou com a minha alma. Eu habitei na terra de ninguém, onde ninguém me queria, e ninguém se importava comigo. Esta é uma dificuldade – nenhum lugar onde descansar a cabeça, e nenhuma cabeça disposta a nos encontrar um lugar. Como ficaram felizes os seus inimigos, ao ver o amigo de Deus sem um amigo! Quão entristecido ele ficou, ao ver-se completamente abandonado, na sua extrema necessidade! Não podemos imaginar Davi na caverna, queixando-se de que nem mesmo a caverna era um refúgio para ele, pois até ali Saul tinha vindo? Desesperançado, ele olhava ao redor, logo o veremos olhando para o alto.

5. *"A ti, ó Senhor, clamei."* Como os homens não lhe davam atenção, Davi voltou-se para Jeová, o seu Deus. Não era este um ganho obtido de uma perda? Uma riqueza, obtida de um fracasso? Qualquer coisa que nos levar a clamar a Deus será uma bênção para nós. Esta é a segunda vez, neste curto salmo, em que encontramos o mesmo registro, "A ti, ó Senhor, clamei". O homem santo está, evidentemente, feliz por se lembrar do seu clamor e dos resultados que obteve. Nós ouvimos, frequentemente, o amargo clamor da Londres marginalizada, e aqui está outro amargo clamor, e vem de um proscrito, em um alojamento miserável, esquecido por aqueles que deveriam tê-lo ajudado.

"Eu disse: tu és o meu refúgio e a minha porção na terra dos viventes." Há um tipo de repetição progressiva por todo este cântico sagrado; ele clamou, em primeiro lugar, mas disse depois: o seu clamor foi amargo, mas as suas palavras foram doces; o seu clamor era pungente e curto, mas as suas palavras, renovadas e plenas. Um crente sente grande prazer em se lembrar de suas próprias palavras de fé: ele pode desejar sepultar no esquecimento as suas murmurações de incredulidade, mas os triunfos da graça, ao operar nele uma fé viva, ele não sonhará em esquecer. Que grande confissão de fé foi esta! Davi falou de Deus, e para Deus – "Tu és o meu refúgio". Não é que tu me tenhas proporcionado um refúgio, mas TU, TU mesmo, és o meu refúgio. Ele se refugiava somente em Deus; ele se escondia sob as asas do Eterno. Ele não somente cria nisto, mas o dizia, e praticava. Mas isto não era tudo, pois Davi, quando banido de sua porção na terra prometida, e separado da porção dos bens que, por direito, herdava, encontrou a sua porção em Deus, sim, Deus era a sua porção. Isto não era apenas em referência a um estado futuro, mas aqui, entre os homens viventes. Às vezes, é mais fácil crer em uma porção no céu do que em uma porção na terra: nós poderíamos morrer mais facilmente do que viver, pelo menos é o que pensamos. Mas não há uma vida na terra dos viventes que possa ser comparada com a bênção de viver na presença do Deus vivo. O fato de que o homem de Deus dissesse estas coisas preciosas, na hora de sua mais terrível aflição, era uma grande realização. É fácil tagarelar corajosamente, quando estamos em tranquilidade, mas falar com confiança em aflição, é uma coisa completamente diferente.

Mesmo nesta única sentença, temos duas partes, a segunda muito acima da primeira. É uma coisa ter Jeová como nosso refúgio; mas é tudo tê-lo como a nossa porção. Se Davi não tivesse clamado, não poderia ter dito; e se o Senhor não tivesse sido o seu refúgio, nunca poderia ter sido a sua porção. O degrau inferior é tão necessário como o superior; mas não é sempre necessário parar no primeiro patamar da escada.

6. *"Atende ao meu clamor."* Os homens de Deus consideram a oração como uma realidade, e não se satisfazem sem uma audiência com Deus; além disto, eles têm

tal confiança na graça condescendente do Senhor, que esperam que Ele atenda até mesmo àquela pobre oração que somente pode ser descrita como um clamor.

"Porque estou muito abatido", e por isto a oração que posso oferecer é apenas um clamor pesaroso. Este é o seu argumento com Deus: ele está reduzido a uma condição tão triste que se não fosse resgatado, estaria arruinado. Os homens que possuem a graça não somente podem estar abatidos, mas muito abatidos; e esta não deve ser uma razão para duvidar da eficácia de suas orações, mas um apelo ao Senhor, por que eles devem merecer uma atenção especial.

"Livra-me dos meus perseguidores." Se o salmista não saísse das mãos dos seus perseguidores, logo eles o matariam, e como ele não conseguia realizar uma fuga, clamou para Deus, "livra-me".

"Porque são mais fortes do que eu." Da mesma maneira como ele encontrou antes uma justificativa, na sua tristeza, agora encontrava na sua fragilidade: Saul e seus partidários estavam no poder, e podiam exigir a ajuda de todos os que buscassem a benevolência do rei, mas o pobre Davi estava na caverna, e cada Nabal o cercava. Saul era um monarca, e Davi, um fugitivo; Saul tinha todas as formas da lei do seu lado, ao passo que Davi era um proscrito: assim, a oração que está diante de nós vem de um fraco, que proverbialmente se voltará para a parede – um bom lugar para irem, se eles voltassem seus rostos para ela, em oração, como aconteceu com Ezequias, na sua enfermidade. O Senhor está acostumado a ficar do lado dos oprimidos, e mostrar o seu poder, frustrando os tiranos. A súplica de Davi, portanto, certamente seria bem sucedida. Nestas sentenças vemos a maneira explicita como o homem de Deus descreveu o seu caso, em sua comunicação em particular com o Senhor: em real fervor, ele derramou a sua queixa diante dele, e mostrou, diante dele, a sua angústia.

7. *"Tira a minha alma da prisão, para que louve o teu nome."* O fato de que Deus possa ser glorificado é outra justificativa notável para um suplicante. Os prisioneiros que escapam certamente falarão bem dos que lhes dão a liberdade. A emancipação da alma é a forma mais nobre de liberação, e exige o mais alto louvor: aquele que é libertado das masmorras do desespero certamente exaltará o nome do Senhor. Nós estamos em tal prisão que somente o próprio Deus pode nos tirar dela, e quando Ele o fizer, colocará um novo cântico em nossas bocas. A caverna era menos uma masmorra para o corpo de Davi do que a perseguição e a tentação eram uma masmorra para a sua alma. Estar exilado dos piedosos é pior do que a prisão, e por isto Davi pede a sua libertação, para que seja restaurado à comunhão da igreja – "Os justos me rodearão". Os santos rodeiam um filho de Deus, quando o seu Pai sorri para ele; eles vêm para ouvir o seu alegre testemunho, para se regozijar com ele, e para ter a sua própria fé encorajada. Todos os verdadeiros crentes das doze tribos ficaram felizes em correr para o estandarte de Davi, quando o Senhor exaltou o seu espírito; eles glorificaram a Deus, por ele, e com ele, e por intermédio dele. Eles o parabenizaram, e se associaram a ele, e o coroaram, e o defenderam. Esta foi uma doce experiência para o justo Davi, que, durante algum tempo, tinha sido censurado pelos justos. Ele suportou as suas censuras com paciência, e agora recebe a sua sanção com gratidão.

"Pois me fizeste bem." O tratamento generoso de Deus certamente trará consigo a aliança e a simpatia de todos os favoritos do Grande Rei. Que mudança, de quando ele procurava um amigo e não encontrava ninguém, a este entusiasta afluxo de aliados ao redor do homem segundo o coração de Deus! Quando nós podemos começar um salmo com um clamor, podemos esperar encerrá-lo com um cântico. A voz da oração logo desperta a voz do louvor.

NOTAS EXPLICATIVAS E DECLARAÇÕES SINGULARES

Título: Ele chama esta oração de Masquil, "um salmo de instrução", por causa das boas lições que ele mesmo tinha aprendido na caverna, aprendido de joelhos, e assim aprendeu que desejava ensinar os outros. – *Matthew Henry*

Título: "Uma oração quando ele estava na caverna". Cada parte deste salmo mostra a adequação de sua inscrição ou título. Ele menciona expressamente o fato de estar em um lugar em que estava completamente enclausurado, de onde não via uma maneira possível de escapar, por não ter amigos que ousassem reconhecê-lo e vir em seu socorro, e numa situação quando todos pareciam abandoná-lo, e ter abandonado todos os cuidados com a sua segurança e vida. Isto, ele descreve pateticamente, e em tais termos que não podem deixar de despertar os mais ternos afetos de quem os considera. Na primeira sensação do seu perigo, enclausurado em uma caverna, rodeado por três mil soldados escolhidos, cuidadosamente observado por um inimigo vigilante que não poupava habilidade nem esforços para prendê-lo, ele parece quase ter perdido a esperança, e declara que o seu espírito está bastante dominado pela grandeza da sua aflição. Por fim, relembrando os seus princípios e as promessas que Deus lhe tinha feito, ele suplica, fervorosamente, pela proteção de Deus, e se assegura de que ainda louvará a Deus, pela sua libertação, e que os homens bons deveriam compartilhar a sua alegria, e envolver o altar de Deus com agradecimentos pela misericórdia que Ele lhe tinha exibido. – *Samuel Chandler*

Título: "A caverna". Deixando os nossos cavalos sob os cuidados de alguns árabes, e levando um deles como nosso guia, nós partimos em direção a uma caverna agora conhecida como Mugharet Khureitun, que se acredita ser a caverna de Adulão, que tinha uma assustadora garganta abaixo, penhascos gigantescos no alto, e o caminho sinuoso por uma estreita passagem pela rocha. Por fim, por uma grande rocha que ficava sobre a extremidade da passagem, entramos, depois de um grande salto, por uma abertura baixa, localizada na face perpendicular do penhasco. Estávamos, então, dentro do esconderijo tradicional de Davi, e, arrastando-nos, com o corpo meio dobrado, por uma passagem estreita, chegamos debaixo da abóbada escura da primeira grande câmara desta misteriosa e opressiva caverna (1 Sm 22.1,2; 2 Sm 23.13-17). Todas as luzes que trazíamos pouco fizeram além de tornar mais visível a úmida escuridão. Depois de tatear por ali, o máximo que podíamos, retornamos à luz do dia, plenamente convencidos de que, com Davi e seus corajosos seguidores do lado de dentro, toda a força de Israel, sob o comando de Davi, não poderia ter forçado a sua entrada – nem sequer poderia ter tentado fazê-lo. – *William M. Thompson*

v. 1: "Clamei ao Senhor". Não me indicaste nenhum representante para ouvir a minha oração, nem exigiste que eu trouxesse um orador para apresentá-la; mas tu me ordenaste que viesse pessoalmente, e me apresentasse diante de ti. – *Sir Richard Baker, sobre a oração do Senhor*

v. 1: "Com a minha voz". O Senhor não precisa que a língua seja um intérprete entre Ele e os corações dos seus filhos. Aquele que ouve, sem ter ouvidos, pode interpretar orações, ainda que não sejam proferidas pela língua. Os nossos desejos são clamores para os ouvidos do Senhor dos Exércitos. A veemência dos sentimentos pode, às vezes, causar o clamor da voz; mas ai! – sem isto, ela é apenas um sino que tine... Há um uso de palavras na oração, para incitar, e transmitir, e dar vazão a, sentimentos: "Tomai convosco palavras e convertei-vos ao Senhor; dizei-lhe: Expulsa toda a iniquidade e recebe o bem" (Os 14.2). O profeta não apenas prescreve que devemos levar sentimentos, mas com eles, palavras. – *Thomas Manton*

v. 2: "Derramei a minha queixa perante a sua face". Literalmente, a minha meditação; isto é, o que ocupava os meus pensamentos no momento em que os expressei em voz alta. A palavra "queixa" não expressa a ideia. O significado não é que ele se queixasse de Deus ou do homem, mas que a sua mente meditava sobre a sua condição. – *Albert Barnes*

v. 2: "Derramei", etc. Eu o fiz plenamente, e fervorosamente, e confiantemente. – *Matthew Henry*

v. 2: "Derramei... perante a sua face". Estas palavras nos ensinam que, na oração, não devemos tentar esconder nada de Deus, mas devemos mostrar-lhe tudo o que está em nossos corações, e isto, na sua presença, na nossa intimidade, com a porta fechada, e não diante dos homens. O carmelita acrescenta que há muita força nas palavras "com a minha voz", repetidas duas vezes (como nas versões Heb., AV., Vulgata, etc.), para nos mostrar que devemos orar a Deus diretamente, e sozinhos, e pessoalmente, e não nos contentar com um Ora pro me, feito para outra pessoa. – *Cassiodoro e Ayguan, em Neale e Littledale*

v. 2: "Expus-lhe a minha angústia". Seja muito particular e detalhado na oração secreta, tanto no que diz respeito a pecados, necessidades e misericórdias... não se envergonhe de expor todas as suas necessidades. Davi pede, porque ele é "pobre e necessitado"; quatro vezes, ele expressa as suas necessidades e súplicas diante de Deus, como um mendigo fervoroso, embora santo (Sl 40.17; 70.5; 86.1; 109.22). Ele "expôs-lhe" a sua angústia. Ele apresenta "perante" Deus a sua condição atribulada, e lhe exibe os seus ferimentos secretos; como disse Jó, "com boa ordem exporia ante ele" a sua "causa", Jó 23.4... Diante de Deus, podemos dizer plenamente o que pensamos, e citar as pessoas que nos afligem, afrontam e perturbam; e ai daqueles que um filho de Deus, depois de uma avaliação madura, cita em oração! Eu não creio que uma oração deste tipo nas Escrituras tenha alguma vez retornado vazia... uma grande razão pela qual colhemos tão poucos benefícios na oração é o fato de que nos demoramos demais nos aspectos gerais; e sendo assim, se tivermos sucesso, o mesmo é obscuro, de modo que frequentemente não sabemos discernir o que fazer dos assuntos apresentados em oração. Além disto, ser particular e detalhista nas nossas súplicas impediria o espírito de vagar, quando nossa intenção está em uma causa de peso, e o progresso da alma, na graça, manifesta o seu sucesso gradual na oração. – *Samuel Lee (1625-1691), em "The Morning Exercises"*

v. 2: Entregar a nossa causa a Deus é, ao mesmo tempo, nosso dever, nossa segurança e nossa tranquilidade. – *Abraham Wright*

v. 3: "Quando o meu espírito estava angustiado em mim". "Quando até mesmo o meu espírito (a minha maior faculdade) está envolvida em trevas sobre mim", isto é, quando até mesmo o meu espírito (ruach), que deveria elevar a minha alma (nephesh) cai pesadamente sobre mim, como em um desmaio.

"Quando pesadamente, como um véu de lamentações,
cai sobre mim o meu espírito".

O que é dito aqui, sobre o espírito, é frequentemente predito sobre a alma, a sede das paixões (veja Sl 42.6; 43.5; 121.2). A depressão do espírito representa uma condição ainda mais angustiante e abatida, do que o desmaio da alma. Veja Sl 143.3,4, e compare as palavras do nosso Senhor, "A minha alma está perturbada" (Jo 12.27) com a declaração do evangelista, "Jesus turbou-se em espírito" (Jo 13.21; 11.33). – *Christopher Wordsworth*

v. 3: "Quando o meu espírito estava angustiado em mim". Literalmente, no silenciar do meu espírito. Quando o meu espírito estava tão envolto em angústia e tristeza, tão "silenciado pelo pesar" que eu não conseguia ver o caminho à minha frente, estava distraído e incapaz de escolher uma linha de conduta, "TU (enfático) conheceste a minha vereda". – *A. S. Aglen, An Old Testament Commentary for English Readers", 1884*

v. 3: Eu desejo que você tenha grande consolação com o pensamento de Davi: "Quando o meu espírito estava angustiado em mim, então, conheceste a minha vereda". O Senhor não está afastado, a uma grande distância, mas o seu olho está sobre você. Ele não o vê com a indiferença de um mero espectador; mas o observa com atenção, Ele conhece, Ele considera o seu caminho: sim, Ele o indica, e cada circunstância nesse caminho está sob a sua orientação. O seu problema começa nomomento que Ele julgar melhor – não poderia ser antes; e Ele delimitou a sua extensão à espessura de um fio de cabelo, e a sua duração a um minuto. Ele sabe, de igual maneira, como o seu espírito está afetado; e os suprimentos de graça e força, e nas ocasiões em que Ele julgar necessários, Ele fornecerá, no devido tempo. De modo que quando as coisas parecerem mais terríveis, você ainda será capaz de dizer, Embora castigado, não morto. Por isto, espere em Deus, pois você ainda o louvará. – *John Newton (1725-1807), em "Cardiphonia"*

v. 3: "Conheceste".

Dos olhos humanos, é melhor ocultar
o quanto sofro, o quanto sinto a cada hora;
Mas, oh, este pensamento pode tranquilizar e curar,
Tudo, tudo tu conheces.
Na verdade, tudo tu ordenas, escolhes, planejas,
cada gota que enche o meu cálice diário, a tua mão
prescreve as dificuldades, ninguém mais pode entender,
tudo, tudo tu conheces.
– *Charlotte Elliott*

v. 3: Embora nós, como cristãos, possuamos a total solução do problema do sofrimento, frequentemente nos encontramos na posição de Jó, a respeito desta ou daquela aflição em particular. Há tristezas de tão longo alcance, tão universais; há perdas tão absolutas, e golpes tão terríveis e inexplicáveis, que parece, durante algum tempo, como se nós estivéssemos envoltos na mais espessa escuridão, e como se o segredo do Senhor não tivesse sido revelado. Por que este homem foi afligido, e aquele foi poupado? Por que este e aquele, em quem tantas esperanças se concentraram, ou que eram o objeto de tantas expectativas agradáveis, foram removidos? Por que aquela pessoa ficou, mesmo sendo um estorvo inútil para a terra? Por que aquela voz, que encontrou eco em tantos corações, foi subitamente silenciada? Por que eu fui ferido? Por que eu perdi aquilo que tornava a minha vida moral bela e útil? Frequentemente a alma parece perdida, durante algum tempo, em pensamentos que a dominam, ela perde a sua fundação, ela tropeça, indefesa e impotente, nas águas profundas da aflição. E parece como se tudo estivesse terminado. Não creia nisto. Lembre-se de Jó; você não pode sentir um desespero maior do que o dele, e ainda assim Deus se apiedou dele. Há grande consolação para você neste exemplo de indescritível sofrimento, em que ele foi exasperado até o máximo nível, e ainda assim perdoado e consolado. Apegue-se à lembrança deste fato abençoado como a uma tábua de salvação em meio aos destroços do naufrágio. E então lembre-se de que a aflição faz parte do plano de Deus, e de que Ele também pede que você manifeste pronta e absoluta confiança nele. – *E. De Pressensé, D.D., The Mystery of Suffering", 1869*

v. 3: "No caminho em que eu andava, ocultaram um laço". Laços à direita, e laços à esquerda: laços à direita, prosperidade terrena; laços à esquerda, adversidade terrena; laços à direita, adulação; laços à esquerda, alarme. Ande em meio aos laços: não se afaste do caminho: não permita que a adulação o aprisione, nem que o alarme o afaste do caminho. – *Agostinho*

v. 4: "Olhei para a minha direita e vi". Os dois primeiros verbos devem ser traduzidos como imperativos, como na anotação de margem de Bíblia em Inglês ["Olhe à direita, e veja"]. O lado direito é mencionado como a posição de um protetor. – *Joseph Addison Alexander*

v. 4: "Olhei para a minha direita". A referência aqui, supõe-se, é à observância dos antigos tribunais judiciais dos judeus, em que o advogado, bem como o acusador, ficavam à direita do acusado (Sl 110.5). O salmista se sentia na condição de alguém que não tinha ninguém a quem apresentar a sua causa, e que o protegesse nas circunstâncias perigosas em que ele se encontrava. – *James Anderson, Note to Calvin in loc.*

v. 4: "Não havia quem me conhecesse". O fato de que Davi, embora rodeado por um grupo de leais súditos, confesse não ter nenhum amigo verdadeiro e fiel, deve ser entendido de maneira similar às palavras de Paulo, quando ele diz, em Fp 2.20: "a ninguém tenho de igual sentimento". Todo o amor humano, desde que o pecado se apossou da humanidade, é mais ou menos egoísta, e toda comunhão de fé e de amor é imperfeita; e há circunstâncias, na vida, em que estes lados sombrios se fazem sentir de maneira subjugante, de modo que um homem parece se ver perfeitamente isolado, e se volta com ainda mais urgência a Deus, que é o único que é capaz de suprir a necessidade da alma, que precisa de algum objeto para amar, cujo amor seja absolutamente abnegado, e imutável, e aberto, em quem a alma possa confiar, sem reservas, a despeito de qualquer coisa que venha a sobrecarregá-la, e que não somente deseje, honestamente, o bem da alma, mas que também seja capaz de envolvê-la, apesar de todo e qualquer obstáculo. Cercado por inimigos sedentos de sangue, e mal interpretado, ou pelo menos não interpretado perfeitamente pelos seus amigos, Davi se sente extirpado dentre todos os seres criados. – *Franz Delitzsch*

v. 4: "Não havia quem me conhecesse". Ensina-nos a pouca estima que os filhos de Deus terão, com o mundo e com os homens mundanos. – *Thomas Wilcocks*

v. 4: "Não havia quem me conhecesse". A perseguição do lado dos nossos inimigos nos incomoda amargamente, mas o abandono dos nossos amigos, que deveriam ter ficado ao nosso lado, como ajudadores e defensores, nos perturba muito mais amargamente. – *Taube, em Lange's Commentary*

v. 4: Observe a bela oposição entre "Conheceste" (v. 3) e "não havia quem me conhecesse". "Refúgio me faltou" – literalmente "pereceu" de mim (Jr 25.35; Am 2.14). Mas "tu foste o meu alto refúgio... no dia da minha angústia" (Sl 59.16). – *Andrew Robert Fausset*

vv. 4 e 5: "Refúgio me faltou... tu és o meu refúgio". Os viajantes nos dizem que os que estão no cume dos Alpes podem ver grandes chuvas caindo abaixo deles, mas nem uma gota sequer cai sobre eles. Os que têm Deus como sua porção estão em uma alta torre, e por isto, a salvo de todas as dificuldades e tempestades. Uma chuva de vento espancará as janelas da criatura, por ser muito penetrante; todas as vestes que este mundo pode inventar não podem proteger aqueles que viajam nesse clima e impedir que se molhem completamente. Nenhuma criatura pode suportar o peso de uma criatura similar; mas, como as canas, quebram sob a pressão, e como os espinhos, penetram na pele dos que se apoiam nelas. O arco esticado além do seu limite se quebra, e a corda torcida além da sua resistência se rompe em pedaços. Assim são as ajudas externas a todos os que confiam nelas, em meio às dificuldades. – *George Swinnock*

vv. 4 e 5: "Refúgio me faltou... tu és o meu refúgio". Há alguém, entre nós, a quem a face do mundo esteja mudada, e os rios de consolação que há no mundo tenham se secado, e está sacudido, perseguido e perturbado, a ponto de ter se esquecido de seu lugar de descanso? Algum de vocês "se tornou como um estranho para com os seus irmãos, e um desconhecido para com os filhos de sua mãe"? (Sl 69.8). O mundo ficou tão estranho, que até mesmo "o seu próprio amigo íntimo, em quem você tanto confiava, que comia do seu pão, levantou contra você o seu calcanhar"? (Sl 41.9); e para onde quer que você se volte, em busca de descanso e refúgio, a porta se fecha na sua cara? Aqui há refúgio para você; aqui há uma porta aberta; entre, você, bendito do Senhor; "o Senhor congrega os dispersos de Israel" (Sl 147.2). Parece que o Senhor se importa em ter você dentro: Ele está fazendo com você o que um pai faz com um filho teimoso, que foge da casa de seu pai, pensando em se arranjar entre os seus amigos, e não voltar; o pai envia uma mensagem peremptória, dizendo: "Qualquer que seja a casa em que o meu filho estiver se escondendo, imediatamente coloquem-no para fora, e que nenhum de vocês o abrigue; e se ele procurar vocês, não lhe dê sequer uma noite de abrigo, nem o deixem comer na sua casa". Para que tudo isto, senão para fazer com que ele volte à casa do seu pai? – *Thomas Boston, 1676-1732 vv. 4 e 5:* Quando todos o desprezaram, quando ninguém cuidou dele; o que fez Davi neste caso? As palavras no versículo 5 nos dizem o que ele fez: "A ti, ó Senhor, clamei; eu disse: tu és o meu refúgio e a minha porção na terra dos viventes". Como se ele tivesse dito, Com esta crueldade, este desrespeito e este desprezo que encontrei no mundo, eu fui incitado no meu espírito a clamar a ti, ó Senhor, e dizer: "Tu és o meu refúgio", isto é, então eu fiz de ti o meu refúgio, mais do que nunca. Tendo feito de ti a minha escolha em meus melhores tempos, quando os homens me honravam e abraçavam, eu estou muito encorajado, nestes tempos difíceis, em que os homens não me consideram, a abrigar o meu ser açoitado pelo clima, no teu nome e no teu poder. Mesmo quando temos muitos amigos no mundo, devemos saber que Deus é o nosso melhor amigo; mas quando o mundo nos odeia, e nos censura, especialmente quando (como o profeta fala de alguns, Is 66.5) "Vossos irmãos vos aborrecem e para longe vos lançam por amor do nome do próprio Deus", dizendo, "o Senhor seja glorificado"; quando isto acontece conosco (digo eu) as nossas almas são ainda mais forçadas à presença de Deus, para renovar o nosso interesse no seu amor, e para assegurar as nossas almas de que somos aceitos na preciosa presença dele. – *Joseph Caryl*

v. 5: "A ti, ó Senhor, clamei; eu disse", etc. Eu clamei, e ainda clamo; Disse, e ainda digo. – *Joseph Addison Alexander*

v. 5: "Eu disse". Isto sugere, I. Uma lembrança da transação solene (Sl 103.18). Esta é uma obra que não se deve esquecer nunca, mas sempre tê-la na lembrança. Mas, ó, você, que disse isto, lembre-se: 1. O que você disse. Você disse que Deus, em Cristo, deveria ser o seu refúgio; que sob a sombra das suas asas você se esconderia; e que, renunciando a todos os outros refúgios, como refúgios de mentiras, você irá para o abrigo da justiça de Cristo, e que ali permanecerá, como a sua porção; esta era uma aceitação formal e uma adesão ao concerto. 2. A quem você disse isso: A Deus, em Cristo, que falou a você na oferta do Evangelho, e lhe convidou ao refúgio. Naquilo que os homens dizem aos seus superiores, eles se consideram particularmente interessados. E certamente o que você disse a Deus, você deve, de uma maneira peculiar, lembrar, e reverenciar o seu coração com a consideração da majestade daquele a quem você disse: "A minha alma disse ao Senhor: Tu és o meu Senhor" (Sl 16.2); pois Ele não é alguém com quem possamos lidar falsamente. 3. Como você disse isso. Você não o disse em seu coração, quando Deus, em Cristo, se apresentava como um refúgio para você? E a linguagem do coração é uma linguagem clara no caso de um coração que busca Deus. Alguns de vocês não disseram isto com as suas bocas? E não dizem todos os comunicantes, solenemente, perante o mundo, os anjos e os homens, ao receber os elementos do pão e do vinho? 4. Em que condições você o disse. Você não viu a necessidade de um refúgio para você, e uma necessidade de tornar Deus, em Cristo, o seu refúgio? Você teve motivos racionais para isto, e motivos permanentes, que nunca podem falhar; de modo que você nunca terá motivos para se retirar nem se trasladar a outro refúgio (Jr 2.31). 5. Onde você disse isso. Lembre-se de onde você disse isso, em oração; de onde você disse isso, à mesa da comunhão (Sl 42.6). As pedras do local serão testemunhas do fato de que você o disse (Js 24.27).

II. Uma permanência nisto, sem arrependimento pelo fato de que o dissemos, lembrando o que é dito: "Desde então, muitos dos seus discípulos tornaram para trás e já não andavam com ele. Então, disse Jesus aos doze: Quereis vós também retirar-vos? Respondeu-lhe, pois, Simão Pedro: Senhor, para quem iremos nós? Tu tens as palavras da vida eterna, e nós temos crido e conhecido que tu és o Cristo, o Filho de Deus" (Jo 6.66-69). Frequentemente os homens se arrependem do que disseram, e por isto não reconhecerão que o disseram. Mas as almas que possuem a graça não se arrependerão de tê-lo dito, mas agirão de acordo com isto. Se eles fossem fazer a sua escolha mil vezes, tendo escolhido Deus, em Cristo, como o seu refúgio e a sua porção, ainda assim não alterariam nada: "E eu disse: Pai me chamarás e de mim te não desviarás" (Jr 3.19). Pode haver muitas alterações nas circunstâncias dos homens no mundo, mas nunca haverá nenhuma que permita motivos para retirar o que foi dito.

III. Um reconhecimento da obrigação disto: "Eu disse", e estou obrigado, portanto, a ser fiel a isto: "Porque eu abri a minha boca ao Senhor e não tornarei atrás" (Jz 11.35). Deus, em Cristo, é seu, e você é dele, pelo seu próprio consentimento; você não mais pertence a si mesmo; você disse a palavra, e deve reconhecer que ela o obriga; e você deve estar ciente de que, depois dos votos, não fazemos perguntas. Ainda que alguns possam fingir que têm a escolha de fazer um refúgio e uma porção para si mesmos, você não pode: você já está envolvido, e não tem a liberdade de dar ouvidos a quaisquer outras propostas, não mais do que uma mulher que já firmou o seu compromisso com um homem.

IV. Uma profissão disso, confiantemente, sem se sentir envergonhado disso: como se você dissesse, "Reconheço isso diante de todos os homens, e não me envergonho da minha escolha". O Anticristo permite que alguns dos seus vassalos ostentem o seu sinal, na mão direita deles (Ap 13.16). Mas todos os seguidores do Cordeiro terão o seu sinal em suas testas, onde ele não será escondido (Ap 14.1). O mundo gostaria de envergonhar o povo de Deus, nos seus refúgios e nas suas porções, como se eles tivessem feito um negócio tolo: "Vós envergonhais o conselho dos pobres, porquanto o Senhor é o seu refúgio" (Sl 14.6). Mas a sinceridade fará com que os homens desprezem essa vergonha, como Davi disse: "E ainda mais do que isto me envilecerei e me humilharei aos meus olhos".

V. Uma satisfação no coração por isso: como se você dissesse, "Eu disse, e, Oh, estou tão feliz por tê-lo dito; era a melhor coisa que eu poderia ter dito (Sl 16.2,5,6,7). E isto, na verdade, é o mesmo que dizer outra vez. E boas razões há para que aqueles que o disseram sinceramente estejam satisfeitos com o seu refúgio, e se alegrem na sua porção. A reflexão pode permitir sólido prazer e satisfação no coração. Vocês, que tomaram o Senhor como seu refúgio, podem, com muita satisfação, refletir sobre o que fizeram. – *Thomas Boston*

v. 6: "Atende ao meu clamor".

Posso ver o pesar de outra pessoa,
e não me entristecer também?
Posso ver a angústia de outra pessoa,
e não buscar um gentil alívio?

Posso ver uma lágrima caindo,
e não sentir a minha cota de tristeza?
Pode um pai ver o seu filho
chorar, sem se encher de tristeza?

Pode uma mãe ouvir
um bebê gemer, um infante temer?
Não, não; isto nunca!
Nunca, isto nunca!

E pode aquele, que sorri de tudo,
ouvir a cambaxirra, pequena e triste –
ouvir a tristeza e os cuidados dos pequenos pássaros,
ouvir os lamentos que os bebês emitem,

e não ficar ao lado do ninho,
derramando piedade no seu seio?
E não ficar perto do berço,
Chorando lágrimas com as lágrimas do bebê?

E não ficar, dia e noite,
enxugando todas as nossas lágrimas?
Oh, não! isto nunca!
Nunca, isto nunca!

Ele dá a sua alegria a todos;
Ele se torna um pequeno bebê;
Ele se torna um homem pesaroso;
Ele sente também a tristeza.

Não pense que você pode suspirar
e o seu Criador não estará por perto;
Não pense que você pode derramar uma lágrima,
e o seu Criador não estará por perto;

Oh, Ele nos dá a sua alegria,
e a nossa tristeza ele pode destruir;
até que a nossa tristeza tenha se dissipado.
Ele fica ao nosso lado e lamenta.
– William Blake (1757-1828), em "Songs of Innocence", 1789

v. 6: "Estou muito abatido", etc. Ainda que isto possa ter sido verdade, a respeito de Davi, escondido em uma caverna, enquanto seu inimigo, Saul, estava liderando um poderoso exército, é mais literalmente verdade a respeito de Cristo, que poderia verdadeiramente dizer, "Estou muito abatido", porque "foi obediente até à morte e morte de cruz". Ele também "estava muito abatido" quando Ele, que tinha o direito de se assentar sobre os querubins, foi suspenso entre dois ladrões. Verdadeiramente, também, os seus inimigos eram "mais fortes do que Ele", pois daquele momento se poderia dizer: "Esta é a vossa hora e o poder das trevas", de modo a parecer, por algum tempo, eclipsar o próprio sol da justiça. – *Robert Bellarmine*

v. 6: "Porque são mais fortes do que eu". Mas não são mais fortes do que TU. Tu podes nos fazer "mais poderosos do que os nossos inimigos" (Sl 105.24). Aquele que é mais valente do que o valente com armadura (Lc 11.22), o opressor de Israel, e cuja "fraqueza é mais forte do que os homens" (1 Co 1.25) "resgatará" Israel "das mãos do que era mais forte do que" ela (Jr 31.11; Sl 18.17). – *Andrew Robert Fausset*

v. 7: "Tira a minha alma da prisão", etc. Como se ele dissesse: Ó, Senhor, eu confesso que sou um pobre prisioneiro do pecado e de Satanás, de bom grado desejo estar em liberdade, para crer na tua palavra e fazer a tua vontade; mas, ai, não posso. Encontro muitas portas fechadas para mim nesta prisão, e muitas travas nessas portas, muitos impedimentos que nunca serei capaz de remover; e, por isto, Senhor da graça, faze por mim o que eu não poderei fazer, nem os amigos que eu puder fazer jamais serão capazes de fazer por mim; paga as dívidas do teu pobre prisioneiro, em uma abençoada Fiança, e abre as portas da prisão: "Tira a minha alma da prisão,ó Senhor, para que louve o teu nome!" – *Matthew Lawrence, The Use and Practice of Faith", 1657*

v. 7: "Os justos me rodearão". Em um círculo, como uma coroa, como é o significado da palavra; quando livrados, eles virão até ele, e o rodearão, para vê-lo e para olhar para ele, como um milagre de misericórdia, sendo a sua libertação maravilhosa; e para parabenizá-lo por isso, e para se unir a ele, em louvor a Deus, por isso. O texto do Targum é, "Por minha causa, os justos te darão uma coroa de louvor". – *John Gill*

v. 7: "Pois me fizeste bem". As graças dos outros devem ser motivo de nossos louvores a Deus; e os louvores dos outros a Deus, por nossa causa, devem ser desejados e exaltados por nós. – *Matthew Henry*

SUGESTÕES AOS PREGADORES

v. 1. I. Uma vívida lembrança – do que ele fez, e como, e quando. II. Uma declaração pública; da qual deduzimos que a sua oração o animava, lhe trazia socorro em meio às dificuldades, e o livrava delas. III. Uma dedução razoável: ele ora outra vez.

vv. 1 e 2. I. Ocasiões especiais para a oração: momentos de queixa e aflição. II. Oração especial nessas ocasiões; "Clamei", "supliquei". "Derramei a minha queixa", "expus-lhe a minha angústia". Apresente todo o caso diante de Deus, como Ezequias fez, com as cartas de Senaqueribe. – *G. R.*

v. 2. I. O verdadeiro local para a oração – "perante a sua face". II. A liberdade da oração – "derramei". III. A revelação do coração na oração – "expus-lhe a minha angústia".

v. 3 (primeira parte). I. Quando. II. Então.

v. 3 (segunda parte). Tentações. I. Que forma elas assumem? – "Laços". II. Quem os instala? – "eles". III. Como os instalam? Secretamente, ardilosamente – "no caminho", frequentemente. IV. O que acontece com o crente tentado? Ele vive para contar a história, para aconselhar os outros a glorificar a Deus.

v. 4 (última parte). A alma é considerada sem valor. I. Considere o valor da alma. 1. A alma continuará para sempre. 2. O justo ficará mais feliz, e o ímpio, mais infeliz. 3. Um grande preço foi pago por ela. II. Compare o cuidado que temos com as nossas almas, e a nossa ansiedade com os objetos terrenos. 1. A ansiedade que manifestamos pelas riquezas. 2. O nosso cuidado, na educação do intelecto dos nossos filhos. 3. Fervor na busca de negócios, honra – até mesmo diversões. 4. Quanta ansiedade em uma vida humana! Descreva a busca por um filho perdido. 5. Compare o nosso cuidado pelas almas, com o cuidado do nosso Salvador por elas: a de Paulo, a de Lutero, a de Whitefield. III. Lembre-se de algumas coisas que mostram que este cuidado não existe. 1. Se você não observar, como determinado, a oração secreta. 2. Se a sua alma não se incomodar com as almas dos outros. 3. Se você negligenciar a oração familiar, ou observá-la como uma mera forma. 4. Se você não comparecer regularmente a assembleias de oração. Observação: A grande responsabilidade que está sobre cada cristão. – *Jacob Knapp, The Homiletic Monthly" 1882*

v. 4 (última parte). O peso das almas. I. O que se quer dizer, com o cuidado das almas? 1. Ter uma firme convicção do seu valor. 2. Apreciar o terno interesse pelo seu bem estar. 3. Sentir alarmantes apreensões do seu perigo. 4. Fazer zelosos esforços pela sua salvação. II. Quem deveria exercer particularmente esse cuidado? 1. Os pais. 2. Os professores. 3. Os ministros. 4. Os membros. III. A criminalidade da negligência. 1. É ingrata. 2. É cruel. 3. É fatal. – *W. W. Wythe, "The Pulpit Analyst", 1870*

vv. 4 e 5. I. Uma dificuldade terrível: nenhum amigo, nenhum ajudador, nenhum coração piedoso. II. Uma oração comovente. Um clamor e um dito.

vv. 4 e 5. I. A ajuda humana falha mais quando é mais necessária. 1. Nas dificuldades externas: "Vi", etc. 2. Nas perturbações da alma: "ninguém cuidou da minha alma".

II. A ajuda divina é mais dada, quando é mais necessária. Um refúgio e uma porção, quando todo o resto falha. O homem tem muitos amigos na prosperidade, e somente um na adversidade. – *G. R.*

vv. 4 e 5: I. Por que os santos fazem de Deus o seu refúgio, e o objeto da sua fé e esperança, em suas maiores aflições. 1. Deus se entregou aos santos, no concerto de graça, para ser o seu Deus, e prometeu que eles seriam o seu povo. 2. Deus está em uma relação muito próxima com os santos, e condescende em sustentar muitas características de amor, que Ele satisfaz, para benefício deles. 3. Os santos, pelo poder da graça de Deus em suas almas, o escolheram para a sua porção, e para a sua maior felicidade. II. Quais perfeições há em Deus que fazem dele um refúgio seguro para os santos, e um objeto apropriado da sua confiança. 1. Deus é infinito em misericórdia. 2. Deus é infalível em sabedoria. 3. Deus é ilimitado em poder. 4. Deus é onisciente e onipresente. 5. Deus é um Ser cujo amor nunca muda. 6. Deus é um Ser independente, e o Governador e Diretor de todas as coisas. III. As muitas e doces vantagens, que sobrevêm aos santos, desta prática de fazer de Deus o seu refúgio, em suas maiores dificuldades. 1. Eles foram preservados de desmaiar, sob suas cargas pesadas. 2. Eles obtêm de Deus novos e oportunos suprimentos de graça divina e força para o serviço. 3. Deus renovou os seus santos com divinas consolações para o futuro. – *John Farmer, 1744*

v. 5. A alma escolhe Deus. I. Deliberadamente: "A ti clamei; eu disse". II. De modo geral: "refúgio", "porção". III. Acima de todos os demais, "na terra dos viventes". – *W. B. H.*

v. 5. "Como podemos fazer com que os nossos corações suportem as repreensões". Veja o Sermão de John Owen, em "The Morning Exercises", vol. ii. página 600, etc.; e em sua obra "Works", vol. xvi. página 23, etc.

v. 6. Duas súplicas e dois argumentos.

vv. 6 e 7. I. A linguagem do desânimo. "Estou muito abatido". "Os meus perseguidores são mais fortes do que eu". "A minha alma está na prisão". II. Da oração. "Atende o meu clamor". "Livra-me". "Tira-me da prisão". III. De louvor. 1. Pela congratulação dos outros. 2. Pela sua própria libertação e prosperidade. – *G. R.*

v. 6. Abatido e humilde. Aqui está Davi, I. Em um lugar inferior, na profundeza de uma caverna. II. De uma maneira humilde: "muito abatido"; "mais fortes do que eu". III. Mas, veja – "com os humildes está a sabedoria" (Pv 11.2); ele ora. IV. O Senhor "atenta para o humilde" (Sl 138.6). Ele não ora em vão. – *W. B. H.*

v. 7. Um prisioneiro. Um homem libertado. Um cantor. Um centro. Uma maravilha.

v. 7. Sonhos da prisão. I. O que vemos em nossas algemas. 1. O rosto de Cristo rodeado com raro louvor. 2. O povo de Cristo nos acompanhando e nos rodeando no mais custoso serviço. 3. Uma nova vida de generosidade e bênção, quando saímos. II. Até que ponto os nossos sonhos se tornam realidade? Diante do perigo, e além dele; sob condenação, e depois da conversão; quarto de enfermo, e serviço ativo. III. O dever da fidelidade a votos e lições da prisão. – *W. B. H.*

v. 7 (parte central). Uma abelha rainha. Um pastor subordinado. Um calor cordial. Um museu de maravilhas. Ou, eles me rodearão, interessados na minha história – "fora da prisão"; atraídos pelo meu cântico – "louvarei o teu nome"; atraídos pela semelhança de caráter, e admirando "a bondade do Senhor".

v. 7 (última parte). Leia o texto com Sl 116.7: "O Senhor te fez bem". Deduza o futuro do passado.

SALMO 143

TÍTULO

Um salmo de Davi. Este salmo é tão parecido com os outros salmos davídicos que nós aceitamos o seu título sem qualquer hesitação. A história de Davi o exemplifica, e o seu espírito respira nele. Por que ele foi registrado como um dos sete salmos de penitência, não podemos dizer, pois é mais uma defesa da sua própria integridade, e uma oração indignada contra os caluniadores, do que uma confissão de erro. É verdade, o segundo versículo prova que ele nunca sonhou em se justificar perante o Senhor; mas mesmo nele, quase não há a devastação da penitência. O salmo nos parece mais marcial que de penitência, mais uma súplica pela libertação da aflição do que um choroso reconhecimento da transgressão. Nós supomos que sete salmos de penitência eram exigidos pelos rabinos eclesiásticos, e por isto, este ficou registrado no serviço. Na verdade, é uma melodia mesclada, uma caixa de bálsamo, composta de vários ingredientes, doces e amargos, pungentes e preciosos. É o clamor de um espírito subjugado, incapaz de permanecer no estado mais elevado de oração espiritual, descendo repetidas vezes para lamentar pela sua profunda aflição temporal: no entanto, sempre lutando para subir para as melhores coisas. O cantor se lamenta, em intervalos; o que suplica misericórdia não consegue reter os seus clamores, pedindo vingança. As suas mãos se estendem para o céu, mas de seu cinturão está suspensa uma afiada espada, que balança em sua bainha, quando ele conclui este salmo.

DIVISÃO

Este salmo é dividido pela palavra Selá. Nós preferimos seguir a divisão natural, e por isto não fizemos outra divisão. Que o Espírito Santo possa nos conduzir ao seu significado interior.

EXPOSIÇÃO

1 *Ó Senhor, ouve a minha oração! Inclina os ouvidos às minhas súplicas; escuta-me segundo a tua verdade e segundo a tua justiça*

2 *e não entres em juízo com o teu servo, porque à tua vista não se achará justo nenhum vivente.*
3 *Pois o inimigo perseguiu a minha alma; abateu-me até ao chão; fez-me habitar na escuridão, como aqueles que morreram há muito.*
4 *Pelo que o meu espírito se angustia em mim; e o meu coração em mim está desolado.*
5 *Lembro-me dos dias antigos; considero todos os teus feitos; medito na obra das tuas mãos.*
6 *Estendo para ti as minhas mãos; a minha alma tem sede de ti como terra sedenta. (Selá)*

1. *"Ó Senhor, ouve a minha oração! Inclina os ouvidos às minhas súplicas."* No salmo anterior, ele começou, declarando que tinha clamado ao Senhor; aqui, ele implora para ser considerado de maneira favorável por Jeová, o Deus vivo, cujo memorial é o fato de que Ele ouve as orações. Ele sabia que Jeová ouvia as orações, e por isto suplicou que Ele ouvisse a sua súplica, ainda que pudesse ser frágil e fragmentada. De duas formas, ele implora a bênção da audiência da graça: – "ouve" e "inclina os ouvidos". Os homens que possuem a graça são tão ansiosos por ser ouvidos em oração que duplicam as suas súplicas por essa bênção. O salmista deseja ser ouvido e ser considerado; por isto, ele clama, "ouve" e, então, "inclina os ouvidos". O nosso caso é difícil, e nós pedimos atenção especial. Aqui é provável que Davi desejasse que a sua súplica contra os seus adversários fosse ouvida pelo justo Juiz; confiante de que, se fosse ouvido na questão da qual era caluniosamente acusado, seria triunfantemente absolvido. Embora inclinado, de alguma maneira, a apresentar o seu caso diante do Tribunal do Rei, ele prefere converter tudo em uma súplica, e apresentá-la diante do Tribunal de Súplicas, e por isto ele clama, "ouve a minha oração", em lugar de "ouve a minha ação". Na verdade, Davi deseja particularmente que ele mesmo, e toda a sua vida, não se tornem o assunto do juízo, pois neste caso ele não poderia ter esperança de absolvição. Observe que ele ofereceu tanta súplica, que a sua vida se tornou uma contínua oração; mas o seu pedido tinha forma tão variada que se dividiu em muitas súplicas.

"Escuta-me segundo a tua verdade e segundo a tua justiça." Os santos desejam ser atendidos, além de ouvidos: eles anseiam por encontrar o Senhor fiel à sua promessa e justo na defesa da causa da justiça. É uma coisa boa, quando ousamos apelar até mesmo à justiça, para a nossa salvação; e isto podemos fazer, com base em princípios do Evangelho, pois "se confessarmos os nossos pecados, ele é fiel e justo para nos perdoar os pecados". Até mesmo os mais severos atributos de Deus estão do lado do homem que confia humildemente, e converte a sua confiança em oração. É um sinal da nossa segurança, quando os nossos interesses e os da justiça se misturam. Com a fidelidade e a justiça de Deus do nosso lado estamos protegidos, do lado direito e do esquerdo. Estes são atributos ativos, e plenamente iguais à resposta a qualquer oração à qual fosse justo responder. O atendimento aos pedidos que não apelam a nenhum desses atributos não glorificaria a Deus; pois são pedidos que devem conter desejos de coisas não prometidas e injustas.

2. *"E não entres em juízo com o teu servo."* Ele tinha suplicado por uma audiência diante do trono de misericórdia, mas não desejava comparecer diante do trono do juízo. Embora limpo diante dos homens, ele não podia declarar inocência diante de Deus. Embora soubesse ser um servo do Senhor, não declarava perfeição, nem alegava merecimento; pois até mesmo como um servo, ele era improdutivo. Se este é o clamor humilde de um servo, qual deveria ser a súplica de um pecador?

"Porque à tua vista não se achará justo nenhum vivente." Ninguém pode comparecer diante de Deus, com base na lei. A visão de Deus é penetrante e discriminante; a mais leve falha é vista e julgada; e por isto pretextos e profissão não têm serventia, uma vez que aquele olhar lê todos os segredos da alma. Neste versículo, Davi apresentou a doutrina da condenação universal pela lei, muito antes que Paulo tomasse a sua

pena para escrever a mesma verdade. Até os dias de hoje, ela é verdadeira, da mesma maneira como nos dias de Davi: nenhum homem que esteja vivendo neste exato momento pode ousar se apresentar para juízo diante do trono do Grande Rei, com base na lei. Esta era louca produziu espécimes de um orgulho tão grosseiro que os homens ousaram afirmar a perfeição na carne; mas estes ostentadores vangloriosos não são exceção à regra aqui estabelecida: são apenas homens, e maus espécimes de homens. Quando suas vidas são examinadas, frequentemente se vê que são mais transgressores do que os humildes penitentes diante dos quais ostentam a sua superioridade.

3. *"Pois o inimigo perseguiu a minha alma."* Ele me seguiu com a sua perseverança, e me preocupou tão frequentemente quanto eu estive ao seu alcance. O ataque era sobre a alma ou a vida do salmista: os nossos adversários nos desejam o pior mal possível, os seus ataques não são brincadeira de criança, eles desejam a vida preciosa.

"Abateu-me até ao chão." A existência de Davi se amargurava pela crueldade de seu inimigo; ele era como alguém que era arremessado ao chão, para ali ficar, onde podia ser pisoteado por seu adversário. A calúnia tem um efeito muito deprimente sobre os espíritos; é um golpe que derruba a mente como se ela fosse nocauteada com o punho.

"Fez-me habitar na escuridão, como aqueles que morreram há muito." O inimigo não se satisfez em derrubar a sua vida ao chão – ele desejava derrubá-lo ainda mais baixo, até a sepultura; e mais baixo do que isto, se possível, pois o inimigo encerraria o santo na escuridão do inferno, se pudesse. Davi foi levado, pela animosidade de Saul, a frequentar cavernas e covas, como um fantasma inquieto; ele vagava durante a noite, e se escondia durante o dia, como um espírito desassossegado, a quem tinha sido negado, por muito tempo, o repouso da sepultura. Os homens de bem começavam a se esquecer dele, como se ele estivesse morto há muito tempo; e os homens maus ridicularizavam a sua aparência lamentável, como se não pertencesse a um homem vivo, mas como sendo sombria, como a sombra do sepulcro. Pobre Davi! Ele estava qualificado para abençoar a casa dos vivos, mas era levado a se associar aos mortos! Este pode ser o nosso caso, e ainda assim podemos ser muito preciosos para o Senhor. Uma coisa é certa, o Senhor que permite que habitemos nas trevas, entre os mortos, certamente nos trará à luz, e nos levará a habitar com aqueles que desfrutam da vida eterna.

4. *"Pelo que o meu espírito se angustia em mim; e o meu coração em mim está desolado."* Davi não era estoico; ele sentia o seu isolamento, e sofria sob os cruéis ataques que eram feitos ao seu caráter. Ele se sentia perplexo e arruinado, sozinho e afligido. Ele era um homem de pensamentos e sentimentos, e sofria em espírito e em seu coração, pela hostilidade, não merecida e não provocada, dos que o perseguiam. Além disto, ele lutava sob a sensação de uma terrível solidão: ele estava, durante algum tempo, abandonado pelo seu Deus, e a sua alma estava excessivamente pesada, até quase a morte. O nosso Senhor Jesus poderia ter usado estas palavras: nisto, a Cabeça é como os membros, e os membros são como a Cabeça.

5. *"Lembro-me dos dias antigos."* Quando não vemos nada novo que possa nos animar, devemos pensar em coisas antigas. Nós já tivemos dias felizes, dias de libertação, e alegria, e ação de graças; por que não podemos tê-los outra vez? Jeová resgatou o seu povo nas gerações passadas, séculos atrás; e por que não faria a mesma coisa outra vez? Nós mesmos temos um rico passado a considerar; temos lembranças brilhantes, lembranças sagradas, lembranças satisfatórias, e elas são como flores, para a visitação das abelhas da fé, pois elas podem fabricar mel para o uso atual.

"Considero todos os teus feitos." Quando as minhas próprias obras me envergonham, os teus feitos me revigoram. Se, à primeira vista, as obras do Senhor não nos encorajam, devemos pensar nelas novamente e considerar as histórias da divina providência. Devemos examinar demoradamente e de maneira abrangente todas as obras de Deus; pois como um todo, elas trabalham juntas para o bem, e isoladamente, são merecedoras de reverente estudo.

"Medito na obra das tuas mãos." Isto ele tinha feito em dias passados, até mesmo em suas horas mais difíceis. A criação tinha sido o livro onde ele lia sobre a sabedoria e a bondade do Senhor. Ele repete o seu exame cuidadoso da página da natureza, e considera um bálsamo para as suas feridas, um revigorante para as suas preocupações, ver o que o Senhor fez, com as suas mãos habilidosas. Quando a obra da nossa própria mão nos entristece, devemos olhar para a obra das mãos do Senhor. A lembrança, a meditação e a consideração são aqui apresentadas juntas, como as três graças que ministram a graça a uma mente deprimida e provavelmente enferma. Assim como Davi, com a sua harpa, tocou e afastou o mau espírito de Saul, aqui ele afasta a depressão da sua própria alma pela santa comunhão com Deus.

6. *"Estendo para ti as minhas mãos."* Ele ansiava pelo seu Deus. Os seus pensamentos sobre Deus acendiam nele ardentes desejos, e estes levavam a expressões enérgicas de seus anseios internos. Como um prisioneiro, cujos pés estão acorrentados, estende as suas mãos em súplica quando há uma esperança de liberdade, assim faz Davi.

"A minha alma tem sede de ti como terra sedenta." Assim como o solo racha, e se cansa, e abre a sua boca, em mudos apelos, também a alma do salmista estava ávida em anseios. Nenhuma chuva celestial do santuário o tinha aliviado; banido dos meios da graça, a sua alma se sentia árida e seca, e ele clamou, "A minha alma, a ti..."; nada poderia contentá-lo, senão a presença do seu Deus. Não apenas ele estendia as suas mãos, como o seu coração estava estendido em direção ao Senhor. Ele estava sedento do Senhor. Se ele pudesse apenas sentir a presença do seu Deus, não mais se sentiria esmagado, nem habitaria nas trevas; na verdade, tudo se converteria em paz e alegria.

Selá. Era o momento de fazer uma pausa, pois a súplica tinha chegado ao ponto de agonia. Tanto as cordas da harpa como as do coração estavam esticadas, e precisavam de um pequeno descanso para se preparar para a segunda parte do cântico.

7 *Ouve-me depressa, ó Senhor! O meu espírito desfalece; não escondas de mim a tua face, para que eu não seja semelhante aos que descem à cova.*

8 *Faze-me ouvir a tua benignidade pela manhã, pois em ti confio; faze-me saber o caminho que devo seguir, porque a ti levanto a minha alma.*

9 *Livra-me, ó Senhor, dos meus inimigos; porque em ti é que eu me refugio.*

10 *Ensina-me a fazer a tua vontade, pois és o meu Deus; guie-me o teu bom Espírito por terra plana.*

11 *Vivifica-me, ó Senhor, por amor do teu nome; por amor da tua justiça, tira a minha alma da angústia.*

12 *E, por tua misericórdia, desarraiga os meus inimigos e destrói a todos os que angustiam a minha alma, pois sou teu servo.*

7. *"Ouve-me depressa, ó Senhor! O meu espírito desfalece."* Se tardasse muito, o livramento chegaria tarde demais. O suplicante afligido desfalece, e está prestes a morrer. A sua vida se esvai; cada momento é importante; logo, tudo estará acabado para ele. Nenhum argumento pela rapidez pode ser mais poderoso do que este. Quem não correrá para auxiliar um suplicante, quando a sua vida está em perigo? A misericórdia tem asas em seus calcanhares, quando a desgraça é extrema. Deus não falhará, quando o nosso espírito falha, mas, ao contrário, Ele apressará o seu curso e virá até nós nas asas do vento.

"Não escondas de mim a tua face, para que eu não seja semelhante aos que descem à cova." A comunhão com Deus é tão importante para um coração fiel que a sua remoção faz com que o homem se sinta como se estivesse pronto a morrer e perecer completamente. As ocasiões em que Deus se afasta reduzem o coração ao desespero, e removem toda a força da mente. Além disto, a sua ausência permite que os adversários realizem a sua vontade, sem restrições; e assim, de uma segunda

maneira, o perseguido provavelmente perecerá. Se tivermos a face de Deus, viveremos, mas se Ele nos der as costas, morreremos. Quando o Senhor olha com benevolência os nossos esforços, nós prosperamos, mas se Ele se recusa a nos contemplar, então trabalhamos em vão.

8. *"Faze-me ouvir a tua benignidade pela manhã, pois em ti confio."* Senhor, a minha tristeza me torna surdo – faze com que eu ouça; há apenas uma voz que me pode alegrar – faze-me ouvir a tua benignidade; essa música que de bom grado eu ouviria imediatamente – faze-me ouvi-la pela manhã, ao primeiro momento da alvorada. Uma sensação do amor divino é, para a alma, alvorada e orvalho; o fim da noite de lágrimas, o princípio da manhã de alegria. Somente Deus pode remover de nossos cansados ouvidos o ruído da nossa preocupação, e encantá-los com as doces notas do seu amor. A nossa súplica diante do Senhor é a nossa fé; se nós confiarmos nele, Ele não nos desapontará; "em ti confio" é um sólido argumento para com Deus. Aquele que criou o ouvido nos fará ouvir; aquele que é o próprio amor terá a bondade de nos trazer a sua benignidade diante de nossas mentes.

"Faze-me saber o caminho que devo seguir, porque a ti levanto a minha alma." A Grande Primeira Causa nos fará ouvir e conhecer. As sensações espirituais dependem de Deus, e o conhecimento celestial nos vem apenas dele. Conhecer o caminho que devemos seguir é extremamente necessário, pois como podemos ser exatos na obediência a uma lei com a qual não estamos familiarizados? ou como pode haver uma santidade ignorante? Se não conhecemos o caminho, como podemos nos manter nele? Se não sabemos onde devemos andar, como poderemos seguir o caminho correto? O salmista levanta a sua alma; a fé funciona como um elevador: a alma que confia se levantará. Nós não permitiremos que a nossa esperança naufrague, mas procuraremos nos levantar de nossas angústias diárias. Isto é sábio. Quando Davi estava em qualquer dificuldade, com relação ao seu caminho, levantava a sua alma em direção ao próprio Deus, e então sabia que não poderia seguir pelo caminho errado por muito tempo. Se a alma não se levantar, por si só, devemos levantá-la, levantá-la a Deus. Este é um bom argumento na oração: certamente, o Deus ao qual nos esforçamos para levantar a nossa alma será condescendente e nos mostrará o que Ele quer que façamos. Devemos seguir o exemplo de Davi, e quando o nosso coração estiver abatido, devemos sinceramente nos esforçar para levantá-lo, não tanto para o conforto, mas para o próprio Senhor.

9. *"Livra-me, ó Senhor, dos meus inimigos."* Muitos adversários nos cercam, não podemos derrotá-los, não podemos sequer escapar deles; mas Jeová pode nos resgatar, e o fará, se orarmos a Ele. A arma de toda oração nos colocará em melhor posição do que a espada e o escudo.

"Porque em ti é que eu me refugio." Este era um bom resultado das suas perseguições. Aquilo que nos faz fugir para o nosso Deus pode ser um mau vento, mas nos faz bem. Não há nenhuma covardia nesta fuga, mas muita santa coragem. Deus pode nos esconder, fora do alcance do mal, e até mesmo fora da vista do mal. Ele é o nosso esconderijo; Jesus se fez o refúgio do seu povo: quanto mais cedo e mais inteiramente fugirmos até Ele, melhor será para nós. Debaixo da cobertura escarlate da expiação do nosso Senhor, os crentes estão completamente escondidos; devemos permanecer ali e descansar. No sétimo versículo, o nosso poeta clamou, "não escondas a tua face", e aqui, ele ora, "em ti é que eu me refugio". Observe também com que frequência ele usa as palavras "em ti", "para ti"; ele busca o seu Deus; ele deve seguir nessa direção, de alguma maneira, embora possa parecer estar batendo em retirada; todo o seu ser anseia por estar perto do Senhor. É possível que esta sede de Deus não seja aliviada? Nunca, enquanto o Senhor for amor.

10. *"Ensina-me a fazer a tua vontade."* Que infantil – "ensina-me"! Que prático – "ensina-me a fazer"! Que obediência indivisa – "a fazer a tua vontade"! A fazer toda a tua vontade, seja ela qual for. Esta é a melhor forma de instrução, pois a sua fonte é Deus, o seu objeto é a santidade, o seu espírito é o de sincera lealdade. O homem

está escondido no Senhor, e passa a sua vida pacífica aprendendo a vontade do seu Preservador. Um coração não pode ficar desolado por muito tempo, se for manso.

"Pois és o meu Deus." Quem mais pode me ensinar, como tu me ensinas? Quem mais se preocupará em fazer isto, senão o meu Deus? Tu me deste a ti mesmo; certamente me darás o teu ensinamento. Se eu tenho a ti, não posso pedir para ter a tua mente perfeita? Quando o coração pode sinceramente chamar Jeová de "meu Deus", o entendimento está pronto a aprender Dele, a vontade está preparada para obedecer a Ele, todo o homem está ansioso por agradá-lo.

"O teu bom Espírito." Deus é todo espírito, e é todo bem. A sua essência é a bondade, a benignidade, a santidade: é da sua natureza fazer o bem, e que bem maior Ele pode nos fazer, além de ouvir uma oração como a que se segue – "guie-me o teu bom Espírito por terra plana"? Davi desejava de bom grado estar entre os santos, em uma terra diferente daquela que o tinha expulsado. Ele suspirava pelas campinas da graça, as terras planas da paz, as planícies férteis da comunhão. Ele não podia alcançá-las sozinho, ele precisava ser guiado para lá. Deus, que é bom, pode nos conduzir à terra agradável. Não há herança como uma porção na terra da promessa, a terra do preceito, a terra da perfeição. Aquele que nos ensina deve nos colocar rédeas e nos guiar e conduzir à sua própria morada, na região da santidade. O caminho é longo, e íngreme, e aquele que segue sem um líder divino desmaiará na jornada, mas com Jeová nos guiando, é delicioso seguir, e não há tropeço nem desvio.

11. *"Vivifica-me, ó Senhor, por amor do teu nome."* Oh, mais vida, e também mais luz! Ensinar e guiar exige vivificação e revigoramento, caso contrário seremos estudantes tolos e peregrinos lentos. Jeová, o Senhor, que dá a vida, é o único de quem a vida pode vir, para nos renovar e fazer reviver – Consequentemente, a oração é apenas para Ele. Talvez um servo possa ensinar e guiar, mas somente o Mestre pode vivificar. Nós estamos frequentemente próximos à morte, e por isto, cada um de nós pode, apropriadamente, clamar, "Vivifica-me"; mas o que há em nós, que possamos alegar como uma razão para tal favor? Nada, literalmente nada. Nós devemos implorar, por causa do seu nome. Ele pode nos vivificar, porque Ele é o Deus vivo, o Deus amoroso, o Senhor que se alegra em mostrar misericórdia. Que abençoados argumentos estão contidos no seu glorioso nome! Nós nunca devemos deixar de orar, por falta de apelos aceitáveis; e podemos sempre voltar a recorrer àquele que está diante de nós – "por amor do teu nome". O nome de Jeová se fará mais glorioso aos olhos dos homens, se Ele criar um elevado grau de vida espiritual nos seus servos; e esta é uma razão para que Ele faça isto. Assim, podemos pedir com mais confiança.

"Por amor da tua justiça, tira a minha alma da angústia." Que os homens vejam que tu estás do lado dos justos, e que não permitirás que os ímpios sejam arrogantes com aqueles que confiam em ti. Tu prometeste socorrer o teu povo; tu não és injusto, para esquecer a sua obra de fé; tu és, ao contrário, justo, na resposta à oração sincera, e na consolação do teu povo. Davi estava gravemente afligido. Não apenas havia perturbação na sua alma, mas a sua alma estava em aflição; mergulhada na aflição, como em um mar, enclausurada na aflição, como em uma prisão. Deus podia tirá-lo dessa situação, e especialmente podia, imediatamente, levantar a sua alma ou o seu espírito da cova. A oração é fervorosa, e o apelo, corajoso. Podemos ter certeza de que a aflição logo terminou, quando o Senhor ouviu tais súplicas.

12. *"E, por tua misericórdia, desarraiga os meus inimigos e destrói a todos os que angustiam a minha alma."* Ele crê que assim será, e assim profetiza o evento; pois as palavras podem ser interpretadas como uma declaração, e é melhor interpretá-las desta maneira. Não poderíamos orar se não tivéssemos a nossa luz cristã; mas sob as providências do Antigo Testamento, o seu espírito era coerente com a lei. É uma súplica que a justiça sanciona, mas o espírito do amor não está à vontade ao apresentá-la. Nós, como cristãos, somente convertemos a súplica para um uso espiritual. Mas Davi tinha uma mente muito generosa, e lidava tão ternamente com

Saul, que alguns chegam a pensar que dificilmente poderia ter desejado tudo o que as suas palavras querem dizer, na nossa versão.

"Pois sou teu servo", e, portanto, espero que o meu Mestre me proteja, no seu serviço, e me conceda a vitória, quando eu travar as suas batalhas. É a oração de um guerreiro, e tem o cheiro da terra e a fumaça da batalha. Ela foi ouvida, e por isto não era um pedido indevido. E ainda há um caminho mais excelente.

NOTAS EXPLICATIVAS E DECLARAÇÕES SINGULARES

O salmo: Este salmo de Davi responde muito apropriadamente ao salmo que o antecede; pois no Salmo 142, Davi mostrou que ele orava, e repetiu isto duas vezes (v. 1), e aqui ele diz, duas vezes, "Ouve a minha oração! Inclina os ouvidos às minhas súplicas". No Salmo 142 (v. 3), ele diz, "Quando o meu espírito estava angustiado em mim", e aqui (v. 4), "o meu espírito se angustia em mim". – *John Mayer*

O salmo: A promessa a que se referem estes oito salmos [138–145] é a registrada em 2 Sm 7.12, etc., "Quando teus dias forem completos... farei levantar depois de ti a tua semente... e estabelecerei o seu reino... e, se vier a transgredir, castigá-lo-ei... mas a minha benignidade se não apartará dele... porém a tua casa e o teu reino serão firmados para sempre". O que fixa a conexão do salmo com a história é a frequente aplicação da expressão "teu servo" (de Jeová), por Davi a si mesmo, no segundo, como nos versículos 2 e 12 do primeiro. Jeová tinha usado a expressão com respeito a Davi, "Dize a meu servo, a Davi"; por isto Davi usa a expressão como seu apelo várias vezes (2 Sm 7.5,9-21,25-29). A alegação de Davi, "pois sou teu servo" não é uma vanglória pelo seu serviço, mas uma exaltação da graça seletora de Deus: "Quem sou eu, Senhor Jeová, e qual é a minha casa, que me trouxeste até aqui?" (2 Sm 7.18).

O clamor (v. 6) "a minha alma tem sede de ti como terra sedenta", responde às palavras do próprio Davi em Sl 63.1, quando fugia de Absalão, e ainda no deserto de Judá (título, Sl 63) no lado próximo ao Jordão: "a minha alma tem sede de ti". Aqui novamente a história está de acordo, não intencionalmente, com o salmo (2 Sm 16.2,14): "E o rei e todo o povo que ia com ele chegaram cansados e refrescaram-se ali" com as frutas de Ziba; também 17.2. A palavra hebraica para "sede" no salmo 143 é a mesma para "cansados" em Sl 63.1; e 2 Sm 16.14, e significa "ofegante", "cansado", "sedento". – *Andrew Robert Fausset, "Studies in the CL. Psalms", 1876*

O salmo: Ao escrever este salmo, o que parece claramente é que Davi estava em meio a algum perigo desesperador; quer ameaçado por Saul, quando foi forçado a fugir para a caverna, como no salmo anterior, quer ameaçado por Absalão, seu filho, ou por alguma outra pessoa, não se sabe ao certo. De qualquer forma, neste salmo ele se queixa angustiadamente a Deus pela perversidade de seus inimigos, e deseja que Deus ouça as suas orações, e reconhece que ele está sofrendo essas coisas pelo justo juízo de Deus, e muito humildemente implorando misericórdia pelos seus pecados; desejando não apenas ser restaurado, mas também ser governado pelo Espírito de Deus, para que possa dedicar e consagrar o resto de sua vida ao serviço de Deus. Este precioso salmo, então, contém estas três coisas: Em primeiro lugar, uma confissão dos seus pecados. Em segundo lugar, um lamento pela sua desgraça. Em terceiro lugar, uma súplica, por libertação temporal e por graças espirituais. – *Archibald Symson*

Todo o salmo. Não deixa de ser útil observar, neste salmo, como o coração de seu devoto escritor se voltava alternadamente, de assuntos espirituais a temporais, e novamente de temporais a espirituais. Em primeiro lugar, ele se queixa de seus pecados e implora por misericórdia; a seguir, dos seus inimigos, e ora por libertação. A seguir, ele lamenta as trevas em que se encontra e implora pela luz da face de Deus, e por sabedoria e entendimento. Depois disto, a lembrança de seus inimigos penetra novamente em sua alma, e ele corre até Deus, em busca de proteção. Por fim, novamente ele expressa a sua oração por sabedoria e santidade: "Ensina-me a fazer a tua vontade; pois és o meu Deus; guie-me o teu bom Espírito por terra plana". Esta é uma súplica importante: antes, ele tinha orado, pedindo para conhecer o caminho pelo qual devia caminhar, agora ele implora para que possa andar por ele. – *John Fawcett, 1769-1851*

Todo o salmo: Em nossos dias, a leitura deste salmo é recomendada, pela igreja, para a quarta-feira de Cinzas, e é o sétimo e último dos Salmos Penitenciais. Estes sete Salmos de Penitência são também, às vezes, chamados "Salmos Especiais", e têm sido usados há muito tempo na igreja como os mais completos e mais espirituais atos de arrependimento que a igreja possui. Às vezes eles foram considerados como dirigidos contra os sete pecados mortais; como, por exemplo, o Salmo 6, contra a ira; o Salmo 32, contra a soberba; o Salmo 38, contra a gula; o Salmo 51, contra a impureza; o Salmo 102, contra a cobiça; o Salmo 130, contra a inveja, e este salmo, contra a indiferença, ou a desatenção. – *J. W. Burgon*

v. 1: "Ó Senhor, ouve a minha oração", etc. Ai! Ó Senhor, se tu não ouvires a minha oração, seria melhor que eu não orasse; e se ouvires, e não deres ouvidos a ela, seria como se não a tivesses ouvido. Portanto, "ouve a minha oração, inclina os ouvidos às minhas súplicas"; de modo que nem a minha oração seja perdida, por falta de que a ouças, nem a tua audição seja perdida, por falta de que a atendas. Quando eu faço apenas uma oração a Deus, parece suficiente que Ele a ouça; mas quando eu faço uma súplica, isto requer que Ele dê ouvidos a ela; pois uma vez que uma súplica tem uma intenção maior ao ser apresentada, ela não pode ser recebida sem uma maior atenção.

Mas que minúcia nas palavras é esta? como se não fosse a mesma coisa, "ouvir" e "inclinar os ouvidos"? ou como se houvesse alguma diferença entre uma oração e uma súplica? Não é assim, realmente? pois ouvir, às vezes, pode ser algo somente passivo, ao passo que inclinar os ouvidos é sempre ativo; e vemos que Cristo, sem dúvida, ouviu o primeiro clamor da mulher cananeia, enquanto era uma oração; mas não inclinou os ouvidos até o seu segundo clamor, quando se tornou uma súplica. Seja como for, da mesma maneira como não teria propósito, ó Deus, que ouvisses sem inclinar os ouvidos, também se inclinasses os ouvidos sem dar uma resposta não me serviria de nada; portanto, "escuta-me", ó Deus; pois se não escutas a minha oração, e não a atendes, como podes responder à minha expectativa? A minha oração é apenas a semente; é a tua resposta que faz a colheita. Se não me respondes, não posso esperar nenhuma colheita; e se me respondes, mas não "segundo a tua justiça", haveria, na verdade, uma colheita, mas esta não seria nada além de trigo estragado. Portanto, escuta-me, ó Deus, mas "segundo a tua justiça", pois a tua justiça nunca deu uma resposta desagradável. Foi uma resposta segundo a tua justiça a que deste a Noé: "Não contenderá o meu Espírito para sempre com o homem, porque ele também é carne". Foi uma resposta segundo a tua justiça a que deste a Abraão: "Não temas, eu sou o teu escudo, o teu grandíssimo galardão". Foi uma resposta segundo a tua justiça a que deste ao ladrão sobre a cruz: "Hoje estarás comigo no Paraíso". Oh, então, escuta-me e responde-me segundo a tua justiça, ó Deus, e então a colheita da minha esperança será tão abundante como os sete anos de fartura preditos por José. – *Sir Richard Baker*

v. 1: "Ouve a minha oração... inclina os ouvidos às minhas súplicas... escuta-me". Ele repete aqui três vezes o seu fervoroso desejo de ser ouvido, como no quinto salmo ele repete e reitera quatro vezes esta mesma súplica, para ser ouvido. Quando ele repete o seu pedido para ser ouvido, ele deseja que Deus o ouça, com os dois ouvidos, isto é, com muita atenção e disposição; tão urgente é a mente perturbada, que ele deseja que a oração que ele apresenta seja lembrada, como foi dito pelo anjo ao centurião: "As tuas orações e as tuas esmolas têm subido para memória diante de Deus" (At 10.4). – *Archibald Symson*

v. 1: "Escuta-me segundo a tua verdade e segundo a tua justiça". Foi segundo a tua justiça que fizeste a promessa, mas é segundo a tua verdade que cumprirás a tua promessa: e uma vez que tenho certeza de que tu a fizeste, como posso duvidar que a cumprirás? Se não desejares me escutar segundo a tua justiça, ainda assim serás justo; mas se não desejares me escutar segundo a tua verdade, a tua fidelidade não será manifesta. – *Sir Richard Baker*

v. 1: "Escuta-me segundo a tua justiça". O perdão não é inconsistente com a verdade ou a justiça, e o perdão que, em misericórdia, Deus confere ao pecador, é concedido, com justiça, ao Filho amado, que aceitou e desempenhou as obrigações do pecador. Esta é uma verdade infinitamente preciosa, e os corações de milhares, em cada geração, foram sustentados e alegrados com ela. Uma mulher cristã boa e idosa, em vida humilde, percebeu isto tão plenamente, que quando um servo reverente de Deus lhe perguntou, no seu leito de morte, que motivos ela tinha para ter esperanças na eternidade, ela respondeu, com grande serenidade, "Eu confio na justiça de Deus"; acrescentando, entretanto, quando a resposta despertou surpresa, "justiça, não para mim, mas para o meu Substituto, em quem confio". – *Robert Macdonald, From Day to Day; or, Helpful Words for Christian Life", 1879*

v. 2: "Não entres em juízo com o teu servo". A justiça divina foi invocada no versículo 1; e agora o suplicante repentinamente parece criticá-la. Estes versículos, na realidade, resumem o aparente paradoxo do livro de Jó (veja Jó 4.17; 9.2; 14.3 seq.; 15.14; 22.4, etc.). De um fôlego só, Jó frequentemente expressa patéticas declarações de sua inocência, e um temor de que Deus o interpretasse literalmente, e o levasse a juízo. O homem piedoso, no seu desejo de ter o seu caráter justificado perante os homens, apela ao justo Juiz, mas instantaneamente recua, com uma sensação de culpa, de que perante o seu tribunal ninguém pode comparecer:

"Pois o mérito vive de um homem a outro,
e não do homem, ó Senhor, a ti".
– *A. S. Aglen*

v. 2: Ele não ora absolutamente para que Deus "não entre em juízo com ele", pois isto significaria a renúncia ao seu governo do mundo, mas ele ora para que Deus não o faça, por causa das suas obras e obediência. Mas se estas obras e obediência corresponderem, em certo sentido, ao que é exigido de nós, como uma justiça para a justificação, não há razão por que ele depreciasse um juízo por elas, ou sobre elas. – *John Owen*

v. 2: Ele não diz, "com um inimigo, um rebelde, um traidor, um pecador impenitente", mas "com o teu servo", alguém que é devotado ao teu temor, alguém que é consagrado ao teu serviço, alguém que é realmente e verdadeiramente "totalmente teu, tanto e tão plenamente como pode ser". Como se ele tivesse dito, "Senhor, se o mais santo, o mais puro, e o melhor dos homens viesse e comparecesse diante de ti em juízo, ou suplicasse a ti, isto necessariamente deveria ser considerado em sua causa. "Se tu, Senhor, observares as iniquidades, Senhor, quem subsistirá?" (Sl 130.3). – *Thomas Lye (1621-1684), em "The Morning Exercises"*

v. 2: "Não entres em juízo com o teu servo", pois tu já entraste em juízo com o teu Filho, e colocaste sobre Ele a iniquidade de todos nós. "Não entres em juízo com o teu servo", pois o teu servo entra em juízo consigo mesmo; e "se julgarmos a nós mesmos, não seremos julgados". – *Matthew Henry*

v. 2: Nem o mais orgulhoso filósofo entre os gentios, nem o mais preciso fariseu entre os judeus; podemos ir ainda mais adiante e dizer, nem o mais santo dos santos que já viveu pode comparecer diante daquele tribunal. Deus fechou aquela porta, de modo que ninguém possa entrar por uma justiça da lei na vida e na felicidade. Este caminho para o céu é como a passagem pelo norte para as Índias, quem tentar passar por ali com certeza ficará congelado antes que chegue à metade do caminho. – *William Gurnall*

v. 2: "Não entres em juízo", etc. Há alguns anos, eu visitei uma pobre jovem que estava morrendo acometida de tuberculosa. Ela era uma estrangeira na nossa cidade, e tinha estado ali algumas semanas antes, por algum tempo em sua mocidade, e tinha frequentado a minha classe na escola dominical. O que descobri que era o seu único esteio, e esperança, e consolação, em vista do sombrio vale da sombra da morte, que se aproximava dela? Um versículo de um salmo que ela tinha aprendido na aula, e nunca esqueceu. Ela o repetia com as mãos apertadas, os olhos penetrantes, e a voz trêmula saindo de seus lábios pálidos:

"Não entres em juízo
com o teu servo,
porque à tua vista não se achará
justo nenhum vivente".

Não – nenhum pecador pode suportar a tua vista, ó Deus, se tentar justificar-se. – *James Comper Gray, "The Biblical Museum", 1879*

v. 2: "Não entres em juízo com o teu servo". Nós lemos sobre certo adivinho holandês, que, estando à morte, estava cheio de temores e dúvidas. E quando alguns lhe disseram, "Você foi tão ativo e fiel, por que temes?" Oh, disse ele, o juízo do homem é diferente do juízo de Deus. – *John Trapp*

v. 2: "Não entres em juízo". Uma metáfora tomada do caminho percorrido por aqueles que procuram recuperar o máximo a que têm direito, por um processo estritamente legal. Compare Jó 22.4, 5. De maneira similar, nós somos instruídos a orar para que Deus nos perdoe as nossas dívidas. – *Daniel Cresswell*

v. 2: Provavelmente há uma referência tácita aqui à grande transgressão, cujas consequências seguiam Davi todos os seus dias. – *William Walford*

v. 2: "O teu servo". Um servo é aquele que obedece à vontade de outra pessoa... Havia quatro maneiras pelas quais uma pessoa podia vir a ser um servo – por nascimento, por compra, por conquista e por engajamento voluntário. Alguns eram servos por uma das maneiras, e outros por outra. Havia servos que haviam nascido na casa do seu senhor, servos que haviam sido comprados com o dinheiro do seu senhor, servos que haviam sido conquistados com a sua espada e o seu arco, e servos que haviam se engajado livremente para trabalhar para ele... No caso do crente, há algo que é peculiar e admirável. Ele é servo de Deus por nascimento. Mas ele é mais do que isso – ele é servo de Deus, por compra. E isto não é tudo: ele é servo de Deus por conquista. Sim, e também por engajamento voluntário. Ele é um servo de Deus, não de uma das quatro maneiras, mas de todas elas, juntas. – *Andrew Gray (1805-1861), em "Gospel Contrasts and Parallels"*

v. 2: Não apenas o pior dos meus pecados, mas também a melhor das minhas obras, mostra que sou filho de Adão. – *William Beveridge*

v. 2: Tão longe estou de ser capaz de responder pelos meus pecados, eu não posso responder nem mesmo pela minha justiça. – *Bernard of Clairvaux, 1091-1153*

v. 2: Certa vez, um jovem me disse: "Eu não acho que sou um pecador". Eu lhe perguntei se ele estaria disposto a dar a conhecer a sua irmã ou sua mãe tudo o que ele tinha feito, ou dito, ou pensado – todos os seus movimentos e todos os seus desejos. Depois de um momento, ele respondeu: "Não, eu não gostaria que elas soubessem disto; não, de jeito nenhum". "Então você ousa dizer, na presença de um santo Deus, que conhece cada pensamento do seu coração, 'Eu não cometo pecado'?" – *John B. Gough, Sunlight and Shadow", 1881*

v. 3: "Pois o inimigo", etc. Se alguma vez a aflição for uma causa justa para te invocar, como a minha razão poderá ser menos justa, quando "o inimigo perseguiu a minha alma; abateu-me até ao chão; fez-me habitar na escuridão, como aqueles que morreram há muito"? Tudo isto "o inimigo" me fez: mas que inimigo? Não é o inimigo de toda a humanidade, que me escolheu, como se fosse para um duelo? E eu posso resistir a ele sozinho, quando todo o exército da humanidade não pode? Mas não é o teu próprio inimigo ó Deus, que é meu inimigo porque eu sou teu servo? E tu verás os teus servos perseguidos – perseguidos devido à tua causa – e não os protegerá? Deverei sofrer, sofrer angustiadamente, por tua causa, e tu me abandonarás? Ai! Ó Senhor; se fossem apenas alguns males leves, que me fossem infligidos, eu os suportaria sem me queixar, e nunca traria a ti o meu lamento sobre eles; mas são as três maiores desgraças que se pode imaginar: a maior perseguição, a maior destruição, e o maior cativeiro. Pois que perseguição é mais angustiosa do que ser perseguido em minha alma? Pois o jogo não é diferente para as almas; ele realmente ataca o corpo, às vezes, e às vezes os bens, as posses, mas estas ocasiões são apenas secundárias, o seu principal objetivo é a alma; pois se ele puder conquistar a alma, ele não se preocupa tanto com o corpo ou os bens, mas os usa, para manter os homens em segurança; pois o que quer que ele faça, o que quer que ele deixe de fazer, tudo é feito na perseguição da alma; e ele pode perseguir com prosperidade ou com adversidade, e sabe como adequar as suas várias aplicações. Parece que ele me toma por outro Jó; ele vê que não conseguirá nada comigo adulando nem agarrando, e por isto passa a discutir e atacar; e os seus golpes não são leves, pois "abateu-me até ao chão"; e mais baixo me teria abatido se tu, Deus, não tivesses desviado o seu golpe. Ele me ataca, querendo me abater, para me afastar do céu, tanto quanto puder: e agora que ele vê que estou abatido, não me dá descanso; mas me cerca, e, sendo o príncipe das trevas, ele me faz habitar na escuridão; não por uma noite ou duas, como os homens ficam em suas hospedarias, mas por um tempo muito mais longo, como em sua habitação; e não é uma escuridão comum em que ele me fez habitar, mas a escuridão dos mortos; e no máximo grau, como os que estão mortos há muito tempo. Aqueles que estão mortos há pouco tempo são ainda lembrados, de vez em quando, e mencionados; mas os que estão mortos há muito tempo são tão esquecidos como se nunca tivessem existido; e assim, ai! estou eu. Tanto tempo tive que habitar na escuridão, como se estivesse morto há muitos anos, que aquele que desejar me encontrar deverá estar disposto a me procurar em meio às sepulturas e aos monumentos. Na realidade, habitar na escuridão não é melhor do que na casa da morte: pois enquanto nós estivermos vivos, se às vezes nos faltar a luz do sol, até mesmo a luz de uma vela pode nos bastar; mas eu, ai! sou mantido em tal escuridão que nem o sol do teu Evangelho nem a lanterna da tua lei me fornece qualquer luz. Não posso dizer com a confiança com que disse antes: "Tu acenderás a minha candeia"; e da mesma maneira como um corpo que está morto começa a ficar frio e rígido, e não mais se dobra, também a minha alma com a continuidade no pecado vai ficando endurecida e, de certa forma, rígida no pecado; é tão difícil tornar-me flexível a qualquer bondade como trazer um corpo morto há muito tempo de volta à vida. – *Sir Richard Baker*

v. 3: "Habitar na escuridão". Buscar a minha segurança em covas e lugares obscuros no deserto (veja 2 Sm 17.16). "Como aqueles que morreram há muito". Isto é, onde eu pareço estar sepultado vivo, e não ter mais esperanças de ser restaurado a uma condição feliz neste mundo do que aqueles que estão mortos há muito tempo têm de viver novamente nele. – *Thomas Fenton*

v. 4: "Pelo que o meu espírito se angustia em mim", etc. Davi não era somente um grande santo, mas um grande soldado; no entanto, até mesmo ele estava, de vez em quando, propenso a fraquejar no dia da adversidade. "Gritem, abetos, se os cedros se abalarem". – *Matthew Henry*

v. 4 (segunda parte): "Em mim" – literalmente, "no meu interior"; sugerindo quão profundamente o sentimento tinha penetrado. "Está desolado", ou melhor, "está estupefato", com um sentido similar ao do texto hebraico (Is 59.16; 63.5; Dn 8.27). Também a versão dos caldeus, a LXX, a Vulgata, a Árabe, e a Siríaca, "está agitado". – *Andrew Robert Fausset*

v. 4: "Está desolado". Ou melhor, "está cheio de assombro", literalmente, "está atônito"; busca compreender o mistério dos seus sofrimentos, e é surpreendido em si mesmo, na sua perplexidade; esta é a força da conjugação reflexiva aqui empregada. – *J. J. Stewart Perowne*

vv. 4 e 5: Que juízo infeliz pode ser formado sobre a condição de um homem, com base apenas nas considerações de consolação. Um homem santo, nós podemos ver claramente, pode estar destituído de consolação; o seu espírito pode estar angustiado, e o seu coração, desolado. Mas não foi assim com o próprio santo Jesus? Ele não esteve muito angustiado, e a sua alma não esteve extremamente pesarosa, até a morte? Mas nunca a fé do Salvador e a sua submissão à vontade do seu Pai brilharam de maneira mais brilhante do que naquela hora de escuridão. E a fé de Davi também surge de acordo com a ocasião. A sua provação é grande, e a sua fé também é grande. Dificilmente, quando ele está sobre o monte de louvor, entoando os seus cânticos de Sião no tom mais triunfante, ele parece mais admirável do que quando está lutando, em meio a este doloroso conflito. Ele em tudo é atribulado, mas não angustiado; perplexo, mas não desanimado; perseguido, mas não desamparado; desencorajado, mas não destruído, perseguido, mas não desamparado; abatido, mas não destruído. Ele não tem um braço de carne no qual confiar, e nada em si mesmo que sustente esta esperança; mas com que simplicidade, e energia de confiança, ele se dirige a Deus, revolvendo em sua memória sessões passadas de libertação, e apoiando a sua mente no poder e na verdade de Jeová! "Lembro-me dos dias antigos; considero todos os teus feitos; medito na obra das tuas mãos". – *John Fawcett*

v. 5: "Lembro-me dos dias antigos; considero", etc. Esta meditação me traz tranquilidade para o abatimento do meu espírito, consolação para a desolação do meu coração; pois eu penso, às vezes, em Jonas, na maneira como ele foi subjugado pelas águas e engolido por um grande peixe, e ainda assim foi, por fim libertado; às vezes eu penso em José, na maneira como ele foi deixado abandonado em uma cova, e ainda assim foi, por fim, aliviado; e então eu medito comigo mesmo – o poder de Deus está limitado a pessoas? Será que Ele pôde libertá-los, em suas situações extremas, e não me pode libertar, na minha? – *Sir Richard Baker*

v. 5: "Considero todos os teus feitos". Devemos procurar por Deus, no futuro, mais fervorosamente do que o fizemos no passado – procurar por Ele em vinhas, e pomares, e campos de plantações – na brilhante plumagem das aves, e no florescer delicado das frutas, e na doce graça das flores – na densa folhagem da floresta, e nos arbustos dispersos do pântano – na rica abundância dos vales férteis, e na grandeza irregular dos montes eternos – na dança alegre do riacho, e nas ondas majestosas do oceano – nas cores vivas do arco-íris, e no esplendor dos céus estrelados – no brilho gentil da lua, e na bela luz do sol no crepúsculo – na cor azul clara do céu, e no fausto estranho das nuvens – na paisagem coberta de neve do inverno, e na cintilação brilhante do sol do meio-dia no verão – na virgem delicadeza da primavera, e na beleza desbotada do outono – vamos procurar por Ele, com fervor, sinceridade, e olhar incansável, até virmos que Ele é um Deus de sabedoria, além de poder, de amor, além de soberania, de beleza, além de glória. – *A. W. Momerie, "The Origin of Evil, and other Sermons", 1881*

vv. 5 e 6: "Medito.. Estendo as minhas mãos". A meditação é a criada da oração, que a serve, antes e depois da realização da súplica. É como o arar antes do semear, para preparar o coração para a obra da oração; e como o rastelar, depois do semear, para cobrir as sementes, depois de semeadas. Da mesma maneira como o funil alimenta o moinho com grãos, também a meditação alimenta o coração com assuntos para oração. – *William Gurnall*

v. 6: "Estendo para ti as minhas mãos". Como um pobre mendigo estende a mão em busca de esmolas. A mendicância aqui não é a atividade mais fácil nem a pior, mas é a mais difícil e mais rica de todas as outras. – *John Trapp*

v. 6: "Estendo para ti as minhas mãos", como se eu tivesse esperança de que tu me tomes pela mão e me leves para junto de ti. – *Sir Richard Baker*

v. 6: "A minha alma tem sede de ti", etc. Ai! esta sede é rara, difícil de se encontrar. As sedes mundanas estão em muitos: a sede do bêbado (Dt 29.19); a sede do materialista (Hc 2.5); a sede do epicureu, cujo ventre é o seu deus (Fp 3.19); a sede do ambicioso – Diótrefes (3 Jo 9); e a sede do perverso, a sede de sangue (Sl 5.6). A sede destas coisas afasta aquela sede de graça, sem a qual nunca escaparemos à sede do mergulho no inferno (Lc 16.24). Se nós tivermos uma sede piedosa, ela aparecerá pela diligência ao frequentar o local e os meios da graça (Pv 8.34); por falta de água, os animais selvagens atravessarão cercas, e as almas sedentas de graça conseguirão vencer todos os obstáculos, para chegar até onde possam ter satisfação. – *Thomas Pierson, 1570-1633*

v. 6: "A minha alma tem sede de ti como terra sedenta". Ele declara a sua veemente afeição por Deus com uma comparação apropriada, tomada da terra que está sedenta, pela longa seca do verão, quando a terra, rasgada, de certa forma, e com a boca aberta pela longa sede, busca beber do céu. Com isto, o salmista mostra que veio até Deus destituído de sua essência natural, e por isto busca do céu o que lhe falta. Assim, em todas as suas dificuldades, ele sempre olha para o alto; do alto, ele busca ajuda e consolação. Ainda que estejamos em situações extremas, e de certa forma, rasgados e separados, ainda há consolação – há as águas no céu que nos revigorarão, se as buscarmos com a boca aberta. Aqui está uma bênção – os que têm sede serão satisfeitos. Se tivermos sede de misericórdia, de libertação, de consolação espiritual ou temporal, seremos satisfeitos; pois se Deus ouviu as orações de Agar e Ismael, sedentos no deserto, e lhes abriu uma fonte (Gn 21.17, 19), abandonará Isaque, o filho da promessa? Se Ele ouviu Sansão, na amargura do seu coração, quando disse, "Morrerei eu, pois, agora de sede", e abriu uma fonte com a queixada de um jumento (Jz 15.19), será que Ele nos abandonará no tempo da nossa aflição, se tivermos sede? – *Archibald Symson*

v. 6: "A minha alma tem sede de ti como terra sedenta". Sir John Chardin, em seu manuscrito, diz: "As terras do Oriente, que a grande aridez faz rachar, são a base para esta comparação, que certamente é extremamente bela; pois estas terras áridas têm fendas profundas demais, e uma pessoa não consegue ver o fundo delas; isto pode ser observado nas Índias, mais do que em qualquer outro lugar, pouco antes das chuvas, e onde quer que as terras sejam ricas e duras". – *Harmer, Observations*

v. 6: "Estendo para ti as minhas mãos", etc. Não é estranho, então, que a alma encontre a sua vida em Deus. Este é o seu ar nativo: Deus, como o Ambiente da alma, tem sido, desde a era mais remota, a doutrina de todos os mais profundos pensadores na religião. Quão profundamente a poesia hebraica está saturada com este elevado pensamento, é algo que ficará claro quando tentarmos concebê-la sem incluí-lo. A verdadeira poesia é apenas ciência sob outra forma. E muito antes que fosse possível que a religião fornecesse expressão científica às suas maiores verdades, homens de discernimento se expressavam nos salmos, que não poderiam ter sido mais fiéis à natureza, se a mais moderna luz controlasse a sua inspiração. "Como o cervo brama pelas correntes das águas, assim suspira a minha alma por ti, ó Deus!" Que excelente sentido da analogia natural entre o natural e o espiritual estas palavras destacam. Da mesma maneira como o cervo busca o seu ambiente, também o homem busca o seu; da mesma maneira como as correntes das águas são apropriadamente designadas para satisfazer as necessidades naturais, com a mesma propriedade Deus supre a necessidade espiritual do homem. Pode-se notar que, nos poetas hebreus, o anseio por Deus nunca parece mórbido, nem pouco natural para os que o professam. É tão natural que eles anseiem por Deus como o é que as andorinhas procurem o seu ninho. Em todas as suas imagens, não surge nenhuma suspeita em nós de que estejam exagerando. Nós sentimos quão fielmente eles se veem, em seu mais profundo ser. Nenhuma nota falsa aparece, em toda a sua aspiração. Não há cansaço, nem mesmo no seu incessante suspirar, exceto o cansaço do amante pelo ausente – se pudessem voar, seria somente para descansar. Os homens que não têm alma podem apenas se maravilhar com isto. Os homens que têm uma alma, mas pouca fé, podem apenas invejar isto. Que felicidade era para os hebreus buscar o seu Deus! De que maneira natural eles o invocam, para recebê-los no seu pavilhão, cobri-los com as suas penas, escondê-los no seu lugar secreto, segurá-los na palma da sua mão, ou envolvê-los com os braços eternos! Estes homens eram verdadeiros filhos da natureza. Como o beija-flor, entre as suas palmeiras, como algo efêmero, sob o sol de uma tarde de verão, também eles viviam suas vidas alegres. E até mesmo a plenitude das mais tristes experiências da vida, que vêm a todos eles, apenas os levam ainda mais para dentro do lugar secreto, e os leva, com mais consagração, a fazer, como eles mesmos o expressaram, "do Senhor a sua porção". Tudo o que foi dito, desde Marco Aurélio até Swedenborg, desde Agostinho a Schleiermacher, sobre um Deus dominante, como o pleno complemento da humanidade, é apenas uma repetição da fé dos poetas hebreus. E até mesmo o Novo Testamento não tem nada mais elevado a oferecer ao homem, do que isto. A expressão do salmista, "Deus é o nosso refúgio e fortaleza" é apenas a forma anterior, menos definida, menos praticável, mas não menos nobre, da expressão de Cristo, "Vinde a mim, e eu vos aliviarei". – *Henry Drummond, Natural Law in the Spiritual World", 1884*

vv. 6 e 7: "Estendo as minhas mãos... Ouve-me", etc. Assim as mãos cansadas se levantarão novamente, pela fé naquele que estendeu as suas mãos sobre a cruz. Assim a alma desanimada esperará e ansiará pelo derramamento da graça, da graça daquele que, sobre a cruz, disse, "Tenho sede". Todos temos sede da nossa salvação, da mesma maneira como os campos áridos e as ervas moribundas parecem ofegar e arquejar, como coisas vivas, ansiando pelas doces e revigorantes chuvas no forte calor do verão. Assim a alma clamará para ser ouvida, e logo, antes que a sua fé esmoreça com a demora; e o esconder da face de Deus, o negar do seu sorriso de perdão, afetarão o espírito como uma doença, e o oprimirão, como o peso da morte. – *J. W. Burgon*

v. 7: "Ouve-me depressa". Davi está em dificuldades, e ele se entrega à oração. A oração é o remédio soberano a que os piedosos recorrem, em todas as suas aflições. Os santos angustiados corriam em busca de consolação e cura nas orações e súplicas. O céu é um depósito cheio de todas as boas coisas – ali estão armazenadas bênçãos, misericórdias e graças; disto sabe o filho de Deus, que corre até este depósito em meio a sua aflição, implorando pela ajuda deste santo santuário. "No dia da minha angústia busquei ao Senhor" (Sl 77.2). Quando qualquer aflição nos torna a vida angustiosa, o que devemos buscar, senão ajuda? De quem devemos buscá-la, senão do Senhor? Como devemos buscá-la, senão pela oração?... "Depressa". O seu pedido não é apenas para que Deus o ouça, mas que o ouça depressa: "Ouve-me, e ouve-me depressa", atende-me, e atende-me depressa. Este é o tom dos homens em aflição. O homem em desgraça busca fervorosamente um rápido socorro. Nas nossas aflições e dificuldades, a libertação, ainda que venha com asas, nunca virá suficientemente rápido, é o que pensamos. O homem fraco não consegue se contentar em saber que terá ajuda, a menos que seja uma ajuda imediata. – *Thomas Calvert, 1647*

v. 7: "O meu espírito desfalece". Esta é a primeira razão que Davi tem para comover o Senhor: ele está esgotado, e está praticamente entregando o espírito, pela longa espera pela ajuda: com base na sua condição abatida, podemos ver qual é frequentemente a condição dos filhos de Deus – e o melhor dos servos de Deus espera por consolação e por sentir a presença do seu Espírito, até o desfalecer do seu próprio espírito. Davi, um homem segundo o coração de Deus, é abatido pelo esmorecer e desfalecer do seu coração, na espera pela ajuda de Deus. "No suor do teu rosto, comerás o teu pão" (Gn 3.19); isto está sobre os filhos dos homens. Mas aqui, não é apenas o suor do rosto, que era pouco, mas suspiros e desfalecimento do coração estão sobre os filhos de Deus, na busca e na fome de sentir o sabor do pão da vida que é concedido por Deus, de consolação interior, segurança e tranquilidade do Espírito Santo. Assim a igreja foi trazida a este leito antes que chegasse a sua consolação: "Por essas coisas, choro eu; os meus olhos, os meus olhos se desfazem em águas; porque se afastou de mim o consolador que devia restaurar a minha alma" (Lm 1.16). Os espíritos dos discípulos estavam desfalecendo na tempestade, quando Cristo dormia e parecia negligenciá-los, como se Ele não se importasse com a possibilidade de que eles perecessem. Como os nossos espíritos podem fazer outra coisa, senão desfalecer, quando o nosso Consolador dorme, quando o nosso único amigo parece ser nosso inimigo?

O desfalecimento do espírito é um motivo para que alguém ceda a Deus e seja conquistado por Ele, e é também a sua oportunidade para ajudar o necessitado. É um forte motivo, em nossas orações, para comovê-lo, pois Ele é piedoso, e não deixará que os seus filhos desfaleçam e pereçam. Ele é um Espírito misericordioso para os espíritos que desfalecem. "Para sempre não contenderei (diz o Senhor), nem continuamente me indignarei"; por que? Nós merecemos que a sua ira dure e nos combata para sempre; mas (diz o Senhor), este é o motivo, "Porque o espírito perante a minha face se enfraqueceria, e as almas que eu fiz" (Is 57.16). Eu amo e me apiedo das almas e espíritos desfalecidos dos homens; Eu ajudarei os meus filhos; como posso ver as minhas criaturas, a quem criei e realmente amo, perecer por falta da minha ajuda? Davi conhecia a natureza do Senhor, e o fato de que ela era um argumento de aceleração na oração, que fazia com que o Senhor o usasse aqui e ali tão frequentemente. O Pai misericordioso não deseja ver o espírito de seus filhos desfalecer completamente. Esta é a sua oportunidade. Ele nos ajuda normalmente, quando todos os outros socorros falham, para que possamos nos apegar ainda mais intensamente a Ele, e nos apoiarmos firmemente nele, sabendo como somos instáveis, se Ele não nos confirmar. Quando o reservatório do homem está seco, e falha, e não fornece mais nenhuma gota, então é o momento de Deus preparar o seu. Assim Ele ajudou os israelitas no Mar Vermelho, quando toda a força e sabedoria dos homens estavam em um impasse. Ele se apraz em ser visto no monte, nas aflições. – *Condensado de Thomas Calvert*

v. 7: A oração de Davi se torna, à medida que avança, mais espiritual e também mais fervorosa. No versículo 6, nós o vemos sedento de Deus, e agora essa sede se tornou tão intensa que não admite mais demora. No princípio do salmo, ele estava satisfeito em dizer, "Ouve a minha oração", mas agora ele clama, "Ouve-me depressa". Esta não é a linguagem da impaciência pecaminosa, mas, na verdade, é bom que o homem tenha esperança e aguarde em silêncio a salvação do Senhor; no entanto, um homem pode desejar, não apenas uma resposta, mas também uma rápida resposta, sem incorrer na acusação de impaciência. Aquilo que um homem desejar ter, ele desejará ter logo; ele não pode deixar de se angustiar com alguma coisa que retarda o cumprimento de seus desejos. Neste desejo ou nesta angústia não há nada de pecaminoso, se não levar a murmurações ou desconfiança contra Deus. Assim, este pedido de um rápido alívio, e a manifestação da presença e da benevolência de Deus são muito frequentes na vida do salmista.

Ele ora, com frequência, "Apressa-te, ó Deus, em me livrar; apressa-te em ajudar-me". Na verdade, se um homem não deseja a luz do rosto de Deus com rapidez, isto certamente é uma prova de que ele não a deseja. Se a linguagem natural do seu coração não for "ouve-me depressa", a demora para ele não é um exercício de paciência. A própria ideia da paciência implica que algo é contrário ao nosso desejo; e quanto mais forte o desejo, mais difícil será este exercício de paciência.

"A esperança demorada enfraquece o coração", e por isto Davi acrescenta, "O meu espírito desfalece". Ele realmente acreditava ver a bondade do Senhor na terra dos viventes; tão intenso era o seu desejo, que a fé mal podia impedir que desfalecesse o seu coração, enquanto a bênção, que ele buscava tão fervorosamente, parecia ainda distante e se afastava dele. Ele teme que, se Deus tardar muito tempo e se afastar, a fé e a esperança não mais poderiam resistir. Por isto, suplica, "não escondas de mim a tua face, para que eu não seja semelhante aos que descem à cova", e alega o desfalecimento do seu espírito diante daquele que "para sempre não contenderá, porque o espírito perante a sua face se enfraqueceria". – *John Fawcett*

vv. 7, 8, 10 e 11: Observe como Davi mescla orações por alegria, por orientação, e por santificação – "Não escondas de mim a tua face". "Faze-me saber o caminho que devo seguir". "Ensina-me a fazer a tua vontade". "Faze-me ouvir a tua benignidade pela manhã". "Vivifica-me, ó Senhor, por amor do teu nome". Isto é absolutamente correto: as nossas orações, bem como a nossa obediência, devem ser sem parcialidade; na verdade, devemos desejar a consolação por causa da santidade, em lugar da santidade por causa da consolação. – *John Fawcett*

v. 8: "Faze-me ouvir a tua benignidade". Aqui, ele anseia pela benevolência e pela bondade de Deus, como faz em muitos outros salmos. Como na sua benevolência há vida, riqueza, e graça, todas as boas coisas, e o prazer para sempre, de modo que se Ele olhar bondosamente para nós, não precisamos ter medo de nada. Mas como ele pode ser assegurado da sua benevolência? Até mesmo por ouvi-la, como disse no salmo 51: "Faze-me ouvir júbilo e alegria". A voz que é ouvida é a palavra de Deus que, sendo apreendida pela fé, é capaz de consolar as nossas almas, qualquer que seja a provação. Não é de admirar que os ateus e papistas que rejeitam completamente a Palavra de Deus vivam sem consolação e morram sem consolação, porque recusam o instrumento que lhes traria a alegria. Com razão, morrem de sede, porque rejeitam aquele cálice precioso, a Palavra de Deus, com a qual poderiam se revigorar. Portanto, uma vez que a fé vem de ouvir a palavra de Deus, e toda a nossa consolação nos vem por meio dela, devemos orar para que Deus sustente os nossos ouvidos e os nossos corações, para que possamos receber as boas novas da reconciliação com Deus.

"Faze-me saber o caminho que devo seguir." A segunda súplica deriva da primeira. Pois quando obtemos uma certeza da benevolência de Deus, quando Ele se reconcilia conosco em Jesus Cristo, a consequência é que devemos desejar conformar a nossa vida à obediência aos seus mandamentos. Pois nenhum homem se disporá a andar nos caminhos de Deus, a menos que tenha a segurança da benevolência de Deus. Por isto, a fé nas promessas de Deus é a causa mais eficaz para produzir boas obras, e uma certeza da justificação é o meio mais seguro para produzir santificação.

"Porque a ti levanto a minha alma." Veja que resultado maravilhoso Deus obtém, por meio das aflições: elas deprimem e abatem o homem exterior, e o nosso homem interior, por causa delas, é elevado e exaltado; sim, quanto mais somos afligidos, mais somos estimulados. Quanto mais frequentemente o mensageiro de Satanás é enviado para nos esbofetear, mais fervorosamente (como Paulo) clamamos ao Senhor, pedindo para ser livrados (2 Co 12.8). Assim, se estivermos abatidos e se tivermos descido ao inferno em nossos sentimentos, que importa, se com isto formos exaltados ao céu? – *Archibald Symson*

v. 8: "Faze-me ouvir a tua benignidade pela manhã", etc. Ouvir a tua benignidade pela manhã faz com que o meu despertar seja saudado, de certa forma, com música; faz com que os meus problemas pareçam como se fossem apenas sonhos; faz com que eu perceba que é verdade que embora "o choro pode durar uma noite, mas a alegria vem pela manhã" (Sl 30.5)... Bem podemos dizer que ouvimos esta benignidade pela manhã, vendo que ela faz com que seja manhã para nós, não importando quando a ouvimos. – *Sir Richard Baker*

v. 8: "Faze-me ouvir a tua benignidade pela manhã". Se o mal nos vier durante a noite, o teremos removido antes da manhã; se o mal nos vier pela manhã, não o teremos junto ao nosso leito à tarde. Nós desejamos a promessa de Deus desta maneira – o seu choro não durará uma noite inteira, a sua alegria virá muito antes da manhã. O luxuoso imperador (? Smyndirides o Sibarita) e seus companheiros embriagados se sentaram e beberam a noite inteira, e dormiram o dia todo, a ponto de, sobre eles, ter sido dito que nunca mais veriam o pôr-do-sol, nem o nascer do sol.

Assim desejaríamos que fossem os males de que sofremos – de curta duração, para que nem o pôr-do-sol, nem o nascer do sol, nos vissem em nossa desgraça. Isto faz com que eu me admire, daquele estranho e brutal homem egípcio, chamado Faraó, que, quando Moisés lhe perguntou quando desejava ver removida a praga de rãs, enviada por Deus, respondeu, "Amanhã". Certamente, aqui ele não falou como um homem, a quem uma hora de aflição é considerada um dia, e um dia, um mês, e um mês, um ano. Pois ao deixarmos duas coisas modificamos os nossos desejos, e passamos a ser muito diferentes:

1. Quando se trata de deixar o pecado, adiamos e postergamos; e quando Deus diz, "Ouve a minha voz hoje", nós respondemos, "Amanhã", e somos como o pai da esposa do levita (Jz 19.6), anfitriões excessivamente gentis com hóspedes extremamente maus, dizendo aos nossos pecados, "Peço-te que ainda esta noite queiras passá-la aqui". A nossa velocidade para nos arrepender é lenta, estamos longe de nos apressar neste aspecto.

2. Mas para que as aflições nos deixem, então desejamos que elas tivessem pés como pés de corça, para se afastar de nós, ou desejamos que nós tivéssemos asas de pomba, para voar para longe delas, e ficar em tranquilidade... que prisioneiro não deseja estar em liberdade imediatamente, e que a mão suave desta liberdade possa soltar os seus grilhões de ferro? Que marinheiro deseja uma tempestade demorada? Que servo não suspira pelo seu difícil aprendizado? Sim, quem é aquele, que se houvesse uma aparição de uma oferta para tirar o cálice da calamidade de sua boca, dizendo, "não mais beberás", responderia, "não passe de mim este cálice, eu me delicio em beber profundamente destas águas amargas"? Sim, este desejo vai tão longe, que chega até o Filho do Homem, a bendita Semente da mulher, que estava tão revestido com a fraqueza humana, que orou fervorosamente, pedindo rápido socorro da sua pesada angústia; e isto não aconteceu uma vez, mas foi frequente – "Meu Pai, se é possível", etc.; e quando o seu Pai não responde, Ele clama, como alguém prestes a cair sob o peso, "Deus meu, Deus meu, por que me desamparaste?" A razão para esta queixa de Cristo deve ser obtida de onde veio a sua carne; de nós. Era a nossa carne humana, e não o seu espírito Divino, que estava tão cansada de sofrer; o seu espírito estava disposto, era a nossa carne que estava muito fraca. – *Thomas Calvert*

v. 8: "Faze-me ouvir a tua benignidade pela manhã". Esta é uma curta e doce oração para a manhã. Deus ouve a oração da manhã, e a responde amorosamente. O sorriso do seu rosto, a doçura da sua voz, as dádivas da sua mão, abençoam a manhã, abençoam todo o dia. Nós escrevemos e lemos de maneira experimental? Então conhecemos a bem-aventurança do amor divino. O assunto é verdadeiramente agradável e precioso. "Benignidade" é uma expressão favorita, um tema predileto de Davi. Ela é usada mais no livro dos Salmos do que em qualquer outro livro das Escrituras. Benignidade é o amor mostrando bondade; é o sol do amor, brilhando com raios de bondade; o rio do amor, emitindo correntes de bondade; é o coração do amor, expressando-se com palavras de bondade, fazendo obras e concedendo dádivas de bondade.

Aqui está a voz da benignidade do Senhor que Davi anseia por ouvir. Esta voz é a música do céu, o alegre som do Evangelho, que provoca júbilo no coração do cristão. Para ele, há beleza, doçura, plenitude no tema; é a sua alegria, o seu júbilo. Esta é a voz que transmite perdão. O perdão é, por intermédio de Jesus, o meio desta bondade. Sem isto, não há esperança de perdão. Nós pedimos e recebemos o perdão. "Tem misericórdia de mim, ó Deus, segundo a tua benignidade; apaga as minhas transgressões, segundo a multidão das tuas misericórdias" (Sl 51.1). É a benignidade do Senhor que me perdoa. Esta voz transmite paz: "O Senhor falará de paz ao seu povo". A paz preciosa é o resultado da bondade que perdoa. Esta voz também transmite alegria. Esta é a única fonte de alegria, uma fonte autossuficiente. A alegria é buscada em todas as partes, mas é encontrada apenas aqui. Ela adoça toda a amargura, e torna mais doce o que é doce. Ela é um bálsamo para cada ferida, um revigorante para cada temor. A alegria atual é apenas uma amostra, apenas uma gota da abundância futura de alegria. Quão docemente refrescante é a alegria da benignidade do Senhor. Esta voz transmite esperança. Com a doce música desta voz, caindo em nossos ouvidos, a noite da desesperança se vai, e a manhã da expectativa se abre para nós. Ela nos assegura do suprimento de nossas necessidades, da segurança em meio ao perigo, da resistência até o fim, e de uma gloriosa porção na eternidade.

"A manhã" é o momento em que Davi deseja ouvir a voz da benignidade do Senhor. A manhã é um momento frequentemente mencionado por ele, e como um momento de devoção, é muito valorizado por ele. "Pela manhã, ouvirás a minha voz, ó Senhor; pela manhã, me apresentarei a ti, e vigiarei" (Sl 5.3). "Faze-me ouvir a tua benignidade pela manhã"; permite que ela engaje os meus pensamentos e sentimentos. É bom ter um assunto como este para ocupar os nossos pensamentos ao despertar, e para se apropriar dos nossos primeiros desejos. Se outros pensamentos entrarem em nossos corações pela manhã, podemos não ser capazes de afastá-los durante todo o dia. A oração e o louvor, a leitura e a meditação, serão doces com tal assunto ocupando e influenciando as nossas mentes. Elas serão exercícios de alegria, jovialidade, liberdade e bem-aventurança.

"Faze-me ouvir" esta voz. Ela fala todas as manhãs, mas muitos ouvidos estão surdos para ela. Mas embora outros sejam indiferentes a ela, faze-me ouvi-la; não permitas que eu perca a oportunidade: desperta o meu ouvido pela manhã, para que eu possa saudar a ocasião e aproveitar o privilégio. E quando vier a manhã da eternidade, "Faze-me ouvir a tua benignidade" dando as boas vindas às suas alegrias. – *W. Abbot, The Baptist Messenger", 1870*

v. 8: "Faze-me saber o caminho que devo seguir". Todo o vale está rodeado por cordilheiras de penhascos majestosos, mas o monte de Gemmi, aparentemente completamente inacessível, é o último ponto ao qual você se dirigiria para uma saída. Uma garganta que o leva até as geleiras e pirâmides nevadas que reluzem sobre você na direção oposta é o caminho que você supõe que o seu guia irá tomar; e visões de pedestres perigosamente escalando precipícios congelados, ou lutando em meio a montes nevados, começam a rodeá-lo, como a perspectiva da sua própria experiência, no desenrolar deste dia. Tão convencido eu estava de que o caminho devia seguir naquela direção, que tomei um atalho, imaginando que o mesmo fosse me levar de volta ao caminho das mulas, em um ponto abaixo das geleiras; mas depois de escalar precipícios e me perder em um bosque de abestos no vale, eu me alegrei em me reunir ao meu amigo com o guia, e a continuar a escala em pura ignorância e assombro... Que assombroso símbolo é este, de coisas que, às vezes, acontecem na nossa peregrinação espiritual. Nós somos frequentemente trazidos a uma pausa, cercados e rodeados pela providência de Deus, de modo que não pareça haver saída. Um homem é lançado, às vezes, a dificuldades, em que ele se senta, começando a se desesperar, e diz consigo mesmo, "Bem, desta vez estou acabado"; como o estorninho de Sterne, ou, pior, como o homem na jaula, de Bunyan, ele diz, "não posso sair". Então, depois que Deus extraiu dele toda a autoconfiança e os seus próprios recursos, uma porta se abre na parede, e ele sobe e anda em liberdade, louvando a Deus. – *George Barrett Cheever, 1807-*

vv. 8 a 10: Depois de orar, observe o que Deus faz para você, especialmente a maneira como Ele guia os seus pés e o seu coração, depois da oração; isto lhe diz muito. Aquilo que era o espírito de súplica em um homem, quando ele orava, descansa nele como o espírito de obediência no seu caminho. A dependência que ele tem de Deus, para a misericórdia que ele busca, é um motivo especial, e tenciona conservá-lo temeroso de transgredir, e diligente no dever. Ele confia nos seus caminhos, e se esforça para se comportar como convém a um suplicante, bem como orar como um suplicante. Davi andava de acordo com este princípio, quando disse, "Se eu atender à iniquidade no meu coração, o Senhor não me ouvirá" (Sl 66.18), esta consideração ainda vinha como um freio para o pecado. Portanto Davi, nestes versículos, quando devia orar pela sua própria vida, por libertação de seus inimigos, ora especialmente para que Deus o oriente e o guarde, para que não peque contra Ele; pois ele sabia que, pecando, enfraqueceria e arruinaria todas as suas orações. Ele clama não somente "Ouve-me depressa", mas também "faze-me saber o caminho que devo seguir; ensina-me a fazer a tua vontade". Por isto, ele ora especialmente, mais do que pela libertação, pois, se não fosse assim, ele sabia que Deus não o ouviria. Por isto, quando você estiver pedindo a Deus alguma bênção, observe: Depois de orar, Deus ainda lhe conserva em um estado de espírito mais obediente? Caso afirmativo, isto é um sinal de que Ele pretende responder a você. A mesma coisa é verdade, quando Ele nos impede de usar maus meios, etc. Quando Ele tencionava dar a Davi o reino, Ele o conservou inocente, e tornou terno o seu coração, de modo que isto fez com que ele apenas cortasse a borda do manto de Saul. – *Thomas Goodwin*

v. 9: "Livra-me, ó Senhor, dos meus inimigos". No versículo anterior, ele deseja a misericórdia e a benignidade de Deus, e que lhe seja mostrado o caminho em que deve andar; agora, ele deseja ser livrado do perigo temporal. Este é um bom método na oração, primeiramente buscar o Reino de Deus e as graças espirituais, pois então todas as outras coisas nos serão acrescentadas. Nós buscamos em vão as libertações temporais de Deus, se negligenciamos a busca das graças espirituais, que são mais necessárias para nós.

Quanto aos inimigos, à igreja e aos seus membros nunca faltaram incontáveis adversários, e nunca faltarão, contra os quais somente podemos nos opor com a proteção de Deus. Em número, em poder, em política e em sutileza, eles sempre são superiores a nós. Não há ajuda para nós contra eles, senão o nosso Deus bondoso. Esaú veio com quatrocentos homens contra Jacó, um homem indefeso, com sua esposa, seus filhos e seus rebanhos, mas Maanaim estava com ele; ele estava protegido pelos anjos de Deus. E, portanto, uma vez que a igreja de Deus na França, na Alemanha, e em toda a parte corre perigo do Leviatã e dos filhos de Anaque, devemos correr para o Senhor e clamar a Ele: Ó Deus Jeová, que és Um contra todos, liberta a tua igreja de seus inimigos, que são igualmente teus inimigos. – *Archibald Symson*

v. 9: "Em ti é que eu me refugio". Será que a coragem de Davi se resume a isto, que ele agora fica satisfeito por fugir? Não teria sido melhor morrer valentemente a fugir de maneira infame? Ó, alma minha, fugir nem sempre é um sinal de infâmia, nem é sempre uma questão de coragem resistir; mas fugir quando sentimos a nossa própria fraqueza, e fugir para junto dele, em quem está a nossa força – isto é, se não coração, pelo menos sabedoria, mas é, para dizer a verdade, tanto sabedoria como real coragem. E agora, ó Deus, vendo a minha própria fraqueza, e conhecendo a tua força, o que deveria eu fazer, senão fugir, e para onde fugir, senão somente para junto de ti? – para junto de ti, uma robusta fortaleza para todos aqueles que se edificam em ti; para junto de ti, um santuário seguro para todos os que fogem para junto de ti. – *Sir Richard Baker*

v. 9: "Em ti é que eu me refugio". Isto sugere, 1. Perigo: o cristão pode estar em perigo, do pecado, de si mesmo, de adversários. 2. Temor: os seus temores podem ser infundados, mas frequentemente são muito dolorosos. 3. Incapacidade – de se defender de seus oponentes ou derrotá-los. 4. Presciência: ele vê a tempestade à distância, e procura o abrigo. 5. Prudência: ele se esconde antes da tempestade, antes que o inimigo venha sobre ele. 6. Uma louvável preocupação por segurança e consolação. O crente, se for sábio, fugirá para junto de Jeová, em todos os momentos. Jacó foge para junto de Labão; o homicida, para o refúgio; o pássaro, para o seu monte; e o cristão, para o seu Deus. Asa pode procurar os médicos; Efraim, o rei

Jarebe; e Saul, à feiticeira, mas o crente busca o seu Deus. O Senhor recebe, faz amizade, e o protege. Devemos fugir para junto dele, por meio da oração, com fé e com esperança, para a salvação; e Ele nos receberá, nos abrigará, e será o nosso refúgio e a nossa fortaleza. Fugir do pecado, de nós mesmos, do mundo; mas fugir para junto de Jesus. O seu coração está sempre voltado para nós, o seu ouvido está aberto para nós, e a sua mão está pronta para nos ajudar, proteger, e livrar. O seu trono é o nosso abrigo. A sua promessa é a nossa consolação, e a sua onipotência é nossa proteção.

Feliz é a alma que, livre do mal,
descansa nos braços do seu Pastor!
Quem irá molestar a sua tranquilidade?
Quem irá violar o seu descanso?
Aquele que encontrou a ovelha perdida
ama e ainda se alegra por proteger.
– James Smith, "The Believer's Daily Remembrancer"

v. 9: "Em ti é que eu me refugio". O Senhor escondeu os profetas, para que Acabe não pudesse encontrá-los (1 Rs 18.13). Se nos escondermos debaixo das suas asas, certamente Ele irá nos proteger. – *Archibald Symson*

v. 9: "Em ti é que eu me refugio". Pode ser traduzido, "Contigo me escondi"; isto é, eu mesmo; este é o sentido dado por Arama. "Em ti é que eu me refugio". Jarqui, Aben Ezra, e Kimchi interpretam desta maneira, "Escondi meus problemas e meus apuros, minhas dificuldades e necessidades dos homens, e as revelei a ti, que és o único que pode salvar". O Targum diz, "Eu nomeei a tua Palavra para ser (meu) Redentor". – *John Gill*

vv. 9 e 10: Deixe-se persuadir a se refugiar em Jesus Cristo. Ter um esconderijo e não usá-lo é tão ruim como não ter nenhum: corra para Cristo; corra para as aberturas desta rocha. Três coisas devem ser feitas por todos aqueles que desejam se refugiar em Cristo.

1. Você deve se afastar do pecado, pelo arrependimento. Jesus Cristo não será um santuário para rebeldes, Ele não protegerá os malfeitores. Cristo nunca esconderá o diabo nem nenhum dos seus servos: "Deixe o ímpio o seu caminho" (Is 55.6,7), etc. Davi sabia disto, e por isto ele ora para que Deus o ensine a fazer a sua vontade: "Livra-me, etc. Em ti é que eu me refugio. Ensina-me a fazer a tua vontade". Aquele que não fizer a vontade de Cristo não receberá nenhuma proteção de Cristo. Protectio sequitur allegiantiam. Vocês devem ser o seu povo vassalo, se quiserem que Ele lhes defenda. (Jó 22.23,25).

2. Vocês devem orar para que Ele lhes esconda. A promessa é feita àqueles que orarem: "Sarom servirá de curral de ovelhas, e o vale de Acor, de lugar de repouso de gado, para o meu povo que me buscar" (Is 65.10). Aquele que ora mais fervorosamente provavelmente será escondido de forma mais segura. E, então,

3. Você deve crer nele. A fé é a chave que abre a porta deste esconderijo, e a fecha outra vez. Uma palavra do texto hebraico significa confiar e fazer um refúgio (Sl 57.1). Aquele que não faz de Cristo a sua confiança não terá Cristo como seu esconderijo; Ele não esconderá ninguém, exceto os que se entregam a Ele: "Pô-lo-ei num alto retiro, porque conheceu o meu nome" (Sl 91.9, 14). – *Ralph Robinson*

v. 10: "Ensina-me a fazer a tua vontade". Ele não diz, Ensina-me a conhecer a tua vontade, mas fazer a tua vontade. Deus nos ensina de três maneiras. Em primeiro lugar, pela sua palavra. Em segundo lugar, Ele ilumina as nossas mentes pelo Espírito. Em terceiro lugar, Ele a grava em nossos corações, e nos torna obedientes a ela, pois o servo que soube a vontade do seu senhor e não se aprontou, nem fez conforme a sua vontade, será castigado com muitos açoites (Lc 12.47). – *Archibald Symson v. 10:* "Ensina-me a fazer a tua vontade". Nós devemos orar para que Deus nos ensine a conhecer, e então nos ensine a fazer, a sua vontade. O conhecimento sem a obediência é coxo; a obediência sem o conhecimento é cega, e nunca devemos ter esperança de aceitação, se oferecermos a cega e o coxo a Deus. – *Vincent Alsop (-1703), The Morning Exercises*

v. 10: "Ensina-me a fazer a tua vontade". O Senhor não chama logo o seu povo para junto de si, mas tão logo Ele os coroa com estes gloriosos privilégios, e lhes dá algum sentimento, então imediatamente eles clamam, ó Senhor, que farei agora por ti? Como viverei agora para ti? Eles sabem agora que não pertencem mais a si mesmos, mas a Ele, e por isto agora devem viver para Ele.

É realmente verdade que a obediência à lei não é exigida de nós agora como era de Adão; a obediência era exigida dele, como uma condição antecedente à vida, mas dos que estão em Cristo é exigida somente como um dever consequente à vida; ou como uma regra de vida, de modo que como Ele comprou as nossas vidas em redenção, e, na realidade, nos deu a vida em vocação e santificação, agora devemos viver para Ele, com toda a obediência frutífera e agradecida, de acordo com a sua vontade revelada na lei moral. É inútil imaginar que a nossa obediência é não ter nenhuma outra regra senão a do Espírito, sem uma observância à lei: o Espírito é, realmente, a causa eficaz da nossa obediência, e por isto dizemos ser "guiados pelo Espírito" (Rm 8.14); mas isto não é propriamente a regra da nossa obediência, mas a vontade de Deus, revelada na sua palavra, especialmente na lei, é o governo; o Espírito é o vento que nos conduz na nossa obediência; a lei é a nossa bússola, que, de acordo com o vento, define o nosso caminho: o Espírito e a lei, o vento e a bússola, podem andar juntos. "Ensina-me a fazer a tua vontade, pois és o meu Deus" (este é o governo de Davi, ou seja, a vontade revelada de Deus); "O teu bom Espírito" (aqui está o vento de Davi, que lhe permitia definir o seu curso de acordo com ele). O Espírito da vida nos liberta da lei do pecado e da morte; mas não da santa, e pura, e boa, e justa, lei de Deus (Rm 8.1-3). – *Thomas Shepard, The Sound Believer", 1671*

v. 10: "Ensina-me a fazer a tua vontade", etc. Nós somos inclinados e capacitados [para o bem], pelo Espírito santificador. Na religião cristã, não somente os preceitos são bons, mas os acompanha o poder de Deus, para nos fazer o bem. "Ensina-me a fazer a tua vontade, pois és o meu Deus; o teu bom Espírito". A orientação do Espírito traz consigo força. E é um bom Espírito, uma vez que nos inclina para o bem. O Espírito é a única fonte de toda bondade e santidade: "[Tu] deste o teu bom espírito, para os ensinar" (Ne 9.20). Por que Ele é tão frequentemente chamado de bom espírito, senão porque todas as suas operações tendem a tornar os homens bons e santos? "O fruto do Espírito está em toda bondade, e justiça, e verdade" (Ef 5.9). – *Thomas Manton*

v. 10: "Guie-me o teu bom Espírito", diz o salmista. E por isto esta é uma frase usual, em Rm 8 e Gl 4, o fato de sermos guiados pelo Espírito. – Thomas Goodwin.

v. 10: "Guie-me o teu bom Espírito por terra plana", para a comunhão dos santos, a terra agradável dos justos; ou por um caminho de vida santa, que conduzirá ao céu, aquela terra plana de justiça, onde a santidade estará na perfeição, e aquele que é santo ainda se manterá santo. Nós devemos desejar ser conduzidos e mantidos a salvo no céu, não somente porque é uma terra de bem-aventurança, mas porque é uma terra de justiça; é a perfeição da graça. – *Matthew Henry*

v. 10: "Guie-me". Por natureza, o homem é como um aleijado e cego, ele não pode andar direito, a menos que seja guiado por um espírito superior; ele deve ser carregado, como uma águia carrega os seus filhotes, ou uma mãe o seu filhinho. Não pense que podemos dar um passo correto para o céu, sem a condução e a escolta do Santo Espírito de Deus. Infelizes são aqueles que vivem sem a sua direção. – *Archibald Symson*

v. 10: "Terra plana". Mishor é o nome da campina abaixo de Moabe (Dt 3.10; Js 13.17; 20.8; Jr 48.8, 21). Derivada da raiz yashar, "terra plana", naturalmente veio a ser usada de maneira figurada, com o significado de equidade, direito, justo, justiça, e retidão (Ml 2.6; Is 11.4; Sl 45.7; 67.5; 143.10). – *Cunningham Geikie, Hours with the Bible", 1884 v. 10:* "Terra plana". A terra plana, uma terra onde nenhuma iniquidade dos homens, nem maldade de Satanás, perturba a alma, de um dia a outro; uma terra onde nenhum caminho áspero e tortuoso aumenta a jornada cansativa do viajante (veja v. 5); mas onde tudo é como as planas pastagens de Rúben (Dt 3.10; Js 13.9), um lugar apropriado para apascentar os rebanhos. – *Andrew A. Bonar*

v. 11: "Vivifica-me, ó Senhor, por amor do teu nome". Por amor da tua própria glória, para que possas mostrar que és o Deus de benignidade e poder que se imagina que és. – *Andrew Robert Fausset*

v. 11: "Por amor da tua justiça". Vale a pena observar que o salmista alega a justiça de Deus como a fundação sobre a qual ele baseia a sua súplica para a libertação da sua alma das dificuldades, e a benignidade de Deus, ou a sua misericórdia, como aquilo sobre o que ele fundamenta a sua oração, ou a sua convicção, de que Deus irá destruir os seus inimigos. Esta não é a linguagem de um espírito vingativo e sedento de sangue – *Speaker's Commentary*

v. 11: "Tira a minha alma da angústia". Eu consigo conduzir a minha alma à angústia, mas somente tu podes tirá-la desta situação. – *John Trapp*

vv. 11 e 12: "Por amor do teu nome... por amor da tua justiça... e por tua misericórdia". Veja aqui, ó alma minha, as três cordas com que Davi procura fazer com que Deus lhe conceda os seus pedidos: por amor do teu nome, por amor da tua justiça, e por tua misericórdia – com três motivos como estes, dificilmente Deus negaria algum pedido; sim, mesmo que algum destes motivos fosse utilizado isoladamente. Mas embora os três sejam motivos fortes, da mesma maneira como Davi se levanta em seus pedidos, também parece se levantar em seus motivos; e, por causa disto, por amor à sua justiça provará ser um motivo mais elevado do que por amor ao seu nome, e por sua misericórdia o mais elevado de todos – como, na realidade, o seu propiciatório é a parte mais alta de toda a sua arca; mas, na verdade, da mesma maneira como os atributos de Deus, também esses motivos, que são derivados dos atributos, têm igual proeminência. Mas se os três motivos são, todos eles, muito fortes, cada um deles isoladamente, quão fortes serão, se estiverem todos unidos, e torcidos em uma só corda? E unidos eles estão, realmente, em um só motivo, que Deus nos revelou mais claramente do que revelou a Davi (ainda que seja estranho, uma vez que era o seu Senhor; e, no entanto, não estranho, uma vez que era o seu filho); e este é o motivo: pelo nome do teu Filho Cristo Jesus; pois Ele é o verbum abbreviatum [a Palavra resumida], em quem estão incluídos todos os motivos – todos os poderosos motivos – que podem ser usados junto a Deus para que obtenhamos os nossos pedidos. – *Sir Richard Baker*

vv. 11 e 12: Os verbos nestes dois últimos versículos, como observou o Dr. Hammond, devem ser traduzidos no futuro: "Vivificarás", etc., e então o salmo terminará, como é usual, com um ato de fé e certeza de que todas estas misericórdias e bênçãos que foram pedidas serão obtidas; que Deus, por amor do seu "nome", e da sua "justiça", da sua glória, e da sua fidelidade na realização das suas promessas, não deixará de ser favorável e misericordioso com os seus servos, "vivificando" os seus filhos, mesmo quando mortos em transgressões e pecados, e tirando-os, gradualmente, "de todas as suas angústias"; saindo com eles para a batalha contra os seus "inimigos" espirituais, e capacitando-os a eliminar os autores da sua "aflição" e infelicidade, a mortificar a carne, e a dominar o mundo; para que eles possam triunfar com o seu Redentor, no dia em que, de igual maneira, Ele vivificará os seus corpos mortais, e colocará todos os inimigos sob os seus pés. – *George Horne*

v. 12: "Por tua misericórdia, desarraiga os meus inimigos". Ele deseja que Deus mate os seus inimigos, na sua misericórdia, quando, na verdade, a sua destruição era uma obra da sua justiça? Eu respondo que a destruição dos ímpios é uma misericórdia para a igreja. Como Deus mostrou uma grande misericórdia e bondade à sua igreja, com a morte de Faraó, Senaqueribe, Herodes e outros causadores de problemas. – *Archibald Symson*

v. 12: "Desarraiga os meus inimigos", etc. Quando você perceber que estas imprecações são profecias de eventos, que o próprio salmista não podia entender, mas que seriam cumpridas em pessoas a quem o salmista não conhecia, uma vez que viveriam em distantes eras futuras – por exemplo, Judas, e os romanos, e líderes da nação judaica – que fariam destas imprecações provas de um espírito vingativo? – *James Bennett (1774-1862), Lectures on the Acts of the Apostles, 1847*

v. 12: "Sou teu servo". Davi, o rei, professa ser um dos servos de Deus. Quando Paulo iria exibir o seu escudo, e apresentar o seu melhor brasão, não se chamou de Paulo, um hebreu dos hebreus, nem Paulo, da tribo de Benjamim, mas Paulo, "servo de Cristo" (Rm 1.1). Teodósio considerou uma maior dignidade ser servo de Deus do que ser um imperador. O próprio Cristo, que é igual ao seu Pai, não se envergonha do título servo (Is 53.11). Cada servo de Deus é um filho, cada súdito é um príncipe: é maior honra servir a Deus do que ter reis para nos servir: os anjos no céu são servidores dos santos. – *Thomas Watson*

SUGESTÕES AOS PREGADORES

v. 1. Três "3". I. Quanto às suas devoções – orações, súplicas, pedidos. II. Quanto ao seu sucesso – ouve, inclina os ouvidos, escuta-me. III. Quanto ao seu argumento – porque és Jeová, fiel, justo.

vv. 1 e 2. Uma oração apropriada para um crente que tem razões para supor que está sofrendo punição pelo pecado. I. Aqui há fervoroso importunice, como de alguém que depende inteiramente da benevolência divina para ser ouvido. II. Aqui há um fervor crente, que se apodera da verdade e da justiça divinas (veja 1 Jo 1.9). III. Aqui há a profunda consciência da inutilidade da autojustificação pedindo por pura misericórdia, versículo 2. – *J. F.*

v. 2. I. Quem é ele. "Teu servo". II. O que ele sabe. "À tua vista não se achará justo nenhum vivente". III. O que ele pede: "Não entres em juízo".

vv. 3 a 6. Considere, I. A grande extensão que Deus pode, às vezes, permitir que o inimigo percorra (v. 3). O caso de Jó é um bom exemplo. II. A profunda depressão de espírito que Ele pode permitir que sintam os seus santos (v. 4). III. As boas coisas que Ele propiciou para a sua meditação, mesmo quando na sua pior situação (v. 5). IV. As duas coisas que a sua graça nunca permitirá que morram, e cuja existência é um sinal da alegria próxima – 1. A sede dele. 2. A prática da oração. O conjunto é um bom texto para uma leitura sobre a vida e a experiência de Jó. – *J. F.*

vv. 4, 5 e 6. I. Abatido, em desânimo. II. Afundado, em meditação. III. Determinado, em súplica.

vv. 5 e 6. "Medito na obra das tuas mãos... Estendo para ti as minhas mãos". Mãos dadas: ou o filho de Deus, admirando a obra das mãos de Deus, e orando, com mãos estendidas, para que Deus opere nele, com o mesmo poder.

v. 5. O método de Davi. I. Ele reuniu materiais; fatos e evidências a respeito de Deus: "Lembro-me". II. Ele pensou no seu tema e organizou o seu assunto: "Considero". III. Ele discursou sobre isto, e foi trazido mais perto de Deus: "Medito" – discurso. IV. Devemos considerar tudo isto como um exemplo para os pregadores e outras pessoas. – *W. B. H.*

v. 6. Somente Deus, o desejo do seu povo.

v. 6. Um profundo chamado àquilo que é profundo. I. O insaciável anseio do coração. II. As grandes riquezas na glória. III. A união dessas coisas como: "a minha alma tem sede de ti". – *W. B. H.*

v. 7. Razões para respostas rápidas.

v. 7. Nunca desesperar. I. Porque você tem o Senhor a quem suplicar. II. Porque você pode contar a Ele livremente a sua situação desesperada. III. Porque você pode insistir com Ele, pela libertação. – *J. F.*

v. 7. Revigorante para o coração desfalecido. I. O desfalecer do amado de Deus. II. A melhor restauração: o rosto do seu Senhor. III. Ele tem a presença de espírito de chamá-lo quando desfalece. – *W. B. H.*

v. 8. As duas orações – "Faze-me ouvir", e "Faze-me saber". As duas justificativas – "Em ti confio", e "a ti levanto a minha alma".

v. 8. "Conheceste a minha vereda" (Sl 142.3). "Faze-me saber o caminho" (Sl 143.8). I. Confiar na onisciência em tudo. II. Seguir a consciência em tudo.

v. 8. Na fixação de um momento para a resposta à nossa oração. I. Por quem isto pode ser feito. Não por todos os crentes, mas por aqueles que por habitar com Deus alcançaram uma santa ousadia. II. Quando isto pode ser feito. 1. Quando o caso é especialmente urgente. 2. Quando a honra de Deus está em jogo. III. O que torna isto agradável a Deus, quando é feito. Grande fé. "Pois em ti confio". – *J. F.*

v. 8. Ouvindo, em busca de benignidade. I. Onde ouvir. Às portas das Escrituras: nas salas da meditação; aos pés de Jesus. II. Onde ouvir. "Pela manhã": tão cedo e tão frequentemente quanto possível. III. Como ouvir. Em confiante dependência: "Faze-me ouvir a tua benignidade pela manhã, pois em ti confio". IV. Por que ouvir. Para "saber o caminho que devo seguir". – *W. B. H.*

v. 9. Pontos admiráveis nesta oração, a serem imitados por nós. Aqui temos, I. Uma sensação de perigo. II. Uma confissão de fraqueza. III. Uma previsão prudente. IV. Uma sólida confiança: – ele espera ser escondido de seus inimigos.

v. 9. I. Olhar para cima. II. Ficar perto. – *W. B. H.*

v. 10. Dois pedidos infantis – "Ensina-me... guie-me".

v. 10. Veja "Spurgeon's Sermons", n. 1519, "At School".

v. 10 (primeira parte). I. As melhores instruções: "Ensina-me a fazer a tua vontade". Não meramente conhecer, mas "fazer". II. O único Instrutor eficiente. III. A melhor razão para pedir e esperar instrução: "pois és o meu Deus". – *J. F.*

v. 10. "Ensina-me a fazer a tua vontade". Podemos chamar esta sentença de uma descrição da escola de Davi; e é uma descrição muito completa; pelo menos, contém as três melhores coisas de uma escola. I. O melhor professor. II. O melhor aluno. III. A melhor lição; pois quem é um professor tão bom como Deus? Quem é um aluno tão bom como Davi? Qual é uma lição tão boa como fazer a vontade de Deus? – *Sir Richard Baker*

v. 10 (segunda parte). I. Utopia – "a terra plana". Descreve-a, e declara as suas glórias. II. Os difíceis caminhos para esta terra plana. III. O Guia divino – "o teu bom Espírito".

v. 11 (primeira parte). I. Qual é esta bênção? "Vivifica-me". II. De que maneira isto irá glorificar Deus, de modo que possamos implorar, pelo amor do seu nome?

v. 11 (segunda parte). Como a justiça de Deus diz respeito à nossa libertação das aflições?

v. 12. I. Ao Mestre: "Sou teu servo". II. Pelo servo: ele busca proteção porque pertence ao seu Mestre.

SALMO 144

TÍTULO

Embora este salmo seja, até certo ponto, muito similar ao Salmo 18, é um novo cântico, e isto fica mais evidente na sua última parte. Que o leitor o aceite como um novo salmo, e não uma mera variação de um antigo, ou como duas composições unidas de maneira grosseira. É verdade que seria uma composição completa, se eliminássemos a passagem desde o versículo 12 até o final; mas há outras partes dos poemas de Davi que poderiam ser igualmente completas se certos versículos fossem omitidos; e a mesma coisa pode ser dita a respeito de muitos sonetos não inspirados. Isto não quer dizer, portanto, que a parte final foi acrescentada por outra mão, nem mesmo que a parte final era um fragmento do mesmo autor, adicionada ao primeiro cântico meramente com o objetivo de preservá-la. Parece ser altamente provável que o salmista, lembrando-se de que já tinha pisado em terreno semelhante antes, sentia a sua mente levada a um novo pensamento, e que o Espírito Santo usou este estado de espírito para os seus próprios propósitos. Certamente, o adendo é digno do mais excelente poeta hebreu, e é tão admirável em sua linguagem, e tão cheio de belas comparações, que pessoas de bom gosto, que não estivessem, de maneira alguma, sobrecarregados de reverência, o citaram incontáveis vezes, desta maneira confessando a sua singular excelência poética. Para nós, todo o salmo parece ser perfeito, da maneira como se apresenta, e exibir tal unidade que seria um vandalismo literário, bem como um crime espiritual, separar uma parte da outra.

O seu título é "De Davi", e a sua linguagem é de Davi, se é que uma linguagem pode pertencer a algum homem. Tão certamente como poderíamos dizer de algum poema, Este é de Tennyson, ou de Longfellow, podemos dizer, Este é de Davi. Nada, senão a doença que fecha o olho para um fato manifesto, e o abre para a fantasia, poderia ter levado os críticos a atribuir este cântico a qualquer pessoa, que não Davi. Alexandre diz apropriadamente, "A origem davídica deste salmo é tão marcada como a de qualquer outro do saltério".

É a Deus que o devoto guerreiro canta, quando o exalta, como sua rocha e fortaleza (vv. 1,2). Pelo homem, ele tem pouca consideração, e se admira de que o Senhor o considere (vv. 3,4); mas na sua hora de conflito, ele se dirige ao Senhor, que é declarado como sendo "um homem de guerra", cuja triunfante interposição ele implora (vv. 5,8). Novamente, ele exalta e suplica, nos versículos 9, 10 e 11; e então conclui, com uma agradável imagem da obra do Senhor pelo seu povo escolhido, que é parabenizado por ter tal Deus como o seu Deus.

EXPOSIÇÃO

1 *Bendito seja o Senhor, minha rocha, que adestra as minhas mãos para a peleja e os meus dedos para a guerra;*
2 *benignidade minha e fortaleza minha; alto retiro meu e meu libertador és tu; escudo meu, em quem eu confio, e que me sujeita o meu povo.*

1. *"Bendito seja o Senhor, minha rocha."* Ele não pode retardar a expressão da sua gratidão, ele irrompe imediatamente em uma nota de louvor. A sua melhor palavra é dedicada ao seu melhor amigo – "Bendito seja Jeová". Quando o coração está em um estado adequado, ele deve louvar a Deus, não pode ser restringido; as suas palavras saltam como águas que forçam o seu caminho e jorram de uma fonte viva. Com toda a sua força, Davi bendiz o Deus da sua força. Não devemos receber tão grande dádiva, como a força para resistir o mal, para defender a verdade, e para derrotar o erro, sem saber quem nos deu tal força, e sem dar a Ele a glória por isto. Não apenas Jeová dá força aos seus santos, como Ele é a sua força. A força se torna deles, porque Deus é deles. Deus tem todo o poder, e Ele se torna o poder daqueles que confiam nele. Nele está a nossa grande força, e nele há mais bênçãos do que somos capazes de pronunciar. A interpretação pode ser "minha rocha", mas isto dificilmente combina tão bem com as palavras a seguir: "Que adestra as minhas mãos para a peleja e os meus dedos para a guerra". A palavra rocha é a maneira hebraica de expressar força: a linguagem antiga e excelente está cheia destes símbolos sugestivos. O salmista, na segunda parte deste versículo, apresenta o Senhor como professor na arte da guerra. Se tivermos força, ela não nos servirá de nada, a menos que tenhamos também habilidade.

A força não treinada é frequentemente uma ofensa para o homem que a possui, e pode até mesmo se tornar um perigo para os que o rodeiam; e por isto o salmista bendiz o Senhor, tanto pelo ensinamento como pela força. Devemos também bendizer Jeová, se Ele nos tornou eficientes em alguma coisa. O ensino mencionado foi muito prático, não tanto para o cérebro como para as mãos e os dedos; pois estes eram os membros mais necessários para o conflito. Os homens com pouca instrução escolar devem ser gratos pela destreza e habilidade em seus trabalhos manuais. Para um homem de combate, a educação das mãos tem muito mais valor do que o mero ensinamento dos livros poderá ter; aquele que tem que usar uma funda ou um arco precisa do treinamento apropriado, da mesma maneira que um cientista ou um professor clássico. Os homens são muito propensos a imaginar que a eficiência de um artesão é devida a ele mesmo, mas este é um engano popular. Podemos supor que um clérigo tenha recebido ensinamento de Deus, mas as pessoas não admitem que isto seja verdade com respeito a tecelões ou pessoas que trabalham com metal; no entanto, estas vocações são particularmente mencionadas na Bíblia, como tendo sido ensinadas a santas mulheres e a homens fervorosos, quando o tabernáculo foi erigido pela primeira vez. Toda a sabedoria e habilidade são do Senhor, e por isto Ele merece ser agradecidamente exaltado. Este ensinamento se estende aos menores membros da nossa estrutura: o Senhor ensina os dedos, e também as mãos. Na realidade, às vezes acontece que, se o dedo não estiver bem treinado, toda a mão será incapaz.

Davi foi chamado para ser um guerreiro, e foi eminentemente bem sucedido em suas batalhas; ele não atribui isto à sua própria liderança ou à sua própria coragem, mas ao fato de ter sido ensinado e fortalecido para a guerra e a luta. Se o Senhor se digna a participar de uma obra tão pouco espiritual como a batalha, certamente nos ajudará a proclamar o Evangelho e conquistar almas; e então nós bendiremos o seu nome com intensidade ainda maior de coração. Nós seremos alunos, e Ele será o nosso Mestre, e se alguma vez viermos a realizar alguma coisa, bendiremos ao nosso instrutor com todo o nosso coração.

Este versículo é cheio de personalidade; é a misericórdia exibida ao próprio Davi que é o assunto do cântico agradecido. Ele também tem uma característica de atualidade, pois Jeová é agora a sua rocha, e ainda o está ensinando; devemos fazer um esforço especial para apresentar nosso louvor a Deus enquanto a bênção ainda está a caminho. O versículo também é proeminentemente prático, e cheio da vida real do cotidiano; pois os dias de Davi eram passados em campos de batalha e conflitos. Alguns de nós que sofremos os angustiosos tormentos do reumatismo poderíamos clamar, "Bendito seja o Senhor, meu Consolador, que ensina os meus joelhos a ter paciência, e os meus pés a suportar com resignação"; outros que estão tentando ajudar novos convertidos poderiam dizer, "Bendito seja Deus, que ensina os meus olhos a ver almas feridas, e os meus lábios a alegrá-las"; mas Davi tem a sua própria ajuda peculiar de Deus, e o louva de maneira apropriada. Isto tende a tornar a harmonia do céu perfeita, quando todos os cantores desempenham seus papéis: se todos nós tocarmos a mesma partitura, a música não será tão rica e plena.

2. Agora o nosso poeta real multiplica metáforas para exaltar o seu Deus. *"Benignidade minha e fortaleza minha."* A palavra para benignidade significa misericórdia. Independentemente de quem somos, e onde quer que possamos estar, precisamos de misericórdia, do tipo que somente pode ser encontrado no Deus infinito. É pela misericórdia que Ele é qualquer uma das outras boas coisas para nós, de modo que este é um título bastante abrangente. Ó, quão verdadeiramente o Senhor tem sido misericórdia para muitos de nós, de mil maneiras diferentes! Ele é a própria bondade, e Ele tem sido a bondade ilimitada para nós. Nós não temos nenhuma bondade própria, mas o Senhor se fez bondade para nós. Assim, Ele é também a nossa rocha e morada segura: Nele habitamos, como por trás de defesas inexpugnáveis e baluartes inabaláveis. Não podemos ser expulsos, nem passar fome, porque a nossa fortaleza está preparada para um cerco; ela contém abundância de alimentos, e um poço de águas vivas no seu interior. Os reis normalmente têm grande conceito de suas cidades muradas, mas o rei Davi confia no seu Deus, que é mais para ele do que as fortalezas poderiam ter sido.

"Alto retiro meu e meu libertador és tu." Como de uma elevada torre de vigia, o crente, confiando no Senhor, olha para baixo, para os seus inimigos. Eles não conseguem alcançá-lo na sua elevada posição; ele está fora do alcance do arco; ele está além de suas escadas; ele habita no alto. Mas isto não é tudo; pois Jeová é o nosso Libertador, bem como o nosso Defensor. Estas imagens diferentes exibem os variados benefícios que nos vêm do nosso Senhor. Ele é todas as boas coisas que podemos necessitar para este mundo, ou para o próximo. Ele não apenas nos coloca fora do caminho do mal, muito frequentemente, mas quando devemos estar expostos, Ele vem em nosso socorro, Ele levanta o cerco, afugenta o adversário, e nos coloca em alegre liberdade.

"Escudo meu, em quem eu confio." Quando o guerreiro ataca seu adversário, ele tem o seu alvo na mira de sua arma, e lança a morte de lado; assim o crente coloca o Senhor diante dos golpes do inimigo, e se encontra a salvo do mal. Por esta e por mil outras razões, a nossa confiança está em Deus, para tudo; Ele nunca falha conosco, e nós sentimos uma confiança ilimitada nele.

"Que me sujeita o meu povo." Ele mantém sujeitos os meus súditos naturais, e os meus súditos conquistados, pacíficos sob o meu poder. Os homens que governam outros devem agradecer a Deus, se forem bem sucedidos na tarefa. Estas estranhas criaturas são seres humanos de tal tipo que, se alguns deles forem mantidos em pacífica associação, sob a liderança de algum dos servos de Deus, este deverá bendizer a Deus todos os dias por este fato maravilhoso. As vitórias de paz são tão

merecedoras de jubilosa gratidão como as vitórias de guerra. Os líderes, na igreja cristã, não podem conservar a sua posição, exceto se o Senhor lhes preservar a poderosa influência que assegura obediência e evoca lealdade entusiasta. Por cada partícula de influência para o bem que possamos possuir, exaltemos o nome do Senhor.

Assim Davi bendisse Jeová, por abençoá-lo. Quantas vezes ele se apropriou do Senhor, com aquela pequena palavra, Meu! Todas as vezes que ele se apropria do Senhor, ele o adora e bendiz; pois essa palavra, bendito, percorre toda a passagem, como um fio de ouro. Ele começou, reconhecendo que a sua força para combater inimigos estrangeiros, vinha do Senhor, e concluiu atribuindo a sua paz doméstica à mesma fonte. Todo o tempo, como rei, ele se viu rodeado pelo Rei dos reis, a quem se inclinava, em humilde homenagem, fazendo súplicas e servindo-o, de joelhos, com o coração agradecido, admitindo que devia tudo à Rocha da sua salvação.

3 *Senhor, que é o homem, para que o conheças, e o filho do homem, para que o estimes?*
4 *O homem é semelhante à vaidade; os seus dias são como a sombra que passa.*

3. *"Senhor, que é o homem, para que o conheças?"* Que contraste entre Jeová e o homem! O salmista se volta, da gloriosa autossuficiência de Deus à insignificância e nulidade do homem. Ele vê Jeová como sendo tudo, e então clama, "Senhor, que é o homem?" Que é o homem, na presença do Deus infinito? A que ele pode ser comparado? Ele é pequeno demais, até mesmo para ser descrito; somente Deus, que conhece o mais minúsculo objeto, pode dizer que é o homem. Certamente, ele não é adequado para ser a rocha da nossa confiança: ele é, ao mesmo tempo, frágil demais e instável demais, para merecer confiança. A admiração do salmista é pelo fato de que Deus se curvasse para conhecê-lo, e na realidade isto é mais notável do que se o mais nobre arcanjo fizesse um estudo sobre formigas, ou se tornasse amigo de carrapatos. Deus conhece o seu povo, com terna intimidade, e com uma observação constante e cuidadosa: Ele os conhecia anteriormente, em amor; Ele os conhece por meio do cuidado que tem com eles; Ele os conhecerá na aceitação, por fim. Por que e para que isto? O que fez o homem? O que ele foi? O que é agora, para que Deus o conheça, e se dê a conhecer a ele, como sua benignidade, fortaleza c alto retiro? Esta é uma pergunta impossível de responder. Somente a infinita condescendência pode explicar o fato de que o Senhor se curve para ser amigo do homem. O fato de que Ele faça do homem o sujeito da eleição, o objeto da redenção, o filho do amor eterno, o amado da infalível providência, o parente próximo da Divindade, é realmente uma questão que exige mais do que as duas interrogações encontradas neste versículo.

"E o filho do homem, para que o estimes?" O filho do homem é um ser ainda mais fraco – é isto o que sugere o original. Ele não é homem, como Deus o criou, mas homem, como a sua mãe o gerou; e como pode o Senhor pensar nele e escrever tal código por causa dele? O Senhor pensa muito no homem, e em conexão com o amor redentor, faz uma grande imagem dele: é possível crer nisto, mas não explicá-lo. O assombro na adoração faz com que cada um de nós clame em voz alta: Por que tu tomas conhecimento de mim? Sabemos, por experiência, quão pouco o homem deve ser considerado, e sabemos, por observação, o quanto ele pode se vangloriar, e por isto é apropriado que sejamos humildes e que não confiemos em nós mesmos. Mas tudo isto deve nos tornar ainda mais agradecidos ao Senhor, que conhece o homem melhor do que nós, e ainda assim tem comunhão com Ele, e até mesmo habita nele. Cada característica do misantropo deve ser odiosa para o crente; pois se Deus considera o homem, não nos cabe desprezar a nossa própria raça.

4. *"O homem é semelhante à vaidade."* Adão é semelhante a Abel. Ele é como aquilo que não é nada. Ele é verdadeiramente vão, e se assemelha àquela coisa insubstancial, que não é nada, senão um nada inflado – uma bolha. No entanto,

ele não é vaidade, mas somente semelhante a ela. Ele não é tão substancial como aquela coisa irreal; ele somente é semelhante a ela. Senhor, que é o homem? É maravilhoso que Deus pense em tal pretensiosa insignificância.

"Os seus dias são como a sombra que passa". Ele tem vida tão curta que mal alcança anos, mas existe dia a dia, como aquilo que é efêmero, cujo nascimento e morte são vistos pelo mesmo sol. A sua vida é apenas semelhante a uma sombra, que é, por si só, uma vaga semelhança, uma ausência de algo, em lugar de ser, em si mesma, uma existência. Observe que a vida humana não somente é como uma sombra, mas como uma sombra que está prestes a desaparecer. É uma mera miragem, a imagem de uma coisa que não existe, um fantasma que se reduz a nada. Como é que o Eterno pode considerar tanto o homem mortal, que começa a morrer tão logo começa a viver? A conexão dos dois versículos diante de nós com o restante do salmo não está longe: Davi confia em Deus, e o considera tudo; ele olha para o homem, e vê que ele é nada, e então se admira de como é que o grande Senhor pode condescender em considerar tal tolice e engano como é o homem.

5 *Abaixa, ó Senhor, os teus céus e desce; toca os montes, e fumegarão.*
6 *Vibra os teus raios e dissipa-os; envia as tuas flechas e desbarata-os.*
7 *Estende as mãos desde o alto; livra-me e arrebata-me das muitas águas e das mãos dos filhos estranhos,*
8 *cuja boca fala vaidade e cuja mão direita é a destra da falsidade.*

5. *"Abaixa, ó Senhor, os teus céus e desce."* Os céus são do Senhor, e aquele que os exaltou pode abaixá-los. O servo de Deus está lutando contra amargos inimigos, e não encontra socorro nos homens, e por isto suplica que Jeová desça em seu socorro. A interferência de Jeová nos conflitos do seu povo cansado e tentado é, realmente, uma descida. A terra clama para que o céu se abaixe: na verdade, o clamor é para que o Senhor do céu abaixe o céu, e apareça entre os filhos da terra. O Senhor fez isto frequentemente, e nunca mais plenamente do que em Belém, quando o Verbo se fez carne e habitou entre nós; agora Ele conhece o caminho, e nunca se recusa a descer para defender os seus amados. Davi deseja a real presença de Deus para contrabalançar a aparição zombeteira do homem arrogante: somente a verdade eterna poderia aliviá-lo da vaidade humana.

"Toca os montes, e fumegarão." Foi assim, quando o Senhor apareceu no Sinai; as mais fortes colunas da terra não conseguem suportar o peso do dedo de Deus. Ele é um fogo consumidor, e o seu toque incendeia os picos dos Alpes e os faz fumegar. Se Jeová aparecesse, nada poderia resistir diante dele. Se os montes poderosos fumegam com o seu toque, então todo o poder mortal que se opõe ao Senhor deve apagar em fumaça. Quão tolerante Ele é com os seus adversários, a quem poderia destruir tão rapidamente. Um toque faria isto; o dedo flamejante de Deus incendiaria os montes, e consumiria a oposição de todos os tipos.

6. *"Vibra os teus raios e dissipa-os."* O Eterno pode lançar os seus raios onde e quando quiser, e efetuar o seu propósito instantaneamente. A artilharia do céu logo coloca o inimigo em fuga; um único raio faz com que os exércitos corram de um lago a outro, em total confusão.

"Envia as tuas flechas e desbarata-os." Jeová nunca erra o alvo; as suas flechas são fatais para os seus adversários, quando eles saem para a guerra. Não era uma fé comum que levava o poeta-rei a esperar que o Senhor usasse os seus raios para o bem de um único membro daquela raça que ele acabava de descrever como "semelhante à vaidade". Um crente em Deus pode, sem presunção, esperar que o Senhor Todo-poderoso use, para o seu bem, todas as reservas de sua sabedoria e poder; até mesmo as terríveis forças da tempestade serão convocadas para a luta, para a defesa dos eleitos do Senhor. Depois que contornarmos a maior dificuldade (o fato do Senhor ter algum interesse em nós), resta-nos uma tarefa mais fácil: esperar que Ele exerça o seu grande poder a nosso favor. Esta não é a única vez

em que este guerreiro crente orou desta maneira: o salmo 18 é particularmente semelhante a este; o homem bom não se envergonhou da sua ousadia anterior, mas aqui ele se repete, sem temor.

7. *"Estende as mãos desde o alto."* Permite que o teu braço longo e forte se estenda, até que as tuas mãos aprisionem os meus adversários, e me livrem deles.

"Livra-me e arrebata-me das muitas águas." Faze de mim um Moisés – alguém resgatado das águas. Os meus adversários se derramam sobre mim, como correntezas, e ameaçam me esmagar, salva-me de sua força e fúria. Tira-os de mim, e tira-me deles.

"Das mãos dos filhos estranhos." De estrangeiros de todas as raças: homens estranhos, para mim e para ti, e que, portanto, devem tentar fazer o mal contra mim, e a rebelião contra ti. Aqueles contra os quais Davi orava estavam fora do concerto com Deus; eram filisteus e edomitas; ou eram homens da sua própria nação, de coração sombrio e espírito traidor, que eram verdadeiros estrangeiros, ainda que ostentassem o nome de Israel – Oh, estar livre desses seres infiéis e blasfemos, que corrompem a sociedade com seus falsos ensinamentos e suas palavras duras! Oh, ser livrado das línguas difamadoras, dos lábios enganadores, e dos corações falsos! Não é de admirar que estas palavras sejam repetidas, pois são o clamor frequente de muitos filhos cansados e tentados de Deus – "Livra-me e arrebata-me". Os filhos do diabo são estranhos para nós; não podemos nunca estar de acordo com eles, e eles nunca nos entenderão, eles são estrangeiros para nós, e nós somos desprezados por eles. Ó, Senhor, livra-nos do maligno, e de todos os que são da sua raça.

8. *"Cuja boca fala vaidade."* Não é de admirar que os homens, que são vaidade, falem vaidade. "Quando ele profere mentira, fala do que lhe é próprio". Eles não são confiáveis, e prometem razoavelmente o quanto puderem; as suas declarações solenes são leves como a espuma do mar, e de maneira nenhuma são merecedoras de confiança. Os homens bons desejam se ver livres de tais personagens: entre todos os homens, os mentirosos e enganadores estão entre os mais repugnantes aos corações fiéis.

"E cuja mão direita é a destra da falsidade." Até agora, as suas mãos e as suas línguas estão de acordo, pois são vaidade e falsidade. Estes homens agem tão falsamente quanto falam, e provam ser do mesmo tipo. A sua falsidade é destra, eles mentem com destreza, eles enganam com toda a sua capacidade. É terrível quando a habilidade de um homem está mais em mentiras do que na verdade; quando ele não pode falar nem agir sem provar que é falso. Deus, salva-nos das bocas que mentem, e das mãos de falsidade.

9 *A ti, ó Deus, cantarei um cântico novo; com o saltério e com o instrumento de dez cordas te cantarei louvores.*

10 *É ele que dá a vitória aos reis e que livra a Davi, seu servo, da espada maligna.*

11 *Livra-me e tira-me das mãos dos filhos estranhos, cuja boca fala vaidade e cuja mão direita é a destra da iniquidade.*

9. *"A ti, ó Deus, cantarei um cântico novo."* Cansado do falso, adorarei o verdadeiro. Impulsionada com novo entusiasmo, a minha gratidão criará um novo canal para si mesma. Cantarei como outros o fizeram, mas será um cântico novo, como ninguém cantou antes. Este cântico será inteiramente para o meu Deus; não exaltarei ninguém, senão o Senhor, de quem me veio a libertação.

"Com o saltério e com o instrumento de dez cordas te cantarei louvores." A sua mão auxiliaria a sua língua, não como no caso dos ímpios, cooperando no engano, mas a sua mão se unirá à sua boca, em sincero louvor. Davi desejava afinar os seus melhores instrumentos, bem como usar a sua melhor música vocal: o melhor ainda é pobre demais para um Deus tão grandioso, e por isto não devemos deixar de fazer o máximo que pudermos. Ele desejava usar muitos instrumentos de música, para que, de todas as maneiras, pudesse expressar a sua grande alegria em Deus. A dispensação do Antigo Testamento era abundante em tipos e figuras

e rituais externos, e por isto a música se encaixava naturalmente em seu lugar no "santuário terreno"; mas, afinal, ela não pode fazer mais do que representar louvor e auxiliar a nossa expressão desse louvor; o louvor real está no coração, a música verdadeira é a da alma. Quando a música abafa a voz, e o talento artístico assume uma posição superior ao cantar sincero, é o momento de excluir os instrumentos da adoração pública; mas quando os instrumentos são subordinados ao cântico, como aqui, não nos cabe proibi-los, nem condenar os que os usam, embora nós mesmos preferíssemos enormemente louvar sem eles, uma vez que nos parece que a máxima simplicidade no louvor é muito mais congruente com o espírito do Evangelho do que a pompa de órgãos. Aquele que adora em particular, entoando o seu solo ao Senhor, frequentemente considera útil o acompanhamento de algum instrumento familiar, e desta prática Davi é um exemplo, neste salmo, pois ele diz, "A ti cantarei" – isto é, não na companhia dos outros, mas sozinho. Ele não diz "nós", mas "eu".

10. *"É ele que dá a vitória aos reis."* O precioso e bendito Senhor sustenta aqueles a quem Ele estabelece. Os reis, pela sua posição visível, estão expostos a perigos especiais, e quando as suas vidas e os seus tronos lhes são preservados, eles devem dar ao Senhor a glória por isto. Em suas muitas batalhas, Davi teria perecido, se o cuidado todo-poderoso não o tivesse preservado. Pela sua coragem, ele tinha realizado a salvação para Israel, mas ele coloca os seus louros aos pés do seu Senhor e preservador. Se há alguém que precisa de salvação, são os reis, e se a conseguem, o fato é tão assombroso que merece um versículo no salmo de louvor.

"E que livra a Davi, seu servo, da espada maligna." Ele atribui o fato de ter escapado da morte à mão libertadora de Deus. Observe que ele fala no tempo presente – livra, pois este foi um ato que abrangeu toda a sua vida. Ele coloca o seu nome para a confissão da sua dívida: é Davi que deve, sem objetar, a misericórdia e a graça que lhe foram concedidas. Ele se diz servo do Senhor, aceitando isto como sendo o mais nobre título que tinha alcançado ou desejado.

11. Por causa do que o Senhor tinha feito, Davi retorna à sua súplica. Ele implora a libertação àquele que sempre o liberta. "Livra-me e tira-me das mãos dos filhos estranhos". Isto é, em parte, o estribilho do cântico, e o âmago da oração. Ele desejava ser livrado de seus adversários declarados e estrangeiros, que tinham rompido pactos e tratado os tratados como coisas vãs.

"Cuja boca fala vaidade e cuja mão direita é a destra da iniquidade." Ele não desejava apertar as mãos daqueles que traziam uma mentira em sua mão direita: ele desejava se livrar deles imediatamente, se possível. Os que estão cercados por tais serpentes não sabem como lidar com elas, e o único método disponível parece ser orar a Deus, pedindo para ser livrado e libertado do poder delas. No versículo 7, Davi, segundo o original, tinha buscado a ajuda das duas mãos do Senhor, e bem o fez, pois os seus enganosos inimigos, com notável unanimidade, estavam com uma boca e uma mão buscando a sua destruição.

12 *Para que nossos filhos sejam, como plantas, bem desenvolvidos na sua mocidade; para que as nossas filhas sejam como pedras de esquina lavradas, como colunas de um palácio;*
13 *para que as nossas despensas se encham de todo o provimento; para que os nossos gados produzam a milhares e a dezenas de milhares em nossas ruas;*
14 *para que os nossos bois sejam fortes para o trabalho; para que não haja nem assaltos, nem saídas, nem clamores em nossas ruas.*
15 *Bem-aventurado o povo a quem assim sucede! Bem-aventurado é o povo cujo Deus é o Senhor!*

O livramento dos ímpios e a benevolente presença do Senhor são buscados com uma expectativa especial da paz e prosperidade que se seguirão. O fato de a vida de Davi ser poupada significava a paz e a felicidade de toda uma nação. Nós mal conseguimos avaliar quanta felicidade pode depender da benevolência do Senhor para com um homem.

12. A bênção de Deus opera maravilhas por um povo. *"Para que nossos filhos sejam, como plantas, bem desenvolvidos na sua mocidade."* Os nossos filhos (do sexo masculino) são de primordial importância para o estado, uma vez que os homens desempenham um papel fundamental nas questões da nação; e aquilo que os jovens são, os homens mais velhos serão. Ele deseja que eles possam ser como árvores jovens, fortes e bem arraigadas, que prometem grandes coisas. Se eles não crescerem na sua mocidade, quando crescerão? Se no início da sua idade adulta eles definharem, nunca superarão isso. Ó, as alegrias que podemos ter, com os nossos filhos! E, por outro lado, que infelicidade eles nos podem trazer! As plantas podem crescer tortas, ou de alguma outra maneira desapontar aquele que as plantou, e assim também podem ser os nossos filhos. Mas quando nós os vemos desenvolvidos em santidade, que alegria sentimos por eles!

"Para que as nossas filhas sejam como pedras de esquina lavradas, como colunas de um palácio." Nós desejamos uma bênção para toda a nossa família, para as filhas, bem como para os filhos. Pois que as filhas fossem deixadas de fora do círculo da bênção seria realmente uma infelicidade. As filhas unem as famílias, da mesma maneira como as pedras de esquina unem muros, e, ao mesmo tempo, elas as adornam, como pedras polidas enfeitam as estruturas em que são inseridas. A casa se torna um palácio, quando as filhas são donzelas de honra, e os filhos são nobres em espírito; então o pai é um rei, e a mãe, uma rainha, e as residências reais estão mais que ultrapassadas. Uma cidade edificada com tais moradas é uma cidade de palácios, e um estado composto de tais cidades é uma república de príncipes.

13. *"Para que as nossas despensas se encham de todo o provimento."* Uma casa deve ser administrada com parcimônia e planejamento: deve ter o seu celeiro, bem como o quarto das crianças. Os maridos devem administrar os seus recursos: e não somente prover para suas mesas, mas encher as suas despensas. Onde há casas felizes, necessariamente deve haver abundante provisão para elas, pois a fome traz a desgraça e a infelicidade, até mesmo onde abunda o amor. É bom, quando há fartura, e esta fartura consiste de "todo o provimento". Ocasionalmente, nós ouvimos murmurações a respeito da abundância de grãos, e da escassez do pão do pobre. Uma nova calamidade! Não ousamos orar contra ela. Davi orou por isto, e bendisse ao Senhor quando Ele viu o desejo do seu coração. Quando todos os frutos da terra são abundantes, os frutos dos nossos lábios devem adorar e dar graças alegremente. Copiosos e variados possam ser os nossos produtos, de modo que cada necessidade possa ser prontamente suprida.

"Para que os nossos gados produzam a milhares e a dezenas de milhares em nossas ruas." Ou melhor, nos lugares abertos, nos campos e nos pastos onde as ovelhas devem nascer. Um abundante crescimento é aqui descrito. Adão arou o solo, para encher o celeiro, mas Abel foi pastor de ovelhas, e vigiou os cordeiros! Cada ocupação necessita da bênção divina. O segundo homem que nasceu neste mundo foi um pastor, e esta profissão sempre teve um papel importante na economia das nações. Comida e roupas vêm do rebanho, e ambas são de primeira necessidade.

14. *"Para que os nossos bois sejam fortes para o trabalho"*; de modo que o arar e o transporte da fazenda possam ser devidamente realizados, e o trabalho do lavrador possa ser realizado sem sobrecarregar indevidamente o gado, nem tratá-lo com crueldade.

"Para que não haja nem assaltos, nem saídas"; para que não haja invasão de saqueadores nem emigração forçada, nem roubos nem despejos.

"Nem clamores em nossas ruas", nem insatisfação secreta, nem tumulto público; nem desmaio por pobreza, nem clamor pelos direitos negados, nem por injustiças não corrigidas. O estado de coisas aqui retratado é muito agradável: tudo é pacífico e próspero; o trono é ocupado de maneira eficiente, e até mesmo os animais, em seus estábulos, estão em melhor condição, por causa disto. Esta tem sido a condição da

nossa própria nação, e se isto mudasse agora, quem poderia se surpreender? pois a nossa ingratidão bem merece ser privada das bênçãos que desprezou.

Estes versículos podem, com um pequeno ajuste, ser aplicados a uma igreja próspera, onde os convertidos estão crescendo e são belos, onde o Evangelho é abundante e os frutos espirituais são animadores. Ali, os ministros e os membros estão em pleno vigor, e as pessoas são felizes e unidas. O Senhor fez com que isto fosse assim, em todas as nossas igrejas, para sempre.

15. *"Bem-aventurado o povo a quem assim sucede!"* Estas coisas não devem ser negligenciadas. As bênçãos temporais não são brincadeiras, pois a falta delas seria uma tremenda calamidade. É uma grande felicidade pertencer a um povo tão altamente beneficiado.

"Bem-aventurado é o povo cujo Deus é o Senhor!" Isto surge como uma explicação para a sua prosperidade. Sob o Antigo Testamento, Israel tinha recompensas terrenas imediatas pela obediência; quando Jeová era o seu Deus, eles eram uma nação enriquecida e próspera. Esta sentença também é um tipo de correção a tudo o que lemos antes; como se o poeta dissesse: todas estas dádivas temporais são uma parte da bem-aventurança, mas o coração e a alma da felicidade estão no fato de que as pessoas sejam corretas com Deus, e tenham plena posse dele. Os que adoram o bem-aventurado Deus se tornam um povo bem-aventurado. Então, se não tivermos misericórdias temporais, literalmente temos algo melhor: se não temos a prata da terra, temos o ouro do céu, que é muito melhor.

Neste salmo, Davi atribui o seu próprio poder sobre o povo e a prosperidade que acompanhava o seu reino ao próprio Senhor. Bem-aventurada era a nação que ele governava; bem-aventurada no seu rei, nas suas famílias, na sua prosperidade, e nas possessões de paz; mas ainda mais no desfrutar da verdadeira religião, adorando Jeová, o único Deus vivo e verdadeiro.

NOTAS EXPLICATIVAS E DECLARAÇÕES SINGULARES

O salmo: O salmo, em seus tons mesclados de oração e louvor, é um elo de conexão apropriado entre os salmos de súplicas, que o antecedem, e as melodias de ações de graças que o seguem. – *Speaker's Commentary*

O salmo: Depois de seis salmos de angustiada oração em aflição, temos agora um salmo de louvor e graças pela misericordiosa resposta de Deus às súplicas; e também um salmo de intercessão. Este salmo tem uma forte semelhança com o último cântico de Davi, em 2 Sm 22, e com Sl 18. Aqui, temos uma visão de Cristo jubiloso – depois da sua paixão, ressuscitado em glória, e tendo ascendido em triunfo, e suplicando por nós, à direita de Deus. – *Christopher Wordsworth*

O salmo: Este salmo é regido pelos números dez e sete. Dez versículos completam a primeira parte do salmo, que tem duas partes. A primeira porção contém, nos versículos 1 e 2, dez atributos de Deus, – três e sete, sendo os sete divididos em quatro e três. De igual maneira, ela contém dez pedidos feitos a Deus, nos versículos 5 a 7, divididos exatamente da mesma maneira que os atributos. A esta importância do número dez na primeira parte, há alusão no versículo 9. Sete bênçãos são pedidas na segunda parte, sendo quatro nos versículos 12, 13 (filhos valentes, filhas belas, despensas cheias, rebanhos numerosos), e três no versículo 14 (bois fortes para o trabalho, nada de assaltos nem saídas, nada de clamores). O conjunto contém, além do epifonema de encerramento, que, como usual, deixa o arranjo formal, sete estrofes, cada uma delas com dois versículos. Uma objeção foi feita à autoria de Davi, devido aos "vestígios de leitura" que o salmo contém. Mas seria necessário considerar, com mais exatidão, que tipo de leitura aqui se considera. São apenas os salmos de Davi que formam a base deste novo salmo. Mas o fato de que é uma das peculiaridades de Davi derivar de suas produções anteriores a base para novas, é evidente, por uma variedade de fatos, que, se ainda houver alguma dúvida sobre o assunto, obteria, uma firme base sobre a qual se firmar neste salmo, que pode ter sido escrito somente por Davi. Devemos ter em mente a maneira e o uso feito de tais materiais. Isto sempre tem uma natureza animada e sensível, e não há, em nenhuma parte, nenhum sinal de um empréstimo. Vamos ter cuidado com aquilo que pensaremos aqui: a apropriação da linguagem anterior não se deve a uma impotência espiritual, mas se apoia em bases mais profundas. Isto fica evidente na consideração da segunda parte, onde cessa inteiramente a dependência, e onde até mesmo os oponentes à autoria de Davi não foram capazes de ignorar o forte espírito poético da época de Davi. Eles se voltam para a infeliz tarefa de afirmar que o salmista tomou emprestada esta parte do salmo de um poema muito mais antigo, e agora perdido. – *E. W. Hengstenberg*

v. 1: "Bendito seja o Senhor". Uma oração por mais graça é adequadamente iniciada com um agradecimento pela graça anterior; e quando esperamos que Deus nos abençoe, devemos nos motivar para bendizê-lo. – *Matthew Henry*

v. 1: "O Senhor, minha rocha", etc. Agamenom disse a Aquiles:

Se tens força, foi o céu que te concedeu a força;
pois sabe, homem vão! O teu valor vem de Deus.
– *Homero*

v. 1: "Minha rocha" [Heb. "minha rocha"]. Deve-se perceber o clímax; a rocha, ou o penhasco, vem em primeiro lugar como o lugar de refúgio, depois a fortaleza ou solidez, como um lugar cuidadosamente fortificado, e então como o libertador pessoal, sem cuja intervenção a fuga teria sido impossível, – *Speaker's Commentary*

v. 1: "O Senhor... adestra": e não como os homens ensinam. Assim, Ele ensinou Gideão a lutar contra o incontável exército de Midiã, mandando de volta para suas casas vinte e dois mil soldados, e conservando apenas dez mil: e novamente, reduzindo esse restante ao pequeno grupo de trezentos, que lamberam, quando trazidos a beber água. Assim, Ele ensinou Sansão a se abster de bebidas fortes e a não permitir que nunca lhe subisse navalha à sua cabeça. Assim Ele ensinou os três reis no deserto a combater seus inimigos, não pela força de seus exércitos, mas fazendo muitas covas no deserto. Assim Ele ensinou o próprio Davi a esperar pelo estrondo de marcha pelas copas das amoreiras. E assim Ele ensinou os braços do Verdadeiro Davi a lutar, quando estivessem estendidos na cruz: pregados, diante da vista humana, ao madeiro do sofrimento, mas, na realidade, conquistando para eles mesmos a coroa da glória; impotente, aos olhos dos escribas e fariseus; aos olhos dos arcanjos, tomando as duas colunas, o pecado e a morte, onde se apoiava a casa de Satanás, e arrancando-as de sua fundação. – *Ayguan, em Neale e Littledale*

v. 1: "O Senhor, minha rocha, que adestra as minhas mãos para a peleja". Havia três qualidades de um valente soldado que foram encontradas em Cristo, o Capitão da nossa salvação, na sua guerra contra Satanás, e que os seus seguidores devem imitar: coragem no ataque, habilidade na defesa, lealdade no conflito, e tudo isto Ele ensina com o seu exemplo (Mt 4.1,4,7,10,11). Ele era corajoso no ataque, pois começou o combate subindo ao deserto, para desafiar o inimigo. Nós, também, devemos sempre nos antecipar a Satanás: devemos jejuar, mesmo que não sejamos tentados à gula, e ser humildes, ainda que não dominados pela soberba, e assim por diante. Ele era habilidoso na defesa, repelindo cada ataque com os Textos Sagrados; onde nós, também, nos exemplos dos santos, podemos encontrar lições para o combate. Ele foi leal no conflito, pois perseverou até o fim, até que o diabo o deixou e os anjos vieram e o serviram. E nós, também, não devemos nos satisfazer ao repelir o primeiro ataque, mas perseverar na nossa resistência, até que os maus pensamentos tenham que fugir, e as resoluções celestiais assumam o seu lugar. – *Neale e Littledale*

v. 1: "Adestra as minhas mãos". Acostumadas ao anzol e à harpa, e não à espada e à lança; mas Deus os capacitou e preparou para façanhas com armas e feitos em guerras. É Deus quem dá habilidade e sucesso, diz Salomão (Pv 8); sabedoria e força, diz Daniel (cap. 2). E como na guerra espiritual, também aqui, as nossas armas são "poderosas em Deus" (2 Co 10.4), que promete que nenhuma arma preparada contra o seu povo prosperará (Is 54.17). – *John Trapp*

v. 1: "Para a peleja... para a guerra". Eu quero falar de um grande defeito que existe entre nós, e que frequentemente impede a realização de ir "de força a força", ou seja, o fato de não usar, não trabalhar com a força que nos é dada. Nós não devemos pensar em ir até Deus em busca de dinheiro somente para guardá-lo no banco. Mas não estamos fazendo exatamente isto, com relação à força? Nós estamos constantemente pedindo força para o serviço, mas se não estamos empregando esta força em sincero esforço, de nada serve para nós. Nada resulta da força entesourada.

"Bendito seja o Senhor, minha rocha, que adestra as minhas mãos para a peleja e os meus dedos para a guerra". Você percebe, Davi estava buscando a força com um propósito. Algumas pessoas parecem esperar a força, mas nunca tentam apresentar as suas mãos para a peleja, e os seus dedos para a guerra – tão pouco arriscam para Deus, tão pouco uso é feito da graça concedida, em parte por medo do homem, em parte por indolência e materialismo... Não devemos meramente nos deleitar com o poder que Deus nos fornece. A ação fortalece, e antes que tenhamos o direito de pedir um novo suprimento, devemos usar o que já nos foi dado. – *Catherine Pennefather, "Service", 1881*

v. 1: Não é a vitória espiritual de cada crente conseguida por Deus? Verdadeiramente, é Ele que adestra as suas mãos para a peleja e os seus dedos para a guerra: e quando o triunfo final for entoado no céu, o canto do vitorioso será: "Não a mim, Senhor, não a mim, mas ao teu nome dá glória, por amor da tua benignidade e da tua verdade" – *John Morison*

v. 1: "As minhas mãos para a peleja e os meus dedos para a guerra". Peleja e guerra são verbos e também substantivos, em Inglês, mas as palavras hebraicas são substantivos, com o artigo que os antecede. – *Joseph Addison Alexander*

v. 1: "Os meus dedos para a guerra". Provavelmente, aqui a referência imediata é ao uso do arco – posicionar a flecha e esticar a corda. – *Albert Barnes*

v. 2: "Benignidade minha", etc. Esta maneira de usar a palavra, em um sentido passivo, como no hebraico, parece rude; como em outra passagem (Sl 18.50), ele se diz "rei de Deus", não no sentido de ter domínio sobre Deus, mas por ter sido feito e nomeado rei por Ele. Tendo sentido a bondade de Deus de tantas maneiras, ele o chama de "sua benignidade", indicando que qualquer bem que ele possuísse fluía de Deus. O acúmulo de expressões, uma após outra, que se segue, pode parecer desnecessário, no entanto se destina a fortalecer a fé. Nós sabemos o quanto são instáveis e inconstantes as mentes dos homens, e particularmente com que rapidez a fé vacila, quando atacada por alguma provação de uma severidade incomum. – *João Calvino*

v. 2: "Fortaleza minha". Davi chama Deus por nomes conectados com as principais libertações da sua vida. Os salmos abundam em referências locais e expressões descritivas, por exemplo, Sl 18.2 [e neste ponto]. A palavra traduzida como "fortaleza" é metzudah ou masada. Com base em 1 Sm 23.29, eu não tenho dúvida de que ele está falando de Masada, um pico isolado, com 1.500 pés [aprox. 450 metros] de altura, sobre o qual havia uma fortaleza. – *James Wareing Bardsley, Glimpses through the Veil", 1883*

v. 2: "Alto retiro meu". Estas torres ou refúgios eram erigidos sobre montes, sobre rochas, ou sobre os muros de uma cidade, e eram considerados lugares seguros principalmente porque eram inacessíveis. Assim os antigos castelos da Europa – como o de Heidelberg, e, de modo geral, os castelos ao longo do rio Reno – foram construídos sobre lugares elevados, e em posições tais de modo que não fossem facilmente acessíveis. – *Albert Barnes v. 2:* "Escudo meu". A palavra hebraica significa, não o grande escudo que era carregado por um ordenança, mas o escudo individual redondo com que os heróis entravam em conflitos corpo-a-corpo. Um guerreiro o levava consigo, quando usava o seu arco ou a sua espada. Normalmente, era feito de metal, mas ainda assim era portátil, e útil, e servia como ornamento, abrilhantado ou ungido com óleo. Davi tinha feito abundante uso do Senhor, seu Deus, diariamente, em batalhas numerosas, em que muitos morreram. – *C. H. S.*

v. 2: "Que me sujeita o meu povo". Tendo atribuído a Deus as vitórias que tinha conquistado sobre inimigos estrangeiros, Davi, apropriadamente, agradece a Ele, ao mesmo tempo, pela condição estabelecida do reino. Exaltado, como fora, de uma posição obscura, e exposto ao ódio de acusações caluniosas, dificilmente se teria acreditado que ele viesse a obter um reinado pacífico. O povo tinha se submetido a ele repentinamente, e além do que seria de se esperar; e uma mudança tão surpreendente era eminentemente obra de Deus. – *João Calvino*

v. 3: "Senhor, que é o homem", etc.

Agora, que é o homem, quando a graça revela
as virtudes do sangue de um Salvador?
Novamente uma vida divina ele sente,
despreza a terra, e anda com Deus.

E em que domínios no alto
o homem resgatado deverá estar?
com honra, santidade e amor,
nenhum serafim mais adornado do que ele.

Mais próximo do trono, e primeiro no cântico.
O homem erguerá seus aleluias,
Enquanto uma multidão de anjos maravilhados o rodeia,
e aumenta o coro do seu louvor.
– *John Newton, em Olney Hymns*

v. 3: "Senhor, que é o homem?" Veja-o em seus quatro elementos, de terra, ar, fogo e água. Na terra, ele é como o pó fugaz; no ar, é como o vapor que desaparece; na água, é como uma bolha que se rompe; e no fogo, é como uma fumaça que se esvai. – *William Seeker, "The Nonsuch Professor"*

vv. 3 e 4: "Senhor, que é o homem", etc. Não há livro tão digno de ler como este livro vivo. Mesmo agora, Davi falou como um rei de homens, de pessoas subjugadas a ele! Agora, ele fala como um humilde vassalo de Deus: "Senhor, que é o homem, para que o conheças?" No mesmo fôlego, há soberania e subjugação: uma soberania absoluta sobre o seu povo; "Me sujeita o meu povo"; uma humilde sujeição ao Deus dos reis; "Senhor, que é o homem?" Sim, na mesma palavra em que há a profissão dessa soberania, há um reconhecimento da sujeição: "Me sujeita o meu povo". Por ter um povo, ele era um rei; para que pudessem ser o seu povo, uma sujeição era necessária; e esta sujeição vinha de Deus, e não dele mesmo: "Tu sujeitas". Davi não teria sujeitado o seu povo, se Deus não os tivesse sujeitado por ele. Ele foi um grande rei, mas eles eram um povo obstinado; o Deus que os criou os levou à devida sujeição. Os grandes conquistadores do mundo não poderiam conquistar corações se Ele, que formou os corações, não os abrandasse. "Por mim, reinam os reis" diz a Sabedoria Eterna; e aquele que teve coragem suficiente para enfrentar um urso, um leão, e Golias, ainda pode dizer: "Me sujeita o meu povo".

Contrariamente, na mais humilde sujeição de si mesmo, há um reconhecimento de grandeza. Embora ele tenha se humilhado através da expressão, "Que é o homem?", ainda assim, acrescenta: "Tu conheces o homem, tu o estimas"; e este conhecimento, esta consideração de Deus, exaltam mais o homem do que a sua própria vaidade pode abatê-lo. O meu texto, então, veja, é o arrebatamento de Davi, expresso em uma pergunta extasiada de súbito assombro, um assombro por Deus e pelo homem: A INFÂMIA DO HOMEM; "Que é o homem?" A MISERICÓRDIA E A BENEVOLÊNCIA DE DEUS, no seu conhecimento, na sua consideração pelo homem. Há apenas duas lições que precisamos obter aqui, no mundo, Deus e o homem; o homem, na noção da sua impiedade; Deus, na noção da sua generosidade.

Se você me permitir, vamos examinar rapidamente ambas; e, em uma delas, veremos a causa da nossa humilhação; da nossa alegria e gratidão na outra; e se, na primeira, houver uma triste Quaresma de mortificação, há, na segunda, uma alegre Páscoa da nossa exaltação.

Muitos, além de Davi, se admiraram consigo mesmos; muitos se admiram com a sua própria honra; e, embora o homem não o diga, ainda assim pensa, "Que grande homem eu sou! Não é esta grande Babel, que eu construí?" Este é o assombro de Nabucodonosor. Outro se admira com a sua pessoa, ao encontrar um rosto bonito, ou olhos atraentes, ou uma mão delicada, ou pernas bem torneadas, ou ainda alguma outra qualidade que possa admirar em si mesmo: este era o pensamento de Absalão. Outro se admira com a sua inteligência e a sua erudição: "Como cheguei a ter tudo isto? Turba haec! Este vulgar que não conhece a lei é amaldiçoado": este era o assombro do fariseu. Outro se maravilha com a sua saúde: "Alma, descansa"; como o epicureu no Evangelho. A admiração de Davi é mais elevada, contra todas estas: ele se admira da sua infâmia: como o Vaso Eleito não se gloria de nada, senão das suas fraquezas: "Senhor, que é o homem?"

Como isto combina! Tão logo ele tinha dito, "me sujeita o meu povo", acrescenta, "Senhor, que é o homem?" Algum coração vão teria sido exaltado com um convencimento da sua própria eminência; "Quem sou eu? Eu não sou como os outros homens. Eu tenho pessoas sujeitas a mim; e pessoas do meu povo, pessoas submissas a mim"; isto deve ser mais do que um homem é capaz de possuir. Conheço aquele que disse, "Eu disse: sois deuses". – *Joseph Hall*

v. 3: O Dr. Hammond relaciona este salmo à morte de Golias, e assim entende a expressão "filho do homem" – "Davi era apenas um jovem. o mais jovem e menos respeitado entre todos os filhos de Jessé, que também era um homem comum".

v. 4: "O homem é semelhante à vaidade". Como quando ele vai a uma feira de negócios, com a bolsa cheia de dinheiro, planejando e debatendo consigo mesmo como gastá-lo – possivelmente pensando que este ou aquele item será mais lucrativo, e lhe trará o maior ganho – quando, de repente, um ladrão vem e lhe subtrai a bolsa, e tudo aquilo em que ele iria gastar o dinheiro da bolsa. Certamente, você deve ter observado como alguns de seus vizinhos ou conterrâneos, quando estavam ocupados em seus planos, e tinham muitos projetos e ideias para aumentar suas propriedades e seus nomes e suas famílias, foram aprisionados pela morte em um momento, retornaram à sua terra e naquele dia todos os seus melhores pensamentos pereceram e se igualaram a nada. O historiador pagão não pôde deixar de observar como Alexandre, o Grande, quando tinha que executar seus grandes desígnios, congregava o parlamento diante de si, de todo o mundo; porém ele mesmo foi convocado, pela morte, a comparecer no outro mundo. O idioma Holandês, portanto, muito inteligentemente desejando expressar a vaidade do mundo, retrata em Amsterdã um homem com uma bexiga completamente cheia sobre os seus ombros, e outro em pé, perfurando a bexiga com um alfinete, com estas palavras, "QUAM SUBITO", ou seja, "Com que rapidez isto virá abaixo". – *George Swinnock*

v. 4: "O homem é semelhante à vaidade". Quando Caim nasceu, houve muito alvoroço com o seu nascimento: "Alcancei do Senhor um varão", disse a sua mãe; ela o considerou como uma grande possessão, e por isto lhe deu o nome Caim, que significa "uma possessão". Mas o segundo homem que nasceu no mundo recebeu o título do mundo, "vaidade"; o seu nome era Abel, isto é, "vaidade". Uma previsão foi dada no nome do segundo homem, sobre qual seria ou deveria ser a condição de todos os homens. Em Sl 144.4, há uma alusão a esses dois nomes. Nós traduzimos a passagem como "O homem é semelhante à vaidade"; o texto em hebraico é, "Adão é como Abel"; Adão, você sabe, era o nome do primeiro homem, o nome do pai de Abel; mas da mesma maneira como Adão era o nome próprio do primeiro, também é um apelativo, ou um nome comum a todos os homens, agora Adão, isto é, o homem, ou todos os homens, são Abel, vaidade, e andam em uma exibição de vaidade. – *Joseph Caryl*

v. 4: "O homem é semelhante à vaidade", etc. O motivo da introdução destes sentimentos aqui não está clara. Pode ser a humildade do guerreiro que atribui todo o sucesso a Deus, e não à coragem humana, ou pode ser uma reflexão expressa sobre os cadáveres de companheiros ou talvez uma mistura das duas coisas. – *A. S. Aglen*

v. 4: "O homem é semelhante à vaidade", etc. Com que sonhos ociosos, planos tolos, vãos interesses, os homens se ocupam, na maior parte do seu tempo! Eles empreendem perigosas expedições e difíceis iniciativas em nações estrangeiras, e adquirem fama; mas o que é isto? – Vaidade! Eles buscam especulações profundas e de difícil compreensão, e se dedicam tanto a esse "muito estudar" que "enfado é da carne", e alcançam fama literária e sobrevivem em seus textos, mas o que é isto? – Vaidade! Eles se levantam cedo e se deitam tarde, e comem o pão da ansiedade e da preocupação, e assim acumulam riquezas; mas o que é isto? – Vaidade! Eles fazem e executam planos e esquemas ambiciosos – eles estão carregados de honras e adornados com títulos – eles proporcionam emprego para o arauto, e formam um tema para o historiador: mas o que é isto? – Vaidade! Na verdade, todas as ocupações e buscas não merecem nenhum outro epíteto, se não são precedidas por, nem conectadas a, uma profunda e suprema consideração pela salvação da alma, a honra de Deus e os interesses da eternidade... Oh, então, que fantasmas, que nadas são aquelas coisas que absorvem inteiramente os poderes e ocupam os dias da grande massa da humanidade ao nosso redor! O seu mais substancial bem perece no uso, e as suas mais resistentes realidades são apenas "a aparência deste mundo", que "passa". – *Thomas Raffles, 1788-1863*

v. 4: "A sombra que passa". As sombras dos montes constantemente mudam de posição durante o dia, e finalmente desaparecem completamente com o aproximar da noite. Assim também acontece com o homem, que todos os dias progride, até o momento de sua partida final deste mundo. – *Bellarmine*

v. 5: "Abaixa os teus céus". Esta expressão deriva da aparência das nuvens, durante uma tempestade: elas parecem se abaixar, de modo a encobrir montes e montanhas, e parecem mesclar a terra e o céu. Esta aparência é usada figurativamente, para retratar a vinda de Deus, para executar vingança sobre os inimigos do seu povo. Veja Sl 18.10, e outros exemplos. – *William Walford*

v. 5: "Abaixa, ó Senhor, os teus céus e desce", etc. Isto nunca se cumpriu de maneira mais plena do que na encarnação de Jesus Cristo, quando o céu e a terra, de certa forma, se uniram. O próprio céu, de certa forma, se abaixou, para que pudesse se unir à terra. De certa forma, Deus desceu e trouxe o céu com Ele. Ele não apenas desceu à terra, como trouxe o céu com Ele, para os homens, e pelos homens. Foi algo muito estranho e maravilhoso. Mas isto se cumprirá, de maneira ainda mais notável, na segunda vinda de Cristo, quando Ele realmente trará o céu com Ele – ou seja, todos os habitantes do céu. O céu será esvaziado de seus habitantes, para descer à terra, e então os montes fumegarão, e realmente escoarão diante da sua presença, como em Is 64.1. – *Jonathan Edwards*

v. 5: "Toca os montes, e fumegarão". O significado é, quando Deus apenas coloca a sua mão sobre os grandes homens, sobre os poderosos do mundo, Ele faz com que eles fumeguem, o que alguns entendem como a ira desses homens; eles se inflamarão imediatamente, se Deus apenas os tocar. Ou podemos entender que se trata da sua consumação, pelo fogo. Um monte fumegante logo será um monte queimado.

Na nossa linguagem, fazer um homem fumegar é uma expressão proverbial para destruir ou subjugar. – *Joseph Caryl*

vv. 5 e 6:

Abaixa os teus céus, Jeová,
Desce em teu poder,
Faze com que os raios da tua glória
Iluminem os cumes dos montes.
Com os raios do teu trovão
confunde o meu adversário.
Com o disparar das tuas flechas
derrota a força deles.
– *William Digby Seymour*

v. 6: "Vibra os teus raios". O texto hebraico aqui diz, "Acende os raios", isto é, Envia os raios. A palavra não é usada como verbo em nenhuma outra passagem. – *Albert Barnes*

v. 7: "Estende as mãos desde o alto". Hebraico, mãos, as duas mãos, todo o teu poder, pois preciso dele. – *John Trapp*

v. 7: "Livra-me e arrebata-me". Fora, vocês que elaboram teorias sobre o sofrimento, e não conseguem fazer nada além de cantar sobre ele, fora! Pois no momento de chorar, não conseguimos suportar os seus argumentos. Se vocês não têm meios de nos livrar, se não têm nada a nos oferecer, senão frases sentenciosas, cubram suas bocas com as mãos, fiquem em silêncio! Já é suficiente sofrer; mas sofrer e ouvir vocês é mais do que podemos suportar. Se a boca de Jó estava próxima da blasfêmia, a culpa era deles, dos miseráveis consoladores, que falaram, em lugar de chorar. Se eu devo sofrer, então oro, para poder sofrer sem essas conversas! – *E. De Pressensé*

v. 7: "Livra-me e arrebata-me... das mãos dos filhos estranhos". Devemos nos lembrar de que, da mesma maneira como os gregos (que se consideravam o povo mais bem criado e instruído do mundo) chamavam de "bárbaras" todas as outras nações, também o povo de Israel, os descendentes de Abraão (sendo o povo do concerto peculiar de Deus), chamavam todas as outras nações de "estrangeiras" ou "estranhas"; e como eram odiados e sofriam malignidades de todas as outras nações, chamavam a todos os estrangeiros de inimigos; assim a palavra é usada (Is 1.7), "os estranhos a devoram [a terra] em vossa presença", isto é, os inimigos invadirão e vencerão vocês.

"Livra-me das mãos dos filhos estranhos", ou das mãos de estrangeiros, isto é, das mãos dos meus inimigos. A palavra em latim alienus frequentemente significa hostis, e o orador romano [Cícero] nos diz que "aquele que agora é chamado de estrangeiro era chamado de inimigo, por nossos antepassados". A razão é porque os estrangeiros foram cruéis, se tornaram inimigos dos que os receberam. – *Joseph Caryl*

v. 7: "Filhos estranhos". Ele os chama de estrangeiros, não com referência à origem, mas ao seu caráter e disposição. – *João Calvino*

v. 7: Os "filhos estranhos", agora inimigos de Davi, terão que se submeter, ou serão esmagados, sob o triunfante Messias (Sl 2). Por intermédio de Davi, o Espírito falou coisas cujo profundo significado ia mais além do que ele compreendia (1 Pe 1.11,12). – *Andrew Robert Fausset*

v. 8: "Cuja boca fala vaidade", etc. Duas coisas andam naturalmente juntas, no versículo: a língua que mente e a mão que engana. O significado é que, com relação a esta questão, nada deve ser esperado, de nenhuma das promessas deles, uma vez que era apenas para enganar que eles adulavam com suas bocas, e davam a mão. – *João Calvino*

v. 8: "Cuja mão direita é a destra da falsidade". A promessa da mão direita, que costumava ser um testemunho de boa fé, foi violada pela traição e pela iniquidade. – *Cícero. Philip, xi. c. 2*

v. 9: "Saltério" – o instrumento de dez cordas. *Nebel 'āśôr*. Somos levados à conclusão de que o *nebel* era a própria harpa dos hebreus. Não poderia ser um grande instrumento, porque é muito frequentemente mencionado na Bíblia como sendo levado em procissões... os tradutores ingleses traduziram *nebel* (aparentemente sem nenhuma razão especial) por nada menos do que quatro palavras: (1) Saltério, (2) Salmo, (3) alaúde, (4) viola. O primeiro deles é, de longe, o mais comum na Authorised Version, em Inglês, e sem dúvida é a tradução mais correta, se a palavra for interpretada no seu sentido fiel, como uma harpa portátil. Os *nebels* eram feitos de abesto, e posteriormente de almugue, que era, talvez o sândalo avermelhado da Índia... Com *nebel* frequentemente é associada a palavra *'āśôr*, que se origina de uma raiz que significa dez, e que por isto foi traduzida na Septuaginta como ἐν δεκαχόρδῳ ou como ψαλτήριον δεκάχορδον (*psalterium decem chordarum*), ou *in dechachordo psalterio* na Vulgata. Nas versões dos Caldeus, Siríaca e Árabe, também são encontradas palavras que sugerem a existência de dez cordas na *nebel 'āśôr*. A palavra *'āśôr* pode, portanto, ser considerada como qualificando ou descrevendo o tipo especial de *nebel* a ser usado, da mesma maneira como hoje falamos de um piano de três cordas. Na nossa versão inglesa, a tradução sempre é feita com as palavras "dez cordas". – *John Stainer em "The Music of the Bible", 1882*

v. 10: "É ele que dá a vitória aos reis". Fernando, rei de Aragão, ao enviar seu filho contra os florentinos, disse-lhe o seguinte: Creia em mim, filho, as vitórias não são obtidas pela arte ou pela sutileza, mas são dadas por Deus. – *John Trapp*

v. 10: "É ele que dá a vitória aos reis". Que doutrina, para que os reis e os grandes homens da terra se lembrem! Se pudessem ser levados a sentir e reconhecer isto, não confiariam na sagacidade de seus próprios conselhos nem na força de seu próprio braço; mas se lembrariam, sempre, de que o Altíssimo é o que governa as nações, e que Ele derrota alguns ou dá a vitória a outros, segundo os ditames da sua própria vontade perfeita. Lembranças como estas mancham a soberba de toda a glória humana, e levam os homens a sentir que apenas o Senhor deve ser exaltado. – *John Morison*

v. 11: Este salmo é a linguagem de um príncipe que desejava a prosperidade do seu povo: que as suas "despensas se encham de todo o provimento"; que os seus "gados produzam a milhares e a dezenas de milhares em suas ruas"; que os seus "bois sejam fortes para o trabalho" (ou "gordos para o matadouro"); que não haja nem assaltos, nem saídas, nem clamores em suas ruas; que não haja magistrados opressores, nem pessoas queixosas. E como se todas essas bênçãos devessem derivar do caráter do povo, e o caráter do povo, da educação que tinham recebido, o nosso texto é uma oração pelos jovens da Judeia. – *Robert Robinson (1735-1790), em "The Nature and Necessity of Early Piety"*

v. 12: As reminiscências ou similaridades do Salmo 17 repentinamente cessam aqui, e são seguidas por uma série de expressões originais, peculiares e, em grande parte, sem dúvida, antigas. Com a suposição de que o título está correto, ao afirmar que Davi é o autor, isto é suficientemente natural. Com base em qualquer outra suposição, isto é inexplicável, exceto pela suposição gratuita de que este é um fragmento de uma composição mais antiga, um método de argumentação pelo qual qualquer coisa pode ser provada ou refutada. – *Joseph Addison Alexander*

v. 12: "Para que nossos filhos sejam, como plantas", etc. Os que já estiveram envolvidos no cultivo de plantas, de qualquer tipo, são continuamente tentados a desejar que os objetos humanos de seu cuidado e sua cultura cresçam tão rapidamente, tão perfeitamente, e floresçam de tal maneira, de modo a satisfazer uniformemente a sua ideia e propósito específicos, e abundantemente recompensar o trabalho despendido nelas.... Para que os nossos filhos realmente cresçam como plantas jovens, como os nossos carvalhos ingleses, que, segundo as analogias da natureza, não apresentam nenhum tipo inapropriado do nosso caráter nacional; eles não devem ser atrofiados, nem distorcidos, nem podados, para que não pareçam estranhos. Eles devem crescer retos e em direção ao céu, como Deus tinha ordenado que crescessem... Há algo tão palpável e assombroso neste tipo, que há vinte e cinco anos, falando sobre o caráter cavalheiresco, fui levado a dizer, "Um cavalheiro deve crescer como uma árvore: não deve haver nada entre ele e o céu". – *Julius Charles Hare, em um sermão intitulado "Education the Necessity of Mankind", 1851*

v. 12: "Para que nossos filhos sejam, como plantas, bem desenvolvidos na sua mocidade", etc. Assim Davi ora pela geração que está crescendo. As metáforas parecem, de modo geral, inapropriadas para a oração, mas não têm este aspecto nas orações registradas nas Escrituras. A linguagem do texto é tropical, mas as metáforas são adequadas e oportunas. As raízes das plantas são necessariamente invisíveis. As plantas tenras são insignificantes. Uma planta crescida, tendo peso em seu caule, largura em seus ramos, abundância na folhagem, e plenitude em suas flores, é visível. Davi ora para que os filhos daquela geração pudessem ser, na sua mocidade, "como plantas bem desenvolvidas", isto é, que a sua piedade pudesse não apenas viver, mas que a sua bondade pudesse ser plenamente expressada. As pedras de uma fundação estão ocultas. As pedras no interior do muro de um edifício também estão necessariamente ocultas. As pedras da superfície de um muro são visíveis mas não são perceptíveis. A pedra de esquina dos edifícios daquela época era proeminente e eminente. Colocada na esquina da estrutura, onde duas paredes se encontram, no topo das paredes, e ricamente ornamentada, lavrada e polida, ela chamava atenção. Davi ora para que as filhas da sua época possam fazer uma profissão declarada e adorável da religião – que tanto filhos como filhas possam, não apenas ter piedade, mas exibi-la. – *Samuel Martin, "Cares of Youth"*

v. 12: "Plantas bem desenvolvidas". "Pedras de esquina lavradas". Estes processos de crescimento e polimento podem ocorrer em um único lugar, na igreja de Cristo. – *Neale e Littledale*

v. 12: "Para que as nossas filhas sejam como pedras de esquina lavradas", etc. As "pedras de esquina lavradas do templo" na verdade "os ângulos ornamentados, as colunas de um palácio". Grande cuidado e ornamentação eram dedicados pelos antigos às pedras de esquina de seus esplêndidos palácios. É admirável que os gregos fizessem uso de pilastras, chamadas Cariátides (esculpidas com a imagem de uma mulher, vestida com longas túnicas), para sustentar o entablamento de seus edifícios. – *Daniel Cresswell*

v. 12: "Para que as nossas filhas sejam como pedras de esquina lavradas, como colunas de um palácio", ou templo. Por intermédio das filhas, famílias são unidas e conectadas à sua força mútua, da mesma maneira como as partes de um edifício são unidas pelas pedras de esquina; e quando elas são graciosas e belas, tanto em corpo como em mente, são, então, polidas ou lavradas, da mesma maneira que uma agradável e curiosa estrutura. Quando vemos as nossas filhas bem estabelecidas, e sustentadas por sabedoria e discernimento, como as pedras de esquina são presas ao edifício, quando as vemos unidas, pela fé, a Cristo, como a pedra de esquina fundamental, adornadas com as graças do Espírito de Deus, que são o adorno daquilo que é naturalmente grosseiro, "como convém a mulheres que fazem profissão de servir a Deus", quando as vemos purificadas e consagradas a Deus, como templos vivos, então nos consideramos felizes nelas. – *Matthew Henry*

v. 12: "Para que as nossas filhas sejam como pedras de esquina lavradas", etc. À primeira vista, talvez, esperássemos que as filhas de uma casa fossem como o gracioso ornamento da folhagem ou dos frutos da árvore, e os filhos como as pedras de esquina, sustentando o peso do edifício, e, no entanto, aqui acontece o inverso. E eu penso que podemos ler o amor e a ternura do Senhor, nesta expressão aparentemente casual, mas intencional, e também que Ele desejava que as nações da terra soubessem e compreendessem o quanto a sua felicidade, a sua força e a sua segurança dependiam das filhas de uma família. Isto não seria assim considerado, em muitas nações que não conheciam a Deus: na Grécia polida, de antigamente, e em algumas nações pagãs, até hoje, as filhas de uma família são cruelmente destruídas, agravando as aflições e diminuindo os recursos de uma casa; e ai! – também em nações cristãs, se não destruídas, elas são, com igual inclemência e crueldade extirpadas de toda a consolação e dos laços e dos afetos da vida, e são confinadas naquela imitação de sepultura em vida, o claustro, para que não sejam estorvos ou empecilhos a outras pessoas! Quão contrário tudo isto é ao propósito afetuoso do nosso Deus amoroso, cujo Espírito Santo escreveu, para o nosso aprendizado, que os filhos e as filhas, igualmente, devem ser o ornamento e a graça, a felicidade e a bênção de toda casa! – *Barton Bouchier*

v. 12: "Como colunas de um palácio". Muitos intérpretes dão à última palavra o sentido vago de um "palácio". Há alguma coisa, no entanto, muito mais impressionante, na tradução templo, encontrada no Livro de Orações, e nas versões antigas. A omissão do artigo é uma licença poética de ocorrência perpétua. O templo era o grande modelo arquitetônico, e o padrão para comparação, e era particularmente notável pela grande dimensão e habilidosa confecção das pedras de sua fundação, algumas das quais, há razão para crer, perduram inabaláveis desde os tempos de Salomão. – *Joseph Addison Alexander*

vv. 12 a 15: Na primeira parte do salmo, o salmista fala de coisas que dizem respeito à sua própria felicidade: "Bendito seja o Senhor, minha rocha" (v. 1); "Estende as mãos desde o alto; e arrebata-me das muitas águas" (v. 7); "Livra-me e tira-me das mãos dos filhos estranhos" (v. 11). E ele poderia facilmente ter continuado da mesma maneira nas seguintes sentenças: "Para que meus filhos sejam, como plantas, para que as minhas filhas sejam como pedras de esquina do templo; para que as minhas despensas se encham de todo o provimento; para que os meus gados produzam a milhares e para que os meus bois sejam fortes para o trabalho"; e, de igual maneira, ele também poderia ter concluído – "Bem-aventurado serei eu, se eu estiver nesta situação". Isto, posso dizer, ele poderia ter feito; ou melhor, isto ele teria feito, se os seus desejos se refletissem somente sobre si mesmo. Mas tendo um coração tão generoso, e sabendo o que pertencia aos vizinhos em termos de piedade, mostrando-se relutante em desfrutar sozinho esta felicidade, ele altera o seu estilo; e (estando no ápice dos bons desejos para si mesmo), ele converte o singular em um plural – nossos gados, nossos bois, nossas despensas, nossos filhos e filhas, para que possa resumir tudo desta maneira: "Bem-aventurado é o povo". Aqui há um verdadeiro testemunho de uma mente religiosa e também generosa, que sabia, em seus mais internos pensamentos, olhar para fora de si mesmo, e se preocupar com o bem-estar público, em suas mais privadas meditações. Ambrósio observa que é uma característica clara de um espírito nobre, fazer o que leva ao bem público, ainda que para sua própria desvantagem. – *Richard Holdsworth (1590-1649), em "The Valley of Vision"*

vv. 12 a 15: Estas palavras contêm uma impressionante imagem de uma nação próspera e feliz. Nós temos uma visão da mocidade masculina da nação pelos carvalhos da floresta, que se tornam grandiosos no período inicial do vigor e da excelência do solo. Eles são representados no caráter distinto de seu sexo, representando a força da nação, de onde devem ser obtidos os recursos para ação. Por outro lado, as jovens moças de uma nação são exibidas com uma representação igualmente justa e apropriada de sua posição e de seu caráter distinto. Elas não são exibidas com uma metáfora derivada dos mais duros ocupantes da floresta, mas nos são mostradas com uma descrição extraída dos acompanhamentos perpétuos da morada: elas são o esteio e o ornamento da vida doméstica. A fartura de todo tipo nos é representada na possessão e na expectativa razoável. "Sem assaltos" nem invasões por parte de um adversário furioso, ninguém oprime com terror os habitantes desta feliz nação; nem há qualquer "saída". Os costumes bárbaros empregados por Senaquerribe e outros conquistadores antigos, de transportar os habitantes de uma nação derrotada a alguma terra distante, inimiga e odiada – o costume empregado neste momento, para o escândalo para o nome e a tristeza da Europa – eles não temem: eles não temem nenhuma "saída". Sob nenhuma circunstância de tal natureza existe causa de aflição ou queixa; ou, se existir, esta causa pode ser modificada, e aliviada e remediada, de modo que não haja clamores nas ruas. "Bem-aventurado o povo a quem assim sucede!" – *John Pye Smith, 1775-1851*

v. 13: "Para que os nossos gados produzam a milhares", etc. A surpreendente fecundidade do gado tem sido observada por todos os tipos de autores. Não lhes escapou a observação do salmista real, que, em uma bela atribuição de louvor ao Deus vivo e verdadeiro, suplica que o gado do seu povo escolhido possa "produzir a milhares e a dezenas de milhares em nossas ruas". Em outro cântico de Sião, ele descreve, com uma metáfora muito elegante, os numerosos rebanhos que cobrem, como uma veste, a face do campo: "Os campos cobrem-se de rebanhos, e os vales vestem-se de trigo; por isso, eles se regozijam e cantam" (Sl 65.13). A imagem ousada é plenamente assegurada pelos prodigiosos números de rebanhos que cobriam de branco as extensas pastagens da Síria e de Canaã. Naquela parte da Arábia, que tem fronteira com a Judeia, o patriarca Jó possuía, no princípio, sete mil, e depois do retorno da sua prosperidade, catorze mil ovelhas; e Mesa, o rei de Moabe, pagava ao rei de Israel "cem mil cordeiros, e cem mil carneiros com a sua lã" (2 Rs 3.4). Na guerra que a tribo de Rúben travou contra os hagarenos, os rubenitas levaram "duzentas e cinquenta mil ovelhas" (1 Cr 5.21). Na dedicação do templo, Salomão ofereceu em sacrifício "cento e vinte mil ovelhas". Na festa de Páscoa, Josias, rei de Judá, "ofereceu aos filhos do povo cordeiros e cabritos do rebanho, todos para os sacrifícios da Páscoa, em número de trinta mil, por todos que ali se achavam, e, de bois, três mil; isso era da fazenda do rei" (2 Cr 35.7). A ovelha tem seus filhotes normalmente uma vez por ano, e em climas mais inóspitos, dificilmente mais do que um filhote por vez. Mas uma ninhada de gêmeos é tão frequente nas regiões orientais como é raro em outros lugares, o que explica, de maneira satisfatória, os números prodigiosos que os pastores sírios conduziam aos montes. Esta fertilidade incomum pareceu ser sugerida por Salomão, nas suas palavras à esposa: "Os teus dentes são como o rebanho das ovelhas tosquiadas, que sobem do lavadouro, e das quais todas produzem gêmeos, e nenhuma há estéril entre elas" (Ct 4.2). – *George Paxton (1762-1837), em "Illustrations of Scripture"*

vv. 13 e 14: "Ruas", embora não incorreta, é uma tradução inadequada para a palavra hebraica, que significa espaços externos; ruas, em oposição ao interior das casas; campos, em oposição a toda uma cidade. Aqui, a palavra inclui, não apenas ruas, mas campos. – *Joseph Addison Alexander*

v. 14: "Para que os nossos bois sejam fortes para o trabalho". [Margem: "capazes de suportar cargas", ou, carregados com carne]. Assim como no versículo anterior, ele tinha atribuído a produtividade dos rebanhos à bondade de Deus, também agora a gordura de seus bois, para mostrar que não há nada que nos diga respeito aqui, que Ele ignore. – *João Calvino*

v. 14: "Para que os nossos bois sejam fortes para o trabalho". Os bois eram usados não apenas para arar, debulhar, e puxar carros, mas também para carregar pesos; compare 1 Cr 12.40, passagem peculiarmente adequada para esclarecer o versículo diante de nós. Os bois carregados pressupõem uma rica abundância de produção. – *E. W. Hengstenberg.*

v. 14: "Para que não haja clamores em nossas ruas", etc. Na verdade, "e nenhum clamor de tristeza" (comp. Is 24.11; Jr 14.2; 46.12) "em nossos lugares abertos", isto é, os lugares onde o povo normalmente se reunia, perto da porta da cidade (comp.

2 Cr 32.6; Ne 8.1). A palavra traduzida como "clamores" não aparece em nenhuma outra passagem do Saltério. – *Speaker's Commentary*

v. 14: "Nem clamores". Sem clamores, mas "celeiros". – *John Trapp*

v. 15: "Bem-aventurado o povo", etc. No texto temos a felicidade, ou a bem-aventurança, com um eco, ou repetição, "bem-aventurado" e "bem-aventurado". Desta repetição se originam as partes do meu texto; as mesmas que são as partes do mundo maior, e também do menor. Como o céu e a terra no primeiro, e a alma e o corpo no segundo, assim é esta passagem das Escrituras, nos dois vasos de bem-aventurança. Podemos organizá-las como Isaque faz nas duas partes da sua bênção (Gn 27.28); a veia da bem-aventurança civil, "na gordura da terra", e a veia da bem-aventurança divina, "no orvalho dos céus". Ou (se você desejar extraí-las do Evangelho), aqui está a porção de Marta, nas "muitas coisas" relacionadas ao corpo, e a parte melhor de Maria, na unum necessarium da alma. Para apresentar de maneira ainda mais concisa, aqui está o caminho da prosperidade, em consolações materiais, "Bem-aventurado o povo a quem assim sucede!"; e o caminho da piedade em consolações espirituais, "Bem-aventurado é o povo cujo Deus é o Senhor".

No estudo da primeira, sem nenhuma outra subdivisão, somente mostrarei do que trata o salmista, e isto será sob a forma de graduação, nestes três aspectos. É *De Felicitate; De Felicitate Populi; De hac Felicitate Populi*: de bem-aventurança; da bem-aventurança do povo; ou da felicidade do povo, a quem assim sucede.

A bem-aventurança é a geral, e a primeira: um nobre argumento, digno de uma pena inspirada, especialmente a do salmista. Entre todos os outros, não pode haver ninguém melhor para falar da bem-aventurança do povo do que esse rei; nem da celestial do que esse profeta. No entanto, eu não desejo discursar exclusivamente sobre isto, mas somente dizer que ela tem uma posição peculiar neste salmo, muito variada e muito diferente da ordem dos outros salmos. Neste salmo, ela está reservada para o final, como a conclusão das meditações anteriores. Em outros salmos, ela está no princípio, no primeiro lugar; como no 32, no 112, no 119, e no 128. Novamente, neste salmo, o salmista termina com a nossa bem-aventurança, e começa com a de Deus. "Bendito seja o Senhor, minha rocha". No salmo 41, ao contrário, ele faz a sua abertura a partir da do homem: "Bem-aventurado é aquele que atende ao pobre"; a sua conclusão é com a de Deus: "Bendito seja o Senhor, Deus de Israel". Portanto, eu observo estas variações, porque elas são úteis para o entendimento, tanto da essência como do esplendor da verdadeira bem-aventurança. Para o conhecimento da essência, elas são úteis, porque demonstram como a nossa própria felicidade está contida na glória de Deus, e subordinada a ela. Da mesma maneira como não podemos começar com beatus, a menos que terminemos com benedictus, também devemos começar com benedictus para que possamos terminar com beatus. A razão é esta: porque a glória de Deus é, ao mesmo tempo, a consumação e a introdução à bem-aventurança do cristão. Por isto, como no outro salmo ele começou abaixo e terminou no alto, neste, tendo começado no alto, com aquilo que é principal, "Bendito seja o Senhor"; ele fixa o seu segundo pensamento no que é subordinado, "Bem-aventurado, ou feliz, o povo". Ele não poderia seguir uma ordem melhor: em primeiro lugar, ele olha para cima, para o reino de Deus e a seguir para o seu próprio, não desejando receber bem-aventurança, antes de tê-la dado. – *Richard Holdsworlh*

v. 15: "Bem-aventurado o povo a quem assim sucede!", etc. A primeira parte deste texto diz respeito a bênçãos temporais, "Bem-aventurado o povo a quem assim sucede"; a segunda, às espirituais, "Bem-aventurado é o povo cujo Deus é o Senhor". "A sua mão esquerda esteja debaixo da minha cabeça", diz a esposa (Ct 2.6); isto impede que eu caia em murmurações, ou que deserte da sua providência, porque com a sua mão esquerda Ele me deu o suficiente das suas bênçãos temporais; "E a sua mão direita me abrace", diz aqui a esposa; as suas bênçãos espirituais me preenchem, me possuem, de maneira que nenhum fogo rebelde irrompe dentro de mim, nenhuma tentação exterior irrompe sobre mim. Assim também diz Salomão, novamente, "Na sua [mão] esquerda, [há] riquezas e honra" (bênçãos temporais), e "aumento de dias há na sua mão direita" (Pv 3.16), tudo o que realiza e cumpre as alegrias eternas dos santos do céu. A pessoa a quem Salomão atribui estas mãos (direita e esquerda) é a Sabedoria; e um homem sábio pode estender a sua mão direita e a esquerda, para receber os dois tipos de bênçãos. E a pessoa que Salomão representa aqui pela Sabedoria é o próprio Cristo. De modo que não apenas um sábio terreno, mas um sábio cristão, pode estender as duas mãos, para os dois tipos de bênçãos, a direita e a esquerda, espirituais e temporais.

Para esta bem-aventurança, da mesma maneira como nenhum filósofo jamais conseguiu dizer a nós, entre os gentios, o que era a verdadeira bem-aventurança, também nenhum gramático entre os judeus, entre os hebreus, jamais conseguiu nos dizer qual é o significado correto desta palavra, que aqui Davi expressa como bem-aventurança. Quer seja asherei, um substantivo plural, com o significado de beatitudines, bem-aventuranças, no plural, indicando desta maneira que a bem-aventurança consiste não de uma coisa, mas de uma harmonia e um consenso de muitas, quer asherei um advérbio, com o significado de beate, e assim ele estaria dizendo, Ó, quão bem-aventurados são os homens a quem assim sucede; eles não sabem dizer. Qualquer que seja, é a primeira palavra com que Davi inicia o seu livro de Salmos: beatus vir; como a última palavra desse livro é Louvai ao Senhor, para mostrar que tudo o que acontece entre Deus e o homem, do princípio ao fim, são bênçãos, de Deus ao homem, e louvores, do homem a Deus; e que o primeiro estágio da bem-aventurança é encontrar a impressão da mão de Deus, até mesmo na sua bem-aventurança temporal, e louvá-lo e glorificá-lo, no uso correto dela.

Um homem que não tem terra a reter com ela, nem título a recuperar por ela, não ficará melhor ao encontrar, ou comprar, ou possuir uma razoável evidência, um razoável instrumento, bem escrito, devidamente selado, genuinamente testificado; um homem que não tem a graça de Deus, e as bênçãos espirituais, nunca estará mais perto da bem-aventurança, com toda a sua abundância de bem-aventurança temporal. As evidências são evidências para os que têm títulos. A bem-aventurança temporal é evidência para os que têm um testemunho das bem-aventuranças espirituais de Deus nas temporais. Não sendo assim, da mesma maneira como nas mãos que não têm título, é algo suspeito encontrar evidências, e ele será julgado como as tendo roubado ou usurpado, ele será julgado como as tendo forjado e falsificado, e será chamado a explicar-se por elas, como ele as obteve, e o que tenciona fazer com elas; também aos que têm bênçãos temporais, sem as espirituais – elas são apenas bênçãos inúteis, são apenas bênçãos falsificadas, não comprarão um minuto de paz aqui, nem um minuto de revigoramento para a alma no futuro; e deverá ser apresentada uma boa explicação, tanto de como foram obtidas, quanto de como foram empregadas. – *John Donne*

v. 15: "Bem-aventurado o povo", etc. É apenas uma religião estreita e unilateral que pode ver algo fora de lugar nesta bem-aventurança de fartura e paz. Se pudemos nos alegrar com os salmos, plenamente e sem temor, nas bênçãos temporais concedidas pelo céu, devemos, mais prontamente e sinceramente, mergulhar nas profundezas de sua experiência espiritual. E o segredo disto está na plena compreensão e contemplação do belo e agradável, como sendo dádiva de Deus. – *A. S. Aglen*

v. 15: "Bem-aventurado é o povo cujo Deus é o Senhor". "Sim, bem-aventurado". Este é o melhor vinho, guardado para o final, ainda que nem todos os homens tenham esta opinião. Dificilmente um homem materialista pensará isto. O mundo está suficientemente disposto a interpretar erroneamente a ordem das palavras, e a dar a prioridade à bem-aventurança civil, como se fosse a primeira em dignidade, porque é mencionada em primeiro lugar: eles preferem ouvir cui sic e não cui Dominus. Para evitar esta tolice, o salmista inseriu uma advertência, nesta partícula corretiva, "sim, bem-aventurados". Ela tem a força de uma revogação, com que ele parece retirar o que foi dito antes, não simplesmente nem absolutamente, mas até certo ponto, para que os homens materialistas não levem isto a uma má interpretação. Não é uma revogação absoluta, mas comparativa; ela não nega simplesmente que existe alguma parte de bem-aventurança popular nestas coisas externas, mas prefere as espirituais a elas; "Sim", isto é, Antes, ou, Ou melhor; como a observação de Cristo, no Evangelho, quando alguém no grupo bendisse o ventre que o gerou, imediatamente Ele responde: "Antes, bem-aventurados os que ouvem a palavra de Deus e a guardam" (Lc 11.28). De igual maneira, o profeta Davi, tendo suposto, em primeiro lugar, a parte inferior e externa de uma feliz condição; temendo que eles, propositadamente, confundissem o seu significado, e, ouvindo a primeira proposição, ali estabelecessem o seu descanso, e não desejassem a segunda, ou que a aceitassem, fazendo-o de maneira ilógica, e dando-lhe a preferência, antes da segunda, conforme a ordem do mundo, Virtus post nummos. Neste aspecto, ele insere a sentença de revogação, com que mostra que estas coisas externas, ainda que citadas em primeiro lugar, ainda assim não devem ser consideradas em primeiro lugar. A partícula "Sim" as remove para o segundo lugar; ela alterna a ordem, tacitamente; e o caminho da piedade, que estava localmente depois, é colocado praticamente antes. Como se ele dissesse, Eu disse que é bem-aventurado o povo a quem assim sucede? Na verdade, eles são infelizes, se apenas isto lhes suceder: a parte temporal não os fará bem-aventurados, sem a espiritual. Admita que as janelas do céu visível foram abertas, e que todas as bênçãos externas foram derramadas sobre nós; admita que nós desfrutamos perfeitamente o que quer que a vastidão da terra contenha; diga-me: Que adianta ganhar tudo, e perder Deus? Se a terra nos for concedida, e não o céu; ou se o céu material se abrir, e não o que tem as bênçãos; ou se todo o mundo for nosso, e Deus não for nosso; não chegaremos à bem-aventurança, à felicidade. Tudo o que está na primeira proposição não é nada, a menos que isto seja acrescentado: "Sim, bem-aventurado é o povo cujo Deus é o Senhor". – *Richard Holdsworth*

v. 15:

Nações extremamente felizes, para as quais, com olhar benigno,
A tua formosura se derrama; debaixo do teu sorriso divino,
Os campos são coroados com colheitas cada vez maiores,
Os rebanhos crescem e reinam abundantes,
Nenhum adulto ou bebê a Peste Negra irá arrebatar,
Até que, maduros pela idade, caiam na sepultura;
Nenhuma suspeita sentida, nenhuma preocupação inquieta,
Nenhuma discórdia destruidora da paz entra aqui,
Apenas amigos e irmãos, esposas e irmãs,
Participam do banquete, em concordância e em amor divino.

– *Calímaco*

v. 15: Tendo orado por muitas bênçãos temporais, para o bem do povo, entre os versículos 12 e 15, Davi, por fim, conclui, "Bem-aventurado o povo a quem assim sucede"; mas imediatamente ele se repreende e se corrige, e retifica as suas próprias palavras, dizendo "Bem-aventurado é o povo cujo Deus é o Senhor". A versão Siríaca traduz como pergunta, "Não é [bem-aventurado] o povo a quem assim sucede?" A resposta é, "Não", a menos que tenham Deus como seu auxílio (Sl 146.5). Nada pode tornar verdadeiramente infeliz o homem que Deus tem como sua porção, e nada pode tornar verdadeiramente bem-aventurado o homem que não tem Deus como sua porção. Deus é o autor de toda a verdadeira felicidade e bem-aventurança; Ele é o doador de toda a verdadeira felicidade e bem-aventurança; Ele é o mantenedor de toda a verdadeira felicidade e bem-aventurança, e é o centro de toda a verdadeira felicidade e bem-aventurança; e, por isto, aquele que o tem como seu Deus, e como sua porção, é o único homem bem-aventurado e feliz do mundo. – *Thomas Brooks v. 15:* "Cujo Deus é o Senhor" (ou "Jeová"). Esta é uma palavra ou um nome muito conhecido por nós, ingleses, por nossos tradutores que frequentemente conservam esse nome na menção a Deus nas nossas Bíblias inglesas, e por isto fazemos bem em retê-lo. Senhor era uma palavra inferior, na aceitação comum, a Deus. Mas JEOVÁ é um nome superior a ambos, e mais peculiar, intransferível, e abrangente: "E [eu] apareci" (diz o Senhor) "a Abraão, a Isaque e a Jacó como Deus Todo-Poderoso; mas pelo meu nome JEOVÁ não lhes fui conhecido" (Êx 6.3, NTLH).

Ter Deus como o nosso Senhor é a certeza de bem-aventurança e felicidade para nós. Entre muitas, observe apenas estas duas coisas sobre o nome Jeová: Em primeiro lugar, a absoluta independência de Deus – Ele é, por si só, onipotente: "E disse Deus a Moisés: EU SOU O QUE SOU" (Êx 3.14). Em segundo lugar, a fidelidade de Deus – Ele não pode deixar de ser tão bom quanto a sua palavra: "E também estabeleci o meu concerto com eles; portanto, dize aos filhos de Israel: Eu sou o JEOVÁ (assim no texto em hebraico), e vos tirarei de debaixo das cargas dos egípcios" (Êx 6.2,3,4,6). De modo que este nome é a nossa segurança quanto ao desempenho de Deus. Examinemos, portanto, as nossas obrigações, isto é, as suas promessas para nós; são todas promessas de Jeová? Então elas devem ser válidas, pois trazem o seu nome; elas devem refletir o seu nome, e promover o nosso bem e também o grande desígnio de Deus. – *Nathanael Homes, 1678*

Com esta oração do ungido de Jeová, terminam as orações do livro de Salmos. Os seis salmos restantes consistem exclusivamente de louvor e elevados aleluias. – *Lord Congleton, "The Psalms: a new Version, with Notes", 1875*

SUGESTÕES AOS PREGADORES

v. 1. I. Duas coisas necessárias na nossa guerra santa – força e habilidade; para as mãos e os dedos, para o difícil e o delicado. II. De que maneira Deus nos fornece as duas coisas. Ele é uma delas, e ensina a outra. Fornecimento e Instrução. O ensinamento vem com o esclarecimento, a experiência, a orientação distinta.

v. 1. Coisas que o soldado cristão não deve esquecer. I. A verdadeira fonte da sua força: "O Senhor, minha rocha". Se ele se lembrar disto, 1. Ele nunca se encontrará confiando em si mesmo. 2. Nunca lhe faltará coragem. 3. Ele sempre espera a vitória. 4. Ele nunca será derrotado em conflito. II. A sua constante necessidade de instrução, e o Professor que nunca se esquece dele: "Que adestra as minhas mãos", etc. Se ele se lembrar disto, 1. Ele vestirá a armadura fornecida e indicada por Deus. 2. Ele escolherá como sua arma a espada do Espírito. 3. Ele estudará o manual dado por Deus sobre tática militar e disciplina, para que possa aprender (1) os recursos do inimigo; (2) métodos de ataque e defesa; (3) como se comportar no meio da luta. 4. Ele confiará em Deus e esperará que Ele lhe dê entendimento. III. O louvor devido a Deus, tanto pelas vitórias conquistadas como pela habilidade exibida: "Bendito seja", etc. Se ele se lembrar disto, 1. Ele usará as suas honras com humildade. 2. Glorificará a honra do seu Rei. 3. Provará duas vezes o doce sabor da vitória, na bem-aventurança da gratidão. – *J. F.*

v. 2. Flores duplas: I. O bem é preservado do mal: "benignidade" e "fortaleza". II. A segurança se converte em liberdade: "alto retiro", "libertador". III. A segurança acompanhada de descanso: "escudo, em quem eu confio". IV. Suficiência para manter a superioridade: "que me sujeita o meu povo". Considere Deus como operando tudo isto.

v. 2. Um grupo de títulos. Observe, I. Qual vem em primeiro lugar. "Benignidade". Heb. "misericórdia". 1. É correto e natural que um pecador salvo aproveite ao máximo a "misericórdia" e a coloque no primeiro plano. 2. A misericórdia é a base e a razão dos outros títulos citados. Pois o que quer que Deus seja para nós, é a manifestação especial da sua misericórdia. 3. É bom ver um crente experiente fazendo da misericórdia a nota principal do seu cântico de louvor. II. O que vem, por fim: "Aquele em quem confio". Isto sugere, 1. Que aquilo que Deus é, o torna digno de confiança. 2. Que a meditação sobre o que Ele é fortalece a nossa confiança.

III. A força peculiar que a palavra "meu" dá às duas coisas. Isto resulta em, 1. Um registro de experiência. 2. Uma atribuição de louvor. 3. Um abençoado regozijo. 4. Um incentivo, suficiente para fazer com que outros tenham o mesmo anseio. – *J. F.*

v. 3. Uma nota de interrogação, exclamação e admiração.

v. 3. A pergunta, I. Nega qualquer direito que o homem tenha de reivindicar a consideração de Deus. II. Declara a grande honra que, apesar disto, Deus colocou sobre o homem. III. Sugere que a verdadeira razão das generosas atitudes de Deus é a graça do seu próprio coração. IV. Sugere a adequação da gratidão e da humildade. V. Encoraja os mais indignos a depositar a sua confiança em Deus. – *J. F.*

v. 3. I. O que era o homem, quando saiu das mãos de seu Criador? 1. Racional. 2. Responsável. 3. Imortal. 4. Santo e feliz. II. O que é o homem, na sua condição atual? 1. Caído. 2. Culpado. 3. Pecador. 4. Infeliz, e impotente na sua infelicidade. III. O que é o homem, depois que creu em Cristo?

I. Restaurado a um relacionamento correto com Deus. 2. Restaurado a uma disposição correta com relação a Deus. 3. Ele desfruta das influências do Espírito Santo. 4. Ele está em meio a um processo de preparação para o mundo celestial. IV. O que será o homem, depois de admitido no céu? 1. Livre do pecado e da tristeza. 2. Promovido à perfeição da sua natureza. 3. Associado com anjos. 4. Próximo ao seu Salvador e seu Deus. – *George Brooks, "The Homiletic Commentary", 1879*

v. 3. O homem sem valor, muito considerado pelo poderoso Deus. Sermão de autoria de Ebenezer Erskine. Works iii., p. 141-162.

v. 3. É a maravilha das maravilhas que o grande Deus viesse a conhecer e considerar algo como o homem. I. Isto ficará evidente, se você considerar que grande Deus é o Senhor. II. Que coisa insignificante é o homem. III. Que grande consideração o grande Deus tem por esta coisa insignificante, o homem. – *Joseph Alleine*

v. 4. Ele não é nada, ele finge ser alguma coisa, logo se vai, e termina em nada a sua vida; no entanto, há uma luz, em algum lugar.

v. 4. O mundo das sombras. I. As nossas vidas são como sombras. II. Mas a luz de Deus expulsa estas sombras. A nossa existência vem de Deus. A brevidade e o mistério da vida são uma parte da providência. III. O destino das sombras: a noite eterna, ou a luz eterna. – *W. B. H.*

v. 4. A brevidade da nossa vida terrena. 1. Um tema benéfico para meditação. II. Uma censura aos que se preocupam apenas com esta vida. III. Um chamado de trombeta, para que nos preparemos para a eternidade. IV. Um incentivo para que o cristão aproveite ao máximo esta vida, para a glória de Deus. – *J. F.*

v. 5. Condescendência, visitação, contato e conflagração.

vv. 7, 8 e 11. Repetições, não em vão. As repetições na oração são vãs, quando resultam de forma, impulsividade ou superstição; mas não, por exemplo, I. Quando são a expressão de fervor genuíno. II. Quando o perigo contra o qual se orou é iminente. III. Quando o temor que motiva a oração é urgente. IV. Quando a rejeição é motivada por um novo motivo (vv. 7, 8); pela condescendência de Deus (v. 3, 11); pela libertação anterior de Deus (v. 10); e pelos resultados que derivam da resposta (vv. 12-14). – *C. A. D.*

v. 8. O que é uma "destra de falsidade"? Pergunte ao hipócrita, ao maquinador, ao homem da falsa doutrina, ao que se vangloria, ao caluniador, ao homem que se esquece de sua promessa, ao apóstata.

v. 9. Para o ouvido de Deus. I. O cantor. Um coração agradecido. II. O cântico. de louvor. Novo. III. O acompanhamento: "saltério". Ajuda a devoção. Dá a Deus o melhor. IV. Aquele que ouve, o objeto do louvor: "A ti, ó Deus". – *W. B. H.*

v. 11. Pessoas das quais é uma misericórdia escapar: os que são estranhos a Deus, vãos no modo de vida, falsos em obras.

vv. 11 e 12. A natureza e a necessidade da piedade na mocidade. Sermão pregado para um grupo de jovens, em Willingham, Cambridgeshire, no dia 1 de janeiro de 1772. – *Robert Robinson*

v. 12. A mocidade acompanhada de evolução, estabilidade, utilidade, e saúde espiritual.

v. 12 (primeira parte). Para os jovens rapazes. Considere, I. O que é desejado para o seu bem: "que os filhos sejam, como plantas", etc. 1. Que possam ser respeitados e valorizados. 2. Que possam ter princípios e virtudes estabelecidos. As plantas não são levadas de um lado a outro. 3. Que possam ser vigorosos e fortes, em poder moral. II. O que é essencial, da sua parte, para o cumprimento deste desejo. 1. Uma boa raiz em Cristo. 2. Nutrição constante da Palavra de Deus. 3. O orvalho da graça divina, obtido pela oração. 4. Uma resoluta tendência interna, para responder ao propósito tencionado por Deus para a nossa existência. – *J. F.*

v. 12 (segunda parte). Para as jovens mulheres. Considere, 1. A importante posição que vocês podem ocupar na estrutura social: "Como pedras de esquina". 1. O tom moral e religioso da sociedade é determinado mais pelo caráter e influência das mulheres do que pelo caráter e pela influência dos homens. 2. O aspecto da vida familiar será um reflexo da sua conduta e do seu caráter, quer como filhas, irmãs ou esposas. 3. Lembrem-se de que a formação do caráter da próxima geração começa com a influência da mãe. 4. Que estes fatos influenciem vocês, como um motivo para buscar a graça de Deus, sem a qual vocês nunca poderão cumprir a sua missão de maneira digna. II. A beleza que deve pertencer a vocês na sua posição. "Lavrada", etc. A beleza de, 1. Pureza do coração: "A filha do rei é toda ilustre no seu palácio". 2. Uma conduta nobre e modesta: "ouro fino", e não imitação; ouro verdadeiro. 3. Comportamento gracioso e gentil. III. Como são obtidas a posição correta e a beleza correta, 1. Entregando-nos a Deus. 2. Tendo Cristo habitando no nosso coração. 3. Tornando-nos pedras vivas e pedras lavradas, sob a habilidade do Espírito Santo. – *J. F.*

v. 14. Uma oração pelos nossos ministros, e pela segurança, unidade, e felicidade da igreja.

v. 14. A igreja próspera. Ali, I. O trabalho é realizado alegremente. II. O inimigo é mantido fora da porta. III. Há poucas saídas, ou nenhuma. IV. A fé e o contentamento silenciam as queixas. V. Oremos para que este possa ser o nosso caso, como igreja. – *W. B. H.*

v. 15. A peculiar felicidade daqueles cujo Deus é o Senhor.

SALMO 145

TÍTULO

Este é um dos salmos alfabéticos, composto com muita arte e, sem dúvida, organizado de modo a auxiliar a lembrança. O Espírito Santo condescende em usar até mesmo os métodos mais artificiais do poeta, para assegurar atenção e impressionar o coração.

Salmo de louvor de Davi. É um salmo de Davi, um salmo do próprio Davi, o favorito de Davi. É um louvor de Davi, exatamente como outro (Sl 86) é a oração de Davi. É louvor completo, e louvor entoado em uma nota aguda. Davi tinha bendito a Deus muitas vezes, em outros salmos, mas este ele considera o seu salmo peculiar, a sua joia da coroa de louvor. Certamente o louvor de Davi é o melhor dos louvores, pois é o louvor de um homem de experiência, de sinceridade, de calma deliberação, e de intenso calor no coração. Não compete a qualquer um de nós oferecer o louvor de Davi, pois somente Davi poderia fazer isto; mas podemos tomar o salmo de Davi como modelo, e almejar tornar a nossa própria adoração pessoal tão semelhante a ele quanto possível: tardará muito até que possamos nos igualar ao nosso modelo. Que cada leitor cristão apresente o seu próprio louvor ao Senhor, e e lhe dê o próprio nome. Que riqueza de louvor variado será assim apresentado, por meio de Cristo Jesus!

DIVISÃO

O salmo não se enquadra em nenhuma divisão marcada, mas é uno e indivisível. Os nossos próprios tradutores mapearam este cântico com considerável discernimento. Não é um arranjo perfeito, mas servirá à nossa conveniência na explicação. Davi louva a Deus pela Sua fama ou glória (1–7), pela Sua bondade (8–10), pelo Seu reino (11–13), pela Sua providência (14–16), pela Sua misericórdia salvadora (17–21).

EXPOSIÇÃO

1. *"Eu te exaltarei, ó Deus, Rei meu."* Davi, como rei de Deus, adora a Deus, como seu Rei. É bom quando a realeza do Senhor desperta a

nossa lealdade, e o nosso espírito é motivado a exaltar a Sua majestade. O salmista exaltou o seu Senhor muitas vezes antes, ele o faz desde então, e o fará, no futuro; o louvor é para todos os tempos verbais. Quando não conseguimos expressar todo o nosso louvor exatamente agora, é sensato registrar a nossa resolução de continuar nesta abençoada obra, e escrever, como uma obrigação: "Eu te exaltarei". Veja como Davi testifica a sua devoção e adesão ao seu Deus, pelo pronome "meu", como ele reconhece a sua lealdade, com o título "rei", e como ele prossegue, para declarar a sua determinação de exaltá-lo no seu cântico.

"E bendirei o teu nome pelos séculos dos séculos." Davi estava determinado a fazer com que o seu louvor evoluísse a uma bênção, que se estendesse inteligentemente sobre o nome ou o caráter de Deus, e que continuasse até o fim do mundo. Ele usa a palavra "bendizer", não meramente pela variação de som, mas também para aprofundar e adoçar o sentido. Bendizer a Deus é louvá-lo com um afeto pessoal por Ele, e ter bons desejos em relação a Ele; este é um exercício que se torna cada vez mais fácil, à medida que evoluímos em experiência, e crescemos na graça. Davi declara que ele oferecerá todas as formas de louvor, através de todas as coisas que existem. A sua noção de duração é completa – "pelos séculos" não tem fim, mas quando ele acrescenta "dos séculos", ele proíbe qualquer ideia de encerramento. O nosso louvor a Deus deve ser tão eterno como o Deus que louvamos.

2. *"Cada dia te bendirei."* Qualquer que seja o caráter do dia, ou de minhas circunstâncias e condições durante esse dia, continuarei a glorificar a Deus. Se considerássemos a questão, veríamos motivos abundantes, todos os dias, para bendizer ao Senhor de forma especial. Tudo antes do dia, tudo durante o dia, tudo após o dia, deve nos impelir a exaltar o nosso Deus todos os dias, durante o ano inteiro. O nosso amor por Deus não é uma questão de dias santos, cada dia é igualmente santo para os homens santos. Aqui, Davi se aproxima mais de Deus, do que quando disse, "bendirei o teu nome": é agora, "Cada dia *te* bendirei". Este é o centro e o âmago da verdadeira devoção: nós não apenas admiramos as palavras e as obras do Senhor, mas a Ele mesmo. Sem perceber a personalidade de Deus, o louvor é quase impraticável; não é possível exaltar uma abstração.

"E louvarei o teu nome pelos séculos dos séculos." Ele disse que bendiria esse nome, e agora promete louvá-lo; ele exaltará o Senhor, de todas as maneiras. A adoração eterna não deixará de ter as suas variações; nunca será monótona. A música celestial não toca apenas uma corda, mas todas as cordas devem estar afinadas com um único louvor. Observe os pronomes pessoais aqui: ele diz quatro vezes, "*Eu* farei" (exaltarei, bendirei, bendirei, louvarei): o louvor não deve ser realizado por meio de um intermediário ou substituto: ele deve conter a nossa própria essência, ou não haverá nada nele.

3. *"Grande é o Senhor e muito digno de louvor."* A adoração deve ser, de alguma maneira, semelhante ao seu objeto – um louvor excelente para um Deus excelente. Não há nenhuma parte da grandeza de Jeová que não seja merecedora de grande louvor. Em alguns seres, a grandeza é apenas a imensidão do mal: Porém, nEle, é a magnificência da benignidade. Pode-se dizer que o louvor é excelente, quando o cântico contém materiais excelentes, quando os corações que o produzem são intensamente fervorosos, e quando grandes números se unem na grande aclamação. Nenhum coro é alto demais, nenhuma orquestra é grande demais, nenhum salmo é sublime demais, para louvar ao Senhor dos Exércitos.

"E a sua grandeza, inescrutável."

> "Mesmo tendo um valor que supera o seu louvor,
> excelentes são todas as Suas obras."

O cântico deve estar fundamentado na investigação; os hinos compostos sem reflexão não têm valor, e as melodias nas quais não foram despendidos esforços estão aquém da dignidade da adoração a Deus. Mas quando meditamos muito e investigamos muito aplicadamente, ainda nos veremos rodeados por maravilhas inescrutáveis, que combaterão todas as tentativas de cantá-las de maneira digna. A melhor adoração do Inescrutável é reconhecer que Ele o é, e fechar os olhos em reverência, diante da luz excessiva da Sua glória. Nem todas as mentes de todos os séculos serão suficientes para investigar as inescrutáveis riquezas de Deus: Ele está além da descoberta; e, por isto, o Seu merecido louvor ainda está acima e além de tudo o que lhe podemos oferecer.

4. *"Uma geração louvará as tuas obras à outra geração."* Haverá uma tradição de louvor: os homens passarão adiante esse serviço, eles farão questão de instruir os seus descendentes neste santo exercício. Nós examinamos as experiências de nossos pais, e cantamos sobre elas; da mesma maneira os nossos filhos aprenderão a louvar a partir das obras do Senhor entre nós. Devemos nos assegurar de que louvemos a Deus diante de nossos filhos, e nunca os façamos pensar que o serviço a Ele seja algo infeliz.

"E anunciará as tuas proezas." As gerações se unirão nisto: juntas, elas farão uma história extraordinária. Cada geração contribuirá com o seu capítulo, e todas as gerações juntas comporão um volume de caráter inigualável. Davi começou com "eu", mas neste versículo logo chegou a uma inconcebível multidão, abrangendo todas as miríades de pessoas da nossa raça, de todos os séculos. O louvor ao Senhor dilata o coração, e à medida que ele cresce em nós, as nossas mentes crescem com ele. As obras de bondade de Deus e os Seus atos de poder constituem um assunto que nem todas as eras da história humana poderão esgotar. Um coração que louva parece viver em todos os séculos em prazerosa comunhão com todo o bem. Nós não tememos que o incenso deixe de arder sobre os altares do Senhor: os sacerdotes morrem, mas a adoração continua viva. Toda a glória seja dada Àquele que continua o mesmo Senhor, por todas as gerações.

5. *"Falarei da magnificência gloriosa da tua majestade."* É apropriado que um rei fale da majestade do Rei dos reis. Davi não consegue entregar a adoração de Deus às mãos de outras pessoas, ainda que todas as gerações devam se esforçar para perpetuá-la: ele deve ter a sua própria cota individual na adoração, e por isto ele diz, "Falarei". Que orador! Logo depois de começar, ele acumula palavras de honra – "a magnificência gloriosa da tua majestade", ou "a beleza da honra da tua majestade". A sua linguagem se esforça para expressar o que ele quer dizer: ele multiplica os termos com os quais deseja exaltar o Senhor, seu Rei. Tudo o que tem a ver com o Grande Rei é majestoso, honroso, glorioso. O mínimo dEle é maior do que o máximo do homem, o seu inferior é superior ao superior do homem. Não há nada a respeito do Senhor infinito que seja indigno da Sua realeza, e, por outro lado, nada deixa de ter o esplendor do Seu reinado: a Sua majestade é honrosa, e a Sua honra é gloriosa: Ele é completamente maravilhoso.

"E das tuas obras maravilhosas." Todas as obras de Deus entre os homens são divinas, mas algumas delas são especialmente calculadas para criar surpresas. Muitas obras de poder, de justiça, de sabedoria, são maravilhosas; e a Sua obra de graça é maravilhosa, acima de todas as outras. Sobre isto, especialmente, e sobre o resto, proporcionalmente, devem falar os homens santos, os experientes, e os homens que têm a capacidade de falar com poder. Não devemos permitir que estas coisas desapareçam em silêncio; se os outros não se lembram delas, homens como Davi devem fazer questão de conversar sobre elas em particular, e falar delas em público. Que seja o prazer de cada um de nós, de acordo com a nossa posição, falar afetuosamente sobre o nosso Senhor.

6. *"E se falará da força dos teus feitos terríveis."* Ainda que outros não prestem atenção a outras coisas, estes atos de juízo chamarão a sua atenção, e impressionarão as suas mentes de modo que eles deverão falar sobre eles. Os homens, nos dias do nosso Salvador, não falavam sobre a queda da torre de Siloé e dos galileus mortos? Não há rumores de guerras, quando não há sequer sussurros sobre outras coisas? As notícias terríveis certamente se espalham: sob graças e bênçãos, os homens

podem ser mudos, mas com respeito a desgraças, levantam um grande clamor. A força do terror é um poder que solta a língua de uma multidão; eles se certificam de falar daquilo que faz o ouvido tinir, e os cabelos ficar em pé.

Enquanto estão ocupados com "fatos terríveis", como a inundação do mundo, a destruição de cidades na campina, as pragas do Egito, a destruição no Mar Vermelho e assim por diante, Davi vê estes assuntos sob outra luz, e canta outra melodia.

"E contarei a tua grandeza." Esses atos que eram feitos terríveis para muitos homens, eram obras poderosas, ou *grandezas*, para o nosso santo poeta: ele desejava divulgá-los, como um arauto, que menciona os títulos e as honras de seu amo real. A ocupação de cada crente fiel consiste em repetir as grandes obras do seu grande Deus. Não devemos deixar isto para a conversa comum da multidão, mas devemos pessoalmente fazer uma declaração sobre o que vemos e sabemos. Nós devemos, com modos profundamente solenes, advertir os homens sobre a grandeza do Senhor, em Seus terríveis atos de justiça: assim eles serão admoestados, para que se abstenham de provocá-lo. Nós devemos cumprir este dever, por meio de obrigações solenes, e será bom que nos obriguemos a fazer isto, com resoluções, "Eu o farei - se Deus me ajudar, eu o farei".

7. *"Publicarão abundantemente a memória da tua grande bondade."* Eles derramarão lembranças agradecidas, como jorra água das fontes, abundantemente, espontaneamente, constantemente, alegremente. O povo redimido do Senhor, cheio da Sua grande bondade, reterá a feliz lembrança disto, e será motivado, com cada vez mais frequência, a expressar essas lembranças. Não contentes com uma menção limitada de tão assombroso amor, eles continuarão, em uma expressão abundante desta benevolência que é tão abundante. Será seu prazer falar, uns com os outros, sobre as atitudes de Deus com eles, e comparar as lembranças de suas experiências. Deus não fez nada de maneira parcimoniosa: toda a Sua benignidade é uma grande benignidade, digna de ser lembrada, sugestiva de um santo discurso. Com relação a este assunto, não há escassez de material, e quando o coração é correto, não há necessidade de parar, por falta de fatos a contar. Oh, que houvesse mais destas lembranças e expressões, pois não é adequado que a benignidade do Deus vivo seja sepultada no cemitério do silêncio, na sepultura da ingratidão.

"E cantarão a tua justiça." Eles falarão, e então cantarão. E qual é o tema que os impele a trocar o púlpito pela orquestra? Sobre o que cantam eles? Eles cantam sobre aquela justiça que é o terror do pecador, que até mesmo os homens bons mencionam com profunda solenidade. A justiça recebida pela luz do Evangelho é, na realidade, a fundação secreta da esperança do crente. O concerto de graça de Deus é a nossa forte consolação, porque Aquele que o fez é justo, e não recuará dele. Como Jesus morreu como nosso substituto, a justiça exige e assegura a salvação de todos os redimidos. Este atributo é o nosso melhor amigo, e por isto, cantamos sobre ele.

Os pensadores modernos de bom grado apagariam a ideia de justiça da sua noção de Deus, mas os homens convertidos não o farão. É um sinal de crescimento em santificação, quando nos alegramos na justiça, retidão e santidade do nosso Deus. Até mesmo um rebelde pode se alegrar na misericórdia, quando a considera como debilidade ou frouxidão, mas um súdito leal se alegra quando sabe que Deus é tão justo que nem mesmo para salvar os Seus próprios eleitos Ele consentiria em infringir a justiça de Seu governo moral. Poucos homens gritarão de alegria com a justiça de Jeová, mas os que o fizerem são os Seus eleitos, em quem a Sua alma se compraz.

8. *"Benigno é o Senhor."* Não foi em alguns termos como estes que o Senhor se revelou a Moisés? Não é esta a glória de Jeová? Para todos os homens vivos, este é o Seu aspecto: Ele é benigno, ou cheio de bondade e generosidade. Ele trata as Suas criaturas com bondade, os Seus súditos com consideração, e os Seus santos com benevolência. As Suas palavras e os Seus caminhos, as Suas promessas e as Suas dádivas, os Seus planos e propósitos, tudo manifesta a Sua graça, ou a Sua

livre benevolência. Não há nada suspeito, preconceituoso, sombrio, tirânico ou inacessível em Jeová – Ele é condescendente e gentil.

"Piedoso é o Senhor." Com o sofredor, o fraco, o tolo, o desanimado, Ele é muito misericordioso: Ele sente por eles, Ele sente com eles. Ele faz isto sinceramente, e de uma maneira prática. Ele está cheio desta piedade, de modo que se compadece livremente, constantemente, profundamente, divinamente e eficazmente. Em Deus há a plenitude, em um sentido não conhecido pelos homens, e esta plenitude é completamente fragrante com simpatia e solidariedade pela infelicidade humana. Se o Senhor é cheio de compaixão, nEle não há lugar para o esquecimento nem para a crueldade, e ninguém deve suspeitar disto nEle. Que oceano de compaixão deve haver, uma vez que o Deus Infinito está cheio dela!

"Sofredor." Até mesmo os que recusam a Sua graça compartilham, apesar disto, da Sua tolerância. Quando os homens não se arrependem, mas, ao contrário, vão de mal a pior, ainda assim Ele é avesso a permitir que a Sua ira se inflame contra eles. Enormemente paciente, e extremamente ansioso para que o pecador possa viver, Ele "anula o raio que já estava chegando", e ainda tolera. "O amor é sofredor, é benigno"; e Deus é amor.

"E de grande misericórdia." Esta é a Sua atitude com relação aos culpados. Quando, por fim, os homens se arrependerem, encontrarão o perdão à espera deles. Grande é o seu pecado, e grande é a misericórdia de Deus. Eles precisam de grande ajuda, e a terão, ainda que não a mereçam; pois Ele é grandemente bom para os que são grandemente culpados.

9. *"O Senhor é bom para todos."* Ninguém, nem mesmo o Seu inimigo mais violento, pode negar isto; pois a falsidade seria excessivamente descarada, uma vez que a própria existência dos lábios que caluniam o Senhor é uma prova de que é uma calúnia. Ele permite que os Seus inimigos vivam, Ele até mesmo lhes fornece alimento e suaviza o seu caminho com muitas consolações; para eles, o sol brilha da mesma maneira como se fossem santos, e a chuva rega os seus campos com a mesma abundância como se fossem homens perfeitos. Isto não é ser bom para todos? Na nossa própria terra, o Evangelho soa nos ouvidos de todos os que se interessam em ouvir; e as Escrituras estão ao alcance até mesmo do mais pobre filho. Seria uma crueldade das Escrituras limitar esta expressão aos eleitos, como alguns tentaram fazer: nós nos alegramos pelo amor que há na eleição, mas, ainda assim, recebemos a gloriosa verdade, "o Senhor é bom para todos".

"E as suas misericórdias são sobre todas as suas obras." Não "as suas obras do novo concerto", como leu alguém outro dia, acrescentando a sua própria opinião ao que está escrito; na verdade, quem o disse expressou o contrário daquilo que está escrito. A bondade é uma lei do universo de Deus: o mundo foi planejado para a felicidade; mesmo agora, que o pecado corrompeu tão tristemente a obra de Deus e introduziu elementos que não estavam ali desde o princípio, o Senhor organizou as coisas de tal maneira que o pecado se rompeu, que a maldição encontra um antídoto, e a dor inevitável é suavizada com alívios. Mesmo neste mundo, afligido pelo pecado, sob a sua desordenada administração, há sinais suficientes de uma mão habilidosa que diminui as aflições e cura as doenças. Aquilo que torna a vida suportável é a ternura do grande Pai. Ela é vista na criação de um inseto, bem como no governo das nações. O Criador nunca é rude, o Provedor nunca se esquece, o Governante nunca é cruel. Nada é feito para criar doenças, e não há órgãos arranjados para promover a infelicidade; a chegada da doença e da dor não está de acordo com o desígnio original, mas é um resultado da nossa condição desordenada. O corpo do homem, quando deixou a mão do Criador, não foi formado para a doença, a decadência ou a morte, nem o seu propósito foi o desconforto ou a angústia; ao contrário, ele foi formado para uma atividade jubilosa, e um desfrutar pacífico de Deus. Jeová, em grande consideração, acumulou no mundo curas para as nossas doenças, e socorros para a nossa fragilidade, e se muitas dessas coisas tardaram em ser descobertas, é porque foi mais benéfico para o homem encontrá-las sozinho, do

que tê-las etiquetadas e colocadas em ordem diante dos seus olhos. Nós podemos ter certeza de que o Senhor nunca se alegrou com as doenças das Suas criaturas, mas buscou o bem delas, e se entregou para aliviar as aflições em que elas, com a sua culpa, mergulharam.

O dever da bondade com os animais pode ser derivado logicamente deste versículo. Os filhos de Deus não devem ser como o seu Pai, em bondade?

10. *"Todas as tuas obras te louvarão, ó Senhor."* Há algo em cada criatura que resulta na honra de Deus. A habilidade, a bondade e o poder manifestados na formação de cada coisa viva são, em si mesmos, para o louvor de Deus, e quando observados por uma mente inteligente, o Senhor é honrado. Algumas obras o louvam pela sua existência, e outras pelo seu bem-estar; algumas, pela sua mera existência, e outras pela sua vontade sincera.

"E os teus santos te bendirão." Estes santos chegam mais perto e oferecem uma adoração mais doce. Os homens são conhecidos por louvar aqueles a quem odeiam, de modo que podemos admirar a valentia de um guerreiro que é nosso adversário; mas os santos louvam amorosamente, e por isto se diz que eles "bendizem". Eles têm bons pensamentos a respeito de Deus; eles o tornariam ainda mais bendito, se isto fosse possível; eles desejam bênçãos para a Sua causa e para os Seus filhos, e invocam o sucesso para a Sua obra e para a Sua peleja. Ninguém, exceto homens bem-aventurados, bendirá o Senhor. Somente santos bendirão o Deus que é triplamente Santo. Se louvarmos ao Senhor por causa das Suas obras à nossa volta, devemos continuar e bendizê-lo por Suas obras dentro de nós. Que se cumpram as duas partes deste versículo, especialmente a última.

11. *"Falarão da glória do teu reino."* Temas excelentes, para mentes santas. Aqueles que bendizem a Deus, do fundo de seus corações, se alegram por vê-lo entronizado, glorificado e exaltado em poder. Nenhum assunto é mais benéfico para a humildade, obediência, esperança e alegria, do que o do poder reinante do Senhor, nosso Deus. As Suas obras o louvam, mas eles não podem coroá-lo: isto é para as mãos e os corações santos. É seu grande prazer falar da glória do Seu reino, na sua justiça, bondade, eternidade e assim por diante. Os reinos da terra são gloriosos por suas riquezas, pela extensão de território, por vitórias, liberdade, comércio e outros motivos; mas em todas as verdadeiras glórias, o Reino de Jeová os supera. Vemos um palácio dedicado "a todas as glórias da França", mas o tempo, a eternidade e todo o espaço, estão cheios com as glórias de Deus: sobre elas, apreciamos falar.

"E relatarão o teu poder." Este poder sustenta o reino e exibe a glória, e estamos certos de falar sobre ele, quando a glória do reino divino estiver em discussão. O poder de Deus, de criar ou destruir, de abençoar ou punir, de fortalecer ou esmagar, é assunto para frequente repetição. Todo o poder vem de Deus. Sem Ele, as leis da natureza estariam inoperantes. O Seu poder é a única fonte de força – mecânica, vital, mental, espiritual. Além do poder de Deus que foi exibido, há uma força infinita, latente, nEle. Quem pode calcular as reservas de forças do Infinito? Como, então, pode cair o Seu reino? Nós ouvimos falar sobre as cinco grandes forças, mas o que são elas, diante do Grande Poder? O Senhor é "o bem-aventurado e único poderoso Senhor". Devemos nos acostumar a pensar mais profundamente e a falar mais detalhadamente sobre o poder que sempre contribui para a justiça e trabalha para a misericórdia.

12. *"Para que façam saber aos filhos dos homens as tuas proezas."* Estas obras gloriosas devem ser conhecidas de toda a humanidade; mas poucos consideram que tal conhecimento seja uma parte essencial da educação. Como o Estado não pode ensinar estas santas histórias, o povo de Deus deve se incumbir de fazê-lo. O trabalho deve ser feito para cada geração, pois os homens têm memória curta, com referência ao seu Deus e às obras do Seu poder. Eles inscrevem os feitos de seus heróis em bronze, mas os gloriosos atos do Senhor são escritos na areia, e a maré do tempo os lava da lembrança; por isto, devemos repetir a lição, e novamente repeti-la. Os santos são os instrutores religiosos da raça humana; eles devem não apenas

ser os historiadores do passado, mas os poetas do presente, cujo dever é lembrar os filhos dos homens dos grandes feitos que o Senhor fez, nos dias de seus pais, e nos tempos antigos, antes deles. Observe o contraste existente entre os grandes feitos de Deus e os filhos insignificantes de Adão, que degeneraram de seu pai, embora ele não fosse nada, em comparação com o seu Criador.

"E a glória da magnificência do teu reino." Que excelente tema! Isto devemos dar a conhecer; a divulgação disto, cabe a nós, que bendizemos o Senhor. "A glória da magnificência do Seu reino". Que tema! O reino do Senhor, como Senhor soberano de tudo, a Sua majestade nesse domínio, e a glória dessa majestade! O assunto triplo confunde até mesmo a mente mais disposta. Como daremos isto a conhecer aos filhos dos homens? Primeiramente, devemos nos esforçar para conhecer a glória da magnificência do Seu reino, nós mesmos, e então devemos fazer deste um frequente assunto de discurso, de modo que os homens o saibam por nosso intermédio, com o Espírito Santo acompanhando a nossa palavra.

13. *"O teu reino é um reino eterno."* A meditação do salmista o trouxe para perto de Deus, e Deus para perto dele: ele fala com Deus, em adoração, alterando o pronome, de "seu" para "teu". Ele vê o Grande Rei, e se prostra diante dEle. É bom quando a nossa devoção abre as portas do céu, e entra pelo portal para falar com Deus face a face, como um homem fala com seu amigo. O assunto sobre o qual a mente do salmista repousa é a eternidade do trono divino – "o teu reino é um reino que durará por toda a eternidade". O reino do Senhor não tem princípio, não tem interrupções, não tem limites, e não tem fim. Ele nunca abdica do Seu trono, nem chama algum subordinado para dividir o Seu império. Ninguém pode derrotar o Seu poder, nem escapar do Seu governo. Nem este século, nem o século futuro, nem séculos dos séculos poderão fazer com que falhe a Sua soberania. Nisto está a base da fé: "O Senhor se assenta como Rei perpetuamente".

"O teu domínio estende-se a todas as gerações." Os homens vêm e vão como sombras na parede, mas Deus reina eternamente. Nós distinguimos os reis, quando eles se sucedem, uns aos outros, chamando-os primeiro e segundo, mas este Rei é Jeová, o Primeiro e o Último. Adão, na sua geração, soube que o seu Criador era Rei, e o último da sua raça saberá a mesma coisa. Todos saúdem, Grande Deus! Tu és sempre o Senhor dos senhores!

Estes três versículos são um hino reverente a respeito do "Reino de Deus": eles serão mais apreciados por aqueles que estão nesse reino, no sentido mais abrangente, e que são mais verdadeiramente leais ao Senhor. Segundo estes versículos, é um reino de glória e poder; um reino de luz, que os homens devem conhecer, e de poder, que os homens devem sentir; é cheio de majestade e eternidade; é a bênção de cada geração. Nós devemos falar sobre ele, conversar sobre ele, e torná-lo conhecido, e então devemos reconhecê-lo no respeito dirigido distintamente ao próprio Senhor – como no versículo 13.

Nestes três versículos, o Senhor é adorado pela Sua benevolente providência para com os homens e todas as outras criaturas. Isto segue, apropriadamente, a proclamação da Sua realeza, pois aqui vemos como Ele governa o Seu reino, e cuida de Seus súditos.

14. *"O Senhor sustenta a todos os que caem."* Leia este versículo em conexão com o anterior, e admire o inesperado contraste: Aquele que reina em gloriosa majestade, ainda assim condescende em levantar e sustentar os que são propensos a cair. A forma do verbo mostra que Ele está sempre fazendo isto; é Jeová sustentando. A Sua escolha dos caídos, e dos que estão caindo, como receptores da Sua benevolente ajuda, deve ser especialmente notada. Os caídos da nossa raça, especialmente as mulheres caídas, são evitados por nós, e é uma ternura especial, por parte de Deus, que Ele considere estas pessoas, mesmo as que são, ao mesmo tempo, os principais pecadores e os menos considerados da humanidade. Os que estão caindo, entre nós, são propensos a ser puxados para baixo pelos fortes: a sua timidez e dependência os torna vítimas dos soberbos e dominadores. A eles também o Senhor dá a Sua

ajuda sustentadora. O Senhor se compraz em reverter as coisas – Ele derruba os soberbos, e levanta os abatidos.

"E levanta a todos os abatidos." Outra obra de condescendência. Muitos estão desanimados e não conseguem levantar suas cabeças, com coragem, nem seus corações com consolação, mas a estes Ele anima. Alguns estão curvados com a sua carga diária, e a estes Ele fortalece. Jesus libertou uma filha de Abraão, a quem Satanás mantinha tão presa, que ela estava curvada, e não conseguia se endireitar. Com isto, Ele provou que era o verdadeiro Filho do Altíssimo. Pense no Infinito, curvando-se para levantar o curvado, e inclinando-se para servir de apoio aos que estão prestes a cair. As duas palavras "todos" não devem ser ignoradas, pois o Senhor tem um coração benigno para com todo o grupo dos aflitos.

15. *"Os olhos de todos esperam em ti."* Eles aprenderam a confiar em Ti, e se tornou a sua natureza recorrer a Ti para tudo o que necessitarem. Como os filhos confiam em um pai, para tudo o que necessitam, também as criaturas confiam em Deus, o Provedor suficiente. Seria bom, se todos os homens tivessem olhos de fé, e se todos esperassem no Senhor com esta fé.

"E tu lhes dás o seu mantimento a seu tempo." Eles confiam, e Deus dá. Este pensamento traz Deus tão perto do nosso poeta-profeta, que ele está novamente falando com Deus, usando "Tu" e "Ti". Não é algo a se admirar, quando o Senhor está alimentando os famintos à nossa volta – dando alimento a todas as criaturas, e a nós mesmos, entre elas? Como um rebanho de ovelhas, as criaturas ficam ao redor do Senhor, como o seu grande Pastor; todos os olhos se dirigem para a Sua mão, esperando receber o seu alimento. E elas não se desapontam, pois quando a hora chega, o alimento apropriado está preparado para cada criatura. Observe a pontualidade do Senhor ao dar o mantimento no horário da refeição – no devido tempo. Isto Ele faz, por todos, e cada coisa viva tem o seu devido tempo, de modo que o Senhor dos céus está alimentando o Seu grande rebanho, durante o dia e à noite, a cada momento.

16. *"Abres a mão e satisfazes os desejos de todos os viventes."* Somente Tu provês, ó Senhor! Tu o fazes generosamente, com a mão aberta; Tu o fazes facilmente, como se fosse apenas questão de abrir a Tua mão; Tu fazes isto imediatamente, tão prontamente como se todos os suprimentos estivessem à mão. As coisas vivas têm necessidades, e estas necessidades criam desejos; o Deus vivo tem suprimentos adequados à mão, e Ele os fornece, até que haja a satisfação interior, e a criatura não mais suspire. Em se tratando de coisas espirituais, quando Deus desperta um desejo, Ele sempre o satisfaz; Consequentemente, o anseio é uma profecia da bênção. Em nenhum caso, o desejo da coisa viva é incitado para produzir aflição, mas para que ela possa buscar e encontrar satisfação.

Estes versículos se referem à providência natural; mas podem igualmente bem se aplicar aos depósitos de graça, uma vez que o mesmo Deus é rei nas duas esferas. Se apenas confiarmos que o Senhor nos dará perdão, renovação ou qualquer coisa de que precisarmos, não confiaremos em vão. A mão da graça nunca estará fechada, enquanto o pecador viver.

Nestes versículos, contemplamos o nosso Deus, no domínio da Sua graça gratuita, lidando com o Seu povo crente.

17. *"Justo é o Senhor em todos os seus caminhos e santo em todas as suas obras."* Os Seus caminhos e as Suas obras são dignos de ser louvados. O Senhor não pode ser injusto ou impuro. Quaisquer que sejam as Suas obras, em todos os casos são justas e santas. Esta é a confissão do devoto que segue os Seus caminhos, e do piedoso que estuda as Suas obras. Tudo o que Deus é ou faz é correto. Na salvação do Seu povo, Ele é tão justo e santo como em qualquer outro de Seus caminhos e obras: Ele não manifestou misericórdia às custas da justiça, mas, na verdade, manifestou a Sua justiça pela morte de Seu Filho.

18. *"Perto está o Senhor de todos os que o invocam."* Não somente perto, pela Sua onipresença, mas com a Sua simpatia, solidariedade e benevolência. Ele não

deixa os homens que oram, e os homens que confessam o Seu nome, batalhando sozinhos contra o mundo, mas está sempre ao lado deles. Esta benevolência não é para alguns poucos dos que o invocam; mas para cada um do grupo dos piedosos. "Todos" os que se colocam debaixo do escudo do Seu glorioso nome, chamando a si mesmos por esse nome, e invocando-o em súplicas, descobrirão que Ele é um socorro bem presente na aflição.

"E todos os que o invocam em verdade", pois há muitos cujas orações formais e falsas profissões nunca os trarão à comunhão com o Senhor. Para orar em verdade, devemos ter um coração verdadeiro, e a verdade em nosso coração; e, a seguir, devemos ser humildes, pois a soberba é uma falsidade; e ser fervorosos, caso contrário a oração é uma mentira. O Deus da verdade não pode se aproximar de um espírito hipócrita; isto Ele conhece e odeia; e Ele não pode ser afastado de um espírito sincero, uma vez que é a Sua obra, e Ele não abandona a obra das Suas próprias mãos.

19. *"Ele cumprirá o desejo dos que o temem"*, isto é, os que reverenciam o Seu nome e a Sua lei. Na medida em que eles tiverem respeito pela Sua vontade, Ele terá respeito pela vontade deles. Eles terão o seu próprio caminho, pois têm o caminho do Senhor em seus corações. Um coração santo somente deseja aquilo que um Deus santo pode dar, e assim o seu desejo é satisfeito com a plenitude do Senhor.

"Ouvirá o seu clamor e os salvará." Divinamente prática será a Sua proximidade, pois Ele realizará a sua salvação. Ele ouvirá o seu clamor pesaroso, e enviará salvação de cada mal. Isto Ele fará pessoalmente, não confiará os Seus aos anjos ou aos santos.

20. *"O Senhor guarda a todos os que o amam."* Eles o guardam no seu amor, e Ele os guarda pelo Seu amor. Veja como estes favorecidos progrediram, de temer ao Senhor e clamar a Ele, até amá-lo, e neste amor, estão guardados de todos os perigos. Observe o número de palavras "todos" que apareceram nestes últimos versículos do salmo. Em cada uma delas, Deus está incluído.

"Mas todos os ímpios serão destruídos." A impiedade é uma ofensa a todos os seres santos, e por isto os que estão determinados a continuar nela devem ser extirpados. Da mesma maneira como as boas regras de higiene removem todos os criadores de pestes e pragas, também o governo moral de Deus marca cada coisa má para a destruição; elas não podem ser toleradas na presença de um Deus perfeitamente santo. Que ruínas os homens ímpios frequentemente se tornam nesta vida! Que monumentos de ira eles serão, no mundo que há de vir! Como Nínive e a Babilônia, e outros lugares destruídos, eles só existirão para declarar o quão completamente Deus cumpre as Suas ameaças.

21. *"A minha boca entoará o louvor do Senhor."* Não importa o que façam os outros homens, eu não ficarei em silêncio no louvor do Senhor; não importa o que os outros possam falar, o meu tema está fixado, de uma vez por todas: Entoarei o louvor do Senhor. Eu estou fazendo isto, e o farei, enquanto respirar.

"E toda a carne louvará o seu santo nome para todo o sempre." O louvor não é um monopólio que pertence a uma só pessoa, ainda que seja um Davi; outras pessoas são devedoras, e, assim, também devem ser cantoras. Todos os homens, de todas as raças, condições ou gerações, devem se unir para glorificar a Deus. Nenhum homem deve pensar que será rejeitado, quando vier com a sua nota pessoal de louvor; todos são aceitos, convidados e exortados a exaltar ao Senhor. Especialmente a Sua santidade deve ser adorada; esta é a coroa, e, de certa forma, a soma de todos os Seus atributos. Somente os corações santos louvarão o santo nome, ou caráter, do Senhor; oh, se toda a carne fosse santificada, então a santidade de Deus seria o deleite de todos. Uma vez iniciado o cântico, ele não terá fim. Ele poderá durar para sempre e mais um dia, como os antigos costumavam dizer. Se houvesse dois "para sempre", ou vinte "para sempre", todos deveriam passar pelos louvores do SENHOR, que é sempre vivo, sempre bendito, e que sempre abençoa. Bendito seja o Senhor para sempre, por nos ter revelado o Seu nome, e bendito seja esse nome que Ele

revelou; sim, bendito seja Ele, acima de tudo o que podemos conhecer, ou pensar, ou dizer. Os nossos corações têm prazer no deleite que é louvá-lo. A nossa boca, a nossa mente, os nossos lábios, a nossa vida, serão do nosso Senhor, durante toda esta existência mortal, e quando não existir mais tempo.

NOTAS EXPLICATIVAS E OBSERVAÇÕES SINGULARES

Este salmo tem sido afortunadamente caracterizado como o "cântico novo", prometido em Salmos 144.9. Em outras palavras, é o cântico de louvor, correspondendo aos salmos didáticos, de súplicas e de penitências desta série. – *Joseph Addison Alexander*

Os antigos hebreus declaram que é feliz aquele que, nos tempos vindouros, proferir este salmo três vezes por dia, com a boca, o coração e a língua. – *Victorinus Bythner, – 1670*

Os últimos seis ou sete salmos são a *Beulá* do livro, onde o sol brilha noite e dia, e a voz da rola é ouvida na terra. Colocados no final do livro, depois de todas as variadas observações pesarosas, queixosas, penitentes, reverentes, estes salmos inconscientemente tipificam a alegria e o descanso da glória. – *George Gilfillan*

Título: Canção de louvor de Davi. Os salmos são os louvores a Deus, acompanhados com cânticos; os salmos são cânticos que contêm o louvor a Deus. Se há louvor, mas não é a Deus, não é um salmo. Se há louvor, e louvor a Deus, mas não é cantado, não é um salmo. Para fazer um salmo, são necessárias estas três coisas: louvor, louvor a Deus, e cântico. – *Agostinho*

Título: Deve-se notar, a respeito do fato de que Davi intitula o Salmo *"Canção de louvor de Davi"*, que, no original, nenhum outro salmo tem este título. O título é apropriado para este salmo, porque ele é integralmente constituído de louvor; ele foi elevado aqui a um estado de espírito, constituído de puro louvor a Deus, sem nenhum toque do que era particular a ele mesmo. Não era ação de graças, mas louvor, completo e integral. – *Thomas Goodwin*

Título: Este salmo, que é designado como um *Tehillah,* ou um salmo de *louvor,* – um nome que passou, deste salmo, a todo o livro dos Salmos, que é comumente chamado *Sepher Tehillim,* ou *"Livro de Louvores"* – é o último dos salmos atribuídos a Davi.

É notável que, embora este seja o nome dado ao saltério (que, em hebraico, se intitula *Sepher Tehillim,* ou *Livro de Louvores*), este é o único salmo que é designado, no título, como um *Tehillah* – uma palavra derivada da mesma raiz que *Aleluia.* Parece como se este nome, *Tehillah* tivesse sido cuidadosamente reservado para o *último* dos salmos de Davi, para indicar, ainda mais enfaticamente, que todas as suas expressões são consumadas em *louvor.* E esta teoria se manifesta ainda mais claramente pela circunstância de que a palavra *Tehillah* é introduzida no *último versículo* deste salmo: "A minha boca entoará o *louvor*" (*tehillah*) "do Senhor" (observe esta preparação para o Aleluia, *Louvai* ao Senhor); "e toda a carne louvará o seu santo nome para todo o sempre". Isto equivale a dizer que, embora a voz de Davi estivesse agora prestes a se calar nesta vida, ainda assim, nunca ficaria em silêncio no mundo que há de vir, e sempre "louvará o Senhor"; e também equivale a dizer que esta última exortação deve ser para que todas as nações o louvem, "e toda a carne louvará o seu santo nome para todo o sempre". – *Christopher Wordsworth*

Título: Este salmo é intitulado *"Canção de louvor de Davi".* Pois embora as orações e os louvores (todos) deste livro sejam (em sua maior parte) de autoria de Davi, ainda assim há dois que ele destacou dos demais, e imprimiu neles a sua própria marca, de modo a deixá-los ainda mais pessoais: o salmo 86, seu *Tephilla,* a *oração* do próprio *Davi*; e aqui está o seu *Tehilla,* o seu próprio *Louvor* ou ação de graças. É como se ele tivesse feito os demais para todos, mas reservasse estes peculiarmente para si mesmo. – *Lancelot Andrewes*

Todo o salmo: Com relação à sua estrutura alfabética, ela tem uma peculiaridade, que consiste no fato da letra *nun* ser omitida; a razão para isto pode ser o fato de que (como vimos em alguns outros salmos com esta estrutura) por meio de esta ou outra omissão, possamos ser impedidos de enfatizar a mera forma da composição. – *Andrew A. Bonar*

Todo o salmo: Cassiodoro observa, curiosamente, que os salmos em que a ordem alfabética está completa são particularmente apropriados para os justos na Igreja Triunfante, mas aqueles em que falta uma letra, são para a Igreja Militante, aqui na terra, que ainda é imperfeita e precisa ser purificada de seus defeitos. – *Neale e Littledale.*

v. 1: "Eu te exaltarei, ó Deus, Rei meu". Exaltar é colocar proeminentemente nas alturas; exaltar acima de todos os outros. É a expressão da maior admiração possível; é deixar que os outros conheçam o elevado conceito que temos de uma pessoa, e nos esforçar para fazer com que eles tenham a mesma opinião que nós. O homem que tem tão elevado conceito de outra pessoa, a ponto de ser levado a exaltá-la, provavelmente não descansará sem exibir, em proeminente observação, o objeto do seu louvor. – *Philip Bennett Power*

v. 1: "Rei meu"; ou o Rei, com eminência; o Rei dos reis, o Deus por quem reinam os reis, e a quem eu e todos os outros reis devemos sujeição e obediência. – *Matthew Pool*

v. 1: "Rei meu". O salmista, em arrebatado êxtase, parece ter visto Deus encarnado em Cristo, presente, inspirando o seu louvor. Cristo é o nosso Deus e Rei, a ser exaltado no coração, com a boca, e durante toda a vida. – *Thomas Le Blanc*

v. 1: "Rei". Deus é verdadeiramente Rei; os outros são chamados reis em vaidade. – *Martin Geier*

v. 1: "Bendirei o teu nome pelos séculos dos séculos". O nome de Deus nas Escrituras é obtido, em primeiro lugar, do *próprio Deus.* O nome de uma pessoa (ou de alguma coisa) é dado com base na pessoa (ou na coisa em si): "Por ti venceremos os nossos inimigos; pelo teu nome pisaremos os que se levantam contra nós" (Sl 44.3). "Pelo teu *nome*", isto é, por *Ti.* Em segundo lugar, o nome de Deus nas Escrituras frequentemente é dado pelos *atributos de Deus.* Em terceiro lugar, o nome de Deus é dado pelas *Suas ordenanças ou adoração.* "Ide agora ao meu lugar, que estava em Siló, onde, no princípio, fiz habitar o meu nome" (Jr 7.12), isto é, onde estabeleci primeiro a Minha adoração pública, porque, da mesma maneira como um homem é conhecido pelo seu nome próprio, também Deus é conhecido pela Sua adoração apropriada. Em quarto lugar, o nome de Deus é *aquela reverência, estima e honra que os anjos e os homens conferem a Deus.* Como acontece entre nós, a fama e a reputação que um homem tem entre os homens é o nome do homem; o que os homens falam sobre ele, este é o seu nome; esta pessoa tem um bom nome, dizemos; aquela tem um mau nome, isto é, os homens falam ou pensam bem ou mal de tais pessoas. Assim, em Gênesis 6.4, quando Moisés descreve os gigantes, ele diz, "os varões de fama", em hebraico, "homens de *nome*", porque o nome de um homem consiste no caráter que ele tem entre os homens; da mesma maneira como um homem é estimado, também o seu nome é disseminado e ele é aceito no mundo. Assim o nome de Deus consiste naquela elevada estima, aquelas honrosas noções, que os anjos e os homens têm de Deus; assim, como os pensamentos e as palavras dos homens são para a celebração da glória e do louvor de Deus, este é o Seu nome no mundo. – *Joseph Caryl*

v. 1: "Pelos séculos dos séculos". לְעוֹלָם וָעֶד (*le'ôlām wā'ed*), *para sempre, e além,* neste mundo e no futuro. Expressões deste tipo são de muito difícil tradução, mas, de maneira geral, são bem interpretadas pelas palavras do Sr. Addison:

"Por toda a eternidade, a ti,
um cântico alegre elevarei;

Mas, oh, a eternidade é breve demais
para expressar todo o Teu louvor!"
– *Adam Clarke*

v. 1: "Pelos séculos dos séculos". O louvor é a única parte do dever, em que nós nos envolvemos no presente, que é permanente. Nós oramos, mas haverá uma ocasião em que a oração oferecerá a sua última litania; nós cremos, mas haverá uma ocasião quando a fé estará fora do alcance da vista; nós temos esperança, e a esperança não traz confusão, mas haverá uma ocasião em que a esperança morrerá, perdida no esplendor dos benefícios que Deus irá revelar. Mas o louvor continua reverberando no céu, e está pronto – sem um professor para tocar a harpa que o espera – para transmitir, junto com os ecos da eternidade, o cântico do Cordeiro. No mundo diversificado em que vivemos, há dias de variados tipos e experiências, que constituem o conjunto da vida do cristão. Há dias de espera, em que, como a Providência nos cerca, parece que não podemos andar, não podemos nos mover, como se devêssemos apenas esperar para ver o que o Senhor irá fazer em nós e por nós; e há dias de vigilância, em que nos convém não dormir, mas estar sempre preparados para os ataques do nosso inimigo espiritual; e há dias de guerra, em que, com pluma ao vento e armadura completa devemos sair à batalha pela verdade; e há dias de pranto, em que parece que as fontes das profundezas dentro de nós se romperam; e é como se, por tanta tribulação, tivéssemos que passar para o céu em lágrimas. Mas esses dias todos passarão – os dias de espera terão passado, os dias de guerra terão passado, os dias de vigilância terão passado; mas

"Os nossos dias de louvor nunca terão passado
enquanto perdurarem a vida, e o pensamento, e a existência,
e a imortalidade".
– *William Morley Punshon, 1824–1881*

v. 1: "Pelos séculos dos séculos". Louvar a Deus agora não satisfaz a aspiração devota, pois neste século a devoção do adorador é interrompida pelo pecado, temor, doenças, etc.; mas na eternidade, o louvor será emitido, em ininterrupta procissão. – *John Lorinus*

vv. 1 e 2: "Bendirei o teu nome pelos séculos dos séculos", e novamente, versículo 2. Isto sugere, 1. Que o salmista decidiu continuar neste trabalho *até o fim da sua vida*, por todo o seu "pelos séculos" neste mundo. 2. Que os salmos que ele escreveu devem ser usados para louvar a Deus pela igreja *até o fim dos tempos* (2 Cr 29.30). 3. Que ele esperava louvar a Deus *por toda a eternidade* no outro mundo: aqueles que fazem disto o seu trabalho constante na terra, terão nisto a sua eterna bem-aventurança no céu. – *Matthew Henry*

v. 2: "Cada dia", Então Deus deve ser bendito e louvado, nos dias claros e também nos sombrios. – *Johannes Paulus Palanterius, 1600*

v. 2: "Cada dia (da semana) te bendirei", é o que o salmista parece dizer. Como há "sete espíritos" que existem peculiarmente na proximidade de Deus, Davi considera os sete dias da semana como sete estrelas na sua mão, ou como um candelabro de ouro de sete braços, que arde todos os dias com a sua devoção. Ele considera os sete dias como sete anjos com trombetas. – *Thomas Le Blanc*

v. 2: "Te bendirei: louvarei o teu nome". A repetição sugere o fervor da sua afeição por este trabalho, a fixação do seu propósito em abundar no louvor, e a frequência das suas realizações no louvor. – *Matthew Henry*

v. 2: "Louvarei". Para defini-lo em palavras, podemos dizer que o *louvor* é a adoração agradecida, humilde e amorosa da bondade e majestade de Deus. E por isto frequentemente encontramos a palavra "louvor" acompanhada por "bendizer" e "ação de graças"; mas embora as três expressões sejam semelhantes, não são iguais. Elas são passos, em uma escala gradual – um cântico de degraus. A ação de graças evolui em bendizer, e o bendizer cresce em louvor. Pois o louvor abrange ambas, e é a mais elevada e mais perfeita obra de todos os espíritos vivos. – *Henry Edward Manning, 1850*

v. 3: "Grande é o Senhor". Se *"grande"* aqui é uma referência a Deus como um rei, então um *grande* rei Ele é, no que diz respeito à amplidão do Seu império, pois todas as criaturas, desde o mais elevado anjo até o mais insignificante verme, estão subordinados a Ele. "Grande" em extensão, pois "O seu reino é um reino eterno". "Grande" em profundidade, pois Ele governa até os corações dos reis, de todos os homens, domina os seus pensamentos, sentimentos, e não se pode ocultar nada dEle. E "grande", novamente, como altura: sendo "Rei grande acima de todos os deuses", governando com o Seu poder e autoridade absolutos; ao passo que todos os outros reis recebem dEle a sua espada, e governam com um poder delegado e indireto. – *William Nicholson*

v. 3: "A sua grandeza [é] inescrutável". Deus é tão grande, que até que Cristo revelasse o Pai, a Divindade estava perdida no seu próprio infinito para a percepção dos homens. Aquele que tenta navegar por um oceano infinito deverá voltar ao seu ponto de partida, e nunca será capaz de atravessá-lo. Assim os antigos filósofos, discutindo sobre a Natureza Divina, foram frustrados pela sua própria ingenuidade, e tiveram que confessar que não compreendiam nada sobre Deus, exceto o fato de que Ele era incompreensível. Sem Cristo, os homens somente podem descobrir, sobre Deus, que nunca poderão encontrá-lo. – *Thomas Le Blanc*

v. 3 (última parte): A tradução da Vulgata diz, "Da sua grandeza sem *fim*". O texto hebraico diz, "Da sua grandeza, não há investigação". Como diriam os gregos clássicos, *ἀνεξιχνίαστος, não pode ser investigada.* – *Simon de Muis, 1587-1644*

v. 3: Deus tinha sondado Davi minuciosamente (Sl 139.1), mas Davi provou que não podia sondar a grandeza de Deus. – *Martin Geier*

vv. 3 a 6: Os versículos 3 e 4 contêm o material do louvor, e os versículos 5 e 6, o louvor propriamente dito. O versículo 3 apresenta uma proposição, e o versículo 4 apresenta a evolução. – *Hermann Venema*

v. 4: "Uma geração louvará as tuas obras à outra geração", etc. (Dt 4.9, e 6.7). Os pais ensinando a seus filhos sobre a bondade e a glória de Deus. Esta era uma ordenança legal. A igreja e seus adoradores estão *ajuntando louvores* de sucessivas gerações, para a celebração da Aleluia final. – *Martin Geier*

v. 4: "Uma geração louvará as tuas obras à outra geração". O singular é substituído pelo plural no texto hebraico, "Uma geração louvará (sing.) as tuas obras à outra geração e anunciarão (plural) as tuas proezas". Aqui há, em primeiro lugar, a melodia, a antífona dos coros, respondendo um ao outro, e depois a harmonia; todas as gerações irromperão juntas em coro. – *Hermann Venema*

v. 4: "Uma geração à outra". A *tradição* do louvor! Cada geração toma as melodias da última, e as repete e transmite à seguinte. Uma geração declara o que viu, e transmite o louvor à geração que não viu as maravilhas celebradas. – *Simon de Muis*

v. 4: "Uma geração louvará as tuas obras à outra geração", etc. Assim Deus provê para a Sua igreja. Quando Elias é levado ao céu, Eliseu deve continuar, na virtude e no espírito de Elias. Quando uma corrente escorrega e se derrama no oceano, outra circula, do mesmo oceano, em meio às entranhas da terra, até as nascentes sob os montes, e refresca as planícies áridas.

Quando uma estrela se põe, outra se eleva, para guiar o viajante em peregrinação, e por fim a brilhante luminária da manhã reluz no oriente; e então, o glorioso Sol da Justiça. Enquanto a igreja se assenta, desanimada, debaixo de um zimbro no deserto, para lá correrão profetas para alimentá-la, até a bendita ressurreição das testemunhas. É nosso dever supremo estudar o trabalho presente, e valorizar a ajuda presente, e nos alegrar grandemente, quando o Senhor enviar, como já fez antes, Boanerges e Barnabé, juntos. Orar pela capa, pelo cinturão e pela bênção de Elias, pelo amor de João, e pelo zelo de Paulo, para que todos deem as mãos para levar almas para o céu; até que o Amado venha como o gamo ou o filho dos corços sobre os montes dos aromas; antes que caiam as sombras; até que o dia esclareça, e a estrela da alva apareça em nosso coração. – *Samuel Lee, em seu prefácio a Row, "Emmanuel", 1679*

v. 4: "Uma geração louvará as tuas obras à outra geração". Não há, na vida humana, nenhum fenômeno mais solene do que a sua sucessão de gerações: "Uma geração vai, e outra geração vem". E, como para colocar isto sob uma luz tão influente e indelével quanto possível, o salmista imediatamente acrescenta, "mas a terra para sempre permanece". Um pensamento que brilha como um relâmpago por este panorama da vida, e arde para sempre no cérebro de quem o contempla. Até mesmo a terra rude, grosseira, material, que fomos criados para subjugar, e sobre a qual tão orgulhosamente pisamos, é descrita como tendo, no sentido palpável, esta vantagem sobre nós. A terra permanente constitui uma pequena eternidade, em comparação com a duração de seus mutáveis habitantes. Nós entramos na terra, e passamos por ela, apagando, talvez, algumas pegadas na areia, pela impressão das nossas próprias pegadas, que serão, por sua vez, apagadas; e então a deixamos com assombrosa rapidez, como um homem contratado cumpre os seus dias. – *Henry Allon, 1852*

v. 5: "Falarei da magnificência gloriosa", etc. A palavra que aqui traduzimos como *"falar"* é considerada, por críticos hebraicos, como incluindo também a ideia de "descrever detalhadamente", "falar demoradamente"; e não meramente "aludir incidentalmente", mas "entrar em detalhes"; como se a pessoa se deleitasse em falar sobre o assunto. Há algo muito satisfatório nos detalhes; nós podemos frequentemente esclarecer uma grande verdade, tendo exibido diante de nós alguns dos detalhes relacionados a ela; podemos frequentemente entender o que é elevado demais para nós, *por* si só e *em* si mesmo, com alguns exemplos que o trazem no campo do alcance dos nossos lentos entendimentos. Nós somos como homens que desejam alcançar uma altura, sem asas para voar até lá, mas que podem alcançá-la, subindo por uma escada, um degrau após o outro. Os detalhes são frequentemente como os degraus de uma escada, pouco significam, em si mesmos, mas são muito úteis para nós, e estender-se sobre os detalhes é frequentemente útil para nós; certamente o é, para muitos com quem convivemos.

Devemos nos lembrar que com as nossas circunstâncias do nosso estado atual, não temos a capacidade de compreender, na sua simples grandeza, a magnificência gloriosa da majestade de Deus. A maior parte do que sabemos a respeito de Deus, aprendemos pelas Suas obras em meio aos filhos dos homens. No futuro, será revelada ao povo do Senhor, sem dúvida, grande parte da magnificência gloriosa da majestade de Deus, que eles não podem agora nem suportar nem compreender; enquanto isto, eles devem conhecê-lo principalmente pelo que Ele fez e disse; e se apenas os nossos olhos estiverem abertos, nós não teremos dificuldade para reconhecer nessas coisas a magnificência gloriosa da Sua majestade. – *Philip Bennett Power*

v. 5: "Falarei", etc. "*Meditarei*" é melhor que "falarei", uma vez que é o sentido principal e mais usual da palavra hebraica. Esta palavra sugere que as gloriosas qualidades do caráter e das obras de Deus não devem ser faladas e exaltadas em cânticos, mas devem ser alvo de profunda meditação, armazenadas no nosso coração, de modo que a impressão legítima possa operar sobre a nossa própria alma, e moldar todo o nosso espírito e caráter segundo a imagem moral do próprio Deus. – *Henry Cowles*

v. 5: Com que acúmulo de termos grandiosos os Textos Sagrados exibem a excelência da Divindade! Com estas descrições, os atributos que são debilmente imitados ou refletidos no que chamamos *bom* entre as coisas criadas, são declarados como existentes em Deus, infinitamente, imutavelmente, inefavelmente. – *Martin Geier v. 5:* "As tuas obras maravilhosas". Heb.: *"As palavras das tuas obras maravilhosas"*. Assim, o salmista declara que os registros deixados sobre as obras antigas de Deus, na história de Israel, são muito preciosos. Ele os ouviu. Moisés e Arão e outros falaram sobre eles. Ele se alegra neles; ele os cantará novamente, com a sua própria harpa. – *Hermann Venema*

vv. 5 e 6: O versículo 5 fala da *opera mirabilia* de Deus; o versículo 6, da Sua *opera terribilia*. A primeira alegra os Seus santos; a segunda aterroriza os ímpios. – *John Lorinus*

v. 6: "E se falará da força dos teus feitos terríveis". Quando os homens não destacam as Suas obras de misericórdia e generosidade, o Senhor lhes mostrará obras de justiça, isto é, obras terríveis, e lhes dará assuntos dos quais falar, por causa disto. – *David Dickson*

v. 6 (última parte): "Contar" aqui se refere a fala ou cântico: não meramente *apresentar* como um fato, mas *proclamar*, em louvor. A palavra hebraica tem esta amplitude de significado; não meramente declarar em uma expressão fria, como mera história. – *Hermann Venema*

v. 6: "A tua grandeza". Todos os homens são apaixonados pela grandeza. Então devem buscá-la *em* Deus, e obtê-la *de* Deus. Davi fez as duas coisas. Toda a história mostra a criatura aspirando esta glória. Assuero, Astíages, Ciro, Cambises, Nabucodonosor, todos foram chamados *o grande*. Alexandre, o Grande, quando chegou ao rio Ganges, ordenou que fosse feita a sua estátua, de tamanho maior do que o natural, para que a posteridade pudesse crer que ele tinha sido mais alto. Somente em Cristo o homem alcança a grandeza pela qual seu coração anseia – a glória da perfeita benignidade. – *Thomas Le Blanc*

v. 6: "A tua grandeza". Ou, de acordo com o texto escrito, *grandezas* – Segundo Áquila e Jerônimo. O paralelismo decididamente favorece o plural. – *A. S. Aglen.*

v. 7: Existe uma grandeza extensiva e uma intensiva, e ambas devem ser encontradas nos nossos louvores a Deus. Em primeiro lugar, uma grandeza extensiva, com relação ao seu número; devemos ser frequentes e abundantes no dever; devemos *"publicar abundantemente a memória da grande bondade de Deus"*. Em segundo lugar, deve haver uma grandeza intensiva em nossos louvores, com relação ao seu grau, fervor e paixão. Eles devem ser elevados, e veementes, fervorosos, flamejantes, zelosos e afetuosos, cheios de vida e vigor; os nossos espíritos devem se levantar, os nossos corações e línguas dilatados, na realização deste dever. O nome glorioso de Deus, como em Neemias 9.5, "está levantado sobre toda bênção e louvor", acima dos nossos mais devotos e zelosos louvores; e por isto certamente os louvores débeis, falsos e sem vida estão tão longe de alcançá-lo, que podem parecer se referir a outro objeto, um objeto inferior. Deus, então, não é louvado, a menos que seja grandemente louvado. Louvores fracos não são louvores; pois uma pessoa ou coisa não é honrada nem louvada, a menos que haja alguma proporção entre a honra e o louvor, e o valor da pessoa ou coisa honrada e louvada. – *Henry Jeanes, em "The Works of Heaven upon Earth", 1649*

v. 7: "Publicarão abundantemente". A palavra contém a ideia de ferver ou borbulhar, como uma fonte. Ela significa uma santa eloquência com respeito à misericórdia de Deus. Nós temos pessoas suficientemente eloquentes, mas há muitos ociosos para os quais Satanás encontra abundantes obras a fazer. O Senhor nos livra do ruído das mulheres eloquentes; mas não importa quão eloquentes são os homens e mulheres, se não forem eloquentes sobre o tema que está diante de nós. Abram as suas bocas; deixem que o louvor se derrame, deixem que saiam rios de louvor. Jorrem, tudo o que puderem.

"Publicarão abundantemente a memória da tua grande bondade." Não interrompa os oradores alegres, deixe que continuem falando para sempre. Eles não exageram, não podem fazê-lo. Você diz que eles são entusiastas, mas não chegaram à metade do volume; peça que se entusiasmem mais e que falem com fervor ainda maior. Prossiga, irmão, prossiga; fale mais; diga algo maior, melhor, e mais fervoroso! Não se pode exceder a verdade. É preciso chegar a um tema onde os seus mais eloquentes poderes se expressem. O texto pede uma eloquência sagrada, e eu desejo exortar você a exercê-la livremente, quando estiver falando sobre a bondade de Deus. – *C. H. S.*

v. 7: Há um número excessivo de testemunhas da bondade de Deus que estão em silêncio. Os homens não expressam o suficiente os testemunhos que poderiam dar sobre este tema. A razão pela qual eu aprecio os metodistas (os bons), é o fato de que a sua piedade tem uma língua. Eles obedecem ao mandamento de Deus – ser fervorosos em espírito. – *Henry Ward Beecher*

v. 7:

O pensamento dos nossos anos passados, em minha mente, gera
bênçãos perpétuas.
– *William Wordsworth, 1770–1805*

v. 7: "Cantarão a tua justiça", ou *justiça*. Cantar sobre a bondade, a misericórdia, o perdão, é algo natural, mas um *cântico de justiça* é singular. A beleza do louvor de Davi está no fato de que ele vê motivo para deleite, tanto na justiça de Deus como na Sua misericórdia. – *John Lorinus*

v. 7: "Cantarão a tua justiça". A justiça de Deus, com que Ele justifica os pecadores, e santifica os justificados, e executa o juízo pelo Seu povo reconciliado, é o mais doce objeto da alegria da igreja. – *David Dickson*

v. 7: "A tua justiça" (leia em conexão com o versículo seguinte). É fácil conceber a glória do Criador, manifestada no bem de uma criatura inocente, mas a glória do Juiz justo, manifestada no bem do criminoso culpado, é a sabedoria peculiar e misteriosa da Cruz. É fácil perceber a justiça de Deus, declarada na punição dos pecados; somente a cruz declara "a sua justiça pela remissão dos pecados". Ela exalta a justiça, na maneira de perdoar o pecado, e a misericórdia, na maneira de puni-lo. – *John M'Laurin, 1693–1754*

v. 8: "Benigno é o Senhor", etc. A proclamação do Senhor a Moisés (Êx 34.6) é a origem destes epítetos. – *James G. Murphy*

v. 8: Em Deus, não há paixão, apenas compaixão. – *Richard Rothe, 1799–1867*

v. 8: "Grande misericórdia". A misericórdia tem a desgraça e a infelicidade como seu objeto e é aquele atributo para o qual os olhos de um mundo caído devem se voltar, necessariamente. O salmista, de maneira apropriada, a apresentou no final, com grande pompa e esplendor, assentada em seu carro triunfal, e investida de uma supremacia sobre todas as obras de Deus. Ela está acima dos céus, e sobre toda a terra, de modo que toda a criação encontra esse refúgio debaixo da sombra das suas asas, da qual, em razão da transgressão do homem, necessita. – *Samuel Burder*

v. 9: "O Senhor é bom para todos", etc. De acordo com o ensinamento do cristianismo, nós não somos as criaturas de um Deus que não se interessa pelas Suas criaturas e as abandona à própria sorte, não somos os descendentes de um pai que renega os seus filhos, que não se preocupa com eles, e que é indiferente com respeito à sua felicidade ou desgraça. Não; nunca, de acordo com esta consoladora doutrina, Deus ficou sem testemunhas diante do homem; nunca retirou dele a Sua providência paterna e o Seu amor paterno; nunca abandonou a sorte de Seus filhos frágeis, impotentes e sem instrução ao cego acaso ou à sua própria ignorância. Não; desde o seu primeiro progenitor até a sua mais recente descendência, Ele mesmo cuidou do seu sustento, da sua instrução, da sua orientação, e do seu progresso rumo a realizações mais elevadas. Ele se revelou constantemente a eles, de variadas maneiras; constantemente derramou incontáveis benefícios sobre eles; às vezes, corrigindo-os afetuosamente, às vezes abençoando-os generosamente; Ele esteve constantemente próximo a eles, e não deixou que lhes faltassem os meios para que se tornassem mais sábios e melhores. – *George Joachim Zollikofer, 1730–1788*

v. 9: "O Senhor é bom para todos", etc. A piedade de Deus não é como um doce licor, derramado em deliciosas gotas de um frasco dourado. Não é como as gotas musicais de algum riacho, que murmuram ao descer pelo lado escuro do Monte Sinai. É ampla como todo o escopo do céu. É abundante como todo o ar. Se alguém tivesse como ajuntar toda a dourada luz do sol que hoje se espalha sobre o continente, e que falha somente nas horas de silêncio; e toda a luz que está dispersa sobre todo o oceano, flutuando sobre cada onda; e toda a que é derramada, refulgente, sobre os montes nevados do norte, e ao longo de todo o continente da Europa, e a vasta e distante Ásia, e a tórrida África – se pudéssemos, de alguma maneira, juntar este imenso e incalculável tesouro que cai durante as horas brilhantes, e corre como líquido sobre os montes, e cobre todas as planícies, e envia incontáveis raios por todos os lugares secretos, derramando-se sobre cada flor, brilhando sobre os lados de cada lâmina de folha de erva, descansando, em humildade gloriosa, sobre as coisas mais humildes – sobre gravetos, e pedras, e pedregulhos – na teia da aranha, no ninho do pardal, no limiar da caverna das jovens raposas, onde elas brincam e se mantêm aquecidas – que pousa sobre a janela do prisioneiro, que envia radiantes raios através do tear do escravo e coloca ouro sobre as roupas de luto da viúva, que reveste os telhados da cidade com ouro polido, e prossegue na sua selvagem abundância de um lado a outro da terra, reluzindo em todos os lugares e sempre, desde o primeiro dia da criação, sem falhas, sem economias, sem desperdício nem diminuição; tão abundante, tão fresca, tão transbordante como era no primeiro dia em que foi irradiada – se alguém pudesse ajuntar este ilimitado, interminável, infinito tesouro, para mensurá-lo, então poderia determinar a altura, e a profundidade, e a interminável glória da piedade de Deus! Essa luz, e o sol, a sua fonte, são a figura do próprio Deus, na imensidão e na copiosidade da Sua misericórdia e compaixão. – *Henry Ward Beecher, 1873*

v. 9: Até mesmo os piores provam a misericórdia de Deus; os que lutam contra a misericórdia de Deus, provam-na; os ímpios recebem algumas migalhas da mesa da misericórdia. *"O Senhor é bom para todos"*. As doces gotas de orvalho caem sobre os espinhos, e também sobre as pétalas das rosas. O povo que a misericórdia visita é bem-aventurado. A cabeça de Faraó foi coroada, embora o seu coração estivesse endurecido. – *Thomas Watson*

v. 9: "As suas misericórdias são sobre todas as suas obras". Quando o pecador sensível está procurando crer em Deus, pode implorar a *grandeza* da misericórdia. A misericórdia de Deus é como o firmamento espalhado sobre todo este mundo inferior; e cada criatura frágil e vacilante participa mais ou menos da sua influência, de acordo com a sua exigência e capacidade. É verdade, podemos dizer, eu me tornei, pelo pecado, a mais infame de todas as criaturas; eu me tornei pior do que os animais que perecem; tão infame como um verme, tão repugnante como um sapo, em razão da venenosa corrupção que está no meu coração, e da minha lamentável contrariedade à natureza de um Deus santo. Mas há *"misericórdia sobre todas as suas obras"*, até mesmo criaturas vis e repugnantes como estas; pode haver um pouco sobre mim, apesar da ira que agora habita em mim. Oh, que esta misericórdia, cuja glória é estender-se sobre todos, alcance também a minha alma! Oh, que a bendita e poderosa influência da misericórdia gere fé em meu coração! – *David Clarkson*

v. 9: "As suas misericórdias". A natureza e a força da palavra רַחֲמִים é, propriamente, as *entranhas*; isto é, há *misericórdias em Deus* (assim chamado no *Benedictus*). Não do tipo comum, superficial, que não penetra, que não via longe, mas do tipo que vem *de profundis*, das próprias *entranhas*, que afetam esta parte, que tornam inquietas as *entranhas*. E que *entranhas*? Não as *entranhas* do homem comum (pois então מֵעִים teria sido a palavra correta), mas רַחֲמִים são as *entranhas* de um *pai* (este, dizemos, é o significado da palavra), e isto acrescenta muito; acrescenta à *misericórdia* στοργή, *o amor natural;* um forte afeto, outro tão forte quanto ele, ou ainda mais.

E que *pai*? O mais piedoso da família, a *mãe*. Pois רַחַם (o singular desta palavra) é o hebraico para *útero*. Assim, às duas primeiras, esta acrescenta o sexo; o sexo se torna mais misericordioso. De todas as misericórdias, as das *entranhas*; e, das entranhas, as de um *pai;* e entre o pai e a mãe, as da *mãe:* a piedade como a que a mãe tem dos filhos do seu ventre. *As misericórdias* estão em Deus; *estas misericórdias* estão em Deus.

"Sobre todas as suas obras." É uma boa notícia para nós que estas misericórdias estejam em Deus; mas, ainda melhor, é que elas estejam nEle, com um *super* – "sobre". Mas, o melhor de tudo, que este *super* seja um *super omnia* – "sobre tudo". Muito é dito em poucas palavras, para o louvor da misericórdia, quando dizemos, *super omnia. Nihil supra* havia muito, mas nada sobre isto; mas está escrito, *super omnia, sobre tudo.* Aquele que diz isto, não precisa dizer mais nada; não há um grau superior; *super omnia* é o superlativo.

Nem tudo o que está *acima* está *sobre.* Não é apenas *acima* como um obelisco, ou mastro, mais elevado do que todos ao seu redor, mas que não tem sombra nem abrigo; eles não proporcionam nenhum bem! A misericórdia tem um topo amplo, espalhando-se *sobre* tudo. E está tão *acima* de tudo, que está também *sobre* tudo. Como a abóbada desta igreja está *sobre* nós, e a grande abóbada do firmamento *acima* dela; o *super*, de latitude e de amplitude, não menos que de altitude e elevação. E isto com a finalidade de que todos possam correr para ela, e se refugiar; ela está *sobre* eles, e eles, *debaixo* dela. Debaixo dela, debaixo da *sombra* dela, como a "grande rocha em terra sedenta" de Isaías, para proteger do *calor*; debaixo do seu *abrigo*, como a "grande árvore" de Davi, para proteger da tempestade (Is 32.2; Dn 4.11, 12). – *Lancelot Andrewes*

v. 10: "Todas as tuas obras te louvarão, ó Senhor". É uma má filosofia e uma religião limitada a que não reconhece Deus como incluído em tudo. Em cada momento das nossas vidas, nós respiramos, nos levantamos ou nos movemos, no templo do Altíssimo; pois o universo é esse templo. Onde quer que estejamos, o testemunho do Seu poder, a marca da Sua mão, estão ali. Pergunte aos mundos brilhantes ao nosso redor, quando giram na eterna harmonia de seus círculos, e eles lhe falarão Daquele cujo poder os lançou em suas órbitas; pergunte aos montes, que levantam as suas cabeças entre as nuvens, e acima delas, e o cume desnudo de um deles parece chamar em voz alta o cume coberto de neve de outro, proclamando o seu testemunho do Agente que lançou as suas profundas fundações. Pergunte às águas do oceano; e o bramido de suas ondas ilimitadas cantará, de praia a praia, um hino de crédito àquele Ser, que disse: "Até aqui virás, e não mais adiante". Pergunte aos rios; ao seguir rumo ao mar, eles não levam consigo o seu incessante tributo à Energia que tudo realiza, que abriu as suas fontes e as derramou, pelos vales? Pergunte a cada região da terra, desde o ardente Equador até o gélido pólo, desde a costa rochosa até a planície coberta com a sua vegetação exuberante; e não encontrará tudo isto no registro da presença do Criador? Pergunte às tribos incontáveis de plantas e animais; e elas não darão testemunho da ação da grande Fonte de Vida?

Sim, de cada porção, de cada departamento da natureza, vem a mesma voz; em todo lugar, eu ouço o Teu nome, ó Deus! Em todo lugar, eu vejo o Teu amor! A Criação, em toda a sua extensão e amplitude, em toda a sua profundidade e altura, é a manifestação do Teu Espírito, e sem Ti os mundos são sombrios e mortos. O universo é, para nós, como a sarça ardente que o líder hebreu viu: Deus está sempre presente nele, pois ele arde com a Sua glória, e o local onde estamos é sempre santo. – *"Francis"* (*Viscount Dillon*)

v. 10: Assombroso é que o homem não esteja sempre louvando, uma vez que tudo em meio ao que ele habita continuamente convida ao louvor. – *Gregório, o Grande*

v. 10: "Todas as tuas obras te louvarão, ó Senhor", etc. *"Todas as obras"* de Deus o *"louvarão"*, da mesma maneira como o belo edifício louva o construtor, ou o quadro bem feito louva o pintor; mas os Seus *"santos"* o *"bendirão"*, da mesma maneira como os filhos de pais prudentes e ternos se levantam e os chamam benditos. De todas as obras de Deus, os Seus santos, o artesanato da Sua graça, as primícias das Suas criaturas, têm mais razão para bendizê-lo. – *Matthew Henry*

v. 10: "Todas as tuas obras te louvarão, ó Senhor", etc. Há duas palavras com as quais expressamos a nossa gratidão a Deus, *louvar* e *bendizer*. Qual é a diferença? O louvor diz respeito às excelências de Deus, e bendizer diz respeito aos benefícios de Deus. Nós podemos louvar um homem que nunca nos fez nenhum bem, se ele for excelente e digno de louvor; mas bendizer diz respeito à generosidade e aos benefícios de Deus; no entanto, eles são frequentemente usados promiscuamente. – *Thomas Manton*

v. 10: "E os teus santos te bendirão". O lírio se ergue do seu caule delgado, e exibe as suas pétalas douradas e as suas folhas brancas e brilhantes; e com a sua própria existência, louva a Deus. O mar profundo e estrondoso se enrola em tempestades, varrendo tudo o que está à sua frente; e cada golpe das suas ondas louva a Deus. Os pássaros, pela manhã, e alguns deles durante a noite, nunca deixam de louvar; unidos a dez mil outras vozes que fazem um incessante concerto diante do trono. Mas, observe, nem a flor, nem o mar, nem o pássaro, louva com a intenção de louvar. Para eles, isto não é um exercício de intelecto, pois não conhecem a Deus, e não conseguem entender a Sua dignidade; nem mesmo sabem que o estão louvando. Eles exibem a Sua habilidade, e a Sua bondade, e assim por diante, e ao fazer isto, fazem muito, mas nós precisamos aprender a fazer mais. Quando você e eu louvamos a Deus, existe o elemento da vontade, da inteligência, do desejo, da intenção; e nos santos de Deus há ainda outro elemento, ou seja, o amor por Ele, a gratidão reverente com relação a Ele, e isto converte o louvor no um ato de bendizer. Um homem é um pintor eminente, e você exclama, "O seu lápis tem o instinto da vida". Entretanto, esse homem não é seu amigo, e você não bendiz o seu nome. Pode ser que os seus sentimentos com relação a ele sejam de profundo pesar pelo fato de que estas habilidades estejam unidas e um caráter tão mau. Certa pessoa é extremamente talentosa na sua profissão, mas o trata de maneira injusta, e por isto, embora você frequentemente a louve pelo seu desempenho extraordinário, não pode bendizê-la, pois você não tem nenhuma causa para fazer isto. Eu receio que possa existir um sentimento de admiração por Deus, por Sua grande habilidade, pelo Seu assombroso poder, pela Sua extraordinária justiça, e ainda assim, não haver um calor de amor no coração com relação a Ele, mas nos santos, o amor é adoçado com amor, e é repleto de bendizeres. – *H. S.*

vv. 10 e 11: Se não apenas as criaturas irracionais, mas também as inanimadas, louvam a Deus, dando ocasião para o Seu louvor, então muito mais devem expressar o Seu louvor os homens, que não somente são criaturas vivas, mas racionais! E se as criaturas sem vida e razão provocam a humanidade, em geral, que tem vida e razão, a louvar a Deus, quanto mais devem ser provocados os homens piedosos a entoar o Seu louvor, uma vez que eles têm não apenas vida, que as estrelas não têm; e razão, que as aves e os animais não têm; mas a graça, que muitos homens não têm! Entre as criaturas visíveis, os homens são os que mais têm motivos (porque têm razão) para louvar a Deus; e entre os homens, os benevolentes têm mais razões para louvar a Deus, porque têm a graça. Portanto, imediatamente depois que Davi tinha dito *"Todas as tuas obras te louvarão, ó Senhor"*, acrescenta as seguintes palavras, *"e os teus santos te bendirão. Falarão da glória do teu reino e relatarão o teu poder"*. Como se ele tivesse dito: Da mesma maneira como todas as Tuas obras, ó Senhor, te louvarão, também os santos (que são os mais excelentes espécimes da Tua arte) terão causa para fazê-lo, acima de todos: eles não podem deixar de falar sobre o Teu reino e poder, que são enormemente gloriosos. – *Joseph Caryl*

v. 11: "Falarão da glória do teu reino", etc. A glória de um reino é sinônima de seu poder. O poder de um reino consiste no número de seus súditos, e na suficiência de seus recursos, para sustentá-los. A glória, ou o poder, do reino de Deus, pode ser deduzida com base na diferença entre esse reino e o reino do homem. Há quatro aspectos de diferença. Em primeiro lugar, os reis deste mundo têm *poucos súditos*, com pouca riqueza – nada além da população e das riquezas de um reino, ou uma província, ao passo que Deus reina sobre todos os anjos, todos os homens, todos os demônios; e toda a riqueza, sobre a terra, no mar ou no ar, pertence a Ele. Há outra diferença: o fato de que, embora os reis deste mundo governem os seus súditos, eles são governados por eles, são *dependentes* deles, e não poderiam fazer nada sem eles; e, por mais abundantes que possam ser os seus recursos, eles sempre têm falta de algo, ou melhor, sempre têm dívidas, e consequentemente sempre exigem novos tributos e taxas; mas Deus, enquanto governa todos, não está sujeito a ninguém, porque não precisa da ajuda de ninguém. Em lugar de sentir necessidade, Ele tem abundância de tudo, porque Ele poderia, em um momento, trazer do nada muito mais do que agora contempla ou aproveita. A terceira diferença é uma consequência da segunda: enquanto os reis deste mundo parecem desfrutar de suas honras e dignidades, ao mesmo tempo *sofrem terrivelmente com temores*, dúvidas, e preocupações interiores, que às vezes se tornam tão terríveis que os levam a abdicar. Deus nunca sofre tal pressão, Ele não está sujeito a nenhum temor, nem preocupação, mas reina absolutamente, em perfeita tranquilidade. A quarta diferença, uma diferença essencial, é a de que os reis do mundo *reinam apenas durante algum tempo*; mas Deus reina para sempre. – *Robert Bellarmine*

v. 11: "Falarão... e relatarão". A alegria e a tristeza são difíceis de esconder; tanto da fisionomia, quanto da língua. Há tanta correspondência entre o coração e a língua que eles se movem ao mesmo tempo: todo homem, portanto, fala de seu prazer e sua preocupação; o caçador e o falcoeiro, de sua caça; o lavrador, de sua parelha de animais; o soldado, de sua marcha e bandeira. Se o coração estivesse tão cheio de Deus, a língua não poderia evitar falar a respeito dEle: quando uma pessoa cristã raramente se comunica, isto mostra que ela está vazia da graça. Se Cristo não está em nossos corações, nós não temos Deus; se Ele está ali, mas não temos a alegria, estamos insensíveis; se nós nos alegramos nEle e não falamos dEle, somos vergonhosamente ingratos. Todo homem aproveita ou cria ocasião para trazer à conversa aquilo de que gosta. Como eu penso sempre em Ti, ó Senhor, assim será a minha alegria falar de Ti frequentemente; e se eu não encontrar oportunidade, eu a criarei. – *Joseph Hall*

v. 13: O reino de Deus é o Seu governo do mundo. A glória dele se torna particularmente conspícua no fato de que Ele levanta o domínio do Seu ungido sobre todos os reinos do mundo (comp. Sl 89.27). *"O teu reino é um reino eterno"* (v. 13), e assim deve também o reino do Teu ungido ser um reino eterno, e sobreviver a todos os reinos transitórios deste mundo, por mais grandiosos que se considerem. – *E. W. Hengstenberg*

v. 13: À porta da antiga mesquita, em Damasco, que já foi uma igreja cristã, porém durante doze séculos esteve classificada entre os mais santos dos santuários maometanos, estão inscritas estas palavras memoráveis: "O Teu reino, ó Cristo, é um reino eterno, e o Teu domínio estende-se a todas as gerações". Embora o nome de Cristo tenha sido blasfemado com regularidade, e os discípulos de Cristo tenham sido amaldiçoados durante mil e duzentos anos dentro da construção, a inscrição, ainda assim, permaneceu intocada pelo tempo, e intocada pelo homem. Ela era desconhecida durante o longo reinado da intolerância e opressão maometanas, mas quando a liberdade religiosa foi parcialmente restaurada, e os missionários puderam estabelecer uma igreja cristã naquela cidade, a inscrição novamente foi trazida à luz, incentivando-os na sua obra de fé e no seu trabalho de amor. – *De John Bate, "Cyclopeedia of Illustrations", 1865*

vv. 13 e 14: O que admiramos nestes versículos é a sua combinação da magnificência de poder ilimitado com a assiduidade de ternura ilimitada. É esta combinação que os homens podem considerar como próxima do inacreditável, supondo que um Ser tão excelente como Deus jamais poderia se interessar por seres tão insignificantes como eles mesmos. Diga a eles que Deus levantou os que estavam curvados, e eles não podem imaginar que o Seu reino e domínio sejam ilimitados. Fale a eles, por outro lado, sobre a grandeza do Seu império, e eles considerarão impossível que Ele sustente a todos os que caem. – *Henry Melvill*

v. 14: "O Senhor sustenta a todos os que caem", etc. É digna de nota a maneira como o salmista passa a exibir a grandeza do reino de Deus – não pelo seu poder de "esmiuçar e quebrantar", como as pernas de ferro da estátua na visão de Nabucodonosor (Dn 2.40), mas a disposição do Rei de auxiliar os fracos. Até mesmo um pagão podia ver que este era o mais nobre uso do poder.

Regia (crede mini) res est succurrere lapsis.
Ovídio. Ep. de Panto, ii. 9, 11.
É uma atitude régia auxiliar os caídos.
– *Neale e Littledale*

v. 14: "O Senhor sustenta a todos os que caem", etc. נֹפְלִים (*nōp^{e}lîm*), os *que caem,* ou os que não são capazes de se manter em pé, os fracos. Ele os *sustenta*; Ele é o seu *apoio.* Nenhum homem cai meramente pela sua própria fraqueza: se ele confiar em Deus, nem o mais forte adversário poderá abalá-lo. – *Adam Clarke v. 14:* "E levanta a todos os abatidos", incurvatos. Muitos que não caem, realmente, são reduzidos à aflição, que pode ser ainda mais dolorosa; pois os que lutam sofrem muito mais do que os passivos. Os homens são *abatidos* fisicamente, pela enfermidade, ou fraqueza: mentalmente, pela preocupação; espiritualmente, pelo remorso; alguns são esmagados por todas as três cargas. Para tudo isto, há ajuda no Todo-Poderoso. Mas ninguém pode se ajudar sozinho: ninguém é levantado, senão pela interposição sobrenatural – *non nisi opitulante Domino.* – *Martin Geier*

v. 14: "O Senhor sustenta a todos os que caem". A palavra usada aqui é um particípio, literalmente, *"O Senhor sustenta"*; isto é, o Senhor *é* um Sustentador de todos os que caem. – *Albert Barnes*

v. 14: "E levanta a todos os abatidos". Alfonso, rei de Aragão, é famoso por ajudar, com a sua própria mão, um de seus súditos a sair de um fosso. Sobre a rainha Elizabeth está registrado, para seu eterno louvor, que ela odiava (não menos que Mitrídates) os que procuravam esmagar a virtude que estava abandonada pela sorte. Cristo não esmaga a cana quebrada, mas a sustenta, Ele não apaga o morrão que fumega, mas o alimenta. – *John Trapp*

vv. 14 a 19: O salmista apresenta um esplêndido argumento. Tendo louvado o reino, ele prossegue, exibindo *sete glórias* peculiares aos reis, e mostra que no Senhor elas reluzem de maneira suprema. Os versículos 14 a 19 contêm, cada um deles, uma virtude real. – *John Lorinus*

v. 15: "Os olhos de todos esperam em ti". Deus não pode ser subjugado pelo que é grande e enorme, e nem pode ignorar o que é pequeno e insignificante. Deus é aquele Ser para quem a única coisa grande é Ele mesmo; portanto, uma vez que "os olhos de todos esperam nEle", o serafim não chama a Sua atenção em virtude de seu olhar de fogo, e o inseto não a perde, em virtude de sua visão deficiente. Os arcanjos, e anjos, e homens, e animais do campo, e as aves do céu, e os peixes do mar, atraem igualmente a atenção Daquele que, sem considerar nada grande, exceto Ele mesmo, o Criador, não ignora nem sequer uma fração pequena da criação. – *Henry Melvill*

v. 15: A natureza não nos ensina a orar? Pergunte às feras, aos corvos, aos leões, etc. (Jó 38.41; Sl 147.9; 104.27; 145.15); não como se estas criaturas irracionais pudessem conhecer e adorar a Deus, mas porque a natureza lhes ensinou sobre o seu dever o que elas são capazes de suportar; elas têm a percepção de suas cargas e necessidades, elas gemem e clamam, e desejam ser aliviadas; e o Senhor ouve esta voz e diz, "Agora, a pobre criatura está clamando a mim, e Eu terei piedade dela". Ah, estes animais clamarão, à sua própria maneira, a Deus, e você fará silêncio? O Senhor nos elevou muito acima destas criaturas inferiores, e nos capacitou para os atos imediatos da Sua adoração, e para uma comunhão mais elevada com Ele, e eu e você não o serviremos da maneira adequada? Ele deu a mim e a você um coração e uma alma espiritual, como deu aos animais um apetite perceptivo e desejos naturais, e eles clamam a Deus com estas coisas, e nós não clamaremos com as outras? – *Alexander Pitcairne, 1664*

v. 15: "Olhos... esperam em ti". Muitos mendigos mudos têm sido socorridos, às portas de Cristo, fazendo sinais. – *William Seeker*

v. 15: Em agonia, a natureza não é ateia; a mente que não sabe para onde correr, corre para Deus. – *Hannah More, 1745–1833*

v. 15: As criaturas são Suas, e por isto devem ser recebidas com ação de graças: isto o nosso Salvador realizou, com grande vigor e zelo; ensinando-nos, quando "olharmos para o céu", que *"os olhos de todos"* devem, no sentido mais literal, *"esperar"* Naquele Senhor *"que lhes dá o seu mantimento a seu tempo"*.... Uma sensação secreta da bondade de Deus não é suficiente, de modo algum. Os homens devem fazer expressões solenes e externas disto, quando recebem as Suas criaturas, para o seu sustento; um serviço e uma homenagem não somente devidos a Ele, mas benéficos para si mesmos. – *George Stanhope, 1660–1728*

v. 15: Enquanto o ateísmo, no seu significado explícito, ou seja, o da negação completa da existência de Deus, raramente ou nunca pode ser encontrado na terra, o ateísmo, com respeito à negação da providência de Deus, é o credo adotado por centenas de pessoas entre nós... A Providência, que é confessada em grandes coisas, é rejeitada em pequenas coisas; e mesmo que você consiga levar os homens a uma confissão fácil de que Deus preside os assuntos nacionais, você verá que eles são indivíduos afastados do Seu escrutínio. Nós apresentamos contra esta redução da providência de Deus uma distinta acusação de ateísmo. Se confessamos a existência de Deus, nós a lemos na confecção da folha mais fina, bem como nos magníficos pináculos dos Andes e dos Alpes; se cremos na providência de Deus, devemos confessar que Ele conta os fios de cabelo de nossas cabeças, bem como controla as estrelas do firmamento; e que a providência não seria universal, e por isto não poderia ser de Deus, se um pardal, ou um serafim, voasse despercebido.

As palavras diante de nós se apresentam de maneira muito enérgica contra este ateísmo popular. Toda a criação é representada como fixando o seu olhar no Pai universal, e extraindo da Sua abundância o suprimento para cada necessidade. *"Os olhos de todos esperam em ti, e tu lhes dás o seu mantimento a seu tempo"*. Não há, você pode observar, nenhuma exceção; o significado é simplesmente que todo tipo e classe de seres olham para o Todo-Poderoso, confessando a dependência nEle, e submetendo-se à Sua proteção. De modo que, em lugar de mencionar qualquer coisa que se aproxima ao abandono da nossa criação, o salmista declara uma incessante atenção às suas necessidades, cuja suspensão por um momento causaria frio e trevas por todo o universo. – *Henry Melvill*

v. 15: "Tu lhes dás o seu mantimento a seu tempo". A comida que permanece para a vida eterna; a carne de Cristo, que verdadeiramente é comida; as doutrinas do Evangelho que, da mesma maneira como algumas são leite para as crianças, outras são mantimento para homens fortes, ou mantimento sólido para crentes experientes; e este mantimento é fornecido sob a orientação de Cristo, pelos Seus servos, que são Seus administradores sábios e fiéis, que dão a todos os membros da família a sua porção de alimento, no devido tempo, que é o está dito aqui; e, quando isto acontece, como é bom! (Lc 12.42; Pv 15.23). Este é o mantimento conveniente para eles, distribuído *a seu tempo*, como no original; ou no tempo do Senhor, quando Ele julga apropriado, ou no tempo *deles*, como diz a versão Siríaca, quando eles mais necessitam o mantimento, e quando este lhes fará maior bem. – *John Gill v. 15 (segunda parte):* Está escrito que Deus lhes dá o *"seu mantimento"*, e *"a seu tempo"*, pois a própria variedade do mantimento serve mais para exemplificar a providência de Deus. Cada um tem o seu próprio modo de se alimentar, e os diferentes tipos de alimentos são destinados e adaptados para diferentes usos. Davi, portanto, fala sobre o mantimento que é particular a eles. O pronome não está no plural, e não devemos ler *seu* tempo (deles), como se esta palavra se aplicasse aos animais. Ele observa que o mantimento é dado no seu tempo (no tempo do mantimento), pois aqui também devemos perceber o admirável arranjo da divina providência, no fato de que há um tempo certo indicado para a colheita, para a vindima, e para a sega do feno; e que o ano está dividido em intervalos de tal maneira que o gado é alimentado durante um intervalo com grama, em outro intervalo co feno, ou palha, ou frutos do carvalho, ou outros produtos da terra. Se todo o suprimento fosse fornecido em um mesmo momento, não seria recolhido de maneira tão conveniente; e temos muitas razões para admirar o momento oportuno com que os diferentes tipos de frutos e alimentos são produzidos, a cada ano. – *João Calvino*

v. 15: O Sr. Robertson falou de uma criança pobre que estava acostumada a ver os suprimentos inesperados para as necessidades de sua mãe chegar, em resposta às orações. O pote (ou barril) da comida, na Escócia, é tudo, para um menino faminto; por isto, ele disse: "Mamãe, eu acho que Deus ouve, quando estamos raspando o fundo do barril". – *"The Christian"*

vv. 15 a 17: Quem pode temer que, como os caminhos de Deus são inescrutáveis, eles possam não tender para o bem final de Suas criaturas, quando se sabe que com a ternura de um pai extremamente afetuoso, este Criador e Governador cuida até mesmo da mais insignificante coisa viva? Quem pode se inquietar com a natureza misteriosa das atitudes Divinas, quando se lembra de que elas são as atitudes Daquele que nunca, nem por um solitário momento, deixa de consultar a felicidade daquilo e daqueles que formou? Em resumo, quem pode deixar de confiar em Deus, porque há nuvens e trevas ao Seu redor, quando há luz suficiente para mostrar que Ele é o guardião vigilante de cada habitante desta terra, que a Sua mão sustenta, que o Seu sopro anima, e que a Sua generosidade nutre, as multidões fervilhantes da cidade, e do deserto, e do oceano?

Parece que existe um belo processo, embora tácito, de raciocínio no nosso texto, e que o versículo 17 está colocado na sua conexão apropriada. É como se Davi tivesse dito, "Vinde, meditemos sobre a justiça de Deus. Ele não seria Deus, se não fosse justo em todos os Seus caminhos, e santo, em todas as Suas obras; e por isto podemos ter certeza de que, o que quer que Ele faça, será o melhor que poderia ser feito, quer possamos ou não descobrir a sua excelência".

Sim, isto pode ser verdade, mas quando examinados as atitudes divinas, que abismo de águas escuras há ali! Quão inescrutáveis, quão insondáveis são os juízos de Deus! Nós admitimos isto; mas estando previamente convencidos da justiça de Deus, não devemos nos assombrar pelo que é obscuro nas Suas dispensações.

"É verdade", você responde, "mas a mente não parece satisfeita com este raciocínio; ele pode convencer o intelecto, mas não influencia os sentimentos". Bem, passemos do que é obscuro nas atitudes de Deus para o que é claro. Ele está perto do nosso caminho e ao lado do nosso leito; Ele "conserva os homens e os animais"; "as suas misericórdias são sobre todas as suas obras". É este um Deus de quem devemos suspeitar? É este um Deus em quem não devemos confiar? Oh! Certamente, se você se fortificar em fatos como estes – "Tu, ó Senhor, satisfazes os desejos de todos os viventes", *"Os olhos de todos esperam em ti, e tu lhes dás o seu mantimento a seu tempo"* – eu afirmo que se você fortalecer a sua mente com fatos como estes, será capaz, em todas as ocasiões, e em todas as circunstâncias, de se unir sinceramente ao reconhecimento do salmista: *"Justo é o Senhor em todos os seus caminhos e santo em todas as suas obras"*. – *Henry Melvill*

v. 16:

Abres a Tua mão de graça,
e satisfazes
as necessidades de todos, em todos os lugares,
que clamam pela Tua presença.
– Thomas MacKellar, 1883

v. 16: "Abres a mão". Isto parece retratar o hábito de uma dona de casa, de alimentar uma ninhada de frangos e outras criaturas. Ela distribui, com a mão cheia e aberta, uma grande quantidade, sem se limitar a uma quantidade que possa apenas ser suficiente. – *Martin Geier*

v. 16: "Abres a mão". Que ideia isto nos transmite, da *benignidade paterna* do grande Pai pela Sua criação! Que diferente é a conduta de muitas de Suas criaturas, umas com as outras, cujas mãos e cujos corações estão *fechados*! Que ideia também isto transmite da *facilidade* com que as necessidades de toda a criação são supridas! Deixe-me fazer uma pausa, por um momento, e pensar nessas necessidades. Que quantidade de alimento para animais e vegetais é diariamente consumida em uma cidade: que quantidade, em uma grande cidade, como Londres: que quantidade em uma nação; em todo o mundo! Mas os *homens* não constituem nem uma centésima parte de "todos os viventes"! Que necessidades incontáveis, por toda a natureza animada; na terra, no ar, nas águas! De onde vem o seu suprimento? "Abres a mão", e todos se satisfazem. E todas essas necessidades podem ser satisfeitas apenas com *a Tua mão aberta*? O que, então, deve ser o pecado, e a salvação dele? Esta é uma obra de custo maravilhoso. Deus abre a Sua mão e satisfaz toda a criação, mas Ele deve comprar a igreja *com o Seu sangue*... de que *variedade de maneiras* as suas necessidades são supridas!

A terra é frutífera, o ar é cheio de vida, as nuvens se esvaziam sobre a terra, o sol derrama os seus raios geniais; mas a operação de todas estas segundas causas é apenas *a abertura da Sua mão*! Nada mais que isto: nós olhamos para os *instrumentos*, além dos meios? Os pais nos alimentam na nossa infância, e suprem as nossas necessidades na mocidade; os caminhos estão abertos para a nossa futura subsistência; as conexões estão formadas, e serão as nossas fontes de consolação; os amigos são gentis e generosos, nas ocasiões extremas; os suprimentos estão presentes e vêm de locais que nunca teríamos esperado. O que são estas coisas, senão *a Tua mão aberta*? Se a Sua mão estivesse fechada, que mundo seria este! Os céus de bronze, a terra de ferro; a fome, a peste, a morte viriam (veja Sl 104.27-29).

Considere, a seguir, a palavra *"mão"*. Há uma diferença entre a *mão* e o *coração*. Deus abre a Sua mão, no caminho da Providência, para os Seus piores inimigos. Ele deu a Nabucodonosor todos os reinos da terra. Mas Ele abre o Seu *coração* no Evangelho do Seu Filho. Esta é a melhor porção, das duas. Embora devamos ser agradecidos pela primeira, não devemos ficar satisfeitos com ela: é meramente a porção de uma *mão*. Em lugar disto, devemos orar, como Jabez, para sermos *muitíssimo* abençoados; e que possamos ter uma porção como a de José; não somente as coisas preciosas da terra, e a sua abundância, mas "a benevolência daquele que habitava na sarça!"

"Satisfazes os desejos", etc. Deus não dá de má vontade ou com relutância. Parece ser uma característica da natureza divina, tanto no mundo natural como no moral, despertar desejos, não com a intenção de desapontá-los, mas para satisfazê-los. Oh, que pensamento consolador é este! Se houver em nós quaisquer desejos que não estão satisfeitos, é pelo fato de que se autocriaram, o que é culpa nossa; ou devido à escassez artificial do luxo dos homens, o que é culpa da nossa espécie. Deus, como nosso Criador, não desperta desejos, mas Ele nos dá o suficiente para satisfazê-los; e como nosso Redentor e Santificador, Ele não nos deixa desejar outra coisa além

daquilo que será realmente satisfeito. Oh, a maravilhosa generosidade de Deus! "Como é grande a Sua bondade, e como é grande a Sua beleza!" – *Andrew Fuller*

v. 16 (segunda parte): A palavra רָצוֹן (*rātsôn*), alguns traduzem como *"desejo"*, como se Davi quisesse dizer que Deus supre cada tipo de animal com mantimento, conforme o desejo do animal. E pouco depois, nós realmente vemos a palavra usada neste sentido. No entanto, outros consideram que a palavra se refere ao fornecimento do mantimento por Deus, pelo Seu mero prazer e bondade; não é suficiente dizer que o nosso mantimento nos é dado por Deus, a menos que acrescentemos, como na segunda parte do versículo, que a Sua benignidade é gratuita, e que não há nenhuma causa extrínseca que o leve a prover de maneira tão generosa por cada criatura viva. Neste caso, a causa significa o efeito; os vários tipos de provisão são os efeitos do Seu prazer e da Sua boa vontade – χαρίσματα τῆς χάριτος – *João Calvino*

v. 17: "Justo é o Senhor em todos os seus caminhos", etc. O motivo pelo qual o louvor é aqui atribuído a Deus parece ser comum, e estar na boca de todos; mas não há nada em que a sabedoria seja mais demonstrada do que no apego à verdade, de que Deus é justo em todos os seus caminhos, de modo a reter em nossos corações um sentido inabalável disto em meio a todos os problemas e confusões. Embora todos reconheçam que Deus é justo, muitos homens, tão logo são dominados pela aflição, combatem a Sua severidade; a menos que os seus desejos sejam imediatamente atendidos, eles ficam impacientes, e nada é mais comum do que ouvir a Sua justiça ser acusada. Como ela é injustiçada, em todas as partes, pelas acusações ímpias que os homens lhe fazem, aqui ela é, muito apropriadamente, defendida de tão ingrato tratamento, e considerada constante e infalível, ainda que o mundo possa menosprezá-la. Está expressamente acrescentado, *"em todos os seus caminhos e obras"*; pois nós deixamos de dar a Deus a honra devida, a menos que reconheçamos um constante teor de justiça em todo o progresso da Sua operação. Nada é mais difícil, em tempos de dificuldade, quando Deus aparentemente nos abandona, ou nos aflige sem causa, do que restringir os nossos sentimentos corruptos e impedir que irrompam contra os Seus juízos; como lemos, sobre o Imperador Maurício, em uma memorável passagem da história, que vendo seus filhos assassinados pelo perverso e pérfido traidor Focas, e estando prestes a ser morto, clamou – "Justo és, ó Senhor, e retos são os teus juízos". – *João Calvino*

v. 17: "Santo em todas as suas obras". Deus é bom; Ele é absoluto e perfeito; e do bom nada pode vir, exceto para o bem; e por isto, tudo o que Deus criou é bom, como Ele é; e por isto, se alguma coisa no mundo parece ser má, uma de duas coisas deve ser verdade, sobre ela:

Ou ela *não* é má, ainda que assim nos pareça; e Deus trará dela o bem, no Seu devido tempo, e se justificará aos homens, e nos mostrará que Ele é santo, em todas as Suas obras, e justo em todos os Seus caminhos. Ou,

Se a coisa realmente for má, então Deus não a criou. Deve ser uma doença, um engano, uma falha, algo criado pelo homem, ou por alguma pessoa, mas não é uma criação de Deus. Pois tudo o que Ele fez, Ele vê eternamente; e é muito bom. *– Charles Kingsley, em "The Good News of God", 1878*

v. 18: "Perto está o Senhor". A proximidade ou a distância de um amigo é muito material e considerável, em nossas aflições, angústias, necessidades, perigos, etc. Eu tenho esse amigo, e ele me ajudaria, mas ele vive tão distante... tenho outro amigo que tem um grande amor por mim, que é capaz de me aconselhar, e de me falar uma palavra oportuna, e que na minha aflição estaria perto de mim, mas ele está muito distante. Eu tenho um amigo especial, que se soubesse como as coisas estão comigo, tomaria para si a minha dificuldade, e as minhas necessidades, e as minhas angústias; mas ele está em uma nação distante, ele está na Índia, e eu posso ser destruído, antes de ter notícias dele. Mas isto não acontece com vocês, ó cristãos! Vocês têm um Deus muito próximo de vocês, têm a presença de Deus no seu meio, têm um Deus sempre próximo de vocês: "o Senhor assistiu-me", etc.: (2 Tm 4.17). – *Thomas Brooks*

v. 18: "Todos os que o invocam". *Invocar o nome do Senhor* indica *fé correta,* invocá-lo como Ele é; *confiança correta* nEle, apoiar-se nEle, *devoção correta,* invocá-lo como Ele indicou; *vida correta,* em que nós, que o invocamos somos, ou nos tornamos, pela Sua graça, o que Ele deseja. Eles não *"invocam o Senhor"*, mas algum ídolo da sua própria imaginação, invocam-no como alguém diferente do que Ele se revelou, ou continuando sendo diferentes dos que Ele declarou que ouvirá. Pois eles *negam* o principal atributo de Deus, a Sua verdade. O *seu* deus não é o Deus da verdade. – *Edward Boaverie Pusey, 1800–1882*

v. 18: "Todos os que o invocam em verdade". Há um tipo falsificado de adoração, e de invocação a Deus, que é excluída do benefício desta promessa, ou seja, quando a parte que suplica não está reconciliada nem busca a reconciliação, por intermédio de Cristo, o Mediador, ou quando está buscando algo que não foi prometido, ou com um objetivo carnal, para que possa satisfazer a seus próprios desejos; por isto aquele que tem o direito a esta promessa deve ser um adorador de Deus, em fé, e sincera intenção; e a este o Senhor se mostrará *"próximo"*. – *David Dickson*

v. 18: Invocar a Deus em verdade é, em primeiro lugar, repousar uma implícita confiança na fidelidade da Sua promessa, e procurar respostas ilimitadas à oração das riquezas da Sua graça, em Cristo Jesus. Mas também é sentir a nossa própria necessidade urgente das coisas pelas quais suplicamos, e perceber um sincero e genuíno interesse em obtê-las. "Tudo o que pedirdes", diz o Senhor, "orando, crede que o recebereis e tê-lo-eis"; e assim concluímos que o desejo sincero, que nasce da consciência da necessidade, é uma parte integral e inseparável da oração genuína e efetiva. – *Thomas Dale, 1853*

vv. 18 e 19: O povo de Deus é um povo que ora, uma geração com os que buscam, e esses normalmente são rápidos. Deus nunca disse à descendência de Jacó, Buscai-me em vão. Eles buscam a Sua face, justiça e força, e o encontram... Os santos se entregam a Deus e à Sua ajuda, correndo até Ele, como o seu santuário; outros fogem da presença de Deus, correm para as rochas e para os topos das escarpas, os montes e as montanhas; mas um filho de Deus vai somente até o seu Pai, e a Ele conta, e diante dEle expõe a sua causa; como fez o bom Ezequias, quando Rabsaqué saiu contra ele: "Ó Senhor, ando oprimido! Fica por meu fiador"; ou a igreja: "Sê tu o nosso braço cada manhã, como também a nossa salvação em tempos de tribulação" (Is 33.2). Eles sentem a necessidade, e imploram o auxílio divino; e Deus não permitirá que o Seu povo perca o precioso tesouro de suas orações. *"Perto está o Senhor de todos os que o invocam; Ele cumprirá o desejo dos que o temem; ouvirá o seu clamor"*, etc. Aquele Deus que prepara o coração do Seu povo para orar, também prepara o Seu próprio coração para ouvir; e Aquele que promete ouvir antes que clamemos, nunca se negará a ouvir quando clamarmos. Como disse Calvino: "As opressões e aflições fazem o homem chorar, e os clamores e as súplicas fazem Deus ouvir". – *F. E., em "The Saint's Ebenezer", 1667*

v. 19: "Ele cumprirá o desejo dos que o temem". Isto é para a consolação de todos os pobres corações quebrantados em que Deus gerou o verdadeiro desejo da graça. Que eles saibam que o primeiro passo para a graça é verem que eles não têm a graça; e o primeiro estágio da graça é o *desejo* de ter a graça. Não acontece com o corpo como com a alma, se você desejar ser curado, você será curado. Um homem pode desejar ser curado fisicamente, e, no entanto, a sua doença continua nele; mas não é assim com a alma; se você disser, "Cristo, cura-me", você ficará curado. Se um homem tiver apenas o desejo sincero de graça, ela lhe será dada: "Senhor, tu ouviste os desejos dos mansos" (Sl 10.17); quando uma pobre alma se humilha diante de Deus, no sentido de falta de graça, e anseia por ela, o Senhor concederá esse desejo: *"Ele cumprirá o desejo dos que o temem; ouvirá o seu clamor e os salvará"*. Alguém disse: "A maior parte do cristianismo consiste em desejar ser um cristão". E outro disse, "A soma da religião de um homem nesta vida consiste nos desejos sinceros de graça salvadora". Esta era a perfeição que o apóstolo Paulo buscava: "o querer está em mim, mas não consigo realizar o bem" (Rm 7.18). Paulo, nós sabemos, era um filho de Deus, e muito amado por Deus; mas o auge da sua santidade consistia mais de desejo do que de realização. Você pode provar, com argumentos sólidos e evidentes, que tem desejos sinceros pela graça? Então saiba, para a sua consolação, que o espírito de graça do Senhor esteve incitando você: "Deus é o que opera em vós tanto o querer como o efetuar" (Fp 2.13), e por Sua boa vontade, e não somente Sua generosidade, Ele concedeu muitas graças, até mesmo àqueles que Ele condenará posteriormente, pela maneira como trataram as Suas graças, negligenciando o seu poder. Mas se Deus fixar a sua vontade e a corrente dos seus sentimentos e desejos nEle e na Sua graça, é uma evidência da boa vontade de Deus, com base no fato de que Ele escolheu você, a princípio, e deu o Seu Filho para redimi-lo. – *William Fenner (1560–1640), em "The Riches of Grace"*

v. 19: "Ele cumprirá o desejo dos que o temem". Deus não nos concederá cada desejo (o que é uma grande misericórdia a nosso favor), pois, 1. Alguns deles são *pecaminosos.* Davi desejava ser vingado em Nabal e sua inocente família. Jonas desejou a destruição de Nínive. 2. Outros não são *para o nosso bem.* Davi desejou a vida do filho que teve com Bate-Seba; Davi também desejou a vida de Jônatas; nenhuma delas teria sido para o seu bem. Na verdade, nem cada desejo *justo.* É um desejo justo que um ministro deseje a salvação dos que estão próximos a ele. Assim Paulo declarou, "Prouvera a Deus que todos quantos hoje me estão ouvindo se tornassem tais qual eu sou" (At 26.29). E, novamente, "Porque eu mesmo poderia desejar ser separado de Cristo, por amor de meus irmãos, que são meus parentes segundo a carne" (Rm 9.3). Davi *desejou* edificar uma casa para Deus, e era um desejo justo, pois Deus o recebeu bem em Suas mãos, mas não o concedeu. Os reis e profetas desejaram ver o Senhor Messias, mas não o viram. Como então, devemos entender isto? Resposta: A soma ou substância de seus desejos será cumprida. Qual é o principal desejo de um marinheiro? Que ele possa chegar ao porto. Assim os santos serão levados ao seu porto desejado. E com respeito a um peregrino? (Veja Hb 11.16). Assim todos os desejos de um cristão são resumidos neste: *Que ele possa eternamente desfrutar de Deus e ser como Ele.* Sem dúvida, há um grande mistério nestas coisas. No entanto, eu penso que é certo que, quando Deus cria um desejo espiritual em uma pessoa, *frequentemente,* embora nem *sempre,* isto é feito com a intenção de conceder o objeto desejado. – *Andrew Fuller*

v. 19 (primeira parte): Deus irá cumprir a vontade dos que temem desobedecer à *Sua* vontade. – *Simon de Muis*

v. 19: "Desejo" é a maior e mais abrangente palavra que pode ser usada; ela contém em si mesma todas as coisas... Não há nada bom, nada necessário, nada proveitoso, que não esteja sob esta palavra, "*desejo*". Quando Deus promete *"cumprir o desejo dos que o temem",* Ele promete fazer todas as coisas boas. O desejo abrange tudo o que pode ser desejado. – *Ralph Robinson*

v. 19: "Ouvirá o seu clamor", etc. Um sinal de um grande rei – Ele ouve de boa vontade as súplicas. – *Johannes Paulus Palanterius*

v. 19: "Ouvirá e salvará". Como é verdadeira esta descrição de Cristo, no Seu ofício constante. Ele ouviu Maria Madalena, e a salvou. Ele ouviu a mulher cananeia, e salvou a sua filha. Ele ouviu o clamor dos dois cegos, e lhes deu a visão. Ele ouviu os leprosos, e os limpou. Ele ouviu o clamor do ladrão moribundo, e lhe prometeu o Paraíso. Ninguém nunca clamou ao Rei Jesus, sem ter sido ouvido e livrado. – *Thomas Le Blanc*

v. 20: "O Senhor guarda", etc. A misericórdia de Deus e a justiça de Deus; Ele guarda e Ele destrói. Filipe IV, da França, conhecido como Belo, em seu brasão gravou uma espada e um ramo de oliveira, com o lema *Utrumque,* isto é, "uma coisa ou a outra". Um rei verdadeiramente grande é mestre em uma das duas artes – guerra ou paz. – *Thomas Le Blanc*

v. 20: Os que foram chamados de "os que o *temem*" agora são denominados "os que o *amam*". – *Simon de Muis*

v. 20: "Todos os ímpios serão destruídos". Deus tem tantas maneiras diferentes e inescrutáveis de tirar homens ímpios do mundo e enviá-los para o inferno, que não há nada que sugira que Deus tinha necessidade de usar um milagre ou de sair do curso normal da Sua providência, para destruir qualquer homem ímpio, em qualquer momento. – *Jonathan Edwards*

v. 20: "Todos os ímpios serão destruídos". Não devemos ignorar o fato desta declaração aparecer em um cântico de louvor. O conjunto do texto é completamente inconsistente com a expressão de emoções de ira ou vingança. – *Speaker's Commentary*

v. 20: "Todos os ímpios serão destruídos". [na versão do Livro de Orações, *"dispersos".*] Como as ruínas de um edifício demolido; ou melhor, como um exército, que o inimigo derrotou completamente. – *William Keatinge Clay*

v. 20: "Guarda"... "destruídos". Observe este pensamento recorrente, de que a preservação dos bons implica na destruição dos ímpios. – *A. S. Aglen*

SUGESTÕES AOS PREGADORES

vv. 1 e 2. Louvor. 1. Louvor pessoal 2. Louvor diário. 3. Louvor entusiasta. 4. Louvor perpétuo. Ou: I. O tema atraente do cântico. II. A plenitude crescente do cântico. III. A vida incessante do cantor. – *C. A. D.*

vv. 1 e 2. As quatro "determinações" do louvor. Louvor ao Rei; louvor ao caráter divino; louvor todo o tempo; louvor pelos séculos dos séculos.

v. 2. *Cada dia; pelos séculos dos séculos.* I. Cada dia, pelos séculos dos séculos, Deus e eu existiremos. II. Cada dia, pelos séculos dos séculos, a nossa relação irá continuar. Ele, Deus, eu, a criatura; Ele, o Pai, eu, o filho; Ele, a bênção, eu, o abençoado. III. Cada dia, pelos séculos dos séculos, Ele terá o meu louvor. – *W. B. H.*

v. 3. I. A dignidade do homem é sugerida aqui na sua capacidade de louvar grandemente a Deus. II. A sua imortalidade, expressa pela sua capacidade de louvar a grandeza inescrutável do Criador. – *G. R.*

v. 3 (última parte). A inescrutável grandeza de Deus. Considere isto, I. Como um fato amplamente demonstrado. II. Como uma censura ao abatimento (veja Is 40.28). III. Como o esteio de uma alma oprimida por mistérios. IV. Como indicação de um assunto para estudo eterno. – *J. F.*

v. 4. I. A nossa obrigação para com as gerações passadas. II. O nosso dever para com as gerações futuras. – *G. R.*

vv. 5 a 7. A antífona. I. Louvar a Deus é um dever pessoal: "Falarei". II. A sua realização, de maneira apropriada, irá estimular os outros a acompanhar o louvor; "e se falará". III. O acompanhamento de outras pessoas no louvor provocará reações em nós. "E contarei"; "publicarão abundantemente", etc. IV. Este louvor se amplia e expande, à medida que progride. Começando com a majestade de Deus e as Suas obras, o salmista se estende para os Seus atos, a Sua grandeza, benignidade e justiça. – *C. A. D.*

vv. 5 a 7. I. Temas para o louvor. 1. A majestade divina. 2. As obras divinas. 3. Os juízos divinos. 4. A grandeza divina. 5. A benignidade divina. 6. A justiça divina. II. De quem esse louvor é exigido: 1. Pessoal; "falarei". 2. Universal; "e se falará". – *G. R.*

vv. 6 e 7. I. *As palavras motivadas pelo assombro.* Silenciosos quanto a misericórdias, graças e promessas, os homens devem falar quando os atos terríveis de Deus estão entre eles. II. *A ousada declaração.* Um indivíduo declara a grandeza de Deus, em poder, sabedoria, verdade e graça. Isto faz com que os outros cheguem à mesma conclusão, e assim, – III. *A expressão de graças.* Muitos bendizem a grande benignidade do Senhor, em um cântico novo, livre, constante, alegre, revigorante, abundante, como o jorrar de uma fonte. IV. *O cântico escolhido.*

Eles *expressam* benignidade, mas *cantam* sobre a justiça. Este é um tema digno de nota, para um sermão.

v. 7. Veja "Spurgeon's Sermons," n. 1468: "The Philosophy and Propriety of Abundant Praise".

v. 8. I. Graça para os indignos. II. Compaixão para os aflitos. II. Tolerância com os culpados. IV. Misericórdia para os penitentes. – *G. R.*

v. 9. A benignidade universal de Deus não está, sob nenhum aspecto, em contradição com a escolha especial da graça.

v. 10. Veja "Spurgeon's Sermons", n. 1796: "Concerning Saints".

v. 11. A glória do reino de Cristo. A glória deste reino é manifestada, – I. Na sua origem. II. Na maneira e espírito de sua dispensação. III. No caráter dos seus súditos. IV. Nos privilégios que derivam dele. – *Robert Hall*

vv. 11 e 12. Palavras transfiguradas. I. A faculdade da fala é extensivamente controlada. II. Normalmente, é usada de modo indevido. III. Pode ser nobremente empregada. IV. Será, então, gloriosamente útil. – *C. A. D.*

vv. 11 a 13. Para mostrar a grandeza do reino de Deus, Davi observa,

1. *A pompa do reino.* Se olhássemos, pela fé, do outro lado do véu, "falaríamos da glória do Seu reino" (v. 11); "e da glória da magnificência do Seu reino" (v. 12).

2. *O poder do reino.* Quando falarem "da glória do Seu reino", devem "relatar o Seu poder", a sua extensão, a sua eficácia. 3. *A perpetuidade do reino* (v. 13). Os tronos dos príncipes terrenos vacilam, e murcham as flores de suas coroas, os monarcas chegam ao fim; mas, Senhor, "O teu reino é um reino eterno". – *Matthew Henry*

v. 14. A graça de Deus, na Sua benignidade, para os miseráveis e indignos, que recorrem a Ele, em busca de ajuda. I. Ele "sustenta a todos os que caem". 1. Uma descrição, que abrange (1) os pecadores que caíram ao nível mais baixo; (2) os apóstatas, que tropeçaram da maneira mais infame. 2. Um ato que indica (1) A piedade que se aproxima; (2) o poder que coloca os abatidos em pé; (3) a preservação que os mantém em pé. II. Ele "levanta a todos os abatidos". A consolação para os que estão, 1. Curvados, em vergonha e penitência. 2. Oprimidos com perplexidades e preocupações. 3. Esmagados com uma sensação de fraqueza na presença de onerosas obrigações. 4. Deprimidos por causa do erro e do pecado que prevalece entre eles. – *J. F.*

v. 14. Socorro para os que falham. I. Qualquer que seja a nossa posição atual, nós estamos sujeitos a falhas. Doenças. Perdas. Falta de amizades. Pecado. II. Mas por mais baixo que tenhamos caído, não estaremos abaixo do alcance da mão de Deus. III. No alcance da mão de Deus, vivenciaremos a ação do amor de Deus. "Sustenta". "Levanta". – *C. A. D.*

vv. 15 e 16. Dependência universal e sustento divino. Aqui, o salmista ensina, – I. A universalidade da dependência entre as criaturas: "Os olhos de todos esperam em ti", Nós dependemos de Deus, para "a vida, a respiração e todas as coisas". A dependência completa deve gerar profunda humildade. II. A quantidade e dimensão infinita dos recursos divinos: "E tu lhes dás o seu mantimento a seu tempo". Os Seus recursos são, 1. Infinitamente vastos. 2. Infinitamente variados. Suficientes e adaptados para todos. III. A atemporalidade das comunicações divinas: "a seu tempo". Uma razão para paciência, se as Suas dádivas parecem atrasar. IV. A sublime facilidade das comunicações divinas: "Abres a mão", e as incontáveis necessidades do universo são satisfeitas. Um encorajamento para a oração do crente. V. A suficiência das comunicações divinas: "E satisfazes os desejos de todos os viventes". "Deus a todos dá liberalmente". O nosso tema incentiva todos os homens a, 1. Gratidão. A constante provisão deve levar à constante gratidão e consagração. 2. Confiança. (1) Pelos suprimentos temporais. "Graça, a fim de sermos ajudados em tempo oportuno", certamente será dada a todos os que confiam nEle. – *William Jones, em "The Homiletic Quarterty", 1878*

v. 17. I. O que Deus declara ser. II. O que o Seu povo considera que Ele é. III. O que todas as criaturas reconhecerão, no final, que Ele é. – *G. R.*

vv. 18 a 20. Deduza, com base nestes versículos, o caráter do povo de Deus. I. Eles invocam a Deus. II. Eles temem a Deus. III. Eles têm desejos com relação a Deus. IV. Eles têm respostas de Deus. V. Eles amam a Deus.

v. 18 última parte). A verdadeira oração, pelo fato de que difere essencialmente do mero formalismo.

v. 18. Às portas do palácio. I. Orientação aos que invocam. 1. "Os que *o* invocam"; que a repetição sugira perseverança. 2. Invocam "em verdade"; sinceramente, com promessas, de uma maneira indicada. II. Incentivo para os que invocam. Jeová está perto, com Seu ouvido disposto, com Seu coração amável, e Sua mão que ajuda. – *W. B. H.*

vv. 18 e 19. A bem-aventurança da oração. I. Definição da oração: "Invocar a Deus". II. Variedade na oração: "invocar, desejar, clamar". III. Característica essencial da oração: "verdade". IV. A proximidade de Deus na oração. V. O sucesso assegurado na oração. "Ele cumprirá, ouvirá, salvará" – *C. A. D.*

v. 20. Aqueles que amam a Deus são preservados *de*: excessiva tentação, queda no pecado, desespero, apostasia, remorso, fome; preservados *em*: tentação, perseguição, depressão, morte; preservados *para*: atividade, santidade, vitória, glória.

v. 20. Contrastes solenes. 1. Entre personagens humanos. "Os que o amam". "Os ímpios". 2. Entre destinos humanos. "Guarda". "Destruídos". – *C. A. D.*

v. 20. Como o amor de Deus é o oposto da iniquidade, e a iniquidade é inconsistente com o amor de Deus.

v. 21. O louvor individual sugere o desejo do louvor universal. Nós gostamos de companhia, em uma boa obra; nós percebemos a inadequação do nosso próprio cântico; nós desejamos que os outros sejam felizes; nós ansiamos por ver feito aquilo que é correto, justo e bom.

SALMO 146

DIVISÃO

Agora estamos entre os Aleluias. O resto da nossa jornada se dará em meio aos montes aprazíveis. Tudo é louvor, no encerramento do livro. A música está em alto tom: ela é acompanhada com címbalos altissonantes. Oh, que tenhamos um coração cheio de gratidão jubilosa, para que possamos correr, saltar e glorificar Deus, assim como estes salmos fazem.

Alexander considera que este cântico pode ser considerado como composto de duas partes iguais: na primeira, vemos a felicidade dos que confiam em Deus, e não no homem (1-5), *ao passo que a segunda apresenta a razão obtida das perfeições divinas.* (5-10). *Isto pode ser suficiente para o nosso propósito, mas como, na realidade, não há nenhuma divisão, nós o consideraremos íntegro. É "uma pérola", um incensário sagrado de santo incenso, que se derrama em um doce perfume.*

EXPOSIÇÃO

1. *"Louvai ao Senhor"*, ou Aleluia. É entristecedor lembrar como esta palavra majestosa tem sido arrastada na lama ultimamente. O seu uso irreverente é um exemplo agravado de se tomar o nome do nosso Senhor, do nosso Deus, em vão. Devemos esperar que isto esteja sendo feito no pior tipo de ignorância; mas há uma grande responsabilidade com os líderes que toleram e até mesmo copiam esta blasfêmia. Com santa reverência, devemos pronunciar a palavra ALELUIA, e com ela, convocar a nós mesmos e a todas as outras pessoas que adoram o Deus de toda a terra. Os homens precisam ser chamados a louvar: é importante que eles louvem; e há muitas razões pelas quais eles devem fazer isto imediatamente. Que todos os que ouvem a palavra *Aleluia* se unam imediatamente, em santo louvor.

"Ó minha alma, louva ao Senhor." O salmista deseja praticar o que tinha pregado. Ele deseja ser o líder do coro que tinha convocado. É algo incorreto e injusto, se apenas exortamos os outros, e não incitamos a nossa própria alma. É algo ruim, dizer "Louvai", e nunca

acrescentar "Louva, ó minha alma". Quando nós louvamos a Deus, devemos incitar o nosso mais íntimo ser, a nossa vida central: nós temos uma única alma, e para que ela seja salva da ira eterna, ela deve louvar o seu Salvador. Vinde, coração, mente, pensamento! Vinde, todo o meu ser, minha alma, inflamai-vos em alegre adoração! Levantai-vos, meus irmãos! Levantai o cântico! "Louvai ao Senhor". Mas o que desejo? Como ouso convocar os outros, sendo eu mesmo negligente? Se algum homem já esteve obrigado a bendizer ao Senhor, eu sou esse homem, por isto que eu ponha a minha alma no centro do coro, e então que a minha melhor natureza incite toda a minha humanidade para a máxima altura de amoroso louvor. "Oh, por uma harpa afinada!" Ou melhor, Oh, por um coração santificado. Então, se a minha voz for do pior tipo, do tipo inferior, e de alguma maneira lhe faltar melodia, a minha alma, sem a minha voz, cumprirá a minha resolução de exaltar ao Senhor.

2. *"Louvarei ao Senhor durante a minha vida."* Eu não viverei aqui para sempre. Esta vida mortal encontrará um fim na morte; mas enquanto esta vida durar, louvarei ao Senhor, meu Deus. Eu não sei quão longa ou curta a minha vida poderá ser; mas cada hora desta vida será consagrada aos louvores do meu Deus. Enquanto eu viver, amarei; e enquanto eu respirar, bendirei. É apenas por pouco tempo, e não vou passar esse tempo em ociosidade, mas o consagrarei ao mesmo serviço que ocupará a eternidade. Como a nossa vida é o dom da misericórdia de Deus, ela deve ser usada para a Sua glória.

"Cantarei louvores ao meu Deus enquanto viver." Quando eu não mais existir na terra, espero ter uma existência superior no céu, e ali não somente louvarei, mas *cantarei* louvores. Aqui, eu tenho que suspirar e louvar, mas ali eu somente cantarei e louvarei. Este período "enquanto viver" será muito tempo, mas o seu conjunto estará cheio de adoração; pois o glorioso Jeová é o meu Deus, o meu próprio Deus, por concerto, e por relacionamento de sangue com Cristo Jesus. Eu não vivo sem o meu Deus; portanto, não tentarei desfrutar a minha vida de outra maneira, sem cantar para a Sua honra. Duas vezes, o salmista usa o futuro de determinação, "louvarei", "cantarei"; aqui, a reflexão e a reflexão posterior são igualmente boas. Jamais seremos excessivamente firmes na santa resolução de louvar a Deus, pois este é o objetivo principal de nossa vida e existência, para que glorifiquemos a Deus e desfrutemos dEle para sempre.

3. *"Não confieis em príncipes."* Se Davi é o autor, esta advertência é feita por um príncipe. De qualquer forma, ela é feita pelo Espírito do Deus vivo. Os homens sempre são extremamente propensos a confiar nos grandes e nobres da terra, e se esquecer do Grandioso e Nobre que está nas alturas; e este hábito é a fonte frutífera do desapontamento. Os príncipes são apenas homens, e homens com necessidades maiores do que outras pessoas. Por que, então, devemos confiar neles, e recorrer a eles em busca de auxílio? Eles estão em perigo muito maior, estão sobrecarregados com maiores preocupações, e têm probabilidade muito maior de estar equivocados e se desviar do que quaisquer outros homens; por isto, é tolice escolhê-los para a nossa confiança. Provavelmente, nenhuma classe de homens foi tão falsa para com as suas promessas e os seus tratados como os homens de sangue real. Assim, viva de modo a merecer a confiança *deles*, mas não os sobrecarregue com a sua confiança.

"Nem em filhos de homens, em quem não há salvação." Ainda que você escolha um filho do homem, em meio a muitos, e imagine que ele será diferente dos demais, e que você poderá, com segurança, confiar nele, você estará equivocado. Não há ninguém em quem se possa confiar, nem uma pessoa sequer. Adão caiu; por isto, não confie nos seus filhos. O homem é uma criatura desamparada, sem Deus; por isto, não busque ajuda nessa direção. Todos os homens são como os poucos homens que são feitos príncipes. Eles são mais, na aparência, do que na realidade, mais em promessas do que em realizações, são mais capazes de ajudar a si mesmos do que de ajudar os outros. Quantos se afastaram desapontados de homens em quem antes confiavam! Nunca aconteceu isto com um crente no Senhor. Ele é uma ajuda muito presente, em tempos de dificuldade. No homem, não há ajuda, em tempos

de depressão mental, no dia do amargo luto, na noite da condenação do pecado, ou na hora da morte. Que horror, quando muitos, em necessidade de ajuda, leem estas palavras sombrias, NADA DE AJUDA!

4. *"Sai-lhes o espírito, e eles tornam para sua terra."* O seu espírito lhes sai do corpo, e o seu corpo vai para a sepultura. O seu espírito segue para um lado, e o seu corpo, para outro. Na elevada posição em que ele se encontra, a falta de um pouco de ar o derruba ao chão, e o conserva debaixo da terra. O homem que vem da terra retorna à terra; ela é a mãe e a irmã do seu corpo, e ele deve necessariamente estar entre os seus semelhantes, tão logo o espírito, que era a sua vida, parte e abandona o corpo. Há um espírito no homem, e onde quer que esse espírito vá, para lá vai o homem. O espírito retorna a Deus, que o deu, e a carne retorna à terra da qual foi formada. Esta é uma criatura em quem não se deve confiar: uma criatura moribunda, uma criatura que se corrompe. Certamente cairão por terra as esperanças edificadas sobre homens que logo estarão debaixo da terra.

"Naquele mesmo dia, perecem os seus pensamentos." O que quer que ele possa ter se proposto a fazer, a proposta termina em fumaça. Ele não consegue pensar, e aquilo em que ele tinha pensado, não consegue realizar, e por isto morre. Agora, que ele se foi, os homens são suficientemente dispostos a deixar que os pensamentos dele o acompanhem ao esquecimento; logo vem outro pensador, e ridiculariza os pensamentos de seu antecessor. É digno de piedade, confiar em príncipes ou em quaisquer outros homens, na esperança de que eles visem o nosso bem. Em uma hora, eles terão partido, e onde estão os seus esquemas para a nossa promoção? Um dia acabou com os seus pensamentos, acabando com *eles*; e a nossa confiança pereceu, pois os seus pensamentos pereceram. As ambições, expectativas, declarações e vanglórias dos homens, tudo desaparece no ar quando o fôlego da vida desaparece de seus corpos. Este é o limitado estado do homem: a sua respiração, a sua terra, e os seus pensamentos; e este é o seu clímax triplo – a sua respiração se esvai, à sua terra ele retorna, e os seus pensamentos perecem. Esta é uma existência que merece confiança? Vaidade de vaidades, é tudo vaidade. Confiar nela seria uma vaidade ainda maior.

5. *"Bem-aventurado aquele que tem o Deus de Jacó por seu auxílio."* Grande é a sua bem-aventurança. Ele é verdadeiramente bem-aventurado: o verdadeiro e real prazer está com ele. O Deus de Jacó é o Deus do concerto, o Deus da oração que luta, o Deus do crente tentado; Ele é o único Deus vivo e verdadeiro. O Deus de Jacó é Jeová, que apareceu a Moisés e conduziu as tribos de Jacó, do Egito, pelo deserto. São bem-aventurados os que confiam nEle, pois nunca serão envergonhados ou confundidos. O Senhor nunca morre, nem os Seus pensamentos perecem: o Seu propósito de misericórdia, como Ele mesmo, permanece por todas as gerações. Aleluia!

"Cuja esperança está posta no Senhor, seu Deus." É bem-aventurado, na ajuda no presente, e na esperança do futuro, aquele que depositou toda a sua confiança em Jeová, que é o seu Deus, por um concerto de sal. Bem-aventurado é ele, quando os outros se desesperam! Mais bem-aventurado ele será naquela hora em que os outros estiverem descobrindo as profundezas da agonia. Temos aqui uma declaração que verificamos e provamos pessoalmente: confiando no Senhor, nós conhecemos uma felicidade que é indescritível, incomparável, e inconcebível. Oh, que bem-aventurado é saber que Deus é o nosso socorro presente, e a nossa esperança eterna. A certeza plena é mais do que o céu em forma de um botão de flor; é a flor que começou a se abrir. Nós não trocaríamos de lugar com César; o seu cetro é uma bugiganga, mas a nossa bem-aventurança é um verdadeiro tesouro.

Em cada um dos dois títulos aqui apresentados, ou seja, "o Deus de Jacó" e "o Senhor, seu Deus", há uma doçura peculiar. Cada um deles traz em si uma fonte de alegria; mas o primeiro não nos alegrará sem o segundo. A menos que o Senhor seja o seu Deus, nenhum homem poderá encontrar confiança no fato de que Ele foi o Deus de Jacó. Mas quando, pela fé, sabemos que o Senhor é nosso, então somos "ricos para todos os intentos da bem-aventurança".

6. *"Que fez os céus e a terra, o mar e tudo quanto há neles."* Sabiamente, podemos confiar no nosso Criador: com razão, podemos esperar ser bem-aventurados, ao fazê-lo. Aquele que fez os céus pode fazer um céu para nós, e nos tornar adequados para o céu. Aquele que criou a terra pode nos preservar, enquanto estamos na terra, e nos ajudar a fazer bom uso dela, enquanto permanecemos nela. Aquele que fez o mar e todos os seus mistérios pode nos conduzir pelas profundezas intransitáveis de uma vida afligida, e fazer um caminho sobre o qual o Seu redimido possa passar. Este Deus que fez o mundo, e ainda o conserva em existência, certamente será capaz de nos guardar para o Seu reino eterno e a Sua glória. A criação dos mundos é a prova do poder e da sabedoria daquele grande Deus em quem confiamos. É nossa alegria o fato de que Ele não apenas criou o céu, mas também o mar; não apenas as coisas que são brilhantes e abençoadas, mas as coisas que são profundas e sombrias. A respeito de todas as nossas circunstâncias, podemos dizer que o Senhor está ali. Nas tempestades e furacões, o Senhor reina tão verdadeiramente como naquela grande calma que governa o firmamento acima de nós.

"E que guarda a verdade para sempre." Esta é a segunda, e a mais convincente justificativa da nossa confiança de que o Senhor nunca permitirá que a Sua promessa falhe. Ele é fiel à Sua própria natureza, fiel aos relacionamentos que assumiu, fiel ao Seu concerto, fiel à Sua Palavra, fiel ao Seu Filho. Ele continua verdadeiro, e guarda tudo aquilo que é verdadeiro. A fidelidade imutável é o caráter do procedimento do Senhor. Ninguém pode acusá-lo de falsidade ou hesitação.

7. *"Que faz justiça aos oprimidos."* Ele é um administrador rápido e imparcial da justiça. O nosso rei supera todos os príncipes terrenos, porque Ele não considera a posição nem a riqueza dos homens, e nunca faz acepção de pessoas. Ele é o amigo dos pisoteados, o vingador dos perseguidos, o defensor dos desamparados e impotentes. Com segurança, podemos confiar a nossa causa a tal Juiz, se ela for justa: bem-aventurados somos, por estar sujeitos a tal governante. Nós somos "maltratados"? Os nossos direitos nos são negados? Nós somos difamados? Que isto nos console: que aquele que ocupa o trono não somente pensará no nosso caso, como se apressará para executar o juízo para o nosso bem.

"Que dá pão aos famintos." Glorioso Rei és Tu, ó Senhor! Tu não apenas distribuis a justiça, como repartes generosidade!

Todo mantimento vem de Deus; mas quando estamos reduzidos à fome, e a providência nos supre a nossa necessidade, somos peculiarmente atingidos pelo fato. Que cada homem faminto se apegue a esta declaração, e a apresente diante do propiciatório, quando sofrer fome física ou fome de espírito. Veja como o nosso Deus encontra os Seus clientes especiais entre os mais abatidos da humanidade: os oprimidos e os famintos encontram ajuda no Deus de Jacó.

"O Senhor solta os encarcerados." Assim Ele completa a tripla bênção: justiça, pão e liberdade. O Senhor não se apraz em ver o homem desfalecendo em masmorras, nem se desgastando acorrentado; Ele tirou José da prisão, e tirou Israel da casa da servidão. Jesus é o Emancipador, espiritualmente, providencialmente, nacionalmente. As tuas cadeias, ó África, Foram quebradas pela Sua mão! À medida que a fé no Senhor se tornar mais comum entre os homens, a liberdade progredirá em todas as formas, especialmente as amarras mentais, morais e espirituais serão afrouxadas, e os escravos do erro, do pecado e da morte serão libertados. Bem pode o salmista louvar ao Senhor, que é tão bom para os encarcerados! Bem podem os que foram libertados ser os que cantam mais alto!

8. *"O Senhor abre os olhos aos cegos."* Jesus fez isto muito frequentemente, e com isto provou que era o Senhor. Aquele que criou o olho pode abri-lo, e quando o faz, é para a Sua glória. Com que frequência o olho mental está fechado, na noite moral! E quem pode remover este terrível efeito da queda, senão o Deus Todo-poderoso? Este milagre de graça Ele realizou em miríades de casos, e em cada caso é um tema para o mais sublime louvor. *"O Senhor levanta os abatidos"*. Isto Jesus fez literalmente, desta maneira realizando a obra peculiar a Deus. O Senhor consola os enlutados,

alegra os derrotados, anima os desanimados, conforta os desesperados. Que os que estão curvados para o chão apelem a Ele, e rapidamente Ele os levantará.

"O Senhor ama os justos." Ele lhes dá o amor da complacência, da comunhão e da recompensa. Os maus reis influenciam os libertinos, mas o Senhor faz com que os justos sejam os Seus favorecidos. Isto é enormemente para a Sua glória. Que os que desfrutam do inestimável privilégio do Seu amor exaltem o Seu nome com prazer entusiasta. Amados, não devem nunca se ausentar do coro! Vocês nunca devem interromper o louvor Àquele cujo amor infinito fez de vocês o que vocês são.

9. *"O Senhor guarda os estrangeiros."* Muitos monarcas caçaram e perseguiram os estrangeiros, ou os deportaram de um lugar a outro, ou os deixaram como proscritos, desprovidos dos direitos dos homens; mas o Senhor criou leis especiais para o refúgio deles no Seu domínio. Nesta nação, o estrangeiro era, até pouco tempo, considerado um vagabundo – um tipo de animal selvagem, a ser evitado, se não atacado; e até hoje ainda há preconceitos contra estrangeiros que são contrários à nossa santa religião. O nosso Deus e Rei nunca é estranho a qualquer de Suas criaturas; e se alguma delas é deixada em uma condição solitária e miserável, Ele cuida particularmente da sua preservação.

"Ampara o órfão e a viúva." Estes despertam a Sua compaixão, e Ele a demonstra de uma maneira prática, levantando-os da sua condição infeliz. A Lei Mosaica fazia estipulações sobre os cuidados com estas pessoas destituídas. Quando a paternidade secundária desaparece, o filho retorna sob a paternidade principal, do Criador; quando o marido da terra é removido, a viúva piedosa se coloca sob os cuidados do seu Criador.

"Mas transtorna o caminho dos ímpios." Ele o enche de lugares tortuosos; Ele o inverte, e o derruba, ou o perturba. Aquilo que o homem almejava, não alcança, e consegue apenas o que de bom grado teria evitado. O caminho dos ímpios é, em si mesmo, uma inversão moral das coisas, e o Senhor assim torna o caminho para os ímpios, providencialmente, tudo dá errado com aquele que anda errado.

10. *"O Senhor reinará eternamente."* O Senhor é Rei, e o Seu reino nunca terá fim. Ele não morrerá, nem abdicará, nem perderá a Sua coroa pela força. A glória seja ao Seu nome, o Seu trono nunca está em risco. Da mesma maneira como o Senhor vive para sempre, também reina para sempre.

"O teu Deus, ó Sião, é de geração em geração." O Deus de Sião, o Deus do Seu povo adorador, é Aquele que reinará em todas as gerações. Sempre haverá uma Sião; Sião sempre terá o Senhor como seu Rei; pois Ele sempre provará reinar com grande poder. O que devemos fazer na presença de tão grande Rei, senão entrar nos Seus átrios com louvor, e prestar-lhe a nossa alegre homenagem?

"Louvai ao Senhor." Novamente, eles dizem Aleluia. Novamente, o doce perfume emana dos vasos de ouro, cheios de doces aromas. Não estamos preparados para irromper em um santo cântico? Não dizemos também – Aleluia? Aqui termina este salmo jovial. Aqui *não* termina o louvor do Senhor, que subirá para todo o sempre. Amém.

NOTAS EXPLICATIVAS E OBSERVAÇÕES SINGULARES

Salmos 146 a 148: Na consagração do segundo Templo, no princípio do sétimo ano de Dario, parecem ter sido entoados os salmos 147, 146 e 148; pois na Septuaginta, eles são chamados de salmos de Ageu e Zacarias, como se tivessem sido compostos por eles para esta ocasião. Isto, sem dúvida, se originava de alguma tradição antiga; mas no texto hebraico original, estes salmos não têm este prefixo a seus títulos, nem qualquer outro que o contradiga. – *Humphrey Prideaux*

Salmos 146 a 150: Nós não sabemos quem coletou estas diferentes composições sacras, nem se foram arranjadas segundo algum princípio particular. Isto, no entanto, é óbvio: que esta última série, a que conclui o conjunto, é cheia de louvor. Embora encontremos frequentemente angústias, e vergonha, e lágrimas, na primeira parte, uma grande pressão sobre o espírito – e na parte central, muitas referências às várias vicissitudes e sortes pelas quais a igreja ou o indivíduo passou – ainda assim, quando nos aproximamos do fim, e no encerramento do livro, é *Aleluia – louvor*. *À medida que* a antiga igreja deixa de falar conosco, quando ela deixa de lado a sua lira, e deixa de tocá-la, os últimos sons são os sons dos céus; como se a guerra tivesse acabado, o conflito solucionado, e ela estivesse prevendo as revelações que devem torná-la gloriosa aqui, a "coisa nova" que Deus está prestes a "criar", quando a coloca sob outra dispensação, ou prevendo, como você e eu (espero) faremos quando morrermos, o louvor e a ocupação daquela eternidade e o descanso pelo qual esperamos, no seio de Deus. – *Thomas Binney, 1798–1874*

Todo o Salmo: Este salmo apresenta o Evangelho da Confiança, resumido. Ele inculca os elementos da Fé, Esperança e Ação de Graças. – *Martin Geier*

v. 1: "Louvai ao Senhor". A palavra aqui usada é *Aleluia*, e é muito apropriado que seja usada constantemente por nós, que somos criaturas dependentes, e sob grandes obrigações para com o Pai das misericórdias. Nós ouvimos frequentemente que a oração realiza grandes prodígios; mas também não faltam exemplos de louvor acompanhado por eventos extraordinários. Os antigos bretões, no ano 420, obtiveram uma vitória sobre o exército dos pictos e saxões, perto de Mold, em Flintshire. Os bretões, desarmados, estavam chefiados por Germânico e Lupus; quando os pictos e saxões atacaram, os dois comandantes, como Gideão, ordenaram que o seu pequeno exército gritasse *Aleluia* três vezes, e com este som, o inimigo, subitamente aterrorizado, fugiu, na maior confusão, e deixou o controle do campo para os bretões. Um monumento em pedra para perpetuar a recordação desta vitória de Aleluia, acredito, ainda existe até hoje, em um campo, perto de Mold. – *Charles Buck 1771–1815*

v. 1: "Ó minha alma, louva ao Senhor". O salmista invoca o mais nobre elemento do seu ser, para exercer a sua mais nobre função. – *Hermann Venema*

v. 2: "Louvarei ao Senhor durante a minha vida". O Sr. John Janeway, no seu leito de morte, assim clamou: "Vinde, ajudai-me com louvores, ainda que seja pouco. Vinde, ajudai-me, todos vós, poderosos e gloriosos anjos, que sois tão talentosos na obra celestial do louvor! Louvai-o, todos vós, criaturas da terra; que tudo o que tem vida me ajude a louvar a Deus. Aleluia! Aleluia! Aleluia! O louvor é agora o meu trabalho, e estarei engajado neste doce trabalho, agora e para sempre. Trazei a Bíblia; vamos abri-la nos Salmos de Davi, e cantar um salmo de louvor. Vinde, ergamos as nossas vozes nos louvores do Altíssimo. Cantarei convosco, enquanto durar o meu fôlego, e quando não mais o tiver, o farei ainda melhor".

v. 2: "Louvarei ao Senhor durante a minha vida". George Carpenter, o mártir bávaro, quando alguns irmãos religiosos desejaram, enquanto ele ardia na fogueira, que ele lhes fornecesse algum sinal da sua perseverança, respondeu: "Que este seja um sinal para vocês da minha fé e perseverança na verdade, o fato de que enquanto eu for capaz de abrir a minha boca, ou de sussurrar, nunca deixarei de louvar a Deus, e de professar a Sua verdade"; e ele fez isto, diz o meu autor; e o mesmo fizeram muitos outros mártires. – *John Trapp*

v. 2: "Cantarei louvores ao meu Deus enquanto viver". Ele tinha consagrado toda a sua existência terrena ao exercício do louvor. E não apenas isto, mas ele acrescenta: *"Cantarei louvores ao meu Deus enquanto viver"*. Nesta expressão, podemos concluir que o salmista estende os seus pensamentos além dos limites do tempo, e contempla aquela cena de louvor eterno que sucederá os cânticos menos perfeitos da igreja. – *John Morison*

v. 2: "Ao meu Deus". O louvor é mais agradável, quando, ao louvar a Deus, nós o considerarmos como nosso, em quem temos um grande interesse, e com quem temos um relacionamento. – *Matthew Henry v. 2:* "Enquanto viver". Louvarei a Deus constantemente, pedindo a libertação. Alguns serão agradecidos enquanto a lembrança de uma libertação estiver fresca, recente, e então se esquecerão. Os cartagineses costumavam, no princípio, enviar uma décima parte de suas rendas anuais a Hércules; e então, gradualmente, foram se cansando, e deixaram de enviar; mas nós devemos ser constantes no nosso sacrifício eucarístico, ou nossa oferta de graças. O movimento do nosso louvor deve ser como o movimento do nosso pulso, que bate enquanto houver vida. – *Thomas Watson*

v. 3: "Não confieis em príncipes", etc. Devido a algum tipo de fraqueza, a alma do homem, quando está em meio a alguma tribulação, perde a esperança em Deus, e decide confiar no homem. Se for dito, a um homem que estiver em alguma aflição, "Há um grande homem, que poderá libertá-lo"; o homem sorri, ele se alegra, ele é exaltado. Mas se lhe for dito, "Deus liberta você", ele estremece, por assim dizer, pelo desespero. O auxílio do mortal é prometido, e você se alegra; o auxílio do imortal é prometido, e você se entristece? Foi prometido a você que você será libertado por aquele que precisa ser libertado com você, e você exulta, como se recebesse um grande auxílio: foi prometido a você aquele grande Libertador, que não precisa de ninguém que o liberte, e você se desespera, como se fosse apenas uma fábula. Ai desses pensamentos; eles são muito equivocados; na verdade há neles uma triste e grande morte. – *Agostinho.*

v. 3: "Não confieis em príncipes". A palavra traduzida como "príncipes" significa liberais, generosos, εὐεργέται, assim os príncipes seriam considerados; mas não há confiança neles sem Deus, ou contra Ele. – *John Trapp*

v. 3: "Não confieis em príncipes". O Rei Charles tinha feito ao Conde de Strafford uma promessa solene, com a palavra de um rei, de que ele, o conde, não sofreria, "na vida, na honra ou na sorte", no entanto, com singular infâmia e ingratidão, bem como uma política de pouca visão, assentiu com a sua condenação sem julgamento. Ao saber que isto tinha sido feito, Strafford, colocando a mão sobre o coração, e erguendo os seus olhos para o céu, proferiu as memoráveis palavras: "Não confieis em príncipes nem em filhos de homens, em quem não há salvação". – *James Taylor, no "Imperial Dictionary of Universal Biography", 1868*

v. 3: "Não confieis em príncipes". Shakespeare colocou este sentimento na boca de Wolsey:

"Oh, que infeliz
é aquele pobre homem que depende da benevolência dos príncipes!
Há, no meio daquele sorriso a que todos aspiramos,
Aquele aspecto doce dos príncipes, em meio à sua decadência,
Mais dores e temores do que as guerras e as mulheres têm:
e quando ele cair, cairá como Lúcifer,
para nunca mais ter esperança outra vez".

v. 3: "Não confieis em príncipes", etc. É verdade, alguns podem dizer, era uma tolice confiar em fracos príncipes, confiar neles, e na sua ajuda, quando eles não tinham poder para ajudar; mas buscaremos príncipes poderosos; esperamos que haja ajuda neles. Não; essas palavras, *"em quem não há salvação"*, não são uma distinção entre príncipes fracos e fortes, mas uma conclusão de que não há salvação nem no mais forte. Isto é estranho. O que? Não há ajuda nos príncipes fortes! Se ele tivesse dito, não há ajuda nos homens insignificantes, a razão carnal teria concordado; mas quando ele disse, *"Não confieis em príncipes nem em filhos de homens"*, em nenhum deles, quem pode crer nisto? No entanto, esta é a verdade divina; nós podemos escrever *insuficiência, insuficiência,* e, uma terceira vez, *insuficiência,* sobre todos eles; o encerramento deste versículo pode ser o seu lema, *"em quem não há salvação"*. – *Joseph Caryl*

v. 3: "Príncipes". Os príncipes terrenos oferecem bugigangas para atrair a alma e desviá-la da busca de um prêmio eterno. Os próprios príncipes declararam que o seu principado era o seu maior perigo. Disse o Papa Pio V, “Quando eu era um monge, eu tinha a esperança da minha salvação; quando me tornei cardeal, comecei a temer; quando fui eleito Papa, perdi a esperança da eternidade”. – *Thomas Le Blanc*

v. 3: “Nem em filhos de homens.” Todos os filhos dos homens são como o homem de quem se originaram, que, tendo a honra, não a conservou. – *Matthew Henry*

v. 3: Pois um homem confiar em outro, é como um mendigo pedir esmolas a outro, ou um aleijado carregar outro, ou um cego guiar outro cego. – *Anthony Farindon*

vv. 3 e 4: Você pode ver o primeiro e o último, o mais nobre e o mais insignificante, de todos os filhos de Adão; eles podem ser honoráveis, *“príncipes,”* mas nasceram pecaminosos, *“filhos de homens”;* nasceram fracos, *“em quem não há salvação”;* nasceram mortais, *“sai-lhes o espírito”*; nasceram corruptíveis, *“tornam para sua terra”*; e por fim, a mortalidade e a corrupção não está somente na sua carne, mas em alguma parte de seus espíritos, pois *“perecem os seus pensamentos”.* O profeta (se você observar) sobe gradualmente para desqualificar os melhores homens entre nós, e, neles, todos os demais. Pois se os príncipes não merecem confiança, o argumento deve necessariamente ser conservado, por comparação, e assim muito menos os homens mais insignificantes a merecem. A ordem das palavras é tal que os membros que vêm depois são uma razão ou uma confirmação do que veio antes. *“Não confieis em príncipes”.* Por que? Porque eles são *“filhos de homens”.* Por que não confiar em *“filhos de homens”?* Porque neles *não há salvação.* Por que não há salvação neles? Porque quando *“sai-lhes o espírito, eles tornam para sua terra”.* E se a sua carne se corromper? Na verdade, também *“perecem os seus pensamentos”.*

Pois, em primeiro lugar, esta primeira ordem e categoria que o profeta inseriu aqui, os príncipes e deuses da terra, esses indivíduos são, por nascimento, *homens*; em segundo lugar, homens *fracos*, e em quem *não há salvação*; em terceiro lugar, não somente fracos, mas *moribundos,* pois sai-lhes o espírito; em quarto lugar, não somente moribundos, mas sujeitos à dissolução, *tornam à sua terra;* em quinto lugar, se os seus corpos apenas se dissolvessem, e as suas intenções e ações pudessem resistir, haveria menos causas para desconfiar deles; mas os seus *pensamentos* são tão transitórios como os seus corpos. – *John King (1559?–1621), em um Sermão fúnebre*

vv. 3 e 4: O salmista inscreve uma antítese. Os príncipes, embora senhores de exércitos, donos de riquezas, carregados de honras, deleitando-se em prazeres, estão à mercê de um cruel Príncipe Negro. A morte é tirana, igualmente, sobre príncipe e camponês. Os próprios prazeres que são invejados são frequentemente ministros da morte para os príncipes voluptuosos. – *Thomas Le Blanc*

v. 4: “Eles tornam para sua terra”. A terra – o pó – é *“sua”.* 1. É *“sua”*, como aquilo de que ele foi feito: ele retorna ao que ele era: “És pó e em pó te tornarás” (Gn 3.19). 2. A terra – o pó – a sepultura é *“sua”*, e é o seu lar – o lugar onde ele irá viver. 3. É “sua” como a única propriedade que ele tem, em contrapartida. Tudo o que um homem – um príncipe, um nobre, um monarca, um milionário – logo terá será a sua sepultura, os seus poucos centímetros de terra. *Isto* será seu, por direito de possessão, pelo fato de que, por enquanto, ele a ocupará, e não outro homem! Mas isto, também, logo poderá se tornar a sepultura de outro homem, de modo que mesmo ali ele é um arrendatário somente por algum tempo; ele não tem a posse permanente, *nem mesmo de uma sepultura.* – *Albert Barnes*

v. 4: “Sai-lhes o espírito”. Ali está a porta da morte, a mortalidade do homem, em que o seu espírito equivale à sua existência. A nossa alma, esse *spiraculum vitarum* (sopro de vida), o Senhor a inspirou, não no olho de Adão, nem na sua orelha, ou sua boca, mas nas suas narinas, o que pode mostrar ao homem a sua imbecilidade, *cujus anima in naribus,* cuja alma está nas suas narinas, e depende de um sopro, por assim dizer; pois a própria alma parte, se a respiração cessar; a alma e a respiração andam juntas.

Ouçam isto, agora, todos vocês, ponderem sobre isto: o seu castelo está edificado sobre o ar, a subsistência está nas suas narinas, em uma respiração que se vai com o piscar de um olho. Por isto, Davi propõe uma pergunta, dizendo: "Senhor, que é o homem"? Ele também responde a si mesmo: "O homem é como a sombra que passa" (Sl 144.3, 4), uma sombra de fumaça, ou o sonho de uma sombra, como diz o poeta. Bem-aventurados, portanto, são os pobres de espírito; esta vantagem têm todos os afligidos: o fato de que têm obstáculos suficientes para chamá-los para casa, e fazê-los ver que são apenas homens. A cortina da honra, do benefício ou do prazer, é difícil de puxar para um lado, quando se estende sobre nós: "O homem que está em honra, não tem entendimento" (Sl 49.20). Para os grandes, por isto, é dito o seguinte: o salmo tenciona destinar isto aos príncipes: *"Sai-lhes o espírito"*.

Vejamos a continuidade: *sai*; como se estivesse agora nessa passagem, mostrando que *Homo vivens continue moritur*, que a vida é uma morte continuada; a nossa vela ilumina, se consome e morre: como no passar de uma ampulheta, a cada minuto um pouco de areia passa, e depois de virada a ampulheta, nenhuma criatura consegue fazer com que a areia fique no lugar, mas ela continua a cair, até que toda a areia tenha passado; assim também é a nossa vida, ela fica mais curta e morre a cada minuto, e não podemos implorar nem um minuto de tempo de volta, e aquilo que chamamos de morte é apenas o término, ou a consumação. – *Thomas Williamson; em um sermão intitulado "A Comfortable Meditation of Humane Frailtie and Divine Mercie", 1630*

v. 4: A ideia principal de *respiração* e a secundária de *espírito* se confundem no uso da palavra hebraica רוּחַ, de modo que qualquer uma delas pode ser expressa na tradução sem excluir completamente a outra. – *Joseph Addison Alexander*

v. 4: "Sai-lhes o espírito". Agora eu chego à liberdade do espírito, que recua, inviolado; 1. Em ato, *"sai"*. 2. Em essência; *"sai"*.

1. O nosso espírito é *livre no ato*; ele não é arrancado, por assim dizer; *"ele sai"*. Uma alma na vida, selada para a eternidade pelas primícias do Espírito, tem o seu bom uso, a sua livre passagem, e tem esperança até mesmo na morte; pois deixe que este sopro de vida se vá; *fidelis Deus*, Deus não pode mentir, Ele estará perto de nós nessa exigência, e começará a ajudar quando os homens nos deixarem. O Espírito Santo, cujo nome é Consolador, não se omitirá nem deixará o Seu próprio ato ou ofício nas grandes necessidades da morte. Assim, o bom Hilarião, tendo servido ao Senhor Jesus Cristo durante setenta anos, repreende a sua alma, que estava tão relutante para partir, no último instante de sua vida, dizendo: "*Egredere, o anima rnea, egredere,* sai, alma minha, sai". O devoto Simeão pede a libertação: "Agora, Senhor, podes despedir em paz o teu servo, segundo a tua palavra". O espírito sai; ele passa livremente; porque ele toma ou abraça a cruz de Cristo, como lhe é ordenado. Mas é um ato livre? Não exatamente. Não podemos *projicere animam,* lançar fora o nosso espírito; *spiritus exit,* ele sai. Nós devemos lutar para lançar fora o mundo; não podemos nos lançar para fora do mundo. O apóstolo Paulo não ousa se dissolver, embora pudesse desejar ser dissolvido: Deus deve desligar o que Ele liga; Deus dá, e Deus tira; e se Deus disse, como disse a Lázaro, *Exi foras*, Sai, devemos, com o fiel Estêvão, entregar o nosso espírito e todas as outras coisas em Suas mãos. Quando Deus nos oferece o jugo, devemos nos lembrar de que Ele veio aqui e viveu como nós, e foi o homem mais sábio que entregou o Seu pescoço com a maior disposição. Quando o nosso grande capitão nos manda sair, devemos fazer a retirada de bom grado. Mas é idolatria forçar a saída da alma; pois quando a carne, em meio aos nossos desastres, não deseja ouvir com paciência o chamado de Deus, mas, ao contrário expulsa o pensamento da divina providência, então nós estamos prontos a amaldiçoar a Deus, e morrer, e isto provavelmente é saltar *e fumo in flammam,* do pecado de suicídio ao inferno. Não, mas Deus deseja que o nosso espírito parta em bons termos. *Spiritus exit, "sai o espírito"*.

2. Em segundo lugar, o espírito sai *livre ou inviolado, em essência*; a morte não é o fim, mas a saída da alma, uma transmigração ou jornada, de um lugar a outro. *"Ele sai"*; este é o caráter da nossa fraqueza, que vemos em toda a questão; é um

argumento da nossa eternidade; pois o homem realmente é corruptível, mas o seu espírito não. A fênix renasce das suas cinzas, "o espírito volte a Deus, que o deu" (Ec 12.7); isto é, ele ainda permanece; e como no corpo agradou a Deus envolver a alma, durante algum tempo, também ela pode perfeitamente bem existir em outro lugar, sem ele, se Deus assim o desejar; pois ela não se origina do barro, ela tem em si a imortalidade, uma imagem do seio, de onde ela é soprada. Os atos separados e muito abstratos do espírito, enquanto está no corpo, as assombrosas visões do Senhor aos Seus profetas, usualmente, quando os seus corpos estavam adormecidos; o arrebatamento de Paulo, quando não sabia se estava no corpo ou fora dele; as admiráveis invenções e artes dos homens manifestam a consistência própria da alma. Não apenas Sócrates e Cato, e os gentios civilizados, mas os próprios selvagens acreditam nisto, e assim recebem a morte, *ut exitum, non ut exitium*, como uma dissolução, não como uma destruição; *spiritus exit, "sai-lhe o espírito". – Thomas Williamson*

v. 4: "Sai-lhe o espírito", etc. O texto hebraico transmite a ideia não de que o *espírito*, mas a parte mortal do homem, retornará ao pó. "A sua *alma* (fem. רוּחַ) sai", *isto é,* retorna a Deus: "torna *ele* (masc. שׁוּב) à sua terra". Como em Eclesiastes 12.7: *"Ele"* é o homem mortal, de barro, mas o "seu *espírito"* (*alma*) é o real homem imortal. – *Simon de Muis*

v. 4: "Eles tornam para sua terra". O significado correto de "tornar" é retornar, voltar àquele lugar de onde se veio, de modo que nesta sentença há uma tripla verdade, implícita, expressa, deduzida.

1. O que é *implícito* nesta expressão sobre retornar é o fato de que o homem, no que diz respeito ao seu corpo físico, veio da terra; e o que está implícito aqui também é expressado por Moisés, a respeito do primeiro homem (Gn 2.7): "E formou o Senhor Deus o homem (isto é, o *corpo* do homem) do pó"; ou, segundo o texto hebraico, "do pó da terra"; e também pelo apóstolo Paulo, onde ele disse: "O primeiro homem, da terra, é terreno" (1 Co 15.47). É verdade, nós somos formados no útero da nossa mãe, mas como todos nós viemos do primeiro homem, pode-se dizer verdadeiramente que viemos da *terra*; mas somente com esta diferença: ele foi formado diretamente da terra, e nós, por meio de um intermediário. Esta verdade foi gravada plenamente no nome do primeiro homem, que se chamou *Adão,* de uma palavra que significa *terra vermelha,* e esta mesma palavra é usada aqui, talvez para nos lembrar daquela terra da qual o homem foi formado; pois, de acordo com a etimologia usual, o nome *homo*, que em Latim é um nome comum para os dois sexos, é derivado *ab humo*, da *terra.* Por esta razão é que a terra é chamada, pelo poeta, de *magna parens*, o grande pai de toda a humanidade, e na resposta do oráculo, *a nossa mãe*; e a este respeito, Elifaz diz que somos "aqueles que habitam em casas de lodo, cujo fundamento está no pó" (Jó 4.19).

2. O que é *expresso* é que o homem (quando morre) retorna à terra, πάντες λυόμενοι κόνις ἐσμέν, diz o poeta, "Todos somos pó, quando dissolvidos". Da mesma maneira como a neve branca, quando derretida, se converte em água escura, também a carne e o sangue, quando privados da alma, se tornam pó e cinzas: a este respeito, o apóstolo Paulo atribui este epíteto de "abatido" aos nossos corpos (Fp 3.21). Na verdade, como a origem do homem é a terra, ele tem uma propensão natural à terra; de acordo com a máxima, *Omne principiatum sequitur naturam principiorum*: "Tudo tem a aptidão de retornar ao princípio de onde vem"; mas se o homem não tivesse *se afastado* de Deus, nunca teria *retornado* para lá, à terra. Foi o pecado que trouxe ao homem a necessidade de morrer e esta morte traz a necessidade de retornar à terra; e a este respeito, devemos observar, que a ameaça, "certamente morrerás" (Gn 2.17), feita ao homem antes do seu pecado, e renovada mais adiante (Gn 3.19), é explicada (quanto à morte temporal) com estas palavras, "em pó te tornarás", de modo que agora o movimento do homem do pequeno mundo é como o do grande, *Circulare ab eodem puncto ad idem,* de uma coisa à mesma coisa; e que, como na sua *alma*, de Deus a Deus, também no seu *corpo*, da terra à terra, do pó ao pó. Os rios

vêm do mar, e para lá retornam. O sol nasce no leste, e para lá retorna. O homem é formado da terra e em terra ele se transforma novamente; com isto, concorda o que disse o poeta Lucrécio:

Cedit item retro de terra quod fuit ante.

3. O que é *deduzido* com o pronome enfático, "*sua*", que está vinculado ao substantivo *"terra"*, é o fato de que a terra à qual o homem retorna é *sua*; e isto deriva das duas conclusões anteriores, uma vez que é *a sua terra* porque ele vem dela, e retorna a ela. A terra é a Gênese e a Análise do homem, a sua composição e dissolução, o seu Alfa e o seu Ômega, o seu princípio e o seu fim, *Ortus pulvis, finis cinis*; a terra é o seu originalmente e o seu finalmente. De modo que os nossos corpos não podem desafiar nenhuma aliança ou propriedade em nada, tanto como a terra. Pois se chamamos de *nossas* as coisas que têm apenas uma relação externa conosco, como os nossos amigos, nossos cavalos, nossos bens, nossas terras, muito mais podemos chamar de *nossa terra* aquela de onde viemos e à qual retornaremos; não é de admirar que ela aqui seja chamada de *"sua"*; em outras passagens, o homem é descrito como *sendo terra ou pó*, sendo chamado por esse nome. – *Nathanael Hardy, em um sermão fúnebre, intitulado, "Man's Last Journey to His Long Home", 1659*

v. 4: "Naquele mesmo dia, perecem os seus pensamentos". Os pensamentos a que, sem dúvida, o salmista se refere aqui, são aqueles *propósitos* que existem nas mentes de grandes homens, de fazer o bem aos que estão sujeitos a eles, e confiam neles. A palavra hebraica aqui usada deriva de um verbo, que significa *ser brilhante*; *cogitationes serense*, os pensamentos sinceros, serenos, benignos, benevolentes, que eles têm, de favorecer os seus aliados, amigos e seguidores. Estes pensamentos *"perecem"*, está escrito, *"naquele mesmo dia"* em que foram concebidos; isto enfatiza Tremélio. Neste sentido é declarada a instabilidade da benevolência de grandes homens, cujos sorrisos se convertem rapidamente em censuras e carrancas, cujo amor se converte rapidamente em ódio; o homem muda de ideia, e desaparecem os seus pensamentos relativos ao bem estar. Mas, mais racionalmente, "naquele mesmo dia, perecem os seus pensamentos", no dia em que as suas *pessoas* morrem, porque não há oportunidade de colocar em execução os seus propósitos. Eles perecem como a criança que vai nascer, e não tem forças para nascer; ou como o fruto que é arrancado antes de amadurecer. Enquanto eles viverem, nós podemos nos enganar, nas nossas expectativas, pelas alterações na sua opinião, no entanto, a sua condição é mortal, e quando vier a grande mudança, pela morte, faltará aos seus propósitos (quaisquer que sejam) o sucesso.

Daí se conclui o que é, por alguns, considerado como parte do significado das palavras, que os *"pensamentos"* ou *esperanças dos que confiam neles perecem*. É um verdadeiro apotegma, *Major pars hominum expectando moritur*; a maior parte dos homens perece pela expectativa. E a boa razão, tanto quanto a sua expectativa, se mal aplicada, perece. A força que tem este argumento para reforçar a advertência do salmista, contra a confiança no homem, embora não seja tão grande, é óbvia. É verdade, os príncipes e os nobres investidos de honra, riqueza e autoridade, têm o poder em suas mãos, e talvez possam ter em seus corações pensamentos de lhe fazer o bem, mas, ai, como é incerta a realização destas intenções, e por isto como é tolice confiar nelas. "Confiai no Senhor perpetuamente" (diz o profeta), "porque o Senhor Deus é uma rocha eterna". Ai, e com Ele há imutável benignidade. É seguro edificar sobre a rocha, confiando em Deus, cujos pensamentos de misericórdia são (como Ele mesmo) desde a eternidade e por toda a eternidade; mas nada é mais tolo do que edificar sobre a areia, confiar nos homens, cujas pessoas, bem como os seus pensamentos, perecem em um momento. Por isto, que a nossa resolução seja semelhante à de Davi: "É melhor confiar no Senhor do que confiar no homem. É melhor confiar no Senhor do que confiar nos príncipes" (Sl 118.8,9). – *Nathanael Hardy*

v. 4: "Naquele mesmo dia, perecem os seus pensamentos". Na morte, um homem vê que resultam infrutíferos todos aqueles pensamentos que não foram dedicados a Deus. Todos os pensamentos vãos e mundanos, no dia da morte, perecem, e se reduzem a nada. Que bem fará todo o globo do mundo nesta ocasião? Os que dedicaram os seus pensamentos a insolências ficarão ainda mais inquietos, e lhes angustiará o coração pensar que agiram como tolos. Um capitão Cita, depois de um gole de água, entregou uma cidade, e clamou, "O que perdi? O que traí?" Assim será, quando morrer o homem que dedicou todas as suas meditações ao mundo; ele perguntará: O que perdi? O que traí? Eu perdi o céu, eu traí a minha alma. Esta consideração não deveria fixar as nossas mentes nos pensamentos a respeito de Deus e da glória? Todas as outras meditações são infrutíferas; como um pedaço de terra que despendeu muito cuidado e trabalho, mas não produz nenhuma colheita. – *Thomas Watson*

v. 4: Eu desejo que você tome esta passagem e a considere aplicando-a a propósitos, projetos e intenções. Esta, penso agora, é exatamente a ideia que se pretende transmitir. *"Naquele mesmo dia, perecem os seus pensamentos"*; os seus propósitos, os seus projetos – o que ele tencionava fazer. Estes pensamentos apreciados se vão. Meus queridos irmãos, aqui há algo para nós. Vocês encontrarão nas Escrituras belas passagens e belos exemplos, em que esta ideia é personificada e realizada, às vezes com grande beleza e efeito poético, em relação aos inimigos da igreja. "O inimigo dizia: Perseguirei, alcançarei, repartirei os despojos; a minha mão os destruirá. Sopraste com o teu vento, o mar os cobriu; afundaram-se como chumbo em veementes águas". Naquele mesmo dia, os seus pensamentos pereceram. "Por que se demoram? Porventura não achariam e repartiriam despojos? Uma ou duas moças a cada homem? Para Sísera despojos de várias cores, despojos de várias cores de bordados? Assim, ó Senhor, pereçam todos os teus inimigos!" O poeta sagrado nem mesmo sugere que eles tinham perecido; mas sentindo que isto era um fato, somente eleva o seu coração a Deus. "Assim, ó Senhor, pereçam todos os teus inimigos". E assim, você encontrará, em muitas partes das Escrituras, belas ideias como esta, a respeito dos propósitos e das intenções que estavam nos corações dos homens, "perecendo" completamente quando Deus, com razão e justiça, colocou a Sua mão sobre eles – os propósitos que estavam em seus corações, contra a igreja. – *Thomas Binney*

v. 4: "Naquele mesmo dia, perecem os seus pensamentos". No caso do tolo rico (Lc 12.16,20), os seus "pensamentos", de edificar celeiros maiores, e de muitos anos de tranquilidade e prosperidade – todos os seus planos materialistas e egoístas – "pereceram", naquela mesma noite. – *John W. Haley, em "An Examination of the Alleged Discrepancies of the Bible"; 1875*

v. 4: "Perecem os seus pensamentos". A ciência, a filosofia, a arte de governar de uma geração explodem na seguinte. Os homens que são os senhores da inteligência do mundo hoje, perderão a coroa amanhã. Nesta geração de inquietude e rápidas mudanças, eles podem sobreviver aos seus próprios pensamentos, porém os seus pensamentos não sobrevivem a eles. – *J. J. Stewart Perowne*

v. 4: "Perecem os seus pensamentos". Da mesma maneira como os propósitos de todos sobre as coisas terrenas e mundanas perecem, com a proximidade da morte, também perecem os propósitos de alguns, sobre coisas espirituais e celestiais. Quantos tiveram propósitos de se arrepender, de corrigir suas vidas e voltar para Deus, que foram impedidos e totalmente interrompidos, por condições extremas de dor, sofrimento e doença, mas principalmente pelo golpe da morte, quando (como pensavam) estavam "prestes a se arrepender" e (como dizemos) "iniciar uma nova página" em suas vidas; eles foram à sepultura, pela morte, e para o inferno, pela justa ira de Deus. – *Joseph Caryl*

v. 4: "Os seus pensamentos". Na verdade, "a sua demonstração falsa, enganosa"; literalmente, "os seus brilhos". – *Samuel Horsley, 1733–1806*

v. 4: Confiar no homem não é apoiar-se em uma coluna, mas em um pequeno monte de pó. O mais soberbo elemento no homem é o seu pensamento. Nos pensamentos do seu coração, ele é exaltado, ao lugar mais alto, mas, vejam, mesmo os seus mais soberbos pensamentos, diz o salmista, serão degradados e perecerão naquele pó ao qual ele retornará. Pobre soberba perecível! Quem confiará nela? – *Johannes Paulus Palanterius*

v. 5: "Bem-aventurado aquele". Esta é a última das vinte e cinco passagens (ou vinte e seis, se incluirmos Sl 128.2), em que a palavra *ashre*, com que se inicia o saltério, é encontrada. – *Speaker's Commentary*

v. 5: Ai, com que frequência confiamos, quando deveríamos temer, e tememos, quando deveríamos confiar! – *Lange's Commentary*

v. 5: "O Deus de Jacó". Uma famosa e significativa descrição de Deus; e, em primeiro lugar, *com respeito à Sua natureza,* ou à verdade e realidade do Seu ser e da Sua excelência. Aqui, Ele é descrito, com o intuito de elegância ou ênfase, *"o Deus de Jacó",* diz Molero, para discernir e distinguir o verdadeiro Deus de Israel de todas as divindades pagãs, e eliminar todos os deuses fictícios e todas as suas adorações. Da mesma maneira como o Deus verdadeiro é o Deus de Jacó, também o Deus de Jacó é o Deus verdadeiro. Somente Ele é Deus, e não há outro além dEle... Em segundo lugar, este título ou vocativo serve também para descrevê-lo *no Seu relacionamento especial com o Seu povo.* Nós o vemos chamado pelo nosso salmista, "o Poderoso de Jacó" (Sl 132.5). Ele é, verdadeiramente, o Deus de toda a terra, mas de uma maneira peculiar, "o Deus de *Israel"* (Mt 15.31)... É digno de nota, nas Escrituras, que Ele não se descreve tão frequentemente, nas Suas revelações de Si mesmo ao povo, como "o Deus do céu e da terra" (embora este também seja um título repleto de encorajamento); mas "o Deus de Abraão, Isaque e Jacó", como se Ele tivesse tido tal excelente boa vontade, e tivesse um peculiar cuidado com estes três homens, de modo a negligenciar todo o mundo além deles. Tão próximo e íntimo é o relacionamento do povo de Deus com Ele, que os seus interesses estão mutuamente envolvidos, e entrelaçados em um laço recíproco de concerto. Eles são dEle, Ele é a sua porção; o seu Amado é deles, e eles são Seus; eles são chamados pelo Seu nome, os santos são chamados de Seus "santos", e a igreja é chamada expressivamente de "Cristo". Sim, Ele condescende em ser chamado pelo nome deles; Ele assume o nome de *Jacó*: "Esta é a geração daqueles que buscam, daqueles que buscam a tua face, *ó Deus de Jacó*" (Sl 24.6). – *De "The Saints' Ebenezer", por F. E., 1667*

v. 5: "O Deus de Jacó". Este versículo apropriadamente nos permite aplicar a todos os crentes todos os exemplos de *auxílio* e *esperança* fornecidos por Jacó, no seu exílio, quando ninguém, exceto Deus, poderia ajudá-lo. – *Simon de Muis*

vv. 5 e 6: "O Deus de Jacó... que fez os céus e a terra, o mar e tudo quanto há neles". É uma característica destes salmos, proclamar a todas as nações que adoravam ídolos, que "o Deus de Jacó", "o Deus de Sião", é o Criador e Governador de todas as coisas; e fazer um apelo a todas as nações, para que se voltem para Ele. Todos estes salmos têm um *caráter missionário* e uma *função evangélica.* Podemos comparar aqui a oração apostólica em Jerusalém, depois da descida do Espírito Santo, no Pentecostes: "Levantaram a voz a Deus e disseram: Senhor, tu és o *que fizeste o céu, e a terra, e o mar, e tudo o que neles há*" (onde as palavras são as mesmas que constam da Septuaginta); "que disseste pela boca de Davi, teu servo: Por que bramaram as gentes" (At 4.24, 25). O objetivo destes salmos é declarar para o universo que o Senhor, e somente Ele, é *Elohim*; e convidar a todos, para que o adorem como tal, com seu *Aleluia* frequentemente repetido. – *Christopher Wordsworth*

v. 6: "Que guarda a verdade para sempre". Guardada no Seu inesgotável tesouro, como a mais cara joia que jamais houve. E isto, porque a *verdade* que Ele assim guarda, e que é a força de sustentação que preserva o tecido da criação, é o Verbo Eterno, o Seu Filho unigênito, Jesus Cristo. – *Dionísio o Cartusiano, e Ayguan, em Neale e Litiledale*

v. 6: "Que guarda a verdade para sempre". Deus realmente guarda a verdade, de geração em geração – não fosse assim, como poderia ter sobrevivido o Livro de Deus? – *John Lorinus*

vv. 6 a 9: O Senhor é um Deus *Todo-Poderoso*, como o Criador do universo; além disto, Ele é um Deus *fiel*, "que guarda a verdade para sempre"; Ele também é um Deus *justo* (v. 7), um Deus *generoso* (*ib.*), um Deus *gracioso e misericordioso* (vv. 7-9). – *J. J. Stewart Perowne*

v. 7: "Que dá pão aos famintos". Nós aprendemos, com isto, que Ele nem sempre é tão indulgente com os Seus, a ponto de sobrecarregá-los de abundância, mas ocasionalmente retira a Sua bênção, para que possa socorrê-los, quando estiverem reduzidos à fome. Se o salmista tivesse dito que Deus alimentava o Seu povo com abundância, e os mimava, algum daqueles que estivesse necessitado ou faminto não teria imediatamente desanimado? A bondade de Deus é, portanto, limitada apropriadamente, à alimentação dos famintos. – *João Calvino*

v. 7: "Dá pão aos famintos". Agora, o fato de que Jesus era aquele Senhor de quem o salmista fala nesta passagem e em Salmos 145.16, foi claramente testificado pelos milagres que Ele operou, quando alimentou muitos milhares de pessoas com alguns pães e dois peixinhos, e encheu tantos cestos com as sobras daquela provisão com que tinha alimentado milhares de pessoas. Com estes milagres, as pessoas que o tinham visto realizá-los e tinham provado da Sua generosidade corretamente deduziram que Ele era o profeta que viria ao mundo, como lemos em João 6.14; e supondo que Ele era o profeta, consequentemente deduziram que Ele era, de igual maneira, o Rei de Israel; e com base nesta suposição, tentaram arrebatá-lo, para fazerem dEle o seu Rei (v. 15). – *Thomas Jackson, 1579–1640*

v. 7: "O Senhor solta os encarcerados". Como naquela passagem de Isaías (61.1) a expressão da "a abertura de prisão aos presos" é considerada pelos eruditos como um detalhe profético elegante, significando a cura dos que são surdos e mudos, cujas almas, consequentemente estavam impedidas de se expressar, como a linguagem permite que os outros se expressem, também aqui pode a expressão ser usada poeticamente, e então ela seria diretamente paralela àquela parte da resposta de Cristo: "os surdos ouvem" (Mt 11.5). Na cura destas pessoas, a forma como Cristo se expressou foi, Efatá, (isto é, abre-te), como a porta de uma prisão, quando aqueles que estavam nela encarcerados deviam ser soltos dela, com os grilhões sendo tirados deles. Mas então, fica ainda mais manifesto que os que estão acometidos de alguma terrível doença ou deficiência, etc., são descritos como "presos por Satanás" (Lc 13.16), e "soltos" por Cristo, quando curados por Ele. Assim Jesus Cristo disse (v. 12): "Mulher, estás livre da tua enfermidade; e logo [ela] se endireitou". O fato dela ter se endireitado significa que ela foi livrada de sua prisão, ou das suas amarras. E na abrangência da expressão poética ou profética, o fato de que o Senhor *solta os encarcerados* aqui abrangerá o andar dos coxos, a purificação dos leprosos, a audição dos surdos, e o ressuscitar dos mortos; pois esses, entre todos os outros, são os que estão mais firmemente encarcerados, e assim, quando ressuscitados, a descrição é tão apropriada como com referência a Lázaro, no que diz respeito às vestes da sepultura, "Desligai-o e deixai-o ir". – *Henry Hammond*

vv. 7 e 8: Não devemos deixar de observar que o nome Jeová (ou Senhor) é repetido aqui, cinco vezes, em cinco linhas, indicando que se trata de um poder absoluto; este é o poder do Senhor, que está engajado e é exercido para o alívio dos oprimidos, e que é para a glória de Deus socorrer os que estão em desgraça, tanto quanto é cavalgar sobre os céus, com o Seu nome, Jeová (Sl 68.4). – *Matthew Henry*

v. 8: "Abre os olhos aos cegos". Literalmente, *"abre os cegos" – isto é,* faz com que eles vejam. A expressão pode ser usada de modo figurado, como um remédio aplicado, seja à impotência ou incapacidade física, como Deuteronômio 28.29;

Isaías 59.9, 10; Jó 12.25; ou à falta de discernimento espiritual, como Isaías 29.18; 42.7, 18; 43.8. Aqui, o contexto favorece a primeira opção. – *J. J. Stewart Perowne*

v. 8: "O Senhor abre os olhos aos cegos". O texto hebraico não menciona *os olhos* dos cegos. Hilary traduz como *sapientificat.* A versão árabe faz o mesmo. O Senhor, pela Sua *sabedoria, ilumina as mentes obscurecidas.* É a cegueira *mental* que é a aflição comum aos homens. – *John Lorinus*

v. 8: "Os cegos". O grande número de cegos que eram vistos tateando pelas ruas do Cairo e de Alexandria foi observado por Volney. "Andando pelas ruas do Cairo", diz ele, "em cada cem pessoas que eu via, havia frequentemente vinte cegos, dezoito com um só olho, e vinte outros com os olhos vermelhos, purulentos ou manchados. Praticamente todos usam ataduras ou vendas, indicando que têm ou estão se recuperando de oftalmia". A oftalmia é, na realidade, uma das chagas do Egito, como sabem todos os médicos. A sua predominância deve ser atribuída, em grande parte, à areia que o vento sopra em seus olhos; mas podemos entender como, em nações orientais, de modo geral, o excessivo calor do sol deve fazer com que a cegueira seja muito mais comum do que acontece na nossa nação.

Não é, portanto, de surpreender a quem quer que conheça o Oriente encontrar os cegos tão frequentemente mencionados na história do Evangelho, e encontrar nas Escrituras tantas referências a esta deficiência. Entre as doze maldições dos levitas, há uma contra aquele "que fizer que o cego erre do caminho" (Dt 27.18). "O Espírito do Senhor me ungiu", disse Jesus, citando Isaías, "para evangelizar os pobres, a dar vista aos cegos" (Lc 4.18,19). "O Senhor", diz Davi, "solta os encarcerados; o Senhor abre os olhos aos cegos". – *Felix Bovet (1824–), em "Egypt, Palestine, and Phoenicia", 1882*

v. 9: "O Senhor guarda os estrangeiros". Deus tem peculiar amor pelos viajantes e peregrinos (Dt 10.18), e Jacó era um estrangeiro em terra estranha, quando Deus se mostrou como o Deus de Jacó para o seu servo escolhido. – *Thomas Le Blanc*

v. 9: "O Senhor guarda os estrangeiros". Os que não pertencem à Babilônia, nem a este mundo, são os verdadeiros peregrinos em uma terra estranha. – *Robert Bellarmine*

v. 9: "Ampara o órfão e a viúva". A oliveira não deve ser sacudida duas vezes, a colheita da vinha não deve ser feita duas vezes, nem as espigas que são deixadas no campo devem ser ajuntadas; tudo isto pertence aos pobres, às viúvas e aos órfãos. Era permitido arrancar com a mão as espigas de trigo, ao passar pelo campo de um vizinho (Dt 23.25), embora uma foice não pudesse ser usada. A lei cuida com extremo cuidado das viúvas e dos órfãos, pois "Deus é pai de órfãos e juiz de viúvas" (Sl 68.5). As vestes de uma viúva não podiam ser penhoradas, e tanto viúvas como órfãos deviam ser convidados aos banquetes. Uma instituição especialmente destinada à proteção e ao auxílio dos pobres era o segundo dízimo, chamado dízimo do pobre. O primeiro dízimo pertencia aos levitas. Do que sobrasse, novamente se tomava uma décima parte, e o produto deste segundo dízimo, que era dedicado, nos dois primeiros anos, a um banquete no santuário, na oferta das primícias, era dedicado no terceiro ano a um banquete nas casas, ao qual eram convidados os levitas e os estrangeiros, as viúvas e os órfãos (Dt 14.28, 29; 26.12, 13). – *G. Uhlhorn, em "Christian Charity in the Ancient Church", 1883*

v. 9: "Transtorna o caminho dos ímpios". Ele frustra os seus planos, derrota os seus esquemas, faz com que os seus propósitos concretizem o que eles não tencionavam concretizar. A palavra hebraica aqui significa dobrar, curvar, distorcer, tornar sinuoso; então, transtornar, inverter. A mesma palavra é aplicada à conduta dos ímpios, em Salmos 119.78: "Os soberbos, pois me trataram de uma maneira perversa". A ideia aqui é a de que o caminho não é um caminho reto, que Deus o torna um caminho sinuoso, tortuoso; que eles são desviados de seu desígnio; que por intermédio deles Ele realiza propósitos que eles não tencionavam; que Ele impede que eles cumpram os seus próprios desígnios; e que Ele tornará os seus planos subservientes a um propósito Seu, maior e melhor. Esta é a décima primeira razão pela qual são bem-aventurados os que depositam a sua confiança em Deus. Um dos motivos pelos quais Deus é digno de confiança e amor, é porque Ele tem todos os planos dos ímpios inteiramente sob o Seu controle. – *Albert Barnes*

v. 9: "Transtorna o caminho dos ímpios". A situação aqui é como o barro do oleiro, depois que o oleiro dedicou algum tempo e esforço para moldá-lo e formá-lo na roda. E quando o vaso quase chegou à sua forma, um homem que está perto pode, com o menor empurrão, tirá-lo completamente da forma e estragar, de repente, tudo o que o oleiro tinha estado fazendo, por tanto tempo; isto também acontece com todos os planos dos ímpios, todos serão invertidos e frustrados, como o barro do oleiro; pois quando eles pensam que maturaram e aperfeiçoaram tudo, quando consideram os seus planos praticamente concretizados, de repente todo o seu trabalho está perdido; pois Deus, que está perto todo o tempo, e continua olhando, com um pequeno toque, com o menor sopro da Sua ira, destrói e estraga tudo. – *Edlin, 1656*

v. 9: "Transtorna o caminho dos ímpios". Todas as dez sentenças anteriores exaltam o pobre santo, passo a passo, a uma situação cada vez mais elevada. Através de uma palavra repentina, como Satanás caindo como um relâmpago do céu, os ímpios são exibidos como arremessados do cume da soberba às profundezas do inferno. – *Johannes Paulus Palanterius*

v. 9: "Transtorna o caminho dos ímpios. "Um assombroso exemplo da tolice de se excluir Deus dos planos que se tem para a vida é dado na vida de William M. Tweed, cuja morte foi recentemente anunciada. Aqui estava um homem que buscou a riqueza e o poder, e que, durante algum tempo, pareceu ser bem sucedido na sua busca. Aparentemente, ele não se propôs a obedecer a Deus ou a viver para uma vida futura. O que ele desejava era a prosperidade material. Ele pensou que a tinha conseguido. Ele foi ao congresso. Ele ajuntou os seus milhões. Ele controlou os interesses materiais da metrópole de sua nação. Ele desafiou abertamente o sentimento público e as cortes de justiça, na busca da realização dos seus planos. Ele foi um brilhante exemplo, e por isto, um perigoso exemplo, de vilania bem sucedida. Mas a promessa de prosperidade para a vida atual é somente para os piedosos. Quando William M. Tweed estava morrendo em uma prisão na cidade que tinha governado, a sua confissão de amargo desapontamento foi: "A minha vida foi um fracasso em tudo. Não há nada de que eu me orgulhe". Se algum jovem desejar chegar a um fim como este, o caminho é simples e claro: "O grande Deus, que formou todas as coisas, recompensa os tolos, e recompensa os transgressores". *"Ele transtorna o caminho dos ímpios". – American Sunday School Times, 1878*

SUGESTÕES AOS PREGADORES

v. 1. I. Uma exortação: é dirigida a nós mesmos: "Louvai ao Senhor". II. Um exemplo: o salmista clama a si mesmo, "Louva ao Senhor". III. Um eco: "Ó minha alma, louva ao Senhor". Devemos dizer isto às nossas próprias almas.

v. 1. A quem devo louvar? E por que? E quando? E como?

v. 1. Adoração pública. I. Deve ser feita com um sentimento de comunhão: "Louvai"; os prazeres da comunhão no louvor. II. Nunca deve perder a sua individualidade: "Ó minha alma". Deus é louvado apenas pelos corações, individualmente. Tentações para se desviar, em cultos públicos. III. Deve estar cheia da presença sentida do Senhor: cada um, e todos, devem adorar somente a *Ele*. – *W. B. H.*

v. 2. Trabalho para esta vida e a futura. I. "Durante a minha vida"; ou um período de incerteza e mistério. II. "Louvarei ao Senhor"; ou uma adoração definida, determinada, devida e deliciosa. Certeza, em meio à incerteza. III. "Enquanto viver"; ou um entusiasta compromisso prévio com a eternidade. – *W. B. H.*

v. 3. I. Isto desonra a Deus. II. Isto é degradante para você. III. É desapontador em todos os casos.

v. 4. Morte, decadência, derrota.

v. 4 (segunda parte). O fracasso nos projetos do homem, o desaparecimento de suas filosofias, a refutação de suas vanglórias.

v. 5. O segredo da verdadeira felicidade. I. *O que ele não é.* O homem aqui mencionado tem a sua obra e a sua guerra, pois precisa de ajuda; e ele não tem tudo o que deseja, pois é um homem de esperança. II. *O que é.* A felicidade está em *ter* a *esperança,* e o *auxílio,* e tudo isto está em Deus.

vv. 6 e 7. O Deus da nossa esperança é, I. Criador. II. Guardião da verdade. III. Vingador. IV. Provedor. V. Libertador.

v. 7 (última parte). Veja "Spurgeon's Sermons", n. 484: "The Lord - the Liberator".

Versículo 7. – Os direitos do povo. I. Três direitos da humanidade. Justiça, pão, liberdade. II. As intervenções de Deus por eles. Revoluções, reformas, regenerações. A guerra de Cristo com Satanás. III. O magnífico suprimento das três bênçãos, no reino de Cristo. IV. Os homens que são formados e treinados sob este *regime.* – *W. B. H.*

v. 8 (primeira parte). A cegueira espiritual, a sua maldição, causa e cura.

v. 8 (segunda parte). Quem são as pessoas? Quem as levanta? Como Ele faz isso? E o que acontece então?

v. 8 (terceira parte). O amor de Deus pelos justos. I. Ele os fez justos. II. Eles são como Ele. III. Eles o amam. IV. Os seus propósitos são o Seu propósito.

v. 9. Observe a provisão feita na lei judaica para o estrangeiro. A maneira como os estrangeiros eram recebidos por Deus. A verdade de que os Seus eleitos são estrangeiros no mundo. O Seu propósito de ajuntar estrangeiros nos últimos dias.

v. 9 (sentença central). As reivindicações de órfãos e viúvas para com o povo de Deus.

v. 9 (última parte). Exemplificada pelos irmãos de José, por Hamã e outros.

v. 10. I. Uma causa para louvor – "O Senhor reinará eternamente". II. Um centro de louvor: "Ó Sião". III. Um ciclo de louvor: "de geração em geração". IV. Um chamado para o louvor: "Louvai ao Senhor".

SALMO 147

ASSUNTO

Este é um cântico particularmente notável. Nele são celebradas a grandeza e a condescendente benignidade do Senhor. O Deus de Israel é exibido na Sua peculiaridade de glória, como cuidando dos angustiados, insignificantes e esquecidos. O poeta encontra uma alegria singular em exaltar Aquele que é tão singularmente piedoso. É um salmo da cidade e do campo, da primeira criação e da segunda, da nação e da igreja. Ele é completamente bom e agradável.

DIVISÃO

O cântico parece estar dividido em três partes. Dos versículos 1 *a* 6*, o Senhor é exaltado, por edificar Sião e abençoar os Seus que estão pesarosos; de* 7 *a* 11*, similar louvor é oferecido por causa da Sua provisão pelos abatidos, e o Seu prazer neles; e então, de* 12 *a* 20*, Ele é exaltado pela Sua obra em favor do Seu povo, e pelo poder da Sua Palavra, em natureza e em graça. Que o estudemos com alegre gratidão.*

EXPOSIÇÃO

1. "*Louvai ao Senhor*" ou Aleluia. O fluxo do amplo rio do Livro dos Salmos termina em uma cascata de louvor. Este salmo começa e termina com Aleluia. O Senhor e o feliz louvor sempre devem estar associados na mente de um crente. Jove (ou Júpiter) era temido, mas Jeová é adorado. Para toda a semente fiel de Israel o salmista age como um mestre do coro, e clama, "Louvai ao Senhor". Esta exortação pode apropriadamente ser dirigida a todos os que devem algo a benignidade de Deus; e quem, entre nós, não deve? Não podemos pagar a Ele, mas o louvaremos, não somente agora, mas para sempre.

"Porque é bom cantar louvores ao nosso Deus." É bom, porque é correto; é bom, porque é aceitável a Deus, benéfico a nós, e estimulante aos nossos companheiros. A bondade de um exercício é um bom argumento perante os homens bons, para a sua prática

continuada. Cantar os louvores divinos é o melhor uso possível para a fala: isto fala de Deus, por Deus e para Deus, e o faz de uma maneira jubilosa e reverente. Cantar no coração é bom, mas cantar com o coração e a voz é melhor, pois permite que outros se unam a nós. Jeová é o *nosso* Deus, o nosso Deus de concerto, por isto Ele deve ter a homenagem do nosso louvor; e Ele é um Deus tão misericordioso e bem-aventurado que o nosso louvor pode ser mais bem expressado em um cântico alegre.

"Isto é agradável; decoroso é o louvor." É agradável e apropriado, doce e adequado louvar ao Senhor Altíssimo. É revigorante para o gosto da mente verdadeiramente refinada, e é agradável para os olhos dos puros de coração: é agradável, tanto ver como ouvir uma congregação inteira, louvando ao Senhor. Estes são argumentos em favor do culto com cânticos, que os homens que amam a verdadeira piedade, o real prazer e a propriedade não desprezarão. Alegre-se em louvar, pois o louvor é agradável: louve ao Senhor na beleza da santidade, pois decoroso é o louvor. Onde se unem o dever e o prazer, o benefício e a beleza, não devemos recuar. Que cada leitor sinta que ele e a sua família devem constituir um coro para a celebração diária dos louvores do Senhor.

2. *"O Senhor edifica Jerusalém."* Deus se manisfesta, tanto no mundo material como no espiritual, como um Edificador e Criador, e nisto Ele deve ser louvado. A Sua graça, sabedoria e poder, tudo é visto na formação e no estabelecimento da sede escolhida da Sua adoração; antes, uma cidade com muros materiais, mas agora, uma igreja constituída de pedras espirituais. Os judeus se alegraram na elevação da sua capital de suas ruínas, e nós triunfamos no crescimento da igreja em meio a um mundo ímpio.

"Congrega os dispersos de Israel"; e assim repara os lugares devastados e faz com que sejam habitados os lugares antes desertos. Esta sentença pode se referir a Neemias e a todos os que retornaram com ele; mas não há razão por que ela não poderia, com igual adequação, se referir a Davi, que, com os seus amigos, tinha sido um proscrito, mas antes que se passasse muito tempo, se tornou o meio de edificação de Jerusalém. De qualquer forma, o salmista atribui ao Senhor todas as bênçãos recebidas; a restauração da cidade e a restauração dos banidos, igualmente, ele atribui à mão divina. Com que clareza estes antigos crentes viram o Senhor presente, trabalhando entre eles e por eles! Espiritualmente, vemos a mão de Deus na edificação da igreja e na congregação dos pecadores. O que são os homens condenados pelo pecado, senão marginalizados por Deus, expulsos da santidade, do céu, e até mesmo da esperança? Quem poderia congregá-los de suas dispersões, e fazer deles cidadãos em Cristo Jesus, senão o Senhor nosso Deus? Esta obra de amor e poder Ele realiza constantemente. Portanto, que o cântico comece em Jerusalém, nosso lar, e que cada pedra viva na cidade espiritual ecoe a melodia; pois foi o Senhor que trouxe outra vez os Seus banidos, e os congregou em Sião.

3. *"Sara os quebrantados de coração e liga-lhes as feridas."* Isto o Espírito Santo menciona, como parte da glória de Deus e como uma razão para que declaremos o Seu louvor; o Senhor não é somente um Edificador, mas um Sarador; Ele restaura os corações quebrantados, bem como os muros quebrados. Os reis da terra se julgam grandes, pela sua grandeza; mas o Senhor é realmente grande, pela Sua condescendência. Eis que o Altíssimo se relaciona com os doentes e os angustiados, com os infelizes e os feridos! Ele anda pelos hospitais como o bom Médico! A Sua profunda simpatia com os que lamentam é uma característica especial da Sua bondade. Poucos se relacionam com os desanimados e angustiados, mas o Senhor escolhe a sua companhia e permanece com eles até tê-los curado com as Suas consolações. Ele se digna a lidar com os corações quebrantados e curá-los; Ele mesmo aplica o unguento da graça, e as suaves compressas do amor, e assim enfaixa as feridas sangrentas dos condenados pelo pecado. Esta é a verdadeira compaixão que está em Deus. Bem podem louvá-lo aqueles com quem Ele agiu de maneira tão piedosa. O Senhor está sempre curando e ligando as feridas; isto não é uma obra nova para Ele, Ele a faz desde sempre; e não é uma coisa do passado, da qual Ele agora está

cansado, pois Ele ainda está curando e ainda está ligando as feridas, como diz o original. Vinde, corações quebrantados, vinde ao Médico que nunca deixa de curar: mostrai as vossas feridas Àquele que as liga com tanto carinho!

4. *"Conta o número das estrelas."* Ninguém, exceto Ele, pode contar o exército poderoso, mas como *Ele* criou as estrelas, e as sustenta, Ele pode contá-las. Para o Senhor, as estrelas são como meras moedas, que o comerciante conta ao colocá-las em sua bolsa.

"Chamando-as a todas pelos seus nomes." Ele tem um conhecimento íntimo de cada astro, separadamente, de modo a conhecer o seu nome ou caráter. Na realidade, Ele dá a cada estrela o seu título apropriado, porque Ele conhece a sua constituição e natureza. Vastas como são as estrelas, elas são perfeitamente obedientes à Sua ordem, como soldados ao capitão que chama os seus nomes, e lhes designa as suas posições. Elas não nascem, e se põem, e se movem, ou estacionam, exatamente de acordo com a Sua ordem? Que mudança, com relação ao versículo anterior! Leia os dois sem fazer nenhuma pausa, e sinta a plena força do contraste. De estrelas a suspiros, é uma descida profunda! De mundos a feridas, é uma distância que somente a infinita compaixão pode percorrer. Mas Aquele que age como um cirurgião com os corações feridos, comanda o exército celestial, e lê a lista de chamada dos sóis e seus majestosos sistemas. Ó, Senhor, é bom te louvar como governando as estrelas, mas é agradável te adorar como curando os quebrantados de coração!

5. *"Grande é o nosso Senhor."* O nosso Senhor e Rei é grande – magnânimo, infinito, inconcebivelmente glorioso. Ninguém pode descrever a Sua majestade, nem calcular o número de Suas excelências.

"E de grande poder." Fazendo o que Ele quer, e disposto a fazer poderosas obras. Os Seus atos revelam alguma parcela do Seu poder, mas a maior parte do Seu poder está oculta, pois todas as coisas são possíveis para Deus, até as coisas impossíveis para os homens.

"O seu entendimento é infinito." Não há como avaliar a Sua sabedoria, nem medir o Seu conhecimento. Ele é infinito em existência, em poder e em conhecimento, como estas três frases nos ensinam claramente. Os deuses dos pagãos não são nada, mas o nosso Deus preenche todas as coisas. E é tão condescendente! Pois este é Aquele que tão ternamente cuida das almas doentes, e deseja ser piedoso com os pecadores. Ele traz o Seu poder ilimitado e o Seu entendimento infinito, para que se conectem com a aflição humana, para o seu alívio e santificação. Por todas estas razões, deve ser grande o louvor que lhe é dedicado: ainda que pudesse ser infinito, não excederia o que lhe é devido. Na edificação da Sua igreja e salvação das almas, a Sua grandeza, o Seu poder e a Sua sabedoria, todos estão exibidos: que Ele seja exaltado por causa de cada um desses atributos.

6. *"O Senhor eleva os humildes e abate os ímpios até à terra."* Ele reverte a ordem maligna das coisas. Os humildes estão abatidos, e Ele os eleva; os ímpios estão exaltados, e Ele os arremessa à terra. O Senhor ama os que são reverentes em relação a Ele, humildes aos seus próprios olhos e gentis com seus companheiros; a estes, Ele eleva, para a esperança, a paz, o poder, e a honra eterna. Quando Deus eleva um homem, esta é realmente uma elevação. Os soberbos já estão, no seu próprio conceito, suficientemente elevados; somente aqueles que estão abatidos se interessarão em ser elevados, e somente a eles o Senhor elevará. Quanto aos ímpios, eles devem descer de seus assentos de vã glória. Deus está acostumado a derrubá-los; é o Seu caminho e hábito. Nenhum dos ímpios escapará, no final. À terra, eles devem ir; pois da terra vieram, e pela terra eles vivem. É uma das glórias do nosso Deus, pela qual os Seus santos o louvam, o fato de que Ele derruba os poderosos de seus assentos, e exalta os abatidos. Bem podem os justos ser exaltados em espírito, e os ímpios ser abatidos, quando pensam nos juízos do Senhor Deus.

Neste versículo, vemos o resultado prático deste caráter do Senhor, que o leva a contar e chamar as estrelas, como se elas fossem pequenas coisas, enquanto Ele lida ternamente com homens angustiados, como se fossem preciosos na Sua estima. Ele é tão grande, que nada é grande para Ele, e é tão condescendente, que nada é pequeno para Ele; a Sua infinita majestade abate naturalmente os soberbos e exalta os humildes.

7. Neste parágrafo, o contraste anunciado na seção anterior é detalhado de outro ponto de vista, como é visto na natureza e na providência.

"Cantai ao Senhor em ação de graças", ou melhor, "respondei ao Senhor". Ele nos fala em Suas obras, devemos responder a Ele com nossos agradecimentos. Tudo o que Ele faz é piedoso, cada movimento da Sua mão é bondade; por isto, que os nossos corações respondam com gratidão, e os nossos lábios, com cânticos. As nossas vidas devem ser respostas ao amor divino. O Senhor está sempre engajado em dar, devemos responder com agradecimentos.

"Cantai louvores ao nosso Deus sobre a harpa." Mesclar música com cânticos. Sob uma dispensação de rituais, o uso de música era muito elogiável, e adequado, na grande congregação; aqueles entre nós que julgamos que a música é menos desejável para a adoração pública, sob uma organização espiritual, porque tem levado a tantos abusos, ainda assim nos alegramos com ela em particular, e de maneira alguma ficamos insensíveis aos seus encantos. Parece uma profanação que as vozes bonitas e os instrumentos bem tocados sejam tão frequentemente devotados a temas indignos; as mais doces harmonias deveriam ser consagradas à honra do Senhor. Ele é o *nosso* Deus, e este fato é uma excelente alegria do cântico. Nós o escolhemos, porque Ele nos escolheu; e nEle vemos peculiaridades que o distinguem de todas as pretensas divindades daqueles entre os quais habitamos. Ele é o *nosso* Deus, em um relacionamento de concerto, para todo o sempre, e a Ele deve ser o louvor de todas as formas possíveis.

8. *"Ele é que cobre o céu de nuvens."* Ele opera em todas as coisas, acima e também abaixo. As nuvens não são causadas por acidentes, mas produzidas pelo próprio Deus, e criadas para assumir graus de densidade pelas quais se esconde o firmamento azul. Um horizonte celeste parece ser uma mera ocorrência casual de vapores, mas não é assim, a mão do Grande Artista assim cobre a tela dos céus.

"Que prepara a chuva para a terra." O Senhor prepara as nuvens, visando a chuva, e a chuva, visando os campos abaixo. Com muitas circunstâncias simultâneas, todas as coisas são preparadas para a produção de uma chuva: há mais arte na formação de uma nuvem de chuva, e na moldagem de um pingo de chuva, do que parece para os observadores superficiais. Deus está no vapor, e no pingo perolado, que nasce dele.

"Que faz produzir erva sobre os montes." Com a chuva, de grande alcance, Ele produz a vegetação, onde a mão do homem é totalmente desconhecida. Ele não se importa apenas com as férteis planícies de Gósen, mas com as íngremes ladeiras do monte Carmelo, Deus faz dos céus os servos da terra, e das nuvens os irrigadores da vegetação nos montes. Este é um tipo de evolução sobre a qual não pode haver discussão. O Senhor também não se esquece dos lugares desolados e desertos, mas faz com que as colinas solitárias sejam as primeiras participantes de Suas refrescantes visitas. Isto está de acordo com o modo de ser do nosso Deus. Ele não apenas faz com que a chuva desça dos céus, para regar a grama, e assim une os céus e as ervas, por um ministério de misericórdia, mas também pensa nos penhascos rochosos entre os montes, e não se esquece dos pastos no deserto. Que Deus é este!

"Passando pelo rico e grandioso,
pelo pobre e desolado".

9. *"Dá aos animais o seu sustento."* Fazendo crescer a erva sobre os montes, o Senhor alimenta o gado. Deus cuida da criação bruta. Os homens pisam a grama como se nada fosse, mas Deus a faz crescer; muito frequentemente, os homens tratam o seu gado com crueldade, mas o próprio Senhor alimenta os animais. O grande Deus é bom demais, e, na realidade, grande demais, para ignorar coisas

que são desprezadas. Não diga, "Deus cuida dos bois?" Realmente, Ele cuida, e Ele se permite ser aqui descrito como lhes dando o seu alimento, como os agricultores estão acostumados a fazer.

"E aos filhos dos corvos, quando clamam." Estes animais selvagens, que parecem não ter utilidade para o homem; são por isto sem valor? De maneira alguma; eles ocupam o seu lugar, na organização da natureza. Quando são meros pássaros jovens ou filhotes, e podem apenas clamar aos pais, pedindo comida, o Senhor não permite que eles passem fome, mas lhes supre as suas necessidades. Não é maravilhosa a maneira como tão grande quantidade de pássaros é alimentada? Um pássaro em uma gaiola, sob o cuidado humano, está em mais perigo de que lhe falte semente e água do que qualquer uma das miríades que voam pelos céus abertos, sem nenhum dono exceto o seu Criador, e sem nenhum provedor, exceto o Senhor. A Grandeza ocupada com pequenas coisas constitui a principal característica deste salmo. Não devemos, todos nós, sentir especial alegria, ao louvar Aquele que é tão especialmente admirável pelo Seu cuidado com os necessitados e os esquecidos? Não devemos todos confiar no Senhor? pois Aquele que alimenta os filhos dos corvos certamente alimentará os filhos de Deus! Aleluia Àquele que alimenta os corvos e também governa as estrelas! Que Deus és Tu, ó Jeová!

10. *"Não se deleita na força do cavalo."* Não é somente aos animais grandes e fortes que o Criador dirige o Seu pensamento especial, de alguma maneira; mas Ele tem igual prazer nas coisas vivas que são menores. Se o homem pudesse desempenhar o papel de Deus, se alegraria de maneira peculiar, ao produzir nobres quadrúpedes como cavalos, cuja força e velocidade refletiriam honra sobre o seu criador; mas o Senhor não tem tal sentimento; Ele se importa tanto com os pássaros desamparados no ninho quanto com o cavalo de batalha, no orgulho da sua força.

"Nem se compraz na agilidade do varão." Ela é a glória do atleta, mas Deus não tem prazer nela. Não são as capacidades da criatura, mas a sua fraqueza e necessidade que conquistam a consideração do nosso Deus. Os monarcas confiam na sua cavalaria e infantaria; mas o Rei dos reis não exulta nos exércitos de Suas criaturas, como se eles pudessem lhe emprestar poder. A grandeza física ou material e o poder não têm importância para o Senhor, Ele tem consideração por outras qualidades mais preciosas. Os homens que se vangloriam de combater com grande coragem e com uma força gigantesca não serão os favoritos de Deus; embora os príncipes terrenos possam alimentar os olhos com seus Joabe e Abner, seus Abisai e Asael, o Senhor dos exércitos não tem prazer em meros ossos e em meros músculos. Tendões e músculos têm pouca importância, quer em cavalos ou homens, com Aquele que é espírito, e se deleita em coisas espirituais. A expressão do texto pode ser considerada como incluindo todo o poder da criatura, inclusive de um tipo mental ou moral. Deus não tem prazer em nós, por causa das nossas realizações ou potencialidades: Ele tem mais consideração pelo caráter, do que pela capacidade.

11. *"O Senhor agrada-se dos que o temem e dos que esperam na sua misericórdia."* Embora os poderes físicos não deem contentamento a Deus, as qualidades espirituais são o Seu deleite. Ele se preocupa mais com aquelas emoções que se centram nEle mesmo: o temor que Ele aprova é o temor *a Ele*, e a esperança que Ele aceita é a esperança *na Sua misericórdia.* É um pensamento assombroso que Deus não somente esteja em paz com alguns tipos de homens, mas até mesmo encontre uma consolação e uma alegria na companhia deles. Oh! A incomparável condescendência do Senhor, que a Sua grandeza sinta prazer nas criaturas insignificantes da Sua mão. Quem são estes homens favorecidos em que Jeová se deleita? Alguns deles são os mais insignificantes da Sua família, que nunca foram além de ter esperança e temor. Outros são mais completamente desenvolvidos, mas ainda exibem um caráter mesclado, composto de temor e esperança: eles temem a Deus, com santo respeito e reverência filial, e também têm esperança de perdão e bem-aventurança, por causa da misericórdia divina. Assim como um pai sente prazer com os seus próprios filhos, também o Senhor se agrada dos Seus amados, cujos sinais do novo

nascimento são o temor e a esperança. Eles temem, pois são pecadores; eles têm esperança, pois Deus é misericordioso. Eles o temem, pois Ele é grande; eles têm esperança nEle, pois Ele é bom. O seu temor traz sensatez à sua esperança; a sua esperança abrilhanta o seu temor: Deus sente prazer neles, tanto no seu temor como na sua alegria.

Não há rica causa para louvor neste aspecto especial do caráter divino? Afinal, é uma natureza inferior a que se deleita com a força bruta; mas é uma coisa divina sentir prazer pelo santo caráter dos que nos rodeiam. Da mesma maneira como os homens podem ser conhecidos pela natureza das coisas que lhes dão prazer, também o Senhor é conhecido pelo abençoado fato de que Ele sente prazer nos justos, ainda que essa justiça esteja ainda no seu estágio inicial de temor e esperança.

12. *"Louva, ó Jerusalém, ao Senhor; louva, ó Sião, ao teu Deus."* Como o poeta insiste no louvor; ele clama *louva, louva* como se este fosse o mais importante de todos os deveres. Um povo peculiar deve oferecer um louvor peculiar. A cidade de paz deve ser a cidade de louvor; e o templo do Deus do concerto deve ressoar com as Suas glórias. Ainda que em nenhum outro lugar, certamente em Sião deve haver a alegre adoração do Deus de Sião. Observe que nós devemos louvar ao Senhor em nossas próprias casas, em Jerusalém, bem como na nossa própria casa em Sião. A cidade santa está ao redor do monte sagrado, e ambos são consagrados ao santo Deus, por isto ambos devem soar com aleluias.

13. *"Porque ele fortaleceu os ferrolhos das tuas portas."* As suas fortificações estavam concluídas, até os ferrolhos das portas, e Deus tinha feito com que tudo fosse firme e sólido, até mesmo os seus parafusos e as suas trancas; assim a sua segurança contra os invasores estava garantida. Isto não é uma graça pequena. Oh, que as nossas igrejas fossem assim preservadas de toda a falsa doutrina e de toda a vida profana! Isto é obra do Senhor, e onde Ele a operou, o Seu nome deve ser grandemente louvado. Os libertinos modernos derrubariam todas as portas e aboliriam todos os ferrolhos, mas não devemos fazer isto, por causa do temor do Senhor.

"Abençoa aos teus filhos dentro de ti." A bem-aventurança eterna é dom do Senhor, tão verdadeiramente quanto a segurança externa. Uma vez que o Senhor abençoa "aos teus filhos dentro de ti", tu és, ó Sião, cheia de um povo feliz, unido, zeloso, próspero, santo, que habita em comunhão com Deus, e entra no gozo do seu Senhor. Uma vez que Deus faz dos teus muros salvação, as tuas portas devem consistir de louvor. De pouco serviria fortificar uma cidade faminta e miserável; mas quando os muros são fortalecidos, é uma alegria ainda maior ver que os seus habitantes estão cheios de todos os bons dons. Como as nossas igrejas precisam de uma bênção presente e permanente!

14. *"Ele é quem pacifica os teus termos."* Até às fronteiras tranquilas Ele se estende, nenhum inimigo está lutando nas fronteiras. Se houver paz ali, podemos ter certeza de que a paz estará em todos os lugares. "Sendo os caminhos do homem agradáveis ao Senhor, até a seus inimigos faz que tenham paz com ele". A paz vem do Deus da paz. Considerando as diferentes constituições, condições, gostos e opiniões dos homens, é uma obra de Deus, quando, em grandes igrejas, se encontra a paz imperturbada, ano após ano; e é igualmente admirável que os materialistas, em lugar de perseguir os piedosos, os tratem com distinto respeito. Aquele que edifica Sião é também o seu Pacificador, o Senhor, que dá a paz.

"E da flor da farinha te farta." A paz é acompanhada de fartura – fartura do melhor mantimento, e do melhor tipo desse mantimento. É uma grande razão para ação de graças, quando as necessidades dos homens são supridas a ponto de que eles fiquem saciados: é preciso muita coisa, para saciar alguns homens. Talvez ninguém jamais tenha se saciado, exceto os habitantes de Sião; e eles só são saciados pelo próprio Senhor. A verdade do Evangelho é a flor da farinha, e são verdadeiramente bem-aventurados os que se comprazem em se saciar dela, e

não têm fome das cascas e palhas do mundo. Que aqueles que estão saciados com mantimento celestial encham suas bocas com louvor celestial.

15. *"Quem envia o seu mandamento à terra."* As Suas mensagens voam por todos os Seus domínios; as Suas ordens são executadas sobre a terra, e também no céu. Da Sua igreja sai a Sua palavra; de Sião Ele leva às nações a Palavra de vida.

"A sua palavra corre velozmente." Os Seus propósitos de amor são rapidamente cumpridos. Os monarcas orientais trabalhavam arduamente para estabelecer uma rápida comunicação postal; o desejo, a vontade e a ordem do Senhor voam em um instante, de um pólo a outro, do céu à terra. Nós, que habitamos no centro dos domínios do Senhor, podemos nos alegrar intensamente pelo fato de que, até o ponto mais extremo do domínio, o mandamento divino segue rapidamente, com resultado assegurado, e não é impedido pela distância ou pelo tempo. O Senhor pode livrar o Seu povo rapidamente, ou enviar-lhes suprimentos imediatamente, de Sua corte, no alto. Os mandamentos de Deus na natureza e na providência são decretos contra os quais nunca se levantou oposição; ou melhor, para cumpri-los, todas as coisas se apressam com entusiasmo. As expressões no texto estão tão distintamente no presente que tencionam nos ensinar a missão atual e eficiência da Palavra de Deus, e assim nos incentivar ao louvor na atualidade.

16. Aqui vêm exemplos do poder de Deus sobre os elementos.

"Quem dá a neve como lã." Ele espalha a neve como uma dádiva, que cai em flocos, como uma lã felpuda. A neve cai lentamente, cobre tudo, e veste as superfícies, assim como a lã cobre a ovelha. A mais evidente semelhança está na brancura das duas substâncias; mas muitas outras semelhanças há para serem vistas pelo olho observador. É sensato ver Deus no inverno, e em aflição, bem como no verão e na prosperidade. Aquele que um dia nos alimenta com a flor da farinha, em outra ocasião nos veste de neve: Ele é o mesmo Deus, em cada caso, e cada forma da Sua operação concede uma dádiva aos homens.

"E esparge a geada como cinza." Aqui, novamente, o salmista vê Deus diretamente e pessoalmente em ação. Da mesma maneira como as cinzas cobrem a terra, quando os homens estão queimando o capim espesso, e como quando os homens lançam cinzas ao ar, causando um tipo singular de brancura nos lugares onde caírem estas cinzas, assim acontece com a geada. As pessoas do campo falam de uma geada negra e uma geada branca, e a mesma coisa pode ser dita sobre cinzas, pois elas são, ao mesmo tempo, negras e brancas. Além disto, o frio excessivo queima tão eficazmente como um grande calor, e por isto aqui há uma semelhança interior e também exterior, entre a geada e as cinzas. Louvemos ao Senhor, que condescende em dar asas a cada floco de neve e a espalhar cada partícula de geada. O Senhor nosso Deus não é ausente nem está inativo; Ele opera todas as coisas, e tudo está sob a Sua vontade. Ele está literalmente "em casa" em qualquer lugar de seu mundo.

17. *"Quem lança o seu gelo em pedaços."* Estas são as migalhas de granizo, que Ele lança, ou as crostas de gelo que Ele cria sobre as águas. Estes pedaços são o *Seu* gelo, e Ele os espalha. As duas expressões indicam uma presença muito real de Deus nos fenômenos da natureza.

"Quem pode resistir ao seu frio?" Ninguém pode resistir aos extremos rigores do frio, não mais do que conseguem suportar a veemência do calor. As ocasiões em que Deus retira a luz são uma escuridão que pode ser sentida, e as ocasiões em que Ele retira o calor são um frio que é absolutamente onipotente. Se o Senhor, em lugar de se revelar como um fogo, adotasse a manifestação oposta, o frio, Ele nos consumiria, se exibisse todo o Seu poder. Nós devemos nos submeter às privações com paciência, vendo que o frio é o *Seu* frio. Aquilo que Deus envia, seja calor ou frio, nenhum homem pode desafiar com impunidade, mas é bem-aventurado aquele que se curva diante dele com submissão infantil. Quando não pudermos mais estar em pé diante de Deus, alegremente nos lançaremos aos Seus pés, ou nos abrigaremos sob as Suas asas.

18. *"Manda a sua palavra e os faz derreter."* Quando a geada é mais penetrante, e o gelo é mais duro, o Senhor intervém; e embora Ele não faça nada além de enviar a Sua palavra, as rochas do gelo são dissolvidas imediatamente, e os imensos blocos de gelo começam a flutuar em direção aos mares do sul. O fenômeno do inverno não é tão abundante na Palestina como é conosco; mas ainda assim ele tem testemunhas suficientes para fazer com que o devoto bendiga a Deus pelo retorno da primavera. Com a vontade de Deus, a neve, a geada e o gelo desaparecem, e é chegado o momento do botão que se abre e do cântico de pássaros. Por isto, louvemos ao Senhor, quando nos expomos entre as flores da primavera.

"Faz soprar o vento, e correm as águas." O Senhor é a grande e principal causa de tudo; até mesmo os ventos instáveis e errantes são causados por Ele. As leis naturais são, em si mesmas, meras regras inoperantes; mas elas são diretamente capacitadas pelo poder do Onipotente, que está vivo e atuante. Os ventos suaves do sul, que trazem um degelo geral, são do Senhor, como também são aqueles golpes de vento do inverno, que represam as correntezas com fronteiras de gelo. Simples, mas efetivos, são os métodos de Jeová, no mundo natural; igualmente efetivos são os que Ele emprega no reino espiritual; pois o sopro do Seu Espírito Santo alcança os corações congelados, e as correntezas de penitência e amor jorram de uma só vez.

Observe como isto sentencia a palavra e o vento a andarem juntos, na natureza. As duas coisas servem, uma à outra, na graça; o Evangelho e o Espírito Santo cooperam na salvação. A verdade que o Espírito inspirou aos profetas e apóstolos, Ele inspira em almas mortas, e estas são vivificadas à vida espiritual.

19. *"Mostra a sua palavra a Jacó, os seus estatutos e os seus juízos, a Israel."* Aquele que é o Criador também é o Revelador. Nós devemos louvar ao Senhor, acima de todas as coisas, por se manifestar a nós como não se manifesta ao mundo. Qualquer que seja a parte da Sua mente que Ele nos revela, quer seja uma mensagem de instrução, um estatuto de orientação, ou um juízo de governo, nós somos levados a bendizê-lo por isto. Aquele que faz com que o verão venha no lugar do inverno também removeu o frio e a morte de nossos corações, pelo poder da Sua palavra, e isto é causa abundante para cantar ao Seu nome. Da mesma maneira como a semente de Jacó de antigamente foi levada a conhecer ao Senhor, também nós, nestes dias posteriores; portanto, que o Seu nome seja exaltado entre nós. Com esse conhecimento, Jacó é dignificado, e passa a se chamar Israel; assim, aquele que é feito um príncipe eminente em oração também será um grande músico no louvor. O povo eleito devia cantar aleluias ao seu próprio Deus. Por que eles eram tão particularmente favorecidos, se não declaravam, acima de todos os outros, a glória do seu Deus?

20. *"Não fez assim a nenhuma outra nação."* Israel tinha um conhecimento claro e exclusivo de Deus, ao passo que os outros são deixados na ignorância. A escolha é o chamado mais alto para a adoração agradecida. *"E, quanto aos seus juízos, nenhuma os conhece"*; ou, "e juízos, elas não os conheciam", como se por não conhecerem as leis de Deus elas pudessem ser consideradas como não tendo nenhuma lei digna de menção. As nações estavam cobertas com trevas, e somente Israel estava sob a luz. Isto era a graça soberana, no seu auge de poder.

"Louvai ao Senhor." Quando mencionamos o amor que há na eleição, um amor que distingue, o nosso louvor não pode se elevar ainda mais, e por isto encerramos com mais um Aleluia.

NOTAS EXPLICATIVAS E OBSERVAÇÕES SINGULARES

Todo o Salmo: Todo o salmo é um convite a louvar a Deus. Neste sentido, são obtidos argumentos, em primeiro lugar, da *bondade geral* de Deus para com o mundo (vv. 4, 8, 9, 16-18). Em segundo lugar, da Sua *misericórdia especial para com a Sua igreja.* 1. Ao *restaurá-la* de uma condição triste e quebrantada (vv. 2,3). 2. Ao *confirmá-la* em um estado bem-aventurado e próspero, tanto temporal, com relação à força, paz e fartura (vv. 12-14); como espiritual, com relação à Sua palavra, aos Seus estatutos e juízos, dados a conhecer aos homens (vv. 19,20). Por fim, estas bênçãos tão todas ordenadas pela *maneira* como são concedidas – *poderosamente* e *rapidamente*. Ele o faz com uma palavra de comando, e uma palavra de rapidez: "Ele envia o seu mandamento à terra; a sua palavra corre velozmente" (v. 15).

A parte temporal deste estado bem-aventurado, juntamente com a maneira de concedê-lo, é aqui descrita, mas de maneira alguma devemos excluir o significado espiritual. E o que pode estar faltando a uma nação que é "fortalecida" com muros, "abençoada" com multidões, que tem "paz" nas fronteiras, "fartura" no campo, e, o que é o principal, Deus no santuário: Deus, o ferrolho da "porta", o Pai dos filhos, a coroa da "paz", a vara da "fartura"? Eles têm uma "porta" restaurada, uma "cidade" abençoada, uma "fronteira" em paz, um "campo" coroado, um "santuário" embelezado com os oráculos de Deus. O que pode faltar a este povo, senão uma boca cheia, um coração dilatado, um espírito exaltado nos louvores do Senhor? "Louva, ó Jerusalém, ao Senhor; louva, ó Sião, ao teu Deus", etc. (v. 12). – *Edward Reynolds, em um sermão intitulado "Sion's Praises". 1657*

Todo o salmo: O Deus de Israel, o que Ele fez, o que Ele faz, o que Ele pode fazer – este é o tom do "*Aleluia*" deste cântico. Tão alegre é o tema, que no versículo 1 encontramos uma contribuição para ele, feita em Salmos 33.1, 92.1 e 135.3; cada passagem fornece a sua quota de testemunho para a conveniência e o decoro de se louvar a esse Deus. – *Andrew A. Bonar*

v. 1: "Louvai ao Senhor". Aleluia. Uma expressão muito similar a esta, em som, parece ter sido usada por muitas nações, que dificilmente poderíamos supor que tivessem tomado emprestada esta expressão dos judeus. É impossível que esta seja uma das mais antigas expressões de devoção? Com base no uso dos gregos de ἐλελεῦ ἰὴ como um solene princípio e encerramento de seus hinos a Apolo, parece que eles a conheciam; acredita-se que ela foi ouvida entre os índios da América, e *Alá, Alá*, como o nome de Deus, é usada em grande parte do oriente: também em composição. Qual poderia ter sido o tronco primitivo que forneceu ramos de tão longo alcance? – *Augustine Calmet, 1672–1757*

v. 1: "É bom cantar louvores ao nosso Deus". Cantar é necessariamente incluído e reconhecido no louvor dos salmos. Que os felizes cantem é tão natural quanto que os aflitos orem – muito mais natural, na verdade. O cântico, como a expressão de alegria, é algo universal na natureza humana; sempre houve, tanto em Israel como em todas as outras nações, cânticos de alegria. Consequentemente, o cântico é constantemente mencionado pelos profetas, que usam o cântico de alegria como uma imagem frequente, mesmo quando esses cânticos ameaçam que Deus fará perecer o cântico da esposa e do esposo, e assim por diante. O *cantar* dos homens é, em si mesmo, bom e nobre. O mesmo Deus que dotou os pássaros do céu com as notas com que inconscientemente louvam ao seu Criador deu aos homens o poder de cantar. Todos nós sabemos o quanto Lutero, por exemplo, apreciava o dom e a arte do canto. Que aquele a quem esse dom é concedido se alegre; que aquele a quem falta este dom busque, se possível, estimulá-lo; pois é um bom dom do Criador. Que os nossos filhos aprendam a cantar nas escolas, enquanto aprendem a ler. Os nossos pais cantavam mais em todas as dificuldades da vida do que nós; as nossas melodias são, neste aspecto, menos revigorantes, menos naturais, e menos alegres. Há muitos entre nós que nunca cantam, exceto quando somam as suas vozes à da igreja – e por esta razão cantam tão mal ali. Não que um cântico desafinado, vindo de um bom coração, seja inaceitável para Deus; mas Ele deve receber o melhor de nós. Como Davi, nos seus dias, tomava cuidado para que houvesse cantores experientes para o santuário, também nós devemos cuidar do serviço do cântico na igreja, para que Deus possa ter, em todos os aspectos, uma oferta perfeita. Quão graciosa e agradável é a congregação cantando, com o coração, cânticos aceitáveis! – *Rudolf Stier, em "The Epistle of James Expounded", 1859 v. 1:* Alguns pensam que a tradução aqui tenha outras possibilidades. A tradução pode ser "Louvai ao Senhor porque *Ele* é bom", ou "porque *o louvor* é bom". Por que é declarado *"agradável"* e *"decoroso" é* o louvor a Deus? Não somente porque se nós o glorificamos, Ele também irá nos exaltar, mas porque Ele é tão infinitamente glorioso que nós somos infinitamente honrados, simplesmente ao sermos considerados dignos de adorar Alguém tão grande. – *John Lorinus*

v. 1: "É bom cantar louvores ao nosso Deus; isto é agradável; decoroso é o louvor". Estes aspectos merecem cuidadosa consideração.

I. Louvar a Deus é *"bom"*, por diversas razões. 1. O que Deus ordena é bom (Mq 6.8). De modo que dar graças não é um ato indiferente, não é adoração voluntária, mas é *cultus institutus*, que não deve ser negligenciado. 2. Eleva o coração, da terra ao céu; e sendo a obra dos anjos e dos santos no céu, nos une àquele coro no alto. 3. É bom, novamente, porque com isto nós pagamos, ou pelo menos reconhecemos uma dívida, e esta é uma justiça comum. 4. Bom, porque com isto provavelmente receberemos uma boa e grande recompensa; pois se aquele que ora a Deus provavelmente será recompensado (Mt 6.6), muito mais aquele homem que canta louvores a Ele; pois na oração, nós consideramos as nossas próprias necessidades, entretanto no nosso louvor nós honramos a Deus, e o bendizemos pelas Suas dádivas.

II. Louvar a Deus é *"agradável"*. 1. Porque se origina do amor; pois nada é mais agradável para aquele que ama do que fazer sonetos em louvor a quem ele ama. 2. Porque é necessário que seja agradável para o homem realizar aquele dever para o qual ele foi criado; pois Deus criou os homens e os anjos, para que eles o louvem. 3. Porque Deus se alegra com o louvor, como o mais doce sacrifício (Sl 50.23). 4. É agradável a Deus, porque Ele se alegra com aquelas virtudes que estão em nós – fé, esperança, caridade, religião, devoção, humildade, etc., das quais os nossos louvores são uma manifestação e um exercício.

III. Louvar a Deus é *"decoroso"*; pois não há maior mancha que a ingratidão; ela é feita de mentira e injustiça. Existe, portanto, toda a decência do mundo no louvor, e é decoroso que um homem seja grato ao seu Deus, que lhe dá livremente e gratuitamente todas as coisas. – *William Nicholson*

v. 1: Para persuadir todos os homens à gratidão, Davi diz, *"é bom e agradável"* ser grato. Se ele tivesse dito apenas *"bom"*, todos os que amam a bondade seriam obrigados a ser gratos; mas quando ele diz, não apenas *"bom"*, mas *"agradável"* também, fica evidente que todos os que amam o que é agradável devem ser gratos; e, por isto, como a sogra de Pedro, tão logo Cristo a curou de uma febre, se levantou imediatamente para servi-lo (Mt 8.15), também nós, tão logo Cristo faz algo por nós, devemos nos levantar imediatamente para servi-lo. – *Henry Smith*

v. 1: Não há céu, nem neste mundo nem no que há de vir, para as pessoas que não louvam a Deus. Se você não entrar no espírito e na adoração do céu, como podem o espírito e a alegria do céu entrar em você? O egoísmo faz longas orações, mas o amor faz orações curtas, para que possa continuar por mais tempo em louvor. – *John Pulsford, 1857*

v. 1: "Louvor". Há outra coisa, que é um sério obstáculo para que ofereçamos louvores ao Precioso e bendito Senhor através do serviço de cânticos da igreja, a saber, o fato de que temos pouquíssimos hinos realmente de louvor. Você se surpreenderá ao me ouvir dizer isto; mas você ficará ainda mais surpreso, se tomar uma amostra real de louvor, e buscar hinos de louvor. Você encontrará inúmeros hinos que falam sobre o louvor, e que nos exortam ao louvor. Não há falta de hinos que dizem que Deus deve ser louvado. Mas hinos que realmente louvem, e não apenas digam algo sobre o louvor, há realmente muito poucos. E nós estamos quase que completamente em dívida com as igrejas antigas pelos hinos de louvor que existem. Muitos deles nos vêm de igrejas latinas e gregas... Não há lugar, na literatura humana, onde você possa encontrar tantos louvores como nos salmos de Davi. – *Henry Ward Beecher*

v. 2: "O Senhor edifica Jerusalém", etc. Se este salmo foi escrito por ocasião do retorno da Babilônia, e a reconstrução da cidade terrena, as ideias devem ser transferidas, como em outros salmos do mesmo tipo, a uma restauração muito mais importante; sim, de um cativeiro muito pior, e à edificação da igreja sob o Evangelho, quando Cristo "reuniu em um corpo os filhos de Deus que andavam dispersos" (Jo 11.52); isto é, nas palavras do nosso Salmo, Ele *"congrega os dispersos de Israel"*. Novamente, na ressurreição, Ele "ajuntará os seus escolhidos desde os quatro ventos" (Mt 24.31) e "edificará uma Jerusalém" em que eles o servirão e louvarão para sempre. – *George Horne*

v. 2: "O Senhor edifica Jerusalém", etc.

Jerusalém! Jerusalém! A bênção ainda perdura
sobre a cidade dos eleitos, onde foi estabelecido o selo do sábado
E embora os seus filhos estejam dispersos, e as suas filhas chorem distantes,
enquanto a desolação, como uma mortalha, oprime cada coração fiel;
como a planície ao lado das águas, como o cedro sobre os montes,
ela se levantará, em força e beleza, quando o Senhor Jeová assim quiser:
Ele prometeu a sua proteção, e a promessa santa é boa,
ela é sussurrada pelos bosques de oliveiras, e murmuradas pela correnteza,
como na calma do sábado o fluxo do Jordão é ouvido;
e pelas brisas do sábado as árvores respeitosas se agitam.
– *Sra. Hale, em "The Rhyme of Life"*

v. 2: "Congrega os dispersos de Israel". Não se espante porque Deus congrega os *"dispersos"* e os escolhe, de cada canto da terra, para um retorno; por que Ele não pode fazer isto, além de "contar o número das estrelas, chamando-as a todas pelos seus nomes"? Não há ninguém do Seu povo, ainda que tão desprezível aos olhos dos homens, que não seja conhecido e considerado por Deus. Embora eles estejam nebulosos no mundo, são as estrelas do mundo; e Deus contará as estrelas inanimadas dos céus, e não se importará com as Suas estrelas vivas na terra? Não; onde quer que eles estejam dispersos, Ele não os esquecerá; por mais que eles estejam aflitos, Ele não os desprezará. As estrelas são tão numerosas que os homens não as podem contar; algumas são visíveis e conhecidas pelos homens, outras estão mais escondidas e não se revelam em uma luz confusa, como as da Via Láctea; um homem não consegue vê-las distintamente. Deus conhece todo o Seu povo. Da mesma maneira como Ele pode fazer o que está acima do poder de realização do homem, também Ele compreende o que está acima da habilidade de descoberta do homem. – *Stephen Charnock*

v. 2: "Congrega os dispersos de Israel". Davi bem pode ter escrito de maneira comovida sobre os *"dispersos"*, uma vez que ele mesmo tinha sido um deles; e mesmo de Jerusalém, na sua idade, quando expulso de lá por seu filho desnaturado, subiu pela subida das Oliveiras, andando e chorando, e com os pés descalços; e outros *"dispersos"* que iam com ele subiam chorando sem cessar. – *Barton Bouchier*

v. 3: "Sara os quebrantados de coração", etc. Este texto contém duas coisas; os *pacientes* e o *médico*. Os pacientes são os quebrantados de coração. O médico é Cristo; é Ele quem liga as suas feridas.

Aqui os pacientes são descritos e distinguidos como tendo duas feridas ou doenças; a tristeza de coração, e a ferida física: Ele as liga. A tristeza de coração pressupõe uma integridade de coração anterior. A integridade de coração é dupla: ou é a integridade do coração *no pecado*, ou a integridade do coração *livre do pecado*. Em primeiro lugar, a integridade de coração *livre do pecado* se dá quando o coração está *sem pecado;* e assim os benditos anjos têm corações íntegros, e também Adão e Eva, e nós neles, antes do pecado, tínhamos corações íntegros. Em segundo lugar, a integridade do coração *no pecado*; assim os demônios têm corações íntegros, e todos os homens, desde a queda, desde a sua concepção até a sua conversão, têm corações íntegros; e estes são os que o nosso Salvador deseja: "Não necessitam de médico os sãos, mas sim, os doentes".

A tristeza de coração pode ser considerada de duas maneiras: a primeira, *com relação à integridade do coração no pecado*: assim, a tristeza de coração não é uma doença, mas o começo da cura de uma doença desesperadora. A segunda, *com relação à integridade do coração sem pecado*; e assim, é uma doença, e peculiar a somente uma linhagem, a dos eleitos de Deus; pois embora o coração possa se tornar íntegro no seu desejo com relação a Deus, ainda assim está quebrantado pelos seus pecados. Assim como um homem que recebe uma flecha atirada no seu lado, e a flecha é arrancada da carne, e a ferida não é curada imediatamente; também o pecado pode ser arrancado do coração, mas a cicatriz que se criou ao arrancá-lo ainda não está curada. As feridas que ainda estão em meio à cura são as pragas e as perturbações da consciência, os suspiros e gemidos de uma alma faminta de graça, o veneno ardente que a presa da serpente deixou atrás de si; estas são as feridas.

O coração pode estar quebrantado de três maneiras. Em primeiro lugar, *pela lei*; da mesma maneira como parte o coração de um ladrão ouvir a sentença da lei, que ele deve ser enforcado pelo seu roubo, também parte o coração da alma, compreender sensivelmente a sentença da lei: Não pecarás; se o fizeres, estarás condenado. Se o coração se sensibilizar com esta sentença, "Estás condenado", é impossível resistir, ele certamente se quebrantará. "Não é a minha palavra como fogo, e como um martelo que esmiúça a penha?" (Jr 23.29). Algum coração de pedra pode resistir e não se quebrantar com os golpes da Palavra? Na verdade, um homem pode estar quebrantado a este ponto e ainda ser um condenado; pois todos estarão quebrantados no inferno, e, portanto, isto não é suficiente.

Em segundo lugar, *pelo Evangelho*; pois se o coração vier a sentir o amor do Evangelho, ele se partirá em pedaços. "Rasgai o vosso coração; porque o Senhor é misericordioso", etc. (Jl 2.13). Quando vierem todos os despertamentos da misericórdia de Deus, todos clamarão "Rasgai". Na verdade, o coração não pode resistir a eles, se forem sentidos. Que o Evangelho martele a sua alma: se algum caminho sob o céu puder quebrantá-la, este será o caminho.

Em terceiro lugar, o coração pode ser quebrantado *por meio do talento do ministro*, no modo de lidar com as duas coisas, a lei e o Evangelho: Deus o dotou de talento para pregar a lei, e lhe dá o entendimento sobre como apresentar o Evangelho, e desta maneira Deus quebranta o coração: pois, ai, embora a lei nunca seja um martelo tão bom, e embora o Evangelho nunca seja uma bigorna tão adequada, se o ministro não colocar a alma sobre o coração, este não se quebrantará: ele deve desferir um golpe certeiro com a lei, e deve apresentar todo o poder do Evangelho sobre a alma, caso contrário o coração não se quebrantará.

"Sara os quebrantados de coração." Consequentemente, observe que *Cristo justifica e santifica*; pois este é o significado.

1. Em primeiro lugar, porque *Deus deu a Cristo a graça para curar os quebrantados de coração*; portanto, se esta for a Sua graça, sarar os quebrantados de coração, certamente Ele os curará. "O Espírito do Senhor é sobre mim... enviou-me a curar os quebrantados do coração", etc. (Lc 4.18). Se Ele veio com a finalidade de *conceder* esta bênção, sim, com este propósito de curar os quebrantados de coração, Ele verdadeiramente os curará, e a ninguém mais, exceto a eles. Ele não é como Hosander e Hipócrates, cujo pai indicou que ambos fossem médicos; ele desejou que seu filho Hipócrates fosse um médico de cavalos, mas ele provou ser um médico de homens; ele desejou que Hosander fosse um médico para homens, e o filho provou ser um médico para cavalos. Jesus não é como eles; não, não; Ele sarará aqueles que Ele foi destinado a curar.

2. Porque Cristo *se incumbiu de fazê-lo*. Quando um médico talentoso empreende uma cura, certamente fará tudo para ser bem sucedido. Na realidade, às vezes um

bom médico poderá falhar, como aconteceu com o médico de Trajano, que morreu nas mãos do médico; na sua sepultura está escrito, "Aqui jaz Trajano, o Imperador, que pode agradecer ao seu médico por ter morrido". Mas se Cristo se incumbir da cura, você pode ter certeza dela; pois Ele diz a você, que tem o coração quebrantado, que Ele se incumbiu da cura, Ele já sente o seu pulso (Is 57.15).

Ele não apenas se incumbe disto, mas diz que Ele irá *visitar* o Seu paciente enfermo, Ele virá ao seu leito de morte, Ele virá e habitará com você no momento da sua doença; nunca faltará nada a você, mas Ele estará pronto a ajudá-lo: você não precisa se queixar e dizer, "Oh, o médico está longe demais, Ele não virá até mim". Eu habito nos lugares altos, diz Deus, mas ainda assim virei e estarei com você, que tem um espírito humilde. Você não precisa temer, dizendo, "Algum homem curará os seus inimigos? Eu tenho sido inimigo da glória de Deus, e ainda assim Ele me curará?" Sim, diz Cristo, se você estiver *quebrantado de coração*, Eu o curarei.

3. Em terceiro lugar, porque *esta é a incumbência de Deus*, e Ele irá cuidar do Seu próprio chamado: "o Senhor enviou-me a restaurar os contritos de coração" (Is 61.1)... E você não precisa temer a sua própria pobreza, por não tem com que lhe pagar; pois você pode ir até Ele, pelo caminho da súplica; Ele olhará para você gratuitamente, pois "para quem olharei: para o pobre", etc. (Is 66.2).

4. Em quarto lugar, *ninguém, senão o quebrantado de coração, receberá o remédio de Cristo.* O desejo de um médico é que o seu paciente se entregue a ele; se não o fizer, o médico não tem nenhum desejo de se envolver com ele. Ninguém, exceto o quebrantado de coração tomará o remédio que Cristo dá, e por isto Ele diz, "para quem olharei: para o pobre e abatido de espírito e que treme diante da minha palavra" (Is 66.2). Quando eu lhe digo que tome tal remédio, diz Deus, ele treme, e o toma. – *William Fenner, em um sermão intitulado "The Sovereign Virtue of the Gospel", 1647*

v. 3:

Ó, tu, que secas a lágrima do que chora,
quão sombrio seria este mundo,
Se, quando enganados e feridos aqui,
não pudéssemos fugir para Ti!
Os amigos, que vivem sob o nosso sol,
quando chega o inverno, fogem;
e aquele que tem apenas lágrimas para dar
deve chorar essas lágrimas sozinho.
Mas Tu sararás esse coração quebrantado
que, assim como as plantas que emanam
a sua fragrância da parte ferida,
exala a doçura da lamentação.

Quando a alegria não mais animar nem consolar,
e até mesmo a esperança que lançou
um brilho momentâneo sobre as nossas lágrimas
também se obscurece e desaparece;
Oh! quem suportaria a condenação tempestuosa da vida
se as Tuas asas de amor
não viessem, trazendo reluzente em meio à escuridão
o nosso ramo da paz, do alto?
Então a tristeza, tocada por Ti, resplandece,
com mais do que o raio do arrebatamento;
quando as trevas nos mostram mundos de luz
que nunca vimos durante o dia!
– *Thomas Moore, 1779–1852*

v. 3: "Sara os quebrantados de coração". O quebrantado de coração é aquele cujo coração é afetado pelo mal do pecado e chora lágrimas amargas por causa disto; aquele que sente tristeza, vergonha e angústia, ao rever a sua vida passada e pecadora, e a sua infame rebelião contra um Deus justo. Ele tem um coração quebrantado. O seu coração está quebrantado, ao ver a sua própria ingratidão – o desprezo que ele destinou aos esforços do Santo Espírito. O Seu coração está quebrantado, quando ele considera os incontáveis convites feitos a ele nas Escrituras, tendo desprezado de modo ímpio todos eles. O seu coração está quebrantado, com a lembrança de mil providências benevolentes destinadas a ele e à sua família, durante o dia e à noite, todas enviadas por Deus, e destinadas ao seu benefício moral, espiritual e eterno, porém maltratadas por ele, de maneira infame e injustificável. O seu coração está quebrantado com a consideração do amor e compaixão do adorável Redentor; a humilhação do Seu nascimento; a dedicação da Sua vida; a vergonha e indignidade dos Seus sofrimentos; a ignomínia e angústia da Sua morte. O seu coração está quebrantado quando a sua consciência lhe assegura que toda esta humilhação, este sofrimento, esta morte, eram por ele, que tão deliberadamente e repetidamente recusou a graça que o sangue e a justiça de Cristo compraram. É a visão do Calvário que o enche com a angústia do espírito, que o esmaga com confusão e auto-humilhação. Enquanto ele contempla a cena assombrosa, ele fica em pé, e chora, e ora, e bate no peito, e exclama: "Ó Deus, tem misericórdia de mim, pecador". E acrescenta: "Miserável homem que eu sou! Quem me livrará do corpo desta morte?"

O quebrantado de coração também deve ser interpretado como aquele que busca o auxílio apenas em Deus, e não será consolado até que Ele traga paz à sua alma.

O ato de Deus, na passagem diante de nós, é a saúde moral e espiritual do homem – do homem, que trouxe a doença para si mesmo – do homem, enfermo em virtude da sua própria rebelião contra o seu Criador – do homem, que, em dez mil maneiras, tinha provocado a justiça do céu, e merecia apenas indignação e ira eterna – a saúde do homem, que, em um instante, Ele poderia arremessar à total destruição. A saúde salvadora aqui proposta é a remoção de toda a culpa, qualquer que seja a maneira como foi contraída, e de toda corrupção, qualquer que tenha sido a maneira como se arraigou. É a comunicação da benevolência de Deus, da riqueza da Sua graça, e a implantação da Sua justiça.

Para efetuar a cura do coração quebrantado, adicionalmente Deus indicou um médico, cuja habilidade é infalível, cuja bondade e cuidado se equiparam à sua habilidade. Este médico é ninguém além do Filho de Deus. Neste caráter Ele se deu a conhecer a nós. "Não necessitam de médico os que estão sãos, mas sim os que estão enfermos". O profeta Isaías apresenta o Seu advento usando as palavras mais sublimes: "Ele enviou-me a restaurar os contritos de coração, a proclamar liberdade aos cativos e a abertura de prisão aos presos".

A saúde, moral e espiritual da alma, meus irmãos, deriva do sacrifício expiatório de Cristo. A graça de Deus flui para o quebrantado de coração, pela Sua humanidade, a Sua divindade, a Sua justiça, a Sua verdade; pela Sua paciência, Sua humildade, Sua morte e paixão; pela Sua vitória sobre o pecado, a Sua ressurreição, e ascensão ao céu. Aqui, você, quebrantado de coração, você, penitente vigilante e entristecido; aqui está o remédio, aqui está o médico, aqui está a cura, aqui está a saúde que você buscava.

A cura do quebrantado de coração deve ser também interpretada como realizada por intermédio da intervenção do Espírito Santo. Ela depende do Espírito de Deus, para que possa ser feita, e para que possa ser bem feita; ela é realizada por Ele para que todo o louvor, a glória daquilo que é feito, possa ser atribuído à plenitude, à liberalidade, à soberania da Sua graça. O Espírito de Deus, no entanto, usa meios. Os meios da graça são indicados expressamente com este propósito; a bênção da cura é aplicada. Ali, sob o som do Evangelho eterno, enquanto se olha com fé para Cristo, e se apropria dos Seus méritos, Ele cura o quebrantado de coração. Ali, enquanto se comemora o amor moribundo de Cristo e se aplica os Seus benefícios à alma pela fé, Ele cura o quebrantado de coração. Ali, enquanto a alma, sensível à sua bondade, oferece o cântico de louvor, e confia apenas na Sua misericórdia, Ele cura o quebrantado de coração. Ali, enquanto está prostrado diante do Seu escabelo, suplicando a Sua graça, descansando na Sua redenção concluída, Ele cura o quebrantado de coração. Nos atos privados de devoção, o Espírito de Deus também está perto para abençoar e salvar. Ali, enquanto lê e crê na Sua santa Palavra, enquanto medita sobre o seu significado; ali, enquanto está em oração secreta e solene, a alma se apega a Deus, em Cristo Jesus; Ele cura o quebrantado de coração. – *Condensado de um sermão escrito por Thomas Blackley, 1826*

v. 3: "Ele sara os quebrantados de coração". Eu simpatizo e me solidarizo, muito sinceramente, com você, nesta nova angústia. "As tuas vagas têm passado por cima de mim". Esta provação é ainda mais pesada por não ser a primeira ocorrência, porém as águas continuam tranquilas, e continuam a subir, até que um abismo chame outro abismo, devido ao ruído das fontes de Deus. "Todas as tuas ondas". Em tais circunstâncias, nós somos muito tentados a nos perguntar se é verdade que o Espírito Santo está no meio de nós, e se não esmagará a cana quebrada e se não apagará o morrão que fumega. Não podemos, no entanto, duvidar disto, nem mesmo no dia da nossa angústia, e da nossa tristeza desesperada. O nosso Deus é o Deus dos corações quebrantados. Quanto mais profundamente um coração for ferido, e quanto mais sangrar, mais precioso será aos Seus olhos, mais perto Ele se colocará, e Ele permanecerá ali por um tempo maior. "Habito também com o contrito e abatido de espírito". Mais abundantemente Ele manifesta a bondade e a glória do Seu poder, trazendo-os ternamente no Seu seio, e, por fim, cuidando das feridas mais dolorosas. "Ele sara os quebrantados de coração". "Ó oprimida, arrojada com a tormenta e desconsolada! Eis que eu porei as tuas pedras com todo o ornamento e te fundarei sobre safiras". A chorosa Noemi disse: "chamai-me Mara, porque grande amargura me tem dado o Todo-poderoso". Posteriormente, a feliz Noemi tomou o filho de sua própria Rute, e o pôs no seu regaço, e docemente percebeu que os dias de seu pesar haviam terminado.

Meu caro amigo, este novo jorrar de profunda tristeza foi preparado para você pelo Ancião de dias. O Seu Filho – e esse Filho é amor – manteve os conselhos antigos, para guardá-los e executá-los, o que inclui até mesmo o menor detalhe deles. – *John Jameson, 1838*

v. 4: "Conta o número das estrelas", etc. De maneira similar Ele mostra, que embora Abraão não conseguisse compreender a multidão dos filhos, da sua fé ou da sua carne, mais do que podia contar o número das estrelas, ainda assim o Senhor conhece todos os crentes pelo nome, da mesma maneira como conhece cada estrela, e pode chamar a todas pelos seus nomes. – *David Dickson*

v. 4: "Conta o número das estrelas", etc. Entre os pagãos, cada constelação representa algum deus. Mas as Escrituras mostram Jeová, não como um de muitos deuses estelares, mas como o único Deus, de todas as estrelas. Ele também é, como ensinou ao Seu povo, por intermédio de Abraão, o Deus de um firmamento de estrelas mais nobres. O Seu povo está disperso e é pisado, como as areias da praia. Mas Ele converte pó e terra em estrelas de glória. Ele fará de cada santo uma estrela, e o Firmamento é o céu do Seu povo, onde os sofredores quebrantados de coração da terra são glorificados em reluzentes galáxias. – *Hermann Venema*

v. 4: "Chamando-as a todas pelos seus nomes". Literalmente, "dá nomes a todas elas", uma expressão que assinala não somente o poder de Deus, ao comandar todas elas como um exército (Is 40.26), mas também o Seu mais íntimo conhecimento e cuidado vigilante, como o de um pastor pelo seu rebanho (Jo 10.3). – *J. J. Stewart Perowne*

v. 4: "Chamando-as a todas pelos seus nomes". Elas lhe prestam a devida obediência, como servos obedecem ao seu senhor. Quando ele os escolhe e os chama pelo nome, para que façam algum serviço oficial, ele os escolhe para seus vários trabalhos, como o general de um exército determina a posição de cada regimento de um batalhão; ou *"Ele as chama pelo nome", isto é,* Ele lhes dá nomes, como um sinal de domínio, sendo o ato de dar nomes às criaturas inferiores o primeiro ato do domínio de Adão sobre eles. Elas estão sob a soberania de Deus. As estrelas, por suas influências, lutam contra Sísera (Jz 5.20); e o sol as controla com as suas rédeas, e fica parado, para iluminar Josué para uma vitória completa (Js 10.12). Todas estão perfiladas em suas fileiras para receber a Sua palavra de comando, e combatem juntas e de maneira ordenada, desejosas em ter uma participação na destruição dos inimigos de seu soberano. – *Stephen Charnock*

v. 4: A imensa distância que separa as estrelas mais próximas que conhecemos, prova que são corpos de tamanho prodigioso, não inferiores ao seu próprio sol, e que elas brilham, não por raios refletidos, mas por sua própria luz natural. Mas os corpos envoltos por tão refulgente esplendor teriam pouca utilidade no império do Senhor, a menos que os mundos vizinhos compartilhassem da sua benigna influência e fossem iluminados por seus raios. Conclui-se, portanto, que cada estrela é um sol, rodeado por globos planetários. Aproximadamente mil dessas luminárias podem ser vistas a olho nu, em uma noite clara de inverno. Mas elas não correspondem nem a uma octogésima milésima parte do que pode ser visto com a ajuda dos telescópios. Quando o Dr. Herschel estava explorando a mais apinhada parte da Via Láctea, em um período de quinze minutos, nada menos do que 116.000 estrelas passaram pelo campo de vista de seu telescópio. Calcula-se que aproximadamente cem milhões de estrelas poderiam ser divisadas pelos nossos mais perfeitos instrumentos, se todas as regiões do céu fossem minuciosamente exploradas. Mas imensuráveis regiões de espaço estão além dos mais extremos limites da visão humana, ainda que com a ajuda dos instrumentos, em que apenas a própria imaginação mal pode penetrar, mas que sem dúvida estão repletas de operações da sabedoria divina e da onipotência divina. – *Thomas Dick, em "The Christian Philosopher"*

v. 5: "O seu entendimento é infinito". Hebraico: *"Do seu entendimento não há número".* Deus é incompreensível. Em *lugar;* em *tempo;* em *entendimento;* em *amor.* Em primeiro lugar, em *lugar*; porque nenhum lugar, nenhum espaço, pode ser imaginado tão grande, mas Deus o excede, e pode ser encontrado além desse espaço. Em segundo lugar, em *tempo*; porque Ele excede todo o tempo: pois Ele existia antes de todo o tempo que pode ser concebido, e existirá depois de todo o tempo. O tempo é uma coisa criada, para acompanhar a criação e dar continuidade a todas as coisas criadas e continuadas por Deus. Em terceiro lugar, em *entendimento*; porque nenhum entendimento criado pode compreendê-lo, de modo que nada que pertença a Deus possa se ocultar desse entendimento. Em quarto lugar, em *amor*; porque Deus excede todo o amor; nenhuma criatura pode amar a Deus de acordo com o Seu valor. Todas estas maneiras de incompreensibilidade são a consequência da Sua infinidade. – *Thomas Larkham em "The Attributes of God Unfolded, and Applied", – 1656*

v. 5: "O seu entendimento é infinito". A sabedoria divina é descrita como *"incontável",* isto é, os objetos de que a sabedoria de Deus pode tomar conhecimento são incontáveis. – *Simon de Muis*

v. 5: Neste versículo, temos três dos atributos de Deus: a Sua grandeza, o Seu poder e o Seu conhecimento. E embora somente o último desses três seja expressamente descrito como sendo *infinito,* ainda assim a mesma coisa é implícita sobre os dois primeiros; pois todas as perfeições de Deus, sendo essenciais a Ele, são necessariamente infinitas, como Ele mesmo o é; e, portanto, o que é afirmado a respeito de um dos atributos deve, por uma equivalência de razão, ser estendido aos demais. – *John Conant, 1608–1693 v. 6:* "O Senhor eleva os humildes", etc. Os humildes não devem invejar os arrogantes que varrem a terra com seus vistosos mantos, não mais do que a realeza real inveja o herói real que se exibe sobre o palco. Eles, os humildes, serão príncipes e governantes muito tempo depois que estes atores tiverem deixado de lado as suas coroas chamativas.

Como será maravilhoso o oposto, quando Deus colocará os últimos em primeiro lugar, e os primeiros em último! Os moralistas frequentemente nos apontam o governante de cem amplos reinos que no final descem a seis pés [aprox. 1,80 metros] de terra aprisionadora; mas Deus nos mostrará o trabalhador agrícola que vive à beira da estrada, exaltado até a herança do universo. – *Evangelical Magazine*

vv. 7 a 9: Deus cria, e então não deixa de sustentar. Analogamente, o Senhor edifica Jerusalém e satisfaz as necessidades dos habitantes: por dedução espiritual, os santos afirmam que Cristo estabelece a Sua igreja e dá todas as dádivas de graça que são necessárias a esta instituição. – *John Lorinus*

vv. 8 e 9: "Monte... corvos". Maravilhosa Providência, que toma conhecimento igualmente do montanhoso e do diminuto. Aquele que a todos provê desce das alturas augustas e sublimes para salvar da fome a mais insignificante criatura – estendendo o Seu cuidado constante às necessidades até mesmo de pequenas coisas abjetas, os filhos dos corvos, como no texto em hebraico. – *Martin Geier*

v. 8: "Nuvens... chuva... erva". Há uma dependência e subordinação mútua entre todas as segundas causas. As criaturas são úteis, umas às outras, por ministérios e suprimentos mútuos; a terra é aquecida pelo calor dos céus, umedecida pela água, e pela moderação de ambos, se torna frutífera; e assim ela gera incontáveis plantas para a consolação e a benefício das criaturas vivas, e as criaturas vivas servem para o sustento do homem. É maravilhoso considerar a subordinação de todas as causas, e a proporção que têm entre si. Os céus trabalham sobre os elementos, os elementos sobre a terra, e a terra produz frutos para o uso do homem. O profeta observa esta admirável graduação: "Eu responderei aos céus, e estes responderão à terra. E a terra responderá ao trigo, e ao mosto, e ao óleo; e estes responderão a Jezreel" (Os 2.21, 22). Nós confiamos no campo para a produção do trigo, e do mosto e do óleo; mas ele nada pode fazer sem as nuvens, e as nuvens nada podem fazer sem Deus. As criaturas estão em dívida, umas com as outras, e todas com Deus. Na ordem do mundo, há uma excelente cadeia de causas, pelas quais todas as coisas estão relacionadas, de modo que possam elevar a alma ao Senhor. – *Thomas Manton*

v. 8: "Que prepara a chuva". A nuvem de chuva se separa do seu conteúdo apenas quando Deus assim o ordena, e como Ele o ordena, quer seja na chuva gentil ou na tempestade que inunda os campos e obstrui os esforços do lavrador. – *Thomas Robinson, em "Homiletical Commentary on the Book of Job", 1876*

v. 8: "Que faz produzir erva sobre os montes". As ervas verdes são tomadas, por assim dizer, sob a providência especial de Deus. Na vegetação perene em regiões acima da zona do cultivo do homem, temos uma prova perpétua do cuidado que Deus tem dos animais inferiores, que não semeiam nem colhem. A erva dos montes cresce espontaneamente; ela não requer nenhuma cultura, exceto a que a chuva e a luz do sol do céu fornecem. Eles obtêm a sua nutrição diretamente do solo inorgânico, e são independentes de materiais orgânicos. Em nenhuma parte a erva é tão verde e vigorosa como nas belas encostas de vegetação semelhante a pastagens que existem nos Alpes, radiantes com a glória de flores selvagens, e até mesmo musicais, com o zumbir dos gafanhotos, e o tilintar dos sinos pendurados nos pescoços das vacas.

Incontáveis cavas e cabras pastam neles; os camponeses passam os seus meses de verão fabricando queijo e feno para o consumo no inverno nos vales. Este exaustivo sistema de agricultura tem sido repetido durante séculos incalculáveis, ninguém pensa em adubar os pastos dos Alpes; e apesar disto, nenhuma deficiência foi observada na sua fertilidade, embora o solo seja apenas uma cobertura de pequena espessura sobre a rocha nua. Pode-se considerar como parte do mesmo arranjo sábio e misericordioso da Providência que os insetos que devoram a erva em *Kuh* e *Schaf Alpen,* os pastos das vacas e ovelhas, são mantidos controlados pela predominância de insetos carnívoros. Em todas as campinas montanhosas foi verificado que as espécies de insetos carnívoros são pelo menos quatro vezes mais numerosas do que as espécies de herbívoros. Assim, na ausência de pássaros, que são raros na Suíça, os pastos são preservados de uma terrível calamidade. Para alguém que não tenha conhecimento deste controle, parece surpreendente como a vegetação dos pastos alpinos pode ser tão rica e exuberante, considerando o imenso desenvolvimento da vida dos insetos. A grama, onde quer que haja luz do sol, está literalmente coberta por eles – borboletas de tonalidades vibrantes, e besouros de cores brilhantes; e o ar está cheio de seus zumbidos. Eu me lembro bem da vívida sensação da misericordiosa providência de Deus, que me dominou quando passava pelo belo Wengern Alp aos pés do Jungfrau, e via, onde quer que eu contemplasse a relva verde, viva, com seus minúsculos habitantes, o equilíbrio da natureza, tão maravilhosamente preservado entre a vegetação que é para o sustento do homem, como também os insetos, antes de serem esmagados. Se os insetos herbívoros pudessem se multiplicar livremente, em circunstâncias favoráveis, como as que produzem o calor do ar e a vegetação do solo na Suíça, as ricas pastagens que agora produzem abundante alimento para mais de um milhão e meio de animais e que rapidamente se tornariam desertos nus e sem vegetação. Não apenas na sua capacidade de crescer sem cultivo, mas também nas peculiaridades de sua estrutura, a relva da montanha proclama a mão de Deus. Parte dela é vivípara. Em lugar de produzir flores e sementes, como acontece com a relva nos vales tranquilos, as jovens plantas brotam delas, perfeitamente formadas. Elas envolvem o caule e formam um tipo de botão. Neste estado permanecem, até que o caule que as gerou seca e cai ao chão, quando elas imediatamente criam raiz e formam uma relva independente. É uma notável adaptação às circunstâncias; pois é óbvio que se fossem sementes, e não plantas vivas, que se desenvolvessem das espigas da vegetação da montanha, elas seriam inúteis, nas regiões inclementes onde crescem. Seriam sopradas dos lugares aos quais deveriam cobrir, e iriam a lugares diferentes de sua natureza e seus hábitos, e assim as espécies rapidamente pereceriam.

Quanto mais pensamos nisto, mais nos maravilhamos com a sábia previsão que sugeriu o decreto da criação: "Produza a terra erva verde". É a mais abundante e mais difundida de toda a vegetação. Ela se adapta a praticamente todos os solos e climas. – *Hugh Macmillan, em "Bible Teachings in Nature", 1868*

vv. 8 e 9: Os hebreus não tinham noção do que nós denominamos "leis secundárias", mas acreditavam que Deus agia diretamente sobre a matéria, e era a causa imediata e eficiente da ordem solene, e os variados e maravilhosos fenômenos da natureza. Proporcionados, assim, com todo o maquinário de causa e efeito, como empregamos estes termos em linguagem filosófica, as suas mentes eram levadas a um contato imediato com Deus, em Suas múltiplas obras, e isto deu, tanto à devoção como ao espírito da poesia, a mais vivaz inspiração e o mais livre escopo de ação. O céu e a terra eram governados pelos Seus comandos: o trovão era a Sua "voz", o relâmpago era as Suas "flechas". É Ele que "faz subir os vapores das extremidades da terra". Quando a cidade faminta invocasse o trigo, o mosto e o óleo, e esses invocassem a nutrição do solo, e a terra ressecada invocasse a umidade do céu, e os céus invocassem ao Senhor, em busca de permissão para refrescar a terra, então o Senhor ouviria e supriria. Ele deu a chuva, e enviou a seca e a fome. As nuvens não eram consideradas meramente sustentadas pela lei da gravidade, mas Deus as espalhou pelo céu; estas nuvens eram o carro de Deus, as cortinas de Seu pavilhão, o pó dos Seus pés. A neve e o granizo eram manifestações temíveis de Deus, frequentemente enviadas como mensageiros da Sua ira. – *F. G. Hubbard, en "Bate's Encyclopaedia", 1865*

vv. 8 e 9: Pela Sua providência especial, Deus prepara o *"sustento"* dos que não têm outros cuidados. Os *"animais"* que vivem entre os homens são cuidados pelos homens; eles enriquecem o solo com esterco, e aram a terra; e isto produz o trigo para o uso desse gado, bem como do homem. Mas os *animais selvagens* que vivem nos *montes,* e nos lugares desertos e nas florestas, são alimentados somente pelos céus: a *"chuva"* que o céu destila enriquece aqueles montes secos e *"faz produzir erva"* ali, o que nada mais poderia fazer, e assim Deus dá a esses *animais selvagens* o seu alimento, através da mesma maneira de atuação da Divina Providência, como no final do versículo Ele é descrito, sustentando os *"filhos dos corvos"* – *Henry Hammond*

v. 9: "Os filhos de corvos clamam". As estranhas histórias contadas por autores árabes e judeus, sobre a crueldade dos corvos com os seus filhotes, ao tirá-los de seus ninhos antes que eles sejam plenamente capazes de cuidar do seu próprio sustento, são completamente sem fundamento, uma vez que não há ave mais cuidadosa com os seus filhotes do que o corvo. Ao seu hábito de voar incessantemente em busca de comida para satisfazer o seu próprio apetite e o de seus filhotes, talvez se possa atribuir a razão pela qual ele foi escolhido pelos autores sagrados como um objeto especial da graça protetora de Deus. – *W. Houghton, em "The Bible Educator"*

v. 9: "Os filhos do corvo clamam". Antes de aprender a voar, os filhos dos corvos têm o estranho hábito de cair de seus ninhos e bater as suas asas fortemente contra o chão. No dia seguinte, eles são encontrados pelos pastores, ainda grasnando no chão, debaixo de suas casas, e são, então, capturados e levados, com relativa facilidade. – *J. G. Wood, em "The Illustrated Natural History", 1869*

v. 9: "Os filhos do corvo clamam". Os procedimentos e manobras noturnos dos corvos são curiosos e divertidos no outono. Pouco antes do anoitecer, eles retornam em grandes grupos, de suas excursões do dia, e se reúnem, aos milhares, sobre Selbourne, onde giram pelo ar, e voam e mergulham de uma maneira divertida. O tempo todo eles emitem os seus sons, as suas vozes, e produzem um grasnar alto, que é mesclado e suavizado pela distância que estão de nós. Na aldeia, estamos abaixo deles, e assim se torna um ruído confuso ou um murmúrio agradável, muito estimulante à imaginação, e em nada diferente do clamor de uma matilha de cães de caça em meio às árvores que produzem eco; ou, ainda, o ruído da passagem do vento em meio às árvores altas, ou a subida da maré sobre os pedregulhos da praia. Quando termina esta cerimônia, com o último raio de luz do dia, eles se retiram para a noite, nas faias de Tisted and Ropley. Nós nos lembramos de uma menina que, ao ir para a cama, costumava mencionar esta ocorrência, no verdadeiro espírito da medicina e da teologia, dizendo que as rochas estavam proferindo as suas orações; no entanto, esta menina era jovem demais para saber o que as Escrituras tinham dito, sobre o Senhor Deus, que "dá o seu sustento aos filhos dos corvos, quando clamam". – *Gilbert White (1720–1793), em "The Natural History of Selbourne"*

v. 9:

Afaste-se do seu desespero;
Veja os leves habitantes do ar estéril;
A eles, não pertencem armazéns nem celeiros,
nada, além dos bosques e o cântico agradável;
Mas o seu bondoso Pai celestial dirige o Seu olho
Para a menor asa que flutua pelo céu.
A Ele eles cantam, quando a primavera renova a planície;
a Ele clamam, durante o incômodo reinado do inverno;
Não é em vão a música, nem a sua queixa.
Ele ouve o clamor alegre e o aflito,
e com generosidade sem parcimônia, os sustenta a todos.
Não cuidará, então, de você, ó infiel?
Ele é insensato? Ou você é menor do que eles?
– *James Thomson, 1700–1748*

v. 9: Dizem de Edward Taylor, o pregador e marinheiro de Boston, que no domingo anterior ao dia em que devia zarpar para a Europa, ele estava pedindo que o Senhor cuidasse da sua igreja, durante a sua ausência. De repente, parou e exclamou, "O que estou fazendo? Desconfiando da Providência dos céus! Um Deus que dá a uma baleia uma tonelada de arenques como desjejum, não cuidará dos meus filhos?" e então prosseguiu, encerrando a sua oração, de uma maneira mais confiante. – *De "Eccentric Preachers", por C. H. S.*

v. 10: As duas partes deste versículo provavelmente tencionam descrever a *cavalaria* e a *infantaria,* como formadoras da força militar das nações. Não é para os que confiam em tais recursos, que o Senhor mostra benevolência, mas aos que confiam na Sua proteção (v. 11). – *Annotated Paragraph Bible*

vv. 10 e 11: Quando um pecador é levado a cair de joelhos, e se torna um suplicante, quando, da mesma maneira como se ajoelhou em aflição, também se ajoelha em oração e súplicas, então o Senhor será benevolente com ele, e mostrará o Seu prazer nele.

"O Senhor não se deleita na força do cavalo, nem se compraz na agilidade do varão." Nenhum homem terá a benevolência de Deus por causa de Sua generosidade externa, por ter um belo rosto, ou membros fortes e saudáveis; o Senhor não tem se comprazido nas pernas de nenhum homem; nem no cérebro de nenhum homem, por maior que seja o seu alcance; nem no intelecto de nenhum homem, por mais rápido que seja; nem no juízo de nenhum homem, por mais profundo que seja; nem na língua de nenhum homem, por mais eloquente ou persuasiva que seja; mas *"O Senhor agrada-se dos que o temem e dos que esperam na sua misericórdia"*, nos que andam humildemente com Ele, e que o invocam... Todas as belezas e raridades de pessoas e das coisas são tolas, sim, cansativas e entediantes para Deus, em comparação com uma alma temente, honesta, humilde. Os príncipes têm os seus favoritos (Jó 33.26): eles favorecem a alguns acima de outros, ou porque são pessoas belas e consideráveis, ou porque são homens de excelente discurso, prudência e conduta. Todos os homens piedosos são os favoritos de Deus; Ele os favorece, não somente acima de muitos homens do mundo, mas acima de todos os homens deste mundo, que têm a sua porção nesta vida; e, portanto, Ele os beneficia, porque eles são a compra do Seu Filho e a obra de Seu Espírito, convencendo-os de seus pecados, e humilhando-os por seus pecados, e também criando-os à imagem de Deus, em verdadeira justiça e santidade. Estes são os Seus favoritos. – *Joseph Caryl*

v. 11: "Os que o temem e dos que esperam na sua misericórdia". A paciência e o temor são os limites da esperança. Existe uma bela relação entre a esperança e o temor. Os dois estão unidos neste versículo. Eles são como a cortiça na rede de um pescador, que a impede de afundar, e o chumbo, que a impede de flutuar. A esperança sem o temor é o perigo de ser otimista demais; o temor sem a esperança logo se torna desalentador. – *George Sealon Bowes, em "In Prospect of Sunday", 1880*

v. 11: "Os que esperam na sua misericórdia". *Um* cristão sincero é conhecido por essas qualidades: o temor a Deus, ou a constante obediência aos Seus mandamentos, a confiança e a dependência das Suas bênçãos. Oh, com que doçura essas coisas se combinam: uma obediência uniforme e sincera a Ele, e uma confiança constante e inabalável na Sua misericórdia e bondade! Toda a perfeição da vida cristã está contida nestas duas características – crer em Deus e temê-lo, confiar na Sua misericórdia e temer o Seu nome; a primeira sugestão nos torna cuidadosos e nos faz evitar o pecado; a segunda faz com que buscamos diligentemente a justiça; a primeira é um freio, que nos afasta do pecado e das tentações, e a segunda é uma espora e um incentivo nos nossos deveres. O temor é o que nos restringe, e a esperança o que nos motiva e encoraja; o temor diz respeito ao nosso dever, a esperança, à nossa consolação; uma coisa aplaca a outra. Deus deve ser temido e igualmente, deve merecer a nossa confiança; devemos confiar nEle, e, igualmente, temê-lo; e da mesma maneira como não devemos permitir que o nosso temor degenere em escravidão legal, mas esperar na Sua misericórdia, também a nossa confiança não deve degenerar em preguiça e libertinagem carnal, mas, ao mesmo tempo, esperar na Sua palavra e temer o Seu nome. Então, os que creem em Deus e temem ofendê-lo são os únicos homens que são aceitáveis a Deus e ao Seu povo. Deus se agrada deles, e eles sentem prazer, uns com os outros. – *Thomas Manton*

v. 11: "Temor" e "Esperança" são os grandes *vincula* da teologia do Antigo Testamento, e abrangem e incluem, em seus significados, todas as ideias. – *Thomas Le Blanc*

v. 11: Temor e esperança são paixões da mente, tão contrárias uma à outra, que, com relação ao mesmo objeto, é estranho que elas se encontrem no mesmo caráter louvável; mas aqui vemos que realmente se encontram e é o louvor das mesmas pessoas, que elas temam a Deus e, ao mesmo tempo, tenham esperança nEle. De onde podemos concluir esta doutrina: em cada interesse que tenhamos em nossos corações, devemos ainda nos esforçar para manter o equilíbrio entre a esperança e o temor.

Nós sabemos o quanto a saúde do corpo depende da moderação devida dos fluidos corpóreos, de maneira que impede que um predomine sobre os demais; e o quanto a segurança e a paz das nações resultam de um equilíbrio entre comércio e poder, de maneira que ninguém cresça demais perante os seus vizinhos; e igualmente necessário é o equilíbrio para a saúde e o bem estar de nossas almas, de modo que deve ser mantida uma devida proporção entre os seus poderes e paixões, e que uma coisa sempre deve exercer o controle sobre a outra, para impedir que se chegue a situações extremas; como acontece com os sentimentos mencionados no texto. Um santo temor a Deus deve consistir em um controle sobre a nossa esperança, para impedir que ela cresça e se converta em presunção, e uma esperança piedosa em Deus consistir em um controle sobre o nosso temor, para impedir que ele afunde em desalento. Este equilíbrio deve, digo, ser mantido, por uma mão sensata e firme, em cada interesse que exista em nossos corações, e sobre os quais possamos ter os nossos pensamentos. Eu vou enumerar os que são da maior importância. Nós devemos conservar esperança e temor, 1. Quanto às preocupações das nossas almas e ao nosso estado espiritual e eterno. 2. Quanto às nossas preocupações externas, que dizem respeito ao corpo e à vida atual. 3. Quanto aos interesses públicos da igreja de Deus e a nossa terra e nação.

Com referência a cada um desses tópicos, devemos sempre procurar sustentar esse sentimento, quer seja esperança ou temor, para que o presente equilíbrio de nossas mentes e as circunstâncias do nosso caso tornem necessário que nos preservemos de uma situação extrema. – *Matthew Henry*

v. 12: O fato de que toda a Criação deve louvar involuntariamente ao Senhor, e o fato de que o dever primário da inteligência consciente é o louvor voluntário do mesmo Deus, são os dois *axiomas* da teologia do salmista. Na primeira parte deste salmo, ele declarou o primeiro, e agora está prestes a anunciar o segundo. – *Martin Geier*

v. 13: "Ele fortaleceu os ferrolhos das tuas portas". Bem-aventurada é a cidade cujas portas Deus fecha com o Seu poder, e abre novamente com a Sua misericórdia. Não há nada que possa defender aquilo que a Sua justiça deseje golpear; e não há nada que possa ofender aquilo que a Sua justiça deseje preservar. – *Thomas Adams*

vv. 13 e 14: O salmista recita quatro argumentos pelos quais ele deseja que Sião cante louvores. 1. Segurança e defesa. 2. Bênção. 3. Paz. 4. Sustento ou provisão.

1. *Segurança.* Jerusalém é uma cidade segura, sendo defendida por Deus: *"Porque Ele fortaleceu os ferrolhos das tuas portas".* Portas e ferrolhos são bons para uma cidade, mas a cidade somente está segura quando Deus os fortalece. A verdadeira munição de uma cidade é a defesa que Deus faz dela. As armas, leis, riquezas, etc., são os ferrolhos, mas Deus precisa fortificá-las.

2. *Bênção.* Jerusalém é uma cidade bem-aventurada, pois Ele *"abençoa aos teus filhos dentro de ti"*, os teus reis, príncipes, magistrados, etc., com sabedoria, piedade, etc.

3. *Paz.* Jerusalém é uma cidade pacífica. *"Ele pacifica os teus termos"*, o próprio nome indica isso; pois Jerusalém interpretada é *visio pads* – Visão de paz.

4. *Abundância.* Jerusalém é uma cidade suprida por Deus com o necessário alimento e provisão; pois *"da flor da farinha [Ele] te farta"*. – *William Nicholson*

v. 14: "Ele é quem pacifica os teus termos", etc. Há uma paz política – paz na cidade e no campo; esta é a mais bela flor da coroa de um Príncipe; a paz é a melhor bênção de uma nação. As abelhas estão bem, quando há um ruído; mas os cristãos estão melhor quando, como na edificação do Templo, não se ouve ruído de martelo. A paz traz a fartura consigo; quantos quilômetros alguém percorreria em peregrinação para comprar esta paz! Por isto, os gregos fizeram com que a Paz fosse a ama de Plutão, o Deus da riqueza. As plantas políticas prosperam melhor sob o sol da paz. *"Ele é quem pacifica os teus termos e da flor da farinha te farta"*. Os antigos fizeram da harpa o emblema da paz: como seria doce o som desta harpa depois do rugir do canhão! Todos devem procurar promover esta paz política. O homem piedoso, ao morrer, "entrará em paz" (Is 57.2); mas enquanto viver, a paz deve entrar nele. –*Thomas Watson*

v. 14: "Pacifica". Os hebreus observam que todas as letras no nome de Deus são *literse quiescentes,* letras de descanso. Somente Deus é o centro onde a alma pode encontrar descanso: somente Deus pode trazer paz à consciência. – *John Stoughton, –1639*

v. 14: "A flor da farinha". Se os homens tiverem uma grande quantidade dela, ela se torna um bem barato e grosseiro. Em nossos dias, a qualidade e a quantidade só são possíveis na produção humana *na razão inversa;* mas o Senhor dá o *maior* e o *melhor* de todos os mantimentos aos Seus pensionistas. Quão verdadeiramente o crente, sob o Evangelho, conhece o espírito interior deste significado! O Senhor Jesus Cristo diz, "a minha paz vos dou". E quando Ele nos coloca em repouso e tudo é reconciliação e paz, então Ele nos alimenta de *Si mesmo* – o Seu corpo, a flor da farinha, e o Seu sangue, o mais excelente vinho. – *Johannes Paulus Palanterius*

v. 15: "A sua palavra corre velozmente". Não há um momento entre o disparar da flecha e a sua chegada ao alvo; as duas coisas acontecem no mesmo átimo e ponto do tempo. Por isto, lemos nas Escrituras sobre os efeitos imediatos da palavra de Cristo. Ele disse ao leproso, "sê limpo. E logo ficou purificado da lepra" (Mt 8.3). E ao cego, "Vai, a tua fé te salvou. E logo viu" (Mc 10.52). Nenhuma flecha faz uma impressão tão imediata no alvo como a flecha da palavra de Cristo. Tão logo Cristo diga à alma, Sê iluminada, sê vivificada, sê consolada, a obra é feita. – *Ralph Robinson*

v. 16: "Ele dá a neve como lã". Há três coisas consideráveis na neve, pelas quais é comparada à lã. Em primeiro lugar, a sua *brancura.* A neve é branca como a lã; a neve é tão extremamente branca, que o testemunho de uma alma purificada pela graça do perdão, no sangue de Cristo, é comparado a ela (Is 1.18); e a última parte do mesmo versículo indica que a brancura da neve tem semelhança com a da lã. A brancura da neve é causada pela abundância de ar e fluidos que compõem o seu corpo cristalino, como dizem os naturalistas. Qualquer coisa que seja feita de uma substância aquosa, congelada ou muito afetada pelo frio, parece mais branca; e consequentemente todas as pessoas que habitam em locais ou nações de climas frios têm uma tez mais pálida do que as demais. Em segundo lugar, a neve é como a lã pela sua *maciez.* Ela é maleável pela mão, como um novelo de lã. Em terceiro lugar, a neve é como a lã (o que pode parecer estranho), com respeito ao seu *calor.* Embora a neve possa ser fria, em si mesma, para a terra é como a lã, ou como uma veste de lã ou um cobertor, que conserva o corpo aquecido. A neve não é quente formalmente, mas é quente efetivamente e virtualmente; e por isto ela é comparada à lã. – *Joseph Caryl*

v. 16: "Como lã". Ou seja, como tufos ou cachos, e tão branca como a neve nessas regiões (Is 1.18, Ap 1.14). – *John Diodati*

v. 16: "A neve como lã". Os antigos costumavam chamar a *neve* ερıωδες υδωρ, *água de lã* (Eustathius, em Dionys. Perieget. pág. 91). Marcial lhe dá o nome de *densum vellus aquarum, um grosso novelo de águas* (Epigram. 1.iv. Ep.3). Aristófanes chamou as nuvens de *novelos de lã voadores* (Nubes, pág. 146). Plínio a chama de *a espuma das águas celestiais* (Nat. His. lib. xvii. cap. 2). – *Samuel Burder*

v. 16: "Dá a neve como lã". Na Palestina a neve não é a característica principal do inverno, como ocorre em regiões mais ao norte. Ela é meramente um fenômeno ocasional. Há ocorrências ocasionais de neve em episódios de clima mais severo, nas partes mais elevadas da terra, que embranquecem, por um dia ou dois, as vinhas e os campos de trigo; mas ela derrete da terra verde com a mesma rapidez com que os vapores de sua irmã desaparecem do céu azul... Mas o salmista aproveitou a neve ocasional, como aproveitou o vapor voador, e a usou em um texto sobre as suas meditações espirituais. Devemos seguir o seu exemplo.

"Ele dá a neve como lã", diz o salmista. Esta comparação indica expressamente um dos mais importantes propósitos aos quais a neve serve, na organização da natureza. Ela cobre a terra como um cobertor, durante o período de sono do inverno, que é necessário para recrutar as suas energias exaustas, e prepará-la para novos esforços na primavera; e sendo, como a lã, má condutora de calor, conserva o calor latente do solo, e protege do rigor gélido do ar exterior a vida dormente de plantas e animais escondidos debaixo dela. O trigo semeado no inverno, quando protegido por esta cobertura, que sob a superfície raramente chega muito abaixo de 32° F (0° C), pode florescer, ainda que a temperatura do ar acima dele possa estar muitos graus abaixo do ponto de congelamento. A nossa nação, que desfruta de um clima uniforme, raramente necessita esta proteção; mas em climas de nações mais setentrionais, onde o inverno é severo e prolongado, os seus efeitos benéficos são mais visíveis. A escassa vegetação que floresce com tão repentina e maravilhosa delicadeza no auge do verão nas regiões árticas e sobre os cumes dos montes, pereceria completamente se não fosse pela proteção da neve que aí permanece durante três quartos do ano.

Mas não é apenas às plantas dos Alpes e aos animais que hibernam que Deus dá a neve como a lã. Os esquimós aproveitam a sua curiosa propriedade protetora, e engenhosamente constroem as suas casas de inverno com blocos de neve endurecida; assim, ainda que pareça estranho, por uma lei homeopática, eles se protegem do frio pelos efeitos do frio. O navegador do Ártico sempre esteve em dívida com os muros de neve que se erguem ao redor de seu barco, para o relativo conforto de seu alojamento de inverno, quando a temperatura no lado de fora está tão baixa que até mesmo o éter clórico se solidifica. E muitas vidas preciosas foram salvas pelo oportuno abrigo que a própria tempestade de neve propiciou contra a sua própria violência. Mas enquanto a neve aquece em regiões frias, ela também refresca em regiões quentes. Ela envia dos cumes brancos dos montes equatoriais o seu vento frio, para fazer reviver e revitalizar a vida decaída das terras que sofrem sob o intenso calor de um sol tropical; e de seus reservatórios elevados e inesgotáveis ela alimenta rios perenes, que irrigam as planícies, quando todos os poços e correntezas estão brancos e silenciosos no calor escaldante. Sem a neve perpétua das regiões montanhosas, a terra seria reduzida a um deserto sem vida.

E não somente a neve alpina conserva sempre cheios os rios que irrigam as planícies, como, pelo seu poder de desgaste, ao descer pelos montes, remove partículas das rochas que são levadas pelos rios e espalhadas sobre as planícies. Esta é a origem de uma grande parte da terra plana da Europa. Ela foi formada das ruínas dos montes, pela ação da neve. Foi pela neve de eras distantes que os nossos vales e as bacias dos lagos se formaram, a forma de nossas planícies foi esculpida e arredondada, e o solo em que cultivamos as nossas plantações foi formado. Quem pensaria nesta conexão? E isto é verdade! Da mesma maneira como a cada estação nós devemos o brilho e o florescer dos nossos campos de verão à melancolia e à destruição do inverno, também devemos a beleza atual do verão do mundo ao grande inverno secular do período glacial. E Deus não provoca resultados tão assombrosos por instrumentos aparentemente tão contraditórios no mundo humano? Aquele que aquece a terna vida latente das flores com a neve, e molda a tranquila beleza da paisagem do verão, pela geleira desoladora, que faz com que o frio da adversidade aqueça a vida da alma, para converter em graça espiritual a crueldade e aspereza de uma natureza egoísta e carnal. Muitas vidas cristãs produtivas devem a sua produtividade e beleza a causas que a desgastaram e destruíram durante algum tempo. Deus dá a neve como lã; e por mais frio e incômodo que seja o toque da tristeza, ele tem uma influência protetora contra males maiores; ele esculpe a paisagem espiritual interior em formas de beleza e graça, e aprofunda e fertiliza o terreno do coração, de modo que nele possam crescer os pacíficos frutos da justiça plantada pelo próprio Deus. E agora vamos examinar Aquele que dá a neve. *"Ele* dá a neve como lã". "O floco de neve", como observa surpreendentemente o Professor Tyndall, "conduz de volta para o sol" – tão intimamente estão todas as coisas entre si, neste maravilhoso universo. Ele leva ainda mais longe e mais alto – até Àquele que é o nosso sol e escudo, a luz e o calor de toda a criação. Todo o grande campo do inverno, com seus estranhos fenômenos, é apenas o sopro de Deus – a Palavra criativa – de certa forma, congelado contra a azul transparência do espaço, como a maravilhosa obra do gelo sobre uma vidraça. O salmista não tinha a menor dúvida de que Deus formava e enviava o milagre anual da neve, da mesma maneira como tinha formado e enviado o milagre diário do maná no deserto. É uma coisa comum, uma ocorrência natural e corriqueira, mas tem o sinal divino, e exibe a glória e a benignidade de Deus tão assombrosamente como o mais maravilhoso evento sobrenatural na história desta nação. Quando Deus desejou impressionar Jó com uma sensação do Seu poder, não foi a algumas de Suas obras milagrosas que Ele apelou, mas a algumas de Suas obras comuns. E quando o salmista desejou louvar a Deus pela preservação de Israel e a restauração de Jerusalém – como no salmo de onde extraí o meu assunto – não é aos eventos maravilhosos e milagrosos que abundavam na história de Israel que ele dirige a sua atenção, mas aos eventos comuns da Providência e às aparições e processos normais da natureza. Ele não se cansava de pensar sobre o Criador Onipotente e Criador do Universo entrando em relacionamento familiar com o Seu povo, e condescendendo com as suas mais humildes necessidades. É o mesmo Deus que "dá a neve como lã", que "mostra a sua palavra a Jacó, os seus estatutos e os seus juízos, a Israel". E a maravilha desta peculiaridade é enfatizada por pensamentos tomados emprestados das maravilhas da natureza. Nós conhecemos mil vezes mais a natureza, a formação e o propósito da neve do que o salmista conhecia. Mas este conhecimento é preciosamente conquistado se a nossa ciência destruir a nossa fé. Que quantidade ou precisão de conhecimento científico pode nos compensar pela perda da sensibilidade espiritual, que, em todas as maravilhas e belezas da Criação, nos traz a um contato pessoal com uma mente infinitamente sábia e um coração infinitamente amoroso? – *Hugh Macmillan, em "Two Worlds are Ours", 1880*

v. 16: "Neve". Vale a pena fazer uma pausa para pensar que obra maravilhosa está acontecendo na atmosfera durante a formação e a descida de cada queda de neve; que poder edificador é colocado em ação! E quão imperfeitas parecem as produções de mentes e mãos humanas, quando comparadas com as formadas pelas forças cegas da natureza! Mas quem se aventura a chamar de cegas as forças da natureza? Na realidade, quando falamos desta maneira, estamos descrevendo a nossa própria condição. A cegueira é nossa; e o que realmente devemos dizer, e confessar, é que os nossos poderes são absolutamente incapazes de compreender a origem ou o objetivo das operações da natureza. – *John Tyndall, em "The Forms of Water", 1872*

vv. 16 e 17: O Senhor toma o gelo e a geada e o frio como Seus; não é apenas o *Seu sol*, mas o *Seu gelo*, e a *Sua geada*: "esparge a *geada* como cinza". A geada é comparada às cinzas em três aspectos. Em primeiro lugar, porque a geada causa uma pequena interrupção à vista. Se você espalhar cinzas no ar, elas obscurecem a luz, e a mesma coisa faz a geada. Em segundo lugar, a geada tem cor semelhante à das cinzas. Em terceiro lugar, a geada é semelhante às cinzas porque tem em si um tipo de queima: ela queima os tenros botões, ela os enregela e seca. A geada tem a sua denominação em latim de *queima*, e é muito pouco diferente daquela palavra que é usada em latim para a brasa. A geada pode queimar como o sol quente. As geadas extemporâneas na primavera queimam os tenros frutos, e esta geada é normalmente expressa pelo nome de *carbanculation* ou ferrugem. – *Joseph Caryl*

v. 17: "Lança o seu gelo em pedaços". Ou, *pedaços de pão.* Vale a pena dizer a respeito deste texto: o gelo é pão, a chuva é bebida, a neve é lã, a geada é um fogo para a terra, que faz com que ela brilhe internamente com calor; ensinando-nos o que fazer pelos pobres de Deus. – *John Trapp*

v. 17: "Lança o seu gelo em pedaços". A palavra aqui traduzida como *"pedaços"* significa, na maioria das passagens em que aparece na Bíblia, *pedaços de pão,* exatamente o que diz a LXX, ψωμούς; pois este mesmo gelo, este frio do inverno, é benéfico para a terra, para adequá-la para produzir futuras colheitas, desta maneira amadurecendo *pedaços de pão* que o homem ainda tomará do solo, no devido tempo. – *Genebrardus, em Neale e Littledale*

v. 17: "Pedaços". Ou *migalhas* (Gn 18.5; Jz 19.5). Sem dúvida, a referência é ao granizo. – *A. S. Aglen*

v. 17: "É extremamente severo", disse certo dia a sua irmã ao Arcebispo Leighton, falando sobre o clima. O bom homem apenas disse, em resposta, "Mas Tu, ó Deus, verão e inverno, tu os formaste". – *De J. N. Pearson, Life of Archbishop Leighton, 1830*

v. 18: "Manda a sua palavra e os faz derreter". Israel, no cativeiro, tinha estado presa pelo gelo, como os barcos do Ártico que viajam pelo Mar Polar; mas Deus enviou a brisa primaveril do Seu amor, e a água fluiu, o gelo derreteu e eles foram libertados. Deus converteu o seu cativeiro e, com as suas correntes gélidas derretidas pelos raios solares da misericórdia de Deus, fluíram em correntes frescas e leves, como "correntes do sul", brilhando ao sol (veja Sl 126.4).

Assim foi no dia de Pentecostes. O inverno do cativeiro espiritual foi derretido e dissolvido no suave fôlego do Espírito Santo, e a terra sorriu e floresceu com flores primaveris de fé, amor e alegria. – *Christopher Wordsworth*

v. 19: Aqui vemos Deus curvando-se em compaixão, para comunicar ao filho do homem, profundamente caído, algo sobre um bendito segredo, do qual, sem o Seu esclarecimento especial, o olho nunca teria visto nada, nem os ouvidos nunca teriam ouvido. – *J. J. Van Oosterzee, em "The Image of Christ"*

vv. 19 e 20: Se a promulgação da lei pelo ministério dos anjos aos israelitas foi tal privilégio que é considerado o seu tesouro peculiar – *"Mostra os seus estatutos a Israel. Não fez assim a nenhuma outra nação"* – o que é a revelação do Evangelho, pelo próprio Filho de Deus? Pois embora a lei tenha sido obscurecida e desfigurada desde o pecado, ainda há algumas noções dela gravadas na natureza humana; mas não há a menor suspeita em relação ao Evangelho. A lei descobre a nossa miséria, mas somente o Evangelho mostra o caminho para nos libertarmos dela. Se uma vantagem tão grande e tão preciosa não tocar os nossos corações, e, possuindo-a com alegria, se não nos sensibilizarmos com os compromissos que o Pai de misericórdias colocou sobre nós, seremos os mais ingratos e infames do mundo. – *William Bates*

vv. 19 e 20: O fato de que alguns têm mais meios de conhecer o Criador, e outros menos, se deve inteiramente à misericórdia e à vontade de Deus. A Sua igreja tem um privilégio e uma vantagem acima das outras nações do mundo; os judeus tiveram esta benevolência acima dos pagãos, e os cristãos, acima dos judeus; e nenhuma outra razão pode ser atribuída, senão o Seu eterno amor. – *Thomas Manton*

v. 20: "Não fez assim a nenhuma outra nação... Louvai ao Senhor". O doce salmista de Israel, um homem habilidoso em louvores, começa e conclui o seu salmo com *Aleluia.* No corpo do Salmo, ele apresenta a misericórdia de Deus, tanto com relação a todas as *criaturas* em geral, na Sua providência comum, como em relação à Sua *igreja* em particular. Assim, na conclusão deste salmo: "Ele mostra a sua palavra a Jacó, os seus estatutos e os seus juízos, a Israel. Não fez assim a nenhuma outra nação". No original, o texto diz: "Não fez assim com *todas as nações*", isto é, com *qualquer* nação.

No texto, você pode observar uma *posição* e uma *conclusão. Uma posição*: que é, o fato de que Deus lida de uma maneira de singular misericórdia com o Seu povo, acima de qualquer outro povo. E, então, a *conclusão*: *"Louvai ao Senhor"*. Doutrina. O fato de que Deus lida de uma maneira de singular misericórdia com o Seu povo, e por isto espera louvores singulares do Seu povo. – *Joseph Alleine (1663–1668), em "A Thanksgiving Sermon"*

v. 20: Veja a maravilhosa bondade de Deus, que, além da luz da natureza, nos entregou as Sagradas Escrituras. Os pagãos estão envoltos por ignorância. *"Quanto aos seus juízos, nenhuma os conhece"*. Eles têm os oráculos das sibilas, mas não os textos de Moisés e dos apóstolos. Quantos vivem na região da morte, onde a estrela brilhante das Escrituras nunca apareceu! Nós temos o bendito Livro de Deus, para dirimir todas as nossas dúvidas e nos apontar um modo de vida. "Senhor, de onde vem que te hás de manifestar a nós e não ao mundo?" (Jo 14.22). – *Thomas Watson*

SUGESTÕES AOS PREGADORES

v. 1. Louvor. O seu benefício, prazer e propriedade. – *J. F.*

v. 1. O culto razoável. I. Os métodos de louvor: por palavra, cântico, vida; individualmente, socialmente. II. Os que oferecem o louvor: "vós". III. O objeto de louvor: "O Senhor, nosso Deus". IV. As razões para o louvor: é "bom", "agradável", "decoroso". – *C. A. D.*

vv. 1 a 3. I. O privilégio de se louvar a Deus. 1. É bom. 2. Agradável. 3. Decoroso. II. O dever de se louvar a Deus. 1. Por congregar uma igreja para Si mesmo entre os homens: "O Senhor edifica Jerusalém". 2. Pelos materiais que a constituem: "os dispersos", etc. 3. Pela preparação dos materiais para o Seu propósito: "Sara", etc. (v. 3). – *G. R.*

v. 2. O Senhor é Arquiteto, Construtor, Provedor, Sustentador, Restaurador e Dono da igreja. Em cada relacionamento, que Ele seja louvado.

v. 2. O grande congregador. I. Pessoas estranhas buscadas. II. Busca especial e meios usados. III. Centro selecionado ao qual Ele as traz. IV. Singular exibição das pessoas, no céu, para todo o sempre.

v. 2. Primeiro a igreja é edificada e depois os dispersos são congregados nela. Um estado próspero dentro da igreja é necessário para que ocorra o seu crescimento exterior.

v. 2. Veja "Spurgeon's Sermons", n. 1302: "Good Cheer for Outcasts".

v. 2. Edificação e congregação. I. A igreja pode estar em uma condição decaída. II. A sua edificação é obra do Senhor. III. Ele a edifica congregando os seus cidadãos dispersos. – *C. A. D.*

v. 3. Veja "Spurgeon's Sermons", n. 53: "Healing for the Wounded".

v. 3. Deus, um verdadeiro médico, e um terno enfermeiro. – *J. F.*

vv. 3 e 4. Os brilhantes do céu, e os corações quebrantados da terra. I. O proprietário das estrelas com os feridos. As estrelas ficam sem rei, em favor dos corações quebrantados. Jeová! Com algodão e unguento e a mão de uma mulher. Aquele que liga as estrelas, ligará firmemente os corações entristecidos. II. Aquele que gentilmente cura os corações, com as estrelas. Que todo o poder seja confiado a tal ternura. O seu atrativo e gracioso esplendor. Deus guia as estrelas visando os corações feridos. A esperança da oração. III.

Corações, estrelas e eternidade. Alguns corações "brilharão como as estrelas". Algumas estrelas expiração na "mais escura das trevas". A mão e o olho de Deus estão em todas as partes, fazendo justiça. Confie e cante. – *W. B. H.*

vv. 3 e 4. A compaixão e o poder de Deus. I. Assombrosa diversidade nos interesses de Deus: "corações" e "estrelas". II. Maravilhosa variedade nas operações de Deus. Gentilmente preocupado com os corações humanos. Preservando a ordem, regularidade, e estabilidade da criação. III. Abençoados resultados da obra de Deus. Corações partidos curados. Feridas ligadas. Luz, harmonia e beleza nos céus. IV. Poderoso incentivo para confiar em Deus. Deus cuida do universo: não poderei confiar a minha vida, a minha alma, a Ele? Onde Ele reina, inquestionado, existe luz, existe harmonia: que eu não resista à Sua vontade na minha vida. – *C. A. D.*

v. 5. Uma contemplação da grandeza de Deus. I. Grande, na Sua natureza essencial. II. Grande, em poder. III. Grande, em sabedoria. Devemos então tirar as nossas conclusões sobre a insignificância do homem, etc.

v. 6. Inversão. I. Na avaliação do mundo, os humildes são abatidos e os ímpios, exaltados. II. No julgamento do céu, os humildes são exaltados e os ímpios abatidos. III. O julgamento do céu, no final, comprovará ser o verdadeiro. – *C. A. D.*

v. 7. O uso e o benefício do cântico.

v. 8. Deus em tudo. A unidade do Seu plano: a cooperação de forças divinas; a misericórdia condescendente do resultado.

v. 9. Veja "Spurgeon's Sermons", n. 672: "The Ravens' Cry".

v. 11. A singularidade do nosso Deus e da Sua benevolência. Por isto Ele deve ser louvado. I. *Os objetos dessa benevolência distinguidos.* 1. Da força física. 2. Do vigor mental. 3. Da confiança em si mesmo. 4. Da mera capacidade para o culto. II. *Os objetos dessa benevolência descritos.* 1. Através das emoções que dizem respeito a Deus. 2. Pelas formas mais fracas de vida espiritual. 3. Pelos mais elevados graus dela. Pois o santo mais maduro teme e espera. 4. Pela mistura sagrada que nela há. Temor pela nossa culpa, esperança na Sua misericórdia. Temor de nós mesmos, confiança em Deus. Esperança de perseverança, temor de pecar. Esperança do céu, temor de não conseguir chegar lá. Esperança de perfeição, defeitos lastimáveis. III. *A bênção dessa benevolência sugerida.* 1. Deus se compraz em pensar sobre eles. 2. Estar com eles. 3. Servi-los. 4. Encontrá-los em seus temores e suas esperanças. 5. Recompensá-los para sempre.

v. 11. Ele se agrada nas suas pessoas, emoções, desejos, devoções, esperanças e personalidades. – *W. W.*

v. 12. I. O Senhor a quem louvamos. II. O Seu louvor em nossas casas – Jerusalém. III. A nossa oração na Sua casa – Sião.

v. 13. A Igreja forte. I. A utilidade e a importância de uma igreja forte.

II. Os sinais que a distinguem. 1. Portas bem guardadas. 2. Aumento do número de membros. 3. Os convertidos abençoados, que beneficiam a outros. III. A preocupação importante de uma igreja forte: atribuir todas as bênçãos ao Deus de Sião. – *W. B. H.*

vv. 14 e 15. Veja "Spurgeon's Sermons", n. 425: "Peace at Home, and Prosperity Abroad".

vv. 14 e 15. Bênçãos da igreja. I. Paz. II. Mantimento. III. Energia missionária. IV. A presença de Deus: a fonte de toda bênção.

v. 15 (segunda parte). Veja "Spurgeon's Sermons", n. 1607: "The Swiftly Running Word".

v. 16. Os resultados inesperados da adversidade: a neve agindo como lã.

vv. 16 a 18. Veja "Spurgeon's Sermons", n. 670: "Frost and Thaw".

v. 19. I. O povo de Deus. II. A Palavra de Deus. III. A revelação de Deus à alma. IV. O louvor de Deus por esta revelação especial.

v. 20. A graça da eleição inspira o coração com louvor. I. O amor de Deus nos escolheu. Aleluia. II. Deus nos confiou a Sua verdade. Aleluia. III. Deus nos tornou despenseiros da Sua generosidade. Aleluia. IV. Por nosso intermédio, Deus irá salvar o mundo. Aleluia. – *W. B. H.*

SALMO 148

TÍTULO

Este cântico é uno e indivisível. Parece quase impossível explicá-lo em detalhes, pois um poema vivo não deve ser examinado verso a verso. É um cântico da natureza e da graça. Da mesma maneira como um relâmpago brilha pelo espaço e envolve tanto o céu como a terra em uma vestimenta de glória, também a adoração do Senhor neste salmo ilumina todo o universo e faz que ele brilhe com louvor. O cântico começa nos céus, desce até as baleias e todos os abismos, e então sobe novamente, até que as pessoas próximas a Jeová assumam a melodia. Para esta explicação, o requisito principal é um coração inflamado com amor reverente pelo Senhor, acima de tudo, aquEle que deve ser bendito para sempre.

EXPOSIÇÃO

1 *Louvai ao Senhor! Louvai ao Senhor desde os céus, louvai-o nas alturas.*
2 *Louvai-o, todos os seus anjos; louvai-o, todos os seus exércitos.*
3 *Louvai-o, sol e lua; louvai-o, todas as estrelas luzentes.*
4 *Louvai-o, céus dos céus, e as águas que estão sobre os céus.*
5 *Que louvem o nome do Senhor, pois mandou, e logo foram criados.*
6 *E os confirmou para sempre e lhes deu uma lei que não ultrapassarão.*
7 *Louvai ao Senhor desde a terra, vós, baleias e todos os abismos,*
8 *fogo e saraiva, neve e vapores e vento tempestuoso que executa a sua palavra;*
9 *montes e todos os outeiros, árvores frutíferas e todos os cedros;*
10 *as feras e todos os gados, répteis e aves voadoras;*
11 *reis da terra e todos os povos, príncipes e todos os juízes da terra;*
12 *rapazes e donzelas, velhos e crianças.*

13 *Que louvem o nome do SENHOR, pois só o seu nome é exaltado; a sua glória está sobre a terra e o céu.*
14 *Ele também exalta o poder do seu povo, o louvor de todos os seus santos, dos filhos de Israel, um povo que lhe é chegado. Louvai ao SENHOR!*

1. *"Louvai ao Senhor."* A despeito de quem quer que seja você, que ouve esta palavra, esta palavra convida, pede, ordena, que você exalte ao Senhor. Certamente, Ele o criou e, ainda que por nenhum outro motivo, você é obrigado, com base na sua condição de criatura, a adorar o seu Criador. Esta exortação nunca será indevida, não importa onde a façamos; e nunca inoportuna, não importa quando a façamos.

"Louvai ao Senhor desde os céus." Como vocês estão mais próximos do Altíssimo e Sublime, certifiquem-se de liderar o cântico. Vocês, anjos, vocês, querubins e serafins, e todos os outros que habitam nos recintos dos seus átrios, louvem ao Senhor. Façam isto, como de um ponto de partida, de onde o louvor deve passar a outros campos. Não guardem essa adoração para si mesmos, mas deixem que ela caia, como uma chuva dourada, dos céus sobre os homens que estão abaixo.

"Louvai-o nas alturas." Esta não é uma repetição vã; mas, como poesia atraente, a verdade é enfatizada pela reiteração em outras palavras. Além disto, Deus não deve ser louvado apenas *das* alturas, mas *nas* alturas: a adoração deve ser aperfeiçoada nos céus, de onde se origina. Nenhum lugar é elevado demais para os louvores do Altíssimo. No topo da criação, a glória do Senhor deve ser revelada, como os cumes dos mais altos montes dos Alpes são cobertos com a luz dourada do mesmo sol que alegra os vales. Os céus e as alturas se tornam mais elevados e mais celestiais quando neles ressoam os louvores ao Senhor. Veja como o salmista proclama a palavra "LOUVAI". Ela soa nove vezes, nos cinco primeiros versículos deste cântico. Como canhões que disparam a cada minuto, as exortações exultantes são emitidas com tremenda força – *Louvai! Louvai! Louvai!* O tambor do grande Rei soa por todo o mundo com esta única nota – *Louvai! Louvai! Louvai!* "E outra vez disseram: Aleluia!" Todo esse louvor é distinto e pessoal para o Senhor. Não louvem os seus servos nem as suas obras, mas louvem a ELE. Ele não é merecedor de todo o possível louvor? Derrame o louvor perante ELE com volume total; derrame-o somente ali!

2. *"Louvai-o, todos os seus anjos."* Inteligências vivas, perfeitas em caráter e em bênção, levantem a sua mais alta música ao seu Senhor, cada uma de vocês. Nenhum espírito iluminado está isento deste culto consagrado. Quem quer que sejam vocês, ó anjos, vocês são todos os *seus* anjos, e por isto devem, todos vocês, servir ao seu Senhor. Todos vocês já viram o suficiente dele para poder louvá-lo, e todos têm abundantes razões para fazer isto. Não importa se vocês se chamam Gabriel, ou Miguel, ou se são conhecidos por quaisquer outros títulos, louvem ao Senhor. Quer vocês se inclinem diante dele, ou voem em suas missões, ou desejem examinar o seu concerto, ou contemplem o seu Filho, não deixem, mensageiros do Senhor, de soar o seu louvor enquanto se movem obedecendo às suas ordens.

"Louvai-o, todos os seus exércitos." Isto inclui os exércitos angelicais, mas agrupa também todos os corpos celestiais. Embora sejam seres inanimados, as estrelas, as nuvens, os relâmpagos, têm suas formas de louvar ao Senhor. Que cada uma das incontáveis legiões do Senhor dos Exércitos exiba a sua glória; pois os incontáveis exércitos são *seus*, seus por criação, e preservação, e consequente obrigação. As suas sentenças declaram a unanimidade de louvor dos que estão nas regiões superiores, que são convocados a iniciar a melodia – "*todos* os seus anjos, *todos* os seus exércitos". A mesma unidade sincera deve impregnar todo o coro dos que louvam; assim, mais adiante lemos sobre todas as estrelas luzentes, todos os abismos, todos os outeiros, todos os cedros, e todas as pessoas. Como começa bem o concerto, quando todos os anjos, e todo o exército celestial, emitem as primeiras notas de alegria! Desse concerto as nossas almas devem imediatamente participar.

3. *"Louvai-o, sol e lua; louvai-o, todas as estrelas luzentes."* O salmista detalha os exércitos celestiais. De igual maneira, todos, e cada um, devem louvar o Deus de

cada um e de todos. O sol e a lua, como governantes associados do dia e da noite, se combinam no louvor; um é complemento do outro, e assim estão intimamente associados nas convocações ao louvor. O sol tem seu modo peculiar de glorificar o Grande Pai das luzes, e a lua tem o seu próprio método especial de refletir o seu esplendor. Há uma adoração perpétua ao Senhor nos céus: ela varia com a noite e o dia, mas continua, enquanto o sol e a lua existirem. Há uma luminária sempre acesa diante do elevado altar do Senhor. As maiores luminárias não podem afogar, com suas inundações de luz, a glória das menos brilhantes, pois todas as estrelas são convidadas ao banquete do louvor. As estrelas são muitas, tantas, que ninguém pode contar o exército incluído nas palavras, "todas as estrelas"; mas nenhuma delas se recusa a louvar o seu Criador. Por seu brilho extremo, elas são apropriadamente chamadas de "estrelas luzentes"; e a sua luz é louvor de uma forma visível, cintilando com música fiel. A luz é cântico que cintila diante dos olhos, em lugar de soar aos ouvidos. As estrelas sem luz não expressam nenhum louvor, e os cristãos sem luz roubam ao Senhor a sua glória. Ainda que o nosso brilho seja pequeno, não devemos escondê-lo; se não podemos ser o sol ou a lua, devemos almejar ser uma das "estrelas luzentes", e cada cintilar nosso deve ser para a honra do nosso Senhor.

4. *"Louvai-o, céus dos céus."* Aqui, a referência é àquelas regiões que são céus para os que habitam em nossos céus: ou as moradas mais celestiais, onde os espíritos mais excelentes habitam. Da mesma maneira como os mais sublimes entre os mais sublimes, também os melhores entre os melhores devem louvar ao Senhor. Se pudéssemos subir tão acima dos céus, como os céus estão acima da terra, ainda poderíamos clamar a todos ao nosso redor, "Louvai ao Senhor". Não pode haver ninguém tão grandioso e sublime que esteja acima do louvor ao Senhor.

"E as águas que estão sobre os céus." Que as nuvens expressem grande adoração. Que o mar que está acima brame, com toda a sua plenitude, na presença do Senhor, o Deus de Israel. Há um certo mistério com relação a estes supostos reservatórios de água; mas sejam o que forem, e como forem, devem dar glória ao Senhor, nosso Deus. Que os mais desconhecidos e desconcertantes fenômenos assumam o seu papel no louvor universal.

5. *"Que louvem o nome do Senhor, pois mandou, e logo foram criados."* Aqui está um bom argumento: o Criador deve receber a honra das suas obras, elas devem expressar o *seu* louvor; e assim devem louvar o seu *nome* – pelo qual se indica o seu caráter. O nome JEOVÁ está escrito de maneira legível nas suas obras, de modo que o seu poder, sabedoria, benignidade e outros atributos ali se fazem manifestos aos homens atentos e assim o seu nome é louvado. O mais sublime louvor a Deus é declarar o que Ele é. Não podemos inventar nada que exalte ao Senhor: não poderemos nunca exaltá-lo mais do que repetindo o seu nome, ou descrevendo o seu caráter. O Senhor deve ser exaltado, como Criador de todas as coisas que existem, e fazendo isto pelo simples uso da sua palavra. Ele criou com uma ordem; que poder é este! Bem pode Ele esperar que o louvem os que devem a Ele a sua existência. A evolução pode ser ateia, mas a doutrina da criação logicamente exibe adoração; e consequentemente, como a árvore é conhecida pelo seu fruto, a doutrina prova ser verdadeira. Os que foram criados por uma ordem têm o dever de adorar o seu Criador. A voz que disse, "deixai-os" agora diz "que louvem".

6. *"E os confirmou para sempre."* A continuada existência dos seres celestiais é devida ao poder sustentador do Senhor, e somente a ele. Eles não falham, porque o Senhor não falha com eles. Sem a sua vontade, estas coisas não podem ser alteradas; Ele lhes deu leis que somente Ele pode mudar. Eternamente, as suas ordenanças os governam. Portanto, o Senhor deve ser louvado, porque Ele é o Preservador, bem como o Criador, Governante, bem como Gerador.

"E lhes deu uma lei que não ultrapassarão." Os corpos celestes são governados pelo decreto do Senhor: eles não podem ultrapassar o seu limite, nem transgredir a sua lei. A sua lei e ordem não podem nunca ser alteradas, exceto por Ele mesmo, e neste sentido a sua lei "não ultrapassarão". Além disto, as mais sublimes e

maravilhosas das criaturas são perfeitamente obedientes aos estatutos do Grande Rei, e por isto o seu decreto não é negligenciado. Esta submissão à lei é louvor. A obediência é homenagem, respeito; a ordem é harmonia. Neste sentido, o louvor prestado ao Senhor pelos "corpos celestes" é absolutamente perfeito. O seu poder todo-poderoso sustenta todas as coisas em suas esferas, assegurando a marcha das estrelas e o voo dos serafins; e assim a música das regiões superiores nunca é prejudicada pela discórdia, nem interrompida pela destruição. O hino eterno é entoado para sempre; até mesmo o silêncio solene das esferas é um salmo perpétuo.

7. *"Louvai ao Senhor desde a terra."* O cântico desce à nossa morada, e assim se aproxima de nós. Nós, que somos "corpos terrestres", devemos derramar a nossa porção de louvor desde o globo dourado deste planeta favorecido. O Senhor deve ser louvado não apenas *na* terra, mas a partir *da* terra, como se a adoração fluísse deste planeta para o local em que se acumula a adoração, de um modo geral. No primeiro versículo, o cântico era "desde os céus", aqui ele é "desde a terra"; os cânticos que descem do céu devem se mesclar com os que sobem da terra. Aqui, a "terra" significa todo o nosso globo, de terra e água; todas as partes devem expressar louvor.

"Vós, baleias e todos os abismos." Seria inútil perguntar quais são os monstros do mar aqui mencionados: mas nós cremos que a alusão é a todos eles, e os lugares em que habitam são indicados como "todos os abismos". Animais ou peixes terríveis, quer peregrinem pela terra ou nadem pelos mares, estão convocados ao banquete de louvor. Quer flutuem entre as apinhadas ondas dos trópicos, ou ziguezagueiem entre os blocos de gelo das águas polares, eles são ordenados, pelo nosso sagrado poeta, e render o seu tributo ao Senhor criador. Eles não apresentam respeito ao homem; que confessem, da maneira mais sincera, a sua lealdade ao Senhor. Entre "baleias" e "abismos" há um certo terror, mas isto pode se tornar, mais apropriadamente, o tom mais grave da música do Salmo. O que quer que haja de sinistro na mitologia, ou de fantástico na heráldica, tudo deve louvar ao incompreensível Senhor.

8. *"Fogo e saraiva."* Relâmpagos e granizos andam juntos. Nas pragas do Egito eles cooperaram para tornar o Senhor conhecido em todos os terrores do seu poder. O fogo e os pedaços de gelo são um contraste na natureza, mas se combinam na exaltação ao Senhor.

"Neve e vapores." Os frutos do frio, ou as criações do calor, serão igualmente consagrados ao seu louvor. Vapores congelados ou expandidos, flocos que caem ou nuvens que sobem, devem, subindo ou descendo, ainda revelar os louvores do Senhor.

"Vento tempestuoso que executa a sua palavra." Mesmo precipitando-se com fúria incalculável, o vento tempestuoso está sujeito à lei, e se move na ordem devida, para realizar os desígnios de Deus. É uma grande orquestra a que tem instrumentos de sopro como estes! É um grande líder o que consegue conservar todos estes músicos em concerto, e reger mantendo o compasso e o tom.

9. *"Montes e todos os outeiros."* Elevados precipícios e colinas arredondadas declaram, igualmente, o seu Criador. "Todos os outeiros" devem ser consagrados; não mais temos Ebal e Gerizim, o monte da maldição e o monte da bênção, mas todos os nossos Ebal se converteram em Gerizim. Tabor e Hermon, Líbano e Carmelo se alegram no nome do Senhor. Os maiores e menores montes são um só em sua adoração. Não apenas os Alpes e os montes de Jura expressam o seu louvor; mas os nossos próprios Cotswolds e Grampians cantam em sua honra.

"Árvores frutíferas e todos os cedros." Árvores frutíferas e de florestas, decíduas ou perenes, são igualmente cheias de benevolente desígnio, e igualmente cumprem algum propósito de amor; portanto, por todos e para todos, que o grande Paisagista seja louvado. Há muitas espécies de cedros, mas todas revelam a sabedoria do seu Criador. Quando os reis os cortam, para que sirvam de vigas para seus palácios, apenas confessam a sua obrigação perante o Rei das árvores, e o Rei dos reis, pois são suas árvores. Variações na paisagem são produzidas pelos terrenos, mais ou menos elevados, e pelos muitos tipos de árvores que adornam a terra: que todas, igualmente, glorifiquem o seu único Senhor. Quando as árvores batem palmas no

vento, ou suas folhas se agitam no gentil sopro do zéfiro, o vento do ocidente, com a sua maior habilidade cantam ao Senhor.

10. *"As feras e todos os gados."* Os animais ferozes ou domados; animais selvagens ou o gado domesticado; que todos expressem os louvores do Senhor. Aqueles que não louvam ao Senhor nosso Deus são piores do que os animais selvagens. Mais do que brutos são os que voluntariamente emudecem a respeito do seu Criador.

"Répteis e aves voadoras." As multidões que se aglomeram na terra e no ar; insetos de todas as formas e aves de todos os tipos de asas são convocados para se unir à adoração universal. Ninguém pode se familiarizar com a vida dos insetos e das aves sem sentir que eles constituem um maravilhoso capítulo na história da sabedoria divina. O minúsculo inseto proclama maravilhosamente o artesanato do Senhor; quando colocado sob a lente do microscópio, conta uma história maravilhosa. Também o pássaro que voa nas alturas exibe na sua adaptação para uma vida aérea uma habilidade que os nossos balonistas tentaram, em vão, imitar. A verdadeira devoção não apenas ouve os louvores de Deus, no doce cântico dos menestréis emplumados, mas se revela no coaxar dos pântanos ou no zumbido da "mosca que canta na vidraça". Mais repugnantes do que os répteis, mais insignificantes do que os insetos, são os homens sem cânticos.

11. *"Reis da terra e todos os povos, príncipes e todos os juízes da terra."* Agora o poeta chegou à nossa própria raça, e de maneira muito apropriada ele deseja que governantes e súditos, líderes e magistrados, se unam em adoração ao Senhor soberano de todos. Os monarcas não devem desdenhar os cânticos, nem o seu povo deve se recusar a se unir a eles. Os que lideram em batalha e os que decidem nos tribunais não devem, nenhum deles, permitir que as suas ocupações lhes impeçam de adorar reverentemente o Príncipe e Juiz de todos. Todas as pessoas, e todos os juízes, devem louvar ao Senhor de todos. Que dia feliz será aquele em que for universalmente reconhecido que, por intermédio do nosso Senhor Jesus, a Sabedoria encarnada, "reinam os reis, e os príncipes ordenam justiça"! Ai, ainda não é assim! Os reis têm sido patronos de perversidades, e os príncipes líderes em tolice. Oremos para que o cântico do salmista possa se cumprir de fato.

12. *"Rapazes e donzelas, velhos e crianças."* Pessoas dos dois sexos e de todas as idades são convocadas ao abençoado culto do cântico. Os que normalmente se alegram juntos devem ser devotamente alegres juntos; os que constituem as extremidades das famílias, isto é, os anciãos e os jovens, devem fazer do Senhor o seu único objetivo. Os idosos devem, com a sua experiência, ensinar as crianças a louvar; e as crianças devem, com a sua alegria, incitar os idosos a cantar. Há lugar para todas as vozes, neste concerto: árvores frutíferas e donzelas, cedros e rapazes, anjos e crianças, velhos e juízes – todos podem se unir neste oratório. Na realidade, ninguém pode ser dispensado: para a salmodia perfeita, é preciso que todo o universo se estimule a louvar, e adorar, e todas as partes da criação devem desempenhar o seu papel na devoção.

13. *"Que louvem o nome do Senhor."* Tudo o que está contido no nome ou caráter do Senhor é digno de louvor, e todos os objetos do seu cuidado criador serão em número extremamente pequeno para expressar o seu louvor na sua perfeição.

"Pois só o seu nome é exaltado." Somente seu nome merece ser exaltado em louvor, pois somente ele é exaltado em valor. Não há ninguém como o Senhor, ninguém que, nem por um momento, possa ser comparado a Ele. O seu nome singular deve ter o monopólio do louvor.

"A sua glória está sobre a terra e o céu." Ela está, portanto, isolada, porque ultrapassa todas as outras. O seu esplendor majestoso excede tudo o que a terra e o céu podem expressar. Ele mesmo é a coroa de todas as coisas, a excelência da criação. Há mais glória nele, pessoalmente, do que em todas as suas obras unidas. Não é possível que nós sejamos excessivamente excelentes e extravagantes no louvor do Senhor: a sua própria glória natural é infinitamente maior do que qualquer glória que possamos lhe render.

14. *"Ele também exalta o poder do seu povo."* Ele os tornou fortes, famosos, e vitoriosos. A sua bondade para com todas as suas criaturas não impede que Ele tenha uma benevolência especial com a sua nação eleita: Ele é bom para todos, mas é Deus para o seu povo. Ele levanta os que foram pisoteados, mas de uma maneira peculiar levanta o seu povo. Quando eles estão abatidos, Ele lhes dá força, enviando-lhes um libertador; quando estão em conflito, Ele lhes dá coragem e força, de modo que eles exaltem o seu poder, em meio à peleja; e quando tudo está em paz no meio deles, Ele lhes dá abundância, e eles se deleitam.

"O louvor de todos os seus santos." Ele é a sua glória: a Ele eles dão louvor; e Ele, pela sua misericórdia para com eles, sempre lhes dá novas razões para louvor, e motivos mais sublimes para adoração. Ele exalta o poder do seu povo, e eles elevam o seu louvor. Ele os exalta, e eles o exaltam. O Santo é louvado por santos. Ele é o seu Deus, e eles são os seus santos; Ele os torna bem-aventurados, e eles o bendizem em retribuição.

"Os filhos de Israel." O Senhor conhece os que são seus. Ele sabe o nome daquele com quem fez um concerto, e como ele veio a ter esse nome, e quem são os seus filhos, e onde estão. Todas as nações são convidadas, no versículo 11, a louvar ao Senhor; mas aqui o convite é dirigido em particular ao seu povo eleito, que o conhece, mais do que todos os outros. Aqueles que são filhos do privilégio devem ser filhos de louvor.

"Um povo que lhe é chegado", por parentesco, e por cuidado; chegado quanto à manifestação e quanto à afeição. Esta é uma descrição altamente honrosa da geração amada; e é verdadeira, ainda mais enfaticamente, com respeito à nação Israel, a semente amada. Esta proximidade deve nos incentivar à adoração perpétua. Os eleitos do Senhor são os filhos do seu amor, os cortesãos do seu palácio, os sacerdotes do seu templo, e por isto devem, mais do que todos os outros, estar cheios de reverência por Ele, e prazer nele.

"Louvai ao Senhor" ou *Aleluia*. Isto deve ser o Alfa e o Ômega na vida de um homem bom. Devemos louvar a Deus até o fim, até o fim do mundo. O campo de louvor que está diante de nós neste salmo está limitado, no princípio e no final, por marcos na forma de Aleluias, e tudo o que está entre eles é, em cada palavra, para a honra do Senhor. Amém.

NOTAS EXPLICATIVAS E DECLARAÇÕES SINGULARES

Salmos 148 a 150: Os três últimos salmos são *uma tríade de maravilhoso louvor,* que cresce do louvor a um louvor mais elevado, até que se torna "alegria indescritível e cheia de glória" – uma exultação que não conhece limites. A alegria transborda da alma, e se espalha pelo universo; cada criatura é magnetizada por ela, e atraída ao coro. O céu está cheio de louvor, a terra está cheia de louvor, o louvor sobe das profundezas da terra; "tudo o que tem vida" se une ao arrebatamento. Deus está rodeado por uma criação amorosa que o louva. O homem, o último na criação, mas o primeiro em cântico, não sabe como se conter. Ele dança, ele canta, ele ordena que todos os céus, com todos os seus anjos, o ajudem, "as feras e todos os gados, répteis e aves voadoras" devem fazê-lo, também, nem mesmo as "baleias" devem ficar em silêncio, e "todos os abismos" devem fazer suas contribuições. Ele incita até mesmo as coisas mortas a seu serviço, adufes, trombetas, harpas, órgãos, címbalos, címbalos altissonantes; com quaisquer meios e com todos os meios ele pode expressar o seu amor e alegria. – *John Pulsford*

Todo o salmo: Neste esplêndido hino, o salmista invoca toda a criação, em suas duas grandes divisões (de acordo com a concepção hebraica) de céu e terra, a louvar ao Senhor: coisas com vida e coisas sem vida, seres racionais e irracionais, são convocados a participar do poderoso coro. Este salmo é uma expressão da mais sublime devoção, e ele abrange, ao mesmo tempo, a mais completa visão do relacionamento da criatura com o Criador. Se ele é exclusivamente a expressão de um coração completamente cheio com o pensamento da infinita majestade de Deus - ou se é também uma antecipação, uma previsão profética, da glória final da criação (quando, na manifestação dos filhos de Deus, a própria criação também será redimida da servidão da corrupção, Rm 8.18-23), e a homenagem de louvor será realmente feita por todas as coisas que estão no céu e na terra e sob a terra - é uma questão em que não precisamos entrar. - *J. J. Stewart Perowne*

Todo o salmo: Milton, em sua obra Paradise Lost (Livro V., linha 153, etc.) imitou elegantemente este salmo, e o colocou nas bocas de Adão e Eva, como o seu hino matinal, em um estado de inocência. - *James Anderson*

Todo o salmo: Será que este louvor universal nunca irá se realizar? Será apenas o anseio e desejo intenso do coração do salmista, que nunca será ouvido na terra, e que somente poderá ser aperfeiçoado no céu? Não haverá nenhum jubileu em que os montes e os outeiros irrompam em cânticos, e todas as árvores do campo batam palmas? Se não houver esse dia, então a Palavra de Deus não tem nenhum efeito; se nenhum hino universal aumentar o coro do céu, e não for ecoado por tudo o que existe na terra, então a promessa de Deus é vazia. É verdade, a nossa tradução deste salmo o apresenta como uma convocação para que tudo o que tem vida ou não tem vida, louve ao Senhor - ou como uma súplica para que eles possam louvar, mas na realidade é uma predição de que tudo isso *irá* louvar... O salmo não é nada mais nem menos do que uma gloriosa profecia desse dia vindouro, quando não somente o conhecimento do Senhor estará espalhado sobre toda a terra, como as águas cobrem o mar, mas cada objeto criado, no céu e na terra, animado e inanimado, desde o mais sublime arcanjo, passando por cada grau e fase de existência, até o átomo minúsculo - rapazes e donzelas, velhos e crianças, e todos os reis e príncipes e juízes da terra - se unirão, neste hino milenial, em louvor ao Redentor. - *Barton Bouchier*

v. 1: "Louvai o Senhor", etc. Todas as coisas louvam, e ainda assim ele diz, *"Louvai"*. Por que ele diz, *"Louvai"* quando eles já estão louvando? Porque ele se deleita no seu louvor, e por isto se alegra em acrescentar, de certa forma, o seu próprio encorajamento. Da mesma maneira como, quando vemos homens fazendo alguma boa obra com prazer na sua vinha ou no seu campo, ou em alguma outra atividade da agricultura, nos alegramos com o que estão fazendo e dizemos, "continuem trabalhando", não para que eles possam começar a trabalhar quando dizemos isso, mas porque nos alegramos por encontrá-los trabalhando, acrescentamos a nossa aprovação e encorajamento. Pois ao dizer "continuem trabalhando" e incentivar os que estão trabalhando, nós, por assim dizer, trabalhamos com eles em anseio. Neste tipo de encorajamento, então, o salmista, cheio com o Espírito Santo, diz isto. - *Agostinho*

v. 1: A exortação três vezes repetida, *"Louvai... Louvai... Louvai"* neste primeiro versículo não é meramente imperativa, nem somente exortativa, mas é um aleluia exultante. - *Martin Geier*

v. 1: "Desde os céus: louvai-o nas alturas". Ou lugares altos. Da mesma maneira como Deus, ao formar o mundo, começou acima e trabalhou de cima para baixo, também o salmista procede nesta sua exortação, convocando todas as criaturas a louvarem ao Senhor. - *John Trapp*

v. 1: "Louvai-o nas alturas". O princípio aplicado neste versículo é que aqueles que foram exaltados às mais elevadas honras do universo criado, devem proporcionalmente se distinguir no seu tributo de honra àquele que os exaltou. - *Hermann Venema*

v. 1: Bernard, no seu sermão por ocasião da morte de seu irmão Gerard, narra que, no meio da sua última noite na terra, o seu irmão, para assombro de todos os presentes, com voz e expressão de exultação, irrompeu nas palavras do salmista: *"Louvai ao Senhor desde os céus, louvai-o nas alturas"*.

v. 2: "Louvai-o, todos os seus anjos". Os anjos são invocados em primeiro lugar, porque podem louvar a Deus com humildade, reverência e pureza. Os mais exaltados são os mais humildes, os líderes de todos os exércitos criados são os mais dispostos a obedecer. – *Thomas Le Blanc*

v. 2: "Louvai-o, todos os seus anjos". Os anjos de Deus foram as suas primeiras criaturas; acredita-se que eles existissem antes mesmo do universo inanimado. Eles já estavam louvando o seu Criador antes da luz do dia, e nunca cessam o seu santo cântico. Os anjos louvam a Deus no seu santo serviço. Eles louvaram a Cristo como Deus, quando cantaram seu *Gloria in Excelsis,* na Encarnação, e o louvaram como homem, quando o serviram, depois da sua tentação e antes da sua crucificação. Também agora os anjos louvam ao Senhor, pela sua diligência em servir os seus santos. – *John Lorinus*

v. 2: "Louvai-o, todos os seus exércitos". Isto é, as suas criaturas (aquelas do alto, especialmente, que são como a sua *cavalaria*) chamadas de seus "exércitos", por, 1. seu número; 2. sua ordem; 3. sua obediência. – *John Trapp*

v. 3: "Louvai-o, sol e lua", etc. Como o *sol*, particularmente, louva ao Senhor? 1. Pela sua beleza. Jesus, filho de Siraque, o chama de "globo de beleza". 2. Pela sua plenitude. Dion o chama de "a imagem da capacidade divina". 3. Pela sua exaltação. Plínio o chama *aeli rector*, "o governante do céu". 4. Pelo seu brilho perfeito. Plínio acrescenta que ele é "a mente e a alma de todo o universo". 5. Pela sua velocidade e constância de movimento. Marciano o chama de "o Guia da Natureza". Deus, o Supremo, era retratado pelos antigos segurando, em sua mão, uma coroa de estrelas, para mostrar o duplo conceito, de que eles obedeciam a Ele e também o adornavam. – *Thomas Le Blanc*

vv. 3 e 4: Que o Sol, a fonte de luz e calor, e alegria, a maior luz que governa o dia, o emblema visível da Sabedoria não criada, a Luz que ilumina todos os homens, o centro ao redor do qual todas as nossas esperanças e temores, as nossas necessidades e orações, a nossa fé e amor, estão sempre se movendo, – que a lua, a luz menor que governa a noite, o tipo da igreja, que dá ao mundo a luz que recebe do Sol da Justiça – que as estrelas, tão vastas em número, tão adoráveis em seu arranjo e esplendor, que Deus colocou nos céus, da mesma maneira como indicou os seus eleitos para brilhar por todo o sempre – que todos os céus, com todos os seus prodígios e seus mundos, os abismos do espaço superior e as águas que estão acima do firmamento, as imagens da Sagrada Escritura de Deus e das glórias e dos mistérios que ela contém – que estes sempre louvem àquele que os criou e abençoou, no princípio da criação. – *J. W. Burgon*

vv. 3 e 4:

> Louvai-o, ó sol com tranças de ouro;
> louvai-o, ó lua bela e prateada;
> e vós, reluzentes astros que irradiais luz;
> vós, correntezas que correm acima dos céus,
> vós, céus, que estais acima da abóbada,
> louvai-o, a Ele, que está sobre toda a altura.
> – *Richard Mant*

v. 4: "Louvai-o, céus dos céus", etc. Dos habitantes celestiais, a melodia poética passa, em transição, aos próprios *céus*. Há ordens de céus, classes e alturas supremas, e estágios e graus de menor altitude. Este versículo atravessa de maneira sublime as imensidões que são o lar das mais exaltadas dignidades que confiam em Deus, e então desce ao firmamento onde os meteoros voam, e onde os céus se curvam para erguer as nuvens que aspiram subir da terra. E a ideia aqui apresentada é a de que todos esses vastos domínios, superiores e inferiores, são um só templo de incessante louvor. – *Hermann Venema*

v. 4: Os antigos pensavam que havia um oceano etéreo e elevado em que os mundos flutuavam, como barcos em um mar. – *Thomas Le Blanc*

vv. 5 e 6: Este é o relato da criação, em uma palavra – Mandou; aquilo se fez. Quando Jesus veio, Ele foi a todas as partes mostrando a sua divindade, com a evidência de que a sua palavra era onipotente. Estes versículos declaram dois milagres da vontade e da Palavra de Deus, ou seja, a criação e a consolidação da terra. Em primeiro lugar, o Senhor produziu a matéria, e então a ordenou e estabeleceu. – *John Lorinus*

v. 6: "E os confirmou para sempre", etc. Aqui nos são apresentadas duas coisas: a permanência e a ordem cósmica da criação. Cada coisa criada não é apenas formada para resistir e permanecer, no tipo ou na evolução, se não no individual, mas tem o seu lugar fixado no universo pelo decreto de Deus, para que possa realizar a sua parte no cumprimento da sua vontade. Isto suscita uma questão quanto às palavras *"para sempre"*, como elas podem ser conciliadas com a profecia de Is 65.17: "Eis que eu crio céus novos e nova terra; e não haverá lembrança das coisas passadas, nem mais se recordarão"; uma profecia que foi confirmada pelo próprio Senhor, quando disse, "já o primeiro céu e a primeira terra passaram", e foi vista cumprida em visão pelo discípulo amado (Mt 5.18; Ap 21.1). E a resposta é que da mesma maneira como um homem morre e ressuscita para a incorrupção, tendo a mesma personalidade em um corpo glorificado, também assim acontecerá com o céu e a terra. As suas qualidades serão alteradas, não a sua identidade, no novo nascimento de todas as coisas. – *Neale e Littledale*

v. 6: "Para sempre".

> O meu coração se assombra em mim, quando penso
> no grande milagre que ainda acontece,
> em silêncio ao meu redor – a obra perpétua
> da tua criação, concluída, e ainda assim renovada,
> para sempre.
> – *William Cullen Bryant, 1794-1878*

v. 6: "E lhes deu uma lei", etc. Na verdade, *Ele fez uma ordenança, e não a transgredirá.* Isto é mais óbvio e natural do que inserir um novo sujeito para o segundo verbo, "que não ultrapassarão". Isto prevê, mas apenas em forma, a doutrina científica moderna da inviolabilidade da ordem natural. É a fidelidade imperecível de Deus que torna a lei invariável. – *A. S. Aglen*

v. 7: "Baleias". A palavra *tanninim,* traduzida como *"baleias",* é uma palavra que pode indicar baleias, tubarões, serpentes, ou monstros marinhos de qualquer tipo (Jó 7.1; Ez 29.3). – *John Morison*

v. 7: "Monstros marinhos", na Revised Version. Os peixes exigem a nossa admiração, como uma maravilha criada, pela perfeição da sua forma, da sua magnitude, da sua adaptação ao elemento em que habitam e o seu grande número. Assim a sua própria natureza louva o Criador. – *Thomas Le Blanc*

vv. 7 e 8: Ele chama os *abismos, fogo, saraiva, neve, montes e outeiros,* para participarem desta obra de louvor. Não que eles sejam capazes de fazer isto ativamente, mas para mostrar que o homem deve convocar toda a criação para auxiliá-lo passivamente, e para ter tanta caridade com todas as criaturas de modo a receber o que elas oferecem, e tanto afeto por Deus de modo a apresentar a Ele o que recebe dele. A *neve* e a *saraiva* não podem louvar e bendizer a Deus, mas o homem deve bendizer a Deus por essas coisas, em que há uma mistura de problemas e inconveniências, algo que perturba a nossa percepção, bem como algo que aprimora a terra para os frutos. – *Stephen Charnock*

vv. 7 a 10: Há muitas coisas aqui que são fáceis de entender, elas são claras para todos os olhos; como quando Davi exorta "reis" e "príncipes", "velhos" e "crianças" a louvarem a Deus; isto é fácil de fazer, e entendemos o significado tão logo lemos o versículo; mas aqui há algumas coisas que são difíceis de entender, são sombrias e obscuras, e são duas: Em primeiro lugar, o fato de que Davi exorta *criaturas mudas, irracionais e insensíveis* a louvar a Deus, criaturas que não podem ouvir, e muito menos compreender. O Espírito Santo, no Evangelho, nos pede que evitemos palavras impertinentes e vãs repetições, e nós pensamos que Ele mesmo as usará? Não, não. Mas,

Em segundo lugar, não apenas ele invoca essas criaturas, como também invoca os *"abismos"* e os *"mares"* para louvar a Deus; estas duas coisas são difíceis de ser concebidas. Mas vou lhe dar algumas razões:

A primeira razão pode ser esta, por que Davi invoca as criaturas irracionais para cumprir este dever. – *Ele faz o seu dever como um fiel pregador,* quer o ouçam ou não aqueles a quem ele prega, ainda assim ele aliviará a sua alma; como um verdadeiro pregador, ele apresenta a verdade, e os conclama para que o ouçam, embora os seus ouvintes durmam, sejam descuidados e não considerem o que ele diz. De igual maneira Davi, neste sentido, com estas criaturas, cumpre o seu dever e as conclama a fazer isto, embora elas não entendam, embora não compreendam. E de igual maneira ele faz isto para mostrar o seu veemente desejo de que todas as criaturas louvem a Deus.

A segunda razão pode ser esta: *ele faz isto com astúcia,* como um método político, para incitar os outros a realizar este dever, de modo que, se criaturas como estas devem fazer isto, então as que estão acima delas, em grau, terão mais motivos e poderão ficar envergonhadas de negligenciar esse dever; da mesma maneira como um amo mal influenciado, embora ele mesmo fique em casa, envia os seus servos à igreja; também Davi, consciente da sua própria negligência, ainda assim invoca os outros para que não sejam frouxos e negligentes; embora ele fique infinitamente aquém do que deveria fazer, ainda assim mostra o seu próprio desejo de que todas as criaturas realizem esse dever.

Mas se estas razões não satisfizerem você, embora tenham satisfeito a muitas outras pessoas, uma terceira razão pode ser esta: *exibir a doce harmonia que existe entre todas as criaturas de Deus;* mostrar como todas as criaturas, sendo a família de Deus, a *uma* só voz, falam e pregam o louvor de Deus em voz alta. E por isto ele invoca alguns acima deles, alguns abaixo dele, dos dois lados, de todas as partes, para proclamar os louvores de Deus; pois cada um, em seu lugar, posição, e vocação, exibe, ainda que seja de uma maneira muda, o louvor de seu Criador.

Ou, em quarto e último lugar, o que eu penso que é uma boa razão: *o zelo faz com que os homens digam e expressem coisas impossíveis;* o fogo do zelo transportará o homem de tal maneira que o fará dizer coisas irracionais, impossíveis, como Moisés, em seu zelo, desejou que Deus, para a segurança de Israel, "apagasse o seu nome de debaixo do céu"; e Paulo desejou ser "anátema", amaldiçoado ou separado de Cristo, se isto pudesse trazer a salvação aos seus irmãos; porém esta era uma coisa impossível; isto não poderia acontecer. – *John Everard, Some Gospel Treasures", 1653*

vv. 7 a 10: O boi e o jumento reconhecem o seu dono. Os ventos e o mar obedecem a ele. Parece que, da mesma maneira como parece haver uma religião acima dos homens, a religião dos anjos, também pode haver uma religião abaixo dos homens, a religião das criaturas mudas. Pois onde quer que haja um culto a Deus, com efeito há uma religião. Assim, de acordo com os vários graus e diferença de estados – o estado de natureza, graça,e glória – a religião pode igualmente admitir graus. – *G. G. em um sermão intitulado "The Creatures Praysing God", 1662*

v. 8: Este versículo organiza em ordem assombrosa três elementos que estão sempre cheios de movimento e poder – *ignea, aquea, aerea*; fogo (ou calor), água (ou vapor), e ar (ou vento). O primeiro inclui meteoros, relâmpagos e trovões; a segunda, a neve, a geada, o orvalho, a névoa e a chuva; o terceiro, as brisas, tempestades e furacões. – *Hermann Venema*

v. 8: "Fogo e saraiva". Eles são contrastados entre si.

"Névoa e vapores." A névoa é o vapor gerado pelo calor do sol, e por isto contrastado de maneira apropriada com a neve, que é o resultado do frio.

"Vento tempestuoso" (Sl 107.25), que acompanha as mudanças de temperatura no ar. – *James G. Murphy*

v. 8: "Neve". Tão certamente como cada floco de neve que cai participa da grande organização da natureza, com a mesma certeza cada Palavra de Deus que cai no santuário tem o seu objetivo a cumprir na esfera moral. Em um dia de inverno, eu vi os minúsculos flocos, em pequenas nuvens, caindo, um por um, no rio que corria. Eles pareciam morrer sem nenhum propósito – ser engolidos por um inimigo que ignorava o seu poder e a sua existência. E assim eu vi a Palavra de Deus cair sobre corações humanos. Enviada por Deus, um dia após o outro, um ano após o outro, eu a vi caindo aparentemente sem nenhum resultado na violenta correnteza da descrença – na ainda mais violenta corrente do golfo do materialismo, que varria as mentes e as vidas dos ouvintes. Mas enquanto eu estava sobre a margem do rio e olhava o que parecia ser a morte do pequeno cristal tremulante, um segundo pensamento me assegurou que era apenas morte para vida, e que cada pequeno floco que perdia a sua vida nas rápidas águas, se incorporava na existência do rio. Assim, quando vi a Palavra de Deus cair, aparentemente infrutífera, sobre a corrente inquieta, tempestuosa e veloz da vida humana, uma fé recuperada na declaração imutável de Deus me assegurou de que aquilo que eu olhava não era uma morte ao acaso ou inútil, mas a queda do soldado, depois que ele tinha exercido a força da sua vida em benefício do destino de uma nação e da história mundial. E assim deve ser. A Palavra de Deus sempre alcança o seu objetivo. – *S. S. Mitchell, em um sermão intitulado "The Coming of the Snow and the Coming of the Word", 1884*

v. 8: O *"vento tempestuoso"* é o veloz mensageiro de Deus (Sl 147.15). O furacão satisfaz o mandamento divino (veja Mt 8.27). "Até os ventos e o mar lhe obedecem". O *"vento"* é um ministro de juízo (veja Ez 13.13). As palavras deste versículo têm uso especial; pois os homens são excessivamente capazes de atribuir a violência das tempestades ao cego acaso. – *Martin Geier*

v. 8: O homem que tem alguma instrução é capaz de rir da fé simples do palhaço ou do selvagem, que nos diz que a chuva vem de Deus. Aparentemente ele descobriu que a chuva é o resultado de certas leis do ar, da água, e da eletricidade. Mas, na verdade, o camponês é o mais esclarecido dos dois, pois ele descobriu a principal causa e o verdadeiro Ator, ao passo que o outro descobriu apenas a segunda causa, e o mero instrumento. É como se um amigo nos enviasse um presente de engenhoso e belo artesanato, e exatamente quanto a nossa gratidão estivesse começando a chegar ao doador, alguns espectadores começassem a amortecê-la, dizendo-nos que o presente é o produto de determinada máquina que eles tinham visto. – *James MacCosh, 1811*

v. 9: "Montes e todos os outeiros", etc. A diversificação da face da terra com partes mais altas e mais baixas, com montes, colinas e vales, e o adorno dessa face, com árvores de variados tipos, contribui muito para o louvor de Deus. – *David Dickson*

v. 9: "Montes e todos os outeiros". Que vozes têm os outeiros! Quão solenes são os sons dos montes de suas sublimes solidões! Os montes trovejam e os outeiros ecoam; mas eles falam de paz, e enviam fartura aos vales, em riachos. – *Thomas Le Blanc*

v. 9: "Árvores frutíferas e todos os cedros". O louvor de Deus está nas vozes sussurrantes das árvores. Elas cumprem o seu propósito de dar frutos para revigorar, e abrigo e sombra como uma coberta, e o seu murmúrio é a suave cadência que canta sobre misericórdia e graça. Na Índia, os anciãos registraram que as árvores eram adoradas como divinas, e a morte era uma punição aplicada aos que as cortavam.

Na mitologia clássica, os bosques eram a morada dos deuses. O Senhor decretou que uma arca para a segurança do homem, e também um templo para Si mesmo, deviam ser construídos de madeira. Assim, mais do que quaisquer outras coisas criadas, as árvores do campo resultaram na sua glória. – *Le Blanc*

v. 9: "Árvores frutíferas". Na verdade, *árvores de frutos*; a árvore que dá frutos, representando uma divisão do mundo vegetal, plantada e cultivada pelo homem; os "cedros", representantes da outra, que são (Sl 104.16) da plantação do próprio Deus. Assim, no versículo 10, temos animais *selvagens* e *domesticados*. – *A. S. Aglen*

v. 9: "Árvores".

Todas as criaturas do Deus eterno, exceto o homem,
de diversas maneiras glorificam o seu nome;
Cada árvore parece ter dez mil línguas
para louvar o Senhor onipotente;
cada folha que com o vento gentil oscila
parece uma língua para expressar esse louvor,
em linguagem admiravelmente excelente.
Os diversos tipos de flores fragrantes parecem
discursos diversos para glorificar a Deus,
e podemos considerá-los extremamente doces,
pois todas essas criaturas, em seus variados tipos,
devem louvar a Deus, junto com o homem, conforme a exortação.
– *Peter Pett,* 1599

v. 9: "Todos os cedros". Verdadeiramente bela é a floresta de pinheiros, em todas as estações: no frescor da primavera, quando os ramos retorcidos são penetrados e abrandados pelo suave vento e pelo sol quente, e, emocionados com a nova vida, explodem em franjas do mais rico verde e frutos do mais terno púrpura; bela no verão sufocante, quando entre as suas sombras frias e escuras as horas aquecidas durante todo o dia cantam as vésperas, enquanto a paisagem aberta palpita no calor escaldante; bela na tristeza do outono, quando a sua vegetação imperecível se destaca, em assombroso relevo, em meio a cenas mutáveis, que não têm simpatia com nada terreno, exceto a tristeza e a decadência, e dirige os pensamentos à imperecibilidade do Paraíso celestial; extremamente bela, na profundeza do inverno, quando os seus ramos estão cobertos com coroas puras e imaculadas de neve, esculpidos pelo vento em curvas de graça singular. Ela é bela em meio à calma, quando os topos das árvores mal sussurram umas às outras, e o canto da cambaxirra dourada soa alto em meio ao silêncio expectante. É mais do que bela na tempestade, quando os dedos selvagens do vento tocam a mais pesarosa música nas cordas da sua harpa, e o seu diapasão é sublime, como o bramir do oceano em uma praia rochosa. Eu não me admiro com o fato de que a imaginação nórdica nos tempos pagãos a tivesse investido de temor e respeito como a morada favorita de Odin e Thor; ou de que, em tempos posteriores, as suas longas fileiras de troncos, desaparecendo na perspectiva escura, tivessem fornecido desenhos para os corredores de templos cristãos, e o crepúsculo, queimando entre os seus ramos decorados, tivesse sugerido o vitral maravilhosamente pintado da catedral. Parece um lugar feito para a adoração, todos os seus sentimentos e associações parecem ter um caráter sagrado e solene. A natureza, com as mãos juntas, como diz Longfellow, parece ajoelhada aqui, em oração. Ela certamente nos lembra, de várias maneiras, do poder, da sabedoria, e da bondade daquele que assim falou, pela boca do seu profeta: "Plantarei no deserto o cedro, e conjuntamente a faia, o olmeiro e o álamo, para que todos vejam, e saibam, e considerem, e juntamente entendam que a mão do Senhor fez isso, e o Santo de Israel o criou". – *Hugh Macmillan, Bible Teachings in Nature", 1867*

v. 10: "Répteis". Da adoração pública, todos devem participar. As pequenas cordas devem participar de um concerto, bem como as grandes. – *Thomas Goodwin v. 10:* "Aves voadoras". Assim o ar é vocal. Ele tem um aleluia próprio. A *"ave voadora"* louva a Deus; quer seja "a cegonha que no céu conhece os seus tempos determinados" (Jr 8.7), ou "o pardal solitário no telhado" (Sl 102.7), ou "os corvos do ribeiro" (Pv 30.17), ou a águia que "desperta o seu ninho, se move sobre os seus filhos" (Dt 32.11), ou a rola, que faz com que o seu cantar seja ouvido na terra (Ct 2.12) ou a pomba voando rumo ao deserto (Sl 55.6). Esta é a harpa da criação (mais verdadeira e mais doce do que a de Memnom), que cada nascer do sol desperta, "convertendo todo o ar em música". – *Horatius Bonar, Earth's Morning; ou, Thoughts on Genesis", 1875*

v. 11: "Reis da terra e todos os povos, príncipes". Uma vez que os reis e príncipes estão cegos pela ofuscante influência de sua posição, a ponto de pensarem que o mundo foi feito para eles, e desprezarem a Deus, na soberba de seus corações, o salmista os convoca particularmente para este dever; e, mencionando-os em primeiro lugar, ele reprova a sua ingratidão, ao reter o seu tributo de louvor quando estão sob obrigações maiores do que outras. Como todos os homens originalmente estão sobre um nível, como condição, quanto mais alto chegam as pessoas, e quanto mais perto foram trazidas de Deus, mais sagradamente devem proclamar a sua benignidade. Mais intolerável é a iniquidade de reis e príncipes que reivindicam isenção da regra comum, quando deviam inculcá-la nos outros e dar o exemplo. O salmista poderia ter dirigido a sua exortação de maneira sucinta a todos os homens, uma vez que ele menciona *povos* em termos gerais; mas especificando três vezes *príncipes*, ele sugere que eles são lentos em desempenhar o dever e precisam ser incentivados a fazê-lo. – *João Calvino*

v. 11: "Reis da terra"; "juízes da terra"; estes não são títulos soberbos, mas humilhantes, pois os reis *terrenos* e os juízes *terrenos* não serão reis e juízes por muito tempo.

v. 12: "Rapazes e donzelas, velhos e crianças". Os grupos são mencionados aos pares, ligados, de dois em dois. *"Rapazes e donzelas, velhos e crianças"*. E aqui há uma dupla *advertência:* em primeiro lugar, contra a presunção, e, em segundo, contra o desespero. Em primeiro lugar, para que os jovens pudessem desejar louvar a Deus, eles são exortados a se dirigir ao serviço de Deus, a lembrar-se do seu Criador nos dias da sua mocidade. Em segundo lugar, para quc os homens idosos pudessem não duvidar da aceitação da sua velhice, o nosso Profeta também os exorta. Com respeito à primeira, você sabe, Davi convoca o sol e a lua para louvarem a Deus. Se o sol respondesse: Eu não o farei pela manhã, nem às 12 horas, mas quando estiver perto de me pôr?, ou se a luz respondesse: Eu não o farei na fase cheia, mas na minguante? ou a árvore, não na primavera, nem no verão, mas quando caíssem as folhas? Assim, de igual maneira vocês, jovens, não adiem o momento de louvar a Deus: aproveitem o vigor da sua mocidade, e não adiem a sua apresentação ao serviço de Deus até a sua velhice; mas lembrem-se de que por todas essas coisas vocês virão a juízo. Aquele que se dá o título *EU SOU*, não se importa com Eu serei, nem Eu fui, mas aquele que é neste presente: tomem cuidado, portanto, vocês, homens fortes e robustos: o diabo que controla vocês agora irá, a cada dia, atar uma nova corda ao seu redor. Considerem isto, vocês que ainda são jovens, a quem o sol da luz da manhã adorna com os seus gloriosos raios; nem todos vivem até a velhice. Não adiemos o serviço de Deus; pois quanto mais adiarmos o serviço de Deus, mais distante a graça de Deus estará de nós, e o domínio de Satanás será mais fortalecido em nossos corações; quanto mais adiarmos, maior será a nossa dívida, maior o nosso pecado, e menor a nossa graça. Eu recomendo esta lição a todos. Aquele que não se arrepender hoje tem um dia a mais de que se arrepender, e um dia a menos para se arrepender. Eu concluo com uma fervorosa exortação para todos nós, qualquer que seja o nosso sexo, idade e nível; eu desejo que todas as nossas vidas possam terminar como este livro de salmos, bendizendo e louvando ao Deus Todo-poderoso. – *Thomas Cheshire, A Sermon preached in Saint Paule's Church", 1641*

v. 12: "Velhos". Não pensem vocês, que estão agora perto do fim da vida, que as suas línguas poderão silenciar, sem culpa, os louvores do Senhor, porque chegaram àqueles anos em que os homens dizem que "não têm prazer neles". Vocês não louvavam a Deus frequentemente, quando eram crianças e jovens? Você tem menos razão ou não tem maior razão, para louvar a Deus do que nos dias anteriores da vida?

Os velhos devem ser mais qualificados do que os jovens, a exibir a glória, tanto das perfeições como das obras de Deus, porque tiveram mais tempo e mais abundantes oportunidades do que os jovens para obter o conhecimento de Deus e das gloriosas perfeições e obras que nos dotam com intermináveis motivos para o louvor. "Falem os dias, e a multidão dos anos ensine a sabedoria".

Os céus manifestam constantemente "a glória de Deus e o firmamento anuncia a obra das suas mãos. Um dia faz declaração a outro dia, e uma noite mostra sabedoria a outra noite". Você viveu, então, vinte mil dias e vinte mil noites? Que profundas impressões devem ser provocadas em seu espírito por essas maravilhas que foram pregadas em seus ouvidos ou olhos, desde que você pôde usar os seus sentidos físicos como ministros para a sua capacidade intelectual! Todas as obras de Deus o louvam, exibindo o quanto o Criador é maravilhoso em poder, e benignidade e sabedoria. A sua língua é verdadeiramente indesculpável se está silenciosa nos louvores daquele cuja glória é proclamada por cada objeto, acima delas ou ao seu redor, e mesmo por cada membro de seu próprio corpo, e cada faculdade da sua alma. Mas os velhos são duplamente inescusáveis, se não derem atenção às preciosas instruções que lhes são dadas por todas as obras de Deus que eles viram, ou das quais foram informados, todos os dias, desde que a capacidade de sua natureza racional começou a funcionar.

Mas os velhos, nesta terra altamente privilegiada, foram abençoados com instruções mais excelentes do que as que lhes são dadas pelos montes e vales frutíferos, pelos dragões do deserto ou do abismo, ou pelas aves do céu e os animais da terra, ou pelo sol e pelas estrelas do céu. Pois vocês foram aprendizes durante muitos anos mais do que os rapazes ou as donzelas; e vocês são muito passíveis de acusação, se não estiveram na escola de Cristo. Vocês foram ensinados, desde muito cedo, a ler a Palavra de Deus. No curso de cinquenta ou sessenta anos, provavelmente vocês ouviram seis mil sermões religiosos dos ministros de Cristo, sem mencionar outros meios excelentes que tiveram para aumentar o seu conhecimento de Deus. "Devendo já ser mestres pelo tempo", diz Paulo aos cristãos hebreus. E não posso dizer a mesma coisa a todos os cristãos idosos, que tiveram a Bíblia em suas mãos e excelentes oportunidades de frequentar as santas assembleias desde os seus mais tenros dias? Não é de se esperar que os seus corações e as suas bocas estejam cheias dos louvores de Deus, não somente como o seu Criador, mas como o seu Redentor?

Mas há muitas coisas que dizem respeito mais particularmente aos velhos, que deveriam induzi-los a abundar neste dever de louvor a Deus.

Considerem a maneira como vocês têm vivido. Cada dia da vida, e cada hora, e cada momento, não é um favor imerecido? Vocês poderiam ter sido arrancados do seio e do útero, pois foram formados em iniquidade e concebidos em pecado. Quantos da sua raça foram arrancados antes mesmo que pudessem distinguir entre a sua direita e a sua esquerda, antes que pudessem fazer o bem ou o mal! Uma vez que vocês são agentes morais, nem um dia se passou em que não tenham sido acusados de muitos pecados. Quanta riqueza de tolerância e sofrimento se manifesta em uma vida de sessenta ou setenta anos! Se vocês viveram em um estado de pecado durante todo esse tempo, não têm motivos para estar surpresos de não estar ainda em uma condição que tornaria impossível, para sempre, que vocês expressassem a voz do louvor? Deem glória, portanto, àquele Deus que ainda preserva vocês vivos.

Considerem quais graças encheram os seus dias. As misericórdias de Deus foram novas para vocês todas as manhãs, embora todos os dias vocês pecassem contra Ele.

As reflexões sobre a sua própria conduta pela vida lhes sugerirão muitas razões para louvor e para ação de graças. Mas com respeito a esta parte do assunto, é apropriado que vocês tenham em mente as duas grandes classes em que os homens estão divididos: santos e pecadores. Se vocês pertencem à primeira classe, o que é que fez com que vocês fossem diferentes dos outros? Deem graças àquele que os tirou da potestade das trevas e os transportou para o Reino do Filho do seu amor. Vocês foram capacitados para fazer algumas boas obras, no decorrer da sua vida? Pois que cada uma delas bendiga a Deus, que opera "em vós tanto o querer como o efetuar, segundo a sua boa vontade". Foi bem sucedido algum dos seus esforços de propiciar a transformação de alguns de seus companheiros, ou promover o seu bem estar espiritual? Que agradecimentos suficientes vocês podem fazer a Deus, por torná-los humildes ministros da sua graça?

Mas há muitos velhos que não têm razão para pensar que já passaram da morte para a vida. Estes, certamente, são muito inadequados para louvar a Deus, e não poderão louvá-lo com seus corações, a menos que neles ocorra a transformação, e com ela a santificação, sem a qual nenhum homem poderá entrar no reino do céu. No entanto, certamente, eles têm grande razão para louvar ao Senhor; e podem ver boas razões para isto, embora não possam colocar em prática o seu conhecimento. Vocês têm, na realidade, maior razão para louvar a Deus, pelo fato de que estão na terra dos viventes, do que os que estão em melhor condição; porque, se fossem privados da sua vida atual, nada lhes restaria, exceto os terrores da morte eterna. Bendigam a Deus, vocês, que viveram cinquenta ou sessenta anos em pecado, e foram, o tempo todo, poupados em um mundo tão cheio de misericórdia. Vocês ainda são chamados pelo Evangelho para receber aquela salvação que sempre trataram com desprezo – *Condensado de um sermão proferido por George Lawson (1749-1820), intitulado, "The Duty of the Old to praise God"*

v. 12: "Velhos e crianças". Sempre é interessante ver amizade entre velhos e jovens. É espantoso ver o idoso conservando tanto vigor e simplicidade, a ponto de não repelir as simpatias da mocidade. É surpreendente ver o jovem tão moderno e atencioso, de modo a não julgar aborrecida a companhia de alguém que sobreviveu à excitabilidade e paixão. – *Frederick William Robertson*

vv. 12 e 13: Os salmos são cânticos da igreja, e todos os que pertencem à igreja devem entoá-los. *"Rapazes e donzelas; velhos e crianças. Que louvem o nome do Senhor"*. O crente maduro, que pode triunfar, em firme esperança da glória de Deus, deve emprestar a sua voz para fazer aumentar o cântico da igreja, quando ela clamar a Deus das profundezas; e o penitente, que ainda está nas trevas, não deve restringir a sua voz, quando a igreja derramar em cânticos a sua sensação do amor de Deus. Toda a igreja tem comunhão nos salmos. – *William Binnie, The Psalms, their History, Teachings, and Use", 1870*

vv. 12 e 13: "Velhos... Que louvem o nome do Senhor". É uma de minhas especulações favoritas que, se poupados até os sessenta anos, nós entramos então na sétima década da vida humana, que, se possível, deve ser convertida no sábado da nossa peregrinação terrena, e passada de maneira sabática, como nas praias do mundo eterno, ou nos átrios externos, por assim dizer, do templo que está no alto, o tabernáculo no céu. – *Thomas Chalmers*

v. 13: "Que louvem". Exatamente como, no fim da primeira grande divisão do hino (v. 5) e, da mesma maneira como ali, a razão para a exortação está na sentença seguinte. Mas há uma razão diferente. Não mais é porque Ele lhes deu um decreto, confirmando-os como criaturas passivas e inconscientes por uma lei à qual não podem transgredir. (É o mistério terrível da vontade racional que pode transgredir a lei). É porque o seu nome é exaltado, de modo que os olhos dos homens possam ver, e os corações e as línguas dos homens confessem isso; é porque Eles revelou graciosamente socorreu poderosamente ao povo que Ele ama, à nação que lhe é chegada. Se dissermos que aquilo que estava destinado a ser um hino universal, é assim limitado no seu encerramento, devemos nos lembrar de que, ainda que a glória de Deus estivesse amplamente escrita sobre a criação visível, foi apenas aos judeus que qualquer revelação direta do seu caráter foi feita. – *J. J. Stewart Perowne*

v. 13: "O nome do Senhor". Jeová, ou o Senhor, é um nome de grande poder e eficácia, um nome que tem algumas vogais, sem as quais nenhuma linguagem pode ser expressada; um nome que têm também três sílabas, indicando a Trindade de Pessoas, a eternidade de Deus, Um em Três e Três em Um; um nome de tal terror e reverência, entre os judeus, que eles tremem ao mencioná-lo, e por isto usam o nome *Adonai* (Senhor) em todas as suas devoções. E assim deve cada pessoa sentir reverência, e não pecar, tomando o nome de Deus em vão; mas cantar louvores, honrá-lo, lembrá-lo, declará-lo, exaltá-lo e bendizê-lo; pois somente o seu nome é santo e venerável, digno e excelente. – *Rayment, 1630*

v. 14: "O seu povo, o louvor de todos os seus santos". Mas entre todos, um grupo em particular é convocado para louvá-lo, pois eles têm um motivo adicional para fazê-lo, ou seja, são *"o seu povo"* e *"os seus santos"*. Aqui se trata do homem, acima de todas as criaturas, e também entre os homens, os seus eleitos ou escolhidos, que são os objetos de sua graça especial, e, acima de tudo, do seu amor redentor.

"Ele também exalta o poder do seu povo" – Ele os exalta, a cada um e a todos, da morte do pecado à vida da justiça, e consequentemente, do pó da terra à glória do céu.

"O louvor de todos os seus santos" e, novamente, entre eles, de um povo, em particular – *"dos filhos de Israel, um povo que lhe é chegado"*. *"Que lhe é chegado"* desde antigamente, e novamente será – sim, o mais chegado de todos os povos da terra – quando Ele os congregar da sua dispersão, e novamente colocar o seu nome e o seu trono entre eles. ALELUIA – LOUVAI AO SENHOR. – *William De Burgh*

v. 14: "Um povo que lhe é chegado". Jesus assumiu a nossa natureza, e se tornou Um conosco; assim Ele é *"chegado"* a nós; Ele nos dá o seu Espírito Santo, nos traz à união consigo mesmo, e assim, nós lhe somos chegados. Esta é a nossa mais suprema honra, uma fonte infalível de felicidade e paz. Nós lhe somos chegados, no que diz respeito a *relacionamento*, pois somos seus filhos; chegados, no que diz respeito a *afeto*, sendo amados com um amor eterno; nós lhe somos chegados, no que diz respeito à *união*, sendo membros do seu corpo, da sua carne, e dos seus ossos; nós lhe somos chegados, no que diz respeito à *comunhão*, andando com Ele, como um homem anda com seu amigo; nós lhe somos chegados, no que diz respeito à *atenção*, sendo os objetos do seu cuidado diário, horário, e terno; logo lhe seremos chegados, no que diz respeito ao *local*, quando a nossa mansão estiver preparada. Mas agora sabemos que a nossa mansão já está preparada, e assim partiremos para estar com Cristo, o que é muito melhor. Nós lhe somos chegados quando somos pobres, e quando somos profundamente tentados; e se lhe formos mais chegados em uma ocasião do que em outra, lhe seremos mais chegados na morte. Se nós lhe somos chegados, Ele se solidarizará conosco, em todas as nossas tristezas, nos auxiliará em todas as nossas provações, nos protegerá em todos os nossos perigos, e se relacionará conosco em todas as nossas horas de solidão, e nos proverá em todas as nossas ocasiões de necessidade, e honrosamente nos introduzirá à glória. Devemos perceber este fato diariamente – nós somos chegados a Deus, e amados por Deus. – *James Smith*

SUGESTÕES AOS PREGADORES

Todo o salmo. I. O que está implícito no convite para que a criação natural louve a Deus. 1. Esse louvor é devido a Deus; é muito justo. 2. É devido por aqueles para cujo benefício tudo foi criado. 3. Esta é uma censura aos que não louvam a Deus e que são capazes de fazê-lo. "Se estes se calarem, as próprias pedras clamarão". II. O que está implícito no convite para que seres inocentes louvem a Deus. "Louvai ao Senhor desde os céus. Louvai-o, todos os seus anjos; louvai-o, todos os seus exércitos" (vv. 1,2). – 1. O fato de que eles devem a Deus a sua criação em inocência. 2. O fato de que eles devem a Ele a sua preservação em inocência. 3. O fato de que devem a Ele a recompensa da sua inocência. III. O que está implícito no convite para que os seres inferiores louvem a Deus: "Reis da terra e todos os povos", etc. (vv. 11-13). – 1. O fato de que Deus é misericordioso e pronto a perdoar. "Não querendo que alguns se percam", etc. Eles não seriam chamados para louvar a Deus, se estivessem perdidos de maneira irrecuperável. O nosso Senhor não aceitaria, na terra, o louvor de um espírito mau. 2. O fato de que os meios de restauração da queda são propiciados por Deus para os homens. Sem isto, eles não teriam esperança, e não poderiam oferecer louvor. IV. O que está implícito no convite para que os redimidos louvem a Deus (v. 14). – 1. Que Deus é o seu Deus. 2. Que todas as suas perfeições estão engajadas para o seu bem estar, presente e eterno. – *G. R.*

v. 1. "Louvai ao Senhor." I. A Voz – das Escrituras, da natureza, da graça, do dever. II. O Ouvido em que ela cai – o dos santos e pecadores, velhos e jovens, doentes e saudáveis. Ela cai no nosso ouvido. III. O Momento em que ela é ouvida. Agora, sempre, e também em momentos especiais. IV. A Resposta que lhe daremos. Louvemos agora, com coração, vida, e lábios.

v. 1 (segunda e terceira partes). I. O caráter dos louvores no céu. II. Até que ponto eles nos influenciam, a nós, que estamos aqui abaixo. III. A esperança que temos de nos unir a eles.

v. 2. I. Os anjos como servos que louvam. II. Os outros exércitos de Deus, e como o louvam. III. A regra sem exceção: *"todos – todos"*. Imagine um ser celestial, vivendo sem louvar ao Senhor!

v. 3. I. O louvor contínuo a Deus, dia e noite. II. A luz, a fonte que lidera este louvor. III. A vida que está por trás de tudo, exigindo o louvor.

vv. 5 e 6. Criação e convivência, as duas principais razões para o louvor.

v. 7. O louvor a Deus, de coisas obscuras, profundas e misteriosas.

v. 8. Canon Liddon pregou, na catedral de São Paulo, na tarde de domingo, 23 de dezembro de 1883, e para o seu texto usou Sl 148.8, *"Vento e tempestade cumprindo a sua palavra"*. Ele falou do uso divino de forças destrutivas. I. No mundo físico, vemos o vento e a tempestade, cumprindo a palavra de Deus. 1. Ocasionalmente, a Bíblia levanta o véu, e nos mostra como as forças destrutivas da natureza têm sido servas de Deus. 2. A história moderna exemplifica isto vividamente. II. No mundo humano, espiritual e moral, encontramos novas e ricas aplicações das palavras do texto. 1. No Estado, vemos a tempestade da invasão e a tempestade da revolução, cumprindo a Palavra de Deus. 2. Na igreja, vemos a tempestade da perseguição e a tempestade da controvérsia, cumprindo a Palavra de Deus. 3. Na experiência da vida individual, vemos problemas externos, e tempestades internas, de dúvidas religiosas, cumprindo a Palavra de Deus. – *The Contemporary Pulpit, 1884*

v. 9. *"Árvores"*. A glória de Deus, como é vista nas árvores.

v. 10. Os mais selvagens, os mais tranquilos, os mais deprimidos, e os mais ambiciosos, todos devem render os seus cânticos.

vv. 11 a 13. I. O Rei universal. Único em excelência. Supremo em glória. II. A convocação universal. De todas as nações, níveis, classes e idades. Prenunciando o juízo. III. O dever universal: louvor – constante, enfático, crescente. – *W. B. H.*

v. 12. Deus deve ser servido pela força e beleza, experiência e expectativa.

v. 12. *"E crianças"*. Palavras de crianças. I. Onde são encontradas as crianças (vv. 11, 12). Na sociedade real e distinta: mas não perdidas nem negligenciadas. II. Para que são chamadas. "Louvar ao Senhor". E têm abundantes razões para fazer isso. III. Quais são as lições desse tema? 1. As crianças devem comparecer com seus pais no dia de repouso e adoração. 2. As crianças devem se unir, em coração e voz, aos louvores de Deus. 3. As crianças devem buscar a adequação para este louvor, crendo em Cristo. – *W. B. H.*

v. 14. O povo privilegiado e o seu Deus. I. O que Ele faz por eles. II. O que Ele os faz: "santos". III. Quem são eles: "os filhos de Israel". IV. Onde estão: "Chegados a Ele". V. O que fazem por Ele: "Louvam ao Senhor".

SALMO 149

TÍTULO

Nós estamos quase no último salmo, e ainda entre as Aleluias. Este é um "cântico novo", evidentemente destinado à nova criação e aos homens que têm um novo coração. É um cântico que pode ser entoado por ocasião da vinda do Senhor, quando a nova dispensação trará derrota para os ímpios e honra a todos os santos. O tom é extremamente jubiloso e exultante. Todos ouvem o bater dos pés das donzelas ao dançar, no compasso, com o adufe e a harpa.

EXPOSIÇÃO

1 *Louvai ao Senhor! Cantai ao Senhor um cântico novo e o seu louvor, na congregação dos santos.*

2 *Alegre-se Israel naquele que o fez, regozijem-se os filhos de Sião no seu Rei.*

3 *Louvem o seu nome com flauta, cantem-lhe o seu louvor com adufe e harpa.*

4 *Porque o Senhor se agrada do seu povo; ele adornará os mansos com a salvação.*

5 *Exultem os santos na glória, cantem de alegria no seu leito.*

6 *Estejam na sua garganta os altos louvores de Deus e espada de dois fios, nas suas mãos,*

7 *para tomarem vingança das nações e darem repreensões aos povos,*

8 *para prenderem os seus reis com cadeias e os seus nobres, com grilhões de ferro;*

9 *para fazerem neles o juízo escrito; esta honra, tê-la-ão todos os santos. Louvai ao Senhor!*

1. *"Louvai ao Senhor."* Especialmente vocês, o povo escolhido, a quem Ele criou, para que fossem os seus santos. Vocês o louvaram antes, devem louvá-lo outra vez; sim, devem louvá-lo para sempre. Com zelo renovado e deleite revigorado, elevem o seu cântico ao Senhor.

"Cantai ao Senhor um cântico novo". Cantem, pois esse é o método mais apropriado para expressar reverente louvor. Cantem um hino composto agora, pois agora têm um novo conhecimento de Deus. Ele é sempre novo em suas manifestações; as suas graças são novas a cada manhã; as suas libertações são novas, em cada noite de angústia; que a sua gratidão e o seu agradecimento também sejam novos. É bom repetir o antigo; é mais útil inventar o novo. A novidade é bem acompanhada com a sinceridade. O nosso cântico deve ser "ao Senhor"; os cânticos que cantamos devem ser dele e para Ele, "porque dele, e por ele, e para ele são todas as coisas". Entre as nossas novidades deve haver novos cânticos: infelizmente, os homens gostam mais de fazer novas queixas do que novos salmos. Os nossos novos cânticos devem visar a honra do Senhor; na verdade, os nossos mais novos pensamentos devem correr em sua direção. Não poderemos nunca encontrar um assunto mais nobre para um cântico do que o Senhor, nem algo mais repleto de material novo para um cântico novo, nem algo que nós temos pessoalmente tanta obrigação de cantar, como um novo cântico "ao Senhor".

"E o seu louvor, na congregação dos santos." Os santos são preciosos, e uma congregação de santos é um tesouro de jóias. Deus está no meio dos santos, e por causa disto, podemos ansiar por estar entre eles. Eles estão tão cheios do seu louvor que nos sentimos à vontade entre eles, quando nós mesmos estamos cheios de louvor. O santuário é a casa de louvor, bem como a casa de oração. Todos os santos louvam a Deus: eles não seriam santos, se não o fizessem. O seu louvor é sincero, adequado, oportuno e aceitável. O louvor pessoal é doce para Deus, mas o louvor congregado tem em si uma multiplicidade de doçuras. Quando os santos se encontram, adoram o Santo. Os santos não se reúnem para se divertir com música, nem para exaltarem uns aos outros, mas para cantarem o louvor daquele a quem os santos pertencem. Uma congregação de santos é o céu sobre a terra: Jeová, o Senhor dos santos, não deveria ter todo o louvor que pode vir de tal assembleia? Mas, às vezes, até mesmo os conclaves santos precisam ser incitados à ação de graças; pois os santos podem estar tristes e apreensivos, e então os seus espíritos devem ser conduzidos a uma nota mais alta, e estimulados a uma adoração mais feliz.

2. *"Alegre-se Israel naquele que o fez."* Aqui está aquela nova criação que clama pelo cântico novo. Foi o Senhor que fez com que Israel fosse Israel, e as tribos se tornassem uma grande nação: portanto, que o Fundador da nação seja tido em perpétua honra. Alegria e regozijo devem ser, evidentemente, as características especiais do novo cântico. A religião dos mortos em pecado tem mais capacidade de cantar lamentos do que cantar aleluias. Mas quando nos renovamos no espírito do nosso sentido, da nossa mente, nós nos alegramos e regozijamos naquele que nos criou. A nossa alegria está no nosso Deus e Rei: não devemos escolher um prazer inferior.

"Regozijem-se os filhos de Sião no seu Rei." Os que viram as tribos formadas em um reino estabelecido, bem como uma nação unida, devem se alegrar. Israel é a nação, Sião é a capital do reino: Israel se alegra naquele que o fez. Sião, no seu Rei. No caso do nosso Deus, nós, que cremos nele, estamos tão contentes com o seu Governo como com a sua Criação: o seu reino é tão verdadeiramente a nossa criação como foi o seu poder divino. Os filhos de Israel são felizes por terem sido feitos um povo; os filhos de Sião são igualmente felizes por serem governados como um povo. Em cada caráter, o nosso Deus é a fonte de alegria para nós: este versículo emite uma permissão para a nossa alegria, uma ordem para que nos alegremos no Senhor.

3. *"Louvem o seu nome com flauta, cantem-lhe o seu louvor com adufe e harpa."* Assim, que repitam o triunfo do Mar Vermelho, que era sempre a típica glória de Israel. Miriã liderou as filhas de Israel na dança, quando o Senhor tinha triunfado gloriosamente: não era muito adequado que ela o fizesse? A dança sagrada da alegria devota não é exemplo, nem mesmo uma desculpa, para danças frívolas, e muito menos para danças lascivas. Quem poderia deixar de se alegrar quando o Egito tinha sido derrotado, e as tribos estavam livres? Cada modo de expressar o

deleite deveria ser empregado em uma ocasião tão memorável. Dançar, cantar, e tocar instrumentos, tudo era requisitado, e muito apropriadamente. Há ocasiões incomuns, que pedem expressões incomuns de alegria. Quando o Senhor salva uma alma, a sua santa alegria transborda, e não consegue encontrar canais suficientes para a sua extrema gratidão; se o homem não salta, ou canta, ou toca, de qualquer maneira ele louva a Deus, e deseja mil línguas com as quais possa exaltar ao Senhor. Quem desejaria que isto fosse de outra maneira? Os novos convertidos não devem ter a sua alegria restringida. Que cantem e se alegrem, enquanto puderem. Como podem lamentar agora, que o seu Esposo está com eles? Devemos dar a máxima liberdade à alegria. Não devemos nunca tentar suprimi-la, mas emitir, nos termos deste versículo, uma dupla licença para a exultação. Se alguém deve ser alegre, são os filhos de Sião; alegrar-se é mais apropriado para Israel do que para qualquer outro povo: é por sua própria tolice e culpa que não transbordam o suficiente de alegria em Deus, pois o simples pensar nele é um prazer.

4. *"Porque o Senhor se agrada do seu povo"*, e por isto eles devem se agradar dele. Se a nossa alegria for agradável a Ele, que seja plena. Que condescendência é esta, por parte do Senhor, notar, amar e se agradar dos seus eleitos! Certamente, não há nada em nossa pessoa, nem em nossos atos, que pudesse agradar ao Sempre Bendito, não fosse pelo fato de que Ele é condescendente com os homens de menor condição. A ideia de que o Senhor se agrade de nós é uma mina inesgotável de alegria.

"Ele adornará os mansos com a salvação." Eles são humildes, e sentem a sua necessidade de salvação; Ele é misericordioso, e a concede a eles. Eles lamentam a sua deformidade, e Ele lhes concede uma beleza do melhor tipo. Ele os salva, santificando-os, e assim eles usam a beleza da santidade, e a beleza de uma alegria, que brota da plena salvação. Ele torna o seu povo manso, e então torna belos os mansos. Aqui está um excelente argumento para a adoração do Senhor com a máxima exultação: Com todos os sinais de extrema alegria, devemos nos aproximar daquele que se agrada tanto de nós.

Deus se agrada de todos os seus filhos, como Jacó amava todos os seus filhos; mas os mansos são os seus Josés e neles Ele veste a túnica de várias cores, embelezando-os com paz, contentamento, alegria, santidade e influência. Um espírito manso e tranquilo é chamado de "um ornamento", e certamente é "a beleza da santidade". Quando o próprio Deus embeleza um homem, o tal se torna realmente belo, e belo para sempre.

O versículo pode ser assim interpretado, "Ele adornará os mansos com a salvação", ou "Ele adornará os aflitos com a libertação", ou ainda, "Ele adornará os mansos com a vitória"; e cada uma destas interpretações fornece um novo significado, bastante merecedor de tranquila consideração. Cada interpretação também nos sugere uma nova causa para alegre adoração. "Vinde, cantemos ao Senhor".

5. *"Exultem os santos na glória."* Deus os honrou e lhes conferiu uma rara glória; portanto, que eles exultem nessa glória. Aqueles que têm Deus como a sua glória ficarão deprimidos e perturbados? Não, que a sua alegria proclame a sua condição honorável.

"Cantem de alegria no seu leito." A sua exaltação deve se expressar em brados e cânticos, pois este não é um sentimento do qual eles tenham qualquer necessidade de se envergonhar. Aquilo que é tão plenamente justificado pelos fatos, que possa ser proclamado em voz alta. Mesmo no seu mais silencioso isolamento, que irrompam em cânticos; quando ninguém os ouvir, que cantem em voz alta a Deus. Se estiverem confinados por doenças, que se alegrem em Deus. Nas vigílias noturnas, que não fiquem acordados e chorando, mas, como rouxinóis, que encantem as horas da noite. Os seus clamores não são agora para o campo de batalha, mas para os lugares do seu descanso: eles podem se deitar pacificamente e desfrutar da vitória com que o Senhor os adornou. Sem lutar, a fé vence e canta a vitória. Que bênção é ter as nossas camas convertidas em tronos, e o nosso isolamento, em triunfo!

6. *"Estejam na sua garganta os altos louvores de Deus e espada de dois fios, nas suas mãos."* Parece que não estão sempre em seus leitos, mas estão prontos para obras e proezas. Quando chamados à luta, os mansos são muito difíceis de derrotar; eles são tão firmes nos conflitos quanto são firmes na paciência. Além disto, a sua maneira de lutar é extraordinária, pois eles cantam a Deus, mas conservam as espadas em suas mãos. Eles conseguem fazer duas coisas ao mesmo tempo: se eles não brandirem a colher de pedreiro e a espada, pelo menos, que cantem e ataquem. Nisto, Israel não era um exemplo, mas um tipo: não devemos copiar o povo eleito, fazendo uma guerra literal, mas cumpriremos o emblema, continuando na guerra espiritual. Nós louvamos a Deus e guerreamos contra as nossas corrupções; nós cantamos alegremente e combatemos fervorosamente o mal de todos os tipos. As nossas armas não são carnais, mas são poderosas, e ferem com golpes e corte. A Palavra de Deus é completamente cortante, seja como for que a usemos, ela desfere golpes mortais contra a falsidade e a iniquidade. Se nós não louvarmos, nos entristeceremos no nosso conflito; e se não lutarmos, nos tornaremos presunçosos no nosso cântico. O versículo indica uma feliz combinação de corista e guerreiro.

Observe como cada coisa é enfática no crente: se ele canta, são altos louvores, e louvores profundos na sua garganta, como diz o texto original; e se ele combate, é com a espada, e a espada é de dois fios. O Deus vivo distribui vigorosa vida aos que confiam nele. Eles não têm uma tonalidade neutra, os homens os ouvem e os sentem. Manso é o seu espírito, mas nessa mesma mansidão habita o trovão de uma força irresistível. Quando os homens piedosos combatem os poderes do mal, cada conflito é um grande louvor ao Deus de bondade. Até mesmo o tumulto da nossa guerra santa é uma parte da música da nossa vida.

7. *"Para tomarem vingança das nações e darem repreensões aos povos."* Este foi literalmente o dever de Israel: quando entraram em Canaã eles cumpriram a justa sentença do Senhor sobre as nações culpadas. Nesta hora, sob a dispensação mais gentil da graça, nós não lutamos com carne e sangue, mas a nossa batalha não é menos leal e constante, e a nossa vitória não é menos garantida. Todo o mal acabará sendo derrotado: o Senhor exibirá a sua justiça contra os malfeitores, e nessa batalha, os seus servos desempenharão os seus papéis. Os santos julgarão o mundo. Tanto o conflito quanto a vitória final trarão glória a Deus, e honra aos seus santos.

8. *"Para prenderem os seus reis com cadeias e os seus nobres, com grilhões de ferro."* Assim os maiores inimigos do Senhor e do seu povo são reduzidos à vergonha, se tornam impotentes e são punidos. Esta era a glória de Israel, em fatos reais, e é a nossa, espiritualmente. Os principais poderes do mal serão restringidos e no final, destruídos. Os que fizeram cativos os piedosos serão feitos cativos. Os poderes do mal não podem prender o nosso Rei, mas pelo seu poder o rei deles será preso, com uma grande cadeia, e encerrado no abismo, para ser pisado sob os pés dos santos.

9. *"Para fazerem neles o juízo escrito."* Israel, como nação, teve que fazer isto, e o fez, e então eles se alegraram no Deus que deu o sucesso aos seus exércitos. Nós louvamos o nosso Deus de outra maneira; nós não executamos a justiça, mas anunciamos a misericórdia. Seria triste se alguém usasse mal esse texto: para que nenhum crente beligerante seja tentado a fazer isto, nós desejamos lembrá-lo de que a execução não deve ir além da sentença e ordem de prisão; e não recebemos nenhuma permissão de execução dos nossos companheiros homens. Os cristãos não têm comissão de vingança; eles podem executar o mandamento da misericórdia, e somente ele.

"Esta honra, tê-la-ão todos os santos." Todos os piedosos participaram dos triunfos do Senhor, quando Ele feriu os adversários de Israel. Nós temos honra semelhante, mas ela é exibida em vitórias de outro tipo. Todos os santos são enviados em missões pelo seu santo Senhor. As honras descritas neste salmo são comuns a toda a família da graça; e esse serviço que o Senhor indica deve ser realizado por cada membro da família, sem exceção. O Senhor honra a todos os seus eleitos aqui, e os glorificará

no futuro: esta regra não tem exceção. Certamente nisto temos o melhor argumento para glorificar ao Senhor, e por isto concluímos o nosso cântico novo com outro Aleluia, "Louvai ao Senhor".

NOTAS EXPLICATIVAS E DECLARAÇÕES SINGULARES

O salmo: O salmo anterior foi um hino de louvor ao Criador, este é um hino ao Redentor. – *Matthew Henry*

O salmo: A igreja espiritual do Novo Testamento não pode orar como a igreja nacional do Antigo Testamento ora aqui. Sob a ilusão de que deve ser usado como uma oração sem nenhuma transmutação espiritual, o salmo 149 se torna a senha dos mais horríveis erros. Foi por meio deste salmo que Caspar Scloppius, em sua obra Classicum Belli Sacri, que, como diz Bakius, está escrita não com tinta, mas com sangue, inflamou os príncipes católicos romanos à guerra religiosa dos Trinta Anos. E na igreja protestante, Thomas Muntzer incitou a guerra dos camponeses, por meio deste salmo. Vemos que o cristão não pode adotar diretamente este salmo, sem repudiar o aviso apostólico, "as armas da nossa milícia não são carnais" (2 Co 10.4). O cristão que ora deve, portanto, transpor a letra deste salmo ao espírito do novo concerto. – *Franz Delitzsch*

v. 1: "Um cântico novo", pois este salmo é um cântico de renovação. Se Israel, depois de restaurado e renovado, teve uma nova causa para se alegrar, muito mais deve o Israel do novo concerto se sentir impelido a tocar a nova nota de triunfo. Os infiéis blasfemam, os ingratos murmuram, os imprudentes ficam em silêncio, os pesarosos choram, todos agem de acordo com a sua antiga natureza; mas os novos homens adotam um novo método, que é o cântico divinamente inspirado, de paz, caridade e alegria no Senhor. – *Johannes Paulus Palanterius*

v. 1: "Um cântico novo". – O homem antigo tem um cântico antigo, o homem novo tem um cântico novo. O Antigo Testamento é um cântico antigo, o Novo Testamento é um cântico novo... Aquele que ama as coisas terrenas canta um cântico antigo: que aquele que deseja cantar um cântico novo ame as coisas da eternidade. O amor, em si mesmo, é novo e eterno; por isto, é sempre novo, porque nunca envelhece. – *Agostinho*

v. 1: "Santos". – Um título que não deve ficar restrito aos piedosos dos primeiros tempos, mas deve ser comum também a todos os que são salvos em todos os tempos posteriores, como visto em Ef 4.12. Este nome desencoraja a mera moralidade e a profissão formal, como o sol apaga um vaga-lume. O caráter de santo deriva da manufatura e da habilidade de Deus, e por isto é muito mais notável do que a excelência humana. Devemos preservar o nome de "santos", de modo que a realidade da verdadeira religião não seja diminuída, evitando este título; pois nestes tempos é preciso temer que o nome deixe de ser usado, porque a própria santidade está fora de moda. – *Thomas Goodwin*

v. 2: "Alegre-se Israel" etc. Dá-nos, ó, dá-nos o homem que canta no seu trabalho! Seja qual for a sua ocupação, ele é igual a qualquer dos que buscam o mesmo objetivo, em silenciosa tristeza. Ele fará mais no mesmo período de tempo – e o fará melhor – e perseverará por mais tempo. Ele mal percebe a fadiga, enquanto marcha, ao ritmo da música. As próprias estrelas são descritas como fazendo harmonia, quando se revolvem em suas esferas. Maravilhosa é a força da alegria, completamente incalculáveis são os seus poderes de resistência e persistência. Os esforços para que a pessoa seja permanentemente útil devem ser uniformemente alegres – um brilho espiritual – graciosos e piedosos, pela própria alegria – belos, porque são brilhantes. – *Thomas Carlyle*

v. 2: "Alegre-se naquele que o fez: que os filhos de Sião sejam alegres". Você nunca estará certo até que possa sinceramente se alegrar no Senhor, até que você possa desfrutar da alegria, em conexão com a santidade. – *Walter Marshall*

v. 2: "Aquele que o fez". O Senhor é chamado de Criador, como aquele que formou Israel em uma nação, e constituiu o povo como o reino, embora eles tivessem sido uma raça de escravos. Isto é mais do que a criação geral dos homens. – *Hermann Venema*

v. 2: Literalmente, o texto hebraico aqui apresenta a doutrina mística da Trindade, pois diz, "Alegre-se Israel em Deus, seus Criadores" (no original, a palavra Criador está no plural). – *Simon de Muis*

v. 2: "Regozijem-se no seu rei". Eu imploro que o leitor observe comigo, que aqui não há nada escrito sobre Israel se regozijando no que o seu rei tinha feito por eles. Estas coisas, em seu lugar apropriado, se tornam doces temas de louvor. Mas o tema de louvor em que Israel deve estar engajada agora é o próprio Jesus. Leitor, faça aqui uma pausa nesta distinção, aparentemente pequena, mas importante. O Senhor é misericordioso nas suas dádivas, misericordioso no seu amor, misericordioso na sua salvação. Tudo o que Ele dá vem da sua misericórdia, e deve ser assim reconhecido. Mas as dádivas de Jesus não são Ele mesmo: eu não posso ficar satisfeito com as suas dádivas, enquanto sei que aos outros Ele dá a sua Pessoa. É o próprio Jesus que eu quero. Embora Ele me dê todas as coisas de que necessito, ainda assim, uma vez que Ele mesmo é para mim todas as coisas que necessito, nele eu tenho todas as coisas. Assim, portanto, devemos ver que Jesus não somente nos dá tudo, mas que Ele é o nosso tudo. – *Robert Hawker*

v. 3: "A flauta" ou "a dança" era, em tempos antigos, uma das maneiras de expressar alegria religiosa (Êx 15.20; 2 Sm 6.16). Quando, por qualquer causa, as ideias dos homens passarem por tal revolução que os levem a fazer a mesma coisa com o mesmo propósito, haverá tempo suficiente para discutir esta questão. Na nossa época, a dança não tem este uso, e não pode, portanto, ser justificada, alegando ter sido o costume dos judeus piedosos de antigamente. – *William Swan Plumer*

v. 3: "Cantem-lhe o seu louvor com adufe e harpa". Aqueles que, com base nisto, alegam que o uso de música na adoração religiosa é algo obrigatório, devem, pela mesma regra, introduzir a dança, pois elas andam juntas, como na dança de Davi diante da arca (Jz 21.21). Mas embora muitas passagens do Novo Testamento conservem o canto como uma ordenança do Evangelho, nenhuma se preocupa em conservar a música e a dança; o cânone do Evangelho para a salmodia é "cantar com o espírito, mas também com o entendimento". – *Matthew Henry*

v. 3: "Adufe". O toph era usado por Davi em todas as festas religiosas (2 Sm 6.5). As ocasiões em que ele era usado eram extremamente alegres, e ele era tocado, em geral, por mulheres (Sl 68.25), como era o caso nas nações mais antigas, e ainda é, hoje em dia, no Oriente. Os costumes do Oriente moderno podem exemplificar adequadamente todas as referências das Escrituras a este instrumento, mas felizmente nós temos exemplos muito antigos e muito valiosos nos monumentos do Egito. Neles vemos que o adufe era um instrumento predileto tanto em ocasiões sagradas como festivas. Havia três tipos, que diferiam, naturalmente, em som, e também em forma; um deles era circular, outro era quadrado ou retangular, e o terceiro consistia de dois quadrados separados por uma barra. Todos eram tocados com a mão, e frequentemente usados como acompanhamento para a harpa e outros instrumentos. O tamborim era normalmente tocado por mulheres, que são representadas dançando ao som do instrumento, sem o acompanhamento de nenhum outro instrumento. – *John Kitto*

v. 3: "Harpa". Sobre a kinnor as Escrituras fornecem pouca informação adicional, além do fato de que ela era constituída das partes robustas de boa madeira, e dotada de cordas. Josefo afirma que ela era dotada de dez cordas e tocada com um plectro; isto, no entanto, não quer dizer que a harpa nunca tivesse outro número de cordas, nem que fosse sempre tocada com o plectro. Certamente, Davi a tocava com as mãos (1 Sm 16.23; 18.10; 19.9); e provavelmente o instrumento era usado das duas maneiras, dependendo do seu tamanho. O fato de que este instrumento fosse realmente uma harpa é rejeitado agora, de modo geral (Kitto). O leitor, nesta ocasião, terá avaliado as probabilidades quanto à natureza e construção da kinnor, e muito provavelmente será levado a pensar que se tratava de um violão ou de uma lira, uma crença que parece estar ganhando terreno, por causa da aptidão desses instrumentos aos usos aos quais a kinnor era devotada. – *J. Stainer*

v. 4: "Porque o Senhor se agrada do seu povo". No texto, há duas causas pelas quais os santos devem ser estimulados a louvar ao Senhor, e a se alegrar no seu Rei.

I. – O PRAZER QUE O SENHOR TEM NOS SANTOS. "Ele se agrada do seu povo". Nesta declaração, estão os três assuntos para investigação, que são: 1. Quem é o povo do Senhor? 2. Por que Ele se agrada deles? 3. De que maneiras Ele se agrada deles?

1. Quem é o povo do Senhor? Muitos são os homens e títulos dados a eles nas Escrituras. Nós encontramos um deles na segunda parte do texto, mas ele pertence igualmente à primeira. "Ele adornará os mansos". "Mansidão" é uma das expressões das Escrituras que caracteriza e distingue singularmente o verdadeiro cristão. De fato, ela contém em si mesma uma combinação de graças, que são evidentemente o fruto do Espírito, e não podem crescer em nenhuma outra árvore, que não a videira do cristão. A mansidão, como uma graça cristã, pode ser considerada no que diz respeito a Deus e ao homem. No que diz respeito a Deus, ela indica pobreza de espírito; a humildade de coração, que se origina de um sentimento de culpa e um sentimento de corrupção; submissão à vontade de Deus; silêncio e paciência sob a sua vara; aquiescência com as suas dispensações; e uma rendição dos nossos desejos e inclinações naturais às suas determinações predominantes. No que diz respeito ao homem, a mansidão abrange a humildade de espírito, e uma prontidão a preferir os outros a nós mesmos; a gentileza de disposição e comportamento; a tolerância, sob provocação; o perdão às ofensas; a quietude de espírito, e a moderação na busca dos nossos próprios interesses e benefícios. Estas são as qualidades que distinguem "os mansos". Não são estas, meus irmãos, as graças e os humores e as disposições que caracterizam e adornam os verdadeiros cristãos? Eles são, de uma maneira especial "os mansos da terra". Na verdade, não há, e nem pode haver, outros a quem este título realmente pertença. Nenhum homem, em seu estado natural, pode ser manso, no sentido usado nas Escrituras.

2. Mas por que o Senhor "se agrada" deles? Há algo neles, que seja próprio deles, que Ele possa considerar com complacência e prazer? Não: eles sabem e sentem que não têm pretensões deste tipo. Não é por causa deles, mas por causa dele; pelo seu nome, pela sua verdade, e pela sua misericórdia, que agora Ele tem benevolência com eles. O Senhor "se agrada do seu povo" porque eles são o seu povo; aqueles a quem Ele comprou com o seu sangue, renovou com o seu Espírito, e redimiu com o seu poder. Ele "se agrada" deles, porque neles Ele mesmo é honrado e glorificado; porque Ele vê neles o esforço da sua alma, o fruto do seu sofrimento e mediação; por causa da obra que Ele já tinha começado a operar neles; porque eles já exibem alguns traços da sua própria imagem, alguma transcrição daquela mente que havia nele, que era "manso e humilde de coração".

3. De que maneiras o Senhor se agrada do seu povo. Em primeiro lugar: o Senhor se agrada deles, uma vez que Ele se agrada no exercício de suas graças com relação a Ele. Todos creem Nele, e têm fé na sua palavra e nas suas promessas; eles confiam na sua verdade, no seu poder, esperam na sua misericórdia; eles temem o seu desprazer, e amam a sua pessoa e o seu nome. Em segundo lugar: o Senhor se agrada dos serviços do seu povo. É verdade que eles podem fazer muito pouco por Ele, e este pouco não vale quase nada. Na melhor das hipóteses, eles podem, apenas, retribuir a Ele uma pequeníssima parte dos seus imensos favores. Mas Ele considera os seus serviços, não observando o seu valor intrínseco, mas por causa da mente disposta de que eles se originam. Ele se agrada de seus pobres esforços para agradá-lo, porque são esforços. Ele não considera o valor ou o mérito da ação, mas o princípio e o motivo de que ela se origina. Em terceiro lugar: o Senhor se agrada

na prosperidade do seu povo. O seu nome é amor; a sua natureza é benignidade; e podemos duvidar de que Ele ama ver o seu povo feliz? Na verdade, nós lemos: "ele se deleitará em ti com alegria", e "alegrar-me-ei por causa deles, fazendo-lhes bem". Mesmo nestas dispensações que, em si mesmas, são tristes e dolorosas, Ele busca o bem deles, e no final, promove a sua felicidade. Que consolações estas reflexões fornecem aos servos mansos e sofredores do Senhor!

II. – Vamos considerar agora os GRACIOSOS DESÍGNIOS DO SENHOR a respeito do seu povo: "Ele adornará os mansos com a salvação". Ele não deseja apenas salvar, mas adornar e honrar o seu povo. Aqueles "aos que justificou, a esses também glorificou". Ele "adornará os mansos com a salvação", uma promessa que diz respeito à vida atual e também à futura.

1. À vida atual. É o propósito de Deus adornar o seu povo com a salvação, neste mundo. Há muitas passagens nas Escrituras que indicam este propósito, e nos conduzem a esta visão dos felizes efeitos da religião, até mesmo na vida atual. Quando o pródigo voltou à casa do seu pai, contrito, penitente e reformado, não somente foi recebido com bondade, assegurado do perdão e acolhido como um filho, mas foi adornado e embelezado (Lc 15.22). Além disto, no Salmo 45, a igreja, a noiva de Cristo, é assim descrita: "A filha do rei é toda ilustre no seu palácio; as suas vestes são de ouro tecido. Levá-la-ão ao rei com vestes bordadas". "Então, o rei se afeiçoará à tua formosura". Veja também Ef 5.25-27.

Mas o que é a glória, a formosura, que é mencionada nestas passagens, com que Cristo irá adornar e embelezar o seu povo? É a "beleza da santidade". Nós já vimos que o espírito manso e tranquilo pelo qual o cristão é distinguido é um "ornamento" para ele; e lemos, em outra passagem, que ele é "adornado" com boas obras. O grande objetivo do Evangelho é santificar a todos os que o aceitam, restaurá-los à imagem de Deus que eles perderam pelo pecado.

2. Podemos, agora, considerar esta promessa, no que diz respeito ao mundo futuro. Ainda que os santos na terra sejam agradáveis e gloriosos, a sua formosura está aquém da perfeição que eles alcançarão no futuro. Eles são "predestinados para serem conformes à imagem de seu Filho"; e quando despertarem, no outro mundo, serão conforme a sua semelhança, sem nenhuma mancha ou defeito remanescente. Leve os seus pensamentos à manhã da ressurreição, quando esta corrupção tiver se vestido de incorrupção, este mortal, de mortalidade; quando o corpo, ressuscitado em honra e glória, estará vestido em seu belo traje, e tornado semelhante ao corpo glorioso de Cristo, e brilhará, como o sol no firmamento; quando agora, uma vez mais unido ao seu espírito aparentado e santificado, não mais será um peso, e um obstáculo, e um estorvo, mas promoverá a sua alegria, e compartilhará e auxiliará na sua felicidade espiritual. Este é o significado do texto, esta é a beleza que o Senhor destinou ao seu povo, e para a qual Ele agora os está preparando. Nesta contemplação, com razão pode ser dito a eles, "Louvai ao Senhor". – *Condensado de um sermão proferido por Edward Cooper, 1826*

v. 4: Aqui em ratio propositionis, a razão importante para o louvor proposto do Senhor. Aqueles que sabem que são objetos da complacência divina provavelmente agirão de acordo com o princípio da reciprocidade. Deus se agrada em santificar, justificar e glorificar o seu povo; eles certamente devem se alegrar em exaltá-lo como Amigo, Protetor, Legislador, Líder, Rei, Deus! – *Simon de Muis*

v. 4: "Ele adornará os mansos com a salvação". A mansidão não apenas traz grande paz de espírito, mas frequentemente acrescenta um brilho à fisionomia. Nós lemos apenas sobre três pessoas, nas Escrituras, cujos rostos brilharam notavelmente – que foram Cristo, Moisés e Estêvão – e estes foram eminentes em mansidão. – *Matthew Henry*

v. 4: "Os mansos". No hebraico, עֲנָוִים (*'ănāwîm*) significa pobres e aflitos; mas a palavra veio posteriormente a ser aplicada a pessoas misericordiosas, uma vez que as aflições físicas têm a tendência de subjugar a soberba, ao passo que a abundância gera crueldade. – *João Calvino v. 5:* "Exultem os santos", etc. Aqui começa uma bela exegese da passagem anterior. Um povo protegido pode exultar com confiança. Um povo ansioso e temeroso não pode cantar em voz alta, em seus sofás de repouso. – *Simon de Muis*

v. 5: "Exultem os santos na glória, cantem de alegria no seu leito". Qualquer que seja o momento em que Deus se alegrar por nos inspirar a sua graça e consolação, devemos nos alegrar, e à noite, na cama, buscar àquele a quem ama a nossa alma; devemos abreviar o tempo de descanso e sossego, para que ele possa se tornar tão benéfico para nós como o dia propriamente dito. Davi não se satisfez em oferecer o sacrifício de ação de graças nos átrios da casa do Senhor, e prestar os seus votos na presença de todo o povo, mas à noite ele também continuava o seu cântico, cantando a misericórdia de Deus. Como aquele pássaro excelente, o rouxinol, que nunca se cansa nem desgasta por continuar as suas deliciosas notas, igualmente incessante era este doce cantor de Israel no louvor ao Senhor; ele não dava sono aos seus olhos, até que tivesse exaltado o seu santo nome. Em tempos de aflição, ele deixou de lado a sua cama, orando para que o Senhor retornasse e livrasse a sua alma. Agora, na prosperidade, ele dá graças pelas bênçãos que recebe. Quando os nossos ossos estão afligidos e o nosso sono se afasta de nós, oramos a Deus, para que lide conosco com misericórdia; mas quando as nossas doenças estão curadas, nós não voltamos para dar graças, sendo logo dominados pela opressão e segurança. Mas Davi se esforçava para fazer a sua vigília à noite, para que pudesse cantar louvores ao Senhor. Ele não apenas meditava na lei de Deus, nas ocasiões em que não conseguia ter nenhum descanso (como Assuero mandava que lhe lessem os registros de Crônicas, por não conseguir dormir), mas agora Davi podia se deitar em paz, e dormir, pois Deus fez com que ele habitasse em segurança.

Muito menos ele tencionava dormir com uma exibição sinistra de alguma boa obra, como aqueles que, cantando, ou lendo, ou ouvindo, ou meditando, têm o objetivo indigno de adormecer. Davi diz, "Exultem os santos na glória, cantem de alegria no seu leito", desta maneira testificando a sua alegre devoção, e também afastando o espírito do sono. – *William Bloys, in "Meditations upon the xlii. Psalm", 1632*

v. 5: "Os santos na glória" descansarão de seus esforços, mas não de seus louvores. – *Robert Bellarmine*

v. 5: "No seu leito", onde, antes, na solidão da noite, se consumiam de tristeza pela sua vergonha (cp. Os 7.14). – *E. W. Hengstenberg*

v. 5: Os santos de Deus conhecem bem a alegria e a paz domésticas. Como registram as palavras de Jesus, em Jo 14, eles têm aflições em abundância, mas quanto mais numerosas elas forem, maior será a sua alegria, porque as suas tristezas serão transformadas em alegrias. Eles devem cantar de alegria "no seu leito", ou melhor, sofá, pois os orientais não somente dormem, mas também comem e se banqueteiam nos sofás. Assim, este versículo convoca os santos para que tenham um banquete, uma festa feliz. Eles devem, como canta Davi, no Salmo 23, se sentar à mesa preparada pelo Senhor, na presença dos seus inimigos. – *Johannes, Paulus Palanterius*

v. 5: Este versículo foi cumprido em solenes crises da vida santificada. Em leitos de morte, e no patíbulo da forca ou decapitação, e na fogueira, alegria e glória se acenderam, nos corações das fiéis testemunhas de Cristo. – *Thomas Le Blanc*

v. 5: Como anseio pelo meu leito! Não para que eu possa dormir – eu estou frequentemente desperto, e por muito tempo!, mas desejo ter a doce comunhão com o meu Deus. O que darei a Ele, por todas as suas revelações e dádivas para mim? Se não houvesse evidência histórica da verdade do cristianismo, se não houvesse milagres estabelecidos, ainda assim eu deveria crer que a religião propagada pelos pescadores da Galiléia é divina. As santas alegrias que ela me traz devem ser do céu. Estou escrevendo isto de maneira arrogante, irmão? Não, é com lágrimas de humilde gratidão que eu falo da bondade do Senhor. – *De uma carta privativa, de Bapa Padmanji, Feathers for Arrows", 1870 v. 6:* "Estejam na sua garganta os altos louvores de Deus e espada de dois fios, nas suas mãos". O louvor e o poder andam sempre juntos. As duas coisas agem e reagem, uma à outra. Uma era de força espiritual na igreja sempre é uma era de louvor; e quando ocorre alguma grande explosão de cântico sagrado, podemos esperar que o povo de Deus esteja iniciando alguma nova cruzada por Cristo. A Cavalaria (Ironsides) de Cromwell era zombeteiramente chamada de cantores de salmos, mas os cantores de salmos de Deus são sempre cavaleiros. Aquele que tem "um novo cântico em sua boca" será sempre mais forte, tanto para sofrer como para trabalhar, do que o homem que tem um espírito mudo e um coração sem hinos. Quando ele canta no seu trabalho, ele produz mais e o faz melhor do que faria sem o seu canto. Assim sendo, não devemos nos surpreender com o fato de que, por toda a sua história, a igreja de Deus viajou "de acordo com a música". – *William Taylor, The Study", 1873*

v. 6: "Os altos louvores de Deus". Esta expressão requer um pouco de explicação, porque ela foi traduzida de maneiras variadas por muitos intérpretes; alguns traduzem apenas como exaltações de Deus; outros, louvores que exaltam a Deus; outros, sublimes louvores de Deus; outros, louvores elevados proferidos a Deus; a razão disto é porque a palavra romemoth, no texto, tem, às vezes, um significado ativo, e então indica a altura, exaltação e a elevação de alguma coisa para a observação de outros, e em outras ocasiões o significado é passivo, e então a palavra indica a altura, o valor, a excelência daquilo que é exaltado ou elevado, por si só. Mas o escopo e a natureza do dever prescrito no texto necessariamente abrangem ambos os significados – tanto os elevados atos pelos quais Deus deve ser louvado, como os elevados louvores a serem dados a Deus por esses elevados atos; mas especialmente os últimos, ou seja, a altura e excelência do dever de louvor a ser realizado por aqueles elevados atos de Deus. Isto fica evidente, com todo o argumento do salmo, que é inteiramente laudatório, como também a partir do instrumento com que estes altos louvores devem ser prestados, ou seja, a "boca", "na sua garganta os altos louvores de Deus"; isto mostra que a elevação aqui mencionada é uma propriedade na obra de Deus, ao se louvar a Deus, e não apenas pela obra de Deus, pela qual Ele deve ser louvado. Nas minhas observações, vou tratar das duas coisas, e de todos os detalhes no dever prescrito. O dever de louvar a Deus é um dever elevado, que tem a finalidade de exaltar o Deus sublime.

Esta verdade, eu me empenharei em demonstrar, 1. A partir do objeto. 2. O efeito. 3. O seu preço. 4. O seu desempenho; ou, usando os termos da Escola, eles são "altos": 1. Objetivos. 2. Efetivos. 3. Apreciativos. 4. Perfectivos.

1. Os louvores de Deus são "altos" em relação ao seu Objeto, que é ninguém além do Deus Altíssimo, e isto na consideração da sua transcendente altura e sublimidade sobre e acima de todas as outras coisas ou pessoas: assim, a resolução do salmista indica (Sl 7.17), "Eu louvarei ao Senhor segundo a sua justiça", que ele expressa nas seguintes palavras, "e cantarei louvores ao nome do Senhor Altíssimo"; e Sl 92.1: "Bom é louvar ao Senhor e cantar louvores ao teu nome, ó Altíssimo". Nessas passagens, e em muitas outras nas Escrituras, é evidente que o Senhor, considerado na sua mais alta sublimidade, é o objeto de alto louvor; somente Ele, e nenhum outro, tem o direito de se apropriar deste louvor da forma mais especial e singular possível (Is 42.8).

2. Em segundo lugar, os louvores de Deus parecerão ser de uma natureza elevada e sublime, de alto efeito, o genuíno e apropriado fruto que produzem, isto é, que embora o seu objeto, ao qual são peculiarmente apropriados (eu me refiro ao próprio Senhor) seja, na sua própria natureza e por Si só infinitamente alto e transcendente, ainda assim, pela atribuição e realização de louvor a Ele, Ele considera que o seu nome, o seu poder, a sua sabedoria e justiça, e Ele mesmo, são exaltados nesse louvor. O que mais essas expressões nas Escrituras indicam, quando se afirma que com este alto dever de louvor o alto Senhor é exaltado (Sl 108.32); as suas sublimes perfeições são exaltadas e elevadas (Sl 68.4); o seu grande nome é exaltado (Lc

1.64); a sua infinita majestade é glorificada (Sl 50.23)? Oh, como deve ser elevado esse dever, que acrescenta altura ao elevado Deus, que exalta o grande Deus, e glorifica o Deus da glória, e o torna mais elevado, mais grandioso e mais glorioso do que Ele era antes!

3. Em terceiro lugar, os louvores de Deus são de uma elevada natureza, apreciativos, com respeito à alta estima que o próprio Senhor tem deles, o que é evidenciado de duas maneiras: (1) Pelo elevado preço pelo qual Ele os comprou; (2) Pelo elevado prazer que Ele tem neles, depois que os obteve.

Em primeiro lugar, o preço pelo qual Deus está disposto a comprá-los é muito alto, pois não somente o preço de toda a sua sabedoria, o seu poder e a sua bondade, exibidos na criação; não somente as exibições de todo o seu conselho, cuidado, amor e fidelidade, na providência e preservação; mas também o rico tesouro das suas promessas, o seu concerto, a sua graça, o sangue precioso do seu próprio Filho, na nossa Redenção, são dados livremente, gratuitamente, absolutamente, intencionalmente e definitivamente, por nenhuma outra coisa, exceto a oferta de altos louvores a Deus (Ef 1.5, 6). Tudo o que Deus faz e dá, tudo o que Cristo faz e sofre, é para o louvor da glória da sua graça. Eu proponho, considere os mais altos louvores de Deus, como realizações do homem, e eles serão coisas insignificantes e inconsideráveis, mas considere-os como testemunhos e expressões de um coração crente, que declara e dá a conhecer a indescritível sabedoria, fidelidade, generosidade e excelência de Deus, exercidas nas suas obras; nesta noção, as Escrituras declaram que o coração de Deus está tão tomado com o desejo desses louvores, que Ele está disposto a dar céus, terra, Ele mesmo e o Filho aos homens insignificantes, pelos louvores de seus corações, mãos e línguas; e se considera abundantemente satisfeito. Portanto, quando o seu povo bendizer o seu nome, falarão dele no dialeto das notas dos anjos, "altos louvores de Deus".

Em segundo lugar. A elevada importância que Deus dá aos "altos louvores" ficará evidente pelo alto deleite e prazer que Deus tem neles, sim, naqueles que Ele mesmo comprou; pois artistas talentosos, e entendimentos elevados e de altos princípios nunca têm prazer ou deleite em qualquer coisa ou obra que não corresponda aos seus mais altos princípios, e que não seja proporcional ao seu máximo talento e desejo. O Senhor, que tem o mais perfeito entendimento, e o mais profundo talento e conhecimento, declara que se agrada infinitamente dos louvores do seu povo. É sua consolação e seu prazer ser servido por eles, quer na terra, quer no céu, por homens ou anjos; e a sua alma é dominada pelos pensamentos e pela contemplação deles.

4. Em quarto lugar, os louvores de Deus são altos, e de alta natureza, perfectivos, isto é, com respeito à elevada medida da graça devem ser acompanhados em sua realização: o Senhor exige que o dever do alto louvor seja realizado com uma grande medida da luz das Escrituras, com um alto grau de fé efetiva, e com uma proporção mais ampla de santidade prática do qualquer outro dos mais solenes exercícios de sua adoração pública. – *Condensado de um sermão por Samuel Fairclough, intitulado "The Prisoner's Praise", 1650*

v. 8: "Para prenderem os seus reis com cadeias", etc. Agripa era cativo de Paulo. A palavra o tinha preso, como um prisioneiro, e o fez fazer uma confissão contra si mesmo diante de Festo, declarando: "Por pouco [Paulo] me queres persuadir a que me faça cristão". Então se verificou aquilo que tinha sido profetizado anteriormente, "prenderão os seus reis com cadeias e os seus nobres, com grilhões de ferro". Oh, a majestade e a força da palavra! – *Henry Smith*

v. 8: Certa vez Pompeu disse que com uma marca de seu pé ele poderia fazer com que toda Itália tomasse armas; e os nobres do mundo podem ter nações, reinos e comunidades sob o seu comando, no entanto Deus é mais poderoso do que todos. Se Ele apenas se levantar, todos eles fugirão dele. Se Ele prender os príncipes com grilhões, isto será feito com tanta certeza, que nenhuma carne poderá abrir seus grilhões outra vez. – *Stephen Gosson, 1554-1623*

v. 9: "Esta honra, tê-la-ão todos os santos". Todas as outras glórias e honras não passam de coisas fracas e insignificantes. Deus é a sua glória. Eles são honrados com a sua bendita presença, honrados com a sua visão, com os seus abraços; eles o veem e desfrutam dele. Esta é a própria glória da sua honra, o cume e o ápice de tudo, pois "na tua presença há abundância de alegrias; à tua mão direita há delícias perpetuamente", honra promovida à glória eterna; e "esta honra" também "tê-la-ão todos os santos"; alguns in spe, e alguns in re, alguns em esperança, e alguns em obras; todos, em promessa ou posse. – *Mark Frank*

v. 9: "Esta honra tê-la-ão todos os santos". "seus santos" enfaticamente; a Divina providência prevendo que, nas eras futuras, alguns usurpariam o título de santidade, a quem ele não pertencia. Os "seus santos", exclusivamente, destruindo traidores, como Beckett e Garnet; santos hipócritas, e muitos outros; que, no mesmo sentido que auri sacra fames, podem ser chamados de sacri, ou sancti, santos. Mas que honra têm todos os seus santos? Observe o que foi dito antes – "para fazerem neles o juízo escrito", mas por quem, e onde? Embora capítulos e versículos sejam de data posterior, o Espírito Santo pode ter citado o livro. Oh, não! Ele, para vivificar o nosso esforço, nos menciona a Palavra, de modo geral. No entanto, "Examinais as Escrituras", e ali encontraremos muitas honras concedidas aos santos, tanto enquanto viviam, quanto depois de mortos.

A honra às suas memórias é, algumas vezes, prestada a eles de maneira muito abundante, mesmo por aqueles que anteriormente eram tão mesquinhos e cobiçosos a ponto de não lhes conceder nem uma boa palavra durante a sua vida.

Muitos são convertidos pelos objetivos piedosos dos homens bons; como o próprio centurião, que acompanhou e ordenou a crucificação de Cristo, e depois que Ele expirou emitiu esse testemunho sobre Ele: "Verdadeiramente, este era o Filho de Deus". Assim também, os que atacam, insultam, amaldiçoam, condenam, perseguem, executam pessoas piedosas, falam outras coisas sobre as mesmas depois que as tais passaram pela purgação da morte, e as confessam fiéis e sinceras servas de Deus.

A última "honra" é imitação de seus virtuosos exemplos. Os papistas se vangloriam de que Stapleton, o seu grande e controverso religioso, nasceu no mesmo dia em que Sir Thomas More foi executado; mas a Providência ordenou que das cinzas dos santos mortos muitos vivos brotassem, seguindo os piedosos precedentes das pessoas piedosas falecidas. – *Thomas Fuller, "Abel Redivivus"*

SUGESTÕES AOS PREGADORES

v. 1. "Louvai ao Senhor". I. A única obra de uma vida. II. A obra dos verdadeiramente viventes, de todos os níveis. III. A sua obra, em muitas e variadas formas. IV. Uma obra para a qual há abundante causa, razão e argumento.

v. 1. I. Um dom maravilhoso – ser um santo. II. Um povo maravilhoso – os que são santos. III. Uma assembleia maravilhosa – uma congregação de santos. IV. Um Deus maravilhoso – o objeto do seu cântico.

vv. 1 e 2. O novo cântico dos santos. I. Os santos são filhos de Deus pelo novo nascimento. II. O novo nascimento lhes dá um novo coração. III. O novo coração se expressa em um novo cântico. – *C. A. D.*

vv. 1 e 5. I. Devemos louvar a Deus em público, "na congregação dos santos"; quanto mais, melhor; é semelhante ao céu. II. Devemos louvá-lo em particular. Que "os santos" sejam tão arrebatados com a sua alegria em Deus, a ponto de "cantarem de alegria no seu leito", quando despertarem à noite, como Davi (Sl 119.62). – *Matthew Henry*

v. 2. O dever, a sensatez e o benefício da santa alegria.

v. 2. Um povo peculiar, o seu Deus peculiar, e a sua alegria peculiar Nele.

v. 2 (segunda parte). O povo de Cristo bem pode se alegrar: – I. Na majestade da sua pessoa. II. Na justiça do seu governo. III. Na extensão das suas conquistas.

IV. Na proteção que eles têm debaixo dele. V. Na glória à qual Ele os exalta. – De "The Homiletical Library", 1882.

vv. 2, 4: A causa apresentada para Israel para o louvor. Considere, I. Os feitos de Deus por eles. Eles têm razões para se alegrar em Deus e se ocupar do seu serviço, pois foi Ele que os "fez". II. O domínio de Deus sobre eles. Isto é consequência do item anterior: se Ele os fez, Ele é o seu Rei. III. O deleite de Deus neles. Ele é um Rei que governa por amor, e por isto deve ser louvado. IV. Os desígnios de Deus a respeito deles. Além da atual complacência que Ele tem com eles, Ele preparou a sua glória futura. "Ele adornará os mansos" etc. – Matthew Henry.

v. 4: O texto admite outras interpretações. Interpretado como na Authorized Version. I. O caráter que devemos almejar – ser "mansos". 1. Submissos a Deus. À sua verdade. Às suas atitudes. 2. Gentis, com relação aos homens. Que toleram, com paciência. Que perdoam, com sinceridade. Que amam com perseverança. 3. Humildes em nós mesmos. II. A benignidade a receber – "adorno". 1. A beleza da mansidão. 2. A beleza da paz. 3. A beleza da satisfação. 4. A beleza da alegria. 5. A beleza da santidade. 6. A beleza do respeito e da influência. III. Os bons resultados a esperar. 1. Deus será glorificado; e Cristo, manifestado. 2. Os homens serão atraídos. 3. Haverá uma antecipação do céu.

v. 4 *(primeira parte):* O fato de que o Senhor se agrada do seu povo é, I. Uma maravilhosa evidência da sua graça. II. A mais alta honra que eles podem desejar. III. A sua segurança para o tempo e a eternidade. – J. F.

v. 5: A alegria dos santos. I. O estado ao qual Deus exaltou os santos: "glória", em contraste com o pecado, a vergonha, a aflição. II. A emoção que, de modo correspondente, convém aos santos: "exultem". III. A expressão dessa emoção que convém aos santos: "cantar de alegria". – C. A. D.

v. 5 *(segunda parte):* Que louvem a Deus – I. Em seus leitos de descanso, em seu sofá noturno. 1. Por causa do que Deus fez por eles durante o dia. 2. Porque o sono é uma dádiva de Deus. 3. Porque eles têm um leito sobre o qual se deitar. 4. Porque o Senhor é seu Protetor (Sl 4.5, 8). II. Sobre os seus leitos de doença. 1. Porque é a vontade de Deus que eles sofram. 2. Porque as aflições são frequentemente uma prova do amor de Deus. 3. Porque, se santificada, a doença é uma grande bênção. 4. Porque o louvor oferecido sobre um leito de doença é um testemunho do poder da religião. III. Sobre os seus leitos de morte. 1. Porque o aguilhão da morte é removido. 2. Porque o seu Senhor passou pela morte. 3. Porque Cristo está com eles, enquanto eles sofrem. 4. Por causa do que os espera. 5. Porque eles têm a gloriosa esperança da ressurreição. – C. W. Townsend.

v. 6: I. A vida cristã é uma combinação de adoração e conflito. II. Em cada caso, deve estar na sua melhor condição: "altos louvores", "espada de dois fios". III. Em cada caso, a santidade deve ser notória: é sobre os santos que o texto fala.

v. 8: O poder de restrição e subjugação do Evangelho.

v. 9: A honra comum a todos os santos.

SALMO 150

TÍTULO

Agora chegamos ao último cume da cordilheira dos salmos. Ele se eleva em direção ao claro azul, e a sua fronte é banhada sob o sol do mundo eterno da adoração. É um arrebatamento. O profeta-poeta está cheio de inspiração e entusiasmo. Ele não pretende argumentar, ensinar, explicar, mas clama, com palavras ardentes, "Louvai-o, Louvai-o, Louvai ao Senhor".

EXPOSIÇÃO

1 *Louvai ao Senhor! Louvai a Deus no seu santuário; louvai-o no firmamento do seu poder.*
2 *Louvai-o pelos seus atos poderosos; louvai-o conforme a excelência da sua grandeza.*
3 *Louvai-o com o som de trombeta; louvai-o com o saltério e a harpa.*
4 *Louvai-o com o adufe e a flauta; louvai-o com instrumento de cordas e com flautas.*
5 *Louvai-o com os címbalos sonoros; louvai-o com címbalos altissonantes.*
6 *Tudo quanto tem fôlego louve ao Senhor. Louvai ao Senhor!*

1. *"Louvai ao Senhor."* Aleluia! A exortação é a todas as coisas na terra ou no céu. Eles não devem todos declarar a glória daquele para cuja glória existem e foram criados? O Senhor, o único Deus, deve ser o único objeto de adoração. Dar a menor partícula da sua honra a outro é uma vergonhosa traição; recusar-se a dá-la a Ele é roubo cruel.

"Louvai a Deus no seu santuário." Louvai a El, ou o forte, no seu santuário. Veja como o poder é mencionado com a santidade, nesta mudança de nomes. O louvor começa em casa. "Na casa do próprio Deus, proferem o seu louvor". O santuário deve estar cheio de louvor, da mesma maneira como antigamente o sumo sacerdote enchia o sanctum sanctorum com a fumaça do incenso aromático. Na sua igreja abaixo, e nos seus átrios no alto, exclamações de aleluias devem ser continuamente apresentadas. Na pessoa de Jesus, Deus

encontra uma santa morada, ou santuário, e ali deve ser grandemente louvado. Também se pode dizer que Ele habita em santidade, pois todos os seus caminhos são retos e bons; por isto devemos exaltá-lo com coração e com voz. Sempre que nos congregamos com santos propósitos, a nossa função principal deve ser apresentar louvores ao Senhor, nosso Deus.

"Louvai-o no firmamento do seu poder." É uma bênção que, no nosso Deus, a santidade e o poder estejam unidos. O poder sem a justiça seria opressão, e a justiça sem poder seria fraca demais para ser útil; mas coloquemos as duas coisas juntas, em um grau infinito, e teremos Deus. Que espaço temos, no ilimitado firmamento do poder divino! Que todo ele esteja cheio de louvor. Que os céus, tão grandes e poderosos, ecoem com o louvor do Senhor que é triplamente santo, enquanto os santuários da terra exaltam o Todo-Poderoso.

2. *"Louvai-o pelos seus atos poderosos."* Aqui há razão para louvor. Nestas obras de poder, nós o vemos. Estas obras da sua onipotência são sempre em nome da justiça e da verdade. As suas obras de criação, providência e redenção, todas pedem o louvor; elas são os seus atos, e os seus atos poderosos, por isto Ele deve ser louvado por elas.

"Louvai-o conforme a excelência da sua grandeza." O seu ser é ilimitado, e o seu louvor deve ser correspondente. Ele possui uma multidão ou uma plenitude de grandeza, e por isto deve ser grandemente louvado. Não há nada pequeno a respeito de Deus, e não há nada grande, sem Ele. Se nós sempre fôssemos cuidadosos de fazer que a nossa adoração seja adequada e apropriada para o nosso grande Senhor, como seria melhor a maneira como cantamos! Como seria mais reverente a nossa adoração! Obras tão excelentes devem receber um louvor excelente.

3. *"Louvai-o com o som de trombeta."* Com a mais clara e alta nota, convoquem o povo. Que todos os homens saibam que não devem se envergonhar de adorar. Convoquem o povo, com som inconfundível, para que se inclinem diante do seu Deus. O som de trombeta está associado aos mais grandiosos e solenes eventos, como a entrega da lei, a proclamação do jubileu, a coroação de reis judeus, e o deflagrar da guerra. Ele deve ser considerado em referência à vinda do nosso Senhor, no seu segundo advento e na ressurreição dos mortos. Se não pudermos dar voz a este instrumento marcial, pelo menos que o nosso louvor seja tão decidido e ousado como se pudéssemos soar a trombeta. Que nunca toquemos uma trombeta em nossa própria honra, mas reservemos todas as nossas trombetas para a glória de Deus. Quando o povo estiver reunido, pelo soar da trombeta, então "louvai-o com o saltério e a harpa". Os instrumentos de cordas devem ser usados, bem como os que são considerados vocais, pelo sopro. As notas doces devem ser consagradas, bem como sons mais espantosos. O significado do Evangelho é que todos os poderes e faculdades devem louvar ao Senhor – todos os tipos de pessoas, sob todas as circunstâncias, e com diferentes constituições, devem oferecer honra ao Senhor de tudo. Se houver alguma virtude, se houver algum talento, se houver alguma influência, que seja consagrado ao serviço do Benfeitor universal. Harpa e lira – as mais excelentes, as mais doces, devem ser todas tocadas para o nosso Senhor.

4. *"Louvai-o com o adufe e a flauta."* Associada à libertação no Mar Vermelho, esta forma de adoração exibe a mais jubilosa e exultante adoração. As mãos e os pés foram empregados, e todo o corpo se moveu juntamente com os membros. Não há períodos na vida em que nos sentimos tão contentes que de bom grado louvaríamos de alegria? Que esta alegria seja dedicada a temas comuns, mas que o nome de Deus nos incite ao êxtase. Que exultemos, enquanto clamamos:

> "No Cordeiro celestial, sou três vezes bem-aventurado,
> E o meu coração se alegra ao som do seu nome".

Há o suficiente na nossa santa fé para criar e justificar o máximo grau de deleite arrebatado. Se os homens forem lentos para começar a adorar ao Senhor, nosso Deus, não estarão agindo de maneira consistente com o caráter da sua religião.

"Louvai-o com instrumento de cordas e com flautas." Aqui temos os três tipos de instrumentos musicais: adufes, que são batidos, e cordas, e flautas; que todos sejam educados para louvar ao Senhor. Nada é comum e impuro; tudo pode ser santificado para os maus elevados usos. Muitos homens, muitas mentes, e tão diversas como cordas e flautas; mas existe um único Deus, e a esse Deus todos devem adorar. A palavra traduzida como "flauta" (órgão, em outras versões), significa literalmente flauta – uma forma mais simples de instrumento de sopro do que o órgão, mais moderno e mais complexo. Sem dúvida, muitos pastores piedosos derramaram graciosos poemas pastoris, de uma flauta de cana, e isto exaltou o seu Deus.

5. *"Louvai-o com os címbalos sonoros; louvai-o com címbalos altissonantes."* Que o som da música mais alta seja para o Senhor; que o som alegre das mais sublimes notas, seja integralmente para Ele. O louvor bateu no adufe, varreu a harpa, e soou a trombeta, e agora, como último esforço, despertando os de sono mais profundo, e espantando os mais indiferentes dos espectadores, ele junta os discos de bronze, e com sons altos e fortes proclama as glórias do Senhor.

6. *"Tudo quanto tem fôlego louve ao Senhor."* "Que todo o fôlego o louve": isto é, todos os seres vivos. Ele lhes deu fôlego, que respirem o seu louvor. O seu nome, em hebraico, é composto mais de respiração do que de letras, para mostrar que toda respiração vem dele: por isto, que ela seja usada para Ele. Unam-se, todas as coisas vivas, no canto eterno. Sejam menores ou maiores, não retenham os seus louvores. Que dia será, quando todas as coisas, em todos os lugares, se unirem para glorificar o único Deus vivo e verdadeiro! Este será o triunfo final da igreja de Deus.

"Louvai ao Senhor." Uma vez mais, Aleluia! Assim o salmo é cercado com a nota de louvor: e assim o livro de Salmos é concluído com uma resplandecente palavra de adoração. Leitor, você não quer, neste momento, fazer uma pausa e adorar ao Senhor, seu Deus? Aleluia!

NOTAS EXPLICATIVAS E DECLARAÇÕES SINGULARES

Todo o salmo: Cada um dos cinco últimos salmos começa e termina com Aleluia! – "Louvai ao Senhor". E cada salmo cresce, em louvor, amor e alegria, até o último, que é o louvor celebrando o seu êxtase. A alma do eleito, o herdeiro de Deus, é "consumida" com o amor por Deus. Ele começa cada sentença com Aleluia; e as suas sentenças são muito curtas, pois ele tem pressa em expressar o seu Aleluia seguinte, e o seguinte, e o seguinte. Ele é como alguém sem fôlego, por causa do entusiasmo, ou como alguém na ponta dos pés, no ato de subir, da terra ao céu. O maior número de palavras entre dois Aleluias é quatro, e ocorre apenas uma vez: em todos os outros casos, entre um Aleluia e outro há apenas duas palavras. É como se a alma desse expressão a toda a sua vida e aos seus sentimentos em uma única palavra, Aleluia! As palavras "Louvai ao Senhor!" ou "Louvai-o!" "Louvai-o!" "Louvai-o!" são reiteradas nada menos do que doze vezes, em um curto salmo de seis curtos versículos. – *John Pulsford, "Quiet Hours", 1857*

Todo o salmo: E agora, no último de todos os salmos, vemos um eco do primeiro. O primeiro salmo começava com "Bem-aventurado", e terminava com "Bem-aventurado", – "Bem-aventurados são todos os que meditam na lei de Deus e obedecem a ela". Este era o tema do primeiro salmo; e agora o fruto daquela bem-aventurança é mostrado neste salmo, que começa e termina com Aleluia. – *Christopher Wordsworth*

Todo o salmo: Em seu Cours de Literature, o famoso Lamartine, provavelmente considerando os quatro últimos salmos (os salmos de Aleluia) como um todo (como também o faz Hengstenberg), diz o seguinte: – "O último salmo termina com um coro de louvor a Deus, em que o poeta convoca todas as pessoas, todos os instrumentos de música sacra, todos os elementos e todas as estrelas, para que o acompanhem. Um final sublime para aquela obra de sessenta anos, entoada pelo pastor, herói, rei e velho! Neste salmo de encerramento, vemos o entusiasmo quase desconexo do poeta lírico; tão rapidamente as palavras pressionam os seus lábios, flutuando para o alto, em direção a Deus, a sua fonte, como a fumaça de um grande fogo da alma, levada pela tempestade! Aqui vemos Davi, ou melhor, o próprio coração humano, com todas as suas notas dadas por Deus, de alegria, tristeza, lágrimas e adoração – poesia santificada à sua mais alta expressão; um frasco de perfume quebrado no degrau do templo, e espalhando o seu aroma, do coração de Davi para o coração de toda a humanidade! Hebreus, cristãos, ou até mesmo muçulmanos, cada religião, cada queixa, cada oração, tomou deste frasco, derramado nas alturas de Jerusalém, com o qual emitiu os seus sons. O pequeno pastor se tornou o mestre do coro sagrado do universo. Não há uma adoração na terra que não ore com as suas palavras, ou não cante com a sua voz. Uma corda da sua harpa será encontrada em todos os coros, ressoando em todas as partes e para sempre em uníssono, com os ecos de Horebe e En-Gedi! Davi é o salmista da eternidade; que destino – que poder tem a poesia, quando inspirada por Deus! Quanto a mim, quando o meu espírito está estimulado, ou piedoso, ou triste, e busca um eco para o seu entusiasmo, a sua devoção ou a sua melancolia, eu não abro Pidar nem Horácio, nem Hafiz, esses poetas puramente acadêmicos; nem encontro dentro de mim murmúrios para expressar a minha emoção. Eu abro o livro de Salmos, e ali encontro palavras que parecem vir da alma dos séculos, e que penetram até mesmo no coração de todas as gerações. Bem-aventurado o poeta que assim se tornou o hino eterno, a oração personificada e a queixa de toda a humanidade. Se examinarmos aquela era remota, em que esses cânticos ressoavam por todo o mundo; se considerarmos que, enquanto a poesia lírica de todas as mais cultivadas nações somente cantavam sobre vinho, amor, sangue e as vitórias dos corcéis nos jogos de Élida, somos dominados por profundo espanto com os sons místicos do profeta pastor, que fala a Deus, o Criador, como um amigo fala a outro, que entende e louva as suas maiores obras, admira a sua justiça, implora a sua misericórdia, e se torna, de certa forma, um eco de antecipação da poesia evangélica, falando as suaves palavras de Cristo antes da sua vinda. Profeta ou não, seja considerado como cristão ou cético, ninguém pode negar no poeta-rei uma inspiração que não foi concedida a nenhum outro homem. Leia a poesia grega ou latina, depois de um salmo, e veja quão pálida ela parecerá". – *William Swan Plumer*

Todo o salmo: O primeiro e o último dos salmos têm o mesmo número de versículos, ambos são curtos e muito memoráveis; mas o seu escopo é muito diferente; o primeiro salmo é uma detalhada instrução sobre o nosso dever, para nos preparar para as consolações da nossa devoção; este é todo arrebatamento e entusiasmo, e talvez tenha sido escrito com o propósito de ser a conclusão desses cânticos sagrados, para mostrar qual é o desígnio de todos eles, que é nos auxiliar a louvar a Deus. – *Matthew Henry*

Todo o salmo: Treze aleluias, de acordo com o número das tribos (Levi, Efraim e Manassés constituindo três), uma aleluia para cada tribo. – *John Henry Michaelis, 1668-1738*

Todo o salmo: Alguns dizem que este salmo era entoado pelos israelitas, quando vinham com as primícias ao santuário, com os cestos sobre os seus ombros. Treze vezes neste curto salmo é usada a palavra louvai; não por causa de treze perfeições ou propriedades em Deus, como pensa Kimchi; mas é tão frequentemente usada, e em cada sentença, para mostrar o veemente desejo do salmista de que o Senhor possa ser louvado; e para expressar a sua percepção das coisas, quão digno Ele é de ser louvado; e para que todos os métodos e maneiras de louvá-lo sejam usados, sendo todos eles muito pouco para exibir a sua honra e glória. – *John Gill*

Todo o salmo: Há uma interessante associação conectada com este salmo que merece ser registrada: nos tempos antigos, quando o som de sinos de igrejas era mais para uma cerimônia religiosa, este salmo era entoado pelos irmãos da associação, quando estavam ao redor da fornalha e enquanto o metal fundido era preparado para ser colocado no molde, pronto para recebê-lo. Podemos retratar estes filhos morenos da fornalha com o brilho avermelhado do fogo em seus rostos, enquanto suas vozes profundas entoavam este hino de louvor. – *Barton Bouchier*

v. 1: "Louvai ao Senhor". Louvai a Deus com uma forte fé; louvai-o com santo amor e prazer; louvai-o com total confiança em Cristo; louvai-o com um triunfo crente sobre os poderes das trevas; louvai-o com um fervoroso desejo por Ele, e uma plena satisfação nele; louvai-o com um respeito universal a todos os seus mandamentos; louvai-o com uma alegre submissão a todas as suas disposições; louvai-o alegrando-vos no seu amor e consolando-vos na sua grande benignidade; louvai-o promovendo os interesses do reino da sua graça; louvai-o por uma esperança viva e expectativa do reino da sua glória. – *Matthew Henry*

v. 1: "No seu santuário". בְּקָדְשׁוֹ. Muitas foram as noções dos comentaristas quanto ao significado aqui: pois a palavra difere da forma em Sl 20.2, מִקֹּדֶשׁ (do santuário). A Vulgata adota a tradução no plural, *in sanctis ejus*, "em seus lugares santos". Campensis traduz como, *ob insignem sanctitatem ipsius*, "por causa de sua excelente santidade". Alguns veem na palavra uma alusão ao santo tabernáculo da Divindade, a carne de Cristo. Lutero, na sua versão em alemão, traduz como *in seinem Heiligthum*, "na sua santidade". A mesma harmonia de pensamento comparativo aparece nas duas sentenças deste versículo, como em passagens como 1 Rs 8.13,19; Is 57.15. O lugar de adoração onde Deus ouve especialmente a oração e aceita o louvor, e o firmamento onde os anjos voam ao seu comando, e cobrem seus rostos em adoração, ambos são um santuário. O santuário é manifestadamente considerado aqui como o templo de graça, o firmamento como o templo de poder. Assim, o versículo proclama, ao mesmo tempo, graça e glória. – *Martin Geier*

v. 1: "Louvai a Deus no seu santuário". A Septuaginta, a Vulgata Latina e as versões orientais traduzem como "em seus santos"; entre os seus santos, na assembleia deles, onde Ele deve ser temido e louvado: a tradução pode ser "no seu Santo", e interpretada como uma referência a Cristo, como na tradução de Cocceius... Alguns traduzem como "por" ou "por causa da sua santidade". A perfeição da santidade nele; Ele é glorioso nos louvores, e digno de ser temido. Esta característica aparece em todas as suas obras de providência e graça. – *John Gill*

v. 1: "Louvai a Deus". Em muitos lugares temos a palavra composta הַלְלוּ־יָהּ (*halᵉlû-yāh*), louvai ao Senhor; mas este é o primeiro ponto em que encontramos הַלְלוּ־אֵל (*halᵉlû-'ēl*), louvai a Deus, ou o Deus forte. Louvai àquele que é o Senhor, o Ser infinito e existente por Si mesmo; e louvai àquele que é Deus, El, ou Elohim, o grande Deus em concerto com a humanidade, para abençoá-los e salvá-los para a vida eterna. – *Adam Clarke*

v. 1: O Salmo 150 dá o pleno louvor ao Senhor, em uma dupla característica, o santuário e o firmamento do seu poder, pois os seus caminhos, que vêm do firmamento do seu poder, sempre foram de acordo com o santuário em que Ele governava Israel, e comprovavam a revelação que Ele fez de Si mesmo ali. – *John Nelson Darby, 1800-1882*

v. 2: "Louvai-o pelos seus atos poderosos", etc. As razões desse louvor que convém que todas as criaturas inteligentes, e especialmente aos homens redimidos, prestem ao Senhor, são aqui apresentadas. Nós devemos louvar ao Senhor "no seu santuário" no lugar onde a sua glória habita, onde a sua santidade resplandece com inefável esplendor; nós devemos louvá-lo no amplo espaço sobre o qual Ele espalhou os sinais do seu poder, seja no céu, acima, ou na terra, abaixo; nós devemos louvá-lo por aqueles atos onipotentes com os quais Ele mostrou estar acima de todos os deuses; nós devemos louvá-lo de uma maneira adequada à excelente majestade de um Ser a quem todos os céus adoram, e que é maravilhoso em conselho e excelente em obra. A sua santidade, a infinidade das suas operações, o poder milagroso que Ele exibiu, a excelência imaculada da sua administração, requerem os mais altos cânticos de louvor de todos aqueles cuja razão lhes permite se elevar à contemplação do grandioso Supremo. – *John Morison v. 2:* "Louvai-o conforme a excelência da sua grandeza". É necessário entendimento especial e conhecimento da natureza e da importância da misericórdia pela qual o dever do louvor é desempenhado; pois Deus não será louvado de maneira confusa, mas distintamente e de modo proporcional à sua dispensação.

"Louvai-o pelos seus atos poderosos." Este deve ser o principal e apropriado motivo para os seus altos louvores, os seus mais apropriados e peculiares atos poderosos, que então devem ser lembrados, como é expresso, de maneira geral, no louvor de Moisés pela graça particular de passar a salvo pelo Mar Vermelho (Êx 15); e o alto louvor de Débora, pela libertação do exército de Sísera (Jz 5); onde a parte principal e mais elevada da celebração e exaltação de Deus no seu louvor consiste da declaração e comemoração dos detalhes da benignidade especial de Deus, na sua libertação atual. Assim, observe que a primeira coisa que Deus procura é um louvor proporcional, um grande louvor para um grande Deus, que faz grandes coisas, e louvores excelentes para um Deus excelente, que faz coisas excelentes. – *Samuel Fairclough*

v. 2: "Louvai-o conforme a excelência da sua grandeza", ou, como as palavras podem indicar, "conforme a sua quantidade de grandeza"; pois quando as Escrituras dizem "Deus é grande", esta palavra positiva deve ser interpretada como uma superlativa. "Deus é grande", isto é, Ele é o maior, maior que todos; tão grande que todas as pessoas e todas as coisas são pequenas, ou melhor, nada, diante dele: "Eis que as nações são consideradas por ele como a gota de um balde e como o pó miúdo das balanças; eis que lança por aí as ilhas como a uma coisa pequeníssima. Nem todo o Líbano basta para o fogo, nem os seus animais bastam para holocaustos. Todas as nações são como nada perante ele; ele considera-as menos do que nada e como uma coisa vã" (Is 40.15). Quão grande é Deus, e em comparação com Ele as maiores coisas são pequenas coisas, sim, as maiores coisas são nada! – *Joseph Caryl*

v. 3: As trombetas são os únicos instrumentos sobre os quais são dadas instruções na lei. – *James Anderson*

v. 3: "Trombeta". De chifres naturais e de instrumentos em forma de chifres, a antiguidade e o uso geral são evidenciados pela extensa coletânea de antiguidades... A palavra hebraica shophar, traduzida como "trombeta" parece, em primeiro lugar, indicar chifres do tipo reto, incluindo, provavelmente, os do gado bem cuidado, e todos os instrumentos que fossem eventualmente feitos em imitação e aprimoramento de tais chifres. A palavra shophar quer dizer brilhante ou limpo, e pode-se supor que o instrumento tenha recebido esse nome, devido ao seu som claro e penetrante, da mesma maneira como nós chamamos um instrumento de "clarim", e falamos de um tom musical como "brilhante" ou "claro". No serviço de Deus esta shophar ou trombeta era empregada apenas para fazer anúncios e convocar o povo em congregação por ocasião de solenidades santas, de guerra, de rebelião ou qualquer outra ocasião importante. O som forte do instrumento teria confundido um coro de cantores, em lugar de ter elevado a sua música. (John Kitto.) A shophar é particularmente interessante para nós, como sendo o único instrumento hebraico cujo uso, em certas ocasiões solenes, parece ser conservado até a atualidade. Engel, com sua pesquisa usualmente confiável, investigou e examinou alguns desses instrumentos em sinagogas modernas. Entre as exibidas em nossa ilustração, uma é da sinagoga de judeus espanhóis e portugueses, Bevis Marks, e, diz ele, tem um pé [aprox. 30 cm] de comprimento; a outra é usada na Grande Sinagoga, do local de São Tiago, Aldgate, e tem vinte e uma polegadas [pouco mais de 0,53 m] de comprimento. Ambas são feitas de chifres. – *James Stainer*

v. 3: O "saltério" era um instrumento de dez cordas. Ele é constantemente mencionado juntamente com a "harpa". O saltério era tocado com um plectro, a harpa mais gentilmente com os dedos. "O saltério e a harpa" nos representam "a lei e o Evangelho". – *Thomas Le Blanc v. 3:* Sobre o "saltério" (nebel) veja a nota em Sl 144.9, e sobre a "harpa" veja a nota em Sl 149.3.

vv. 3, 4 e 5: Como Agostinho diz aqui, "Nenhum tipo de faculdade é aqui omitido. Todos são convocados ao louvor a Deus". O fôlego é empregado no soprar da trombeta; os dedos são usados para tocar as cordas do saltério e da harpa; toda a mão é usada no bater do adufe; os pés se movem na dança; há instrumentos de cordas (literalmente, cordas); há o órgão (o *'ûgāb*, *syrynx*) composto de muitos tubos, indicando combinação, e os címbalos se chocam, um contra o outro. – *C. Wordsworth*

vv. 3, 4 e 5: A variedade de instrumentos musicais, alguns deles usados no acampamento de guerra, como as trombetas; alguns deles, mais adequados a uma condição de paz, como os saltérios e as harpas; alguns deles que soam quando se sopra ar neles; alguns deles que soam com um ligeiro toque, como os instrumentos de cordas; alguns deles que soam, quando batemos neles de maneira mais forte, como os tamboris, tambores e címbalos; alguns deles, que soam pelo toque e também pelo sopro, como os órgãos; todos eles produzem determinado som, alguns têm som mais baixo, e outros, mais alto; alguns deles têm uma harmonia, em si mesmos; alguns deles fazem um concerto com outros instrumentos, ou com os movimentos do corpo nas danças, alguns deles servem para um uso, outros servem para outro, e todos eles servem para exibir a glória de Deus, e para exibir o dever dos adoradores e os privilégios dos santos. A pluralidade e variedade (digo eu) desses instrumentos eram adequadas para representar diversas condições do homem espiritual, e das grandezas da sua alegria, a serem encontradas em Deus, e para ensinar como deveriam ser estimulados os afetos e poderes da nossa alma, e de todos nós, uns para com os outros, na adoração a Deus; que harmonia deve haver entre os que adoram a Deus, que melodia cada um deles deve produzir em si mesmo, cantando a Deus com graça em seu coração, e para mostrar a excelência do louvor de Deus, que nenhum meio ou instrumento, e nenhuma expressão do corpo que acompanhe o louvor, poderia iniciar suficientemente nestas exortações a louvar a Deus com a trombeta, com o saltério, etc. – *David Dickson*

vv. 3, 4 e 5: Patrick tem uma observação interessante sobre os muitos instrumentos musicais do salmo 149, que citamos aqui: "Os antigos habitantes de Etruria usavam a trombeta; os da Arcádia, o apito; os da Sicília, o pectid; os gregos, a harpa; os da Trácia, a corneta; os da Lacedemônia, a flauta; os egípcios, o tambor; os árabes, o címbalo. (Clem. Psedag. ii. 4.) Não podemos dizer que na enumeração que este salmo apresenta dos instrumentos musicais, há uma referência à variedade que existe entre os homens, na maneira de expressar alegria e despertar os sentimentos? – *Andrew A. Bonar*

v. 4: "Instrumento de cordas". *Minnîm* [que deriva de uma raiz, que significa "divisão" ou "distribuição", consequentemente cordas] aparece em Sl 45.8 e 150.4, e alguns supõem que indique um instrumento de cordas, mas parece meramente uma alusão poética às cordas de algum instrumento. Assim, em Sl 45.8, leríamos, "desde os palácios de marfim, as cordas (isto é, concertos de música) te alegram"; e também em Sl 150.4, "Louvai-o com cordas (instrumentos de cordas) e *'ûgābs*". – *John Kitto*

v. 4: "Flautas". עוּגָב (*'ûgāb*) é a palavra traduzida como "flauta" na nossa versão (e "órgão", em outras). A Targum traduz a palavra simplesmente como אַבּוּבָא, uma flauta; a Septuaginta varia, ela traz κιθάρα em Gênesis, ψαλμός em Jó, e ὄργανον nos Salmos. O último é o sentido que as versões árabe, siríaca, latina, inglesa e muitas outras adotaram. O *organon* simplesmente indica uma flauta dupla ou múltipla, e, consequentemente, em particular, a flauta de Pã ou flauta do pastor, que é, hoje em dia, chamada de "gaita", entre nós. (Kitto.) Um conjunto de tubos, de diferentes tamanhos, fechados de um lado, e soprados do outro, forma o instrumento musical conhecido como flauta de Pã, em grego *syrynx*, σῦρυγξ... O *'ûgāb* era um *syrynx* ou um órgão? Como o primeiro parece ter sido o mais antigo dos dois, e como o *'ûgāb* está incluído na primeira alusão a instrumentos musicais que é feita na Bíblia, parece razoável dizer que era o *syrynx*, especialmente uma vez que este instrumento era, e ainda é, comumente encontrado em várias partes da Ásia. No entanto, seria estranho se este instrumento fosse escolhido para uso na adoração a Deus; e o fato de que o *'ûgāb* era assim usado é provado, sem sombra de dúvida, pela sua menção em Sl 150: "Louvai-o com *minnîm* e *'ûgāb*". A sua menção aqui como uma antítese para um nome coletivo para os instrumentos de cordas, certamente aponta para o fato de que era um instrumento mais importante do que alguns juncos de rio unidos com cera. Não devemos nos esquecer de que temos apenas um nome – o mesmo – para a única fileira de cerca de cinquenta tubos, colocada, talvez, em uma pequena sala, e o poderoso instrumento de cinco mil tubos, que ocupa tanto espaço como uma morada comum... Ambos os instrumentos são um órgão. Não pode ter sido o caso de que o *'ûgāb*, que em Gn 4.21 é mencionado como o instrumento de sopro, de construção simples, em contraste com o instrumento de cordas simples, o *kinnôr*, fosse um instrumento muito inferior àquele que em Sl 150 é considerado digno de menção ao lado de um termo para todo o poder das cordas? – *J. Stainer*

v. 5: "Címbalos sonoros.... címbalos altissonantes". Esta importante passagem aponta claramente para dois instrumentos que têm o mesmo nome, e nos leva a concluir que os hebreus tinham címbalos de mão e címbalos de dedo (ou castanholas), embora não seja fácil dizer, em todos os casos, qual dos dois é mencionado em textos particulares. – *John Kitto*

v. 5: (Prayer Book Version) – "Louvai-o com címbalos bem afinados: louvai-o com os címbalos sonoros". Quando eu ouvia estas palavras lidas mensalmente em nossas igrejas, frequentemente vinha aos meus pensamentos que, quando desejamos glorificar a Deus com os nossos címbalos, não deve ser a nossa única preocupação que eles sejam suficientemente altos e sonoros, mas o nosso primeiro cuidado deve ser que eles estejam bem afinados, pois caso contrário, quanto mais alto, pior. O zelo é muito bom – há um excelente uso para ele, excelente, na verdade, em cada parte do culto a Deus. O címbalo será enfadonho, não terá vida nem espírito, não será suficiente alto sem ele. Mas se a mansidão, a ordem e a moderação não afinarem, antes de mais nada, o címbalo, quanto mais alto o seu som, mais ingrato será para o que o toca, mais ingrato será para o que o ouve. – *Robert Sanderson, 1587-1662*

v. 6: "Louvai ao Senhor". Como a vida dos fiéis, e a história da igreja, também o saltério, com todos os seus clamores das profundezas, corre para um Aleluia. – *E. W. Hengstenberg*

v. 6: "Louvai ao Senhor". Quando tivermos dito tudo o que podemos dizer para o louvor de Deus, podemos apenas começar outra vez; pois isto aprendemos, pela renovação desta exortação, no final de variados salmos, e aqui também, no final de todos os salmos: "Louvai ao Senhor". – *David Dickson*

v. 6: "Tudo quanto tem fôlego louve ao Senhor!" Aleluia. A própria ambiguidade de "tudo quanto tem fôlego" confere extraordinária riqueza de significado para esta última sentença. Da simples ideia de instrumentos de sopro, mencionados no contexto, ela nos leva, por uma bela transição, à de louvor vocal, articulado, inteligente, proferido pelo fôlego de homens vivos, em distinção dos meros instrumentos sem vida. Então, por fim, por uma associação natural, evoluímos à ideia expressa na versão comum, "tudo quanto tem fôlego", não meramente tudo o que vive, mas tudo o que tem uma voz para louvar a Deus. Não há nada no saltério que seja mais majestoso ou mais belo do que este breve, mas muito significativo final, em que a solenidade de tom predomina, sem, no entanto, perturbar minimamente a alegria que o final do saltério parece desejar produzir; é como uma alusão emblemática ao triunfo que espera a igreja e todos os seus membros, quando, por meio de muitas tribulações, todos entrarem no descanso. – *Joseph Addison Alexander*

SUGESTÕES AOS PREGADORES

v. 1. "Louvai a Deus no seu santuário". I. Na sua santidade pessoal. II. Na pessoa do seu Filho. III. No céu. IV. Na congregação dos santos. V. No silêncio do coração.

vv. 1 a 6. Deus deve ser louvado. Onde? (v. 1). Por quê? (v. e). De que maneira? (vv. 3-5). Por quem? (v. 6). – *C. A. D.*

v. 2. "A excelência da sua grandeza". Onde a grandeza de Deus é particularmente excelente, e onde é mais vista.

v. 2. "Louvai-o pelos seus atos poderosos". I. Por nós. Eleição. Redenção. Inspiração. II. Em nós. A obra de esclarecimento no entendimento; a purificação do coração; vivificação da consciência, subjugação à vontade. III. Por nós. Pensada por nosso intermédio, sentida por nosso intermédio, falada por nosso intermédio; operada por nosso intermédio. A Ele toda a glória! – *W. J.*

v. 2. "Louvai-o conforme a excelência da sua grandeza". I. Reverentemente, de acordo com a grandeza da sua existência. II. Agradecidamente, de acordo com a grandeza do seu amor. III. Retrospectivamente, de acordo com a grandeza de suas dádivas. IV. Previdentemente, de acordo com a grandeza de suas promessas. – *W. J.*

v. 2. O que a exortação requer. I. Que os homens estudem as obras de Deus, e observem nelas a glória de Deus. II. Que eles meditem sobre a sua grandeza, até que percebam a sua excelência. III. Que eles declarem abertamente a honra que é devida a Ele. IV. Que eles não contradigam na sua vida o louvor que pronunciam. – *J. F.*

v. 3. "Louvai-o com o som de trombeta". I. Quando você lutar. II. Quando vencer. III. Quanto congregar. IV. Quando proclamar a sua Palavra. V. Quando receber o Jubileu com alegria.

vv. 3 a 6. I. A variedade do antigo culto de adoração necessitava sérias despesas; consagração de grande talento; trabalho árduo e constante. II. As lições de tal culto. 1. Deus deve ser adorado lealmente. 2. Os esforços da pessoa mais genial são o seu tributo justo. 3. Nem toda a capacidade humana pode colocar uma oferta digna aos seus pés. III. A alma e essência da verdadeira adoração. IV. As exigências de Deus quanto à adoração nestes tempos atuais. – *W. B. H.*

v. 6. I. O augusto Doador de "vida, e respiração, e todas as coisas". II. O uso devido e fiel das dádivas da vida. III. O envolvimento, resultante, da terra na atmosfera consagrada, e aleluias milenares. – *W. B. H.*

v. 6. Um final apropriado para o saltério, considerado como um desejo, uma oração ou uma exortação. I. Como um desejo, ele reconhece a glória devida a Deus, a adoração que enobrece o homem, a disposição de coração que faria de todo o mundo uma santa fraternidade. II. Como uma oração, ele busca a queda de cada superstição, a transmissão universal da verdade, a conversão de todas as almas. III. Como uma exortação, é claro, pertinente, puro em sua piedade, perfeito em sua caridade. – *J. F.*

ALELUIA!

O local de descanso de C. H. Spurgeon no Cemitério Norwood.

Esta ilustração foi especialmente desenhada por E. H. Fitchew para a obra "Os Tesouros de Davi".